ACCESO GRATIS a la Lectura en la Nube

Para visualizar el libro electrónico en la nube de lectura envíe junto a su nombre y apellidos una fotografía del código de barras situado en la contraportada del libro y otra del ticket de compra a la dirección:

ebooktirant@tirant.com

En un máximo de 72 horas laborales le enviaremos el código de acceso con sus instrucciones.

La visualización del libro en **NUBE DE LECTURA** excluye los usos bibliotecarios y públicos que puedan poner el archivo electrónico a disposición de una comunidad de lectores. Se permite tan solo un uso individual y privado

Estatuto Administrativo para Funcionarios Municipales

Doctrina y jurisprudencia

Estatuto Administrativo para Funcionarios Municipales

Doctrina y jurisprudencia

CÉSAR ROJAS RÍOS

Abogado, Magíster en Derecho Público de la Pontificia Universidad Católica de Chile, Diplomado en Alta Dirección Municipal de la Universidad Adolfo Ibáñez, profesor de Derecho Constitucional en las Universidades San Sebastián y Bernardo O'Higgins

ANDRÉS CHACÓN ROMERO

Abogado; Magíster en Gerencia y Políticas Públicas; Magíster en Psicología Organizacional; Diplomado de Estudios Avanzados (DEA) Universidad de Sevilla. Actualmente se desempeña como Director Ejecutivo de la Asociación de Municipalidades de Chile, Amuch

tirant lo blanch

Valencia, 2021

©   César Rojas Ríos
Andrés Chacón Romero

© TIRANT LO BLANCH
EDITA: TIRANT LO BLANCH
C/ Artes Gráficas, 14 - 46010 - Valencia
Telfs.: 96/361 00 48 - 50
Fax: 96/369 41 51
Email: tlb@tirant.com
www.tirant.com
Librería virtual: www.tirant.es
ISBN: 978-84-1378-192-1

Si tiene alguna queja o sugerencia, envíenos un mail a: *atencioncliente@tirant.com*. En caso de no
ser atendida su sugerencia, por favor, lea en *www.tirant.net/index.php/empresa/politicas-de-empresa*
nuestro procedimiento de quejas.

Responsabilidad Social Corporativa: http://www.tirant.net/Docs/RSCTirant.pdf

Sumario

CAPÍTULO I
ASPECTOS DOCTRINARIOS GENERALES

CAPÍTULO II
ESTATUTO ADMINISTRATIVO PARA FUNCIONARIOS MUNICIPALES

CAPÍTULO III
CONCEPTUALIZACIONES BÁSICAS SOBRE DERECHOS Y OBLIGACIONES FUNCIONARIAS

CAPÍTULO IV
DE LA RESPONSABILIDAD DE LOS FUNCIONARIOS MUNICIPALES

Capítulo I
Aspectos doctrinarios generales

I. Aproximaciones al concepto de Estatuto Administrativo

Si bien se parte de la certeza de que todo lo referente a la regulación de la vida funcionaria está contenida, especialmente, en un cuerpo normativo llamado «Estatuto Administrativo», es importante partir precisando su concepto.

Debemos tener claro que el conjunto de situaciones y relaciones jurídicas que se dan en torno al empleo y a los funcionarios públicos se conoce con el nombre de Estatuto Administrativo.

En cuanto a la forma de normar y estructurar la carrera funcionaria, la doctrina extranjera contemporánea, coincide con lo argumentado por esta Magistratura, especialmente a propósito de la reserva legal que ha contemplado la Constitución y, en consecuencia, la habilitación amplia cuyo ejercicio se ha confiado por ella al legislador, incluyendo la diferenciación entre la promoción por mérito, prevista en el precepto examinado, y el concurso por antigüedad.

Suficiente resulta mencionar, para sustentar lo recién aseverado, al administrativista francés René Chapus[1], quien asevera lo siguiente:

«Se puede ingresar a la función pública para hacer carrera. Se puede, igualmente, ser reclutado para ocupar un empleo en ella. Se distinguen así "el sistema de carrera" y el "sistema de empleo", y los diferentes ordenamientos jurídicos nacionales pueden consagrar, al menos con carácter principal, el primero o el segundo de los sistemas nombrados».

También, en la misma línea está el profesor Rolando Pantoja Bauza[2], quien señala que se conocen dos grandes sistemas de regulación del empleo público: el de la *job position* y el de carrera funcionaria. A saber:

a) Sistema de la *job position* o puesto de trabajo. Este es propio del mundo anglo norteamericano y básicamente consiste en concebir el desempeño público en los mismos términos que un empleo privado: la persona interesada accede a un determinado cargo, atendida la idoneidad que la hace merecedora a esa plaza, y permanece en ella en tanto mantenga su buen desempeño, sin pretender en su vida de trabajo otra expectativa que no sea la de contar con aumentos de sueldo o de una asignación por antigüedad, cuando corresponda.

b) Sistema de carrera funcionaria, que nace en la Europa continental y que, de manera particular se le conoce como modelo francés. A diferencia del anterior, se basa en la incorporación de una persona a una forma de vida, a una

---

[1]   Chapus, Rene, «Droit Administratif Général», tomo II, Ed. Montchrestien, París 1997, pág. 131.
[2]   Pantoja Bauza, Rolando, Apuntes, «Derecho Administrativo, Los funcionarios Públicos como sujetos de derecho administrativo».

actividad permanente que les garantiza el perfeccionamiento y el acceso a cargos superiores, es decir, a una forma de desempeño que la habilita para desarrollar en la Administración, de por vida, una actividad remunerada.

Es un sistema integral de regulación del empleo público, aplicable al personal titular de planta, fundado en principios jerárquicos, profesionales y técnicos, que garantiza la igualdad de oportunidades para el ingreso, la dignidad de la función pública, la capacitación y el ascenso, la estabilidad en el empleo, y la objetividad en las calificaciones en función del mérito y de la antigüedad.

En nuestro país, evidentemente, seguimos el sistema de carrera funcionaria, según claramente se desprende de varias normas jurídicas, partiendo por las que establece la propia Carta Fundamental.

Así tenemos el artículo 38 de la Constitución Política, que señala: *«Una ley orgánica constitucional determinará la organización básica de la Administración Pública, garantizará la carrera funcionaria y los principios de carácter técnico y profesional en que deba fundarse, y asegurará tanto la igualdad de oportunidades de ingreso a ella como la capacitación y el perfeccionamiento de sus integrantes».*

Esa ley orgánica constitucional, es la N° 18.575[3], de Bases Generales de la Administración del Estado, donde, en la parte que nos interesa, tenemos los artículos 15, 16 y 43.

Artículo 15.- El personal de la Administración del Estado se regirá por las normas estatutarias que establezca la ley, en las cuales se regulará el ingreso, los deberes y derechos, la responsabilidad administrativa y la cesación de funciones.

Artículo 16.- Para ingresar a la Administración del Estado se deberá cumplir con los requisitos generales que determine el respectivo estatuto y con los que establece el Título III de esta ley, además de los exigidos para el cargo que se provea.

Artículo 43.- El Estatuto Administrativo del personal de los organismos señalados en el inciso primero del Artículo 21 regulará la carrera funcionaria y considerará especialmente el ingreso, los deberes y derechos, la responsabilidad administrativa y la cesación de funciones, en conformidad con las bases que se establecen en los Artículos siguientes y en el Título III de esta ley.

Cuando las características de su ejercicio lo requieran, podrán existir estatutos de carácter especial para determinadas profesiones o actividades.

En la misma línea tenemos lo que ha señalado Contraloría General de la República, a través de su jurisprudencia, donde sostiene que «los funcionarios están sometidos a un régimen de derecho público preestablecido unilateral y objetivamente por el Estado» (dictamen N° 31.386/82).

---

[3]   D.F.L. N° 1/19.653, de 13/12/2000, publicado en el Diario Oficial de 17/11/2001, fijó texto refundido, coordinado y sistematizado ley N° 18.575.

Es precisamente ese régimen el que está establecido mediante un «Estatuto Administrativo», uno para el sector central (ley N° 18.834) y otro para el municipal (ley N° 18.883).

De las normas expuestas, aparecen importantes conceptos, además del Estatuto Administrativo, como los son el de carrera funcionaria, vinculo estatutario, estatutos de carácter especial, entre otros, algunos de los cuales desarrollaremos más adelante.

Aproximándonos al concepto de Estatuto Administrativo, la propia Contraloría General, sostiene que: «En su sentido amplio, Estatuto Administrativo es todo ordenamiento positivo que regula las relaciones entre la Administración y sus agentes». «Cabe hacer presente —que dentro de su campo de aplicación— el principio de autonomía de la voluntad que otorga fundamento y validez a las relaciones laborales en el sector privado, es reemplazado en el ámbito público por la teoría estatutaria que liga al empleado con el Estado, y que consiste en un vínculo unilateral que se encuentra representado, precisamente, por el concepto de Estatuto Administrativo». (Dictamen N° 77.749, de 1971).

Este dictamen, a pesar de su antigüedad, se encuadra perfectamente con la normativa actual, lo cual no debiera llamar la atención, dado que se mantiene el mismo sistema estatutario anterior a la actual Carta Fundamental, pero con evidentes perfeccionamientos[4].

Así, en palabras del profesor Pantoja Bauza[5], el Estatuto Administrativo aparece ante todo como un concepto de Derecho público administrativo del cual se deriva un régimen jurídico basado en el principio de la legalidad y no de la convencionalidad, en principios propios del ámbito público, los que se traducen en la existencia de un régimen de desempeño que abarca desde el ingreso a la función pública hasta la cesación en el cargo público, pasando por la regulación de los derechos que asisten a los funcionarios, las obligaciones que se les imponen y la forma de hacer efectiva la responsabilidad por sus actuaciones.

Conforme con lo anterior, podemos decir que la expresión «Estatuto Administrativo», presenta dos manifestaciones o sentidos en el Derecho chileno: una positiva o jurídico formal, que emana de la ley, y otra de carácter jurisprudencial, que se configura a través de los dictámenes de la Contraloría General de la República.

En su sentido positivo o jurídico formal, Estatuto Administrativo sería «el conjunto de normas jurídicas y reglamentarias, que regulan las relaciones entre los funcionarios públicos y el respectivo servicio público al que pertenecen, otorgándole en consecuencia a este vínculo jurídico el carácter de estatutario».

---

[4]   El Estatuto Administrativo adquirió reconocimiento constitucional con la Constitución Política de 1925, que en su artículo 72 numeral 7° atribuyó la Presidente de la República la facultad de proveer los empleos civiles y militares que determinaran las leyes, agregando que esta provisión debería hacerse «conforme al Estatuto Administrativo».

[5]   Obra citada nota 1.

Desde el punto de vista o sentido jurisprudencial, se dice que cuenta con más de cincuenta años de vigencia ininterrumpida, pues inicialmente se formuló en el dictamen N° 15.412 de 1948, del Organismo Contralor, a propósito de la negativa de la Caja de Previsión de la Defensa Nacional a dar respuesta a la petición de un ex jefe de Maestranza del Ferrocarril Militar de Puente Alto a El Volcán, dependiente por aquel entonces del Regimiento de Ingenieros con sede en esa ciudad, y en la cual se reclamaban derechos jubilatorios[6].

Desde entonces, la Contraloría General de la República ha mantenido este criterio sin variaciones, fundada inicialmente en la Constitución Política de 1925, que como se ha señalado anteriormente consagró en ese alto nivel normativo la expresión Estatuto Administrativo.

En efecto, la Carta Fundamental de 1980, omitió, en efecto, referirse al Estatuto Administrativo. El Estatuto Administrativo dejó de ser para ella la clave articuladora de la función pública en Chile, para pasar a reconocerla ahora en el concepto de carrera funcionaria, como lo expresa su artículo 38, inciso 1°, ya citado, carrera que el legislador de la ley N° 18.575, orgánica constitucional de Bases Generales de la Administración del Estado, dispuso que se regulara por medio de disposiciones de carácter estatutario y no de Derecho común, en los artículos citados precedentemente.

En la actualidad, como ya señalamos, la fuente está a nivel de la ley N° 18.575, en sus artículos 15.16 y 43.

De acuerdo con lo expuesto, la Contraloría General de la República, ha señalado que: «La denominación Estatuto Administrativo comprende a todos los ordenamientos parciales que pudieran existir para los diversos sectores funcionarios, porque pugnaría con la Constitución Política estimar, como se estima en el uso corriente, que esa denominación sólo es válida para el Estatuto de los empleados civiles fiscales y semifiscales» (dictámenes Nos 27.438, de 1957, 74.598, de 1963, 12.165, de 1983).

Basada en las facultades que le reconoce su ley orgánica para fijar el alcance de las normas estatutarias y fiscalizar su cumplimiento, la Contraloría General de la República ha reiterado el concepto de Estatuto Administrativo alcanzado en 1948, aún bajo el Código Político de 1980, sin duda en atención a lo dispuesto por la LOCBGAE, en particular en sus artículos 12, 14 y 45, inciso 1° (dictámenes Nos 21.248, de 1993, 25.655, de 1994).

Este sentido jurisprudencial de Estatuto Administrativo, originado y explicado a través de las normas constitucionales de 1925, ha sido mantenido hasta ahora por la jurisprudencia administrativa. De aquí que el dictamen N° 23.482 de 1990, para mencionar sólo uno de los emitidos estando ya vigente la Carta Fundamental de 1980, haya manifestado que «la expresión Estatuto Administrativo comprende no solo al Estatuto Administrativo de general aplicación contenido en la Ley N° 18.834, sino

---

[6]   Obra citada nota 1.

que también a todos los cuerpos estatutarios que rigen al personal de la Administración Pública».

Atendida la fuerza obligatoria de los dictámenes de la Contraloría General de la República, de acuerdo con lo prescrito en su Ley Orgánica, N° 10.336, de 1964[7], es el concepto aplicable dentro de la Administración del Estado.

Es por lo anterior y de acuerdo a esta doctrina jurisprudencial, que todo texto legal que regule una relación de empleo público es Estatuto Administrativo en su sentido institucional, de lo cual se infiere, que su interpretación y control están confiados a la Contraloría General, organismo que está facultado entonces para ejercer sus facultades legales de interpretación y fiscalización del Estatuto Administrativo respecto de todo y cualquier cuerpo normativo que invista este carácter, incluyendo a quienes laboran conforme al Código del Trabajo.

Por ello, Contraloría ha señalado que: «El alcance institucional de la expresión Estatuto Administrativo abarca al Código del Trabajo, cuando este cuerpo legal rige al personal de la Administración (dictámenes Nos 27.438, de 1957, y 680, de 1992)».

Basado también en lo expuesto, es que Contraloría General afirme que es facultad privativa suya «fiscalizar la aplicación del Código del Trabajo a los servidores del Estado que se sujetan a ese régimen jurídico, ya que —al aplicare en el sector público— constituye el Estatuto Administrativo propio de tales servidores» (dictamen N° 27.438, de 1957), y que la Dirección del Trabajo, institución encargada de interpretar y fiscalizar la aplicación de la ley laboral común, no puede intervenir en los conflictos del trabajo que se planteen en el sector público, por cuanto el Código del Trabajo, aplicado a los empleados del Estado, es Estatuto Administrativo, y «los dictámenes de la Dirección rigen exclusivamente para el sector privado» (dictámenes Nos 14 de 1973, 25.655 de 1994 entre otros)

Sin perjuicio de lo expuesto, este «alcance institucional» que ha otorgado la Contraloría General de la República al concepto de «Estatuto Administrativo», actualmente negada por el profesor Gustavo Fiamma[8], quien sostiene que existe una «alta de fundamentos constitucionales» del concepto institucional de «Estatuto Administrativo». Seguidamente, reproducimos sus principales argumentos.

Sostiene este profesor, que todo indicaría que el alcance institucional de la expresión Estatuto Administrativo cimentado en el artículo 72 N°s. 7, 8 y 9 de la Constitu-

---

[7]   Artículo 6, inciso final, ley N° 1.336. De acuerdo con lo anterior, sólo las decisiones y dictámenes de la Contraloría General de la República serán los medios que podrán hacerse valer como constitutivos de la jurisprudencia administrativa en las materias a que se refiere el artículo 1°

Artículo 19. Los abogados, fiscales o asesores jurídicos de las distintas oficinas de la Administración Pública o instituciones sometidas al control de la Contraloría que no tienen o no tengan a su cargo defensa judicial, quedarán sujetos a la dependencia técnica de la Contraloría, cuya jurisprudencia y resoluciones deberán ser observadas por esos funcionarios.

El Contralor dictará las normas del servicio necesarias para hacer expedita esta disposición.

[8]   Artículo en Diario Constitucional, de 03/07/2019.

ción de 1925, según lo postulado por la jurisprudencia de la Contraloría General de la República, actualmente no gozaría de mayor respaldo constitucional.

En efecto, señala que «la Constitución de 1980 excluyó totalmente el empleo de la voz "Estatuto Administrativo". El artículo 32 del citado cuerpo constitucional, que es el sucesor del artículo 72 N° 7 de la anterior Constitución, cuando establece las atribuciones especiales del Presidente de la República, dispone lo siguiente: "10.- Nombrar y remover a los funcionarios que la ley denomina como de su exclusiva confianza y proveer los demás empleos civiles en conformidad a la ley. La remoción de los demás funcionarios se hará de acuerdo a las disposiciones que ésta determine". Como puede observarse, desaparece la expresión Estatuto Administrativo y el tratamiento común para la provisión de empleos civiles y militares en conformidad a ese mismo estatuto, según lo disponía la Constitución de 1925».

Seguidamente, agrega que «en el artículo 19 N° 3, inciso segundo, con relación al derecho a la defensa, la Constitución de 1980, dispone que: "Tratándose de los integrantes de las Fuerzas Armadas y de Orden y Seguridad Pública, este derecho se regirá, en lo concerniente a lo administrativo y disciplinario, por las normas pertinentes de sus respectivos estatutos". Este precepto no permite enarbolar un concepto institucional de la voz "Estatuto", desde que el propio constituyente de 1980, a diferencia del de 1925, da por sentado que al interior de esas Instituciones no habrá un solo Estatuto para todas ellas. Esto demuestra que no existe voluntad constitucional de que haya un único cuerpo regulador para todo el personal de la Administración del Estado con la denominación Estatuto Administrativo, motivo por el cual no resulta constitucionalmente admisible hoy día asignar alcance institucional u omnicomprensivo a la voz Estatuto Administrativo. El sistema regulatorio de la función pública administrativa previsto en la actual Constitución es plural».

Lo anterior se encuentra plenamente reafirmado por el artículo 43 de la Ley de Bases Generales de la Administración del Estado, la cual permite en el régimen laboral de los funcionarios de la Administración del Estado la existencia de estatutos de carácter especial para determinadas profesiones o actividades. Según este precepto:

«El Estatuto Administrativo del personal de los organismos señalados en el inciso primero del Artículo 21 regulará la carrera funcionaria y considerará especialmente el ingreso, los deberes y derechos, la responsabilidad administrativa y la cesación de funciones, en conformidad con las bases que se establecen en los Artículos siguientes y en el Título III de esta ley».

«Cuando las características de su ejercicio lo requieran, podrán existir estatutos de carácter especial para determinadas profesiones o actividades».

«Estos Estatutos deberán ajustarse, en todo caso, a las disposiciones de este Párrafo».

Agrega el profesor Fiamma que, debe tenerse en consideración que este precepto se refiere solamente al personal de los Ministerios, Intendencias, Gobernaciones y de los servicios públicos centralizados y descentralizados creados para el cumplimiento de la función administrativa, con las excepciones que establece el inciso segundo del artículo 21 de la ley N° 18.575, vale decir, no es aplicable a la Contraloría General de la República, al Banco Central, a las Fuerzas Armadas y a las Fuerzas de Orden y Seguridad Pública, los Gobiernos Regionales, a las Municipalidades, al Consejo Nacional de Televisión, al Consejo para la Transparencia y a las empresas públicas creadas por ley.

Según la historia de este precepto «*se establece en esta norma que el ingreso, los derechos y deberes, la carrera funcionaria, la responsabilidad administrativa y la cesación de funciones del personal de los Ministerios, las Intendencias, las Gobernaciones y de los servicios públicos creados para el cumplimiento de la función administrativa, será regulado por un estatuto administrativo, ajustándose a las bases que se establecen en las normas siguientes.* El inciso segundo establece que *podrán existir estatutos de carácter especial para determinadas profesiones o actividades, en atención a las características del ejercicio de los mismos, debiendo en todo caso, adecuarse a la normativa del proyecto, como por ejemplo ocurre en los casos de los médicos funcionarios y los profesores de Estado. Este artículo no era considerado en el proyecto del Ejecutivo. La Comisión Conjunta acordó incluir esta norma en atención a que estimó pertinente que debía señalarse expresamente que existiría un solo estatuto administrativo para el personal de los órganos regidos por este Título, restableciendo así la unidad en la Administración en lo que a régimen de personal se refiere*» (Historia de la Ley N° 18.575, Biblioteca del Congreso Nacional, pág. 391). Como puede observarse, el propósito del legislador es que, únicamente, respecto del personal regido por el Título II de ese cuerpo legal existirá un solo estatuto administrativo, pero no para todo el personal de la Administración del Estado.

Seguidamente sostiene que consecuentemente, el artículo 1° del Estatuto Administrativo dispone que «las relaciones entre el Estado y el personal de los Ministerios, Intendencias, Gobernaciones y de los servicios públicos centralizados creados para el cumplimiento de la función administrativa, se regularán por las normas del presente Estatuto Administrativo, con las excepciones que establece el inciso segundo del artículo 21 de la ley N° 18.575». Según la historia de la ley, «esta disposición fue perfeccionada por la Comisión Conjunta, determinando el ámbito de aplicación del Estatuto, tal como se señalará en el Capítulo VI, letra B, N° 4, de este informe. Dicha delimitación se efectuó haciendo una referencia al inciso segundo del artículo 18 (21) de la ley N° 18.575, Orgánica Constitucional de Bases de la Administración Pública, a fin de excluir de la aplicación de las normas de este Estatuto a aquellos órganos expresamente señalados en dicha norma, los que se rigen por sus propios estatutos especiales» (Historia de la ley N° 18.834, Biblioteca del Congreso Nacional, pág. 744).

Por ende, desde un punto de vista constitucional, orgánico-constitucional y legal, en la hora presente, no tiene cabida el alcance institucional de la expresión Estatuto Administrativo que viene sosteniendo la jurisprudencia administrativa sobre la base de los numerales 7, 8 y 9 de la Constitución de 1925. Así las cosas, cuando los artículos 1° y 6° de la ley N° 10336 mencionan la palabra Estatuto Administrativo, al no poder dársele a esta expresión dicho alcance institucional omnicomprensivo de todas las normas laborales que regulan a los funcionarios de la Administración del Estado, no cabría sino entenderla en sentido restringido, como voz referida a aquel cuerpo de normas aprobado precisamente con esa denominación (ley N° 18.834, Estatuto Administrativo).

Una interpretación amplia de esa expresión es improcedente en el ámbito del Derecho Público, toda vez que nos encontramos ante una potestad de un órgano del Estado, y sabido es que las potestades deben interpretarse en forma restrictiva. La propia jurisprudencia administrativa confirma este criterio interpretativo en los dictámenes números 28.226/2007 y 62.188/2009. Sobre el particular, el Órgano Contralor manifiesta que «la interpretación estricta que se postula como propia de las normas de derecho público debe primero distinguir el contenido de estas normas, de modo que sólo se interpreten restrictivamente aquellas que se refieran a las atribuciones de los órganos del Estado, en tanto que las que se refieran a derechos, libertades o garantías de las personas, o limiten las potestades estatales, lo sean extensivamente, conforme a los principios que enuncia en la materia la Constitución Política de la República» (dictamen N° 28.226/2007). En la especie, los artículos 1° y 6° de la ley 10.336 contienen normas de atribuciones, razón por la cual han debido interpretarse en forma estricta y no extensivamente, como se ha venido mal haciendo con la expresión Estatuto Administrativo, lo que ha significado en los hechos la asunción de atribuciones más allá de lo permitido por la Constitución y las leyes.

Por otra parte, los órganos del Estado deben estar previa, expresa y legalmente habilitados para actuar válidamente. Pues bien, si el propósito del constituyente de 1925 era que la ley aprobara un sólo Estatuto Administrativo para toda la Administración, las atribuciones para fiscalizar el cumplimiento de ese cuerpo estatutario de normas omnicomprensivas de todos los funcionarios no se podían ejercer en tanto éste no fuera dictado. Al haberse extendido la fiscalización a toda la Administración sin la dictación previa de ese Estatuto, simplemente se ha estado actuando fuera de la ley. El alcance institucional de la expresión Estatuto Administrativo, en consecuencia, ha sido un mero disfraz interpretativo para encubrir actuaciones que no estaban autorizadas por la ley.

Finalmente, como el sentido de los artículos 1° y 6° de la ley N° 10336 es claro, no se debería desatender su tenor literal, a pretexto de consultar su espíritu, de conformidad a lo dispuesto en el artículo 19 del Código Civil. El alcance institucional no sólo supera el tenor literal de esos preceptos, sino también su espíritu. Resulta poco aceptable que, dentro de la expresión Estatuto Administrativo, el espíritu de la ley permita hospedar cuerpos jurídicos de naturaleza tan disímiles, como podrían ser entre otras las normas del Código del Trabajo.

De esta manera el profesor Gustavo Fiamma, concluye sosteniendo que «Todo indicaría que el alcance institucional de la expresión Estatuto Administrativo cimentado en el artículo 72 N°s. 7, 8 y 9 de la Constitución de 1925, según lo postulado por la jurisprudencia de la Contraloría General de la República, actualmente no gozaría de mayor respaldo constitucional, razón por la cual dicho término no podría tener sino un significado específico, de acuerdo a su sentido natural y obvio, derivado del uso general, circunscrito sólo a las normas sobre Estatuto Administrativo contenidas en la ley N° 18.834. (Santiago, 26 septiembre 2017)»

II. Funcionario público

Al efecto, debemos tener presente que el Estatuto Administrativo para Funcionarios Municipales, ley N° 18.883, ni el Estatuto Administrativo, ley N° 18.834, contienen una definición de funcionario público.

Si encontramos una definición jurídico-penal, de empleado público, en el Código Penal, pero circunscrito, como es evidente, al ámbito penal.

Así, el artículo 260 del Código Penal define a los empleados públicos, en los siguientes términos: «... se reputa empleado todo el que desempeñe un cargo o función pública, sea en la administración central o en instituciones o empresas semifiscales, municipales, autónomas u organismos creados por el Estado o dependientes de él, aunque no sean del nombramiento del Jefe de la República ni reciban sueldo del Estado. No obstará a esta calificación el que el cargo sea de elección popular».

La definición contenida en el artículo 260 del Código Penal, antes transcrita, es para los efectos del

Título V del Libro II y para los efectos del Párrafo IV del Título III del antedicho libro, del referido Código. Sin embargo, la jurisprudencia judicial ha hecho extensiva esa definición a los delitos vinculados con la función pública, comprendiendo a quienes desempeñen un cargo o una función pública cualquiera que sea el carácter del órgano para el que ejerzan estas funciones o la naturaleza jurídica del vínculo que los une al correspondiente servicio.

En importante señalar, que el fundamento de la amplitud de la definición de empleado público del Código Penal, para la calificación de los delitos funcionarios, es que la normativa penal busca abarcar la mayor cantidad de situaciones punibles con el objeto de sancionar una conducta reprochable efectuada por un empleado del Estado. Es por esta razón que para el Código Penal se considerarán funcionarios públicos personas que en el contexto del Estatuto Administrativo no lo serían, como por ejemplo notarios públicos, personas contratadas a honorarios.

El antiguo Estatuto Administrativo general, contenido en el D.F.L. N° 338, de 1960, en el artículo 2 letra b) definía al «Empleado público o funcionario es la persona que desempeña un empleo público en algún servicio fiscal o semifiscal y que, por lo tanto, se remunera con cargo al Presupuesto General de la Nación o del respectivo servicio».

De esta manera, hacía sinónimos los conceptos de empleado público con el de funcionario público.

Este cuerpo normativo fue reemplazo por la ley N° 18.834, actual Estatuto Administrativo general, que no contiene ninguna definición, lo mismo que la ley N° 18.883, Estatuto Administrativo para Funcionarios Municipales.

Es importante precisar que la expresión «funcionario público» no tiene en el Derecho Administrativo chileno una acepción definida que la sitúe como un concepto unívoco en el campo del Derecho y, por lo mismo, generalmente aceptado por la doctrina y la jurisprudencia[9].

Si bien habitual utilizar indistintamente los conceptos «funcionario público» y «empleado público», como sinónimos, en sentido jurídico estricto ellos son diferentes.

El concepto de funcionario público dentro de nuestro sistema adquiere una amplitud diferente y desde luego mayor, ya que, por ser genérica, en principio abarca a todos quienes se desempeñan las tres grandes funciones del poder del Estado: la función legislativa, la administrativa y la judicial, llevando a conceptuarlo como la persona natural que se desempeña en cada una de estas grandes funciones, permitiendo hablar entonces de funcionarios legislativos, administrativos y judiciales.

De esta manera, podemos sostener que la expresión «funcionarios públicos», comprende a todos los tipos de empleados públicos, existiendo una relación de genero a especie.

Siguiendo al profesor Pantoja Bauza, podemos sostener que en la esfera administrativa la voz funcionario público admite dos acepciones: una de carácter funcional y otra de carácter orgánico.

La acepción funcional ha sido acotada por la jurisprudencia administrativa, inducida a ello por las características especiales que presentan ciertos desempeños públicos, los que por sus modalidades no son susceptibles de ser encuadrados en la figura del empleado público propiamente tal.

La denominación funcionario público, ha acotado en este sentido la jurisprudencia, alcanza a toda persona natural que se encuentre habilitada oficialmente para actuar en nombre y con la investidura de una entidad administrativa, sin ocupar en ella un cargo público de planta o a contrata.

Por su parte, «Empleado público», es la persona natural que ejerce un empleo, cargo, plaza o destino público, de planta o a contrata, en la Administración del Estado.

Luego, la acepción orgánica, dada a nivel de ley, implicaría que es «funcionario público» toda persona natural que ocupe un cargo público dentro de la Administración del Estado, entendiendo por cargo público, en los términos del artículo 3° letra a) de la ley N° 18.834 del Estatuto Administrativo general «aquel que se contempla en las plantas o como empleos a contrata en las instituciones señaladas en el artículo

---

9   Pantoja Bauza, Rolando, obra citada nota 1.

1°»: «Ministerios, Intendencias, Gobernaciones y servicios públicos centralizados y descentralizados».

En la misma línea tenemos el artículo 5° letra a) de la ley N° 18.883, Estatuto Administrativo para Funcionarios Municipales. «Cargo municipal: Es aquél que se contempla en las plantas de los municipios y a través del cual se realiza una función municipal».

Como podrá apreciarse, existe una diferencia entre ambos estatutos, en cuanto al concepto de cargo público-cargo municipal, dado que la ley N° 18.834, incluye dentro de este concepto a los empleos a contrata, lo cual no se en municipalidades, donde el concepto de cargo municipal, solo contempla a los cargos permanentes, lo cual queda más claro aún al definir la ley N° 18883 en el su artículo 5 letra b) lo que es «Planta de personal».

En efecto, «Planta de personal: Es el conjunto de cargos permanentes asignados por la ley a cada municipalidad, que se conformará de acuerdo a lo establecido en el artículo 7°».

A mayor abundamiento el artículo 2° inciso primero de la citada ley N° 18.883, Estatuto Administrativo para Funcionarios Municipales, señala: «Los cargos de planta son aquéllos que conforman la organización estable de la municipalidad y sólo podrán corresponder a las funciones que se cumplen en conformidad a la ley N° 18.695. Respecto de las demás actividades, se deberá procurar que su prestación se efectúe por el sector privado».

Por su parte, el inciso segundo de este artículo 2°, señala que: «Sin perjuicio de lo señalado en el inciso anterior, la dotación de las municipalidades podrá comprender cargos a contrata, los que tendrán el carácter de transitorios».

Enseguida, debemos agregar lo que dispone el artículo 1° de la referida ley N° 18.883, parte final, «Los funcionarios a contrata estarán sujetos a esta ley en todo aquello que sea compatible con la naturaleza de estos cargos».

Lo anterior, se complementa con el artículo 5 letra f), que define «Empleo a contrata: Es aquel de carácter transitorio que se contempla en la dotación de una municipalidad».

Conforme con lo anterior, debemos concluir que los empleo a contrata están al margen de la carrera funcionaria municipal.

Ello se ve reafirmado por el concepto de «carrera funcionaria» que da el artículo 5 letra e), diciendo que: «Es un sistema integral de regulación del empleo municipal aplicable al personal titular de planta, fundado en principios jerárquicos, profesionales y técnicos, que garantiza la igualdad de oportunidades para el ingreso, la dignidad de la función municipal, la capacitación y el ascenso, la estabilidad en el empleo, y la objetividad en las calificaciones en función del mérito y de la antigüedad».

De esta manera, no es jurídicamente correcto hablar de «cargo a contrata», dado que, en el caso de las municipalidades, no están considerados en las «plantas de personal», sino que la norma los individualiza como «empleo a contrata». Cargo municipal, como ya señalamos, por definición legal se reserva solo para los «cargos de planta».

Lo expuesto es sin perjuicio de lo que se ha ido estableciendo a través de la jurisprudencia, tanto de Contraloría General de la República como de nuestros Tribunales Superiores de Justicia, al ir dando cabida respecto de los empleos a contrata del principio de la confianza legítima, que viene a limitar el carácter eminentemente transitorio que se establece en las normas expuestas.

En los términos expuestos, la acepción orgánica de «funcionario público» abarca, por consiguiente, diversos tipos o categorías de empleados públicos: funcionarios de planta; funcionarios directivos, profesionales, técnicos, administrativos o auxiliares; funcionarios de carrera y funcionarios de confianza exclusiva; funcionarios titulares, suplentes o subrogantes; funcionarios de mayor o menor jerarquía: autoridades, jefaturas o simples funcionarios o empleados.

III. Vínculo jurídico estatutario

Es común referirse al vínculo que une al funcionario público o funcionario municipal, en nuestro caso, con el servicio como «vinculo estatutario», para significar las consecuencias jurídicas que de ello derivan para uno y otro.

Así, la Contraloría General de la República, a través de sus dictámenes, ha señalado que: «El vínculo jurídico que une al funcionario con el Estado y que nace con el nombramiento[10], no es de naturaleza contractual, sino legal y reglamentaria, por lo que no cabe aplicarle las disposiciones que se refieren a los contratos».

Agrega, además, que el sistema estatutario se caracteriza[11], por ser «un régimen de derecho público preestablecido unilateral y objetivamente por el Estado».

Luego, complementando con otro dictamen, se puede señalar que lo anterior significa que quien pasa a ocupar un empleo público[12], debe someterse a «una serie de deberes y obligaciones, otorgándosele también diversos derechos o facultades, de manera que al incorporarse a uno de los entes que conforman la Administración del Estado, la persona pasa a adscribirse en forma simultánea a un status jurídico especial, que está configurado por el cuerpo regulador de sus relaciones con la institución a que pertenece».

En el caso específico de las municipalidades, el vínculo de los funcionarios con éstas también es de naturaleza estatutaria, el que se materializa mediante la dictación de un decreto alcaldicio de nombramiento o designación, que incorpora al profesional a una dotación municipal, como titular de un cargo.

---

[10]   Dictamen N° 67.095 de 1975
[11]   Dictamen N° 31.386 de 1982,
[12]   Dictamen N° 79.705 de 1966

El profesor Enrique Silva Cimma, señala que el vínculo que une al funcionario con el Estado es un vínculo estatutario, lo que, a su vez, significa que es un vínculo legal y de derecho público[13].

En relación a la naturaleza jurídica del vínculo que se da entre los funcionarios públicos y el servicio, la doctrina ha aplicado diversas teorías para explicarla, aplicando al efecto soluciones provenientes del derecho público y también por instituciones de derecho privado[14], donde, como hemos señalado, en Chile se aplica la «teoría del vínculo estatutario».

Solo como un antecedente, podemos señalar las siguientes:

a) Teoría de las Cargas Públicas. A partir de la admisión de la unilateralidad del vínculo de función pública y de la consiguiente exclusión del origen contractual de aquél, se explicó la relación de función pública como análoga a la relación que se produce entre el Estado y sus nacionales a consecuencia de la imposición a estos últimos del cumplimiento de las cargas públicas, particularmente de la conscripción para fines militares o, si se quiere, de la obligación que impone a los individuos el «llamado bajo banderas». Esta doctrina presenta serias objeciones, una de ellas es que la carga pública constituye una obligación impuesta a los nacionales y de las cuales éstos no pueden liberarse sino a través de su cumplimiento, y en caso de resistencia de parte de los obligados, se incurre en la comisión de delito[15].

La carga pública impone el cumplimiento de deberes, los que en caso de transgresión hacen incurrir en faltas o en delitos sancionados por la ley, pero que no otorga al afectado, al llamado a cumplir la carga, atribuciones o potestades de poder público que deban ejercerse respecto de los administrados en nombre del Estado, es decir, no confiere al obligado a soportar la carga la representación legal del poder público, en el sentido de facultarlo para ejercer los poderes jurídicos propios de aquel.

Lo expuesto tiene excepciones, por ejemplo, los cargos de concejales, donde, además de no considerar el hecho de que el cumplimiento de las cargas públicas no da el derecho de retribución pecuniaria en favor del afectado, salvo excepciones, por ejemplo, a los conscriptos se les asigna un estipendio, pero que no tiene el propósito de retribuir, conmutativa y proporcionalmente, el servicio prestado, en el caso de los funcionarios se les reconoce el derecho al pago de una remuneración que se estima como la justa retribución del servicio efectivamente realizado.

---

[13]   Silva Cimma, Enrique. «Derecho Administrativo Chileno y Comparado», Santiago, Editorial Jurídica de Chile, 3ª Edición, 1984, pág. 115.

[14]   Caldera Delgado, Hugo. «Manual de Derecho Administrativo», Editorial Jurídica de Chile, 1979, pág. 305.

[15]   Laporte Ribera, Michelle. «El Principio de Probidad y Publicidad de los Actos de la Administración y su Reconocimiento Constitucional», Memoria de Prueba, Facultad de Derecho Universidad de Chile, pág. 9

La analogía entre carga pública y desempeño de la función pública no considera un factor que estimamos esencial, y que consiste en que la carga se impone, forzadamente, al individuo, el que, necesariamente debe cumplirla, bajo el riesgo de incurrir en la comisión de delito y de ser sancionado por el incumplimiento de las obligaciones que contiene la carga; circunstancias que no se dan en el vínculo de función pública, el cual no puede crearse sin el concurso o cooperación voluntaria del individuo y, aun aceptando que el nombramiento se perfeccione por la sola voluntad de la administración de la ley, en realidad, en caso que el funcionario no asuma el cargo para el que fue nombrado no existe sanción penal alguna prevista por la ley como tampoco podría incurrir en responsabilidad administrativa, puesto que para que ello fuere posible previamente debe haberse asumido el empleo.

Finalmente, como señala el profesor Caldera Delgado, el desempeño de un empleo público precisa de aptitudes especiales en el funcionario, las que están establecidas en razón del cargo de que se trata, exigencia que no se presenta ordinariamente para el cumplimiento de las cargas públicas, las que, en caso de requerir de alguna aptitud, ellas son mínimas, siendo más bien físicas que intelectuales o de conocimiento[16].

b) Teoría de la requisición. Esta trata de explicar la naturaleza unilateral del vínculo de función pública asimilándola a la institución de la requisición de bienes de particulares que el Estado puede realizar en circunstancias excepcionales, generalmente con ocasión de guerra externa.

El origen de la requisición es, indudablemente castrense, motivado por las necesidades de instalaciones militares, transportes, elementos y suministros que el Estado precisa para conducir la guerra.

La requisición era una institución que afectaba al dominio o propiedad de los particulares y cuando ella recaía sobre bienes durables se llamaba requisición de uso y cuando los bienes requisados eran de naturaleza fungible se denominaba requisición en propiedad. En ambos tipos de requisiciones el particular afectado tenía derecho a indemnización: en la denominada requisición de uso tenía derecho a reclamar la devolución o restitución del bien en el estado en que se encontrare una vez superadas o transcurridas las circunstancias que causaron la requisición, y en la requisición recaída sobre bienes fungibles a reclamar su precio o la entrega de otros del mismo género y cantidad. Sin embargo, la requisición no solamente podía recaer sobre bienes sino también sobre personas, en el caso en que éstas eran indispensables para la utilización, operación o manejo de aquéllas.

---

[16]   Caldera Delgado, Hugo, obra citada, págs. 306 y sgtes.

Basado en esta última circunstancia, en la requisición que además de recaer sobre bienes comprendía las personas, se pretendió encontrar el origen del vínculo de función pública[17/18].

En nuestro derecho los incisos 3° y 4° del art. 10 de la C.P. del E. de 1925 expresaban: «No puede exigirse ninguna especie de servicio personal, o de contribución, sino en virtud de un decreto de autoridad competente, fundado en la ley que autoriza aquella exacción» y «Ningún cuerpo armado puede hacer requisiciones ni exigir clase alguna de auxilios, sino por medio de las autoridades civiles y por decreto de estas».

c) Teorías basadas en instituciones privatistas. Un sector de la doctrina sostenía que la naturaleza del vínculo de función pública era bilateral y de origen contractual, intentaron explicarlo por asimilación de los contratos de arrendamiento de servicios y de mandato[19].

d) Teoría del vínculo estatutario. Esta es la que, como ya señalamos, se acepta en nuestro país.

Paulina Gómez Barboza[20], sostiene que el funcionario público es una persona natural que se halla vinculada con la Administración de una manera «especial» que no es la de simple ciudadano administrativo o destinatario de la acción administrativa.

Este «vínculo especial» que tiene el funcionario con la Administración surge del hecho de que es él quien lleva a cabo, a nombre o representación del Estado, la labor de servicio público.

Este vínculo tiene naturaleza jurídica, es decir, tiene su origen particularmente, en el Derecho Público; Constitucional y Administrativo. La relación del Estado con los funcionarios públicos no es producto o fruto de un simple acuerdo de voluntades, ni del simple azar, sino que es creada por el Derecho, tiene su origen en las normas de la Constitución y del derecho Administrativo.

Este vínculo se denomina «estatutario», en el sentido de que se trata de una relación regida por un «Estatuto Jurídico», que es un conjunto de normas jurídicas de derecho público destinadas a regir a una colectividad, a un grupo de personas, y no a personas concretas o determinadas.

Que sea de derecho público significa que en su establecimiento y regulación predomina el interés general, orientado al bien común, por sobre el interés particular del funcionario[21].

---

[17]   Millar Silva, Javier Eduardo. «Alcance del control de legalidad», Revista de Derecho, Valdivia, volumen XI, dic. 2000, págs. 3 y sgtes.
[18]   Laporte Ribera, Michelle. Obra citada pág. 11
[19]   Gómez Barbosa, Paulina. «Derecho Administrativo», Valparaíso, U. de Playa Ancha, 1999, pág. 292.
[20]   Gómez Barboza, Paulina, Obra citada, pág. 292
[21]   Gómez Barboza, Paulina, Obra citada, pág. 292

En definitiva, en este vínculo estatutario, es el Estado quien fija el sistema legal que habrá de regular el status, en el cual no interviene en nada y para nada el futuro funcionario. Designado el individuo, porque la Administración resolvió unilateralmente incorporarlo a sus cuadros activos, no hubo participación alguna de aquél en el perfeccionamiento del acto, el cual es unilateral del Estado y que será el que motivará el nacimiento de ese vínculo con la Administración[22].

La manifestación de voluntad del particular al expresar su deseo en orden a ingresar a la Administración, jurídicamente en nada altera la naturaleza del vínculo estatutario que nace entre ambos.

Así, la calidad de funcionario nace de una relación unilateral y potestativa de la Administración que, cuando se perfecciona en el acto de nombramiento, produce simplemente el efecto de incorporar al designado en el status y situación de empleado público sometido a un régimen estatutario.

Tal como ya señalamos, esta teoría del vínculo estatutario ha sido aceptada por nuestra doctrina y jurisprudencia. Al efecto y sin perjuicio de los dictámenes ya citados, para refrendar esta tesis, tenemos el dictamen N° 8.415 de 1983, que en la parte que nos interesa, dispone: «el sistema de remuneraciones del sector público está establecido —también— sobre bases diferentes de las que rigen en el sector privado».

Agrega, además, que: «En efecto, en dicho sistema las respectivas asignaciones o estipendios constituyen beneficios específicos regulados por el legislador en forma previa a la incorporación de una persona al sistema público, el que por lo demás está estructurado y ordenado de esa manera propia de la Administración que consiste en organizar al personal y a las remuneraciones a que tiene derecho, conforme a escalafones y grados».

«Estas características no existen en el sector privado, toda vez que en él las remuneraciones se determinan básicamente en consideración a la naturaleza de los servicios, de los cuales es su contraprestación, lo que permite a las partes acordar el pago de las remuneraciones que convengan».

De lo expuesto se desprende, entonces, que en los regímenes que siguen la tradición francesa o, si se quiere, la tradición europea continental, el desempeño de los cargos público-administrativos se realiza conforme a un sistema de carrera funcionaria que se halla normado por «un régimen de derecho público preestablecido unilateral y objetivamente por el Estado», como dijo el dictamen N° 31.386, de 1982, que se contiene en un texto legal denominado Estatuto Administrativo[23].

De esta manera, la relación laboral administrativa no nace de un contrato, no tiene naturaleza contractual. Como ha dicho la Corte Suprema, «No deriva de un

---

[22]   Laporte Ribera, Michelle, Obra citada, pág. 13
[23]   Pantoja Bauza, Rolando, obra citada pág. 11

contrato sólo extinguible por acuerdo de las partes[24], sino que se contiene en un status funcionario de naturaleza legal al que se incorpora el interesado por un acto unilateral, status en que están predeterminados los derechos, obligaciones, responsabilidades y causales de cesación de funciones».

Si bien en el pasado la relación estatutaria fue caracterizada como de naturaleza unilateral, en cuanto se aceptaba que el empleado público quedaba en disponibilidad para la Administración, bajo la dependencia de sus superiores jerárquicos, hoy día, con la expansión del Estado de derecho, la unilateralidad como característica del empleo público ha cedido paso a la bilateralidad, en tanto y en cuanto se reconoce que en la actualidad los funcionarios no están bajo la disponibilidad subjetiva de las autoridades, ya que unos y otras están igualmente sujetos a la ley, a la ley estatutaria.

Al efecto, tenemos lo dispuesto en el artículo 1º de la ley Nº 18.883, Estatuto Administrativo para los Funcionarios Municipales, dispone que: «El estatuto administrativo de los funcionarios municipales se aplicará al personal nombrado en un cargo de las plantas de las municipalidades. A los alcaldes sólo les serán aplicables las normas relativas a los deberes y derechos y la responsabilidad administrativa. Los funcionarios a contrata estarán sujetos a esta ley en todo aquello que sea compatible con la naturaleza de estos cargos».

Luego la letra f) del artículo 58 del mismo cuerpo legal, dentro «De las obligaciones funcionarias», señala que serán obligaciones de cada funcionario: «f) Obedecer las órdenes impartidas por el superior jerárquico».

Sin perjuicio de ello, debemos señalar que esta obediencia no es «absoluta», sino que está condicionada a la legalidad de las órdenes impartidas, en un sistema que se llama de la obediencia debida. Al efecto, podemos citar el artículo 59 del citado Estatuto, que dispone: «En el caso a que se refiere la letra f) del artículo anterior, si el funcionario estimare ilegal una orden deberá representarla por escrito, y si el superior la reitera en igual forma, aquél deberá cumplirla, quedando exento de toda responsabilidad, la cual recaerá por entero en el superior que hubiere insistido en la orden. Tanto el funcionario que representare la orden, como el superior que la reiterare, enviarán copia de las comunicaciones mencionadas a la jefatura superior correspondiente, dentro de los cinco días siguientes contados desde la fecha de la última de estas comunicaciones. Si se tratare de una orden impartida por el alcalde, las copias se remitirán al respectivo consejo de desarrollo comunal».

De acuerdo con lo anterior, podemos sostener, siguiendo al profesor Pantoja Bauzá, que la relación estatutaria surge de un acto bilateral de Derecho público, en la medida que su fuente es el nombramiento extendido por autoridad competente, perfeccionado por la aceptación de la persona designada.

---

[24] Excelentísima Corte Suprema de Justicia, causa «Sepúlveda Tordecilla, Edgardo contra Alcalde de la Municipalidad de El Bosque», apelación en recurso de protección, sentencia de 26 de mayo de 1998, Rol Nº 1.035-98.

Lo anterior, se ve reflejado en lo dispuesto por el artículo 14 del Estatuto Administrativo para Funcionarios Municipales: «El nombramiento regirá desde la fecha indicada en el respectivo decreto alcaldicio, el que será remitido a la Contraloría General de la República para el solo efecto de su registro».

«Si el interesado debidamente notificado personalmente o por carta certificada, de la oportunidad en que deba asumir sus funciones, no lo hiciere dentro de tercero día, contado desde la fecha de la notificación, su nombramiento quedará sin efecto por el solo ministerio de la ley. El alcalde deberá comunicar esta circunstancia a la Contraloría General de la República».

En atención a esta circunstancia, el dictamen N° 31. 386 de 1982, manifestó que el hecho de estar sometidos los funcionarios a un régimen estatutario «no significa que la calidad de empleado público pueda ser impuesta forzadamente a una persona, pues ésta sólo se incorpora al régimen jurídico estatutario en la medida que así lo decida libremente, ya que es una expresión de la libertad de trabajo garantizada por la Constitución Política de la República».

El decreto o resolución de nombramiento requiere, para perfeccionar la relación de empleo, de la «manifestación de voluntad del interesado de hacerse cargo de la plaza en que ha sido designado», según establece el dictamen N° 7.276, de 1986.

La existencia de «normas estatutarias», de un «Estatuto Administrativo», implica reconocer, según expresa la ley N° 18.575, De Bases Generales de la Administración del Estado, que las normas estatuidas, son reglas preestablecidas que regulan las condiciones de ingreso al cargo público, las obligaciones, los derechos y la responsabilidad funcionaria, así como las causales de cesación de funciones, en términos obligatorios para todos los funcionarios públicos, perspectiva que de por sí se muestra ajena a una voluntad constitutiva de derechos y obligaciones por parte de quienes intervienen en el perfeccionamiento de la relación jurídica.

Finalmente, debemos recordar lo ya señalado, a propósito del concepto de Estatuto Administrativo, por la Contraloría General de la República, en orden a que: «El alcance institucional de la expresión Estatuto Administrativo abarca al Código del Trabajo, cuando este cuerpo legal rige al personal de la Administración (dictámenes Nos 27.438, de 1957, y 680, de 1992)». De esta manera, le correspondería a Contraloría General, pronunciarse privativamente, de todo lo relacionado con la aplicación e interpretación del referido Estatuto.

IV. Carrera funcionaria

De acuerdo con la definición que nos la letra e) del artículo 5° de la ley N° 18.883, «es un sistema integral de regulación del empleo municipal aplicable al personal titular de planta, fundado en principios jerárquicos, profesionales y técnicos, que garantiza la igualdad de oportunidades para el ingreso, la dignidad de la función municipal, la capacitación y el ascenso, la estabilidad en el empleo, y la objetividad en las calificaciones en función del mérito y de la antigüedad».

Luego, según lo dispuesto en el artículo 8°, del cuerpo legal en comento, «la carrera funcionaria se iniciará con el ingreso a un cargo de planta, y se extenderá hasta el cargo de jerarquía inmediatamente inferior al de alcalde».

Es importante precisar que este artículo 8° fue modificado por la ley N° 20.922, de 2016, en orden a incorporar en el Estatuto Administrativo para los Funcionarios Municipales, los requisitos generales que se debe cumplir para acceder a cada una de las plantas que señala el artículo 7° (Directivos, de Profesionales, de Jefaturas, de Técnicos, de Administrativos y de Auxiliares), y que antes estaban en la ley N° 19.280.

Por su parte, «Planta de personal», según letra b) del referido artículo 5°, «Es el conjunto de cargos permanentes asignados por la ley a cada municipalidad, que se conformará de acuerdo a lo establecido en el artículo 7°».

El citado artículo 7°, dispone que: «Para los efectos de la carrera funcionaria, cada municipalidad sólo podrá tener las siguientes plantas de personal: de Directivos, de Profesionales, de Jefaturas, de Técnicos, de Administrativos y de Auxiliares».

De acuerdo con lo anterior, las líneas de especialidad de labores que admite el cuerpo estatutario son cinco: la directiva, la profesional, la técnica, la administrativa y la auxiliar, de lo cual se colige que hay funcionarios directivos, funcionarios profesionales, funcionarios técnicos, funcionarios administrativos y funcionarios auxiliares.

De acuerdo con lo expuesto, además de lo señalado en el artículo 6°, del Estatuto Administrativo para Funcionarios Municipales, el personal de planta puede tener tres calidades: titulares, suplentes o subrogantes.

De la misma manera, este personal de planta puede ser: de carrera o de exclusiva confianza.

Personal de carrera, es aquel que, además de ser de planta son inamovibles en sus empleos, y permanecerán en ellos mientras no concurran causales legales para hacerlo cesar en sus funciones.

Es importante citar, además, lo dispuesto por el artículo 43 de la ley N° 18.695[25], Orgánica Constitucional de Municipalidades: «El personal gozará de estabilidad en el empleo y sólo podrá cesar en él por renuncia voluntaria debidamente aceptada; por jubilación, o por otra causal legal basada en su desempeño deficiente, en el incumplimiento de sus obligaciones, en la pérdida de requisitos para ejercer la función, en el término del período legal o en la supresión del empleo. Lo anterior es sin perjuicio de lo establecido en el artículo 47».

---

[25]   D.F.L. N° 1 de 2006, Ministerio del Interior, Subsecretaria de Desarrollo Regional y Administrativo, fijo el texto refundido, coordinado y sistematizado de la Ley N° 18.695, Orgánica Constitucional de Municipalidades

Personal de exclusiva confianza, son aquellos funcionarios de planta que pueden ser designados y removidos libremente por la autoridad alcaldicia, los que, además, están al margen de la carrera funcionaria.

El artículo 47 de la referida ley N° 18.695, «Tendrán la calidad de funcionarios de exclusiva confianza del alcalde, las personas que sean designadas como titulares en los cargos de secretario comunal de planificación, y en aquellos que impliquen dirigir las unidades de asesoría jurídica, de salud y educación y demás incorporados a su gestión, y de desarrollo comunitario».

Tal como señalamos en el concepto de cargos de exclusiva confianza, éstos quedan al margen de la carrera funcionaria, dado que no son calificados en el desempeño de sus cargos, Así lo señala el artículo 31 de la ley N° 18.883, siendo la calificación la base del sistema de ascensos conforme lo establece el artículo 29 del mismo cuerpo legal.

V. Personal afecto al Código del Trabajo

Sin perjuicio de los funcionarios de planta y a contrata, dentro de los municipios podemos encontrar también a un personal que, de manera excepcional se rige por el Código del Trabajo. En efecto, al artículo 3° de la citada ley N° 18.883, no indica que: «Quedarán sujetas a las normas del Código del Trabajo, las actividades que se efectúen en forma transitoria en municipalidades que cuenten con balnearios u otros sectores turísticos o de recreación».

El inciso segundo agrega: «El personal que se desempeñe en servicios traspasados desde organismos o entidades del sector público y que administre directamente la municipalidad se regirá también por las normas del Código del Trabajo».

De esta manera, sin perjuicio del personal que se desempeñe en servicios traspasados desde organismos o entidades del sector público y que administre directamente la municipalidad, como lo son salud, educación, cementerios entre otros, las municipalidades no pueden contratar personal regido por el Código del Trabajo sino para labores transitorias para atender recintos de recreación de las mismas y sólo durante el período de su funcionamiento, que habitualmente tiene lugar en el período estival, como por ejemplo piscinas, salvavidas, recintos de veraneo entre otras.

Por lo anterior, no se puede contratar personal vía Código del Trabajo para realizar labores permanentes en el municipio.

Sin embargo, es importante señalar que, al interior del Estatuto Administrativo de Funcionarios Municipales, existen remisiones supletorias al Código del Trabajo respecto de ciertos derechos que se entienden extensivos a los funcionarios municipales de planta y de contrata. A modo de ejemplo, podemos señalar el derecho a fuero maternal, reconocido expresamente en el artículo 87 inciso 2° del cuerpo normativo anteriormente señalado: «Asimismo, tendrá derecho a gozar de todas las prestaciones y beneficios que contemplen los sistemas de previsión y bienestar social en conformidad a la ley de protección a la maternidad, de acuerdo con las disposiciones del Título II, del Libro II, del Código del Trabajo».

De la misma manera, encontramos otras remisiones al referido cuerpo legal. Así, por ejemplo:

1.- Artículo 82: El funcionario estará afecto a las siguientes prohibiciones:

l) Realizar cualquier acto atentatorio a la dignidad de los demás funcionarios. Se considerará como una acción de este tipo el acoso sexual, entendido según los términos del artículo 2°, inciso segundo, del Código del Trabajo, y la discriminación arbitraria, según la define el artículo 2° de la ley que establece medidas contra la discriminación.

m) Realizar todo acto calificado como acoso laboral en los términos que dispone el inciso segundo del artículo 2° del Código del Trabajo.

2.- Artículo 108 bis: Todo funcionario municipal tendrá derecho a gozar de los permisos contemplados, en el artículo 66 del Código del Trabajo.

3.- A propósito de las licencias médicas, el artículo 110 dispone que: «Se entiende por licencia médica el derecho que tiene el funcionario de ausentarse o reducir su jornada de trabajo durante un determinado lapso, con el fin de atender al restablecimiento de su salud, en cumplimiento de una prescripción profesional certificada por un médico cirujano, cirujano dentista o matrona, según corresponda, autorizada por el competente Servicio de Salud o Institución de Salud Previsional, en su caso. Durante su vigencia el funcionario continuará gozando del total de sus remuneraciones».

«Durante el período de permiso postnatal parental regulado en el artículo 197 bis del Código del Trabajo, los funcionarios que hagan uso de él también continuarán gozando del total de sus remuneraciones».

3.- Dentro de la declaración de salud incompatible, el artículo 148, señala que: «El alcalde podrá considerar como salud incompatible con el desempeño del cargo, haber hecho uso de licencia médica en un lapso continuo o discontinuo superior a seis meses en los últimos dos años, sin mediar declaración de salud irrecuperable».

«No se considerarán para el cómputo de los seis meses señalado en el inciso anterior, las licencias otorgadas en los casos a que se refiere el artículo 114 de este Estatuto y el Título II, del Libro II, del Código del Trabajo».

«El alcalde, para ejercer la facultad señalada en el inciso primero, deberá requerir previamente a la Comisión de Medicina Preventiva e Invalidez la evaluación del funcionario respecto a la condición de irrecuperabilidad de su salud y que no le permite desempeñar el cargo».

4.- Por último, en el Titulo final, disposiciones varias, artículo 158, se dispone que: «En los contratos que se celebren de conformidad al Código del Trabajo, no podrá pactarse una remuneración total mensual que excede a la que corresponda al alcalde de la respectiva municipalidad».

Finalmente, en esta parte, debemos citar lo señalado por el artículo 1°, incisos 2°
y 3° del Código del Trabajo: «Estas normas no se aplicarán, sin embargo, a los funcionarios de la Administración del Estado, centralizada y descentralizada, del Congreso
Nacional y del Poder Judicial, ni a los trabajadores de las empresas o instituciones
del Estado o de aquellas en que éste tenga aportes, participación o representación,
siempre que dichos funcionarios o trabajadores se encuentren sometidos por ley a un
estatuto especial».

«Con todo, los trabajadores de las entidades señaladas en el inciso precedente se
sujetarán a las normas de este Código en los aspectos o materias no regulados en sus
respectivos estatutos, siempre que ellas no fueren contrarias a estos últimos».

De esta manera, existe una aplicación supletoria del Código del Trabajo a los
funcionarios regidos por Estatutos Administrativos, como los son los funcionarios municipales.

Esta norma es que la ha servido de fundamento a quienes sostiene la aplicación
de la tutela laboral a los funcionarios públicos.

VI. Contratos de honorarios

1. Aspectos generales

Tal como ya hemos señalado, el Estatuto Administrativo para Funcionarios Municipales, contempla cuatro formas de vinculación jurídico-laboral con las municipalidades. Así tenemos: a) Funcionario de Planta; b) Funcionario de Contrata; c) Trabajador a Honorarios y; d) Código del Trabajo, respecto de aquellos empleados que
se desempeñen en balnearios, sectores turísticos o de recreación y en los servicios
traspasados desde entidades del sector público y que administra directamente.

De acuerdo con lo prescribe el artículo 4°, del referido Estatuto Administrativo
para Funcionarios Municipales, podrán contratarse sobre la base de honorarios a
profesionales y técnicos de educación superior o expertos en determinadas materias,
cuando deban realizarse labores accidentales y que no sean las habituales de la municipalidad; mediante decreto del alcalde. Del mismo modo se podrá contratar, sobre
la base de honorarios, a extranjeros que posean título correspondiente a la especialidad que se requiera.

Además, se podrá contratar sobre la base de honorarios, la prestación de servicios
para cometidos específicos, conforme a las normas generales.

Las personas contratadas a honorarios se regirán por las reglas que establezca el
respectivo contrato y no les serán aplicables las disposiciones del referido Estatuto.

De esta manera, se puede contratar sobre la base de honorarios a:

a) Profesionales y técnicos de educación superior, cuando deban realizarse labores accidentales y que no sean las habituales de la municipalidad.

b) Expertos en determinadas materias, cuando deban realizarse labores acciden-tales y que no sean las habituales de la municipalidad.

c) Extranjeros que posean título correspondiente a la especialidad que se requie-ra.

d) Prestación de servicios para cometidos específicos.

Ahora bien, del análisis de la disposición legal precitada, podemos establecer, además, que estos contratos a honorarios los podemos clasificar en dos tipos:

a) los que tienen por objeto el cumplimiento de labores accidentales y que no sean habituales de la institución, entendiéndose por aquellas —de conformidad con el criterio contenido en los dictámenes N° 25.095, de 1994, y 53.796, de 2009—, las que aun cuando corresponde a la entidad edilicia ejecutar, su desarrollo es ocasional o circunstancial, vale decir, no son tareas que en forma permanente y habitual la municipalidad debe cumplir; y,

b) aquellos en que, excepcionalmente, se permite para el desarrollo de cometidos específicos propios de las tareas habituales y permanentes del servicio, entendién-dose por tales, actividades puntuales, individualizadas y determinadas en el tiempo.

Este tipo de contrato es un vínculo jurídico que une a la persona con el servicio, que se rige por las cláusulas del convenio y también por el Código Civil —según ha precisado la jurisprudencia administrativa—, pero que no confiere al contratado la calidad de funcionario, por lo que a estos servidores no se les aplican las normas que rigen a los empleados públicos.

El mismo artículo 4° del citado cuerpo legal señala que: «Las personas contratadas a honorarios se regirán por las reglas que establezca el respectivo contrato y no les serán aplicables las disposiciones del referido Estatuto».

Se observa claramente que el Estatuto se desliga completamente de los trabajado-res a honorarios, dada la naturaleza de las funciones de estas personas. Por lo tanto, se establece como normativa aplicable solamente las disposiciones que posee el con-trato, siendo este escriturado sólo en conformidad a las normas generales del Código Civil, a través de un contrato de prestación de servicios.

En este sentido, estos trabajadores en términos teóricos deben entenderse como trabajadores independientes, es decir, aquellos que no tienen un vínculo de subordi-nación y dependencia respecto de la contraparte, en este caso la Municipalidad, de-bido a su nivel de especialización que genera un plano de simetría tal que les permite autorregularse con plena autonomía.

Conforme con lo anterior, los trabajadores a honorarios tendrán los derechos y obligaciones que se establezcan en el propio contrato.

Es menester considerar que si bien a los prestadores de servicios a honorarios es posible concederles análogos derechos que los establecidos para los funcionarios, no obstante, deben cumplir las mismas condiciones y requisitos exigidos para és-tos; haberse acordado explícitamente en el convenio respectivo; y dichos beneficios no pueden ir más allá de los que la ley establece para quienes tienen la calidad de empleados públicos (aplica dictamen N° 1.297, de 2011 Contraloría General de la República).

En este sentido, Contraloría General ha señalado en el dictamen N° 31.091, de 2011, que deben existir parámetros objetivos que delimiten los beneficios que se pacten, toda vez que, de lo contrario, pueden otorgarse derechos excesivos que no guardan relación con las labores acordadas en el contrato a honorarios.

Estamos frente a un contrato atípico, es decir, que no está regulado de manera específica en la ley, siendo homologable al contrato de arrendamiento de servicios regulado en el artículo 1915 Código Civil el que establece: «El arrendamiento es un contrato en que las dos partes se obligan recíprocamente, la una a conceder el goce de una cosa, o a ejecutar una obra o prestar un servicio, y la otra a pagar por este goce, obra o servicio un precio determinado».

Para efectos del Contrato a Honorarios debemos tener presente que lo esencial es el hecho de tratarse de una obligación de hacer; una de las partes se compromete a «ejecutar una obra o prestar un servicio».

Debemos destacar que en esta relación contractual el presupuesto esencial será la igualdad de los contratantes, siendo el Contrato de Honorarios una manifestación de la autonomía de la voluntad de las partes, piedra angular del derecho privado. En virtud de esto, no existe limitación alguna en lo acordado por las partes, teniendo amplias libertades para obligarse mientras no contravenga el orden público, las buenas costumbres o la ley, en razón de lo establecido en el artículo 1462 y 10 del Código Civil. El Contrato a Honorarios mantiene la esencia del Código Civil en cuanto a la consagración de la autonomía de la voluntad, situación que no se da en los otros contratos que afectan a los trabajadores de la Administración Municipal, es decir, en los contratos de personal de planta, de contrata o en el contrato de trabajo se consagra la lógica de la intervención legislativa a través de la figura doctrinaria de los contratos dirigidos, sin embargo, posee la particularidad de que dichos límites no se establecen respecto de privados como en el clásico contrato dirigido, sino que dichas legislaciones limitan el actuar propio de la Administración Pública, que en términos concretos sólo puede tomar sentido en razón de la consagración del principio de legalidad en los actos de los poderes públicos.

Seguidamente, al ser trabajadores independientes, no están sujetos a subordinación o dependencia, no existe vínculo jerárquico a su respecto, por lo cual no tienen obligación de cumplir un horario o registrar asistencia, como tampoco tienen responsabilidad administrativa, a diferencia de los funcionarios de planta y a contrata.

Los trabajadores a honorarios deben cumplir con su cometido específico, que no debe ser una labor habitual de la municipalidad, no pesando sobre ellos, reiteramos, la obligación de asistencia ni horaria.

Sin perjuicio de lo antes expuesto, a partir del año 2007, surge en las municipalidades una nueva forma de contratación a honorarios, los denominados «servicios comunitarios», que analizamos brevemente en el literal siguiente, de manera específica.

Para entender los dos tipos de contratos a honorarios identificables al interior de la Administración Municipal, es necesario particularizar los elementos esenciales de este contrato: igualdad contractual, prestación de servicios y pago de honorarios.

Dentro del primer elemento debemos entender que la relación jurídica entre la Municipalidad y la persona natural o jurídica se produce en un ámbito de equilibrio de poderes. En este sentido, el órgano administrativo no se encuentra ejerciendo su potestad o autoridad, sino que actúa como un particular más en el ámbito de los negocios. Si bien para efectos de la celebración de este contrato debe ajustarse al principio de legalidad (estar permitido por ley), dicha situación no afectará a la contraparte para establecer las cláusulas que más favorezcan a sus intereses. Por lo tanto, pese a las reglas que se aplican a la Municipalidad por su naturaleza pública, dicha situación no desdibuja la esencia de este tipo de contrato en torno a la igualdad entre los contratantes, siendo este elemento el que explica el hecho de que el legislador no intervenga con normativa especial, puesto que las partes en una igualdad de poderes negociadores pueden determinar contenidos justos.

El segundo elemento consiste en que la prestación de servicios se configura como una obligación de hacer, es decir, aquellas que consisten en ejecutar un hecho, en este caso en favor de una Municipalidad. En este sentido, y en virtud de lo establecido en el artículo 4 de la Ley 18.883, estas labores tendrán como característica adicional los elementos de accidentalidad y no habitualidad, por lo tanto, a lo que se obliga una persona natural o jurídica es a realizar una actividad transitoria, no prolongada y que no sea de aquellas que por ley correspondan a un funcionario municipal, de modo contrario nos encontraríamos frente al quiebre de la hipótesis de una labor bajo los elementos de accidentalidad y no habitualidad.

Por último, el tercer elemento dice relación con el pago de honorarios, que no es más que la obligación correlativa que tendrá la Municipalidad por recibir una determinada prestación de servicios. Por tanto, estos dos últimos elementos, prestación de servicios y pago, serán manifestación de la autonomía de la voluntad de los contratantes, ante lo cual regirá el principio de «pacta sunt servanda», «lo pactado obliga».

2. Algunos alcances de Contraloría General de la República, en relación con los contratos de honorarios

a) En cuanto a la naturaleza jurídica

El artículo 4º, inciso tercero, de la ley Nº 18.883, prevé que las personas contratadas a honorarios se rigen por las reglas que establezca el respectivo acuerdo y no les son aplicables las disposiciones contenidas en dicho texto legal.

De esta forma, quienes sean contratados a honorarios en la Administración, no revisten la calidad de funcionarios públicos y el propio convenio constituye la única norma reguladora de sus relaciones con ella, de manera que aquellos no poseen otros beneficios que los que se contemplen expresamente en el pertinente acuerdo de voluntades, los cuales no pueden ir más allá de los establecidos en la ley para los empleados estatales (aplica dictamen N° 9.804, de 2014).

El contrato a honorarios no está definido por la ley, pero ésta lo regula de forma tal, que conlleva a entenderlo como un mecanismo de prestación de servicios que permite a la Administración Municipal, contar con la asesoría de especialistas en determinadas materias, cuando requiera ejecutar labores propias de la Corporación, que presenten un carácter ocasional, específico, puntual y no habitual.

Ahora bien, doctrinariamente se lo puede definir como un acto jurídico bilateral en virtud de la cual una parte se obliga a prestar servicios específicos, por un tiempo determinado en favor de otra, la que a su vez se obliga a pagar una cierta cantidad de dinero por dichos servicios. (Aplica dictamen N° 7.266 de 2005)

Naturaleza jurídica de la función. Sobre el particular, cabe señalar, que las tareas cumplidas a honorarios constituyen una modalidad de prestación de servicios particulares a la Administración, que no confiere a quien los efectúa, la calidad de funcionario público, o sea en el desempeño de esas funciones, a los contratados no les son aplicables las normas estatutarias que rigen la labor de esos funcionarios (Aplica dictámenes N°s. 11.862 de 1990 y 6.187 de 1996).

De hecho, la circunstancia que se incluyan cláusulas que contemplen derechos y obligaciones similares a lo previsto en el Estatuto Administrativo para Funcionarios Municipales, no permite considerarlos como tales (Aplica dictamen N° 39.451 de 1997).

Atendido lo anterior, solamente serán aplicables en estas convenciones, las normas contenidas en el respectivo contrato, así como la normativa del Título XXIX, Libro IV del Código Civil (artículo 2116 y siguientes), relativas al mandato.

El pacto por el cual la Administración contrata sobre la base de honorarios los servicios de una persona no sólo constituye el marco de los derechos y obligaciones de quien los presta, sino también de quien los requiere, de tal manera que el convenio resulta igualmente vinculante para ambas partes (Aplica dictamen N° 12.473 de 2002).

Retomando lo antes expuesto, en la medida que los contratados a honorarios no son funcionarios públicos, la responsabilidad por los actos cometidos en su desempeño sólo puede perseguirse ante los tribunales ordinarios, sin perjuicio de la responsabilidad derivada de la rendición de cuentas a que pudieren encontrarse afectos, conforme a lo dispuesto en el artículo 85 y siguientes de la Ley 10.336 (Aplica dictámenes N°s. 12.717 de 1991 y 50.013 de 2000).

Sin perjuicio de lo cual, se debe tener en consideración, que están sujetos a las normas que consagran los principios de probidad administrativa, dado su carácter de servidores estatales, de manera que les es aplicable el Título III, De la probidad administrativa, de la Ley 18.575, Orgánica Constitucional de Bases Generales de la Administración del Estado.

De acuerdo con lo anterior, aun cuando en el contrato nada se diga, estas personas quedan obligadas a cumplir los principios jurídicos de bien común que sustentan el régimen estatutario de derecho público.

b) En cuanto a los derechos que se pueden conceder a los trabajadores a honorarios

A este respecto, Contraloría General, ha sostenido que es posible concederles análogos derechos que los establecidos para los funcionarios, no obstante, deben cumplir las mismas condiciones y requisitos exigidos para éstos; haberse acordado explícitamente en el convenio respectivo; y dichos beneficios no pueden ir más allá de los que la ley establece para quienes tienen la calidad de empleados públicos (aplica dictamen N° 1.297, de 2011).

Contraloría General ha señalado en el dictamen N° 31.091, de 2011, que deben existir parámetros objetivos que delimiten los beneficios que se pacten, toda vez que, de lo contrario, pueden otorgarse derechos excesivos que no guarden relación con las labores acordadas en el contrato a honorarios.

c) En cuanto a cumplimiento de una jornada de trabajo

Sobre el particular, es útil recordar que quienes se desempeñan como contratados a honorarios tienen el carácter de servidores estatales y desarrollan una función pública, por lo que la autoridad debe velar por el cumplimiento de los principios de eficiencia, eficacia, y correcta administración de los medios públicos, consagrados en los artículos 3° y 5°, de la ley N° 18.575, disponiendo las medidas necesarias para verificar la realización de las tareas que se detallen y encomienden a una persona en los respectivos pactos.

Precisado lo anterior, dable es aclarar, en primer término, que no resulta imperativo que los contratos a honorarios fijen una determinada jornada de trabajo o un «horario de trabajo», siendo dicha cláusula solo una posibilidad o alternativa de la modalidad de la prestación de los servicios que deberá adoptarse dependiendo de las labores contratadas y que en nada altera la naturaleza jurídica de estas (aplica criterio contenido en los dictámenes N°s. 68.222, de 2012; 68.135, de 2013, y 74.674, de 2015).

Sin perjuicio de lo que ha señalado Contraloría General, en su jurisprudencia administrativa, en nuestra opinión, por la naturaleza de los contratos de honorarios, que ya establecimos, ellos no pueden quedar sujetos a «jornada de trabajo», dado que con eso se desnaturaliza este contrato y pasaría a ser un contrata o código del trabajo más, por cuanto si hay «jornada de trabajo», implica cumplimiento de horario y alguien que supervisa esto, generando por ende, los elementos propios de un contrato de trabajo regido por el Código del Trabajo, exponiendo a la entidad municipal a eventuales demandas con el consecuente daño al patrimonio municipal y la consecuente responsabilidad administrativa y juicio de cuentas.

d) Cometidos que se pueden encomendar a honorarios

Tal como señalamos, de acuerdo con lo prescrito por el artículo 4 de la Ley 18.883, los contratos a honorarios proceden en los siguientes casos:

– En general, cuando se trata de cumplir labores accidentales y que no sean las habituales de la Corporación;

– Excepcionalmente, para desarrollar cometidos específicos, propios de las tareas habituales y permanentes de la municipalidad.

Por labores accidentales y no habituales, se debe entender aquellas que, siendo propias del municipio, sean ocasionales, o sea, circunstanciales y distintas de las realizadas por el personal de planta o a contrata.

Asimismo, por cometido específico debe entenderse, aquellas tareas puntuales, individualizadas en forma precisa, determinada y circunscrita a un objetivo especial (Aplica dictámenes N°s. 397 de 1991 y 45.711 de 2001).

Ahora bien, existen tareas que siendo accidentales, comienzan a ser ejecutadas periódicamente vía honorarios, constituyéndose en una labor habitual, respecto de esa situación la jurisprudencia ha señalado, que no corresponde desarrollar indefinidamente labores habituales, empleando el servicio de personas contratadas bajo la modalidad de honorarios, ya que para esos efectos el ordenamiento contempla la existencia de funcionarios de planta y los empleos a contrata (Aplica dictámenes N°s. 25.333 de 1990 y 20.045, de 2003).

Lo anterior, dado que el que una tarea sea específica, puntual, claramente determinada en el tiempo, es un elemento que se pierde con la reiteración periódica, toda vez que en ese caso la labor que tuvo el carácter de accidental pasa a ser considerada como habitual, debiendo el municipio distinguir sus labores propias y habituales, de aquellas susceptibles de desarrollar por la vía de un contrato a honorarios (Aplica dictamen N° 36.610, de 2001).

e) De la duración y término del contrato

Las contrataciones a honorarios se regulan por las normas emanadas del propio contrato, de manera que el plazo de duración debe contenerse en dicho documento y luego expresarse en el decreto que lo aprueba.

Ahora bien, por razones de índole presupuestario, estos contratos no pueden pactarse más allá del 31 de diciembre de cada año (Aplica dictamen N° 15.417 de 1998).

Sin perjuicio de ello y tal como señalamos, pueden existir labores que siendo accidentales, son ejecutadas periódicamente vía honorarios, constituyéndose en una labor habitual, donde Contraloría General ha señalado que no corresponde desarrollar indefinidamente labores habituales, empleando el servicio de personas contratadas bajo la modalidad de honorarios, ya que para esos efectos el ordenamiento contempla la existencia de funcionarios de planta y los empleos a contrata (Aplica dictámenes Nºs. 25.333 de 1990 y 20.045, de 2003).

De la misma manera, dentro de las facultades que la autonomía de la voluntad permite a los contratantes, existe la posibilidad de consagrar o no, una cláusula de término anticipado por voluntad unilateral.

En caso de no haberse pactado esa cláusula, por aplicación del artículo 1545 del Código Civil, que materializa el aforismo jurídico de que el contrato es una ley para los contratantes, no es posible ni para el municipio ni para la contraparte, poner fin al contrato de forma anticipada, unilateralmente.

La ausencia de esa cláusula de reserva obliga al prestador a continuar con sus servicios, manteniendo el municipio el deber de pagar por los mismos el estipendio acordado, hasta el vencimiento del plazo.

Lo anterior, como una manifestación del principio de legalidad contemplado en los artículos 6 y 7 de la Constitución Política de la República, reiterado en el artículo 2 de la Ley 18.575, y de la garantía del derecho a la propiedad sobre bienes incorporales, que consagra el artículo 19 Nº 24 de la Carta Fundamental.

A contrario sensu, si la mencionada facultad se incluye expresamente en el convenio celebrado, la parte en cuyo favor esta se consagró, podrá poner término anticipado a los servicios si lo deseare (Aplica dictamen Nº 12.473 de 2002).

Debe considerarse también la posibilidad de poner fin al contrato por mutuo acuerdo o rescesiliación, o sea, a través de una convención en virtud de la cual, las partes acuerden dejar sin efecto la obligación preexistente, en aplicación de lo dispuesto en el artículo 12 del Código Civil, sobre la renuncia de los derechos personales.

En todo caso, si operara una extinción por mutuo acuerdo, se debe tener presente, que ésta sólo produce efectos hacia el futuro.

VII. Contratación a honorarios para la prestación de servicios en programas comunitarios

Esta modalidad de contratación no está contemplada en el Estatuto Administrativo para Funcionarios Municipales, sino que surge del clasificador presupuestario (215.21.04.004) y es utilizado profusamente por las municipalidades, representando el mayor gasto en contratación a honorarios.

En efecto, a partir del año 2007, se consagró un nuevo mecanismo de contratación al interior de las Municipalidades, mediante la prestación de servicios en programas comunitarios. El decreto Nº 1186 del 13 de septiembre de 2007 del Ministerio de Hacienda, modificó el decreto Nº 854 de 2004 de la misma cartera, que establece las clasificaciones presupuestarias del sector público. El nuevo decreto agregó al grupo «gastos» y al subtítulo «gastos de personal», los gastos por conceptos de programas comunitarios. En este sentido, se enmarcan las actividades que corresponden a diferentes iniciativas desde el gobierno central a aquellas funciones no privativas de la Administración Municipal.

Este tipo de trabajadores nacen con la particularidad de ser financiados por los programas del gobierno central y prestar sus servicios a las Municipalidades, bajo las necesidades y contextos de estas últimas.

Al efecto, el clasificador presupuestario 215.21.04.004, establece: «Prestaciones de Servicios en Programas Comunitarios: Comprende la contratación de personas naturales sobre la base de honorarios, para la prestación de servicios ocasionales y/o transitorios, ajenos a la gestión administrativa interna de las respectivas municipalidades, que estén directamente asociados al desarrollo de programas en beneficio de la comunidad, en materias de carácter social, cultural, deportivo, de rehabilitación o para enfrentar situaciones de emergencia».

Así, las prestaciones que se efectúan a través de este tipo de contrato a honorarios tienen características que no coinciden con las contenidas en el artículo 4° de la ley N° 18.883:

1. Se trata de prestación de servicios por personas naturales.

2. Ajenos a la gestión administrativa interna de la municipalidad.

3. Están directamente asociadas al desarrollo de programas comunitarios en beneficio de la comunidad.

4. Dicen relación con materias de carácter social, cultural, de rehabilitación o para enfrentar situaciones de emergencia.

Contraloría General de la República, a través del dictamen N° 33.701 de 2014, regula este tipo de contratos, disponiendo, entre otros aspectos, «...el registro de aquellos decretos alcaldicios que se refieran a contratos a honorarios, debe realizarse de la misma manera en que se lleva a cabo para el resto de la Administración del Estado —en conformidad con las facultades fiscalizadoras de este Ente de Control—, vale decir, sin efectuar diferencias relativas a la naturaleza de la prestación convenida, a objeto de determinar la procedencia del mencionado trámite».

De esta forma, a contar de dicho dictamen, todos los contratos de prestación de servicios a honorarios, que se financien con cargo al subtítulo 21 «Gastos en Personal», están afectos a registro en la Contraloría General a partir del 14 de mayo de 2014.

Hoy en día, las municipalidades, de manera independiente del gobierno central, realizan este tipo o modalidad de contratación a honorarios para «servicios comunitarios», con financiamiento propio, con cargo al citado ítem 215.21.04.004.

De la misma manera, es importante señalar que todo lo que las municipalidades paguen en estos honorarios, no es considerado gasto en personal, según claramente se desprende de lo dispuesto por el nuevo inciso final del artículo 2° del Estatuto Administrativo para Funcionarios Municipales, que fue modificado por la ley N° 20.922 de 2016[26], donde, junto con elevar el gasto en personal de un 35% a un 42% de los ingresos propios percibidos en el año anterior por la respectiva municipalidad, indica de manera precisa que comprende dicho gasto, no incluyendo a los honorarios por servicios comunitarios.

Al efecto, la citada disposición señala que: «El gasto anual en personal no podrá exceder, respecto de cada municipalidad, del 42% (cuarenta y dos por ciento) de los ingresos propios percibidos en el año anterior. Se entenderá por gasto en personal el que se irrogue para cubrir las remuneraciones correspondientes al personal de planta y a contrata. Asimismo, se considerarán en dicho gasto los honorarios a suma alzada pagados a personas naturales, honorarios asimilados a grado, jornales, remuneraciones reguladas por el Código del Trabajo, suplencias y reemplazos, personal a trato y/o temporal y alumnos en práctica»[27].

Es importante precisar que, para efectos de la construcción de las plantas municipales, conforme la facultad conferida en la referida ley N° 20.922, esta modalidad de contratación a honorarios no tiene preferencia alguna para ingresar a la planta municipal, lo cual se desprende de la norma antes citada y lo señalado por Contraloría General de la República en dictamen N° 5.303 de 2018.

VIII. Acerca del principio de confianza legítima

El principio de confianza legítima constituye un desarrollo relativamente reciente del derecho público a nivel global, cuyo objetivo es «limitar la actividad del poder público, para impedir que éste destruya sin razón suficiente la confianza que su actuación haya podido crear en los ciudadanos sobre la estabilidad de una determinada situación jurídica».

Sus orígenes pueden encontrarse en la jurisprudencia del Tribunal Constitucional Federal alemán y del Tribunal Federal de lo Contencioso-Administrativo alemán de finales de la década de 1950.

Es un principio procedente del Derecho alemán, en cuya jurisprudencia ordinaria y constitucional se formó («Vertrauensshutz», vale decir, protección de la confianza) y de donde pasó a la jurisprudencia del Tribunal de Justicia de las Comunidades Europeas, aunque con nuevas matizaciones, y de aquí, con una notable precocidad, además de con una resolución sorprendente, a la jurisprudencia de nuestro Tribunal

---

[26]   Nuevo inciso final del artículo 2° de la ley N° 18.883, Estatuto Administrativo para Funcionarios Municipales, fue incorporado por el artículo 5°, N° 1, letra b), de la ley N° 20.922.

[27]   Véase, entre otros, dictámenes N° 5.303 de 2018; N° 17.773 de 2018 y 6.554 de 2019, Contraloría General de la República.

Supremo, que inmediatamente pasó a aplicarlo a la justificación de la responsabilidad patrimonial del Legislador[28].

Es en 1956, con el conocido caso de la «viuda de Berlín», en el que el Tribunal Contencioso Administrativo Superior de Berlín, aplicó por primera vez el principio, impidiendo que se dejara sin efecto un acto administrativo que había creado una situación favorable para la viuda de un funcionario público, pronunciamiento que fue confirmado por el Tribunal Administrativo Federal en 1957.

Luego, este principio fue consagrado expresamente en la Ley Federal de Procedimiento Administrativo del año 1976, en los artículos 48 y 49.

Sin perjuicio de lo anterior, existe alguna doctrina considera que sus raíces se encuentran en el Código de Procedimiento Administrativo de la República Popular de Polonia, de 14 de junio de 1963, el cual, en términos generales, se refiere a él, al disponer que «Los órganos de la Administración del Estado deben, por su forma de proceder, consolidar la confianza de los ciudadanos en relación a los órganos del Estado»[29].

En su formulación original, este principio representa un límite a la invalidación de actos administrativos favorables.

En el Derecho Comparado, especialmente en el Derecho Administrativo alemán y español, ordenamientos en los que este principio tiene consagración normativa, no es posible encontrar una definición legal. Por el contrario, ha sido la doctrina de los autores y los tribunales de justicia, los que han intentado conceptualizarlo, difiriendo cada una de las acepciones según el campo en el que operará en principio[30].

Así, Mariela Valdés Peréz[31] destaca al profesor español Íñigo Sanz Rubiales, quien evidenciando la aplicación de la institución en el marco de las actuaciones públicas en general, sostiene «el principio de protección de la confianza legítima de los particulares en el ámbito del derecho público, limita la actividad del poder público, para impedir que este destruya sin razón suficiente la confianza que su actuación haya podido crear en los ciudadanos sobre la estabilidad de una determinada situación jurídica».

---

[28] García de Enterría, Eduardo, El principio de protección de la confianza legítima como supuesto título justificativo de la responsabilidad patrimonial del estado legislador. Revista de Administración Pública Núm. 159. Septiembre-diciembre 2002, pág. 173.

[29] Valenzuela Díaz, Paula Andrea. «La Buena fe y la Protección a la Confianza Legítima en el Derecho Administrativo». Memoria de Prueba para optar al grado de Licenciado en Ciencias Jurídicas y Sociales. Universidad de Talca, septiembre, 2003. Pág. 41

[30] Jara Schwaiger, Ana María, Efectos del Principio de Confianza Legítima, aplicado al ejercicio de la Potestad Invalidatoria de la Administración Pública, Tesis para optar al Grado de Magister en Derecho, Facultad de Ciencias Jurídicas y Sociales, Universidad de Concepción, 2016.

[31] Valdés Pérez, Mariela Alejandra. El Principio de Confianza Legítima en el Derecho Administrativo. Memoria de prueba para optar al grado de Licenciado en Ciencias Jurídicas y Sociales. Universidad de Concepción, 2011. Pág. 2.

Por su parte, Jorge Bermúdez Soto[32], expresa que por confianza legítima debemos entender «el amparo que debe dar el juez al ciudadano frente a la administración pública, la que ha venido actuando de una determinada manera, en cuanto ésta lo seguirá haciendo de esa misma manera en lo sucesivo y bajo circunstancias (políticas, sociales, económicas) similares».

El mismo Bermúdez Soto[33], citando a Silvia Diez Sastre, que la confianza que deposita el particular en la actuación administrativa merece amparo, puesto que «una práctica administrativa continuada puede generar —y de hecho genera— la confianza en el ciudadano de que se tratará del mismo modo que en los casos anteriores. Por ello, no parece justo que la Administración pueda cambiar su práctica con efectos retroactivos o de forma sorpresiva».

Seguidamente, Javier Millar Silva[34] sostiene que este principio, de origen jurisprudencial, surge a favor de los particulares como un «instrumento de protección frente a la actuación de los poderes estatales, procurando la estabilidad de las situaciones jurídicas basadas en actuaciones administrativas que han generado en los particulares una confianza digna de protección».

Luego, como señala Federico Castillo Blanco[35], la protección de la confianza, en un sentido jurídico, importa, en el ámbito público, la defensa de los derechos del ciudadano frente al Estado y la adecuada retribución a sus esperanzas en la actuación acertada de éste, por lo que, se aplica tanto al campo de la Administración, como de la legislación y de la jurisprudencia judicial.

Lo expuesto tiene su fundamento, según entiende el mismo autor[36] en que «La actuación de los individuos requiere, en una sociedad como la que vivimos, del comportamiento de otros sujetos de derecho que con sus comportamientos y actuaciones marcan y determinan necesariamente el nuestro. No hay mercado, podríamos concluir, sin confianza. Así de fácil y así de simple es esta idea para los operadores económicos».

De esta manera, siguiendo a los autores citados, podemos señalar que el ámbito de actuación del principio se encuentra en el ejercicio de las distintas funciones públicas, esto es, en la legislativa, jurisdiccional y la que desarrolla la Administración.

---

[32]   Bermúdez Soto, Jorge. El Principio de Confianza Legítima en la Actuación de la Administración como Límite a la Potestad Invalidatoria. Revista de Derecho Valdivia, Vol. XVIII —N° 2— diciembre 2005. Pág. 3
[33]   Bermúdez Soto, Jorge. Derecho Administrativo General. Editorial Abeledo Perrot, 2011. Pág. 85
[34]   Millar Silva, Javier. El Principio de Protección de la Confianza Legítima en la Jurisprudencia de la Contraloría General de la República: Una revisión a la luz del Estado de Derecho. Publicado en La Contraloría General de la República, Chile, 2012. Pág. 417.
[35]   Castillo Blanco, Federico. La Protección de Confianza en el Derecho Administrativo. Marcial Pons, Eds. Jurídicas y Sociales, 1998. Pág. 110
[36]   Castillo Blanco, Federico. La Protección de Confianza en el Derecho Administrativo. Ob. cit. Pág. 109.

En esta línea, Raúl Letelier Wartenberg[37], la aplicación del principio en estudio se amplió al campo de las modificaciones normativas y sus efectos temporales, buscando proteger frente a cambios intempestivos en la regulación, la confianza de los ciudadanos en determinadas normas —dictadas en momentos específicos—. Añade, que se buscó amparar la buena fe de los administrados ante cambios normativos perjudiciales, impidiendo que los mismos tuviesen efectos retroactivos, afectando situaciones ya consolidadas o generadas con la confianza de estar cumpliendo con la ley.

Las razones que justifican la adopción del principio de confianza legítima son idénticas en todos los ordenamientos que lo han asumido. Se trata de una exigencia de la más elemental seguridad jurídica, y, a su vez, derivación del Estado de Derecho. Todo ciudadano tiene derecho a prever y ordenar pro futuro su trayectoria vital; a que el Derecho le garantice un mínimo de estabilidad sobre la cual constituir un proyecto personal o profesional, sin que los cambios del ordenamiento supongan trastornos en las relaciones jurídicas ya entabladas. Se trata de un imperativo jurídico plasmado en el artículo 1.1 y 9.3 del texto constitucional español, una exigencia del rule of law en el ordenamiento jurídico inglés, un elemento del État de droit francés y el Rechtsstaat alemán, y un principio del Derecho comunitario reconocido por el Tribunal de Justicia de las Comunidades Europeas[38].

Esta amplitud justificatoria no solo pone de manifiesto la ausencia de uniformidad, sino que obsta a la captación del verdadero alcance del instituto, el que debería imbricarse como un elemento más de la doctrina del Estado de Derecho, uno de cuyos presupuestos es la estabilidad de las normas[39].

La proclamada estabilidad no significa petrificación o inmutabilidad, sino que cuando se habla de estabilidad normativa como corolario del Estado de Derecho, se hace referencia a las normas que, en tanto producto de la discusión parlamentaria, reflejan la voluntad popular, y, por lo tanto, es posible establecer limitaciones a las modificaciones y/o regulaciones intempestivas por parte de los legisladores[40], y con mayor razón, por parte del Ejecutivo. El significado axiológico de la vigencia durante un lapso razonable de las normas no es otro que hacer previsibles las situaciones jurídicas creadas o planificadas en torno a sus prescripciones, a fin de que los habitantes sepan que los negocios, inversiones y/o cualquier tipo de acto jurídico que realicen estarán asegurados, o que estarán protegidos por un lapso razonable, y que, de practicarse modificaciones, serán graduales[41].

---

[37]   Letelier Wartenberg, Raúl. Contra la Confianza Legítima como Límite a la Invalidación de Actos Administrativos. Revista Chilena de Derecho, vol. 41 N° 2, 2014. Pág. 613.

[38]   Sarmiento Ramírez-Escudero, Daniel, «El Principio de Confianza Legítima en el Derecho Inglés: La Evolución que continúa», REDA, N° 114/2002, Estudios, Civitas, Madrid, abril 2002, pág. 233

[39]   Rey Vásquez, Luis Eduardo, «El principio de confianza legítima. Su posible gravitación en el derecho administrativo argentino», AFDUC 17, 2013, ISSN: 1138-039X, págs. 259-282

[40]   García Macho, Ricardo, en su obra «Contenido y límites del principio de confianza legítima: estudio sistemático en la jurisprudencia del Tribunal de Justicia», REDA, N° 56, octubre-diciembre de 1987, Civitas, Madrid, pág. 557,

[41]   Rey Vásquez, Luis Eduardo, obra citada, pág. 264.

Por su parte, en el ámbito jurisdiccional, se ha planteado que el principio también puede ser aplicado frente a variaciones abruptas en los criterios jurisprudenciales[42].

En esta parte, Castillo Blanco expresa que los cambios en la jurisprudencia de los tribunales superiores pueden provocar un deterioro de las situaciones legales de los destinatarios de la norma interpretada, por lo que la doctrina ha puesto atención en la posible incidencia de tales variaciones en las expectativas dignas de protección de los ciudadanos, proponiendo una limitación de los efectos de la jurisprudencia creada a aquellas situaciones que tienen su origen en el pasado[43].

Agrega el mismo autor[44], que la doctrina alemana ha planteado la eventual aplicabilidad del principio en este campo, no sólo en el caso de decisiones equivocadas y contradictorias de los jueces, sino incluso en supuestos de decisiones novedosas, postura, que entiende, puede ser de discutible aplicación en el sistema legalista español, atendida la falta de obligatoriedad que en aquel tienen los precedentes judiciales.

Finalmente, en cuanto a la actividad administrativa, la doctrina comparada sostiene que su aplicación se extiende frente a múltiples situaciones en que los ciudadanos se encuentran frente a la Administración, siendo su principal campo de actuación aquél referido a la potestad que tiene aquella para revisar su actos administrativos legales e ilegales, especialmente, en la regulación de límites en el ejercicio de esta atribución y en el sometimiento por parte de los órganos administrativos a sus propias reglas, normas, promesas y contratos.

El principio de legalidad, conforme al cual la Administración se encuentra facultada para revisar de oficio actos administrativos antijurídicos en cualquier momento, deja de ser la regla general y la protección de la confianza depositada por el beneficiario en la continuidad del acto antijurídico pasa a ser también digna de consideración.

Quien haya confiado en la aparente legalidad del acto no debe quedar en una situación peor que la que gozaría si aquél no hubiese sido dictado.

Con el tiempo, el empleo de esta figura se hizo también extensivo a la revocación de actos administrativos favorables.

En esta hipótesis el acto revocado es, al menos originariamente, ajustado a derecho; no se trata de una decisión errónea o antijurídica de la Administración, sino de un cambio en los presupuestos fácticos y jurídicos que sirven de sustento a la expedición del acto.

Por eso es que aquí la protección de las expectativas de mantención del acto se ve reforzada por el principio de legalidad, en lugar de presentarse como opuesta a éste.

Pese a la diferencia anotada, en ambos casos el postulado de protección de la confianza particular se encuentra asociado a la emisión de actos administrativos favo-

---

[42]   Jara Schwaiger, Ana María, obra citada pág. 21
[43]   Castillo Blanco, Federico. La Protección de Confianza en el Derecho Administrativo. Ob. cit. Pág. 117.
[44]   Ídem. Págs. 362 y ss.

rables que, en atención a su naturaleza singularizada y su aparente legalidad generan una esperanza razonable en su mantenimiento.

El alcance del principio de confianza legítima es estrictamente temporal y su objetivo es restringir las consecuencias económicas negativas de la sucesión de normas legales en el tiempo[45].

Así, los supuestos del principio de confianza legítima son: a) un acto administrativo; b) un efecto favorable en un destinatario concreto, y c) la pérdida de eficacia del acto favorable, como consecuencia del ejercicio de potestades revisoras de la Administración.

En definitiva, este principio está destinado a proteger a los ciudadanos frente a actuaciones de la Administración, que le confieran derechos que ellos incorporan a sus patrimonios y parece principio de certeza jurídica.

1. Fundamentos constitucionales del principio de confianza legítima

Un tema debatido en la doctrina, en especial en nuestro país, es si el principio de confianza legítima tiene fundamentos o tiene su fuente en la Carta Fundamental, dado que es elaboración doctrinal y jurisprudencial, y no está consagrado expresamente regulado por el ordenamiento positivo, o solo tiene su fuente en principios generales del Derecho, cuestión que puede ser objeto de críticas[46].

Los fundamentos que se han ofrecido van desde el principio de la buena fe hasta el principio del estado de derecho, pasando por otros tales como la seguridad jurídica, los derechos fundamentales, la equidad y la justicia natural[47]. También se ha sostenido que el principio de confianza legítima responde a los principios de un Estado democrático.

Asimismo, se ha expresado que las razones que justifican la adopción del principio de confianza legítima son idénticas en todos los ordenamientos que lo han asumido. Se trata de una exigencia de la más elemental seguridad jurídica, y, a su vez, derivación del Estado de Derecho[48].

En relación a los principios generales de derecho, como fuentes del Derecho Administrativo, el profesor Bermúdez Soto, sostiene que en el Derecho Administrativo dichos principios tienen como función servir de elementos de interpretación, concre-

---

[45] García Luengo, Javier, El principio de protección de la confianza en el Derecho Administrativo (Madrid, Civitas) (2002), págs. 204 y ss.

[46] Sobre este tema, se puede revisar el artículo de Raúl Letelier Wartenberg, «Contra la Confianza Legítima como Límite a la Invalidación de Actos Administrativos», ya citado, en el cual expone diversas críticas en relación a la tendencia de recurrir a los principios generales del derecho para fundar conceptos jurídicos indeterminados.

[47] Rondón De Sanso, Hildegard, «El Principio de Confianza Legítima o Expectativa Plausible en el Derecho Venezolano», Obra colectiva en Homenaje a Dalmacio Vélez Sársfield, Edición de la Academia Nacional de Derecho y Ciencias Sociales de Córdoba, 2000, Volumen V, pág. 271 a 379.

[48] Rey Vásquez, Luis Eduardo, obra citada, pág. 263.

tización y desarrollo de la propia ley y del ordenamiento en general, más no buscan imponerse sobre otras normas, por eso que más bien tales principios tienen un valor subsidiario dentro del esquema de las fuentes[49].

Agrega, Bermúdez Soto, en relación al fundamento positivo del principio de confianza legítima —el cual concibe como un principio general del Derecho, que juega un papel como corrector de los vacíos de la ley N° 19.880 en materia de invalidación—, postula que si bien no tiene reconocimiento expreso en la Constitución Política de la República, se deduce desde los principios constitucionales del Estado de Derecho consagrado en los artículos 5°, 6°, 7° y 8° de dicha Carta Fundamental y de la seguridad jurídica prevista en el artículo 19 N° 26, como asimismo del principio de legalidad establecido en los artículos 6°, 7° y 24, inciso 2° de la Constitución y 2° de la ley N° 18.575146[50].

En posición contraria, y en cuanto a que la confianza legítima encuentre su fundamento en el artículo 19 N° 26 de la Constitución, Javier Millar Silva[51], indica que si bien en dicho precepto se consagra uno de los aspectos de la seguridad jurídica —que los derechos no serán afectados en su esencia—, dados los múltiples aspectos que comprende dicho concepto, no podría entenderse que consagra el principio de seguridad jurídica como tal, ni tampoco la confianza legítima.

En la misma línea de pensamiento, el profesor Arturo Fermandois[52], sostiene que la licitud de los cambios regulatorios sorpresivos y radicales que inciden en posiciones patrimoniales ventajosas debe ser enjuiciada conforme a la garantía de la propiedad y del principio de protección de la confianza legítima, cuya vigencia puede deducirse del principio de seguridad jurídica, consagrado en el artículo 19 N° 26 de la Constitución Política.

La doctrina nacional del Derecho Público, abordando esta inquietud, reconoce transversalmente el carácter constitucional de la seguridad jurídica como valor y garantía fundamental.

El profesor Cea Egaña[53], ha sostenido en forma categórica que: «Mi tesis (...) conlleva una respuesta afirmativa categórica en favor de la seguridad jurídica, llamada también certeza legítima, como derecho fundamental. En otras palabras, afirmo que tal especie de seguridad es un valor normativo de máxima importancia, por sí solo configurativo del Estado de Derecho, vivido en el marco de la democracia constitucional».

---

[49] Bermúdez Soto, Jorge. Derecho Administrativo General. Ob. cit. Págs. 59-60.
[50] Bermúdez Soto, Jorge. Derecho Administrativo General. Ob. cit. Págs. 86.
[51] Millar Silva, Javier. La Potestad Invalidatoria en el Derecho Chileno. Ob. cit. Págs. 291-292.
[52] Fermandois Vöhringer, Arturo, Informe en derecho «Evaluación de la derogación del artículo 3 transitorio de la ley N° 19.390 ante la Constitución Política de la República», pág. 18
[53] Cea Egaña, José Luis, La seguridad jurídica como derecho fundamental, en Revista de Derecho de la Universidad Católica del Norte, Sede Coquimbo. (Coquimbo, Chile). Año 11, no. 1 (2004), pág. 53

De esta manera, el profesor Cea Egaña, ubica la seguridad jurídica como un valor esencial de la Carta Fundamental y elemento constitutivo del Estado de Derecho. Añade que, pese a no existir un precepto constitucional específico en el que se consagre literalmente un derecho a la seguridad jurídica, éste ha de hallarse, mediando un ejercicio hermenéutico, en el art. 19 N° 26 del Código Político[54].

En la misma línea de pensamiento, el profesor Miguel Ángel Fernández[55], confirma esta tendencia doctrinaria, destacando que: «Es cierto que la certeza legítima no se encuentra, en general, reconocida explícitamente en nuestra Carta Fundamental, aunque es una finalidad del Derecho y, por eso, lo es también de nuestro sistema jurídico. Empero, no es difícil constatar que del entramado constitucional puede construirse fácilmente ese concepto, sea que se lo considere como fin, valor, principio o derecho, para sostener, sin duda, que debe ser siempre respetado, especialmente sobre la base de su artículo 1° inciso 4° en relación con sus artículos 5° inciso 2°, 6° y 7°».

Millar Silva, sostiene que el fundamento normativo del principio de confianza legítima aparecería de su conexión con el Estado de Derecho garantizado por la Constitución, o a través de la conexión de la seguridad jurídica con este. Agrega, que, si bien la Constitución no se refiere de forma explícita a dicho concepto, se desprendería del Capítulo I, referido a las bases de la institucionalidad, en especial de sus artículos 6° y 7°, lo que se constaría en las actas de sesiones en las que se discutió el primero de los preceptos citados[56].

Agrega este autor[57], que lo anterior se expresaría en un fallo del Tribunal Constitucional de fecha 10 de febrero de 1995, Rol N° 207-95, el cual, según él, confirma que el fundamento normativo constitucional del Estado de Derecho se encontraría en los artículos 5°, 6° y 7° de la Constitución, y establece su conexión con la seguridad jurídica y la protección de la confianza, pues esta última se encuentra inserta en el Estado de Derecho garantizado constitucionalmente.

Dicho fallo señala que: «Se ha considerado que, entre los elementos propios de un Estado de Derecho, se encuentran la seguridad jurídica, la certeza del derecho y la protección de la confianza de quienes desarrollan su actividad con sujeción a sus principios y normas positivas. Esto implica que toda persona ha de poder confiar en que su comportamiento, si se sujeta al derecho vigente, será reconocido por el ordenamiento jurídico (…)». (Tribunal Constitucional, causa Rol N° 207, de 10 de febrero de 1995, Considerando 67).

Se puede citar también, la sentencia del mismo Tribunal Constitucional, recaída en la causa rol N° 472 de 30 de agosto de 2006, donde afirmó, en el considerando

---

[54] Cea Egaña, José Luis, La seguridad jurídica como derecho fundamental, obra citada pág. 47-70, pág. 61.
[55] Fernández González, Miguel Ángel, «Certeza Jurídica y Control de Constitucionalidad de la Decisión que Confiere Efecto Retroactivo de las Leyes», Sentencias Destacadas, Santiago, 2012, pág. 125.
[56] Millar Silva, Javier. La Potestad Invalidatoria en el Derecho Chileno. Ob. cit. Págs. 292 y ss.
[57] Ídem. Págs. 293-294.

22°, que: «en definitiva, y como recuerda el profesor Franck Moderne, la seguridad jurídica, como principio general del derecho público, implica en lo esencial, dos grandes aspectos: una estabilidad razonable de las situaciones jurídicas y un acceso correcto al derecho».

En esta línea argumental, Millar Silva, agrega que, aunque la confianza legítima puede estimarse incluida en la noción de Estado de Derecho, considerando que no ha sido consagrada normativamente y que uno de los pilares de nuestro ordenamiento jurídico es el principio de la juridicidad, estima que el principio en comento no podría ser aplicado como límite al ejercicio de la potestad invalidatoria[58].

Sin perjuicio de lo expuesto, frente a la técnica de usar normas constitucionales para justificar nuevas instituciones jurídicas, el profesor Raúl Letelier Wartenberg, indica que esta razona sobre la base de emplear cláusulas constitucionales, que son de una amplitud extrema, llenando de contenido conceptos jurídicos indeterminados. Así sucedería con los conceptos de Estado de Derecho y de seguridad jurídica —supuestamente reconocidos en la Carta Fundamental— y con otros principios que se han ido fabricando, entre ellos, la confianza legítima, el que, al igual que los principios de seguridad jurídica y buena fe, no tienen consagración constitucional, a diferencia de otros países, como España[59].

Agrega el profesor Letelier[60], lo que normalmente se hace para «producir» este tipo de principios es seguir un proceso inductivo, mediante la observación de diversas normas del sistema jurídico infraconstitucional, buscando la ratio que resulta común en todas ellas, para luego alzar esta última como principio. Este proceso, expresa, presenta dos graves problemas, el primero, es que no se encuentra claramente justificado el que un cúmulo de razones comunes pueda servir como razón de otro tipo de situaciones, y lo segundo, es que en el caso de la confianza legítima, pretende limitar el artículo 53 de la ley N° 19.880, lo que no puede lograrse sin transgredir las reglas sobre las que se construye el sistema de fuentes jurídicas, al delimitar el ámbito de aplicación de una norma legal específica.

2. Fundamentos a nivel legislativo y vía principios generales del derecho del principio de confianza legítima

Teniendo en consideración el breve resumen de las distintas argumentaciones dadas por los autores sobre el reconocimiento con rango constitucional del principio de confianza legítima, donde hay posturas contrapuestas, es importante hacer una muy breve referencia a los fundamentos que se han dado para sostener dicho principio a nivel legislativo y vía principios generales de derecho.

---

[58] Millar Silva, Javier. La Potestad Invalidatoria en el Derecho Chileno. Ob. cit. Págs. 294-295.
[59] Letelier Wartenberg, Raúl. Ob. cit. Pág. 615-621
[60] Ídem.

Como sostiene Ana María Jara Schwaiger[61], el principio podría encontrar apoyo en la presunción de legalidad de que gozan los actos administrativos, y en el principio de conservación de los actos administrativos.

Jorge Bermúdez Soto[62], haciendo referencia a la presunción de legalidad, consagrada en el artículo 3°, inciso final, de la ley N° 19.880 sostiene que, en virtud de esta, los actos administrativos son legales, mientras no se diga lo contrario por el juez o por la propia de la Administración 172, en un procedimiento que tenga por objeto la declaración de nulidad o la invalidación del acto, respectivamente.

Por su parte, Eduardo Cordero Quinzacara[63] en relación a la expresión presunción de legalidad resume una presunción de hechos, en este caso de actos, es decir, que las actuaciones realizadas en el procedimiento y la dictación del acto mismo se ha hecho conforme al ordenamiento jurídico, o que los elementos que componen el acto administrativo se conforman con la ley.

De esta manera, estaríamos en presencia de de una presunción iuris tantum, puesto que admite prueba en contrario, correspondiendo que quien impugna el acto deba acreditar que el procedimiento para dictarlo o el acto mismo no cumple con el ordenamiento jurídico[64].

Se puede citar también a los tratadistas españoles Eduardo García De Enterría y Tomás Ramón Fernández, quienes expresan que, considerando que la presunción de que se trata no se destruye sino con sentencia firme, la circunstancia que esta sea impugnada judicialmente no paraliza o suspende —salvo que el juez lo disponga por vía cautelar—, los efectos ya producidos y la ejecución subsiguiente del acto recurrido, lo que evidenciaría que se trata del «más formidable privilegio posicional de la Administración en su relación con los administrados»[65]

En cuanto al principio de conservación, Bermúdez Soto[66], señala se trata de un principio no expresado en la ley N° 19.880178, en virtud del cual la nulidad o invalidez adquiere el carácter de remedio excepcional frente a la ilegalidad del acto.

En palabras de Beladiez Rojo[67], la conservación de un acto jurídico está garantizada «aun cuando el acto incurra en graves vicios, si a pesar de ello es preciso conservarlo para salvaguardar otro valor jurídico más importante que el de la legalidad».

---

[61] Jara Schwaiger, Ana María, Efectos del Principio de Confianza Legítima, aplicado al ejercicio de la Potestad Invalidatoria de la Administración Pública, obra citada, pág. 63
[62] Bermúdez Soto, Jorge. Derecho Administrativo General. Ob. cit. Pág. 124.
[63] Cordero, Quinzacara, Eduardo, La Eficacia, Extinción y Ejecución de los Actos Administrativos en la Ley N° 19.880. Acto y Procedimiento Administrativo. Actas de las Segundas Jornadas de Derecho Administrativo. Ediciones Universitarias de Valparaíso, 2007. Pág. 118.
[64] Cordero Quinzacara, Eduardo. Ob. cit. Pág. 118.
[65] García de Enterría, Eduardo y Fernández, Tomás Ramón. Ob. cit. Pág. 539
[66] Bermúdez Soto, Jorge. Derecho Administrativo General. Ob. cit. Pág. 124
[67] Beladiez Rojo, Margarita. «Validez y eficacia de los actos administrativos». Madrid, 1994. Marcial Pons Ediciones jurídicas S.A. pág. 43 y ss.

Dómenech Pascual, por su parte, señala que el principio de conservación es el principio que «garantizaría la conservación de todos aquellos actos que —con independencia de las posibles irregularidades en las que haya podido incurrir— (…) satisfagan todos aquellos fines que la norma que lo regula pretendía alcanzar con su emanación»[68].

También se ha definido como aquel principio que establece que «el acto administrativo debe poder mantenerse en vigor en la mayor medida posible con el objeto de que pueda alcanzar el fin práctico conseguido»[69].

Es importante precisar que existe una diferencia entre principio de conservación y la conservación como tal.

En efecto, dicha diferencia estriba en que el primero justifica la subsistencia de un acto jurídico en que el acto es valioso en sí mismo para el cumplimiento de un fin que el derecho intenta proteger y no por la situación que ha creado. En cambio, en el segundo, el acto subsiste como consecuencia de que ha creado una situación que merece protección mediante la aplicación de un principio general de derecho. En este caso el objeto es proteger el valor jurídico de la situación creada y no la conservación del acto en sí[70].

El citado principio de conservación, encuentra determinadas manifestaciones en la citada ley N° 19.880, tales como, la existencia de irregularidades que no producen la invalidez del acto, a saber, el vicio de forma o de procedimiento, el que, de acuerdo al artículo 13, inciso segundo, del mismo texto legal, sólo afecta la validez del acto administrativo cuando recae en algún requisito esencial del mismo, sea por su naturaleza o por mandato del ordenamiento jurídico y genera perjuicio al interesado[71]; la facultad de la Administración contemplada en el inciso tercero del referido artículo 13, para subsanar los vicios de que adolezcan los actos, siempre que no se afecten intereses de terceros 184; y la atribución de invalidar parcialmente un acto administrativo, tal como lo reconoce el inciso segundo del artículo 53 de la misma normativa.

Finalmente, en esta parte y para cerrar, podemos citar lo que señala Jaime Jara Schnettler[72], quien siguiendo en esta parte a Margarita Beladiez Rojo, habla del desplazamiento del principio de legalidad en beneficio de otros principios jurídicos, según indica «más valiosos» —como la buena fe, los derechos adquiridos, la seguridad jurídica y la confianza legítima—, se explica recurriendo al fenómeno de la

---

[68]   Dómenech Pascual, Gabriel. «La Invalidez de los Reglamentos», Valencia, 2002. Ed. Tirant lo Blanch, págs. 216 y 217

[69]   Beladiez Rojo, toma la definición de A. De La Oliva De Castro, pero señala que su definición no es totalmente correcta ya que se refiere sólo a los actos administrativos y no a los actos jurídicos en general y, además, porque el principio de conservación debe amparar los actos que válidamente puedan alcanzar los fines prácticos que busca. Beladiez Rojo, op. cit. pág. 46, pie de página.

[70]   Nesvara Vida, José Ricardo, El principio de conservación de los actos administrativos, Memoria para optar al Grado de Licenciado en Ciencias Jurídicas y Sociales, Facultad de Derecho Universidad de Chile, 2015.

[71]   Millar Silva, Javier. La Potestad Invalidatoria en el Derecho Chileno. Ob. cit. Pág. 192.

[72]   Jara Schnettler, Jaime, «La Nulidad de Derecho Público ante la Doctrina y la Jurisprudencia». Editorial Libromar, Santiago, 2004. Págs. 200 y ss.

conservación o lo que denomina «validez sucesiva o relacional» y a un concepto más amplio de la validez de los actos administrativos, entendiendo que ésta implica algo más que analizar el simple apego a la legalidad —a la sujeción formal de un acto a las normas jurídicas—, esto es, que importa valorar si el Derecho ha considerado necesario proteger ciertas situaciones jurídicas que se han generado en torno al acto administrativo irregular.

3. El principio de confianza legítima y su aplicación en la jurisprudencia de Contraloría General de la República

No siendo el objetivo de este Estatuto hacer un estudio acabado del principio de confianza legítima, sino abordarlo de manera general para resaltar su importancia y aplicación, resulta importante indicar brevemente como éste ha sido aplicado por la Contraloría General de la República a través de sus dictámenes, incluso en materias van más allá del ámbito de la invalidación.

De esta manera, Contraloría General, se ha pronunciado mediante dictámenes que invocan la confianza legítima como fundamento para subsanar errores en que ha incurrido la Administración y que no pueden perjudicar a quienes actúan de buena fe y convencidos del actuar regular de aquella, ordenando, en definitiva, regularizar tales situaciones.

Si bien podemos encontrar dictámenes en diversas materias donde Contraloría General aplica el principio de confianza legítima, para nosotros, atendida naturaleza de este obra, que es el Estatuto Administrativo para Funcionarios Municipales, nos centraremos en particular, en el dictamen Nº 22.766, de 2016, que sienta el precedente en orden a que la renovación de una contrata durante varios años genera para los funcionarios la confianza legítima de que dicho nombramiento se reiterará en los años siguientes, correspondiendo que una determinación en sentido contrario por parte del municipio, se concrete a través de un acto administrativo motivado.

Este dictamen en particular ha tenido hasta el día de hoy una profusa aplicación tanto por parte de la propia Contraloría General, como también ha sido recogida por la jurisprudencia de nuestros tribunales en materia de renovación de cargos a contrata excluyendo contratos a honorarios, generando un cambio importante en la materia donde incluso se ha planteado la necesidad de modificar la legislación para determinar la naturaleza de los cargos a contrata.

Es importante precisar que este dictamen, como señalamos, de manera expresa no solo reconoce la existencia del principio de confianza legítima en nuestro ordenamiento jurídico, sino que, además, resuelve favorable en favor de funcionarios municipales a contrata considerándolos como terceros de buena fe.

A partir de él, se produce un cambio en la jurisprudencia de Contraloría General en relación a la renovación de los cargos a contrata, indicando dicha entidad que en virtud de lo manifestado en el dictamen Nº 65.125, de 2009, entre otros, al producirse necesariamente un cambio de jurisprudencia, en resguardo del principio de seguridad jurídica, el nuevo criterio solo genera efectos para el futuro, sin afectar las situaciones acaecidas durante la vigencia de la efectos para el futuro, sin afectar las situaciones acaecidas durante la vigencia de la doctrina que ha sido sustituida por el nuevo pronunciamiento.

En efecto, el citado dictamen, resuelve el reclamo de dos exfuncionarios municipales, quienes, solicitaron un pronunciamiento acerca de la procedencia de la decisión de los entes comunales en orden a no renovar la contrata para el año 2016, sin fundamentar la adopción de dicha medida, lo que, en su opinión, sería arbitrario, indebido e injustificado. En uno de los casos el exfuncionario alegó que no se había tomado en consideración los 15 años durante los cuales fue renovada su contratación por el municipio. En el segundo caso, indica que la Municipalidad habría incurrido en un acto discriminatorio e injusto al no renovar su contrata para el año 2016, sin mediar una justificación para la adopción de tal medida, indicando que él ingresó a la Municipalidad el año 2000, desempeñándose a través de sucesivas contrataciones hasta el 2015.

Requerido de informe al municipio del primer caso señaló, en síntesis, que la decisión en examen se encuentra amparada en lo dispuesto por el artículo 2º de la ley Nº 18.883, cesando el vínculo con el ente comunal por el solo ministerio de la ley el día 31 de diciembre de 2015.

Respecto del segundo caso, se señaló que el requerimiento se analizará con prescindencia del informe municipal, ya que este no fue recepcionado dentro del plazo fijado al efecto.

De acuerdo con lo anterior, en el referido dictamen Nº 22.766, de 2016, Contraloría General, sostiene que, sobre el particular, es necesario indicar que el inciso tercero del artículo 2º de la ley Nº 18.883, dispone que los empleos a contrata durarán, como máximo, solo hasta el 31 de diciembre de cada año, contemplando en su parte final la posibilidad de disponer su prórroga con 30 días de anticipación, a lo menos.

Agrega que, por su parte, el artículo 5º, letra f), del precitado cuerpo normativo, expresa que el empleo a contrata «Es aquel de carácter transitorio que se contempla en la dotación de una municipalidad», razón por cual la jurisprudencia administrativa emanada de esta Contraloría General, ha precisado que las designaciones a contrata constituyen empleos esencialmente transitorios que se consultan en la dotación de una institución, cuya finalidad es la de complementar el conjunto de cargos permanentes que forman parte de la planta de personal de un servicio, según lo requieran las necesidades de este (aplica criterio contenido en dictamen Nº 29.097, de 2008).

En este contexto, del estudio de los antecedentes y de acuerdo con la información que obra en el Sistema de Información y Control del Personal de la Administración del Estado —SIAPER—, que mantiene esta Entidad Fiscalizadora, aparece que los dos municipios hicieron uso de la facultad contemplada en el inciso tercero del artículo 2º de la ley Nº 18.883, disponiendo reiteradamente la recontratación de los dos ex funcionarios, tornando en permanente y constante la mantención del vínculo con los interesados, lo que determinó así en definitiva constante la mantención del vínculo con los interesados, lo que determinó finalmente que los ente comunales menciona-dos incurrieran en una práctica administrativa que generó para los recurrentes una legítima expectativa que les indujo razonablemente a confiar en la repetición de tal actuación.

De esta manera, al ser renovada durante 15 y 4 años, en cada caso, la vinculación de los municipios con los peticionarios, a estos últimos les asistió —al amparo de los principios de juridicidad y seguridad jurídica y los consagrados en los artículos 5º, 8º y 19 Nº 26 de la Constitución Política de la República— la confianza legítima de que serían recontratados para el año 2016. En efecto, la mencionada confianza legítima se traduce en que no resulta procedente que la administración pueda cambiar su práctica, ya sea con efectos retroactivos o de forma sorpresiva, cuando una actuación continuada haya generado en la persona la convicción de que se le tratará en lo su-cesivo y bajo circunstancias similares, de igual manera que lo ha sido anteriormente.

Señala Contraloría General que, analizados los documentos adjuntos, se advierte que, en el primero de los casos, la autoridad administrativa a través de una simple comunicación informó al interesado de la no renovación de su contrata para el año 2016, por no ser necesarios sus servicios, sin hacer referencia a ningún antecedente que dé cuenta de las circunstancias de hecho que justifiquen su decisión, es decir, de manera infundada.

Lo precedentemente expuesto, no se condice con el deber derivado del principio de la confianza legítima de tener los órganos de la administración del Estado una actuación coherente, y en el caso de determinar una decisión distinta a la que ha venido adoptando, dar comunicación de dicho cambio de criterio a través de un acto de carácter positivo debidamente motivado a través del cual este se manifieste. Por su parte, en relación al segundo caso, no consta que se haya dado cumplimiento a lo señalado en el párrafo anterior.

Continúa señalando que, en este sentido, se debe tener presente que el artículo 11 de la ley Nº 19.880, dispone, en lo que importa, que «Los hechos y fundamentos de derecho deberán siempre expresarse en aquellos actos que afectaren los derechos de los particulares», razón por la cual resulta necesario que el acto que se dicte al efecto contenga el razonamiento y la expresión de los hechos y fundamentos de derecho en que se sustenta su decisión (aplica criterio contenido en dictamen Nº 13.207, de 2010).

Por consiguiente, teniendo en cuenta que las reiteradas renovaciones de las con-trataciones —desde la segunda renovación al menos—, generan en los servidores municipales que se desempeñan sujetos a esa modalidad, la confianza legítima de que tal práctica será reiterada en el futuro, para adoptar una determinación diversa, es menester —al amparo del referido principio—, que la autoridad municipal emita un acto administrativo, que explicite los fundamentos que avalan tal decisión.

Por lo tanto, corresponde reconsiderar el criterio contenido en los dictámenes Nºs. 19.385, de 2001, 58.781, de 2010, 68.642, de 2011, 38.825, de 2012, y 48.889, de 2012, y toda la jurisprudencia en contrario del criterio expuesto en el presente pronunciamiento.

En relación con lo anterior, se debe tener presente que en virtud de lo manifestado en el dictamen Nº 65.125, de 2009, entre otros, al producirse necesariamente un cambio de jurisprudencia, en resguardo del principio de seguridad jurídica, el nuevo criterio solo genera efectos para el futuro, sin afectar las situaciones acaecidas durante la vigencia de la efectos para el futuro, sin afectar las situaciones acaecidas durante la vigencia de la doctrina que ha sido sustituida por el nuevo pronunciamiento, sin perjuicio de que si este se ha originado en la reclamación de uno o más interesados, deban ser estos los primeros beneficiados por la modificación, como ocurre en este caso concreto.

En definitiva, en virtud de los efectos del principio de confianza legítima, Contraloría General ordena a los municipios la reincorporación de los funcionarios, en los mismos términos de su última contratación, debiendo pagarle las remuneraciones correspondientes al tiempo durante el cual este se vio separado de sus labores, ya que dicho impedimento proviene de una situación de fuerza mayor, no imputable a aquel.

Este dictamen, tiene relevancia jurídica no solo respecto de la renovación de las contratas y, eventualmente de los honorarios en la Administración del Estado, sino que, más importante aún, es reconocer fundamentos constitucionales al principio de confianza legítima, señalando expresamente, en la parte que nos interesa, que: «...... al amparo de los principios de juridicidad y seguridad jurídica y los consagrados en los artículos 5º, 8º y 19 Nº 26 de la Constitución Política de la República...».

El criterio jurisprudencial expuesto, basado en un caso similar, se reitera en el dictamen Nº 23.518 del año 2016, donde, además, se incluyen nuevos argumentos para fundamentar la aplicación del principio de confianza legítima, recurriendo como se aprecia en él, a principios constitucionales y legales, como también a la doctrina de Derecho Administrativo, sobre lo que implica el principio de confianza legítima.

En efecto, en la parte que nos interesa, el referido dictamen señala que: «la jurisprudencia de Contraloría General, contenida entre otros, en los dictámenes Nºs. 74.764, de 2012, y 80.960, de 2014, ha concluido, en lo pertinente, que cuando una contratación o su prórroga, ha sido dispuesta con la fórmula "mientras sean necesarios sus servicios", la autoridad administrativa puede ponerle término en el momento que estime conveniente».

«No obstante, es menester indicar que el inciso segundo del artículo 11 de la ley Nº 19.880 preceptúa que "Los hechos y fundamentos de derecho deberán siempre expresarse en aquellos actos que afectaren los derechos de los particulares", lo que guarda concordancia con lo previsto en el inciso primero del artículo 16, que dispone "El procedimiento administrativo se realizará con transparencia, de manera que permita y promueva el conocimiento, contenidos y fundamentos de las decisiones que se adopten en él", y en el inciso cuarto del artículo 41 del mismo texto legal que establece "Las resoluciones contendrán la decisión, que será fundada"».

«Así, los actos administrativos que afecten los derechos de los particulares, tanto los de contenido negativo o gravamen como los de contenido favorable, deberán ser fundados, debiendo, por tanto, la autoridad que los dicta, expresar los motivos —esto es, las condiciones que posibilitan y justifican su emisión—, los razonamientos y los antecedentes de hecho y de derecho que le sirven de sustento y conforme a los cuales ha adoptado su decisión, pues de lo contrario implicaría confundir la discrecionalidad que le concede el ordenamiento jurídico con la arbitrariedad, sin que sea suficiente la mera referencia formal, de manera que su sola lectura permita conocer cuál fue el raciocinio para la adopción de su decisión (aplica dictámenes Nºs. 91.219, de 2014, y 1.342, de 2015)».

«En este orden de ideas, los dictámenes Nºs. 499, de 2012, y 4.567, de 2015, han precisado que la exigencia de fundamentación de los actos administrativos se vincula con el recto ejercicio de las potestades otorgadas a la Administración activa, toda vez que permite cautelar que éstas se ejerzan de acuerdo a los principios de juridicidad —el que lleva implícito el de racionalidad—, evitando todo abuso o exceso, de acuerdo con los artículos 6º y 7º de la Constitución Política de la República, en relación con el artículo 2º de la ley Nº 18.575 —Orgánica Constitucional de Bases Generales de la Administración del Estado—, y de igualdad y no discriminación arbitraria —contenido en el artículo 19, Nº 2, de la Carta Fundamental— como, asimismo, velar porque tales facultades se ejerzan en concordancia con el objetivo considerado por el ordenamiento jurídico al conferirlas».

«Por consiguiente, el decreto alcaldicio mediante el cual la autoridad ponga término anticipado a una contrata, debe necesariamente ser un acto administrativo fundado, pudiendo, en caso contrario, ser tachado de arbitrario y, por ende, ilegítimo».

Seguidamente, Contraloría General, mediante el dictamen Nº 85.700 de 28 de noviembre de 2016 y Nº 6.400 de 02 de marzo de 2018, vino a impartir instrucciones y fijar criterios complementarios en relación a los dictámenes Nº 22.766 y Nº 23.518 ambos de 2016. De ellas, podemos destacar y reproducir, las siguientes:

a) Estatutos afectos al criterio contemplado en el dictamen Nº 22.766 de 2016.

Considerando que el referido dictamen resuelve la situación de funcionarios que se encontraban en calidad de contrata a la data de su cese, y sin perjuicio de otras precisiones que más adelante se desarrollan en torno a la extensión y naturaleza de las vinculaciones previas que sirvan para generar la expectativa de la renovación, el criterio contenido en dicho pronunciamiento es aplicable a todas aquellas designaciones de funcionarios, de carácter temporal, susceptibles de ser renovadas por decisión de la autoridad (dictamen Nº 58.864, de 2016), y que no correspondan a suplencias o modalidades de reemplazo de otros Servidores.

Así, el criterio del dictamen N° 22.766, de 2016, debe aplicarse a los funcionarios que han sido designados en empleos a contrata y otras figuras de designación semejantes regidos por los siguientes textos y normas legales:

- Ley N° 18.883, Estatuto Administrativo para funcionarios Municipales.

- Ley N° 18.834, Estatuto Administrativo.

- Artículo 13 del decreto ley N° 1.608, de 1976.

- Leyes N° 15.076 y N° 19.664, relativas a profesionales funcionarios.

- Ley N° 19.378, Estatuto de Atención Primaria de Salud Municipal.

- Ley N° 19.070, Estatuto de los Profesionales de la Educación.

- Decreto con fuerza de ley N° 2, de 1968, del ex Ministerio de Interior, Estatuto del Personal de Carabineros de Chile, en lo relativo al personal contratado por resolución (CPR).

- Decreto con fuerza de ley N° 1, de 1980, del Ministerio de Defensa Nacional, Estatuto del Personal de Policía de Investigaciones de Chile, en lo relativo a empleos a contrata y trabajadores a jornal de esa institución policial.

- Decreto con fuerza de ley N° 1, de 1997, del. Ministerio de Defensa Nacional Estatuto del Personal de las Fuerzas Armadas, relativo al personal a contrata (PAC).

El criterio no rige, en cambio, en aquellos casos en que la preceptiva que regula el empleo:

a) contemple un régimen especial de renovación que limite el número de éstas, como acontece, por ejemplo, con los empleos a contrata de la Etapa de Destinación y Formación a que se alude en el artículo 6° de la ley N 19.664;

b) establezca un efecto particular para los casos de renovaciones o prestación de servicios por sobre el plazo del contrato, como sucede, por ejemplo, con el artículo 159, No 4, inciso final, del Código del Trabajo, y con el artículo 2° del decreto N° 587, de 1972, del Ministerio de Defensa Nacional, que aprueba el Reglamento del Personal a Jornal y Obreros a Trato de las Fuerzas Armadas que transforman en indefinido un contrato si se presentan determinadas circunstancias, o

c) corresponda a designaciones que el ordenamiento jurídico que las regula contemple para el reemplazo de otros servidores, como sucede con los contratos de reemplazo del sector salud (incluido el municipal) y docente, o sin ser concebidas para aquel fin específico; sean dispuestas expresamente para el reemplazo de otro servidor.

b) En cuanto al «contenido, continuidad y extensión de las designaciones a contrata que generan la confianza legítima».

Establece Contraloría General, que sin perjuicio de lo que señala acerca de los efectos de la aplicación del dictamen N° 22.766, de 2016, que importa el deber de la Administración de renovar el vínculo entre el funcionario y el respectivo organismo en aquellos casos en que opere la confianza legítima en los términos señalados en dicho pronunciamiento, resulta necesario referirse a las condiciones que deben reunir las vinculaciones previas para generar dicha confianza.

Sobre el particular, se debe anotar que el señalado dictamen arriba a las conclusiones reseñadas en el apartado I del presente documento en relación con sucesivas designaciones a contrata, por lo que aquellas sólo aplican para ese tipo de vinculaciones —o contrataciones similares, aun cuando no tengan la misma denominación— y no para los contratos a honorarios.

Contraloría General en este dictamen advierte que en él se utilizan indistintamente las expresiones renovación o prórroga para referirse a aquellas situaciones en que, sin solución de continuidad, se mantiene entre la Administración y uno de sus servidores un vínculo funcionarial a contrata o bajo alguna figura semejante de empleo transitorio.

En este contexto es procedente considerar que el deber de renovar una contrata en el evento que esta no haya sido prorrogada sin explicitar las razones tenidas en consideración para ello, deriva de una actuación previa por parte de la Administración, en orden a requerir reiteradamente los servicios de una persona, por un periodo tal que hace suponer que dicha conducta seguirá repitiéndose.

Así, no resulta relevante si las vinculaciones previas lo son por contratas que difieren de aquella que no fue prorrogada —y que por aplicación del dictamen deberá renovarse—, ya sea en la planta de asimilación, en el grado o en la función específica asignada, entre otras.

Lo importante para este fin es que de manera constante y reiterada un organismo de la Administración del Estado haya requerido los servicios personales de un funcionario a través de designaciones a contrata, lo que hace suponer que, salvo que medie una razón plausible, la última designación a contrata que el interesado sirvió será renovada por toda la anualidad siguiente; en el mismo grado y estamento.

Luego, y en lo que se refiere a la continuidad de la relación previa, es dable señalar que la confianza legítima, de que trata el dictamen N° 24.766, de 2016, sólo podrá generarse en la medida que no haya interrupción entre una designación y la siguiente, ya que la existencia de algún lapso de alejamiento genera por esencia una duda razonable en torno a la mantención de esa relación funcionarial y, por lo mismo, se opone a la confianza legítima.

Finalmente, en cuanto a la duración que ha de tener cada una de las contratas previas y la extensión total del lapso necesario para provocar la anotada confianza, se debe señalar, de manera preliminar, que el ya citado pronunciamiento, teniendo en consideración los 15 y 4 años de sucesivas designaciones a contrata de las personas cuya situación analizó, resolvió que a lo menos desde la segunda renovación se genera en el servidor la confianza legítima de que tal práctica será reiterada en el futuro.

Luego, se debe tener presente que conforme se dispone en los artículos 3°, letra c), y 10 de la ley N° 18.834, y artículos 2° y 5°, letra f), de la ley N° 18.883, los empleos a contrata son aquellos de carácter transitorio de una dotación y deben ser dispuestos por un plazo que puede extenderse sólo hasta el 31 de diciembre de cada año y, por lo mismo, su duración puede corresponder, a lo sumo, a un año calendario.

Tal preceptiva, contenida en los dos cuerpos estatutarios de mayor generalidad, esto es, el Estatuto Administrativo y el Estatuto Administrativo para Funcionarios Municipales, se replica, en términos semejantes, en otros textos estatutarios, como acontece con aquellos que rigen en las fuerzas de orden y seguridad.

En este contexto, y en los términos señalados en el dictamen N° 22.766, de 2016, cabe colegir que la práctica que genera la confianza legítima está determinada por una extensión de tiempo que alcanza más de dos años.

En efecto, y considerando la situación de hecho referida en ese pronunciamiento, fue la segunda renovación de una designación a contrata anual la que generó en los recurrentes la legítima confianza de que, concluido el término de esta última, se iba a proceder a una nueva renovación o prórroga por igual lapso.

Así, en el evento que una persona sea designada a contrata, por primera vez, luego que haya comenzado el año respectivo (incluso en diciembre), se entenderá que hubo una primera renovación anual si dicha vinculación se extiende por todo el año calendario siguiente (ya sea en virtud de una sola designación o de varias sucesivas y continuas), entendiendo que existe una segunda renovación de dicho nexo funcionarial si este abarca toda la anualidad subsiguiente, en los términos aludidos, de lo dual se colige que deberá haber transcurrido más de dos años para invocar la confianza de una nueva prolongación anual de su designación (aplica dictamen N° 70.966, de 2016).

En este orden de ideas, y considerando que un servidor puede ser objeto de múltiples y sucesivas designaciones a contrata por tiempos menores a un año calendario (por ejemplo, sólo por algunos meses), se debe aclarar que son útiles para efectos de entender una continuidad en el vínculo que hace nacer la aludida confianza los diferentes periodos inferiores a un año, pero continuos, desempeñados a contrata, en la medida que el lapso total de esas designaciones abarque más de dos años (complementa dictámenes Nos 53.844 y 78.454, de 2016)

Así, a modo ejemplar, un servidor puede haberse desempeñado en el mismo organismo de la Administración entre el 1 de enero y el 31 de mayo en virtud de una designación a contrata y luego, con ocasión de otra de la misma clase, entre el 1 de junio y el 20 de noviembre, para finalmente ser designado nuevamente a contrata entre el 21 de noviembre y el 31 de diciembre de la misma anualidad, caso en cual se debe entender —para los efectos de aplicar la confianza legítima— que ha existido una relación funcionaria ininterrumpida con dicha entidad durante ese año.

c) En cuanto al «acto administrativo que determina la no renovación de una contrata o que pone término anticipado a la misma».

1) Naturaleza.

Tanto respecto de la no renovación de una contrata como del término anticipado de la misma, los dictámenes N° 22.766 y 23.518, ambos de 2016, respectivamente, han señalado que tales determinaciones deben ser hechas a través de la emisión del pertinente acto administrativo.

De acuerdo al inciso primero del artículo 3° de la ley N° 19.880, las decisiones escritas que adopte la Administración se expresarán por medio de actos administrativos. Su inciso segundo prevé que para efectos de esa ley estos serán «las decisiones formales que emitan los órganos de la Administración del Estado en las cuales se contienen declaraciones de voluntad, realizadas en el ejercicio de una potestad pública».

Su inciso tercero preceptúa que los actos administrativos tomarán la forma de decretos supremos o resoluciones.

Luego, su inciso cuarto define qué es un decreto supremo, mientras que su inciso quinto prescribe que las resoluciones son actos de análoga naturaleza a ellos, que dictan las autoridades administrativas dotadas de poder de decisión.

En este sentido, corresponde que la autoridad emita el respectivo acto administrativo que contenga la decisión formal de no renovar el vínculo funcionarial, de hacerlo por un lapso inferior a un año o en un grado o estamento inferior, o de prescindir anticipadamente de los servicios del empleado, cuando sea el caso.

2) Motivación.

El artículo 11 de la ley N° 19.880, dispone, en lo que interesa, que «Los hechos y fundamentos de derecho deberán siempre expresarse en aquellos actos que afectaren los derechos de los particulares, sea que los limiten, restrinjan, priven de ellos, perturben o amenacen su legítimo ejercicio». Por su parte, el artículo 41, inciso cuarto, del mismo cuerpo legal, establece que las resoluciones finales contendrán la decisión, que será fundada.

Así, los actos administrativos en que se materialice la decisión de no renovar una designación, de hacerlo por un lapso menor a un año o en un grado o estamento inferior; o la de poner término anticipado a ella, deberán contener «el razonamiento y la expresión de los hechos y fundamentos de derecho en que se sustenta»; por lo que no resulta suficiente para fundamentar esas determinaciones la expresión «por no ser necesarios sus servicios» u otras análogas.

De este modo, podrá servir de fundamento para prescindir de los servicios del funcionario en ambos casos, o para designarlo a contrata por un lapso menor al año, o en un grado o estamento inferior, y en la medida que, por cierto, se encuentre suficientemente acreditado, entre otros:

– Una deficiente evaluación del servidor, ya sea la calificación regular y periódica u otra evaluación particular.

– La modificación de las funciones del órgano y/o su reestructuración, que hagan innecesarios los servicios del empleado o requieran que este desarrolle funciones diversas a las desempeñadas, o por un lapso inferior al año calendario.

– La supresión o modificación de planes, programas o similares, o una alteración de su prioridad, que determinen que las labores del funcionario ya no sean necesarias o dejen de serlo antes de completarse el año siguiente.

– Nuevas condiciones presupuestarias o de dotación del servicio que obliguen a reducir personal.

– Reducción de la dotación docente o de la dotación del sector de atención primaria de salud, conforme a lo prescrito en las leyes Nos 19.070 y 19.378, respectivamente.

Sin perjuicio de lo anterior, cabe recordar que el dictamen N° 48.251, de 2010, Contraloría General, resolvió que la aplicación de la cláusula «mientras sean necesarios sus servicios» puede estar referida a las aptitudes personales del empleado, las cuales ya no son requeridas por el servicio, sin que ello implique necesariamente que el organismo dejará de desarrollar las tareas que a aquél se le encargaban, las cuales pueden continuar siendo cumplidas por otro funcionario. No obstante, en este caso deberán expresarse las razones por las cuales los servicios del afectado dejaron de ser necesarios para el organismo.

3) Plazo para la dictación del acto que decide no prorrogar o renovar la contrata, o decide hacerlo por un plazo menor a un año o en un grado o estamento inferior.

Como se señaló, los artículos 10, inciso primero, de la ley N° 18.834 y 2°, inciso tercero, de la ley N° 18.883, definen a los cargos a contrata, en similares términos, como aquellos que duran, como máximo, hasta el 31 de diciembre de cada año, salvo que se hubiese dispuesto su prórroga con treinta días de anticipación, a lo menos.

Pues bien, como se aprecia de las normas citadas, la facultad de prorrogar una contrata debe ser ejercida con al menos treinta días de anticipación al vencimiento del plazo de esa designación, lo que de conformidad con el nuevo criterio contenido en el dictamen N° 22.766, de 2016, se traduce también en un límite temporal para que el jefe de servicio determine la no renovación del vínculo a través de la dictación del respectivo acto administrativo en aquellos casos en que se haya generado la confianza legítima de la renovación del vínculo, o resuelva renovarlo por lapso menor a un año o en un grado o estamento inferior.

En este sentido, cuando se haya generado en el funcionario la confianza legítima de que será prorrogada o renovada su designación a contrata que se extendió hasta el 31 de diciembre, el acto administrativo que materialice alguna de las decisiones referidas en el párrafo precedente deberá dictarse a más tardar el 30 de noviembre del respectivo año y notificarse conforme a lo señalado en el acápite siguiente.

4) Notificación del acto que dispone la no renovación de la contrata o su término anticipado, o que resuelve prorrogarla por un plazo menor a un año o en un grado o estamento inferior.

Sobre el particular, cabe recordar que el inciso primero del artículo 45 de la mencionada ley N° 19.880, prevé que los actos administrativos de contenido individual —cómo aquel que dispone el término anticipado de la contrata de un servidor o la no renovación del vínculo, deben ser notificados a los interesados conteniendo su texto íntegro.

El inciso segundo de esa disposición prescribe que las notificaciones deberán practicarse, a más tardar, en los cinco, días siguientes a aquél en que ha quedado totalmente tramitado el acto administrativo.

Por su parte, el artículo 46, inciso primero, de la precitada ley N° 19.880, dispone pomo regla general, la remisión por carta certificada de los actos de efectos individuales, al domicilio del interesado.

Su inciso tercero, admite la notificación de modo personal de la manera que allí indica, mientras que su inciso cuarto permite que las notificaciones sean hechas en la oficina o Administración, especificando el mecanismo para ello.

Finalmente, el artículo 47 del precitado texto legal prevé la notificación tácita del acto al prescribir que «Aun cuando no hubiere sido practicada notificación alguna, o la que existiere fuera viciada, se entenderá el acto debidamente notificado si el interesado a quien afectare hiciere cualquier gestión en el procedimiento, con posterioridad al acto que suponga necesariamente su conocimiento, sin haber reclamado previamente de su falta o nulidad».

De este modo, el acto administrativo que dispone el término anticipado de la contrata de un servidor, la no renovación del vínculo o su prórroga por un lapso menor a un año o en un grado o estamento inferior, deberá ser notificado en el plazo y de las maneras recién descritas, sin perjuicio de lo que ordenen otras normas aplicables según el estatuto al cual se encuentre sujeto el funcionario.

5) Registro y Toma de Razón del acto.

El acto administrativo que dispone la no renovación de la contrata del servidor al que se le ha generado la confianza legítima no se encuentra sujeto a toma de razón acorde con lo establecido en la resolución N° 1.600, de 2008, de este origen, pero deberá ser sometido a registro ante esta Entidad de Control, en formato papel, mientras se incorpora al sistema de registro electrónico que determine Contraloría General.

Lo anterior, en cumplimiento de lo dispuesto en la letra c) del artículo 38 de la ley N° 10.336, que establece el deber que tiene Contraloría General de llevar un registro de los decretos y resoluciones de nombramiento de funcionarios públicos, ya sean de planta o a contrata o en el carácter de propietarios, suplentes o interinos, y los demás decretos o resoluciones que afecten a los mismos.

En armonía con lo expuesto, se encuentran los principios de eficiencia, eficacia y coordinación que deben informar la actividad de la Administración, correspondiendo que se refleje en la hoja de vida de cada servidor cualquier modificación experimentada en su calidad funcionaria, procediendo que, con esa finalidad, se dicte un acto que deje constancia de la decisión de la autoridad de no prorrogar la contratación para efectos de mantener el historial fidedigno de la vida funcionaria del personal de la Administración (aplica criterio contenido en el dictamen N° 74.753, de 2012).

Por su parte, los actos administrativos que, respecto de funcionarios en los que se ha generado la confianza legítima de que trata este documento, resuelven designar a contrata a un empleado por un lapso menor a un año o en un grado o estamento inferior, deben ser sometidos a toma de razón, en la pertinente plataforma electrónica, por corresponder a una nueva designación, conforme se previene actualmente en el artículo 7.1.5 de la resolución N° 1.600, de 2008, de Contraloría General.

Finalmente, los actos que disponen el término anticipado de la contrata de un servidor se encuentran también afectos al trámite de toma de razón —en la modalidad electrónica antes señalada— de acuerdo al artículo 7.2.4 de la citada resolución N° 1.600.

Todo lo anterior es sin perjuicio de aquellos casos en que, por mandato de una norma legal, como acontece con el artículo 53 de la ley N° 18.695

respecto del personal municipal, los actos que los afecten estén exentos de dicho trámite, en cuyo caso deberán ser registrados a través de la plataforma respectiva.

d) En cuanto a las «consecuencias de la no dictación o insuficiente fundamentación del acto que determina la no renovación de la contrata o que determina su prórroga o renovación en un grado o estamento inferior o por un plazo menor a un año».

En caso de no dictarse el acto administrativo que fundamente la no renovación o prórroga de la contrata, o en el evento que se resuelva disponer la renovación pero en un grado o estamento inferior o por un plazo menor a una anualidad, o que no se encuentren debidamente fundadas esas decisiones, y el afectado reclamé oportunamente, corresponde entender que la contratación del servidor debe ser prorrogada en iguales términos a la existente al 31 de diciembre de la anualidad respectiva, y por todo el año siguiente.

No obstante, lo anterior no afecta el ejercicio de las facultades generales de la autoridad respectiva de ponerle término anticipado de manera fundada a una contrata, en los términos fijados por el dictamen N° 23.518, de 2016, en la medida qué la designación contenga la cláusula «mientras sean necesarios sus servicios» u otra similar.

e) En cuanto a las «consecuencias de la insuficiente fundamentación del acto que pone término anticipado de una contrata».

En aquellos casos en que se encuentre afecto a trámite de toma de razón el acto que disponga el término anticipado de una contrata, esta Contraloría General examinará la legalidad de la fundamentación de esa decisión, pudiendo representarlo en caso de carecer de ella o no ser suficiente (tal como aconteció respecto de las situaciones aludidas en los oficios NOS 64.947 y 81.013, ambos de 2016, de este origen).

Tratándose de aquellos sometidos solo a registro, serán registrados, sin perjuicio del control posterior, conforme al cual podrán ser objetados y deberán ser dejados sin efecto.

Para cerrar respecto de los dictámenes citados, es importante, reiterar, que queda absolutamente claro para Contraloría General de la República, que el principio de confianza legítima no tiene aplicación respecto de los contratos a honorarios.

También en materia estatutaria, tenemos un dictamen más antiguo que reconoce el principio de confianza legítima, el N° 22.113, de 2012, en relación al pago del bono post laboral previsto en la ley N° 20.305, cuyo entero fue desestimado en un primer momento por la información equivocada que la Administración proporcionó a la afectada en relación a la fecha en la que debía cesar en funciones, lo que la indujo a desvincularse extemporáneamente, concluye que dicha situación configura una justa causa de error, que no puede provocar un perjuicio a la servidora que ha actuado de buena fe y en el convencimiento de haber procedido dentro de un ámbito de legitimidad, por lo que en resguardo de los principios de confianza legítima, de certeza y seguridad de las relaciones jurídicas, corresponde que la Administración dé por subsanado el vicio en análisis, y otorgue el bono a la afectada, siempre y cuando cumpla con los demás requisitos copulativos establecidos por el mencionado cuerpo legal.

En la misma línea está el dictamen N° 103.278, de 2015, donde Contraloría General concluye que dada la irregularidad en que incurrió el servicio en la designación de un funcionario, la situación expuesta, constituye un error de la Administración que no resulta imputable al ocurrente y, en consecuencia, no corresponde que este soporte los perjuicios derivados de ella, por lo que, en resguardo de los principios de confianza legítima, de certeza y seguridad de las relaciones jurídicas, debe deducirse que el vicio incurrido en la contratación no implicó el término de la contrata del interesado.

Podemos mencionar en el mismo orden de ideas, el dictamen N° 5.156 de 02 de febrero de 2009, pronunciándose sobre una solicitud de reconsideración de la nulidad de un concurso público de la ley N° 18.883, Estatuto Administrativo para los Funcionarios Municipales.

En este caso la Municipalidad de San Bernardo solicitó la reconsideración del oficio N° 26.215, de 2008, en el que se observaron los decretos N°s. 573 a 593, todos de 2007 y de ese municipio, en los cuales se nombraba a una serie de personas que en ellos se indican, al término de un concurso público regulado por la ley N° 18.883, destinado a proveer diversos cargos vacantes de la planta municipal.

Señala, en síntesis, que si bien en el procedimiento concursal que dio lugar a los nombramientos en examen, efectivamente se habrían exigido más requisitos de los dispuestos en el decreto con fuerza de ley N° 79, de 1994 —que Adecua, Modifica y Establece la Planta de Personal de la aludida corporación edilicia—, y de la ley N° 19.280 —que Modifica la Ley N° 18.695, Orgánica Constitucional de Municipalidades y Establece Normas sobre Plantas de Personal de las Municipalidades los citados decretos no deben ser dejados sin efecto por una serie de consideraciones.

Sobre el particular, Contraloría General, señala que mediante el oficio N° 26.215, de 2008 —emitido con ocasión del registro de los decretos N°s. 573 a 593, todos de 2007— concluyó que la Municipalidad de San Bernardo debía invalidar el aludido concurso, por haberse incurrido en diversas irregularidades, razón por la cual debía retrotraerse el certamen en examen al estado de elaborar las correspondientes bases.

Agrega que, en primer término, el referido municipio señala que las personas designadas mediante los decretos observados se han desempeñado por casi un año en sus cargos, actuando de buena fe y sobre la base de la confianza legítima en el actuar de la Administración, por lo que se trata de situaciones jurídicas consolidadas, y la invalidación de los nombramientos en examen les causaría a estos daños irreparables, con las correspondientes consecuencias económicas.

Al respecto, cabe manifestar que, si bien los argumentos esgrimidos por esa municipalidad no permiten desvirtuar por completo la existencia de la irregularidad observada por esta Contraloría General —haber exigido más requisitos de los que establece la ley—, tampoco debe ignorarse que, de acuerdo con lo concluido por esta Entidad Fiscalizadora en el dictamen N° 47.041, de 2008, una infracción que no constituye un vicio que afecte en lo sustancial la validez del concurso, no conlleva necesariamente la invalidación de éste, por cuanto tal defecto no privó al acto de los requisitos indispensables para alcanzar su fin.

En este orden de ideas, es necesario indicar que, luego del estudio de los antecedentes tenidos a la vista, se ha podido establecer que aun cuando la observación de que se trata representa un vicio que incide en el desarrollo del referido proceso concursal, no lo es menos que los servidores, que ingresaron al aludido municipio en virtud de los decretos en examen, se encuentran en el ejercicio de sus respectivos cargos, en la creencia de que sus nombramientos son regulares —es decir, que se dispusieron con apego a la ley—, circunstancia que constituye un límite a la potestad invalidatoria de los actos contrarios a derecho por parte de los organismos públicos, sobre la base de la confianza de los afectados en la Administración del Estado, puesto que la seguridad jurídica de tal relación amerita su amparo, conclusión que, por lo demás, se encuentra en armonía con los dictámenes N°s. 7.941, de 2006 y 45.255, de 2008.

Lo anterior, por cuanto, según el criterio contenido en el dictamen N° 12.266, de 1999, de Contraloría General la invalidación como sanción no puede afectar a quienes de buena fe actuaron con el convencimiento que, como ocurre en la especie, sus designaciones se encontraban conforme al ordenamiento jurídico.

Atendido lo expuesto, y en resguardo de los principios de buena fe, de certeza y seguridad de las relaciones jurídicas, esta Entidad Fiscalizadora, de manera excepcional, da por subsanado el vicio de que se trata y que afectó al concurso público regulado por la ley N° 18.883, convocado por la Municipalidad de San Bernardo, específicamente a los nombramientos dispuestos en los decretos N°s. 573 a 574 y 576 a 592, todos de 2007.

De la misma manera y tal como señalamos, el principio de confianza legítima en análisis ha sido invocado como fundamento para resolver, por parte de Contraloría General, otras materias ajenas al personal de la Administración del Estado.

Así tenemos, por ejemplo, el dictamen N° 50.335 de 23 de junio de 2015, donde una oferente reclama ante Contraloría General, en relación con la licitación pública ID N° 884-124-LE14, convocada por el Servicio de Salud Metropolitano Sur Oriente para la provisión de estantes de acero, señalando que no se le otorgó puntaje en el rubro «Cumplimiento de los Requisitos Formales de las Ofertas», pese a que presentó todos los documentos solicitados. Agrega que el oferente adjudicado no habría ofertado puertas de vidrios templados ni las ruedas especificadas para los referidos muebles, vulnerando con ello los documentos que rigieron el respectivo proceso concursal.

Al efecto, Contraloría General, sostiene que «en mérito de lo expuesto, es menester concluir que la entidad licitante al asignar cero puntos al recurrente en el rubro mencionado y adjudicar la licitación a una empresa que no dio cumplimiento a los requisitos establecidos en los documentos pertinentes, ha incurrido en conductas que importan una vulneración del principio de estricta sujeción a las bases, por lo que correspondería que la autoridad inicie el procedimiento de invalidación de la resolución exenta N° 3.116, de 2014, que adjudicó la licitación y adopte las medidas tendientes a retrotraer el proceso al momento de la evaluación de las ofertas, de lo cual deberá informar a este Organismo Fiscalizador en el plazo de treinta días contado desde la fecha de recepción de este pronunciamiento».

Finalmente, en lo que nos interesa, señala que «en todo caso, y en armonía con lo resuelto por Contraloría General, entre otros, en el dictamen N° 71.923, de 2013, ese servicio deberá tener en consideración que la invalidación de los actos viciados tiene como límite aquellas situaciones jurídicas consolidadas sobre la base de la confianza de los particulares en la actuación legítima de los órganos de la Administración».

Sin perjuicio de lo expuesto, compartimos en parte, lo que sostiene Javier Millar Silva[73], en el sentido que no se advierte un desarrollo sistemático del principio de confianza legítima, sino más bien se aprecia la existencia de pronunciamientos que resuelven situaciones de hecho, y en los que aquel se invocaría en apoyo a otros principios tradicionales como la buena fe y la seguridad jurídica, y no como un principio específico del cual se puedan desprender consecuencias concretas, y sin que la Institución Contralora se refiera al fundamento normativo para su aplicación.

De acuerdo a los dictámenes señalados, podemos señalar que por regla general, estos reconocen el principio de confianza legítima en cuanto límite de la invalidación, atribución esta última que si bien es concebida como un poder-deber de la autoridad administrativa, se reconoce que tiene como limitación la existencia de relaciones jurídicas consolidadas a la luz del acto irregular, en consideración a la buena fe de los terceros y a la confianza de estos en el actuar legítimo de la Administración, así como a los principios de certeza o seguridad jurídica[74].

De la misma manera, otros reconocen la relación que tiene la confianza legítima con los principios generales informadores del ordenamiento jurídico, como son la buena fe y la seguridad o certeza jurídica, estableciendo que de producirse una colisión entre estos y la anotada facultad-deber de invalidar, en determinadas situaciones, deben prevalecer dichos valores.

También se puede apreciar un cierto criterio práctico en la decisión de aplicar o no el principio de confianza legítima, a fin de evitar las consecuencias más perjudiciales que podría acarrear la invalidación, sea para los terceros o beneficiarios o

---

[73] Millar Silva, Javier. La Potestad Invalidatoria en el Derecho Chileno. Ob. cit. Págs. 283-285.
[74] Jara Schwaiger, Ana María, Efectos del Principio de Confianza Legítima, aplicado al ejercicio de la Potestad Invalidatoria de la Administración Pública, obra citada, pág. 71

incluso para el Estado —comprometiendo su responsabilidad patrimonial, según lo reconocen expresamente algunos pronunciamientos.

4. El principio de confianza legítima y su aplicación en la jurisprudencia de nuestros Tribunales de Justicia

En cuanto a la aplicación de este principio por parte de nuestros Tribunales de Justicia, podemos decir que es de corta data y de un inicio más bien conservador, cobrando mayor vigencia en los últimos años, a partir del año 2008[75], y, especialmente, en materia de renovación de contratas en el sector público, en sintonía con lo obrado por Contraloría General de la República, a partir del dictamen N° 22.766 y N° 23.518, ambos de 2016, complementado por el N° 85.700 de 2016, imparte instrucciones y fija criterios complementarios en relación con el primero, ya analizados.

Como señala Ana María Jara Schwaiger[76], la realidad ha cambiado, y en la actualidad se observan diversos pronunciamientos judiciales de las Cortes de Apelaciones y de la Corte Suprema que se refieren al principio en estudio, tanto en materia de invalidación como en otros ámbitos propios del Derecho Administrativo, o incluso en otros que exceden de esta rama del Derecho, sin perjuicio que en algunas causas judiciales su aplicación es invocada por los particulares afectados, sin que los tribunales se pronuncien al respecto.

Si bien, como hemos señalado, la jurisprudencia de nuestros tribunales ha aplicado el principio de la confianza legítima en materias de distinta naturaleza, por la naturaleza de este texto, Estatuto Administrativo, haremos una breve referencia a distintos fallos, pero centrándonos finalmente en materias de contratas.

Una sentencia que suelen citar los autores, en la aplicación del citado principio de confianza legítima en materias diversas a la potestad invalidatoria, es sobre recurso de protección, caratulada «Chau Barreda con I. Municipalidad de Antofagasta», Corte Suprema, Rol 5.202 de 2005.

Este caso, como señala Millar Silva[77], se refiere al fundamento del principio de confianza legítima, siguiendo la doctrina española que lo deriva de la seguridad jurídica. Se trató de un caso relacionado con la no renovación de una patente de alcoholes, la cual había sido transferida, y cuya solicitud de transferencia había sido requerida oportunamente, sin obtener respuesta del municipio respectivo, sino hasta dos años después en que procedió a caducar la misma, no obstante haber recibido regularmente en ese período el pago de la patente respectiva.

Textualmente el considerando tercero de esta sentencia sostiene que: «en la especie debe tenerse presente el denominado —principio de la confianza legítima—, que

---

[75]   Millar Silva, Javier. La potestad Invalidatoria en el Derecho Chileno. Ob. cit. Págs. 286 y ss.
[76]   Jara Schwaiger, Ana María, Efectos del Principio de Confianza Legítima, aplicado al ejercicio de la Potestad Invalidatoria de la Administración Pública, obra citada, pág. 77
[77]   Millar Silva, Javier. La potestad Invalidatoria en el Derecho Chileno. Ob. cit. Págs. 286 y ss.

es manifestación de la más amplia noción de la seguridad jurídica y de certeza de la situación de cada ciudadano, en que se basan, entre otras, las garantías que se consignan en los Nºs. 2, 3, 16 inciso tercero, 20 inciso segundo y 22 del artículo 19 de la Carta Política. En tal virtud, era dable suponer que los solicitantes de transferencia de titularidad esperaran una acogida favorable a sus pretensiones, atendido el tiempo transcurrido desde la presentación de la solicitud y considerando, además, los pagos normalmente aceptados por la recurrida».

Por su parte, el considerando cuarto señala: «Que la dilación excesiva para adoptar una actitud finalmente negativa por parte del Departamento de Rentas de la Municipalidad recurrida no puede perjudicar a los recurrentes en el sentido de hacerles aplicables el artículo 3º transitorio de la Ley Nº 19.925, hoy Nº 20.033, norma en la que se asila la requerida para disponer la cancelación de las patentes de que se trata. Ello por cuanto, en primer término, la solicitud pertinente fue formulada el 23 de mayo de 2003 antes de la vigencia del citado artículo 3º transitorio de la Ley Nº 19.925, la que no puede operar retroactivamente por impedirlo el artículo 9º del Código Civil y, en segundo lugar, porque su aplicación resulta contraria al principio de la legítima confianza, ya aludido».

En la misma línea, tenemos la sentencia de la Corte Suprema de 2 de enero de 2013, en los autos Rol Nº 7.086-2010, sobre juicio ordinario de indemnización de perjuicios, caratulados «Sociedad Inmobiliaria Inversiones R & T Limitada con Municipalidad de Santa Cruz», conociendo del recurso de casación en el fondo deducido por el municipio, contra la sentencia de la Corte de Apelaciones de Rancagua, en cuanto confirma el fallo de primera instancia que, a su vez, acogió la demanda, declarando la falta de servicio de la municipalidad demandada, condenándola a pagar una indemnización de perjuicios.

El considerando décimo tercero de este fallo expresa: «*Que, asimismo, la actuación de la Municipalidad en los* términos descritos en el motivo anterior vulnera el principio de la confianza legítima que la rige frente a los administrados».

«El referido principio es manifestación de la más amplia noción de la seguridad jurídica y de certeza de la situación de cada ciudadano, en que se basan, entre otras, las garantías que se consignan en los numerales 2, 3, 16 inciso tercero, 20 inciso segundo y 22 del artículo 19 de la Carta Política».

«En tal virtud, era dable suponer que el actor al solicitar la información para adoptar la decisión de realizar una inversión de tal envergadura en la comuna, cumpliendo con todas las exigencias legales y los requisitos para obtener los permisos correspondientes, lo hizo confiado en que el municipio actuaría de manera acorde a su propia normativa y a lo que la autoridad de transporte le ordenaba.

Pero contrario a ello, la Municipalidad omitió la dictación de la correspondiente ordenanza para regulación de vías y planes de transporte local, lo que vulneró la legítima expectativa del administrado, y lo que su propia normativa le ordena, configurando así la falta de servicio aludida, pues tal actuación en el hecho permitió que las líneas de buses continuaran usando un terminal no adecuado, dejando en desuso el construido especialmente al efecto, omisión que originó los daños que los jueces del fondo tuvieron por acreditados».

«Pero contrario a ello, la Municipalidad omitió la dictación de la correspondiente ordenanza para regulación de vías y planes de transporte local, lo que vulneró la legítima expectativa del administrado, y lo que su propia normativa le ordena, configurando así la falta de servicio aludida, pues tal actuación en el hecho permitió que las líneas de buses continuaran usando un terminal no adecuado, dejando en desuso el construido especialmente al efecto, omisión que originó los daños que los jueces del fondo tuvieron por acreditados».

«De ello resulta que el comportamiento o gestión municipal impugnada desconoce el deber de actuación coherente que se desprende del principio de protección de la confianza legítima que rige en el Derecho Administrativo moderno y que se traduce en la legítima expectativa del administrado, en relación a la conducta de la administración, ello, en el entendido que es el ente de la Administración —municipal en este caso— el que se encuentra en mejores condiciones de evaluar los antecedentes relativos al transporte, puesto que contaba con todas las herramientas legales para dictar la reglamentación para regular y ordenar el transporte rural e interurbano en la Comuna de Santa Cruz, cual es sin duda uno de los fines y obligaciones que se espera que cumpla. Es decir, la Municipalidad, como ente de la Administración local, tuvo un comportamiento impropio y bajo el estándar que le era exigible, en orden a regular conforme a su propia normativa y tal como incluso se le había ordenado, la dictación de la regulación de vías de modo de asegurar que la población contara con los terminales aptos y definitivos acordes incluso a evitar un riesgo y entorpecer el plan regulador y las zonas que para cada actividad están establecidas».

Luego, en materia de invalidación podemos citar el fallo Corte de Apelaciones de Santiago de 12 de mayo de 2008, recaído en un reclamo de ilegalidad municipal, causa rol N° 3.226-2007, «Las Américas Administradora de Fondos de Inversiones con I. Municipalidad de Antofagasta», cuyo considerando décimo expresa «Que de acuerdo a lo que prescribe el artículo 53 de la Ley N° 19.880, los actos administrativos contrarios a derecho pueden ser invalidados por la autoridad administrativa, de oficio o a petición de parte, previa audiencia del interesado, siempre que se haga dentro de los dos años contados desde la notificación o publicación del acto. Sin embargo, el ejercicio de esta potestad invalidatoria tiene como límite el denominado principio de confianza legítima en la actuación de la Administración».

En esta sentencia, se establece además que: «En este orden de ideas no se puede desconocer que un acto administrativo puede generar derechos subjetivos o situaciones jurídicas e incluso derechos adquiridos para los administrados, que se encuentran amparados por el ordenamiento jurídico, no pudiendo la Administración invalidarlo por haber incurrido en un error o por haber cambiado de opinión sobre un aspecto técnico, por lo tanto, debe soportar las consecuencias que deriven de aquello. Pero para ello, esto es, para dar auxilio al particular debe estar presente la buena fe, principio que se traduce en que debe mantener una conducta leal honesta, pues si ocultó o falseó datos que sirvieron de base a la decisión o indujo a una interpretación errónea de las normas aplicables al caso, no se encuentra protegido por el ordenamiento jurídico»[78].

Seguidamente, en cuanto a la jurisprudencia judicial sobre renovación de contratas, tenemos que nuestros Tribunales Superiores han ido acogiendo reiteradamente el principio de confianza legítima como un verdadero límite a la facultad de la Administración, tanto central como comunal, para poner término a los funcionarios contratados bajo la modalidad a contrata.

En este ámbito tenemos el fallo de la Corte Suprema, en causa Rol 20.821 de 2018, conociendo de un recurso de protección que interpuso en contra del Ministerio de Salud, por parte un funcionario en consideración al término de la contrata que mantenía con dicho organismo. Por sentencia de 13 de agosto de 2018, la Corte de Apelaciones de Santiago, rechazó el recurso de protección en comento; en contra de dicha sentencia, dedujo recurso de apelación, la cual fue acogida revocándose la referida sentencia.

En la parte que nos interesa, tenemos el considerando quinto de dicho fallo: «Que a todo lo anterior se añade el hecho, reconocido por el ente público, de que el actor se desempeñó en ese servicio de manera continua desde el 1 de agosto de 2015, esto es, durante más de dos años, situación que no se condice con la calificación de sus labores como esencialmente transitorias. Tal circunstancia confirma la arbitrariedad de la medida adoptada por el recurrido, en tanto no hubo aviso de término con un mes de anticipación, criterio establecido por la Contraloría General de la República en el Dictamen Nº 85.700 de 28 de noviembre de 2016, que señala como fecha límite el día 30 de noviembre, lo que no se aviene con la cantidad de años de servicio prestados por el recurrente para la institución, que fueron continuos en virtud de las sucesivas renovaciones de su contrato, contrariándose con tal proceder el principio de confianza legítima del funcionario».

También podemos reproducir lo señalado en el segundo párrafo del considerando sexto: «En este sentido, cuando se haya generado en el funcionario la confianza legítima de que será prorrogada o renovada su designación a contrata que se extendió hasta el 31 de diciembre, el acto administrativo que materialice alguna de las decisiones referidas deberá dictarse a más tardar el 30 de noviembre del respectivo año y notificarse según lo disponen los artículos 45 a 47 de la Ley Nº 19.880, acto administrativo que además deberá dar cumplimiento a lo dispuesto en su artículo 11, es decir, exteriorizar los fundamentos de hecho y de derecho por tratarse de actos que afectan potestades particulares; y a su artículo 41 inciso cuarto, que obliga a que las resoluciones finales contendrán la decisión que será fundada, de forma que los actos administrativos en que se materialice la decisión de no renovar una designación, de

---

[78]   Millar Silva, Javier. La Potestad Invalidatoria en el Derecho Chileno. Ob. cit. Pág. 286.

hacerlo por un lapso menor a un año o en un grado o estamento inferior, o la de poner término anticipado a ella, deberán contener el razonamiento y la expresión de los hechos y fundamentos de derecho en que se sustenta».

En el mismo orden de ideas, tenemos el fallo Rol 3.746 de 2019, de la Corte Suprema, acogiendo recurso de protección, donde una funcionaria a contrata de la Secretaría Regional Ministerial de Obras Públicas de Tarapacá, interpuso recurso de protección en contra de dicho Servicio por no renovar su vínculo estatutario. Señaló que su contrata fue otorgada mediante Resolución Exenta N° 29, de 28 de enero de 2015, mientras fueren necesarios sus servicios, siendo renovada continuamente hasta el periodo correspondiente al año 2018.

En este fallo, nuevamente se da establece como uno de los argumentos para acogerlo y disponer la renovación de la contrata, el principio de la confianza legítima.

En efecto, en prevención del Ministro Sr. Muñoz, considerando único señala: «Se previene que el Ministro Sr. Muñoz fue de parecer, además, de revocar la sentencia en alzada, prorrogando indefinidamente la contrata, teniendo presente para ello, además de los fundamentos del referido fallo, la circunstancia que la recurrente ha sido nombrada en el cargo por más de dos períodos, generándose a su respecto la confianza legítima de mantenerse vinculado con la Administración, de modo tal que sólo se puede terminar esa relación estatutaria por sumario administrativo derivado de una falta que motive su destitución o por una calificación anual que así lo permita».

Podemos citar, además, el fallo Rol 5.505 de 2019 de la Corte Suprema, acogiendo recurso de protección interpuesto en contra de la Junta Nacional de Auxilio Escolar y Becas, por término anticipado de contrata.

Acá, al igual que en fallo anterior, tenemos la prevención del Ministro Sr. Muñoz, considerando único, en similares términos: «Se previene que el Ministro Sr. Muñoz estuvo, además, por reincorporar al funcionario a sus labores sin limitación temporal, por estimar que su contrato se encuentra amparado por el principio de confianza legítima, dado que se ha extendido por un período superior a dos años, en tanto el actor ha prestado servicios para la recurrida bajo la fórmula de designación a contrata a contar del 18 de julio de 2016».

De la misma manera, tenemos el fallo Rol 38.681 de 2017, de la Corte Suprema, acogiendo un recurso de protección que dedujo un funcionario en contra de la Superintendencia de Valores y Seguros por el acto que estima ilegal o arbitrario contenido en la carta enviada el 4 de mayo de 2017 por la autoridad recurrida que rechazó el requerimiento de la Asociación de Funcionarios a la que pertenece en orden a ejecutar el procedimiento administrativo de consulta previa al de término de su contrata contenido en la Circular N° 26, de 21 de diciembre de 2016 del Ministerio de Hacienda, que en su caso, se fundó en una supuesta reestructuración en la que ya no serían necesarios sus servicios sino los de un funcionario más capacitado en normas de contabilidad para el sector público que serían implementadas; estimando que se debió acoger tal petición que constituye un requisito previo a su desvinculación, razón por la que estima vulnerados sus derechos fundamentales contenidos en el artículo 19 Nºs. 2, 3 inciso 5º, 16, 19 y 24 de la Constitución Política de la República.

Agrego que fue funcionario a contrata de la Superintendencia por más de cuatro años, entre el 2013 y el 2017.

De esta sentencia, tenemos el considerando octavo: «Que en la actualidad, es un verdadero axioma que si una relación a contrata excede los dos años y se renueva reiteradamente una vez superado ese límite, se transforma en una relación indefinida, conforme al principio de confianza legítima que la Contraloría General de la República comenzó a aplicar decididamente con ocasión del Dictamen Nº 85.700, de 28 de noviembre de 2016, cuya normativa cubre, entre otros, a los funcionarios designados en empleos a contrata regidos por la Ley Nº 18.883».

En la misma línea el considerando noveno: «Que el artículo 10 de la Ley Nº 18.834, sostiene que los empleos a contrata durarán como máximo hasta el 31 de diciembre de cada año y que quienes los sirvan expirarán en sus funciones en esa oportunidad, por el sólo ministerio de la ley, es decir, por la expiración del tiempo de designación, esto es, para el período que media entre la contratación y el 31 de diciembre, debiéndose ejercer la facultad de prorrogar una contrata, según el contenido del Dictamen antes citado, con al menos treinta días de anticipación al vencimiento del plazo, lo que se traduce en un límite temporal para que el jefe de servicio determine la no renovación del vínculo a través de la dictación del respectivo acto administrativo en aquellos casos en que se hubiere generado la confianza legítima en la renovación del vínculo, o resuelva renovarlo por un lapso menor a un año o en un grado o estamento inferior».

«En este sentido, cuando se haya generado en el funcionario la confianza legítima de que será prorrogada o renovada su designación a contrata que se extendió hasta el 31 de diciembre, el acto administrativo que materialice alguna de las decisiones referidas deberá dictarse a más tardar el 30 de noviembre del respectivo año y notificarse según lo disponen los artículos 45 a 47 de la Ley Nº 19.880, acto administrativo que además deberá dar cumplimiento a lo dispuesto en su artículo 11, es decir, exteriorizar los fundamentos de hecho y de derecho por tratarse de actos que afectan potestades particulares; y a su artículo 41 inciso cuarto, que obliga a que las resoluciones finales contendrán la decisión que será fundada, de forma que los actos administrativos en que se materialice la decisión de no renovar una designación, de hacerlo por un lapso menor a un año o en un grado o estamento inferior, o la de poner término anticipado a ella, deberán contener el razonamiento y la expresión de los hechos y fundamentos de derecho en que se sustenta».

Un fallo interesante en esta materia es el Rol 16.779 de 2018, de la Corte Suprema, acogiendo recurso de protección contra el Gobierno Regional de Antofagasta, por término anticipado a contrata del recurrente.

En esta caso, podemos destacar, para nuestros efectos, los siguientes considerandos: Noveno Corte de Apelaciones de Antofagasta, confirmado por la Corte Suprema:

«Que en lo que respecta a las garantías constitucionales que se denuncian conculcadas, se ha infringido el numeral 2 del artículo 19 de la Constitución Política de la República, igualdad ante la ley, al ser la recurrente discriminada arbitrariamente, por haber sido excluida de la administración pública, en desmedro de otros empleados que desempeñando iguales cargos a contrata, en iguales condiciones, permanecen aún en el cargo hasta el término del plazo o hasta que sus servicios sean efectivamente necesarios. Igualmente se ha infringido el numeral 24 del artículo 19 de la Constitución Política de la República, el derecho de propiedad, toda vez que se le ha privado ilegal y arbitrariamente de continuar desempeñando sus funciones hasta el 31 de diciembre del año 2018 y, por ende, a recibir sus remuneraciones pactadas hasta dicha fecha. Lo anterior, conduce a que el presente recurso de protección se acoja tal como se dirá en lo resolutivo».

Considerando 4° voto en contra de la Ministro Sra. Sandoval y del Abogado Integrante Sr. Pierry: «Que es posible considerar, entonces, que la expresión "mientras sean necesarios sus servicios" ha sido utilizada para permitir, en esta clase de nombramientos, la existencia de un período de vigencia que sea inferior al que le restare al empleo para finalizar el año en que los servicios recaigan».

Considerando 5° voto en contra de la Ministro Sra. Sandoval y del Abogado Integrante Sr. Pierry: «Que de lo razonado se concluye que la autoridad administrativa denunciada se encontraba legalmente facultada para cesar los servicios a contrata de la parte recurrente, servicios cuya principal característica es la precariedad en su duración, supeditada a las necesidades de la entidad empleadora, de manera que al acudir la recurrida precisamente a esta causal sólo ha hecho uso de la facultad antes descrita».

Corte Suprema, voto en contra del Abogado Integrante Sr. Pierry, considerando D: «No obstante lo anterior, la realidad ha superado a la ley, y los cargos a contrata, que debieran ser la excepción frente a los funcionarios de planta y que debieran ser transitorios, se han transformado en la regla general en la Administración del Estado, superando incluso a los cargos de planta y, además en muchos casos, permaneciendo por años y años en tal calidad».

«Lo anterior ha obligado a la Contraloría General de la República y a los tribunales de justicia a dar cierta protección a los cargos a contrata, aplicando principios como, por ejemplo, el de la confianza legítima, o exigiendo motivación para la no renovación, distinguiendo según los años de desempeño en esta calidad. Pero el problema constitucional permanece, ya que, si se otorga inamovilidad al funcionario a contrata, nombrado sin concurso público y en forma discrecional por la autoridad, se está violando en forma flagrante el texto constitucional».

Corte Suprema, voto en contra del Abogado Integrante Sr. Pierry, considerando G: «La única forma, entonces, de conciliar lo dispuesto en el artículo 38 de la Carta Fundamental con la protección de los funcionarios a contrata, es asegurándose que éstos han obtenido sus cargos por concurso público. En caso contrario, no se puede otorgar inamovilidad a su función sin violar en forma directa la norma constitucional».

Corte Suprema, voto en contra del Abogado Integrante Sr. Pierry, considerando H: «Si no se ha acreditado, entonces, que el cargo a contrata de la recurrente… ha sido provisto por concurso, no se puede otorgar protección frente a su desvinculación».

5. Consideraciones finales sobre el principio de confianza legítima en relación a la renovación o término del vínculo estatutario de cargos a contrata

Al revisar parte de la jurisprudencia tanto de Contraloría General como de nuestros Tribunales Superiores de Justicia, podemos apreciar como a través del principio de confianza legítima no solo se ha cambió una vieja y repetida práctica de aplicar sin mayores fundamentos la atribución legal —Estatutaria— que posee la autoridad administrativa, para poner término o no renovar los contratas, donde lo usual era simplemente indicar en el respectivo acto administrativo «por no ser necesarios sus servicios» o por «vencimiento del plazo legal». Hoy ello es considerado a lo menos arbitrario.

De esta manera, la aplicación de este principio ha venido a dar mayor certeza jurídica a la precariedad de los cargos a contrata que hoy superan en mucho a los cargos de planta dentro de la Administración Pública de nuestro país.

Es importante precisar que la autoridad mantiene la potestad legal de renovar o poner término al vinculo jurídico estatutario de los cargos a contrata, pero debiendo fundar razonablemente el porque de su decisión, tal como lo han sostenido Contraloría General y nuestros Tribunales, dando una garantía de estabilidad no solo a los funcionarios que revisten esta calidad sino también al ejercicio de la función pública, que requiere una continuidad en pro de una mejor calidad de servicios hacia la comunidad.

En definitiva, la aplicación de este principio de confianza legítima en esta materia revela la necesidad de efectuar las modificaciones legales necesarias para regular adecuadamente la situación jurídica de los cargos a contrata que, por las reducidas plantas de funcionarios de los diferentes Servicios Públicos, no tienen la estabilidad laboral suficiente, a pesar de muy necesarios para, como dijimos, el adecuado desarrollo de la función pública.

XI. Tutela laboral

Un tema que ha generado un importante debate en estos últimos años es la acción de tutela laboral, específicamente, en cuanto a su aplicación por vía supletoria a los funcionarios públicos, extendiendo la competencia de los tribunales del fuero laboral para conocer de dicha acción, en circunstancias que, evidentemente, están regidos en su relación laboral por cuerpos estatutarios que no contemplan dicha figura jurídica.

Este debate sobre la procedencia de la tutela laboral para funcionarios públicos, no solo encuentra posiciones contrapuestas en la doctrina sino, además, en la jurisprudencia, donde la tesis de la Corte Suprema, favorable a su uso por parte de funcionarios públicos, difiere de lo resuelto por el Tribunal Constitucional, que ha resuelto que «la aplicación expansiva del Código del Trabajo, hecha al amparo de ese indeterminado inciso tercero del artículo 1º, hasta llegar a comprender a funcionarios regidos por su respectivo estatuto, a los efectos de hacerlos sujetos activos del procedimiento de tutela laboral, desvirtúa el régimen constitucional y legal que les es propio, amén de abrir la intervención de los juzgados de letras del trabajo respecto de una materia en que no han recibido expresa competencia legal». (causa Rol Nº 3892-2017).

No es menor establecer que, a pesar de lo resuelto por el Tribunal Constitucional en ya varios casos, la Corte Suprema a insistido en su tesis de que los Tribunales Laborales tienen competencia para conocer de la acción de tutela laboral ejercida por funcionarios públicos.

Producto de lo anterior, como veremos más adelante, se está buscando una solución legislativa en orden a otorgar la competencia requerida a los referidos Juzgados Laborales, aunque la redacción que se ha dado el proyecto de ley no es la más feliz desde el punto de vista jurídico, según analizaremos.

Si revisamos la evolución de la jurisprudencia de nuestros Tribunales de Justicia, podemos establecer claramente una evolución en orden a reconocer competencia para conocer de una acción de tutela laboral deducida por funcionarios públicos.

En este orden de ideas, los primeros fallos de los tribunales laborales, se declararon incompetentes para conocer de la acción de tutela laboral deducida por funcionarios públicos. En efecto, uno de los primeros casos, corresponde al Juzgado de Letras de Valparaíso, RIT T-26, año 2009, el cual invocó el texto expreso del Código del ramo para declararse incompetente, evitando pronunciarse sobre el fondo de una acción de tutela deducida por funcionarios públicos. Dicho tribunal, debía resolver una denuncia presentada por la FENATS en favor de los trabajadores de la Unidad de Diálisis del Hospital Gustavo Fricke y en contra del Servicio de Salud Viña del Mar-Quillota, donde se alegaba que dichos funcionarios habían sido objeto de actos que vulneraban sus derechos al trabajo y a la integridad psíquica (arts. 19 Nº 16 y 19 Nº 1 de la Constitución). En la oportunidad, la jueza del tribunal entendió que, por tratarse de funcionarios públicos, y al tenor de lo dispuesto en los art. 420 y 447 del Código del Trabajo, carecía de competencia para pronunciarse sobre el fondo del asunto debatido, por lo que decide no dar curso a la demanda.

También podemos citar lo resuelto por el Juzgado de Letras del Trabajo de Coyhaique, quien debió conocer y resolver una denuncia deducida por un técnico operador de servicios de vuelo en contra de la Dirección General de Aeronáutica Civil. En su presentación, el denunciante alegaba haber sido objeto de una serie de actos de acoso laboral, que vulneraban su derecho fundamental al trabajo y a la integridad psíquica. En resolución de 6 de diciembre de 2009, y sin pronunciarse sobre el fondo de la acción deducida, el Tribunal decretó no dar curso a la demanda, amparado en lo dispuesto por el art. 1° y 420 del Código del Trabajo, en razón de que la relación laboral se encontraba regida por la Ley 16.752 sobre Dirección General de Aeronáutica Civil y la Ley 18.834 sobre Estatuto Administrativo, por lo que no era aplicable en la especie la normativa laboral común que regula el procedimiento especial de tutela. Lo resuelto por este tribunal, fue posteriormente revocado por la Corte de Apelaciones de Coyhaique, sentencia de 08 de febrero 2010, Rol 01-2010.

Seguidamente, podemos citar lo resuelto por el Primer Juzgado de Letras del Trabajo de Santiago, que llegó a las mismas conclusiones anteriores, declarándose incompetente. Así, en sentencia de 14 de junio de 2010, estableció que no tenía competencia para conocer de una acción deducida en contra del Consejo Nacional de la Cultura y las Artes por una serie de trabajadores que aducían haber sido objeto de actos de discriminación arbitraria, vejatorios de sus derechos fundamentales, que se habían traducido en la desvinculación de sus puestos de trabajo. En este caso, el tribunal, luego de aducir que se trataba de exfuncionarios públicos, concluyó que por tener ese carácter no les eran aplicables las normas del Código del Trabajo y, en particular, las referidas a la tutela laboral. Al igual que en el caso anterior, la resolución de primera instancia fue revocada por la Corte de Apelaciones de Santiago, en sentencia causa Rol 850 de 04 de octubre de 2010.

Es importante establecer también, que no sólo los tribunales de letras del trabajo han sostenido la postura de rechazar la aplicación de la jurisdicción laboral común cuando es invocada por funcionarios públicos que estiman violentados sus derechos fundamentales. También han compartido este parecer, en variadas oportunidades, algunas Cortes de Apelaciones del país, que en este sentido se han pronunciado, ya sea confirmando resoluciones de tribunales de letras que habían invocado la incompetencia, o bien han anulado sentencias de tribunales laborales que se habían declarado competentes para conocer de acciones de tutela incoadas por funcionarios públicos.

Así tenemos, la Corte de Apelaciones de Santiago, que confirmó una sentencia que en agosto de 201034 había dictado el Primer Juzgado de Letras del Trabajo de Santiago (RIT T-221-2010), donde decidió declararse incompetente en una acción de tutela presentada por un grupo de ex trabajadores del Ministerio de Educación, quienes alegaban haber sido objeto de actos de discriminación arbitraria que habían derivado en el cese de sus funciones. En este caso, el tribunal estimó que por tratarse de trabajadores «a honorarios», se regían por el estatuto especial contenido en el D.F.L. N° 29 de 2004, que fija el texto refundido, coordinado y sistematizado de la Ley 18.834, sobre estatuto administrativo, y la Ley 18.956, sobre el Ministerio de Educación de 1990, todo lo cual, a su juicio, hacía inaplicable en la especie las normas contenidas en el Código del Trabajo. La Corte de Apelaciones de Santiago (Rol 1155-2010), en un escueto fallo de 14 de diciembre de 2010 confirmó el criterio del tribunal de primera instancia, limitándose a aducir que «las argumentaciones contenidas en el escrito de apelación de fojas 29, no logran convencer a esta Corte como para alterar lo que viene decidido».

En este caso, si bien no se indica en los respectivos fallos, a nuestro juicio, estamos en presencia de una situación diversa de una acción de tutela deducida por funcionarios públicos, planta o contrata, sino que son personas que se desempeñaron a honorarios, por lo cual no revisten la calidad de funcionarios públicos y, por la naturaleza del vínculo contractual, honorarios, se rigen por la normas del propio contrato y, además, por las normas del Código Civil, no aplicándose a su respecto ni las normas estatutarias ni las del Código del Trabajo, por lo cual la incompetencia en estos casos resulta evidente.

Si es importante lo que resolvió la Corte de Apelaciones de Temuco (Rol 142-2010), sobre una solicitud de nulidad respecto de una sentencia de 13 de septiembre de 2010 emanada del Juzgado de Letras del Trabajo de esa ciudad (RIT T-19-2010), sobre una demanda por presunto despido injustificado con vulneración de derechos fundamentales, presentada por un ex funcionario de la Intendencia Regional de La Araucanía. Durante la audiencia preparatoria la jueza acogió la excepción de incompetencia presentada por el representante de la Intendencia, aduciendo los siguientes fundamentos:

«2. Que, el Código del Trabajo en su artículo 1º inciso primero determina que las relaciones laborales entre empleadores y trabajadores se regularán por este código y leyes complementarias, estableciendo a continuación, en su inciso segundo, que estas normas no se aplicarán a los funcionarios de la administración del estado centralizada y descentralizada».

«3. Que, la normativa relativa al procedimiento de tutela para resguardar la vulneración de derechos fundamentales de que puede ser víctima el trabajador se contempla en los artículos 485 y siguientes del Código del Trabajo, disposición que expresamente señala que el procedimiento contenido en este párrafo se aplicará en las cuestiones suscitadas en la relación laboral por aplicación de las normas laborales que afecten los derechos fundamentales de los trabajadores y a juicio de esta magistrado, no puede extenderse a materias para las que no está contemplada, como es el caso de los funcionarios públicos».

«4. Que, por estos fundamentos y teniendo especialmente presente que las cuestiones suscitadas entre los funcionarios públicos y la administración no se encuentra dentro del catálogo de materias cuya competencia el artículo 420 del Código del Trabajo entrega a los Juzgados de Letras del Trabajo, es que me declaro incompetente para conocer de la materia de autos».

La Corte de Apelaciones de Temuco en fallo de mayoría, y sin explayarse sobre los fundamentos, confirmó el criterio de la jueza del Juzgado de Letras, ratificando lo obrado por ella. Sin embargo, esta resolución contó con un voto de minoría del magistrado Sr. Álvaro Mesa, quien estuvo por revocar la resolución en alzada, aduciendo que lo que correspondía en este caso era aplicar lo dispuesto por el inciso 3º del art. 1º del Código del Trabajo, dando curso a la acción, por cuanto «no existen en el Estatuto Administrativo normas que regulen la tutela laboral que ha invocado el demandado»[79]

La misma Corte de Apelaciones de Temuco, en un fallo que contiene mayor fundamentación (Rol 221-2011), tuvo la oportunidad de confirmar este criterio, aunque esta vez rechazando los argumentos esgrimidos por el juez del Juzgado de Letras del Trabajo, quien se había declarado competente para conocer un procedimiento de tutela invocado por un ex funcionario de la Corporación de Desarrollo Indígena (CONADI) que alegaba haber sido desvinculado de sus funciones con vulneración a sus derechos fundamentales.

La referida Corte, si bien en definitiva rechazó la pretensión del denunciante, no lo hizo por considerarse incompetente, sino por estimar que no se cumplían los requisitos necesarios para entender que en su caso habían sido afectados los derechos que le garantiza la Constitución. En cuanto a la aplicación del procedimiento de tutela, la jueza sostuvo que esta era una materia que no se encontraba regulada ni era contradictoria con el estatuto especial que rige la función pública, por lo que en virtud de lo señalado por el art. 1°, inciso 3°, del Código del Trabajo era posible aplicar supletoriamente el procedimiento de tutela, aun cuando el trabajador no fuera de aquellos a que refieren los artículo 7 y 8 del código del ramo.

En este caso, el tribunal de primera instancia estuvo por aceptar su competencia para conocer la acción de tutela laboral, (RIT T-20-2011), pero la Corte de Apelaciones de Temuco, sin realizar un análisis acerca de lo dispuesto por el artículo 1° inciso 3° del Código, rechazó la nulidad incoada por el actor, argumentando que la jueza laboral era incompetente para pronunciarse sobre el asunto debatido, por cuanto el denunciante era un funcionario público, los que no estaban habilitados para incoar el procedimiento de tutela. Al efecto, en la parte que nos interesa, señaló:

«SEGUNDO: Que es un hecho del proceso que el actor ostentaba la calidad de funcionario público a la época del despido, desempeñando funciones en la Corporación Nacional de Desarrollo Indígena, bajo el sistema de contratación denominado a contrata».

«TERCERO: Que de conformidad con lo establecido en el inciso segundo del artículo 1° del Código del Trabajo, las disposiciones de este cuerpo legal no se aplican a los funcionarios de la Administración del Estado, los que se rigen por las normas del estatuto administrativo. Asimismo, dicha norma debe complementarse con lo que dispone el Art. 420 del Código del Trabajo, que fija la competencia de los tribunales del trabajo, sin que se haya incluido conocer de los conflictos existentes entre los funcionarios públicos y el Estado, funcionarios que se rigen por su estatuto propio, esto es, el Administrativo».

---

[79] González Bastías, Fernando, «Tutela de derechos fundamentales de los funcionarios de la Administración Pública», Memoria para optar al grado de Licenciado en Ciencias Jurídicas y Sociales, Facultad de Derecho Universidad de Chile, pág. 39.

«CUARTO: Que de conformidad con lo preceptuado en el artículo 485 del ya citado Código laboral, el procedimiento de tutela laboral se aplica respecto de las cuestiones suscitadas en la relación laboral por aplicación de las normas laborales, que afecten los derechos fundamentales de los trabajadores, excluyéndose a los funcionarios públicos».

«QUINTO: Que atendida la conclusión a que se arriba en los considerandos precedentes no se acogerá las causales de nulidad alegadas».

Por su parte, la Corte Suprema Corte Suprema, hasta el año 2014, sea por vía de queja o de recurso de unificación de jurisprudencia, debió pronunciarse en varias oportunidades en torno a la procedencia de la supletoriedad del Código del Trabajo respecto de los funcionarios públicos en materia de tutela de derechos fundamentales. En todos ellos, la opinión mayoritaria fue contundente en estimar que los tribunales del trabajo carecían de competencia para resolver denuncias por vulneración de derechos fundamentales cuando el requirente era un funcionario público, por cuanto el Código del Trabajo no era aplicable a esta clase de trabajadores.

En efecto, tenemos sentencia de 05 de octubre de 2011, donde la Corte Suprema resolvió un recurso de unificación de jurisprudencia (Rol 1972-2011), en que señaló: «los juzgados laborales son incompetentes absolutamente, en razón de la materia, para conocer de una demanda de tutela de derechos laborales fundamentales incoada por funcionarios públicos designados en calidad de contratas en una Intendencia Regional en sus respectivos cargos».

Esta posición de la Corte Suprema será posteriormente refrendada en un fallo de unificación de jurisprudencia de 8 de agosto de 2012 (Rol 8680-2011). En este, reproduce casi textualmente lo razonado en la sentencia de 05 de octubre de 2011; así, luego de referirse al artículo 1º del Código del Trabajo y artículos 1º, 3º y 10º del Estatuto Administrativo, afirma[80]:

«Noveno: Que de las disposiciones transcritas en los considerandos que preceden, resulta que los denunciantes en sus relaciones con la Dirección de Vialidad de la Novena Región se hallaban especialmente sometidos al Estatuto Administrativo y, en forma supletoria, a las normas del Código del Trabajo, pero sólo en los asuntos no regulados por dicho Estatuto y en la medida en que las normas del Código Laboral no fueran contrarias a las de esa normativa especial».

«Décimo: Que de esas mismas disposiciones y de las restantes normas de la ley Nº 18.834, aparece que el Estatuto Administrativo establece su propia regulación en torno a las calidades funcionarias que pueden formar parte de una dotación institucional y en cuanto a las causales de expiración en los cargos de contratados; y sus disposiciones rigen con preferencia a quienes integran una dotación como la de que se trata, excluyendo el imperio del derecho laboral común en esos asuntos, al tenor

---

[80]   González Bastías, Fernando, «Tutela de derechos fundamentales de los funcionarios de la Administración Pública», obra citada, pág., 45.

de lo preceptuado tanto en los artículos 1° y 9° (actual artículo 10) del mismo Estatuto Administrativo como en los incisos segundo y tercero del artículo 1° del Código del Trabajo, sin perjuicio de considerarse además el artículo 13 del Código Civil».

«Undécimo: Que, por otra parte, el artículo 485 del Código del Trabajo, establece que este procedimiento —de tutela laboral— se aplicará respecto de las cuestiones suscitadas en la relación laboral por aplicación de las normas laborales que afecten los derechos fundamentales de los trabajadores que allí se precisan; es decir, a la vinculación surgida en los términos de los artículos 7° y 8° del mismo texto legal y, en caso alguno, a la relación estatutaria a la que se someten los funcionarios públicos a contrata, cuyo contenido está dado por las disposiciones de su propio estatuto, esto es, la Ley N° 18.834».

«Duodécimo: Que, por consiguiente, los juzgados laborales son incompetentes absolutamente, en razón de la materia, para conocer de una demanda de tutela de derechos laborales fundamentales incoada por funcionarios públicos designados en calidad de contratas en una Dirección de Vialidad, en sus respectivos cargos».

Esta interpretación, que hace inaplicable el procedimiento especial de tutela a los funcionarios públicos, la Corte Suprema tendrá oportunidad de refrendarlo en otros recursos de unificación de jurisprudencia, pudiendo citarse entre ellos un fallo de 3 de octubre de 2012 (Rol 12712-2011) y uno de 6 de mayo de 2013 (Rol 9381-2012). Sin embargo, en este último, un voto de minoría del Ministro Lamberto Cisternas introducirá una fractura en la posición que hasta ese momento parecía ser monolítica, en tanto este Ministro argumentará a favor de realizar una interpretación extensiva de las disposiciones del Código del Trabajo que permitiera a los funcionarios públicos hacer uso del procedimiento especial de tutela de derechos fundamentales. Quizá este sea el punto de inflexión que genera un cambio de interpretación por parte del máximo tribunal para pasar a aceptar la competencia para conocer de la acción de tutela en materia laboral.

La línea interpretativa citada se aproxima a lo resuelto actualmente por el Tribunal Constitucional quien ha resuelto, ya reiteradamente, que los tribunales laborales no tienen competencia para conocer de acciones de tutela laboral deducida por funcionarios públicos.

Seguidamente, y tal como señalamos, se produce un cambio jurisprudencial, especialmente a nivel de Tribunales Superiores de Justicia que comienzan a cambiar o ratificar, según se el caso, lo resuelto por los tribunales laborales. Así tenemos, por ejemplo, que el año 2010, un fallo del 2° Juzgado del Trabajo de Santiago (RIT T-70-2010), donde se acoge la tesis de que el procedimiento de tutela laboral es aplicable en las situaciones de vulneración de derechos fundamentales de los funcionarios públicos. En la ocasión, la magistrada entendió que bajo la voz «trabajadores» que utiliza el artículo 1° del Código del Trabajo debían entenderse comprendidos tantos los pertenecientes al sector público como privado, por lo que era procedente aplicar respecto de los primeros el procedimiento consagrado en el art. 485 del Código, siempre que se cumplieran los requisitos del inciso 3° del art. 1° del Código del ramo.

En este sentido, entiende que son dos los presupuestos a analizar: si en el estatuto especial que regula las relaciones de los funcionarios públicos existe un procedimiento de tutela similar al contemplado en la normativa laboral común; y si este procedimiento de tutela es incompatible con las disposiciones de dicho estatuto especial. A este respecto, resuelve que las relaciones laborales de los funcionarios de la Dirección del Trabajo (denunciantes en este caso), se encontraban sujetas a lo dispuesto en el Estatuto Administrativo y en el Decreto con Fuerza de Ley Nº 2 de 1967, y en ninguno de esos cuerpos normativos existe un procedimiento similar al del Código del Trabajo para cautelar el respeto a los derechos fundamentales de los trabajadores. Además, sostuvo que no existía incompatibilidad entre los antedichos estatutos especiales y el procedimiento de tutela laboral, por lo que era legítimo que los funcionarios públicos pudieran invocarlo cuando se dieran los presupuestos de hecho que lo hacen procedente. Aún más, el tribunal también llegó a sostener que esta era la única interpretación que guardaba conformidad con lo dispuesto en el texto constitucional, en cuanto tenía correspondencia con el principio de no discriminación y con la regla del art. 19 Nº 26 que prohíbe al legislador afectar en su esencia los derechos fundamentales de los ciudadanos.

En la misma línea, podemos citar los fallos de la Corte de Apelaciones de Valparaíso Rol 267-2009; Corte de Apelaciones de Coyhaique Rol 1-2010, donde también hizo suyo el criterio de que el nuevo procedimiento de tutela laboral era procedente en aquellos casos en que fuera invocado por funcionarios públicos.

Por su importancia en el desarrollo jurisprudencial de nuestros Tribunales Superiores de Justicia, debemos citar lo resuelto por la Corte de Apelaciones de Valparaíso, en sentencia de 12 de septiembre de 2012, Rol 334-2011. Este fallo es importante sobre la materia, ya que en él se apoyará la sentencia de la Corte Suprema que, conociendo de un recurso de unificación de jurisprudencia, por primera vez aceptará la procedencia para los funcionarios públicos de invocar el procedimiento de tutela— fue la resolución de 12 de septiembre de 2011, en que la Corte de Apelaciones de Valparaíso acogió un recurso de nulidad presentado en contra de una resolución dictada por el Juzgado de Letras del Trabajo de Valparaíso, donde se declara incompetente para conocer de una acción de tutela incoada por una funcionaria del Consejo Nacional de la Cultura y las Artes. En esta oportunidad, el tribunal emprende un desarrollo mucho más prolijo sobre las razones que hacen procedente para un funcionario público recurrir al procedimiento especial de tutela del artículo 485 del Código del Trabajo.

En la parte que nos interesa de esta sentencia, podemos reproducir los siguientes considerandos:

«QUINTO: Que el artículo 1º del Código del Trabajo, luego de indicar en su inciso segundo que las normas del Código del Trabajo y leyes complementarias no se aplicarán entre otros a los funcionarios de la Administración del Estado centralizada o descentralizada, siempre que ellas se encuentren sometidas por ley a un estatuto especial, lo cierto es que en su inciso tercero dispone: "Con todo, los trabajadores de las entidades señaladas en el inciso precedente se sujetarán a las normas de este

Código en los aspectos o materias no regulados en sus respectivos estatutos, siempre que ellas no fueren contrarias a estos últimos"».

«SEXTO: Que, de lo consignado en el fundamento anterior, aparece que aun cuando una persona en materia de trabajo se rija por un estatuto especial, es posible que en algunos aspectos pueda quedar sujeto a las normas del Código del Trabajo en materias que no estén reguladas en sus respectivos estatutos, siempre que no fueren contrarias a ellos. Esta situación es la que precisamente ocurre en la especie, puesto que, si bien el actor es una persona que en su contrato se ha indicado que se rige por la Ley 18.834, esta normativa no contempla la posibilidad de accionar en un procedimiento especial por vulneración de tutela de derechos fundamentales, no pudiendo entenderse que una acción de esta clase se oponga a las normas de ese estatuto especial atendido a que el procedimiento de tutela, si bien aparece establecido para solucionar un conflicto que surge en una relación vinculada al trabajo, busca cautelar en definitiva derechos fundamentales que se reconocen a todas las personas sin distinción».

«SÉPTIMO: Que, por lo demás, aparece relevante que el inciso tercero del artículo 1º del Código del Trabajo, emplee la expresión "trabajadores" para referirse a los funcionarios de la Administración del Estado que indica en el inciso segundo, y que excluye en principio a su respecto la aplicación de las normas del Código del Trabajo, calificación que coincide con la empleada en el artículo 485 del mismo cuerpo legal cuando establece el ámbito de aplicación del Procedimiento de Tutela Laboral».

Por su parte, la Corte Suprema comienza a reafirmar los resuelto por las Cortes de Apelaciones y, tal como señalamos recién, este cambio comienza a producirse a partir de un voto de minoría del Ministro Lamberto Cisternas, que en una sentencia de unificación de jurisprudencia dictada el 6 de mayo de 2013, (Rol 9381-2012. Voto de minoría del Ministro Lamberto Cisternas, considerando 1º) sostuvo que no existía razón legal que impidiera a los funcionarios públicos hacer uso del procedimiento de tutela.

En su fundamentación, el primer tema que el Ministro Cisternas aborda es el proceso de progresiva «constitucionalización» que ha avanzado en nuestro sistema jurídico en los últimos años, y de acuerdo al cual «los órganos del Estado (incluido el Poder Judicial) tienen el deber de respetar y promover los derechos esenciales de la persona humana, garantizados por la constitución y los tratados internacionales ratificados por Chile».

En esta causa, el Ministro Cisternas (considerando 3º del fallo citado) argumenta en contra de la opinión general que hasta ese momento había sostenido la Corte Suprema, en torno a considerar que de acuerdo al artículo 485 del Código el procedimiento de tutela sólo estaba reservado para los trabajadores que tuvieran tal calidad en razón de los dispuesto en los artículos 7 y 8. En este sentido, luego de reconocer que los funcionarios públicos están sujetos a un régimen especial de contratación, que dota a su relación laboral de características particulares, indica que, no obstante ello, no se puede desconocer que respecto de los entes públicos o el Estado los funcionarios se hallan, en lo sustancial, en una relación de dependencia y subordinación, por lo que no vale negarles el carácter de «trabajadores». Atendido esto, el voto de minoría sostiene que «no existe ninguna razón de orden científico jurídico para negar a los funcionarios públicos el reconocimiento y la protección de sus derechos fundamentales que otorga la Constitución y los mecanismos legales para su ejercicio en sede jurisdiccional en tanto derecho subjetivo de toda persona»; y esto por cuanto «existe la misma razón para propiciar el respeto a los derechos fundamentales tanto de los trabajadores del sector privado como de los funcionarios o "trabajadores públicos", por lo que, debe operar con la misma fuerza la protección de tales derechos para ambos dependientes».

Seguidamente, el Ministro Cisternas, agrega (Considerando 5º), que existe una razón de texto expreso en el propio artículo 1º del Código para reconocer el carácter general de «trabajadores» para los funcionarios públicos, lo que deriva de los términos en que está redactado el inciso tercero de esa disposición que se refiere a «los trabajadores de las entidades señaladas en el inciso precedente», con lo cual debe entenderse no sólo que los funcionarios públicos son también trabajadores, sino que además el uso de las voz «entidades» debe interpretarse en el sentido de que incluye no sólo a las personas que prestan servicios para las empresas del Estado, sino «todas la instituciones referidas en el inciso precedente, en una expresión omnicomprensiva. Es decir, la propia Ley entiende que los funcionarios públicos son también trabajadores».

Luego, este Ministro, siguiendo con su argumentación en el voto de minoría (Considerando 6º), Ministro disidente acomete la interpretación de la disposición que otorga supletoriedad al Código del Trabajo respecto de las normas especiales contenidas en estatutos que regulan las relaciones laborales de los funcionarios públicos. En este sentido, concluye que son dos los requisitos a cumplir para que los trabajadores del sector público puedan invocar la protección del derecho laboral común:

1) «Que exista vacío legal, es decir, que el estatuto que los rige no tenga regulación específica respecto de algunas materias que sí aparecen reguladas en el Código del Trabajo».

2) «Que exista compatibilidad de los regímenes, es decir, que las normas del Código del Trabajo que colman o integran supletoriamente el vacío legal del Estatuto Administrativo (también estatutos especiales), no sean contrarias a las disposiciones de estos últimos».

Según el Ministro Cisternas, (Considerando 6º) ambos requisitos se cumplen en aquellos casos en que los funcionarios públicos recurren al procedimiento de tutela. En cuanto al primero de ellos, esto es, la existencia de un vacío legal, se cumple desde que la Ley 18.834, que fija el texto del Estatuto Administrativo, carece de disposiciones que protejan los derechos fundamentales y, a su vez, no posee ningún procedimiento especial dirigido a cautelar el pleno respeto de estos derechos para los trabajadores que prestan servicios bajo su régimen.

En cuanto al segundo de los requisitos, considera que este se debe entender plenamente satisfecho desde el momento en que: «Las normas que protegen los derechos fundamentales no pueden ser normas incompatibles con lo dispuesto en el Estatuto Administrativo, puesto que corresponde que éste cumpla con la Constitución y asegure el respeto a los derechos fundamentales o garantías constitucionales que también pertenecen a los funcionarios públicos».

Agrega que, en caso de que pudiera surgir alguna duda respecto de la aplicabilidad del procedimiento de tutela a los trabajadores del sector público, se debe recurrir a los criterios de interpretación propios del ámbito de los derechos fundamentales. Al efecto señala:

1. El principio «pro civis» o «pro homine», en razón del cual las disposiciones deben ser interpretadas de la forma en que mejor satisfagan la protección y garantía de los derechos humanos.

2. El principio «pro debilis», que estatuye que en aquellos casos en que concurren partes en evidente desigualdad de condiciones de fuerza, se debe privilegiar aquella interpretación que permita alcanzar en mayor grado un equilibrio en las posiciones.

3. El principio de primacía constitucional, en virtud del cual toda disposición de rango infraconstitucional debe interpretarse de manera que guarde coherencia con el texto constitucional y, por consiguiente, con la plena salvaguarda de respeto a los derechos fundamentales que allí se garantizan.

4. Finalmente, también indica que toda interpretación debe estar acorde con lo dispuesto en el art. 19 N° 26 de la Constitución, que prohíbe afectar los derechos en su esencia ni imponer condiciones, tributos o requisitos que impidan su libre ejercicio.

Finalmente concluye que no es posible aceptar una interpretación positivista del artículo 485 o del art. 420 letra a) del Código del Trabajo, que implique «restringir la protección de los derechos fundamentales de los funcionarios públicos, de su pleno ejercicio y del derecho a la tutela judicial efectiva de los mismos o al ejercicio de la acción que realmente posibilita o favorece su protección, como es el procedimiento de tutela laboral».

Este voto de minoría del Ministro Cisternas, sumado a un cambio en la composición de la Cuarta Sala Laboral, abrirán el camino para provocar un giro trascendental en la actitud adoptada por la Corte Suprema en esta materia, lo que desembocará en el rotundo fallo de abril de 2014, en que la Corte reconoció por primera vez la plena competencia de los tribunales laborales para pronunciarse sobre los procedimientos de tutela invocados por funcionarios públicos[81].

En efecto, en marzo del año 2013, ingresó al 2° Juzgado de Letras del Trabajo de Santiago (RIT T-118-2013) una acción de tutela de derechos fundamentales, presen-

---

[81] González Bastías, Fernando, «Tutela de derechos fundamentales de los funcionarios de la Administración Pública», obra citada, pág. 63

tada en representación del abogado Pablo Bussenius Cornejo, Jefe del Departamento Legal de Compras de la Central de Abastecimiento del Sistema Nacional de Servicios de Salud (CENABAST), quien alegaba haber sido objeto de actos de discriminación por razones sindicales, que habían tenido por consecuencia que no se le renovara la calidad de funcionario público a contrata, por lo que había sido desvinculado de la institución. Actuando en representación de CENABAST, el Consejo de Defensa del Estado (CDE) alegó la excepción de incompetencia del tribunal para pronunciarse sobre el requerimiento del denunciante, por considerar que el procedimiento incoado no era procedente para ser invocado por funcionarios públicos, ya que este se encontraba reservado exclusivamente para aquellos trabajadores que tuvieran la calidad de tales en razón de lo dispuesto en el Código del Trabajo.

En la audiencia preparatoria, se rechaza la excepción de incompetencia presentada por la denunciada y decide dar curso al procedimiento, por entender que el tribunal era competente para pronunciarse sobre la materia sujeta a debate. Así, el día 24 de junio del año 2013 dicta sentencia condenatoria contra de CENABAST, por estimar que se encontraba suficientemente acreditado que la institución había vulnerado derechos fundamentales del trabajador, al discriminarlo ejerciendo una acción antisindical que había tenido por consecuencia el cese de sus funciones con fecha 31 de diciembre de 2012.

Seguidamente, mediante escrito ingresado el 5 de julio de 2013, el referido Consejo de Defensa del Estado, recurrió de nulidad (Corte de Apelaciones de Santiago, Rol 1045-2013) alegando, entre otros, que el juzgado del trabajo había incurrido en error de derecho al declararse competente para tramitar la acción deducida por el funcionario público. Este recurso fue resuelto por la Corte de Apelaciones de Santiago el 1° de octubre de 2013, dando la razón a lo alegado por la recurrente, y en consecuencia dictó sentencia de reemplazo donde se rechaza la demanda del Sr. Bussenius en todas sus partes, arguyendo que: «existiendo un estatuto especial que regía la relación contractual entre las partes no era posible al demandante ejercer la acción de tutela laboral, al tenor de lo dispuesto en los artículos 1° inciso 3° y 485 del Código del Trabajo».

En contra de la sentencia de la Corte de Apelaciones de Santiago que acogió la nulidad deducida por el Consejo de Defensa del Estado, el actor presentó ante la Corte Suprema un recurso de unificación de jurisprudencia, en atención a que, sobre la materia, existían decisiones de los tribunales de alzada con interpretaciones de derecho contradictorias, invocando en favor de sus alegaciones dos resoluciones, emanadas ambas de la Corte de Apelaciones de Valparaíso: en las causas Rol N° 267-2009 y 334-2011 (Ya analizadas en párrafos anteriores).

En este estado de cosas, la Corte Suprema (Rol 10972-2013), usando como base sólo la segunda, reconoció que existían interpretaciones distintas sobre el punto de derecho aludido, y en consecuencia acogió el recurso de unificación, procediendo a dictar, sin más trámite, sentencia de reemplazo, en la que dio razón al actor, rechazando la acción de nulidad presentada por el Consejo de Defensa del Estado.

Este fallo contó con el voto en contra del abogado integrante Guillermo Piedra-buena, quien sostuvo que la interpretación correcta era la enarbolada por la Corte Suprema en el fallo de 5 de octubre del 2011, donde el máximo tribunal había declarado que «los juzgados laborales son incompetentes absolutamente, en razón de la materia, para conocer de una demanda de tutela de derechos laborales fundamentales incoada por funcionarios públicos designados en calidad de contratas».

En la sentencia de reemplazo, la Corte se explayó acerca de la interpretación que consideraba correcta en materia de quién estaba facultado para invocar la tutela de derechos.

De esta manera, la Corte Suprema analizó en primer lugar lo referido a la supletoriedad del Código del Trabajo respecto de las relaciones laborales de los trabajadores del sector público. En este sentido, centró su examen en la regla general establecida en el inciso 1º del art. 1º del Código, la excepción del inciso 2º de la misma disposición, y la contraexcepción del inciso 3º Concluyendo respecto de esta última que para que los trabajadores especificados en el inciso 2º pudieran invocar en su favor las normas del Código del Trabajo era menester la concurrencia de dos requisitos copulativos: «que se trate de materias o aspectos no regulados en sus respectivos estatutos y, en seguida, que ellas no fueren contrarias a éstos últimos». (Considerando 11º)

En cuanto al primero de estos requisitos la Corte sostuvo (Considerando 12º) que, revisado el texto del Estatuto Administrativo, no era posible encontrar disposiciones que «regulen un procedimiento jurisdiccional especial para conocer y resolver denuncias de vulneración de derechos fundamentales que afecten a los funcionarios en el ámbito de la relación de trabajo».

Así, la Corte entendió (Considerando 12º), que el procedimiento especial de reclamo que establece el art. 160 de la Ley 18.834 no era homologable al procedimiento de tutela, en tanto reconduce a la mera revisión administrativa por parte de la Contraloría General de la República de los vicios de legalidad que pudieran afectar los derechos de los funcionarios sujetos al Estatuto, sin otorgar protección jurisdiccional al afectado. Además, para la Corte el procedimiento objeto del reclamo administrativo del art. 160 es de alcance mucho más restringido, en tanto se limita a los vicios o defectos de que pueda adolecer un acto administrativo, mientras que el procedimiento de tutela comprende cualquier acto ocurrido en la relación laboral que, como consecuencia del ejercicio de las facultades del empleador, implique una lesión en los derechos fundamentales del trabajador.

Concluye la Corte que en la especie se cumplía el primero de los requisitos para aplicar supletoriamente las disposiciones del Código del Trabajo, en cuanto existía un vacío legal en el estatuto especial que regía las relaciones laborales del funcionario público demandante, respecto de una materia o aspecto que sí se encuentra regulado en el Código del Trabajo.

En cuanto al segundo de los requisitos, la Corte (Considerando 13º), también lo da por establecido, en tanto estimó que no era posible advertir cómo normas protectoras de los derechos fundamentales del trabajador podrían ser incompatibles con lo dispuesto en el estatuto especial que rige a los funcionarios públicos, «toda vez que es dable asumir que el Estado, en cuanto empleador, ha de cumplir con el deber de asegurar el pleno respeto de los derechos fundamentales de que también son titulares los funcionarios que trabajan en la Administración del Estado». Asimismo, la Corte también entendió que en ningún caso era posible entender que el objeto del procedimiento de tutela fuera modificar u obviar el estatuto laboral que rige a los funcionarios públicos, ya que su propósito no es más que «aplicar —cualesquiera sean las características del régimen de trabajo— un mismo estándar en cuanto al respeto de los derechos fundamentales por parte del empleador».

De esta manera, dado por cumplidos los dos requisitos a que refiere el inciso 3° del art. 1° del Código del Trabajo, la Corte determinó que el procedimiento de tutela de derechos era plenamente aplicable al caso del funcionario demandante. Asimismo, sostuvo que esta era la interpretación más acorde con el art. 485 en tanto no existía razón jurídica para negarles a los funcionarios públicos la calidad de «trabajadores», en tanto la relación entre estos y el Estado es una relación laboral, aunque sujeta a un estatuto especial. Por consiguiente, la Corte estimó que no era procedente privarlos de un procedimiento como el de tutela, que está llamado a determinar el cumplimiento o la vigencia de derechos fundamentales en la relación de trabajo, por el sólo hecho de que su relación surja de un decreto de nombramiento y no de un contrato; máxime si se considera que el Estado ejerce habitualmente facultades de dirección sobre las personas que se desempeñan en él, como hace todo empleador, situación que no es incompatible con el hecho de que se trate de órganos destinados a desempeñar una función pública. Además, en su sentencia la Corte concluye que no existe una razón jurídica valedera para excluir de la aplicación del procedimiento de tutela «a toda una categoría de trabajadores, como son los funcionarios públicos, particularmente si se toma en consideración que los elementos de subordinación y dependencia propios de la relación laboral, se dan fuertemente en el contexto de las relaciones del Estado con sus trabajadores, siendo éste un espacio en el cual la vigencia real de los derechos fundamentales puede verse afectada a consecuencia del ejercicio de las potestades del Estado empleador».

Concluye que, en esta materia, el recurso de nulidad presentado por el Consejo de Defensa del Estado debía ser rechazado, en tanto el 2° Juzgado de Letras del Trabajo era competente para conocer y pronunciarse sobre la acción de tutela deducida por el funcionario público que actuaba como actor en el proceso.

Esta línea interpretativa se ha mantenido hasta la fecha, incluso en contra de lo resuelto por el Tribunal Constitucional que va en el sentido contrario.

En efecto, la Corte Suprema en sentencia de 11 de julio de 2019, causa Rol N° 14.804-18, conociendo de un recurso de unificación de jurisprudencia, vuelve a reconocer competencia de los tribunales laborales para conocer de acciones de tutela laboral deducidas por funcionarios públicos.

El origen del caso, se encuentra en la cusa RIT T-1106-2017, RUC N° 1640056476-4, del Primer Juzgado de Letras del Trabajo de Santiago, por sentencia de veintiuno de noviembre del año dos mil diecisiete, se acogió la excepción de incompetencia deducida por la demandada, y, consecuencialmente, se rechazó la demanda de tutela por vulneración de derechos fundamentales deducida por don Andrés Tudesca Órdenes en contra del Fisco de Chile y del Ejército de Chile.

En relación con el referido fallo el actor dedujo recurso de nulidad, que fue rechazado por la Corte de Apelaciones de Santiago, por resolución de cinco de junio de dos mil dieciocho.

Por su parte, la Corte Suprema estableció que «la materia de derecho propuesta constituye una cuestión jurídica respecto de la cual, en la actualidad, no hay diferentes interpretaciones. En este sentido la sentencia impugnada no se ajusta al modo en que el asunto ha sido resuelto por esta Corte a partir de la sentencia dictada en el recurso de unificación ingreso N° 10.972-2013 de 30 de abril de 2014, en el sentido que los tribunales laborales son competentes para conocer de aquellas demandas por tutela de derechos fundamentales interpuestas por funcionarios públicos, por las reflexiones que se dirán».

«Agrega que la tutela laboral es un procedimiento nuevo y especial, introducido por la Ley N° 20.087, con el objeto específico de proteger los derechos fundamentales del trabajador. Se trata, en definitiva, de un mecanismo o conjunto de reglas que permite al trabajador reclamar el resguardo y la protección jurisdiccional de sus derechos fundamentales en el ámbito de la relación laboral, cuando aquellos se aprecien lesionados por el ejercicio de las facultades del empleador».

«Dicha modalidad aparece como la culminación de un proceso tendiente a introducir reglas sustantivas, orientadas a explicitar y reforzar la vigencia de los derechos fundamentales en el ámbito de las relaciones laborales, como las relativas a la prohibición de las discriminaciones (artículo 2° del Código del Trabajo) y las que consagraron la idea de ciudadanía laboral en la empresa (artículo 5° del mismo cuerpo legal), en cuanto se reconoce la función limitadora de los derechos fundamentales respecto de los poderes empresariales, en el seno de la relación de trabajo. En ese contexto y en busca de la vigencia efectiva en el ejercicio de los derechos fundamentales del trabajador, las normas de tutela consagradas vienen a colmar ese vacío al establecer una acción específica para salvaguardarlos, abriendo un espacio a lo que se ha denominado la "eficacia horizontal" de esa clase de derechos».

Señala también, «que una vez entendido que la relación entre el funcionario público y el Estado es una relación laboral, aunque sujeta a un estatuto especial, no resulta procedente privar a los primeros de un procedimiento que está llamado a determinar el cumplimiento o la vigencia de derechos fundamentales en la relación de trabajo, por el sólo hecho de que las referidas normas asocien el término empleador a un contrato de trabajo o se refieran al empleador como a un gerente o administrador, olvidando que el Estado, en su relación con los funcionarios que se desempeñan en los órganos de la Administración, ejerce funciones habituales de dirección —términos que utiliza el artículo 4º citado— como lo hace todo empleador, lo que no es incompatible con el hecho de que se trate de órganos destinados a desempeñar una función pública».

«Desde esta perspectiva, entonces, tampoco existe impedimento para aplicar las normas de tutela a los funcionarios de la Administración del Estado, en la medida que su ámbito de aplicación abarca o comprende a todos los trabajadores sin distinción, calidad que —como se dijo— también poseen los referidos funcionarios».

Luego, en el segundo párrafo del considerando décimo sexto, sostiene que «no es baladí para la interpretación que se efectúa, el especial significado que reviste la consagración de un instrumento de defensa de derechos fundamentales al interior de la relación laboral, que el trabajador aprecie le son desconocidos o lesionados por el empleador en el ejercicio de sus facultades, derechos de aquellos consagrados en el artículo 19 de la Carta Fundamental, en los capítulos que especifica el inciso primero y segundo del artículo 485 del Código del Trabajo».

Es importante precisar, que, en este caso, quien deduce la acción de tutela, es un funcionario del ejercito de Chile y que la Corte Suprema determina que igual su relación laboral (que es estatutaria) permite interponer una tutela laboral.

Si bien no es nuestro objeto hacer un análisis de los fallos citados, no podemos dejar de mencionar que estimamos que en este caso que dice relación con un funcionario del ejército, la Corte Suprema esta llegando a una interpretación extrema, sin considerar las razones jurídicas, incluso de rango constitucional, que hacen que los miembros de las Fuerzas Armadas tengan estatutos especiales que regulen su vida funcionaria. Baste de ejemplo la seguridad nacional.

También podemos señalar que el Estatuto para las Fuerzas Armadas se remite al Estatuto Administrativo, que en su artículo 160 permite al funcionario afectado reclamar ante la Contraloría General de la República, es decir, un estatuto especial se remite a un estatuto general y la Corte Suprema extremando su interpretación vuelve a hacer un reenvió al Código del Trabajo.

Finalmente, en esta parte, debemos hacer alusión a lo que ha resuelto el Tribunal Constitucional sobre la materia.

Sobre esta materia, debemos señalar que ya en varios fallos, el Tribunal Constitucional ha declarado la inaplicabilidad por inconstitucionalidad de los artículos 1º, inciso tercero; 485 y 489, incisos tercero y cuarto, todos del Código del Trabajo respecto de los casos en que ha sido requerido su pronunciamiento.

Sin perjuicio de ello, como ya señalamos, la Corte Suprema ha insistido en establecer que los tribunales laborales tienen esa competencia para conocer y resolver acciones de tutela laboral

El Tribunal Constitucional ha establecido, refiriéndose a este problema (Rol 3892-2017), que «el asunto actual representa una genuina cuestión de constitucionalidad, que no se agota —aunque la comprende— en una mera discrepancia hermenéutica acerca de la exégesis que debe darse a determinados textos legales».

«En efecto, en la especie no se trata de examinar si ha sido correcta o no la interpretación extensiva que una parte de la jurisprudencia judicial le viene atribuyendo al artículo 1°, inciso tercero, del Código del Trabajo. De cuyo tenor literal —que este Código se aplica supletoriamente a los funcionarios públicos, en lo no previsto por sus respectivos estatutos— esa jurisprudencia ha derivado que los tribunales del fuero laboral tienen competencia para conocer de aquellas acciones de tutela que, estando contempladas en el mismo Código del Trabajo y no en el Estatuto Administrativo de rigor, puedan impetrar dichos servidores estatales en contra del sujeto jurídico de derecho público de su desempeño».

«Asumiendo tal interpretación, esto es, no pudiendo menos que aceptar que ese es el sentido que le han querido dar algunos jueces del Poder Judicial, lo que corresponde al Tribunal Constitucional es resolver si la norma legal objetada —de esa manera entendida y consiguientemente aplicada— produce o no un resultado inconstitucional, en el caso concreto sub lite».

En la sentencia de la causa Rol 3892-2017, considerando tercero, el Tribunal Constitucional señala que «bastaría para zanjar la cuestión, con referencia al artículo 7° de la Constitución, considerar que de una norma de ley simple —calidad que posee el inciso tercero del artículo 1° del Código del Trabajo— no puede derivarse una nueva atribución para los tribunales del Poder Judicial, puesto que a este efecto ha menester una ley orgánica constitucional, según el artículo 77 de la misma Carta Fundamental».

Agrega que «el examen atento del artículo 420 del citado Código, el cual contiene un listado taxativo de aquellos negocios que competen a los juzgados de letras del trabajo, dentro de los cuales no se incluye, ni se puede reconducir, el conocimiento de las cuestiones estatutarias que puedan suscitarse entre la Administración y sus funcionarios».

Sigue el Tribunal Constitucional señalando que el artículo 485 del Código es meridianamente claro, en cuanto a que la acción de tutela laboral únicamente puede darse en el contexto de una «relación laboral», habida entre empleadores y trabajadores en virtud de los respectivos contratos de trabajos, al tenor de sus artículos 1°, inciso primero, y 3°, letras a) y b). Cuyo no es el caso de la «relación estatutaria», donde no media un contrato, sino que un acto administrativo de designación, afecto a un procedimiento reglado previo, que se halla íntegramente supeditado, en cuanto a su vigencia y extinción, a específicas normas constitucionales y legales que les son inherentes y excluyentes[82].

Sostiene que «los criterios anteriores —afirmados por la doctrina más solvente— han informado por décadas el derecho público chileno, al punto de erigirse en partes constitutivas e indiscutidas de la institucionalidad administrativa vigente».

---

[82]   Ver en este mismo libro lo referente a «vinculo estatutario» y «relación laboral». También puede verse sentencia del Tribunal Constitucional Rol N° 2926-15.

Es importante resaltar que este Tribunal reitera que suscribe con énfasis la idea de que la falta de un sistema legal de protección y garantía de los derechos conduce las más de las veces, en la práctica, a su inanidad, pero que, sin embargo, el loable afán de hacer justicia respecto a los empleados públicos, ordenando al Estado pagar cuantiosas indemnizaciones a modo de reparación, exige dimensionar no solamente el monto de los recursos financieros comprometidos por acción directa de los tribunales, sino que además demanda considerar **el hecho de que la concesión de cualquier beneficio pecuniario al personal de la Administración Pública, que no se encuentre contemplado en su normativa estatutaria, requiere una ley expresa de iniciativa exclusiva del Presidente de la República, por prescripción ineludible del artículo 65, inciso cuarto, Nº 4 de la Constitución Política. Ley que en este caso no se ha dictado**[83].

En el mismo sentido que señalamos más arriba, el Tribunal Constitucional, señalando que de manera respetuosa del Poder Judicial y del devenir de su jurisprudencia, y no siendo del caso ponderar el cambio de doctrina tenido por la 4ª. Sala de la Corte Suprema, que a partir su STC Rol Nº 10.972-2013 viene sustentando la competencia de los juzgados laborales para conocer de acciones de tutela deducidas por empleados públicos, en contraposición a fallos anteriores que venían postulando la incompetencia de dichos tribunales en razón de la materia, indica que «solamente se hará presente que los funcionarios públicos, en el ejercicio de sus cargos, no están desprovistos de otros medios de reclamo ni se encuentran en un estado de indefensión, a la luz de las vías de impugnación que les franquea el ordenamiento positivo vigente. Para esta Magistratura el texto amplio del artículo 20 de la Carta Fundamental ("El que..."), comprende a los empleados públicos como eventuales sujetos activos del recurso de protección, sin perjuicio —naturalmente— de lo que resuelvan los tribunales superiores de Justicia en cada caso dentro de la órbita legítima de sus atribuciones». «A lo que se suman las atribuciones que, sobre el particular, posee la Contraloría General de la República, acorde con los artículos 98 de la Constitución, 1º de la Ley Nº 10.336 y 160 de la Ley Nº 18.834. Tanto así, que el Contralor General de la República, por Resolución Exenta Nº 168, de 16 de enero de 2019, ha estimado crear una especial Unidad de Protección de Derechos Funcionarios, a fin de canalizar eficaz y legítimamente esta especie de reclamos».

Seguidamente, en el considerando 6º, sostiene que «cuando el legislador ha querido extender el Código del Trabajo a funcionarios públicos, ha debido decirlo así expresamente. Tal como prevé el artículo 3º del Estatuto Administrativo municipal aprobado por la Ley Nº 18.883, que remite a dicho Código las actividades que se efectúen en forma transitoria en las municipalidades que cuenten con balnearios u otros sectores turísticos o de recreación (inciso 1º). Pudiendo también citarse, a vía de ejemplo, la Ley Nº 19.070, Estatuto de los Profesionales de la Educación que se desempeñan en el sector municipal, cuyo artículo 71 preceptúa que se regirán por las

---

[83]   Lo ennegrecido es nuestro.

normas de este Estatuto y supletoriamente por las del Código del Trabajo y sus leyes complementarias».

Luego, en el considerando séptimo, analizando jurisprudencia del propio Tribunal Constitucional, sostiene que «una lectura atenta del referido fallo, STC Rol N° 2926-15, conduce a advertir la inconstitucionalidad del artículo 1°, inciso tercero, del Código del Trabajo, habida cuenta que la mediación en este género de asuntos de los juzgados de letras del trabajo, en tanto y en cuanto tribunales especiales en las materias relativas al Código del Trabajo, arriesga distorsionar el contenido y alcance del inciso primero del artículo 38 de la Constitución, tanto como de sus cuerpos complementarios, Leyes N°s. 18.575 y 18.834. Además de estar dándose lugar al pago de beneficios indemnizatorios que no han sido prefigurados por ley alguna de iniciativa exclusiva del Presidente de la República, con arreglo a lo prescrito en el artículo 65, inciso cuarto, N° 4, de la Constitución». «El caso es que, si allí no se declaró la inaplicabilidad de la norma cuestionada, fue porque la cuestión se encontraba en vías de aclaración por parte de la Corte Suprema, conociendo de una acción de unificación de jurisprudencia. Vale decir, como una muestra inequívoca de deferencia hacia el máximo tribunal del Poder Judicial».

Luego, en el considerando octavo, hace una remisión a una sentencia anterior. En efecto, señala que «al conocer este Tribunal Constitucional un segundo caso, en la causa Rol N° 3853-17, impelido a cumplir con el deber de inexcusabilidad que le impide abstraerse de resolver aquellos asuntos de su exclusiva competencia, debió declarar la inaplicabilidad por inconstitucionalidad del artículo 1°, inciso tercero, del Código del Trabajo».

«No siendo óbice para ello que el caso subjudice, en aquella ocasión, consistiera en un recurso de unificación de jurisprudencia pendiente ante la Corte Suprema. Primero, porque el artículo 93, inciso primero, N° 6 de la Carta Fundamental dispone tajantemente que la acción de inaplicabilidad por inconstitucionalidad puede y debe conocerla el Tribunal Constitucional "en cualquier gestión" que se siga ante un tribunal, sea la que sea y sin excepciones».

«En segundo término, porque ese artículo 1°, inciso tercero, del Código del Trabajo habría de tener influencia decisiva al dictarse por la Corte Suprema la eventual "sentencia de reemplazo" a que alude el artículo 483-C del Código del Trabajo. Dándose así por satisfechos todos los requisitos exigidos en el artículo 84 de la Ley orgánica constitucional N° 17.997, para que esta Magistratura entrara a decidir la causa».

En el mismo orden de ideas, el Tribunal Constitucional sostiene que al expedir la sentencia Rol N° 3853-17, actuó dentro de la legítima esfera de sus atribuciones, puesto que no impidió al juez del fondo —en esa oportunidad la Corte Suprema— dictar la sentencia que estimase del caso, sino que solamente dispuso que esa sentencia —la de reemplazo— no podría basarse en aquella norma legal declarada inaplicable por resultar contraria a la Carta Fundamental, y que esa sentencia Rol 3853-2017, tuvo como precedente jurisprudencial la sentencia Rol N° 2926-15, además de otros pronunciamientos ahí invocados, que se remontan hasta la sentencia Rol N° 50-88;

de manera que estando todos ellos entrelazados, componen una doctrina arraigada y consistente, que aleja cualquier idea de haberse querido absorber un género de cosas ajeno a su quehacer. Así lo estaría demostrando la circunstancia de que, de ese tiempo a la fecha, el Tribunal Constitucional ha sido requerido para pronunciarse sobre la materia no solamente por servicios y organismos de la Administración del Estado afectados, sino que también por jueces de los propios Juzgados de Letras del Trabajo.

Tal como indica el Tribunal Constitucional en el fallo en análisis, haciendo referencia a los roles citados, que en síntesis, en tales veredictos se refirió que —fuera de los casos del recurso de protección y de otras acciones de nulidad previstas en la Carta Fundamental— los tribunales requieren potestades expresas para conocer de asuntos en que se cuestionan actos de la Administración del Estado, lo que en la especie no se da; que el precepto legal impugnado desatiende el hecho incontrovertible de que la Constitución prevé un régimen separado para los funcionarios públicos, distinto al contemplado para los trabajadores privados; **que el Estatuto Administrativo se engarza directamente con la Constitución, de suerte que desconocer a aquél importa desconocer a ésta, en este contexto; y que los funcionarios públicos no pueden recibir otras indemnizaciones que las contempladas en su propio régimen de derecho público, por prescripción asimismo de la Constitución**[84]. Razones todas que pueden sintetizarse como sigue: la aplicación que se ha dado al artículo 1º, inciso tercero, del Código del Trabajo vulnera los artículos 38, incisos primero y segundo, y 77 de la Carta Fundamental, puesto que al efecto ha menester una ley orgánica constitucional —que en la especie no existe— y, además, de iniciativa exclusiva del Presidente de la República, por exigirlo así perentoriamente el artículo 65, inciso cuarto, Nº 4 de la propia Constitución.

Muy interesante resulta el fundamento contenido en el considerando decimoprimero, al señalar que «detrás de cada uno de los argumentos reseñados, suficientes por sí solos para acoger la inaplicabilidad por inconstitucionalidad en la materia, **subyace además la idea de que el conocimiento de los negocios contencioso-estatutarios por parte de los jueces de letras del trabajo, distorsiona todo el régimen de carrera funcionaria que rige a los funcionarios públicos, al sustituir las reglas sobre cese de funciones que garantizan la estabilidad en el empleo, a que se refieren los artículos 12 y 45 de la Ley Nº 18.575 orgánica constitucional de la Administración del Estado, dictada en virtud del artículo 38 inciso primero de la Carta Fundamental, reemplazándolas por otras reglas indeterminadas e imprevistas sobre "despido injustificado"**»[85].

«Tal hirsuta situación se produce porque —en dicho evento— el tribunal laboral carece de competencia para fallar aplicando el Estatuto Administrativo contenido en la Ley Nº 18.834, ni le es posible aplicar las causales sobre despido del Códi-

---

[84]   Lo ennegrecido es nuestro.
[85]   Lo ennegrecido es nuestro.

go del Trabajo, por ser ésta **una materia donde no existe algún vacío legal a nivel estatutario»**[86].

De la misma manera, resulta importante la referencia que hace el Tribuna Constitucional al principio de probidad administrativa, que no ha sido tomado en consideración en ninguno de los fallos de la Corte Suprema.

Al efecto señaló en el considerando decimosegundo, que «sin perjuicio de lo anterior, el predicamento que homologa a los trabajadores contratados del sector privado con los funcionarios públicos designados en sus cargos para desempeñarse en el sector público, ignora —sin medir consecuencias— que solo a estos últimos se les aplica el "principio de probidad" con la estrictez requerida en el artículo 8º de la Carta Fundamental».

«Cuando este artículo 8º preceptúa severamente que "El ejercicio de las funciones públicas obliga a sus titulares a dar estricto cumplimiento al principio de probidad en todas sus actuaciones" (inciso 1º), debe entenderse que ha querido ser tan "estricto" en resguardo del interés público como lo es la mencionada Ley Nº 18.575, que "exige" a todos los funcionarios "la integridad ética y profesional de la administración de los recursos públicos que se gestionan" (artículo 53)».

Agrega que, para el caso concreto, «los recursos públicos sustraídos y la pérdida reiterada de materiales ocurrida en el Hospital Santiago Oriente, hechos que dieron origen a la medida disciplinaria de destitución previa su comprobación y reconocimiento en el correspondiente sumario administrativo, no es dudoso que compromete la "probidad administrativa"; misma cuyo resguardo resulta ajeno a la legislación laboral común aplicable al sector privado y, de consiguiente, a los tribunales del trabajo».

Agrega que «Las alegaciones hechas por el funcionario destituido ante el juez del trabajo, de que ello afecta su derecho a la honra, según el artículo 19 Nº 4 constitucional, y de haber sido víctima de aquellas discriminaciones arbitrarias indicadas en el artículo 2º Código del Trabajo, para enseguida pedir que se le reincorpore en su cargo, más el pago de indemnizaciones y recargos legales, **no únicamente tiende a periclitar el estatuto de derecho público que gobierna a los funcionarios públicos, incluido el régimen de sanciones y responsabilidades que estatuye la ley conforme al artículo 6º de la Constitución, sino que además revela la aplicación radicalmente inconstitucional que se pretende dar al artículo 1º, inciso tercero, del Código Laboral»**[87].

Sobre este punto, no deja de llamar la atención que, con lo obrado por la Corte Suprema, no solo se crea una nueva vía de revisión de los procesos disciplinarios administrativos, que están completamente reglados en los respectivos estatutos, sino, además, en muchos se está permitiendo la afectación del principio de probidad ad-

---

[86] Lo ennegrecido es nuestro.
[87] Lo ennegrecido es nuestro,

ministrativo que, a nuestro juicio, forma parte del Estado de Derecho. En efecto, es un hecho de la causa, que los tribunales laborales no consideran los sumarios administrativos al momento de resolver las acciones de tutela, estos pasan a ser simples documentos acompañados al proceso pasando por encima de lo que prescriben los respectivos estatutos administrativos o especiales según sea el caso.

El Tribunal Constitucional manifiesta, además, que la aplicación expansiva del Código del Trabajo, hecha al amparo de ese indeterminado inciso tercero del artículo 1°, hasta llegar a comprender a funcionarios regidos por su respectivo estatuto, a los efectos de hacerlos sujetos activos del procedimiento de tutela laboral, desvirtúa el régimen constitucional y legal que les es propio, amén de abrir la intervención de los juzgados de letras del trabajo respecto de una materia en que no han recibido expresa competencia legal.

Se debe señalar que este fallo hubo voto de minoría, quienes tuvieron presente como principales fundamentos para inclinarse por ratificar la constitucionalidad de lo obrado por la Corte Suprema, el principio pro operario como también lo que ellos denominan «la precarización del empleo público».

Al efecto señalaron que «es materia propia de interpretación de la normativa laboral, uno de los principios fundamentales del derecho del trabajo es la protección, y una de sus manifestaciones concretas es el principio "pro operario", que en el ámbito judicial está referido a la facultad de los jueces de interpretar la norma según el criterio pro operario, esto es, al existir varias interpretaciones posibles se debe seguir la más favorable al trabajador conocido también como el in dubio pro operario». (Corte Suprema, Rol N° 52.918-16, c. 6 y 7, de 5 de julio de 2017)

Agregan que, basado en que hay una diversidad de regímenes jurídicos, algunos de carácter estatutario de derecho público, otros regidos por la legislación laboral común, y finalmente, los que están regidos por el derecho civil a través de la figura de honorarios, «esta dispersión de regímenes jurídicos ha generado una constante precarización del empleo público, dado que de un modelo de estabilidad característico de los regímenes de función pública pasamos a un modelo de transitoriedad e inestabilidad, debido a que con la proliferación del empleo a contrata y honorarios la continuidad del vínculo pasa a estar definida por los criterios políticos de la autoridad de turno».

Finalmente, si bien no es nuestro objeto opinar en detalle sobre el tema, refiriéndonos al voto de minoría, no podemos estar de acuerdo con sus fundamentos, dado que existen principios claros del Estado de Derecho cuya principal función, a nuestro juicio es dar certeza jurídica, donde la además, la Carta Fundamental da reglas claras sobre la creación de tribunales y su competencia, resulta contrario a la Constitución comenzar a otorgar competencia a tribunales utilizando al efecto la interpretación, más aún, cuando hay texto expreso que a lo menos contradice el supuesto vacío legal.

Nadie puede negar el afán protector de nuestros tribunales en favor de las personas, ello es fundamental, pero salirse del marco de los principios del Estado de Derecho para tratar de lograr ese fin puede terminar causando un efecto contrario, esto es, desproteger a las personas, generando incertidumbres jurídicas, al no tener claro cuando se producirá el cierre jurídico de las situaciones.

En otras palabras, el uso de todos los mecanismos que establecen los distintos estatutos y la propia Carta Fundamental (ejemplo acción de protección), pasan a ser meras referencias en el ejercicio de la tan delicada e importante función pública.

Si se encuentra que el actual sistema no da las garantías suficientes para los funcionarios públicos en el ejercicio de sus cargos, se hace necesario efectuar las reformas legales pertinentes para perfeccionarlos, pero no forzar la interpretación para hacer aplicables remedios jurídicos que desnaturalizan el sistema público.

Capítulo II
Estatuto Administrativo para Funcionarios Municipales

Tipo Norma:	Ley 18883
Fecha Publicación:	29-12-1989
Fecha Promulgación:	15-12-1989
Organismo:	Ministerio Del Interior
Tipo Versión: última versión de:	07-12-2017
Inicio Vigencia:	07-12-2017
Última Modificación:	07-DIC-2017-Ley 21.050

APRUEBA ESTATUTO ADMINISTRATIVO PARA FUNCIONARIOS MUNICIPALES

TÍTULO I
Normas Generales

Artículo 1º

El estatuto administrativo de los funcionarios municipales se aplicará al personal nombrado en un cargo de las plantas de las municipalidades. A los alcaldes sólo les serán aplicables las normas relativas a los deberes y derechos y la responsabilidad administrativa. Los funcionarios contrata estarán sujetos a esta ley en todo aquello que sea compatible con la naturaleza de estos cargos.

1. «Ahora bien, de conformidad con el artículo 1º de la ley Nº 18.883, a los alcaldes solo les serán aplicables las normas contenidas en este estatuto relativas a los deberes y derechos y la responsabilidad administrativa.

2. Enseguida, cumple con manifestar que los alcaldes, en su calidad de jefes comunales -a los que compete la dirección, administración superior y supervigilancia del municipio—, al tenor de lo previsto en la ley Nº 18.695, se encuentran afectos a normas especiales en cuanto a su designación y remoción, distintas a las vigentes para el resto de los servidores de tales entidades edilicias (aplica dictamen Nº 19.324, de 1992)». (**ID Dictamen:** 005791N17 **Fecha:** 16-02-2017 **Destinatarios:** Municipalidad de Palena. **Texto:** No constituye una causal de cese en el cargo de alcalde la declaración de salud irrecuperable, toda vez que esta no se contempla como tal en el artículo 60 de la ley Nº 18.695. **Acción:** aplica dictámenes 19324/92, 46673/2003, 44861/2004, 23310/92, 29192/2000, 8776/2003).

3. «Por otra parte, el artículo 1º de la ley Nº 18.883, dispone que las disposiciones de dicho cuerpo legal sólo serán aplicables a los alcaldes, en lo que dice relación con los deberes, derechos y la responsabilidad administrativa. Precisado lo anterior, es dable tener presente, que el artículo 69 del referido texto estatutario, inserto dentro del Título III "De las Obligaciones Funcionarias", prevé que por el tiempo durante el cual no se hubiere efectivamente trabajado dichos servidores no podrán percibir remuneraciones, salvo que se trate de feriados, licencias o permisos con goce de remuneraciones, previstos en este estatuto, de suspensión preventiva contemplada en el artículo 134, o de caso fortuito o fuerza mayor». (**ID Dictamen:** 088637N16 **Fecha:** 07-12-2016 **Destinatarios:** Director de Administración y Finanzas de la Municipalidad de San Pedro **Texto:** No procede que municipio pague remuneraciones a alcalde que se encuentra suspendido de sus funciones como consecuencia de la notificación de la sentencia de primera instancia que declaró el cese de su cargo por causal que indica. **Acción:** Aplica dictamen 48685/2005).

3. «Por otra parte, respecto de la consulta formulada por el Diputado en orden a si la actual legislación define claramente cuándo se puede hacer uso de recursos municipales para las capacitaciones de dichas autoridades, es dable recordar que, tratándose de alcaldes, según lo disponen los incisos segundo y tercero del artículo 40 de la ley Nº 18.695, en concordancia con el artículo 1º de la ley Nº 18.883, estos tienen la calidad de funcionarios municipales y les son aplicables

las normas relativas a los derechos funcionarios, dentro de las cuales, se encuentran las referentes a la capacitación y su correlativo financiamiento». (**ID Dictamen:** 094037N16. **Fecha:** 30-12-2016. **Destinatarios:** Diputado señor Bernardo Berger Fett. **Texto:** Sobre consulta relativa a propuesta de modificación a normativa que regula la capacitación de alcaldes y concejales. **Acción:** Aplica dictámenes 16158/2005, 77220/2015, 66882/2016, 85355/2016)

1. «*En este contexto y atendido que, al tenor de lo dispuesto en los artículos 40, inciso segundo, de la ley Nº 18.695 y 1º de la ley Nº 18.883 —Estatuto Administrativo para Funcionarios Municipales—, los alcaldes ostentan tal calidad y se rigen —en lo pertinente— por las normas de este último ordenamiento relativas a derechos, les asiste, acorde con el artículo 97, letra e), de ese cuerpo estatutario, el derecho a percibir, entre otros emolumentos, viáticos por las comisiones de servicios y cometidos funcionarios que en su caso deban cumplir».* (**ID Dictamen:** 051677N11 **Fecha:** 17.08.2011 **Destinatarios:** Alcaldesa de la Municipalidad de Pedro Aguirre Cerda. **Texto:** Sobre pago a alcaldesa de viáticos no considerados en la autorización del respectivo cometido por parte del Concejo Municipal. **Acción:** Aplica dictámenes 38853/2007, 2285/94, 8442/2009)

2. «*Además, es dable recordar que esta Contraloría General, al emitir el pronunciamiento cuya reconsideración se solicita, ha ejercido las atribuciones que le confieren los artículos 6º, inciso primero, de la ley Nº 10.336 y 52 de la ley Nº 18.695, que la habilitan para dictaminar sobre los asuntos que se relacionen con el Estatuto Administrativo y el funcionamiento de las entidades sujetas a su fiscalización, toda vez que, en virtud de lo dispuesto en los artículos 40 de la ley Nº 18.695 y 1º de la ley Nº 18.883 —Estatuto Administrativo para Funcionarios Municipales—, el alcalde es funcionario municipal y, en tal calidad, está sujeto a las obligaciones estatutarias correspondientes, entre las cuales se encuentra el deber de observar el principio de probidad administrativa regulado en la ley Nº 18.575, acorde con la letra g) del artículo 58 de dicho texto estatutario».* (**ID Dictamen:** 062603N12 **Fecha:** 09.10.2012 **Destinatarios** Alcalde de la Municipalidad de Coyhaique. **Texto:** Rechaza solicitud de reconsideración de dictamen 15860/2012, de la Contraloría General, que acogió denuncia sobre conflicto de intereses que afectó al alcalde de la Municipalidad de Coyhaique en relación con actuaciones vinculadas con el Proyecto Hidroeléctrico Aysén. **Acción:** Aplica dictámenes 30739/98, 27994/2009 Confirma dictamen 15860/2012)

3. «*Sobre el particular, cabe tener presente que de acuerdo con los artículos 40, inciso segundo, de la ley Nº 18.695, Orgánica Constitucional de Municipalidades, y 1º de la ley Nº 18.883, Estatuto Administrativo para Funcionarios Municipales, el alcalde es un servidor municipal y le serán aplicables las normas relativas a los deberes y derechos que en tal calidad le corresponden y aquellas sobre responsabilidad administrativa».* (**ID Dictamen:** 058558N12 **Fecha:** 24.09.2012 **Destinatarios:** Alcalde de la Municipalidad de Huechuraba. **Texto:** Acoge parcialmente reclamo acerca de concurso público en el que no se respetó el deber de abstención por parte del alcalde en la designación de funcionario que indica. **Acción:** Aplica dictámenes 11909/2009, 6496/2011, 34935/2011, 9722/2012, 15860/2012, 14489/2012, 26188/2012)[88]

4. «*En este contexto, es oportuno destacar, que tal como se desprende del artículo 15 de la ley Nº 18.695, Orgánica Constitucional de Municipalidades, la municipalidad se encuentra organizada internamente en las unidades que indica, reguladas en los artículos 20 a 29 de ese mismo texto legal, a cuyo personal se le aplican las normas de la ley Nº 18.883, Estatuto Administrativo para Funcionarios Municipales, según lo preceptúa el artículo 1º de dicho texto estatutario».* (**ID Dictamen:** 032700N12 **Fecha:** 04.06.2012 **Destinatarios:** Alcalde de la Municipalidad de Hualañé. **Texto:** Sobre designación de fiscal en sumarios instruidos en contra de profesionales de la educación)[89]

5. «*Así, los ediles deben circunscribir sus actuaciones al marco jurídico regulatorio de las funciones municipales y de las atribuciones a través de las cuales estas deben cumplirse, el que se encuentra contenido, principalmente, en la ley Nº 18.695, Orgánica Constitucional de Municipalidades.
A su vez, tales autoridades revisten la condición de funcionarios municipales, siéndoles aplicable —en virtud de lo dispuesto en los artículos 40, inciso tercero, de la ley Nº 18.695, y 1º de la ley Nº 18.883, Estatuto Administrativo para Funcionarios Municipales—, entre otras normas, la letra h) del artículo 82 del mencionado cuerpo estatutario, con*

---

[88]   Para efectos de su consulta en la Base de Jurisprudencia de Contraloría General de la República, el citado dictamen se encuentra en la sección/materia: «generales», sin perjuicio de que se trata de uno de carácter municipal.

[89]   Para efectos de su consulta en la Base de Jurisprudencia de Contraloría General de la República, el citado dictamen se encuentra en la sección/materia: «generales», sin perjuicio de que se trata de uno de carácter municipal.

arreglo al cual, en lo que interesa, al funcionario le estará prohibido usar su autoridad o cargo para fines ajenos a sus funciones». (**ID Dictamen: 015676N12 Fecha:** 16.03.2012 **Destinatarios:** Segundo Vicepresidente de la Cámara. **Texto:** Sobre procedencia de la actuación del alcalde de Providencia, en invitar a un acto de homenaje a una persona que actualmente se encuentra condenada en procesos por crímenes de lesa humanidad).

6. *«No obstante lo anterior, cabe tener presente que, en conformidad a lo dispuesto en el artículo 40, inciso segundo, de la ley Nº 18.695, Orgánica Constitucional de Municipalidades y, en el artículo 1º de la ley Nº 18.883, Estatuto Administrativo para Funcionarios Municipales, el Alcalde tiene la calidad de funcionario municipal.*
Sin embargo, debe agregarse que, conforme la reiterada jurisprudencia administrativa emanada de este Organismo de Control, contenida, entre otros, en los dictámenes Nº 22.397, de 2008, y 46.324, de 2009, aun cuando los alcaldes tienen la calidad de funcionarios municipales y como tales se encuentran afectos a responsabilidad administrativa, a ninguna autoridad se le ha otorgado la potestad de aplicarles alguna de las medidas disciplinarias contempladas en la ley Nº 18.883». (**ID Dictamen: 007337N12 Fecha:** 06.02.2012 **Destinatarios:** Segundo Vicepresidente de la Cámara de Diputados. **Texto:** Resulta improcedente realizar en dependencia municipales reuniones de carácter político-partidistas. **Acción:** aplica dictámenes 22397/2008, 46324/2009)

7. *«Tercero: Que, conforme lo preceptúa el artículo 4º de la misma ley Nº 19.378, en todo lo no regulado expresamente por las disposiciones de este Estatuto, se aplicarán en forma supletoria, las normas de la Ley 18.883, Estatuto de los Funcionarios Municipales. De tal suerte, es este último Estatuto y no el Código del Trabajo la normativa que rige al personal de los establecimientos de Atención Primaria de Salud Municipal, en defecto de las disposiciones de la ley Nº 19.378. (...)*
Octavo: Que, efectivamente, la aplicación supletoria del Código Laboral a funcionarios de la administración municipal tiene lugar únicamente en los aspectos o materias no reguladas por los estatutos a que ellos están afectos, pero ello es siempre que las normas del Código no sean contrarias a tales estatutos, con arreglo a lo que dispone la parte final del inciso tercero del artículo 1º de este texto. (...)
Décimo: Que, en ese sentido, es útil considerar la distinta naturaleza que poseen el régimen establecido por el Código del Trabajo y el sistema estatutario como normativas reguladoras de las relaciones entre empleadores particulares y sus dependientes y el Estado y sus funcionarios, respectivamente. (...)
Duodécimo: Que, en cambio, el régimen estatutario es de carácter legal, ya que es la ley la que exclusivamente regula la situación de los funcionarios y señala la forma como nace y se extingue su relación con el Estado. Este sistema no tiene origen ni naturaleza convencional, ya que es el legislador el que determina por completo los derechos y obligaciones que son efectos de esa relación. Esta nace del acto unilateral de la autoridad que incorpora a un individuo a la dotación de un servicio público, en que la voluntad de éste último sólo interviene para aceptar su designación, pero no concurre a establecer las condiciones de la vinculación, ni los derechos y obligaciones de las partes, ya que todos estos elementos son fijados única y definitivamente por la ley en el estatuto que rige a ese personal». (CS Rol Nº 1519-2010 **Fecha:** 09.06.2010 **Sala:** Pronunciada por la Cuarta Sala de la Corte Suprema integrada por los Ministros señores Urbano Marín V., Patricio Valdés A., señoras Gabriela Pérez P., Rosa María Maggi D., y Rosa Egnem S.).

Artículo 2º

Los cargos de planta son aquéllos que conforman la organización estable de la municipalidad y sólo podrán corresponder a las funciones que se cumplen en conformidad a la ley Nº 18.695. Respecto de las demás actividades, se deberá procurar que su prestación se efectúe por el sector privado.

Sin perjuicio de lo señalado en el inciso anterior, la dotación de las municipalidades podrá comprender cargos a contrata, los que tendrán el carácter de transitorios.

Los empleos a contrata durarán, como máximo, sólo hasta el 31 de diciembre de cada año y los empleados que los sirvan cesarán en sus funciones en esa fecha, por el solo ministerio de la ley, salvo que hubiere sido dispuesta la prórroga con treinta días de anticipación, a lo menos.

Los cargos a contrata, en su conjunto, no podrán representar un gasto superior al cuarenta por ciento del gasto de remuneraciones de la planta municipal. Sin embargo, en las municipalidades con planta de menos de veinte cargos, podrán contratarse hasta ocho personas.

Podrán existir empleos a contrata con jornada parcial y, en tal caso, la correspondiente remuneración será proporcional a dicha jornada.

Los empleos a contrata deberán ajustarse a las posiciones relativas que se contempla para el personal de la planta de Profesionales, de Técnicos, de Administrativos y de Auxiliares, o de los escalafones vigentes en su caso, de la respectiva municipalidad, según sea la función que se encomienda. Los grados que se asignen a los empleos a contrata no podrán exceder el tope máximo que se contempla para el personal de las plantas de Profesionales, Técnicos, Administrativos y Auxiliares a que se refiere el artículo 11.

El gasto anual en personal no podrá exceder, respecto de cada municipalidad, del 42% (cuarenta y dos por ciento) de los ingresos propios percibidos en el año anterior. Se entenderá por gasto en personal el que se irrogue para cubrir las remuneraciones correspondientes al personal de planta y a contrata. Asimismo, se considerarán en dicho gasto los honorarios a suma alzada pagados a personas naturales, honorarios asimilados a grado, jornales, remuneraciones reguladas por el Código del Trabajo, suplencias y reemplazos, personal a trato y/o temporal y alumnos en práctica. A su vez, los ingresos propios percibidos serán considerados como la suma de los ingresos propios permanentes señalados en el artículo 38 del decreto ley N° 3.063, de 1979, sobre Rentas Municipales, incluyendo la totalidad de la recaudación por concepto de permisos de circulación y patentes municipales, más los ingresos por participación en el Fondo Común Municipal indicados en el artículo 14 de la ley N° 18.695, orgánica constitucional de Municipalidades. Sólo para los efectos del cálculo del gasto anual en personal que dispone el presente artículo, no se considerarán los pagos que realice el municipio por concepto de la asignación de zona establecida en el artículo 7° del decreto ley N° 249, del Ministerio de Hacienda, promulgado el año 1973 y publicado el año 1974, otorgada por el artículo 25 del decreto ley N° 3.551, del Ministerio de Hacienda, promulgado el año 1980 y publicado el año 1981; de la bonificación establecida en el artículo 3° de la ley N° 20.198, ni de la bonificación compensatoria del artículo 29 de la ley N° 20.717, destinada a los beneficiarios de la mencionada bonificación del artículo 3° de la ley N° 20.198.

---

1. «Como cuestión previa, es del caso señalar, que el inciso final, parte pertinente, del artículo 2º de la ley N° 18.883 —incorporado por el artículo 5º, N° 1, letra b), de la ley N° 20.922—, establece que el gasto anual en personal no podrá exceder, respecto de cada municipalidad, del 42% de los ingresos propios percibidos en el año anterior. Se entenderá por gasto en personal el que se irrogue para cubrir las remuneraciones correspondientes al personal de planta y a contrata, entre otros; agregando que "los ingresos propios percibidos serán considerados como la suma de los ingresos propios permanentes señalados en el artículo 38 del decreto ley N° 3.063, de 1979, sobre Rentas Municipales, incluyendo la totalidad de la recaudación por concepto de permisos de circulación y patentes municipales, más los ingresos por participación en el Fondo Común Municipal indicados en el artículo 14 de la ley N° 18.695, orgánica constitucional de Municipalidades". Pues bien, de la normativa citada, aparece que el legislador ha previsto expresamente que los recursos provenientes del impuesto a las sociedades operadoras de casinos de juegos, establecido en la ley N° 19.995, deban ser contabilizados para el cálculo del 42% de los ingresos propios de las entidades edilicias a efectos de determinar el límite de gasto en personal, sin pronunciarse respecto a si esas sumas deben ser destinadas a solventar dichos desembolsos. Luego y tal como ha precisado la jurisprudencia administrativa de esta Entidad de fiscalización contenida en el dictamen N° 40.647, de 2010, considerando que las obras de desarrollo comprenden las acciones que satisfacen una necesidad o interés de los habitantes de la comuna y que el cumplimiento de dichas funciones responden ciertamente a tales conceptos, no se advierte inconveniente legal en que los referidos fondos sean utilizados en proyectos que se ejecuten en relación con éstas, incluyéndose en ellos los gastos correspondientes a contrataciones de personas, servicios o bienes determinados. Agrega el citado pronunciamiento que, sin embargo, en lo que respecta a contrataciones o designaciones

que importen provisión de personal para el cumplimiento de funciones municipales permanentes —las que deben ser desarrolladas única y exclusivamente por funcionarios del órgano de que se trate—, no corresponde que las respectivas remuneraciones sean imputadas a los fondos derivados de la aplicación del impuesto previsto en el artículo 59 de la ley Nº 19.995 (aplica criterio contenido, entre otros, en el dictamen Nº 42.608, de 1994). Por consiguiente, en mérito de lo expuesto, es dable colegir que la circunstancia que los recursos provenientes del impuesto a las sociedades operadoras de casinos de juegos se consideren como ingresos propios para el cálculo del referido límite de 42% en gastos en personal, no implica que aquellos pierdan su afectación legal de destinarse a obras de desarrollo, por lo que no procedería utilizarlos para solventar la provisión de personal para el cumplimiento de funciones municipales permanentes, puesto que ellas deben ser ejercidas exclusivamente por funcionarios del municipio respectivo». (**ID Dictamen:** 001627N19. **Fecha:** 17-01-2019. **Destinatarios:** Municipalidad de Mostazal **Texto:** Sobre improcedencia de imputar gastos en personal a ingresos provenientes del impuesto establecido en la ley Nº 19.995. **Acción:** Aplica dictámenes 60054/2014, 40647/2010, 42608/94, 20587/2009, 976/2009, 65765/2009)

2. *«Precisado lo anterior, cabe anotar que en consideración a que el artículo 2º, inciso sexto, de la ley Nº 18.883, prevé que "Los empleos a contrata deberán ajustarse a las posiciones relativas que se contemplan para el personal de la planta de Profesionales, de Técnicos, de Administrativos y de Auxiliares, o de los escalafones vigentes en su caso, de la respectiva municipalidad, según sea la función que se encomienda", los dictámenes Nºs. 3.250, de 1996, y 13.517, de 2009, entre otros, han precisado que los alcaldes no se encuentran habilitados para contratar personal asimilado a un grado diferente al asignado a las respectivas plantas. No obstante lo anterior, es dable manifestar que, en la especie, no estamos ante la aplicación de la disposición recién aludida, sino que ante el ejercicio de la facultad excepcional otorgada por el legislador a las autoridades edilicias en el artículo tercero transitorio de la ley Nº 20.922. En efecto, el artículo transitorio en cuestión constituye una norma especial, que faculta al alcalde para disponer incrementos particulares de grado "sin perjuicio de las normas que regulan el empleo a contrata", supeditado a reglas propias, al margen de la normativa estatutaria general, por lo que su ejercicio no se encuentra sujeto a la limitación prevista en el citado artículo 2º del estatuto administrativo municipal, por expresa disposición del legislador».* (**ID Dictamen:** 002900N19. **Fecha:** 25-01-2019. **Destinatarios:** Municipalidad de San Vicente de Tagua Tagua. **Texto:** Incrementos de grados efectuados en aplicación del artículo tercero transitorio de la ley Nº 20.922, no se encuentran limitados a aquellos contemplados en las respectivas plantas de personal municipal. **Acción:** Aplica dictámenes 3250/96, 13517/2009, 25292/2018).

3. *«A su vez, el nuevo inciso final del artículo 2º de la ley Nº 18.883 —introducido por el artículo 5º, número 1), letra b), de la citada ley Nº 20.922, establece, en lo que importa, que "El gasto anual en personal no podrá exceder, respecto de cada municipalidad, del 42% (cuarenta y dos por ciento) de los ingresos propios percibidos en el año anterior. Se entenderá por gasto en personal el que se irrogue para cubrir las remuneraciones correspondientes al personal de planta y a contrata. Asimismo, se considerarán en dicho gasto los honorarios a suma alzada pagados a personas naturales, honorarios asimilados a grado, jornales, remuneraciones reguladas por el Código del Trabajo, suplencias y reemplazos, personal a trato y/o temporal y alumnos en práctica".*
Pues bien, del tenor del artículo decimotercero transitorio de la ley Nº 20.922 aparece que los municipios que puedan aumentar la dotación a contrata en razón de lo señalado en el nuevo inciso cuarto del artículo 2º de la ley Nº 18.883, deberán preferir para dicha modalidad a quienes se desempeñan a honorarios en virtud del subtítulo 21, ítem 03, del presupuesto del órgano comunal, imputación diversa a la que se aplica respecto de las contrataciones a honorarios para la prestación de servicios en programas comunitarios, la que se efectúa con cargo al subtítulo 21, ítem 04, asignación 004. Corrobora lo anterior la historia fidedigna del establecimiento de la ley Nº 20.922 —Boletín Nº 10.057-06—, en cuanto en su intervención de fecha 19 de agosto de 2015, el Subsecretario de Desarrollo Regional y Administrativo de la época, expresó que quienes se encuentren contratados a honorarios "podrán pasar a la calidad jurídica de funcionarios a contrata a partir de la publicación de la ley, por efectos del aumento del límite del personal bajo dicha calidad, de un 20 a un 40%", en tanto que el 30 de noviembre de 2015, señaló que el fundamento del aludido nuevo inciso del artículo 2º de la ley Nº 18.883 "tiene que ver básicamente con la posibilidad de que el municipio incorpore dentro de su dotación a contrata a funcionarios que hoy permanecen a honorarios, con lo que en su opinión, se mejoran las condiciones laborales de muchos funcionarios que se encuentran en esa situación"».* (**ID Dictamen:** 005303N18. **Fecha:** 20-02-2018. **Destinatarios:** Municipalidad de Panguipulli. **Texto:** La circunstancia de que un prestador de servicios a honorarios con cargo al subtítulo 21, ítem 03, a su vez desempeñe una contrata a jornada parcial, no exime a la municipalidad de la obligación de preferirle en el evento que aumente la dotación a contrata, de acuerdo a lo previsto en el artículo decimotercero transitorio de la ley Nº 20.922. **Acción:** Aplica dictámenes aplica dictámenes 63201/2016, 4921/2017, 80913/2016)

4. *«Siendo así, estas personas contratadas a honorarios están impedidas de ejercer tareas directivas dentro de las municipalidades, ya que "las funciones que se cumplen en conformidad a la ley Nº 18.695", deben ser desempeñadas por personal que integre la planta del municipio, acorde lo ordena el artículo 2º, inciso primero, de la citada ley 18.883, entre las cuales se encuentran las labores directivas y de jefatura. En consecuencia, en el contexto normativo y jurisprudencial expuesto, cabe concluir que en ejercicio de la facultad contemplada en el analizado inciso final del decreto con fuerza de ley Nº 458, de 1975, del Ministerio de Vivienda y Urbanismo, los municipios pueden contratar a un profesional con título universitario arquitecto, ingeniero civil o constructor civil, para que se desempeñe como Director de Obras municipales por un periodo determinado, en tanto, por cierto, se cumpla con los demás requisitos establecidos en la ley».* (**ID Dictamen:** 008774N18. **Fecha:** 03-04-2018. **Destinatarios:** Municipalidad de Quinta Normal. **Texto:** Los municipios pueden contratar a un profesional de manera transitoria, bajo el régimen de honorarios, como director de obras, por aplicación de la facultad contenida en el inciso final del artículo 8º del decreto con fuerza de ley Nº 458, de 1975, del Ministerio de Vivienda y Urbanismo. **Acción:** Aplica dictámenes 42157/2010, 27335/91, 13957/90, 42291/2016).

5. *«En este contexto, es dable indicar que el inciso cuarto del artículo 2º de la ley Nº 18.883 dispone que los cargos a contrata, en su conjunto, no podrán representar un gasto superior al cuarenta por ciento del gasto de remuneraciones de la planta municipal. Sin embargo, en las municipalidades con planta de menos de veinte cargos, podrán contratarse hasta ocho personas. Enseguida, respecto a la posibilidad de crear cargos adscritos para ser ocupados por las antedichas funcionarias, cabe manifestar que ello no resulta procedente, puesto que no existe facultad legal que autorice al alcalde para generar las aludidas plazas. Al respecto, la jurisprudencia administrativa de este Organismo Fiscalizador contenida, entre otros, en el dictamen Nº 33.257, de 1994, ha precisado que los funcionarios a contrata están sujetos a ley Nº 18.883 en todo aquello que sea compatible con la naturaleza de esos cargos; agregando que, dada la naturaleza transitoria de estos, no les resultan aplicables las disposiciones atingentes al derecho a ascenso, por encontrarse dichos empleos fuera de la carrera funcionaria, quedando afectos a los preceptos que en dicho cuerpo estatutario se establecen en relación con la destinación funcionaria, los feriados, permisos y licencias, entre otros».* (**ID Dictamen:** 013714N18. **Fecha:** 04-06-2018. **Destinatarios:** Municipalidad de Buin. **Texto:** Remuneraciones de funcionarios contratados por las municipalidades deben ser imputadas al cuarenta por ciento que establece el artículo 2º de la ley Nº 18.883. Las municipalidades no se encuentran facultadas para crear cargos adscritos. Funcionarios municipales a contrata no gozan del derecho al ascenso. **Acción:** aplica dictámenes 29188/2006, 30590/2012, 33257/94).

6. *«Sobre el particular, cabe señalar, en armonía con el dictamen Nº 22.766, de 2016, que las continuas prórrogas de las contratas —desde la segunda al menos—, generan en los empleados que se desempeñan sujetos a esa modalidad la confianza legítima de que tal práctica será reiterada en el futuro, de manera que para adoptar una decisión diversa es necesario que la autoridad emita un acto administrativo fundado. Enseguida, en lo concerniente a que no procede contratar nuevamente al afectado, ya que con ello se excedería el límite del cuarenta por ciento a que alude el inciso cuarto del artículo 2º de la ley Nº 18.883, cumple con manifestar que, si bien no se han acompañado antecedentes que permitan acreditar tal aserto, dicha condición no constituye un obstáculo para dar cumplimiento a lo ordenado por esta Entidad de Control, debido al carácter excepcional de la situación analizada (aplica criterio del dictamen Nº 60.337, de 2014)».* (**ID Dictamen:** 014243N18. **Fecha:** 07-06-2018. **Destinatarios:** Municipalidad de Castro. **Texto:** Desestima solicitud de reconsideración de la Municipalidad de Castro, pues el funcionario que indica cumple las condiciones establecidas para la renovación de su contratación, de acuerdo a lo previsto en el dictamen Nº 22.766, de 2016. **Acción:** aplica dictámenes 22766/2016, 85700/2016, 6400/2018, 25739/2017, 54867/2016, 65020/2016, 60337/2014, 36592/2011).

7. *«Luego, el artículo 5º, Nº 1, letra b), de la citada ley Nº 20.922, incorporó un nuevo inciso final al artículo 2º de la ley Nº 18.883, que prevé que "El gasto anual en personal no podrá exceder, respecto de cada municipalidad, del 42% (cuarenta y dos por ciento) de los ingresos propios percibidos en el año anterior. Se entenderá por gasto en personal el que se irrogue para cubrir las remuneraciones correspondientes al personal de planta y a contrata. Asimismo, se considerarán en dicho gasto los honorarios a suma alzada pagados a personas naturales, honorarios asimilados a grado, jornales, remuneraciones reguladas por el Código del Trabajo, suplencias y reemplazos, personal a trato y/o temporal y alumnos en práctica. A su vez, los ingresos propios percibidos serán considerados como la suma de los ingresos propios permanentes señalados en el artículo 38 del decreto ley Nº 3.063, de 1979, sobre Rentas Municipales, incluyendo la totalidad de la recaudación por concepto de permisos de circulación y patentes municipales, más los ingresos por participación en el Fondo Común Municipal indicados en el artículo 14 de la ley Nº 18.695, orgánica constitucional de Municipalidades. Sólo para los efectos del cálculo del gasto anual en personal que dispone el presente artículo, no se considerarán los pagos que realice el municipio por concepto de la asignación de zona establecida en el artículo 7º del decreto ley Nº 249, del Ministerio de Hacienda, promulgado el año 1973 y publicado el año 1974, otorgada por el artículo 25 del decreto ley*

Nº 3.551, del Ministerio de Hacienda, promulgado el año 1980 y publicado el año 1981; de la bonificación establecida en el artículo 3º de la ley Nº 20.198, ni de la bonificación compensatoria del artículo 29 de la ley Nº 20.717, destinada a los beneficiarios de la mencionada bonificación del artículo 3º de la ley Nº 20.198". Pues bien, del análisis del antiguo artículo 1º de la ley Nº 18.294 y del nuevo inciso final del artículo 2º de la ley Nº 18.883, se advierte que el objetivo de ambas disposiciones ha sido limitar el gasto anual en personal en que incurran los municipios (aplica dictamen Nº 85.233, de 2016). En ese contexto, la remisión que efectúa el inciso tercero del artículo 3º de la ley Nº 19.754 al artículo 1º de la ley Nº 18.294, debe entenderse realizada al inciso final del artículo 2º de la ley Nº 18.883 (aplica criterio contenido en el dictamen Nº 85.233, de 2016). En consecuencia, encontrándose plenamente vigente el inciso primero del artículo 3º de la ley Nº 19.754, los aportes que efectúen los municipios a sus servicios de bienestar no deben considerarse para el cálculo del límite de gasto anual en personal que realicen las entidades edilicias». **(ID Dictamen:** 020259 8. **Fecha:** 10-08-2018. **Destinatarios:** Municipalidad de Curanilahue. **Texto:** Los aportes que realizan los municipios a sus servicios de bienestar no deben considerarse para el cálculo del límite de gasto anual en personal, previsto en el artículo 3º de la ley Nº 19.754. **Acción:** Aplica dictamen 85233/2016).

8. *«Sobre el particular, es necesario indicar que el inciso tercero del artículo 2º de la ley Nº 18.883, dispone que los empleos a contrata, durarán, como máximo, solo hasta el 31 de diciembre de cada año, contemplando en su parte final la posibilidad de disponer su prórroga con 30 días de anticipación, a lo menos. En este contexto, del estudio de los antecedentes y de acuerdo con la información que obra en el Sistema de Información y Control del Personal de la Administración del Estado —SIAPER—, que mantiene esta Entidad Fiscalizadora, aparece que tanto el municipio de Santiago como el de Vitacura, hicieron uso de la facultad contemplada en el inciso tercero del artículo 2º de la ley Nº 18.883, disponiendo reiteradamente la recontratación de los señores Neira Herrera y Figueroa Pallet, respectivamente, tornando en permanente y constante la mantención del vínculo con los interesados, lo que determinó así en definitiva que los ente comunales mencionados incurrieran en una práctica administrativa que generó para los recurrentes una legítima expectativa que les indujo razonablemente a confiar en la repetición de tal actuación».* **(ID Dictamen:** 022766N16. **Fecha:** 24-03-2016. **Destinatarios:** Jorge Neira Herrera, exfuncionario de la Municipalidad de Santiago. **Texto:** Renovación de contrata durante varios años, generó para funcionarios la confianza legítima de que dicha práctica administrativa se reiteraría para el año 2016, correspondiendo que una determinación distinta del municipio sobre la materia se concrete a través de un acto administrativo motivado. Reconsidera toda jurisprudencia en contrario. **Acción:** Aplica dictámenes 29097/2008, 13207/2010, 65125/2009 Reconsidera dictámenes 19385/2001, 58781/2010, 68642/2011, 38825/2012, 48889/2012).

9. *«Precisado lo anterior, es menester indicar que de acuerdo con los artículos 2º, incisos segundo y tercero, y 5º, letra f), de la ley Nº 18.883, los empleos a contrata son aquellos de carácter transitorio que se contemplan en la dotación de una municipalidad, cuya duración máxima es hasta el 31 de diciembre de cada año, y quienes los sirvan cesarán en sus funciones en esa fecha, por el solo ministerio de la ley, salvo que hubiere sido dispuesta la prórroga con treinta días de anticipación a lo menos. No obstante, es menester indicar que el inciso segundo del artículo 11 de la ley Nº 19.880 preceptúa que "Los hechos y fundamentos de derecho deberán siempre expresarse en aquellos actos que afectaren los derechos de los particulares", lo que guarda concordancia con lo previsto en el inciso primero del artículo 16, que dispone "El procedimiento administrativo se realizará con transparencia, de manera que permita y promueva el conocimiento, contenidos y fundamentos de las decisiones que se adopten en él", y en el inciso cuarto del artículo 41 del mismo texto legal que establece "Las resoluciones contendrán la decisión, que será fundada". Así, los actos administrativos que afecten los derechos de los particulares, tanto los de contenido negativo o gravamen como los de contenido favorable, deberán ser fundados, debiendo, por tanto, la autoridad que los dicta, expresar los motivos —esto es, las condiciones que posibilitan y justifican su emisión—, los razonamientos y los antecedentes de hecho y de derecho que le sirven de sustento y conforme a los cuales ha adoptado su decisión, pues de lo contrario implicaría confundir la discrecionalidad que le concede el ordenamiento jurídico con la arbitrariedad, sin que sea suficiente la mera referencia formal, de manera que su sola lectura permita conocer cuál fue el raciocinio para la adopción de su decisión (aplica dictámenes Nºs. 91.219, de 2014, y 1.342, de 2015)».* **(ID Dictamen:** 023518N16. **Fecha:** 29-03-2016. **Destinatarios:** señora Patricia García Mersegué, exfuncionaria grado 15 de la planta de administrativos, de la Municipalidad de Recoleta. **Texto:** Término anticipado de una designación a contrata debe disponerse por un acto administrativo fundado. **Acción:** Aplica dictámenes 74764/2012, 80960/2014, 91219/2014, 1342/2015, 499/2012, 4567/2015, 2292/2014).

10. *«Sobre el particular, cabe recordar que la jurisprudencia administrativa de esta entidad de control contenida, entre otros, en los dictámenes Nºs. 22.766 y 85.700, ambos de 2016, y 6.400, de 2018, ha precisado que las reiteradas prórrogas anuales de las contratas —desde la segunda renovación al menos—, generan en los servidores que se desempeñan*

sujetos a esa modalidad, la confianza legítima de que tal práctica será reiterada en el futuro, de modo que para adoptar una determinación diversa es menester que la autoridad emita un acto administrativo que explicite los fundamentos que avalan tal decisión, detallando el razonamiento y los antecedentes de hecho y de derecho en que se sustenta. En dicho contexto, mediante el decreto alcaldicio Nº 1.513, de 30 de noviembre de 2017, la Municipalidad de La Granja, determinó no renovar la contratación del señor José Andrés Palma Palma, fundándose en la necesidad de enmarcarse dentro del límite establecido en el artículo 2º, inciso cuarto, de la ley Nº 18.883 —modificado por la ley Nº 20.922— que prevé que los cargos a contrata, en su conjunto, no podrán representar un gasto superior al cuarenta por ciento del gasto de remuneraciones de la planta municipal, situación que le había sido observada por el oficio Nº 14.267, de 2017, de la II Contraloría Regional Metropolitana de Santiago, cuya copia se adjunta. A mayor abundamiento, de acuerdo con lo concluido en el citado dictamen Nº 85.700, de 2016, podrá servir de fundamento para prescindir de los servicios de un funcionario, tanto las nuevas condiciones presupuestarias o de dotación del servicio que obliguen a reducir personal, como una deficiente evaluación del servidor, ya sea la calificación regular y periódica u otra evaluación particular». (**ID Dictamen:** 025027N18. **Fecha:** 05-10-2018. **Destinatarios:** diputado señor Issa Kort Garriga. **Texto:** No se advierte irregularidad en decisión adoptada por la Municipalidad de La Granja de no renovar la contratación de funcionario que indica. **Acción:** Aplica dictámenes 22766/2016, 85700/2016, 6400/2018, 63920/2016).

11. *«En ese contexto, y dado que la aludida asignación de antigüedad que prevé el anotado artículo 97, letra g), de la ley Nº 18.883, se concede a los servidores de planta y a contrata regidos por el estatuto administrativo para funcionarios municipales en razón de sus servicios efectivos en un mismo grado, es dable colegir que solo resulta admisible computar para tales fines el desempeño en las indicadas calidades jurídicas, ya sea que se trate de labores como titular, suplente o subrogante —las que se llevan a cabo por servidores de planta al tenor del artículo 6º, inciso primero, de dicho texto legal—, o aquellas desarrolladas en virtud de contrataciones realizadas al amparo del artículo 2º de la tantas veces apuntada ley Nº 18.883 (aplica criterio contenido en el dictamen Nº 38.011, de 1994)».* (**ID Dictamen:** 029593N16. **Fecha:** 20-04-2016. **Destinatarios:** señora Marlene Henríquez Bastías, funcionaria de la Municipalidad de La Florida. **Texto:** Para el pago de la asignación de antigüedad prevista en la letra g) del artículo 97 de la ley Nº 18.883, no son útiles los servicios prestados en conformidad con el código del trabajo. **Acción:** Aplica dictámenes 38011/94, 819/2016).

12. *«Sobre el particular, cumple manifestar que, de conformidad con lo establecido en los artículos 2º, inciso tercero, y 5º, letra f), de la ley Nº 18.883, el empleo a contrata es aquel de carácter transitorio que se contempla en la dotación de una municipalidad, cuya duración máxima es hasta el 31 de diciembre de cada año y las personas que lo sirven cesan en sus labores en esa fecha, por el solo ministerio de la ley, salvo que hubiera sido dispuesta la prórroga con treinta días de anticipación a lo menos. Enseguida, la reiterada jurisprudencia administrativa de este Órgano de Fiscalización contenida, entre otros, en los dictámenes Nºs. 31.337, de 2012, y 80.960, de 2014, ha declarado que cuando una contratación ha sido ordenada con la cláusula "mientras sean necesarios sus servicios", como acontece en la especie, la superioridad puede ponerle término en el momento que estime conveniente, sin que para ello se requiera la aceptación del interesado. Asimismo, es menester indicar que el decreto alcaldicio mediante el cual la autoridad ponga término anticipado a una contrata, debe necesariamente ser un acto administrativo fundado, pudiendo, en caso contrario, ser tachado de arbitrario y por ende, ilegítimo (aplica criterio contenido en el dictamen Nº 23.518, de 2016). Pues bien, en la situación en estudio, se advierte que el aludido decreto alcaldicio Nº 145, de 2015, por el cual se puso término anticipado a la contratación de la peticionaria, expresa los motivos fácticos que se tuvieron en cuenta en la decisión contenida en dicho acto, coligiéndose que, dicha entidad edilicia fundamentó la desvinculación de la recurrente en una optimización de recursos de personal, ya que las funciones de la señora Fabiola Ortega Espinoza se supieron por otros miembros del departamento donde ejerció labores».* (**ID Dictamen:** 033419N16. **Fecha:** 06-05-2016. **Destinatarios:** señora Fabiola Ortega Espinoza, exfuncionaria de la Municipalidad de San José de Maipo. **Texto:** Término anticipado de contrata se dispuso por un acto administrativo motivado, el que produjo efectos en la fecha de su notificación tácita. Funcionaria tiene derecho al pago proporcional de la asignación establecida en la ley Nº 19.803. **Acción:** Aplica dictámenes 31337/2012, 80960/2014, 23518/2016, 97992/2014, 10409/2015, 72327/2014, 42796/2014, 51906/2015, 42862/2009, 29076/2013).

13. *«Sobre el particular, el inciso tercero del artículo 2º de la ley Nº 18.883, dispone que los empleos a contrata, durarán, como máximo, solo hasta el 31 de diciembre de cada año, contemplando en su parte final la posibilidad de disponer su prórroga con 30 días de anticipación, a lo menos. Enseguida, es dable expresar que, en armonía con lo sostenido en el dictamen Nº 22.766, de 2016, las reiteradas renovaciones de las designaciones a contrata —desde la segunda al menos—, generan en los servidores que se desempeñan sujetos a esa modalidad, la confianza legítima de que dicha práctica será reiterada en los mismos términos en el futuro, de modo tal que para adoptar una determinación diversa*

resulta necesario que la superioridad emita un acto administrativo, que contenga los fundamentos que avalan su decisión. En igual sentido se pronuncia el dictamen Nº 85.700, de 2016 —que imparte instrucciones y establece criterios complementarios para la aplicación de los dictámenes Nºs. 22.766 y 23.518, ambos de 2016, de este origen—, en orden a que el acto administrativo que dispone la no renovación de la contrata o su término anticipado, o que resuelve prorrogarla por un plazo menor a un año o en un grado o estamento inferior, debe encontrarse debidamente motivado. En este contexto, cabe señalar que la práctica que origina la confianza legítima está determinada por una vinculación laboral cuya extensión alcance al menos dos renovaciones anuales (aplica dictamen Nº 70.966, de 2016). De esta manera, y considerando que un servidor puede ser objeto de múltiples y sucesivas designaciones a contrata por tiempos menores a un año calendario (por ejemplo, sólo por algunos meses), se debe aclarar que son útiles para efectos de entender una continuidad en el vínculo que hace nacer la aludida confianza los diferentes periodos inferiores a un año, pero continuos, desempeñados a contrata, en la medida que el lapso total de esas designaciones abarque más de dos años, en la forma indicada. Así, y conforme se concluyera en el dictamen Nº 70.966, de 2016, en el evento que una persona sea designada a contrata luego que haya comenzado el año respectivo (incluso en diciembre), se entenderá que hubo una primera renovación anual si dicha vinculación se extiende por todo el año calendario siguiente (ya sea en virtud de una sola designación o de varias sucesivas y continuas). Luego, existe una segunda renovación de dicho nexo laboral si éste abarca toda la anualidad subsiguiente, en los términos aludidos». (ID Dictamen: 045006N17. Fecha: 28-12-2017. Destinatarios: señora Katterine Marín Sorich, quien reclama en contra de la Municipalidad de Iquique. Texto: Desestima reclamo de exfuncionaria de la Municipalidad de Iquique, por las razones que indica. Acción: Aplica dictámenes 22766/2016, 85700/2016, 70966/2016, 53844/2016, 97992/2014, 10409/2015).

14. «Sobre el particular, cumple manifestar que de conformidad con lo establecido en los artículos 2º, inciso tercero, y 5º, letra f), de la ley Nº 18.883, el empleo a contrata es aquel de carácter transitorio que se contempla en la dotación de una municipalidad, cuya duración máxima es hasta el 31 de diciembre de cada año y las personas que lo sirven cesan en sus labores en esa fecha, por el solo ministerio de la ley, salvo que hubiera sido dispuesta la prórroga con treinta días de anticipación a lo menos.
Enseguida, la jurisprudencia administrativa de este Órgano de Fiscalización contenida, entre otros, en los dictámenes Nºs. 31.337, de 2012, y 80.960, de 2014, ha declarado que cuando una contratación ha sido ordenada con la cláusula "mientras sean necesarios sus servicios", como acontece en la especie, la superioridad puede ponerle término en el momento que estime conveniente, sin que para ello se requiera la aceptación del interesado.
Asimismo, es menester indicar que el decreto alcaldicio mediante el cual la autoridad ponga término anticipado a una contrata, debe necesariamente ser un acto administrativo fundado, pudiendo, en caso contrario, ser tachado de arbitrario y por ende, ilegítimo (aplica criterio contenido en el dictamen Nº 23.518, de 2016)». (ID Dictamen: 053847N16. Fecha: 20-07-2016. Destinatarios: señor Ricardo Zapata Sepúlveda, exfuncionario de la Municipalidad de Recoleta. Texto: La terminación anticipada de una designación a contrata debe disponerse mediante un acto administrativo fundado y, desestima reclamo de maltrato y persecución laboral, en atención a que el ocurrente no acompaña antecedentes indicativos de aquello. Acción: Aplica dictámenes 31337/2012, 80960/2014, 23518/2016, 2292/2014, 18979/2016, 24143/2015).

15. «Ahora bien, es necesario señalar que de acuerdo con los artículos 2º, incisos segundo y tercero, y 5º, letra f), de la ley Nº 18.883, los empleos a contrata son aquellos de carácter transitorio que se contemplan en la dotación de una municipalidad, cuya duración máxima es hasta el 31 de diciembre de cada año, y quienes los sirvan cesarán en sus funciones en esa fecha, por el solo ministerio de la ley, salvo que hubiere sido dispuesta la prórroga con treinta días de anticipación a lo menos.
Al respecto, la jurisprudencia de esta Contraloría General, contenida entre otros, en los dictámenes Nºs. 74.764, de 2012, y 33.418, de 2013, ha concluido, en lo pertinente, que cuando una contratación o su prórroga, ha sido dispuesta con la fórmula "mientras sean necesarios sus servicios", la autoridad administrativa puede ponerle término en el momento que estime conveniente.
En este contexto, es menester indicar que acorde con el dictamen Nº 23.518, de 29 de marzo de 2016, es preciso que al momento de poner término anticipado a una designación a contrata el municipio necesariamente emita un acto administrativo en que se detallen los razonamientos y los antecedentes de hecho y de derecho en que se sustenta, pues lo contrario implicaría confundir la discrecionalidad que le concede el ordenamiento jurídico con arbitrariedad, sin que sea suficiente la mera referencia formal, de manera que su sola lectura permita conocer cuál fue el raciocinio para la adopción de su decisión». (ID Dictamen: 054867N16. Fecha: 26-07-2016. Destinatarios: señor Jonathan Aravena Aravena, exfun-

cionario de la Municipalidad de Peñaflor, **Texto:** Término anticipado de una designación a contrata debe disponerse por un acto administrativo fundado. **Acción:** Aplica dictámenes 74764/2012, 33418/2013, 23518/2016, 19986/2016).

16. «*Precisado lo anterior, es pertinente señalar que de acuerdo con los artículos 2º, incisos segundo y tercero, y 5º, letra f), de la ley Nº 18.883, los empleos a contrata son aquellos de carácter transitorio que se contemplan en la dotación de una municipalidad, cuya duración máxima es hasta el 31 de diciembre de cada año, y quienes los sirvan cesarán en sus funciones en esa fecha, por el solo ministerio de la ley, salvo que hubiere sido dispuesta la prórroga con treinta días de anticipación a lo menos.*
Al respecto, la jurisprudencia de esta Contraloría General, contenida entre otros, en los dictámenes Nºs. 74.764, de 2012, y 33.418, de 2013, ha concluido, en lo pertinente, que cuando una contratación o su prórroga, ha sido dispuesta con la fórmula "mientras sean necesarios sus servicios", la autoridad administrativa puede ponerle término en el momento que estime conveniente.
En este contexto, y acorde con el dictamen Nº 23.518, de 29 de marzo de 2016, se ha puntualizado la necesidad de que el término anticipado debe necesariamente ser fundado, teniendo la autoridad que emitir un acto administrativo en que se detallen los razonamientos y los antecedentes de hecho y de derecho en que se sustenta, pues lo contrario implicaría confundir la discrecionalidad que le concede el ordenamiento jurídico con arbitrariedad, sin que sea suficiente la mera referencia formal, de manera que su sola lectura permita conocer cuál fue el raciocinio para la adopción de su decisión».
(**ID Dictamen:** 058078N16. **Fecha:** 05-08-2016. **Destinatarios:** señor Víctor Torres Urrutia, exfuncionario de la Municipalidad de Recoleta **Texto:** Término anticipado de una designación a contrata debe disponerse por un acto administrativo fundado. **Acción:** Aplica dictámenes 74764/2012, 33418/2013, 23518/2016, 19986/2016).

17. «*En relación con la materia, cumple manifestar que la ley Nº 20.922 —que Modifica disposiciones aplicables a los funcionarios municipales y entrega nuevas competencias a la Subsecretaría de Desarrollo Regional y Administrativo—, publicada en el Diario Oficial de fecha 25 de mayo de 2016, a través de su artículo 5º, Nº 1, letra a), ha modificado el aludido artículo 2º, inciso cuarto, de la ley Nº 18.883, reemplazando, en lo que interesa, el referido vocablo "veinte" por "cuarenta".*
Siendo así, dado que en virtud de la modificación legal citada la Municipalidad de Til Til actualmente se ajusta al nuevo porcentaje establecido en el mencionado artículo 2º, inciso cuarto, de la ley Nº 18.883, no cabe sino desestimar la presentación de la especie». (**ID Dictamen:** 058080N16. **Fecha:** 05-08-2016. **Destinatarios:** don Raúl Becerra Farías, denunciando que el presupuesto de la Municipalidad de Til Til. **Texto:** Municipio se ajusta al nuevo límite de gastos en cargos a contrata, previsto en el artículo 2º, inciso cuarto, de la ley Nº 18.883. **Acción.**

18. «*Ahora bien, en primer lugar, la entidad edilicia recurrente sostiene que la no renovación objetada se ajustó a derecho, por cuanto es la misma ley la que ha servido de título y antecedente justificativo de la cesación del vínculo laboral de que se trata, al señalar expresamente el artículo 2º de la ley Nº 18.883, que los empleos a contrata durarán, como máximo, solo hasta el 31 de diciembre de cada año, contemplando en su parte final la posibilidad de disponer su prórroga con 30 días de anticipación, a lo menos.*
Sobre el particular, debe señalarse que el dictamen cuestionado lo que hizo fue reconocer, ante las constantes recontrataciones ordenadas por las respectivas municipalidades de los funcionarios cuyas situaciones fueron analizadas, la aplicación del principio de la confianza legítima, en cuya virtud, según se expresara, no corresponde que la Administración cambie su práctica, ya sea con efectos retroactivos o de forma sorpresiva, cuando una actuación continuada haya generado en la persona la convicción de que se le tratará en lo sucesivo y bajo circunstancias similares, de igual manera que lo ha sido anteriormente, por lo que en cumplimiento de su deber de actuar coherentemente, si adopta una decisión distinta, debe comunicar el cambio de criterio a través de un acto de carácter positivo debidamente motivado.
Luego, y según se precisara en el dictamen Nº 23.518, de 2016, entre otros, los actos administrativos que afecten los derechos de los particulares, tanto los de contenido negativo o gravamen como los de contenido favorable, deberán ser fundados, correspondiendo, por tanto, que la autoridad que los dicta exprese los motivos —esto es, las condiciones que posibilitan y justifican su emisión—, los razonamientos y los antecedentes de hecho y de derecho que le sirven de sustento y conforme a los cuales ha adoptado su decisión, pues lo contrario implicaría confundir la discrecionalidad que le concede el ordenamiento jurídico con la arbitrariedad». (**ID Dictamen:** 063920N16. **Fecha:** 29-08-2016. **Destinatarios:** Municipalidad de Vitacura. **Texto:** Rechaza solicitud de reconsideración del dictamen Nº 22.766, de 2016, por no aportarse nuevos antecedentes de hecho o de derecho. No corresponde que funcionario devuelva sumas percibidas por servicios a honorarios prestados mientras estuvo separado de sus funciones. **Acción:** Aplica dictámenes 22766/2016, 23518/2016).

19. *«En cuanto al término de su contratación, cumple con señalar que de acuerdo a los artículos 2º, incisos segundo y tercero, y 5º, letra f), de la ley Nº 18.883, los empleos a contrata son aquellos de carácter transitorio que se contemplan en la dotación de una municipalidad, cuya duración máxima es hasta el 31 de diciembre de cada año, y quienes los sirvan cesarán en sus funciones en esa fecha, por el solo ministerio de la ley, salvo que hubiere sido dispuesta la prórroga con treinta días de anticipación a lo menos. De este modo, y de acuerdo a los antecedentes tenidos a la vista, el cese del vínculo laboral de don Gabriel Ahumada Pantoja con la entidad edilicia se produjo en conformidad con lo dispuesto en la precitada normativa, esto es, por el vencimiento del plazo establecido en la respectiva contratación, sin que se advierta irregularidad alguna en dicha circunstancia (aplica criterio contenido en el dictamen Nº 53.844, de 2016)».* **(ID Dictamen:** 065020N16. **Fecha:** 02-09-2016. **Destinatarios:** Gabriel Ahumada Pantoja. **Texto:** Cese del vínculo laboral de funcionario regido por la ley Nº 18.883, se produjo por el vencimiento del plazo, sin que proceda aplicar en la especie el criterio contenido en el dictamen Nº 22.766, de 2016, por cuanto las sucesivas contrataciones no se dispusieron en los mismos términos. **Acción:** Aplica dictamen 53844/2016).

20. *«En cuanto al término de su contratación, cumple con señalar que de acuerdo a los artículos 2º, incisos segundo y tercero, y 5º, letra f), de la ley Nº 18.883, los empleos a contrata son aquellos de carácter transitorio que se contemplan en la dotación de una municipalidad, cuya duración máxima es hasta el 31 de diciembre de cada año, y quienes los sirvan cesarán en sus funciones en esa fecha, por el solo ministerio de la ley, salvo que hubiere sido dispuesta la prórroga con treinta días de anticipación a lo menos. De este modo, y de acuerdo a los antecedentes tenidos a la vista, el cese del vínculo laboral de la señora Bissett Postler con la entidad edilicia se produjo en conformidad con lo dispuesto en la precitada normativa, esto es, por el vencimiento del plazo establecido en la respectiva prórroga de la designación, sin que se advierta irregularidad alguna en dicha circunstancia (aplica criterio contenido en el dictamen Nº 53.844, de 2016). Finalmente, en cuanto a que dicho cese se hizo efectivo mientras la funcionaria se encontraba con licencia médica, es pertinente indicar que, según se ha informado, entre otros, en los dictámenes Nºs. 97.992, de 2014, y 10.409, de 2015, el uso de dichos reposos no confiere inamovilidad en el empleo, por lo que su utilización no obsta a la finalización de las funciones de los servidores».* **(ID Dictamen:** 071324N16. **Fecha:** 30-09-2016. **Destinatarios:** señora Dina Bissett Postler. **Texto:** Cese del vínculo laboral de funcionaria regida por la ley Nº 18.883, se produjo por el vencimiento del plazo, sin que proceda aplicar en la especie el criterio contenido en el dictamen Nº 22.766, de 2016. **Acción:** Aplica dictámenes 53844/2016, 97992/2014, 10409/2015).

21. *«Luego, el artículo 5º, Nº 1, letra b), de la citada ley Nº 20.922, incorporó un nuevo inciso final al artículo 2º de la ley Nº 18.883, que prevé que "El gasto anual en personal no podrá exceder, respecto de cada municipalidad, del 42% (cuarenta y dos por ciento) de los ingresos propios percibidos en el año anterior. Se entenderá por gasto en personal el que se irrogue para cubrir las remuneraciones correspondientes al personal de planta y a contrata. Asimismo, se considerarán en dicho gasto los honorarios a suma alzada pagados a personas naturales, honorarios asimilados a grado, jornales, remuneraciones reguladas por el Código del Trabajo, suplencias y reemplazos, personal a trato y/o temporal y alumnos en práctica. A su vez, los ingresos propios percibidos serán considerados como la suma de los ingresos propios permanentes señalados en el artículo 38 del decreto ley Nº 3.063, de 1979, sobre Rentas Municipales, incluyendo la totalidad de la recaudación por concepto de permisos de circulación y patentes municipales, más los ingresos por participación en el Fondo Común Municipal indicados en el artículo 14 de la ley Nº 18.695, orgánica constitucional de Municipalidades. Sólo para los efectos del cálculo del gasto anual en personal que dispone el presente artículo, no se considerarán los pagos que realice el municipio por concepto de la asignación de zona establecida en el artículo 7º del decreto ley Nº 249, del Ministerio de Hacienda, promulgado el año 1973 y publicado el año 1974, otorgada por el artículo 25 del decreto ley Nº 3.551, del Ministerio de Hacienda, promulgado el año 1980 y publicado el año 1981; de la bonificación establecida en el artículo 3º de la ley Nº 20.198, ni de la bonificación compensatoria del artículo 29 de la ley Nº 20.717, destinada a los beneficiarios de la mencionada bonificación del artículo 3º de la ley Nº 20.198". Pues bien, del análisis del antiguo artículo 1º de la ley Nº 18.294 y del nuevo inciso final del artículo 2º de la ley Nº 18.883, se advierte que el objetivo de ambas disposiciones ha sido limitar el gasto anual en personal en que incurran los municipios».* **(ID Dictamen:** 085233N16. **Fecha:** 25-11-2016. **Destinatarios:** Municipalidad de Curaco de Vélez. **Texto:** La remisión que efectúa el inciso final del artículo 69 de la ley Nº 18.695 al artículo 1º de la ley Nº 18.294, debe entenderse realizada al nuevo inciso final del artículo 2º de la ley Nº 18.883, incorporado por el artículo 5º de la ley Nº 20.922. **Acción:**)

22. *«Sobre el particular, el inciso tercero del artículo 2º de la ley Nº 18.883, dispone que los empleos a contrata, durarán, como máximo, solo hasta el 31 de diciembre de cada año, contemplando en su parte final la posibilidad de disponer su prórroga con 30 días de anticipación, a lo menos. Por su parte, el artículo 5º, letra f), del precitado cuerpo normativo, expresa que el empleo a contrata "Es aquel de carácter transitorio que se contempla en la dotación de una municipali-*

dad", razón por cual la jurisprudencia administrativa emanada de esta Contraloría General, ha precisado que las designaciones a contrata constituyen empleos esencialmente transitorios que se consultan en la dotación de una institución, cuya finalidad es la de complementar el conjunto de cargos permanentes que forman parte de la planta de personal de un servicio, según lo requieran las necesidades de este (aplica criterio contenido en dictamen Nº 29.097, de 2008). Por su parte, es dable señalar que el dictamen Nº 22.766, de 2016, resolvió que la recontratación reiterada de los empleados afectados tornó en permanente y constante la mantención del vínculo de los mismos, lo que determinó, en definitiva, que las entidades involucradas incurrieran en una práctica administrativa que generó para los recurrentes una legítima expectativa que les indujo razonablemente a confiar en la repetición de tal actuación. Sin perjuicio de lo anterior, y en armonía con lo señalado en el dictamen Nº 56.175, de 2016, de este origen, en lo sucesivo, en aquellos casos que se presenten los supuestos que hayan generado la confianza legítima a que se refiere el aludido dictamen Nº 22.766, de 2016, como aconteció en la especie, esa repartición deberá emitir y notificar oportunamente el pertinente acto administrativo que contenga las razones que avalen la resolución de no renovar una contrata o hacerlo en condiciones distintas». **(ID Dictamen: 092333N16 Fecha: 23-12-2016. Destinatarios:** Luis Arancibia Pizarro **Texto:** Atendidas las razones para no renovar la contrata que se indica a partir de mayo de 2016, esgrimidas en el informe de la entidad edilicia, se rechaza el reclamo formulado, sin perjuicio de lo cual, en lo sucesivo se deberá emitir un acto administrativo que contenga las razones que avalen esta determinación. **Acción:** Aplica dictámenes 70966/2016, 56175/2016, 22766/2016, 16246/2015, 29097/2008).

1. «*Sobre el particular, es necesario tener presente, en primer término, que de conformidad con lo dispuesto en el artículo 2º de la ley Nº 18.883, sobre Estatuto Administrativo para Funcionarios Municipales, los cargos de planta son aquellos que conforman la organización estable de la municipalidad, los que se encuentran fijados en el texto que establece la planta del personal de la correspondiente entidad edilicia, (...)*». (ID Dictamen: 080586N11 Fecha: 26.12.2011 Destinatarios: Roberto Lepin Carvajal. Texto: No procede designación de funcionario en cargo directivo grado 9º, por no reunir exigencias legales para tal designación, específicamente, la relativa a experiencia en gestión de proyectos municipales. **Acción:** Aplica dictámenes 47749/2000, 54144/2009)

2. «*Sobre el particular, es del caso anotar que, de acuerdo con los artículos 2º, incisos segundo y tercero, y 5º, letra f), de la ley Nº 18.883, Estatuto Administrativo para Funcionarios Municipales, son empleos a contrata aquellos de carácter transitorio que se contemplan en la dotación de una municipalidad, cuya duración máxima será hasta el 31 de diciembre de cada año, y los empleados que los sirvan cesarán en funciones en esa fecha, por el solo ministerio de la ley, salvo que hubiera sido dispuesta la prórroga con treinta días de anticipación, a lo menos.*
Como puede advertirse del tenor literal de la norma citada, y de lo manifestado al respecto por la jurisprudencia de esta Entidad de Control, la modalidad del empleo a contrata constituye una figura esencialmente transitoria, cuya duración máxima se extiende hasta el 31 de diciembre de cada año —salvo que sea prorrogada—, de manera tal que una vez ocurrida la llegada de ese plazo, se produce el cese de funciones del contratado, sin que la autoridad administrativa se encuentre obligada a notificar al funcionario afectado la no renovación de su contrata, toda vez que la expiración de funciones no responde a una facultad o decisión de aquella, sino al cumplimiento de un mandato establecido por el legislador en tal sentido (aplica criterio contenido en los dictámenes Nºs. 19.385, de 2001; 57.654, de 2005; y 58.781, de 2010)». (ID Dictamen: 068642N11 Fecha: 28.10.2011 Destinatarios: Ana Patricia Rubio Pellizzari. Texto: Designación a contrata en un cargo expira por el vencimiento del plazo legal. **Acción:** Aplica dictámenes 19385/2001, 57654/2005, 58781/2010, 42127/2009)[90]

3. «*Sobre el particular, es necesario indicar que el inciso cuarto del artículo 2º de la ley Nº 18.883, que aprueba el Estatuto Administrativo para Funcionarios Municipales, dispone que los cargos a contrata, en su conjunto, no podrán representar un gasto superior al veinte por ciento (20%) del gasto en remuneraciones de la planta municipal. Sin embargo, agrega este precepto, en las municipalidades con planta de menos de veinte cargos, podrán contratarse hasta cuatro personas. (...)*
En otro orden de ideas, el artículo 26 de la ley Nº 19.070, sobre Estatuto de los Profesionales de la Educación, señala que el número de horas correspondientes a docentes en calidad de contratados en una misma Municipalidad o Corporación Educacional, no podrá exceder del 20% del total de horas de la dotación respectiva, a menos que en la comuna no haya

---

[90]   Para efectos de su consulta en la Base de Jurisprudencia de Contraloría General de la República, el citado dictamen se encuentra en la sección/materia: «generales», sin perjuicio de que se trata de uno de carácter municipal.

suficientes docentes que puedan ser integrados en calidad de titulares, en razón de no haberse presentado postulantes a los respectivos concursos, o existiendo aquéllos, no hayan cumplido con los requisitos exigidos en las bases de los mismos». **(ID Dictamen: 053212N11 Fecha:** 24.08.2011. **Destinatarios:** Segundo Vicepresidente de la Cámara de Diputados. **Texto:** Sobre gastos en personal a contrata y honorarios en la Municipalidad de Pucón. **Acción:** Aplica dictámenes 23397/99, 60469/2008, 24261/2010)

4. *«Precisado lo anterior, es oportuno destacar que conforme con el **inciso sexto del artículo 2º, de la ley Nº 18.883**, los empleos a contrata deben ajustarse a las posiciones relativas que se contemplan para el personal de la planta de profesionales, de técnicos, de administrativos y de auxiliares, o de los escalafones vigentes en su caso, de la respectiva municipalidad, según sea la función que se encomienda; materia sobre la cual, a través de los **dictámenes Nºs. 30.247, de 1994, y 31.931, de 2003**, se ha indicado la improcedencia de designar personas a contrata asimiladas a la planta de jefaturas o de directivos, dado que tales tareas, por su naturaleza, deben cumplirse por quienes ocupen plazas que formen parte de la organización estable del servicio, y no por quienes desempeñen empleos transitorios como ocurre con los funcionarios contratados»*. (**ID Dictamen: 032884N11 Fecha:** 24.05.2011 **Destinatarios:** Alcalde Municipalidad El Tabo. **Texto:** Sobre oficio que ordena invalidación de decreto de nombramiento de funcionaria municipal en cargo directivo por irregularidades en el certamen respectivo. **Acción:** Aplica dictámenes 52151/2002, 24946/2003, 15528/2005, 56143/2007 30247/94, 31931/2003)[91]

5. *«Sobre el particular, cabe anotar que **las funciones que la ley Nº 18.695, Orgánica Constitucional de Municipalidades, ha encomendado a estos órganos de la Administración del Estado, en sus artículos 3º y 4º, por regla general, deben ser desempeñadas por funcionarios regidos por la ley Nº 18.883**, sobre Estatuto Administrativo para Funcionarios Municipales, para lo cual el legislador ha creado las correspondientes plazas, mediante la aprobación de una planta de personal para cada municipio, empleos que conforman la organización estable, según lo dispone el **artículo 2º, inciso primero, de dicho estatuto**.*

*Agrega el referido **artículo 2º, en el inciso segundo**, que la dotación de las municipalidades podrá comprender cargos a contrata, los que tendrán el carácter de transitorios y, según agrega el **inciso cuarto**, del mismo precepto, en su conjunto, no podrán representar un gasto superior al veinte por ciento del gasto en remuneraciones de la planta municipal, sin embargo, en las municipalidades con planta de menos de veinte cargos, podrán contratarse hasta cuatro personas»*. (**ID Dictamen: 009209N11 Fecha:** 14.02.2011 **Destinatarios:** Alcaldesa Municipalidad El Quisco. **Texto:** Sobre contratación de personal municipal para el desempeño de labores inspectivas y de vigilancia en balnearios municipales durante el período estival **Acción:** Aplica dictámenes 49388/2006, 21512/91, 6999/93, 33750/2001)[92]

6. *«Sobre el particular, cabe señalar, en primer término, que de conformidad con lo dispuesto en los **artículos 2º y 5º, letra f), de la ley Nº 18.883 —Estatuto Administrativo para Funcionarios Municipales—**, el empleo a contrata es aquél de carácter transitorio que se contempla en la dotación de una municipalidad, cuya duración máxima es hasta el 31 de diciembre de cada año y los empleados que los sirven cesan en sus funciones en esa fecha, por el solo ministerio de la ley, salvo que hubiera sido dispuesta la prórroga con treinta días de anticipación, a lo menos.*

*Luego, **la jurisprudencia administrativa de esta Entidad Fiscalizadora, contenida, entre otros, en los dictámenes Nºs. y 34.311, de 2009, y 45.149, de 2010, ha precisado que la autoridad administrativa tiene la facultad de poner término a las designaciones a contrata, en el momento que estime conveniente, cuándo aquéllas hayan sido aprobadas bajo la fórmula "mientras sean necesarios sus servicios"** u otra similar, no obstante que el respectivo servidor se encuentre gozando de licencia médica, toda vez que ésta no confiere inamovilidad en el empleo»*. (**ID Dictamen: 001596N11 Fecha:** 11.01.2011 **Destinatarios:** Mauricio Alarcón Fuenzalida. **Texto:** Sobre término anticipado de designación a contrata durante el uso de licencia médica. **Acción:** Aplica dictámenes 34311/2009, 45149/2010, 72385/2009, 58792/2010)[93]

---

[91]   Para efectos de su consulta en la Base de Jurisprudencia de Contraloría General de la República, el citado dictamen se encuentra en la sección/materia: «generales», sin perjuicio de que se trata de uno de carácter municipal.

[92]   Para efectos de su consulta en la Base de Jurisprudencia de Contraloría General de la República, el citado dictamen se encuentra en la sección/materia: «generales», sin perjuicio de que se trata de uno de carácter municipal.

[93]   *«Dictámenes Nºs. y 34.311, de 2009»*: Transcripción textual de Dictamen (ID Dictamen: 001596N11 Fecha: 11.01.2011 Destinatarios: Mauricio Alarcón Fuenzalida. Texto: Sobre término anticipado de designa-

7. «*Sobre el particular, es menester indicar que acorde con los **artículos 2º, inciso tercero, y 5º, letra f), de la ley Nº 18.883, Estatuto Administrativo para Funcionarios Municipales**, el empleo a contrata es aquel de carácter transitorio que se contempla en la dotación de una municipalidad, cuya duración máxima es hasta el 31 de diciembre de cada año y los empleados que los sirven cesan en sus funciones en esa fecha, por el solo ministerio de la ley, salvo que hubiera sido dispuesta la prórroga con treinta días de anticipación, a lo menos.*
*Por su parte, **la jurisprudencia administrativa de este Órgano de Control**, contenida, entre otros, en los dictámenes **Nºs. 1.596 y 68.462**, ambos de 2011, ha concluido que cuando una contratación, o su prórroga, ha sido dispuesta con la fórmula "mientras sean necesarios sus servicios", la autoridad administrativa puede ponerle término en el momento que estime conveniente, sin que corresponda a este Organismo Contralor revisar los motivos que tuvo en cuenta para ello*». (**ID Dictamen: 074764N12 Fecha:** 30.11.2012 **Destinatarios:** Alcalde de la Municipalidad de Peñalolén. **Texto:** Sobre término anticipado de contrata de funcionario municipal y licencias médicas no admitidas a tramitación. **Acción:** aplica dictámenes 1596/2011, 68462/2011, 54046/2010, 46647/2007, 33111/2010, 48251/2010, 34319/2007, 59748/2011)

8. «*Sobre el particular, cumple con manifestar que, de conformidad con lo establecido en los **artículos 2º, inciso tercero, y 5º, letra f), de la ley Nº 18.883, Estatuto Administrativo para Funcionarios Municipales**, el empleo a contrata es aquel de carácter transitorio que se contempla en la dotación de una municipalidad, cuya duración máxima es hasta el 31 de diciembre de cada año y las personas que lo sirven cesan en sus labores en esa fecha, por el solo ministerio de la ley, salvo que hubiera sido dispuesta la prórroga con treinta días de anticipación a lo menos.*
*Asimismo, **la reiterada jurisprudencia administrativa de este Órgano de Fiscalización**, contenida, entre otros, en los dictámenes Nºs. **16.557 y 26.594**, ambos de 2010, y **31.337**, de 2012, ha declarado que cuando una contratación ha sido ordenada con la cláusula "mientras sean necesarios sus servicios", como acontece en la especie, la superioridad puede ponerle término en el momento que estime conveniente, sin que para ello se requiera de una especial fundamentación o de la aceptación del interesado, situación que se ha configurado en el presente caso*». (**ID Dictamen: 068445N12 Fecha:** 31.10.2012 **Destinatarios:** Alcalde de la Municipalidad de Puente Alto. **Texto:** Acoge parcialmente reclamo sobre término de contrata, pago de horas extraordinarias y no recepción de licencia médica de ex servidor de la Municipalidad de Puente Alto. **Acción:** Aplica dictámenes 16557/2010, 26594/2010, 31337/2012, 40625/2008, 18033/2011, 79784/2011, 54046/2010, 11903/2011)

9. «*Asimismo, es necesario hacer presente que esta **Entidad de Fiscalización** ha utilizado una noción amplia de remuneración, esto es, comprensiva tanto de los emolumentos permanentes como eventuales, en relación a diferentes cuerpos legales, pudiendo citarse, a título ejemplar, lo manifestado en los dictámenes Nºs. 30.013, de 1994 —a propósito del artículo 2º, inciso cuarto, de la ley Nº 18.883—; 179, de 2008 —respecto del artículo 2º de la ley Nº 20.135—, y 54.025, también de 2008, —sobre aplicación del artículo 14 de la ley Nº 20.143—.*
A continuación, examinado el artículo 2º de la ley Nº 18.987, es necesario señalar que el concepto de remuneración aplicable a los funcionarios municipales regidos por la ley Nº 18.883, es comprensivo de los estipendios derivados de horas extraordinarias —sean permanentes o eventuales—, sin perjuicio, por cierto, de aquellas situaciones específicas en que el propio legislador los excluya, sea de manera expresa o que su exclusión derive de una labor hermenéutica, circunstancia que no se advierte tratándose de la noción de remuneración utilizada en el precepto en examen». (**ID Dictamen: 058566N12 Fecha:** 24.09.2012 **Destinatarios:** Superintendenta de Seguridad Social. **Texto:** Sobre inclusión de asignación de horas extraordinarias en el concepto de remuneración para los efectos del pago de asignación familiar. **Acción:** aplica dictámenes 24609/2011, 30013/94, 179/2008, 54025/2008 reconsidera parcialmente dictamen 25275/2005)

10. «*Sobre el particular, corresponde indicar que el **inciso tercero, del artículo 2º de la anotada ley Nº 18.883**, en lo pertinente, señala que los empleos a contrata son aquellos que tienen un carácter transitorio, cuya duración máxima será sólo hasta el 31 de diciembre de cada año, y los empleados que los sirvan expirarán en sus labores en esa fecha, por el solo ministerio de la ley, salvo que hubiere sido propuesta la prórroga con treinta días de anticipación a lo menos.*
*Así entonces, de la disposición precitada, y de los antecedentes tenidos a la vista, se desprende que el término de servicios del peticionario tuvo lugar por mandato expreso de la ley el 31 de diciembre de 2011, por haber sido esta la data del vencimiento de su designación a contrata aprobada por decreto Nº 1.983, de 2010, siendo útil agregar que **la jurisprudencia de este Organismo Contralor**, contenida en los dictámenes Nºs. **15.162, de 2002 y 3.432, de 2007**,*

---

ción a contrata durante el uso de licencia médica. Acción: Aplica dictámenes 34311/2009, 45149/2010, 72385/2009, 58792/2010).

entre otros, ha establecido que compete a la autoridad administrativa determinar la procedencia de la prórroga de un contrato y su duración, sin que corresponda a esta Contraloría General ponderar las razones que tuvo en cuenta dicha superioridad para determinar, en uso de sus facultades, la no renovación del mismo». (**ID Dictamen: 048889N12 Fecha:** 09.08.2012 **Destinatarios:** René Mondaca Moya. **Texto:** Rechaza reclamo sobre término de contrata y aplicación del artículo 88 A, de la ley Nº 18.883. **Acción:** Aplica dictámenes 15162/2002, 3432/2007, 10822/2010, 2518/2010)

11. *«De la misma manera, las municipalidades, al disponer la instalación de los juzgados de policía local de la especie, deberán considerar el límite de gastos en personal que establece el artículo 1º de la ley Nº 18.294, en concordancia con el artículo 67 de la ley Nº 18.382 —de un 35% del rendimiento estimado de los ingresos que les correspondan en conformidad con los preceptos de la Ley de Rentas Municipales a los que allí se alude—, así como las limitaciones específicas contempladas en el artículo 2º, inciso cuarto, de la ley Nº 18.883, en lo relativo a cargos a contrata, y el artículo 13 de la ley Nº 19.280, en lo referente a los servidores contratados a honorarios, en su caso».* (**ID Dictamen: 033779N12 Fecha:** 08.06.2012 **Destinatarios:** Alcalde de la Municipalidad de Dalcahue. **Texto:** Sobre instalación de Juzgados de Policía Local, creados por ley 20554. **Acción:** aplica dictámenes 41005/2002, 77/2003, 17971/2009, 24385/2009, 71458/2009, 19422/2011, 25787/98, 17122/97, 22069/96, 16036/96, 2195/96, 40807/94)[94]

12. *«Enseguida, es dable señalar que de conformidad con lo establecido en los artículos 2º, inciso tercero, y 5º, letra f), de la ley Nº 18.883, sobre Estatuto Administrativo para Funcionarios Municipales, el empleo a contrata es aquel de carácter transitorio que se contempla en la dotación de una municipalidad, cuya duración máxima es hasta el 31 de diciembre de cada año y los empleados que los sirven cesan en sus funciones en esa fecha, por el solo ministerio de la ley, salvo que hubiera sido dispuesta la prórroga con treinta días de anticipación, a lo menos.*
En este orden de consideraciones, es menester indicar que esta Entidad Fiscalizadora, en los dictámenes Nºs. 1.596 y 68.462, ambos de 2011, ha precisado que la autoridad administrativa tiene la facultad de poner término a las designaciones a contrata, en el momento que estime conveniente, cuando aquellas han sido aprobadas bajo la fórmula "mientras sean necesarios sus servicios" u otra similar.
En lo que respecta a la fecha de cese de funciones del interesado, cabe señalar que, de conformidad con lo dispuesto en el artículo 51, inciso segundo, de la citada ley Nº 19.880, y acorde con lo expresado en los dictámenes Nºs. 46.647, de 2007; 33.111 y 48.251, ambos de 2010, de esta Entidad de Control, el término de las funciones se produce desde la notificación al interesado del total trámite del acto que así lo disponga». (**ID Dictamen: 031337N12 Fecha:** 31.05.2012 **Destinatarios:** Alcalde de la Municipalidad de Melipilla. **Texto:** Sobre término de nombramiento de funcionario contratado, tramitación de licencias médicas y acoso laboral. **Acción:** Aplica dictámenes 66048/2009, 36592/2011, 1596/2011, 68462/2011, 46647/2007, 33111/20120 48251/2010, 21645/2012)[95]

13. *«Establecido lo anterior, corresponde hacer presente que el artículo 2º de la ley Nº 18.883, Estatuto Administrativo para Funcionarios Municipales, previene en su inciso primero que los cargos de planta son aquéllos que conforman la organización estable de la municipalidad y sólo podrán corresponder a las funciones que se cumplen en conformidad a la ley Nº 18.695.*
A su vez, el artículo 5º, letra b), del referido Estatuto preceptúa que planta de personal es el conjunto de cargos permanentes asignados por ley a cada municipalidad, que se conformará de acuerdo a lo establecido en el artículo 7º de esa ley, el que indica que para los efectos de la carrera funcionaria, los municipios sólo podrán tener las siguientes plantas de personal: de Directivos, de Profesionales, de Jefaturas, de Técnicos, de Administrativos y de Auxiliares.
Pues bien, en este orden de ideas, cabe hacer presente que la jurisprudencia de esta Entidad Fiscalizadora contenida, entre otros, en los dictámenes Nºs. 25.592, de 1993, 12.177, de 1994 y 35.341, de 1998, ha expresado que si bien los cargos adscritos de que se trata componen un sistema paralelo a los respectivos empleos de planta, conformando una dotación adicional, constituyen plazas previstas en forma permanente en la dotación respectiva hasta que quedan vacantes, de modo que los funcionarios que se desempeñan en ellas ocupan un cargo de la planta municipal, en los términos a que se refiere la citada ley Nº 18.883». (**ID Dictamen: 025975N12 Fecha:** 07.05.2012 **Destinatarios:** Alcalde

---

[94] Para efectos de su consulta en la Base de Jurisprudencia de Contraloría General de la República, el citado dictamen se encuentra en la sección/materia: «generales», sin perjuicio de que se trata de uno de carácter municipal.

[95] Para efectos de su consulta en la Base de Jurisprudencia de Contraloría General de la República, el citado dictamen se encuentra en la sección/materia: «generales», sin perjuicio de que se trata de uno de carácter municipal.

de la Municipalidad de Arica. **Texto:** Sobre derecho a percibir el bono post laboral de funcionaria municipal que sirve un cargo en extinción, adscrito a la planta de la Municipalidad de Arica. **Acción:** aplica dictámenes 25592/93, 12177/94, 35341/98)[96]

Artículo 3º

Quedarán sujetas a las normas del Código del Trabajo, las actividades que se efectúen en forma transitoria en municipalidades que cuenten con balnearios u otros sectores turísticos o de recreación.

El personal que se desempeñe en servicios traspasados desde organismos o entidades del sector público y que administre directamente la municipalidad se regirá también por las normas del Código del Trabajo.

Los médicos cirujanos que se desempeñen en los gabinetes psicotécnicos se regirán por la ley Nº 15.076, en lo que respecta a remuneraciones y demás beneficios económicos, horario de trabajo e incompatibilidades. En las demás materias, que procedan, les serán aplicables las normas de este estatuto.

1. «*Sobre la materia, resulta útil consignar que acorde con lo prescrito en el artículo 3º, inciso segundo, de la ley Nº 18.883, la recurrente se rige por las normas del Código del Trabajo, toda vez que se trata de personal que se desempeña en un servicio traspasado desde organismos o entidades del sector público —educación—, y que administra directamente la municipalidad (aplica criterio contenido en el dictamen Nº 44.156, de 2013).*
Enseguida, es del caso anotar que el artículo 62 bis del Código del Trabajo, agregado por el artículo 1º, Nº 1, de la ley Nº 20.348, establece que el empleador deberá dar cumplimiento al principio de igualdad de remuneraciones entre hombres y mujeres que presten un mismo trabajo, no siendo consideradas arbitrarias las diferencias objetivas en las rentas que se fundamenten, entre otras razones, en las capacidades, calificaciones, idoneidad, responsabilidad o productividad.
No obstante lo expuesto, considerando que no se han aportado antecedentes que permitan determinar si efectivamente en el caso de la ocurrente la suma de sus estipendios presenta diferencias arbitrarias en relación con otros empleados que desempeñen labores similares, la aludida entidad edilicia deberá informar a la Unidad de Seguimiento de la División de Municipalidades de esta Contraloría General, en el plazo de 20 días hábiles, contado desde la recepción de este pronunciamiento, cuales son los servidores que realizan labores de coordinador en el referido departamento de educación, las funciones y responsabilidades que estos ejercen, y el nivel de remuneraciones de aquellos, acompañando los antecedentes de respaldo que justifiquen las eventuales divergencias en los montos de los estipendios que perciben». **(ID Dictamen:** 002298N16 **Fecha:** 12-01-2016. **Destinatarios:** doña Fanny Faúndez Badilla, funcionaria regida por las normas del Código Laboral del Departamento de Administración de Educación de la Municipalidad de Cerrillos. **Texto:** La Municipalidad de Cerrillos deberá informar respecto a los cargos que sean similares al desempeñado por la funcionaria que se indica, para efectos de determinar si hay diferencias arbitrarias en el pago de sus remuneraciones. **Acción:** Aplica dictamen 44156/2013 Aplica dictamen 25332/2008).

2. «*Precisado lo anterior, cabe manifestar que el inciso segundo del artículo 3º de la ley Nº 18.883, prevé que "El personal que se desempeñe en servicios traspasados desde organismos o entidades del sector público y que administre directamente la municipalidad se regirá también por las normas del Código del Trabajo". Enseguida, del inciso primero del artículo 3º de la mencionada ley Nº 19.378, y de la historia fidedigna del establecimiento de la referida ley Nº 20.250, que modificó dicha norma, se advierte que la intención del legislador ha sido que todo el personal de los departamentos de salud municipal se rija íntegramente por el primer texto legal citado, de manera que no existan en esas unidades funcionarios afectos a otros regímenes estatutarios (aplica dictámenes Nºs. 61.033 y 61.544, ambos de 2008, y 24.764,*

---

[96] Para efectos de su consulta en la Base de Jurisprudencia de Contraloría General de la República, el citado dictamen se encuentra en la sección/materia: «generales», sin perjuicio de que se trata de uno de carácter municipal.

de 2011). Luego, procede que el ocurrente vuelva al departamento de administración de educación a desempeñar las funciones por las que fue contratado, en forma indefinida, bajo las normas del Código del Trabajo, en virtud del aludido decreto alcaldicio Nº 635, de 2011». (**ID Dictamen:** 002896N16. **Fecha:** 13-01-2016. **Destinatarios:** don Marco Muñoz Olivos, funcionario de la Municipalidad de Huechuraba. **Texto:** Traslado de servidor regido por el código del trabajo, desde departamento de educación municipal a departamento de salud, y su posterior traspaso a esta última unidad, de conformidad con lo dispuesto en la ley Nº 19.378, no se ajustó a derecho. **Acción:** Aplica dictámenes 61033/2008, 61544/2008, 24764/2011).

3. *«Precisado lo anterior, cabe recordar que el artículo 3º, inciso segundo, de la ley Nº 18.883, dispone que "El personal que se desempeñe en servicios traspasados desde organismos o entidades del sector público y que administre directamente la municipalidad se regirá también por las normas del Código del Trabajo". Por su parte, el artículo 41, inciso primero, del Código del Trabajo, dispone que "Se entiende por remuneración las contraprestaciones en dinero y las adicionales en especie avaluables en dinero que debe percibir el trabajador del empleador por causa del contrato de trabajo". En tal sentido, este Órgano de Fiscalización, mediante el pronunciamiento Nº 21.281, de 23 de abril de 2009, modificando la jurisprudencia vigente a esa fecha, determinó, en lo que interesa, que resulta improcedente que las municipalidades, en los contratos laborales que suscriban con los empleados regulados por el Código del Trabajo, estipulen el pago de una asignación de experiencia u otras de análoga naturaleza, por cuanto aquellas no se avienen con el concepto de remuneración contenido en el artículo 41 de ese texto legal».* (**ID Dictamen:** 007313N16. **Fecha:** 28-01-2016. **Destinatarios:** señora Paulina Ramírez Aguayo. **Texto:** Se rechaza el pago de la asignación de experiencia a servidora regida por el Código del Trabajo, contratada después del 23 de abril de 2009, lo que no implica que la Municipalidad de Tomé deje de pagar los estipendios de la especie, fijados por decreto municipal antes de dicha data. **Acción:** Aplica dictámenes 87462/2015, 21281/2009, 21751/2011).

4. *«Por su parte, la Subsecretaría de Desarrollo Regional y Administrativo informó que podrían postular a la oferta anual de capacitación que ofrece la Academia de Capacitación Municipal y Regional solo aquellos funcionarios que, rigiéndose por las normas de la ley Nº 18.883, sobre Estatuto Administrativo para Funcionarios Municipales, reúnan los requisitos previstos tanto en la ley Nº 20.981, de Presupuestos del Sector Público para el año 2017, como aquellos establecidos en la ley Nº 20.742.*
Al respecto, es útil precisar, en primer lugar, que de acuerdo con lo prescrito en el artículo 3º, inciso segundo, de la citada ley Nº 18.883, la relación laboral de los funcionarios que se desempeñan en los Departamentos de Administración de Educación Municipal se rige, en general, por las normas de Código del Trabajo, toda vez que se trata del personal que se desempeña en un servicio traspasado desde organismos o entidades del sector público y que administra directamente la municipalidad (aplica dictamen Nº 44.156, de 2013).
En este sentido, es menester hacer presente que la circunstancia de que determinado personal de la Administración esté afecto al Código del Trabajo, implica que su régimen estatutario es el contenido en dicho ordenamiento, pero no significa que por ello pierdan su calidad de funcionarios públicos (aplica dictamen Nº 1.758, de 2017)». (**ID Dictamen:** 007955N18. **Fecha:** 22-03-2018. **Destinatarios:** Asociación de Funcionarios del Departamento de Administración de Educación Municipal de la comuna de Traiguén. **Texto:** Funcionarios del Departamento de Administración de Educación Municipal, regidos por el Código del Trabajo, tienen derecho a capacitación. **Acción:** aplica dictámenes 44156/2013, 1758/2017, 4914/2017).

5. *«Como cuestión previa, es dable hacer presente que la servidora de la especie se desempeñó en el departamento de administración de educación municipal —DAEM— de la aludida comuna, por lo que conforme a lo establecido en el inciso segundo del artículo 3º de la ley Nº 18.883, Estatuto Administrativo para Funcionarios Municipales, su vínculo laboral se rigió por las normas contenidas en el Código del Trabajo. Ahora bien, de los antecedentes tenidos a la vista aparece que la recurrente se desempeñó como profesional del DAEM, sujeta a las normas del Código del Trabajo, mediante un contrato a plazo fijo, desde el 1 de abril de 2016 hasta el 28 de febrero de 2017, con una jornada de 8 horas a la semana, según da cuenta el decreto alcaldicio Nº 1.211, de 2016, de la Municipalidad de Peumo, y, además, que se ausentó de las labores en el anotado departamento para ejercer sus funciones como consejera regional, sin llegar a un acuerdo con su empleador para recuperar el tiempo que no trabajó de su jornada semanal. En consecuencia, con el mérito de lo expuesto, es preciso concluir que la actuación de la Municipalidad de Peumo en orden a descontar de las remuneraciones de la señora Villalobos Cartes, el tiempo que no ejerció su jornada laboral y que no fue compensado por ella, con ocasión de sus labores como consejera regional para participar de las sesiones del respectivo órgano pluripersonal y en sus comisiones de trabajo, se encuentra ajustada a derecho».* (**ID Dictamen:** 008162N18. **Fecha:** 26-03-2018. **Destinatarios:** doña Cecilia del Pilar Villalobos Cartes. **Texto:** Procede descontar de las remuneraciones de exfuncionaria del Daem de

la Municipalidad de Peumo, el tiempo que no desempeñó su jornada laboral por hacer uso de permisos para ejercer labores como consejera regional y que no recuperó con acuerdo de su empleador. **Acción:** Aplica dictámenes 7760/94, 38182/2005, 9070/2015, 35713/2010, 40234/201)

6. *«Sobre el particular, cabe manifestar que el inciso segundo del artículo 3º de la ley Nº 18.883, indica que el personal que se desempeñe en servicios traspasados desde organismos o entidades del sector público y que administre directamente la municipalidad —como ocurre con la peticionaria— se regirá por el Código del Trabajo. Seguidamente, es dable referir que el artículo 15 de la ley Nº 18.020, ordena que los empleados de la Administración Civil del Estado que se rigen por las normas del decreto ley Nº 2.200, de 1978 —referencia que debe entenderse efectuada al actual Código del Trabajo y a sus disposiciones complementarias—, que se hallen en la situación prevista en la letra c) del artículo 233 del decreto con fuerza de ley Nº 338, de 1960, incurrirán en causal de caducidad del contrato sin derecho a indemnización. En consecuencia, y debido a que se acreditó la causal de desvinculación en estudio, cabe concluir que se ajustó a derecho la aludida actuación municipal, correspondiendo rechazar la petición de ser reintegrada, de recepción de licencias médicas y de remuneraciones, con posterioridad al 25 de septiembre de 2015».* (**ID Dictamen:** 017814N16. **Fecha:** 07-03-2016. **Destinatarios:** señora Pamela Ulriksen Ramírez, exprofesional de apoyo en el proyecto que indica del Departamento de Educación Municipal de Quilicura. **Texto:** Se ajustó a derecho término de la relación laboral, por la causal de salud incompatible con el desempeño del cargo, y ordena lo que indica. **Acción:** Aplica dictámenes 40264/2013, 19210/2015, 45242/2014).

7. *«Como cuestión previa, resulta pertinente precisar que los trabajadores contratados por las municipalidades para desempeñarse en los establecimientos de educación parvularia administrados por el municipio vía transferencia de recursos de la JUNJI, se rigen por las normas del Código del Trabajo, de conformidad con el artículo 3º, inciso segundo, de la ley Nº 18.883 (aplica dictamen Nº 23.028, de 2016, de este origen). Así, según lo dispuesto por el artículo 67 del Código del Trabajo, los trabajadores con más de un año de servicio tendrán derecho a un feriado anual de quince días hábiles, con remuneración íntegra que se otorgará de acuerdo con las formalidades que establezca el reglamento».* (**ID Dictamen:** 020901N18. **Fecha:** 21-08-2018. **Destinatarios:** Asociaciones de Funcionarios de Jardines Infantiles Vía Transferencia de Fondos —en adelante VTF— de las Municipalidades de Concón y Los Ángeles, y de la Municipalidad de Arauco. **Texto:** Trabajadores de jardines infantiles o salas cunas financiados vía transferencia de fondos deben hacer uso de su feriado progresivo durante el periodo de receso que establece la ley Nº 20.994. El goce de los días de feriado de cualquier clase que excedan dicho receso se rige por las reglas generales. **Acción:** Aplica dictamen 23028/2016).

8. *«Ahora bien, del estudio de la historia fidedigna del establecimiento de la ley en comento —específicamente del mensaje presidencial— se infiere que el propósito de esa iniciativa legal fue establecer un régimen de prestaciones de bienestar uniforme, aplicable a todo el personal municipal, pudiendo sostenerse que la intención del legislador ha sido permitir que se incorporen al sistema que se crea en virtud de dicho texto normativo, todas las personas que tengan un vínculo funcionario con la municipalidad, excluyendo solamente a los que desempeñan sus labores en los establecimientos municipales de los servicios traspasados de educación. Entender lo contrario, implicaría desconocer que los servicios de bienestar tienen como objetivo básico proporcionar atención social, cultural, asistencial y económica, al personal municipal, para cuyo logro en nada influye que los servidores afectos al Código del Trabajo estén contratados a plazo fijo para cumplir labores transitorias conforme con lo establecido en el artículo 3º de la ley Nº 18.883, ya que lo relevante a fin de obtener la asistencia requerida, es que se trate de funcionarios sujetos a algunos de los estatutos que menciona el precitado articulado (aplica criterio contenido en el dictamen Nº 5.992, de 2002). En consecuencia, de acuerdo a las consideraciones expresadas, las municipalidades pueden otorgar prestaciones de bienestar a los funcionarios regidos por el Código del Trabajo contratados a plazo fijo, que desempeñan labores transitorias conforme al artículo 3º de la ley Nº 18.883».* (**ID Dictamen:** 024216N16. **Fecha:** 31-03-2016. **Destinatarios:** Municipalidad de Zapallar. **Texto:** Municipalidades pueden otorgar prestaciones de bienestar a los funcionarios regidos por el Código del Trabajo contratados a plazo fijo para realizar labores transitorias, conforme al artículo 3º de la ley Nº 18.883. **Acción:** Aplica dictamen 5992/2002).

9. *«Por otra parte, con arreglo al artículo 3º de la ley Nº 18.883, el personal no docente de las aludidas reparticiones municipales, como quienes, sin perjuicio de poseer la calidad de educadores, ejerzan funciones diversas de las descritas en el párrafo anterior, se rige por el Código del Trabajo. Pues bien, en atención al carácter excepcional de la preceptiva que concede el emolumento de la especie, y a que los funcionarios de los DAEM no se encuentran contemplados expresamente dentro del personal beneficiado con dicho estipendio, cabe concluir que estos no tienen derecho a exigir su entero (aplica criterio contenido en los dictámenes Nºs. 7.737, de 2012, y 49.988, de 2010). Sin perjuicio de lo expuesto, la ASFU-DAEM expone que el pago de la asignación de que se trata a aquellos funcionarios que no fueron incluidos expresamente*

por la ley Nº 20.924, habría sido un acuerdo asumido por la autoridad que debió verificarse en virtud de lo prescrito en el artículo 3º de dicha normativa, que indica, en lo pertinente, que "En el caso de las instituciones que no están en la cobertura de la ley de Presupuestos, los recursos les serán transferidos directamente por el Gobierno Regional". Al respecto, cumple con precisar, en primer lugar, que conforme con los dictámenes Nºs. 94.768, de 2014, y 31.312, de 2011, los compromisos que se establezcan en protocolos de acuerdo no resultan obligatorios para la autoridad administrativa, mientras no se regularicen mediante la dictación de una ley». (**ID Dictamen:** 027064N18. **Fecha:** 30-10-2018. **Destinatarios:** Municipalidad de Copiapó y del presidente de la Asociación de Funcionarios de la Administración Municipal de Caldera. **Texto:** No procede enterar la asignación extraordinaria prevista en la ley Nº 20.924, a los funcionarios que se desempeñan en los departamentos de administración de educación municipal de la región de Atacama. **Acción:** Aplica dictámenes 7737/2012, 49988/2010, 94768/2014, 31312/2011).

10. *«En cuanto a la forma en que debe procederse a la contratación del profesional de la especie, es dable mencionar que, tratándose de municipios cuya planta contempla horas de profesionales regidos por la ley Nº 15.076, para desarrollar funciones en el gabinete psicotécnico debe aplicarse la regla del artículo 3º, inciso 3º, de la ley Nº 18.883, según la cual los médicos de dichos gabinetes se rigen por la ley Nº 15.076 en materia de remuneraciones y restantes beneficios económicos, horario de trabajo e incompatibilidades, siéndoles aplicables en lo demás, las normas de la ley Nº 18.883, sobre Estatuto Administrativo para los Funcionarios Excepcionalmente, tratándose de municipalidades que no disponen de horas de la ley Nº 15.076 o contemplándolas éstas son insuficientes, resulta admisible la contratación de profesionales médicos sujetos al Código del Trabajo, en virtud del artículo 1º, inciso segundo, de la citada ley Nº 15.076, que permite a las entidades edilicias este tipo de contratación (aplica dictamen Nº 15.266, de 1997)».* (**ID Dictamen:** 038161N17. **Fecha:** 30-10-2017. **Destinatarios:** Alcalde de la Municipalidad de Cabildo. **Texto:** Médicos de los gabinetes psicotécnicos de las municipalidades no requieren rendir ni aprobar el Examen Único Nacional de Conocimientos de Medicina, y pueden ser contratados bajo las normas del Código del Trabajo en los casos que se indica. **Acción:** Aplica dictámenes 21161/99, 15266/97).

11. *«Como cuestión previa, es útil recordar que el pronunciamiento cuya reconsideración se solicita concluyó, en síntesis, que resultaba procedente que la referida Municipalidad de El Quisco, en atención a que cuenta con un balneario, contratara funcionarios regidos por el Código del Trabajo por aplicación del artículo 3º, inciso primero, de la ley Nº 18.883, para realizar labores inspectivas y de vigilancia, con la condición de que estas estuviesen limitadas al período estival, y se originaran en el aumento de actividades que deben quedar sujetas a la fiscalización municipal. Sobre el particular, y practicado un nuevo estudio de la materia, es necesario tener presente, una vez más, que el inciso primero del artículo 3º de la citada ley Nº 18.883, previene que quedarán sujetas a las normas del Código del Trabajo las actividades que se efectúen en forma transitoria, en municipalidades que cuenten con balnearios u otros sectores turísticos o de recreación. Precisado lo anterior, es útil anotar que esta Institución Fiscalizadora ha resuelto, entre otros, en el dictamen Nº 17.317, de 2015, que la contratación del personal a que se refiere el aludido inciso primero, del artículo 3º, de la ley Nº 18.883, requiere de dos exigencias copulativas: en primer término, que se trate de tareas transitorias y, en segundo lugar, que ellas se realicen en balnearios u otros sectores turísticos o de recreación.*
No altera la conclusión que antecede lo alegado por la autoridad requirente, en orden a que el flujo constante de visitantes, no solo se concentra desde diciembre a marzo, sino que todos los fines de semana, constituyendo ello una necesidad insatisfecha debido al escaso personal de que dispone, ya que el dictamen Nº 52.400, de 2015 —aplicando al aludido 17.317, del mismo año—, resolvió, esencialmente, que las tareas que se desarrollan en forma permanente, por cierto, carecen del carácter transitorio que exige el artículo 3º, inciso primero, de la ley Nº 18.883, por lo que, siguiendo la regla general, dichos servidores deben estar sujetos a las normas contenidas en ese último texto estatutario». (**ID Dictamen:** 042266N17. **Fecha:** 04-12-2017. **Destinatarios:** alcaldesa de la Municipalidad de El Quisco. **Texto:** Desestima solicitud de reconsideración del dictamen Nº 9.209, de 2011, pues procede que los municipios contraten funcionarios en los balnearios, regidos por el Código del Trabajo, en las condiciones contempladas en el artículo 3º, inciso primero, de la ley Nº 18.883, con la limitante de que dichas labores sean transitorias. **Acción:** aplica dictámenes 9209/2011, 17317/2015, 31394/2012, 52400/2015).

12. *«A su vez, el artículo 4º de la precitada ley Nº 18.096, establece que el personal de que se trata quedó regido por las disposiciones del Código del Trabajo, precepto que, en similares términos, es reiterado por el artículo 3º, inciso segundo, de la ley Nº 18.883, al referirse al régimen laboral del personal de los servicios traspasados desde organismos o entidades del sector público y que administre directamente la municipalidad. En tal sentido, conviene recordar que de acuerdo con lo dispuesto en el citado artículo 1º de la ley Nº 18.096, a contar de la fecha de vigencia de ese texto legal —1 de marzo de 1982—, las municipalidades tomaron a su cargo los cementerios situados dentro de sus respectivos territorios*

comunales que pertenecían a los Servicios de Salud, encontrándose el Cementerio General, entre ellos (aplica dictamen Nº 50.093, de 2013). Luego, es del caso manifestar que los trabajadores del Cementerio General son funcionarios públicos que se encuentran vinculados a la Municipalidad de Recoleta por contratos suscritos bajo las normas del Código del Trabajo, el cual constituye su régimen estatutario (aplica criterio contenido en los dictámenes Nºs. 30.655, de 1998, y 36.579, de 2016)». **(ID Dictamen:** 088923N16. **Fecha:** 12-12-2016. **Destinatarios:** señor Luis Yévenes Cepeda. **Texto:** No procede presentación de contrato colectivo por parte de funcionarios que se desempeñan en el Cementerio General de Santiago, dependiente de la Municipalidad de Recoleta, por cuanto no están afectos a negociación colectiva. **Acción:** Aplica dictámenes 50093/2013, 30655/98, 36579/2016, 41561/2002).

1. «*Al respecto, es del caso señalar que el **artículo 3º de la ley Nº 18.883** —Estatuto Administrativo para Funcionarios Municipales—, dispone que el personal que se desempeñe en los servicios traspasados desde organismos o entidades del sector público y que administre directamente la municipalidad, como ocurre en la especie, se regirá por las normas del Código del Trabajo, lo que resulta concordante con lo establecido en el **artículo 4º de la ley Nº 19.464**, que sujeta a ese mismo cuerpo legal, al personal asistente de la educación, que se desempeña en planteles de esa naturaleza administrados por las municipalidades, salvo, en lo relativo a permisos y licencias médicas, aspectos en los cuales se les aplica la referida ley Nº 18.883.*

Sobre la materia, es útil recordar que la jurisprudencia administrativa de este Organismo Fiscalizador, ha manifestado que los funcionarios de la Administración del Estado regidos por el Código del Trabajo no tienen más derechos que los contemplados en sus normas, no encontrándose las entidades de la Administración facultadas para conceder beneficios superiores o inferiores a los establecidos en ese cuerpo legal; sin perjuicio de que tales entidades puedan pactar estipendios con sus trabajadores regidos por dicho código, siempre que sean acordes con el concepto de remuneración que establece el artículo 41 de ese cuerpo normativo, es decir, que constituyan una contraprestación en dinero y las adicionales en especie avaluables en dinero que perciba el trabajador por causa del contrato de trabajo, y no en consideración, por ejemplo, al comportamiento funcionario o proveniente de una mera liberalidad del empleador (aplica criterio contenido en los dictámenes Nºs. 42.701, de 2007; 7.512, de 2008 y 21.281, de 2009)». **(ID Dictamen:** 080588N11 **Fecha:** 26.10.2011. **Destinatarios:** Mario Venegas Cárdenas. **Texto:** Asistente de la educación carece de derecho a percibir asignación de responsabilidad establecida en reglamento interno de orden, higiene y seguridad del sistema de educación municipal de Angol, ya que realiza labores paradocentes las que no constituyen una labor específica en alguno de los ámbitos que indica la norma reglamentaria. **Acción:** Aplica dictámenes 42701/2007, 7512/2008, 21281/2009)[97]

2. «*Sobre el particular, es menester hacer presente que el **artículo 3º, inciso tercero, de la ley Nº 18.883**, sobre Estatuto Administrativo para Funcionarios Municipales, dispone que los médicos cirujanos que se desempeñen en los gabinetes sicotécnicos se regirán por la ley Nº 15.076, sobre Estatuto para los Médicos Cirujanos, Farmacéuticos o Químicos Farmacéuticos, Bioquímicos y Cirujanos Dentistas, en lo que respecta a las remuneraciones y demás beneficios económicos, horario de trabajo e incompatibilidades. En las demás materias, que procedan, les serán aplicables las normas de este estatuto.*

Al respecto, este Organismo Contralor en el dictamen Nº 28.240, de 2011, entre otros, ha precisado que si las plantas municipales contemplan horas de la ley Nº 15.076, los profesionales médicos se regirán por ese cuerpo legal y por la ley Nº 18.883, según proceda, conforme con lo establecido en el precepto legal antes anotado; en cambio, si la planta no consulta esas horas o estas son insuficientes, es posible que las municipalidades contraten a esos servidores mediante las normas del Código del Trabajo». **(ID Dictamen:** 078336N11 **Fecha:** 15.12.2011 **Destinatarios:** Alcalde de la Municipalidad de Llanquihue **Texto:** Sobre pago de trienios a médico cirujano del gabinete sicotécnico sujeto a la ley 15076 y cumplimiento de la jornada de trabajo. **Acción:** aplica dictámenes 43108/2000, 28240/2011)

3. «*Sobre el particular, es útil recordar que, el artículo 3º de la ley Nº 18.747, en lo pertinente, facultó al Presidente de la República para que, mediante uno o más decretos con fuerza de ley del Ministerio de Hacienda, autorizará a organismos y servicios públicos, cuyos personales se rigieran por el Código del Trabajo, para pagar anticipadamente a sus dependientes que lo solicitaran, aun sin término del contrato de trabajo, la indemnización del artículo 159 del citado Código, que pudiera corresponderles a la fecha de la solicitud, con el objeto de destinar la cantidad respectiva a la adquisición*

---

[97]   Para efectos de su consulta en la Base de Jurisprudencia de Contraloría General de la República, el citado dictamen se encuentra en la sección/materia: «generales», sin perjuicio de que se trata de uno de carácter municipal.

de acciones de propiedad de la Corporación de Fomento de la Producción, las que ésta ofrecerá con tal objeto, conforme a las normas que indica.

Lo previsto en el párrafo precedente fue íntegramente aplicable al personal docente traspasado al sector municipal, quienes, a la época en que se otorgó la opción de compra de esas acciones, se regían por el Código del Trabajo, atendido lo dispuesto en el decreto con fuerza de ley Nº 1-3.063, de 1980, del Ministerio del Interior y en los artículos 9º de la ley Nº 18.602 y 3º, inciso segundo, de la ley Nº 18.883, sobre Estatuto Administrativo para Funcionarios Municipales». (**ID Dictamen: 076648N11 Fecha:** 07.12.2011 **Destinatarios:** Luis Fischer Onfray. **Texto:** Sobre procedencia de deducir de la indemnización del art. 2 tran de la ley 19070, las sumas percibidas a título de anticipo para la adquisición de acciones de la Corporación de Fomento de la Producción. **Acción:** Aplica dictámenes 33305/98, 19369/2011)

4. *«Por su parte, el artículo 3º de la ley Nº 18.883, dispone que el personal que se desempeñe en servicios traspasados desde organismos o entidades del sector público y que administre directamente la municipalidad se regirá por las normas del Código del Trabajo; lo que resulta concordante con lo establecido en el artículo 4º de la ley Nº 19.464, que ordena que el personal asistente de la educación, que se desempeña, entre otros, en planteles de educación administrados directamente por las municipalidades, se rige por las disposiciones de ese código —salvo en los casos que indica—, situación en la que se encontraba el señor Antiñir Maripan, toda vez que por tratarse de un asistente de la educación, su vínculo laboral con la Municipalidad de Pedro Aguirre Cerda se regulaba por las disposiciones del derecho común.*

Al respecto, la jurisprudencia de este Organismo Fiscalizador, contenida en el dictamen Nº 7.512, de 2008, entre otros, ha precisado que la circunstancia que las leyes dispongan que ciertos personales que se desempeñan en la Administración estén regidos por el Código del Trabajo significa, precisamente, que su régimen estatutario es el contenido en dicho ordenamiento, lo cual se traduce en que no tienen más derechos que los contemplados en sus normas.

Pues bien, en este contexto, y considerando que del examen de la preceptiva contenida en el Código del Trabajo, no se advierte norma alguna que haga extensivo el beneficio que concede el referido artículo 119, de la ley Nº 18.883, a los servidores que se rigen por dicho código, forzoso resulta concluir que no les resulta aplicable lo dispuesto en ese artículo». (**ID Dictamen:** 074539N11 **Fecha:** 29.11.2011 **Destinatarios:** Alcaldesa de la Municipalidad de Pedro Aguirre Cerda. **Texto:** Sobre aplicación del art. 119, de la ley 18883, a ex servidor municipal afecto al Código del Trabajo. **Acción:** Aplica dictamen 7512/2008)

5. *«(…) por mandato del artículo 1º de la ley Nº 18.096, a contar del 1 de marzo de 1982, se transfirió a las municipalidades el dominio de todos los cementerios pertenecientes a los servicios de salud, ubicados en sus respectivos territorios comunales; a consecuencia de lo cual, según lo ordenado en el artículo 4º del citado texto legal, el personal quedó regido por las disposiciones del Código del Trabajo, disposición que, en similares términos, es reiterada por el artículo 3º, inciso segundo, de la ley Nº 18.883, al referirse al régimen laboral del personal de los servicios traspasados desde organismos o entidades del sector público y que administre directamente la municipalidad.*

No obstante lo anterior, según la fotocopia de la inscripción en el Registro de Propiedad del año 1931, del Conservador de Bienes Raíces de Melipilla, que en esta ocasión la Municipalidad de El Monte adjunta, se advierte, que esta es dueña del inmueble conformado por el "cementerio antiguo" y el "cementerio en funciones" —según se expresa en dicho instrumento público—, vale decir, en una data anterior a la fecha de dictación de la comentada ley Nº 18.096 —publicada en el Diario Oficial el 25 de enero de 1982—, de manera que el personal que en dicha dependencia se desempeña, no se encuentra en la hipótesis a que se refieren los citados artículos 4º de ese texto legal y 3º de la ley Nº 18.883 —para los fines que sus relaciones laborales con el municipio se regulen por el Código del Trabajo—, puesto que tal recinto no fue traspasado a esa corporación en virtud de la ley Nº 18.096, sino que constituía un servicio municipal con anterioridad a ésta». (**ID Dictamen:** 061860N11 **Fecha:** 30.09.2011 **Destinatarios:** Alcalde de la Municipalidad de El Monte. **Texto:** El cementerio de El Monte, constituye una dependencia municipal, por lo cual sus funcionarios se rigen por la ley 18883, Estatuto Administrativo para los Funcionarios Municipales. **Acción:** Reconsidera parcialmente dictamen 29565/2010 Aplica dictamen 9209/2011)[98]

6. *«Sobre el particular, cabe señalar que en el artículo 3º de la ley Nº 18.883, sobre Estatuto Administrativo para Funcionarios Municipales, se dispone que el personal que se desempeñe en servicios traspasados desde organismos o entidades del sector público y que administre directamente la municipalidad —como sucede en la situación planteada—,*

---

[98] Para efectos de su consulta en la Base de Jurisprudencia de Contraloría General de la República, el citado dictamen se encuentra en la sección/materia: «generales», sin perjuicio de que se trata de uno de carácter municipal.

*se rige por el Código del Trabajo; casos en los cuales, como lo ha precisado este **Organismo Contralor en los dictámenes Nºs. 32.313, de 1990; 20.511, de 2007, y 26.507, de 2008,** entre otros, las disposiciones de dicho texto normativo y su legislación complementaria, poseen el carácter de normas estatutarias de derecho público que no constituyen derechos mínimos, sino que mandatos imperativos para la autoridad administrativa, la que por tanto está obligada a respetarlos, debiendo otorgarles los beneficios establecidos expresamente en esa preceptiva y estando impedida de conferirles derechos superiores o inferiores a los que la ley establece, ya que tiene que ceñirse estrictamente a ella.*
En este contexto, la reiterada jurisprudencia administrativa de este Órgano de Control, contenida en los dictámenes Nºs. 23.462, de 1992; 30.446, de 1996, y 44.065, de 2002, entre otros, ha manifestado que las personas sujetas al Código del Trabajo, no tienen derecho a viático, por cuanto esa normativa no contempla un beneficio como ese, sin perjuicio de lo cual, de conformidad con el artículo 10 Nº 7, de ese texto legal, es posible pactar viáticos en los respectivos contratos de trabajo.

*En efecto, corresponde expresar que el artículo 10 del mismo cuerpo normativo, que establece las estipulaciones que debe contener el contrato, previene en su Nº 7, los "demás pactos que acordaren las partes", de lo que se colige que ese cuerpo legal habilita para que el empleador y trabajador, convengan las demás condiciones laborales y beneficios de este último, en la medida que no sean contrarios a dicho Código, situación en la que se encuentran los viáticos (**aplica criterio contenido en los dictámenes Nºs. 44.065, de 2002, y 26.507, de 2008**)».* **(ID Dictamen: 059796N11 Fecha:** 21.09.2011 **Destinatarios:** Alcalde de la Municipalidad de Los Vilos. **Texto:** Municipalidad de los Vilos está facultada para pactar viáticos en los contratos de trabajo de funcionarios regidos por el Código del trabajo, para compensar los gastos de alimentación y alojamiento en que incurran en el cumplimiento de sus funciones, cuando deban desplazarse de su lugar de desempeño habitual y en el caso que dicho beneficio no se haya pactado expresamente en el correspondiente convenio, procederá resarcir los mencionados desembolsos, en la medida que se haya autorizado su egreso y, además, se acrediten fehacientemente, puesto que, lo contrario, implicaría un enriquecimiento sin causa a favor del municipio. **Acción:** Aplica dictámenes 32313/90, 20511/2007, 26507/2008, 23462/92, 30446/96, 13067/2010, 44065/2002 Complementa dictámenes 44065/2002, 1205/2005, 7373/2009, 4735/2011)

7. «*Sobre el particular, es oportuno recordar que según lo dispuesto en el **artículo 3º, inciso primero, de la ley Nº 18.883,** sobre Estatuto Administrativo para Funcionarios Municipales, el personal que desarrolle actividades que se efectúen en forma transitoria en municipalidades que cuenten con balnearios u otros sectores turísticos o de recreación, se encuentra sujeto a las normas del Código del Trabajo, situación que concurre respecto del peticionario, toda vez que se desempeñó en la piscina de la Municipalidad de Estación Central.*
*De ese modo, considerando que el interesado fue **contratado a plazo fijo** desde el 10 de diciembre de 2010 hasta el 31 de diciembre de ese año, el que fue renovado por el período que media entre el 1 de enero de 2011 al 28 de febrero del mismo año, el término de su relación laboral se produjo en esta última data, en virtud de la causal prevista en el artículo 159, Nº 4, del Código del Trabajo, vale decir, por el vencimiento del plazo convenido en el contrato, **sin que, por lo demás, se den los supuestos que transforman una contratación a plazo fijo en una de carácter indefinida**».* **(ID Dictamen: 050022N11 Fecha:** 09.08.2011 **Destinatarios:** Eugenio Muñoz Jeldres. **Texto:** Sobre improcedencia de pago de remuneraciones por falta de firma de finiquito de funcionario regido por el Código del Trabajo. **Acción:** Aplica dictámenes 5116/2008, 12183/2011)

8. «*En primer término, es del caso aclarar que el **artículo 3º, inciso tercero, de la citada ley Nº 18.883,** dispone que los médicos cirujanos que se desempeñen en los gabinetes sicotécnicos se regirán por la ley Nº 15.076, en lo que respecta a remuneraciones y demás beneficios económicos, horario de trabajo e incompatibilidades. En las demás materias, que procedan, les serán aplicables las normas de este estatuto.*
*Como queda de manifiesto, por mandato expreso del citado precepto legal, los funcionarios municipales en comento, en materia remuneratoria —calidad que posee el beneficio pecuniario que se reclama—, **se encuentran excluidos del ámbito de aplicación de la ley Nº 18.883,** y, en tal aspecto, se rigen por la normativa de la ley Nº 15.076.*
*En estas condiciones, debe añadirse que **la asignación de mejoramiento de la gestión municipal forma parte del sistema de remuneraciones de los funcionarios sujetos a la ley Nº 18.883,** cuyo otorgamiento está determinado en función a la remuneración fijada para esos servidores, cual es, el régimen establecido en el decreto ley Nº 3.551, de 1980, el cual resulta incompatible con el régimen de remuneraciones previsto en la ley Nº 15.076, aplicable al recurrente.*
*Por ende, es la propia preceptiva jurídica la que ha fijado los beneficiarios de la asignación en comento, **distinguiendo entre los distintos funcionarios municipales que se desempeñan dentro de alguna entidad edilicia, asignándole estatutos diversos por los que se rigen, atendida la función que en ellas cumplan (...)**».* **(ID Dictamen: 039532N11 Fecha:** 24.06.2011 **Destinatarios:** José Miguel Cerna Martín. **Texto:** Médicos del gabinete sicotécnico de los municipios, no

perciben la asignación de mejoramiento de la gestión municipal. **Acción:** Aplica dictamen 21631/2011 Confirma dictámenes 47642/2008, 51671/2009)

9. «(...) *Contraloría General está facultada para determinar el sentido y alcance de la disposición contenida en el artículo 162 del Código del Trabajo, por cuanto se trata de una norma que forma parte del régimen estatutario aplicable a las servidoras municipales (...), atendida su calidad de asistentes de la educación de establecimientos educacionales administrados directamente por una municipalidad, en relación con lo dispuesto en el artículo 3º, inciso segundo, de la ley Nº 18.883, sobre Estatuto Administrativo para Funcionarios Municipales, y en el artículo 4º de la ley Nº 19.464, de forma tal que le compete tanto la interpretación como la aplicación de las normas del Código del Trabajo (aplica criterio contenido en el dictamen Nº 52.383, de 2005)».* (**ID Dictamen: 033481N11 Fecha:** 26.05.2011 **Destinatarios:** Alcaldesa de la Municipalidad de Paillaco. **Texto:** Sobre competencia de la Contraloría General para emitir pronunciamientos sobre el término de la relación laboral de personal municipal regido por el Código del Trabajo. **Acción:** Aplica dictamen 11839/2008)

10. «*(...) este Organismo Contralor precisó que las obligaciones contraídas con instituciones crediticias, por los funcionarios regidos por la ley Nº 18.834, sobre Estatuto Administrativo, a través de las asociaciones de funcionarios, servicios de bienestar y cajas de compensación, u otras, constituyen descuentos voluntarios y, por ende, se encuentran sujetas al límite del quince por ciento de sus remuneraciones, establecido en el inciso segundo del artículo 96 de dicho texto legal.* En forma previa, cabe señalar que la citada jurisprudencia fue aclarada por el dictamen Nº 40.227, de 2010, en el sentido que tratándose de las deudas contraídas por los servidores públicos con las cajas de compensación de asignación familiar, por concepto de crédito social, acorde lo prevé el artículo 22, inciso primero, de la ley Nº 18.833, que establece un nuevo Estatuto General para las Cajas de Compensación de Asignación Familiar, quedan al margen de la referida restricción, toda vez que su descuento está expresamente previsto en la ley, al establecerse que el monto adeudado debe ser deducido de la remuneración por la entidad empleadora afiliada, retenido y remesado a la Caja acreedora, y se regirá por las mismas normas de pago y cobro que las cotizaciones previsionales. Por el contrario, agrega el pronunciamiento, respecto de prestaciones adicionales o complementarias, a las que se refieren los incisos primero y segundo del artículo 23 del mismo texto legal, en la medida que por éstas se genere una contraprestación que deba ser cubierta por el trabajador, rige tal limitación.

*Sobre el particular, cumple anotar que el **criterio interpretativo comentado, resulta plenamente aplicable a los funcionarios municipales afectos a la ley Nº 18.883, sobre Estatuto Administrativo para Funcionarios Municipales,** atendido que el artículo 95 de ese cuerpo estatutario establece una disposición similar a la contenida en el artículo 96 de la ley Nº 18.834. Lo mismo acontece en lo que atañe a los funcionarios regidos por la ley Nº 19.378, sobre Estatuto de Atención Primaria de Salud Municipal, toda vez que a éstos les es aplicable supletoriamente el mencionado artículo 95 de la ley Nº 18.883, en virtud de lo dispuesto en su artículo 4º.*

En igual situación se encuentran los médicos cirujanos que se desempeñan en los gabinetes sicotécnicos, sujetos a la ley Nº 15.076, atendido que en esa eventualidad sus remuneraciones se rigen por ese cuerpo legal —según lo dispone el artículo 3º, inciso tercero, de la ley Nº 18.883—, el que en el artículo 1º establece que les son aplicables supletoriamente las disposiciones de la ley Nº 18.834, entre las cuales se encuentra el comentado artículo 96.

Ahora bien, en lo relativo a los funcionarios municipales regidos por el Código de Trabajo, el párrafo segundo del inciso primero, de su artículo 58, establece que "A solicitud escrita del trabajador, el empleador deberá descontar de las remuneraciones las cuotas correspondientes a dividendos hipotecarios por adquisición de viviendas y las cantidades que el trabajador haya indicado para que sean depositadas en una cuenta de ahorro para la vivienda abierta a su nombre en una institución financiera o en una cooperativa de vivienda. Estas últimas no podrán exceder de un monto equivalente al 30% de la remuneración total del trabajador".

Conforme con lo anterior, los descuentos especificados en el citado precepto legal, quedan comprendidos dentro del concepto de prestaciones de crédito social otorgados por una caja de compensación de asignación familiar, puesto que el artículo 21, de la ley Nº 18.833, dispone que esas entidades pueden establecer un régimen de prestaciones de esa naturaleza, consistente en préstamos de dinero; préstamos destinados al financiamiento de la adquisición, construcción, ampliación y reparación de viviendas y al refinanciamiento de mutuos hipotecarios; y otorgar y administrar mutuos hipotecarios endosables de los señalados en el Título V del decreto con fuerza de ley Nº 251, de 1931. Además, debe considerarse que, como se ha expresado, según el inciso primero del artículo 22, de la misma ley, lo adeudado por esas prestaciones debe ser deducido de la remuneración por la entidad empleadora afiliada, retenido y remesado a la Caja acreedora, y se rigen por las mismas normas de pago y de cobro que las cotizaciones previsionales.

De este modo, del tenor de las disposiciones anotadas, debe concluirse que las deudas contraídas por los servidores municipales afectos al Código del Trabajo, de aquellas a que se refiere el inciso primero, párrafo segundo del artículo 58, de ese texto legal, les es aplicable el límite del treinta por ciento de la remuneración que en ese precepto se ordena, a excepción, de los descuentos por deudas por concepto de crédito social otorgado por cajas de compensación de asignación familiar, las que no están sujetas a límite alguno, por disposición expresa del artículo 22 de la ley Nº 18.833.

Enseguida, es preciso tener en cuenta que tratándose de créditos de una especie distinta a la señalada en el párrafo anterior, el inciso segundo del artículo 58 del Código del Trabajo, establece que sólo con acuerdo del empleador y del trabajador que deberá constar por escrito, podrán deducirse de las remuneraciones sumas o porcentajes determinados, destinados a efectuar pagos de cualquier naturaleza, deducciones que no podrán exceder del quince por ciento de la remuneración total del trabajador.

Finalmente, es menester hacer presente que las conclusiones precedentes, referidas al personal regido por el Código del Trabajo, son, asimismo, aplicables a los docentes regidos por la ley Nº 19.070, sobre Estatuto de los Profesionales de la Educación, toda vez que a estos servidores les es aplicable supletoriamente la normativa contenida en el analizado artículo 58 del Código del Trabajo, acorde con lo preceptuado en el artículo 71 de dicho estatuto». **(ID Dictamen: 032229N11 Fecha:** 20.05.2011 **Destinatarios** David Godoy Zapata. **Texto:** Sobre descuentos a remuneraciones de personal municipal por concepto de obligaciones contraídas con entidades crediticias. **Acción:** Aplica dictámenes 27314/2010, 30921/2010, 40227/2010)

11. «*Sobre el particular, en primer término, cabe señalar que el* **artículo 3º, inciso segundo, de la ley Nº 18.883,** *sobre* **Estatuto Administrativo para Funcionarios Municipales,** *establece que el personal que se desempeña en servicios traspasados desde organismos o entidades del sector público y que administren directamente las municipalidades, como sucede con el recurrente, se rige por el Código del Trabajo.*

Precisado lo anterior, debe hacerse presente que de acuerdo a lo previsto en el artículo 22 del citado Código, la duración de la jornada ordinaria de trabajo no excederá de cuarenta y cinco horas semanales.

A su vez, el artículo 28, inciso primero, del mismo texto, agrega que el indicado máximo semanal, no podrá distribuirse en más de seis ni en menos de cinco días y, en su inciso segundo, que en ningún caso, la jornada ordinaria podrá exceder de diez horas por día, sin perjuicio de lo dispuesto en el inciso final del artículo 38 —referencia que debe entenderse efectuada al inciso sexto de este artículo, luego de la modificación introducida a dicho precepto legal por la ley Nº 19.759—.

Por su parte, el artículo 30 del citado cuerpo normativo, dispone que se entiende por jornada extraordinaria la que excede del máximo legal o de la pactada contractualmente, si fuese menor.

Además, es menester anotar que el artículo 32, inciso primero del aludido Código del Trabajo, establece el cumplimiento de determinados requisitos para la procedencia del pago de horas extraordinarias, a saber: primero, que sólo pueden pactarse para atender necesidades o situaciones temporales de la entidad empleadora; luego, que deben constar por escrito; y, por último, tener una vigencia transitoria no superior a 3 meses, pudiendo renovarse por acuerdo de las partes.

Enseguida, de conformidad con el aludido artículo 38, incisos segundo y tercero, las empresas exceptuadas del descanso dominical —como sucede en la especie, al tenor del número 2 de esta disposición, al tratarse de labores o servicios que exigen continuidad por las necesidades que satisfacen—, podrán distribuir la jornada normal de trabajo, en forma que incluya los días domingo y festivos, debiendo pagar las horas trabajadas en esos días como extraordinarias siempre que excedan de la jornada ordinaria semanal y, además, otorgar un día de descanso a la semana en compensación a las actividades desarrolladas en día domingo y otro por cada festivo en que los trabajadores debieron prestar servicios, pudiendo ser comunes para todos los trabajadores, o por turnos para no paralizar el curso de las labores.

Con todo, **en casos calificados,** *agrega el inciso sexto del artículo 38, el Director del Trabajo —alusión que debe entenderse referida al Contralor General, tratándose del personal de la Administración del Estado regido por el sistema laboral del sector privado—, podrá autorizar, previo acuerdo de los trabajadores involucrados, si los hubiere, y mediante resolución fundada, el establecimiento de sistemas excepcionales de distribución de jornadas de trabajo y descansos, cuando lo dispuesto en este artículo no pudiere aplicarse, atendidas las especiales características de la prestación de servicios y se hubiere constatado, mediante fiscalización, que las condiciones de higiene y seguridad son compatibles con el referido sistema (aplica dictámenes Nºs. 11.068, de 2009, 80.521, de 2010, y 10.011, de 2011)».* **(ID Dictamen: 031073N11 Fecha:** 16.05.2011 **Destinatarios:** Alcalde de la Municipalidad de Santiago. **Texto:** Sobre pago de horas extraordinarias a funcionario municipal, que realiza labores de vigilancia, regido por el Código del Trabajo y que se desempeña en sistema de turnos. **Acción:** Aplica dictámenes 11068/2009, 80521/2010, 10011/2011)

12. «*Sobre el particular, cabe recordar que el* **artículo 3º, inciso tercero, de la ley Nº 18.883 —***Estatuto Administrativo* **para Funcionarios Municipales—,** *dispone que los médicos cirujanos que se desempeñen en los gabinetes sicotécnicos*

se regirán por la ley Nº 15.076 —Estatuto para los Médicos-Cirujanos, Farmacéuticos o Químicos-Farmacéuticos, Bioquímicos y Cirujanos Dentistas—, en lo que respecta a las remuneraciones y demás beneficios económicos, horario de trabajo e incompatibilidades. En las demás materias, que procedan, les serán aplicables las normas de este estatuto. Ahora bien, esta Entidad Fiscalizadora en el dictamen Nº 15.614, de 2005, entre otros, ha precisado que si las plantas municipales contemplan horas de la ley Nº 15.076, tales profesionales médicos se regirán por ese cuerpo legal y por la ley Nº 18.883, según proceda, conforme con lo establecido en el precepto legal antes anotado; en cambio, si la planta no consulta esas horas o éstas son insuficientes, es posible que las municipalidades contraten a esos servidores mediante las normas del Código del Trabajo». (**ID Dictamen: 028240N11 Fecha:** 05.05.2011 **Destinatarios:** Alcalde de la Municipalidad de Lo Prado. **Texto:** Sobre derecho que médico de gabinete psicotécnico de la Municipalidad de Lo Prado tendría derecho. **Acción:** Aplica dictámenes 15614/2005, 51671/2009, 6124/83, 43108/2000)

13. «*Sobre el particular, es necesario hacer presente que el artículo 3º de la ley Nº 18.883, sobre Estatuto Administrativo para Funcionarios Municipales, dispone que el personal que se desempeñe en servicios traspasados desde organismos o entidades del sector público y que administre directamente la municipalidad se regirá por las normas del Código del Trabajo; lo que es concordante con lo establecido en el artículo 4º de la ley Nº 19.464, que ordena que el personal asistente de la educación, que se desempeña, entre otros, en planteles de educación administrados directamente por las municipalidades, se rige por las disposiciones del Código del Trabajo, salvo en lo relativo a permisos y licencias médicas, aspectos en los cuales se les aplica la referida ley Nº 18.883.*

Pues bien, este Organismo Contralor mediante los dictámenes Nºs. 7.512, de 2008, y 71.924, de 2009, ha precisado que la circunstancia de que las leyes dispongan que cierto personal que se desempeña en la Administración esté regido por el Código del Trabajo significa, precisamente, que su régimen estatutario es el contenido en dicho ordenamiento, lo cual se traduce en que no tienen más derechos que los contemplados en sus normas y la Administración no se encuentra facultada para conceder beneficios superiores o inferiores a los allí establecidos.

En este orden de ideas, esta Contraloría General a través del dictamen Nº 21.281, de 2009, reconsiderando la jurisprudencia anterior en contrario sobre la materia, concluyó que las entidades de la Administración del Estado pueden pactar estipendios con sus trabajadores sujetos al Código del Trabajo, siempre que aquéllos sean acordes con el concepto de remuneración que establece el artículo 41 de ese Código —es decir, una contraprestación en dinero y las adicionales en especie avaluables en dinero que percibe el trabajador por causa del contrato de trabajo—, y no en consideración, por ejemplo, al comportamiento funcionario o proveniente de una mera liberalidad del empleador.

Así, como agrega el citado dictamen Nº 21.281, refiriéndose específicamente a una asignación de antigüedad, criterio que igualmente es aplicable a la asignación por desempeño en condiciones difíciles, a partir de la fecha de vigencia de dicho pronunciamiento —esto es, el 23 de abril de 2009—, no procede estipular el pago de tales ni de otros beneficios pecuniarios en los respectivos contratos de trabajo, por cuanto, por una parte, los mismos no se encuentran contemplados entre las normas remuneratorias del Código Laboral y, por otra, no se avienen al concepto de remuneración contenido en el artículo 41 del referido cuerpo legal.

No obstante lo expresado, es importante precisar que el nuevo criterio jurisprudencial sólo se aplica hacia el futuro, sin afectar situaciones y actuaciones jurídicas constituidas y consolidadas durante la vigencia de la doctrina anterior, por cuanto, en resguardo del principio de seguridad jurídica, tanto la norma interpretada como el pronunciamiento emitido a su respecto, constituyen un todo obligatorio para la autoridad y para las personas que se acogen a su mandato, como lo serían los asistentes de la educación a los que alude la consulta.

En efecto, si a la data de vigencia de la nueva jurisprudencia, el pago de los comentados estipendios se encontraba válidamente incorporado, en términos formales y explícitos, en un reglamento municipal y/o en los contratos de trabajo suscritos entre los funcionarios y el municipio empleador —lo que deberá ser verificado por la Municipalidad de Quinta Normal—, dicha modificación jurisprudencial no ha podido afectarles, en razón del mencionado principio de irretroactividad.

Lo anterior, por cierto no ampara nuevas contrataciones o modificaciones a los respectivos contratos de trabajo, que se relacionen con la percepción de los indicados beneficios, por cuanto tales estipulaciones deben regirse por las normas y jurisprudencia vigentes al momento de su adopción, esto es, por lo concluido en el citado dictamen Nº 21.281, de 2009, en orden a la improcedencia de incorporar tales beneficios en los contratos afectos al Código del Trabajo». (**ID Dictamen: 021751N11 Fecha** 11.04.2011 **Destinatarios: Alcalde:** Municipalidad de Quinta Normal. **Texto:** Sobre remuneraciones de personal municipal asistente de la educación. Reconsiderado parcialmente por dictamen 75629/2012. **Acción:** Aplica dictámenes 7512/2008, 71924/2009 Complementa dictamen 21281/2009)

14. «*Sobre el particular, cabe recordar, primeramente, que de conformidad al **artículo 3º, inciso segundo, de la ley Nº 18.883, sobre Estatuto Administrativo para Funcionarios Municipales**, el Código del Trabajo resulta aplicable respecto de aquellos servidores que se desempeñen en servicios traspasados desde organismos o entidades del sector público y que administre directamente la municipalidad, como ocurre con el Departamento de Administración de Educación Municipal.*
*Por otra parte, es menester hacer presente que la ley Nº 19.464, que establece normas para el personal no docente de los establecimientos educacionales que indica, acorde con lo dispuesto en su artículo 2º, resulta aplicable a los trabajadores que desempeñen servicios de carácter profesional no regidos por la ley Nº 19.070, de paradocencia, administrativos y auxiliares y que, asimismo, tales labores las ejecuten en los planteles de enseñanza allí descritos, **entre los cuales se encuentran los administrados directamente por las municipalidades, personal que se denomina asistente de la educación**». (**ID Dictamen: 019385N11 Fecha:** 30.03.2011 **Destinatarios:** Andrés Guerra González. **Texto:** Sobre improcedencia del pago del bono previsto en el artículo 28 de la ley 20486, al personal de los departamentos de administración de educación municipal. **Acción:** Aplica dictámenes 51232/2008, 66768/2010)

15. «*Sobre la materia, útil es recordar que, el artículo 3º de la ley Nº 18.747, en lo pertinente, facultó al Presidente de la República para que, mediante uno o más decretos con fuerza de ley del Ministerio de Hacienda, autorizara a organismos y servicios públicos, cuyos personales se rigieran por el Código del Trabajo, para pagar anticipadamente a sus dependientes que lo solicitaran, aun sin término del contrato de trabajo, la indemnización del artículo 159 del citado Código, que pudiera corresponderles a la fecha de la solicitud, con el objeto de destinar la cantidad respectiva a la adquisición de acciones de propiedad de la Corporación de Fomento de la Producción, las que ésta ofrecerá con tal objeto, conforme a las normas que indica.*
Lo previsto en el párrafo precedente fue íntegramente aplicable tanto al personal docente como no docente traspasado al sector municipal, quienes, a la época en que se otorgó la opción de compra de esas acciones, se regían por el Código del Trabajo, atendido lo dispuesto en el D.F.L. Nº 1-3.063, de 1980, del Ministerio del Interior y en los artículos 9º de la ley Nº 18.602 y 3º, inciso segundo, de la ley Nº 18.883.
Puntualizado lo anterior, es del caso indicar que el artículo 3º, letra f), de la aludida ley Nº 18.747 señaló que si los contratos de los trabajadores que opten por el beneficio de ese artículo, terminan posteriormente por la causal de la letra f) del entonces artículo 155 del Código del Trabajo, del valor de la indemnización que les correspondiere se descontará el anticipo recibido en la forma establecida en el inciso tercero de su artículo 160.
Sobre este punto, cabe señalar que la jurisprudencia administrativa de este Ente de Control, contenida en el dictamen Nº 33.305, de 1998, ha establecido que cuando el artículo 3º, letra f) citado en el párrafo anterior, se refirió al descuento del anticipo recibido para la adquisición de acciones a quienes terminen su contrato laboral por la causal de la letra f) del artículo 155 del Código del Trabajo en vigor a la sazón, indudablemente aludió a la única causal de expiración en el desempeño que a esa época daba derecho a percibir una indemnización por tal circunstancia, agregando que, en la actualidad, las únicas causales que generan la posibilidad de gozar de un beneficio indemnizatorio análogo en la legislación laboral común son las reguladas en los artículos 161 y 163 del Código del Trabajo vigente, normas a las que debe atenderse actualmente para los efectos de cumplir la exigencia del artículo 3º, letra f), de la ley Nº 18.747, en comento.
Concluye el citado dictamen que, como quiera que la referencia al artículo 155, letra f), del Código del Trabajo, que hace el artículo 3º, letra f), de la ley Nº 18.747, debe entenderse efectuada en la actualidad al artículo 3º de la ley Nº 19.010, actual artículo 161 de aquel Código, tanto al personal docente de las municipalidades que jubile por vejez o invalidez y que perciba la indemnización del artículo 2º transitorio de la ley Nº 19.070, sobre Estatuto de los Profesionales de la Educación, como al personal no docente afecto al Código del Trabajo, que cesó en labores acorde con lo dispuesto en el aludido artículo 3º de la ley Nº 19.010, esto es, necesidades de la empresa, establecimiento o servicio, deben descontárseles las sumas que a título de anticipo percibieron para la adquisición de acciones de la Corporación de Fomento de la Producción, conforme con lo preceptuado en la referida ley Nº 18.747». (**ID Dictamen: 019369N11 Fecha:** 30.03.2011 **Destinatarios:** Sonia Aravena Retamal. **Texto:** Sobre compra de acciones realizada en virtud de lo previsto en el artículo 3 de la ley 18747. **Acción:** Aplica dictamen 33305/98)

16. «*Sobre el particular, en primer término, cabe señalar que de conformidad con lo dispuesto en los artículos 4º del D.F.L. Nº 1-3.063, de 1980, del Ministerio del Interior y **3º, inciso segundo, de la ley Nº 18.883, Estatuto Administrativo para Funcionarios Municipales,** el personal que se desempeña en servicios traspasados desde organismos o entidades del sector público y que administren directamente las municipalidades, como sucede con los recurrentes, se rige por el Código del Trabajo. **Asimismo, conforme a las labores que éstos realizan, en su calidad de asistentes de la educación, además, se encuentran afectos a la ley Nº 19.464**». (**ID Dictamen: 010011N11 Fecha:** 16.02.2011 **Destinatarios:** Alcal-

de Municipalidad de Santiago. **Texto:** Sobre horas extraordinarias de personal municipal regido por el Código del Trabajo que trabaja en sistema de turnos. **Acción:** Aplica dictámenes 19946/2004, 5116/2008, 67568/2009, 11068/2009)

17. «*Sobre el particular, cabe anotar que las funciones que la ley N° 18.695, Orgánica Constitucional de Municipalidades, ha encomendado a estos órganos de la Administración del Estado, en sus artículos 3° y 4°, por regla general, deben ser desempeñadas por funcionarios regidos por la ley N° 18.883, sobre Estatuto Administrativo para Funcionarios Municipales, para lo cual el legislador ha creado las correspondientes plazas, mediante la aprobación de una planta de personal para cada municipio, empleos que conforman la organización estable, según lo dispone el artículo 2°, inciso primero, de dicho estatuto.*

Agrega el referido artículo 2°, en el inciso segundo, que la dotación de las municipalidades podrá comprender cargos a contrata, los que tendrán el carácter de transitorios y, según agrega el inciso cuarto, del mismo precepto, en su conjunto, no podrán representar un gasto superior al veinte por ciento del gasto en remuneraciones de la planta municipal, sin embargo, en las municipalidades con planta de menos de veinte cargos, podrán contratarse hasta cuatro personas.

*A continuación, el **artículo 3°** del citado cuerpo estatutario, previene que determinados funcionarios municipales se regirán por textos legales distintos, disponiendo, en el inciso primero, que quedarán sujetas a las normas del Código del Trabajo, las actividades que se efectúen en forma transitoria en municipalidades que cuenten con balnearios u otros sectores turísticos o de recreación.*

*Al respecto, **la jurisprudencia de este Organismo Contralor contenida, entre otros, en el dictamen N° 49.388, de 2006, ha puntualizado que la contratación de personal regulado por el Código Laboral, a que se refiere la disposición mencionada precedentemente, requiere de la concurrencia de dos exigencias: una, que se trate de labores transitorias, debiendo entenderse este último término, conforme las reglas generales de la interpretación, en su sentido natural y obvio, esto es, aquello pasajero, temporal, perecedero, fugaz, según el diccionario de la Real Academia; y, dos, que ellas se desempeñen en balnearios u otros sectores turísticos o de recreación.***

Así, la contratación de funcionarios de conformidad con el indicado Código, que autoriza la disposición en análisis, debe comprenderse en el sentido de que las actividades a las cuales ese personal debe adscribirse, son tanto aquellas nuevas, como las que se ven aumentadas en su volumen, con la limitación de que ello debe obedecer a un período determinado, esto es, deben tener el carácter de transitorias.

*Acorde con lo anterior, la **transitoriedad está referida tanto a la naturaleza misma de la actividad** —como sucede con los salvavidas—, **como al incremento temporal de la misma** —tratándose de labores inspectivas y de vigilancia—, todo ello siempre que se efectúe en un período limitado, por razones de estacionalidad (aplica criterio contenido en los dictámenes N°s. 21.512, de 1991; 6.999, de 1993, y 33.750, de 2001)».* **(ID Dictamen: 009209N11 Fecha** 14.02.2011 **Destinatarios:** Alcaldesa Municipalidad El Quisco. **Texto:** Sobre contratación de personal municipal para el desempeño de labores inspectivas y de vigilancia en balnearios municipales durante el período estival. **Acción:** Aplica dictámenes 49388/2006, 21512/91, 6999/93, 33750/2001)[99]

18. «*En este sentido, considerando que los aludidos recintos receptores de fondos de la Junta Nacional de Jardines Infantiles, tal como lo ha manifestado esta Contraloría General en sus dictámenes N°s. 16.129, de 1991, y 3.941, de 2005, forman parte del nivel educativo definido como educación parvularia y, por ende, integran el área del servicio educacional, **las educadoras y auxiliares de párvulos contratadas por las municipalidades para que se desempeñen en ellos, se rigen por las normas del Código del Trabajo, de conformidad con el artículo 3°, inciso segundo, de la ley N° 18.883, Estatuto Administrativo para Funcionarios Municipales.***

En consecuencia, el personal que las municipalidades contraten en virtud de la obligación contraída mediante convenios suscritos con la Junta Nacional de Jardines Infantiles y por cuyo intermedio dan cumplimiento a la función educacional que el ordenamiento jurídico les encomienda, se rige exclusivamente por las disposiciones del Código del Trabajo». **(ID Dictamen:** 006865N11 **Fecha:** 03.02.2011 **Destinatarios:** Alcalde Municipalidad de Coyahique. **Texto:** Sobre régimen jurídico aplicable al personal que se desempeña en jardines infantiles administrados por municipalidades y financiados con recursos transferidos por la Junta Nacional de Jardines Infantiles, según convenios suscritos al efecto. **Acción:** Aplica dictámenes 16129/91, 3941/2005, 48428/2006, 34106/2009 16295/2010, 27377/86, 9647/97, 9843/97, 60657/2010, 71924/2009)

---

[99]   Para efectos de su consulta en la Base de Jurisprudencia de Contraloría General de la República, el citado dictamen se encuentra en la sección/materia: «generales», sin perjuicio de que se trata de uno de carácter municipal.

19. *«Sobre el particular, cabe manifestar que el inciso primero del artículo 1º de la reseñada ley Nº 20.387, facultó a los municipios para renovar, hasta por un total de 3.400 cupos, la bonificación por retiro voluntario establecida en la ley Nº 20.135, para aquellos funcionarios municipales regidos por el Título II del decreto ley Nº 3.551, de 1980, y* **por la ley Nº 18.883, que fija el Estatuto Administrativo para Funcionarios Municipales,** *que entre el 1 de enero de 2009 y el 31 de diciembre de 2010, ambas fechas inclusive, tengan o cumplan 65 o más años de edad, si son hombres, y 60 o más años de edad si son mujeres, y que cesen en sus cargos por aceptación de su renuncia voluntaria, en los plazos a que se refiere el artículo 3º de la presente ley.*

Como puede advertirse, la bonificación en estudio, por expresa disposición legal, favorece únicamente a aquellos funcionarios municipales que se rijan por el Título II, del decreto ley Nº 3.551, de 1980, que Fija Normas sobre Remuneraciones y sobre Personal para el Sector Público —vale decir, cuyas remuneraciones se establecen por la escala de sueldos municipal—, y, además, que sus relaciones laborales se regulen por la normativa estatutaria contenida en la ley Nº 18.883, calidad funcionaria que no poseen los trabajadores que laboran en el recinto a que se refiere la consulta (aplica dictámenes Nºs. 39.496, 43.795 y, 49.019 todos de 2010).

En efecto, es preciso recordar que de conformidad con el artículo 4º de la ley Nº 18.096 —que transfiere a las municipalidades los cementerios que indica y les encomienda su gestión— el personal respectivo se rige por las disposiciones del Código del Trabajo, norma que, en similares términos, es reiterada por el artículo 3º, inciso segundo, de la citada ley Nº 18.883». (**ID Dictamen:** 006253N11 **Fecha:** 01.02.2011 **Destinatarios:** Presidente de la Asociación de Funcionarios del Cementerio General de la Municipalidad de Recoleta. **Texto:** Sobre solicitud de reconsideración de dictamen 44351/2010, acerca de la inaplicabilidad de la ley 20387 a funcionarios regidos por el Código del Trabajo. **Acción:** Aplica dictámenes 39496/2010, 43795/2010, 49019/2010 Confirma dictamen 44351/2010)

20. *«Con el objeto de establecer el alcance de la referencia normativa a sectores de la Administración traspasados a las municipalidades, cabe anotar que de conformidad con el primitivo artículo 38, inciso segundo, del decreto ley Nº 3.063, de 1979, reglamentado por el decreto con fuerza de ley Nº 1-3.063, de 1980, del antiguo Ministerio del Interior, que estableció que las municipalidades podrían tomar a su cargo servicios que estuvieren siendo atendidos por organismos del sector público o del sector privado, se procedió a traspasar la administración y operación de los establecimientos educacionales desde el Ministerio de Educación, a las entidades edilicias, asumiendo, de manera regular y continua —acorde con lo manifestado en los dictámenes Nºs. 6.189, de 1995; 47.124, de 2002; y 10.128, de 2011—, la competencia para prestar el correspondiente servicio educacional.*

Enseguida, es útil considerar que con relación a normas legales similares al precepto en análisis, que aluden a sectores de la Administración traspasados a las municipalidades para efectos de conceder ciertos beneficios económicos, este Organismo de Control, en los dictámenes Nºs. 47.466, de 2000; 16.756, de 2007; 49.261, de 2008; 16.295, de 2010; 12.072 y 13.820, ambos de 2012, entre otros, ha señalado que bajo la expresión en referencia queda comprendido el sector educacional. Tal interpretación resulta coincidente, por lo demás, con la otorgada en los **dictámenes Nºs. 16.129, de 1991 y 6.865, de 2011, al artículo 3º, inciso segundo, de la ley Nº 18.883, Estatuto Administrativo para Funcionarios Municipales,** *de análoga redacción a la parte final del mencionado artículo 3º».* (**ID Dictamen:** 048734N12 **Fecha:** 09.08.2012 **Destinatarios:** Alcalde de la Municipalidad de Puerto Varas. **Texto:** Sobre derecho a percibir bono especial del artículo 30 de la ley 20559 para funcionarios de jardines infantiles y salas cunas. **Acción:** aplica dictámenes 6189/95, 47124/2002, 10128/2011, 47466/2000, 16756/2007, 49261/2008, 16295/2010, 12072/2012, 13820/2012, 16129/91, 6865/2011, 3941/2005, 51143/2011)[100]

21. *«Precisado lo anterior, es necesario hacer presente que el* **artículo 3º de la ley Nº 18.883, sobre Estatuto Administrativo para Funcionarios Municipales,** *dispone que el personal que se desempeñe en servicios traspasados desde organismos o entidades del sector público y que administre directamente la municipalidad se regirá por las normas del Código del Trabajo;* **lo que es concordante con lo establecido en el artículo 4º de la ley Nº 19.464,** *que ordena que el personal asistente de la educación, que se desempeña, entre otros, en planteles de educación administrados directamente por las municipalidades, se rige por las disposiciones del Código del Trabajo,* **salvo en lo relativo a permisos y licencias médicas, aspectos en los cuales se les aplica la referida ley Nº 18.883.***

---

[100] Para efectos de su consulta en la Base de Jurisprudencia de Contraloría General de la República, el citado dictamen se encuentra en la sección/materia: «generales», sin perjuicio de que se trata de uno de carácter municipal.

*Pues bien, en la situación planteada, cumple con aclarar, **de conformidad con el criterio contenido en el dictamen Nº 39.394, de 2011, que compete a esta Contraloría General pronunciarse sobre todas aquellas materias que guarden relación con la correcta interpretación, aplicación y fiscalización de las normas del Código del Trabajo y sus leyes complementarias, cuando estas constituyen el marco regulatorio del vínculo laboral existente entre los funcionarios y un órgano de la Administración del Estado, por cuanto esa normativa es el texto estatutario que rige a dicho personal, como ocurre en el caso de la especie, tratándose del personal asistente de la educación».* **(ID Dictamen: 048619N12 Fecha:** 09.08.2012 **Destinatarios:** Luis Molina Díaz. **Texto:** Sobre competencia de la Contraloría General para emitir pronunciamientos jurídicos sobre materias que afectan al personal regido por el Código del Trabajo, que labora en municipalidades. **Acción:** Aplica dictámenes 33078/2011, 39394/2011)

22. «*Sobre el particular, cabe señalar que el artículo 1º de la mencionada ley Nº 19.803, establece en las municipalidades una asignación de mejoramiento de la gestión, a otorgarse a los funcionarios regidos por la ley Nº 18.883, a contar del 1 de enero de 2002. Agrega dicho texto legal en el artículo 3º, que el monto de este beneficio se determinará sobre la base, entre otros estipendios, del sueldo base mensual. (...)*
Al respecto, es preciso anotar que mediante el dictamen Nº 19.017, de 2003 —y a causa de una presentación efectuada por el entonces administrador municipal de la Municipalidad de Santiago—, esta Entidad de Fiscalización manifestó que los trabajadores regidos por el Código Laboral no tienen derecho a percibir la asignación de mejoramiento de la gestión municipal, que conceden las leyes Nºs. 19.803 y 20.008 a los funcionarios municipales, a menos que en sus respectivos contratos exista una cláusula que así lo permita, como se estimó que ocurría en la especie respecto de la cláusula décima de los contratos tenidos a la vista en esa oportunidad, que les concedía a los interesados el derecho a percibir estipendios de carácter general, que por disposición legal le corresponda a los funcionarios municipales, en virtud de lo cual se concluyó que tales servidores tenían derecho al citado beneficio.
*Con posterioridad al aludido pronunciamiento, **a través del dictamen Nº 5.646, de 5 de febrero de 2007, este Órgano Contralor señaló que el derecho a percibir la indicada asignación por parte de quienes se rigen por la normativa común, debe entenderse referido a la percepción de un beneficio de similares características, más en ningún caso a la asignación propiamente tal, de manera que dichos empleados únicamente estaban facultados para percibirlo si así lo habían convenido de forma específica en sus contratos de trabajo, criterio jurisprudencial que entró en vigor a partir de la fecha de emisión del comentado oficio».*** **(ID Dictamen: 037242N12 Fecha:** 22.06.2012 **Destinatarios:** Alcalde de la Municipalidad de Santiago. **Texto:** Sobre improcedencia del pago de la Asignación de Mejoramiento de la Gestión Municipal a funcionarios regidos por el Código del Trabajo. **Acción:** Aplica dictámenes 19017/2003, 5646/2007, 3883/2008)

23. «*En este contexto, corresponde precisar que el desempeño en la aludida biblioteca, de conformidad con el **artículo 3º, inciso segundo, de la ley Nº 18.883, Estatuto Administrativo para Funcionarios Municipales**, se rige por las normas del Código del Trabajo. Por ello, para que la peticionaria pudiera continuar desarrollando dichas labores, según el interés que manifiesta, debiera previamente dejar de pertenecer a la dotación docente municipal —sujeta a la ley Nº 19.070—, para ser contratada de conformidad con las normas del mencionado código».* **(ID Dictamen: 029943N12 Fecha:** 23.05.2012 **Destinatarios:** Alcalde de la Municipalidad de San Antonio. **Texto:** Sobre reincorporación a funciones docentes de profesional de la educación luego de cambio temporal a otras faenas. **Acción:** Aplica dictámenes 12040/2011, 55477/2011)

24. «*Como cuestión previa, es necesario hacer presente que el **artículo 3º de la ley Nº 18.883, sobre Estatuto Administrativo para Funcionarios Municipales**, dispone que el personal que se desempeñe en servicios traspasados desde organismos o entidades del sector público y que administre directamente la municipalidad —como sucede con la función educativa-se regirá por las normas del Código del Trabajo; lo que resulta concordante con lo establecido en el **artículo 4º de la ley Nº 19.464**, que ordena que el personal asistente de la educación, que se desempeña, entre otros, en planteles de educación administrados directamente por las municipalidades, se rige por las disposiciones del aludido Código, salvo en lo relativo a permisos y licencias médicas, aspectos en los cuales se les aplica la referida ley Nº 18.883».* **(ID Dictamen: 003711N12 Fecha:** 19.01.2012 **Destinatarios:** Myriam Silva Apablaza. **Texto:** Sobre remuneraciones del personal municipal regido por el Código del Trabajo. Reconsiderado parcialmente por dictamen 75629/2012. **Acción:** Confirma dictamen 49899/2011)

25. «*Sobre el particular, es necesario hacer presente que el **artículo 3º de la ley Nº 18.883, sobre Estatuto Administrativo para Funcionarios Municipales**, dispone que el personal que se desempeñe en servicios traspasados desde organismos o entidades del sector público y que administre directamente la municipalidad se regirá por las normas del Código del Trabajo; lo que es concordante con lo establecido en el **artículo 4º de la ley Nº 19.464**, que ordena que el personal*

asistente de la educación, que se desempeña, entre otros, en planteles de educación administrados directamente por las municipalidades, se rige por las disposiciones del Código del Trabajo, salvo en lo relativo a permisos y licencias médicas, aspectos en los cuales se les aplica la referida ley Nº 18.883.

*En este sentido, esta Entidad Fiscalizadora **en los dictámenes Nºs. 71.924, de 2009 y 54.051, de 2010, ha precisado que la circunstancia que el ordenamiento jurídico disponga que el Código del Trabajo regule la relación laboral de determinados funcionarios que se desempeñan en la Administración del Estado, implica que su régimen estatutario es el contenido en dicho ordenamiento,** lo que se traduce en que no tienen más derechos que los contemplados en sus normas y lo acordado en el respectivo contrato de trabajo, no encontrándose facultado el órgano administrativo para conceder beneficios superiores o inferiores a los allí establecidos.*

*En concordancia con lo anterior, a través del **dictamen Nº 21.281, de 23 de abril de 2009** —reconsiderando la jurisprudencia en contrario sobre la materia, vigente a esa fecha—, se concluyó que las entidades públicas pueden pactar estipendios con sus trabajadores sujetos al Código del Trabajo, siempre que aquellos sean acordes con el concepto de remuneración contenido en el artículo 41 de ese cuerpo legal —esto es, una contraprestación en dinero y las adicionales en especie avaluables en dinero que percibe el trabajador por causa del contrato de trabajo—, y no en consideración, por ejemplo, al comportamiento funcionario o proveniente de una mera liberalidad del empleador».*
(ID Dictamen: 003402N12 Fecha: 18.01.2012 **Destinatarios:** Alcaldesa de la Municipalidad de Pedro Aguirre Cerda. **Texto:** Sobre modificación de las remuneraciones de funcionaria municipal regida por el Código del Trabajo. **Acción:** Aplica dictámenes 71924/2009, 54051/2010, 21281/2009, 21751/2011)[101]

26. *«Tercero: Que, conforme lo preceptúa el artículo 4º de la misma ley Nº 19.378, en todo lo no regulado expresamente por las disposiciones de este Estatuto, **se aplicarán en forma supletoria, las normas de la Ley 18.883, Estatuto de los Funcionarios Municipales.** De tal suerte, es este último Estatuto y **no el Código del Trabajo la normativa que rige al personal de los establecimientos de Atención Primaria de Salud Municipal, en defecto de las disposiciones de la ley Nº 19.378.** (...)*

Octavo: Que, efectivamente, la aplicación supletoria del Código Laboral a funcionarios de la administración municipal tiene lugar únicamente en los aspectos o materias no reguladas por los estatutos a que ellos están afectos, pero ello es siempre que las normas del Código no sean contrarias a tales estatutos, con arreglo a lo que dispone la parte final del inciso tercero del artículo 1º de este texto. (...)

Décimo: Que, en ese sentido, es útil considerar la distinta naturaleza que poseen el régimen establecido por el Código del Trabajo y el sistema estatutario como normativas reguladoras de las relaciones entre empleadores particulares y sus dependientes y el Estado y sus funcionarios, respectivamente.

Undécimo: Que el Código Laboral establece un régimen jurídico de naturaleza convencional, que se concreta en contratos dirigidos por normas de orden público que reconocen derecho y beneficios mínimos para los trabajadores y cuya aplicación fiscalizan organismos estatales creados con esa finalidad. El núcleo central de este sistema es el contrato de trabajo que define el artículo 7º del Código Laboral, que nace de la voluntad de las partes, debe contener las estipulaciones que fija el artículo 10 del mismo texto y establece los derechos y obligaciones que les corresponden, cuyo incumplimiento grave tanto por el trabajador como por el empleador puede acarrear la terminación del vínculo laboral, con derecho del dependiente a percibir, en su caso, las indemnizaciones que conceden los artículos 162, 163 y 171 del mismo Código.

*Duodécimo: Que, en cambio, el **régimen estatutario es de carácter legal, ya que es la ley la que exclusivamente regula la situación de los funcionarios y señala la forma como nace y se extingue su relación con el Estado. Este sistema no tiene origen ni naturaleza convencional, ya que es el legislador el que determina por completo los derechos y obligaciones que son efectos de esa relación. Esta nace del acto unilateral de la autoridad que incorpora a un individuo a la dotación de un servicio público, en que la voluntad de éste último sólo interviene para aceptar su designación, pero no concurre a establecer las condiciones de la vinculación, ni los derechos y obligaciones de las partes, ya que todos estos elementos son fijados única y definitivamente por la ley en el estatuto que rige a ese personal.** (...)*

Décimo sexto: Que el segundo de los errores de derecho que el recurrente reprocha a la sentencia que confirmó el rechazo de la acción de la demandante y que consiste en la infracción del artículo 3º de la Ley Nº 18.883, tampoco tiene asidero. Es efectivo que esta disposición preceptúa que el personal que se desempeñe en servicios traspasados desde

---

[101]   Para efectos de su consulta en la Base de Jurisprudencia de Contraloría General de la República, el citado dictamen se encuentra en la sección/materia: «generales», sin perjuicio de que se trata de uno de carácter municipal.

organismos o entidades del sector público y que administre directamente la municipalidad se regirá también por las normas del Código del Trabajo.

*Décimo séptimo: Que, sin embargo, **esa declaración del Estatuto Administrativo de los Funcionarios Municipales, de 29 de diciembre de 1989, fue anterior a la dictación de la Ley Nº 19.378, de 13 de abril de 1995, y por lo tanto, ella dejó de regir a contar de esta última fecha a los personales de los establecimientos de Atención Primaria de Salud Municipal, entre ellos, la actora que pasaron a quedar sujetos específicamente, como se ha anotado, a las normas del Estatuto sancionado por esa ley Nº 19.378, la que no se remite subsidiariamente al Código del Trabajo; (...)».* (**CS Rol Nº 1519-2010 Fecha:** 09.06.2010 **Sala:** Pronunciada por la Cuarta Sala de la Corte Suprema integrada por los Ministros señores Urbano Marín V., Patricio Valdés A., señoras Gabriela Pérez P., Rosa María Maggi D., y Rosa Egnem S.).

Artículo 4º

Podrán contratarse sobre la base de honorarios a profesionales y técnicos de educación superior o expertos en determinadas materias, cuando deban realizarse labores accidentales y que no sean las habituales de la municipalidad; mediante decreto del alcalde. Del mismo modo se podrá contratar, sobre la base de honorarios, a extranjeros que posean título correspondiente a la especialidad que se requiera.

Además, se podrá contratar sobre la base de honorarios, la prestación de servicios para cometidos específicos, conforme a las normas generales.

Las personas contratadas a honorarios se regirán por las reglas que establezca el respectivo contrato y no les serán aplicables las disposiciones de este Estatuto.

1. «*Como cuestión previa, el artículo 4º de la ley Nº 18.883, Estatuto Administrativo para Funcionarios Municipales, prescribe en lo que interesa que las municipalidades están autorizadas para contratar honorarios, cuando deban realizarse labores accidentales, no habituales y para cometidos específicos, encontrándose éstos últimos regidos por las reglas que establezca el respectivo convenio. Ante lo último expuesto, la jurisprudencia emanada por este Organismo Contralor, ha considerado que a dichas personas no le son aplicables las disposiciones de la ley antes citada, por cuanto no tienen la calidad de funcionarios municipales (aplica dictámenes Nºs. 7.266, de 2005 y 40.050 y 49.429, ambos de 2014, todos de este origen)».* (**ID Dictamen:** 000146N17. **Fecha:** 03-01-2017. **Destinatarios:** Señor Oscar Mondaca Mancilla. **Texto:** Sobre incumplimiento de pago de honorarios y contratación de personas con discapacidad en la Municipalidad de Cerro Navia. **Acción:** Aplica dictámenes 7266/2005, 40050/2014, 49429/2014, 75482/2010, 54812/2011, 62690/2012, 5620/2013, 61314/2014, 32301/2009, 12463/2013, 26904/2013, 27197/2013).

2. «*Por otra parte, el artículo 4º de la ley Nº 18.883, Estatuto Administrativo para Funcionarios Municipales, prevé, en lo que importa, que podrán contratarse sobre la base de honorarios a profesionales y técnicos de educación superior o expertos en determinadas materias, cuando deban realizarse labores accidentales y que no sean las habituales de la municipalidad y, además, la prestación de servicios para cometidos específicos, conforme a las normas generales. Luego, es menester concluir que la Municipalidad de Vilcún no dio cumplimiento a dicho convenio al aplicar la ley Nº 18.883 para contratar a los profesionales que motivan la presentación en comento».* (**ID Dictamen:** 001624N19. **Fecha:** 17-01-2019. **Destinatarios:** Secretaría Regional Ministerial del Medio Ambiente de la Región de la Araucanía. **Texto:** Con cargo a los recursos transferidos para la ejecución del programa que señala, la Municipalidad de Vilcún debió contratar a los profesionales que se indica, acorde con lo previsto en la ley Nº 19.886, considerando que así estaba establecido en el pertinente convenio de cooperación. **Acción:** Aplica dictámenes 102340/2015, 46431/2015).

3. «*Sobre el particular, cabe recordar que de acuerdo a lo dispuesto en el artículo 4º, inciso tercero, de la ley Nº 18.883, las personas contratadas a honorarios se rigen por las reglas que establezca el respectivo convenio y no les son aplicables las disposiciones contenidas en dicho cuerpo normativo, sin que pueda entenderse, como indica el municipio, que se trata de un contrato arrendamiento de servicios inmateriales previsto en el Código Civil, pues este constituye una figura ajena al sistema de provisión de empleos públicos, tal como lo sostiene, entre otros, el dictamen Nº 53.440, de 2015. En ese contexto, la jurisprudencia administrativa de esta Entidad Fiscalizadora ha precisado que quienes cumplen actividades a honorarios no poseen la calidad de funcionarios y, por ende, carecen de responsabilidad administrativa*

(aplica dictamen Nº 17.593, de 2015). Sin perjuicio de lo anterior, de la documentación examinada —en especial, fotografías que darían cuenta del desarrollo de actos de campaña política en favor del ex alcalde de la Municipalidad de La Reina—, no ha sido posible apreciar si tales acciones fueron realizadas al margen del desempeño de la función pública, y utilizando recursos y bienes propios, circunstancias a las que no se refirió la entidad edilicia, por lo que corresponde que ese órgano comunal instruya la pertinente investigación a fin de indagar los hechos denunciados y determinar las eventuales responsabilidades administrativas que puedan afectar a los funcionarios involucrados, debiendo remitir copia del decreto que así lo disponga a la Unidad de Seguimiento de Fiscalía de esta Entidad de Control, en el plazo de 20 días hábiles, contado desde la recepción del presente oficio (aplica criterio contenido en el dictamen Nº 58.415, de 2013)». (**ID Dictamen:** 002327N17. **Fecha:** 23-01-2017. **Destinatarios:** Diputado señor Gonzalo Fuenzalida Figueroa. **Texto:** Personal a honorarios debe observar principio de probidad administrativa, por lo que no puede realizar actividades políticas en el desempeño de sus labores. Municipio deberá instruir investigación en los términos que se indica. **Acción:** Aplica dictámenes 53440/2015, 17593/2015, 27856/2016, 50078/2013, 69300/2016, 58415/2013).

4. *«Como cuestión previa, es útil recordar que el citado dictamen Nº 42.291, de 2016, resolvió que, teniendo en consideración que la planta de esa Municipalidad de Quinta Normal no contempla de manera nominada la plaza de director de obras, y que de acuerdo con el artículo 8º del decreto con fuerza de ley Nº 458, de 1975, del Ministerio de Vivienda y Urbanismo, Ley General de Urbanismo y Construcciones, se ha ordenado por el legislador que en todas las entidades edilicias se contemple dicho cargo, este deberá ser desempeñado por uno de sus directivos genéricos —siempre y cuando cumpla con los requisitos específicos para dicha labor—, y, de no ser ello posible, procede que el ente comunal contrate, por un período determinado, los servicios de un profesional que lo ejerza. Al respecto, la jurisprudencia administrativa de este origen ha precisado que en los casos de las municipalidades cuyas plantas de personal no contemplen de manera nominada la plaza de Director de Obras, como tampoco un cargo directivo o de jefatura, innominado, por cuyo intermedio pueda cumplirse esa función, se configurará la circunstancia de no existir oponentes a dicho cargo, lo que permite a los órganos comunales contratar, por un periodo determinado, los servicios de un profesional que la desempeñe (aplica dictamen Nº 42.157, de 2010, entre otros). Ahora bien, conforme a lo dispuesto en el artículo 4º, inciso final, de la ley Nº 18.883, "Las personas contratadas a honorarios se regirán por las reglas que establezca el respectivo contrato y no les serán aplicables las disposiciones de este Estatuto". En consecuencia, en el contexto normativo y jurisprudencial expuesto, cabe concluir que en ejercicio de la facultad contemplada en el analizado inciso final del decreto con fuerza de ley Nº 458, de 1975, del Ministerio de Vivienda y Urbanismo, los municipios pueden contratar a honorarios a un profesional con título universitario arquitecto, ingeniero civil o constructor civil, para que se desempeñe como Director de Obras municipales por un periodo determinado, en tanto, por cierto, se cumpla con los demás requisitos establecidos en la ley».* (**ID Dictamen:** 008774N18. **Fecha:** 03-04-2018. **Destinatarios:** Municipalidad de Quinta Normal. **Texto:** Los municipios pueden contratar a un profesional de manera transitoria, bajo el régimen de honorarios, como director de obras, por aplicación de la facultad contenida en el inciso final del artículo 8º del decreto con fuerza de ley Nº 458, de 1975, del Ministerio de Vivienda y Urbanismo. **Acción:** Aplica dictámenes 42157/2010, 27335/91, 13957/90, 42291/2016).

5. *«Al respecto, el artículo 4º de la ley Nº 18.883 prescribe, en lo que interesa, que "Podrán contratarse sobre la base de honorarios a profesionales y técnicos de educación superior o expertos en determinadas materias, cuando deban realizarse labores accidentales y que no sean las habituales de la municipalidad; mediante decreto del alcalde".*
Agrega, el inciso segundo de la norma precitada, que "se podrá contratar sobre la base de honorarios, la prestación de servicios para cometidos específicos, conforme a las normas generales".
En este sentido, este Órgano Fiscalizador ha señalado en el dictamen Nº 31.091, de 2011, que deben existir parámetros objetivos que delimiten los beneficios que se pacten, toda vez que, de lo contrario, pueden otorgarse derechos excesivos que no guardan relación con las labores acordadas en el contrato a honorarios, situación que acontece en la situación planteada, toda vez que el monto que correspondería pagar por concepto de honorarios imputados a servicios personales asciende a la suma de $ 68.998.328, lo cual constituye una contraprestación pecuniaria que resulta ser muy superior a la que le correspondería percibir a quienes siendo funcionarios municipales, pudieron haber llevado a cabo —dentro del ámbito de sus competencias— la actividad en estudio, circunstancia de la cual aparece transgredido lo dispuesto en el párrafo precedente.
Por otra parte, poseen la calidad de profesional o técnico, a que alude el artículo 4º de la ley Nº 18.883, quienes cumplen con los requisitos de estudios necesarios para su obtención, acorde con el artículo 54 del decreto con fuerza de ley Nº 2, de 2009, del Ministerio de Educación (aplica criterios contenidos en los dictámenes Nºs. 72.245, de 2009, y 61.646, de 2016)». (**ID Dictamen:** 011418N17. **Fecha:** 04-04-2017. **Destinatarios:** Diputado Juan Antonio Coloma, a don Guillermo Ramírez y a don Carlos Drews Rubilar. **Texto:** No resultó ajustado a derecho el convenio a honorarios relativo a labor

de prestar apoyo para gestionar y recuperar reembolsos por subsidios por incapacidad laboral y devoluciones de pagos en exceso a administradoras de fondos de pensiones. **Acción:** Aplica dictámenes 83157/2016, 19386/2005, 1297/2011, 31091/2011, 72245/2009, 61646/2016, 60378/2004, 51254/2002, 70961/2016, 7266/2005).

6. *«Ahora bien, en lo concerniente a si el cumplimiento de la función sobre la que versa la denuncia en estudio, puede ser entregada por el municipio —haciendo uso de la precitada atribución— a un tercero, es pertinente señalar que de acuerdo a lo concluido por este Organismo de Control en el dictamen Nº 83.157, de 2016, ello resulta posible toda vez que no constituye una función inherente a los municipios, sino que es una acción de apoyo a la entidad edilicia, la que además incide, en definitiva, en la efectiva recuperación de ciertos recursos adeudados al municipio y, por ende, en el debido resguardo del patrimonio municipal.*

Al respecto, el artículo 4º de la ley Nº 18.883 prescribe, en lo que interesa, que "Podrán contratarse sobre la base de honorarios a profesionales y técnicos de educación superior o expertos en determinadas materias, cuando deban realizarse labores accidentales y que no sean las habituales de la municipalidad; mediante decreto del alcalde".

Agrega, el inciso segundo de la norma precitada, que "se podrá contratar sobre la base de honorarios, la prestación de servicios para cometidos específicos, conforme a las normas generales".

Por otra parte, poseen la calidad de profesional o técnico, a que alude el artículo 4º de la ley Nº 18.883 quienes cumplen con los requisitos de estudios necesarios para su obtención, acorde con el artículo 54 del decreto con fuerza de ley Nº 2, de 2009, del Ministerio de Educación (aplica criterios contenidos en los dictámenes Nºs. 72.245, de 2009, y 61.646, de 2016)». (**ID Dictamen:** 017929N17. **Fecha:** 17-05-2017. **Destinatarios:** Municipalidad de Copiapó y don Carlos Drews Rubilar. **Texto:** No resultó ajustado a derecho el convenio a honorarios en estudio ni su imputación al subtítulo 21, ítem 03, asignación 001, del presupuesto municipal. **Acción:** Aplica dictámenes 83157/2016, 19386/2005, 1297/2011, 31091/2011, 72245/2009, 61646/20016, 60378/2004, 51254/2002, 70961/2016, 7266/2005).

7. *«De esta manera, y en lo que concierne a la presentación en estudio, que los servicios contratados sean ajenos a la gestión administrativa interna de la municipalidad implica que los contratos a honorarios cuyos desembolsos se efectúen con cargo a la referida asignación 004, no pueden tratarse de aquellos a que se refiere el artículo 4º de la ley Nº 18.883, por lo que estos acuerdos no podrán significar en modo alguno cubrir posibles carencias de personal en las entidades edilicias para cumplir las funciones regulares propias de su gestión (aplica dictamen Nº 60.469, de 2008)».* (**ID Dictamen:** 027754N16. **Fecha:** 14-04-2016. **Destinatarios:** Municipalidad de Peñalolén. **Texto:** Se mantienen las observaciones relativas a que no correspondió que municipio contratara en el marco de programas comunitarios servicios correspondientes a su gestión interna, como tampoco a secretarias y asesores de los concejales, contenidas en el informe final Nº 618, de 2015, sobre auditoría a las contrataciones a honorarios con cargo a la cuenta presupuestaria 21.04.004 efectuada en la Municipalidad de Peñalolén. **Acción:** Aplica dictámenes 31394/2012, 60469/2008, 5500/2016).

8. *«Como cuestión previa, cumple con precisar que los contratos a honorarios cuyos desembolsos se efectúen con cargo al subtítulo 21, ítem 04, asignación 004 "Prestaciones de servicios en programas comunitarios", no son de aquellos a que se refiere el artículo 4º de la ley Nº 18.883, por lo que estos acuerdos no podrán significar en modo alguno cubrir posibles carencias de personal en las entidades edilicias para cumplir las funciones regulares propias de su gestión (aplica dictamen Nº 60.469, de 2008).*

En este contexto, resulta pertinente recordar que los contratos a honorarios en análisis, al estar su regulación al margen de la normativa de personal del artículo 4º de la ley Nº 18.883, se encuentran excluidos tanto de las restricciones al gasto previstas en el artículo 1º de la ley Nº 18.294 —en cuanto a que el gasto anual máximo en personal de las municipalidades de la Región Metropolitana de Santiago no podrá exceder en cada una de ellas, del 35% del rendimiento estimado de los ingresos que les correspondan en virtud de las normas que indica—; como de las limitaciones establecidas en el artículo 13 de la ley Nº 19.280, sobre el acuerdo del concejo municipal, y del límite del 10% del gasto contemplado en el presupuesto municipal por concepto de remuneraciones de su personal de planta». (**ID Dictamen:** 027757N16. **Fecha:** 14-04-2016. **Destinatarios:**. **Texto:** Sobre requisitos que deben cumplir las contrataciones a honorarios efectuadas por las municipalidades con cargo a la cuenta presupuestaria 21.04.004 para que se ajusten a derecho. **Acción:** Complementa dictamen 28184/2015 Aplica dictamen 60469/2008, 74870/2011, 31394/2012).

9. *«Pues bien, en lo que concierne a la naturaleza de las actividades del exservidor, cabe señalar que la precitada condición no concurrió en el caso analizado, ya que se contrató reiteradamente al señor Harold Correa Angulo, para diseñar e implementar los sistemas de monitoreo y gestión antes indicados, según consta en los decretos Nºs. 4.294 y 4.559, ambos de 2012; y en los Nºs. 2.879 y 463, de 2013, pero aquel realizó las anotadas funciones de planificación de agenda, coordinación de asesores, y preparación de las intervenciones de la alcaldesa, actividades que son propias y habituales*

del municipio, de manera que su función no puede ser provista por la modalidad de contratación a honorarios a que alude el precitado inciso primero del artículo 4º de la ley Nº 18.883». (**ID Dictamen:** 034955N16. **Fecha:** 12-05-2016. **Destinatarios:** Concejales de la Municipalidad de Santiago don Carlos Kubick Orrego y Felipe Alessandri Vergara. **Texto:** Por no aportar nuevos antecedentes, se rechaza reconsideración del oficio Nº 74.215, de 2015, y precisa lo que indica. **Acción:** Aplica dictámenes 53796/2009, 47972/2009, 8284/2004, 16246/2015).

10. *«Requerido de informe, el municipio expuso, en síntesis, que la recurrente fue contratada a honorarios en conformidad con lo dispuesto en el artículo 4º de la ley Nº 18.883, dentro del marco de programas de desarrollo comunitario, obedeciendo el término de los servicios al cumplimiento del plazo contemplado en el contrato, convenio que no contemplaba su renovación en atención a que el ejercicio presupuestario culmina el 31 de diciembre de cada año. Sobre el particular, y como cuestión previa, cumple con recordar que la contratación de personas a honorarios para la prestación de servicios en programas comunitarios —como ocurre en la especie, se encuentra fuera del ámbito de aplicación del artículo 4º de la ley Nº 18.883 (Aplica dictámenes Nºs. 58.743, de 2009, y 27.757, de 2016)».* (**ID Dictamen:** 035893N16. **Fecha:** 16-05-2016. **Destinatarios:** doña Carla Bugueño Huerta, reclamando en contra de la Municipalidad de Las Condes. **Texto:** Contrato a honorarios de la interesada terminó por el solo vencimiento del plazo contemplado en él. **Acción:** Aplica dictámenes 58743/2009, 27757/2016, 9804/2014, 82622/2015).

11. *«Luego, resulta necesario destacar que de acuerdo con la jurisprudencia administrativa contenida, entre otros, en los dictámenes Nºs. 58.743, de 2009, y 35.893, de 2016, la contratación de personas a honorarios para la prestación de servicios en programas comunitarios, se encuentra fuera del ámbito de aplicación del artículo 4º de la ley Nº 18.883, que regula las contrataciones a honorarios para labores accidentales y no habituales de los municipios, como asimismo, para cometidos específicos. Por ello, no resultan aplicables a las contrataciones a honorarios en estudio, las exigencias que dicho precepto estatutario establece, a saber, que se trate de profesionales o técnicos de educación superior o expertos en determinadas materias, y tratándose de extranjeros, que posean título correspondiente a la especialidad que se requiera. En consecuencia, cabe manifestar que al no existir las limitaciones especiales señaladas precedentemente, resulta posible contratar a honorarios para la prestación de servicios en programas comunitarios, a extranjeros sin formación profesional o técnica».* (**ID Dictamen:** 037911N17. **Fecha:** 25-10-2017. **Destinatarios:** Municipalidad de Paine. **Texto:** Resulta posible contratar a honorarios para la prestación de servicios en programas comunitarios, a extranjeros sin formación profesional o técnica. **Acción:** Aplica dictámenes 27757/2016, 37328/2016, 58743/2009, 35893/2016).

12. *«Luego, y en torno a la consulta planteada por la Municipalidad de Collipulli, cabe indicar que el inciso primero del artículo 4º de la ley Nº 18.883, establece que podrán contratarse sobre la base de honorarios a profesionales y técnicos de educación superior o expertos en determinadas materias, cuando deban realizarse labores accidentales y que no sean las habituales de la municipalidad; mediante decreto del alcalde. Del mismo modo se podrá contratar, sobre la base de honorarios, a extranjeros que posean título correspondiente a la especialidad que se requiera. En ese contexto, no se advierte inconveniente para que el comité bipartito de capacitación pueda ser integrado con prestadores de servicios a honorarios en representación del alcalde, en la medida que dicha tarea específica y puntual sea individualizada en el respectivo convenio, más aún considerando que, como se indicó, la existencia de dichos comités es un asunto entregado a la discrecionalidad de la autoridad municipal, y que sus facultades son de índole meramente consultiva y no vinculantes para ésta».* (**ID Dictamen:** 038276N17. **Fecha:** 30-10-2017. **Destinatarios:** Municipalidad de Collipulli. **Texto:** Prestadores de servicios a honorarios pueden integrar el comité bipartito de capacitación a que alude el artículo 28 de la ley Nº 18.883. **Acción:** aplica dictámenes 12758/2016, 7266/2005).

13. *«Por otra parte, si bien el artículo 4º de la ley Nº 18.883, permite la contratación a honorarios bajo ciertas condiciones —labores accidentales y que no sean las habituales de la municipalidad—, ello no es aplicable en la situación de la especie, en atención a que la función de que se trata se encuentra regulada expresamente en el ya mencionado decreto ley 799, de 1974».* (**ID Dictamen:** 041303N17. **Fecha:** 24-11-2017. **Destinatarios:** Municipalidad de Vitacura. **Texto:** No procede que personas contratadas a honorarios conduzcan vehículos fiscales o municipales. **Acción:** Aplica Dictámenes 46248/2004, 65426/2016, 13543/2013, 23238/2013, 74914/2012, 6698/2016 Confirma dictamen 53254/2009).

14. *«Sobre el particular, el artículo 4º, inciso tercero, de la ley Nº 18.883, prevé que las personas contratadas a honorarios se rigen por las reglas que establezca el respectivo acuerdo y no les son aplicables las disposiciones contenidas en dicho texto legal.*
De esta forma, quienes sean contratados a honorarios en la Administración, no revisten la calidad de funcionarios públicos y el propio convenio constituye la única norma reguladora de sus relaciones con ella, de manera que aquellos no poseen otros beneficios que los que se contemplen expresamente en el pertinente acuerdo de voluntades, los cuales no

pueden ir más allá de los establecidos en la ley para los empleados estatales (aplica dictamen Nº 9.804, de 2014)». (**ID Dictamen: 056350N16. Fecha:** 01-08-2016. **Destinatarios:** señora Lorena Fernández Jara, exservidora a honorarios de la Municipalidad de Recoleta. **Texto:** Resultó procedente la no renovación del contrato a honorarios de la exservidora municipal que indica, considerando que esta no se encontraba amparada por el derecho a postnatal y a fuero maternal. **Acción:** Aplica dictámenes 9804/2014, 30758/2014, 23332/2015).

15. *«Sobre la materia, cabe precisar, en primer término, que los contratos a honorarios cuyos desembolsos se efectúen con cargo al subtítulo 21, ítem 04, asignación 004 "Prestaciones de servicios en programas comunitarios", no son de aquellos a que se refiere el artículo 4º de la ley Nº 18.883, por lo que estos acuerdos no podrán significar en modo alguno cubrir posibles carencias de personal en las entidades edilicias para cumplir las funciones regulares propias de su gestión (aplica dictamen Nº 60.469, de 2008)».* (**ID Dictamen: 058016N16. Fecha:** 05-08-2016. **Destinatarios:** Municipalidad de Quinta Normal. **Texto:** Resulta inoficioso pronunciarse sobre pertinencia de contratar a honorarios a ciudadano extranjero para desarrollar labores de aseo y ornato dado que no procede recurrir a dicha modalidad para ejecutar esas tareas. **Acción.**

16. *«Sobre el particular, el artículo 4º de la ley Nº 18.883 prevé, en sus incisos primero y segundo, en lo que importa, que podrán contratarse sobre la base de honorarios a profesionales y técnicos de educación superior o expertos en determinadas materias, cuando deban realizarse labores accidentales y que no sean las habituales de la municipalidad y, además, la prestación de servicios para cometidos específicos, conforme a las normas generales.*
Enseguida, procede consignar que la jurisprudencia administrativa ha precisado que los contratos a honorarios que celebran las municipalidades en virtud del artículo 4º de la ley Nº 18.883, son convenios relativos a personal, dado que ese precepto legal está inserto en la normativa que lo rige, resultando aplicable la restricción prevista en el artículo 13 de la ley Nº 19.280, cuyo inciso primero establece un límite a las sumas que las entidades edilicias pueden destinar el pago de honorarios (aplica criterio contenido en el dictamen Nº 60.469, de 2008, de esta Entidad Fiscalizadora).
Como puede advertirse, las regulaciones contenidas en la ley Nº 19.886 no resultan aplicables a los contratos a honorarios que las municipalidades suscriban con personas naturales, cuando importen una provisión de personal municipal de acuerdo al citado artículo 4º de la ley Nº 18.883, ajustándose a los procedimientos establecidos en las pertinentes disposiciones estatutarias (aplica criterio contenido, entre otros, en los dictámenes Nºs. 51.663 y 60.469, ambos de 2008; 53.212, de 2011 y 46.431, de 2015, de este origen).
De este modo, cabe concluir que las municipalidades cuentan con atribuciones para contratar personas naturales tanto de conformidad con lo dispuesto en el artículo 4º de la ley Nº 18.883, como también, mediante los procedimientos previstos en la ley Nº 19.886, en la medida que concurran los supuestos del citado artículo 8º de la ley Nº 18.695 (aplica dictámenes Nºs. 43.065, de 2008, y 46.431, de 2015, de esta procedencia)». (**ID Dictamen: 102340N15. Fecha:** 29-12-2015. **Destinatarios:** Municipalidad de Valdivia. **Texto:** Resulta procedente que las municipalidades contraten personas naturales tanto a honorarios regidos por la ley Nº 18.883, como mediante los mecanismos de la ley Nº 19.886, en la medida que se den los supuestos que contempla cada uno de esos cuerpos legales. **Acción:** Aplica dictámenes 60469/2008, 51663/2008, 53212/2011, 46431/2015, 43065/2008, 1557/2011).

1. *«Sobre el particular, cabe señalar que de conformidad con lo dispuesto en el **artículo 4º, inciso tercero, de la ley Nº 18.883, Estatuto Administrativo para Funcionarios Municipales**, las personas contratadas a honorarios se rigen por las reglas que establezca el aludido contrato y no les son aplicables las disposiciones estatutarias contenidas en dicho cuerpo legal. Al respecto, la jurisprudencia administrativa de este Organismo Contralor, contenida, entre otros, en el dictamen Nº 26.483, de 2009, ha concluido que las personas que prestan servicios a la Administración sobre la base de honorarios, no poseen la calidad de funcionarios y tienen como norma reguladora de sus relaciones con ella, el respectivo convenio, razón por la cual sólo le asisten los beneficios que en aquel se especifiquen.*
*Por su parte, es necesario indicar que esta **Entidad Fiscalizadora** en los dictámenes Nºs. 32.868 y 57.161, ambos de 2010, ha precisado que en este tipo de convenios, en caso de que el municipio decida —estando facultado para ello, en la respectiva convención— poner término a los servicios del prestador, basta que la autoridad adopte dicha decisión en forma pura y simple y se la comunique al afectado».* (**ID Dictamen: 079624N11 Fecha:** 22.12.2011 **Destinatarios:** Alcalde Municipalidad de La Florida. **Texto:** No procedió el término anticipado de contrato a honorarios de parte de municipalidad, si esta facultad no se pacta en el respectivo acuerdo de voluntades, ya que la norma reguladora de la relación laboral del contratado a honorarios es específicamente dicho convenio. **Acción:** Aplica dictámenes 32868/2010, 57161/2010, 26483/2009)

2. «*Sobre el particular, cabe considerar que el **artículo 4º de la ley Nº 18.883**, sobre **Estatuto Administrativo para Funcionarios Municipales**, dispone, en lo pertinente, que podrán contratarse sobre la base de honorarios, mediante decreto del alcalde, a profesionales y técnicos de educación superior o expertos en determinadas materias, cuando deban realizarse labores accidentales y que no sean las habituales de la municipalidad, y, asimismo, para la prestación de servicios para cometidos específicos. El **inciso tercero** de este precepto legal, ordena expresamente que las personas contratadas a honorarios se regirán por las reglas que establezca el respectivo contrato y no les serán aplicables las disposiciones de este Estatuto.*

*Al respecto, este **Organismo Contralor en los dictámenes Nºs. 40.777, de 1995, y 24.637 y 30.324, ambos de 2005**, entre otros, ha precisado que quienes suscriben contratos a honorarios con órganos administrativos, si bien cumplen una actividad que importa una prestación de servicios particulares a la Administración, no obstante, no adquieren la calidad de funcionarios de la respectiva entidad* —*la que sólo posee el personal dependiente suyo, cualquiera sea el régimen estatutario que los rija*—, *y, por ende, no pueden afiliarse a las asociaciones de funcionarios a que se refiere la ley Nº 19.296 y, consecuencialmente, están imposibilitados de integrar los directorios de éstas*». (**ID Dictamen: 061022N11 Fecha:** 27.09.2011 **Destinatarios:** Directora del Trabajo. **Texto:** La calidad jurídica de personas contratadas a honorarios por una municipalidad, no les confiere la calidad de funcionarios de esa entidad y por ende, no pueden afiliarse a las asociaciones de funcionarios, ni integrar su directorio. **Acción:** Aplica dictámenes 40777/95, 24637/2005, 30324/2005)

3. «*Sobre el particular, cabe señalar que de conformidad con lo dispuesto en el **artículo 4º, inciso tercero, de la ley Nº 18.883, Estatuto Administrativo para Funcionarios Municipales**, las personas contratadas a honorarios se rigen por las reglas que establezca el contrato y no les son aplicables las disposiciones estatutarias contenidas en dicho cuerpo legal.*

*Al respecto, es necesario manifestar que este **Organismo Contralor en los dictámenes Nºs. 32.868, de 2010, y 36.594, de 2011**, entre otros, ha precisado que no se ajusta a derecho una cláusula estipulada en contratos a honorarios en la que se obligue a la Administración, en caso de poner término a los servicios del prestador, a entregar a este un aviso previo con una antelación como la indicada, bastando para ello que la autoridad adopte dicha decisión en forma pura y simple y la comunique al afectado, lo que en la situación analizada aconteció*». (**ID Dictamen: 057961N11 Fecha:** 12.09.2011. **Destinatarios:** María Elena Fuentes Alarcón. **Texto:** No se ajusta a derecho cláusula estipulada en contrato a honorarios por la que se obligue a la Administración, en caso de poner término a los servicios del prestador, a entregar a éste un aviso previo con una antelación determinada, bastando que la autoridad adopte dicha decisión en forma pura y simple y la comunique al afectado. **Acción:** Aplica dictámenes 32868/2010, 36594/2011)

4. «*Al respecto, la **jurisprudencia administrativa de esta Entidad Fiscalizadora, contenida, entre otros, en los dictámenes Nºs. 17.678, de 1995 y 11.381, de 2006**, ha reconocido la facultad de las municipalidades para contratar, sobre la base de honorarios, acorde con el artículo 4º de la ley Nº 18.883* —*Estatuto Administrativo para Funcionarios Municipales*—, *la prestación de servicios de abogados especialistas para que asuman, en lo que interesa a la materia, la función prevista en el artículo 28, inciso segundo, de la ley Nº 18.695, esto es, iniciar y asumir la defensa, a requerimiento del alcalde, en todos aquellos juicios en que la municipalidad sea parte o tenga interés, en el evento que el municipio no pueda afrontar dicha gestión, por las razones que en cada caso se ponderen.*

De lo anterior se sigue, entonces, que tratándose de municipios que no cuentan con la referida unidad municipal, cuyo es el caso, se verifica el supuesto que les impide desarrollar la función antes indicada, razón por la que resulta procedente que contraten personas ajenas a la municipalidad, bajo la modalidad de honorarios, para el desempeño de las mismas; debiendo, en todo caso, las tareas que desarrollen estar específicamente individualizadas en el respectivo convenio, sin que surja duda alguna respecto del ámbito en el cual las ejecutarán.

*Pues bien, dado que la Municipalidad de Salamanca carece de la unidad de asesoría jurídica, atendidas las consideraciones vertidas, no cabe sino concluir, que las funciones que naturalmente le corresponden a la misma, pueden ser ejercidas por abogados externos, contratados para ese propósito, sujetándose, por cierto, a lo establecido en el **artículo 4º de la ley Nº 18.883**.*

*En consecuencia, no se advierte inconveniente jurídico para que ese municipio contrate, sobre la base de honorarios, al abogado recurrente, para que asuma la defensa de los intereses municipales, **tanto judicial como extrajudicialmente**, máxime si como aparece de los antecedentes tenidos a la vista, se aprecia que los **convenios suscritos con aquél dicen relación con el cumplimiento de tareas específicas, en conformidad a lo prescrito por la ley**»*. (**ID Dictamen: 056324N11 Fecha:** 05.09.2011 **Destinatarios:** Juan Encina Hermosilla. **Texto:** Procede contratación a honorarios de abogado, por una municipalidad que carece de unidad de asesoría jurídica, en caso de que ésta tenga una población igual o inferior a cien mil habitantes, y el profesional desarrolle labores específicas, vinculadas directamente al cumplimiento de los fines de la entidad municipal. **Acción:** Aplica dictámenes 17678/95, 11381/2006)

5. «*Sobre el particular, es necesario indicar que el inciso cuarto del artículo 2º de la ley Nº 18.883, que aprueba el Estatuto Administrativo para Funcionarios Municipales, dispone que los cargos a contrata, en su conjunto, no podrán representar un gasto superior al veinte por ciento (20%) del gasto en remuneraciones de la planta municipal. Sin embargo, agrega este precepto, en las municipalidades con planta de menos de veinte cargos, podrán contratarse hasta cuatro personas.*

*Por su parte, en lo que atañe a los contratos a honorarios, el **artículo 4º** del citado estatuto, dispone, en lo que interesa, que podrán contratarse sobre la base de honorarios a profesionales y técnicos de educación superior o expertos en determinadas materias, cuando deban realizarse labores accidentales y que no sean las habituales de la municipalidad; mediante decreto del alcalde, como asimismo, se podrá contratar la prestación de servicios para cometidos específicos, conforme a las reglas generales.*

En relación con dichas contrataciones, el artículo 13 de la ley Nº 19.280, que modifica la ley Nº 18.695 —Orgánica Constitucional de Municipalidades— y establece normas sobre plantas de personal de las municipalidades, establece que las sumas que cada municipalidad destine anualmente al pago de honorarios, no podrá exceder del 10% del gasto contemplado en el presupuesto municipal por concepto de remuneraciones de su personal de planta. Agrega el precepto legal, que el concejo, al momento de aprobar el presupuesto municipal, y sus modificaciones, debe prestar su acuerdo a los objetivos y funciones específicas que deban servirse mediante contratación a honorarios.

*Sin perjuicio de lo anterior, es útil hacer presente que **existen contratos a honorarios que celebran las municipalidades, tales como aquellos suscritos para la ejecución de trabajos menores, en el marco de un determinado proyecto de inversión o para estudios e investigaciones; para programas financiados con recursos que el municipio recibe de otras entidades; o para programas comunitarios; que se encuentran fuera del ámbito de aplicación del artículo 4º de la ley Nº 18.883**, como también del aludido artículo 13 de la ley Nº 19.280, atendido que por su naturaleza no constituyen provisión de personal municipal (aplica criterio contenido en el dictamen Nº 60.469, de 2008)».* (**ID Dictamen: 053212N11 Fecha:** 24.08.2011 **Destinatarios:** Segundo Vicepresidente de la Cámara de Diputados. **Texto:** Sobre gastos en personal a contrata y honorarios en la Municipalidad de Pucón. **Acción:** Aplica dictámenes 23397/99, 60469/2008, 24261/2010)

6. «*Sobre el particular, cabe señalar que de conformidad con lo dispuesto en el **artículo 4º, inciso tercero, de la ley Nº 18.883, Estatuto Administrativo para Funcionarios Municipales,** las personas contratadas a honorarios se rigen por las reglas que establezca el aludido contrato y no les son aplicables las disposiciones estatutarias contenidas en dicho cuerpo legal. (...)*

*Al respecto, la **jurisprudencia administrativa de esta Entidad de Fiscalización ha precisado que quienes prestan servicios a la Administración sobre la base de honorarios, no poseen la calidad de funcionarios y tienen como norma reguladora de sus relaciones con ella el propio convenio, por lo que la vigencia de este se encuentra subordinada al acuerdo de las partes (aplica criterio contenido, entre otros, en los dictámenes Nºs. 39.027 y 58.775, ambos de 2010, y 5.964, de 2011). (...)***

Al respecto, cabe manifestar que el inciso segundo del artículo 52 de la citada ley Nº 18.575, establece que la probidad administrativa consiste en observar una conducta funcionaria intachable y un desempeño honesto y leal de la función o cargo, con preeminencia del interés general sobre el particular, principio que debe igualmente cumplirse por quienes prestan servicios a la Administración del Estado a causa de un contrato de honorarios, como sucede en este caso (aplica dictamen Nº 75.198, de 2010)». (**ID Dictamen:** 039513N11 **Fecha:** 24.06.2011 **Destinatarios:** Jaime Suárez Aburto. **Texto:** Sobre término anticipado de contrato a honorarios, impidiéndole prestar servicios a contar de fecha determinada. **Acción:** aplica dictámenes 39027/2010, 58775/2010, 5964/2011, 75198/2010)[102]

7. «*Sobre el particular, cabe señalar que, de conformidad con lo dispuesto en el **artículo 4º, inciso tercero, de la ley Nº 18.883, Estatuto Administrativo para Funcionarios Municipales,** las personas contratadas a honorarios se rigen por las reglas que establezca el aludido contrato y no les son aplicables las disposiciones estatutarias contenidas en dicho cuerpo legal.*

---

[102]   Para efectos de su consulta en la Base de Jurisprudencia de Contraloría General de la República, el citado dictamen se encuentra en la sección/materia: «generales», sin perjuicio de que se trata de uno de carácter municipal.

Al respecto, resulta necesario anotar que **quienes prestan servicios a la Administración sobre la base de honorarios, no poseen la calidad de funcionarios y tienen como norma reguladora de sus relaciones con ella el propio convenio, por lo que la vigencia de éste se encuentra subordinada al acuerdo de las partes** *(aplica criterio contenido, entre otros, en los dictámenes Nºs. 58.775, de 2010, y 5.964, de 2011).*

En relación con lo anterior, es necesario indicar que este **Organismo Contralor en los dictámenes Nºs. 32.868 y 57.161, ambos de 2010, ha precisado que no se ajusta a derecho una cláusula estipulada en contratos a honorarios en la que se obligue a la Administración, en caso de poner término a los servicios del prestador, a entregar a éste un aviso previo con una antelación como la indicada, bastando para ello que la autoridad adopte dicha decisión en forma pura y simple y la comunique al afectado,** *lo que en la situación analizada aconteció».* (**ID Dictamen: 036594N11 Fecha:** 09.06.2011 **Destinatarios:** Rosa Maldonado Meza. **Texto:** Sobre cumplimiento de cláusulas del contrato a honorarios en orden a notificar el término anticipado de servicios. **Acción:** aplica dictámenes 58775/2010, 5964/201, 32868/2010, 57161/2010)[103]

8. «*Sobre el particular, cabe señalar que de conformidad con lo dispuesto en el* **artículo 4º, inciso tercero, de la ley Nº 18.883, sobre Estatuto Administrativo para Funcionarios Municipales,** *las personas contratadas a honorarios se rigen por las reglas que establezca el aludido contrato y no les son aplicables las disposiciones estatutarias contenidas en dicho cuerpo legal.*

Enseguida, es necesario hacer presente, que **la jurisprudencia de esta Entidad Fiscalizadora, contenida, entre otros, en el dictamen Nº 37.536, de 2009, ha sostenido que los honorarios constituyen la contraprestación al cumplimiento efectivo de las funciones asignadas al prestador en el convenio,** *en razón del principio retributivo de dar a cada uno lo que le corresponde, según el cual, el desempeño de un servicio para la Administración lleva aparejado el pago de los estipendios pertinentes, de manera que, de no realizarse dicho pago, se produciría un enriquecimiento sin causa».* (**ID Dictamen: 033492N11 Fecha:** 26.05.2011 **Destinatarios:** Alcalde de la Municipalidad de Espejo **Texto:** Sobre pago de honorarios adeudados a ex servidor de la Municipalidad de Lo Espejo. **Acción:** Aplica dictamen 37536/2009)

9. «*Sobre el particular, cabe recordar que, según lo establece el* **artículo 4º, incisos primero y segundo, de la ley Nº 18.883, sobre Estatuto Administrativo para Funcionarios Municipales,** *en lo pertinente, podrán contratarse sobre la base de honorarios a profesionales y técnicos de nivel superior o expertos en determinadas materias, cuando deban realizarse labores accidentales y no habituales de la municipalidad, mediante decreto del alcalde; y, además, para cometidos específicos, conforme a las normas generales.*

Enseguida, el **inciso final** *del mismo precepto legal, dispone que las personas contratadas a honorarios se rigen por las reglas que establezca el respectivo contrato y no les son aplicables las disposiciones estatutarias contenidas en dicho cuerpo legal.*

Conforme con lo anterior, este **Organismo Contralor en los dictámenes Nºs. 26.483, de 2009, y 44.494, de 2010,** *entre otros, ha concluido que las personas que sirven a honorarios en la Administración del Estado no tienen la calidad de funcionarios públicos y es el propio convenio el que regula sus relaciones con ella, de modo que el servidor no posee otros beneficios que los convenidos expresamente en el pertinente contrato.*

Además, es menester considerar que si bien a los prestadores de servicios a honorarios, es posible concederles análogos derechos que los establecidos para los funcionarios, no obstante, deben cumplir las mismas condiciones y requisitos exigidos para éstos, y haberse acordado explícitamente en el convenio respectivo; **sin que, en todo caso, los beneficios puedan ir más allá de los que la ley establece para quienes tienen la calidad de empleados** *(aplica dictámenes Nºs. 11.315, de 2010, y 1.297, de 2011).*

A su turno, el artículo 32 de la ley Nº 20.486, concede, por una sola vez, a los trabajadores de las instituciones mencionadas en los artículos 2º, 3º, 5º y 6º de ese mismo texto legal, entre los que se encuentran los funcionarios municipales que desempeñen cargos de planta o a contrata, un bono especial no imponible y que no constituirá renta para ningún efecto legal, que se pagará en el curso del mes de diciembre de 2010 y cuyo monto será el que la misma norma establece, dependiendo de la remuneración bruta que le haya correspondido percibir al trabajador en el mes de noviembre de ese mismo año, entendiendo por tal, la referida en el artículo 19 de la misma ley.

---

[103]   Para efectos de su consulta en la Base de Jurisprudencia de Contraloría General de la República, el citado dictamen se encuentra en la sección/materia: «generales», sin perjuicio de que se trata de uno de carácter municipal.

Conforme lo establecido por el señalado artículo 19 de la ley Nº 20.486, son remuneraciones brutas de carácter perma-nente de los trabajadores, las que sean iguales o inferiores a la suma que indica, excluidas las bonificaciones, asignacio-nes o bonos asociados al desempeño individual, colectivo o institucional.

(...) Precisado lo anterior, cumple con manifestar que tal como lo ha sostenido este Organismo Contralor en los dictáme-nes Nºs. 25.694 y 46.554, ambos de 2005, la aplicación rigurosa del principio de libertad contractual en la celebración de contratos a honorarios, en ningún caso puede importar la debilitación de otros principios vigentes en la esfera de la Administración del Estado y que, dado el interés general que los informa, deben tener preponderancia respecto de la contratación privada. Agregan tales pronunciamientos que la excesiva ampliación, por la vía contractual, de prestaciones correspondientes a los funcionarios municipales, importaría vulnerar la garantía de igualdad ante la ley, consagrada en el número 2º, del artículo 19 de la Constitución Política, toda vez que los funcionarios municipales regidos por la ley Nº 18.883, están afectos en su actuar a las obligaciones que ese estatuto establece, frente a lo cual, como contraprestación, se les retribuye con los derechos funcionarios consagrados en el mencionado cuerpo legal y sus leyes complementarias.

Es por ello, que deben existir parámetros objetivos que delimiten los beneficios que se pacten, toda vez que, de lo con-trario, pueden otorgarse derechos excesivos que no guardan relación con las prestaciones acordadas en el contrato a honorarios, situación que concurre en la situación planteada, toda vez que el bono otorgado en el artículo 32 de la ley Nº 20.486, ha sido establecido en el contexto de una retribución pecuniaria a los funcionarios públicos, como se infiere de la historia fidedigna del establecimiento de la ley —Segundo Informe Constitucional; Senado, Informe de la Comisión de Hacienda—, cuyo monto, por lo demás, se determina precisamente según las remuneraciones brutas definidas en el artículo 19 del mismo texto legal, circunstancias del todo ajenas a las sumas que perciben los servidores por los cuales se consulta, por concepto de honorarios por los servicios prestados». (**ID Dictamen: 031091N11 Fecha:** 16.05.2011 **Destinatarios:** Mauricio Sáez Cárdenas. **Texto:** Sobre improcedencia del pago del bono previsto en el artículo 32 de la ley 20486 a ex servidor a honorarios. **Acción:** Aplica dictámenes 26483/2009, 44494/2010, 11315/2010, 1297/2011, 25694/2005, 46554/2005)

10. «*Sobre el particular, es menester señalar que el inciso final del artículo 4º de la ley Nº 18.883 —Estatuto Adminis-trativo para Funcionarios Municipales—, dispone que las personas contratadas a honorarios se regirán por las reglas que establezca el respectivo contrato y no les serán aplicables las disposiciones de ese Estatuto.*

A este respecto, cabe señalar que quienes prestan servicios para la Administración sobre la base de honorarios, no poseen la calidad de funcionarios y tienen como norma reguladora de sus relaciones con ella, el respectivo convenio, de modo que los derechos y obligaciones recíprocos de las partes se encuentran subordinados a lo acordado por ellas, razón por la cual sólo les asisten los beneficios que en éste se especifiquen y que consisten, básicamente, en exigir el pago de los honorarios convenidos como contraprestación de las labores efectivamente realizadas (aplica dictámenes Nºs. 26.483, de 2009 y 77.049, de 2010, entre otros)». (**ID Dictamen: 012645N11 Fecha:** 01.03.2011 **Destinatarios:** Christine de Ferrari Aguirre. **Texto:** Sobre descuentos en honorarios por días no trabajados en la Municipalidad de La Pintana. **Acción:** Aplica dictámenes 26483/2009, 77049/2010)

11. «*Sobre el particular, cabe señalar, que de conformidad con lo dispuesto en el artículo 4º, inciso tercero, de la ley Nº 18.883, Estatuto Administrativo para Funcionarios Municipales, las personas contratadas a honorarios se rigen por las reglas que establezca el aludido contrato y no les son aplicables las disposiciones estatutarias contenidas en dicho cuerpo legal.*

Al respecto, la jurisprudencia administrativa de este Organismo Contralor contenida en los dictámenes Nºs. 39.027 y 58.775, ambos de 2010, entre otros, ha precisado que quienes prestan servicios a la Administración sobre la base de honorarios, no poseen la calidad de funcionarios y tienen como norma reguladora de sus relaciones con ella el propio convenio, por lo que la vigencia de éste se encuentra subordinada al acuerdo de las partes». (**ID Dictamen: 005964N11 Fecha:** 31.01.2011 **Destinatarios:** Alcaldesa Pedro Aguirre Cerda. **Texto:** Sobre término anticipado de con-trato de prestación de servicios a honorarios. **Acción:** Aplica dictámenes 39027/2010, 58775/2010)

12. «*Sobre el particular, cabe precisar que de conformidad con lo dispuesto en el artículo 4º, inciso tercero, de la ley Nº 18.883, sobre Estatuto Administrativo para Funcionarios Municipales, las personas contratadas a honorarios se rigen por las reglas que establezca el respectivo contrato y no les son aplicables las disposiciones contenidas en dicho cuerpo estatutario.*

Conforme con lo anterior, este Organismo Contralor en los dictámenes Nºs. 26.483, de 2009, y 44.494, de 2010, entre otros, ha concluido que las personas que sirven a honorarios en la Administración del Estado no tienen la calidad de funcionarios públicos y es el propio convenio el que regula sus relaciones con ella, de modo que el servidor no posee otros beneficios que los convenidos expresamente en el pertinente contrato.

*Además, es menester considerar que si bien a los prestadores de servicios a honorarios, es posible concederles análogos derechos que los establecidos para los funcionarios, no obstante, **deben cumplir las mismas condiciones y requisitos exigidos para éstos, haberse acordado explícitamente en el convenio respectivo y sin que, en todo caso, los beneficios puedan ir más allá de los que la ley establece para quienes tienen la calidad de empleados** (aplica criterio contenido en dictámenes Nºs. 44.479, de 2005, y 73.388, de 2010)».* (**ID Dictamen: 001297N11 Fecha:** 10.01.2011 **Destinatarios** Alcalde de la Municipalidad de Maipú. **Texto:** Sobre derecho a aguinaldo de servidor a honorarios en Municipalidad de Maipú, que percibe pensión del Instituto de Previsión Social. **Acción** aplica dictámenes 44479/2005, 73388/2010)

13. *«De igual forma, resulta procedente anotar que el **artículo 4º, inciso segundo, de la aludida ley Nº 18.883**, permite contratar sobre la base de honorarios, la prestación de servicios para cometidos específicos, conforme a las normas generales.*

*Al respecto, la **jurisprudencia administrativa de esta Contraloría General** contenida, entre otros, en el dictamen Nº 1.399, de 2003, ha precisado que si bien es posible contratar bajo la modalidad de honorarios labores municipales permanentes, la prestación de servicios debe incidir en cometidos específicos, es decir en tareas puntuales, debidamente individualizadas, en forma transitoria y circunscritas a un objetivo especial.*

*Así, cabe sostener que es factible contratar, con sujeción al **inciso segundo del citado artículo 4º**, un abogado experto en determinada materia para que elabore un informe en derecho con el objeto preciso de realizar una presentación ante esta Entidad Fiscalizadora, como aconteció en la especie (aplica criterio contenido en el dictamen Nº 47.617, de 2004, de este origen).*

*Además, a diferencia de lo que entienden los recurrentes, la contratación de que se trata no tuvo por objeto defender intereses personales, por cuanto esta tuvo por finalidad elaborar un informe en derecho que permitiera obtener la reconsideración de un dictamen que afectaba la validez de una actuación municipal, y no personal de determinado funcionario. De este modo, como puede apreciarse, la **contratación a honorarios de una abogada especialista en la materia para la elaboración de un informe en derecho, responde a un cometido específico que se enmarca dentro del cumplimiento de una labor propia del municipio».* (**ID Dictamen: 078877N12 Fecha:** 19.12.2012 **Destinatarios:** Susanne Spichiger Jouannet y Otros. **Texto:** Contratación de abogada especialista en la materia para la elaboración de un informe en derecho responde a un cometido específico que se enmarca dentro del cumplimiento de una labor propia del municipio. **Acción:** Aplica dictámenes 62923/2011, 18944/2012, 17719/2008, 1399/2003, 47617/2004)

14. *«Pues bien, del examen de los referidos programas se desprende que, de acuerdo a las características de estos, es factible que los servicios necesarios para su ejecución sean prestados sobre la base de contrataciones a honorarios —con arreglo a la regulación contenida en el **artículo 4º de la ley Nº 18.883**— (...).*

En efecto, los programas indicados no se encuentran concebidos como parte de la gestión permanente del municipio, sino como medidas esencialmente ocasionales y transitorias, derivadas de situaciones circunstanciales y por períodos que no exceden los tres meses; las acciones contempladas en aquellos se hallan debidamente especificadas y delimitadas, y todas están directamente asociadas al desarrollo de programas en beneficio de la comunidad para enfrentar casos de emergencia.

Sin embargo, según la documentación acompañada, algunas de las labores consideradas para ejecutar los programas en cuestión se refieren a funciones de supervisión, por lo que corresponde hacer presente que no procede que estas sean desempeñadas por personas contratadas a honorarios, toda vez que su ejercicio se encuentra reservado a los funcionarios de planta, nombrados de conformidad con la ley Nº 18.883 (aplica criterio contenido en el dictamen Nº 22.135, de 2000, de este origen)». (**ID Dictamen: 073808N12 Fecha:** 27.11.2012 **Destinatarios:** Alcalde de la Municipalidad de Conchalí. **Texto:** Desestima solicitud de reconsideración de dictamen 31394/2012, relativo a las contrataciones a honorarios para realizar labores de mantención de áreas verdes en la Comuna de Conchalí, y se pronuncia sobre medidas adoptadas por Municipio en relación con la materia. **Acción:** Confirma dictamen 31394/2012)

15. *«Sobre el particular, cabe hacer presente que, de conformidad con lo dispuesto en el **artículo 4º, inciso tercero, de la ley Nº 18.883**, Estatuto Administrativo para Funcionarios Municipales, las personas contratadas a honorarios se rigen por las reglas que establezca el aludido contrato y no les son aplicables las disposiciones estatutarias contenidas en dicho cuerpo legal, tal como lo ha manifestado este Organismo Contralor en los dictámenes Nºs. 7.266, de 2005, y 42.845, de 2008, entre otros,* por tanto, en el caso de la especie, atendido que de los antecedentes acompañados por el municipio consta que la recurrente fue contratada para prestar servicios entre el 28 de mayo y el 31 de julio de

2012, cumple con señalar que el término de su contrato se produjo por la sola expiración del plazo por el que había sido contratada.

Por su parte, respecto al descuento efectuado por el municipio en las remuneraciones de los días trabajados por la peticionaria durante el mes de mayo, es necesario señalar que el procedimiento aritmético válido para calcular honorarios en contrataciones inferiores a 30 días, dado un contrato de prestación de servicios establecido en base a honorarios brutos mensuales, consiste en dividir el monto mensual acordado por treinta y el resultado de esa operación, multiplicarlo por el número de días trabajados, sin importar que el mes en cuestión contenga un número de días diverso del precedentemente mencionado, motivo por el cual se debe pagar, en este caso, la remuneración correspondiente al trabajo efectuado entre los días 28 y 31 de mayo incluidos, obteniéndose un total de 4 días, y no los 3 que señala el municipio (aplica criterio contenido en los dictámenes Nºs. 11.435, de 2002, y 35.938, de 2005, de este origen). (...)

Sin perjuicio de lo señalado precedentemente, es importante hacer presente que a partir de la entrada en vigencia de la ley Nº 20.550, el 26 de octubre de 2011, se introdujo a la ley Nº 20.248 un nuevo artículo 8º bis, de acuerdo con el cual, en síntesis, desde dicha data, para el cumplimiento de las acciones en las áreas o dimensiones que comprende el Plan de Mejoramiento Educativo, el sostenedor está facultado para contratar docentes, asistentes de la educación a los que se refiere el artículo 2º de la ley Nº 19.464, y el personal necesario para mejorar las capacidades técnico pedagógicas del establecimiento y para la elaboración, desarrollo, seguimiento y evaluación del Plan de Mejoramiento; aumentar la contratación de las horas de personal docente, asistentes de la educación y de otros funcionarios que laboren en el respectivo establecimiento educacional, e incrementar sus remuneraciones.

Tales contrataciones, agrega el nuevo artículo 8º bis, se regirán por las normas del decreto con fuerza de ley Nº 1, de 1996, del Ministerio de Educación —texto refundido, coordinado y sistematizado de la ley Nº 19.070—, del Código del Trabajo o por las normas del derecho común, según corresponda, por ende, a partir de entonces las contrataciones realizadas para llevar a cabo las acciones contenidas en la referida ley, deben efectuarse de acuerdo a las modalidades recién indicadas, en consideración a la naturaleza de las funciones que va a desempeñar aquel que va a ser contratado, como se puntualizara en el dictamen Nº 45.875, de 2012, de este origen». (**ID Dictamen: 072003N12 Fecha:** 19.11.2012 **Destinatarios:** Alcalde de la Municipalidad de Independencia. **Texto:** Sobre término de contrato a honorarios y descuento de un día de trabajo a docente que prestaba servicios con cargo a los fondos de ley 20248. **Acción:** Aplica dictámenes 7266/2005, 42845/2008, 11435/2002, 35938/2005, 45875/2012)

16. *«Sobre el particular, cumple manifestar que de conformidad con lo dispuesto en el **artículo 4º de la ley Nº 18.883, Estatuto Administrativo para Funcionarios Municipales,** la relación de las personas contratadas a honorarios con los municipios se rige por las reglas que establezca el respectivo contrato, no resultando aplicables las disposiciones estatutarias contenidas en el referido cuerpo legal».* (**ID Dictamen: 048390N12 Fecha:** 08.08.2012 **Destinatarios:** Alcalde de la Municipalidad de Melipilla. **Texto:** Sobre término anticipado de contratación a honorarios y solicitud de diligencias que indica. **Acción:** Aplica dictámenes 24290/2010, 11312/2011, 31320/2011, 3884/2000, 24066/2008)[104]

17. *«PERSONAL REGIDO POR LAS NORMAS DEL DERECHO COMÚN. A continuación es menester referirse al personal que debe ser contratado por las normas del derecho común, luego de la incorporación del mencionado artículo 8º bis. A este respecto, corresponde aclarar qué debe entenderse por normas de derecho común, al tenor de la disposición legal en examen. Sobre este punto, es necesario señalar que la modificación introducida por el precepto legal en análisis, dispuso que los sostenedores pueden contratar, además de docentes y asistentes de la educación, al personal necesario para mejorar las capacidades técnico-pedagógicas del establecimiento y para la elaboración, desarrollo, seguimiento y evaluación del Plan de Mejoramiento, estableciendo expresamente que a los dos primeros personales se les aplicarían, respectivamente, las normas de la ley Nº 19.070 y del Código del Trabajo. De este modo, considerando que de la propia historia fidedigna del establecimiento de la ley Nº 20.550, se infiere que el espíritu del legislador, al manifestar que se pretendía establecer un sistema de contratación más flexible, no fue eliminar las contrataciones a honorarios como una de las formas para contratar a quienes deben llevar a cabo las acciones de implementación y ejecución de los Planes de Mejoramiento Educativo, sino establecer otras modalidades que la complementaran, se debe desprender que la alusión que se efectúa en el artículo 8º bis de la ley Nº 20.248 a las normas del derecho común, se refiere a la regulación de las*

---

[104] Para efectos de su consulta en la Base de Jurisprudencia de Contraloría General de la República, el citado dictamen se encuentra en la sección/materia: «generales», sin perjuicio de que se trata de uno de carácter municipal.

contrataciones a honorarios, toda vez que el citado precepto ya había mencionado que el resto del personal que autoriza contratar se regularía por otros estatutos específicos.

Además, en este orden de ideas, es importante anotar que la jurisprudencia de esta Entidad de Fiscalización, contenida, entre otros, en *los dictámenes Nºs. 5.079, de 2005; 56.375, de 2007, y 14.674 y 18.285, ambos de 2009, ha manifestado que cuando la Administración contrata sobre la base de honorarios los servicios de una persona, la relación se encuentra regida por las normas y principios, precisamente, del derecho común.*

En este contexto, por consiguiente, *la remisión del artículo 8º bis a las normas del derecho común, implica que a los demás servidores que se requieran para el cumplimiento de las acciones aludidas precedentemente, se les deberá aplicar el artículo 4º de la ley Nº 18.883,* Estatuto Administrativo para Funcionarios Municipales, que regula las contrataciones a honorarios. *Así, es importante indicar, acorde con lo establecido en el inciso primero del citado artículo 4º de la ley Nº 18.883, que la contratación a honorarios debe referirse a profesionales y técnicos de educación superior y expertos en determinadas materias, cuando deban realizarse labores accidentales y que no sean las habituales de la municipalidad y a extranjeros que posean título correspondiente a la especialidad que se requiera.*

En consecuencia, *cumple con manifestar que la contratación a honorarios, debe reservarse solo para los casos en que, tal como lo señala el inciso primero del citado precepto legal, se requieran servicios específicos y accidentales que pueden prestar determinados servidores, que en el caso de los establecimientos educacionales no podrán ser aquellos que naturalmente cumplen los docentes o asistentes de la educación, sino necesariamente los vinculados con la mejora de las capacidades técnico pedagógicas del establecimiento y para la elaboración, desarrollo, seguimiento y evaluación del plan de mejoramiento respectivo».* **(ID Dictamen: 045875N12 Fecha:** 30.07.2012 **Destinatarios:** Sergio Gajardo Campos. **Texto:** Sobre regímenes laborales, formas de contratación y derechos que le asisten al personal contratado con cargo a los fondos de la ley 20248, sobre subvención escolar preferencial, luego de la modificación introducida por el art. único núm./4 de la ley 20550. **Acción:** Aplica dictámenes 44747/2009, 7822/2006, 5079/2005, 56375/2007, 14674/2009, 18285/2009, 56373/2011)

18. «*En tanto, según lo establecido en el artículo 4º de la ley Nº 18.883, Estatuto Administrativo para Funcionarios Municipales, procede la contratación de servicios a honorarios para el cumplimiento de tareas accidentales y que no sean habituales de la municipalidad, o que, siéndolo, sean específicas, es decir, puntuales y circunscritas a un objetivo determinado. (...)*

Como es posible advertir, los gastos comprendidos en la aludida cuenta presupuestaria son aquellos que derivan de las contrataciones a honorarios de personas naturales que tengan por objeto la prestación de servicios que reúnan las siguientes características: a) que sean ocasionales y/o transitorios; b) que sean ajenos a la gestión administrativa interna de las respectivas municipalidades y c) que se encuentren directamente asociados al desarrollo de programas en beneficio de la comunidad, en materias de carácter social, cultural, deportivo, de rehabilitación o para enfrentar situaciones de emergencia, desarrollados en cumplimiento de las funciones previstas en el artículo 4º de la ley Nº 18.695, Orgánica Constitucional de Municipalidades.

Pues bien, para los efectos de determinar si la entidad edilicia puede realizar las contrataciones respectivas bajo la referida modalidad de programas comunitarios, es necesario dilucidar si los servicios que se contratarán a través de los aludidos programas reúnen las condiciones anotadas precedentemente.

En primer término, en lo concerniente a que se trate de servicios ocasionales y/o transitorios, cabe anotar que esta nomenclatura alude a labores que si bien corresponden a las municipalidades, son de carácter circunstancial, en contraposición a aquellas que estas deben realizar en forma permanente y habitual (aplica criterio contenido en el dictamen Nº 53.796, de 2009). (...)

Por otra parte, en cuanto al cumplimiento del supuesto referido a que los servicios respectivos sean ajenos a la gestión administrativa interna de la municipalidad, es del caso manifestar que, en concordancia con el criterio contenido en el dictamen Nº 60.469, de 2008, tal requisito tiene por objeto evitar que por la vía de las contrataciones en comento se suplan posibles carencias de personal en los municipios.

Es decir, se trata de que a través de dicho mecanismo no se encomienden funciones genéricas propias de un cargo o empleo municipal, cuyo cumplimiento ha sido reservado a los funcionarios de planta o a contrata, en conformidad con lo dispuesto en el artículo 5º, letras a) y f), de la ley Nº 18.883, Estatuto Administrativo para Funcionarios Municipales, a personas contratadas a honorarios, supuesto este que, según se advierte de los antecedentes tenidos a la vista, se cumpliría en la especie (aplica criterio contenido en los dictámenes Nºs. 1.399, de 2003 y 74.870, de 2011, entre otros)». **(ID Dictamen: 031394N12 Fecha:** 29.05.2012 **Destinatarios:** Alcalde de la Municipalidad de Conchalí. **Texto:** Sobre contratación a honorarios de personal para labores de mantenimiento de áreas verdes de la comuna de Conchalí. **Acción:** Aplica dictámenes 27861/90, 49388/2006, 53796/2009, 60469/2008, 1399/2003, 74870/2011, 60713/2011)

19. «*Precisado lo anterior, cabe reiterar que las personas contratadas a honorarios están sujetas al principio de probidad administrativa, el que alcanza tanto a los funcionarios públicos como a los contratados bajo aquella modalidad, puesto que estos últimos tienen la calidad de servidores estatales, en la medida que prestan servicios al estado en virtud de un acuerdo suscrito con un órgano público, el que por su condición de tal no puede celebrar convenios que eventualmente comprometan el interés público y que, obviamente, se vería afectado si se contratan personas que no reúnen los requisitos de probidad exigidos por el ordenamiento jurídico (aplica dictámenes Nºs. 13.575, de 1998, y 129, de 2004)*». **(ID Dictamen: 030010N12 Fecha:** 23.05.2012 **Destinatarios:** Alcalde de la Municipalidad de Macul. **Texto:** Sobre inhabilidad para desempeñarse bajo la modalidad de contrato a honorarios en razón de no haberse adjuntado el certificado de antecedentes, considerando la calidad de servidor estatal. **Acción:** Aplica dictámenes 24308/2006, 14283/2009, 76028/2011, 13575/98, 129/2004, 62761/2011)

20. «*Con todo, cabe recordar que las contrataciones a honorarios que pueden aprobar los municipios deben enmarcarse en lo establecido en el artículo 4º de la citada ley Nº 18.883, en cuanto permite la contratación sobre la base de honorarios a profesionales y técnicos de educación superior o expertos en determinadas materias, cuando deban realizarse labores accidentales y que no sean las habituales de la municipalidad. Añade que se podrá contratar sobre la base de honorarios, la prestación de servicios para cometidos específicos, conforme a las normas generales.*
En este orden de ideas y en concordancia con el criterio sostenido en el citado oficio Nº 2.372, de 2007, de una interpretación armónica de las normas citadas, es posible colegir que los directivos municipales pueden ser contratados en base a honorarios por la misma entidad para labores accidentales y que no sean habituales en el municipio o para cometidos específicos, siempre que se realicen fuera del horario de trabajo, sin que resulte aplicable al efecto la prohibición contenida en el artículo 4º de la ley Nº 19.886.
En este contexto, atendido a que la consulta de dicho municipio dice relación con la contratación a honorarios del secretario municipal para asumir responsabilidades en la "cartera hipotecaria", sin que se adjunten los antecedentes que permitan precisar esta función, cabe señalar que ello resultará jurídicamente procedente en la medida que las labores contratadas se ajusten a lo dispuesto en el artículo 4º de la ley Nº 18.883 y se efectúen fuera del horario de trabajo del respectivo funcionario directivo». **(ID Dictamen: 025191N12 Fecha:** 02.05.2012 **Destinatarios:** Alcalde de la Municipalidad de Curanilahue. **Texto:** Sobre contratación a honorarios de funcionario directivo de la Municipalidad de Curanilahue. **Acción:** Aplica dictamen 37922/2007)

21. «*Sobre el particular, cumple precisar, en primer lugar, que el citado artículo 4º de la ley Nº 18.883 no puede sino entenderse referido a la contratación de trabajadores a honorarios para el cumplimiento de labores de interés municipal, en los términos que describe, esto es, funciones municipales debidamente especificadas o accidentales.*
Por otra parte, cabe tener presente que, en conformidad con el criterio contenido, entre otros, en los dictámenes Nºs. 37.965, de 1973 y 37.076, de 1996, el derecho a defensa que asiste a los funcionarios municipales, regulado en el referido artículo 88 del aludido texto legal, responde al espíritu del legislador de velar por la respetabilidad de la función pública, por lo que tal beneficio estatutario no opera cuando es el servidor quien ha incurrido en un hecho que eventualmente puede comprometer su responsabilidad penal o civil, resultando del caso agregar que, por lo demás, según el criterio sustentado en el dictamen Nº 49.785, de 2009, la mencionada garantía no puede extenderse a la representación de intereses de una índole diversa a la señalada —esto es, la defensa del derecho a la vida, la integridad corporal o el honor de los funcionarios— o que no deriven directamente de las circunstancias específicas que ha establecido el precepto legal sobre la materia, ni ejercerse sin sujeción a las condiciones que la jurisprudencia administrativa ha indicado.
Siendo así, atendido que el legislador ha previsto, excepcionalmente, el derecho a defensa de los funcionarios en los términos planteados en la referida disposición, resulta improcedente entender, mediante la interpretación del aludido artículo 4º del Estatuto Administrativo para Funcionarios Municipales efectuada en el anotado dictamen Nº 27.951, de 2003, que en casos en que no concurran los supuestos regulados en el citado artículo 88, procedería que el municipio provea los medios necesarios para la defensa de los funcionarios en un juicio en que se persigue su responsabilidad penal, aun cuando los hechos que la originarían se enmarquen dentro del ejercicio de sus funciones, por cuanto dicha responsabilidad es siempre personal, de manera que debe descartarse que tal defensa implique el resguardo de un interés municipal.
De este modo, tratándose de la defensa de un interés particular, no corresponde al municipio solventar los costos que esta involucre, salvo cuando concurren las precisas circunstancias contempladas en el mencionado artículo 88, caso en

el que la propia ley, por la especial entidad de los bienes jurídicos comprometidos y el hecho de producirse el agravio respectivo con ocasión del ejercicio de una función pública, dispone un tratamiento excepcional.

(...) Sin embargo, no obstante tratarse, en la especie, de la defensa judicial de la eventual responsabilidad penal del alcalde en la comisión del delito antes referido, y no concurrir los supuestos previstos en el aludido artículo 88 de la ley Nº 18.883 para que se configure el derecho del edil a ser defendido por el municipio, cumple manifestar que, considerando que la jurisprudencia vigente —dictamen Nº 27.951, de 2003— a la fecha en que ocurrió la contratación de un abogado a honorarios para que asesorara y representara al alcalde y/o a la Municipalidad de Concón en el proceso penal referido, admitía tal actuación, al amparo de lo dispuesto en el referido artículo 4º de la ley Nº 18.883, no ha procedido observarla mediante el pronunciamiento cuya reconsideración se solicita, toda vez que, según lo señalado, entre otros, en el dictamen Nº 17.719, de 2008, cuando nuevos estudios o antecedentes autorizan la modificación interpretativa de una norma, el nuevo criterio se aplica solamente hacia el futuro, sin afectar las situaciones particulares acaecidas con anterioridad». **(ID Dictamen: 018944N12 Fecha:** 03.04.2012 **Destinatarios:** Alcalde de la Municipalidad de Concón. **Texto:** Acoge parcialmente solicitud de reconsideración de dictamen 62923/2011, relativo a defensa municipal de alcalde y de servidor a honorarios que indica en causa judicial por delito informático. **Acción:** Aplica dictámenes 37965/73, 37076/96, 49785/2009, 27951/2003, 17719/2008 Reconsidera parcialmente dictamen 62923/2011 Complementa dictamen 62923/2011)

22. *«5) Contratos a honorarios y convenios que involucren la prestación de servicios personales. **Este Organismo de Control fiscalizará especialmente las tareas encomendadas a las personas contratadas a honorarios respecto a su efectiva ejecución y al respeto de horarios de trabajo,** cuando corresponda, velando, por cierto, que se emitan los informes que en cada caso se contemplen en el respectivo contrato.*

*Sobre el particular, debe darse cumplimiento a las disposiciones de los artículos 11 de la ley Nº 18.834 y **4º de la ley Nº 18.883, teniendo presente que las labores realizadas deben corresponder a aquellas previstas en los contratos respectivos, relacionadas siempre con los objetivos de la institución de que se trate.***

En relación a aquellos funcionarios que además tengan contratos a honorarios, se debe hacer presente que esas labores deben ser realizadas fuera de la jornada ordinaria de trabajo, conforme a lo dispuesto en los artículos 87, letra b), de la ley Nº 18.834 y 85, letra b), de la ley Nº 18.883». **(ID Dictamen: 015000N12 Fecha:** 15.03.2012 **Texto:** Imparte instrucciones con motivo de las elecciones municipales del año 2012, especialmente sobre: prescindencia política de los funcionarios de la Administración del Estado; aplicación de los artículos 156 y siguientes de la ley 10336; prohibición de uso de bienes, vehículos y recursos en actividades políticas; regulaciones atingentes a personal que deben tenerse especialmente en cuenta; situación de los alcaldes y concejales; responsabilidades y denuncias; cumplimiento y difusión de estas instrucciones y conclusiones. **Acción:** Aplica dictámenes 24886/95, 60132/2008, 34943/2009, 62786/2009, 35593/95 54354/2008, 19503/2009, 1979/2012, 11552/2005, 34684/99, 6278/2009, 54319/2004, 2363/2010)

23. *«Sobre el particular, cabe señalar que los artículos 56 y 63, letra a), de la ley Nº 18.695, Orgánica Constitucional de Municipalidades, **en relación con el artículo 4º, inciso tercero, de la ley Nº 18.883, sobre Estatuto Administrativo para Funcionarios Municipales,** disponen que el alcalde en su calidad de máxima autoridad de la municipalidad, se encuentra facultado para contratar personas a honorarios, quienes, según lo dispone este último precepto, se rigen por las reglas que establezca el contrato y no les son aplicables las disposiciones estatutarias contenidas en dicho cuerpo legal. (...)*

Sin perjuicio de lo anterior, esta Contraloría General cumple con hacer presente que las autoridades administrativas, como asimismo quienes presten servicios a la Administración, deben someter sus actuaciones al principio de probidad administrativa, establecido en el artículo 52 de la ley Nº 18.575, Orgánica Constitucional de Bases Generales de la Administración del Estado, el que obliga a observar una conducta intachable y un desempeño honesto y leal de la función o cargo, con preeminencia del interés general sobre el particular; en concordancia con el artículo 19 de ese texto legal, que ordena que aquellos están impedidos de realizar cualquier actividad política dentro de la Administración, por tanto, en lo sucesivo, el municipio deberá velar por que las personas contratadas a honorarios ajusten sus actuaciones estrictamente a lo contenido en sus contratos, y en sus informes de gestión, sólo den cuenta de las actividades llevadas a cabo en el período correspondiente, de modo de dar cumplimiento a la normativa jurídica precitada». **(ID Dictamen: 012552N12 Fecha:** 02.03.2012 **Destinatarios:** Alcalde de la Municipalidad de San Miguel. **Texto:** Municipio debe velar porque las personas contratadas a honorarios ajusten sus actuaciones estrictamente a lo contenido en sus contratos, y en sus informes de gestión, sólo den cuenta de las actividades llevadas a cabo en el período correspondiente. Quienes prestan servicios a la Administración deben someter sus actuaciones al principio de probidad administrativa establecido en el art. 52 de la ley 18575, en concordancia con el art. 19 de ese texto, que prohíbe a su personal la realización de cualquier actividad política en su interior)[105]

24. «*Segundo: Que de acuerdo con lo que previene el artículo 4º de la Ley Nº 18.883, las personas que prestan servicios sobre la base de honorarios en los organismos pertenecientes a la Administración del Estado, están afectas a las reglas que establezca el respectivo contrato y marginadas de la aplicación de las disposiciones del Estatuto Municipal, tal como lo declara la parte final del mismo precepto.*

Tercero: Que, por lo anterior, no podrá acogerse el recurso de apelación deducido por la parte demandante por cuanto, como lo decidió el fallo que se revisa, las personas contratadas a honorarios en la Administración del Estado no pueden hacer valer derechos o beneficios establecidos en el Código del Trabajo, porque este cuerpo legal no rige en el ámbito de la Administración del Estado sometida al Estatuto Municipal, salvo en las materias o aspectos no regulados por las normas estatutarias aplicables a sus funcionarios, conforme lo preceptúan los incisos segundo y tercero del artículo 1º del mismo Código». (**CS Rol Nº 9400-2010 Fecha:** 16.06.2011. **Sala:** Pronunciada por la Cuarta Sala de la Corte Suprema integrada por los Ministros señor Patricio Valdés A., señor Patricio Figueroa S.).

Artículo 5º

Para los efectos de Estatuto el significado legal de los términos que a continuación se indican será el siguiente:

a) Cargo municipal:

Es aquél que se contempla en las plantas de los municipios y a través del cual se realiza una función municipal.

b) Planta de personal:

Es el conjunto de cargos permanentes asignados por la ley a cada municipalidad, que se conformará de acuerdo a lo establecido en el artículo 7º.

c) Sueldo:

Es la retribución pecuniaria, de carácter fijo y por períodos iguales, asignada a un empleo municipal de acuerdo con el nivel o grado en que se encuentra clasificado.

d) Remuneración:

Es cualquier contraprestación en dinero que el funcionario tenga derecho a percibir en razón de su empleo o función, como, por ejemplo, sueldo, asignación municipal, asignación de zona y otras.

e) Carrera funcionaria:

Es un sistema integral de regulación del empleo municipal aplicable al personal titular de planta, fundado en principios jerárquicos, profesionales y técnicos, que garantiza la igualdad de oportunidades para el ingreso, la dignidad de la función municipal, la capacitación y el ascenso, la estabilidad en el empleo, y la objetividad en las calificaciones en función del mérito y de la antigüedad.

f) Empleo a contrata:

Es aquel de carácter transitorio que se contempla en la dotación de una municipalidad.

1. «*Sobre este punto, y en relación a la ausencia de calificaciones de un funcionario de reciente ingreso, esta Entidad Fiscalizadora en el dictamen Nº 72.527, de 2011, entre otros, ha concluido que dicha circunstancia no se enmarca dentro de las inhabilidades contempladas en las referidas letras a) y b), del artículo 53, por cuanto esa situación no fue*

---

[105]   Para efectos de su consulta en la Base de Jurisprudencia de Contraloría General de la República, el citado dictamen se encuentra en la sección/materia: «generales», sin perjuicio de que se trata de uno de carácter municipal.

expresamente contemplada por el legislador, no pudiendo agregarse, por la vía de la interpretación, un requerimiento adicional para acceder por ascenso a un cargo vacante, toda vez que lo contrario significaría preferir a una persona ajena al municipio, vulnerándose de esta manera la carrera funcionaria contemplada en la letra e) del artículo 5º de la ley Nº 18.883». **(ID Dictamen:** 002221N16. **Fecha:** 11-01-2016. **Destinatarios:** doña Andrea Cordero Cordero, funcionaria de la Municipalidad de Galvarino. **Texto:** Desestima solicitud de reconsideración que indica, y procede que el cargo de director de administración y finanzas de la municipalidad de Galvarino se provea de conformidad con las reglas sobre concurso. **Acción:** Aplica dictámenes 72527/2011, 63029/2015).

2. «*Finalmente, tratándose de la consulta formulada por el órgano comunal en orden a si a dichas servidoras les asisten el derecho al ascenso y las demás prerrogativas de la carrera funcionaria, es del caso indicar que el artículo 5º, letra e), de la ley Nº 18.883, previene, en lo que interesa, que la carrera funcionaria "Es un sistema integral de regulación del empleo municipal aplicable al personal titular de planta, fundado en principios jerárquicos, profesionales y técnicos, que garantiza la igualdad de oportunidades para el ingreso, la dignidad de la función municipal, la capacitación y el ascenso". Al respecto, la jurisprudencia administrativa de este Organismo Fiscalizador contenida, entre otros, en el dictamen Nº 33.257, de 1994, ha precisado que los funcionarios a contrata están sujetos a ley Nº 18.883 en todo aquello que sea compatible con la naturaleza de esos cargos; agregando que, dada la naturaleza transitoria de estos, no les resultan aplicables las disposiciones atingentes al derecho a ascenso, por encontrarse dichos empleos fuera de la carrera funcionaria, quedando afectos a los preceptos que en dicho cuerpo estatutario se establecen en relación con la destinación funcionaria, los feriados, permisos y licencias, entre otros».* **(ID Dictamen:** 013714N18. **Fecha:** 04-06-2018. **Destinatarios:** Municipalidad de Buin. **Texto:** Remuneraciones de funcionarios contratados por las municipalidades deben ser imputadas al cuarenta por ciento que establece el artículo 2º de la ley Nº 18.883. Las municipalidades no se encuentran facultadas para crear cargos adscritos. Funcionarios municipales a contrata no gozan del derecho al ascenso. **Acción:** Aplica dictámenes 29188/2006, 30590/2012, 33257/94).

3. «*Por otro lado, es útil destacar que el artículo 5º, letra d), de la ley Nº 18.883 —aplicable al personal de atención primaria de salud municipal, en virtud del inciso primero del artículo 4º, de la ley Nº 19.378—, define la remuneración como cualquier contraprestación en dinero que el funcionario tenga derecho a percibir en razón de su empleo o función. De esta manera, es dable concluir que las remuneraciones son una consecuencia directa del ejercicio de un determinado cargo, por lo que el certificado de equivalencia para fines laborales también habilita a su poseedor a recibir todas las remuneraciones propias del empleo al que ha podido acceder en virtud del referido documento».* **(ID Dictamen:** 002475N18. **Fecha:** 22-01-2018. **Destinatarios:** Municipalidad de Padre Hurtado. **Texto:** Certificado de equivalencia de estudios para fines laborales, habilita para percibir la bonificación contemplada en el artículo 3º de la ley Nº 20.157, cumpliendo con los demás requisitos legales. **Acción:** Aplica dictamen 17642/2016).

4. «*Por su parte, el artículo 5º, letra f), del precitado cuerpo normativo, expresa que el empleo a contrata "Es aquel de carácter transitorio que se contempla en la dotación de una municipalidad", razón por cual la jurisprudencia administrativa emanada de esta Contraloría General, ha precisado que las designaciones a contrata constituyen empleos esencialmente transitorios que se consultan en la dotación de una institución, cuya finalidad es la de complementar el conjunto de cargos permanentes que forman parte de la planta de personal de un servicio, según lo requieran las necesidades de este (aplica criterio contenido en dictamen. Por consiguiente, teniendo en cuenta que las reiteradas renovaciones de las contrataciones —desde la segunda renovación al menos—, generan en los servidores municipales que se desempeñan sujetos a esa modalidad, la confianza legítima de que tal práctica será reiterada en el futuro, para adoptar una determinación diversa, es menester —al amparo del referido principio—, que la autoridad municipal emita un acto administrativo, que explicite los fundamentos que avalan tal decisión. Por lo tanto, corresponde reconsiderar el criterio contenido en los dictámenes Nºs. 19.385, de 2001, 58.781, de 2010, 68.642, de 2011, 38.825, de 2012, y 48.889, de 2012, y toda la jurisprudencia en contrario del criterio expuesto en el presente pronunciamiento. En relación con lo anterior, se debe tener presente que en virtud de lo manifestado en el dictamen Nº 65.125, de 2009, entre otros, al producirse necesariamente un cambio de jurisprudencia, en resguardo del principio de seguridad jurídica, el nuevo criterio solo genera efectos para el futuro, sin afectar las situaciones acaecidas durante la vigencia de la doctrina que ha sido sustituida por el nuevo pronunciamiento, sin perjuicio de que si este se ha originado en la reclamación de uno o más interesados, deban ser estos los primeros beneficiados por la modificación, como ocurre en el caso concreto con don Jorge Neira Herrera y don Jorge Figueroa Palet».* **(ID Dictamen:** 022766N16. **Fecha:** 24-03-2016. **Destinatarios:** don Jorge Neira Herrera, exfuncionario de la Municipalidad de Santiago. **Texto:** Renovación de contrata durante varios años, generó para funcionarios la confianza legítima de que dicha práctica administrativa se reiteraría para el año 2016, correspondiendo que una determinación distinta del municipio sobre la materia se concrete a través de un acto adminis-

trativo motivado. Reconsidera toda jurisprudencia en contrario. **Acción:** Aplica dictámenes 29097/2008, 13207/2010, 65125/2009 Reconsidera dictámenes 19385/2001, 58781/2010, 68642/2011, 38825/2012, 48889/2012).

5. «*Precisado lo anterior, es menester indicar que de acuerdo con los artículos 2º, incisos segundo y tercero, y 5º, letra f), de la ley Nº 18.883, los empleos a contrata son aquellos de carácter transitorio que se contemplan en la dotación de una municipalidad, cuya duración máxima es hasta el 31 de diciembre de cada año, y quienes los sirvan cesarán en sus funciones en esa fecha, por el solo ministerio de la ley, salvo que hubiere sido dispuesta la prórroga con treinta días de anticipación a lo menos. Al respecto, la jurisprudencia de esta Contraloría General, contenida entre otros, en los dictámenes Nºs. 74.764, de 2012, y 80.960, de 2014, ha concluido, en lo pertinente, que cuando una contratación o su prórroga, ha sido dispuesta con la fórmula «mientras sean necesarios sus servicios», la autoridad administrativa puede ponerle término en el momento que estime conveniente. No obstante, es menester indicar que el inciso segundo del artículo 11 de la ley Nº 19.880 preceptúa que "Los hechos y fundamentos de derecho deberán siempre expresarse en aquellos actos que afectaren los derechos de los particulares", lo que guarda concordancia con lo previsto en el inciso primero del artículo 16, que dispone "El procedimiento administrativo se realizará con transparencia, de manera que permita y promueva el conocimiento, contenidos y fundamentos de las decisiones que se adopten en él", y en el inciso cuarto del artículo 41 del mismo texto legal que establece "Las resoluciones contendrán la decisión, que será fundada". Así, los actos administrativos que afecten los derechos de los particulares, tanto los de contenido negativo o gravamen como los de contenido favorable, deberán ser fundados, debiendo, por tanto, la autoridad que los dicta, expresar los motivos —esto es, las condiciones que posibilitan y justifican su emisión—, los razonamientos y los antecedentes de hecho y de derecho que le sirven de sustento y conforme a los cuales ha adoptado su decisión, pues de lo contrario implicaría confundir la discrecionalidad que le concede el ordenamiento jurídico con la arbitrariedad, sin que sea suficiente la mera referencia formal, de manera que su sola lectura permita conocer cuál fue el raciocinio para la adopción de su decisión (aplica dictámenes Nºs. 91.219, de 2014, y 1.342, de 2015). En este orden de ideas, los dictámenes Nºs. 499, de 2012, y 4.567, de 2015, han precisado que la exigencia de fundamentación de los actos administrativos se vincula con el recto ejercicio de las potestades otorgadas a la Administración activa, toda vez que permite cautelar que éstas se ejerzan de acuerdo a los principios de juridicidad —el que lleva implícito el de racionalidad—, evitando todo abuso o exceso, de acuerdo con los artículos 6º y 7º de la Constitución Política de la República, en relación con el artículo 2º de la ley Nº 18.575 —Orgánica Constitucional de Bases Generales de la Administración del Estado—, y de igualdad y no discriminación arbitraria —contenido en el artículo 19, Nº 2, de la Carta Fundamental— como, asimismo, velar porque tales facultades se ejerzan en concordancia con el objetivo considerado por el ordenamiento jurídico al conferirlas».* (**ID Dictamen:** 023518N16. **Fecha:** 29-03-2016. **Destinatarios:** Patricia García Mersegué, exfuncionaria de la Municipalidad de Recoleta. **Texto:** Término anticipado de una designación a contrata debe disponerse por un acto administrativo fundado. **Acción:** Aplica dictámenes 74764/2012, 80960/2014, 91219/2014, 1342/2015, 499/2012, 4567/2015, 2292/2014).

6. «*Sin perjuicio de lo anterior, es del caso hacer presente que nada obsta a que, de conformidad con la normativa general que regula el empleo a contrata, prevista en los artículos 2º, incisos segundo, tercero, cuarto y sexto, y 5º, letra f), ambos de ley Nº 18.883, el señor Peñailillo Guzmán sea asimilado a un grado superior del respectivo escalafón de la Municipalidad de Valparaíso».* (**ID Dictamen:** 024562N18. **Fecha:** 02-10-2018. **Destinatarios:** Municipalidad de Valparaíso. **Texto:** Nada obsta a que, de conformidad con la normativa general que regula el empleo a contrata, el funcionario que indica sea asimilado a un grado superior del estamento de administrativos de la Municipalidad de Valparaíso. **Acción:** Aplica dictamen 84551/2016).

7. «*Sobre el particular, cumple manifestar que, de conformidad con lo establecido en los artículos 2º, inciso tercero, y 5º, letra f), de la ley Nº 18.883, el empleo a contrata es aquel de carácter transitorio que se contempla en la dotación de una municipalidad, cuya duración máxima es hasta el 31 de diciembre de cada año y las personas que lo sirven cesan en sus labores en esa fecha, por el solo ministerio de la ley, salvo que hubiera sido dispuesta la prórroga con treinta días de anticipación a lo menos. Enseguida, la reiterada jurisprudencia administrativa de este Órgano de Fiscalización contenida, entre otros, en los dictámenes Nºs. 31.337, de 2012, y 80.960, de 2014, ha declarado que cuando una contratación ha sido ordenada con la cláusula «mientras sean necesarios sus servicios», como acontece en la especie, la superioridad puede ponerle término en el momento que estime conveniente, sin que para ello se requiera la aceptación del interesado».* (**ID Dictamen:** 033419N16. **Fecha:** 06-05-2016. **Destinatarios:** señora Fabiola Ortega Espinoza, exfuncionaria de la Municipalidad de San José de Maipo. **Texto:** Término anticipado de contrata se dispuso por un acto administrativo motivado, el que produjo efectos en la fecha de su notificación tácita. Funcionaria tiene derecho al pago proporcional de la asignación establecida en la ley Nº 19.803. **Acción:** Aplica dictámenes 31337/2012, 80960/2014, 23518/2016, 97992/2014, 10409/2015, 72327/2014, 42796/2014, 51906/2015, 42862/2009, 29076/2013).

8. «*Sobre el particular, cumple manifestar que de conformidad con lo establecido en los artículos 2º, inciso tercero, y 5º, letra f), de la ley Nº 18.883, el empleo a contrata es aquel de carácter transitorio que se contempla en la dotación de una municipalidad, cuya duración máxima es hasta el 31 de diciembre de cada año y las personas que lo sirven cesan en sus labores en esa fecha, por el solo ministerio de la ley, salvo que hubiera sido dispuesta la prórroga con treinta días de anticipación a lo menos.*

Enseguida, la jurisprudencia administrativa de este Órgano de Fiscalización contenida, entre otros, en los dictámenes Nºs. 31.337, de 2012, y 80.960, de 2014, ha declarado que cuando una contratación ha sido ordenada con la cláusula "mientras sean necesarios sus servicios", como acontece en la especie, la superioridad puede ponerle término en el momento que estime conveniente, sin que para ello se requiera la aceptación del interesado.

Asimismo, es menester indicar que el decreto alcaldicio mediante el cual la autoridad ponga término anticipado a una contrata, debe necesariamente ser un acto administrativo fundado, pudiendo, en caso contrario, ser tachado de arbitrario y por ende, ilegítimo (aplica criterio contenido en el dictamen Nº 23.518, de 2016).

De este modo, en atención a que en el informe remitido a este Órgano de Control el municipio expuso los motivos de hecho por los que decidió desvincular anticipadamente al peticionario, y que estos resultan atendibles, por esta vez, no se objetará el precitado decreto Nº 854, de 2016, debiendo manifestarse que, en lo sucesivo, la Municipalidad de Recoleta tendrá que dictar actos administrativos fundados, en los que deberá incorporar las razones que den lugar a una determinada decisión.

Por su parte, en lo que concierne a la presunta persecución política y al supuesto maltrato laboral del que habría sido objeto el recurrente, cabe tener presente, en armonía con lo resuelto, entre otros, en el dictamen Nº 2.292, de 2014, que dichas materias deben ser analizadas en las instancias judiciales pertinentes o en un proceso sumarial ordenado por el alcalde, que determine las eventuales infracciones administrativas, ya que corresponde a la máxima autoridad municipal, en virtud de la potestad disciplinaria en ella radicada, evaluar la iniciación de una investigación de los hechos expuestos». (**ID Dictamen:** 053847N16. **Fecha:** 20-07-2016. **Destinatarios:** Ricardo Zapata Sepúlveda, exfuncionario de la Municipalidad de Recoleta. **Texto:** La terminación anticipada de una designación a contrata debe disponerse mediante un acto administrativo fundado y, desestima reclamo de maltrato y persecución laboral, en atención a que el ocurrente no acompaña antecedentes indicativos de aquello. **Acción:** Aplica dictámenes 31337/2012, 80960/2014, 23518/2016, 2292/2014, 18979/2016, 24143/2015).

9. «*Ahora bien, es necesario señalar que de acuerdo con los artículos 2º, incisos segundo y tercero, y 5º, letra f), de la ley Nº 18.883, los empleos a contrata son aquellos de carácter transitorio que se contemplan en la dotación de una municipalidad, cuya duración máxima es hasta el 31 de diciembre de cada año, y quienes los sirvan cesarán en sus funciones en esa fecha, por el solo ministerio de la ley, salvo que hubiere sido dispuesta la prórroga con treinta días de anticipación a lo menos.*

Al respecto, la jurisprudencia de esta Contraloría General, contenida entre otros, en los dictámenes Nºs. 74.764, de 2012, y 33.418, de 2013, ha concluido, en lo pertinente, que cuando una contratación o su prórroga, ha sido dispuesta con la fórmula "mientras sean necesarios sus servicios", la autoridad administrativa puede ponerle término en el momento que estime conveniente.

Por otra parte, es preciso aclarar, en relación con el principio de confianza legítima invocado por el recurrente, que en la situación planteada no resulta aplicable el dictamen Nº 22.766, de 2016, por cuanto dicho pronunciamiento se refiere a aquellos casos en que se han renovado reiteradamente las contrataciones de un funcionario, generándose en el servidor municipal que se desempeña sujeto a esa modalidad la confianza legítima de que esa conducta se mantendrá en el futuro, supuesto de hecho diverso al requerimiento en análisis, toda vez que al señor Aravena Aravena, habiéndosele renovado la contrata para el año 2016, se le terminó anticipadamente por no ser necesarios sus servicios en virtud de la facultad analizada». (**ID Dictamen:** 054867N16. **Fecha:** 26-07-2016. **Destinatarios:** señor Jonathan Aravena Aravena, exfuncionario de la Municipalidad de Peñaflor. **Texto:** Término anticipado de una designación a contrata debe disponerse por un acto administrativo fundado. **Acción:** Aplica dictámenes 74764/2012, 33418/2013, 23518/2016, 19986/2016).

10. «*Precisado lo anterior, es pertinente señalar que de acuerdo con los artículos 2º, incisos segundo y tercero, y 5º, letra f), de la ley Nº 18.883, los empleos a contrata son aquellos de carácter transitorio que se contemplan en la dotación de una municipalidad, cuya duración máxima es hasta el 31 de diciembre de cada año, y quienes los sirvan cesarán en sus funciones en esa fecha, por el solo ministerio de la ley, salvo que hubiere sido dispuesta la prórroga con treinta días de anticipación a lo menos.*

Al respecto, la jurisprudencia de esta Contraloría General, contenida entre otros, en los dictámenes Nºs. 74.764, de 2012, y 33.418, de 2013, ha concluido, en lo pertinente, que cuando una contratación o su prórroga, ha sido dispuesta con la fórmula "mientras sean necesarios sus servicios", la autoridad administrativa puede ponerle término en el momento que estime conveniente. En este contexto, y acorde con el dictamen N° 23.518, de 29 de marzo de 2016, se ha puntualizado la necesidad de que el término anticipado debe necesariamente ser fundado, teniendo la autoridad que emitir un acto administrativo en que se detallen los razonamientos y los antecedentes de hecho y de derecho en que que se sustenta, pues lo contrario implicaría confundir la discrecionalidad que le concede el ordenamiento jurídico con arbitrariedad, sin que sea suficiente la mera referencia formal, de manera que su sola lectura permita conocer cuál fue el raciocinio para la adopción de su decisión.

De este modo, atendido a que la prórroga de la designación del recurrente fue dispuesta incorporando la citada fórmula "mientras sean necesarios sus servicios", por la que la autoridad edilicia estaba facultada para ponerle término antes del 31 de diciembre de 2016, como efectivamente ocurrió a contar del 1 de marzo de igual año, y que el municipio expuso los motivos de hecho por los que decidió desvincular anticipadamente al peticionario, y que estos resultan atendibles, por esta vez, no se objetará el decreto N° 824, de 2016, debiendo manifestarse que, en lo sucesivo, la Municipalidad de Recoleta tendrá que dictar actos administrativos fundamentados, en los que deberá señalar las razones que den lugar a una determinada decisión». (**ID Dictamen:** 058078N16. **Fecha:** 05-08-2016. **Destinatarios:** señor Víctor Torres Urrutia, exfuncionario, de la Municipalidad de Recoleta. **Texto:** Término anticipado de una designación a contrata debe disponerse por un acto administrativo fundado. **Acción:** Aplica dictámenes 74764/2012, 33418/2013, 23518/2016, 19986/2016)

11. *«Al respecto, y según se indicara en el propio dictamen cuestionado, el artículo 5º, letra f), del recién citado texto legal, expresa que el empleo a contrata "Es aquel de carácter transitorio que se contempla en la dotación de una municipalidad", constituyendo, por tanto, efectivamente, designaciones esencialmente temporales que se consultan en la dotación de una institución, cuya finalidad es la de complementar el conjunto de cargos permanentes que forman parte de la planta de personal de un servicio, de acuerdo con las necesidades de este.*

Ahora bien, a diferencia de lo que sostiene la municipalidad en su solicitud, la circunstancia de que deba emitirse un acto administrativo que justifique la no renovación de una contrata que ha sido prorrogada al menos por segunda vez, de manera alguna altera la naturaleza transitoria de ese vínculo, pues la respectiva contratación siempre podrá expirar con la llegada del plazo establecido al efecto, de dictarse, por cierto, el acto en que se expresen los motivos de la anotada decisión, manteniéndose en la autoridad pertinente la facultad de determinar si aquella continuará una vez cumplido ese término.

En consecuencia, y considerando que el municipio recurrente no ha aportado nuevos antecedentes de hecho o de derecho que permitan modificar el criterio expresado en el aludido dictamen N° 22.766, de 2016, se rechaza la solicitud de reconsideración planteada a su respecto». (**ID Dictamen:** 063920N16. **Fecha:** 29-08-2016. **Destinatarios:** Municipalidad de Vitacura. **Texto:** Rechaza solicitud de reconsideración del dictamen N° 22.766, de 2016, por no aportarse nuevos antecedentes de hecho o de derecho. No corresponde que funcionario devuelva sumas percibidas por servicios a honorarios prestados mientras estuvo separado de sus funciones. **Acción:** Aplica dictámenes 22766/2016, 23518/2016).

12. *«En cuanto al término de su contratación, cumple con señalar que de acuerdo a los artículos 2º, incisos segundo y tercero, y 5º, letra f), de la ley N° 18.883, los empleos a contrata son aquellos de carácter transitorio que se contemplan en la dotación de una municipalidad, cuya duración máxima es hasta el 31 de diciembre de cada año, y quienes los sirvan cesarán en sus funciones en esa fecha, por el solo ministerio de la ley, salvo que hubiere sido dispuesta la prórroga con treinta días de anticipación a lo menos. De este modo, y de acuerdo a los antecedentes tenidos a la vista, el cese del vínculo laboral de don Gabriel Ahumada Pantoja con la entidad edilicia se produjo en conformidad con lo dispuesto en la precitada normativa, esto es, por el vencimiento del plazo establecido en la respectiva contratación, sin que se advierta irregularidad alguna en dicha circunstancia (aplica criterio contenido en el dictamen N° 53.844, de 2016)».* (**ID Dictamen:** 065020N16. **Fecha:** 02-09-2016. **Destinatarios:** señor Gabriel Ahumada Pantoja reclamando en contra de la Municipalidad de Colina por no haber renovado su vínculo. **Texto:** Cese del vínculo laboral de funcionario regido por la ley N° 18.883, se produjo por el vencimiento del plazo, sin que proceda aplicar en la especie el criterio contenido en el dictamen N° 22.766, de 2016, por cuanto las sucesivas contrataciones no se dispusieron en los mismos términos. **Acción:** Aplica dictamen 53844/2016).

13. *«En cuanto al término de su contratación, cumple con señalar que de acuerdo a los artículos 2º, incisos segundo y tercero, y 5º, letra f), de la ley N° 18.883, los empleos a contrata son aquellos de carácter transitorio que se contemplan en la dotación de una municipalidad, cuya duración máxima es hasta el 31 de diciembre de cada año, y quienes los sirvan cesarán en sus funciones en esa fecha, por el solo ministerio de la ley, salvo que hubiere sido dispuesta la prórroga con treinta días de anticipación a lo menos. De este modo, y de acuerdo a los antecedentes tenidos a la vista, el cese del vínculo laboral de la señora Bissett Postler con la entidad edilicia se produjo en conformidad con lo dispuesto en la pre-*

citada normativa, esto es, por el vencimiento del plazo establecido en la respectiva prórroga de la designación, sin que se advierta irregularidad alguna en dicha circunstancia (aplica criterio contenido en el dictamen Nº 53.844, de 2016)». (ID Dictamen: 071324N16. Fecha: 30-09-2016. Destinatarios: señora Dina Bissett Postler reclamando en contra de la Municipalidad de Llanquihue. Texto: Cese del vínculo laboral de funcionaria regida por la ley Nº 18.883, se produjo por el vencimiento del plazo, sin que proceda aplicar en la especie el criterio contenido en el dictamen Nº 22.766, de 2016. Acción: Aplica dictámenes 53844/2016, 97992/2014, 10409/2015).

14. *«En este contexto, y en relación con la interrogante que se plantea en la especie, resulta útil recordar que la ley Nº 18.883, por una parte, alude en su artículo 5º, letra b), a la planta de personal, como el conjunto de cargos permanentes asignados por ley a cada municipalidad, y por otra, utiliza tal término en su artículo 7º, al establecer que las entidades edilicias, para efectos de la carrera funcionaria, solo podrán tener las plantas de personal de directivos, de profesionales, de jefaturas, de técnicos, de administrativos y de auxiliares, siendo estas, en consecuencia, las dos acepciones que deben tenerse en cuenta en el análisis a realizar. Ahora bien, analizada la materia, es dable concluir que la intención del legislador al emplear la expresión "respectiva planta" en los artículos primero, segundo y tercero transitorios de la ley Nº 20.922, no ha sido restringir la extensión de los beneficios que tales disposiciones otorgan estableciendo como requisito o condición que el desempeño de un funcionario deba haberse limitado a solo uno de los estamentos a que dicha preceptiva alude».* (ID Dictamen: 084551N16. Fecha: 23-11-2016. Destinatarios: presidente nacional y el secretario general de la Confederación Nacional de Funcionarios Municipales de Chile (ASEMUCH). Texto: Se pronuncia acerca del alcance de la expresión «en la respectiva planta» empleado por los artículos primero, segundo y tercero transitorios de la ley Nº 20.922, y sobre la facultad otorgada por esta última disposición al alcalde en relación con el personal a contrata. Acción: Aplica dictamen 84400/2016).

15. *«Por su parte, el artículo 5º, letra f), del precitado cuerpo normativo, expresa que el empleo a contrata "Es aquel de carácter transitorio que se contempla en la dotación de una municipalidad", razón por cual la jurisprudencia administrativa emanada de esta Contraloría General, ha precisado que las designaciones a contrata constituyen empleos esencialmente transitorios que se consultan en la dotación de una institución, cuya finalidad es la de complementar el conjunto de cargos permanentes que forman parte de la planta de personal de un servicio, según lo requieran las necesidades de este (aplica criterio contenido en dictamen. En este orden de ideas, y considerando que un servidor puede ser objeto de múltiples y sucesivas designaciones a contrata por tiempos menores a un año calendario (por ejemplo, sólo por algunos meses), se debe aclarar que son útiles para efectos de entender una continuidad en el vínculo que hace nacer la aludida confianza los diferentes periodos inferiores a un año, pero continuos, desempeñados a contrata, en la medida que el lapso total de esas designaciones abarque más de dos años (aplica dictamen Nº 70.966, de 2016). Por su parte, es dable señalar que el dictamen Nº 22.766, de 2016, resolvió que la recontratación reiterada de los empleados afectados tornó en permanente y constante la mantención del vínculo de los mismos, lo que determinó, en definitiva, que las entidades involucradas incurrieran en una práctica administrativa que generó para los recurrentes una legítima expectativa que les indujo razonablemente a confiar en la repetición de tal actuación. Sin perjuicio de lo anterior, y en armonía con lo señalado en el dictamen Nº 56.175, de 2016, de este origen, en lo sucesivo, en aquellos casos que se presenten los supuestos que hayan generado la confianza legítima a que se refiere el aludido dictamen Nº 22.766, de 2016, como aconteció en la especie, esa repartición deberá emitir y notificar oportunamente el pertinente acto administrativo que contenga las razones que avalen la resolución de no renovar una contrata o hacerlo en condiciones distintas».* (ID Dictamen: 092333N16. Fecha: 23-12-2016. Destinatarios: señor Luis Arancibia Pizarro, quien reclama en contra de la Municipalidad de La Serena. Texto: Atendidas las razones para no renovar la contrata que se indica a partir de mayo de 2016, esgrimidas en el informe de la entidad edilicia, se rechaza el reclamo formulado, sin perjuicio de lo cual, en lo sucesivo se deberá emitir un acto administrativo que contenga las razones que avalen esta determinación. Acción: Aplica dictámenes 70966/2016, 56175/2016, 22766/2016, 16246/2015, 29097/2008).

16. *«Precisado lo anterior, y en lo relativo a lo alegado por las funcionarias de que se trata en orden a que la ley Nº 20.922 autoriza a la máxima autoridad comunal para crear cargos y no grados, cabe señalar que el artículo 5º, letra a), de la ley Nº 18.883, define cargo municipal como aquel que se contempla en las plantas de los municipios y a través del cual se realiza una función municipal. En efecto, todo cargo municipal tiene asignado un grado, el cual debe concordar con la importancia de la función que se desempeñe, debiendo existir, por consiguiente, una correspondencia entre cargo y grado (aplica criterio contenido en el dictamen Nº 3.475, de 1993)».* (ID Dictamen: 006469N17. Fecha: 22-02-2017. Destinatarios: señoras Mariela González Arriaza e Iris Vera Soto, ambas funcionarias de la Municipalidad de Corral. Texto: La creación de los cargos a que alude el artículo cuarto transitorio de la ley Nº 20.922 implica necesariamente el establecimiento de los grados asociados a ellos. Acción: aplica dictamen 3475/93).

1. «*Es decir, se trata de que a través de dicho mecanismo* **no se encomienden funciones genéricas propias de un cargo o empleo municipal, cuyo cumplimiento ha sido reservado a los funcionarios de planta o a contrata, en conformidad con lo dispuesto en el artículo 5º, letras a) y f), de la ley Nº 18.883, Estatuto Administrativo para Funcionarios Municipales, a personas contratadas a honorarios** *(aplica criterio contenido en el dictamen Nº 1.399, de 2003, entre otros). (...)*
En relación con lo anterior, cabe recordar que la jurisprudencia administrativa ha precisado —entre otros, en los dictámenes Nºs. 17.234, de 1991; 27.050 y 7.266, ambos de 2005, y 37.787, de 2009— que no pueden ser cumplidas por personas contratadas a honorarios aquellas funciones que impliquen ejercer labores de dirección, coordinación, inspección o fiscalización, ya que, por su naturaleza y amplitud, obedecen a labores propias de la gestión administrativa interna del municipio, que deben ser cumplidas por personal de planta o, de ser procedente según el caso, a contrata». (**ID Dictamen: 074870N11 Fecha:** 29.11.2011 **Destinatarios:** Alcalde de la Municipalidad de Lota. **Texto:** Sobre procedencia de contrataciones a honorarios respecto a los servicios contemplados en el «Programa social de apoyo a la reconstrucción de la comuna de Lota 2011», implementado como consecuencia del terremoto del 27/2/2010. **Acción:** Aplica dictámenes 53796/2009, 60469/2008, 1399/2003, 17234/91, 27050/2005, 7266/2005, 37787/2009, 13684/2009, 976/2009)

2. «*Sobre este punto, esta Entidad Fiscalizadora en el dictamen Nº 49.715, de 2000, entre otros, ha concluido que la circunstancia que un funcionario no posea calificación dado su reciente ingreso, no se enmarca dentro de la inhabilidad contemplada en la referida letra a) del artículo 53 —y consecuentemente, tampoco en aquella prevista en la letra b) del mismo precepto legal—, por cuanto esa situación no fue expresamente contemplada dentro de tales inhabilidades, ni en ninguna otra norma legal relativa a la materia, no pudiendo agregarse, por la vía de la interpretación, un requerimiento adicional para poder acceder por ascenso a un cargo vacante. Lo contrario significaría preferir a una persona ajena al municipio, vulnerándose de esta manera la carrera funcionaria contemplada en la letra e) del artículo 5º de la ley Nº 18.883*». (**ID Dictamen: 072527N11 Fecha:** 21.11.2011 **Destinatarios:** Alcalde de la Municipalidad de Independencia. **Texto:** Sobre derecho a ascenso en cargo municipal que no requiere requisitos específicos. **Acción:** Aplica dictámenes 49715/2000, 3963/2007, 52372/2008, 79220/2010)

3. «*Sobre el particular, es del caso anotar que, de acuerdo con los artículos 2º, incisos segundo y tercero, y 5º, letra f), de la ley Nº 18.883, Estatuto Administrativo para Funcionarios Municipales, son empleos a contrata aquellos de carácter transitorio que se contemplan en la dotación de una municipalidad, cuya duración máxima será hasta el 31 de diciembre de cada año, y los empleados que los sirvan cesarán en funciones en esa fecha, por el solo ministerio de la ley, salvo que hubiera sido dispuesta la prórroga con treinta días de anticipación, a lo menos.*
Como puede advertirse del tenor literal de la norma citada, y de lo manifestado al respecto por la jurisprudencia de esta Entidad de Control, la modalidad del empleo a contrata constituye una figura esencialmente transitoria, cuya duración máxima se extiende hasta el 31 de diciembre de cada año —salvo que sea prorrogada—, de manera tal que una vez ocurrida la llegada de ese plazo, se produce el cese de funciones del contratado, sin que la autoridad administrativa se encuentre obligada a notificar al funcionario afectado la no renovación de su contrata, toda vez que la expiración de funciones no responde a una facultad o decisión de aquella, sino al cumplimiento de un mandato establecido por el legislador en tal sentido (aplica criterio contenido en los dictámenes Nºs. 19.385, de 2001; 57.654, de 2005; y 58.781, de 2010)». (**ID Dictamen: 068642N11 Fecha:** 28.10.2011 **Destinatarios:** Ana Patricia Rubio Pellizzari. **Texto:** Designación a contrata en un cargo expira por el vencimiento del plazo legal. **Acción:** Aplica dictámenes 19385/2001, 57654/2005, 58781/2010, 42127/2009 Fuentes Legales Ley 18883 art. 2 inc. /2, ley 18883 art. 2 inc. /3, ley 18883 art. 5 lt/f)[106]

4. «*Como es posible advertir, los estipendios que quedan comprendidos en la base de cálculo de la bonificación de que se trata, son las remuneraciones mensuales de los beneficiarios, por lo que es necesario tener en consideración lo ordenado en el artículo 5º, letra d), de la ley Nº 18.883, que define remuneración como cualquier contraprestación en dinero que el funcionario tenga derecho a percibir en razón de su empleo o función, como, por ejemplo, sueldo, asignación municipal, asignación de zona y otras.*

---

[106]   Para efectos de su consulta en la Base de Jurisprudencia de Contraloría General de la República, el citado dictamen se encuentra en la sección/materia: «generales», sin perjuicio de que se trata de uno de carácter municipal.

*Al respecto, cabe agregar que este **Organismo Contralor en los dictámenes Nºs. 179, de 2008, y 364, de 2011, han precisado que en el mencionado concepto de remuneración no se advierte que la habitualidad y permanencia en la percepción de un beneficio sea un elemento esencial de aquél, que justifique exceptuar determinados emolumentos que se reciban en forma variable y eventual.***

*Ahora bien, tratándose de la bonificación de zona extrema a que se refiere el artículo 29 de la ley Nº 20.313, cuyo monto se devenga trimestralmente en consideración al tiempo desempeñado durante ese lapso, la cual no fue tenida en cuenta para los fines en comento, es preciso manifestar que conforme se desprende de la historia fidedigna de su establecimiento —contenida en el mensaje con que el Ejecutivo acompañó la iniciativa a la Cámara de Diputados—, **dicho emolumento tiene una naturaleza compensatoria,** y favorece a los trabajadores que para el desempeño de un empleo se ven obligados a residir en una provincia o territorio que reúna condiciones especiales derivadas del aislamiento o del costo de vida, **por lo que de acuerdo al criterio fijado en el aludido artículo 5º, letra d), de la ley Nº 18.883, tiene una naturaleza remuneratoria, debiendo ser incorporada en la respectiva operación de cálculo».* **(ID Dictamen: 047475N11 Fecha:** 27.07.2011 **Destinatarios:** Alcalde de la Municipalidad de Arica. **Texto:** Sobre incorporación de estipendios de naturaleza variable en la base de cálculo de la bonificación por retiro voluntario de la ley 20387. **Acción:** Aplica dictámenes 179/2008, 364/2011, 80387/74, 36783/95).

5. *«Sobre el particular, cabe señalar, en primer término, que de conformidad con lo dispuesto en los artículos 2º y 5º, letra f), de la ley Nº 18.883 —Estatuto Administrativo para Funcionarios Municipales—, el empleo a contrata es aquél de carácter transitorio que se contempla en la dotación de una municipalidad, cuya duración máxima es hasta el 31 de diciembre de cada año y los empleados que los sirven cesan en sus funciones en esa fecha, por el solo ministerio de la ley, salvo que hubiera sido dispuesta la prórroga con treinta días de anticipación, a lo menos.*

*Luego, **la jurisprudencia administrativa de esta Entidad Fiscalizadora, contenida, entre otros, en los dictámenes Nºs. y 34.311, de 2009, y 45.149, de 2010, ha precisado que la autoridad administrativa tiene la facultad de poner término a las designaciones a contrata, en el momento que estime conveniente, cuándo aquéllas hayan sido aprobadas bajó la fórmula "mientras sean necesarios sus servicios" u otra similar, no obstante que el respectivo servidor se encuentre gozando de licencia médica, toda vez que ésta no confiere inamovilidad en el empleo».* **(ID Dictamen: 001596N11 Fecha:** 11.01.2011 **Destinatarios:** Mauricio Alarcón Fuenzalida. **Texto:** Sobre término anticipado de designación a contrata durante el uso de licencia médica. **Acción:** Aplica dictámenes 34311/2009, 45149/2010, 72385/2009, 58792/2010)[107]

6. *«Al respecto, cabe señalar que la letra d), del artículo 5º, de la ley Nº 18.883, Estatuto Administrativo para Funcionarios Municipales,* ordena que remuneración, es cualquier contraprestación en dinero que el funcionario tenga derecho a percibir en razón de su empleo o función, como, por ejemplo, sueldo, asignación municipal, asignación de zona y otras. En conformidad con lo anterior, es del caso manifestar que los aguinaldos de fiestas patrias y navidad, el bono de escolaridad, la asignación familiar y los bonos contemplados en los artículos 25 y 26 de la ley Nº 20.403 —que otorgó un reajuste de remuneraciones a los trabajadores del sector público—, son beneficios pecuniarios que no poseen el carácter de remuneratorios, toda vez que no constituyen contraprestaciones derivadas del desempeño del empleo o función, por lo que no pueden incluirse en la base de cálculo de las bonificaciones por retiro voluntario contempladas en las leyes NOS 20.135 y 20.387 (aplica criterio contenido en los dictámenes NOS 24.077, de 1997; 43.199, de 1999; 25.275, de 2005; y 30.331, de 2009).*

En cuanto al incremento previsional regulado por el artículo 2º del decreto ley Nº 3.501, de 1980, la reiterada jurisprudencia administrativa de esta Entidad Fiscalizadora, contenida, entre otros, en el dictamen Nº 7.493, de 2010, ha señalado que si bien dicho concepto constituye una remuneración, ha sido establecido con una finalidad muy específica y limitada, cual es, sólo la de mantener el monto líquido de las rentas y servir de base para aplicar las cotizaciones pertinentes, por ende, el aludido incremento —salvo norma expresa en contrario—, debe ser excluido de la base de cálculo de cualquier beneficio de origen legal que se determine en relación con la retribución mensual del empleado, criterio que también resulta aplicable en la especie.

---

[107] *«Dictámenes Nºs. y 34.311, de 2009»*: Transcripción textual de Dictamen (ID Dictamen: 001596N11 Fecha: 11.01.2011 Destinatarios: Mauricio Alarcón Fuenzalida. Texto: Sobre término anticipado de designación a contrata durante el uso de licencia médica. Acción: Aplica dictámenes 34311/2009, 45149/2010, 72385/2009, 58792/2010). Para efectos de su consulta en la Base de Jurisprudencia de Contraloría General de la República, el citado dictamen se encuentra en la sección/materia: «generales», sin perjuicio de que se trata de uno de carácter municipal.

*Con respecto a la **asignación de mejoramiento de la gestión municipal establecida en el artículo 1º de la ley Nº 19.803**, cuyo monto se devenga mes a mes y se determina sobre la base de la remuneración mensual, conforme así lo precisó el dictamen Nº 34.131, de 2004, es dable concluir que es de carácter remuneratorio, atendido que el respectivo servidor tiene derecho a percibirla en razón de la función que realiza, motivo 2º de la ley Nº 20.135, motivo por el cual debe ser incorporada en la base de cálculo de las bonificaciones en comento».* **(ID Dictamen: 000364N11 Fecha:** 05.01.2011 **Destinatarios:** Alcalde de la Municipalidad de Putaendo. **Texto:** Sobre base de cálculo en las bonificaciones por retiro voluntario de las leyes 20135 y 20387. **Acción:** Aplica dictámenes 179/2008, 24077/97, 43199/99, 25275/2005, 30331/2009, 7493/2010, 34131/2004, 9668/2006, 5398/2009)

7. *«Sobre el particular, es menester indicar que acorde con los artículos 2º, inciso tercero, y 5º, letra f), de la ley Nº 18.883, Estatuto Administrativo para Funcionarios Municipales, el empleo a contrata es aquel de carácter transitorio que se contempla en la dotación de una municipalidad, cuya duración máxima es hasta el 31 de diciembre de cada año y los empleados que los sirven cesan en sus funciones en esa fecha, por el solo ministerio de la ley, salvo que hubiera sido dispuesta la prórroga con treinta días de anticipación, a lo menos.*
Por su parte, la jurisprudencia administrativa de este Órgano de Control, contenida, entre otros, en los dictámenes Nºs. 1.596 y 68.462, ambos de 2011, ha concluido que cuando una contratación, o su prórroga, ha sido dispuesta con la fórmula "mientras sean necesarios sus servicios", la autoridad administrativa puede ponerle término en el momento que estime conveniente, sin que corresponda a este Organismo Contralor revisar los motivos que tuvo en cuenta para ello.
(…) cabe advertir que al ponerse fin a una designación a contrata por la causal en comento, dicho cese se produce desde la notificación al afectado del total trámite del acto administrativo que así lo disponga, sin que pueda hacerse efectivo su alejamiento con anterioridad a esa fecha, procediendo el pago de sus remuneraciones hasta la citada comunicación, tal como fue expresado en los dictámenes Nºs. 46.647, de 2007; 33.111 y 48.251, ambos de 2010, y 59.748, de 2011, entre otros, todos de esta Entidad de Fiscalización». **(ID Dictamen:** 074764N12 **Fecha:** 30.11.2012 **Destinatarios:** Alcalde de la Municipalidad de Peñalolén. **Texto:** Sobre término anticipado de contrata de funcionario municipal y licencias médicas no admitidas a tramitación. **Acción:** aplica dictámenes 1596/2011, 68462/2011, 54046/2010, 46647/2007, 33111/2010, 48251/2010, 34319/2007, 59748/2011)[108]

8. *«Sobre el particular, cumple con manifestar que, de conformidad con lo establecido en los artículos 2º, inciso tercero, y 5º, letra f), de la ley Nº 18.883, Estatuto Administrativo para Funcionarios Municipales, el empleo a contrata es aquel de carácter transitorio que se contempla en la dotación de una municipalidad, cuya duración máxima es hasta el 31 de diciembre de cada año y las personas que lo sirven cesan en sus labores en esa fecha, por el solo ministerio de la ley, salvo que hubiera sido dispuesta la prórroga con treinta días de anticipación a lo menos.*
Asimismo, la reiterada jurisprudencia administrativa de este Órgano de Fiscalización, contenida, entre otros, en los dictámenes Nºs. 16.557 y 26.594, ambos de 2010, y 31.337, de 2012, ha declarado que cuando una contratación ha sido ordenada con la cláusula "mientras sean necesarios sus servicios", como acontece en la especie, la superioridad puede ponerle término en el momento que estime conveniente, sin que para ello se requiera de una especial fundamentación o de la aceptación del interesado, situación que se ha configurado en el presente caso. (…)
Luego, en cuanto a haberse dispuesto tal medida mientras el peticionario se encontraba con permiso médico, es menester indicar que, a través de los dictámenes Nºs. 40.625, de 2008, y 18.033, de 2011, de este origen, se ha señalado que la licencia médica no confiere inamovilidad en el empleo». **(ID Dictamen:** 068445N12 **Fecha:** 31.10.2012 **Destinatarios:** Alcalde de la Municipalidad de Puente Alto. **Texto:** Acoge parcialmente reclamo sobre término de contrata, pago de horas extraordinarias y no recepción de licencia médica de exservidor de la Municipalidad de Puente Alto. **Acción:** Aplica dictámenes 16557/2010, 26594/2010, 31337/2012, 40625/2008, 18033/2011, 79784/2011, 54046/2010, 11903/2011)[109]

9. *«Corrobora esta aseveración, la letra d) del artículo 5º, de la ley Nº 18.883, sobre Estatuto Administrativo para Funcionarios Municipales, al prescribir que se entiende por remuneración cualquier contraprestación en dinero que*

---

[108] Para efectos de su consulta en la Base de Jurisprudencia de Contraloría General de la República, el citado dictamen se encuentra en la sección/materia: «generales», sin perjuicio de que se trata de uno de carácter municipal.

[109] Para efectos de su consulta en la Base de Jurisprudencia de Contraloría General de la República, el citado dictamen se encuentra en la sección/materia: «generales», sin perjuicio de que se trata de uno de carácter municipal.

el funcionario tenga derecho a percibir en razón de su empleo municipal de acuerdo con el nivel o grado en que se encuentra clasificado.

*En este orden de ideas, es dable señalar que el **dictamen Nº 24.609, de 2011,** precisó que el concepto de remuneración comprende las contraprestaciones en dinero tanto permanentes como aquellas que no posean dicho atributo, vale decir, eventuales.*

*Asimismo, es necesario hacer presente que esta **Entidad de Fiscalización** ha utilizado una noción amplia de remuneración, esto es, comprensiva tanto de los emolumentos permanentes como eventuales, en relación a diferentes cuerpos legales, pudiendo citarse, a título ejemplar, lo manifestado en los dictámenes Nºs. 30.013, de 1994 —a propósito del artículo 2º, inciso cuarto, de la ley Nº 18.883—; 179, de 2008 —respecto del artículo 2º de la ley Nº 20.135—, y 54.025, también de 2008, —sobre aplicación del artículo 14 de la ley Nº 20.143—.*

*A continuación, examinado el artículo 2º de la ley Nº 18.987, es necesario señalar que **el concepto de remuneración aplicable a los funcionarios municipales regidos por la ley Nº 18.883, es comprensivo de los estipendios derivados de horas extraordinarias —sean permanentes o eventuales—, sin perjuicio, por cierto, de aquellas situaciones específicas en que el propio legislador los excluya, sea de manera expresa o que su exclusión derive de una labor hermenéutica,** circunstancia que no se advierte tratándose de la noción de remuneración utilizada en el precepto en examen».* **(ID Dictamen: 058566N12 Fecha:** 24.09.2012 **Destinatarios:** Superintendenta de Seguridad Social. **Texto:** Sobre inclusión de asignación de horas extraordinarias en el concepto de remuneración para los efectos del pago de asignación familiar. **Acción:** aplica dictámenes 24609/2011, 30013/94, 179/2008, 54025/2008 reconsidera parcialmente dictamen 25275/2005)

10. «*Sin perjuicio de lo expuesto, resulta oportuno hacer presente a la superioridad acerca de la necesidad de que provea los cargos vacantes en dicha institución, empleando la modalidad de promoción que corresponda, considerando que, tal como ha concluido el **dictamen No 27.151, de 2012,** entre otros, de este origen, la carrera funcionaria, reconocida en el artículo 38 de la Constitución Política y en el artículo 5º, letra e), de la anotada ley Nº 18.883, es un derecho fundamental de los empleados de la Administración, en especial a través del sistema de promociones, siendo un deber de los servicios públicos promover su materialización efectiva*».* **(ID Dictamen:** 039032N12 **Fecha:** 29.06.2012 **Destinatarios:** Alcalde de la Municipalidad de Cerro Navia. **Texto:** Sobre oportunidad en que deben materializarse los ascensos y plazo para reclamar de escalafón municipal. **Acción:** aplica dictámenes 31614/2011, 27151/2012)

11. «*Sobre el particular, cabe precisar que de conformidad con lo establecido en el **artículo 5º, letra f) de la ley Nº 18.883, sobre Estatuto Administrativo para Funcionarios Municipales,** las designaciones a contrata constituyen empleos esencialmente transitorios que se consultan en la dotación de una municipalidad, **cuya finalidad es la de complementar el conjunto de cargos permanentes que forman parte de la planta de personal de un servicio, según lo requieran las necesidades de éste.***

*En este sentido es dable añadir que **la vigencia limitada en el tiempo de esta clase de empleos se determina por la jefatura superior del servicio,** la que no puede exceder al 31 de diciembre de cada año, y que los funcionarios respectivos expirarán en sus funciones al término de ese plazo por el solo ministerio de la ley, salvo que se haya dispuesto su renovación (aplica los dictámenes Nºs. 29.097, de 2008 y 11.808, de 2010)*».* **(ID Dictamen:** 038825N12 **Fecha:** 29.06.2012 **Destinatarios:** Nelson González Contreras. **Texto:** Rechaza reclamo por no renovación de designación a contrata. **Acción:** Aplica dictámenes 29097/2008, 11808/2010, 61117/2008, 39164/2009)

12. «*En primer lugar, es del caso indicar que si bien el legislador no ha señalado en términos expresos y precisos lo que debe entenderse por "cargos de jefatura administrativa en la respectiva municipalidad", es posible anotar, por una parte, que un cargo municipal, al tenor de lo previsto en el **artículo 5º, letra a), de la ley Nº 18.883, sobre Estatuto Administrativo para Funcionarios Municipales,** es aquel que se contempla en las plantas de los municipios y a través del cual se realiza una función municipal.*

*A su vez, la jurisprudencia de este **Órgano de Control,** contenida, entre otros, en los dictámenes Nºs. 28.785, de 2000; 62.891, de 2011, y 12.158, de 2012, ha precisado que, en términos generales, los cargos de jefatura son aquellos que implican, como elemento distintivo, el ejercicio de funciones de carácter directivo, decisorio, resolutivo o ejecutivo.*

*En base a lo expuesto, es posible concluir que el **concepto de cargo de jefatura administrativa por el cual se consulta, comprende a todos aquellos empleos que conllevan el ejercicio de atribuciones de dirección, ejecución, resolución o decisión y que se encuentren previstos en la planta de personal del municipio, sin que ello signifique considerar exclusivamente las plazas de la planta que reciben la denominación específica de jefaturas** que aquella contemple, como parece entenderlo esa entidad edilicia.*

Lo anterior resulta concordante con la finalidad de la norma en cuestión, reflejada en el mensaje presidencial con el que se inició la tramitación de la ley Nº 20.500 —que incorporó ese precepto—, a saber, el respeto a la libertad asociativa y la no interferencia por parte de la Administración en la constitución y funcionamiento de las asociaciones privadas —en la especie, de las organizaciones comunitarias regidas por la ley Nº 19.418—, ya que el fin perseguido por el legislador se podría afectar si uno de los dirigentes de las entidades de que se trata cuenta con poderes decisorios en el ámbito administrativo del municipio que se debe vincular con la organización comunitaria en la que participa». (**ID Dictamen: 037230N12 Fecha:** 22.06.2012 **Destinatarios:** Alcalde de la Municipalidad de Cisnes. **Texto:** Sobre concepto de cargos de jefatura administrativa para los efectos de determinar el alcance de la prohibición contenida en el inc. /4 del art. 19 de la ley 19418. **Acción:** Aplica dictámenes 28785/2000, 62891/2011, 12158/2012)

13. «*Por otra parte, en cuanto al cumplimiento del supuesto referido a que los servicios respectivos sean ajenos a la gestión administrativa interna de la municipalidad, es del caso manifestar que, en concordancia con el criterio contenido en el dictamen Nº 60.469, de 2008, tal requisito tiene por objeto evitar que por la vía de las contrataciones en comento se suplan posibles carencias de personal en los municipios.*
Es decir, se trata de que a través de dicho mecanismo no se encomienden funciones genéricas propias de un cargo o empleo municipal, cuyo cumplimiento ha sido reservado a los funcionarios de planta o a contrata, en conformidad con lo dispuesto en el artículo 5º, letras a) y f), de la ley Nº 18.883, Estatuto Administrativo para Funcionarios Municipales, a personas contratadas a honorarios, supuesto este que, según se advierte de los antecedentes tenidos a la vista, se cumpliría en la especie (aplica criterio contenido en los dictámenes Nºs. 1.399, de 2003 y 74.870, de 2011, entre otros)». (**ID Dictamen: 031394N12 Fecha:** 29.05.2012 **Destinatarios:** Alcalde de la Municipalidad de Conchalí. **Texto:** Sobre contratación a honorarios de personal para labores de mantención de áreas verdes de la comuna de Conchalí. **Acción:** Aplica dictámenes 27861/90, 49388/2006, 53796/2009, 60469/2008, 1399/2003, 74870/2011, 60713/2011)

14. «*Enseguida, es dable señalar que de conformidad con lo establecido en los artículos 2º, inciso tercero, y 5º, letra f), de la ley Nº 18.883, sobre Estatuto Administrativo para Funcionarios Municipales, el empleo a contrata es aquel de carácter transitorio que se contempla en la dotación de una municipalidad, cuya duración máxima es hasta el 31 de diciembre de cada año y los empleados que los sirven cesan en sus funciones en esa fecha, por el solo ministerio de la ley, salvo que hubiera sido dispuesta la prórroga con treinta días de anticipación, a lo menos.*
En este orden de consideraciones, es menester indicar que esta Entidad Fiscalizadora, en los dictámenes Nºs. 1.596 y 68.462, ambos de 2011, ha precisado que la autoridad administrativa tiene la facultad de poner término a las designaciones a contrata, en el momento que estime conveniente, cuando aquellas han sido aprobadas bajo la fórmula "mientras sean necesarios sus servicios" u otra similar». (**ID Dictamen: 031337N12 Fecha:** 31.05.2012 **Destinatarios:** Alcalde de la Municipalidad de Melipilla. **Texto:** Sobre término de nombramiento de funcionario contratado, tramitación de licencias médicas y acoso laboral. **Acción:** Aplica dictámenes 66048/2009, 36592/2011, 1596/2011, 68462/2011, 46647/2007, 33111/20120 48251/2010, 21645/2012)[110]

15. «*Establecido lo anterior, corresponde hacer presente que el artículo 2º de la ley Nº 18.883, Estatuto Administrativo para Funcionarios Municipales, previene en su inciso primero que los cargos de planta son aquéllos que conforman la organización estable de la municipalidad y sólo podrán corresponder a las funciones que se cumplen en conformidad a la ley Nº 18.695.*
A su vez, el artículo 5º, letra b), del referido Estatuto preceptúa que planta de personal es el conjunto de cargos permanentes asignados por ley a cada municipalidad, que se conformará de acuerdo a lo establecido en el artículo 7º de esa ley, el que indica que para los efectos de la carrera funcionaria, los municipios sólo podrán tener las siguientes plantas de personal: de Directivos, de Profesionales, de Jefaturas, de Técnicos, de Administrativos y de Auxiliares.
Pues bien, en este orden de ideas, cabe hacer presente que la jurisprudencia de esta Entidad Fiscalizadora contenida, entre otros, en los dictámenes Nºs. 25.592, de 1993, 12.177, de 1994 y 35.341, de 1998, ha expresado que si bien los cargos adscritos de que se trata componen un sistema paralelo a los respectivos empleos de planta, conformando una dotación adicional, constituyen plazas previstas en forma permanente en la dotación respectiva hasta que quedan vacantes, de modo que los funcionarios que se desempeñan en ellas ocupan un cargo de la planta municipal, en los términos a que se refiere la citada ley Nº 18.883». (**ID Dictamen: 025975N12 Fecha:** 07.05.2012 **Destinatarios:** Alcalde

---

[110] Para efectos de su consulta en la Base de Jurisprudencia de Contraloría General de la República, el citado dictamen se encuentra en la sección/materia: «generales», sin perjuicio de que se trata de uno de carácter municipal.

de la Municipalidad de Arica. **Texto:** Sobre derecho a percibir el bono post laboral de funcionaria municipal que sirve un cargo en extinción, adscrito a la planta de la Municipalidad de Arica. **Acción:** aplica dictámenes 25592/93, 12177/94, 35341/98)[111]

Artículo 6º

Las personas que desempeñen cargos de planta en las municipalidades podrán tener la calidad de titulares, suplentes o subrogantes.

Son titulares aquellos funcionarios que se nombran para ocupar en propiedad un cargo vacante.

Son suplentes aquellos funcionarios designados en esa calidad en los cargos que se encuentren vacantes y en aquellos que por cualquier circunstancia no sean desempeñados por el titular, durante un lapso no inferior a un mes.

El suplente tendrá derecho a percibir la remuneración asignada al cargo que sirve en tal calidad, sólo en el caso de encontrarse éste vacante, o bien cuando el titular del mismo por cualquier motivo no goce de dicha remuneración.

En el caso que la suplencia corresponda a un cargo vacante, ésta no podrá extenderse a más de seis meses, al término de los cuales deberá necesariamente proveerse con un titular.

No regirán las limitaciones que establecen los incisos tercero y cuarto de este artículo respecto a las suplencias que se dispongan en las unidades unipersonales de las municipalidades que tengan una planta inferior a 35 funcionarios ni para los médicos cirujanos que se desempeñan en los gabinetes psicotécnicos.

El nombramiento del suplente corresponderá al alcalde y sólo estará sujeto a las normas de este título.

Son subrogantes aquellos funcionarios que entran a desempeñar el empleo del titular o suplente por el sólo ministerio de la ley, cuando éstos se encuentren impedidos de desempeñarlo por cualquier causa.

1. «*Al respecto, el artículo 6º, inciso primero, de la ley Nº 18.883, prevé que "Las personas que desempeñen cargos de planta en las municipalidades podrán tener la calidad de titulares, suplentes o subrogantes", agregando su inciso tercero que "Son suplentes aquellos funcionarios en esa calidad en los cargos que se encuentren vacantes y en aquellos que por cualquier circunstancia no sean desempeñados por el titular, durante un lapso no inferior a un mes". En ese orden de consideraciones, de acuerdo con lo previsto en el citado artículo tercero transitorio de la ley Nº 20.922, el incremento de grado de que se trata no fue contemplado para aquellos servidores que hubieren sido designados como suplentes, sino para los funcionarios a contrata que se hubieren desempeñado, a lo menos, durante cinco años, continuos o discontinuos, contados con anterioridad al 1 de enero de 2015 en la misma municipalidad, considerándose para tal efecto el tiempo servido a contrata asimilado a la respectiva planta*». (**ID Dictamen:** 005670N17. **Fecha:** 15-02-2017. **Destinatarios:** Señor Marcelo Concha Caro, funcionario a contrata de la Municipalidad de Conchalí. **Texto:** Para efectos del incremento de grado previsto en el artículo tercero transitorio de la ley Nº 20.922 no se consideran los períodos desempeñados en virtud de suplencias. **Acción.**

---

[111]   Para efectos de su consulta en la Base de Jurisprudencia de Contraloría General de la República, el citado dictamen se encuentra en la sección/materia: «generales», sin perjuicio de que se trata de uno de carácter municipal.

2. «*Al respecto, el artículo 6º, inciso primero, de la ley Nº 18.883, prevé que "Las personas que desempeñen cargos de planta en las municipalidades podrán tener la calidad de titulares, suplentes o subrogantes", agregando su inciso tercero que "Son suplentes aquellos funcionarios en esa calidad en los cargos que se encuentren vacantes y en aquellos que por cualquier circunstancia no sean desempeñados por el titular, durante un lapso no inferior a un mes".*
En ese contexto, de acuerdo con lo previsto en los citados artículos primero y segundo transitorios de la ley Nº 20.922, el incremento de grado de que se trata no fue contemplado para aquellos servidores que hubieren sido designados como suplentes en los estamentos a que dichos preceptos se refieren, sino para los funcionarios que, al 1 de enero de 2015, se encontraban nombrados como titulares en un cargo de las plantas de técnicos, administrativos y auxiliares entre los grados 10 al 20, a partir del 1 de enero de 2016, y entre los grados 15 al 20, a contar del 1 de enero de 2017, que cumplan con el requisito de antigüedad establecido al efecto». (**ID Dictamen:** 010499N17. **Fecha:** 27-03-2017. **Destinatarios:** directorio de la Asociación de Funcionarios Municipales de Conchalí. **Texto:** Tiempo ejercido a honorarios y como suplente no es útil para el cómputo de la antigüedad a que se refieren los artículos primero y segundo transitorios de la ley Nº 20.922. Para percibir la asignación especial de directivo-jefatura prevista en ese texto legal se requiere haberse encontrado en funciones en los estamentos de jefaturas, profesionales y directivos, al 1 de enero de 2015. **Acción:**)

3. «*Sobre el particular, cabe recordar que de acuerdo a los artículos 6º y 76, ambos de la ley Nº 18.883, son subrogantes aquellos funcionarios que desempeñan cargos de planta en las municipalidades, cuando estos no están siendo servidos efectivamente por el titular o suplente de los mismos. Interpretando dicha normativa, esta Contraloría General ha precisado, a través de los dictámenes Nºs. 28.880, de 1996, y 50.702, de 2015, entre otros, que cuando el alcalde altere el orden de subrogación, debe en todo caso nombrar a un funcionario que cumpla los requisitos previstos para desempeñar la plaza de que se trate. Ahora bien, dado que en la situación de la especie, el alcalde alteró el orden legal de subrogancia por no existir funcionarios de planta en la dirección de desarrollo comunitario que pudieran desempeñar la plaza de director de esa unidad, debió haber nombrado a un empleado que cumpliera la exigencia contemplada en el artículo 12, Nº 1, de la ley Nº 19.280, cual es, contar con un "título profesional universitario o título profesional de una carrera de, a lo menos, ocho semestres de duración, otorgado por un establecimiento de educación superior del Estado o reconocido por éste", para servir dicho cargo. Por consiguiente, y dado que, por una parte, se ha omitido aportar antecedentes, de hecho o de derecho, que permitan alterar el criterio contenido en el citado dictamen Nº 65.129, de 2015; y por otra, que conforme a lo dispuesto en el artículo 7º, inciso segundo, de la Constitución Política de la República, esa autoridad no puede arrogarse más atribuciones que las expresamente conferidas por la ley, se desestima la solicitud formulada por la Municipalidad de Quilicura, la que deberá dejar sin efecto el nombramiento del señor Alejandro Martínez González, tal como se ordenó en el pronunciamiento cuya reconsideración se ha requerido».* (**ID Dictamen:** 011115N16. **Fecha:** 11-02-2016. **Destinatarios:** Municipalidad de Quilicura. **Texto:** Desestima solicitud de reconsideración del dictamen Nº 65.129, de 2015, de este origen, por no aportarse antecedentes nuevos que permitan alterar lo concluido en este, sin perjuicio de complementarlo en el sentido que indica. **Acción:** Complementa dictamen 65129/2015 Aplica dictámenes 28880/96, 50702/2015).

4. «*Sobre el particular, cabe señalar que el artículo 6º de ley Nº 18.883, en lo que interesa, dispone que "Las personas que desempeñen cargos de planta en las municipalidades podrán tener la calidad de titulares, suplentes o subrogantes". Agrega, en su inciso segundo que "Son titulares aquellos funcionarios que se nombran para ocupar en propiedad un cargo vacante". Enseguida, el inciso tercero de la misma disposición, preceptúa que "Son suplentes aquellos funcionarios designados en esa calidad en los cargos que se encuentren vacantes y en aquellos que por cualquier circunstancia no sean desempeñados por el titular, durante un lapso no inferior a un mes". Añade, luego, el inciso cuarto, que "El suplente tendrá derecho a percibir la remuneración asignada al cargo que sirve en tal calidad, sólo en el caso de encontrarse éste vacante, o bien cuando el titular del mismo por cualquier motivo no goce de dicha remuneración". En este orden de ideas y, en virtud de lo dispuesto en el artículo recién citado, la jurisprudencia administrativa de esta Entidad de Fiscalización, contenida, entre otros, en el dictamen Nº 54.144, de 2009, ha concluido que los funcionarios municipales que se desempeñan como suplentes, no tienen derecho a percibir las remuneraciones del cargo que suplen cuando el respectivo titular se encuentra con licencia médica, toda vez que la normativa estatutaria que los rige, esto es, la ley Nº 18.883, no lo permite».* (**ID Dictamen:** 013797N17. **Fecha:** 20-04-2017. **Destinatarios:** Municipalidad de Teno. **Texto:** Persona ajena a la administración que ejerce un cargo en calidad de suplente, tiene derecho a percibir la remuneración del titular, por lo que procede se le entere la asignación profesional otorgada por la ley Nº 20.922. **Acción:** Aplica dictámenes 54144/2009, 24232/2004, 85677/2016).

5. «*En ese contexto, y dado que la aludida asignación de antigüedad que prevé el anotado artículo 97, letra g), de la ley Nº 18.883, se concede a los servidores de planta y a contrata regidos por el estatuto administrativo para funcionarios*

municipales en razón de sus servicios efectivos en un mismo grado, es dable colegir que solo resulta admisible computar para tales fines el desempeño en las indicadas calidades jurídicas, ya sea que se trate de labores como titular, suplente o subrogante —las que se llevan a cabo por servidores de planta al tenor del artículo 6º, inciso primero, de dicho texto legal—, o aquellas desarrolladas en virtud de contrataciones realizadas al amparo del artículo 2º de la tantas veces apuntada ley Nº 18.883 (aplica criterio contenido en el dictamen Nº 38.011, de 1994). De esta manera, no resulta procedente considerar para los efectos del cálculo de la asignación en comento, el tiempo servido mediante contrataciones regidas por el Código del Trabajo». (**ID Dictamen:** 029593N16. **Fecha:** 20-04-2016. **Destinatarios:** señora Marlene Henríquez Bastías, funcionaria de la Municipalidad de La Florida. **Texto:** Para el pago de la asignación de antigüedad prevista en la letra g) del artículo 97 de la ley Nº 18.883, no son útiles los servicios prestados en conformidad con el código del trabajo. **Acción:** Aplica dictámenes 38011/94, 819/2016).

6. *«En dicho contexto, se debe indicar que acorde al inciso tercero del artículo 6º de la ley Nº 18.883, son suplentes aquellos funcionarios designados en esa calidad en los cargos que se encuentren vacantes y en aquellos que por cualquier circunstancia no sean desempeñados por el titular, durante un lapso no inferior a un mes; en tanto que el inciso quinto, dispone que en el caso que la suplencia corresponda a un cargo vacante, ésta no podrá extenderse a más de seis meses, al término de los cuales deberá necesariamente proveerse con un titular. Como puede advertirse, del tenor de la norma que regula la suplencia se desprende que en los casos en que la autoridad recurre a ese mecanismo respecto de cargos vacantes, es preciso que adopte las medidas pertinentes a fin de proveer la respectiva plaza con un titular, pues cuando esta forma de desempeño concierne a esos empleos, ella no puede extenderse a más de seis meses, a cuyo término el cargo debe necesariamente proveerse con un titular (aplica dictamen Nº 38.582, de 2003)».* (**ID Dictamen:** 031020N18. **Fecha:** 13-12-2018. **Destinatarios:** Diputada señora Claudia Mix Jiménez. **Texto:** Municipalidad de Maipú no se ajustó a derecho respecto del nombramiento de director del Servicio Municipal de Agua Potable y Alcantarillado de esa comuna. **Acción:** Aplica dictámenes 17096/96, 2111/97, 22427/2006, 70401/2015, 38582/2003, 11812/2003, 17540/91, 24480/96, 63576/2010, 41872/2008).

7. *«Sobre el particular, cumple con señalar que según ha precisado el dictamen Nº 50.702, de 2015, entre otros, a fin de dar continuidad a la función pública y mientras se provee la plaza de director de control con un titular, es posible designar a servidores en calidad de suplentes o subrogantes, conforme a las reglas generales contenidas en el artículo 6º de la ley Nº 18.883, cuyo inciso quinto prevé que "En el caso que la suplencia corresponda a un cargo vacante, ésta no podrá extenderse a más de seis meses, al término de los cuales deberá necesariamente proveerse con un titular".*
Asimismo, debe indicarse que de conformidad con lo previsto en el citado artículo 6º de la ley Nº 18.883, la anotada suplencia no ha podido durar más de seis meses, al cabo de los cuales, necesariamente debe proveerse la respectiva plaza; sin que corresponda, tal y como se ha precisado en el dictamen Nº 101.096, de 2014, entre otros, que dicha medida se disponga nuevamente por igual período.
Al respecto, cumple con hacer presente que el recién citado cuerpo estatutario no contiene norma alguna que permita sostener que la promoción de un servidor deba decretarse en una fecha establecida, por lo que el respectivo alcalde no se encuentra legalmente obligado a disponerla dentro de un plazo determinado, sin perjuicio de lo cual, ello no puede implicar suspender indefinidamente en el tiempo la materialización del ascenso, pues atentaría contra la carrera funcionaria, consagrada en los artículos 38 de la Constitución Política de la República, 42 de la ley Nº 18.695 y en el párrafo 4º, del Título II, de la referida ley Nº 18.883 (aplica dictamen Nº 9.920, de 2013)». (**ID Dictamen:** 0037492N16. **Fecha:** 20-05-2016. **Destinatarios:** doña Katherine Martorell Awad, concejala de la Municipalidad de Quinta Normal. **Texto:** Se ajustó a derecho que municipalidad dejara sin efecto concurso para proveer cargo de director de control, en virtud de su facultad para invalidar actos contrarios a derecho. Debe llamarse a un nuevo certamen, a la brevedad. **Acción:** Aplica dictámenes 14948/2015, 16050/2000, 2572/2004, 20240/2001, 34490/2013, 50702/2015, 101096/2014, 12962/2000, 76048/2012, 9920/2013).

8. *«Cabe agregar, que la jurisprudencia contenida en el dictamen Nº 58.197, de 2012, ha manifestado, en lo pertinente, que la creación de los cargos a que se refiere la citada letra b) del artículo 10 de la ley Nº 20.554, se produjo por el ministerio de la ley al entrar en vigencia dicha norma, de manera que a las municipalidades solo les asiste la obligación de identificarlos en la planta de profesionales y determinar el grado que estos tendrán asignados.*
Asimismo, corresponde indicar que la jurisprudencia administrativa, contenida, entre otros, en el dictamen Nº 2.487, de 2013, ha concluido que el citado precepto crea un cargo que, según su denominación específica, supone que quien lo sirva posea el título de abogado.
Ahora bien, sobre el particular, es pertinente indicar que los aludidos juzgados de policía local son tribunales especiales que no forman parte del Poder Judicial y que, desde el punto de vista de su estructura, constituyen dependencias de la

entidad edilicia, resultándoles aplicables, en lo que dice relación con su orden interno, la ley Nº 15.231, y en lo concerniente a su personal, las disposiciones de la ley Nº 18.883.
En este contexto, cabe indicar que el inciso final del artículo 6º de la mencionada ley Nº 18.883, indica que "Son subrogantes aquellos funcionarios que entran a desempeñar el empleo del titular o suplente por el sólo ministerio de la ley, cuando éstos se encuentren impedidos de desempeñarlo por cualquier causa"». (**ID Dictamen:** 044794N17. **Fecha:** 28-12-2017. **Destinatarios:** doña Marisol Aburto Barría, secretaría subrogante del Juzgado de Policía Local de San Juan de la Costa. **Texto:** Reconsidera el oficio Nº 6.110, de 2016, de la Contraloría Regional de Los Lagos, por cuanto la funcionaria que se indica tiene derecho al entero de la diferencia entre su sueldo y aquel que corresponda al grado del cargo de secretario abogado del juzgado de policía local. **Acción:** Aplica dictámenes 58197/2012, 2487/2013, 32391/2006, 65962/2014, 45817/2011).

9. *«Ahora bien, y en cuanto a si la obligación en estudio pesa también, sobre quienes ejercen como suplente un empleo de Director, se debe recordar que el artículo 6º de la ley Nº 18.883, prescribe que las personas que desempeñen cargos de planta en las municipalidades podrán tener la calidad de titulares, suplentes o subrogantes, añadiendo que son suplentes los funcionarios designados en esa calidad en las plazas que se encuentren vacantes y en aquellos que por cualquier circunstancia no sean desempeñados por el titular, durante un lapso no inferior a un mes.*
Luego, es menester añadir, en armonía con lo resuelto por esta Contraloría General en sus dictámenes Nºs. 15.458, de 1996 y 8.065, de 2009, que la circunstancia de que un cargo esté siendo ejercido por un funcionario suplente implica que quien labora en tal condición tiene los deberes, facultades, prerrogativas y derechos de ese empleo (salvo ciertos beneficios de orden personal que no puede percibir por la transitoriedad de su nombramiento)». (**ID Dictamen:** 046049N16. **Fecha:** 22-06-2016. **Destinatarios:** Don Hernán Valenzuela Cabello, funcionario de la planta profesional de la Municipalidad de Pedro Aguirre Cerda. **Texto:** Procede que un director suplente de la municipalidad que se indica cumpla con el procedimiento de control de consumo de drogas aplicable a los que ejercen los empleos a que se refiere el artículo 55 bis de la ley Nº 18.575. **Acción:** Aplica dictamen 73080/2013 Aplica dictamen 15458/1996 Aplica dictamen 8065/2009).

10. *«Finalmente, en cuanto a la consulta que formula el señor Morales Ponce, en orden a si le correspondería servir el empleo de jefe de la unidad de control como suplente, es del caso indicar que si bien el interesado cumple con los requisitos legales que lo habilitan para tal desempeño, la provisión de una plaza vacante en la anotada calidad, corresponde a una facultad discrecional del alcalde respectivo, acorde con lo dispuesto en el artículo 6º, inciso séptimo, de la ley Nº 18.883 (aplica dictámenes Nºs. 30.034, de 1994; 26.901, de 2013; y 14.980, de 2015)».* (**ID Dictamen:** 047936N15. **Fecha:** 15-06-2015. **Destinatarios:** Municipalidad de Vitacura. **Texto:** Procede el pago de diferencia de remuneraciones por desempeño en calidad de subrogante de cargo directivo creado en virtud del artículo 16 de la ley Nº 18.695. **Acción:** Aplica dictámenes 44034/2002, 18221/2005, 15122/2014, 30034/94, 26901/2013, 14980/2015 Complementa dictamen 28213/2015).

11. *«Sobre el particular, de acuerdo a los artículos 6º y 76, ambos de la ley Nº 18.883, son subrogantes aquellos funcionarios que desempeñan cargos de planta en las municipalidades, cuando estos no están siendo servidos efectivamente por el titular o suplente de los mismos. Por su parte, en lo que se refiere a los requisitos que deben cumplir quienes subroguen al director de tránsito y transporte públicos de la Municipalidad de Cerro Navia, la jurisprudencia administrativa de esta Contraloría General, ha precisado a través del dictamen Nº 11.115, de 2016, entre otros, que cuando el alcalde altere el orden de subrogación, debe en todo caso nombrar a un funcionario que cumpla los requisitos previstos para desempeñar la plaza de que se trate».* (**ID Dictamen:** 065390N16. **Fecha:** 02-09-2016. **Destinatarios:** Municipalidad de Cerro Navia. **Texto:** Cuando el alcalde altere el orden de subrogación, debe nombrar a un funcionario que cumpla los requisitos previstos para desempeñar la plaza de que se trate. **Acción:** Aplica dictamen 11115/2016).

12. *«Con todo, corresponde señalar que según aparece del decreto alcaldicio Nº 276, de 2015, don Fernando Oyarzún Muñoz, fue nombrado como suplente en el cargo de director de control, a partir del 1 de junio de 2015, excediéndose con creces el plazo de seis meses, que según lo dispuesto por el inciso quinto del artículo 6º de la ley Nº 18.883, puede durar una suplencia, periodo al cabo del cual, necesariamente debe proveerse la respectiva plaza con un titular; sin que corresponda, tal y como se ha precisado en el dictamen Nº 101.096, de 2014, entre otros, que dicha medida se disponga nuevamente por igual período».* (**ID Dictamen:** 089821N16. **Fecha:** 15-12-2016. **Destinatarios:** señores Samuel Espinoza Vilches, Juan Zúñiga Godoy y Avelino Farías Piña, todos exconcejales de la Municipalidad de San Pedro, y don Jeremías Vilches Mondaca, actual concejal del citado ente comunal. **Texto:** Se ajustó a derecho la decisión del alcalde de la Municipalidad de San Pedro, de asignar a la servidora que indica, la función de administradora municipal; ente comunal

deberá dar cumplimiento a lo ordenado por el dictamen Nº 16.246, de 2015, de este organismo fiscalizador. **Acción:** Aplica dictámenes 45176/2003, 16246/2015, 14283/2009, 26774/2003, 37492/2016, 101096/2014).

1. *«Sobre el particular, es necesario tener presente, en primer término, que de conformidad con lo dispuesto en el artículo 2º de la ley Nº 18.883, sobre Estatuto Administrativo para Funcionarios Municipales, los cargos de planta son aquellos que conforman la organización estable de la municipalidad, los que se encuentran fijados en el texto que establece la planta del personal de la correspondiente entidad edilicia, (...).*

*A su turno, procede tener en cuenta que tales empleos pueden ser provistos, entre otras modalidades, mediante el nombramiento de suplentes, los que, según lo ordenado en el **artículo 6º, inciso tercero, de la citada ley Nº 18.883**, son aquellos funcionarios designados en esa calidad en los cargos que se encuentren vacantes y en aquellos que por cualquier circunstancia no sean desempeñados por el titular, durante un lapso no inferior a un mes; agregando el inciso cuarto del mismo precepto legal, que el suplente tendrá derecho a percibir la remuneración asignada al cargo que sirve en tal calidad, sólo en el caso de encontrarse este vacante, o bien cuando el titular del mismo por cualquier motivo no goce de dicha remuneración.*

*Al respecto, esta **Entidad Fiscalizadora ha precisado mediante los dictámenes Nºs. 47.749, de 2000, y 54.144, de 2009, que la provisión de cargos de planta mediante el nombramiento de suplentes, se basa en el supuesto que los interesados cumplan los requisitos que la normativa exige para desempeñarlos, los que se encuentran previstos, en forma genérica, en los artículos 10 de la citada ley Nº 18.883 y 12 de la ley Nº 19.280 y, específicamente, en el decreto con fuerza de ley que establece la planta del personal del respectivo municipio».* (**ID Dictamen: 080586N11 Fecha:** 26.12.2011. **Destinatarios:** Roberto Lepin Carvajal. **Texto:** No procede designación de funcionario en cargo directivo grado 9º, por no reunir exigencias legales para tal designación, específicamente, la relativa a experiencia en gestión de proyectos municipales. **Acción:** Aplica dictámenes 47749/2000, 54144/2009)

2. *«Por otra parte, cabe señalar que, en conformidad con el criterio contenido en el **dictamen Nº 9.395, de 2005, el alcalde subrogante solo puede ejercer las funciones administrativas del alcalde subrogado, existiendo, por ende, labores que únicamente pueden ser desarrolladas por el titular de dicho cargo**, en el marco de cuyo cumplimiento resulta factible la existencia de la debida coordinación entre dicha autoridad —durante su ausencia temporal— y el municipio respectivo».* (**ID Dictamen: 048369N11 Fecha:** 01.08.2011 **Destinatarios:** Alcaldesa de la Municipalidad de Caldera. **Texto:** Se ajustó a derecho la utilización, por parte de la alcaldesa titular, del teléfono celular municipal que le fuera asignado, durante el período en que ésta hacía uso de su feriado legal. **Acción:** Aplica dictámenes 35810/2003, 9478/2009, 27246/2009, 9395/2005)

3. *«En efecto, la jurisprudencia administrativa de esta Entidad Fiscalizadora en los dictámenes Nºs. 48.316, de 2001, y 3.955, de 2004, entre otros, ha precisado que quienes ocupan cargos de la planta profesional, no pueden desarrollar labores propias de empleos directivos o de jefatura, porque el referido cuerpo estatutario no contempla norma legal que faculte a los alcaldes para asignar de modo permanente funciones de esa naturaleza a quienes sirven plazas de carácter profesional, sin perjuicio que, eventualmente, puedan asumir su subrogancia, de cumplir los requisitos del cargo de que se trate, en caso de ausencia de los titulares».* (**ID Dictamen: 045483N11 Fecha:** 19.07.2011 **Destinatarios:** Luis Fernando Pizarro Costa. **Texto:** Sobre pronunciamiento acerca de la legalidad del cambio de funciones, desde la dirección de la unidad de aseo y ornato, a profesional de apoyo en la misma dependencia municipal. **Acción:** aplica dictámenes 48316/2001, 3955/2004, 30645/2010)

4. *«Ahora bien, cabe considerar que según lo dispuesto en los **artículos 6º, inciso final, y 76, ambos de la ley Nº 18.883**, son subrogantes aquellos funcionarios que entran a desempeñar el empleo del titular o suplente por el solo ministerio de la ley, cuando éstos se encuentren impedidos de ejercerlo por cualquier causa; lo que, conforme con el artículo 78 del mismo texto legal, opera por el solo ministerio de la ley, respecto del funcionario de la misma unidad que siga en el orden jerárquico, que reúna los requisitos para el desempeño del cargo, teniendo el subrogante derecho al sueldo del cargo que subrogare —como agrega el artículo 80—, si la plaza se encontrare vacante o si el titular de la misma por cualquier motivo no goza de dicha remuneración.*

Sobre este punto, la jurisprudencia de este Organismo Contralor, contenida, entre otros, en los dictámenes Nºs. 26.814, de 1999; 44.034, de 2002; 33.499, de 2004, y 42.467, de 2009, ha precisado que la subrogación es un mecanismo de reemplazo concebido en relación con los cargos existentes en la planta de la respectiva municipalidad, para los fines de proveer, en forma inmediata, la ausencia definitiva o temporal de los servidores que ejercen el empleo correspondiente y, así, mantener la continuidad en la satisfacción de las necesidades de la comunidad local; por lo que, en el evento que el cargo no se encuentre contemplado en la planta de personal respectiva, únicamente se trataría de una asignación o encomendación[112] *de labores o funciones, que no tiene asignada por la ley una remuneración determinada»*. (**ID Dictamen: 033068N11 Fecha:** 25.05.2011 **Destinatarios:** Alcalde de la Municipalidad de Cerrillos. **Texto:** Sobre identificación de cargo municipal e improcedencia de subrogación respecto de la mera asignación de funciones en la Municipalidad de Cerrillos. **Acción:** Aplica dictámenes 26814/99, 44034/2002, 33499/2004, 42467/2009 Complementa dictámenes 12554/2010, 31426/2010. Mismo criterio aplicado en **ID Dictamen: 034113N12 Fecha:** 11.06.2012 **Destinatarios:** Alcalde de la Municipalidad de Maipú. **Texto:** Sobre demora en tramitación de sumario administrativo y destinación de directivo al cargo de director de Servicio Municipal de Agua Potable y Alcantarillado de la Municipalidad de Maipú. **Acción:** Aplica dictámenes 51136/2008, 70997/2010)

5. *«(...), ingresó al sector municipal de conformidad con lo dispuesto en el decreto Nº 135, de 2010, de la Municipalidad de Los Vilos, en calidad de suplente, a partir del 26 de abril de 2010, sin existir constancia de la fecha de término de las funciones que se le encomendaron; debiendo hacerse presente, en todo caso, que de acuerdo con lo señalada en el artículo 6º, inciso quinto, de la ley. Nº 18.883, sobre Estatuto para Funcionarios Municipales, la suplencia por un cargo vacante no puede extenderse a más de seis meses»*. (**ID Dictamen: 003420N11 Fecha:** 19.01.2011 **Destinatarios:** Abogado Procurador Fiscal de Santiago del Consejo de Defensa del Estado. **Texto:** Sobre diversas consultas relativas al incremento contemplado en el art. 2 del decreto ley 3501/80, en relación con los dictámenes que indica de esta Contraloría. **Acción:** Aplica dictámenes 8466/2008, 44764/2009, 50142/2009, 27108/83, 40282/97, 329/2009, 55601/2009, 41551/2008, 28993/98, 54846/2010, 24872/2006, 62363/2009, 24822/93)

6. *«Precisado lo anterior, en cuanto a lo requerido por la municipalidad recurrente, es menester señalar, en primer término, que el artículo 47 de la ley Nº 18.695, Orgánica Constitucional de Municipalidades, previene, en lo que interesa, que el cargo de Secretario Comunal de Planificación tiene la calidad de exclusiva confianza del alcalde.*
A su turno, el artículo 85 de la reseñada ley Nº 18.883, prevé, en su letra d), la compatibilidad de los empleos regidos por dicho cuerpo legal, con los cargos de suplente y subrogante.
Agregando, el artículo 86 del mismo ordenamiento que, en los casos a que se refiere la aludida letra d), los funcionarios conservarán la propiedad del cargo o empleo de que sean titulares.
*Como puede advertirse al tenor de la normativa expuesta, y en armonía con lo manifestado por **la jurisprudencia administrativa de esta Entidad Fiscalizadora, contenida, entre otros, en los dictámenes Nºs. 27.997, de 1993, y 28.561, de 2000, no existe impedimento para que un funcionario que ocupa un cargo titular de planta pueda ser nombrado como suplente en otro de exclusiva confianza, sin que pierda la propiedad de aquél, dado que es la propia ley la que lo autoriza.** Sin embargo, ello no significa que, por tal circunstancia, se permita desempeñar cargos vacantes de esa naturaleza, en calidad de suplentes, sin limitación de tiempo, como al parecer entiende la autoridad recurrente.*
*En este sentido, cabe agregar que, a diferencia de lo que acontece con la ley Nº 18.834, Estatuto Administrativo, el cual en su artículo 87, letra e), establece expresamente la compatibilidad de cargos afectos a dicho estatuto con los de exclusiva confianza; **la ley Nº 18.883, no contempla tal posibilidad, y considerando que en derecho público los órganos de la Administración del Estado solo pueden realizar aquello para lo cual están expresamente facultados, tampoco es posible nombrar a un funcionario de planta como titular en un cargo de exclusiva confianza y mantenerle la propiedad del mismo.***
*Enseguida, es necesario aclarar que en virtud del **artículo 6º, inciso séptimo,** del Estatuto en estudio, el nombramiento del personal suplente solo está sujeto a los preceptos que contiene el Título I de ese cuerpo legal, fijando, además, dicha disposición, en sus incisos tercero y quinto, un período máximo de seis meses para servir una suplencia cuando esta designación se ordena para un cargo que durante un lapso no inferior a un mes se encuentre vacante, como sucede en la especie con el de Secretario Comunal de Planificación, motivo por el que la suplencia del empleo en cuestión, solo pudo disponerse hasta por el plazo indicado previamente.*
*Ahora bien, **diversa es la situación cuando el cargo respecto del cual se ordena una suplencia tiene titular, y aquel por cualquier circunstancia no se encuentre desempeñándolo durante un lapso no inferior a un mes,** dado que el artículo 6º, inciso quinto, de la ley Nº 18.883, solo determina un límite de plazo tratándose de empleos vacantes,*

---

[112] *«Encomendación»*: Transcripción textual de Dictamen (ID Dictamen: 033068N11 Fecha: 25.05.2011 Destinatarios: Alcalde de la Municipalidad de Cerrillos. Texto: Sobre identificación de cargo municipal e improcedencia de subrogación respecto de la mera asignación de funciones en la Municipalidad de Cerrillos. Acción: Aplica dictámenes 26814/99, 44034/2002, 33499/2004, 42467/2009 Complementa dictámenes 12554/2010, 31426/2010).

por lo que, en esa condición, es posible disponer una suplencia por el tiempo que dure esa ausencia o por un período determinado, o mientras sean necesarios los servicios de quien se designa, permitiéndose, además, en el evento de estas dos últimas alternativas mencionadas, efectuar un nuevo nombramiento, a fin de mantener la continuidad de la función pública (aplica criterio contenido en el dictamen Nº 28.561, de 2000)». (ID Dictamen: 068493N12 Fecha: 31.10.2012 **Destinatarios:** Alcalde de la Municipalidad de San Antonio. **Texto:** Rechaza solicitud de reconsideración de oficio 13030/2011, de la Contraloría Regional de Valparaíso, sobre improcedencia de suplencias que indica. **Acción:** Aplica dictámenes 27997/93, 28561/2000)

7. «*Sobre el particular, se debe recordar que, tal como ha señalado este Ente Fiscalizador, entre otros, en el dictamen Nº 65.092, de 2010, con ocasión de la entrada en vigencia de la ley Nº 20.250, esto es, desde el 9 de febrero de 2008, las disposiciones contenidas en el Estatuto de Atención Primaria de Salud Municipal se hicieron aplicables no solo al personal de los establecimientos de atención primaria de salud, señalados en la letra a) del artículo 2º de la citada ley Nº 19.378, sino que, también, a aquellos que se desempeñan en las entidades administradoras de salud municipal, contempladas en la letra b) de esa misma norma legal, incluido el director del departamento de salud municipal.*
En tal contexto, cabe señalar que el artículo 14 del aludido estatuto de salud, regula expresamente la forma como deben proveerse los empleos de la dotación de salud comunal, pudiendo ser por contrato indefinido, contrato a plazo fijo o contrato de reemplazo, este último solo en caso de ausencia del reemplazado, por lo que en la situación que aquí se examina, no corresponde aplicar supletoriamente la normativa de la ley Nº 18.883, relativa a las calidades en que se desempeña un cargo público.
Precisado lo anterior, y conforme a lo concluido por la jurisprudencia administrativa de esta Entidad Fiscalizadora, contenida, entre otros, en el dictamen Nº 26.414, de 2012, es necesario aclarar que, en relación con la situación de la especie, tratándose del cargo vacante de director del Departamento de Salud Municipal, corresponde recurrir a la figura del contrato a plazo fijo, mientras se provee el mismo con su titular, para cuyos efectos el municipio debe, a la brevedad, convocar, desarrollar y resolver el respectivo concurso público, (...)». (**ID Dictamen:** 053569N12 **Fecha:** 30.08.2012 **Destinatarios:** Alcalde de la Municipalidad de Copiapó. **Texto:** Acoge solicitud de reconsideración de oficio 432/2012, de la Contraloría Regional de Atacamaes, relativo a la forma de proveer el cargo de director del Departamento de Salud Municipal. **Acción:** Aplica dictámenes 65092/2010, 26414/2012[113].

8. «*En forma previa, debe aclararse que el artículo 6º de la ley Nº 18.883, sobre Estatuto Administrativo para Funcionarios Municipales, establece en síntesis, que los cargos de planta pueden ser servidos, en calidad de titular, esto es, por aquellos funcionarios que son nombrados para ocupar en propiedad un cargo vacante; como suplentes, quienes son designados en esa calidad en los cargos vacantes y en aquellos que por cualquier circunstancia no sean desempeñados por el titular, durante un lapso no inferior a un mes; y, como subrogantes, los que entran a desempeñar el empleo del titular o suplente por el solo ministerio de la ley, cuando éstos se encuentren impedidos de desempeñarlo por cualquier causa. (...)*
De este modo, dado que el empleo de tesorero municipal no es un cargo de denominación específica previsto en la planta de personal de esa entidad edilicia, no procede a su respecto el nombramiento de un funcionario como titular, como tampoco resulta posible aplicar la figura jurídica de la subrogación, por cuanto tal como ha determinado este Organismo Contralor en los dictámenes Nºs. 70.997, de 2010, y 33.068, de 2011, este último es un mecanismo de reemplazo concebido en relación con los empleos existentes en la planta del respectivo municipio, para los fines de proveer, en forma inmediata, la ausencia definitiva o temporal de los servidores que los ejercen y, así, mantener la continuidad en la satisfacción de las necesidades de la comunidad local.
Por ende, para los fines del cumplimiento de las labores propias de la jefatura de la unidad encargada de tesorería municipal, la municipalidad debe proceder a la asignación o encomendación[114] de tales tareas, a un servidor que integre algunas de las plantas que pueden ejercer funciones de dicha naturaleza, esto es, directiva o jefatura». (**ID Dictamen:**

---

[113]   ID Dictamen: 026414N12 Fecha: 08.05.2012 Destinatarios: Alcalde de la Municipalidad de Puerto Montt. Texto: Sobre ejercicio del cargo de Director del Departamento de salud municipal mientras se provee con un titular y derecho a percibir asignación especial transitoria establecida en el art. 45 de la ley 19378. Acción: aplica dictamen 56269/2011: Para efectos de su consulta en la Base de Jurisprudencia de Contraloría General de la República, el citado dictamen se encuentra en la sección/materia: «generales», sin perjuicio de que se trata de uno de carácter municipal.

[114]   «*Encomendación*»: Transcripción textual de Dictamen (ID Dictamen: 003705N12 Fecha: 19.01.2012 Destinatarios: Alcalde de la Municipalidad de San Ramón. Texto: Sobre observancia de la jerarquía en la enco-

003705N12 Fecha: 19.01.2012 **Destinatarios:** Alcalde de la Municipalidad de San Ramón. **Texto:** Sobre observancia de la jerarquía en la encomendación de funciones a servidores municipales nombrados en cargos genéricos, como ocurre en el caso de las labores de tesorero municipal. **Acción:** Aplica dictámenes 70997/2010, 33068/2011)

Artículo 7º

Para los efectos de la carrera funcionaria, cada municipalidad sólo podrá tener las siguientes plantas de personal: de Directivos, de Profesionales, de Jefaturas, de Técnicos, Administrativos y de Auxiliares.

Las plantas municipales establecidas de acuerdo al inciso anterior tendrán las siguientes posiciones relativas:

Alcaldes	del grado 1 al 6.
Directivos	del grado 3 al 10.
Profesionales	del grado 5 al 12.
Jefaturas	del grado 7 al 12.
Técnicos	del grado 9 al 17.
Administrativos	del grado 11 al 18.
Auxiliares	del grado 13 al 20.

Para los efectos de establecer el grado asignado al cargo de alcalde dentro de la planta municipal respectiva al momento de fijarla o modificarla de conformidad a lo dispuesto por el artículo 49 bis de la ley Nº 18.695, los municipios deberán ajustarse a la categoría en que se encuentren según el total de sus ingresos anuales percibidos o el número de habitantes de la comuna, a su elección. Un reglamento dictado por el Ministerio del Interior y Seguridad Pública, y suscrito además por el Ministro de Hacienda, fijará las categorías según los criterios antes indicados y el rango de grados posibles para cada categoría, sin que pueda dicho reglamento de manera alguna significar una disminución de remuneraciones o grado al alcalde, o algún miembro de cualquier escalafón de la municipalidad. Dicho reglamento deberá dictarse en los seis meses siguientes a la publicación de esta ley. En caso que no se dicte el reglamento dentro de plazo, los municipios igualmente podrán modificar sus respectivas plantas.

1. «Por ende, en virtud del reseñado artículo tercero transitorio, es posible modificar los decretos que determinan al personal a contrata para efectos de incrementar su grado a uno no contemplado en la respectiva planta de personal; siempre que, por cierto, se circunscriba a las posiciones relativas establecidas en el artículo 7º de la ley Nº 18.883 (aplica criterio contenido en el dictamen Nº 25.292, de 2018)». (**ID Dictamen:** 002900N19. **Fecha:** 25-01-2019. **Destinatarios:** Municipalidad de San Vicente de Tagua Tagua. **Texto:** Incrementos de grados efectuados en aplicación del artículo tercero transitorio de la ley Nº 20.922, no se encuentran limitados a aquellos contemplados en las respectivas plantas de personal municipal. **Acción:** Aplica dictámenes 3250/96, 13517/2009, 25292/2018).

2. «En relación con lo anterior, resulta pertinente hacer presente que si bien la jerarquía funcionaria está dada principalmente por el grado remuneratorio, esta debe armonizarse con la carrera funcionaria y la expresa regulación de los estamentos en orden ascendente, que establece el artículo 7º de la ley Nº 18.883, al disponer que "para los efectos de la carrera funcionaria, cada municipalidad sólo podrá tener las siguientes plantas de personal: de Directivos, de Profesionales, de Jefaturas, de Técnicos, de Administrativos y de Auxiliares" (aplica criterio contenido en los dictámenes Nos 34.543, de 1994 y 47.546, de 2013, ambos de este origen)». (**ID Dictamen:** 034501N17. **Fecha:** 25-09-2017. **Desti-**

mendación de funciones a servidores municipales nombrados en cargos genéricos, como ocurre en el caso de las labores de tesorero municipal. Acción: Aplica dictámenes 70997/2010, 33068/2011)

natarios: Municipalidad de San Antonio. **Texto:** Para efectos del ascenso que regula el artículo 54 de la ley Nº 18.883, un servidor podrá acceder a un cargo de igual grado al que posee, en tanto se trate de un estamento jerárquicamente superior. No procede ascenso de funcionario que se individualiza en virtud de dicho precepto por los motivos que indica. **Acción:** Aplica dictámenes 34543/94, 47546/2013, 2221/2016, 30234/2016, 46617/2002, 89821/2016 Reconsidera parcialmente dictámenes 1201/95, 10376/96).

3. «*A continuación, es pertinente consignar que de conformidad con el inciso segundo del artículo 7º de la ley Nº 18.883 —incorporado por el artículo 5º, Nº 2), de la ley Nº 20.922, vigente a contar del 25 de mayo de 2016—, las posiciones relativas de la planta de auxiliares abarcan desde el grado 13 al 20. En las condiciones anotadas, no resultaba procedente acudir al mecanismo previsto en el artículo cuarto transitorio, inciso segundo, de la ley Nº 20.922, que faculta a los alcaldes, a efectos de la aplicación de los artículos primero y segundo transitorios de ese ordenamiento, para modificar las plantas del personal de las municipalidades, cuando no existan cargos vacantes en los respectivos estamentos, con el único objeto de crear las plazas necesarias para ello, puesto que el artículo 7º, inciso segundo, de la ley Nº 18.883, previene que el grado 13 es el máximo de la planta de auxiliares —precisamente el que posee el interesado—, sin que el alcalde pueda crear un cargo grado 12 de auxiliar, pues vulneraría esa norma legal*». **(ID Dictamen:** 025292N18. **Fecha:** 08-10-2018. **Destinatarios:** señor Roberto Araya Avello, funcionario de la Municipalidad de Los Ángeles. **Texto:** No corresponde encasillar a funcionario ubicado en el tope del estamento respectivo en un grado superior, en virtud del artículo segundo transitorio de la ley Nº 20.922. **Acción:** Aplica dictamen 17923/2017).

4. «*Como cuestión previa, es dable recordar que la ley Nº 19.280 facultó al Presidente de la República para que, mediante un decreto con fuerza de ley, por cada órgano edilicio, adecuara las plantas y escalafones vigentes del personal a las establecidas en el artículo 7º de la ley Nº 18.883, autorizando, además dicho texto legal, a los alcaldes para que —mediante la dictación de un decreto alcaldicio— encasillaran al personal de planta en los cargos creados y en los que sucesivamente fueran quedando vacantes con motivo de la provisión de los primeros, debiendo nombrar, sin concurso previo, una vez encasillado el personal de planta, a los funcionarios a contrata y a las personas contratadas a honorarios asimiladas a grado que, al 29 de diciembre de 1989, se desempeñaban en las respectivas municipalidades en las calidades mencionadas y que se encontraban en servicio a la fecha de entrada en vigencia de la ley Nº 19.280.*
Al respecto, la jurisprudencia administrativa contenida, entre otros, en los dictámenes Nºs. 27.109, de 2014, y 88.517, de 2015, ha precisado que los cargos adscritos carecen de jerarquía funcionaria, encontrándose al margen de las plantas de los servicios y formando parte de un sistema paralelo especial distinto del personal de carrera, por cuanto tales puestos se extinguirán de pleno derecho al momento del cese de labores por cualquier causa, constituyendo una dotación adicional a la normal.
Precisado lo anterior, y en cuanto a si el personal adscrito a la planta municipal tiene derecho al incremento de grados previsto en los artículos primero y segundo transitorios de la ley Nº 20.922, cabe recordar que su artículo primero transitorio dispone que a contar del 1 de enero del año 2016, el personal titular de planta, regido por la ley Nº 18.883, que se encuentre nombrado al 1 de enero de 2015 como titular en un cargo de las plantas de técnicos, administrativos y auxiliares entre los grados 10 al 20, ambos inclusive, será encasillado en el grado inmediatamente superior, cuando cumpla con los demás requisitos que la norma contempla.
De las disposiciones precitadas, se desprende que el aumento de grados a que se ha hecho referencia favorece a los funcionarios de las plantas permanentes del personal de carrera —que cumplan con los requisitos previstos al efecto—, toda vez que la propia normativa precisa que en caso que la respectiva planta municipal carezca de cargos vacantes para el pertinente encasillamiento, los alcaldes se encuentran facultados para modificarlas, solo con el objeto de crear las plazas que se requieren para ello». **(ID Dictamen:** 012508N17. **Fecha:** 12-04-2017. **Destinatarios:** Municipalidades de Providencia y Fresia y el señor Miguel Gómez Quijada —Presidente de la Federación Regional de Funcionarios Municipales de la Región de Los Lagos. **Texto:** Los funcionarios municipales que ejercen cargos adscritos no tienen derecho al incremento de grados previsto en los artículos primero y segundo transitorios de la ley Nº 20.922, pudiendo, en todo caso, percibir la asignación especial de directivo-jefatura establecida en el artículo undécimo transitorio del citado texto legal. **Acción:** complementa dictamen 6463/2017 aplica dictámenes 27109/2014, 88517/2015, 63201/2016, 2947/99, 33377/2011).

5. «*Por ende, en virtud del reseñado artículo tercero transitorio, es posible modificar los decretos que determinan al personal a contrata para efectos de incrementar su grado a uno no contemplado en la respectiva planta de personal; siempre que, por cierto, se circunscriba a las posiciones relativas establecidas en el artículo 7º de la ley Nº 18.883 (aplica criterio contenido en el dictamen Nº 25.292, de 2018)*». **(ID Dictamen:** 002900N19. **Fecha:** 25-01-2019. **Destinatarios:** s Municipalidad de San Vicente de Tagua Tagua. **Texto:** Incrementos de grados efectuados en aplicación del artículo

tercero transitorio de la ley Nº 20.922, no se encuentran limitados a aquellos contemplados en las respectivas plantas de personal municipal. **Acción:** Aplica dictámenes 3250/96, 13517/2009, 25292/2018).

1. «*(...) la jurisprudencia administrativa de esta Contraloría General contenida, entre otros, en los dictámenes Nºs. 43.108, de 2001, y 46.195, de 2005, ha precisado que el nivel jerárquico de los funcionarios al cual debe estarse al momento de definir a quien le corresponde la obligación de subrogar un cargo, está establecido, genéricamente, por el grado o nivel remuneratorio que estos poseen dentro de la misma unidad.*

*Lo anterior, agregan dichos pronunciamientos, es sin perjuicio del **régimen jerarquizado y disciplinado a que están afectos los funcionarios de la Administración, según lo previsto en los artículos 7º y 17 de la ley Nº 18.575**, **Orgánica Constitucional de Bases Generales de la Administración del Estado, en concordancia con el cual, para el caso de las municipalidades, el artículo 7º de la citada ley Nº 18.883, que contempla las diversas plantas que pueden existir al interior de las entidades edilicias, fija un orden jerárquico en donde el escalafón de directivos está por sobre el estamento de profesionales.***

Así, entonces, de presentarse entre los servidores que podrían desempeñarse como subrogantes al interior de una unidad, igualdad jerárquica desde el punto de vista de su nivel remuneratorio, pero diferencia en cuanto a la planta a la que pertenezcan, debe necesariamente atenderse a esta última; de tal manera que un empleado grado 5 de la planta de directivos poseerá mayor jerarquía que un servidor de igual grado remuneratorio del estamento de profesionales». (**ID Dictamen: 080449N12 Fecha:** 27.12.2012 **Destinatarios:** Alcalde de la Municipalidad de Maipú. **Texto:** Sobre orden de subrogación del cargo de Director de Obras Municipales, entre funcionarios de igual grado dentro de la misma unidad. **Acción:** Aplica dictámenes 35046/2001, 7308/2002, 43108/2001, 46195/2005, 3955/2004)

2. «*En este sentido, resulta pertinente indicar que **la jurisprudencia administrativa de este Organismo de Control contenida en el dictamen Nº 39.521, de 2012**, ha manifestado, en lo pertinente, que la creación de los cargos a que se refiere la citada letra b) del artículo 10 de la ley Nº 20.554, se produjo por el ministerio de la ley, de manera que **a las municipalidades solo les asiste la obligación de identificarlos en la planta de profesionales y determinar el grado que estos tendrán asignados.** (...)*

*No obsta a la aplicación del criterio planteado el hecho de que exista en el municipio de que se trata un cargo en extinción, el cual, conforme lo señala la propia entidad edilicia recurrente, habría sido dispuesto en virtud de lo establecido en la ley Nº 19.280, **toda vez que esa clase de cargos ha quedado al margen de las plantas que prevé el artículo 7º de la ley Nº 18.883 (aplica dictamen Nº 11.885, de 1994)**».* (**ID Dictamen: 058197N12 Fecha:** 21.09.2012 **Destinatarios:** Alcaldesa de la Municipalidad de Aysén. **Texto:** Sobre identificación y grado del cargo de Secretario Abogado de Juzgado de Policía Local. **Acción:** Aplica dictámenes 39521/2012, 11885/94, 3250/96)

3. «*En este punto, es menester considerar que, de conformidad con el **artículo 7º de la citada ley Nº 18.883, en el orden jerárquico de las plantas municipales**, se ubica en el primer lugar la planta de directivos, luego la de profesionales, a continuación la de jefaturas, enseguida la de técnicos, la de administrativos y, finalmente, la de auxiliares; y, además, que el artículo 9º de ese cuerpo estatutario, previene que todo cargo municipal necesariamente debe tener asignado un grado de acuerdo con la importancia de la función que se desempeñe; **todo lo cual, complementado con el texto normativo que aprueba la planta de personal de la municipalidad respectiva, determina el nivel jerárquico de los funcionarios de una entidad edilicia».*** (**ID Dictamen: 003705N12 Fecha:** 19.01.2012 **Destinatarios:** Alcalde de la Municipalidad de San Ramón. **Texto:** Sobre observancia de la jerarquía en la encomendación[115] de funciones a servidores municipales nombrados en cargos genéricos, como ocurre en el caso de las labores de tesorero municipal. **Acción:** Aplica dictámenes 70997/2010, 33068/2011)

---

[115] «*Encomendación*»: Transcripción textual de Dictamen (ID Dictamen: 003705N12 Fecha: 19.01.2012 Destinatarios: Alcalde de la Municipalidad de San Ramón. Texto: Sobre observancia de la jerarquía en la encomendación de funciones a servidores municipales nombrados en cargos genéricos, como ocurre en el caso de las labores de tesorero municipal. Acción: Aplica dictámenes 70997/2010, 33068/2011)

Artículo 8º

La carrera funcionaria se iniciará con el ingreso a un cargo de planta, y se extenderá hasta el cargo de jerarquía inmediatamente inferior al de alcalde.

Para el ingreso y la promoción en los cargos de las plantas de personal de las municipalidades se deberá cumplir con los siguientes requisitos:

1) Plantas de Directivos: Título profesional de una carrera de, a lo menos, ocho semestres de duración, otorgado por una institución de educación superior del Estado o reconocida por éste.

No obstante, para los cargos de dirección destinados al mando superior de las unidades que se indican seguidamente, deberán cumplirse los requisitos específicos que se señalan:

a) Para la unidad de obras municipales se requerirá título de arquitecto, de ingeniero civil, de ingeniero constructor civil o de constructor civil, otorgado por una institución de educación superior del Estado o reconocida por éste.

b) En la unidad de asesoría jurídica se requerirá título de abogado, habilitado para el ejercicio de la profesión.

2) Plantas de Profesionales: Título profesional de una carrera de, a lo menos, ocho semestres de duración, otorgado por una institución de educación superior del Estado o reconocida por éste.

3) Plantas de Jefaturas: título profesional universitario o título profesional de una carrera de, a lo menos, ocho semestres de duración, otorgado por una institución de educación superior del Estado o reconocida por éste, o título técnico que cumpla los requisitos fijados para la planta de técnicos.

4) Plantas de Técnicos: Título técnico de nivel superior otorgado por una institución de educación superior del Estado o reconocida por éste, en el área que la municipalidad lo requiera; o, en su caso, título técnico de nivel medio, en el área que la municipalidad lo requiera, otorgado por una institución de educación del Estado o reconocida por éste; o haber aprobado, a lo menos, cuatro semestres de una carrera profesional impartida por una institución del Estado o reconocida por éste, en el área que la municipalidad lo requiera.

5) Plantas de Administrativos: Licencia de educación media o su equivalente.

6) Plantas de Auxiliares: Haber aprobado la educación básica o encontrarse en posesión de estudios equivalentes.

Para el ingreso o la promoción a cargos que impliquen el desarrollo de funciones de chofer, será necesario estar en posesión de la licencia de conducir que corresponda según el vehículo que se asignará a su conducción.

Las plantas podrán considerar requisitos específicos para determinados cargos.

---

1. «*Requerida al efecto, la Subsecretaría de Desarrollo Regional y Administrativo informó, en síntesis, que el servidor de que se trata no puede ser encasillado en el estamento de profesionales si no satisface la exigencia de contar con un título profesional de una carrera de, a lo menos, ocho semestres de duración, otorgado por una institución superior del Estado o reconocida por éste, que prevé el artículo 8º, inciso segundo, numeral 2), de la ley Nº 18.883. Al respecto, el dictamen Nº 17.773, de 2018 —que imparte instrucciones en relación con el ejercicio de la facultad para fijar o modificar las plantas de personal de las municipalidades—, ha precisado que el legislador se preocupó de mencionar expresamente cada uno de los estamentos existentes en las plantas de personal, para luego señalar que los servidores municipales deben encasillarse en el mismo grado, de lo que queda de manifiesto su intención en orden a que en el encasillamiento se respete el estamento en que se encontraban ubicados los funcionarios. Con todo, cumple con hacer presente que de conformidad con el artículo 8º, Nº 2, de la ley Nº 18.883, para el ingreso y la promoción en los cargos de la planta profesional de las municipalidades se debe contar con "Título profesional de una carrera de, a lo menos, ocho semestres*

de duración, otorgado por una institución de educación superior del Estado o reconocida por éste", por lo que no se ajustaría a derecho que se encasillara a un funcionario que no cumple con las exigencias determinadas expresamente por la ley, en el mencionado estamento». (**ID Dictamen:** 002814N19. **Fecha:** 25-01-2019. **Destinatarios:** Municipalidad de Chillán Viejo. **Texto:** No se ajusta a derecho eliminar cargo que se encuentra ocupado por un funcionario titular. No corresponde encasillar en estamento profesional a servidor que no cumple con los requisitos legales. **Acción:** Aplica dictamen 17773/2018).

2. *«En ese contexto, es dable anotar que el artículo 8º, inciso primero, de la ley Nº 18.883, prevé que la carrera funcionaria se iniciará con el ingreso a un cargo de planta, y se extenderá hasta el cargo de jerarquía inmediatamente inferior al de alcalde. Luego, el numeral 1) del precitado precepto estatutario dispone, en lo que importa, que para el ingreso a la planta de directivos de las municipalidades se requiere contar con "título profesional de una carrera de, a lo menos, ocho semestres de duración, otorgado por una institución de educación superior del Estado o reconocida por éste". Ahora bien, la circunstancia de que el inciso primero del referido artículo 8º establezca que la carrera funcionaria se extiende hasta el cargo de jerarquía inmediatamente inferior al de alcalde, no exime al personal de la exclusiva confianza de este último, de cumplir con las exigencias académicas previstas en dicha norma legal. En efecto, quienes ocupan cargos de exclusiva confianza de la máxima autoridad comunal se encuentran en la obligación de dar cumplimiento a los requisitos de ingreso previstos para el respectivo estamento, como ocurre con cualquier otro funcionario municipal, no resultando relevante al efecto la naturaleza que posean dichos empleos (aplica criterio contenido en el dictamen Nº 15.138, de 2014). En consecuencia, el requisito académico previsto en el citado numeral 1) del artículo 8º de la ley Nº 18.883, resulta plenamente exigible al cargo de director de desarrollo comunitario de la Municipalidad de Putre».* (**ID Dictamen:** 008563N18. **Fecha:** 29-03-2018. **Destinatarios:** Municipalidad de Putre. **Texto:** Quien sea designado en el cargo de director de desarrollo comunitario debe contar con título profesional, de conformidad con lo previsto en el artículo 8º, número 1), de la ley Nº 18.883. **Acción:** Aplica dictámenes 62989/2015, 15138/2014).

3. *«Luego, el inciso segundo del artículo 8º de la ley Nº 18.883, prevé en su número 1) que para ingresar a la planta de directivos de una entidad edilicia se requiere título profesional de una carrera de, a lo menos, ocho semestres de duración, otorgado por una institución de educación superior del Estado o reconocida por este. No obsta a lo concluido precedentemente lo dispuesto en el aludido inciso segundo del artículo 8º de la ley Nº 18.883, puesto que el anotado artículo 16 bis debe prevalecer a efectos de determinar las exigencias para el mencionado cargo, en atención su carácter especial en relación al primer precepto citado (aplica criterio contenido en el dictamen Nº 14.980 de 2015). En consecuencia, el cargo de director de seguridad pública podrá ser desempeñado por quienes posean un título profesional o un diploma técnico de nivel superior otorgado por un establecimiento de educación superior del Estado o reconocidos por este».* (**ID Dictamen:** 020263N18. **Fecha:** 10-08-2018. **Destinatarios:** Municipalidad de Algarrobo. **Texto:** Cargo de director de seguridad pública municipal podrá ser desempeñado, indistintamente, por personas que estén en posesión de un título profesional o de un diploma técnico otorgado por un establecimiento de educación superior del Estado o reconocido por este. **Acción:** Aplica dictamen 14980/2015).

4. *«Por último, es menester puntualizar que si bien el artículo 7º de la ley Nº 20.922, publicada el 25 de mayo de 2016, derogó el citado artículo 12 de la ley Nº 19.280, su artículo 5º, Nº 3, incorporó al artículo 8º de la ley Nº 18.883, en lo que interesa, el Nº 2, fijando como requisito para ingresar a las plantas de profesionales de las municipalidades, contar con un título profesional de una carrera de, a lo menos, ocho semestres de duración, otorgado por una institución de educación superior del Estado o reconocida por éste, por lo que, de efectuarse una nueva designación de la afectada en un empleo de esa naturaleza, deberá dar cumplimiento a dicho requerimiento».* (**ID Dictamen:** 021394N17. **Fecha:** 12-06-2017. **Destinatarios:** doña Sandra Ugarte Solorza, funcionaria de la Municipalidad de Huechuraba y Presidenta de la Asociación Nº 1 de Trabajadores Municipales de Huechuraba. **Texto:** Diploma que posee funcionaria que se indica tiene carácter profesional, pero sólo la habilita para haber sido designada en un empleo de esa naturaleza en la Municipalidad de Huechuraba, si la duración de su plan de estudios cumple la extensión requerida por el artículo 12, Nº 2, de la ley Nº 19.280. **Acción:** Aplica dictámenes 77829/2011, 23398/2016, 1746/2015, 14965/2016).

5. *«En este contexto, queda de manifiesto que el cargo de director de seguridad pública podrá ser desempeñado, indistintamente, por personas que estén en posesión no solo de un título profesional, sino que también de un diploma técnico de nivel superior. Luego, el inciso segundo del artículo 8º de la ley Nº 18.883, prevé en su número 1), que para ingresar a la planta de directivos —estamento en que la Municipalidad de Antofagasta creó el cargo de director de seguridad pública— se requiere título profesional de una carrera de, a lo menos, ocho semestres de duración, otorgado por una institución de educación superior del Estado o reconocido por este. Al respecto, la jurisprudencia administrativa conteni-*

da en los dictámenes Nºs. 35.695, de 2014, y 65.371, de 2016, teniendo en consideración lo previsto en el artículo 1º del decreto ley Nº 2.197, de 1978 —que reconoce como equivalentes a título profesional universitario aquellos que otorgan los establecimientos de enseñanza de la defensa nacional—, ha concluido que el diploma de oficial graduado en ciencias policiales constituye un título profesional universitario de cuatro semestres de duración, de modo tal que no cumple con la extensión mínima de ocho semestres requerida para desempeñar un empleo directivo en una municipalidad. En este contexto, según el criterio contenido en los dictámenes Nºs. 35.154, de 2013, y 35.695, de 2014, el cumplimiento de una carga académica mínima de ocho semestres se debe exigir tanto a los títulos profesionales universitarios como a los demás títulos profesionales, pues lo contrario significaría discriminar arbitrariamente, vulnerando el artículo 19, Nº 2, de la Constitución Política de la República». **(ID Dictamen:** 026893N18. **Fecha:** 26-10-2018. **Destinatarios:** señor Rodrigo Alegría Sáez, mediante la cual reclama en contra de la Municipalidad de Antofagasta. **Texto:** Título profesional de oficial graduado en Ciencias Policiales y Diploma de oficial de Carabineros de orden y seguridad no habilitan a su titular para ser designado Director de Seguridad Pública Municipal. **Acción:** Aplica dictámenes 35695/2014, 65371/2016, 35154/2013, 11794/2014, 3674/2016, 71695/2010, 26851/2016, 33954/2012, 2228/2016).

6. *«En este orden de consideraciones, y tal como se hizo presente en el pronunciamiento cuya reconsideración se solicita, a los funcionarios del estamento directivo de la Municipalidad de San Antonio, que seguían al cargo de director de obras, grado 6, no les asistía el derecho a ser promovidos a dicha plaza, pues no cumplían con el requisito para el desempeño de ese empleo que el legislador estableció en el artículo 8º, numeral 1, letra a) de la ley Nº 18.883, circunstancia que impide efectuar el cotejo correspondiente para efectos de aplicar el señalado artículo 54 de dicho cuerpo estatutario. En efecto, resulta esencial para disponer la modalidad excepcional de promoción de que se trata, el cumplimiento de cada una de las exigencias que la norma legal en estudio contempla, toda vez que la ausencia de alguna de ellas, cualquiera que sea, implica que el ascenso a un cargo de otra planta sea inaplicable, pues tales requisitos no pueden ser reemplazados por otros elementos de juicio (aplica dictámenes Nºs. 41.563, de 1994, y 22.795, de 1996). A mayor abundamiento, del tenor de la disposición en estudio aparece que la preferencia que dicho mecanismo especial de ascenso prevé, se otorga respecto de los demás funcionarios de la planta a la que se pretende acceder, de lo que fluye claramente que resulta indispensable que en tal estamento existan otros funcionarios con derecho a ser promovidos, lo que supone, a su vez, que aquellos reúnan tanto los requisitos generales como específicos para el desempeño del cargo que se pretenda proveer, circunstancia que no concurre en la situación de que se trata».* **(ID Dictamen:** 027428N18. **Fecha:** 06-11-2018. **Destinatarios:** Alcalde de la Municipalidad de San Antonio. **Texto:** Desestima solicitud de reconsideración del dictamen Nº 34.501, de 2017, de este origen, sobre provisión del cargo de director de obras de la Municipalidad de San Antonio. **Acción:** aplica dictámenes 35543/2016, 1201/95, 41563/94, 22795/96 Confirma dictamen 34501/2017).

7. *«Por su parte, cabe señalar que si bien el artículo 12 de la ley Nº 19.280 —hoy derogado por el artículo 7º de la ley Nº 20.922—, contemplaba los requisitos académicos generales para el ingreso y la promoción de los cargos de las plantas de personal de las municipalidades, detallando el nivel educacional exigido para cada una de ellas, estos fueron incorporados —con ciertas modificaciones— por medio del artículo 5º de la ley Nº 20.922, en nuevos incisos del artículo 8º de la ley Nº 18.883. En efecto, de la actual redacción del artículo 8º de la ley Nº 18.883 aparece que para el ingreso y la promoción en los cargos de las plantas de directivos de las municipalidades se deberá cumplir con los requisitos de tener un título profesional de una carrera de, a lo menos, ocho semestres de duración —misma extensión contemplada antes—, otorgado por una institución de educación superior del Estado o reconocida por éste. Así, no obstante no poseer un título profesional en los términos que lo ordena el nuevo artículo 8º de la ley Nº 18.883, el señor Bastías Contardo tendrá derecho a ascender en la misma planta en que se encontraba a la fecha de publicación de la ley Nº 20.922 —25 de mayo de 2016—, en la medida que a la época de entrada en vigencia de la ley Nº 19.280 —16 de diciembre de 1993— se haya encontrado en alguna de las hipótesis contempladas en el artículo 1º transitorio de dicho cuerpo normativo».* **(ID Dictamen:** 038270N17. **Fecha:** 30-10-2017. **Destinatarios:** Municipalidad de San Clemente. **Texto:** Servidor por el cual se consulta tendrá derecho a ascender en la misma planta en que se encontraba a la fecha de publicación de la ley Nº 20.922, en la medida que se encuentre en alguna de las hipótesis del artículo 1º transitorio de la ley Nº 19.280. **Acción.**

8. *«Por otra parte, en lo que respecta al presunto desempeño irregular del recurrente al ejercer labores en un cargo a contrata asimilado a la planta de técnicos, es menester indicar que el artículo 8º, Nº 4, de la ley Nº 18.883 —incorporado por la ley Nº 20.922, en términos similares a lo que preceptuaba el antiguo artículo 12, Nº 4, de la ley Nº 19.280—, establece como requisito para ingresar a dicha planta, contar con un "Título técnico de nivel superior otorgado por una institución de educación superior del Estado o reconocida por éste, en el área que la municipalidad lo requiera; o, en su caso, título técnico de nivel medio, en el área que la municipalidad lo requiera, otorgado por una institución de educación del*

Estado o reconocida por éste; o haber aprobado, a lo menos, cuatro semestres de una carrera profesional impartida por una institución del Estado o reconocida por éste, en el área que la municipalidad lo requiera". (**ID Dictamen:** 093124N16. **Fecha:** 28-12-2016. **Destinatarios:** don Cristian Palacios Segovia, funcionario de la Municipalidad de Peñaflor. **Texto:** Únicamente los servidores de las plantas de directivos, profesionales y jefaturas tiene derecho a percibir la asignación profesional del artículo 1º de la ley Nº 20.922. **Acción:** Aplica dictamen 35455/2003, 6728/2012, 34952/20009).

«Requerido al efecto, el municipio ha informado, en lo que interesa, que efectivamente se produjo la vacancia del cargo de Secretario Abogado del mencionado tribunal, y que proveyó tal plaza —mediante decreto Nº 5.284, de 2012—, con el ascenso de la funcionaria del grado inmediatamente inferior al mismo, que cumplía con los requisitos para ello, ya que la ley Nº 19.777 no contempla una modalidad determinada para tales fines, resultando aplicable lo dispuesto en los artículos 8º, 13, y 51 de la ley Nº 18.883, Estatuto Administrativo para Funcionarios Municipales». (**ID Dictamen:** 076048N12 **Fecha:** 06.12.2012 **Destinatarios** Juez del Segundo Juzgado de Policía Local de Pudahuel **Texto** Procede proveer el cargo vacante de Secretario Abogado del Segundo Juzgado de Policía Local que indica mediante ascenso, y solo en el evento de no ser factible, por concurso público. **Acción** Aplica dictámenes 12962/2000, 68409/2012, 50722/2002, 39521/2012)[116]

Artículo 9º

Todo cargo municipal necesariamente deberá tener asignado un grado de acuerdo con la importancia de la función que se desempeñe y, en consecuencia, le corresponderá el sueldo de ese grado y las demás remuneraciones a que tenga derecho el funcionario.

1. *«Al respecto, según el artículo 9º de la anotada ley Nº 18.883, todo cargo necesariamente tiene asignado un grado de acuerdo a la importancia de la función que se desempeñe, de lo que se desprende que, normalmente, la antigüedad en el cargo y en el grado son coincidentes, debiendo destacarse que, cuando opera un ascenso, se pasa a ocupar un cargo distinto del anterior, aunque tenga eventualmente la misma denominación y pueda o no implicar un cambio de funciones (aplica criterio contenido en los dictámenes Nºs. 25.455, de 2012, y 26.936, de 2016)».* (**ID Dictamen:** 003958N17. **Fecha:** 03-02-2017. **Destinatarios:** señor Jorge Mellado Hidalgo, secretario municipal de la Municipalidad de Los Ángeles. **Texto:** Para efectos del escalafón vigente para el año 2016 de la Municipalidad de Los Ángeles, el factor antigüedad en el cargo, tratándose de un aumento de grado producido por aplicación del inciso tercero del artículo 16 de la ley Nº 18.695, no coincide con la antigüedad en el grado. **Acción:** Aplica dictámenes 25455/2012, 26936/2016, 10749/2015).

2. *«A su vez, el artículo 9º de la anotada ley Nº 18.883 prevé que "Todo cargo municipal necesariamente deberá tener asignado un grado de acuerdo con la importancia de la función que se desempeña y, en consecuencia, le corresponderá el sueldo de ese grado y las demás remuneraciones a que tenga derecho el funcionario". En efecto, todo cargo municipal tiene asignado un grado, el cual debe concordar con la importancia de la función que se desempeñe, debiendo existir, por consiguiente, una correspondencia entre cargo y grado (aplica criterio contenido en el dictamen Nº 3.475, de 1993)».* (**ID Dictamen:** 006469N17. **Fecha:** 22-02-2017. **Destinatarios:** señoras Mariela González Arriaza e Iris Vera Soto, ambas funcionarias de la Municipalidad de Corral. **Texto:** La creación de los cargos a que alude el artículo cuarto transitorio de la ley Nº 20.922 implica necesariamente el establecimiento de los grados asociados a ellos. **Acción:** Aplica dictamen 3475/93).

3. *«Ahora bien, según el artículo 9º de la ley Nº 18.883, todo cargo necesariamente tiene asignado un grado de acuerdo a la importancia de la función que se desempeñe, de lo que se desprende que, normalmente, la antigüedad en el cargo y en el grado son coincidentes, debiendo destacarse que, cuando opera un ascenso, se pasa a ocupar un cargo distinto del anterior, aunque tenga eventualmente la misma denominación y pueda o no implicar un cambio de funciones (aplica criterio contenido en los dictámenes Nºs. 25.455, de 2012, y 26.936, de 2016). En ese contexto, cabe hacer presente que el*

---

[116]   Para efectos de su consulta en la Base de Jurisprudencia de Contraloría General de la República, el citado dictamen se encuentra en la sección/materia: «generales», sin perjuicio de que se trata de uno de carácter municipal.

aumento de grado del ocurrente —del 13 al 12 del estamento de técnicos— se produjo por la aplicación de lo dispuesto en el citado artículo primero transitorio de la ley Nº 20.922, que prevé que a contar del 1 de enero del año 2016, el personal titular de planta regido por la ley Nº 18.883, que se encuentre nombrado al 1 de enero de 2015 como titular en un cargo de las plantas de técnicos, administrativos y auxiliares entre los grados 10 al 20, ambos inclusive, será encasillado en el grado inmediatamente superior, cuando cumpla con los demás requisitos que la norma contempla». (**ID Dictamen:** 017587N18. **Fecha:** 12-07-2018. **Destinatarios:** señor Joel Araya Bugueño, funcionario de la Municipalidad de Viña del Mar. **Texto:** No se ajustó a derecho la modificación del escalafón 2016, por motivo que indica; el factor antigüedad en el cargo, para efectos de dicho instrumento, tratándose de un aumento de grado por aplicación del artículo primero transitorio de la ley Nº 20.922, no coincide con la antigüedad en el grado. **Acción:** Aplica dictámenes 25180/2012, 14023/2015, 25455/2012, 26936/2016, 10749/2015, 3958/2017, 69817/2010).

4. *«Ahora bien, según el artículo 9º de la ley Nº 18.883, todo cargo necesariamente tiene asignado un grado de acuerdo a la importancia de la función que se desempeñe, de lo que se desprende que, normalmente, la antigüedad en el cargo y en el grado son coincidentes, debiendo destacarse que, cuando opera un ascenso, se pasa a ocupar un cargo distinto del anterior, aunque tenga eventualmente la misma denominación y pueda o no implicar un cambio de funciones (aplica criterio contenido en los dictámenes Nºs. 25.455, de 2012, y 26.936, de 2016). Enseguida, es del caso señalar que los efectos del desplazamiento de un funcionario a un cargo de mayor remuneración, ya sea producto de un ascenso o por la vía del nombramiento, son similares (aplica criterio contenido en el dictamen Nº 10.749, de 2015). En ese contexto, cabe hacer presente que el aumento de grado del ocurrente —del 10 al 9 del estamento de técnicos— se produjo por la aplicación de lo dispuesto en el citado artículo primero transitorio de la ley Nº 20.922, que prevé que a contar del 1 de enero del año 2016, el personal titular de planta regido por la ley Nº 18.883, que se encuentre nombrado al 1 de enero de 2015 como titular en un cargo de las plantas de técnicos, administrativos y auxiliares entre los grados 10 al 20, ambos inclusive, será encasillado en el grado inmediatamente superior, cuando cumpla con los demás requisitos que la norma contempla. Como puede advertirse, el aumento de grado de que se trata no se produjo ni por ascenso ni por nombramiento del señor Mora Miranda para servir una plaza del estamento de técnicos, sino que se verificó por aplicación de lo previsto en el artículo primero transitorio de la ley Nº 20.922 (aplica criterio contenido en el dictamen Nº 3.958, de 2017). En ese orden de consideraciones, no procede que la antigüedad en el cargo y en el grado del funcionario en comento, para efectos del escalafón vigente para el año 2017, sean idénticas, por cuanto la primera corresponde a la data a partir de la cual el ocurrente fue ascendido por última vez a la plaza que ocupa, y la antigüedad en el grado, en el caso en examen, es aquella en que se incrementó el grado del señor Mora Miranda por la aplicación de lo establecido en el artículo primero transitorio de la ley Nº 20.922 (aplica criterio contenido en el dictamen Nº 3.958, de 2017)».* (**ID Dictamen:** 017588N18. **Fecha:** 12-07-2018. **Destinatarios:** señor Julio Mora Miranda, funcionario de la planta de técnicos de la Municipalidad de San Bernardo. **Texto:** Para efectos del escalafón vigente para el año 2017 de la Municipalidad de San Bernardo, el factor antigüedad en el cargo, tratándose de un aumento de grado producido por aplicación del artículo primero transitorio de la ley Nº 20.922, no coincide con la antigüedad en el grado. **Acción:** Aplica dictámenes 69817/2010, 25455/2012, 26936/2016, 10749/2015, 3958/2017).

5. *«Al respecto, según lo prevé el artículo 9º de la anotada ley Nº 18.883, todo cargo necesariamente tiene asignado un grado de acuerdo a la importancia de la función que se desempeñe, de lo que se desprende que, normalmente, la antigüedad en el cargo y en el grado son coincidentes, debiendo destacarse que, cuando opera un ascenso, se pasa a ocupar un cargo distinto del anterior, aunque tenga eventualmente la misma denominación y pueda o no implicar un cambio de funciones (aplica criterio contenido en los dictámenes Nºs. 146, de 2004, y 25.455, de 2012).*
Sobre ello, corresponde hacer presente que el proceso de calificaciones, y el posterior escalafón que se confecciona en base a estas, se refiere al desempeño de un funcionario en particular, en un cargo determinado, al que se le ha asignado un grado o nivel remuneratorio, en relación a las exigencias y labores propias de la función que desarrolla, por lo que no procede extender el resultado de la evaluación en un empleo específico, a otro distinto». (**ID Dictamen:** 026936N16. **Fecha:** 11-04-2016. **Destinatarios:** señoras Lina Huenchuleo Caniuqueo, Iris Baschmann Ibáñez, Luzmira Cárdenas Mateluna, Jessica Soto Eastman, Magaly Rayo Gómez, Gloria Calderón Morales, Susana Araya Miranda, Edith Aravena Burgos, Gloria Torres Zapata, Herminda Arce Farfán, y los señores Luis Contreras Valenzuela y Carlos Gálvez González, todos funcionarios de la Municipalidad de La Cisterna. **Texto:** Factor antigüedad en el cargo coincide con la antigüedad en el grado, tratándose de la misma planta, determinándose conforme la fecha en que se experimentó la variación en el grado. **Acción:** Aplica dictamen 14023/2015, 146/2004, 25455/2012, 74975/2011, 3475/93, 28868/96, 18503/97, 22913/2010).

6. «*Al respecto, según el artículo 9º de la anotada ley Nº 18.883, todo cargo necesariamente tiene asignado un grado de acuerdo a la importancia de la función que se desempeñe, de lo que se desprende que, normalmente, la antigüedad en el cargo y en el grado son coincidentes, debiendo destacarse que, cuando opera un ascenso, se pasa a ocupar un cargo distinto del anterior, aunque tenga eventualmente la misma denominación y pueda o no implicar un cambio de funciones (aplica criterio contenido en los dictámenes Nºs. 25.455, de 2012, y 26.936, de 2016).*
Sobre ello, corresponde hacer presente que el proceso de calificaciones, y el posterior escalafón que se confecciona en base a estas, se refiere al desempeño de un funcionario en particular, en un cargo determinado, al que se le ha asignado un grado o nivel remuneratorio, en relación a las exigencias y labores propias de la función que desarrolla, por lo que no procede extender el resultado de la evaluación en un empleo específico a otro distinto, razón por la cual quienes se encuentren ejerciendo las funciones correspondientes a los cargos a los que han sido promovidos y todavía no hayan sido evaluados en sus nuevos empleos, corresponde que se les ubique en el último lugar de sus respectivos estamentos (aplica criterio contenido en el dictamen Nº 26.936, de 2016).
Ahora bien, respecto a la antigüedad en el cargo a efectos de la confección del escalafón, la jurisprudencia adminis-trativa contenida en los dictámenes Nºs. 25.455, de 2012, y 26.936, de 2016, entre otros, ha precisado que el factor antigüedad en el cargo, al que se recurre primero al existir igualdad en las calificaciones, tratándose de una misma planta, resulta coincidente con la antigüedad en el grado, luego, para determinarlo debe considerarse la fecha en que se experimentó una variación en el grado que sirve el funcionario afectado». (**ID Dictamen:** 041014N16. **Fecha:** 03-06-2016. **Destinatarios:** señora María Celeste Mora Escobar, en representación de la Asociación de Funcionarios Muni-cipales de San Bernardo. **Texto:** Asociaciones de funcionarios pueden plantear, con carácter general, irregularidades vinculadas al escalafón de mérito y antigüedad, sin que por ello se afecte la ubicación de los funcionarios cuando este ordenamiento se encuentre ejecutoriado. No procede extender el resultado de la evaluación en un empleo específico, a otro distinto. **Acción:** Aplica dictamen 6163/2014 Aplica dictamen 25180/2012 Aplica dictamen 29808/2016 Aplica dictamen 25455/2012 Aplica dictamen 26936/2016).

7. «*Al respecto, según dispone el artículo 9º de la anotada ley Nº 18.883, todo cargo necesariamente tiene asignado un grado de acuerdo a la importancia de la función que se desempeñe, de lo que se desprende que, normalmente, la antigüedad en el cargo y en el grado son coincidentes, debiendo destacarse que, cuando opera un ascenso, se pasa a ocupar un cargo distinto del anterior, aunque tenga eventualmente la misma denominación y pueda o no implicar un cambio de funciones (aplica criterio contenido en los dictámenes Nºs. 146, de 2004, y 25.455, de 2012). Finalmente, en cuanto al escalafón correspondiente al año 2014, los seis funcionarios de la planta de auxiliares, grado 16, respecto de los cuales concurre igualdad en el puntaje obtenido en sus calificaciones —70 puntos—, fueron ordenados de acuerdo con su antigüedad en el cargo y grado, a excepción de los dos primeros —que lo fueron en razón de su antigüedad en el municipio—, por lo que la antigüedad en dicho ente comunal alegada por el interesado no incide en su ubicación en cuarto lugar en dicho ordenamiento del personal*». (**ID Dictamen:** 041019N16. **Fecha:** 03-06-2016. **Destinatarios:** señor Humberto Luna Fernández, funcionario de la planta de auxiliares de la Municipalidad de San Bernardo. **Texto:** Desestima por extemporáneo, reclamo sobre ubicación en escalafón de mérito y antigüedad del año 2010 y rechaza reclamación respecto de la ubicación en el correspondiente al año 2014, por cuanto, en igualdad de puntaje en las calificaciones, los funcionarios fueron ordenados conforme su antigüedad en el cargo y grado. **Acción:** Aplica dictámenes 146/2004, 25455/2012, 8897/2014, 10684/2010).

«*En este punto, es menester considerar que, de conformidad con el artículo 7º de la citada ley Nº 18.883, en el orden jerárquico de las plantas municipales, se ubica en el primer lugar la planta de directivos, luego la de profesionales, a con-tinuación la de jefaturas, enseguida la de técnicos, la de administrativos y, finalmente, la de auxiliares; y, además, que el artículo 9º de ese cuerpo estatutario, previene que todo cargo municipal necesariamente debe tener asignado un grado de acuerdo con la importancia de la función que se desempeñe; todo lo cual, complementado con el texto normativo que aprueba la planta de personal de la municipalidad respectiva, determina el nivel jerárquico de los funcionarios de una entidad edilicia*». (**ID Dictamen: 003705N12 Fecha:** 19.01.2012 **Destinatarios:** Alcalde de la Municipalidad de San Ramón. **Texto:** Sobre observancia de la jerarquía en la encomendación[117] de funciones a servidores municipales

---

[117]   «*Encomendación*»: Transcripción textual de Dictamen (ID Dictamen: 003705N12 Fecha: 19.01.2012 Des-tinatarios: Alcalde de la Municipalidad de San Ramón. Texto: Sobre observancia de la jerarquía en la enco-mendación de funciones a servidores municipales nombrados en cargos genéricos, como ocurre en el caso de las labores de tesorero municipal. Acción: Aplica dictámenes 70997/2010, 33068/2011)

nombrados en cargos genéricos, como ocurre en el caso de las labores de tesorero municipal. **Acción: Aplica dictámenes 70997/2010, 33068/2011)**

Artículo 10

Para ingresar a la municipalidad será necesario cumplir los siguientes requisitos:
a) Ser ciudadano;
b) Haber cumplido con la ley de reclutamiento y movilización, cundo fuere procedente;
c) Tener salud compatible con el desempeño del cargo;
d) Haber aprobado la educación básica y poseer el nivel educacional o título profesional o técnico que por la naturaleza del empleo exija la ley;
e) No haber cesado en un cargo público como consecuencia de haber obtenido una calificación deficiente, o por medida disciplinaria, salvo que hayan transcurrido más de cinco años desde la fecha de expiración de funciones, y
f) No estar inhabilitado para el ejercicio de funciones o cargos públicos, ni hallarse condenado por delito que tenga asignada pena de crimen o simple delito. Sin perjuicio de lo anterior, tratándose del acceso a cargos de auxiliares y administrativos, no será impedimento para el ingreso encontrarse condenado por ilícito que tenga asignada pena de simple delito, siempre que no sea de aquellos contemplados en el Título V, Libro II, del Código Penal.

1. *«Por su parte, el artículo 10, letra f), de la ley Nº 18.883, sobre Estatuto Administrativo para Funcionarios Municipales, exige como requisito de ingreso a una municipalidad, y en lo que interesa ahora destacar, no hallarse condenado por delito que tenga asignada la pena de crimen o simple delito. Así, conforme a las normas señaladas, la jurisprudencia administrativa contenida, por ejemplo, en el dictamen Nº 77.312, de 2016, de este origen, ha concluido que la circunstancia de no ser condenado por crimen o simple delito es una de las condiciones establecidas por la ley, tanto para el ingreso como para la permanencia en un cargo público.*
A partir de esta última norma, la jurisprudencia administrativa de esta Entidad de Control contenida entre otros en los dictámenes Nos 28.719, de 1995; 20.003, de 2003; 15.025, de 2009 y 77.312, de 2016, ha manifestado que quien ha sido favorecido por sentencia ejecutoriada con alguno de los beneficios contemplados en la ley Nº 18.216, y no ha sido condenado previamente por crimen o simple delito, goza del beneficio de la omisión de antecedentes penales, por lo que debe ser considerado, para todos los efectos legales y administrativos, como si no hubiese sufrido condena alguna. Por ello, las personas o empleados de las entidades de la Administración que han sido favorecidos con la omisión de antecedentes penales se consideran como si no hubiesen sufrido condena alguna en lo referente al cumplimiento de los requisitos de ingreso y permanencia en los organismos de la Administración del Estado, respectivamente (aplica el criterio contenido en el dictamen Nº 77.312, de 2016, de este origen). De lo expuesto se sigue que no se ajustó a derecho que la Municipalidad de Copiapó haya declarado vacante el cargo del recurrente, sino que debió dictar un acto administrativo que hiciera efectiva la pena accesoria de suspensión del cargo u oficio público durante el lapso que la propia sentencia señala y con las consecuencias que el artículo 40 del Código Penal reseñado previene. En efecto, de los antecedentes tenidos a la vista aparece que los hechos por los que el recurrente fue condenado en sede penal no fueron objeto de sumario administrativo oportunamente, correspondiendo que esa municipalidad de Copiapó determine si aún es factible perseguir una responsabilidad administrativa y, en el evento de estar prescrita la acción disciplinaria, determinar las responsabilidades por la omisión o tardanza». (**ID Dictamen: 003833N19. Fecha:** 06-02-2019. **Destinatarios:** ex funcionario de la Municipalidad de Copiapó. **Texto:** La concesión por sentencia ejecutoriada de alguna de las penas sustitutivas a que se refiere la ley Nº 18.216 implica considerar al condenado como si no hubiese cometido delito para todos los efectos legales, observando los demás requisitos que su artículo 38 exige; pero ello no obsta el cumplimiento de las penas accesorias ni la prosecución de la responsabilidad administrativa, en su caso. **Acción:** Aplica dictámenes 77312/2016, 28719/95, 20003/2003, 15025/2009, 7986/2018).

2. *«Luego, es menester precisar, en relación a la alusión que el recurrente efectúa al dictamen Nº 14.616, de 2010, que si bien en dicho pronunciamiento se señala que a su respecto no es aplicable la causal de inhabilidad del artículo 10,*

letra e), de la ley Nº 18.883, se previene, expresamente, que la inhabilidad que le afectó es la contenida en el artículo 24, número 5, de la ley Nº 19.070, ratificándose y complementando lo resuelto en el dictamen Nº 55.607, de 2008, por lo que este no puede ser considerado como fundamento para acceder al requerimiento del peticionario. Por otra parte, en relación a la solicitud de invalidación del decreto alcaldicio Nº 615, de 2002, de la Municipalidad de Curanilahue, cabe señalar que el artículo 53 de la ley Nº 19.880, establece un límite temporal para el ejercicio de la aludida potestad, al disponer que esta debe ejercerse dentro de los dos años contados desde la notificación o publicación del acto». (**ID Dictamen: 004707N17. Fecha: 08-02-2017. Destinatarios:** don Alejandro Collado Narváez de la Municipalidad de Curanilahue. **Texto:** Desestima reconsiderar el dictamen Nº 26.091, de 2012, sobre inhabilidad para ejercer cargo docente directivo, por no aportar nuevos antecedentes. **Acción:** Confirma dictámenes 55607/2008, 14616/2010, 26091/2012, 60414/2013 aplica dictamen 72336/2015).

3. *«Ahora bien, y a fin de resolver acerca de la posibilidad de que tales ex servidores afectados por esa invalidez puedan acceder a empleos o funciones remuneradas en organismos diversos a aquellos que dependan del Ministerio de Defensa Nacional, debe considerarse que el artículo 12 del citado Estatuto Administrativo, referido a los requisitos para ingresar a la Administración del Estado, exige en su letra c) "tener salud compatible con el desempeño del cargo", norma idéntica a la contenida para el ingreso a una municipalidad en la letra c) del artículo 10 del Estatuto Administrativo para Funcionarios Municipales, fijado en la ley Nº 18.883.*

Tales disposiciones establecen un requisito de ingreso de los cargos regulados por esos dos cuerpos estatutarios generales, que apunta a exigir una condición de salud que asegure, al menos en una instancia inicial, que el empleado podrá desempeñar personal y continuamente su labor, requerimiento que es independiente de las normas que los respectivos estatutos de personal contengan en relación con las compatibilidades o incompatibilidades de empleos, funciones o remuneraciones, como ocurre precisamente con la contenida en la letra a) del inciso segundo del artículo 152 del Estatuto del Personal de las Fuerzas Armadas.

En este contexto, debe entenderse que lo previsto en dicho literal, en orden a hacer incompatibles las pensiones de retiro por inutilidad de segunda y tercera clase con sueldos u honorarios que puedan percibirse en las instituciones dependientes del Ministerio de Defensa Nacional, es un impedimento absoluto para el acceso a un cargo o función remunerada en estas últimas, como, por ejemplo, las Fuerzas Armadas, por parte de quienes han cesado en ellas por haber sido objeto de la competente declaración de invalidez y, por ello, titulares de alguna de pensiones antes referidas.

Ahora bien, en el caso que una persona beneficiada por una pensión de inutilidad de segunda clase crea haber recuperado su estado de salud y eso le permitiría desempeñar un cargo o función en otras instituciones diversas a las dependientes del Ministerio de Defensa Nacional, deberá solicitar a la Comisión de Sanidad respectiva —esto es, la que declaró su inutilidad—, que determine la recuperación de su salud». (**ID Dictamen: 006986N18. Fecha: 006986N18. Destinatarios:** El Departamento de Previsión Social y Personal de esta Entidad de Control de la Administración del Estado, la Subsecretaría para las Fuerzas Armadas y el diputado señor Leonardo Soto Ferrada. **Texto:** Los exfuncionarios que gozan de una pensión de retiro por inutilidad de segunda clase están impedidos de desempeñar cualquier cargo o función en calidad de planta, contrata o a honorarios en los organismos de la Administración del Estado. Reconsidera el dictamen Nº 65.163, de 2010, de este origen, y toda jurisprudencia en contrario. **Acción:** Aplica dictámenes 3495/2002, 12883/89, 22039/95, 46770/98, 39270/2006, 14292/2007, 25661/2010, 18219/2016 reconsidera dictámenes 65163/2010, 72579/2010, 74014/2010, 3945/2011, 16886/2011, 50342/2015).

4. *«A continuación, cabe considerar que tanto la letra f) del artículo 12 de la ley Nº 18.834, Estatuto Administrativo, como la letra f) del artículo 10 de la ley Nº 18.883, Estatuto Administrativo para Funcionarios Municipales, prevén como requisito para ingresar a la Administración no estar inhabilitado para el ejercicio de funciones o cargos públicos, ni hallarse condenado por delito que tenga asignada pena de crimen o simple delito, sin perjuicio de las salvedades que ahí se consignan.*

En segundo término, debe tenerse presente el artículo 21 del Código Penal, que fija como penas de crímenes, en lo que interesa, las de "inhabilitación absoluta perpetua para cargos y oficios públicos, derechos políticos y profesiones titulares", "inhabilitación especial perpetua para algún cargo u oficio público o profesión titular", "inhabilitación absoluta temporal para cargos y oficios públicos y profesiones titulares" e "inhabilitación especial temporal para algún cargo u oficio público o profesión titular".

Cabe señalar que el solo hecho de haber cesado por renuncia voluntaria en el organismo en que prestaba servicios a la época de la sentencia que le impone una pena accesoria no importa que ésta deba entenderse cumplida, sin perjuicio de la imposibilidad del servicio de aplicarla.

Por todo lo expuesto, esta Contraloría General estima necesario reconsiderar la jurisprudencia vigente en el sentido antes expuesto, por lo que los órganos de la Administración del Estado deben aplicar las penas accesorias de inhabilitación o suspensión de cargo u oficio público, tan pronto tomen conocimiento de ella, aun cuando el condenado haya sido favorecido con una pena sustitutiva y tenga derecho a la omisión de la correspondiente anotación en su certificado de antecedentes». **(ID Dictamen: 007986N18. Fecha:** 22-03-2018. **Destinatarios:.** **Texto:** Salvo fallo diverso de un tribunal, el otorgamiento de una de las penas sustitutivas del artículo 1º de la ley Nº 18.216, no conlleva la conmutación de las penas accesorias. Reconsidera toda la jurisprudencia en contrario. **Acción:** aplica dictámenes 77312/2016, 39268/2017 reconsidera parcialmente dictámenes 12671/98, 14430/99, 3114/2001, 5279/2001, 16251/2002, 14196/2004, 28937/2004, 17271/2005, 5226/2006, 7018/2006, 12060/2007, 37048/2007, 37284/2007, 36938/2008, 49544/2008, 52904/2008, 57742/2008, 34204/2009, 34571/2009, 40816/2009, 56391/2009, 64518/2009, 72938/2009, 13451/2010, 14601/2010, 73300/2010, 6939/2011, 11705/2011, 13762/2011, 42549/2011, 13995/2012, 26745/2012, 38776/2012, 55885/2012, 74185/2012, 1913/2013, 3709/2013, 5630/2013, 21454/2013, 25336/2013, 37906/2013, 57077/2013, 60385/2013, 493/2014, 14385/2014, 79265/2014, 94573/2014, 50353/2015, 66595/2015, 68710/2015, 92152/2015, 92177/2015, 1046/2016, 30583/2016, 33543/2016, 37317/2016, 37457/2016, 42688/2016, 45751/2016, 6529/2017).

5. *«Lo anterior, por cuanto la subrogación importa el desempeño de un cargo de planta, de modo que el funcionario que sea designado en tal calidad debe dar cumplimiento a los requisitos contemplados en el artículo 10, de la citada ley Nº 18.883, entre los cuales se cuenta, en su letra d), el "Haber aprobado la educación básica y poseer el nivel educacional o título profesional o técnico que por la naturaleza del empleo exija la ley". Ahora bien, dado que en la situación de la especie, el alcalde alteró el orden legal de subrogancia por no existir funcionarios de planta en la dirección de desarrollo comunitario que pudieran desempeñar la plaza de director de esa unidad, debió haber nombrado a un empleado que cumpliera la exigencia contemplada en el artículo 12, Nº 1, de la ley Nº 19.280, cual es, contar con un "título profesional universitario o título profesional de una carrera de, a lo menos, ocho semestres de duración, otorgado por un establecimiento de educación superior del Estado o reconocido por éste", para servir dicho cargo».* **(ID Dictamen:** 011115N16. **Fecha:** 11-02-2016. **Destinatarios:** Municipalidad de Quilicura. **Texto:** Desestima solicitud de reconsideración del dictamen Nº 65.129, de 2015, de este origen, por no aportarse antecedentes nuevos que permitan alterar lo concluido en este, sin perjuicio de complementarlo en el sentido que indica. **Acción:** Complementa dictamen 65129/2015 Aplica dictámenes 28880/96, 50702/2015).

6. *«Luego, en cuanto al ingreso a la Administración Civil o Municipal, cumple con señalar que los artículos 12, letra e), de la ley Nº 18.834, y 10, letra e), de la ley Nº 18.883, Estatuto Administrativo para Funcionarios Municipales, disponen, en iguales términos, que para ingresar a la Administración del Estado o a una municipalidad, respectivamente, será menester no haber cesado en un cargo público como consecuencia de haber obtenido una calificación deficiente, o por medida disciplinaria, salvo que hayan transcurrido más de cinco años desde la fecha de expiración de funciones. Al respecto, se debe consignar que esta Contraloría General, en el dictamen Nº 86.016, de 2013, entre otros, indicó que la inhabilidad de los artículos 12, letra e), de la ley Nº 18.834, y 10, letra e), de la ley Nº 18.883, cesa una vez vencido el plazo de cinco años contado desde que se produjo la expiración de funciones, sin que se requiera obtener decreto supremo de rehabilitación. Por consiguiente, cabe concluir que, si ha transcurrido el plazo de 5 años desde la desvinculación del señor Grandón Sáez, por haber sido clasificado en Lista Nº 4, de Eliminación, se habría extinguido la inhabilidad de ingreso que pesaba en su contra, pudiendo postular a cargos en la Administración Civil y Municipal, así como en cualquier rama de las Fuerzas Armadas o en la Policía de Investigaciones de Chile».* **(ID Dictamen:** 019632N18. **Fecha:** 03-08-2018. **Destinatarios:** señor Pablo Grandón Sáez, exfuncionario de Carabineros de Chile. **Texto:** Exfuncionario de Carabineros de Chile que cesó por haber sido incluido en la lista Nº 4, de eliminación, no puede reingresar a esa institución, pudiendo acceder a cargos de la administración civil o municipal, de las Fuerzas Armadas o de la Policía de Investigaciones de Chile, si han transcurrido cinco años desde el cese por mala calificación. **Acción:** Aplica dictámenes 36880/2011, 86016/2013).

7. *«Por consiguiente, no obstante que del artículo 3º del decreto con fuerza de ley Nº 128-19.321, de 1994, del entonces Ministerio del Interior, que fijó la planta de personal de la Municipalidad de Saavedra, así como del análisis del escalafón vigente durante el año 2014, se desprende que la señora Barrera Machuca se encuentra ubicada en el tope del estamento de profesionales —reuniendo, por ende, los requisitos exigidos en los artículos 10 de la ley Nº 18.883, y 12, Nº 1, de la ley Nº 19.280, para desempeñar el cargo vacante de que se trata—, no tiene mayor puntaje en el escalafón que el servidor de aquel estamento al que procuraba ingresar, por cuanto esta condición supone un ejercicio de comparación con los empleados que a ella pertenecen, que en la situación en estudio no pudo realizarse. En consecuencia, y en mérito de las consideraciones expuestas se reconsidera el dictamen Nº 63.029, de 2015, en lo pertinente».* **(ID Dictamen:** 030234N16. **Fecha:** 22-04-2016. **Destinatarios:** Municipalidad de Saavedra. **Texto:** Reconsidera dictamen Nº 63.029, de

2015, en razón de que el escalafón a considerar para efectos de la aplicación del artículo 54 de la ley Nº 18.883 es el vigente a la fecha de creación del cargo de que se trata. **Acción:** Reconsidera parcialmente dictamen 63029/2015 Aplica dictamen 2221/2016).

8. *«De manera preliminar cabe señalar que la ley Nº 20.702 modificó los artículos 12 y 10 de las leyes Nos 18.834 y 18.883, sobre Estatuto Administrativo y Estatuto Administrativo para Funcionarios Municipales, respectivamente, que fijan los requisitos de ingreso a empleos regidos por esos cuerpos normativos, reemplazando sus letras f) por una del siguiente tenor: "no estar inhabilitado para el ejercicio de funciones o cargos públicos, ni hallarse condenado por delito que tenga asignada pena de crimen o simple delito. Sin perjuicio de lo anterior, tratándose del acceso a cargos de auxiliares y administrativos, no será impedimento para el ingreso encontrarse condenado por ilícito que tenga asignada pena de simple delito, siempre que no sea de aquellos contemplados en el Título V, Libro II, del Código Penal".*
Pues bien, como puede advertirse de la historia fidedigna de la ley Nº 20.702, las modificaciones de la especie tuvieron como objetivo disminuir las limitaciones o eventuales discriminaciones para el ingreso a las plantas de auxiliares y administrativos en la Administración del Estado regida por las leyes Nos 18.834 y 18.883, sobre la base del reconocimiento del rol que le compete al Estado en la reinserción social y laboral de quienes han delinquido, sin que dicha normativa haya dispuesto una restricción en el número de veces en que hubieren sido condenados esas personas para efectos de beneficiarse de tal privilegio. Por tanto, la excepción a la inhabilidad de ingreso de que se trata no está circunscrita a solo una condena por un ilícito que tenga asignada pena de simple delito, pudiendo acceder a dicho beneficio quienes pretenden ocupar un empleo de las plantas de auxiliares o administrativos, o asimilados a ellas, que hayan sido condenados a más de uno de esos tipos de ilícitos». **(ID Dictamen:** 035768N16. **Fecha:** 16-05-2016. **Destinatarios:** Alcalde de la Municipalidad de Linares. **Texto:** Excepción a la inhabilidad de ingreso que se indica no está limitada a solo una condena por simple delito. **Acción:** Reconsidera dictamen 88979/2014).

9. *«Luego, en cuanto al certificado de salud compatible, se debe tener en cuenta que de conformidad con lo dispuesto en la letra c) del artículo 10 de la ley Nº 18.883, —de manera análoga a lo establecido en la letra c) del artículo 12 de la ley Nº 18.834—, para ingresar a una municipalidad será necesario, entre otras exigencias, "Tener salud compatible con el desempeño del cargo", requisito que se acreditará mediante la certificación del servicio de salud correspondiente, según lo dispone el artículo 11 del citado texto estatutario.*
En consecuencia, en mérito lo anteriormente señalado, cabe concluir que la expresión "prestador institucional de salud", utilizada por el artículo 10 B de la ley Nº 20.766, debe ser entendida en los términos previamente expuestos, sin que resulte posible comprender dentro de este a un prestador individual de salud». **(ID Dictamen:** 037333N16. **Fecha:** 19-05-2016. **Destinatarios:** Municipios de La Granja y Recoleta. **Texto:** Inciso tercero del artículo 10 B de la ley Nº 20.766, resulta aplicable a municipalidades, por lo que certificado de salud compatible puede ser otorgado por un prestador institucional de salud, debiendo entenderse por tal, lo que se indica. **Acción.**

10. *«Luego, cabe señalar, en cuanto a si un servidor que subroga el cargo de secretario del juzgado de policía local, requiere contar con el título profesional de abogado, que la jurisprudencia administrativa contenida en el dictamen Nº 65.962, de 2014, ha concluido que dada la especialidad del referido artículo 49 de la ley Nº 15.231 —precepto aplicable al caso en análisis—, este último prevalece por sobre lo previsto en el artículo 10 de la referida ley Nº 18.883, motivo por el cual no le es exigible que posea el aludido diploma para desempeñar el empleo de que se trata.*
En este entendido, para efectos de poder enterar la respectiva diferencia a la interesada por el periodo que corresponda, el municipio se encuentra en el imperativo de identificar en la planta de profesionales el citado cargo y determinar el grado que este tendrá asignado». **(ID Dictamen:** 044794N17. **Fecha:** 28-12-2017. **Destinatarios:** doña Marisol Aburto Barría, secretaría subrogante del Juzgado de Policía Local de San Juan de la Costa. **Texto:** Reconsidera el oficio Nº 6.110, de 2016, de la Contraloría Regional de Los Lagos, por cuanto la funcionaria que se indica tiene derecho al entero de la diferencia entre su sueldo y aquel que corresponda al grado del cargo de secretario abogado del juzgado de policía local. **Acción:** Aplica dictámenes 58197/2012, 2487/2013, 32391/2006, 65962/2014, 45817/2011).

1. *«Al respecto, esta* **Entidad Fiscalizadora ha precisado mediante los dictámenes Nºs. 47.749, de 2000, y 54.144, de 2009, que la provisión de cargos de planta mediante el nombramiento de suplentes, se basa en el supuesto que los interesados cumplan los requisitos que la normativa exige para desempeñarlos, los que se encuentran previstos, en forma genérica, en los artículos 10 de la citada ley Nº 18.883 y 12 de la ley Nº 19.280 y, específicamente, en el decreto con fuerza de ley que establece la planta del personal del respectivo municipio».* **(ID Dictamen:** 080586N11 **Fecha:** 26.12.2011. **Destinatarios:** Roberto Lepin Carvajal. **Texto:** No procede designación de funcionario en cargo directivo

grado 9º, por no reunir exigencias legales para tal designación, específicamente, la relativa a experiencia en gestión de proyectos municipales. **Acción:** Aplica dictámenes 47749/2000, 54144/2009)

2. «*No obstante, y puesto que **a la época de aceptársele la citada renuncia, se encontraba en tramitación un sumario en contra de la persona aludida, a cuyo término se le sancionó con la medida de destitución, le afecta lo establecido en los artículos 10, letra e), de la ley Nº 18.883, y 12, letra e), de la ley Nº 18.834,*** *según los cuales, no pueden ingresar a las municipalidades, y en general a la Administración del Estado, quienes hayan cesado en un cargo público, en lo que interesa, por medida disciplinaria, salvo que hayan transcurrido más de cinco años desde la fecha de expiración de funciones, preceptos que se vinculan con el artículo 38, letra f), de la ley Nº 10.336, de Organización y Atribuciones de esta Contraloría General, el cual impide a esta Entidad de Control dar curso a un nombramiento recaído en alguna persona que haya sido separada o destituida administrativamente de un empleo o cargo público, a menos que intervenga decreto supremo de rehabilitación y transcurra el plazo indicado*». **(ID Dictamen: 074860N11 Fecha:** 29.11.2011 **Destinatarios:** Alcalde de la Municipalidad de Isla de Maipo. **Texto:** Rechaza solicitud de reconsideración de dictamen y reitera a municipio orden de reabrir sumario administrativo en contra de exservidor para efectos que indica. **Acción:** Aplica dictámenes 32221/2008, 2060/2011, 33344/2011)

3. «*A continuación, en lo que atañe al cuestionamiento que se efectúa, en el sentido que se habrían solicitado requisitos no previstos en la legislación para ocupar los cargos de jefatura, es necesario manifestar que, habiendo revisado la convocatoria al concurso y sus bases, no se advierte que ello haya acontecido, toda vez que en tales antecedentes **únicamente se contemplan las exigencias establecidas en los artículos 10 de la ley Nº 18.883** y 12 de la ley Nº 19.280, para tales plazas.*
En relación con lo anterior, es preciso aclarar que la autoridad edilicia se encuentra facultada para regular en las bases la ponderación de los factores a evaluar y, por su intermedio, determinar los perfiles de competencias adecuados para cada cargo a proveer, lo que encuentra su fundamento en el artículo 16, inciso final, de la citada ley Nº 18.883, que dispone que en los certámenes deberán considerarse, a lo menos, los estudios y cursos de formación educacional y de capacitación, la experiencia laboral y las aptitudes específicas para el desempeño de la función, por lo que las distinciones, exclusiones o preferencias basadas en las destrezas para el ejercicio de un empleo específico, no pueden estimarse discriminatorias (aplica criterio contenido en el dictamen Nº 29.696, de 2008)». **(ID Dictamen: 060742N11 Fecha:** 26.09.2011 **Destinatarios:** Magaly Muñoz Rocha. **Texto:** Desestima reclamo referido a irregularidades en el desarrollo del concurso público convocado por la Municipalidad de San Bernardo destinado a proveer, entre otros, dos cargos de la planta de jefaturas que indica. **Acción:** Aplica dictámenes 15983/2010, 61903/2009, 29696/2008, 12643/97)

4. «*En efecto, **sin perjuicio de su rehabilitación, el interesado deberá igualmente satisfacer los requisitos establecidos por el estatuto legal que rija el cargo o empleo al cual pretenda acceder en el futuro,*** *como sería el caso de aquellos a los que sea aplicable la exigencia de un plazo conforme a lo dispuesto por el artículo 12, letra e), del Estatuto Administrativo o por el **artículo 10, letra e), de la ley Nº 18.883***». **(ID Dictamen: 020581N11 Fecha:** 05.04.2011; **ID Dictamen: 020585N11 Fecha:** 05.04.2011; **ID Dictamen: 046249N11 Fecha:** 21.07.11; **ID Dictamen: 046435N11 Fecha:** 22.07.2011; **ID Dictamen: 046807N11 Fecha:** 25.07.2011; **Destinatarios:** Ministro Secretario General de la Presidencia. **Texto:** Cursa con alcance decreto, del Ministerio Secretaría General de la Presidencia, en virtud del cual se dispone la rehabilitación administrativa de persona que indica. **Acción:** Aplica dictámenes 59354/2009, 20585/2011)[118]

5. «*Sobre la materia, cabe señalar que de conformidad a lo dispuesto en la **letra c) del artículo 10 de la ley Nº 18.883, sobre Estatuto Administrativo para Funcionarios Municipales,*** *y de igual forma en la letra c) del artículo 12 de la ley Nº 18.834, sobre Estatuto Administrativo, para ingresar a una municipalidad como a cualquier órgano que forme parte de la Administración Pública, será necesario entre otras exigencias, "Tener salud compatible con el desempeño del cargo", requisito que se acreditará mediante la certificación del servicio de salud correspondiente, según lo disponen, respectivamente, los artículos 11 y 13 de los citados textos estatutarios.*
Por su parte, es dable manifestar, que producto de la reforma legal introducida por la ley Nº 19.937 al sector salud el año 2005, los Servicios de Salud perdieron competencia sobre todas aquellas materias que no digan relación con la ejecución de acciones integradas de carácter asistencial, en las que se incluía los exámenes de ingreso a la Administración, función

---

[118] Para efectos de su consulta en la Base de Jurisprudencia de Contraloría General de la República, el citado dictamen se encuentra en la sección/materia: «generales».

que fue traspasada a las Secretarías Regionales Ministeriales y más específicamente a las **Comisiones de Medicina Preventiva e Invalidez,** *dependientes de estas últimas desde la referida reforma.*
En este sentido se ha pronunciado esta **Entidad Fiscalizadora, a través de su dictamen Nº 39.628 de 2006,** *que considerando lo previsto en los artículos 12 y 13 del decreto con fuerza de ley Nº 1, de 2005, del Ministerio de Salud, y en el artículo 45 del decreto Nº 136, de 2004 de esa misma repartición, reglamento orgánico del Ministerio de Salud,* **sostuvo que corresponde a esas comisiones ejercer las funciones médico administrativas,** *que les eran propias al Servicio de Salud,* **dentro de las cuales se encuentra, precisamente, la consistente en certificar si los postulantes a las aludidas instituciones gozan de la requerida condición estatutaria».** (ID Dictamen: 032706N11 Fecha: 23.05.2011 Destinatarios: Alcalde Municipalidad de Cabo de Hornos. Texto: Sobre organismo competente para efectuar los exámenes de salud para ingresar a un cargo público en localidades que no cuentan con una Comisión de Medicina Preventiva e Invalidez. Acción: Aplica dictamen 39628/2006)[119]

6. «*Sobre el particular, cabe tener presente que los artículos 12, letra c), de la ley Nº 18.834, sobre Estatuto Administrativo, y 10, letra c), de la ley Nº 18.883, sobre Estatuto Administrativo para Funcionarios Municipales, prescriben que para ingresar a la Administración del Estado o a una municipalidad, respectivamente, será necesario entre otras exigencias, tener salud compatible con el desempeño del cargo, requisito que como expresan las siguientes disposiciones de esos textos legales, se acreditará mediante la certificación del Servicio de Salud correspondiente. (...)*
Como es posible advertir, **en las provisiones de cargos públicos, las personas por las cuales se consulta no pueden, por ese solo hecho, ser objeto de una discriminación que tenga fundamento en su discapacidad, sino que debe examinarse, caso a caso las circunstancias de cada una de ellas en relación con el cargo específico que pretenden desempeñar, debiendo analizarse y determinarse si sus condiciones físicas o mentales les permitirán desempeñar las labores respectivas».** (ID Dictamen: 031594N11 Fecha: 18.05.2011 Destinatarios: Directora Nacional Servicio Nacional de la Discapacidad. Texto: Sobre el requisito de salud compatible con el desempeño del cargo para ingresar a la Administración del Estado respecto de personas con discapacidad. Acción: Aplica dictamen 39628/2006)[120]

7. «*Sobre el particular, cabe recordar que* **los requisitos de ingreso a una municipalidad previstos en el artículo 10 de la ley Nº 18.883, Estatuto Administrativo para Funcionarios Municipales** —*entre ellos, y en lo que interesa, no haber cesado en un cargo público por medida disciplinaria de destitución*—, **son también condiciones para el desempeño funcionario, de manera que deben mantenerse durante toda su vinculación con el municipio.**
La mencionada norma estatutaria armoniza con el artículo 19 Nºs. 2 y 17 de la Carta Fundamental, preceptos que, respectivamente, aseguran a todas las personas la igualdad ante la ley y la admisión a todas las funciones y empleos públicos, sin otros requisitos que los que impongan la Constitución y las leyes. Estas disposiciones constitucionales impiden a la autoridad administrativa liberar a una persona del cumplimiento de las exigencias de ingreso y permanencia establecidas en el referido texto estatutario.
Además de lo anterior, es menester tener presente que de acuerdo a lo manifestado por **la jurisprudencia administrativa de este Organismo de Control a través de los dictámenes Nºs. 29.634, de 2001 y 40.607, de 2008, la inhabilidad que afecta a un funcionario que ha sido destituido para desempeñarse en la Administración Pública, y, en específico, en el ámbito municipal, se establece con el solo mérito de la sanción expulsiva, impuesta mediante el correspondiente acto administrativo debidamente notificado.** (...)
Enseguida, es menester recordar que de conformidad con lo dispuesto en los **artículos 10, letra e), de la ley Nº 18.883 y 38, letra f), de la ley Nº 10.336,** *de Organización y Atribuciones de esta Entidad Fiscalizadora, no procede dar curso a un nombramiento recaído en alguna persona que haya sido separada o destituida administrativamente de un empleo o cargo público, a menos que intervenga decreto supremo de rehabilitación y transcurra el término de cinco años contados desde que se produjo el cese en la plaza que anteriormente ocupaba.*

---

[119] Para efectos de su consulta en la Base de Jurisprudencia de Contraloría General de la República, el citado dictamen se encuentra en la sección/materia: «generales», sin perjuicio de que se trata de uno de carácter municipal.

[120] Para efectos de su consulta en la Base de Jurisprudencia de Contraloría General de la República, el citado dictamen se encuentra en la sección/materia: «generales», sin perjuicio de que se trata de uno de carácter municipal.

Ahora bien, para contabilizar el citado plazo, es menester determinar la fecha en que el acto administrativo que impone la sanción ha quedado a firme, lo cual ocurre, en el sector municipal, cuando se notifica al afectado del decreto que impone la destitución, luego de afinado el proceso disciplinario correspondiente. (...)
En este contexto, resulta útil anotar que la rehabilitación constituye un trámite administrativo cuyo único objetivo es restituir el requisito de idoneidad moral a un ex funcionario público desvinculado de la Administración del Estado por una sanción de carácter expulsivo, y que constituye una prerrogativa que corresponde ejercer privativa y discrecionalmente al Presidente de la República, debiendo ella requerirse a través de que Ministerio de que depende o con el que se relaciona el Servicio al cual pertenecía el afectado». (ID Dictamen: 013246N11 Fecha: 03.03.2011 Destinatarios: Alcalde de la Municipalidad de Coquimbo. Texto: Sobre aplicación de medida disciplinaria de destitución y efectos del decreto que la dispone. Acción: Aplica dictámenes 29634/2001, 40607/2008, 20789/2010)[121]

8. *«Al respecto, es conveniente precisar que según lo dispuesto en los artículos 10, letra f), de la ley Nº 18.883, Estatuto Administrativo para Funcionarios Municipales, y 38, letra f), de la ley Nº 10.336, de Organización y Atribuciones de la Contraloría General de la República, la destitución es la única medida disciplinaria que tiene el mérito de inhabilitar a un funcionario público para desempeñarse en la Administración del Estado (aplica criterio contenido en los dictámenes Nºs. 6.249 y 12.943, ambos de 2011)».* (ID Dictamen: 068490N12 Fecha: 31.10.2012 Destinatarios: Alcalde de la Municipalidad de La Florida. Texto: Procede que funcionario municipal investigado en el marco de un procedimiento sumarial continúe desempeñándose en el cargo para el cual fuera legalmente destinado. Acción: Aplica dictámenes 6249/2011, 12943/2011, 58044/2012)

9. *«Ahora bien, de un nuevo examen de los antecedentes del caso, particularmente de las letras a) y b) del numeral 1 de las mencionadas bases, se advierte que el municipio fijó como requisitos de postulación generales y específicos, aquellos descritos en los artículos 10 y 11 de la anotada ley Nº 18.883, y los previstos en el artículo 12 de la ley Nº 19.280, respectivamente, sin que se establecieran exigencias adicionales para esos efectos. (...)*
Al respecto, cabe indicar que esa entidad edilicia se encuentra facultada para conceder a los factores a que se refiere el artículo 16 de la citada ley Nº 18.883, entre ellos el de capacitación, un mayor puntaje de acuerdo a las necesidades del servicio, lo que en ningún caso resultó discriminatorio, por cuanto ello no significó el establecimiento de requisitos adicionales que hayan derivado en la marginación del certamen de quienes no los poseían (aplica criterio contenido en los dictámenes Nºs. 11.829, de 1997; 4.211, de 1998; y 5.569, de 2009)». (ID Dictamen: 065613N12 Fecha: 22.10.2012 Destinatarios: Alcalde de la Municipalidad de Frutillar. Texto: Reconsidera oficio 63, de 2012, de la Contraloría Regional de los Lagos, relativo a invalidación de concurso público que indica. Acción: aplica dictámenes 23932/2010, 60140/2010, 11829/97, 4211/98, 5569/2009, 78329/2011, 32992/2011)[122]

10. *«Lo anterior, por cuanto si bien la autoridad edilicia se encuentra facultada para regular en las bases de un concurso, la ponderación de los factores a evaluar y, por su intermedio, determinar los perfiles de competencias adecuados para cada cargo a proveer, no tiene la atribución de exigir más requisitos que aquellos expresamente previstos en los artículos 10 de la ley Nº 18.883, y 12 de la ley Nº 19.280, que Modifica la Ley Nº 18.695, Orgánica Constitucional de Municipalidades, y Establece Normas sobre Plantas de Personal de las Municipalidades (aplica criterio contenido en el dictamen Nº 60.742, de 2011).*
Permitir lo contrario, como pretende el interesado, implicaría infringir las garantías constitucionales consagradas en el artículo 19, Nºs. 16, inciso segundo, y 17, de la Constitución Política de la República, conforme al primero de los cuales se asegura la libertad de trabajo y su protección, prohibiendo cualquiera discriminación que no se base en la capacidad o idoneidad personal, sin perjuicio que la ley pueda exigir la nacionalidad chilena o límites de edad para determinados casos, lo que no ocurre en la situación de la especie, mientras el segundo garantiza la admisión a todas las funciones y empleos públicos, sin otros requisitos que los que impongan la Constitución y las leyes (aplica dictamen Nº 24.660, de 2000, entre otros)». (ID Dictamen: 061436N12 Fecha: 03.10.2012 Destinatarios: Christian Hormazábal Lagos Texto: Desestima reclamaciones sobre vicios de legalidad en procedimientos concursales que indica. Acción: Aplica

---

[121] Para efectos de su consulta en la Base de Jurisprudencia de Contraloría General de la República, el citado dictamen se encuentra en la sección/materia: «generales», sin perjuicio de que se trata de uno de carácter municipal.
[122] Para efectos de su consulta en la Base de Jurisprudencia de Contraloría General de la República, el citado dictamen se encuentra en la sección/materia: «generales», sin perjuicio de que se trata de uno de carácter municipal.

dictámenes 13372/2008, 80174/2010, 14691/2012, 60742/2011, 24660/2000, 23862/2004, 51349/2005, 4474/2012, 14160/2012)[123]

11. «*Sobre el particular, cabe recordar que el dictamen Nº 14.616, de 2010, se pronunció respecto de una solicitud de reconsideración del dictamen Nº 55.607, de 2008, del mismo origen, clarificando que este último pronunciamiento no se refirió a la inhabilidad del **artículo 10, letra e), de la ley Nº 18.883, por cuanto dicho texto legal no es aplicable a los docentes**, sino que a aquella contenida en el artículo 24, Nº 5, de la ley Nº 19.070, Estatuto de los Profesionales de la Educación, como consecuencia de lo previsto en la letra b) del artículo 72 de ese texto legal, disposición relativa al término de la relación laboral de los docentes*». (**ID Dictamen: 026091N12 Fecha**: 07.05.2012 **Destinatarios**: Alejandro Felipe Collado Narváez. **Texto**: Sobre solicitud de cumplimiento de dictamen 14616/2010, de este origen, relativo a inhabilidad para ejercer cargos públicos. **Acción**: Confirma dictámenes 14616/2010, 55607/2008)[124]

Artículo 11

Los requisitos señalados en las letras a), b), y c) del artículo anterior, deberán ser acreditados mediante documentos o certificados oficiales auténticos.

El requisito establecido en la letra c) del artículo que precede, ser acreditará mediante certificación del Servicio de Salud correspondiente.

El requisito de título profesional o técnico exigido por la letra d) del artículo anterior, se acreditará mediante los títulos conferidos en la calidad de profesional o técnico, según corresponda, de conformidad a las normas legales vigentes en materia de Educación Superior.

El requisito fijado en la letra e) será acreditado por el interesado mediante declaración jurada simple. La falsedad de esta declaración hará incurrir en las penas del artículo 210 del Código Penal.

La municipalidad deberá comprobar el requisito establecido en la letra f) del artículo citado, a través de consulta al Servicio de Registro Civil e Identificación, quien acreditará este hecho mediante simple comunicación.

La cédula nacional de identidad acreditará la nacionalidad y demás datos que ella contenga. Todos los documentos, con excepción de la cédula nacional de identidad, serán acompañados al decreto de nombramiento y quedarán archivados en la Contraloría General de la República.

1. «*Luego, en cuanto al certificado de salud compatible, se debe tener en cuenta que de conformidad con lo dispuesto en la letra c) del artículo 10 de la ley Nº 18.883, —de manera análoga a lo establecido en la letra c) del artículo 12 de la ley Nº 18.834—, para ingresar a una municipalidad será necesario, entre otras exigencias, "Tener salud compatible con el desempeño del cargo", requisito que se acreditará mediante la certificación del servicio de salud correspondiente, según lo dispone el artículo 11 del citado texto estatutario.*
A continuación, en cuanto a la segunda de las consultas formuladas, cabe precisar que el inciso tercero del artículo 10 B de la ley Nº 20.766, al referirse al organismo que debe hacer entrega de la certificación en análisis, alude a un "prestador institucional de salud", lo que en armonía con la regla interpretativa contenida en el artículo 20 del Código Civil, relativo

---

[123] Para efectos de su consulta en la Base de Jurisprudencia de Contraloría General de la República, el citado dictamen se encuentra en la sección/materia: «generales», sin perjuicio de que se trata de uno de carácter municipal.

[124] Para efectos de su consulta en la Base de Jurisprudencia de Contraloría General de la República, el citado dictamen se encuentra en la sección/materia: «generales», sin perjuicio de que se trata de uno de carácter municipal.

al significado legal de las palabras, debe ser entendido de acuerdo a la definición dada por el legislador a través del artículo 3º de la ley Nº 20.584.

Agrega, en sus incisos segundo y tercero, respectivamente, que "Prestadores institucionales son aquellos que organizan en establecimientos asistenciales medios personales, materiales e inmateriales destinados al otorgamiento de prestaciones de salud, dotados de una individualidad determinada y ordenados bajo una dirección, cualquiera sea su naturaleza y nivel de complejidad", en tanto que "Prestadores individuales son las personas naturales que, de manera independiente, dependiente de un prestador institucional o por medio de un convenio con este, otorgan directamente prestaciones de salud a las personas o colaboran directa o indirectamente en la ejecución de estas. Se consideran prestadores individuales los profesionales de la salud a que se refiere el Libro Quinto del Código Sanitario"». (**ID Dictamen:** 037333N16. **Fecha:** 19-05-2016. **Destinatarios:** Municipios de La Granja y Recoleta. **Texto:** Inciso tercero del artículo 10 B de la ley Nº 20.766, resulta aplicable a municipalidades, por lo que certificado de salud compatible puede ser otorgado por un prestador institucional de salud, debiendo entenderse por tal, lo que se indica. **Acción.**

1. «*Sobre la materia, cabe señalar que de conformidad a lo dispuesto en la **letra c) del artículo 10 de la ley Nº 18.883,** sobre Estatuto Administrativo para Funcionarios Municipales, y de igual forma en la letra c) del artículo 12 de la ley Nº 18.834, sobre Estatuto Administrativo, para ingresar a una municipalidad como a cualquier órgano que forme parte de la Administración Pública, será necesario entre otras exigencias, "Tener salud compatible con el desempeño del cargo", requisito que se acreditará mediante la certificación del servicio de salud correspondiente, según lo disponen, respectivamente, los **artículos 11** y **13** de los citados textos estatutarios.*

*Por su parte, es dable manifestar, que producto de la reforma legal introducida por la ley Nº 19.937 al sector salud el año 2005, los Servicios de Salud perdieron competencia sobre todas aquellas materias que no digan relación con la ejecución de acciones integradas de carácter asistencial, en las que se incluía los exámenes de ingreso a la Administración, función que fue traspasada a las Secretarías Regionales Ministeriales y más específicamente a las **Comisiones de Medicina Preventiva e Invalidez**, dependientes de estas últimas desde la referida reforma.*

*En este sentido se ha pronunciado esta **Entidad Fiscalizadora, a través de su dictamen Nº 39.628 de 2006**, que considerando lo previsto en los artículos 12 y 13 del decreto con fuerza de ley Nº 1, de 2005, del Ministerio de Salud, y en el artículo 45 del decreto Nº 136, de 2004 de esa misma repartición, reglamento orgánico del Ministerio de Salud, **sostuvo que corresponde a esas comisiones ejercer las funciones médico administrativas,** que les eran propias al Servicio de Salud, **dentro de las cuales se encuentra, precisamente, la consistente en certificar si los postulantes a las aludidas instituciones gozan de la requerida condición estatutaria».* (ID Dictamen: 032706N11 Fecha: 23.05.2011 Destinatarios: Alcalde Municipalidad de Cabo de Hornos. **Texto:** Sobre organismo competente para efectuar los exámenes de salud para ingresar a un cargo público en localidades que no cuentan con una Comisión de Medicina Preventiva e Invalidez. **Acción:** Aplica dictamen 39628/2006)[125]

2. «*Sobre el particular, cabe tener presente que los artículos 12, letra c), de la ley Nº 18.834, sobre Estatuto Administrativo, y **10, letra c), de la ley Nº 18.883, sobre Estatuto Administrativo para Funcionarios Municipales**, prescriben que para ingresar a la Administración del Estado o a una municipalidad, respectivamente, será necesario entre otras exigencias, tener salud compatible con el desempeño del cargo, requisito que como expresan las siguientes disposiciones de esos textos legales, se acreditará mediante la certificación del Servicio de Salud correspondiente. (...)*

*Como es posible advertir, **en las provisiones de cargos públicos, las personas por las cuales se consulta no pueden, por ese solo hecho, ser objeto de una discriminación que tenga fundamento en su discapacidad, sino que debe examinarse, caso a caso las circunstancias de cada una de ellas en relación con el cargo específico que pretenden desempeñar, debiendo analizarse y determinarse si sus condiciones físicas o mentales les permitirán desempeñar las labores respectivas».* (ID Dictamen: 031594N11 Fecha: 18.05.2011 Destinatarios: Directora Nacional Servicio Nacional de la Discapacidad. **Texto:** Sobre el requisito de salud compatible con el desempeño del cargo para ingresar a la Administración del Estado respecto de personas con discapacidad. **Acción:** Aplica dictamen 39628/2006)[126]

---

[125]   Para efectos de su consulta en la Base de Jurisprudencia de Contraloría General de la República, el citado dictamen se encuentra en la sección/materia: «generales», sin perjuicio de que se trata de uno de carácter municipal.

[126]   Para efectos de su consulta en la Base de Jurisprudencia de Contraloría General de la República, el citado dictamen se encuentra en la sección/materia: «generales».

3. «*Ahora bien, de un nuevo examen de los antecedentes del caso, particularmente de las letras a) y b) del numeral 1 de las mencionadas bases, se advierte que el municipio fijó como requisitos de postulación generales y específicos, aquellos descritos en los artículos 10 y 11 de la anotada ley Nº 18.883, y los previstos en el artículo 12 de la ley Nº 19.280, respectivamente, sin que se establecieran exigencias adicionales para esos efectos. (...)*
Al respecto, cabe indicar que esa entidad edilicia se encuentra facultada para conceder a los factores a que se refiere el artículo 16 de la citada ley Nº 18.883, entre ellos el de capacitación, un mayor puntaje de acuerdo a las necesidades del servicio, lo que en ningún caso resultó discriminatorio, por cuanto ello no significó el establecimiento de requisitos adicionales que hayan derivado en la marginación del certamen de quienes no los poseían (aplica criterio contenido en los dictámenes Nºs. 11.829, de 1997; 4.211, de 1998; y 5.569, de 2009)». (**ID Dictamen: 065613N12 Fecha:** 22.10.2012 **Destinatarios:** Alcalde de la Municipalidad de Frutillar. **Texto:** Reconsidera oficio 63, de 2012, de la Contraloría Regional de los Lagos, relativo a invalidación de concurso público que indica. **Acción:** aplica dictámenes 23932/2010, 60140/2010, 11829/97, 4211/98, 5569/2009, 78329/2011, 32992/2011)[127]

Artículo 12

La designación de los alcaldes que corresponda a los Consejos Regionales de Desarrollo se efectuará mediante acuerdo de éstos, en conformidad a lo dispuesto en el inciso primero del artículo 48 de la ley N° 18.695. Una copia del acuerdo se publicará en el Diario Oficial y otra se remitirá a la Contraloría General de la República para el solo efecto de su registro. Ambas copias deberán ser debidamente autentificadas por el secretario ejecutivo del respectivo Consejo Regional de Desarrollo.

La designación de los alcaldes de la exclusiva confianza del Presidente de la República, a quien se refiere el inciso segundo del artículo 48 de la Ley N° 18.695, se efectuará mediante decreto supremo expedido a través del Ministerio del Interior.

Artículo 13

La provisión de los cargos municipales se efectuará por el alcalde mediante nombramiento o ascenso.

Cuando no sea posible aplicar el ascenso en los cargos de planta, procederá aplicar las normas sobre nombramiento.

«*Enseguida, en cuanto al mecanismo al que corresponde recurrir para proveer la plaza indicada en calidad de titular, es del caso precisar que atendido que la ley Nº 20.554, no contempla una modalidad determinada para ese efecto, ha de estarse a la norma general que rige la materia, contenida en el artículo 13 de la ley Nº 18.883, de acuerdo a la cual, la provisión de los cargos municipales se efectúa, primeramente, mediante ascenso y, para el caso de no ser posible aquello, procede aplicar las normas sobre nombramiento, es decir, por la vía del concurso público, en concordancia con el artículo 15 de dicho cuerpo estatutario (aplica criterio contenido en el dictamen Nº 17.464, de 1996).
No obstante, cabe recordar que para que tenga lugar el ascenso de un funcionario al cargo de que se trata, es menester que cuente con los requisitos propios de la plaza en cuestión, sin perjuicio del cumplimiento del resto de las exigencias legales. Luego, si por aplicación del aludido mecanismo de provisión de empleos no existen funcionarios con derecho a ascender, el municipio deberá llamar al respectivo concurso*». (**ID Dictamen: 039521N12 Fecha:** 04.07.2012 **Destina-**

---

[127] Para efectos de su consulta en la Base de Jurisprudencia de Contraloría General de la República, el citado dictamen se encuentra en la sección/materia: «generales», sin perjuicio de que se trata de uno de carácter municipal.

tarios: Alcalde de la Municipalidad de Placilla. **Texto:** Se pronuncia sobre alcance de los artículos 2º, 10 y 11 de la ley 20554, en relación con diversas consultas vinculadas con el cargo de Secretario de Juzgado de Policía Local, y atiende consulta relativa a provisión de cargo profesional de la planta de personal de la Municipalidad de Arica. **Acción:** Aplica dictámenes 17464/96, 3250/96)

Artículo 14

El nombramiento regirá desde la fecha indicada en el respectivo decreto alcaldicio, el que será remitido a la Contraloría General de la República para el solo efecto de su registro.

Si el interesado debidamente notificado personalmente o por carta certificada, de la oportunidad en que deba asumir sus funciones, no lo hiciere dentro de tercero día, contado desde la fecha de la notificación, su nombramiento quedará sin efecto por el solo ministerio de la ley. El alcalde deberá comunicar esta circunstancia a la Contraloría.

TÍTULO II
De la Carrera Funcionaria

PÁRRAFO 1º DEL INGRESO

Artículo 15

El ingreso a los cargos de planta en calidad de titular se hará por concurso público y procederá en el último grado de la planta respectiva, salvo que existan vacantes de grados superiores a éste que no hubieren podido proveerse mediante ascensos.

Las municipalidades deberán dictar un reglamento de concurso público.

Todas las personas que cumplan con los requisitos correspondientes tendrán el derecho a postular en igualdad de condiciones.

1. «*Ahora bien, no obstante que en virtud de lo dispuesto por el nuevo inciso segundo del artículo 15 de la ley Nº 18.883, los municipios deberán dictar un reglamento de concurso público, en consideración a que dicho certamen corresponde a un procedimiento reglado, técnico y objetivo, respecto del cual es la propia ley la que dispone las pautas para su desarrollo; que este se encuentra afinado y, que de acuerdo a lo alegado por la recurrente, no aparece que la omisión de que se trata haya vulnerado de modo alguno los principios que lo informan o, que a ella la hubiese perjudicado; cabe concluir que tal omisión no incide en la validez del proceso concursal de que se trata, por lo que corresponde desestimar su reclamo*». (**ID Dictamen:** 003219N17. **Fecha:** 31-01-2017. **Destinatarios:** doña Fabiola Arel Melipillán de la Municipalidad de Calbuco. **Texto:** Desestima reclamo en contra de concurso público realizado por la Municipalidad de Calbuco. **Acción.**

2. «*En este contexto, conviene tener presente que de acuerdo con lo previsto en el artículo 15, inciso primero, de la ley Nº 18.883, y en armonía con el criterio contenido, entre otros, en el dictamen Nº 8.601, de 2017, la forma de proveer las vacantes correspondientes al último grado de cada estamento es a través de un concurso público, sin que resulte posible que ello se efectúe por ascenso*». (**ID Dictamen:** 017782N18. **Fecha:** 13-07-2018. **Destinatarios:** señora Gilda Ávila Ayala, funcionaria de la Municipalidad de Graneros. **Texto:** No procede aplicar el ascenso especial previsto en el artículo 54 de la ley Nº 18.883, para proveer los cargos vacantes en el último grado de la planta de jefaturas de la Municipalidad de Graneros, los cuales deben llamarse a concurso público. **Acción:** Aplica dictámenes 8601/2017, 13713/2001, 23780/98, 36863/2012).

3. «*Sobre lo anterior, en relación al concurso público, conviene tener presente que el artículo 5º, en su número 4), intercala al artículo 15 de la ley Nº 18.883, un inciso segundo, a través del cual dispone que "Las municipalidades deberán dictar un reglamento de concurso público". Así las cosas, en cuanto a lo consultado por el ente edilicio en relación con la forma de proveer un cargo resultante de la eventual fijación o modificación de las plantas del personal de las municipalidades, se deberán tener, en su oportunidad, a la vista las normas previamente expuestas, sin que pueda, a priori, indicarse si una plaza se proveerá por ascenso o concurso público*». (**ID Dictamen:** 020214N17. **Fecha:** 02-06-2017. **Destinatarios:** Municipalidad de Quinta Normal. **Texto:** En cuanto a la forma de proveer los cargos resultantes del ejercicio de la facultad contemplada en el artículo 49 bis de la ley Nº 18.695, incorporado por la ley Nº 20.922, se deberán tener a la vista las disposiciones que se indican. **Acción.**

4. «*En armonía con lo expuesto, se advierte que la circunstancia de que el cargo que nos ocupa no figure dentro de aquellas plazas que, acorde con el artículo 47 de la ley Nº 18.695, poseen la calidad de exclusiva confianza de la máxima jefatura edilicia, no es óbice para considerarlo también incluido en dicha categoría, pues lo que caracteriza a tales plazas es que están sujetas a la libre designación y remoción de esa autoridad, condición que, al tenor de la normativa analizada, se verifica en la especie (aplica criterio del dictamen Nº 62.989, de 2015).*
Por consiguiente, es dable concluir que el cargo de director de seguridad pública —creado por la ley Nº 20.965—, es de exclusiva confianza del alcalde, toda vez que esta autoridad es quien lo nombra, manteniéndose en funciones en tanto no estime necesario removerlo, gozando, por ende, de amplias atribuciones para tales efectos.
De ello se sigue, entonces, que el cargo de director de seguridad pública no se sujeta a las reglas de los concursos públicos, contempladas en los artículos 15 y siguientes de la ley Nº 18.883 (aplica criterio del dictamen Nº 12.926, de 2006).
Siendo así, se colige que la destinación ordenada respecto del ocurrente se ajusta a los términos de la citada normativa,

por cuanto las funciones que por su intermedio debe realizar son de igual jerarquía que aquellas inherentes al puesto genérico para el cual fue nombrado, ya que, en ambos casos, se trata de ejercer tareas relativas al estamento directivo (aplica criterio del dictamen Nº 3.420, de 2003)». **(ID Dictamen:** 026027N18. **Fecha:** 18-10-2018. **Destinatarios:** Municipalidad de San Pedro de la Paz. **Texto:** El cargo de director de seguridad pública es de exclusiva confianza del alcalde, por lo que no procede convocar un concurso público para proveerlo. Se ajustó a derecho destinación de directivo genérico para cumplir funciones en la referida calidad, ya que implicó el desarrollo de labores de igual jerarquía. **Acción:** Aplica dictámenes 62989/2015, 12926/2006, 42291/2016, 3420/2003, 3093/2003).

5. *«Enseguida, en relación a los cargos de director de control y director de administración y finanzas, el ente edilicio informó que estos no han sido provistos por titulares, encontrándose servidos por suplentes que pertenecen a la planta de personal. Agrega además, que no se ha realizado el llamado a concurso para proveer dichas plazas, debido a falta de tiempo y de funcionarios, y a que no ha dictado el reglamento de concurso público que ordena el inciso 2º del artículo 15 de la ley Nº 18.883, recientemente incorporado por la ley Nº 20.922. Puntualizado a lo anterior, de acuerdo a lo informado por el municipio, aparece que este se ha dado cumplimiento a lo ordenado por esta Contraloría General, bajo los argumentos de no contar con los medios personales y materiales para ello, y de no haber dictado el reglamento de concurso público que dispone el inciso segundo del artículo 15 de la ley Nº 18.883. Por consiguiente, en mérito de lo expuesto, es necesario concluir que la Municipalidad de San Pedro deberá proceder, en el más breve plazo posible, a proveer los cargos de director de administración y finanzas, y de control, en los términos dispuestos por el dictamen Nº 16.246, de 2015, informando de ello a la Unidad de Seguimiento de la División de Municipalidades de esta Contraloría General, en el plazo de 20 días hábiles, contado desde la recepción del presente oficio».* **(ID Dictamen:** 089821N16. **Fecha:** 15-12-2016. **Destinatarios:** señores Samuel Espinoza Vilches, Juan Zúñiga Godoy y Avelino Farías Piña, todos exconcejales de la Municipalidad de San Pedro, y don Jeremías Vilches Mondaca, actual concejal de la Municipalidad de San Pedro. **Texto:** Se ajustó a derecho la decisión del alcalde de la Municipalidad de San Pedro, de asignar a la servidora que indica, la función de administradora municipal; ente comunal deberá dar cumplimiento a lo ordenado por el dictamen Nº 16.246, de 2015, de este organismo fiscalizador. **Acción:** Aplica dictámenes 45176/2003, 16246/2015, 14283/2009, 26774/2003, 37492/2016, 101096/2014).

6. *«Ahora bien, la ley Nº 20.922, en su artículo 5º, número 4), modificó el artículo 15 de la ley Nº 18.883, intercalando un inciso segundo nuevo, que dispone que "Las municipalidades deberán dictar un reglamento de concurso público", norma que entró en vigor en la fecha de su publicación en el Diario Oficial, el 25 de mayo de 2016. Ahora bien, no obstante que en virtud de lo dispuesto por el nuevo inciso segundo del artículo 15 de la ley Nº 18.883, los municipios deberán dictar un reglamento de concurso público, teniendo a la vista que dicho certamen corresponde a un procedimiento reglado, técnico y objetivo, respecto del cual es la propia ley la que dispone las pautas para su desarrollo, y que, de acuerdo a lo señalado en los párrafos precedentes, no aparece que en el caso por el cual se consulta, la omisión de que se trata haya vulnerado de modo alguno los principios que lo informan, y a la etapa en la que este se encuentra, es dable concluir que en la especie, ello no obsta a que el concurso sea afinado. Sin perjuicio de lo concluido en este pronunciamiento, el municipio deberá dar cumplimiento a la anotada obligación contenida en el inciso segundo del artículo 15 de la ley Nº 18.883, en orden a dictar un reglamento de concurso público, debiendo informar de ello dentro del precitado plazo».* **(ID Dictamen:** 094035N16. **Fecha:** 30-12-2016. **Destinatarios:** Asociación de Funcionarios de la Municipalidad de Nancagua y el referido ente comunal. **Texto:** Municipio deberá afinar el concurso público por el cual se consulta, sin perjuicio de dar cumplimiento a la obligación contenida en el inciso segundo del artículo 15 de la ley Nº 18.883. **Acción:** Aplica dictamen 42706/2016).

1. *«Sobre el particular, cabe manifestar que el **artículo 15 de la ley Nº 18.883, sobre Estatuto Administrativo para Funcionarios Municipales**, establece, en lo pertinente, que el ingreso a los cargos de planta en calidad de titular se hará por concurso público; y, a su turno, el artículo 16, inciso segundo, del mismo texto legal, dispone los factores que, a lo menos, deberán considerarse en cada concurso, los que la municipalidad determinará previamente y establecerá la forma en que ellos serán ponderados y el puntaje mínimo para ser considerado idóneo.*
*Al respecto, este **Organismo de Control en el dictamen Nº 3.711, de 2009, ha concluido que en el evento que existan postulantes idóneos, resulta improcedente que la autoridad edilicia declare desierto un certamen, por cuanto ello implica desconocer el derecho de quienes, reuniendo los requisitos legales, han concursado a un cargo para ser considerados en su provisión, pues la sola realización del evento origina un vínculo jurídico que no puede disolverse por la mera voluntad de la autoridad administrativa».* **(ID Dictamen:** 078015N11 **Fecha:** 14.12.2011 **Destinatarios:** Alcalde

de la Municipalidad de Castro **Texto:** Sobre determinación de puntaje mínimo para ser considerado postulante idóneo en concurso público regido por la ley 18883. **Acción:** Aplica dictamen 3711/2009)[128]

2. «*En cuanto concierne a la selección de personal para la Administración del Estado, los artículos 15 y 44 de la ley Nº 18.575, Orgánica Constitucional de Bases Generales de la Administración del Estado, prevén que el ingreso a sus organismos se regirá por las normas estatutarias que establezca la ley, mediante concurso público.*
*En concordancia con lo anterior, los artículos 17, 21 y 22 de la ley Nº 18.834, sobre Estatuto Administrativo, previenen que el ingreso a los cargos de carrera de la Administración se realizará mediante los aludidos certámenes, precisando que el comité de selección propondrá a la autoridad facultada para efectuar el nombramiento los candidatos que hubieren obtenido los mejores puntajes y que aquélla seleccionará a uno de ellos. Además, su artículo 24 dispone que una vez aceptado el cargo, la persona elegida será nombrada titular en la plaza correspondiente, **regulación que de modo similar se contiene en los artículos 15, 19, 20 y 21 de la ley Nº 18.883, Estatuto Administrativo para Funcionarios Municipales**». (**ID Dictamen: 054769N12 Fecha:** 04.09.2012 **Destinatarios:** Ministro de Desarrollo Social. **Texto:** Representa nuevamente el decreto 143/2010, del ex Ministerio de Planificación, que regula la forma en que se hará efectiva la selección preferente de personas con discapacidad en los procedimientos de ingreso a la Administración del Estado, por no ajustarse a derecho. **Acción:** Aplica dictámenes 20119/2006, 39348/2007, 26304/90, 20746/2011 confirma dictamen 1076/2012)[129]

3. «*Enseguida, en cuanto al mecanismo al que corresponde recurrir para proveer la plaza indicada en calidad de titular, es del caso precisar que atendido que la **ley Nº 20.554, no contempla una modalidad determinada para ese efecto, ha de estarse a la norma general que rige la materia, contenida en el artículo 13 de la ley Nº 18.883, de acuerdo a la cual, la provisión de los cargos municipales se efectúa, primeramente, mediante ascenso y, para el caso de no ser posible aquello, procede aplicar las normas sobre nombramiento, es decir, por la vía del concurso público, en concordancia con el artículo 15 de dicho cuerpo estatutario (aplica criterio contenido en el dictamen Nº 17.464, de 1996).***
No obstante, cabe recordar que para que tenga lugar el ascenso de un funcionario al cargo de que se trata, es menester que cuente con los requisitos propios de la plaza en cuestión, sin perjuicio del cumplimiento del resto de las exigencias legales. Luego, si por aplicación del aludido mecanismo de provisión de empleos no existen funcionarios con derecho a ascender, el municipio deberá llamar al respectivo concurso». (**ID Dictamen: 039521N12 Fecha:** 04.07.2012 **Destinatarios:** Alcalde de la Municipalidad de Placilla. **Texto:** Se pronuncia sobre alcance de los artículos 2º, 10 y 11 de la ley 20554, en relación con diversas consultas vinculadas con el cargo de Secretario de Juzgado de Policía Local, y atiende consulta relativa a provisión de cargo profesional de la planta de personal de la Municipalidad de Arica. **Acción:** Aplica dictámenes 17464/96, 3250/96)

4. «*Sobre el particular, es menester indicar que el artículo 52 de la ley Nº 18.883, establece que el ascenso es el derecho de un funcionario de acceder a un cargo vacante de grado superior en la línea jerárquica de la respectiva planta, sujetándose estrictamente al escalafón, sin perjuicio de lo dispuesto en el artículo 54.*
A continuación, el aludido artículo 54 del mismo texto legal, dispone en lo pertinente, que un funcionario tendrá derecho a ascender a un cargo de otra planta, gozando de preferencia respecto de los funcionarios que pertenecen a ella, cuando se encuentre en el tope de su planta, reúna los requisitos para ocupar el cargo y tenga un mayor puntaje en el escalafón que los funcionarios de la planta a la cual accede.
Al respecto, este Organismo Controlor en los dictámenes Nºs. 22.725, de 2001, y 51.270, de 2009, ha precisado que para que opere la modalidad especial de ascenso regulada por el referido precepto legal, no solo es necesario que se cumplan los requisitos del respectivo cargo, sino que además es menester que se den los demás supuestos que, en forma copulativa, establece la misma norma, vale decir, que el funcionario se encuentre en el tope de su planta y tenga un mayor puntaje en el escalafón que los servidores de la planta a la que pretende ingresar, condición esta última que supone un ejercicio de comparación con los empleados de dicha planta, con derecho a ascenso en la misma. (...)

---

[128] Para efectos de su consulta en la Base de Jurisprudencia de Contraloría General de la República, el citado dictamen se encuentra en la sección/materia: «generales», sin perjuicio de que se trata de uno de carácter municipal.

[129] Para efectos de su consulta en la Base de Jurisprudencia de Contraloría General de la República, el citado dictamen se encuentra en la sección/materia: «generales».

*Finalmente, tampoco procede el ascenso de la peticionaria al empleo en comento, atendida su posterior vacancia, producida por la renuncia voluntaria al mismo presentada por la señora Duarte Piña, a contar del 1 de enero de 2011, según consta en el decreto Nº 2, de igual año, del referido municipio, dado que en dicha situación no es posible efectuar el ejercicio de comparación de puntajes requerido en el artículo 54 de la ley Nº 18.883, por cuanto los cargos de grado inferior de la planta de jefaturas se encontraban vacantes a dicha fecha, por lo que corresponde su **provisión mediante concurso público, de acuerdo con lo ordenado en el artículo 15 de la ley Nº 18.883**, como efectivamente aconteció».* (**ID Dictamen: 003267N12 Fecha:** 18.01.2012 **Destinatarios:** Agueda Olivares Ortega. **Texto:** Sobre exigencias para la procedencia de la promoción prevista en el artículo 54 de la ley Nº 18883. **Acción:** Aplica dictámenes 22725/2001, 51270/2009)

5. «*En efecto, los incisos primeros de los **artículos** 17 Y 15 de las citadas leyes Nºs. 18.834 Y 18.883, respectivamente, señalan que el ingreso a los cargos de carrera o planta en calidad de titular se hará por concurso público, el cual, de acuerdo a lo señalado en los artículos 21 y 19, también respectivamente, es preparado y realizado por un comité de selección, que con los resultados del certamen propondrá a la autoridad facultada para efectuar el nombramiento, los nombres de los candidatos que hubieren obtenido los mejores puntajes. (...)*
*Al respecto, este **Ente de Control ha manifestado, entre otros, mediante sus dictámenes Nºs. 26.304, de 1990 y 20.746, de 2011, que la superioridad convocante está obligada a poner término al certamen de que se trata con el nombramiento de una de las personas propuestas, puesto que ellas han cumplido los requisitos legales y acreditado idoneidad para su desempeño durante el concurso respectivo.***
*Como puede advertirse, **la emisión del acto administrativo de nombramiento tiene el carácter de acto terminal del proceso de selección que se inicia con el llamado a concurso público que realiza la autoridad respectiva.***
Por ende, no puede estimarse que el aludido proceso finalice cuando la comisión u órgano evaluador haga entrega de las nóminas a la autoridad facultada para hacer el nombramiento, como lo entiende el mencionado artículo 10, inciso segundo, del decreto en examen.
*Por tanto, con la preparación de la nómina de candidatos que se propondrán a la superioridad finalizan los procesos de selección de personal para proveer cargos de alta dirección pública, **no así aquellos regidos por las leyes Nºs. 18.834 Y 18.883, los cuales concluyen —como ya se ha precisado— cuando la autoridad respectiva efectúa el nombramiento de la persona seleccionada de la nómina propuesta por el comité de selección respectivo**».* (**ID Dictamen: 001076N12 Fecha:** 06.12.2012 **Destinatarios:** Ministro de Planificación. **Texto:** Representa decreto 143/2010 del Ministerio de Planificación, que aprueba el reglamento de la ley 20422, que regula la forma en que se hará efectiva la selección preferente de personas con discapacidad en los procesos de selección de personal de la Administración del Estado. **Acción:** Aplica dictámenes 26304/90, 20746/2011, 54572/2005, 43553/2006)[130]

Artículo 16

El concurso consistirá en un procedimiento técnico y objetivo que se utilizará para seleccionar el personal que se propondrá al alcalde, debiéndose evaluar los antecedentes que presenten los postulantes y las pruebas que hubieren rendido, si así se exigiere, de acuerdo a las características de los cargos que se van a proveer.

En cada concurso deberán considerarse a lo menos los siguientes factores: los estudios y cursos de formación educacional y de capacitación; la experiencia laboral, y las aptitudes específicas para el desempeño de la función. La municipalidad los determinará previamente y establecerá la forma en que ellos serán ponderados y el puntaje mínimo para ser considerado postulante idóneo.

No obstante lo anterior, en el caso de los requisitos para cargos directivos municipales, éstos podrán considerar perfiles ocupacionales definidos por el Programa Academia de Capa-

---

[130] Para efectos de su consulta en la Base de Jurisprudencia de Contraloría General de la República, el citado dictamen se encuentra en la sección/materia: «generales».

citación Municipal y Regional de la Subsecretaría de Desarrollo Regional y Administrativo, a que se refieren los artículos 4° y siguientes de la ley N° 20.742.

1. «*En este orden de ideas, resulta útil recordar que el artículo 16 de la citada ley N° 18.883, contempla los factores mínimos a tener en cuenta en un concurso, y dispone que estos deberán ser previamente determinados por la municipalidad, la que establecerá la forma en que serán ponderados y el puntaje mínimo para ser considerado un postulante idóneo. Por su parte, el dictamen N° 34.490, de 2013, ha manifestado que los elementos indicados en el anotado precepto son los mínimos que deben ser evaluados respecto de los postulantes a un cargo municipal, y la autoridad administrativa se encuentra facultada para determinar, en las bases del certamen, la ponderación que les otorgará, acorde a las necesidades del servicio, sin que ello implique discriminar a los oponentes y siempre que no signifique el establecimiento de requisitos adicionales que conlleven a la marginación del proceso concursal de quienes no logren acreditar dichas variables*». (**ID Dictamen:** 037492N16. **Fecha:** 20-05-2016. **Destinatarios:** doña Katherine Martorell Awad, concejala de la Municipalidad de Quinta Normal. **Texto:** Se ajustó a derecho que municipalidad dejara sin efecto concurso para proveer cargo de director de control, en virtud de su facultad para invalidar actos contrarios a derecho. Debe llamarse a un nuevo certamen, a la brevedad. **Acción:** Aplica dictámenes 14948/2015, 16050/2000, 2572/2004, 20240/2001, 34490/2013, 50702/2015, 101096/2014, 12962/2000, 76048/2012, 9920/2013).

2. «*Luego, cabe indicar que el inciso segundo del artículo 16 de la ley 18.883, dispone que en cada concurso deberán considerarse a lo menos los estudios y cursos de formación educacional y de capacitación, la experiencia laboral, y las aptitudes específicas para el desempeño de la función; siendo obligación de la municipalidad su determinación previa, estableciendo la forma en que ellos serán ponderados y el puntaje mínimo para ser considerado postulante idóneo. Al respecto, la jurisprudencia administrativa ha expresado que los elementos indicados son los mínimos que deben ser evaluados respecto de los postulantes a un cargo municipal, y que la autoridad administrativa se encuentra facultada para determinar en las bases del certamen la ponderación que les otorgará, acorde a las necesidades del servicio sin que ello implique discriminar a los oponentes, en la medida que no signifique el establecimiento de requisitos adicionales que conlleven la marginación del proceso concursal de quienes no logren acreditar tales variables (aplica criterio contenido en las dictámenes N° 65.613, de 2012, y 87.434, de 2015). Por último, respecto a lo argumentado por la interesada en cuanto a que se habría invalidado el concurso de la especie respecto a los cargos en que participó la señora Valenzuela Biaggini, cabe indicar que el oficio N° 5.832, de 2016, de la Contraloría Regional de Antofagasta, alude particularmente al caso de aquella y a las plazas que postuló, no constando antecedentes que permitan desprender que se hubieren cometido errores por parte de la comisión evaluadora para proveer otros empleos*». (**ID Dictamen:** 042216N17. **Fecha:** 04-12-2017. **Destinatarios:** doña Rosa Rojas Espinoza, funcionaria de la Municipalidad de Antofagasta. **Texto:** Desestima solicitud de reconsideración del oficio N° 5.347, de 2016, de la Contraloría Regional de Antofagasta, respecto de concurso público. **Acción:** Aplica dictámenes 37492/2016, 65613/2012, 87434/2015, 14160/2012).

3. «*Enseguida, en las referidas bases se establecieron como criterios de evaluación: a) estudios y cursos; b) experiencia laboral; y, c) entrevista personal, ponderándose con 25%, 30% y 45%, respectivamente; y se dispuso —acorde con el artículo 16 de la ley N° 18.883—, que se consideraría postulante idóneo para integrar la terna a aquel que tenga un puntaje igual o superior a 80 puntos*». (**ID Dictamen:** 042706N16. **Fecha:** 09-06-2016. **Destinatarios:** Municipalidad de Curacaví. **Texto:** Concejo municipal no se ajustó a derecho al rechazar el nombramiento del candidato propuesto por el alcalde para ocupar la plaza de director de control por causas ajenas a las previstas en las bases del concurso, debiendo regularizar tal situación en la forma que indica. **Acción:** Aplica dictamen 52337/2015).

1. «*Sobre el particular, cabe manifestar que el artículo 15 de la ley N° 18.883, sobre Estatuto Administrativo para Funcionarios Municipales, establece, en lo pertinente, que el ingreso a los cargos de planta en calidad de titular se hará por concurso público; y, a su turno, el **artículo 16, inciso segundo**, del mismo texto legal, dispone los factores que, a lo menos, deberán considerarse en cada concurso, los que la municipalidad determinará previamente y establecerá la forma en que ellos serán ponderados y el puntaje mínimo para ser considerado idóneo. Al respecto, este **Organismo de Control en el dictamen N° 3.711, de 2009, ha concluido que en el evento que existan postulantes idóneos, resulta improcedente que la autoridad edilicia declare desierto un certamen, por cuanto ello implica desconocer el derecho de quienes, reuniendo los requisitos legales, han concursado a un cargo para ser considerados en su provisión, pues la sola realización del evento origina un vínculo jurídico que no puede disolverse por la mera voluntad de la autoridad administrativa*». (**ID Dictamen:** 078015N11 **Fecha:** 14.12.2011 **Destinatarios:** Alcalde

de la Municipalidad de Castro **Texto:** Sobre determinación de puntaje mínimo para ser considerado postulante idóneo en concurso público regido por la ley 18883. **Acción:** Aplica dictamen 3711/2009)[131]

2. *«A continuación, en lo que concierne a que la municipalidad no habría incorporado en las bases del concurso, los **factores mínimos a considerar que ordena el artículo 16 de la ley Nº 18.883**, a saber, los estudios y cursos de formación educacional y de capacitación; la experiencia laboral, y las aptitudes específicas para el desempeño de la función, procede señalar que, verificadas las correspondientes bases, se advierte que dichos factores se encuentran comprendidos en el punto 5 de aquellas, denominado "Evaluación de los Postulantes", por lo que procede dar por subsanada esa objeción».* (ID Dictamen: 072436N11 Fecha: 21.11.2011 Destinatarios: Alcalde de la Municipalidad de Taltal. Texto: Sobre concurso público para proveer cargos de planta de una municipalidad).

3. *«A continuación, en lo que atañe al cuestionamiento que se efectúa, en el sentido que se habrían solicitado requisitos no previstos en la legislación para ocupar los cargos de jefatura, es necesario manifestar que, habiendo revisado la convocatoria al concurso y sus bases, no se advierte que ello haya acontecido, toda vez que en tales antecedentes únicamente se contemplan las exigencias establecidas en los artículos 10 de la ley Nº 18.883 y 12 de la ley Nº 19.280, para tales plazas.*
*En relación con lo anterior, es preciso aclarar que la **autoridad edilicia se encuentra facultada para regular en las bases la ponderación de los factores a evaluar y, por su intermedio, determinar los perfiles de competencias adecuados para cada cargo a proveer, lo que encuentra su fundamento en el artículo 16, inciso final, de la citada ley Nº 18.883**, que dispone que en los certámenes deberán considerarse, a lo menos, los estudios y cursos de formación educacional y de capacitación, la experiencia laboral y las aptitudes específicas para el desempeño de la función, **por lo que las distinciones, exclusiones o preferencias basadas en las destrezas para el ejercicio de un empleo específico, no pueden estimarse discriminatorias (aplica criterio contenido en el dictamen Nº 29.696, de 2008)».* (ID Dictamen: 060742N11 Fecha: 26.09.2011 Destinatarios: Magaly Muñoz Rocha. Texto:** Desestima reclamo referido a irregularidades en el desarrollo del concurso público convocado por la Municipalidad de San Bernardo destinado a proveer, entre otros, dos cargos de la planta de jefaturas que indica. **Acción:** Aplica dictámenes 15983/2010, 61903/2009, 29696/2008, 12643/97)

4. *«Luego, en cuanto al cuestionamiento que se efectúa al establecimiento en las bases de la rendición una prueba escrita, inserta dentro de la evaluación del factor aptitudes específicas para desempeñar la función, cabe manifestar que según el **artículo 16, inciso primero**, del citado texto estatutario, el concurso consiste en un procedimiento técnico y objetivo a utilizarse para seleccionar el personal que se propondrá al alcalde, debiéndose evaluar los antecedentes que presenten los postulantes y las pruebas que hubieren rendido, si así se exigiere, de acuerdo a las características de los cargos que se van a proveer. Añade el **inciso segundo** de este precepto legal, que en cada concurso deberán considerarse a lo menos los siguientes factores: los estudios y cursos de formación educacional y de capacitación; la experiencia laboral, y las aptitudes específicas para el desempeño de la función, los que la municipalidad determinará previamente y establecerá la forma en que ellos serán ponderados y el puntaje mínimo para ser considerado postulante idóneo.*
Así, la ley Nº 18.883 no contiene reglas expresas respecto a la forma en que deben desarrollarse los concursos para proveer los cargos municipales, por lo que es la propia autoridad administrativa la que debe determinar las bases y condiciones en que se han de realizarse esos certámenes, pautas que si bien pueden preestablecerse libremente, y acorde con lo que se estime más adecuado para el mejor desenvolvimiento del proceso, la obliga a proceder conforme a ellas y aplicarlas en forma general a todos los candidatos, no obstante que deban observarse las disposiciones establecidas en el Título II, Párrafo 1º de dicha ley, lo que habría acontecido en la especie, teniendo en cuenta que la prueba a que se alude, tiene su fundamento en la norma antes mencionada (aplica el dictamen Nº 79.456, de 2010)». (ID Dictamen: 033164N11 Fecha: 25.05.2011 Destinatarios Alcalde de la Municipalidad de San Miguel. **Texto:** Sobre formación de ternas en concursos para proveer cargos vacantes regidos por la ley 18883. **Acción:** aplica dictámenes 17851/2006, 61903/2009, 79456/2010)

5. *«Sobre este punto es útil anotar, que según los antecedentes tenidos a la vista, consta que mediante el decreto Nº 501, de 2010, la citada entidad edilicia, en consideración al concurso de que se trata, aprobó las bases en un reglamento*

---

[131]   Para efectos de su consulta en la Base de Jurisprudencia de Contraloría General de la República, el citado dictamen se encuentra en la sección/materia: «generales», sin perjuicio de que se trata de uno de carácter municipal.

interno sobre el ingreso a la planta municipal en calidad de titular, el cual reguló expresamente los mencionados aspectos, por lo que debe desestimarse la alegación de la recurrente en este punto.

De este modo, en la especie, no se aprecian irregularidades en la realización del concurso para proveer el cargo de profesional grado 10 de la planta de la Municipalidad de El Monte». (**ID Dictamen: 012258N11 Fecha:** 25.02.2011 Destinatarios Marcela Meza. **Texto:** Sobre reclamo de concurso regido por la ley 18883 y derecho a ascenso en la Municipalidad de El Monte. **Acción:** Aplica dictámenes 16812/2001, 54362/2010)

6. *«Al respecto, es menester manifestar, por una parte, que los indicados factores son los mínimos que deben ser evaluados a los postulantes a un cargo municipal y, por otra, que la autoridad administrativa se encuentra facultada para determinar, en las bases del certamen, la ponderación que les otorgará, acorde a las necesidades del servicio, sin que ello implique discriminar a los oponentes, en la medida que no signifique el establecimiento de requisitos adicionales, que conlleven la marginación del proceso concursal de quienes no se encuentren en posesión de tales variables (aplica los dictámenes Nºs. 23.932 y 60.140, ambos de 2010).*

De este modo, no constituye un vicio que afecte la validez del concurso, que en las bases del mismo, en lo que atañe al empleo técnico grado 13 —para cuyo desempeño el decreto con fuerza de ley Nº 296-19.321, de 1994, del Ministerio del Interior, que adecua, modifica y establece la planta de personal de dicha corporación edilicia, no establece requisitos específicos—, se haya fijado una evaluación de puntajes decrecientes, según el título técnico que se acreditare, puesto que ello sólo aclara el perfil ocupacional deseable de los concursantes, en relación con la labor a cumplir, pero no impide que quienes tengan cualquier otro título puedan postular y, por ende, no implica exigir requisitos diferentes o adicionales a los fijados por la ley, que vulneren los principios de igualdad ante la ley y de libre admisión a todas las funciones y empleos públicos, contemplados en los aludidos Nºs. 2 y 17 del artículo 19, de la Constitución Política». (**ID Dictamen: 008324N11 Fecha:** 08.02.2011 **Destinatarios:** María Jeannette Umanzor Ogalde. **Texto:** Sobre legalidad de concurso regido por la ley 18883. **Acción:** aplica dictámenes 23932/2010, 60140/2010)[132]

7. *«Al respecto, es menester manifestar, por una parte, que los indicados elementos son los mínimos que deben ser evaluados respecto de los postulantes a un cargo municipal y, por otra, que la autoridad administrativa se encuentra facultada para determinar, en las bases del certamen, la ponderación que les otorgará, acorde a las necesidades del servicio, sin que ello implique discriminar a los oponentes, en la medida que no signifique el establecimiento de requisitos adicionales que conlleven la marginación del proceso concursal de quienes no logren acreditar tales variables (aplica criterio contenido en los dictámenes Nºs. 23.932 y 60.140, ambos de 2010). (...)*

Al respecto, cabe indicar que esa entidad edilicia se encuentra facultada para conceder a los factores a que se refiere el artículo 16 de la citada ley Nº 18.883, entre ellos el de capacitación, un mayor puntaje de acuerdo a las necesidades del servicio, lo que en ningún caso resultó discriminatorio, por cuanto ello no significó el establecimiento de requisitos adicionales que hayan derivado en la marginación del certamen de quienes no los poseían (aplica criterio contenido en los dictámenes Nºs. 11.829, de 1997; 4.211, de 1998; y 5.569, de 2009).

A mayor abundamiento, y de acuerdo a lo dispuesto, entre otros, en el dictamen Nº 78.329, de 2011, de este origen, procede que la autoridad administrativa evalúe con mayor ponderación aquellos elementos deseables para el ejercicio de la función, lo que en ningún caso puede significar excluir a los concursantes que no cumplen con estos, pues se confundiría con la fijación de requisitos distintos o adicionales a los dispuestos por el legislador para el desempeño de las citadas plazas.

Ahora bien, en relación a la observación efectuada por la Sede Regional respecto de la vulneración de los principios de racionalidad y proporcionalidad en la asignación de los puntajes de los distintos tramos del factor experiencia laboral — contenida en el numeral 3.1 de las ya mencionadas bases—, cabe señalar que la actuación del municipio en ese sentido se ajustó a lo prescrito en el inciso segundo del referido artículo 16 de la ley Nº 18.883, que permite a la autoridad edilicia determinar y establecer la forma en que serán ponderados los factores respectivos, sin que ello afecte la legalidad y validez del proceso concursal, puesto que todos los participantes fueron evaluados de la misma manera, sin que pueda advertirse, en la especie, discriminación alguna ni vulneración al principio de igualdad de oportunidades (aplica criterio del dictamen Nº 32.992, de 2011)». (**ID Dictamen: 065613N12 Fecha:** 22.10.2012 **Destinatarios:** Alcalde de la Municipalidad de Frutillar. **Texto:** Reconsidera oficio 63, de 2012, de la Contraloría Regional de los Lagos, relativo a

---

[132]   Para efectos de su consulta en la Base de Jurisprudencia de Contraloría General de la República, el citado dictamen se encuentra en la sección/materia: «generales», sin perjuicio de que se trata de uno de carácter municipal.

invalidación de concurso público que indica. **Acción:** aplica dictámenes 23932/2010, 60140/2010, 11829/97, 4211/98, 5569/2009, 78329/2011, 32992/2011)[133]

8. «*Sobre este punto del análisis, atendido lo manifestado por el municipio, es útil aclarar que el inciso segundo del artículo 16 del aludido estatuto, en su párrafo final, dispone, en lo que interesa, que la municipalidad determinará el "puntaje mínimo para ser considerado postulante idóneo", entendiéndose dicha expresión referida al puntaje límite inferior que definen las respectivas bases, para que los candidatos se estimen adecuados o apropiados para continuar participando y, eventualmente, ser incluidos en una terna, lo que no implica que por el único hecho de tener esa calidad, puedan conformarla, con preferencia de quien, también siendo idóneo, tiene mayor puntaje.*
Por ende, es forzoso reconsiderar los oficios Nºs. 60.800, de 2004 y 3.711, de 2009, de esta Entidad de Control, en los cuales se fundamenta la entidad edilicia para sostener su proceder, toda vez que posibilitan adoptar, en la conformación de las ternas de los concursos públicos sujetos al cuerpo estatutario contenido en la ley Nº 18.883, mecanismos diversos al mencionado en el presente dictamen, dado que en ellos se confunden los conceptos de "puntaje mínimo para ser considerado postulante idóneo" —artículo 16— y "los mejores puntajes" —artículo 19—». (**ID Dictamen: 056766N12 Fecha:** 12.09.2012 **Destinatarios** Alcalde de la Municipalidad de San Miguel **Texto** En los concursos regidos por ley 18883, el alcalde está facultado para nombrar a cualquiera de las personas propuestas en las ternas, sin importar el lugar que ocupen dentro de ellas, pero ello no significa que ellas deban confeccionarse por el comité de selección con prescindencia de los puntajes superiores, en orden decreciente y en forma sucesiva. Reconsidera toda jurisprudencia en contrario. **Acción** Aplica dictámenes 23673/2009, 33164/2011, 15983/2010, 61903/2009 Reconsidera dictámenes 60800/2004, 3711/2009)

9. «*Sobre el particular, y en cuanto a lo alegado, en orden a que no se dio a conocer en las bases del concurso la ponderación de los factores para el cálculo del puntaje mínimo de idoneidad, cabe tener presente que el artículo 16 de la ley Nº 18.883, sobre Estatuto Administrativo para Funcionarios Municipales, establece en su inciso segundo, los factores mínimos a considerar en dicho cálculo, debiendo el municipio establecer previamente la forma en que estos se van a ponderar, determinando además el puntaje mínimo de idoneidad para el cargo».* (**ID Dictamen: 025199N12 Fecha:** 02.05.2012 **Destinatarios:** Magdalena Ortega Pino. **Texto:** Sobre reclamación en contra de concurso público efectuado por la Municipalidad de Quinta Normal. **Acción:** Aplica dictámenes 32992/2011, 14160/2012, 80013/2011, 46233/2011, 60742/2011, 61834/2011, 12064/2012)

10. «*Sobre el particular, cabe hacer presente que de conformidad con lo establecido en los artículos 16 y 19 de la ley Nº 18.883, sobre Estatuto Administrativo para Funcionarios Municipales, corresponde al comité de selección evaluar los antecedentes que presenten los postulantes y las pruebas que hubieren rendido, con cuyo resultado propondrá al alcalde los nombres de los candidatos que hubieren obtenido los mejores puntajes, con un máximo de tres, respecto de cada cargo a proveer. (...)*
De la normativa citada, se advierte que el legislador otorgó, por una parte, al comité de selección la atribución de evaluar a los oponentes de un certamen y, por otra, a la autoridad edilicia la facultad discrecional para seleccionar a una de las tres personas que como máximo le debe proponer dicho cuerpo colegiado, de entre aquellas que han obtenido los mejores puntajes». (**ID Dictamen: 014163N12 Fecha:** 12.03.2012 **Destinatarios:** Juan Carlos Farías Contreras. **Texto:** Sobre eventuales presiones a la autoridad llamada a resolver concurso público convocado para proveer cargos regidos por la ley 18883)

Artículo 17

Producida una vacante que no pueda ser provista por ascenso, el alcalde comunicará por una sola vez a las municipalidades de la respectiva región la existencia del cupo, para que los funcionarios de ellas puedan postular.

---

[133] Para efectos de su consulta en la Base de Jurisprudencia de Contraloría General de la República, el citado dictamen se encuentra en la sección/materia: «generales», sin perjuicio de que se trata de uno de carácter municipal.

1. «*Sobre el particular, conviene recordar que el artículo 17 de la aludida ley Nº 18.883, establece que producida una vacante que no pueda ser provista por ascenso, el alcalde comunicará por una sola vez a las municipalidades de la región la existencia del cupo, para que los funcionarios de ellas puedan postular.*

Acerca de dicha normativa, el dictamen Nº 2.572, de 2004, entre otros, ha precisado que constituye un mandato imperativo para el alcalde comunicar al resto de las municipalidades la existencia de una vacante, lo que debe efectuarse con anterioridad al llamado a concurso, a fin de cumplir efectivamente con la finalidad que se persigue, en orden a que los funcionarios de las municipalidades de la región tengan la posibilidad de postular al certamen de que se trate». (**ID Dictamen: 037492N16. Fecha:** 20-05-2016. **Destinatarios:** doña Katherine Martorell Awad, concejala de la Municipalidad de Quinta Normal. **Texto:** Se ajustó a derecho que municipalidad dejara sin efecto concurso para proveer cargo de director de control, en virtud de su facultad para invalidar actos contrarios a derecho. Debe llamarse a un nuevo certamen, a la brevedad. **Acción:** Aplica dictámenes 14948/2015, 16050/2000, 2572/2004, 20240/2001, 34490/2013, 50702/2015, 101096/2014, 12962/2000, 76048/2012, 9920/2013).

«*Enseguida, respecto a la supuesta inobservancia de la comunicación a las municipalidades de la región, como se requiere en el artículo 17 de la referida ley Nº 18.883, cumple con precisar que en atención a lo señalado por esta Entidad de Control a través de los dictámenes Nºs. 2.572, de 2004, y 32.992 de 2011, tal infracción no constituye un vicio que afecte, en lo esencial, la validez del certamen, atendido que, según aduce el municipio, se habrían adoptado las demás medidas de difusión previstas en el artículo 18 de ese texto legal, como la respectiva publicación en un periódico de los de mayor circulación en la comuna y la remisión a los citados municipios, mediante correo electrónico, de la información sobre la convocatoria al certamen público, de modo que es necesario dar por subsanada dicha objeción*». (**ID Dictamen: 065268N11 Fecha:** 17.10.2011 **Destinatarios** Alcalde Municipalidad Padre Las Casas. **Texto:** Reconsidera oficio 5077/2010, de la Contraloría Regional de La Araucanía, sobre nombramientos de personal en la dotación de salud municipal, que señalaba la necesidad de retrotraer un certamen, dado que los antecedentes documentales de título profesional y certificado de antecedentes solicitados, no constituyeron requisitos de admisibilidad para participar del referido concurso, sino únicamente antecedentes para la comisión calificadora. La omisión puntajes mínimos para ser considerado postulante idóneo no afectó a los nombramientos. Está acreditada la publicación de dicho concurso y el envío de los antecedentes necesarios por correo electrónico a los municipios correspondientes. Por último, en lo relativo a la declaración de vacancia de cargos, el municipio carece de facultades para ello, cuando existen participantes que cumplen los requisitos exigidos para dichos cargos, por lo que dicha entidad deberá nombrar a los concursantes aptos. **Acción:** Aplica dictámenes 36210/96, 7502/2003, 22538/2005, 2572/2004, 32992/2011).

Artículo 18

El alcalde publicará un aviso con las bases del concurso en un periódico de los de mayor circulación en la comuna o agrupación de comunas y mediante avisos fijados en la sede municipal, sin perjuicio de las demás medidas de difusión que la autoridad estime conveniente adoptar. Entre la publicación en el periódico y el concurso no podrá mediar un lapso inferior a ocho días.

El aviso deberá contener a lo menos la identificación de la municipalidad solicitante, las características del cargo, los requisitos para su desempeño, la individualización de los antecedentes requeridos, la fecha, lugar de recepción de éstos, las fechas y lugar en que se tomarán las pruebas de oposición si procediere, y el día en que se resolverá el concurso.

Para los efectos del concurso, los requisitos establecidos en las letras a), b) y d) del artículo 10 serán acreditados por el postulante, mediante exhibición de documentos o certificados oficiales auténticos de los cuales se dejará copia simple en los antecedentes.

Asimismo, los requisitos contemplados en las letras c), e) y f) del mismo artículo, serán acreditados mediante declaración jurada del postulante. La falsedad de esta declaración, hará incurrir en las penas del artículo 210 del Código Penal.

1. «*Precisado lo anterior, cabe señalar que el certamen por el cual se reclama, ya fue analizado por la Contraloría Regional del Bío-Bío a través del oficio Nº 14.878, de 2016, mediante el cual desestimó la presentación realizada en idénticos términos por el señor Juan Barrenechea Castillo, estableciendo que la convocatoria fue publicada en la data señalada, y que si bien aquella no contenía toda la información exigida por el citado inciso segundo del artículo 18, de la ley Nº 18.883, la misma se encontraba a disposición de los interesados en la página web y en las oficinas del municipio. Enseguida, la aludida Sede Regional determinó que el municipio actuó dentro del ámbito de sus atribuciones al ponderar con un mayor puntaje a quienes tenían el título de ingeniero comercial, y a quienes tenían experiencia como encargados de control interno en el sector público, ya que la autoridad puede fijar libremente las bases y condiciones de las mismas y el procedimiento mediante el cual se valorarán las cualidades de los concursantes, sin que a esta entidad le corresponda pronunciarse sobre estas decisiones debido a que se tratan de aspectos de mérito cuya determinación y apreciación compete a la Administración activa (aplica criterio contenido en el dictamen Nº 34.490, de 2013). De la misma manera, el citado oficio Nº 14.878, de 2016, concluyó que la superior puntuación del precitado título profesional, constituyó un requisito deseable que aclaró el perfil técnico que el ente edilicio esperaba encontrar en los candidatos, en relación a la función a desempeñar, circunstancia que en todo caso no impidió la participación de otros interesados, de modo que a este respecto tampoco se constató una infracción al principio de igualdad de los postulantes (aplica criterio contenido en el dictamen Nº 58.941, de 2012)*». (**ID Dictamen:** 001391N18. **Fecha:** 17-01-2018. **Destinatarios:** señora Lorena Gutiérrez Clausdorff, presidenta de la Asociación de Funcionarios Municipales de Cobquecura. **Texto:** Por no aportar nuevos antecedentes, se ratifica el oficio Nº 14.878, 2016, de la Contraloría Regional del Bío Bío. **Acción:** aplica dictámenes 34490/2013, 58941/2012, 47634/2013).

2. «*Agrega el artículo 18 de ese cuerpo estatutario, en su inciso primero, que la máxima autoridad comunal publicará un aviso con las bases del concurso en un periódico de los de mayor circulación en la comuna o agrupación de comunas y mediante avisos fijados en la sede municipal, sin perjuicio de las demás medidas de difusión que la autoridad estime conveniente adoptar; y en su inciso segundo, que el anotado aviso deberá contener a lo menos las menciones que indica. Acerca de dicha normativa, el dictamen Nº 2.572, de 2004, entre otros, ha precisado que constituye un mandato imperativo para el alcalde comunicar al resto de las municipalidades la existencia de una vacante, lo que debe efectuarse con anterioridad al llamado a concurso, a fin de cumplir efectivamente con la finalidad que se persigue, en orden a que los funcionarios de las municipalidades de la región tengan la posibilidad de postular al certamen de que se trate. Por su parte, y en relación con la obligación de publicar las bases, cabe indicar que según lo concluido por el dictamen Nº 20.240, de 2001, estas generalmente no se incluyen en el respectivo aviso por razones económicas, sin perjuicio de lo cual, sí deben encontrarse a disposición de los interesados en acceder a los cargos, puesto que de no existir, estos no podrían estar en conocimiento del criterio que se aplicará para la selección, careciendo de certeza al respecto.*
De esta manera, entonces, y considerando que no se han aportado antecedentes que permitan determinar si la entidad edilicia comunicó de alguna forma al resto de los municipios la vacante a proveer o si el referido pliego de posiciones fue dado a conocer de alguna forma a los futuros candidatos, es dable concluir que en la especie no se habría respetado plenamente la normativa aplicable al efecto, sin que se adviertan, en todo caso, irregularidades en el contenido del correspondiente anuncio». (**ID Dictamen:** 037492N16. **Fecha:** 20-05-2016. **Destinatarios:** doña Katherine Martorell Awad, concejala de la Municipalidad de Quinta Normal. **Texto:** Se ajustó a derecho que municipalidad dejara sin efecto concurso para proveer cargo de director de control, en virtud de su facultad para invalidar actos contrarios a derecho. Debe llamarse a un nuevo certamen, a la brevedad. **Acción:** Aplica dictámenes 14948/2015, 16050/2000, 2572/2004, 20240/2001, 34490/2013, 50702/2015, 101096/2014, 12962/2000, 76048/2012, 9920/2013).

3. «*Al efecto, cumple con consignar que el artículo 18 de la ley Nº 18.883, establece, en lo pertinente, que el alcalde debe publicar un aviso con las bases del concurso en un periódico de los de mayor circulación en la comuna o agrupación de comunas, debiendo el mismo contener a lo menos la identificación de la municipalidad solicitante, las características del cargo y los requisitos para su desempeño, entre otras menciones.*
Así, respecto de la obligación de publicar las bases, cabe recordar que según lo concluido en el dictamen Nº 37.492, de 2016, estas generalmente no se incluyen en el respectivo aviso por razones económicas, sin perjuicio de lo cual, sí deben encontrarse a disposición de los interesados en acceder a los cargos, puesto que de no existir, estos no podrían estar en conocimiento del criterio que se aplicará para la selección, careciendo de certeza al respecto.
Al respecto, la jurisprudencia administrativa ha expresado que los elementos indicados son los mínimos que deben ser evaluados respecto de los postulantes a un cargo municipal, y que la autoridad administrativa se encuentra facultada para determinar en las bases del certamen la ponderación que les otorgará, acorde a las necesidades del servicio sin que ello implique discriminar a los oponentes, en la medida que no signifique el establecimiento de requisitos adicionales que

conlleven la marginación del proceso concursal de quienes no logren acreditar tales variables (aplica criterio contenido en las dictámenes Nº 65.613, de 2012, y 87.434, de 2015).
Enseguida, respecto a que se le otorgaría mayor puntaje en los cargos de jefatura a quienes tengan un título profesional sobre un técnico, es del caso indicar que aquello se encuentra dentro de las atribuciones del municipio, lo que en caso alguno implica el establecimiento de requisitos adicionales que conlleven la marginación del proceso concursal de quienes no logren acreditar tales variables, puesto que al verificarse el puntaje otorgado en dicho ítem, no lo excluye del mínimo de 75 puntos para ser considerado postulante idóneo». (**ID Dictamen: 042216N17. Fecha: 04-12-2017. Destinatarios:** doña Rosa Rojas Espinoza, funcionaria de la Municipalidad de Antofagasta. **Texto:** Desestima solicitud de reconsideración del oficio Nº 5.347, de 2016, de la Contraloría Regional de Antofagasta, respecto de concurso público. **Acción:** aplica dictámenes 37492/2016, 65613/2012, 87434/2015, 14160/2012).

1. *«Sobre la materia, para una mayor claridad del asunto expuesto, cabe señalar que la aludida Oficina Regional, a través del oficio Nº 6.142, de 2009, observó el nombramiento de la señora Clavijo García en el referido empleo, por cuanto en el respectivo certamen se había infringido el **artículo 18 de la ley Nº 18.883, sobre Estatuto Administrativo para Funcionarios Municipales**, por lo que procedía retrotraerlo al estado de ser tramitado válidamente, con el objeto de ajustarse a lo dispuesto en dicho precepto legal. Por ello, el municipio invalidó tal designación y realizó una nueva convocatoria, postulando la recurrente, sin que resultara ganadora. (...)*
*En este contexto, es necesario añadir que, conforme con el criterio contenido en el **dictamen Nº 52.151, de 2002, las personas que actúan de buena fe, sobre la base del proceder regular de la Administración, no pueden ser perjudicadas por un error del órgano administrativo, en el cual no han tenido responsabilidad o participación alguna.***
Por consiguiente, en mérito de lo expuesto, cabe concluir que la señora Clavijo García tiene derecho al pago de las remuneraciones correspondientes al grado 9, a contar del 1 de junio de 2009, data de su nombramiento, el que luego fuera invalidado, por lo que procede que se le enteren las diferencias a que haya lugar, toda vez que ello obedece a un hecho que no le fue imputable, sino que, tal como se expresara previamente, a un acto erróneo de la Administración que, por ende, debe ser soportado por la municipalidad, y no por la funcionaria». (**ID Dictamen: 074873N11 Fecha:** 29.11.2011 **Destinatarios:** Alcalde de la Municipalidad de El Tabo. **Texto:** Sobre pago de remuneraciones a funcionaria municipal afectada por actuación irregular de la administración. **Acción:** Aplica dictamen 52151/2002 Complementa dictamen 32884/2011)

2. *«Finalmente, respecto al **error en la redacción del aviso publicado** por el municipio en un diario de circulación nacional, en virtud de lo dispuesto en el **artículo 18** del texto estatutario en comento, al hacer mención, en una parte, a dos cargos de la planta administrativa, cabe advertir que **ello no constituye un vicio que afecte la validez del certamen y, por ende, que obligue a su invalidación**, puesto que luego, en el mismo texto del aviso, se especificó correctamente que se trataba de dos cargos de la planta de directivos, por tanto quedó suficientemente clara la identificación de las plazas concursadas y, además, dicha situación no afectó el proceso de postulación».* (**ID Dictamen: 072436N11 Fecha:** 21.11.2011 **Destinatarios:** Alcalde de la Municipalidad de Taltal. **Texto:** Sobre concurso público para proveer cargos de planta de una municipalidad).

3. *«Enseguida, respecto a la supuesta inobservancia de la comunicación a las municipalidades de la región, como se requiere en el artículo 17 de la referida ley Nº 18.883, cumple con precisar que en atención a lo señalado por esta Entidad de Control a través de los dictámenes Nºs. 2.572, de 2004, y 32.992 de 2011, tal infracción no constituye un vicio que afecte en, en lo esencial, la validez del certamen, atendido que, según aduce el municipio, se habrían adoptado las demás medidas de difusión previstas en el **artículo 18** de ese texto legal, **como la respectiva publicación en un periódico de los de mayor circulación en la comuna y la remisión a los citados municipios, mediante correo electrónico, de la información sobre la convocatoria al certamen público, de modo que es necesario dar por subsanada dicha objeción».*** (**ID Dictamen: 065268N11 Fecha:** 17.10.2011 **Destinatarios** Alcalde Municipalidad Padre Las Casas. **Texto:** Reconsidera oficio 5077/2010, de la Contraloría Regional de La Araucanía, sobre nombramientos de personal en la dotación de salud municipal, que señalaba la necesidad de retrotraer un certamen, dado que los antecedentes documentales de título profesional y certificado de antecedentes solicitados, no constituyeron requisitos de admisibilidad para participar del referido concurso, sino únicamente antecedentes para la comisión calificadora. La omisión puntajes mínimos para ser considerado postulante idóneo no afectó a los nombramientos. Está acreditada la publicación de dicho concurso y el envío de los antecedentes necesarios por correo electrónico a los municipios correspondientes. Por último, en lo relativo a la declaración de vacancia de cargos, el municipio carece de facultades para ello, cuando existen participantes que cumplen los requisitos exigidos para dichos cargos, por lo que dicha entidad deberá nombrar a los concursantes aptos. **Acción:** Aplica dictámenes 36210/96, 7502/2003, 22538/2005, 2572/2004, 32992/2011)

4. «*En el citado oficio se concluye, en síntesis, que la Municipalidad de El Tabo al convocar el comentado certamen in-fringió el **artículo 18 de la ley Nº 18.883, Estatuto Administrativo para Funcionarios Municipales**, por lo que procedía ordenar la invalidación del acto administrativo de designación de la interesada y de los restantes ganadores del proceso concursal, y retrotraerlo a la etapa de publicación de las bases, en un periódico de los de mayor circulación de la comu-na, con el objeto de ajustarse a lo dispuesto en dicho precepto legal*». (**ID Dictamen: 032884N11 Fecha:** 24.05.2011. **Destinatarios:** Alcalde Municipalidad El Tabo. **Texto:** Sobre oficio que ordena invalidación de decreto de nombramiento de funcionaria municipal en cargo directivo por irregularidades en el certamen respectivo. **Acción:** Aplica dictámenes 52151/2002, 24946/2003, 15528/2005, 56143/2007 30247/94, 31931/2003)[134]

5. «*Por su parte, en lo referente al reclamo sobre la fecha a contar de la cual debían comenzar a ejercer sus funciones quienes fueron seleccionados para proveer los cargos vacantes de la planta municipal respecto de los cuales fue convo-cado el primero de los concursos públicos, es útil hacer presente que según los decretos alcaldicios de nombramiento tenidos a la vista —Nºs. 955 al 959, y 961 al 979, todos de 2012, de la Municipalidad de Lo Espejo— los postulantes elegidos fueron designados a contar del 1 de junio de 2012, **tal como se indicara en el aviso que, en conformidad a lo preceptuado en el artículo 18 de la ley Nº 18.883, se publicara con las bases del certamen** con fecha 27 de abril de la misma anualidad, sin perjuicio que aquellos que fueron designados para servir cargos de denominación específica, co-menzaran a desempeñarse con posterioridad a la fecha antes anotada, con la finalidad de que quienes estaban en dichas plazas hasta la época del concurso, pudieran cumplir cabalmente sus labores pendientes, decisión que compete exclusi-vamente a esa corporación edilicia, de acuerdo a la ponderación que realice de las necesidades de esa entidad (aplica criterio contenido en el dictamen Nº 23.862, de 2004)*». (**ID Dictamen: 061436N12 Fecha:** 03.10.2012 **Destinatarios:** Christian Hormazábal Lagos. **Texto:** Desestima reclamaciones sobre vicios de legalidad en procedimientos concursales que indica. **Acción:** Aplica dictámenes 13372/2008, 80174/2010, 14691/2012, 60742/2011, 24660/2000, 23862/2004, 51349/2005, 4474/2012, 14160/2012)[135]

Artículo 19

El concurso será preparado y realizado por un comité de selección, conformado por el Jefe o Encargado del Personal y por quienes integran la junta a quien le corresponda calificar al titular del cargo vacante, con excepción del representante del personal.

Para efectos de proveer cargos destinados a los juzgados de policía local, el comité de selección estará integrado, además, por el respectivo juez.

Respecto de las municipalidades con una planta inferior a veinte cargos, el concurso será preparado y realizado por el Secretario Municipal; con todo, si se tratare de proveer cargos destinados a los juzgados de policía local, el juez participará en la realización del concurso.

Con el resultado del concurso el comité de selección o el Secretario Municipal, en su caso, propondrá al alcalde los nombres de los candidatos que hubieren obtenido los mejores punta-jes, con un máximo de tres, respecto de cada cargo a proveer.

El concurso podrá ser declarado total o parcialmente desierto, sólo por falta de postulantes idóneos, entendiéndose que existe tal circunstancia cuando ninguno alcance el puntaje míni-mo definido para el respectivo concurso.

---

[134] Para efectos de su consulta en la Base de Jurisprudencia de Contraloría General de la República, el citado dictamen se encuentra en la sección/materia: «generales», sin perjuicio de que se trata de uno de carácter municipal.

[135] Para efectos de su consulta en la Base de Jurisprudencia de Contraloría General de la República, el citado dictamen se encuentra en la sección/materia: «generales», sin perjuicio de que se trata de uno de carácter municipal.

1. «*A su turno, el inciso primero del artículo 19 de la ley Nº 18.883, prevé que "El concurso será preparado y realizado por un comité de selección, conformado por el Jefe o Encargado del Personal y por quienes integran la junta a quien le corresponda calificar al titular del cargo vacante, con excepción del representante del personal". Precisado lo anterior, cabe señalar, en primer lugar, en relación con la ponderación del factor de experiencia laboral, que el municipio informante ha manifestado que el recurrente obtuvo en ese componente la máxima puntuación, y que la nota por la cual reclama habría tenido su origen en un error de transcripción, que se suscitó al intercambiarse los valores correspondientes al aludido factor de experiencia laboral y al correspondiente a capacitación».* (**ID Dictamen:** 009396N16. **Fecha:** 05-02-2016. **Destinatarios:** don Eduardo Uribe Díaz de la Municipalidad de Chile Chico. **Texto:** Desestima reclamo respecto del concurso convocado para proveer el cargo de Director de Control, por haberse ajustado a derecho. **Acción:** Aplica dictámenes 25081/2015, 40699/2015).

2. «*A su turno, el inciso primero del artículo 19 de la ley Nº 18.883, prevé que "El concurso será preparado y realizado por un comité de selección, conformado por el Jefe o Encargado del Personal y por quienes integran la junta a quien le corresponda calificar al titular del cargo vacante, con excepción del representante del personal".*
Luego, y según se precisara en el dictamen Nº 16.050, de 2000, entre otros, la confección de las bases le corresponde al comité de selección y a la respectiva autoridad alcaldicia, siendo estos, en consecuencia, los facultados para determinar su contenido, con la aprobación del concejo municipal, tal como ha ocurrido en la especie; debiendo hacerse presente, en todo caso, que el mencionado título de ingeniero comercial aparece contemplado tanto en las pautas administrativas acompañadas, como en el aviso en que se llamó a concurso». (**ID Dictamen:** 037492N16. **Fecha:** 20-05-2016. **Destinatarios:** doña Katherine Martorell Awad, concejala de la Municipalidad de Quinta Normal. **Texto:** Se ajustó a derecho que municipalidad dejara sin efecto concurso para proveer cargo de director de control, en virtud de su facultad para invalidar actos contrarios a derecho. Debe llamarse a un nuevo certamen, a la brevedad. **Acción:** Aplica dictámenes 14948/2015, 16050/2000, 2572/2004, 20240/2001, 34490/2013, 50702/2015, 101096/2014, 12962/2000, 76048/2012, 9920/2013).

3. «*Al respecto, es necesario tener presente que conforme con el artículo 19 de la ley Nº 18.883, y las mencionadas bases del concurso, aprobadas por el mismo concejo, la evaluación y revisión de los respectivos perfiles que deban reunir los concursantes, su idoneidad y antecedentes, constituyen aspectos cuya determinación y apreciación compete al comité de selección, sin que se encuentre autorizado el concejo a desconocer lo obrado por aquel, y a rechazar la propuesta alcaldicia por motivos no contemplados en el indicado pliego de condiciones, como ocurrió en la especie.*
En consecuencia, cabe concluir que, en la especie, el concejo no se ajustó a derecho al rechazar por motivos no contemplados en las bases del concurso, el nombramiento del candidato propuesto por el alcalde para ocupar la plaza de Director de Control de la Municipalidad de Curacaví, por lo que esta deberá regularizar la situación en estudio sometiendo dicha autoridad nuevamente la propuesta a la decisión de ese ente colegiado, e informando de ello a la Unidad de Seguimiento de la División de Municipalidades de este Órgano Contralor, dentro del plazo de 20 días hábiles, contado desde la recepción del presente oficio». (**ID Dictamen:** 042706N16. **Fecha:** 09-06-2016. **Destinatarios:** Municipalidad de Curacaví. **Texto:** Concejo municipal no se ajustó a derecho al rechazar el nombramiento del candidato propuesto por el alcalde para ocupar la plaza de director de control por causas ajenas a las previstas en las bases del concurso, debiendo regularizar tal situación en la forma que indica. **Acción:** Aplica dictamen 52337/2015).

4. «*Sobre el particular, los artículos 19, inciso cuarto, y 20 de la citada ley Nº 18.883, prevén que con el resultado del concurso el comité de selección o el secretario municipal, en su caso, propondrá al alcalde los nombres de los candidatos que hubieren obtenido los mejores puntajes, con un máximo de tres, respecto de cada cargo a proveer y, a su vez, el alcalde seleccionará a una de las personas propuestas y notificará personalmente o por carta certificada al interesado».* (**ID Dictamen:** 047346N16. **Fecha:** 24-06-2016. **Destinatarios:** señor Waldo González Sanhueza, funcionario de la Municipalidad de Lonquimay. **Texto:** Funcionarios que al llegar al grado inmediatamente inferior al inicio de otra planta en que existan empleos de ingreso vacantes, gozarán de preferencia para el nombramiento, en caso de obtener el puntaje más alto en el correspondiente certamen. **Acción:** Aplica dictámenes 45251/2008, 30800/2016).

1. «*Al respecto, este Organismo de Control en el dictamen Nº 3.711, de 2009, ha concluido que en el evento que existan postulantes idóneos, resulta improcedente que la autoridad edilicia declare desierto un certamen, por cuanto ello implica desconocer el derecho de quienes, reuniendo los requisitos legales, han concursado a un cargo para ser considerados en su provisión, pues la sola realización del evento origina un vínculo jurídico que no puede disolverse por la mera voluntad de la autoridad administrativa».* (**ID Dictamen:** 078015N11 **Fecha:** 14.12.2011 **Destinatarios:**

Alcalde de la Municipalidad de Castro **Texto:** Sobre determinación de puntaje mínimo para ser considerado postulante idóneo en concurso público regido por la ley 18883. **Acción:** Aplica dictamen 3711/2009)[136]

2. «*Finalmente, en lo relativo a no haber establecido en las bases un puntaje mínimo para ser considerado postulante idóneo, por **aplicación supletoria de lo dispuesto en el artículo 19 de la ley Nº 18.883**, sobre **Estatuto Administrativo para Funcionarios Municipales, como se ha concluido en el dictamen Nº 22.538, de 2005**, y la errónea conformación de las ternas tratándose de la provisión de varios empleos de una misma especie, en la forma que determina el dictamen Nº 61.903, de 2009, es oportuno destacar que la jurisprudencia de este Organismo Contralor resulta obligatoria para todas las entidades sometidas a su fiscalización, de conformidad con lo establecido en el artículo 6º de la ley Nº 10.336, de Organización y Atribuciones de esta Contraloría General*». (**ID Dictamen: 033903N11 Fecha:** 27.05.2011 Destinatarios Alcaldesa de la Municipalidad de Paillaco **Texto:** Sobre reconsideración de oficio relativo a nombramientos de personal en la dotación de atención primaria de salud de la Municipalidad de Paillaco, regido por la ley 19378, al término del concurso público convocado al respecto. **Acción:** Aplica dictámenes 22538/2005, 61903/2009, 47041/2008, 5156/2009)

3. «*Como puede advertirse de la preceptiva legal anotada, en la etapa de elaboración de ternas de un certamen público, el respectivo cuerpo colegiado se encuentra en el imperativo de conformarlas con los nombres de los postulantes que hubiesen obtenido las más altas puntuaciones. De esta manera, **cuando se trate de proveer varios cargos en un mismo concurso, deberá proceder de forma tal, que la primera terna, correspondiente al cargo número uno, se deberá integrar con las personas que alcanzaron los tres puntajes más altos; la segunda terna, con los nombres de los postulantes no seleccionados en la primera y con el cuarto puntaje superior, no propuesto para el primer cargo; luego, la tercera terna, para el tercer empleo, se debe confeccionar con los excedentes del segundo cargo más otro postulante con mejor puntaje, y así sucesivamente** (aplica dictámenes Nºs. 17.851, de 2006, y 61.903, de 2009). (...)*
Así, la ley Nº 18.883 no contiene reglas expresas respecto a la forma en que deben desarrollarse los concursos para proveer los cargos municipales, por lo que es la propia autoridad administrativa la que debe determinar las bases y condiciones en que han de realizarse esos certámenes, pautas que si bien pueden preestablecerse libremente, y acorde con lo que se estime más adecuado para el mejor desarrollamiento del proceso, la obliga a proceder conforme a ellas y aplicarlas en forma general a todos los candidatos, no obstante que deban observarse las disposiciones establecidas en el Título II, Párrafo 1º de dicha ley, lo que habría acontecido en la especie, teniendo en cuenta que la prueba a que se alude, tiene su fundamento en la norma antes mencionada (**aplica el dictamen Nº 79.456, de 2010**)*». (**ID Dictamen: 033164N11 Fecha:** 25.05.2011 **Destinatarios:** Alcalde de la Municipalidad de San Miguel. **Texto:** Sobre formación de ternas en concursos para proveer cargos vacantes regidos por la ley 18883. **Acción:** aplica dictámenes 17851/2006, 61903/2009, 79456/2010)

4. «*Luego, en lo que se refiere a que la jefe o encargada de personal no formó parte del comité de selección con derecho a voz y voto, sino que únicamente como secretaria del mismo, en circunstancias que el **artículo 19 de la ley Nº 18.883**, previene que integra el mencionado comité y, por ende, debe intervenir en su desarrollo al igual que sus demás miembros, como lo ha concluido esta **Entidad Fiscalizadora en el dictamen Nº 44.504, de 2005**, cumple con manifestar que el municipio ha expresado que no se le impidió a la citada funcionaria desarrollar en ese cuerpo colegiado, las labores inherentes a su calidad de integrante del mismo, como tampoco se advierte la existencia de reclamos respecto de este punto, por lo que procede entender superada esta observación.*
Por otra parte, es del caso hacer presente la existencia de límites a la potestad invalidatoria de la autoridad administrativa, en relación con actos emitidos con infracción de determinadas disposiciones, referida al principio elemental de seguridad en las relaciones jurídicas, advirtiendo la conveniencia de proteger a las personas que han actuado de buena fe y con la convicción de que el procedimiento seguido por el órgano administrativo, se había conformado a derecho (aplica dictamen 44.560, de 2010)*». (**ID Dictamen: 032992N11 Fecha:** 24.05.2011 **Destinatarios:** Alcaldesa Municipalidad de Vichuquén. **Texto:** Reconsidera oficios Nºs. 4260 y 6816, ambos de 2010, de la Contraloría Regional de Maule y restituye decretos que nombra a funcionarios en los cargos que indica en la Municipalidad de Vichuquén. **Acción:** Aplica dictámenes 44504/2005, 44560/2010)

---

[136] Para efectos de su consulta en la Base de Jurisprudencia de Contraloría General de la República, el citado dictamen se encuentra en la sección/materia: «generales», sin perjuicio de que se trata de uno de carácter municipal.

5. «*Sobre el particular, cabe señalar, que los **artículos 19, inciso tercero, y 20 de la ley Nº 18.883, Estatuto Administra-*
***tivo para Funcionarios Municipales**, previenen que con el resultado del concurso el comité de selección o el Secretario
Municipal, en su caso, propondrá al alcalde los nombres de los candidatos que hubieren obtenido los mejores puntajes,
con un máximo de tres, respecto de cada cargo a proveer y, a su vez, el alcalde seleccionará a una de las personas propuestas y notificará personalmente o por carta certificada al interesado.*
*Ahora bien, en la especie, de la publicación del llamado a concurso para proveer el cargo en comento, aparece que allí se
indicó que "en igualdad de condiciones se dará preferencia a los funcionarios que se encuentran actualmente en servicio
y que cumplan los requisitos".*
*De este modo, atendidos los amplios términos en que se redactó la citada disposición, no puede sino interpretarse en
armonía con lo prescrito en el artículo 55 del referido texto estatutario, el que previene que los funcionarios, al llegar al
grado inmediatamente inferior al inicio de otra planta en que existan cargos de ingreso vacantes, gozarán de preferencia
para el nombramiento, en caso de igualdad de condiciones, en el respectivo concurso.*
*Lo anterior, por cuanto, **la circunstancia que dos oponentes de la terna empaten en puntaje, no puede otorgarle
preeminencia a quien reviste la calidad de funcionario, aun cuando como sostiene el peticionario, ello se hubiere
incorporado en las bases (...), salvo que aquél cumpla todos los supuestos previstos en el artículo 55, puesto que lo
contrario implicaría privar, por la vía administrativa, al alcalde de una facultad discrecional que le ha sido conferida
por la propia ley***». (**ID Dictamen: 014343N11 Fecha:** 08.03.2011 **Destinatarios:** Alcalde de la Municipalidad de San
Ramón. **Texto:** Sobre preferencia para ser nombrado en concurso regido por la ley 18883).

6. «*De este modo, no constituye un vicio que afecte la validez del concurso, que en las bases del mismo, en lo que atañe
al empleo técnico grado 13 —para cuyo desempeño el decreto con fuerza de ley Nº 296-19.321, de 1994, del Ministerio
del Interior, que adecua, modifica y establece la planta de personal de dicha corporación edilicia, no establece requisitos
específicos—, se haya fijado una evaluación de puntajes decrecientes, según el título técnico que se acreditare, puesto
que ello sólo aclara el perfil ocupacional deseable de los concursantes, en relación con la labor a cumplir, pero no impide
que quienes tengan cualquier otro título puedan postular y, por ende, **no implica exigir requisitos diferentes o adicionales a los fijados por la ley, que vulneren los principios de igualdad ante la ley y de libre admisión a todas las funciones
y empleos públicos, contemplados en los aludidos Nºs. 2 y 17 del artículo 19, de la Constitución Política.***
*Además, es necesario anotar que la señora Umanzor Ogalde formó parte de la terna de candidatos propuesta al alcalde,
elaborada por el comité de selección de conformidad con el **artículo 19, inciso tercero, de la citada ley Nº 18.883**, y
propuesta al alcalde para que de entre ellos seleccionara al ganador, **facultad que la máxima autoridad edilicia ejerció**
designando a otro oponente, mediante el decreto Nº 253, de 2010, el que integraba dicha terna con el mismo puntaje
que aquélla.*
*En consecuencia, cabe concluir que el concurso público (...) se encuentra ajustado a derecho, por lo que procede deses-
timar la reclamación deducida por la peticionaria*». (**ID Dictamen: 008324N11 Fecha:** 08.02.2011 **Destinatarios:** María
Jeannette Umanzor Ogalde. **Texto:** Sobre legalidad de concurso regido por la ley 18883. **Acción:** aplica dictámenes
23932/2010, 60140/2010)[137]

7. «*(...) cabe manifestar que de acuerdo con los **artículos 19 y 32, ambos de la ley Nº 18.883, Estatuto Administrativo
para Funcionarios Municipales**, el citado órgano debe conformarse por el Jefe o Encargado del Personal y por los tres
funcionarios de más alto nivel jerárquico, con excepción del alcalde y el Juez de Policía Local, y por un representante del
personal elegido por éste. (...)*
*En este contexto, resulta pertinente anotar que conforme con el invariable **criterio jurisprudencial de esta Contraloría
General, contenido, entre otros, en los dictámenes Nºs. 13.372, de 2008, 80.174, de 2010, y 14.691, de 2012, si bien
el hecho de que los integrantes del comité de selección participen al mismo tiempo como postulantes en el certamen
concursal constituye una infracción al principio de probidad administrativa, toda vez que se incurriría en la conducta
contemplada en los artículos 62, Nº 6, de la ley Nº 18.575, Orgánica Constitucional de Bases Generales de la Administración del Estado, y 82, letra b), de la ley Nº 18.883, aquel se encontraría suficientemente resguardado si el funcionario afectado por la inhabilidad, se abstiene de intervenir en la evaluación de los candidatos a los cargos en que
tenga interés**, lo que efectivamente ocurrió en la situación de la especie*». (**ID Dictamen: 061436N12 Fecha:** 03.10.2012

---

[137]   Para efectos de su consulta en la Base de Jurisprudencia de Contraloría General de la República, el citado
dictamen se encuentra en la sección/materia: «generales», sin perjuicio de que se trata de uno de carácter
municipal.

Destinatarios: Christian Hormazábal Lagos **Texto:** Desestima reclamaciones sobre vicios de legalidad en procedimientos concursales que indica. **Acción:** Aplica dictámenes 13372/2008, 80174/2010, 14691/2012, 60742/2011, 24660/2000, 23862/2004, 51349/2005, 4474/2012, 14160/2012)[138]

8. «*Sobre el particular, cabe señalar que de los antecedentes tenidos a la vista se advierte, por una parte, que efectivamente el comité de selección del concurso no fue integrado de acuerdo a lo previsto en los **artículos 19 y siguientes de la ley Nº 18.883, Estatuto Administrativo de los Funcionarios Municipales** —aplicable supletoriamente en la especie de conformidad con el inciso primero del artículo 4º de la ley Nº 19.378, Estatuto de Atención Primaria de Salud Municipal*— y, por otra, que uno de los postulantes al referido concurso fue declarado fuera de bases por aspectos meramente formales.*

*No obstante lo anterior, debe tenerse presente que en conformidad con el **criterio jurisprudencial de esta Entidad Fiscalizadora, contenido, entre otros, en los dictámenes Nºs. 13.754 y 34.291, ambos de 2011, el hecho de que el comité de selección no se hubiere integrado de la forma indicada en la normativa legal, no constituye un vicio de la gravedad requerida por el inciso segundo del artículo 13 de la ley Nº 19.880, que establece bases de los procedimientos administrativos que rigen los actos de los Órganos de la Administración del Estado, según el cual el vicio de procedimiento o de forma sólo afecta la validez del acto administrativo cuando recae en algún requisito esencial del mismo, sea por su naturaleza o por mandato del ordenamiento jurídico y genera perjuicio al interesado, lo que no acontece en el caso planteado, toda vez que la participación que se objeta no pudo tener la virtud de hacer variar el resultado del certamen***». (ID Dictamen: 059190N12 Fecha:** 26.09.2012 **Destinatarios:** Alcaldesa de la Municipalidad de La Higuera. **Texto:** Un vicio de procedimiento o de forma sólo afecta la validez del acto administrativo cuando recae en algún requisito esencial, sea por su naturaleza o por mandato del ordenamiento jurídico y genera perjuicio al interesado. Asimismo, las medidas adoptadas por la Administración no pueden afectar a los terceros que adquirieron derechos de buena fe dentro del procedimiento administrativo, y a quienes asumieron los cargos concursados con la convicción de que los concursos que sirvieron de sustento a sus nombramientos, se habían ajustado a derecho. **Acción:** aplica dictámenes 13754/2011, 34291/2011, 7430/2012)

9. «*En relación al reclamo sobre la vulneración del principio de legalidad del proceso electivo, al no tomar en consideración las aptitudes, capacitación y estudios del recurrente, cumple con señalar que tratándose de certámenes como el de la especie, **no corresponde a esta Entidad Fiscalizadora pronunciarse sobre las decisiones adoptadas por la autoridad, relativas a las competencias de los participantes, dado que la evaluación de las mismas constituye un aspecto de mérito, cuya ponderación compete exclusivamente al organismo de que se trate** (aplica dictamen Nº 26.188, de 2012)*». (ID Dictamen: 058558N12 Fecha:** 24.09.2012 **Destinatarios:** Alcalde de la Municipalidad de Huechuraba. **Texto:** Acoge parcialmente reclamo acerca de concurso público en el que no se respetó el deber de abstención por parte del alcalde en la designación de funcionario que indica. **Acción:** Aplica dictámenes 11909/2009, 6496/2011, 34935/2011, 9722/2012, 15860/2012, 14489/2012, 26188/2012)[139]

10. «*Como queda de manifiesto, el precepto legal anotado ordena que el respectivo cuerpo colegiado, al elaborar las ternas de un certamen, se encuentra en el imperativo de conformarlas con los "mejores puntajes", esto es, con los nombres de los postulantes que hubiesen obtenido los puntajes más altos o superiores; de modo que, **el único procedimiento válido para la elaboración de las ternas en un concurso público, es aquel que selecciona a los mejores puntajes y los propone a la autoridad municipal, para que este elija de entre ellos, a quien será nombrado en el empleo concursado** (aplica criterio contenido en el dictamen Nº 15.983, de 2010).*

*Así, en la eventualidad de **proveerse varios empleos de una misma planta, debe observarse el siguiente orden sucesivo de integración de las ternas** —tal como se ha concluido en el **dictamen Nº 61.903, de 2009**—, en cuanto a que la primera terna, correspondiente al cargo número uno, se deberá conformar con las personas que alcanzaron los tres puntajes más altos; la segunda, con los nombres de los postulantes no seleccionados en la primera y con el cuarto puntaje superior, no propuesto para el primer cargo; luego, la tercera, para el tercer empleo, se debe confeccionar con los*

---

[138] Para efectos de su consulta en la Base de Jurisprudencia de Contraloría General de la República, el citado dictamen se encuentra en la sección/materia: «generales», sin perjuicio de que se trata de uno de carácter municipal.

[139] Para efectos de su consulta en la Base de Jurisprudencia de Contraloría General de la República, el citado dictamen se encuentra en la sección/materia: «generales», sin perjuicio de que se trata de uno de carácter municipal.

excedentes del segundo cargo más el postulante con el siguiente mejor puntaje, y así sucesivamente, hasta llenar todos los cargos vacantes. (...)

Por ende, es forzoso reconsiderar los oficios Nºs. 60.800, de 2004 y 3.711, de 2009, de esta Entidad de Control, en los cuales se fundamenta la entidad edilicia para sostener su proceder, toda vez que posibilitan adoptar, en la conformación de las ternas de los concursos públicos sujetos al cuerpo estatutario contenido en la ley Nº 18.883, mecanismos diversos al mencionado en el presente dictamen, dado que en ellos se confunden los conceptos de "puntaje mínimo para ser considerado postulante idóneo" —artículo 16— y "los mejores puntajes" —artículo 19—». (**ID Dictamen: 056766N12 Fecha:** 12.09.2012 Destinatarios Alcalde de la Municipalidad de San Miguel. **Texto:** En los concursos regidos por ley 18883, el alcalde está facultado para nombrar a cualquiera de las personas propuestas en las ternas, sin importar el lugar que ocupen dentro de ellas, pero ello no significa que ellas deban confeccionarse por el comité de selección con prescindencia de los puntajes superiores, en orden decreciente y en forma sucesiva. Reconsidera toda jurisprudencia en contrario. **Acción:** Aplica dictámenes 23673/2009, 33164/2011, 15983/2010, 61903/2009 Reconsidera dictámenes 60800/2004, 3711/2009)

11. *«En cuanto concierne a la selección de personal para la Administración del Estado, los artículos 15 y 44 de la ley Nº 18.575, Orgánica Constitucional de Bases Generales de la Administración del Estado, prevén que el ingreso a sus organismos se regirá por las normas estatutarias que establezca la ley, mediante concurso público.*

*En concordancia con lo anterior, los artículos 17, 21 y 22 de la ley Nº 18.834, sobre Estatuto Administrativo, previenen que el ingreso a los cargos de carrera de la Administración se realizará mediante los aludidos certámenes, precisando que el comité de selección propondrá a la autoridad facultada para efectuar el nombramiento los candidatos que hubieren obtenido los mejores puntajes y que aquélla seleccionará a uno de ellos. Además, su artículo 24 dispone que una vez aceptado el cargo, la persona elegida será nombrada titular en la plaza correspondiente, regulación que de **modo similar se contiene en los artículos 15, 19, 20 y 21 de la ley Nº 18.883, Estatuto Administrativo para Funcionarios Municipales.***

*De este modo y tal como ha sido manifestado en **los dictámenes Nºs. 26.304, de 1990 y 20.746, de 2011**, los referidos procesos de selección finalizan cuando la respectiva autoridad efectúa el nombramiento, sin que resulten aplicables en la especie las tramitaciones previstas en la ley Nº 19.882, aludida en la solicitud en examen, puesto que no se trata de la selección de altos directivos públicos.*

Debe advertirse además que no resulta procedente que por la vía reglamentaria se modifique lo prescrito sobre la materia en los mencionados textos legales, como ocurre en este caso». (**ID Dictamen: 054769N12 Fecha:** 04.09.2012 **Destinatarios:** Ministro de Desarrollo Social. **Texto:** Representa nuevamente el decreto 143/2010, del ex Ministerio de Planificación, que regula la forma en que se hará efectiva la selección preferente de personas con discapacidad en los procedimientos de ingreso a la Administración del Estado, por no ajustarse a derecho. **Acción:** Aplica dictámenes 20119/2006, 39348/2007, 26304/90, 20746/2011 confirma dictamen 1076/2012)[140]

12. *«Al respecto, es necesario hacer presente que **la jurisprudencia administrativa de esta Entidad Fiscalizadora, contenida, entre otros, en los dictámenes Nºs. 14.526, de 2010 y 13.252, de 2011**, ha precisado que el alcalde no se encuentra en el imperativo de nombrar al candidato con mayor puntaje dentro de la terna propuesta por el comité de selección, estando facultado para designar a cualquiera de las personas incluidas en esa nómina, pues las decisiones del comité evaluador constituyen meras proposiciones para la superioridad llamada a efectuar el nombramiento, toda vez que el hecho de que el ganador del concurso haya obtenido el tercer lugar dentro de los puntajes asignados, no constituye un vicio de procedimiento, por lo que debe desestimarse su petición en este sentido».* (**ID Dictamen: 049739N12 Fecha:** 14.08.2012 **Destinatarios:** Jorge Zúñiga Vega. **Texto:** Las decisiones del comité evaluador en un concurso público constituyen meras proposiciones para la superioridad llamada a efectuar el nombramiento, careciendo esos órganos colegiados de facultades resolutorias, limitándose a proponer la terna a la decisión del alcalde, quien en definitiva decide el nombramiento respectivo. **Acción:** Aplica dictámenes 14526/2010, 13252/2011, 64443/2004, 68618/2009)

13. *«Sobre el particular, cabe hacer presente que de conformidad con lo establecido en los artículos 16 y **19 de la ley Nº 18.883, sobre Estatuto Administrativo para Funcionarios Municipales,** corresponde al comité de selección evaluar los antecedentes que presenten los postulantes y las pruebas que hubieren rendido, con cuyo resultado propondrá al*

---

[140] Para efectos de su consulta en la Base de Jurisprudencia de Contraloría General de la República, el citado dictamen se encuentra en la sección/materia: «generales».

alcalde los nombres de los candidatos que hubieren obtenido los mejores puntajes, con un máximo de tres, respecto de cada cargo a proveer. (...)
*De la normativa citada, se advierte que **el legislador otorgó, por una parte, al comité de selección la atribución de eva-luar a los oponentes de un certamen y, por otra, a la autoridad edilicia la facultad discrecional para seleccionar a una de las tres personas que como máximo le debe proponer dicho cuerpo colegiado, de entre aquellas que han obtenido los mejores puntajes***». (ID Dictamen: 014163N12 Fecha: 12.03.2012 Destinatarios: Juan Carlos Farías Contreras. Texto: Sobre eventuales presiones a la autoridad llamada a resolver concurso público convocado para proveer cargos regidos por la ley 18883)

14. *«En efecto, los incisos primeros de los artículos 17 Y 15 de las citadas leyes Nºs. 18.834 Y 18.883, respectivamente, señalan que el ingreso a los cargos de carrera o planta en calidad de titular se hará por concurso público, el cual, de acuerdo a lo señalado en los **artículos 21 y 19**, también respectivamente, es preparado y realizado por un comité de selección, que con los resultados del certamen propondrá a la autoridad facultada para efectuar el nombramiento, los nombres de los candidatos que hubieren obtenido los mejores puntajes. (...)*
*Al respecto, este **Ente de Control ha manifestado, entre otros, mediante sus dictámenes Nºs. 26.304, de 1990 y 20.746, de 2011, que la superioridad convocante está obligada a poner término al certamen de que se trata con el nombra-miento de una de las personas propuestas, puesto que ellas han cumplido los requisitos legales y acreditado idonei-dad para su desempeño durante el concurso respectivo.***
*Como puede advertirse, **la emisión del acto administrativo de nombramiento tiene el carácter de acto terminal del proceso de selección que se inicia con el llamado a concurso público que realiza la autoridad respectiva.***
Por ende, no puede estimarse que el aludido proceso finalice cuando la comisión u órgano evaluador haga entrega de las nóminas a la autoridad facultada para hacer el nombramiento, como lo entiende el mencionado artículo 10, inciso segundo, del decreto en examen.
*Por tanto, con la preparación de la nómina de candidatos que se propondrán a la superioridad finalizan los procesos de selección de personal para proveer cargos de alta dirección pública, **no así aquellos regidos por las leyes Nºs. 18.834 Y 18.883, los cuales concluyen —como ya se ha precisado— cuando la autoridad respectiva efectúa el nombramiento de la persona seleccionada de la nómina propuesta por el comité de selección respectivo***». (ID Dictamen: 001076N12 Fecha: 06.12.2012 Destinatarios: Ministro de Planificación. Texto: Representa decreto 143/2010 del Ministerio de Plani-ficación, que aprueba el reglamento de la ley 20422, que regula la forma en que se hará efectiva la selección preferente de personas con discapacidad en los procesos de selección de personal de la Administración del Estado. Acción: Aplica dictámenes 26304/90, 20746/2011, 54572/2005, 43553/2006)[141]

Artículo 20

El alcalde seleccionará a una de las personas propuestas con especial consideración de los factores señalados en el inciso segundo del artículo 16 y notificará personalmente o por carta certificada al interesado, quien deberá manifestar su aceptación del cargo y acompañar, en original o en copia autentificada ante Notario, los documentos probatorios de los requisitos de ingreso señalados en el artículo 11 dentro del plazo que se le indique. Si así no lo hiciere, la autoridad deberá nombrar a alguno de los otros postulantes propuestos.

1. *«En este contexto, en cuanto a la alegación del municipio relativa a que se vulneraría la facultad para designar libre-mente a cualquier postulante de la terna, debe indicarse que el anotado artículo 55 constituye una norma de excepción a lo dispuesto en el artículo 20 de la ley Nº 18.883, que resulta aplicable a los casos en que se den los supuestos reque-ridos para su procedencia, hipótesis en la que la autoridad municipal está obligada a nombrar al funcionario de que se trate, por expresa disposición del anotado precepto (aplica criterio contenido en el dictamen Nº 45.251, de 2008)».* (ID Dictamen: 030800N16. Fecha: 25-04-2016. Destinatarios: alcalde de la Municipalidad de Villarrica. Texto: Desestima

---

[141] Para efectos de su consulta en la Base de Jurisprudencia de Contraloría General de la República, el citado dictamen se encuentra en la sección/materia: «generales».

solicitud de reconsideración del oficio Nº 6.547, de 2015, de la Contraloría Regional de la Araucanía, en atención a que no se aportan nuevos antecedentes que permitan alterar el criterio contenido en dicho pronunciamiento. **Acción:** Aplica dictámenes 70508/2009, 45251/2008).

2. «*Sobre el particular, los artículos 19, inciso cuarto, y 20 de la citada ley Nº 18.883, prevén que con el resultado del concurso el comité de selección o el secretario municipal, en su caso, propondrá al alcalde los nombres de los candidatos que hubieren obtenido los mejores puntajes, con un máximo de tres, respecto de cada cargo a proveer y, a su vez, el alcalde seleccionará a una de las personas propuestas y notificará personalmente o por carta certificada al interesado*». **(ID Dictamen:** 047346N16. **Fecha:** 24-06-2016. **Destinatarios:** señor Waldo González Sanhueza, de la Municipalidad de Lonquimay. **Texto:** Funcionarios que al llegar al grado inmediatamente inferior al inicio de otra planta en que existan empleos de ingreso vacantes, gozarán de preferencia para el nombramiento, en caso de obtener el puntaje más alto en el correspondiente certamen. **Acción:** Aplica dictámenes 45251/2008, 30800/2016).

1. «*Finalmente, en cuanto al reclamo formulado por una de las recurrentes, en orden a que no fue notificada del resultado del certamen, debe señalarse que de acuerdo con lo establecido por el **artículo 20** del aludido texto estatutario, el alcalde deberá notificar personalmente o por carta certificada a las personas seleccionadas para ocupar los cargos concursados, **por lo que la omisión de comunicar la decisión adoptada a todos los postulantes, no constituye una infracción a la normativa jurídica, ya que esta no impone tal obligación a la autoridad municipal (aplica dictamen Nº 12.643, de 1997)**»*. (ID Dictamen: 060742N11 Fecha: 26.09.2011 Destinatarios: Magaly Muñoz Rocha. Texto: Desestima reclamo referido a irregularidades en el desarrollo del concurso público convocado por la Municipalidad de San Bernardo destinado a proveer, entre otros, dos cargos de la planta de jefaturas que indica. **Acción:** Aplica dictámenes 15983/2010, 61903/2009, 29696/2008, 12643/97)

2. «*Así, la ley Nº 18.883 no contiene reglas expresas respecto a la forma en que deben desarrollarse los concursos para proveer los cargos municipales, por lo que es la propia autoridad administrativa la que debe determinar las bases y condiciones en que han de realizarse esos certámenes, pautas que si bien pueden preestablecerse libremente, y acorde con lo que se estime más adecuado para el mejor desenvolvimiento del proceso, la obliga a proceder conforme a ellas y aplicarlas en forma general a todos los candidatos, no obstante deban observarse las disposiciones establecidas en el Título II, Párrafo 1º de dicha ley, (...) (aplica el dictamen Nº 79.456, de 2010)*». (ID Dictamen: 033164N11 Fecha: 25.05.2011 Destinatarios: Alcalde de la Municipalidad de San Miguel. Texto: Sobre formación de ternas en concursos para proveer cargos vacantes regidos por la ley 18883. **Acción:** aplica dictámenes 17851/2006, 61903/2009, 79456/2010)

3. «*Sobre el particular, cabe señalar, que los artículos 19, inciso tercero, y **20 de la ley Nº 18.883, Estatuto Administrativo para Funcionarios Municipales**, previenen que con el resultado del concurso el comité de selección o el Secretario Municipal, en su caso, propondrá al alcalde los nombres de los candidatos que hubieren obtenido los mejores puntajes, con un máximo de tres, respecto de cada cargo a proveer y, a su vez, el alcalde seleccionará a una de las personas propuestas y notificará personalmente o por carta certificada al interesado.*
Ahora bien, en la especie, de la publicación del llamado a concurso para proveer el cargo en comento, aparece que allí se indicó que "en igualdad de condiciones se dará preferencia a los funcionarios que se encuentren actualmente en servicio y que cumplan los requisitos".
De este modo, atendidos los amplios términos en que se redactó la citada disposición, no puede sino interpretarse en armonía con lo prescrito en el artículo 55 del referido texto estatutario, el que previene que los funcionarios, al llegar al grado inmediatamente inferior al inicio de otra planta en que existan cargos de ingreso vacantes, gozarán de preferencia para el nombramiento, en caso de igualdad de condiciones, en el respectivo concurso.
*Lo anterior, por cuanto, **la circunstancia que los oponentes de la terna empaten en puntaje, no puede otorgarle preeminencia a quien reviste la calidad de funcionario**, aun cuando como sostiene el peticionario, ello se hubiere incorporado en las bases —lo que no consta ya que el municipio no remitió dicho antecedente—, salvo que aquél cumpla todos los supuestos previstos en el artículo 55, puesto que **lo contrario implicaría privar, por la vía administrativa, al alcalde de una facultad discrecional que le ha sido conferida por la propia ley**»*. (ID Dictamen: 014343N11 Fecha: 08.03.2011 Destinatarios: Alcalde de la Municipalidad de San Ramón. Texto: Sobre preferencia para ser nombrado en concurso regido por la ley 18883).

4. «*No obstante, la Oficina Regional estimó que la resolución del concurso, adoptada por el alcalde titular, no variaría por el hecho de retrotraer el certamen a la etapa en que se generó la irregularidad de la especie, considerando que, si bien la peticionaria tenía el más alto puntaje de la terna presentada a esa autoridad, ésta había decidido designar*

*al candidato que ocupaba el segundo lugar de la misma, haciendo uso de la facultad que le confiere el **artículo 20** del referido cuerpo estatutario. (...)*

*Lo anterior, considerando que acorde con los antecedentes tenidos a la vista, únicamente tres postulantes calificaron para la etapa de la entrevista y que el **alcalde no se encontraba en el imperativo de nombrar al candidato con mayor puntaje dentro de la terna propuesta por el comité de selección, estando facultado para designar a cualquiera de las personas incluidas en esa nómina, pues las decisiones del comité evaluador constituyen meras proposiciones para la superioridad llamada a efectuar el nombramiento (aplica dictamen Nº 14.526, de 2010)».** (ID Dictamen: 013252N11 Fecha: 03.03.2011 Destinatarios: Isabel Vásquez Espinoza. Texto:* Sobre solicitud de aclaración de oficio referido a concurso público convocado para proveer un cargo grado 10º de la planta municipal. **Acción:** Aplica dictamen 14526/2010, 42856/2009)

5. *«Respecto a la notificación defectuosa del personal seleccionado, al haberse efectuado de manera telefónica, es dable señalar que de la documentación acompañada por la Municipalidad de Maipú **se advierte que esta dio cumplimiento a lo dispuesto en el artículo 20 de la ley Nº 18.883, Estatuto Administrativo para Funcionarios Municipales —aplicable supletoriamente en la especie en conformidad con lo dispuesto en el artículo 4º de la citada ley Nº 19.378—, notificándose personalmente a los seleccionados».* (ID Dictamen: 070484N12 Fecha:* 14.11.2012 **Destinatarios** Marcia Ponce Riveros. **Texto:** Rechaza reclamo sobre concurso para proveer cargos de director de los Centro de Salud Familiar de Maipú. **Acción:** Aplica dictamen 60453/2010)

6. *«En este sentido, cabe agregar que **si bien el alcalde está facultado para nombrar a cualquiera de las personas propuestas en las ternas, sin importar el lugar que ocupen dentro de ellas —según lo establece el citado artículo 20 de la ley Nº 18.883—, ello no significa que las mismas deban ser confeccionadas por el comité de selección con prescindencia de los puntajes superiores, en orden decreciente y en forma sucesiva,** tal como se ha precisado.*
Sobre este punto del análisis, atendido lo manifestado por el municipio, es útil aclarar que el inciso segundo del artículo 16 del aludido estatuto, en su párrafo final, dispone, en lo que interesa, que la municipalidad determinará el "puntaje mínimo para ser considerado postulante idóneo", entendiéndose dicha expresión referida al puntaje límite inferior que definen las respectivas bases, para que los candidatos se estimen adecuados o apropiados para continuar participando y, eventualmente, ser incluidos en una terna, lo que no implica que por el único hecho de tener esa calidad, puedan conformarla, con preferencia de quien, también siendo idóneo, tiene mayor puntaje
Por ende, es forzoso reconsiderar los oficios Nºs. 60.800, de 2004 y 3.711, de 2009, de esta Entidad de Control, en los cuales se fundamenta la entidad edilicia para sostener su proceder, toda vez que posibilitan adoptar, en la conformación de las ternas de los concursos públicos sujetos al cuerpo estatutario contenido en la ley Nº 18.883, mecanismos diversos al mencionado en el presente dictamen, dado que en ellos se confunden los conceptos de "puntaje mínimo para ser considerado postulante idóneo" —artículo 16— y "los mejores puntajes" —artículo 19—». (ID Dictamen: 056766N12 Fecha:* 12.09.2012 **Destinatarios:** Alcalde de la Municipalidad de San Miguel. **Texto:** En los concursos regidos por ley 18883, el alcalde está facultado para nombrar a cualquiera de las personas propuestas en las ternas, sin importar el lugar que ocupen dentro de ellas, pero ello no significa que ellas deban confeccionarse por el comité de selección con prescindencia de los puntajes superiores, en orden decreciente y en forma sucesiva. Reconsidera toda jurisprudencia en contrario. **Acción:** Aplica dictámenes 23673/2009, 33164/2011, 15983/2010, 61903/2009 Reconsidera dictámenes 60800/2004, 3711/2009)

7. *«En concordancia con lo anterior, los artículos 17, 21 y 22 de la ley Nº 18.834, sobre Estatuto Administrativo, previenen que el ingreso a los cargos de carrera de la Administración se realizará mediante los aludidos certámenes, precisando que el comité de selección propondrá a la autoridad facultada para efectuar el nombramiento los candidatos que hubieren obtenido los mejores puntajes y que aquélla seleccionará a uno de ellos. Además, su artículo 24 dispone que una vez aceptado el cargo, la persona elegida será nombrada titular en la plaza correspondiente, regulación que de **modo similar se contiene en los artículos 15, 19, 20 y 21 de la ley Nº 18.883, Estatuto Administrativo para Funcionarios Municipales.***
*De este modo y tal como ha sido manifestado en **los dictámenes Nºs. 26.304, de 1990 y 20.746, de 2011, los referidos procesos de selección finalizan cuando la respectiva autoridad efectúa el nombramiento, sin que resulten aplicables en la especie las tramitaciones previstas en la ley Nº 19.882,** aludida en la solicitud en examen, puesto que no se trata de la selección de altos directivos públicos.*
Debe advertirse además que no resulta procedente que por la vía reglamentaria se modifique lo prescrito sobre la materia en los mencionados textos legales, como ocurre en este caso». (ID Dictamen: 054769N12 Fecha:* 04.09.2012

Destinatarios: Ministro de Desarrollo Social. **Texto:** Representa nuevamente el decreto 143/2010, del ex Ministerio de Planificación, que regula la forma en que se hará efectiva la selección preferente de personas con discapacidad en los procedimientos de ingreso a la Administración del Estado, por no ajustarse a derecho. **Acción:** Aplica dictámenes 20119/2006, 39348/2007, 26304/90, 20746/2011 confirma dictamen 1076/2012)[142]

8. «*A su turno, el artículo 20 del mismo texto legal dispone, en lo que interesa, que la autoridad edilicia seleccionará a una de las personas propuestas y notificará personalmente o por carta certificada al interesado, quien deberá manifestar su aceptación del cargo.*
Al respecto, es necesario hacer presente que la jurisprudencia administrativa de esta Entidad Fiscalizadora, contenida, entre otros, en los dictámenes Nºs. 14.526, de 2010 y 13.252, de 2011, ha precisado que el alcalde no se encuentra en el imperativo de nombrar al candidato con mayor puntaje dentro de la terna propuesta por el comité de selección, estando facultado para designar a cualquiera de las personas incluidas en esa nómina, pues las decisiones del comité evaluador constituyen meras proposiciones para la superioridad llamada a efectuar el nombramiento, toda vez que el hecho de que el ganador del concurso haya obtenido el tercer lugar dentro de los puntajes asignados, no constituye un vicio de procedimiento, por lo que debe desestimarse su petición en este sentido». (**ID Dictamen:** 049739N12 **Fecha:** 14.08.2012 **Destinatarios:** Jorge Zúñiga Vega. **Texto:** Las decisiones del comité evaluador en un concurso público constituyen meras proposiciones para la superioridad llamada a efectuar el nombramiento, careciendo esos órganos colegiados de facultades resolutorias, limitándose a proponer la terna a la decisión del alcalde, quien en definitiva decide el nombramiento respectivo. **Acción:** Aplica dictámenes 14526/2010, 13252/2011, 64443/2004, 68618/2009)

9. «*En lo que atañe a la falta de notificación de los resultados del concurso, cabe mencionar que el artículo 20 de la ley Nº 18.883, establece el deber del alcalde de notificar, ya sea personalmente o a través de carta certificada, a los seleccionados para los cargos, sin que se extienda dicha obligación a todos los postulantes, por lo que tal omisión no implica una infracción a la normativa que regula tales procesos concursales (aplica dictamen Nº 60.742, de 2011)*». (**ID Dictamen:** 025199N12 **Fecha:** 02.05.2012 **Destinatarios:** Magdalena Ortega Pino **Texto** Sobre reclamación en contra de concurso público efectuado por la Municipalidad de Quinta Normal. **Acción:** Aplica dictámenes 32992/2011, 14160/2012, 80013/2011, 46233/2011, 60742/2011, 61834/2011, 12064/2012. Mismo criterio aplicado en **ID Dictamen:** 060742N11 **Fecha:** 26.09.2011 **Destinatarios:** Magaly Muñoz Rocha. **Texto:** Desestima reclamo referido a irregularidades en el desarrollo del concurso público convocado por la Municipalidad de San Bernardo destinado a proveer, entre otros, dos cargos de la planta de jefaturas que indica. **Acción:** Aplica dictámenes 15983/2010, 61903/2009, 29696/2008, 12643/97)

10. «*Sobre el particular, es menester manifestar que de conformidad con lo establecido en el inciso segundo del artículo 156 del citado Estatuto, las personas que postulan a un concurso público para ingresar a cargos en una municipalidad, tienen derecho a reclamar ante este Órgano de Control cuando se hubieren producido vicios de legalidad, dentro del plazo de diez días hábiles, contado desde que se tuvo conocimiento de la situación, resolución o actuación que dio lugar al vicio que se reclama*». (**ID Dictamen:** 015671N12 **Fecha:** 16.03.2012 **Destinatarios:** Pedro Figueroa Castro. **Texto:** Desestima solicitud de reconsideración de oficio 8759/2011, de la Contraloría Regional del Maule, que desestimó reclamo de ilegalidad en contra del decreto 1825/2010, que designó a ganador del concurso convocado para proveer el cargo grado 8 de la planta directiva de la Municipalidad de Curicó)

11. «*De la normativa citada, se advierte que el legislador otorgó, por una parte, al comité de selección la atribución de evaluar a los oponentes de un certamen y, por otra, a la autoridad edilicia la facultad discrecional para seleccionar a una de las tres personas que como máximo le debe proponer dicho cuerpo colegiado, de entre aquellas que han obtenido los mejores puntajes*». (**ID Dictamen:** 014163N12 **Fecha:** 12.03.2012 **Destinatarios:** Juan Carlos Farías Contreras. **Texto:** Sobre eventuales presiones a la autoridad llamada a resolver concurso público convocado para proveer cargos regidos por la ley 18883)

12. «*En efecto, los incisos primeros de los artículos 17 Y 15 de las citadas leyes Nºs. 18.834 Y 18.883, respectivamente, señalan que el ingreso a los cargos de carrera o planta en calidad de titular se hará por concurso público, el cual, de acuerdo a lo señalado en los artículos 21 y 19, también respectivamente, es preparado y realizado por un comité de*

---

[142]   Para efectos de su consulta en la Base de Jurisprudencia de Contraloría General de la República, el citado dictamen se encuentra en la sección/materia: «generales».

selección, que con los resultados del certamen propondrá a la autoridad facultada para efectuar el nombramiento, los nombres de los candidatos que hubieren obtenido los mejores puntajes. (...)

*Al respecto, este **Ente de Control ha manifestado, entre otros, mediante sus dictámenes Nºs. 26.304, de 1990 y 20.746, de 2011, que la superioridad convocante está obligada a poner término al certamen de que se trata con el nombramiento de una de las personas propuestas, puesto que ellas han cumplido los requisitos legales y acreditado idoneidad para su desempeño durante el concurso respectivo.***

*Como puede advertirse, **la emisión del acto administrativo de nombramiento tiene el carácter de acto terminal del proceso de selección que se inicia con el llamado a concurso público que realiza la autoridad respectiva.***

Por ende, no puede estimarse que el aludido proceso finalice cuando la comisión u órgano evaluador haga entrega de las nóminas a la autoridad facultada para hacer el nombramiento, como lo entiende el mencionado artículo 10, inciso segundo, del decreto en examen.

*Por tanto, con la preparación de la nómina de candidatos que se propondrán a la superioridad finalizan los procesos de selección de personal para proveer cargos de alta dirección pública, **no así aquellos regidos por las leyes Nºs. 18.834 Y 18.883, los cuales concluyen —como ya se ha precisado— cuando la autoridad respectiva efectúa el nombramiento de la persona seleccionada de la nómina propuesta por el comité de selección respectivo».*** (**ID Dictamen: 001076N12 Fecha:** 06.12.2012 **Destinatarios:** Ministro de Planificación. **Texto:** Representa decreto 143/2010 del Ministerio de Planificación, que aprueba el reglamento de la ley 20422, que regula la forma en que se hará efectiva la selección preferente de personas con discapacidad en los procesos de selección de personal de la Administración del Estado. **Acción:** Aplica dictámenes 26304/90, 20746/2011, 54572/2005, 43553/2006)[143]

Artículo 21

Una vez aceptado el cargo, la persona seleccionada será designada titular en el cargo correspondiente.

1. *«Enseguida, en cuanto al hecho que el comité de selección fue presidido por un funcionario de exclusiva confianza de la citada autoridad edilicia, lo que habría implicado el incumplimiento de las reglas técnicas mínimas del mismo, es necesario indicar que, de acuerdo con los antecedentes que constan en poder de este Órgano de Control, el funcionario al que se alude fue designado como Administrador Municipal, mediante decreto alcaldicio Nº 676, de 2011, por lo que, a la fecha de conformación de la referida comisión, era titular de un cargo directivo, grado 4 E.M.S., de la planta municipal, constituyéndose en uno de los tres servidores de más alto nivel jerárquico de ese municipio, motivo por el cual cabe concluir que su participación se ajustó a lo dispuesto en los **artículos 19, 21 y 32 de la ley Nº 18.883**, por lo que no existe el vicio que se alega».* (**ID Dictamen: 058558N12 Fecha:** 24.09.2012 **Destinatarios:** Alcalde de la Municipalidad de Huechuraba. **Texto:** Acoge parcialmente reclamo acerca de concurso público en el que no se respetó el deber de abstención por parte del alcalde en la designación de funcionario que indica. **Acción:** Aplica dictámenes 11909/2009, 6496/2011, 34935/2011, 9722/2012, 15860/2012, 14489/2012, 26188/2012)[144]

2. *«En cuanto concierne a la selección de personal para la Administración del Estado, los artículos 15 y 44 de la ley Nº 18.575, Orgánica Constitucional de Bases Generales de la Administración del Estado, prevén que el ingreso a sus organismos se regirá por las normas estatutarias que establezca la ley, mediante concurso público.*

En concordancia con lo anterior, los artículos 17, 21 y 22 de la ley Nº 18.834, sobre Estatuto Administrativo, previenen que el ingreso a los cargos de carrera de la Administración se realizará mediante los aludidos certámenes, precisando que el comité de selección propondrá a la autoridad facultada para efectuar el nombramiento los candidatos que hubieren obtenido los mejores puntajes y que aquélla seleccionará a uno de ellos. Además, su artículo 24 dispone que una

---

[143] Para efectos de su consulta en la Base de Jurisprudencia de Contraloría General de la República, el citado dictamen se encuentra en la sección/materia: «generales».

[144] Para efectos de su consulta en la Base de Jurisprudencia de Contraloría General de la República, el citado dictamen se encuentra en la sección/materia: «generales», sin perjuicio de que se trata de uno de carácter municipal.

*vez aceptado el cargo, la persona elegida será nombrada titular en la plaza correspondiente, regulación que de **modo similar se contiene en los artículos 15, 19, 20 y 21 de la ley Nº 18.883, Estatuto Administrativo para Funcionarios Municipales.***

*De este modo y tal como ha sido manifestado en **los dictámenes Nºs. 26.304, de 1990 y 20.746, de 2011, los referidos procesos de selección finalizan cuando la respectiva autoridad efectúa el nombramiento, sin que resulten aplicables en la especie las tramitaciones previstas en la ley Nº 19.882, aludida en la solicitud en examen, puesto que no se trata de la selección de altos directivos públicos.***

Debe advertirse además que no resulta procedente que por la vía reglamentaria se modifique lo prescrito sobre la materia en los mencionados textos legales, como ocurre en este caso». **(ID Dictamen: 054769N12 Fecha: 04.09.2012 Destinatarios:** Ministro de Desarrollo Social. **Texto:** Representa nuevamente el decreto 143/2010, del ex Ministerio de Planificación, que regula la forma en que se hará efectiva la selección preferente de personas con discapacidad en los procedimientos de ingreso a la Administración del Estado, por no ajustarse a derecho. **Acción:** Aplica dictámenes 20119/2006, 39348/2007, 26304/90, 20746/2011 confirma dictamen 1076/2012)[145]

3. *«Al respecto, este **Ente de Control ha manifestado, entre otros, mediante sus dictámenes Nºs. 26.304, de 1990 y 20.746, de 2011, que la superioridad convocante está obligada a poner término al certamen de que se trata con el nombramiento de una de las personas propuestas, puesto que ellas han cumplido los requisitos legales y acreditado idoneidad para su desempeño durante el concurso respectivo.***

*Como puede advertirse, **la emisión del acto administrativo de nombramiento tiene el carácter de acto terminal del proceso de selección que se inicia con el llamado a concurso público que realiza la autoridad respectiva.***

Por ende, no puede estimarse que el aludido proceso finalice cuando la comisión u órgano evaluador haga entrega de las nóminas a la autoridad facultada para hacer el nombramiento, como lo entiende el mencionado artículo 10, inciso segundo, del decreto en examen.

*Por tanto, con la preparación de la nómina de candidatos que se propondrán a la superioridad finalizan los procesos de selección de personal para proveer cargos de alta dirección pública, **no así aquellos regidos por las leyes Nºs. 18.834 Y 18.883, los cuales concluyen —como ya se ha precisado— cuando la autoridad respectiva efectúa el nombramiento de la persona seleccionada de la nómina propuesta por el comité de selección respectivo».* (ID Dictamen: 001076N12 Fecha:** 06.12.2012 **Destinatarios:** Ministro de Planificación. **Texto:** Representa decreto 143/2010 del Ministerio de Planificación, que aprueba el reglamento de la ley 20422, que regula la forma en que se hará efectiva la selección preferente de personas con discapacidad en los procesos de selección de personal de la Administración del Estado. **Acción:** Aplica dictámenes 26304/90, 20746/2011, 54572/2005, 43553/2006)[146]

PÁRRAFO 2º DE LA CAPACITACIÓN

Artículo 22

Se entenderá por capacitación el conjunto de actividades permanentes, organizadas y sistemáticas destinadas a que los funcionarios desarrollen, complementen, perfeccionen o actualicen los conocimientos y destrezas necesarios para el eficiente desempeño de sus cargos o aptitudes funcionarias.

1. *«Por su parte, el párrafo 2º "De la capacitación", del Título II "De la carrera funcionaria", de la ley Nº 18.883, Estatuto administrativo para funcionarios municipales, dispone en su artículo 22 que "Se entenderá por capacitación el conjunto de actividades permanentes, organizadas y sistemáticas destinadas a que los funcionarios desarrollen, complementen, perfeccionen o actualicen los conocimientos y destrezas necesarios para el eficiente desempeño de sus cargos o aptitudes funcionarias".*

---

[145]   Para efectos de su consulta en la Base de Jurisprudencia de Contraloría General de la República, el citado dictamen se encuentra en la sección/materia: «generales».

[146]   Para efectos de su consulta en la Base de Jurisprudencia de Contraloría General de la República, el citado dictamen se encuentra en la sección/materia: «generales».

Por consiguiente, en mérito de la normativa y jurisprudencia citada, al tener los concejales la calidad de autoridad y no de funcionarios municipales no resultan, por ende, aplicables a su respecto las normas de la referida ley Nº 18.883, entre las que se encuentran las relativas a la capacitación contenidas en el citado Título II, párrafo 2º, por lo que las municipalidades se encuentran impedidas de solventar en dicho carácter capacitaciones a los concejales». (**ID Dictamen:** 066882N16. **Fecha:** 12-09-2016. **Destinatarios:** Guido Benavides Araneda, concejal de la comuna de Ñuñoa. **Texto:** Sobre normas relativas a la capacitación de concejales. **Acción.**

1. *«Sobre el particular, cabe señalar que el artículo 46 de la citada ley Nº 18.695, en lo que interesa, permite que las actividades de capacitación y perfeccionamiento en el desempeño de la función municipal, se lleven a cabo mediante convenios con instituciones públicas o privadas, y habilita a las municipalidades para otorgar becas a los funcionarios municipales para seguir cursos relacionados con su capacitación y perfeccionamiento.*
Al respecto, es menester consignar que el dictamen Nº 3.901, del año 2007, de este Organismo Contralor, al interpretar los artículos 38 de la Constitución Política de la República y 48 de la ley Nº 18.575, Orgánica Constitucional de Bases Generales de la Administración del Estado, definió las expresiones "capacitación y perfeccionamiento", precisando que la capacitación es el género y el perfeccionamiento una especie de ella, nomenclatura que resulta plenamente aplicable al ámbito municipal, considerando, además, que la última disposición citada se encuentra redactada, en lo pertinente, en términos similares a los del aludido artículo 46.
En este mismo sentido, de los artículos 22 y 23 de la referida ley Nº 18.883, se desprende que el legislador ha comprendido dentro del concepto de capacitación, al perfeccionamiento, el que constituye una especie o modalidad de aquella, caracterizada por la finalidad que persigue, en orden a mejorar el desempeño del funcionario en el cargo que ocupa». (**ID Dictamen: 055234N11 Fecha:** 01.09.2011 **Destinatarios:** Alcaldesa Municipalidad Isla de Pascua. **Texto:** Sobre otorgamiento de becas de estudio a funcionarios de la Municipalidad de Isla de Pascua. **Acción:** Aplica dictámenes 3901/2007, 26225/2002)

2. *«Ahora bien, en la situación planteada en la especie, de los antecedentes tenidos a la vista aparece que se trata de servidores municipales, que en su calidad de tales, participarían en una actividad de interés para la municipalidad, por cuyo intermedio, además, consolidan sus competencias laborales, toda vez que, del programa del seminario de que se trata, se verifica que éste no constituye una reunión propiamente gremial —al contrario de aquellos en los cuales incidían los pronunciamientos mencionados en el párrafo anterior—, enmarcándose de este modo dicho evento, en lo establecido en los artículos 22 y 23, letra c), de la citada ley Nº 18.883, en orden a que se entienden por capacitación, entre otras, las actividades destinadas a que los funcionarios desarrollen, complementen, perfeccionen o actualicen los conocimientos y destrezas necesarios para el eficiente desempeño de sus cargos o aptitudes funcionarias, como asimismo, aquellas de interés para la municipalidad.*
En este contexto, este Organismo Fiscalizador no advierte inconvenientes para que la asistencia del personal municipal al mencionado seminario —con prescindencia de su calidad de dirigentes gremiales—, se disponga a través de una comisión de servicio, en la medida que se determine que aquel cumple con las condiciones necesarias para ser calificado como capacitación, tal como sucede en este caso, la que, por una parte, constituye un derecho de los funcionarios públicos y, por otra, un deber de la Administración asegurarla, de conformidad con lo establecido en el artículo 38 de la Constitución Política, en relación con los artículos 20 de la ley Nº 18.575; 46 y 49 de la ley Nº 18.695, y 22 y siguientes de la ley Nº 18.883 (aplica criterio contenido en el dictamen Nº 3.444 de 1999)». (**ID Dictamen:** 031093N11 **Fecha:** 16.05.2011 **Destinatarios:** Alcalde de la Municipalidad de Lo Prado. **Texto:** Sobre participación en actividades de capacitación de funcionarios municipales que poseen la calidad de dirigentes gremiales. **Acción:** Aplica dictámenes 52819/2002, 37591/2003)

3. *«En ese orden de ideas, la jurisprudencia administrativa ha precisado, en los dictámenes Nºs. 34.086, de 2004; 43.947, de 2007, y 42.073, de 2008, entre otros, el alcance de la noción de cometido funcionario, entendiendo que dicha medida significa, para los funcionarios públicos, el cumplimiento transitorio, dentro o fuera del lugar de su desempeño habitual, de labores propias del cargo que sirven, pudiendo consistir en el ejercicio de todas las funciones correspondientes a éste o de ciertas tareas específicas, siempre inmanentes al empleo de planta o contrata que ocupa el servidor.*
Así, y en armonía con lo señalado en el dictamen Nº 62.786, de 2009, resulta procedente la autorización de cometidos funcionarios para la asistencia a actividades de capacitación, siempre que estas últimas digan relación y sean necesarias para el buen desempeño de las funciones inherentes a la plaza que se sirve, y que hayan sido incorporadas por la autoridad edilicia en su programa de capacitación anual.
En conclusión, y en el evento que los diplomados constituyan una actividad de capacitación, se podrá autorizar la concurrencia a ellos mediante cometidos funcionarios, todo lo cual deberá ser ponderado y resuelto, en su oportunidad,

por la autoridad edilicia, de acuerdo a la normativa y criterios jurisprudenciales antes expuestos». (**ID Dictamen: 075277N12 Fecha:** 04.12.2012 **Destinatarios:** Alcalde de la Municipalidad de Valdivia **Texto:** Procede disponer cometidos funcionarios para que servidores participen en diplomados en la medida que el cumplimiento de dicha actividad sea inherente al cargo que sirve. **Acción:** Reconsidera parcialmente dictamen 52439/2004 Aplica dictámenes 3444/99, 6435/2000, 53851/2008, 43557/2011, 34086/2004, 43947/2007, 42073/2008, 62786/2009)

Artículo 23

Existirán los siguientes tipos de capacitación, que tendrán el orden de preferencia que a continuación se señala:

a) La capacitación para el ascenso que corresponde a aquella que habilita a los funcionarios para asumir cargos superiores. La selección de los postulantes se hará estrictamente de acuerdo al escalafón. No obstante, será voluntaria y, por ende, la negativa a participar en los respectivos cursos no influirá en la calificación del funcionario;

b) La capacitación de perfeccionamiento, que tiene por objeto mejorar el desempeño del funcionario en el cargo que ocupa. La selección del personal que se capacitará, se realizará mediante concurso, y

c) La capacitación voluntaria, que corresponda a aquella de interés para la municipalidad, y que no está ligada a un cargo determinado ni es habilitante para el ascenso. El alcalde determinará su procedencia y en tal caso seleccionará a los interesados, mediante concurso, evaluando los méritos de los candidatos.

1. *«Sobre el particular, cabe señalar que el artículo 46 de la citada ley N° 18.695, en lo que interesa, permite que las actividades de capacitación y perfeccionamiento en el desempeño de la función municipal, se lleven a cabo mediante convenios con instituciones públicas o privadas, y habilita a las municipalidades para otorgar becas a los funcionarios municipales para seguir cursos relacionados con su capacitación y perfeccionamiento.*
*Al respecto, es menester consignar que el **dictamen N° 3.901, del año 2007, de este Organismo Contralor, al interpretar los artículos 38 de la Constitución Política de la República y 48 de la ley N° 18.575, Orgánica Constitucional de Bases Generales de la Administración del Estado, definió las expresiones "capacitación y perfeccionamiento", precisando que la capacitación es el género y el perfeccionamiento una especie de ella**, nomenclatura que resulta plenamente aplicable al ámbito municipal, considerando, además, que la última disposición citada se encuentra redactada, en lo pertinente, en términos similares a los del aludido artículo 46.*
*En este mismo sentido, de los **artículos 22 y 23 de la referida ley N° 18.883, se desprende que el legislador ha comprendido dentro del concepto de capacitación, al perfeccionamiento, el que constituye una especie o modalidad de aquella, caracterizada por la finalidad que persigue, en orden a mejorar el desempeño del funcionario en el cargo que ocupa».* (**ID Dictamen: 055234N11 Fecha:** 01.09.2011 **Destinatarios:** Alcaldesa Municipalidad Isla de Pascua. **Texto:** Sobre otorgamiento de becas de estudio a funcionarios de la Municipalidad de Isla de Pascua. **Acción:** Aplica dictámenes 3901/2007, 26225/2002)

2. *«Ahora bien, en la situación planteada en la especie, de los antecedentes tenidos a la vista aparece que se trata de servidores municipales, que en su calidad de tales, participarían en una actividad de interés para la municipalidad, por cuyo intermedio, además, consolidan sus competencias laborales, toda vez que, del programa del seminario de que se trata, se verifica que éste no constituye una reunión propiamente gremial —al contrario de aquellos en los cuales incidían los pronunciamientos mencionados en el párrafo anterior—, **enmarcándose de este modo dicho evento, lo establecido en los artículos 22 y 23, letra c), de la citada ley N° 18.883**, en orden a que se entienden por capacitación, entre otras, las actividades destinadas a que los funcionarios desarrollen, complementen, perfeccionen o actualicen los conocimientos y destrezas necesarios para el eficiente desempeño de sus cargos o aptitudes funcionarias, **como asimismo, aquellas de interés para la municipalidad.***
En este contexto, este Organismo Fiscalizador no advierte inconvenientes para que la asistencia del personal municipal al mencionado seminario —con prescindencia de su calidad de dirigentes gremiales—, se disponga a través de una co-

*misión de servicio, **en la medida que se determine que aquel cumple con las condiciones necesarias para ser calificado como capacitación, tal como sucede en este caso, la que, por una parte, constituye un derecho de los funcionarios públicos y, por otra, un deber de la Administración asegurarla, de conformidad con lo establecido en el artículo 38 de la Constitución Política, en relación con los artículos 20 de la ley Nº 18.575; 46 y 49 de la ley Nº 18.695, y 22 y siguientes de la ley Nº 18.883 (aplica criterio contenido en el dictamen Nº 3.444 de 1999).*** (ID Dictamen: 031093N11 **Fecha:** 16.05.2011 **Destinatarios:** Alcalde de la Municipalidad de Lo Prado **Texto:** Sobre participación en actividades de capacitación de funcionarios municipales que poseen la calidad de dirigentes gremiales. **Acción:** Aplica dictámenes 52819/2002, 37591/2003)

Artículo 24

Los estudios de educación básica, media o superior y los cursos de post-grado conducentes a la obtención de un grado académico, no se considerarán actividades de capacitación y de responsabilidad de la municipalidad.

Aquellas actividades que sólo exijan asistencia y las que tengan una extensión inferior a veinte horas pedagógicas, se tomarán en cuenta sólo para los efectos de la capacitación voluntaria.

1. *«Es en ese contexto que el referido Estatuto Administrativo para Funcionarios Municipales contempla y regula en su título II, párrafo 2º, un régimen integral de capacitación, que establece los derechos y obligaciones de los funcionarios en ese ámbito.*

Así, dispone en su artículo 24, inciso primero, que "los estudios de educación básica, media o superior y los cursos de post-grado conducentes a la obtención de un grado académico, no se considerarán actividades de capacitación y de responsabilidad de la municipalidad".

Por lo anterior, y contrariamente a lo sostenido por la Municipalidad de Conchalí, el artículo 26 previamente referido no tiene aplicación en la especie, toda vez que los estudios por los cuales se consulta no constituyen capacitación en los términos del anotado artículo 24, y deben ser desarrollados en virtud de un sistema de mejoramiento de las competencias laborales diverso al contemplado en el párrafo 2º del título II de la ley Nº 18.883». (ID Dictamen: 016811N16. **Fecha:** 03-03-2016. **Destinatarios:** La Municipalidad de Conchalí. **Texto:** Procede que se disponga una comisión de estudios a favor de un funcionario beneficiado por la beca de formación establecida en el artículo 4º de la ley Nº 20.742, cuya jornada laboral coincida con el horario del programa que cursa. **Acción:** Aplica dictamen 55234/2011).

2. *«A continuación, respecto a la posibilidad de considerar el tiempo empleado para cursar los estudios como jornada extraordinaria, la ley Nº 18.883 dispone en su artículo 24, inciso primero, que "los estudios de educación básica, media o superior y los cursos de post-grado conducentes a la obtención de un grado académico, no se considerarán actividades de capacitación y de responsabilidad de la municipalidad". De acuerdo a lo anterior, los estudios por los cuales se consulta no constituyen capacitación en los términos del anotado artículo 24, y se desarrollan en virtud de un sistema de mejoramiento de las competencias laborales diverso al contemplado en el párrafo 2º del título II de la ley Nº 18.883, razón por la cual el artículo 26 previamente referido no tiene aplicación en la especie, sin que pueda considerarse como jornada extraordinaria el tiempo empleado para la asistencia a clases».* (ID Dictamen: 038240N17. **Fecha:** 30-10-2017. **Destinatarios:** don Andrés Moya Saravia, funcionario de la Municipalidad de Valparaíso. **Texto:** No procede disponer una comisión de servicios respecto del interesado, eventuales accidentes en el periodo empleado para cursar estudios en virtud de beca otorgada en conformidad al artículo 4º de la Ley Nº 20.742, quedan cubiertos por el seguro escolar; y no podrá considerarse como jornada extraordinaria el referido tiempo. **Acción:** Aplica dictámenes 16811/ 2016, 345/2014, 55234/2011).

1. *«Luego, tratándose del **régimen estatutario aplicable a los funcionarios municipales afectos a la ley Nº 18.883**, no constituyen actividades de capacitación —ni, por ende, de perfeccionamiento—, en lo que interesa, los estudios de educación superior y los de post-grado que conduzcan a la obtención de un grado académico, ya sea que los impartan universidades, institutos profesionales o centros de formación técnica.*

*Por consiguiente, y en concordancia con el criterio sustentado en el aludido **dictamen Nº 3.901, de 2007, las municipalidades no solamente carecen de facultades para financiar tales estudios sino que, por el contrario, se encuentran inhabilitadas para ello.***

Lo anterior, resulta plenamente válido de acuerdo con el principio de legalidad contenido en el artículo 7º, de la Constitución Política de la República, según el cual los órganos del Estado solo pueden hacer aquello que expresamente les permite la Carta Fundamental o las leyes, por lo que, no existiendo norma que disponga que los referidos estudios pueden ser financiados por los municipios, ello resulta absolutamente improcedente, más aun si se considera que dicho financiamiento, por mandato de la ley, no puede ser de cargo de la respectiva institución». (**ID Dictamen: 055234N11 Fecha:** 01.09.2011 **Destinatarios:** Alcaldesa Municipalidad Isla de Pascua. **Texto:** Sobre otorgamiento de becas de estudio a funcionarios de la Municipalidad de Isla de Pascua. **Acción:** Aplica dictámenes 3901/2007, 26225/2002)

2. *«Como cuestión previa, cabe señalar que según lo dispone el artículo 22 de la ley Nº 18.883, Estatuto Administrativo para Funcionarios Municipales, se entenderá por capacitación el conjunto de actividades permanentes, organizadas y sistemáticas destinadas a que los funcionarios desarrollen, complementen, perfeccionen o actualicen los conocimientos y destrezas necesarios para el eficiente desempeño de sus cargos o aptitudes funcionarias.*

*Enseguida, el **artículo 24** del anotado texto legal preceptúa que los estudios de educación básica, media o superior y los cursos de post-grado conducentes a la obtención de un grado académico, no se considerarán actividades de capacitación y de responsabilidad de la municipalidad.*

Acorde a lo anterior, la jurisprudencia administrativa en los dictámenes Nºs. 3.444 de 1999 y 6.435, de 2000, ha reconocido, *en lo que importa,* **que la capacitación del personal constituye, por una parte, un derecho de los funcionarios públicos y por otra, es un deber de la Administración asegurar esa actividad.**

*En tal orden de ideas, de los **dictámenes Nºs. 53.851, de 2008 y 43.557, de 2011,** de este origen, entre otros, es posible desprender que los diplomados pueden ser considerados como actividades de capacitación, en la medida que se ajusten a los parámetros establecidos en los preceptos legales antes citados.*

Puntualizado lo anterior, es necesario dilucidar si las actividades de capacitación que tienen lugar en el ámbito municipal, particularmente los diplomados, pueden ser dispuestas a través de un cometido funcionario.

Sobre el particular, el artículo 75 de la citada ley Nº 18.883, establece que los funcionarios municipales pueden cumplir cometidos funcionarios que los obliguen a desplazarse dentro o fuera de su lugar de desempeño habitual para realizar labores específicas inherentes al cargo que sirven, los que no requieren ser ordenados formalmente, salvo que originen gastos para la municipalidad, tales como pasajes, viáticos u otros análogos, en cuyo caso se dictará el respectivo decreto.

En ese orden de ideas, la jurisprudencia administrativa ha precisado, en los dictámenes Nºs. 34.086, de 2004; 43.947, de 2007, y 42.073, de 2008, entre otros, el alcance de la noción de cometido funcionario, entendiendo que dicha medida significa, para los funcionarios públicos, el cumplimiento transitorio, dentro o fuera del lugar de su desempeño habitual, de labores propias del cargo que sirven, pudiendo consistir en el ejercicio de todas las funciones correspondientes a éste o de ciertas tareas específicas, siempre inmanentes al empleo de planta o contrata que ocupa el servidor.

*Así, en armonía con lo señalado en el **dictamen Nº 62.786, de 2009,** resulta procedente la autorización de cometidos funcionarios para la asistencia a actividades de capacitación, siempre que estas últimas digan relación y sean necesarias para el buen desempeño de las funciones inherentes a la plaza que se sirve, y que hayan sido incorporadas por la autoridad edilicia en su programa de capacitación anual.*

*En conclusión, y en el evento que los diplomados constituyan una actividad de capacitación, se podrá autorizar la concurrencia a ellos mediante cometidos funcionarios, **todo lo cual deberá ser ponderado y resuelto, en su oportunidad, por la autoridad edilicia, de acuerdo a la normativa y criterios jurisprudenciales antes expuestos».*** (**ID Dictamen: 075277N12 Fecha:** 04.12.2012 **Destinatarios:** Alcalde de la Municipalidad de Valdivia **Texto:** Procede disponer cometidos funcionarios para que servidores participen en diplomados en la medida que el cumplimiento de dicha actividad sea inherente al cargo que sirve. **Acción:** Reconsidera parcialmente dictamen 52439/2004 Aplica dictámenes 3444/99, 6435/2000, 53851/2008, 43557/2011, 34086/2004, 43947/2007, 42073/2008, 62786/2009)

Artículo 25

Las municipalidades deberán considerar en sus programas de capacitación y perfeccionamiento el tipo y características de la comuna y su beneficio para la eficiencia en el cumplimiento de las funciones municipales.

Estas actividades podrán también llevarse a cabo mediante convenios con organismos públicos o privados, nacionales, extranjeros o internacionales.

Dos o más municipalidades podrán desarrollar programas o proyectos conjuntos de capacitación y perfeccionamiento y coordinar sus actividades con tal propósito.

«*Al respecto, esta Contraloría General debe expresar que* **Ley Nº 18.883, contempla en sus artículos 22 a 28,** *diversas disposiciones sobre capacitación, entendiendo por tal según el primero de dichos preceptos, el conjunto de actividades permanentes, organizadas y sistemáticas destinadas a que los funcionarios desarrollen, complementen, perfeccionen o actualicen los conocimientos y destrezas necesarios para el eficiente desempeño de sus cargos o aptitudes funcionarias. A su turno, el artículo 23 establece tres modalidades de capacitación, esto es, para el ascenso, de perfeccionamiento y voluntaria. La capacitación para el ascenso, prevista en su letra a), corresponde a aquella que habilita a los funcionarios para asumir cargos superiores, atendido lo cual y por expreso mandato de esa norma la selección de los postulantes se hará estrictamente de acuerdo al escalafón.*

La capacitación de perfeccionamiento, contenida en la letra b), es aquella que tiene por objeto mejorar el desempeño del funcionario en el cargo que ocupa, la selección del personal se realizará mediante concurso.

En cambio, la capacitación voluntaria, contemplada en la letra c), es aquella de interés para la Municipalidad y que no está ligada a un cargo determinado ni es habilitante para el ascenso. Los funcionarios serán seleccionados por concurso, previa evaluación de sus méritos por el Alcalde. (...)

Por lo tanto, dentro de dicho contexto, cabe precisar, por una parte, que atendido el carácter obligatorio de asistencia del funcionario seleccionado a un curso de capacitación de los ya referidos, su concurrencia no puede quedar supeditada a una calificación previa de la jefatura directa, y por otra, la no existencia de norma alguna que le confiera a tales autoridades la facultad discrecional de conceder o denegar el permiso en comento, *cabe concluir que no ha resultado procedente que el Director de Obras denegara el permiso a la funcionaria para acudir al curso en análisis, debiendo, por ende, iniciarse las investigaciones pertinentes a objeto de determinar su responsabilidad administrativa por dicho hecho».* (**ID Dictamen: 003608N01 Fecha:** 31.01.2001 **Destinatarios:** Olga Castillo Rioja. **Texto:** Director de obras no se ajustó a derecho al negar a funcionaria de la planta administrativa de un municipio, acceder a un curso de capacitación para el cual fue seleccionada, dada la cantidad de trabajo. Ello, porque la capacitación, esto es, el conjunto de actividades permanentes, organizadas y sistemáticas destinadas a que los funcionarios desarrollen, complementen, perfeccionen o actualicen sus conocimientos y destrezas necesarios para el eficiente desempeño de sus cargos o aptitudes funcionarias, puede ser de tres tipos: para el ascenso, de perfeccionamiento o voluntaria. la capacitación para el ascenso, habilita a los funcionarios para asumir cargos superiores, por lo que la selección de los postulantes se hará estrictamente según el escalafón, la de perfeccionamiento pretende mejorar el desempeño funcionario en el cargo, y la selección de postulantes se hará por concurso, mientras que la capacitación voluntaria, es la de interés para el municipio, que no está ligada a cargo alguno ni habilita para el ascenso, siendo escogidos por concurso, previo análisis de sus méritos por el alcalde. Asimismo, acorde art. 27 de ley 18883, los seleccionados para capacitación, deben asistir a esta, desde que fueron seleccionados y sus resultados serán considerados en sus calificaciones. A su vez, cuando la capacitación impida al empleado desempeñar sus labores habituales, este conservara el derecho a sus remuneraciones, no estableciéndose la no asistencia de este por afectarle esta incompatibilidad. Así, atendido el carácter obligatorio de asistencia de los funcionarios a estos cursos, su concurrencia no queda supeditada a la aceptación de su jefatura directa, además de no existir norma legal que confiera a esta la facultad discrecional de conceder o denegar el permiso para asistir a aquella)

Artículo 26

En los casos en que la capacitación impida al funcionario desempeñar las labores de su cargo, conservará éste el derecho a percibir las remuneraciones correspondientes.

La asistencia a cursos obligatorios fuera de la jornada ordinaria de trabajo, dará derecho a un descanso complementario igual al tiempo efectivo de asistencia a clases.

1. «*Estima que debiese aplicarse el artículo 26 de la ley Nº 18.883, sobre Estatuto Administrativo para Funcionarios Municipales, que considera las horas dedicadas al estudio en el pago de las remuneraciones, de manera tal que el incumplimiento de su jornada laboral con motivo de las actividades académicas no podría significar un descuento de sus estipendios.*

Por lo anterior, y contrariamente a lo sostenido por la Municipalidad de Conchalí, el artículo 26 previamente referido no tiene aplicación en la especie, toda vez que los estudios por los cuales se consulta no constituyen capacitación en los términos del anotado artículo 24, y deben ser desarrollados en virtud de un sistema de mejoramiento de las competencias laborales diverso al contemplado en el párrafo 2º del título II de la ley Nº 18.883.

En este sentido es útil considerar que carecería de sentido que el legislador haya creado un sistema especial de becas para formar a funcionarios municipales en materias afines a la gestión de esas entidades de administración local, seleccionando la Administración carreras y diplomados que son impartidos en horarios diurnos, sin que dichos servidores sean autorizados para no desarrollar todo o parte de su jornada por coincidir con sus obligaciones académicas o que, pudiendo ausentarse de la labor, pierdan por ello las remuneraciones correspondientes». (**ID Dictamen:** 016811N16. **Fecha:** 03-03-2016. **Destinatarios:** Municipalidad de Conchalí. **Texto:** Procede que se disponga una comisión de estudios a favor de un funcionario beneficiado por la beca de formación establecida en el artículo 4º de la ley Nº 20.742, cuya jornada laboral coincida con el horario del programa que cursa. **Acción:** Aplica dictamen 55234/2011).

2. «*Por su parte, la SUBDERE informó que, atendido que el recurrente cursa sus estudios en una jornada vespertina, no se produce una incompatibilidad de horario que justifique ordenar una comisión de servicios, y que el riesgo de accidentes queda cubierto por el seguro escolar. Por su parte, el artículo 26, inciso primero, del precitado cuerpo normativo dispone que en los casos en que la capacitación impida al funcionario desempeñar las labores de su cargo, conservará el derecho a percibir las remuneraciones correspondientes, añadiendo su inciso segundo que la asistencia a cursos obligatorios fuera de la jornada ordinaria de trabajo, dará derecho a un descanso complementario igual al tiempo efectivo de asistencia a clases. De acuerdo a lo anterior, los estudios por los cuales se consulta no constituyen capacitación en los términos del anotado artículo 24, y se desarrollan en virtud de un sistema de mejoramiento de las competencias laborales diverso al contemplado en el párrafo 2º del título II de la ley Nº 18.883, razón por la cual el artículo 26 previamente referido no tiene aplicación en la especie, sin que pueda considerarse como jornada extraordinaria el tiempo empleado para la asistencia a clases*». (**ID Dictamen:** 038240N17. **Fecha:** 30-10-2017. **Destinatarios:** don Andrés Moya Saravia, funcionario de la Municipalidad de Valparaíso. **Texto:** No procede disponer una comisión de servicios respecto del interesado, eventuales accidentes en el periodo empleado para cursar estudios en virtud de beca otorgada en conformidad al artículo 4º de la Ley Nº 20.742, quedan cubiertos por el seguro escolar; y no podrá considerarse como jornada extraordinaria el referido tiempo. **Acción:** Aplica dictámenes 16811/ 2016, 345/2014, 55234/2011).

«*A continuación, en cuanto a que se habría obligado al personal municipal de salud a asistir a tales actividades, la municipalidad informa que la inscripción a dicha capacitación era voluntaria y que una vez seleccionado, el personal tenía la obligación de asistir a la misma y, por ende, de acuerdo a lo dispuesto en los artículos 23 y de la ley Nº 18.883, sobre Estatuto Administrativo para Funcionarios Municipales, tiene derecho a descanso compensatorio igual al tiempo efectivo de asistencia a clases fuera de la jornada ordinaria de trabajo. Agrega el municipio que, el plan de capacitación del año 2009 tenía como lineamiento estratégico la salud familiar, por lo que los diplomados en comento serán considerados para los efectos de la carrera funcionaria.*

Sobre este aspecto, cabe señalar que esta Entidad de Control en el dictamen Nº 3.753, de 2005, ha manifestado que de acuerdo a lo dispuesto en la ley Nº 19.378, Estatuto de Atención Primaria de Salud Municipal, y en los artículos 37 y siguientes del decreto Nº 1.889, de 1995, del Ministerio de Salud —Reglamento de la Carrera Funcionaria del Personal regido por el citado estatuto—, para ser computados en el elemento capacitación, los cursos y estadías realizadas por cada funcionario deberán cumplir con las exigencias de: a) estar incluido en el Programa de Capacitación Municipal; b) cumplir con la asistencia mínima requerida para su aprobación y c) haber aprobado la evaluación final». (**ID Dictamen:** 044041N10 **Fecha:** 04.08.2010 **Destinatarios:** Alcalde Municipalidad de Santiago. **Texto:** Sobre reclamo de irregularidades en la contratación de servicios de capacitación por parte de la Municipalidad de Santiago. **Acción:** Aplica dictamen 3753/2005)

Artículo 27

Los funcionarios seleccionados para seguir cursos de capacitación tendrán la obligación de asistir a éstos, desde el momento en que hayan sido seleccionados, y los resultados obtenidos deberán considerarse en sus calificaciones.

Lo anterior, implicará la obligación del funcionario de continuar desempeñándose en la municipalidad respectiva a lo menos el doble del tiempo de extensión del curso de capacitación.

El funcionario que no diere cumplimiento a lo dispuesto en el inciso precedente deberá reembolsar a la municipalidad todo gasto en que ésta hubiere incurrido con motivo de la capacitación. Mientras no efectuare este reembolso, la persona quedará inhabilitada para volver a ingresar a la Administración del Estado, debiendo la autoridad que corresponda informar este hecho a la Contraloría General de la República.

*«En este contexto normativo y siguiendo el criterio **jurisprudencia sustentado por esta Contraloría General en relación con la materia —contenido en el dictamen Nº 32.042, de 2000—, es posible sostener que el beneficio que concede el inciso segundo del artículo 26 de la ley Nº 18.883 por la asistencia a "cursos obligatorios", se encuentra referido a los cursos de capacitación clasificados en el citado artículo 23, toda vez que son a éstos a los que el legislador ha conferido, a través del citado artículo 27, el carácter de obligatorios, una vez verificados los procesos de selección que cada uno de ellos comprende».*** (ID Dictamen: 024454N08 Fecha: 27.05.2008 Destinatarios: Juez Titular Juzgado de Policía Local de San Pedro. Texto: Jueza Titular de Juzgado de Policía Local no tiene derecho al descanso complementario contemplado en el inc./2 del art. 26 de la ley 18883 por el tiempo que asistiera a clases fuera de su jornada laboral. Ello, porque las municipalidades, en cumplimiento de sus funciones y conforme a los artículos 72 y siguientes de la ley citada, pueden disponer cometidos funcionarios o comisiones de servicio, con fines de capacitación y perfeccionamiento, respecto de los jueces de policía local, para que asistan a cursos impartidos por el Instituto Nacional de Jueces de Policía Local, sufragando los gastos correspondientes, lo que habría acontecido en este caso. Por su parte, el citado inc./2 del art. 26 señala que la asistencia a cursos obligatorios fuera de la jornada ordinaria de trabajo, da derecho a un descanso complementario igual al tiempo efectivo de asistencia a clases. Esta norma se ubica en el párrafo 2, De la Capacitación, del Título II de la ley 18883, cuyo art. 22 entiende por capacitación el conjunto de actividades permanentes, organizadas y sistemáticas destinadas a que los funcionarios, desarrollen, complementen, perfeccionen o actualicen los conocimientos y destrezas necesarios para el eficiente desempeño de sus cargos o aptitudes funcionarias. Del mismo art. 26 analizado aparece entonces que él se refiere a los cursos de capacitación clasificados en el citado art. 23 de la misma ley, porque son a éstos a los que le ha conferido, a través del citado art. 27, el carácter de obligatorios, una vez verificados los procesos de selección que cada uno de ellos comprende. El curso seguido por la interesada no tiene dicho carácter, ya que no tuvo su origen en algún proceso de selección como lo exige la última norma aludida. Como el descanso complementario analizado es igual al tiempo efectivo de asistencia a clases fuera de la jornada de trabajo, no puede considerarse el tiempo que el funcionario ha ocupado en trasladarse a otra ciudad para concurrir al respectivo curso. **Acción:** Aplica Dictámenes 3444/99, 32042/2000, 14297/97)

Artículo 28

Para el cumplimiento de lo dispuesto en el artículo 37 de la ley Nº 18.695, el proyecto de presupuesto municipal deberá consultar los fondos necesarios para desarrollar los programas de capacitación y perfeccionamiento. Podrán otorgarse para estos efectos becas a los funcionarios municipales.

En las municipalidades podrán existir comités bipartitos que desarrollen tareas consultivas en materias de capacitación del personal.

1. «*Sobre el particular, cabe recordar que el anotado artículo 28 de la ley Nº 18.883, prevé en su inciso segundo, que "En las municipalidades podrán existir comités bipartitos que desarrollen tareas consultivas en materias de capacitación del personal". Como puede advertirse, de acuerdo a esa disposición, la instauración de los mencionados comités bipartitos es una materia que queda entregada a la discrecionalidad del respectivo municipio, sin que se haya impuesto una forma de integración de los mismos. Finalmente, y en lo que respecta a la posibilidad de que una persona contratada a honorarios sea elegida por los funcionarios como su representante en el indicado comité bipartito, es menester señalar que en la medida que aquélla acepte llevar a cabo dicho encargo, no cabría objetar su participación en el mismo, sin que se advierta la necesidad de modificar su respectivo convenio, toda vez que esta labor no la efectúa por mandato del alcalde*». (**ID Dictamen:** 038276N17. **Fecha:** 30-10-2017. **Destinatarios:** Municipalidad de Collipulli. **Texto:** Prestadores de servicios a honorarios pueden integrar el comité bipartito de capacitación a que alude el artículo 28 de la ley Nº 18.883. **Acción:** Aplica dictámenes 12758/2016, 7266/2005).

PÁRRAFO 3º DE LAS CALIFICACIONES

Artículo 29

El sistema de calificación tendrá por objeto evaluar el desempeño y las aptitudes de cada funcionario, atendidas las exigencias y características de su cargo, y servirá de base para el ascenso, los estímulos y la eliminación del servicio.

1. «*Sin perjuicio de ello, es menester anotar que los dictámenes Nºs. 53.491, de 2011, y 27.007, de 2013, entre otros, han precisado, acorde con lo dispuesto en los artículos 43 y siguientes de la ley Nº 18.575, y 29 y siguientes de la ley Nº 18.883, que en atención a que la finalidad del proceso calificatorio se vincula con el resguardo de la carrera funcionaria, es requisito indispensable para la validez del mismo que el evaluado revista la calidad de empleado público.*
Finalmente, y en lo relativo al proceso evaluatorio correspondiente al período 2014-2015, en que el aludido exservidor fue incluido en lista 4, de eliminación, con 29 puntos, conviene recordar que los artículos 47 y 156, inciso primero, de la citada ley Nº 18.883, disponen que el plazo que tienen los funcionarios regidos por tal cuerpo legal para interponer el recurso especial de reclamación ante este Órgano Fiscalizador es de diez días hábiles, contado desde la notificación del acto mediante el cual el alcalde se pronuncia acerca de la apelación de las calificaciones.
Ahora bien, según sostiene el propio recurrente, tomó conocimiento del rechazo de su apelación con fecha 30 de noviembre de 2015, habiendo deducido ante esta Entidad de Control el recurso de reclamación que le otorga la normativa precedentemente reseñada el 16 de diciembre de esa anualidad, es decir, una vez vencido el aludido término de diez días.
En razón de lo anterior, corresponde desestimar por extemporánea la presentación del interesado respecto del referido proceso calificatorio, debiendo hacerse presente, en todo caso, que de conformidad con lo expuesto, el señor Ulloa Sáez no cesó en sus funciones como consecuencia de este último, sino por la declaración de vacancia de su cargo por salud incompatible, a través del decreto Nº 1.441, de 2015». (**ID Dictamen:** 017693N16. **Fecha:** 04-03-2016. **Destinatarios:** don Eric Ulloa Sáez, ex director de obras de la Municipalidad de Yumbel. **Texto:** Sumario administrativo que indica se ha ajustado a derecho. Rechaza reclamo de calificaciones de los períodos 2012-2013 y 2013-2014, por no aportarse nuevos antecedentes, y 2014-2015, por extemporáneo. Primer informe de desempeño debe confeccionarse por jefe directo o su subrogante legal. Cese de funciones se ha producido por declaración de vacancia por salud incompatible con el cargo. **Acción:** Aplica dictámenes 97163/2015, 90889/2015, 12533/2015, 25827/2009, 53491/2011, 27007/2013).

2. «*En ese contexto, cumple manifestar que resulta inoficioso pronunciarse respecto del proceso calificatorio de la exfuncionaria, por cuanto acorde con lo previsto en el artículo 29 de la ley Nº 18.883, y 1º del decreto Nº 1.228, de 1992, del Ministerio del Interior, que Aprueba Reglamento de Calificaciones del Personal Municipal, el sistema de calificaciones tiene por objeto evaluar el desempeño y las aptitudes de cada funcionario, por lo que debe entenderse que constituye un requisito esencial el poseer la calidad de servidor a la fecha de tramitación de la totalidad del procedimiento de que se trata, la que la recurrente perdió el 21 de diciembre de 2015, data en que se hizo efectiva su renuncia voluntaria al cargo (aplica criterio contenido en los dictámenes Nºs. 50.754 y 84.653, ambos de 2014)*». (**ID Dictamen:** 024210N16.

Fecha: 31-03-2016. **Destinatarios:** Paola Montoya Vega, exfuncionaria de la Municipalidad de Macul. **Texto:** Desestima reclamo sobre proceso calificatorio de exfuncionaria que indica. **Acción:** Aplica dictámenes 50754/2014, 84653/2014).

3. «*En tanto, el sistema calificatorio —en conformidad con el artículo 29 de la ley Nº 18.883—, tiene como finalidad evaluar el desempeño y las aptitudes de cada funcionario en un período determinado, sirviendo de base para el ascenso, los estímulos y la eliminación del servicio, finalizando con la ubicación del servidor en alguna de las listas señaladas en el artículo 30 de dicha ley, con las consecuencias que ello lleva aparejado.*
Por consiguiente, la causal de cesación de funciones, de declaración de vacancia por "calificación del funcionario en lista de Eliminación", resulta plenamente aplicable al servidor que desempeñe el cargo de director de la unidad de control municipal, sin que se requiera, para hacerla efectiva, de la tramitación previa de un sumario administrativo». **(ID Dictamen:** 025294N18. **Fecha:** 08-10-2018. **Destinatarios:** don Iván Gajardo Calderón, exconcejal de la Municipalidad de Macul. **Texto:** La causal de cese de funciones de declaración de vacancia por «calificación del funcionario en lista de eliminación», es aplicable a quien desempeña el cargo de Director de la Unidad de Control Municipal, sin que se requiera, para hacerla efectiva, de la tramitación previa de un sumario administrativo. **Acción:** Aplica dictámenes 85838/2016, 85233/2015, 27777/2016, 1772/2015).

4. «*A su turno, en lo concerniente a las supuestas irregularidades que afectaron a los procesos calificatorios correspondientes al período 2011-2012; 2012-2013 y 2014-2015, es dable manifestar que, en atención a que el interesado ha cesado en funciones, resulta inoficioso pronunciarse sobre el particular, por cuanto acorde con lo previsto en el artículo 29 de la aludida ley Nº 18.883, el sistema de calificaciones tendrá por objeto evaluar el desempeño y las aptitudes de cada funcionario, por lo que debe entenderse que constituye un requisito esencial el poseer la calidad de servidor a la data de tramitación del respectivo proceso calificatorio (aplica criterio contenido en los dictámenes Nºs. 3.458, de 2001, y 60.472, de 2010)*». **(ID Dictamen:** 027862N16. **Fecha:** 14-04-2016. **Destinatarios:** señor Patricio Raffo Guzmán, exfuncionario de la Municipalidad de Quilicura. **Texto:** Acoge reclamo de exfuncionario municipal, únicamente, en lo referido a la asignación de mejoramiento de la gestión municipal dispuesta en la ley Nº 19.803; y se ajustó a derecho la declaración de vacancia de su cargo por salud irrecuperable. **Acción:** Aplica dictámenes 69759/2015, 21236/2015, 42796/2014, 51906/2015, 42862/2009, 29076/2013, 3458/2001, 60472/2010).

5. «*Sobre el particular, cumple con hacer presente que, según se ha precisado en el dictamen Nº 24.210, de 2016, acorde con lo previsto en el artículo 29 de la ley Nº 18.883, y 1º del decreto Nº 1.228, de 1992, del Ministerio del Interior —que aprueba el reglamento de calificaciones del personal municipal— el sistema de calificaciones tiene por objeto evaluar el desempeño y las aptitudes de cada funcionario, por lo que debe entenderse que constituye un requisito esencial el poseer la calidad de servidor a la fecha de tramitación de la totalidad del procedimiento de que se trata, la que el señor Valentini San Martín perdió el día 1 de enero de 2016, data en que se hizo efectiva su renuncia voluntaria al cargo.*
En consecuencia, resulta inoficioso que la Municipalidad de Quinta Normal retrotraiga el anotado proceso calificatorio según las instrucciones impartidas por esta Contraloría General en el citado dictamen Nº 17.690, de 2016». **(ID Dictamen:** 043957N16. **Fecha:** 14-06-2016. **Destinatarios:** Municipalidad de Quinta Normal. **Texto:** Resulta inoficioso que municipalidad retrotraiga proceso calificatorio según las instrucciones impartidas por esta Contraloría General, por cuanto afectado dejó de tener la calidad de funcionario municipal al aceptarse su renuncia voluntaria. **Acción:** Aplica dictamen 24210/2016).

6. «*Sobre el particular, el artículo 29 de la ley Nº 18.883, prevé que "El sistema de calificación tendrá por objeto evaluar el desempeño y las aptitudes de cada funcionario, atendidas las exigencias y características de su cargo, y servirá de base para el ascenso, los estímulos y la eliminación del servicio".*
Luego, en lo que atañe a que parte del personal del municipio que debía ser calificado ya no se desempeña en este, cumple con manifestar que acorde con lo previsto en el aludido artículo 29 de la ley Nº 18.883, y 1º del decreto Nº 1.228, de 1992, del entonces Ministerio del Interior —Reglamento de Calificaciones del Personal Municipal—, el sistema de calificaciones tiene por objeto evaluar el desempeño y las aptitudes de cada funcionario, por lo que debe entenderse que constituye un requisito esencial el poseer la calidad de servidor a la fecha de tramitación de la totalidad del procedimiento de que se trata (aplica dictamen Nº 24.210, de 2016).
A su turno, en cuanto a que los servidores que deben llevar a cabo el proceso calificatorio no podrían actuar objetivamente en razón del tiempo transcurrido entre el período a evaluar y la fecha en que efectivamente se desarrolle el procedimiento de que se trata, cabe recordar que el artículo 4º, inciso primero, del referido decreto Nº 1.228, de 1992, prevé que los funcionarios que intervengan en el proceso calificatorio deberán actuar con responsabilidad, imparciali-

dad, objetividad y cabal conocimiento de las normas legales relativas a las evaluaciones y de las previstas en el reglamento, al formular cada uno de los conceptos y notas sobre los méritos o deficiencias de los empleados, añadiendo su inciso final que el alcalde deberá instruir a los funcionarios calificadores sobre la finalidad, contenido, procedimiento y efectos del sistema de calificaciones». **(ID Dictamen:** 071008N16. **Fecha:** 29-09-2016. **Destinatarios:** Municipalidad de Chile Chico. **Texto:** El plazo para llevar a cabo el proceso calificatorio del personal regido por la ley Nº 18.883 no es fatal, siendo lo más importante que la actuación o el deber, en definitiva se cumplan, sin perjuicio de las responsabilidades que pudieren originarse en tal situación. **Acción:** Aplica dictámenes 50382/2015, 77376/2014, 6151/2016, 32301/2009, 24210/2016, 13794/2012, 37418/2013, 56366/2014).

7. «*A su turno, en cuanto a la consulta respecto a la aplicación de la norma de protección contenida en el precitado artículo 88 A, de la ley Nº 18.883, por haber efectuado múltiples denuncias a la máxima autoridad comunal respecto de infracciones que advirtió en el ejercicio de sus labores, resulta necesario señalar que las letras a) y c) de dicha disposición, previenen —en lo que interesa— que los servidores que denuncien a la autoridad edilicia hechos irregulares o las faltas al principio de probidad de que tomen conocimiento, no podrán ser objeto de las medidas disciplinarias de suspensión del empleo o de destitución, desde la fecha en que el alcalde tenga por presentada la denuncia y hasta noventa días después de haber terminado la investigación sumaria o sumario, incoados a partir de la citada acusación, y asimismo, tendrán derecho a no ser objeto de precalificación anual, si el denunciado fuese su superior jerárquico, durante el mismo lapso precedentemente referido, salvo que expresamente la solicitare el denunciante.*
En ese contexto, cabe señalar que dicho resguardo no resulta aplicable en la situación planteada, en consideración a que en conformidad al aludido artículo 29, letra c), de la ley Nº 18.883, a la dirección de control le corresponde hacer presente a la máxima autoridad municipal aquellos actos que no se ajusten al ordenamiento jurídico, lo que ha ocurrido en la especie, ya que el señor Sergio Achá Cartes, en el período que indica, ha ejercido las funciones propias del director de control, razón por la cual, no constituyendo aquella actuación una denuncia en los términos del precepto que invoca, no resulta aplicable a su respecto el artículo 88 A del citado Estatuto (aplica criterio contenido en el dictamen Nº 27.777, de 2016).
Finalmente, en cuanto a la excesiva demora del proceso evaluatorio, es oportuno aclarar que esta no afectaría la legalidad del mismo, ya que de acuerdo a lo concluido en el dictamen Nº 43.222, de 2015, entre otros, en materia de calificaciones los plazos para las municipalidades no son fatales, sin perjuicio de las responsabilidades que pudieren originarse en tal situación». **(ID Dictamen:** 085898N16. **Fecha:** 28-11-2016. **Destinatarios:** Municipalidad de Collipulli. **Texto:** Rechaza reclamo en contra de proceso calificatorio. Artículo 88 A de la ley Nº 18.883, no es aplicable al ejercicio de las funciones de director de control. **Acción:** Aplica dictamen 45481/2016 Aplica dictamen 29562/2016 Aplica dictamen 52154/2014 Aplica dictamen 56366/2014 Aplica dictamen 12533/2015 Aplica dictamen 27777/2016 Aplica dictamen 43222/2015).

1. «*Sobre el particular, cabe señalar que de conformidad con el **artículo 29 de la ley Nº 18.883, sobre Estatuto Administrativo para Funcionarios Municipales,** el sistema de calificación tendrá por objeto evaluar el desempeño y las aptitudes de cada funcionario, atendidas las exigencias y características de su cargo, y servirá de base, entre otros, para el ascenso; calificación que, según agrega el artículo 34 del mismo texto legal, comprenderá los 12 meses de desempeño funcionario que se extienden entre el 1 de septiembre de un año y el 31 de agosto del año siguiente. (...)*
*En este contexto, corresponde hacer presente que **el proceso de calificaciones, y el posterior escalafón que se confecciona en base a estas, se refiere al desempeño de un funcionario en particular, en un cargo determinado, al que se le ha asignado un grado o nivel remuneratorio, en relación a las exigencias y labores propias de la función que desarrolla, por lo que no procede extender el resultado de la evaluación en un empleo específico, a otro distinto (aplica criterio contenido en el dictamen Nº 75.919, de 2010)*». (ID Dictamen: 074975N11 Fecha: 30.11.2011 **Destinatarios:** Alcalde de la Municipalidad de Vallenar. **Texto:** Sobre ubicación en el escalafón de personal municipal recientemente ascendido. **Acción:** aplica dictamen 75919/2010)

2. «*En estas condiciones, y tal como lo ha manifestado esta **Entidad Fiscalizadora en los dictámenes Nºs. 49.089, de 2008, y 15.448, de 2010,** en concordancia con lo dispuesto en los artículos 43 y siguientes de la ley Nº 18.575, Orgánica Constitucional de Bases Generales de la Administración del Estado, y 29 y siguientes de la ley Nº 18.883, Estatuto Administrativo para Funcionarios Municipales, dado que la finalidad de la calificación se vincula con el resguardo de la carrera funcionaria, es requisito indispensable para la validez del mismo que el evaluado revista la calidad de empleado público*». (ID Dictamen: 053491N11 Fecha: 24.08.2011 **Destinatarios:** Nelson Caucoto Pereira. **Texto:** Resulta improcedente que municipio continúe proceso calificatorio, por cuanto, con anterioridad al término del proceso, se

sancionó a funcionaria con medida disciplinaria de destitución. **Acción:** Aplica dictámenes 33068/2009, 32114/2010, 49089/2008, 15448/2010)[147]

3. «*Como puede advertirse, la regla general es que todos los funcionarios deben ser anualmente evaluados y excepcionalmente no lo serán, en atención a su jerarquía en el municipio o en la eventualidad que se ausenten de sus labores, por más de seis meses durante el período que comprende la calificación*». (**ID Dictamen: 050066N11 Fecha:** 09.08.2011 **Destinatarios:** José Carrasco Castillo. **Texto:** Sobre calificación de funcionario municipal regido por la ley 18883, destinado a una dependencia sujeta a un régimen estatutario diverso. **Acción:** Aplica dictámenes 25132/2007, 43026/2008)

4. «*Enseguida, en lo concerniente al reclamo formulado por el ex funcionario, en contra del proceso calificatorio correspondiente al período 2009-2010, cabe hacer presente que resulta inconducente pronunciarse al respecto, por cuanto acorde con lo previsto en los **artículos 29 de la ley Nº 18.883 y 1º del decreto Nº 1.228, de 1992, del Ministerio del Interior —Reglamento de calificaciones del personal municipal—**, el sistema de calificaciones tiene por objeto evaluar el desempeño y las aptitudes de cada funcionario, por lo que debe entenderse que constituye un **requisito esencial el poseer la calidad de servidor a la fecha de tramitación de la totalidad del respectivo proceso evaluatorio, (…) (aplica criterio contenido en el dictamen Nº 60.472, de 2010)***». (**ID Dictamen: 036936N11 Fecha:** 10.06.2011 **Destinatarios:** Ricardo Vargas Medina. **Texto:** Sobre pronunciamiento relativo a la declaración de vacancia por salud incompatible, calificaciones y término de procedimiento disciplinario incoado contra funcionario municipal. **Acción:** aplica dictámenes 72803/2009, 69879/2010, 60472/2010)[148]

Artículo 30

Todos los funcionarios deben ser calificados anualmente, en alguna de las siguientes listas: Lista Nº 1, de Distinción; Lista Nº 2, Buena; Lista Nº 3, Condicional; Lista Nº 4, de Eliminación. El Alcalde será personalmente responsable del cumplimiento de este deber.

1. «*En tanto, el sistema calificatorio —en conformidad con el artículo 29 de la ley Nº 18.883—, tiene como finalidad evaluar el desempeño y las aptitudes de cada funcionario en un período determinado, sirviendo de base para el ascenso, los estímulos y la eliminación del servicio, finalizando con la ubicación del servidor en alguna de las listas señaladas en el artículo 30 de dicha ley, con las consecuencias que ello lleva aparejado.*
Además, conviene tener en consideración que entre los empleos que el legislador eximió expresamente de ser calificados en el artículo 31 de la ley Nº 18.883, no se encuentra el de director de control, por lo que, en función de lo precedentemente anotado, queda de manifiesto que quien ejerce dicha plaza se encuentra en la obligación de someterse a evaluación anualmente, tal como lo exige el artículo 30 del mismo cuerpo estatutario.
Por consiguiente, la causal de cesación de funciones, de declaración de vacancia por "calificación del funcionario en lista de Eliminación", resulta plenamente aplicable al servidor que desempeñe el cargo de director de la unidad de control municipal, sin que se requiera, para hacerla efectiva, de la tramitación previa de un sumario administrativo». (**ID Dictamen:** 025294N18. **Fecha:** 08-10-2018. **Destinatarios:** don Iván Gajardo Calderón, exconcejal de la Municipalidad de Macul. **Texto:** La causal de cese de funciones de declaración de vacancia por «calificación del funcionario en lista de eliminación», es aplicable a quien desempeña el cargo de Director de la Unidad de Control Municipal, sin que se requiera, para hacerla efectiva, de la tramitación previa de un sumario administrativo. **Acción:** Aplica dictámenes 85838/2016, 85233/2015, 27777/2016, 1772/2015).

---

[147]   Para efectos de su consulta en la Base de Jurisprudencia de Contraloría General de la República, el citado dictamen se encuentra en la sección/materia: «generales», sin perjuicio de que se trata de uno de carácter municipal.

[148]   Para efectos de su consulta en la Base de Jurisprudencia de Contraloría General de la República, el citado dictamen se encuentra en la sección/materia: «generales», sin perjuicio de que se trata de uno de carácter municipal.

2. «A su turno, el artículo 30, inciso primero, de la anotada ley Nº 18.883 dispone que "Todos los funcionarios deben ser calificados anualmente, en alguna de las siguientes listas: Lista Nº 1, de Distinción; Lista Nº 2, Buena; Lista Nº 3, Condicional; Lista Nº 4, de Eliminación", añadiendo su inciso final que el alcalde será personalmente responsable del cumplimiento de este deber.

Ahora bien, en cuanto a la procedencia de que la Municipalidad de Chile Chico pueda desarrollar solo los últimos tres procesos calificatorios de su personal por las razones que expone, sin que efectúe las evaluaciones que se encuentran pendientes desde el año 1997, conviene precisar que el artículo 35 de la citada ley Nº 18.883, prevé que "El proceso de calificaciones deberá iniciarse el 1 de septiembre y terminarse a más tardar el 30 de noviembre de cada año".

Al respecto, la jurisprudencia administrativa contenida en los dictámenes Nºs. 77.376, de 2014 y 6.151, de 2016, entre otros, ha concluido que el plazo antes anotado no es fatal, en atención a que lo más significativo es que la actuación o el deber, en definitiva se cumplan, sin perjuicio de las responsabilidades que pudieren originarse en tal demora». (ID Dictamen: 071008N16. Fecha: 29-09-2016. Destinatarios: Municipalidad de Chile Chico. Texto: El plazo para llevar a cabo el proceso calificatorio del personal regido por la ley Nº 18.883 no es fatal, siendo lo más importante que la actuación o el deber, en definitiva se cumplan, sin perjuicio de las responsabilidades que pudieren originarse en tal situación. Acción: Aplica dictámenes 50382/2015, 77376/2014, 6151/2016, 32301/2009, 24210/2016, 13794/2012, 37418/2013, 56366/2014).

1. «Como puede advertirse, la regla general es que todos los funcionarios deben ser anualmente evaluados y excepcionalmente no lo serán, en atención a su jerarquía en el municipio o en la eventualidad que se ausenten de sus labores, por más de seis meses durante el período que comprende la calificación». (ID Dictamen: 050066N11 Fecha: 09.08.2011 Destinatarios: José Carrasco Castillo. Texto: Sobre calificación de funcionario municipal regido por la ley 18883, destinado a una dependencia sujeta a un régimen estatutario diverso. Acción: Aplica dictámenes 25132/2007, 43026/2008)

2. «Finalmente, corresponde precisar que la circunstancia de que la recurrente se haya encontrado sujeta a investigación sumaria, no constituye un impedimento para haber sido evaluada durante el periodo que reclama, ya que en todo momento ha mantenido su calidad de servidora pública, y de acuerdo con el artículo 30 de la mencionada ley Nº 18.883, todos los funcionarios deben ser calificados anualmente en alguna de las listas que indica». (ID Dictamen: 015464N11 Fecha: 14.03.2011 Destinatarios: Catalina Mancilla Flores. Texto: Sobre reclamo de ilegalidad en contra de calificaciones de funcionaria municipal. Acción: aplica dictámenes 42832/2008, 7655/2010)

Artículo 31

No serán calificados el Alcalde, los funcionarios de exclusiva confianza de éste y el Juez de Policía Local. Los miembros de la Junta Calificadora serán calificados por el Alcalde.

El delegado del personal que integre la Junta podrá ser calificado por ésta, cuando así lo solicitare. En tal caso, la Junta se reunirá y resolverá con exclusión de aquél.

Si no lo pidiere, mantendrá su calificación anterior.

1. «Además, conviene tener en consideración que entre los empleos que el legislador eximió expresamente de ser calificados en el artículo 31 de la ley Nº 18.883, no se encuentra el de director de control, por lo que, en función de lo precedentemente anotado, queda de manifiesto que quien ejerce dicha plaza se encuentra en la obligación de someterse a evaluación anualmente, tal como lo exige el artículo 30 del mismo cuerpo estatutario». (ID Dictamen: 025294N18. Fecha: 08-10-2018. Destinatarios: don Iván Gajardo Calderón, exconcejal de la Municipalidad de Macul. Texto: La causal de cese de funciones de declaración de vacancia por «calificación del funcionario en lista de eliminación», es aplicable a quien desempeña el cargo de Director de la Unidad de Control Municipal, sin que se requiera, para hacerla efectiva, de la tramitación previa de un sumario administrativo. Acción: Aplica dictámenes 85838/2016, 85233/2015, 27777/2016, 1772/2015).

1. «En este contexto, resulta pertinente anotar que conforme con el invariable criterio jurisprudencial de esta Contraloría General, contenido, entre otros, en los dictámenes Nºs. 13.372, de 2008, 80.174, de 2010, y 14.691, de 2012, si bien el hecho de que los integrantes del comité de selección participen al mismo tiempo como postulantes en el certamen concursal constituye una infracción al principio de probidad administrativa, toda vez que se incurriría en la

conducta contemplada en los artículos 62, Nº 6, de la ley Nº 18.575, Orgánica Constitucional de Bases Generales de la Administración del Estado, y 82, letra b), de la ley Nº 18.883, aquel se encontraría suficientemente resguardado si el funcionario afectado por la inhabilidad, se abstiene de intervenir en la evaluación de los candidatos a los cargos en que tenga interés, lo que efectivamente ocurrió en la situación de la especie. (...)
Finalmente, respecto del reclamo que formula el interesado, relacionado con la valoración insuficiente que le habría otorgado a sus competencias el comité de selección en el segundo de los concursos analizados, es menester precisar que la facultad de este Órgano Contralor para revisar los procesos concursales dice relación con la posible existencia de arbitrariedades o vicios de legalidad que pudieran presentarse en sus diferentes etapas, en contravención a las leyes que rigen la materia, pero la evaluación de los perfiles que deban reunir los concursantes, su idoneidad y antecedentes, constituyen aspectos de mérito, cuya determinación y apreciación compete a la Administración activa, dentro del ámbito de sus atribuciones, en la especie, al órgano evaluador del concurso y al alcalde, sobre los cuales no corresponde a este Organismo Fiscalizador pronunciarse (aplica dictámenes Nºs. 4.474 y 14.160, ambos de 2012)». (**ID Dictamen: 061436N12 Fecha:** 03.10.2012 **Destinatarios:** Christian Hormazábal Lagos **Texto:** Desestima reclamaciones sobre vicios de legalidad en procedimientos concursales que indica. **Acción:** Aplica dictámenes 13372/2008, 80174/2010, 14691/2012, 60742/2011, 24660/2000, 23862/2004, 51349/2005, 4474/2012, 14160/2012)[149]

2. «*Enseguida, en cuanto al hecho que el comité de selección fue presidido por un funcionario de exclusiva confianza de la citada autoridad edilicia, lo que habría implicado el incumplimiento de las reglas técnicas mínimas del mismo, es necesario indicar que, de acuerdo con los antecedentes que constan en poder de este Órgano de Control, el funcionario al que se alude fue designado como Administrador Municipal, mediante decreto alcaldicio Nº 676, de 2011, por lo que, a la fecha de conformación de la referida comisión, era titular de un cargo directivo, grado 4 E.M.S., de la planta municipal, constituyéndose en* uno de los tres servidores de más alto nivel jerárquico de ese municipio, *motivo por el cual cabe concluir que su participación se ajustó a lo dispuesto en los artículos 19, 21 y 32 de la ley Nº 18.883, por lo que no existe el vicio que se alega*». (**ID Dictamen: 058558N12 Fecha:** 24.09.2012 **Destinatarios:** Alcalde de la Municipalidad de Huechuraba. **Texto:** Acoge parcialmente reclamo acerca de concurso público en el que no se respetó el deber de abstención por parte del alcalde en la designación de funcionario que indica. **Acción:** Aplica dictámenes 11909/2009, 6496/2011, 34935/2011, 9722/2012, 15860/2012, 14489/2012, 26188/2012)[150]

Artículo 32

Las Juntas Calificadoras estarán compuestas, en cada Municipio, por los tres funcionarios de más alto nivel jerárquico, con excepción del Alcalde y el Juez de Policía Local, y por un representante del personal elegido por éste. Si hubiere más de un funcionario en el nivel correspondiente, se integrará la Junta de acuerdo con el orden de antigüedad, según la forma que se expresa en el artículo 49.

Para efectos de la calificación de los funcionarios adscritos a los juzgados de policía local, la Junta Calificadora estará conformada, además, por el respectivo juez.

Los funcionarios elegirán un representante titular y un suplente de éste, el que integrará la Junta Calificadora en caso de encontrarse el titular impedido de ejercer sus funciones.

Si el personal no hubiere elegido su representante, actuará en dicha calidad el funcionario que posea la mayor antigüedad en el Municipio.

---

[149]   Para efectos de su consulta en la Base de Jurisprudencia de Contraloría General de la República, el citado dictamen se encuentra en la sección/materia: «generales», sin perjuicio de que se trata de uno de carácter municipal.

[150]   Para efectos de su consulta en la Base de Jurisprudencia de Contraloría General de la República, el citado dictamen se encuentra en la sección/materia: «generales», sin perjuicio de que se trata de uno de carácter municipal.

La Asociación de Funcionarios de la Municipalidad con mayor representación, tendrá derecho a designar a un delegado que sólo podrá participar con derecho a voz.

1. «*Sobre el particular, corresponde indicar que el artículo 32 de la ley Nº 18.883 dispone, en lo que interesa, que las juntas calificadoras estarán compuestas, en cada municipio, por los tres funcionarios de más alto nivel jerárquico, con excepción del alcalde y el juez de policía local, y por un representante del personal elegido por éste, sin regular el plazo por el que se consulta. Por su parte, el artículo 22 del decreto Nº 1.228, de 1992, del entonces Ministerio del Interior —Reglamento de Calificaciones del Personal Municipal— dispone respecto del representante del personal, que tanto el titular como el suplente, serán elegidos por todos los funcionarios afectos a calificación, para lo cual el jefe de personal o quien haga sus veces, dentro de los 10 primeros días del mes de julio, recibirá la inscripción de todos aquellos funcionarios que sean propuestos por cualquier empleado de la municipalidad, para desempeñar la representación de los funcionarios en la junta calificadora.*
Como se advierte, la referida ley orgánica no reguló el plazo por el que se consulta y el texto reglamentario determinó su extensión, pero no precisó si dicho término se compone de días hábiles o corridos, razón por la cual procede aplicar supletoriamente la ley Nº 19.880 (aplica criterio contenido en los dictámenes Nos 50.454, de 2006; 42.639, de 2007 y 54.854, de 2010, todos de este origen)». (**ID Dictamen:** 037415N17. **Fecha:** 20-10-2017. **Destinatarios:** Domingo Massardo Santana, funcionario de la Municipalidad de Ñuñoa **Texto:** Plazo para la inscripción de candidatos a que se refiere el artículo 22 del decreto Nº 1.228, de 1992, del Ministerio del Interior, es de días hábiles. No se observan irregularidades en proceso eleccionario que indica. **Acción:** Aplica dictámenes 50454/2006, 42639/2007, 54854/2010, 27841/2016).

1. «*A su turno, el inciso segundo del numeral 6 del artículo 62 de la ley Nº 18.575, Orgánica Constitucional de Bases Generales de la Administración del Estado, expone que contraviene especialmente el principio de la probidad administrativa, el participar en decisiones en que exista cualquier circunstancia que le reste imparcialidad. Añade su inciso tercero, que las autoridades y funcionarios deberán abstenerse de participar en estos asuntos, debiendo poner en conocimiento de su superior jerárquico la implicancia que le afecta.*
En el mismo sentido, el artículo 12 de la ley Nº 19.880, que Establece Bases de los Procedimientos Administrativos que Rigen los Actos de los Órganos de la Administración del Estado, previene, en su numeral 1, en lo que interesa, que deben abstenerse de intervenir en el procedimiento respectivo las autoridades y funcionarios de la Administración que tengan interés personal en el asunto de que se trate o en otro en cuya resolución pudiera influir la de aquel.
*En este contexto, **la jurisprudencia de esta Entidad de Control, contenida en los dictámenes Nºs. 11.909, de 2009; 6.496 y 34.935, ambos de 2011 y 9.722, de 2012, entre otros, ha señalado que el principio de probidad tiene por objeto impedir que las personas que desempeñan cargos o cumplen funciones públicas puedan ser afectadas por un conflicto de interés en su ejercicio, aun cuando aquel sea solo potencial, para lo cual deberán cumplir con el deber de abstención que impone la ley.***
*En este punto y en lo que concierne a los sujetos destinatarios de tal obligación, cabe señalar que **la actividad administrativa que ha sido encomendada a los alcaldes constituye una función pública, la cual debe ser ejercida con estricto apego al mencionado principio de probidad, tal como ha sido precisado en el dictamen Nº 15.860, de 2012,** entre otros, de este origen.*
Ahora bien, de la documentación tenida a la vista —y tal como, por lo demás, se expresa en el informe municipal citado—, consta que la indicada autoridad edilicia, al momento de resolver el certamen, era el abuelo de la hija del funcionario seleccionado.
De lo anterior, se colige que esa circunstancia comprometió la imparcialidad con la que debió actuar el alcalde en la decisión del proceso de selección, procediendo que se hubiera inhabilitado de intervenir en cualquier acto que se relacionara con este, atendida la normativa antes citada, cuestión que deberá tener presente en lo sucesivo (aplica criterio contenido en los dictámenes Nºs. 34.935, de 2011, y 15.860, de 2012).
*En consecuencia, en razón a la entidad del vicio de que se trata, la Municipalidad de Huechuraba deberá invalidar el decreto Nº 713, de 2011, que designó a don John Salinas Fierro en la mencionada plaza, de acuerdo con el artículo 53 de la ley Nº 19.880 y lo manifestado en el dictamen Nº 14.489, de 2012, entre otros, retrotrayendo el certamen a la etapa de resolución del mismo, a efectos de que ello **sea efectuado por el funcionario al que corresponda subrogar al alcalde, seleccionando a una de las personas propuestas por el comité de evaluación.***
De este modo, debe dejarse sin efecto el citado decreto Nº 713, de 2011 y dictar en su reemplazo un nuevo acto de designación, por quien no se encuentre afectado por el deber de abstención en referencia». (**ID Dictamen: 058558N12 Fecha:** 24.09.2012 **Destinatarios:** Alcalde de la Municipalidad de Huechuraba. **Texto:** Acoge parcialmente reclamo acerca de

220 Capítulo II. Estatuto Administrativo para Funcionarios Municipales

concurso público en el que no se respetó el deber de abstención por parte del alcalde en la designación de funcionario que indica. **Acción:** Aplica dictámenes 11909/2009, 6496/2011, 34935/2011, 9722/2012, 15860/2012, 14489/2012, 26188/2012)[151]

2. «*Como cuestión previa, es del caso señalar que la jurisprudencia administrativa de este origen, contenida, entre otros, en el dictamen Nº 64.170, de 2011, ha precisado que este Ente Fiscalizador sólo está facultado para pronunciarse tratándose de un proceso calificatorio, cuando en él se hubiere incurrido en algún vicio de procedimiento que implique una infracción legal o reglamentaria, pero no acerca del fondo de las consideraciones y apreciaciones vertidas sobre el empleado, como sucede con las notas asignadas, puesto que ello constituye un asunto que incide en el mérito funcionario, lo que es de competencia exclusiva de las autoridades y órganos calificadores de la municipalidad, en las instancias que dispone la normativa.*

Precisado lo anterior, y en relación a lo manifestado por la recurrente en orden a que dicho municipio no habría capacitado a los precalificadores, cabe consignar que el inciso segundo del artículo 4º del decreto Nº 1.228, de 1992, del entonces Ministerio del Interior, Subsecretaría de Desarrollo Regional y Administrativo, Reglamento de Calificaciones del Personal Municipal, prevé que el alcalde deberá instruir a los funcionarios calificadores sobre la finalidad, contenido, procedimiento y efectos del sistema de calificaciones, no constando en la especie que se haya dado cumplimiento a dicha obligación.

Sin perjuicio de lo señalado, y no siendo dicha actividad un trámite esencial del proceso calificatorio, su inobservancia no permite anular el proceso en cuestión, no obstante lo cual cabe advertir que, en lo sucesivo, dicha entidad edilicia deberá dar estricto cumplimiento a esa obligación (aplica criterio contenido, entre otros, en los dictámenes Nºs. 12.141, de 2004, y 29.632, de 2006). (...)

Finalmente, en lo que corresponde al reclamo formulado por la peticionaria, relativo al hecho que doña Norma Durán Torres actuó como secretaria de la Junta Calificadora y no como representante del personal, función para la cual habría sido electa, cabe señalar que el artículo 32 de la indicada ley Nº 18.883, establece que las Juntas Calificadoras estarán compuestas por los tres funcionarios de más alto nivel jerárquico, a excepción del Alcalde y el Juez de Policía Local, y por un representante del personal, elegido por éste, que tiene derecho a voz y a voto. Agrega el inciso tercero de la citada norma que, si el personal no hubiere elegido su representante, actuará en dicha calidad el funcionario que posea mayor antigüedad en el municipio.

A su vez el artículo 24 del citado decreto Nº 1.228, prescribe que se desempeñará como secretario de la Junta Calificadora el jefe de la respectiva unidad de personal o quien haga sus veces, el que además la asesorará técnicamente. A falta de este, el secretario será designado por la Junta.

En este marco normativo, teniendo en consideración los antecedentes acompañados, y lo informado por la propia entidad edilicia, consta que la señora Norma Durán Torres era la encargada de personal y, además, fue elegida como representante de los funcionarios ante la junta calificadora, situación en la cual debió necesariamente integrar dicho órgano colegiado en esta última calidad, dada la preeminencia de esa función, que se encuentra considerada en la ley, mientras que la de secretario de ese cuerpo evaluador únicamente es tratada en las disposiciones reglamentarias al señalar sus funciones y establecer que será el ministro de fe (aplica criterio contenido en el dictamen Nº 10.740, de 1998).

No obstante, de conformidad con el artículo 13, inciso segundo, de la ley Nº 19.880, que Establece Bases de los Procedimientos Administrativos que Rigen los Actos de los Órganos de la Administración del Estado, dicho vicio no afecta la validez del proceso calificatorio, ya que la constitución de la aludida junta no ha producido menoscabo a la reclamante (aplica criterio contenido, entre otros, en el dictamen No 32.807, de 2012)». **(ID Dictamen: 058551N12 Fecha:** 24.09.2012 **Destinatarios:** Alcalde de la Municipalidad de Saavedra. **Texto:** Acoge reclamo en proceso calificatorio en la Municipalidad de Saavedra. **Acción:** Aplica dictámenes 64170/2011, 12141/2004, 29632/2006, 51161/2006, 64418/2009, 963/2010, 78324/2011, 25406/2012, 62096/2011, 10740/98, 32807/2012)

---

[151] Para efectos de su consulta en la Base de Jurisprudencia de Contraloría General de la República, el citado dictamen se encuentra en la sección/materia: «generales», sin perjuicio de que se trata de uno de carácter municipal.

Artículo 33

La Junta Calificadora será presidida por el funcionario a quien corresponda subrogar al Alcalde.

En caso de impedimento de algún miembro de la Junta, ésta será integrada por el funcionario que siga según el orden a que se refiere el artículo anterior.

1. «*Sobre el particular, cabe señalar que si bien el oficio Nº 7.177, de 2010, concluyó que no correspondía la participación del administrador municipal en el comité de selección, específicamente el día de la entrevista personal realizada a los postulantes, por cuanto se encontraba ejerciendo funciones como alcalde subrogante, también advirtió que, únicamente por una situación excepcional, a saber, la invariabilidad del resultado del concurso con o sin la intervención de ese funcionario, era inoficioso dejarlo sin efecto, y por tanto determinó su validez.*

En efecto, el día en que se efectúo la entrevista a los participantes, el aludido servidor ejercía las labores indicadas, encontrándose, por tal circunstancia, impedido de desempeñar sus tareas en el mencionado comité, por lo que, debió ser reemplazado por el funcionario que le siguiese en el orden jerárquico en la planta de la municipalidad, conforme lo dispone expresamente el inciso segundo del artículo 33 de la ley Nº 18.883, Estatuto Administrativo para Funcionarios Municipales.

No obstante, la Oficina Regional estimó que la resolución del concurso, adoptada por el alcalde titular, no variaría por el hecho de retrotraer el certamen a la etapa en que se generó la irregularidad de la especie, considerando que, si bien la peticionaria tenía el más alto puntaje de la terna presentada a esa autoridad, ésta había decidido designar al candidato que ocupaba el segundo lugar de la misma, haciendo uso de la facultad que le confiere el artículo 20 del referido cuerpo estatutario.

Precisado lo anterior, cumple con expresar, que habiendo examinado nuevamente los antecedentes del caso, este Organismo de Control comparte el criterio expuesto en el pronunciamiento cuya revisión se requiere, toda vez que pese a que existió un vicio en el concurso de que se trata —reconocido por la Contraloría Regional del Maule—, ello no implicaba que necesariamente debía invalidarse, como al parecer entiende la recurrente, puesto que la anomalía mencionada no afectó en lo sustancial la validez del certamen, ya que no privó al acto de los requisitos indispensables para alcanzar su fin. (...)

Finalmente, debe tenerse presente además, la existencia de límites a la potestad invalidatoria de la autoridad administrativa, en relación con actos emitidos con infracción de determinadas disposiciones, referida al principio elemental de seguridad en las relaciones jurídicas, advirtiendo la conveniencia de proteger a las personas que han actuado de buena fe y con la convicción de que el procedimiento seguido por el órgano administrativo, se había conformado a derecho, el que precisamente debe aplicarse en la especie (aplica criterio contenido, entre otros, en el dictamen Nº 42.856, de 2009)». (**ID Dictamen: 013252N11 Fecha:** 03.03.2011 **Destinatarios:** Isabel Vásquez Espinoza. **Texto:** Sobre solicitud de aclaración de oficio referido a concurso público convocado para proveer un cargo grado 10º de la planta municipal. **Acción:** Aplica dictamen 14526/2010, 42856/2009)

2. «*Al respecto, cabe señalar, que según lo ha expresado el dictamen Nº 16.812, de 2001, cuando alguno de los integrantes del aludido comité se ve afectado por un impedimento para continuar desempeñando su labor, aquél debe ser reemplazado por el funcionario que le siga en el orden jerárquico en la planta de la municipalidad, conforme lo dispone expresamente el inciso segundo del artículo 33 de la ley Nº 18.883, procedimiento que atendido su carácter especial, debe aplicarse con preeminencia sobre las reglas de subrogación, lo que aconteció en la especie, de acuerdo a lo informado por la corporación municipal, por lo que debe rechazarse el planteamiento de la peticionaria sobre esta materia*». (**ID Dictamen:** 012258N11 **Fecha:** 25.02.2011 Destinatarios Marcela Meza. **Texto:** Sobre reclamo de concurso regido por la ley 18883 y derecho a ascenso en la Municipalidad de El Monte. **Acción:** Aplica dictámenes 16812/2001, 54362/2010)

Artículo 34

La calificación se hará por la Junta Calificadora en cada Municipalidad; comprenderá los doce meses de desempeño funcionario que se extienden entre el 1º de septiembre de un año y el 31 de agosto del año siguiente.

1. «*Sin perjuicio de ello, y en lo relativo al factor "Rendimiento", se ha estimado pertinente señalar que según ha concluido el dictamen Nº 60.973, de 2014, cada período a evaluar —esto es, los doce meses comprendidos entre el 1 de septiembre de un año y el 31 de agosto de la anualidad siguiente, de acuerdo con lo dispuesto en el artículo 34 de la citada ley Nº 18.883—, es distinto e independiente del anterior, de manera que la calificación establecida corresponde estrictamente a las labores ejecutadas durante ese lapso y no en relación a los ya ponderados, no resultando procedente, por tanto, la consideración de desempeños precedentes*». (**ID Dictamen:** 017690N16. **Fecha:** 04-03-2016. **Destinatarios:** señor Ítalo Valentini San Martín. **Texto:** Acoge parcialmente reclamo de calificaciones. Municipio debe retrotraer proceso hasta la etapa de adoptar nuevamente el acuerdo de la junta. **Acción:** Aplica dictámenes 48356/2015, 25098/2015, 60973/2014, 49276/2014, 89026/2014, 6151/2016, 64310/2015).

2. «*Además, el citado pronunciamiento precisó que, para tales fines, debe tenerse en consideración el escalafón vigente del año en que se generó la vacante, confeccionado con el resultado de las calificaciones relativas al período comprendido entre el 1 de septiembre del año anterior y el 31 de agosto de la anualidad en que se elabora dicho instrumento, de conformidad a lo previsto en el artículo 34 de la mencionada ley Nº 18.883.*
Siendo así, cabe concluir que, aun cuando la recurrente presenta una mayor antigüedad en el municipio, no se encontraba en el lugar preferente para ser ascendida al cargo de jefe del departamento de adquisiciones, grado 10.
Sobre la materia, de acuerdo con lo sostenido por la jurisprudencia administrativa de este Organismo de Control, contenida, entre otros, en el dictamen Nº 17.768, de 2003, cuando el legislador ha fijado como requisito específico para ocupar un determinado empleo municipal el de poseer experiencia, lo ha establecido prescindiendo de la calidad jurídica en que aquélla se ha adquirido. De esta manera, para los efectos de determinar si un funcionario tiene o no la experiencia requerida por la ley, resulta irrelevante la circunstancia de que la hubiera obtenido sirviendo un cargo como titular, a contrata o a honorarios, puesto que, cualquiera haya sido la naturaleza del vínculo que ha unido al funcionario con su empleador, dicho elemento no es, en definitiva, el determinante para los efectos anotados.
Lo anterior, por cuanto el requisito de la "experiencia" está relacionado con la destreza adquirida por el ejercicio de una profesión específica o por el desempeño de una función.
Ahora bien, es del caso advertir que de conformidad con los antecedentes que se acompañan, especialmente el certificado emitido por la Municipalidad de Conchalí, aparece que la señora Riquelme Acuña, trabajó en la unidad de adquisiciones de dicho ente comunal, en calidad de contratada a honorarios y como suplente, durante un periodo de 15 meses, tiempo que resulta perfectamente válido para los efectos analizados*». (**ID Dictamen:** 043385N16. **Fecha:** 13-06-2016. **Destinatarios:** doña Virginia Urtubia Labreaux, funcionaria de la Municipalidad de Huechuraba. **Texto:** Recurrente no se encontraba en el lugar preferente para ser ascendida. Cómputo de la experiencia establecida como requisito específico para el cargo, es con prescindencia de la calidad en que ella se obtenga. **Acción:** Aplica dictámenes 86444/2014, 17768/2003).

1. «*En este contexto, corresponde hacer presente que **el proceso de calificaciones, y el posterior escalafón que se confecciona en base a estas, se refiere al desempeño de un funcionario en particular, en un cargo determinado, al que se le ha asignado un grado o nivel remuneratorio, en relación a las exigencias y labores propias de la función que desarrolla, por lo que no procede extender el resultado de la evaluación en un empleo específico, a otro distinto** (aplica criterio contenido en el dictamen Nº 75.919, de 2010).*
*Pues bien, en la situación planteada, la señora Quiñones Tabilo obtuvo 70 puntos de calificación, en el desempeño como administrativa grado 17, quedando ubicada en el escalafón vigente para el año 2011, en el primer lugar de dicho grado y planta, en razón de lo cual fue ascendida desde el 1 de febrero del mismo año a una vacante producida en el grado 16 administrativo; y, posteriormente, al originarse la vacancia en un grado 15 de la misma planta, si bien aquella se encontraba ejerciendo las funciones correspondientes al cargo al que había sido promovida, no obstante, **todavía no había sido evaluada en su nuevo empleo**, por ende, debió ubicarse en el escalafón, en el último lugar de las plazas administrativas grado 16, hasta que el próximo proceso calificatorio le permitiera ocupar otro lugar*». (**ID Dictamen: 074975N11 Fecha:** 30.11.2011 **Destinatarios:** Alcalde de la Municipalidad de Vallenar. **Texto:** Sobre ubicación en el escalafón de personal municipal recientemente ascendido. **Acción:** aplica dictamen 75919/2010)

2. «*De este modo, de conformidad con las anotadas disposiciones legales, atendido que en la especie, las medidas disciplinarias fueron aplicadas en el lapso de desempeño funcionario que media entre el 1 de septiembre de 2007 al 31 de agosto de 2008, a tales empleados les afectó una rebaja de seis puntos en sus calificaciones, en el escalafón vigente para el año calendario 2009, **toda vez que dicho período de calificaciones sirve de base para la confección de este último**». (**ID Dictamen: 052270N11 Fecha:** 18.08.2011 **Destinatarios:** Ernesto Bústiman Vizcarra. **Texto:** Sobre rebaja

de calificaciones por anotaciones de demérito en virtud de medidas disciplinarias aplicadas a funcionarios municipales. **Acción:** Aplica dictamen 41521/2010)

3. «*De este modo, por ende, la vacancia correspondiente se produjo el 31 de diciembre de 2010, por lo que para los fines del ascenso pertinente debe tenerse en consideración el escalafón vigente para este último año, elaborado con el resultado de las calificaciones del período comprendido entre el 1 de septiembre de 2008 y el 31 de agosto de 2009, según lo dispone el artículo 34 de la ley Nº 18.883*». **(ID Dictamen: 051140N11 Fecha:** 12.08.2011 **Destinatarios:** Alcaldesa de la Municipalidad de Pedro Aguirre Cerda. **Texto:** Registra decreto 453/2011, de la Municipalidad de Pedro Aguirre Cerda, a través del cual se asciende a profesional que indica y atiende reclamo de ilegalidad. **Acción:** Aplica dictámenes 70202/2009, 31738/2010, 28426/85, 3458/2001)[152]

4. «*A continuación, en lo que respecta a la falta de racionalidad y proporcionalidad de las notas obtenidas, en relación con las asignadas en el período calificatorio anterior, es pertinente manifestar que cada lapso a evaluar, esto es, los doce meses comprendidos entre el 1 de septiembre de un año y el 31 de agosto del año siguiente —de acuerdo con lo dispuesto en el artículo 34 de la ley Nº 18.883—, es distinto e independiente del anterior, de manera que la calificación asignada corresponde estrictamente a las labores ejecutadas durante ese período y no obligan a la autoridad a asignarle al funcionario un puntaje y ubicación en una determinada lista, en función de los resultados obtenidos en otras evaluaciones (aplica criterio contenido en los dictámenes Nºs. 45.121, de 2006, y 7.655, de 2010)*». **(ID Dictamen: 029086N11 Fecha:** 09.05.2011 **Destinatarios:** Denisse Bernier Maldonado **Texto:** Sobre reclamos referidos a procesos calificatorios de funcionaria de la Municipalidad de Padre Hurtado, afecta a la ley 18883. **Acción:** Aplica dictámenes 44518/2010, 17726/2009, 35163/2010 49040/2010, 45121/2006, 7655/2010)

Artículo 35

El proceso de calificaciones deberá iniciarse el 1º de septiembre y terminarse a más tardar el 30 de noviembre de cada año.

1. «*Sobre el particular, y en relación con la demora en que se habría incurrido para realizar el proceso evaluatorio correspondiente al período 2013-2014, conviene precisar que el artículo 35 de la citada ley Nº 18.883, prevé que "El proceso de calificaciones deberá iniciarse el 1 de septiembre y terminarse a más tardar el 30 de noviembre de cada año". Al respecto, la jurisprudencia administrativa contenida en el dictamen Nº 77.376, de 2014, ha concluido que el plazo antes anotado no es fatal, en atención a que lo más significativo es que la actuación o el deber, en definitiva se cumplan, sin perjuicio de las responsabilidades que pudieren originarse en tal situación. Luego, y en lo que respecta a la reclamación referida a que no se consideró su precalificación, corresponde hacer presente que de conformidad con los artículos 37 de la ley Nº 18.883 y 26 del decreto Nº 1.228, de 1992, del Ministerio del Interior, que Aprueba Reglamento de Calificaciones del Personal Municipal, en las juntas respectivas se encuentra radicada la potestad evaluadora, por lo que si bien sus resoluciones serán adoptadas teniendo en cuenta los informes efectuados por el jefe directo y la hoja de vida funcionaria, ello no implica que tales elementos sean vinculantes u obligatorios para dicho cuerpo colegiado, ya que este está autorizado para ponderar cualquier otro antecedente de que disponga en relación con el servidor (aplica dictamen Nº 34.260, de 2011). Enseguida, en lo que atañe a la falta de argumentos que respalden el acuerdo de la junta calificadora, es dable manifestar que de la documentación tenida a la vista aparece que esta última mantuvo, en general, las notas y conceptos vertidos en la precalificación, elevando al máximo únicamente aquella relativa al subfactor de asistencia y puntualidad, por las razones que allí se indican, entendiendo que hizo suyas las opiniones, antecedentes y circunstancias concretas que sirvieron de base para evaluarla, de manera que la resolución adoptada por dicho cuerpo colegiado se encuentra debidamente fundada (aplica criterio contenido en el dictamen Nº 37.380, de 2015)*». **(ID Dictamen: 006151N16. Fecha:** 25-01-2016. **Destinatarios:** Señora Marina Machuca Navarrete de la Municipalidad de Quinta Normal. **Texto:** Acoge reclamo de calificaciones de funcionaria municipal que indica, por falta de fundamento de

---

[152] Para efectos de su consulta en la Base de Jurisprudencia de Contraloría General de la República, el citado dictamen se encuentra en la sección/materia: «generales», sin perjuicio de que se trata de uno de carácter municipal.

la resolución del alcalde que rechazo su apelación. **Acción:** Aplica dictámenes 77376/2014, 34260/2011, 37380/2015, 57464/2014).

2. «*Ahora bien, en cuanto a la procedencia de que la Municipalidad de Chile Chico pueda desarrollar solo los últimos tres procesos calificatorios de su personal por las razones que expone, sin que efectúe las evaluaciones que se encuentran pendientes desde el año 1997, conviene precisar que el artículo 35 de la citada ley Nº 18.883, prevé que "El proceso de calificaciones deberá iniciarse el 1 de septiembre y terminarse a más tardar el 30 de noviembre de cada año".*
Al respecto, la jurisprudencia administrativa contenida en los dictámenes Nºs. 77.376, de 2014 y 6.151, de 2016, entre otros, ha concluido que el plazo antes anotado no es fatal, en atención a que lo más significativo es que la actuación o el deber, en definitiva se cumplan, sin perjuicio de las responsabilidades que pudieren originarse en tal demora». **(ID Dictamen:** 071008N16. **Fecha:** 29-09-2016. **Destinatarios:** Municipalidad de Chile Chico. **Texto:** plazo para llevar a cabo el proceso calificatorio del personal regido por la ley Nº 18.883 no es fatal, siendo lo más importante que la actuación o el deber, en definitiva se cumplan, sin perjuicio de las responsabilidades que pudieren originarse en tal situación. **Acción:** Aplica dictámenes 50382/2015, 77376/2014, 6151/2016, 32301/2009, 24210/2016, 13794/2012, 37418/2013, 56366/2014).

«*Finalmente, respecto a lo alegado por la peticionaria acerca de que el municipio no llevó a cabo el proceso evaluatorio, dentro de los términos legales que establece el **artículo 35 de la ley Nº 18.883**, cabe manifestar que esta **Entidad Fiscalizadora en los dictámenes Nºs. 33.068, de 2009, y 30.019, de 2010**, entre otros, ha sostenido que tales plazos no poseen el carácter de esenciales para la realización de las diversas diligencias y, por ende, las actuaciones no serán privadas de validez cuando la entidad edilicia se exceda en el tiempo previsto por la ley para esos efectos*». **(ID Dictamen: 068184N11 Fecha:** 28.10.2011 **Destinatarios:** Alcalde de la Municipalidad de El Bosque. **Texto:** Acoge reclamo en proceso evaluatorio de funcionaria afecta a la ley 18883, por falta de la debida fundamentación del acuerdo de la junta calificadora. **Acción:** Aplica dictámenes 72737/2010, 34260/2011, 44518/2010, 54026/2010, 62409/2010, 33068/2009, 30019/2010[153]. Mismo criterio aplicado en **ID Dictamen: 062096N11 Fecha:** 30.09.2011 **Destinatarios:** Alcalde de la Municipalidad de El Bosque **Texto:** Procede acoger reclamo en proceso calificatorio de funcionaria afecta a la ley 18883, por falta de fundamentación de la resolución que rechaza recurso de apelación. **Acción:** Aplica dictámenes 33068/2009, 30019/2010, 72737/2010, 34260/2011, 17427/2011, 50020/2011 62409/2010)

Artículo 36

No serán calificados los funcionarios que por cualquier motivo hubieren desempeñado efectivamente sus funciones por un lapso inferior a seis meses, ya sea en forma continua o discontinua dentro del respectivo período de calificaciones, caso en el cual conservarán la calificación del año anterior.

1. «*Por otra parte, respecto a la impugnación del escalafón correspondiente al año 2015, cabe indicar que el artículo 36 de la referida ley Nº 18.883, prevé que "No serán calificados los funcionarios que por cualquier motivo hubieren desempeñado efectivamente sus funciones por un lapso inferior a seis meses, ya sea en forma continua o discontinua dentro del respectivo periodo de calificaciones, caso en el cual conservarán la calificación del año anterior".*
Pues bien, examinados los antecedentes proporcionados por el municipio, y de lo referido por la propia interesada, es posible advertir que aquella no prestó servicios —por las razones que indica— en el periodo que señala, encontrándose, por consiguiente, en la situación descrita en el antes citado artículo 36, por lo que ese municipio debió conservar su calificación del año anterior.
De esta manera, en el escalafón correspondiente al año 2015 del personal de la Municipalidad de San Bernardo, la recurrente se encuentra ubicada en el Nº 121, con 61 puntos, existiendo cuatro servidores con 70 puntos en sus calificaciones que le anteceden en el grado 13 de la planta técnica, por lo que su ubicación en este ordenamiento se ajusta a lo dispues-

---

[153]   Para efectos de su consulta en la Base de Jurisprudencia de Contraloría General de la República, el citado dictamen se encuentra en la sección/materia: «generales», sin perjuicio de que se trata de uno de carácter municipal.

to en el indicado artículo 49 de la ley Nº 18.883». (**ID Dictamen:** 078458N16. **Fecha:** 25-10-2016. **Destinatarios:** señora Magaly Muñoz Rocha, funcionaria de la Municipalidad de San Bernardo. **Texto:** Desestima por extemporáneo reclamo sobre ubicación en los escalafones de mérito de los años 2013 y 2014; ubicación de la recurrente en el escalafón del año 2015, se ajustó a derecho. **Acción:** Aplica dictamen 71019/2016, 37940/2015).

«Como puede advertirse, la regla general es que todos los funcionarios deben ser anualmente evaluados y excepcionalmente no lo serán, en atención a su jerarquía en el municipio o en la eventualidad que se ausenten de sus labores, por más de seis meses durante el período que comprende la calificación. (...)
En efecto, dado que la exigencia del anotado artículo 36, para ser eximido de la calificación y, así, mantener la anterior, es no haber desarrollado funciones por el período indicado, no constituye impedimento para que el aludido servidor sea evaluado, la circunstancia que el cumplimiento de sus labores haya tenido lugar en una dependencia cuyo personal se encuentra sujeto a otros regímenes jurídicos, más aun si se considera que no reclamó oportunamente de la medida ilegal dispuesta a su respecto —lo que recién efectuó ante la Sede Regional el 8 de junio de 2009, esto es, dos meses después de la dictación del acto administrativo de destinación—, para luego pretender liberarse de ser calificado». (**ID Dictamen:** 050066N11 **Fecha:** 09.08.2011 **Destinatarios:** José Carrasco Castillo. **Texto:** Sobre calificación de funcionario municipal regido por la ley 18883, destinado a una dependencia sujeta a un régimen estatutario diverso. **Acción:** Aplica dictámenes 25132/2007, 43026/2008)

Artículo 37

La Junta Calificadora adoptará sus resoluciones teniendo en consideración, necesariamente, la precalificación del funcionario hecha por su Jefe Directo, la que estará constituida por los conceptos, notas y antecedentes que éste deberá proporcionar por escrito. Entre los antecedentes, se considerarán las anotaciones de mérito o de demérito que se hayan efectuado dentro del período anual de calificaciones, en la hoja de vida que llevará la oficina encargada del personal para cada funcionario.

Los jefes serán responsables de las precalificaciones que efectúen. La forma en que lleven a cabo este proceso deberá considerarse para los efectos de su propia calificación.

Constituirán elementos básicos del sistema de calificaciones la hoja de vida y la hoja de calificación.

La infracción de una obligación o deber funcionario que se establezca en virtud de una investigación sumaria o sumario administrativo, sólo podrá ser considerada una vez en las calificaciones del funcionario.

1. *«Luego, y en lo que respecta a la reclamación referida a que no se consideró su precalificación, corresponde hacer presente que de conformidad con los artículos 37 de la ley Nº 18.883 y 26 del decreto Nº 1.228, de 1992, del Ministerio del Interior, que Aprueba Reglamento de Calificaciones del Personal Municipal, en las juntas respectivas se encuentra radicada la potestad evaluadora, por lo que si bien sus resoluciones serán adoptadas teniendo en cuenta los informes efectuados por el jefe directo y la hoja de vida funcionaria, ello no implica que tales elementos sean vinculantes u obligatorios para dicho cuerpo colegiado, ya que este está autorizado para ponderar cualquier otro antecedente de que disponga en relación al servidor (aplica dictamen Nº 34.260, de 2011). Enseguida, en lo que atañe a la falta de argumentos que respalden el acuerdo de la junta calificadora, es dable manifestar que de la documentación tenida a la vista aparece que esta última mantuvo, en general, las notas y conceptos vertidos en la precalificación, elevando al máximo únicamente aquella relativa al subfactor de asistencia y puntualidad, por las razones que allí se indican, entendiendo que hizo suyas las opiniones, antecedentes y circunstancias concretas que sirvieron de base para evaluarla, de manera que la resolución adoptada por dicho cuerpo colegiado se encuentra debidamente fundada (aplica criterio contenido en el dictamen Nº 37.380, de 2015). Por último, en cuanto a la ausencia de fundamentación de la resolución que se pronunció sobre la apelación formulada por la interesada, es dable señalar que de acuerdo a lo manifestado por este Organismo Fiscalizador en el dictamen Nº 57.464, de 2014, entre otros, la mencionada autoridad comunal se encuentra en el imperativo de analizar las reclamaciones de los afectados, debiendo detallar expresamente, junto a la determinación que adopte, los antecedentes, razones o circunstancias objetivas que le han servido de base para rechazar el recurso*

interpuesto, lo que no consta haber ocurrido en la especie». (**ID Dictamen:** 006151N16. **Fecha:** 25-01-2016. **Destinatarios:** señora Marina Machuca Navarrete, servidora de la Municipalidad de Quinta Normal. **Texto:** Acoge reclamo de calificaciones de funcionaria municipal que indica, por falta de fundamento de la resolución del alcalde que rechazo su apelación. **Acción:** Aplica dictámenes 77376/2014, 34260/2011, 37380/2015, 57464/2014).

2. *«En el mismo sentido, el artículo 37, inciso primero, de la citada ley Nº 18.883, prevé en lo pertinente, que "La Junta Calificadora adoptará sus resoluciones teniendo en consideración, necesariamente, la precalificación del funcionario hecha por su Jefe Directo, la que estará constituida por los conceptos, notas y antecedentes que este deberá proporcionar por escrito". En relación con lo expuesto, la reiterada jurisprudencia de este Organismo de Control contenida en el dictamen Nº 64.981, de 2013, entre otros, ha sostenido que el acuerdo del citado cuerpo colegiado debe ser motivado, entendiendo que lo está cuando exprese, respecto de cada uno de los factores y subfactores que forman parte de la puntuación, las situaciones y consideraciones que llevaron a asignar una determinada calificación, de modo que permitan al servidor mejorar su desempeño en el siguiente periodo, así como también fundamentar el pertinente recurso de apelación ante el alcalde, si correspondiere».* (**ID Dictamen:** 015809N16. **Fecha:** 01-03-2016. **Destinatarios:** el señor José Yáñez Soto, funcionario de la Municipalidad de Lampa. **Texto:** Acoge reclamo de calificaciones de funcionario municipal por falta de fundamento del acuerdo de la junta calificadora. **Acción:** Aplica dictámenes 64981/2013, 19051/2015, 49890/2013).

3. *«Sobre el particular, el inciso primero del artículo 37 de la citada ley Nº 18.883, dispone, en lo pertinente, que la precalificación deberá ser efectuada por el jefe directo del funcionario a evaluar, la que estará constituida por los conceptos, notas y antecedentes que aquel deberá proporcionar por escrito.*
Sin perjuicio de ello, es menester anotar que los dictámenes Nºs. 53.491, de 2011, y 27.007, de 2013, entre otros, han precisado, acorde con lo dispuesto en los artículos 43 y siguientes de la ley Nº 18.575, y 29 y siguientes de la ley Nº 18.883, que en atención a que la finalidad del proceso calificatorio se vincula con el resguardo de la carrera funcionaria, es requisito indispensable para la validez del mismo que el evaluado revista la calidad de empleado público.
En razón de lo anterior, corresponde desestimar por extemporánea la presentación del interesado respecto del referido proceso calificatorio, debiendo hacerse presente, en todo caso, que de conformidad con lo expuesto, el señor Ulloa Sáez no cesó en sus funciones como consecuencia de este último, sino por la declaración de vacancia de su cargo por salud incompatible, a través del decreto Nº 1.441, de 2015». (**ID Dictamen:** 017693N16. **Fecha:** 04-03-2016. **Destinatarios:** don Eric Ulloa Sáez, ex director de obras de la Municipalidad de Yumbel. **Texto:** Sumario administrativo que indica se ha ajustado a derecho. Rechaza reclamo de calificaciones de los períodos 2012-2013 y 2013-2014, por no aportarse nuevos antecedentes, y 2014-2015, por extemporáneo. Primer informe de desempeño debe confeccionarse por jefe directo o su subrogante legal. Cese de funciones se ha producido por declaración de vacancia por salud incompatible con el cargo. **Acción:** Aplica dictámenes 97163/2015, 90889/2015, 12533/2015, 25827/2009, 53491/2011, 27007/2013).

4. *«Sobre el particular, el artículo 37, inciso primero, de la anotada ley Nº 18.883, prevé en lo pertinente, que "La Junta Calificadora adoptará sus resoluciones teniendo en consideración, necesariamente, la precalificación del funcionario hecha por su Jefe Directo, la que estará constituida por los conceptos, notas y antecedentes que este deberá proporcionar por escrito".*
Ahora bien, de los antecedentes tenidos a la vista, especialmente de la hoja de precalificación, aparece que quien precalificó al señor Molina Zamora fue su jefe directo, en la especie, el señor Sergio Puyol Carreño, en su calidad de alcalde de la Municipalidad de Macul.
Luego, cumple con indicar que de acuerdo al criterio contenido en los dictámenes Nºs. 35.475, de 2011, y 43.769, de 2015, entre otros, aquel funcionario que intervino en una etapa decisoria del proceso calificatorio, debe abstenerse de participar en la siguiente, en resguardo del principio de la doble instancia que debe existir en toda evaluación.
Así, teniendo en cuenta que es el alcalde quien debe precalificar al director de control, correspondió que aquel se inhibiera de conocer de la apelación deducida en contra de la resolución de la junta calificadora, siendo su subrogante el competente para conocer la acción que al efecto se interpuso, lo que en la especie ocurrió (aplica criterio contenido en el dictamen Nº 35.475, de 2011)». (**ID Dictamen:** 027777N16. **Fecha:** 14-04-2016. **Destinatarios:** señor Arturo Molina Zamora, director de control de la Municipalidad de Macul. **Texto:** Por no verificarse los vicios alegados, se rechaza reclamo de calificación de funcionario regido por la ley Nº 18.883. Ejercicio de las funciones de director de control no constituyen una denuncia en los términos del artículo 58, letra k), de la ley Nº 18.883, no resultando aplicable la letra c) del artículo 88 A de dicho cuerpo estatutario. **Acción:** Aplica dictamen 35475/2011, 43769/2015, 59678/2014, 58731/2009, 84997/2014, 40287/2014, 28203/2015).

5. «*En efecto, su desempeño se basa en dos calidades jurídicas distintas, ya que en su condición de secretaria de la junta calificadora, solo concurre como ministro de fe de la determinación adoptada por dicho órgano colegiado; y como jefa directa, evalúa previamente a la funcionaria, por lo que cabe desestimar la alegación formulada (aplica criterio contenido en el dictamen Nº 59.678, de 2014).*

A continuación, en cuanto a quién correspondía realizar la precalificación, el artículo 37, inciso primero, de la citada ley Nº 18.883, dispone, en lo que interesa, que la precalificación del servidor debe realizarse por el jefe directo, el cual conforme lo previene el artículo 20, inciso primero, del decreto Nº 1.228, de 1992, del entonces Ministerio del Interior, es el funcionario de quien depende en forma inmediata la persona a calificar.

Sobre este punto, el inciso segundo del artículo 20 del citado decreto, establece que si el funcionario a calificar hubiere tenido más de un jefe durante el respectivo período, le corresponderá realizar su evaluación al último jefe inmediato a cuyas órdenes se hubiere desempeñado. No obstante, dicha superioridad deberá requerir informe de las otras jefaturas directas con las cuales se hubiera desempeñado el servidor durante el período que se evalúa.

Pues bien, de la documentación tenida a la vista, se advierte que, en atención a que fue destinada por el decreto Nº 2.715, de 2015, de dicha entidad edilicia, desde el 1 de mayo de dicha anualidad, a la sala cuna dependiente del departamento de bienestar de la entidad comunal, la recurrente contó con dos jefaturas directas durante el período calificatorio, debiendo ser precalificada por la directora de esta última unidad, puesto que se desempeñaba bajo su dependencia a la data de emisión de tal instrumento, quien debió requerir un informe previo a la anterior jefa inmediata de la servidora, lo que no aconteció en la especie (aplica criterio contenido en el dictamen Nº 25.935, de 2010)». (**ID Dictamen:** 037542N16. **Fecha:** 20-05-2016. **Destinatarios:** señora Elizabeth Araya Rodríguez, funcionaria de la Municipalidad de Maipú. **Texto:** La precalificación de un funcionario debe efectuarse por su última jefatura directa. **Acción:** Aplica dictámenes 37750/2009, 36906/2013, 59678/2014, 25935/2010, 29562/2016).

6. «*Sobre el particular, en cuanto a quién corresponde realizar la precalificación, el artículo 37, inciso primero, de la citada ley Nº 18.883, dispone, en lo que interesa, que esta debe realizarse por el jefe directo, el cual conforme lo previene el artículo 20, inciso primero, del decreto Nº 1.228, de 1992, del entonces Ministerio del Interior, es el funcionario de quien depende en forma inmediata la persona a calificar.*

Pues bien, de la documentación tenida a la vista, se advierte que la señora Alvarado Hernández fue destinada a través del decreto Nº 490, de 2015, a partir el 15 de julio de dicha anualidad, a la Unidad de Estratificación Social, dependiente de la Dirección de Desarrollo Comunitario.

Una de estas últimas, es la Unidad de Estratificación Social —a la cual fue destinada la recurrente— que es dirigida por la "Encargada Comunal de la Unidad de Estratificación", que dentro de sus funciones, en lo pertinente, tiene la de organizar y supervisar el trabajo de su equipo y evaluar trimestralmente al personal a su cargo.

De este modo, contrario a lo aseverado por la entidad edilicia, debió corresponderle a esta última jefatura realizar la precalificación de la interesada y no al director de desarrollo comunitario, como aconteció en la especie, pues, como se observa, la señora Alvarado Hernández no depende en forma inmediata de este último». (**ID Dictamen:** 044144N16. **Fecha:** 14-06-2016. **Destinatarios:** señora Rosa Alvarado Hernández, funcionaria de la Municipalidad de Renca. **Texto:** Acoge reclamo de calificaciones de funcionaria regida por la ley Nº 18.883, por cuanto la precalificación no fue realizada por la jefatura directa. **Acción.**

7. «*Sobre el particular, de acuerdo a lo previsto en el artículo 37, inciso primero, de la ley Nº 18.883, "La Junta Calificadora adoptará sus resoluciones teniendo en consideración, necesariamente, la precalificación del funcionario hecha por su Jefe Directo, la que estará constituida por los conceptos, notas y antecedentes que éste deberá proporcionar por escrito. Entre los antecedentes, se considerarán las anotaciones de mérito o de demérito que se hayan efectuado dentro del período anual de calificaciones, en la hoja de vida que llevará la oficina encargada del personal para cada funcionario". Ahora bien, de los antecedentes tenidos a la vista, en particular del acta Nº 13, de 2015, de la junta calificadora, se advierte que en el mencionado acuerdo se justifican las evaluaciones otorgadas a la recurrente, toda vez que se expresa la razón tenida en cuenta para fijar la nota establecida respecto del factor "cumplimiento de normas e instrucciones", en el que se determinó atribuir un puntaje menor al propuesto por su precalificadora, señalando, en síntesis, que la señora Duque Ramírez hizo uso —sin autorización— de permisos para no asistir a la dependencia en la que se desempeña. En lo que concierne a que la junta calificadora no mantuvo en su evaluación lo expresado por su jefa directa en el factor "cumplimiento de normas e instrucciones", cabe señalar que, conforme lo han resuelto los dictámenes Nºs. 25.406, de 2012, y 18.276, de 2016, entre otros, las precalificaciones constituyen solo un antecedente, no siendo vinculantes para la junta, en quien radica la potestad evaluadora».* (**ID Dictamen:** 078690N16. **Fecha:** 26-10-2016. **Destinatarios:** señora Rosa Duque Ramírez, funcionaria de la Municipalidad de Quinta Normal. **Texto:** Rechaza reclamo sobre proceso evaluatorio,

toda vez que tanto el acuerdo de la junta calificadora como la resolución de la alcaldesa que rechazó la apelación de la funcionaria que indica, se encuentran fundados. **Acción:** Aplica dictamen 12533/2015 Aplica dictamen 25406/2012 Aplica dictamen 18276/2016 Aplica dictamen 56366/2014 Aplica dictamen 64310/2015).

8. «*Luego, es útil recordar, que de acuerdo con lo establecido en el artículo 37 de la ley Nº 18.883 y el artículo 18, en relación con el artículo 20, ambos del decreto Nº 1.228, de 1992, del antiguo Ministerio del Interior —Reglamento de Calificaciones del Personal Municipal—, el jefe directo del funcionario está obligado a precalificarlo, para lo cual debe emitir dos informes cada cuatro meses, el primero, al 31 de diciembre y el segundo, al 30 de abril y, en el evento de que el funcionario evaluado haya tenido más de un jefe durante el respectivo período, el último jefe inmediato para cumplir dicha obligación, deberá requerir informe de las otras jefaturas directas con los cuales se hubiere desempeñado durante el período respectivo. Para tales efectos, se entenderá por jefe directo el funcionario de quien depende en forma inmediata la persona a calificar, esto es, conforme concluyera el dictamen Nº 25.827, de 2009, aquel empleado de planta que, por la naturaleza del cargo que ocupa, se encuentra dotado de potestad de mando sobre el subalterno y ejerce una tuición sobre su desempeño. En dicho contexto, cabe señalar que, de acuerdo al criterio contenido en el dictamen Nº 17.693, de 2016, para emitir un informe cuatrimestral, la superioridad correspondiente ha debido requerir antecedentes al servidor que en el período respectivo reemplace al jefe directo. Por lo tanto, el jefe directo de la interesada es quien debe emitir el informe de desempeño respectivo, debiendo requerirse, asimismo, informe de los otros jefes directos con los cuales aquella se hubiere desempeñado durante el período correspondiente, lo que no consta que se hubiera verificado en el caso particular*». (**ID Dictamen:** 089854N16. **Fecha:** 15-12-2016. **Destinatarios:** doña Luisa Aracena Hernández, funcionaria de la Municipalidad de San Bernardo. **Texto:** Procede que la Municipalidad de San Bernardo reabra proceso calificatorio que se indica, por cuanto no consta que se hubiere requerido informe de otras jefaturas con las cuales se desempeñó la interesada durante el periodo que se califica. **Acción:** Aplica dictamen 87371/2015, 57703/2012, 25827/2009, 17693/2016).

1. «*Sobre el particular, debe señalarse, en primer término, en lo que se refiere a la alegación del recurrente relativa a que no se consideraron los informes de desempeño emitidos por sus jefes directos, que de conformidad con los **artículos 37 de la mencionada ley Nº 18.883 y 26 del decreto Nº 1.228, de 1992, del antiguo Ministerio del Interior —Reglamento de Calificaciones del Personal Municipal—, en las juntas calificadoras se encuentra radicada la potestad evaluadora, por lo que si bien sus resoluciones serán adoptadas teniendo en consideración la precalificación efectuada por el jefe directo y la hoja de vida funcionaria, ello no implica que tales elementos sean vinculantes u obligatorios para dicho cuerpo colegiado (aplica dictámenes Nºs. 49.040 y 72.737, ambos de 2010)**»*. (**ID Dictamen:** 078324N11 **Fecha:** 15.12.2011 **Destinatarios:** Ernesto Lobos Rojas **Texto** Sobre reclamo de proceso calificatorio de funcionario afecto a Estatuto Municipal. **Acción:** aplica dictámenes 49040/2010, 72737/2010, 80503/2010, 17427/2011, 7861/2006, 11819/2008)

2. «*Sobre el particular, cabe hacer presente que, como se ha precisado en los **dictámenes Nºs. 50.384, de 2002; 66.125, de 2009, y 43.577, de 2011, los funcionarios sólo pueden impugnar ante este Organismo de Control las anotaciones de demérito dispuestas en su contra, una vez notificados del fallo del recurso de apelación deducido en contra de su calificación, dentro del plazo establecido en el artículo 156 de la ley Nº 18.883, sobre Estatuto Administrativo para Funcionarios Municipales, toda vez que aquellas y las solicitudes de que sean objeto, según lo dispuesto en los artículos 37, 40 y 41 del citado texto estatutario, forman parte de los antecedentes a considerar por la junta calificadora durante el procedimiento de evaluación anual*»*. (**ID Dictamen:** 075775N11 **Fecha:** 02.12.2011 **Destinatarios:** Juan Ponce Moreira **Texto:** Sobre oportunidad para reclamar en contra de una anotación de demérito. **Acción:** Aplica dictámenes 50384/2002, 66125/2009, 43577/2011. Mismo criterio aplicado en **ID Dictamen:** 047404N12 **Fecha:** 06.08.2012 **Destinatarios:** Magaly Yolanda Muñoz Rocha **Texto:** Los funcionarios municipales sólo pueden impugnar ante este Ente Fiscalizador las anotaciones de demérito dispuestas en su contra, una vez notificados del fallo del recurso de apelación deducido respecto de su calificación, dentro del plazo establecido en el art. 156 de la ley 18883. **Acción:** Aplica dictámenes 66125/2009, 43577/2011, 75775/2011)

3. «*Enseguida, en cuanto a la reclamación referida a que no se consideró su precalificación, corresponde hacer presente que de conformidad con los **artículos 37 del cuerpo estatutario en estudio y 26 del reglamento de calificaciones citado, en las juntas calificadoras se encuentra radicada la potestad evaluadora, por lo que si bien sus resoluciones serán adoptadas teniendo en consideración la precalificación efectuada por el jefe directo y la hoja de vida funcionaria, ello no implica que tales elementos sean vinculantes u obligatorios para dicho cuerpo colegiado, ya que este está autorizado para ponderar cualquier otro antecedente de que disponga sobre el servidor que se califica**, por lo que se rechaza*

el reclamo formulado en este aspecto (aplica dictámenes Nºs. 72.737, de 2010, y 34.260, de 2011, entre otros)». (ID Dictamen: **068184N11**[154] Fecha: 28.10.2011 Destinatarios: Alcalde de la Municipalidad de El Bosque. **Texto:** Acoge reclamo en proceso evaluatorio de funcionaria afecta a la ley 18883, por falta de la debida fundamentación del acuerdo de la junta calificadora. **Acción:** Aplica dictámenes 72737/2010, 34260/2011, 44518/2010, 54026/2010, 62409/2010, 33068/2009, 30019/2010. Mismo criterio aplicado en **ID Dictamen: 015464N11 Fecha:** 14.03.2011; **Destinatarios:** Catalina Mancilla Flores. **Texto:** Sobre reclamo de ilegalidad en contra de calificaciones de funcionaria municipal. **Acción:** aplica dictámenes 42832/2008, 7655/2010; **ID Dictamen: 062096N11 Fecha:** 30.09.2011 **Destinatarios:** Alcalde de la Municipalidad de El Bosque. **Texto:** Procede acoger reclamo en proceso calificatorio de funcionaria afecta a la ley 18883, por falta de fundamentación de la resolución que rechaza recurso de apelación. **Acción:** Aplica dictámenes 33068/2009, 30019/2010, 72737/2010, 34260/2011, 17427/2011, 50020/2011 62409/2010. Mismo criterio aplicado en **ID Dictamen: 035152N11 Fecha:** 02.06.2011 **Destinatarios** Alcalde de la Municipalidad de Peñaflor. **Texto:** Sobre reclamo de calificaciones, de funcionario de la Municipalidad de Peñaflor, regido por la ley 18883 **Acción:** Aplica dictámenes 15934/2010, 35163/2010, 17427/2011, 49040/2010 72737/2010, 54947/2007, 51667/2008, 44909/2002, 29061/2009, 62409/2010; **ID Dictamen: 034260N11 Fecha:** 27.05.2011 **Destinatarios:** Reinaldo Toledo Castro. **Texto:** Sobre reclamo de calificaciones de funcionario regido por la ley 18883, confección de escalafón y destinación. **Acción:** Aplica dictámenes 49040/2010, 72737/2010; **ID Dictamen: 029086N11 Fecha:** 09.05.2011 **Destinatarios:** Denisse Bernier Maldonado **Texto:** Sobre reclamos referidos a procesos calificatorios de funcionaria de la Municipalidad de Padre Hurtado, afecta a la ley 18883. **Acción:** Aplica dictámenes 44518/2010, 17726/2009, 35163/2010 49040/2010, 45121/2006, 7655/2010)

4. «*En primer término, debe manifestarse que, efectivamente, la precalificación —de la cual forman parte los dos informes cuatrimestrales a que se refiere el artículo 18, inciso segundo, del decreto Nº 1.228, de 1992, del Ministerio del Interior, Reglamento de Calificaciones del Personal Municipal—, debe ser realizada por el jefe directo, según lo ordena el artículo 37 de la ley Nº 18.883, el cual, conforme lo dispone el artículo 20 de dicho texto reglamentario, es el funcionario de quien depende en forma inmediata la persona a calificar (aplica dictamen Nº 44.424, de 2009)*». (ID Dictamen: **055628N11 Fecha:** 02.09.2011 **Destinatarios:** Alcalde de la Municipalidad de Santiago. **Texto:** Procede que el alcalde de la Municipalidad de Santiago se pronuncie nuevamente, sobre recurso de apelación en proceso calificatorio de funcionario municipal, esta vez de manera fundada. **Acción:** Aplica dictámenes 44424/2009, 29632/2006, 29061/2009)

5. «*Ahora bien, según lo dispuesto en el artículo 37 de la anotada ley Nº 18.883, en lo que interesa, la junta calificadora adoptará sus resoluciones teniendo en consideración, necesariamente, la precalificación del funcionario hecha por su jefe directo, la que estará constituida por los conceptos, notas y antecedentes que este deberá proporcionar por escrito, siendo dable agregar que, según lo dispuesto en el artículo 20, del decreto Nº 1.228, de 1992, del entonces Ministerio del Interior, que aprueba el Reglamento de Calificaciones del Personal Municipal, es el funcionario de quien depende en forma inmediata la persona a calificar, vale decir, aquel servidor de planta que por la naturaleza del cargo que ocupa, se encuentra dotado de potestad de mando sobre el subalterno y ejerce una tuición inmediata sobre su desempeño (aplica criterio contenido en los dictámenes Nºs. 25.827 y 44.424, ambos de 2009). (...)*
Por consiguiente, si la interesada se ha desempeñado en el citado Departamento de Educación Municipal, en el período que comprende el proceso calificatorio del cual reclama, es necesario concluir que su jefe directo, para los efectos de la precalificación, debió ser la jefatura de aquella unidad y no la de la Dirección de Desarrollo Comunitario (aplica criterio contenido en los dictámenes Nºs. 8.351, de 1995 y 55.095, de 2008).
Sin embargo, no se advierte que el vicio indicado haya incidido en la valoración que en definitiva efectuó la junta calificadora, que ubicó a la interesada en lista 1 con 69 puntos, siendo dable agregar que de conformidad con los artículos 37 de la referida ley Nº 18.883 y 26 del precitado decreto Nº 1.228, de 1992, la potestad evaluadora se radica en las mencionadas juntas, por lo que si bien sus resoluciones serán adoptadas teniendo en consideración la precalificación efectuada por el jefe directo y la hoja de vida funcionaria, ello no implica que tales elementos sean vinculantes u obligatorios para dicho cuerpo colegiado (aplica dictamen Nº 34.260, de 2011, entre otros).
En concordancia con lo expuesto, el inciso segundo del artículo 13, de la ley Nº 19.880, que Establece Bases de los Procedimientos Administrativos que Rigen los Actos de los Órganos de la Administración del Estado, prescribe que el vicio

---

[154] Para efectos de su consulta en la Base de Jurisprudencia de Contraloría General de la República, el citado dictamen se encuentra en la sección/materia: «generales», sin perjuicio de que se trata de uno de carácter municipal.

de procedimiento sólo afecta la validez del acto administrativo cuando recae en algún requisito esencial del mismo, sea por su naturaleza o por mandato del ordenamiento jurídico y genera perjuicio al interesado, elemento este último que no se advierte en la emisión del informe de quien actuara como jefe directo, ya que dicha actuación constituye un antecedente no vinculante para la junta calificadora, en quien radica la plenitud de la potestad evaluadora (aplica dictamen Nº 25.406, de 2012)». (**ID Dictamen: 054639N12 Fecha:** 04.09.2012 **Destinatarios:** Alcaldesa de la Comuna de Pedro Aguirre Cerda. **Texto:** Desestima reclamo fundado en vicios en proceso de calificación de funcionaria municipal que indica. **Acción:** aplica dictámenes 25827/2009, 44424/2009, 8351/95, 55095/2008, 34260/2011, 25406/2012, 17726/2009)

6. *«En este contexto, cabe manifestar que si bien no es posible verificar si las anotaciones de demérito de que se trata fueron notificadas en su oportunidad, por las razones expuestas precedentemente, según lo ha precisado, entre otros, el dictamen Nº 75.775, de 2011, los funcionarios sólo pueden impugnar ante este Organismo de Control las referidas anotaciones, una vez notificados del fallo del recurso de apelación deducido en contra de su calificación, dentro del plazo establecido en el artículo 156 de la anotada ley Nº 18.883, toda vez que aquellas y las solicitudes de que sean objeto, según lo dispuesto en los artículos 37, 40 y 41 del citado texto estatutario, forman parte de los antecedentes a considerar por la junta calificadora durante el procedimiento de evaluación anual. (...)*
Ahora bien, en lo que atañe al menoscabo que, en opinión del señor Bravo Castro, le produciría la mantención de las anotaciones en comento, conviene señalar que tanto las de mérito como las de demérito, constituyen antecedentes de los cuales se debe dejar constancia en la hoja de vida del funcionario, y que integran el proceso de evaluación anual del desempeño de cada servidor, por lo que únicamente deben ser considerados en el respectivo período calificatorio, sin que aquellas puedan incidir sobre otras evaluaciones posteriores (aplica criterio contenido en los dictámenes Nºs. 41.296, de 2001, y 22.778, de 2003)». (**ID Dictamen: 038832N12 Fecha:** 29.06.2012 **Destinatarios** José Antonio Bravo Castro. **Texto:** Desestima reclamo de funcionario municipal en contra de anotaciones de demérito de su hoja de vida funcionaria, por extemporáneo. **Acción:** Aplica dictámenes 28704/81, 41136/2002, 26030/2011, 75775/2011, 41296/2001, 22778/2003, 29782/2002)[155]

7. *«En primer término, en lo que se refiere a la alegación del recurrente relativa a que no se consideraron los informes de desempeño emitidos por su jefe directo y su hoja de vida, en relación al puntaje asignado al subfactor de "Asistencia y puntualidad", es dable señalar que, de conformidad con los artículos 37 de la mencionada ley Nº 18.883 y 26 del decreto Nº 1.228, de 1992, del Ministerio del Interior, Reglamento de Calificaciones del Personal Municipal, en las juntas calificadoras se encuentra radicada la potestad evaluadora, por lo que si bien sus resoluciones serán adoptadas teniendo en consideración la precalificación efectuada por el jefe directo y la hoja de vida funcionaria, ello no implica que tales elementos sean vinculantes u obligatorios para dicho cuerpo colegiado (aplica dictamen Nº 78.324, de 2011). (...)*
Por último, en lo relativo a la alegación que efectúa el recurrente, en orden a que la junta calificadora fue integrada por don Mauricio Jara Barrera, quien en su calidad de jefe directo efectuó su precalificación, cabe señalar, de acuerdo a lo precisado en el dictamen Nº 75.772, de 2011, de este Organismo de Control, que, efectivamente, en resguardo del principio de la doble instancia que inspira el proceso de evaluación del personal municipal, un funcionario que en razón de sus funciones y jerarquía, debe, como jefe inmediato, realizar la precalificación y, a la vez, formar parte de dicho órgano colegiado, no puede participar en el acuerdo de evaluación definitiva de un servidor de su dependencia». (**ID Dictamen: 031451N12 Fecha:** 29.05.2012 **Destinatarios:** Alcalde de la Municipalidad de Paine **Texto:** Atiende reclamo respecto de proceso calificatorio de funcionario afecto a la ley Nº 18883 **Acción:** Aplica dictámenes 78324/2011, 80503/2010, 17427/2011, 75772/2011, 45413/2009, 28998/2011)

8. *«En lo referente al reclamo del recurrente, por la supuesta ausencia de relación entre el informe de desempeño y la hoja de precalificación, es del caso hacer presente que el artículo 37 de la ley Nº 18.883, sobre Estatuto Administrativo para Funcionarios Municipales, establece que la Junta de Calificación adoptará sus resoluciones teniendo en cuenta la precalificación realizada por el jefe directo, la cual estará constituida por las notas y antecedentes que éste proporcione por escrito, considerando además las anotaciones de mérito y de demérito que se hayan efectuado en el período anual de calificaciones.*

---

[155] Para efectos de su consulta en la Base de Jurisprudencia de Contraloría General de la República, el citado dictamen se encuentra en la sección/materia: «generales», sin perjuicio de que se trata de uno de carácter municipal.

*En concordancia con lo anterior, la **jurisprudencia de este Órgano Contralor ha precisado que los informes de desempeño y de precalificación sólo sirven de antecedentes, y que de ninguna forma son vinculantes para la Junta Calificadora, la cual tiene en forma exclusiva la potestad para evaluar, razón por la cual procede desestimar esta parte del reclamo (aplica dictámenes Nºs. 72.737, de 2010, y 78.324, de 2011).***

*Ahora bien, en lo que se refiere a la alegación de que existiría una doble sanción a un mismo hecho, al haberse considerado dentro del proceso calificatorio impugnado un sumario administrativo instruido durante el periodo 2009-2010, es del caso mencionar el criterio contenido en los **dictámenes Nºs. 54.947, de 2007 y 22.227, de 2010, el cual sostiene que un funcionario puede ser sancionado disciplinariamente y experimentar una rebaja en su calificación por los mismos hechos, siempre que estos sean ponderados sólo una vez en sus calificaciones, ya sea cuando acaecieron, o cuando se sancionan.***

En la especie, se advierte en los antecedentes, que el recurrente fue sancionado por el municipio a través del decreto alcaldicio Nº 3, del 4 de enero de 2011, consignándose en la hoja de vida del funcionario durante el periodo calificatorio en cuestión, una anotación de demérito de 6 puntos en el factor correspondiente, conforme al artículo 122 A de la ley Nº 18.883, sin que conste haberse hecho el referido descuento en el ciclo evaluatorio anterior. Por tanto, al operar la rebaja sólo en el periodo en el cual se materializó la sanción, tal situación se ajustó a derecho». (**ID Dictamen: 026416N12 Fecha:** 08.05.2012 **Destinatarios:** Alcalde de la Municipalidad de La Reina. **Texto:** Acoge reclamo calificatorio por falta de fundamentación en acuerdo de la Junta Calificadora pertinente. **Acción:** aplica dictámenes 72737/2010, 78324/2011, 54947/2007, 22227/2010, 54948/2009, 24327/2010, 39605/2011, 41640/2007, 441/2012)[156]

9. *«Al respecto, es del caso anotar que la precalificación, de la cual forman parte los dos informes cuatrimestrales a que se refiere el artículo 18, inciso segundo, del citado decreto Nº 1.228, de 1992, debe ser realizada por el jefe directo, según lo ordena el **artículo 37 de la mencionada ley Nº 18.883**, el cual, conforme lo dispone el artículo 20 de dicho texto reglamentario, es el funcionario de quien depende en forma inmediata la persona a calificar.*

En este sentido, analizados los antecedentes aportados por esa entidad edilicia y aquellos contenidos en la base de datos del personal de la Administración del Estado que lleva este Organismo de Control, es posible constatar que a la data de emisión tanto del primero como del segundo informe cuatrimestral y así también, de la precalificación, la jefa directa del recurrente es la señora María Soledad Román Soto, en su calidad de directora de administración y finanzas, unidad de la que depende el señor Barrios Gómez y no del señor Misael Saavedra Díaz, director del departamento de salud, quien erróneamente emitió el primer informe cuatrimestral.

En este contexto, si bien la irregularidad indicada constituye un vicio del proceso calificatorio, ello no afecta su validez, de acuerdo con lo dispuesto en el artículo 13, inciso segundo, de la ley Nº 19.880, que establece Bases de los Procedimientos Administrativos que Rigen los Actos de los Órganos de la Administración del Estado, normativa que, en lo que interesa, prescribe que el vicio de procedimiento sólo afecta la validez del acto administrativo cuando recae en algún requisito esencial del mismo, sea por su naturaleza o por mandato del ordenamiento jurídico y genera perjuicio al interesado, elemento este último que no se advierte en la emisión del primer informe cuatrimestral impugnado, toda vez que, por una parte, es similar en su contenido al segundo informe y, por otra, ambos instrumentos, junto con la precalificación, constituyen sólo un antecedente, no vinculante, para la junta calificadora, en quien radica la plenitud de la potestad evaluadora (aplica criterio contenido en los dictámenes Nºs. 78.324, de 2011 y 14.489, de 2012)». (**ID Dictamen: 025406N12 Fecha:** 02. 05.2012 **Destinatarios:** Carlos Barrios Gómez. **Texto:** Desestima reclamo sobre proceso calificatorio de funcionario municipal. **Acción:** Aplica dictámenes 17427/2011, 78324/2011, 14489/2012)[157]

10. *«Enseguida, considerando que el peticionario cuestiona quién habría intervenido en su precalificación, en calidad de jefe suyo, cabe manifestar que, de acuerdo con lo establecido en los **artículos 37 de la ley Nº 18.883 y 18 y 20 del decreto Nº 1.228, de 1992, del antiguo Ministerio del Interior —Reglamento de Calificaciones del Personal Municipal—, las precalificaciones deben ser realizadas por los jefes directos de los empleados, esto es, aquellos servidores de la planta del establecimiento que respecto del precalificado se encuentren en una relación inmediata o directa***

---

[156] Para efectos de su consulta en la Base de Jurisprudencia de Contraloría General de la República, el citado dictamen se encuentra en la sección/materia: «generales», sin perjuicio de que se trata de uno de carácter municipal.

[157] Para efectos de su consulta en la Base de Jurisprudencia de Contraloría General de la República, el citado dictamen se encuentra en la sección/materia: «generales», sin perjuicio de que se trata de uno de carácter municipal.

de superior a inferior, quedando excluidos los contratados, ya que por el carácter eminentemente transitorio de sus designaciones, no están habilitados para desempeñar empleos de jefatura, tareas que deben realizar quienes ocupen plazas que forman parte de la organización estable de la entidad edilicia, toda vez que aquellos, como lo indica su propia denominación, implican funciones de carácter resolutivo, decisorio o ejecutivo (aplica dictámenes N°s. 25.827 y 33.575, ambos de 2009 y 7.474, de 2011)». (**ID Dictamen:** 012158N12 **Fecha:** 01.03.2012 **Destinatarios:** Alcalde de la Municipalidad de Santiago. **Texto** Desestima reclamo de ilegalidad interpuesto por funcionario municipal en contra de proceso calificatorio, por cuanto no se advierten vicios de ilegalidad en su tramitación. **Acción:** Aplica dictámenes 59780/2011, 61814/2011, 25827/2009, 33575/2009, 7474/2011, 669/2011, 17427/2011)

Artículo 38

Son anotaciones de mérito aquéllas destinadas a dejar constancia de cualquier acción del empleado que implique una conducta o desempeño funcionario destacado.

Entre las anotaciones de mérito figurarán aspectos tales como la adquisición de algún título u otra calidad especial relacionada con el servicio, cuando éstos no sean requisitos específicos en su cargo, como asimismo, la aprobación de cursos de capacitación que se relacionen con las funciones del servicio, el desempeño de labor por períodos más prolongados que el de la jornada normal, la realización de cometidos que excedan de su trabajo habitual y la ejecución de tareas propias de otros funcionarios cuando esto sea indispensable.

Las anotaciones de mérito realizadas a un funcionario durante el respectivo período de calificaciones, constituirán un antecedente favorable para la selección a cursos de capacitación a que éste opte.

*«Precisado lo anterior, cumple con manifestar, que según los **artículos 38 de la ley N° 18.883 y 9° del decreto N° 1.228, de 1992, del Ministerio del Interior —Reglamento de Calificaciones del Personal Municipal—** son anotaciones de mérito aquellas destinadas a dejar constancia de cualquier acción del empleado que implique una conducta o desempeño funcionario destacado».* (**ID Dictamen:** 014068N11 **Fecha:** 08.03.2011 **Destinatarios:** Alcalde de la Municipalidad de Lo Espejo. **Texto:** Sobre reclamo de calificaciones de funcionarias de la Municipalidad de Lo Espejo, regidas por la ley 18883. **Acción:** Aplica dictámenes 44518/2010, 54026/2010, 16985/95 41286/2001, 27785/2002, 54948/2009, 49077/2010)

Artículo 39

Son anotaciones de demérito aquéllas destinadas a dejar constancia de cualquier acción u omisión del empleado que implique una conducta o desempeño funcionario reprochable.

Entre las anotaciones de demérito se considerarán el incumplimiento manifiesto de obligaciones funcionarias, tales como, infracciones a las instrucciones y órdenes de servicio y el no acatamiento de prohibiciones contempladas en este cuerpo legal y los atrasos en la entrega de trabajos.

1. *«Asimismo, acorde a los **artículos 39 del citado texto legal y 10 del reglamento**, son anotaciones de demérito las que implican una conducta o desempeño funcionario reprochable.*
En cuanto a la disminución a que se alude producto de la aplicación de la sanción de censura, debe indicarse que el artículo 121 de la ley N° 18.883, previene que aquélla consiste en la represión por escrito que se hace al funcionario, de la cual se dejará constancia en su hoja de vida, mediante una anotación de demérito de dos puntos en el factor de calificación correspondiente.
Con todo, es útil anotar, que conforme lo han concluido los dictámenes N°s. 16.985, de 1995, 41.286, de 2001, 27.785, de 2002 y 54.948, de 2009, la aludida rebaja en el factor de calificación que corresponda por la aplicación de una

medida disciplinaria, debe aplicarse sobre el resultado del promedio aritmético de los respectivos subfactores des-
pués de ser éste multiplicado por el coeficiente de ponderación de que se trate, y no respecto de las notas asignadas
a éstos, por lo que el procedimiento aplicado en la especie, de efectuar la rebaja a la nota del subfactor no se ajustó
a derecho.

Por otra parte, en cuanto a la primera anotación a que se refiere la junta calificadora, no se advierte la razón jurídica por
la cual ella se expresa en puntaje, debiendo tener presente, en todo caso, que dichas anotaciones constituyen sólo uno
de los antecedentes que el órgano colegiado debe considerar para los efectos de la evaluación, por lo que no obligan
a calificar al funcionario en una determinada lista o asignarle cierto puntaje (aplica dictamen Nº 49.077, de 2010)».
(ID Dictamen: 014068N11 Fecha: 08.03.2011 **Destinatarios:** Alcalde de la Municipalidad de Lo Espejo. **Texto:** Sobre
reclamo de calificaciones de funcionarias de la Municipalidad de Lo Espejo, regidas por la ley 18883. **Acción:** Aplica
dictámenes 44518/2010, 54026/2010, 16985/95 41286/2001, 27785/2002, 54948/2009, 49077/2010)

2. «A su vez, el decreto Nº 1.228, de 1992, del antiguo Ministerio del Interior —que aprueba el reglamento de ca-
lificaciones del personal municipal—, establece en su artículo 8º, que el jefe directo deberá notificar por escrito al
funcionario acerca del contenido y circunstancia de la conducta que da origen a la anotación, dentro del plazo de
cinco días de ocurrida. El funcionario, dentro de los cinco días siguientes a la fecha de esa notificación, podrá solicitar
a la referida jefatura que se deje sin efecto la anotación de demérito o que se deje constancia de las circunstancias
atenuantes que concurran. (...)

En este contexto, cabe manifestar que si bien no es posible verificar si las anotaciones de demérito de que se trata fue-
ron notificadas en su oportunidad, por las razones expuestas precedentemente, según lo ha precisado, entre otros, el
dictamen Nº 75.775, de 2011, los funcionarios sólo pueden impugnar ante este Organismo de Control las referidas
anotaciones, una vez notificados del fallo del recurso de apelación deducido en contra de su calificación, dentro del
plazo establecido en el artículo 156 de la anotada ley Nº 18.883, toda vez que aquellas y las solicitudes de que sean
objeto, según lo dispuesto en los artículos 37, 40 y 41 del citado texto estatutario, forman parte de los antecedentes
a considerar por la junta calificadora durante el procedimiento de evaluación anual. (...)

Ahora bien, en lo que atañe al menoscabo que, en opinión del señor Bravo Castro, le produciría la mantención de las
anotaciones en comento, conviene señalar que tanto las de mérito como las de demérito, constituyen antecedentes de
los cuales se debe dejar constancia en la hoja de vida del funcionario, y que integran el proceso de evaluación anual
del desempeño de cada servidor, por lo que únicamente deben ser considerados en el respectivo período calificatorio,
sin que aquellas puedan incidir sobre otras evaluaciones posteriores (aplica criterio contenido en los dictámenes
Nºs. 41.296, de 2001, y 22.778, de 2003)». **(ID Dictamen: 038832N12 Fecha:** 29.06.2012 **Destinatarios** José Antonio
Bravo Castro. **Texto:** Desestima reclamo de funcionario municipal en contra de anotaciones de demérito de su hoja
de vida funcionaria, por extemporáneo. **Acción:** Aplica dictámenes 28704/81, 41136/2002, 26030/2011, 75775/2011,
41296/2001, 22778/2003, 29782/2002)[158]

Artículo 40

Las anotaciones deberán referirse sólo al período que se califica, y serán realizadas por la
unidad encargada del personal a petición escrita del Jefe Directo del funcionario.

El funcionario podrá solicitar a su Jefe Directo que se efectúen las anotaciones de mérito
que a su juicio sean procedentes.

El funcionario podrá solicitar, asimismo, que se deje sin efecto la anotación de demérito o
que se deje constancia de las circunstancias atenuantes que concurran en cada caso.

La unidad encargada del personal deberá dejar constancia en la hoja de vida de todas las
anotaciones de mérito o de demérito que disponga el Jefe Directo de un funcionario.

---

[158] Para efectos de su consulta en la Base de Jurisprudencia de Contraloría General de la República, el citado
dictamen se encuentra en la sección/materia: «generales», sin perjuicio de que se trata de uno de carácter
municipal.

1. «*Sobre el particular, debe señalarse que, tal y como se ha precisado en el dictamen Nº 68.160, de 2014, entre otros, los empleados solo pueden impugnar ante este Organismo de Control las anotaciones de demérito dispuestas en su contra, una vez notificados del fallo del recurso de apelación deducido respecto de su calificación, dentro del plazo contemplado en el artículo 156 de la ley Nº 18.883, toda vez que aquellas y las solicitudes de que sean objeto, según lo establecido en los artículos 37, 40 y 41 del citado cuerpo estatutario, forman parte de los antecedentes a considerar por la junta calificadora durante el procedimiento de evaluación anual*». (**ID Dictamen:** 040936N16. **Fecha:** 02-06-2016. **Destinatarios:** señora Carolina Palma Riveros, funcionaria de la Municipalidad de Recoleta. **Texto:** Desestima reclamo sobre anotación de demérito, por no ser la oportunidad legal para deducirlo. **Acción:** Aplica dictamen 68160/2014).

1. «*Sobre el particular, cabe hacer presente que, como se ha precisado en los **dictámenes Nºs. 50.384, de 2002; 66.125, de 2009, y 43.577, de 2011,** los funcionarios sólo pueden impugnar ante este Organismo de Control las anotaciones de demérito dispuestas en su contra, una vez notificados del fallo del recurso de apelación deducido en contra de su calificación, dentro del plazo establecido en el artículo 156 de la ley Nº 18.883, sobre Estatuto Administrativo para Funcionarios Municipales, toda vez que aquellas y las solicitudes de que sean objeto, según lo dispuesto en los artículos 37, 40 y 41 del citado texto estatutario, forman parte de los antecedentes a considerar por la junta calificadora durante el procedimiento de evaluación anual*». (**ID Dictamen:** 043577N11 **Fecha:** 11.07.2011; **ID Dictamen:** 075775N11 **Fecha:** 02.12.2011; **ID Dictamen:** 047404N12 **Fecha:** 06.08.2012; **Texto:** Sobre oportunidad para reclamar en contra de una anotación de demérito. **Acción:** Aplica dictámenes 50384/2002, 66125/2009)

2. «*Por otra parte, en lo que atañe al cuestionamiento que efectúa el interesado acerca del procedimiento conforme al cual se le impuso una anotación de demérito, corresponde anotar que según lo dispuesto en los **artículos 40 y 41 de la citada ley Nº 18.883,** en lo que interesa, las anotaciones de demérito serán realizadas por la unidad encargada de personal a petición escrita del jefe directo del funcionario, pudiendo este último solicitar que se dejen sin efecto las anotaciones de demérito que se le impusieren o que se deje constancia de las circunstancias atenuantes que concurran en cada caso, debiendo el jefe directo —en el evento de rechazar la solicitud pertinente— dejar constancia de los fundamentos de su rechazo, agregando a la hoja de vida tales solicitudes.*
A su turno, el artículo 8º, inciso primero, del referido reglamento, establece que el jefe directo deberá notificar por escrito al funcionario acerca del contenido y circunstancia de la conducta que da origen a la anotación, dentro del plazo de cinco días de ocurrida; agregan los incisos segundo y tercero del precepto en comento, que el afectado puede, dentro de los cinco días siguientes a la fecha de la correspondiente notificación, solicitar que se deje sin efecto la anotación de demérito o que se deje constancia de las circunstancias atenuantes que concurran en cada caso, debiendo emitirse la orden de anotación dentro de los cinco días que sigan al cumplimiento de los plazos consignados; y, el inciso final de la misma norma, dispone que en el evento de que el jefe directo rechazare las solicitudes del funcionario, deberá comunicarlo por escrito en el plazo de cinco días a la unidad de personal, acompañando los fundamentos de su rechazo; si no se produjese tal comunicación se entenderá aceptada la solicitud del funcionario. Dicha unidad dejará constancia de tales fundamentos, agregando a la hoja de vida la respectiva solicitud de anotación requerida por el funcionario.
*Como puede advertirse, ante las solicitudes que formulen los servidores en orden a que una anotación de demérito sea dejada sin efecto o se deje constancia de las circunstancias atenuantes que concurrieren, **el jefe directo, en caso de rechazar tales requerimientos, se encuentra en el imperativo de emitir la correspondiente comunicación escrita y fundamentada dentro del plazo de cinco días, ya que si así no lo hiciere, se entenderá aceptada la solicitud del funcionario.***
*Ahora bien, dado que según los antecedentes tenidos a la vista, consta que al señor Miranda Moya se le notificó una anotación de demérito el 21 de abril de 2010, por el decreto Nº 81, de ese mismo año, y que habiendo apelado en tiempo y forma de dicha anotación —28 de abril de 2010—, no recibió comunicación alguna que rechazara su solicitud de dejarla sin efecto, **cabe concluir que la petición del afectado debe entenderse aceptada (aplica el dictamen Nº 44.909 de 2002).***
*Por lo tanto, corresponde que ese municipio **deje sin efecto la anotación de demérito aplicada al recurrente, la que, por lo demás, no debió ser considerada por la junta calificadora al momento de evaluar su comportamiento funcionario en el subfactor Cumplimiento de Normas e Instrucciones.***
Finalmente, preciso resulta anotar que la resolución del alcalde que se pronuncie sobre el recurso de apelación deducido por el funcionario debe fundamentarse, lo que no aconteció en el presente caso, según consta en el decreto Nº 6.176, de 2010, mediante el cual se rechazó dicho recurso, el cual no señala los antecedentes tenidos en cuenta para adoptar dicha decisión (aplica dictámenes Nºs. 29.061, de 2009, y 62.409, de 2010, entre otros)». (**ID Dictamen:** 035152N11 **Fecha:** 02.06.2011 **Destinatarios:** Alcalde de la Municipalidad de Peñaflor. **Texto:** Sobre reclamo de calificaciones, de funcionario de la Municipalidad de Peñaflor, regido por la ley 18883. **Acción:** Aplica dictámenes 15934/2010, 35163/2010,

17427/2011, 49040/2010 72737/2010, 54947/2007, 51667/2008, 44909/2002, 29061/2009, 62409/2010. Mismo criterio aplicado en **ID Dictamen: 031392N12 Fecha:** 29.05.2012 **Destinatarios:** Sylvia Campos Azócar. **Texto:** Sobre reclamo de proceso calificatorio de funcionario afecto a estatuto municipal. **Acción:** Aplica dictámenes 32490/2001, 35152/2011, 29086/2011, 72737/2010)

3. *«Ahora bien, en lo que atañe al menoscabo que, en opinión del señor Bravo Castro, le produciría la mantención de las anotaciones en comento, conviene señalar que tanto las de mérito como las de demérito, constituyen antecedentes de los cuales se debe dejar constancia en la hoja de vida del funcionario, y que integran el proceso de evaluación anual del desempeño de cada servidor, por lo que únicamente deben ser considerados en el respectivo período calificatorio, sin que aquellas puedan incidir sobre otras evaluaciones posteriores (aplica criterio contenido en los dictámenes Nºs. 41.296, de 2001, y 22.778, de 2003)».* (**ID Dictamen: 038832N12 Fecha:** 29.06.2012 **Destinatarios** José Antonio Bravo Castro. **Texto:** Desestima reclamo de funcionario municipal en contra de anotaciones de demérito de su hoja de vida funcionaria, por extemporáneo. **Acción:** Aplica dictámenes 28704/81, 41136/2002, 26030/2011, 75775/2011, 41296/2001, 22778/2003, 29782/2002)[159]

Artículo 41

Si el jefe directo rechazare las solicitudes del funcionario, deberá dejarse constancia de los fundamentos de su rechazo, agregando a la hoja de vida tales solicitudes.

1. *«Sobre el particular, debe señalarse que, tal y como se ha precisado en el dictamen Nº 68.160, de 2014, entre otros, los empleados solo pueden impugnar ante este Organismo de Control las anotaciones de demérito dispuestas en su contra, una vez notificados del fallo del recurso de apelación deducido respecto de su calificación, dentro del plazo contemplado en el artículo 156 de la ley Nº 18.883, toda vez que aquellas y las solicitudes de que sean objeto, según lo establecido en los artículos 37, 40 y 41 del citado cuerpo estatutario, forman parte de los antecedentes a considerar por la junta calificadora durante el procedimiento de evaluación anual».* (**ID Dictamen:** 040936N16. **Fecha:** 02-06-2016. **Destinatarios:** señora Carolina Palma Riveros, funcionaria de la Municipalidad de Recoleta. **Texto:** Desestima reclamo sobre anotación de demérito, por no ser la oportunidad legal para deducirlo. **Acción:** Aplica dictamen 68160/2014).

1. *«Sobre el particular, cabe hacer presente que, como se ha precisado en los dictámenes Nºs. 50.384, de 2002; 66.125, de 2009, y 43.577, de 2011, los funcionarios sólo pueden impugnar ante este Organismo de Control las anotaciones de demérito dispuestas en su contra, una vez notificados del fallo del recurso de apelación deducido en contra de su calificación, dentro del plazo establecido en el artículo 156 de la ley Nº 18.883, sobre Estatuto Administrativo para Funcionarios Municipales, toda vez que aquellas y las solicitudes de que sean objeto, según lo dispuesto en los artículos 37, 40 y 41 del citado texto estatutario, forman parte de los antecedentes a considerar por la junta calificadora durante el procedimiento de evaluación anual».* (**ID Dictamen:** 043577N11 **Fecha:** 11.07.2011; **ID Dictamen: 075775N11 Fecha:** 02.12.2011; **ID Dictamen:** 047404N12 **Fecha:** 06.08.2012; **Texto:** Sobre oportunidad para reclamar en contra de una anotación de demérito. **Acción:** Aplica dictámenes 50384/2002, 66125/2009).

2. *«Por otra parte, en lo que atañe al cuestionamiento que efectúa el interesado acerca del procedimiento conforme al cual se le impuso una anotación de demérito, corresponde anotar que según lo dispuesto en los artículos 40 y 41 de la citada ley Nº 18.883, en lo que interesa, las anotaciones de demérito serán realizadas por la unidad encargada de personal a petición escrita del jefe directo del funcionario, pudiendo este último solicitar que se dejen sin efecto las anotaciones de demérito que se le impusieren o que se deje constancia de las circunstancias atenuantes que concurran en cada caso, debiendo el jefe directo —en el evento de rechazar la solicitud pertinente— dejar constancia de los fundamentos de su rechazo, agregando a la hoja de vida tales solicitudes.*

---

[159]   Para efectos de su consulta en la Base de Jurisprudencia de Contraloría General de la República, el citado dictamen se encuentra en la sección/materia: «generales», sin perjuicio de que se trata de uno de carácter municipal.

*A su turno, el **artículo 8º, inciso primero**, del referido reglamento, establece que el jefe directo deberá notificar por escrito al funcionario acerca del contenido y circunstancia de la conducta que da origen a la anotación, dentro del plazo de cinco días de ocurrida; agregan los incisos segundo y tercero del precepto en comento, que el afectado puede, dentro de los cinco días siguientes a la fecha de la correspondiente notificación, solicitar que se deje sin efecto la anotación de demérito o que se deje constancia de las circunstancias atenuantes que concurran en cada caso, debiendo emitirse la orden de anotación dentro de los cinco días que sigan al cumplimiento de los plazos consignados; y, el inciso final de la misma norma, dispone que en el evento de que el jefe directo rechazare las solicitudes del funcionario, deberá comunicarlo por escrito en el plazo de cinco días a la unidad de personal, acompañando los fundamentos de su rechazo; si no se produjese tal comunicación se entenderá aceptada la solicitud del funcionario. Dicha unidad dejará constancia de tales fundamentos, agregando a la hoja de vida la respectiva solicitud de anotación requerida por el funcionario.*

*Como puede advertirse, ante las solicitudes que formulen los servidores en orden a que una anotación de demérito sea dejada sin efecto o se deje constancia de las circunstancias atenuantes que concurrieren, **el jefe directo, en caso de rechazar tales requerimientos, se encuentra en el imperativo de emitir la correspondiente comunicación escrita y fundamentada dentro del plazo de cinco días**, ya que si así no lo hiciere, se entenderá aceptada la solicitud del funcionario. Ahora bien, dado que según los antecedentes tenidos a la vista, consta que al señor Miranda Moya se le notificó una anotación de demérito el 21 de abril de 2010, por el decreto Nº 81, de ese mismo año, y que habiendo apelado en tiempo y forma de dicha anotación —28 de abril de 2010—, no recibió comunicación alguna que rechazara su solicitud de dejarla sin efecto, **cabe concluir que la petición del afectado debe entenderse aceptada (aplica el dictamen Nº 44.909 de 2002).** Por lo tanto, corresponde que ese municipio deje sin efecto la anotación de demérito aplicada al recurrente, la que, por lo demás, no debió ser considerada por la junta calificadora al momento de evaluar su comportamiento funcionario en el subfactor Cumplimiento de Normas e Instrucciones.*

*Finalmente, preciso resulta anotar que la resolución del alcalde que se pronuncie sobre el **recurso de apelación deducido por el funcionario debe fundamentarse**, lo que no aconteció en el presente caso, según consta en el decreto Nº 6.176, de 2010, mediante el cual se rechazó dicho recurso, el cual no señala los antecedentes tenidos en cuenta para adoptar dicha decisión (aplica dictámenes Nºs. 29.061, de 2009, y 62.409, de 2010, entre otros)».* **(ID Dictamen: 035152N11 Fecha:** 02.06.2011 **Destinatarios:** Alcalde de la Municipalidad de Peñaflor. **Texto:** Sobre reclamo de calificaciones, de funcionario de la Municipalidad de Peñaflor, regido por la ley 18883 **Acción:** Aplica dictámenes 15934/2010, 35163/2010, 17427/2011, 49040/2010 72737/2010, 54947/2007, 51667/2008, 44909/2002, 29061/2009, 62409/2010. Mismo criterio aplicado en **ID Dictamen: 031392N12 Fecha:** 29.05.2012 **Destinatarios:** Sylvia Campos Azócar. **Texto:** Sobre reclamo de proceso calificatorio de funcionario afecto a estatuto municipal. **Acción:** Aplica dictámenes 32490/2001, 35152/2011, 29086/2011, 72737/2010)

3. «*A su vez, el **decreto Nº 1.228, de 1992,** del antiguo Ministerio del Interior —que aprueba el reglamento de calificaciones del personal municipal—, establece en su **artículo 8º**, que el jefe directo deberá notificar por escrito al funcionario acerca del contenido y circunstancia de la conducta que da origen a la anotación, dentro del plazo de cinco días de ocurrida. El funcionario, dentro de los cinco días siguientes a la fecha de esa notificación, podrá solicitar a la referida jefatura que se deje sin efecto la anotación de demérito o que se deje constancia de las circunstancias atenuantes que concurran. (...)*

En este contexto, cabe manifestar que si bien no es posible verificar si las anotaciones de demérito de que se trata fueron notificadas en su oportunidad, por las razones expuestas precedentemente, según lo ha precisado, entre otros, el dictamen Nº 75.775, de 2011, los funcionarios sólo pueden impugnar ante este Organismo de Control las referidas anotaciones, una vez notificados del fallo del recurso de apelación deducido en contra de su calificación, dentro del plazo establecido en el artículo 156 de la anotada ley Nº 18.883, toda vez que aquellas y las solicitudes de que sean objeto, según lo dispuesto en los artículos 37, 40 y 41 del citado texto estatutario, forman parte de los antecedentes a considerar por la junta calificadora durante el procedimiento de evaluación anual». **(ID Dictamen: 038832N12 Fecha:** 29.06.2012 **Destinatarios:** José Antonio Bravo Castro. **Texto:** Desestima reclamo de funcionario municipal en contra de anotaciones de demérito de su hoja de vida funcionaria, por extemporáneo. **Acción:** Aplica dictámenes 28704/81, 41136/2002, 26030/2011, 75775/2011, 41296/2001, 22778/2003, 29782/2002)[160]

---

[160]   Para efectos de su consulta en la Base de Jurisprudencia de Contraloría General de la República, el citado dictamen se encuentra en la sección/materia: «generales», sin perjuicio de que se trata de uno de carácter municipal.

Artículo 42

Los acuerdos de la Junta deberán ser siempre fundados y se anotarán en las Actas de Calificaciones que, en calidad de Ministro de Fe, llevará el Secretario de la misma, que lo será el Jefe de Personal o quien haga sus veces.

1. *«Sobre el particular, cabe señalar que los artículos 42 de la ley Nº 18.883 y 28 del decreto Nº 1.228, de 1992, del entonces Ministerio del Interior, que contiene el Reglamento de Calificaciones del Personal Municipal, disponen que los acuerdos de la junta deberán ser siempre fundados y anotarse en las actas que se extenderán al efecto. En relación con lo expuesto, la reiterada jurisprudencia de este Organismo de Control contenida en el dictamen Nº 64.981, de 2013, entre otros, ha sostenido que el acuerdo del citado cuerpo colegiado debe ser motivado, entendiendo que lo está cuando exprese, respecto de cada uno de los factores y subfactores que forman parte de la puntuación, las situaciones y consideraciones que llevaron a asignar una determinada calificación, de modo que permitan al servidor mejorar su desempeño en el siguiente periodo, así como también fundamentar el pertinente recurso de apelación ante el alcalde, si correspondiere. Ahora bien, de la documentación examinada, se advierte que aun cuando la junta calificadora acordó, en la evaluación del recurrente "mantener aquella precalificación del jefe directo que se repita por más de un periodo de evaluación", haciendo de esta manera suya la valoración contenida en la precalificación de aquel, conservándola, esta última no aparece fundamentada en los términos antes señalados, toda vez que no expresa las razones tenidas en cuenta para fijar las notas establecidas respecto de cada uno de los conceptos en los que determinó atribuir un puntaje que, en definitiva, terminó ubicándolo en lista 3 (aplica criterio contenido en el dictamen Nº 19.051, de 2015)».* (**ID Dictamen:** 015809N16. **Fecha:** 01-03-2016. **Destinatarios:** señor José Yáñez Soto, funcionario de la Municipalidad de Lampa. **Texto:** Acoge reclamo de calificaciones de funcionario municipal por falta de fundamento del acuerdo de la junta calificadora. **Acción:** Aplica dictámenes 64981/2013, 19051/2015, 49890/2013).

2. *«Precisado lo anterior, y en cuanto a la alegación del recurrente en orden a que la junta calificadora se habría limitado a reiterar su precalificación, conviene recordar que el artículo 42 de la ley Nº 18.883, prevé que "Los acuerdos de la Junta deberán ser siempre fundados y se anotarán en las Actas de Calificaciones que, en calidad de Ministro de Fe, llevará el Secretario de la misma, que lo será el Jefe de Personal o quien haga sus veces", disposición que, en similares términos contiene el artículo 28, inciso primero, del decreto Nº 1.228, de 1992, del entonces Ministerio del Interior. De esta manera, entonces, y en términos generales, cumple con indicar que la sola circunstancia de que se hayan conservado las notas previamente establecidas no permite desvirtuar la resolución de la junta calificadora, la que por lo demás, en la especie, ha formulado consideraciones acerca de las decisiones adoptadas respecto de los factores sometidos a su ponderación. Enseguida, y en cuanto a la ausencia de fundamentación de la resolución que se pronunció sobre la apelación formulada por el interesado, es dable tener presente que de acuerdo a lo manifestado por este Organismo de Fiscalización, entre otros, en el dictamen Nº 6.151, de 2016, el alcalde se encuentra en el imperativo de analizar las reclamaciones de los afectados, debiendo detallar expresamente, junto a la determinación que adopte, los antecedentes, razones o circunstancias objetivas que le han servido de base para rechazar el recurso interpuesto, lo que no consta que haya ocurrido en la especie».* (**ID Dictamen:** 017690N16. **Fecha:** 04-03-2016. **Destinatarios:** señor Ítalo Valentini San Martín. **Texto:** Acoge parcialmente reclamo de calificaciones. Municipio debe retrotraer proceso hasta la etapa de adoptar nuevamente el acuerdo de la junta. **Acción:** Aplica dictámenes 48356/2015, 25098/2015, 60973/2014, 49276/2014, 89026/2014, 6151/2016, 64310/2015).

3. *«Sobre el particular, y en lo que concierne a la falta de fundamentación del acuerdo de la junta calificadora en los factores que indica, cabe expresar que, conforme a lo establecido en los artículos 42 de la ley Nº 18.883 y 28, inciso primero, del decreto Nº 1.228, de 1992, del entonces Ministerio del Interior, aquel deberá ser siempre fundado y anotarse en las actas de evaluación que se extenderán al efecto. Asimismo, es oportuno manifestar que este Organismo Contralor, en el dictamen Nº 21.419, de 2014, entre otros, ha concluido que la exigencia de fundamentación que le asiste a la aludida junta, implica que dicho órgano colegiado debe dejar constancia de la decisión que adopta, enunciando los motivos, razones, causas específicas y circunstancias precisas que se han considerado a fin de asignar a un servidor una determinada nota, antecedentes que por sí mismos conducen al resultado de la evaluación de que se trata, de modo tal que permita al funcionario, por una parte, interponer el correspondiente recurso de apelación ante el alcalde, permitiéndole impugnar concretamente las apreciaciones que el ente calificador ha vertido respecto a su desempeño y, por otra, mejorar su comportamiento laboral en el siguiente período, lo que no ha ocurrido en la especie».* (**ID Dictamen:**

018276N16. **Fecha:** 08-03-2016. **Destinatarios:** don Juan Ignacio Cofré González, funcionario de la Municipalidad de El Bosque. **Texto:** Acoge reclamo de calificaciones de funcionario regido por la ley Nº 18.883, por no encontrarse suficientemente fundado el acuerdo de la junta calificadora. **Acción:** Aplica dictamen 25406/2012, 54639/2012, 15845/2001).

4. «Sobre el particular, los artículos 42 de la citada ley Nº 18.883, y 28 del decreto Nº 1.228, de 1992, del entonces Ministerio del Interior, prevén que los acuerdos de la junta calificadora deberán ser siempre fundados y se anotarán en las actas que al efecto lleve el secretario de la misma, en su calidad de ministro de fe.

Al respecto, esta Contraloría General ha concluido, mediante el dictamen Nº 25.098, de 2015, entre otros, que el acuerdo de la junta calificadora se entiende fundamentado cuando en él se deja constancia de que se mantienen los conceptos y puntajes del jefe directo, en la medida que en las precalificaciones pertinentes se hayan indicado las razones por las cuales se asigna una determinada evaluación.

Pues bien, del examen de los antecedentes tenidos a la vista, particularmente de los informes cuatrimestrales y del acuerdo adoptado por la junta calificadora, se advierte que dicho órgano colegiado resolvió "mantener la precalificación, debido al desempeño del funcionario durante el período calificado", sin variar las notas contenidas en aquellos, las que fueron debidamente justificadas por el jefe directo en las oportunidades pertinentes.

En ese contexto, cabe concluir que el referido acuerdo estuvo debidamente fundamentado en relación al proceso evaluatorio del recurrente, por lo que se desestima su alegación al respecto. Por consiguiente, la Municipalidad de Maipú deberá retrotraer el proceso calificatorio del interesado, correspondiente al período 2014-2015, al estado en que se resuelva nuevamente la apelación interpuesta ante el alcalde, esta vez debidamente fundada y, por cierto, a través de un decreto —de conformidad a lo dispuesto en los artículos 12, incisos primero y cuarto, de la ley Nº 18.695, y 3º, inciso primero, de la ley Nº 19.880—, informando de ello a la Unidad de Seguimiento de la División de Municipalidades de esta Contraloría General, en el plazo de veinte días hábiles, contado desde la recepción del presente oficio». (**ID Dictamen:** 027841N16. **Fecha:** 14-04-2016. **Destinatarios:** señor Patricio Banda Durán, funcionario de la Municipalidad de Maipú. **Texto:** Acto que resuelve la apelación de las calificaciones debe ser fundado; municipio debe instruir un proceso sumarial a fin de indagar el eventual hostigamiento laboral reclamado. **Acción:** Aplica dictámenes 25098/2015, 31129/2013, 6151/2016, 77376/2014, 41581/97, 25406/2012, 37940/2015).

5. «*Sobre el particular, los artículos 42 de la citada ley Nº 18.883, y 28 del decreto Nº 1.228, de 1992, del entonces Ministerio del Interior, prevén que los acuerdos de la junta calificadora deberán ser siempre fundados y se anotarán en las actas que al efecto lleve el secretario de la misma, en su calidad de ministro de fe.*

Al respecto, esta Contraloría General ha concluido, mediante el dictamen Nº 25.098, de 2015, entre otros, que el acuerdo de la junta calificadora se entiende fundamentado cuando en él se deja constancia de que se mantienen los conceptos y puntajes del jefe directo, en la medida que en las precalificaciones pertinentes se hayan indicado las razones por las cuales se asigna una determinada evaluación.

Pues bien, del examen de los antecedentes tenidos a la vista, particularmente de los informes cuatrimestrales y del acuerdo adoptado por la junta calificadora, se advierte que dicho órgano colegiado resolvió "mantener la precalificación, debido al desempeño del funcionario durante el período calificado", sin variar las notas contenidas en aquellos, las que fueron debidamente justificadas por el jefe directo en las oportunidades pertinentes, a excepción del subfactor asistencia y puntualidad.

En efecto, tratándose del anotado concepto, es dable indicar que el artículo 15, Nº 3, letra a), del citado decreto Nº 1.228, de 1992, prevé —en lo que importa— que este mide la presencia o ausencia del empleado en el lugar del trabajo, lo que conforme a lo manifestado por esta Contraloría General a través del dictamen Nº 89.026, de 2014, impone el deber de señalar en el acuerdo respectivo, las razones consideradas para no otorgarle el máximo puntaje en el mismo, y adjuntar la documentación que permita acreditar el incumplimiento de la obligación funcionaria que se afecta, lo que en la situación de la especie no ha ocurrido». (**ID Dictamen:** 029562N16. **Fecha:** 20-04-2016. **Destinatarios:** Alejandro Sagredo Sanhueza, funcionario de la Municipalidad de Maipú. **Texto:** Acuerdo adoptado por la junta calificadora debe fundamentar la puntuación otorgada en el subfactor asistencia y puntualidad, adjuntando los antecedentes que la justifiquen; y, debe dictarse un acto motivado resolviendo la apelación que se interponga contra las calificaciones. **Acción:** Aplica dictámenes 25098/2015, 89026/2014, 31129/2013, 6151/2016, 25593/2001, 37940/2015).

6. «*Al respecto, es dable señalar que los artículos 42 de la ley Nº 18.883, y 28 del decreto Nº 1.228, de 1992, del entonces Ministerio del Interior —Reglamento de Calificaciones del Personal Municipal—, prevén que los acuerdos de la aludida junta deberán ser siempre fundados y anotarse en las actas que se extenderán al efecto. En relación con lo expuesto, la reiterada jurisprudencia de este Organismo de Control ha sostenido, en los dictámenes Nºs. 26.416, de 2012, y 31.129, de 2013, entre otros, que el acuerdo de dicho cuerpo colegiado no puede realizarse en términos generales, sino que*

debe ser motivado, entendiendo que lo está cuando exprese, respecto de cada uno de los factores y subfactores que forman parte de la puntuación, las situaciones y consideraciones que llevaron a asignar una determinada calificación, de modo que permitan al servidor mejorar su desempeño en el siguiente período, así como también fundamentar el pertinente recurso de apelación ante el alcalde, en el caso de que lo presentase. Pues bien, de la documentación tenida a la vista —particularmente de la fotocopia de las calificaciones del afectado, relativas al período 2013-2014—, se advierte que solo se ha indicado que "La comisión acuerda mantener la última precalificación del jefe directo con el voto en contra del representante del personal", sin que la referida evaluación de la jefatura señale los hechos o circunstancias consideradas al momento de asignar al interesado los respectivos puntajes y, por consiguiente, cabe concluir que no se encuentra fundado el acuerdo del que se reclama». (**ID Dictamen:** 034962N16. **Fecha:** 12-05-2016. **Destinatarios:** señor José Manuel Yáñez Soto, funcionario de la Municipalidad de Lampa. **Texto:** Reconsidérense los dictámenes Nºs. 32.521 y 80.367, ambos de 2015, por la razón que indica. Acoge reclamo sobre calificaciones de José Manuel Yáñez Soto por falta de fundamento del acuerdo de la junta calificadora. **Acción:** Reconsidera dictámenes 32521/2015, 80367/2015 Aplica dictámenes 86077/2014, 79645/2011, 65940/2012, 26416/2012, 31129/2013, 49890/2013).

7. *«Sin perjuicio de lo anterior, en lo que concierne a la falta de fundamentación del acuerdo de la junta calificadora, cabe expresar que, conforme a lo establecido en los artículos 42 de la ley Nº 18.883 y 28, inciso primero, del precitado decreto Nº 1.228, de 1992, aquel deberá ser siempre fundado, lo que no consta en la especie, y en relación con la circunstancia de haberse presentado el recurso de apelación en la oficina de partes del municipio, cabe recordar que en razón del principio de inexcusabilidad, establecido en el artículo 14 de la ley Nº 19.880, dicha unidad debió remitirlo a la autoridad correspondiente para su conocimiento y resolución».* (**ID Dictamen:** 044144N16. **Fecha:** 14-06-2016. **Destinatarios:** señora Rosa Alvarado Hernández, funcionaria de la Municipalidad de Renca. **Texto:** Acoge reclamo de calificaciones de funcionaria regida por la ley Nº 18.883, por cuanto la precalificación no fue realizada por la jefatura directa. **Acción.**

1. *«Enseguida, respecto del reclamo en el sentido que el fundamento del acuerdo de la junta calificadora sería insuficiente, cabe anotar que los **artículos 42 y 28 de los citados textos legal y reglamentario**, respectivamente, preceptúan que los acuerdos de la junta deberán ser siempre fundados y se anotarán en las actas de calificaciones que, en calidad de ministro de fe, llevará el secretario de la misma, que lo será el Jefe de Personal o quien haga sus veces. Al efecto, este Organismo Contralor en los **dictámenes Nºs. 80.503, de 2010, y 17.427, de 2011**, entre otros, ha precisado que la exigencia de fundamentación significa que dicho órgano colegiado se encuentra en el imperativo de dejar constancia de la decisión que adopta, enunciando los motivos, razones, causas específicas y circunstancias precisas que se han considerado para asignar a un funcionario una determinada calificación, antecedentes que por sí mismos deben conducir al resultado de la evaluación verificada, de modo tal que permita al empleado, por una parte, interponer el correspondiente recurso de apelación ante el alcalde, impugnando concretamente las apreciaciones que la junta ha vertido sobre su desempeño funcionario y, por otra, mejorar su comportamiento laboral en el siguiente período. Pues bien, del examen del acuerdo respectivo, se advierte que no adolece de falta de fundamentación, toda vez que dicho cuerpo colegiado expresó respecto de cada uno de los factores evaluados, las razones tenidas en consideración para asignar los correspondientes puntajes, lo que le permitió al interesado tomar conocimiento de los motivos por los cuales se otorgó la calificación final, por lo que procede desestimar el requerimiento formulado en este sentido».* (**ID Dictamen:** 078324N11 **Fecha:** 15.12.2011 **Destinatarios:** Ernesto Lobos Rojas **Texto** Sobre reclamo de proceso calificatorio de funcionario afecto a Estatuto Municipal. **Acción:** aplica dictámenes 49040/2010, 72737/2010, 80503/2010, 17427/2011, 7861/2006, 11819/2008. Mismo criterio aplicado en **ID Dictamen:** 031451N12 **Fecha:** 29.05.2012 **Destinatarios:** Alcalde de la Municipalidad de Paine **Texto:** Atiende reclamo respecto de proceso calificatorio de funcionario afecto a la ley Nº 18883 **Acción:** Aplica dictámenes 78324/2011, 80503/2010, 17427/2011, 75772/2011, 45413/2009, 28998/2011)

2. *«Enseguida, en lo que atañe a la eventual falta de justificación del acuerdo adoptado por la junta calificadora, cabe señalar que la respectiva acta de 27 de abril de 2011, que da cuenta de dicha decisión, cumple con la exigencia establecida en el **artículo 42 de la ley Nº 18.883**, pues se expresan las consideraciones por las cuales se asignaron los correspondientes puntajes, sin que exista un vicio que afecte tal actuación municipal.*
Luego, respecto al cuestionamiento que realiza la peticionaria, referido a la rebaja del subfactor cumplimiento de normas a nota 4, debe expresarse que esta Entidad Fiscalizadora no se encuentra facultada para pronunciarse sobre el fondo de las apreciaciones vertidas acerca del desempeño de un servidor en las diversas instancias que integran el proceso calificatorio —como sucede con las notas asignadas—, por cuanto ello constituye un asunto que incide en el mérito funcionario, materia de competencia exclusiva de las autoridades y órganos calificadores de la respectiva municipalidad, no obstante que estos deban fundamentar sus resoluciones (aplica dictamen Nº 64.170, de 2011)». (ID

Dictamen: 075772N11 Fecha: 02.12.2011 Destinatarios: Alcalde de la Municipalidad de El Bosque. Texto: Acoge parcialmente recurso especial de reclamación en proceso calificatorio. Acción: Aplica dictámenes 45413/2009, 28998/2011, 64170/2011, 29632/2006, 29061/2009)

3. «*Al respecto, es menester manifestar que los artículos 42 de la citada ley Nº 18.883 y 28 del decreto Nº 1.228, de 1992, del Ministerio del Interior, sobre Reglamento de Calificaciones del Personal Municipal, preceptúan que los acuerdos de la junta deberán ser siempre fundados y se anotarán en las actas de calificaciones que, en calidad de ministro de fe, llevará el secretario de la misma, que lo será el Jefe de Personal o quien haga sus veces.*

A su vez, el artículo 24 del referido texto reglamentario, dispone que el jefe de la respectiva unidad de personal o quien haga sus veces, se desempeñará como secretario de la junta calificadora, el que además la asesorará técnicamente, correspondiéndole llevar el libro de actas de calificaciones de la junta y las hojas de calificación de cada funcionario, además, de levantar acta de cada sesión, la cual será leída en la sesión siguiente y una vez aprobada, deberá ser firmada por todos los asistentes a ella.

Pues bien, en la situación planteada, consta que la señora Toro Reyes cumplió las anotadas labores de secretaria de la junta calificadora, lo que no le otorga la calidad de miembro de ese órgano evaluador y, por ende, tampoco participó en los acuerdos adoptados, de modo que procede desestimar la alegación planteada en este sentido.

A continuación, en lo tocante al cuestionamiento que efectúa la interesada, en orden a que el acuerdo de la junta calificadora carece de fundamentación, es menester recordar que según los referidos artículos 42 de la citada ley Nº 18.883 y 28 del decreto Nº 1.228, de 1992, los acuerdos que ella adopte deberán ser siempre fundados.

En este contexto, este Organismo de Control en los dictámenes Nºs. 44.518 y 54.026, ambos de 2010, ha precisado que la exigencia de fundamentación significa que dicho órgano colegiado se encuentra en el imperativo de dejar constancia de la decisión que adopta, enunciando los motivos, razones, causas específicas y circunstancias precisas que se han considerado para asignar a un funcionario una determinada calificación, antecedentes que por sí mismos deben conducir al resultado de la evaluación verificada, de modo tal que permita al empleado, por una parte, interponer el correspondiente recurso de apelación ante el alcalde, impugnando concretamente las apreciaciones que la junta ha vertido sobre su desempeño funcionario y, por otra, mejorar su comportamiento laboral en el siguiente período.

En la situación de la especie, se advierte que el respectivo acuerdo no cumple con la comentada exigencia de ser fundado, atendido que el cuerpo evaluador se limitó a calificar a la funcionaria con las notas que se indican, expresando respecto de los subfactores evaluados con nota 5, "por considerar que su comportamiento funcionario ha sido bueno y no de excelencia"». (**ID Dictamen: 068184N11**[161] **Fecha:** 28.10.2011 **Destinatarios:** Alcalde de la Municipalidad de El Bosque. **Texto:** Acoge reclamo en proceso evaluatorio de funcionaria afecta a la ley 18883, por falta de la debida fundamentación del acuerdo de la junta calificadora. **Acción:** Aplica dictámenes 72737/2010, 34260/2011, 44518/2010, 54026/2010, 62409/2010, 33068/2009, 30019/2010. Mismo criterio aplicado en **ID Dictamen: 014068N11 Fecha:** 08.03.2011 **Destinatarios:** Alcalde de la Municipalidad de Lo Espejo. **Texto:** Sobre reclamo de calificaciones de funcionarias de la Municipalidad de Lo Espejo, regidas por la ley 18883. **Acción:** Aplica dictámenes 44518/2010, 54026/2010, 16985/95 41286/2001, 27785/2002, 54948/2009, 49077/2010)

4. «*En esta oportunidad, en primer lugar, el recurrente cuestiona, una vez más, que el acuerdo de la junta calificadora no se encontraría fundado, en lo que atañe a la nota asignada al subfactor Asistencia y Puntualidad, según lo exige el artículo 42 de la ley Nº 18.883, cuestionamiento que corresponde rechazar, puesto que en el acta que da cuenta de tal acuerdo, ese cuerpo colegiado dejó constancia de los antecedentes en que se fundamenta el puntaje otorgado*». (**ID Dictamen: 064170N11 Fecha:** 12.10.2011 **Destinatarios:** Alcalde de la Municipalidad de La Florida. **Texto:** Sobre calificaciones de funcionario de la Municipalidad de La Florida. **Acción:** Aplica dictamen 67595/2010, 17726/2009, 669/2011)

5. «*En síntesis, la autoridad requirente reitera su discrepancia con el criterio establecido por esta Entidad de Control a través de los oficios que impugna, por cuanto estima, entre otras argumentaciones, que a la luz de la jurisprudencia vigente a la data de emisión del dictamen Nº 12.552, de 2010, esto es, el 9 de marzo de ese año, la respectiva junta calificadora, al haber hecho suyas las notas y opiniones vertidas por el precalificador de la señora Vielma Cid, habría dado cumplimiento a la obligación de fundamentar sus acuerdos, contemplada en el artículo 42 de la ley Nº 18.883, Estatuto*

---

[161]   Para efectos de su consulta en la Base de Jurisprudencia de Contraloría General de la República, el citado dictamen se encuentra en la sección/materia: «generales», sin perjuicio de que se trata de uno de carácter municipal.

Administrativo para Funcionarios Municipales. *A su vez, la interesada requiere que se ordene al municipio que debe dar cumplimiento a los dictámenes cuya reconsideración se solicita.*

Al respecto, es menester indicar, en primer término, que mediante **el dictamen Nº 54.026, de 2010, sustentado en el Nº 44.518, de 5 de agosto de ese mismo año** *—que dejó sin efecto toda la jurisprudencia administrativa que aceptaba como fundamentado el acuerdo del órgano evaluador que se limitaba a hacer suyas las notas y opiniones vertidas por el precalificador—, se reconsideró parcialmente el dictamen Nº 12.552, de 2010,* concluyendo que en la situación de la interesada, la decisión adoptada por el cuerpo colegiado respecto de sus calificaciones, no se encontraba justificada, constituyendo un vicio que afectaba la legalidad de su proceso evaluatorio y que, por tanto, aquél debía retrotraerse hasta la etapa en que la junta calificadora adoptase un nuevo acuerdo debidamente fundado.*

Por su parte, el dictamen Nº 3.289, de 2011 —junto con ratificar el dictamen Nº 54.026, de 2010—, agregó que el criterio expuesto en el reseñado dictamen Nº 44.518, de 2010, no implicó una alteración de la jurisprudencia emitida sobre la fundamentación en comento, sino que, por su intermedio, únicamente se uniformó la misma, considerando que, en casos específicos, se había concluido que era suficiente, para los fines en estudio, que el órgano calificador hiciera propias las notas y opiniones del precalificador.

En relación con la materia, cabe tener presente que **los dictámenes, como regla general, producen sus efectos desde la fecha de vigencia de la ley interpretada, atendido el carácter declarativo que ellos detentan, lo cual implica que la exégesis que hacen de las normas del ordenamiento jurídico, es el alcance que éstas siempre han tenido desde la fecha en que entraron en vigor, y que subsiste mientras permanezca inmutable; no obstante, si nuevos estudios o antecedentes autorizan modificar esa interpretación, se produce necesariamente un cambio de jurisprudencia que sólo ha de producir sus efectos para el futuro y no puede afectar las situaciones configuradas durante la vigencia de la doctrina anterior, en resguardo de la seguridad jurídica que debe cubrir esas situaciones.** *Así lo ha resuelto invariablemente la jurisprudencia administrativa sobre la materia, en los dictámenes Nºs. 20.101, de 2000; 14.292 y 50.185, de 2007; y 4.168, de 2008, entre otros.*

Pues bien, atendido que el mencionado requerimiento dice relación principalmente con la existencia de un <u>cambio jurisprudencial respecto de la forma como una junta evaluadora debe fundamentar sus acuerdos, se ha efectuado un nuevo análisis del asunto, con la finalidad de dilucidar si la emisión del citado dictamen Nº 44.518, de 2010, implicó dicha variación y, por consiguiente, si conforme a las pautas interpretativas vigentes, debió regir a contar de la fecha de su dictación, esto es, del 5 de agosto de 2010, y no afectar situaciones anteriores a aquella, o de lo contrario, tal como lo manifestó el dictamen Nº 3.289, de 2011, que se impugna, su emisión únicamente implicó uniformar criterios coetáneos.</u>

Sobre el particular, debe indicarse, a modo introductorio, que los distintos pronunciamientos que sobre la materia en cuestión ha emitido esta Contraloría General —los que se originan a contar de 1993—, manifestaron que un acuerdo debe considerarse fundado, cuando indica, respecto de cada uno de los factores que forman parte de la calificación, los antecedentes y consideraciones objetivas que llevan a la junta a asignar un determinado puntaje al funcionario evaluado.

No obstante ello, con la emisión del dictamen Nº 15.086, de 2000, se generó una duplicidad de criterios sobre el particular, por cuanto mediante dicho pronunciamiento, este Organismo Contralor, para el caso específico de que se trataba, concluyó que el acuerdo de la junta calificadora se encontraba fundado, pese a repetir, casi en su totalidad —por coincidir con su opinión—, los conceptos y las notas asignadas en los distintos factores de calificación que respecto del funcionario había emitido su jefatura.

Ésta última interpretación fue recogida y posteriormente aplicada en diversos casos, hasta concluirse que para estimar fundado el acuerdo de la junta calificadora, bastaba que ésta manifestara, en el acta respectiva, si adhería o no a lo expresado por el precalificador —criterio utilizado en la emisión del dictamen Nº 12.552, de 2010—, sin perjuicio que simultáneamente coexistía la primera interpretación.

Como puede advertirse, a partir de la emisión del referido pronunciamiento Nº 15.086, de 2000, se utilizaron dos criterios jurisprudenciales de forma paralela sobre la materia que nos ocupa, uno que exige a la junta fundamentar detalladamente sus acuerdos, y otro, que sólo requiere la adhesión de ésta a los conceptos del precalificador, cuestión que ameritaba un nuevo estudio por parte de esta Entidad Contralora, que finalmente determinó reconsiderar éste último alcance, decisión que se materializó a través del aludido dictamen Nº 44.518, de 2010.

De este modo, habida cuenta que por medio del citado dictamen Nº 44.518 de 2010, se dejó sin efecto una interpretación preestablecida, necesariamente debe concluirse que ello generó una modificación de la jurisprudencia vigente, en lo que se refiere a la determinación del alcance de la normativa pertinente de la ley Nº 18.883, en el sentido de precisar la manera en que la junta evaluadora debe fundamentar sus acuerdos en un proceso calificatorio.

242 Capítulo II. Estatuto Administrativo para Funcionarios Municipales

*Puntualizado lo anterior, es menester señalar, en armonía con lo expresado por esta Contraloría General en sus dictámenes Nºs. 14.292 y 50.185, de 2007; y 17.719, de 2008, entre otros, que **el cambio de jurisprudencia introducido por el dictamen Nº 44.518 de 2010**[162], **por razones de resguardo del principio de certeza jurídica, sólo se aplica hacia el futuro, sin afectar las situaciones particulares constituidas durante la vigencia de la doctrina que ha sido sustituida por el nuevo pronunciamiento».* (**ID Dictamen: 031320N11 Fecha:** 17.05.2011 **Destinatarios:** Alcalde Municipalidad de Vitacura. **Texto:** No procede aplicar nuevo criterio jurisprudencial, respecto de la forma como una junta evaluadora debe fundamentar sus acuerdos, a proceso calificatorio de ex funcionaria municipal que se produjo con anterioridad a la fecha de la jurisprudencia vigente. **Acción:** Aplica dictámenes 20101/2000, 14292/2007, 50185/2007, 4168/2008 44518/2010, 17719/2008, 18178/98 Confirma dictamen 12552/2010 Reconsidera dictámenes 54026/2010, 3289/2011)

6. «*Ahora bien, en lo concerniente a lo señalado por la interesada en orden a que hubo falta de fundamento en el acuerdo de la Junta Calificadora, cabe anotar, en primer término que los **artículos 42 de la ley Nº 18.883 referida, y 28 del decreto Nº 1.228, de 1992, del Ministerio del Interior —Reglamento de Calificaciones del Personal Municipal—**, preceptúan que los acuerdos de la junta deberán ser siempre fundados y se anotarán en las actas de calificaciones que, en calidad de ministro de fe, llevará el secretario de la misma, que lo será el Jefe de Personal o quien haga sus veces. Al respecto, este **Organismo Contralor en los dictámenes Nºs. 42.268, de 2004, y, 15.934, de 2010,** entre otros, ha precisado que la exigencia de fundamentación significa que dicho órgano colegiado se encuentra en el imperativo de dejar constancia de la decisión que adopta, enunciando los motivos, razones, causas específicas y circunstancias precisas que se han considerado para asignar a un funcionario una determinada calificación, antecedentes que por sí mismos deben conducir al resultado de la evaluación verificada, de modo tal que permita al empleado, por una parte, interponer el correspondiente recurso de apelación ante el alcalde, impugnando concretamente las apreciaciones que la junta ha vertido sobre su desempeño funcionario y, por otra, mejorar su comportamiento laboral en el siguiente período (aplica criterio contenido en el dictamen Nº 35.163, de 2010).*

---

[162]   «*Sobre el particular, cabe manifestar que el **artículo 42 de la citada ley Nº 18.883**, ordena que los acuerdos de la Junta Calificadora deben ser siempre fundados y se anotarán en las Actas de Calificaciones que, en calidad de Ministro de Fe, llevará el Secretario de la misma, que lo será el Jefe de Personal o quien haga sus veces. Al respecto, este órgano Fiscalizador en los dictámenes Nºs. 22.778, de 2003, 42.268, de 2004, y 17.726 y 54.948, ambos, de 2009, entre otros, ha precisado que tal exigencia significa que dicho cuerpo colegiado se encuentra en el imperativo de dejar constancia de la decisión que adopta, enunciando los motivos, razones, causas específicas y circunstancias precisas que se han considerado para asignar a un funcionario una determinada calificación, antecedentes que por sí mismos deben conducir al resultado de la evaluación verificada, debiendo existir concordancia entre el fundamento emitido y las notas asignadas, de modo tal que permita al empleado, por una parte, interponer el correspondiente recurso de apelación ante el alcalde, impugnando concretamente las apreciaciones que la junta ha vertido sobre su desempeño funcionario y, por otra, mejorar su comportamiento laboral en el siguiente período. En este sentido, es menester agregar que como se ha sostenido en el dictamen Nº 41.640, de 2007, en aquellos casos en que se califique en lista de eliminación, como acontece en las situaciones que se analizan, la fundamentación debe acreditar un desempeño deficiente y el incumplimiento de las obligaciones por parte del funcionario, a través de todos los medios idóneos, objetivos, fidedignos y determinantes de que pueda disponer el órgano calificador, en resguardo de la debida ecuanimidad y transparencia del proceso calificatorio, asegurando, de este modo, una calificación objetiva e imparcial, conforme lo ordena el artículo 45, inciso primero, de la ley Nº 18.695, Orgánica Constitucional de Municipalidades. Pues bien, de los antecedentes tenidos a la vista, se advierte que los acuerdos de la junta calificadora respecto de cada uno de los interesados, no están debidamente fundamentados, atendido que dicho cuerpo colegiado se limitó a expresar que ambos mantenían la precalificación efectuada por sus jefes directos, sin señalar las razones o causas precisas que servían de base a los puntajes asignados a los funcionarios reclamantes, lo que sólo se realizó respecto de aquellos factores o subfactores cuyos puntajes modificaron, por lo que procede acoger la reclamación planteada en este sentido».* (**ID Dictamen: 044518N10 Fecha:** 05.08.2010 **Destinatarios:** Alcalde Municipalidad de Padre Hurtado. **Texto:** Sobre reclamo de calificaciones de funcionarios regidos por la ley 18883. Reconsidera toda jurisprudencia en contrario. **Acción:** Aplica dictámenes 2098/2002, 45279/2009, 17732/2010, 24238/2010. Reconsidera parcialmente dictámenes 15086/2000, 29632/2006, 64418/2009, 12552/2010, 8269/99, 26973/2006, 41640/2007)

Pues bien, el acuerdo de calificación de la especie no se encuentra fundado al tenor de la normativa legal y reglamentaria comentada, dado que aquél no se basta a sí mismo ya que se limita a señalar que se han analizado los informes cuatrimestrales y que se ha resuelto calificar a la funcionaria con las notas y en los subfactores que indica, sin que se haya consignado expresamente en dicho acuerdo los antecedentes objetivos, razones o circunstancias concretas que han servido de base para asignar a un empleado una determinada calificación. (ID Dictamen: 017427N11 Fecha: 22.03.2011 Destinatarios: Alcalde de la Municipalidad de Paine. Texto: Sobre reclamo de calificaciones de funcionaria regida por la ley 18883. Acción: aplica dictámenes 17726/2009, 669/2011, 42268/2004 15934/2010, 35163/2010, 4735/2011)

7. «*Por otra parte, en cuanto al cumplimiento de la obligación de fundamentar la junta calificadora sus acuerdos, es del caso anotar que los artículos 42 de la ley Nº 18.883, y 28 del decreto Nº 1.228, de 1992, del entonces Ministerio del Interior, Reglamento de Calificaciones del Personal Municipal, preceptúan que los acuerdos de la junta deberán ser siempre fundados y se anotarán en las actas de calificaciones que, en calidad de ministro de fe, llevará el secretario de la misma, que lo será el Jefe de Personal o quien haga sus veces.*
Al respecto, la jurisprudencia administrativa de esta Entidad de Control, contenida, entre otros, en los dictámenes Nºs. 54.026, de 2010, y 68.184, de 2011, ha precisado que la exigencia de fundamentación significa que dicho órgano colegiado se encuentra en el imperativo de dejar constancia de la decisión que adopta, enunciando los motivos, razones, causas específicas y circunstancias precisas que se han considerado para asignar a un funcionario una determinada calificación, antecedentes que por sí mismos deben conducir al resultado de la evaluación verificada, de modo tal que permita al empleado, por una parte, interponer el correspondiente recurso de apelación ante el alcalde, impugnando concretamente las apreciaciones que la junta ha vertido sobre su desempeño funcionario y, por otra, mejorar su comportamiento laboral en el siguiente período». (ID Dictamen: 065940N12 Fecha: 23.10.2012 Destinatarios: Alcalde de la Municipalidad de Los Ángeles. Texto: Reconsidera oficio 155/2012, de la Contraloría Regional del Biobío, sobre proceso calificatorio de funcionario municipal. Acción: Aplica dictámenes 12723/2005, 68864/2011, 79645/2011, 54026/2010, 68184/2011, 41270/2007. Mismo criterio aplicado en ID Dictamen: 022437N12 Fecha: 19.04.2012 Destinatarios: Alcalde de la Municipalidad de Los Ángeles. Texto: Sobre reconsideración de oficio 9424/2011, de la Contraloría Regional del Biobío, que retrotrae proceso calificatorio por falta de fundamentación del acuerdo de la Junta Calificadora. Acción: Aplica dictámenes 54026/2010, 68184/2011, 64170/2011)

8. «*Sobre el particular, y respecto del reclamo en el sentido que el fundamento del acuerdo de la junta calificadora sería insuficiente, cabe anotar que los artículos 42 de la mencionada ley Nº 18.883 y 28 del decreto Nº 1.228, de 1992, del entonces Ministerio del Interior —Reglamento de Calificaciones del Personal Municipal—, preceptúan que los acuerdos de la junta deberán ser siempre fundados y se anotarán en las actas de calificaciones que, en calidad de ministro de fe, llevará el secretario de la misma.*
Al efecto, este Organismo Contralor, en los dictámenes Nºs. 78.324, de 2011, y 25.406, de 2012, entre otros, ha precisado que la exigencia de fundamentación significa que dicho órgano colegiado se encuentra en el imperativo de dejar constancia de la decisión que adopta, enunciando los motivos, razones, causas específicas y circunstancias precisas que se han considerado para asignar a un funcionario una determinada calificación, antecedentes que por sí mismos deben conducir al resultado de la evaluación verificada, de modo tal que permita al empleado, por una parte, interponer el correspondiente recurso de apelación ante el alcalde, impugnando concretamente las apreciaciones que la junta ha vertido sobre su desempeño funcionario y, por otra, mejorar su comportamiento laboral en el siguiente período.
Pues bien, del examen del acuerdo respectivo, se advierte que este fue debidamente fundado, toda vez que dicho cuerpo colegiado expresó respecto de cada uno de los factores evaluados, las razones tenidas en consideración para asignar los correspondientes puntajes, lo que le permitió a la interesada tomar conocimiento de los motivos por los cuales se otorgó la calificación final, por lo que procede desestimar el requerimiento formulado en este sentido». (ID Dictamen: 058919N12 Fecha: 25.09.2012 Alcalde de la Municipalidad de Pudahuel. Texto: Acoge reclamo sobre proceso calificatorio de funcionario que individualiza, debiendo retrotraerse a la etapa en que la autoridad comunal resuelva fundadamente la apelación. Acción: aplica dictámenes 78324/2011, 25406/2012, 67595/2010. Mismo criterio aplicado en ID Dictamen: 058551N12 Fecha: 24.09.2012 Destinatarios Alcalde de la Municipalidad de Saavedra. Texto: Acoge reclamo en proceso calificatorio en la Municipalidad de Saavedra. Acción: Aplica dictámenes 64170/2011, 12141/2004, 29632/2006, 51161/2006, 64418/2009, 963/2010, 78324/2011, 25406/2012, 62096/2011, 10740/98, 32807/2012)

9. «*Por último, en cuanto a la supuesta falta de fundamentación de sus calificaciones, cabe señalar que el artículo 42 de la ley Nº 18.883, y los artículos 13 y 28 del decreto Nº 1.228 de 1992, del antiguo Ministerio del Interior, que aprueba el Reglamento de Calificación del Personal Municipal, establecen el deber de la Junta Calificadora de fundar las notas*

asignadas en la evaluación, agregando el artículo 15 de este último texto normativo, los criterios específicos que se deben tomar en cuenta al momento de evaluar cada subfactor.
*En este sentido, **la jurisprudencia administrativa de esta Contraloría General, ha sostenido en los dictámenes Nºs. 54.948, de 2009, 24.327, de 2010 y 39.605, de 2011, que el acuerdo de la Junta Calificadora tiene el carácter de fundado en la medida que señale, respecto a cada uno de los factores y subfactores que forman parte de la evaluación, las situaciones y consideraciones que la llevaron a asignar determinada calificación, sin poder adoptar dicho acuerdo en términos generales. Asimismo, estos antecedentes deben bastarse a sí mismos para conducir a su resultado, de modo que permitan al funcionario mejorar su desempeño, y así también fundamentar el correspondiente recurso de apelación ante el alcalde, en el caso de que lo presentase.***
*Pues bien, tenida a la vista el acta Nº 3 del 16 de noviembre de 2011, de la Junta Calificadora del personal de la Municipalidad de La Reina, se observa que el órgano evaluador no cumplió con la aludida obligación de fundamentar debidamente las calificaciones, pues, por una parte, consideró como único criterio para determinar las notas de los factores el haberse aplicado una medida disciplinaria al funcionario, y por la otra, dicha sanción terminó por afectar la totalidad de la calificación, **debiendo haber incidido solamente en el ítem correspondiente, tal como se ha puntualizado en los dictámenes Nºs. 41.640, de 2007 y 441, de 2012.***
*Por tanto, en razón de lo anteriormente expuesto, la Municipalidad de La Reina **deberá retrotraer el proceso calificatorio del recurrente al estado en el cual la Junta Calificadora adopte un nuevo acuerdo debidamente fundado**, sin perjuicio de los demás trámites legales pertinentes».* (**ID Dictamen: 026416N12 Fecha:** 08.05.2012 **Destinatarios:** Alcalde de la Municipalidad de La Reina. **Texto:** Acoge reclamo calificatorio por falta de fundamentación en acuerdo de la Junta Calificadora pertinente. **Acción:** aplica dictámenes 72737/2010, 78324/2011, 54947/2007, 22227/2010, 54948/2009, 24327/2010, 39605/2011, 41640/2007, 441/2012)[163]

Artículo 43

Las funciones de los miembros de la Junta serán indelegables.

(**ID Dictamen: 002262N91 Fecha:** 25.01.1991 **Destinatarios:** Contralor Regional del Libertador General Bernardo O'Higgins. **Texto:** Ejercicio de atribuciones de la junta calificadora por secretario municipal en aquellas municipalidades cuya planta de personal sea inferior a 20 cargos, acorde con ley 18883 art. 47, no lo inhabilita para efectuar la calificación del personal a su cargo o de su dependencia conforme con ley 18883 art. 41. Ello, porque ninguna de las disposiciones que regulan la materia en comento establecen la inhabilidad del referido funcionarios para efectuar calificaciones aun cuando deba ejercer funciones propias de junta calificadora en los casos especialmente previstos en ley 18883 art. 47, situaciones en que por lo demás actúa en distintas calidades, ya que ultimo caso constituye una instancia de revisión de las calificaciones. **Fuentes Legales:** Ley 18883 art. 46, Ley 18883 art. 44 inc/3, Ley 18883 art. 43)[164]

Artículo 44

El reglamento que al efecto se dicte establecerá los factores de evaluación y su ponderación, y regulará los demás aspectos de las calificaciones sobre la base de las normas contenidas en este párrafo.

---

[163] Para efectos de su consulta en la Base de Jurisprudencia de Contraloría General de la República, el citado dictamen se encuentra en la sección/materia: «generales», sin perjuicio de que se trata de uno de carácter municipal.

[164] Transcrito textual. Sin acceso a documento completo. (www.contraloria.cl)

(**ID Dictamen: 031164N92 Fecha:** 17.12.1992 **Destinatarios:** Alcalde Municipalidad de Independencia. **Texto:** Procede declarar nulo concurso convocado por el anterior alcalde para proveer diversos cargos de la planta municipal y retrotraer los efectos al periodo inmediatamente precedente a su convocatoria. Ello, porque en dicho certamen se vulneró ley 18883 art. 16 inc./2, pues no consta que la municipalidad fijara previamente, en las bases del concurso, los factores mínimos a considerar en los concursos, la forma en que serían ponderados y el puntaje que se requeriría para ser considerado postulante idóneo, como lo exige ese precepto. También se contravino ley 18883 art. 19 inc./1, pues no intervinieron en el comité de selección, el jefe del personal y las personas que, acorde art. 44 del mismo texto legal, antes de ser modificado por ley 19165, integraban la junta calificadora de los titulares de los cargos vacantes. Esto, por cuanto para todas las plazas concursables siempre se estableció una misma comisión compuesta solo por el secretario municipal, el director de obras municipales y la directora de administración y finanzas. Nuevo alcalde está facultado para suspender los efectos de los decretos que llamaron a dicho concurso y designaron a los beneficiados con sus resultados, ya que dicha autoridad tiene la atribución y la obligación de invalidar aquellos actos afectados por una nulidad de derecho público, como ocurre en este caso y, por ende, debe entenderse que también puede ejecutar un acto de menor envergadura, como es la suspensión de los efectos de aquel, más aun si se considera que esta se dispuso mientras contraloría se pronunciaba sobre la validez del aludido certamen. Con todo, las personas nombradas a consecuencia del concurso tienen derecho a percibir remuneraciones por todo el periodo efectivamente trabajado, porque revisten la calidad jurídica de funcionarios de hecho y en atención a que, de otro modo, se produciría un enriquecimiento sin causa en favor del municipio. **Fuentes Legales:** Ley 18883 art. 44, Ley 18695 art. 34, Ley 18695 art. 35)[165]

Artículo 45

El funcionario tendrá derecho a apelar de la resolución de la Junta Calificadora, y de este recurso conocerá el Alcalde. La notificación de la resolución de la Junta Calificadora se practicará al empleado por el Secretario de ésta o por el funcionario que la Junta designe, quien deberá entregar copia autorizada del acuerdo respectivo de la Junta Calificadora y exigir la firma de aquél o dejar constancia de su negativa a firmar. En el mismo acto o dentro del plazo de cinco días, el funcionario podrá deducir apelación. En casos excepcionales, calificados por la Junta, el plazo para apelar podrá ser de hasta diez días contados desde la fecha de la notificación.

La apelación deberá ser resuelta en el plazo de 15 días contado desde su presentación.

Los plazos de días a que se refiere este artículo serán días hábiles.

1. «Ahora bien, los artículos 45 a 47 de la ley Nº 18.883, establecen, en lo que interesa, el derecho del funcionario a apelar de la resolución de la junta calificadora ante el alcalde, y una vez notificado el fallo del recurso formulado, el servidor podrá recurrir directamente ante la Contraloría General, de conformidad al artículo 156 del indicado cuerpo estatutario. A su turno, en atención a que las aludidas disposiciones legales no precisan la forma en que debe manifestarse ese derecho, tendrá que estarse a la regulación de carácter supletoria contenida en la citada ley Nº 19.880, cuyos artículos 5º y 19 prevén, en lo que interesa, que por regla general el procedimiento administrativo y los actos a que da origen, pueden realizarse por escrito o a través En relación con lo expuesto, la reiterada jurisprudencia de este Organismo de Control ha sostenido, en los dictámenes Nºs. 26.416, de 2012, y 31.129, de 2013, entre otros, que el acuerdo de dicho cuerpo colegiado no puede realizarse en términos generales, sino que debe ser motivado, entendiendo que lo está cuando exprese, respecto de cada uno de los factores y subfactores que forman parte de la puntuación, las situaciones y consideraciones que llevaron a asignar una determinada calificación, de modo que permitan al servidor mejorar su desempeño en el siguiente período, así como también fundamentar el pertinente recurso de apelación ante el alcalde, en el caso de que lo presentase». (**ID Dictamen: 034962N16. Fecha:** 12-05-2016. **Destinatarios:** José Manuel Yáñez Soto, funcionario de la Municipalidad de Lampa. **Texto:** Reconsidéranse los dictámenes Nºs. 32.521 y 80.367, ambos de 2015, por la razón que indica. Acoge reclamo sobre calificaciones de José Manuel Yáñez Soto por falta de fundamento del acuerdo de la junta

---

[165] Transcrito textual. Sin acceso a documento completo. (www.contraloria.cl)

calificadora. **Acción:** Reconsidera dictámenes 32521/2015, 80367/2015 Aplica dictámenes 86077/2014, 79645/2011, 65940/2012, 26416/2012, 31129/2013, 49890/2013).

2. «*Sobre el particular, es útil recordar que esta Contraloría General, a través del dictamen Nº 95.618, de 2015, ya atendió el recurso de reclamación previsto en el artículo 45 de la ley Nº 18.883, que interpuso el recurrente, concluyendo, respecto a la alegación relativa a la falta de fundamentos entregados por la alcaldesa al rechazar la apelación deducida por el servidor en contra de su evaluación funcionaria, que el proceso calificatorio del señor González Villalobos se debía retrotraer al estado en que la autoridad edilicia se pronuncie fundadamente sobre esta.*

Además, el precitado dictamen, pronunciándose acerca de otro de los aspectos reclamados, concluyó que la exigencia de fundamentación que deben cumplir los acuerdos adoptados por la junta calificadora se encontraba satisfecha, rechazando la alegación formulada en ese sentido». (**ID Dictamen:** 047097N16. **Fecha:** 047097N16. **Destinatarios:** don Claudio Salvatierra Estay, en representación de don Cristian González Villalobos, funcionario de la Municipalidad de Santiago. **Texto:** Desestima reclamo en contra de proceso calificatorio de funcionario regido por la ley Nº 18.883. **Acción.**

3. «*Sin embargo, no obstante lo señalado en el párrafo anterior, en cuanto al nuevo proceso calificatorio del cual fue objeto don José Hidalgo Zamora, no consta que este haya sido notificado de la resolución de la junta calificadora en los términos que lo contempla el artículo 45 de la ley Nº 18.883, razón por la cual el ente comunal deberá dar cumplimiento a dicho trámite, informando de ello, en un plazo de 20 días hábiles, a la Unidad de Seguimiento de la División de Municipalidades*». (**ID Dictamen:** 078688N16. **Fecha:** 26-10-2016. **Destinatarios:** Alcalde de la Municipalidad de La Pintana. **Texto:** Ente comunal deberá notificar a servidor de la nueva resolución de la junta calificadora; complementa dictamen Nº 37.508, de 2016, en el sentido de que el municipio al establecer su organización interna, debe contemplar el cargo nominado de Jefe de Departamento de Desarrollo Comunitario, debiendo asignarle funciones acordes a su denominación. **Acción:** Aplica dictamen 58477/2011, 51321/2014, 65514/2016 Complementa dictamen 37508/2016).

1. «*Por otra parte, en lo que atañe al cuestionamiento que efectúa el requirente, en orden a que no tuvo oportunidad de efectuar sus descargos ante la junta calificadora, corresponde anotar que según lo dispuesto en los **artículos 45 del mencionado texto estatutario y 31 del aludido reglamento**, en lo que interesa, **la instancia con que cuentan los funcionarios para hacer efectivas sus observaciones a la resolución de la junta evaluadora, es precisamente el recurso de apelación, del que conoce el alcalde**, instancia que fue ejercida por el interesado*». (**ID Dictamen:** 078324N11 **Fecha:** 15.12.2011 **Destinatarios:** Ernesto Lobos Rojas. **Texto:** Sobre reclamo de proceso calificatorio de funcionario afecto a Estatuto Municipal. **Acción:** aplica dictámenes 49040/2010, 72737/2010, 80503/2010, 17427/2011, 7861/2006, 11819/2008)

2. «*El recurrente fundamenta su reclamación, en que si bien no apeló ante la máxima autoridad alcaldicia de la calificación que le asignara la Junta Calificadora, ello obedeció a que esa misma superioridad lo precalificó y, por ende, no sería procedente que, a la vez, conozca y falle el recurso de apelación. Sobre el particular, cabe señalar que de acuerdo con el **artículo 45 de la ley Nº 18.883**, el funcionario tendrá derecho a apelar de la resolución de la Junta Calificadora, y de este recurso conocerá el Alcalde; mientras que según previene el artículo 47 del citado texto legal, una vez notificado el fallo de la apelación, el servidor sólo podrá reclamar directamente a la Contraloría General, de acuerdo con lo dispuesto en el artículo 156 del aludido estatuto.*

*Como es dable apreciar, y en concordancia con el **criterio contenido en los dictámenes Nºs. 29.186, de 2010; y 13.725 y 18.259, ambos de 2011**, de esta Entidad Fiscalizadora, la preceptiva indicada delimita expresamente la oportunidad en la cual, en materia de calificación, puede deducirse el reclamo de que trata el citado artículo 156, refiriéndola específicamente al momento posterior a la notificación de la resolución que falla el pertinente recurso de apelación, situación que no ha ocurrido en la especie.*

*En efecto, de los antecedentes tenidos a la vista, es posible constatar que el peticionario fue notificado de la resolución de la Junta Calificadora el 12 de octubre de 2010, oportunidad en la que **optó por no hacer uso del derecho de apelar ante el Alcalde, hecho que configuró la imposibilidad de parte de este Órgano de Control de conocer y pronunciarse respecto del recurso de reclamación de que se trata**.*

Sin perjuicio de lo anterior, conviene aclarar que contrariamente a lo que sostiene el señor Reyes Velozo, en la eventualidad de que este hubiera interpuesto el pertinente recurso de apelación, el encargado de pronunciarse respecto de tal acción era el subrogante legal del Alcalde y no este último, puesto que la circunstancia de haber preevaluado al recurrente, habría obligado a esa autoridad a abstenerse de conocer de su apelación, atendido lo dispuesto en el artículo 62, Nº 6, de la ley Nº 18.575, Orgánica Constitucional de Bases Generales de la Administración del Estado, que obliga a los funcionarios a inhibirse de actuar cuando se configure una situación que les reste imparcialidad (aplica criterio conte-

nido en el dictamen N° 80.509, de 2010)». (**ID Dictamen: 035475N11**[166] **Fecha:** 03.06.2011 **Destinatarios:** Tomás Reyes Velozo. **Texto:** No procede reconsiderar oficio sobre reclamo de calificaciones ante este organismo contralor, ya que éste sólo procede luego de haber interpuesto, previamente, el recurso de apelación ante el alcalde o su subrogante legal. **Acción:** Aplica dictámenes 29186/2010, 13725/2011, 18259/2011, 80509/2010. Mismo criterio aplicado en **ID Dictamen: 016083N12 Fecha:** 19.03.2012 **Destinatarios:** Inés Romero Moreno. **Texto:** Sobre reclamo de proceso calificatorio de funcionaria afecta a estatuto municipal. **Acción:** Aplica dictámenes 18259/2011, 35475/2011)

3. *«En este orden, los **artículos 45 a 47 de la ley N° 18.883**, establecen, en lo que interesa, el derecho del funcionario a apelar de la resolución de la junta calificadora ante el alcalde, y una vez notificado el fallo del recurso formulado, el servidor podrá recurrir directamente ante la Contraloría General, de conformidad al artículo 156 del indicado cuerpo estatutario.*

Ahora bien, atendido que las aludidas disposiciones legales no precisan la forma como debe manifestarse ese derecho, tendrá que estarse a la regulación de carácter supletoria contenida en la ley N° 19.880 —sobre Procedimientos Administrativos que rigen los actos de los Órganos de la Administración del Estado—, cuyos artículos 5° y 19 previenen, en lo que interesa, que por regla general el procedimiento administrativo y los actos a que da origen, pueden realizarse por escrito o a través de técnicas y medios electrónicos.

Como puede advertirse al tenor de lo expuesto, el requisito necesario para que un reclamo como el de la especie produzca los efectos que le son propios, es que aquel se manifieste por escrito, exigencia que puede entenderse cumplida mediante la vía que en este acto se objeta, razón por la que, en la especie, debe reconocerse la validez de la reclamación de calificaciones del señor Méndez Vejar efectuada bajo esta modalidad y dentro de plazo, tal como en definitiva concluyó la Sede Regional del Biobío, lo que además es concordante con los principios de celeridad, economía procesal, no formalización, eficiencia, y eficacia, previstos en el recién mencionado cuerpo legal (aplica criterio contenido en los dictámenes N°s. 12.723, de 2005, 68.864 y 79.645, ambos de 2011)». (**ID Dictamen: 065940N12 Fecha:** 23.10.2012 **Destinatarios:** Alcalde de la Municipalidad de Los Ángeles. **Texto:** Reconsidera oficio 155/2012, de la Contraloría Regional del Biobío, sobre proceso calificatorio de funcionario municipal. **Acción:** Aplica dictámenes 12723/2005, 68864/2011, 79645/2011, 54026/2010, 68184/2011, 41270/2007)[167]

Artículo 46

Al decidir sobre la apelación el Alcalde deberá tener a la vista la hoja de vida, la precalificación y la calificación. Podrá mantener o elevar el puntaje asignado por la Junta Calificadora, pero no rebajarlo en caso alguno.

1. *«Ahora bien, los artículos 45 a 47 de la ley N° 18.883, establecen, en lo que interesa, el derecho del funcionario a apelar de la resolución de la junta calificadora ante el alcalde, y una vez notificado el fallo del recurso formulado, el servidor podrá recurrir directamente ante la Contraloría General, de conformidad al artículo 156 del indicado cuerpo estatutario. A su turno, en atención a que las aludidas disposiciones legales no precisan la forma en que debe manifestarse ese derecho, tendrá que estarse a la regulación de carácter supletoria contenida en la citada ley N° 19.880, cuyos artículos 5° y 19 prevén, en lo que interesa, que por regla general el procedimiento administrativo y los actos a que da origen, pueden realizarse por escrito o a través de técnicas y medios electrónicos. En ese orden de consideraciones, se advierte que el requisito necesario para que un reclamo como el de la especie produzca los efectos que le son propios, es que aquel se manifieste por escrito, exigencia que puede entenderse cumplida mediante su interposición en el anotado Portal Contraloría y Ciudadano, razón por la que, en la especie, debe reconocerse la oportunidad de la reclamación de*

---

[166]   Para efectos de su consulta en la Base de Jurisprudencia de Contraloría General de la República, el citado dictamen se encuentra en la sección/materia: «generales», sin perjuicio de que se trata de uno de carácter municipal.

[167]   Para efectos de su consulta en la Base de Jurisprudencia de Contraloría General de la República, el citado dictamen se encuentra en la sección/materia: «generales», sin perjuicio de que se trata de uno de carácter municipal.

calificaciones del señor José Manuel Yáñez Soto efectuada bajo esta modalidad, lo que además es concordante con los principios de celeridad, economía procesal, no formalización, eficiencia, y eficacia, previstos en el recién citado cuerpo legal (aplica criterio contenido en los dictámenes Nºs. 79.645, de 2011, y 65.940, de 2012)». **(ID Dictamen:** 034962N16. **Fecha:** 12-05-2016. **Destinatarios:** señor José Manuel Yáñez Soto, funcionario de la Municipalidad de Lampa. **Texto:** Reconsidéranse los dictámenes Nºs. 32.521 y 80.367, ambos de 2015, por la razón que indica. Acoge reclamo sobre calificaciones de José Manuel Yáñez Soto por falta de fundamento del acuerdo de la junta calificadora. **Acción:** Reconsidera dictámenes 32521/2015, 80367/2015 Aplica dictámenes 86077/2014, 79645/2011, 65940/2012, 26416/2012, 31129/2013, 49890/2013).

Artículo 47

El fallo de la apelación será notificado en la forma señalada en el artículo 45, ocurrido lo cual el funcionario sólo podrá reclamar directamente a la Contraloría General de la República, de acuerdo con lo dispuesto en el artículo 156 de este Estatuto.

1. *«Sobre el particular, cabe recordar que los artículos 47 y 156, inciso primero, de la ley Nº 18.883, disponen que el plazo que tienen los servidores regidos por tal cuerpo legal para interponer el recurso especial de reclamación ante esta Entidad Fiscalizadora es de diez días hábiles, contado desde la notificación del acto mediante el cual el alcalde se pronuncia acerca de la apelación de las calificaciones. Pues bien, de la documentación acompañada por el municipio de que se trata, aparece que, efectivamente, la interesada fue notificada del rechazo de su apelación con fecha 18 de agosto de 2015, habiendo deducido ante esta Contraloría General el recurso de reclamación que le otorga la normativa precedentemente reseñada el día 22 de septiembre de esa anualidad, es decir, una vez vencido el aludido término de diez días (aplica dictámenes Nºs. 77.130, de 2014, y 32.521, de 2015)».* **(ID Dictamen:** 012820N16. **Fecha:** 17-02-2016. **Destinatarios:** doña Francy Guajardo Fuentes, funcionaria de la Municipalidad de Ñuñoa. **Texto:** Rechaza, por extemporáneo, reclamos sobre proceso calificatorio de funcionaria regida por la ley Nº 18.883. **Acción:** Aplica dictámenes 77130/2014, 32521/2015).

2. *«Sobre el particular, en lo que concierne a la presentación que en esta ocasión ha realizado el interesado, cabe reiterar lo expresado por la Sede Regional en el impugnado oficio Nº 5.025, de 2015, en cuanto a que, en materia de calificaciones el reclamo de que trata el artículo 47 y el inciso primero del artículo 156 de la ley Nº 18.883 —aplicable supletoriamente a los funcionarios sujetos a la ley Nº 19.378, conforme al inciso primero del artículo 4º de ese cuerpo normativo—, debe deducirse ante esta Entidad de Control en el plazo de diez días hábiles contado desde que se tiene conocimiento de la resolución que falla el pertinente recurso de apelación. En efecto, según lo informado por ese órgano comunal, el recurrente fue notificado de la resolución de la junta calificadora el día 26 de mayo de 2015, —negándose a firmar, según constancia que adjunta— sin que haya presentado apelación ante la máxima autoridad edilicia. Así, en dicho contexto, al no haberse deducido por el peticionario el aludido recurso de apelación respecto de la calificación de que fue objeto, el proceso de evaluación por el que alega quedó ejecutoriado, quedando calificado con la máxima nota, es decir, 100 puntos, en lista 1 (aplica dictamen Nº 84.696, de 2014)».* **(ID Dictamen:** 016442N16. **Fecha:** 02-03-2016. **Destinatarios:** señor Ariel Castro Ramírez, funcionario del Departamento de Salud de la Municipalidad de Puerto Montt. **Texto:** Desestima solicitud de reconsideración del oficio Nº 5.025, de 2015, de la Contraloría Regional de Los Lagos, que rechazó reclamo de calificaciones por extemporáneo; y el vicio de procedimiento solo afecta la validez del acto cuando recae en algún requisito esencial del mismo y genere perjuicio al interesado. **Acción:** Aplica dictámenes 84696/2014, 13132/2013).

3. *«Sobre el particular, cabe manifestar que de acuerdo con lo previsto en el artículo 47 y en el inciso primero del artículo 156, ambos de la ley Nº 18.883 —aplicable supletoriamente en la especie conforme a lo dispuesto en el inciso primero del artículo 4º de la ley Nº 19.378—, a esta Contraloría General solo le corresponde intervenir en los procesos calificatorios de los funcionarios, que hagan uso del recurso especial de reclamación dentro del plazo de 10 días hábiles, contado desde que se les notifica el fallo de la apelación deducida en contra de la resolución del pertinente órgano colegiado (aplica dictamen Nº 5.846, de 2015). En relación con lo anterior, esta Entidad Fiscalizadora ha resuelto, mediante los dictámenes Nºs. 27.097, de 2008, y 24.034, de 2010, que las reclamaciones de que se trata, deben referirse a situaciones específicas que afecten a determinados funcionarios, por infracciones precisas a la normativa que regula el proceso de*

calificaciones en que se hubiere producido un vicio de legalidad, no resultando procedente que esta Institución Contralora revise, en forma genérica, la totalidad de los procedimientos evaluatorios llevados a cabo en una municipalidad, no siendo posible, en consecuencia, acceder a lo solicitado por la recurrente». (**ID Dictamen:** 016884N16. **Fecha:** 03-03-2016. **Destinatarios:** señora Jeannette Vera Monardes, funcionaria de la Municipalidad de La Cisterna **Texto:** Se desestima reclamo sobre revisión genérica de proceso evaluatorio de funcionarios regidos por la ley Nº 19.378; y precisa lo que indica. **Acción:** Aplica dictámenes 5846/2015, 27097/2008, 24034/2010, 56366/2014).

4. *«Sin perjuicio de ello, es menester anotar que los dictámenes Nºs. 53.491, de 2011, y 27.007, de 2013, entre otros, han precisado, acorde con lo dispuesto en los artículos 43 y siguientes de la ley Nº 18.575, y 29 y siguientes de la ley Nº 18.883, que en atención a que la finalidad del proceso calificatorio se vincula con el resguardo de la carrera funcionaria, es requisito indispensable para la validez del mismo que el evaluado revista la calidad de empleado público. Finalmente, y en lo relativo al proceso evaluatorio correspondiente al período 2014-2015, en que el aludido exservidor fue incluido en lista 4, de eliminación, con 29 puntos, conviene recordar que los artículos 47 y 156, inciso primero, de la citada ley Nº 18.883, disponen que el plazo que tienen los funcionarios regidos por tal cuerpo legal para interponer el recurso especial de reclamación ante este Órgano Fiscalizador es de diez días hábiles, contado desde la notificación del acto mediante el cual el alcalde se pronuncia acerca de la apelación de las calificaciones».* (**ID Dictamen:** 017693N16. **Fecha:** 04-03-2016. **Destinatarios:** don Eric Ulloa Sáez, ex director de obras de la Municipalidad de Yumbel. **Texto:** Sumario administrativo que indica se ha ajustado a derecho. Rechaza reclamo de calificaciones de los períodos 2012-2013 y 2013-2014, por no aportarse nuevos antecedentes, y 2014-2015, por extemporáneo. Primer informe de desempeño debe confeccionarse por jefe directo o su subrogante legal. Cese de funciones se ha producido por declaración de vacancia por salud incompatible con el cargo. **Acción:** Aplica dictámenes 97163/2015, 90889/2015, 12533/2015, 25827/2009, 53491/2011, 27007/2013).

5. *«Sobre el particular, cabe recordar que los artículos 47 y 156, inciso primero, de la ley Nº 18.883, disponen que el plazo que tienen los servidores regidos por tal cuerpo legal para interponer el recurso especial de reclamación ante esta Entidad Fiscalizadora es de diez días hábiles, contado desde la notificación del acto mediante el cual el alcalde se pronuncia acerca de la apelación de las calificaciones. Pues bien, de la documentación acompañada por el municipio de que se trata, aparece que, efectivamente, el interesado fue notificado del rechazo de su apelación con fecha 30 de diciembre de 2015, habiendo deducido ante esta Contraloría General el recurso de reclamación que le otorga la normativa precedentemente reseñada, el día 1 de febrero de 2016, es decir, una vez vencido el aludido término de diez días (aplica dictámenes Nºs. 77.130, de 2014, y 32.521, de 2015)».* (**ID Dictamen:** 017729N16. **Fecha:** 07-03-2016. **Destinatarios:** don Ramón Soto Ortiz, exfuncionario de la Municipalidad de Macul. **Texto:** Rechaza, por extemporáneo, reclamo sobre proceso calificatorio de exfuncionario regido por la ley Nº 18.883. **Acción:** Aplica dictámenes 77130/2014, 32521/2015).

6. *«Sobre el particular, cabe manifestar que de acuerdo con lo previsto en el artículo 47 y en el inciso primero del artículo 156, ambos de la ley Nº 18.883 —aplicable supletoriamente en la especie conforme a lo dispuesto en el inciso primero del artículo 4º de la ley Nº 19.378—, a esta Contraloría General solo le corresponde intervenir en los procesos calificatorios de los funcionarios, que hagan uso del recurso especial de reclamación dentro del plazo de 10 días hábiles, contado desde que se les notifica el fallo de la apelación deducida en contra de la resolución del pertinente órgano colegiado (aplica criterio contenido en el dictamen Nº 16.884, de 2016). Ahora bien, de la documentación acompañada por el propio recurrente, aparece que este fue notificado del resultado de su apelación con fecha 8 de febrero de 2016, habiendo deducido ante esta Contraloría General el recurso de reclamación que le otorga la normativa precedentemente reseñada el día 4 de marzo de esa anualidad, es decir, una vez vencido el aludido término de diez días (aplica dictámenes Nºs. 32.521, de 2015, y 12.820, de 2016)».* (**ID Dictamen:** 024133N16. **Fecha:** 31-03-2016. **Destinatarios:** señor Víctor Díaz Lewis, funcionario del Centro de Salud Familiar Dr. Juan Petrinovic de la Municipalidad de Recoleta. **Texto:** Rechaza por extemporáneo reclamo sobre proceso calificatorio de funcionario regido por la ley Nº 19.378. **Acción:** Aplica dictámenes 16884/2016, 32521/2015, 12820/2016).

7. *«Sobre el particular, cabe manifestar que de acuerdo con lo previsto en el artículo 47 y en el inciso primero del artículo 156, ambos de la ley Nº 18.883 —aplicable supletoriamente en la especie conforme a lo dispuesto en el inciso primero del artículo 4º de la ley Nº 19.378—, a esta Contraloría General solo le corresponde intervenir en los procesos calificatorios de los funcionarios, que hagan uso del recurso especial de reclamación dentro del plazo de 10 días hábiles, contado desde que se les notifica el fallo de la apelación deducida en contra de la resolución del pertinente órgano colegiado (aplica criterio contenido en el dictamen Nº 16.884, de 2016). Ahora bien, de la documentación tenida a la vista, aparece que esta fue notificada del resultado de su apelación con fecha 27 de enero de 2016, habiendo deducido ante esta Con-*

traloría General el recurso de reclamación que le otorga la normativa precedentemente reseñada el día 9 de marzo de esa anualidad, es decir, una vez vencido el aludido término de diez días». (**ID Dictamen:** 025106N16. **Fecha:** 05-04-2016. **Destinatarios:** señora Dorca Cárcamo Zagal, funcionaria del Centro de Salud Familiar Eduardo Frei Montalva de la Municipalidad de La Cisterna. **Texto:** Deses Rechaza por extemporáneo reclamo sobre proceso calificatorio de funcionaria regida por la ley Nº 19.378. Reconsiderado por dictamen 71005/2016. **Acción:** Aplica dictamen 16884/2016).

8. *«Sobre el particular, cabe recordar que los artículos 47 y 156, inciso primero, de la ley Nº 18.883, disponen que el plazo que tienen los servidores regidos por tal cuerpo legal para interponer el recurso especial de reclamación ante esta Entidad Fiscalizadora es de diez días hábiles, contado desde la notificación del acto mediante el cual el alcalde se pronuncia acerca de la apelación de las calificaciones. De esta manera, el referido derecho de reclamación ha sido establecido en favor de los servidores que se vean afectados con su calificación, sea que lo ejerzan personalmente o representados por una asociación de funcionarios, en cuyo caso, según se ha precisado mediante el oficio circular Nº 24.143, de 2015, de esta Contraloría General —que imparte instrucciones para la atención de solicitudes de pronunciamiento jurídico—, deberán acompañar la petición de representación del integrante de dicha organización en los términos previstos en la ley Nº 19.296, lo que no se advierte en la especie».* (**ID Dictamen:** 030417N16. **Fecha:** 22-04-2016. **Destinatarios:** señor Fabián Garrido Domínguez, tesorero de la Asociación de Funcionarios Planta General de la Municipalidad de Maipú. **Texto:** Se abstiene de emitir el pronunciamiento requerido por asociación de funcionarios por falta de solicitud de representación; y, efectúa precisión que indica. **Acción:** Aplica dictámenes 24143/2015, 24034/2010, 5846/2015).

9. *«Sobre el particular, cabe recordar que los artículos 47 y 156, inciso primero, de la ley Nº 18.883, disponen que el plazo que tienen los servidores regidos por tal cuerpo legal para interponer el recurso especial de reclamación ante esta Entidad Fiscalizadora es de diez días hábiles, contado desde la notificación del acto mediante el cual el alcalde se pronuncia acerca de la apelación de las calificaciones. En ese contexto, de la documentación acompañada por el municipio de que se trata aparece que el señor Eduardo Vásquez Díaz fue notificado el 7 de diciembre de 2015 del rechazo a la apelación interpuesta por la calificación obtenida en el período correspondiente al 2014-2015, presentando ante esta Entidad Fiscalizadora el reclamo en cuestión el 5 de enero de 2016, esto es, esto es, una vez vencido el término de 10 días que contemplan los citados artículos 47 y 156 de la ley Nº 18.883».* (**ID Dictamen:** 030420N16. **Fecha:** 22-04-2016. **Destinatarios:** señor Eduardo Vásquez Díaz, exfuncionario de la Municipalidad de Macul. **Texto:** Rechaza por extemporáneo reclamo de calificaciones de funcionario municipal. **Acción:** Aplica dictamen 23518/2016).

10. *«Como cuestión previa, cabe recordar que el citado pronunciamiento Nº 32.521, de 2015, en lo que interesa, rechazó por extemporáneo el reclamo de calificaciones interpuesto por el peticionario, toda vez que se estableció que aquel fue notificado de la resolución de la alcaldesa que desestimó su apelación el día 23 de enero de 2015, recurriendo ante esta Entidad de Control el 18 de febrero de la precitada anualidad, esto es, una vez vencido el término de 10 días que contemplan los artículos 47 y 156 de la ley Nº 18.883. Ahora bien, los artículos 45 a 47 de la ley Nº 18.883, establecen, en lo que interesa, el derecho del funcionario a apelar de la resolución de la junta calificadora ante el alcalde, y una vez notificado el fallo del recurso formulado, el servidor podrá recurrir directamente ante la Contraloría General, de conformidad al artículo 156 del indicado cuerpo estatutario. Pues bien, de la documentación tenida a la vista —particularmente de la fotocopia de las calificaciones del afectado, relativas al período 2013-2014—, se advierte que solo se ha indicado que "La comisión acuerda mantener la última precalificación del jefe directo con el voto en contra del representante del personal", sin que la referida evaluación de la jefatura señale los hechos o circunstancias considerados al momento de asignar al interesado los respectivos puntajes y, por consiguiente, cabe concluir que no se encuentra fundado el acuerdo del que se reclama. En consecuencia, procede que ese municipio retrotraiga el referido proceso calificatorio —en lo que atañe al señor Yáñez Soto— a la etapa en que la junta evaluadora adopte una nueva resolución, esta vez debidamente fundada, y luego afine el aludido procedimiento, informando de ello a la Unidad de Seguimiento de la División de Municipalidades de esta Contraloría General, en el plazo de 20 días hábiles, contado desde la recepción del presente oficio».* (**ID Dictamen:** 034962N16. **Fecha:** 12-05-2016. **Destinatarios:** señor José Manuel Yáñez Soto, funcionario de la Municipalidad de Lampa. **Texto:** Reconsidéranse los dictámenes Nºs. 32.521 y 80.367, ambos de 2015, por la razón que indica. Acoge reclamo sobre calificaciones de José Manuel Yáñez Soto por falta de fundamento del acuerdo de la junta calificadora. **Acción:** Reconsidera dictámenes 32521/2015, 80367/2015 Aplica dictámenes 86077/2014, 79645/2011, 65940/2012, 26416/2012, 31129/2013, 49890/2013).

11. *«Se interponiendo el recurso de reclamación previsto en los artículos 47 y 156, ambos de la ley Nº 18.883 —aplicable supletoriamente en la especie conforme a lo dispuesto en el inciso primero del artículo 4º de la ley Nº 19.378—, en con-*

tra del proceso de calificaciones correspondiente al período 2014-2015, a cuyo término fue evaluada con 98,67 puntos, en lista 1, de distinción.

Sobre el particular, es necesario manifestar que, en lo que concierne a la valoración insuficiente que a juicio de la ocurrente se le otorgó, la facultad de esta Institución Fiscalizadora para revisar los procesos calificatorios de los funcionarios dice relación con la posible existencia de arbitrariedades o vicios de legalidad que pudieran concurrir en sus diferentes etapas, en contravención a las leyes y reglamentos que rigen la materia, y no sobre el mérito y desempeño de los empleados, pues aquel es un ámbito que compete a las autoridades evaluadoras, conforme se ha establecido, entre otros, en los dictámenes Nºs. 48.356, de 2015, y 87.371, de 2015». (**ID Dictamen:** 035801N16. **Fecha:** 16-05-2016. **Destinatarios:** señora Isabel Cifuentes Hernández, funcionaria de un centro de salud familiar de la Municipalidad de Recoleta. **Texto:** Rechaza reclamo sobre proceso calificatorio de funcionaria regida por la ley Nº 19.378, por cuanto la ponderación del desempeño de los funcionarios corresponde a los órganos evaluadores municipales. **Acción:** Aplica dictamen 48356/2015 Aplica dictamen 87371/2015).

12. *«Precisado lo anterior, cabe señalar que en lo que concierne al reclamo deducido en contra del proceso calificatorio que se impugna, la jurisprudencia administrativa contenida, entre otros, en los dictámenes Nºs. 7.658 y 84.050, ambos de 2014, ha concluido que este Ente Fiscalizador solo está facultado para pronunciarse sobre un proceso evaluatorio cuando en él se hubiere incurrido en algún vicio de procedimiento que implique una infracción legal o reglamentaria, pero no acerca del fondo de las consideraciones y apreciaciones vertidas sobre el empleado, lo que sucede con las notas asignadas, puesto que ello constituye un asunto que incide en el mérito funcionario, lo que corresponde exclusivamente a las autoridades y órganos competentes de cada municipalidad.*

En ese contexto, en lo relativo a que no se habría considerado que en los años precedentes siempre fue bien calificada, cumple con indicar que cada período a evaluar —esto es, los doce meses comprendidos entre el 1 de septiembre de un año y el 31 de agosto de la anualidad siguiente, de acuerdo con lo dispuesto en el artículo 63 del decreto Nº 1.889, de 1995, del Ministerio de Salud—, es independiente del anterior, de manera que la valoración realizada corresponde estrictamente a las labores ejecutadas durante ese lapso y no en relación a los ya ponderados». (**ID Dictamen:** 037505N16. **Fecha:** 20-05-2016. **Destinatarios:** señora Jazmín Barros Hernández, funcionaria del Centro de Salud Familiar Michelle Bachelet Jeria de la Municipalidad de Maipú. **Texto:** Resultados de procesos calificatorios previos no obligan a la autoridad a asignar a la funcionaria el mismo puntaje; y se pronuncia sobre demora en substanciación de sumario administrativo. **Acción:** Aplica dictámenes 7658/2014, 84050/2014, 60973/2014, 7027/2014, 97968/2014).

13. *«Sobre el particular, respecto a la posible vulneración del principio de doble instancia reclamada por la recurrente por cuanto la jefa de personal habría realizado la precalificación, y posteriormente actuado como miembro del cuerpo colegiado, conviene señalar que según el criterio sostenido en los dictámenes Nºs. 37.750, de 2009, y 36.906, de 2013, entre otros, no se configura un vicio de procedimiento en la calificación de un funcionario por el hecho que la jefatura directa sea, al mismo tiempo, secretaria de la junta calificadora, ya que, en tal calidad, esa servidora únicamente cumplió las funciones que le correspondían, acorde a disposiciones legales expresas.*

Pues bien, de la documentación tenida a la vista, se advierte que, en atención a que fue destinada por el decreto Nº 2.715, de 2015, de dicha entidad edilicia, desde el 1 de mayo de dicha anualidad, a la sala cuna dependiente del departamento de bienestar de la entidad comunal, la recurrente contó con dos jefaturas directas durante el período calificatorio, debiendo ser precalificada por la directora de esta última unidad, puesto que se desempeñaba bajo su dependencia a la data de emisión de tal instrumento, quien debió requerir un informe previo a la anterior jefa inmediata de la servidora, lo que no aconteció en la especie (aplica criterio contenido en el dictamen Nº 25.935, de 2010).

En consecuencia, se acoge el reclamo formulado, debiendo retrotraerse el proceso de que se trata al estado en que se emita una nueva precalificación y, posteriormente, adoptarse un nuevo acuerdo por la junta calificadora, sin perjuicio de los demás trámites que procedan a continuación, informando de lo actuado a la Unidad de Seguimiento de División de Municipalidades de esta Contraloría General en el plazo de 20 días hábiles, contado desde la recepción del presente oficio». (**ID Dictamen:** 037542N16. **Fecha:** 20-05-2016. **Destinatarios:** señora Elizabeth Araya Rodríguez, funcionaria de la Municipalidad de Maipú. **Texto:** La precalificación de un funcionario debe efectuarse por su última jefatura directa. **Acción:** Aplica dictámenes 37750/2009, 36906/2013, 59678/2014, 25935/2010, 29562/2016).

14. *«Sobre el particular, en lo concerniente a las alegaciones relativas a la ponderación de su desempeño, conviene recordar que el dictamen Nº 87.371, de 2015, entre otros, ha resuelto que esta Entidad Fiscalizadora solo se halla facultada para pronunciarse sobre un proceso calificatorio, cuando en él se hubiere incurrido en algún vicio de procedimiento que implique una infracción legal o reglamentaria, pero no acerca del fondo de las consideraciones y apreciaciones*

vertidas sobre el empleado, puesto que ello es de competencia exclusiva de las autoridades y órganos evaluadores de la municipalidad, en las instancias que dispone la respectiva normativa.
Por lo demás, según se ha precisado en el dictamen Nº 6.151, de 2016, en las juntas respectivas se encuentra radicada la potestad evaluadora, por lo que si bien sus resoluciones serán adoptadas teniendo en cuenta los informes efectuados por el jefe directo, ello no implica que tales elementos resulten vinculantes u obligatorios para dicho cuerpo colegiado».
(**ID Dictamen:** 042279N16. **Fecha:** 08-06-2016. **Destinatarios:** señora Gabriela Guzmán Radrigán, funcionaria de la Municipalidad de Recoleta. **Texto:** Rechaza reclamo sobre proceso calificatorio de funcionaria regida por la ley Nº 19.378, por cuanto la valoración del desempeño de los servidores corresponde a los respectivos órganos evaluadores municipales. **Acción:** Aplica dictámenes 87371/2015, 15845/2001, 6151/2016).

15. *«Sobre el particular, y en relación con la demora en que se habría incurrido al llevar a cabo el procedimiento de que se trata, cabe hacer presente que el dictamen Nº 6.151, de 2016, entre otros, ha precisado que, en materia de calificaciones, los plazos no son fatales, en atención a que lo más significativo es que la actuación o el deber, en definitiva se cumplan, sin perjuicio de las responsabilidades que pudieran originarse en tal situación.*
En el mismo sentido, por lo demás, se ha manifestado esta Contraloría General en relación con las precalificaciones, al señalar en su dictamen Nº 65.672, de 2014, entre otros, que las juntas calificadoras están dotadas de amplias facultades en lo que se refiere a la evaluación de los servidores, y que el informe del precalificador solo constituye otro elemento de análisis de que disponen dichos cuerpos colegiados para realizar su labor, que no tiene el carácter de vinculante, encontrándose habilitadas, en consecuencia, para asignar notas distintas a las contenidas en aquel instrumento.
De esta manera, entonces, y considerando que las situaciones por las que se alega no constituyen vicios que afecten la validez del proceso concursal de la especie, corresponde desestimar la presentación de la interesada a su respecto».
(**ID Dictamen:** 042285N16. **Fecha:** 08-06-2016. **Destinatarios:** señora Paloma Arellano Pinochet, funcionaria del departamento de salud de la Municipalidad de Recoleta. **Texto:** Rechaza reclamo sobre proceso calificatorio de funcionaria regida por la ley Nº 19.378, por no constituir vicios que afecten su validez las situaciones que alega. **Acción:** Aplica dictámenes 6151/2016, 34018/2016, 31387/2013, 65672/2014).

16. *«Sobre el particular, y en cuanto a la valoración insuficiente que, a juicio del peticionario se le otorgó, conviene recordar que el dictamen Nº 87.371, de 2015, entre otros, ha resuelto que esta Entidad Fiscalizadora solo se halla facultada para pronunciarse sobre un proceso calificatorio, cuando en él se hubiere incurrido en algún vicio de procedimiento que implique una infracción legal o reglamentaria, pero no acerca del fondo de las consideraciones y apreciaciones vertidas sobre el empleado, puesto que ello es de competencia exclusiva de las autoridades y órganos evaluadores de la municipalidad, en las instancias que dispone la respectiva normativa.*
Asimismo, y en lo que concierne a la falta de anotaciones de demérito a que alude el señor Ojeda Silva, cumple con señalar que según se ha precisado, entre otros, en el dictamen Nº 29.562, de 2016, las referidas notas constituyen solo uno de los antecedentes que se debe considerar para los efectos de la evaluación, por lo que su concurrencia u omisión no obligan a ubicar a un servidor en una determinada lista o asignarle cierto puntaje». (**ID Dictamen:** 043374N16. **Fecha:** 13-06-2016. **Destinatarios:** señor Guillermo Ojeda Silva, funcionario de la Municipalidad de El Bosque. **Texto:** Rechaza reclamo sobre proceso calificatorio de funcionario regido por la ley Nº 18.883, por cuanto la valoración del desempeño de los servidores corresponde a los respectivos órganos evaluadores municipales. **Acción:** Aplica dictámenes 87371/2015, 29562/2016).

17. *«Sobre el particular, en lo que concierne a la reclamación relativa a que la precalificación efectuada por el jefe directo sería subjetiva y carecería de respaldo documental, cumple con señalar que este Ente Fiscalizador no está facultado para manifestarse acerca del fondo de las consideraciones y apreciaciones vertidas respecto de la empleada, puesto que ello constituye un asunto que incide en el mérito funcionario, lo que es de competencia exclusiva de las autoridades y órganos evaluadores de cada municipalidad, razón por la que esta Contraloría General debe abstenerse de emitir un pronunciamiento en esta materia (aplica dictámenes Nºs. 12.176, de 2013, y 37.940, de 2015).*
Luego, respecto a la posible vulneración del principio de doble instancia reclamada por la recurrente, por cuanto su jefe directo la habría precalificado y posteriormente actuado como miembro de la junta calificadora que determinó su ubicación en lista Nº 4, de eliminación, es preciso señalar, que según el criterio sostenido en los dictámenes Nºs. 37.750, de 2009, y 36.906, de 2013, entre otros, no se configura un vicio de procedimiento en la evaluación de un funcionario por el hecho que la jefatura directa sea, al mismo tiempo, integrante de la junta calificadora, ya que, en tal calidad, ese servidor únicamente cumplió las funciones que le correspondían, acorde a disposiciones legales expresas.
Al respecto, mediante los dictámenes Nºs. 45.011, de 2013, y 37.370, de 2014, entre otros, esta Contraloría General ha precisado que es atribución privativa de la autoridad edilicia ordenar las destinaciones del personal de su dependencia,

decidiendo discrecionalmente, pero sin arbitrariedad, el modo de distribuirlo y ubicarlo según las necesidades de la repartición que dirige y la apreciación de las circunstancias o razones que justifican tanto la destinación del empleado, como el mejor aprovechamiento del recurso humano, facultad que debe materializarse a través de un decreto alcaldicio. Lo anterior, con la limitación de que las tareas que deba cumplir la servidora sean de igual jerarquía y propias del cargo para el cual fue nombrada, de modo que la destinación solo puede tener lugar, en la medida que las nuevas labores encomendadas sean inherentes a la planta a la que la funcionaria pertenece, como se ha manifestado, entre otros, en los dictámenes Nºs. 52.751 y 58.556, ambos de 2012. En este contexto, de los antecedentes tenidos a la vista, en particular, del decreto alcaldicio Nº 1.599, de 2016, de la Municipalidad de Padre Hurtado, y del memorando Nº 266, de igual año, del director subrogante de aseo y operaciones de dicha entidad, se advierte que el requirente fue destinada al recinto municipal administrado por esa dirección denominado "Casa Kaplan", para efectuar labores de su grado y escalafón, entre otras, las correspondientes a aseo de las instalaciones del edificio, baños, cocina, salones, patio, por lo que, atendido que el traslado de la interesada se dispuso a través del respectivo acto administrativo y que las tareas que se le encomendó ejecutar en su nueva dependencia corresponden a aquellas para cuyo desempeño fue nombrada, es posible concluir, que la destinación se ajustó a derecho, debiendo rechazarse dicha alegación». (**ID Dictamen:** 043723N16. **Fecha:** 13-06-2016. **Destinatarios:** señora Regina Cea Navia, funcionaria de la Municipalidad de Padre Hurtado. **Texto:** Rechaza reclamo sobre proceso calificatorio correspondiente al período 2014-2015; autoridad edilicia está facultada para disponer las destinaciones del personal de su dependencia, según las necesidades del servicio, y desestima reclamo por hostigamiento laboral por cuanto no se acompañan antecedentes que resulten indicativos de su existencia. **Acción:** Aplica dictámenes 12176/2013, 37940/2015, 37750/2009, 36906/2013, 59678/2014, 19054/2015, 45011/2013, 37370/2014, 52751/2012, 58556/2012, 16177/2014, 2292/2014).

18. *«Pues bien, el decreto alcaldicio Nº 3.621, de 2014, que ordenó la destinación del señor Silva Acevedo al Centro de Salud Familiar Bueras, en su parte considerativa manifiesta que dicha actuación se fundamentó en "las necesidades del servicio y la falta de personal con conocimientos administrativos-recurso humano, que actualmente existe en el CESCOF Bueras dependiente de la Dirección de Salud Municipal y que resulta indispensable para el servicio que se provea", por lo que, atendido que la autoridad edilicia explicitó las razones que ponderó para determinar su procedencia, y que el alcalde cuenta con la facultad de decidir discrecionalmente su pertinencia, es posible concluir, que se ajustó a derecho. En este contexto, es menester aclarar que la bonificación considerada por el ente edilicio mediante la suscripción de un protocolo de acuerdo, celebrado en octubre de 2015, entre el director subrogante de la dirección de salud, la directora del centro de salud Michelle Bachelet Jeria y la directiva de la asociación de funcionarios de este último, a que alude el interesado, no corresponde a ninguno de los rubros que indica el mencionado artículo 23 de la ley Nº 19.378, ni cumple las condiciones exigidas por el artículo 45 del mismo cuerpo normativo, resultando improcedente, por cuanto no es pertinente reconocer valor a un instrumento de tal naturaleza, contraviniendo el ordenamiento jurídico (aplica criterio contenido en los dictámenes Nºs. 18.744, de 2015, y 27.850, de 2016). Por tanto, es posible concluir que el interesado no tiene derecho al entero del emolumento en comento, debiendo la citada autoridad edilicia, además, regularizar la situación descrita, disponiendo el reintegro de las sumas percibidas indebidamente por dicho concepto por los funcionarios de la dotación de atención primaria de esa entidad que las hayan recibido, sin perjuicio de la facultad de estos para requerir en virtud de lo dispuesto en el artículo 67 de la ley Nº 10.336, la liberación total o parcial de la restitución de los valores pertinentes, de lo que informará a la Unidad de Seguimiento de la División de Municipalidades de este Órgano de Control, dentro del plazo de 20 días hábiles, contado desde la recepción del presente oficio. A continuación, en lo que concierne a la alegación del peticionario relativa a que lo precalificó la señora Tamara Riquelme Becerra, directora del consultorio en el que se desempeña, quien no ha supervisado sus labores y que, además, integró la junta calificadora que lo ubicó en lista 4, de eliminación, es menester indicar que el artículo 59, inciso cuarto, del decreto Nº 1.889, de 1995, del Ministerio de Salud, dispone que la precalificación es la ponderación previa realizada por el jefe directo del funcionario, por lo que no configura un vicio de procedimiento que haya sido evaluado por quien ejerce dicha jefatura en el establecimiento en el que se desempeña, y que esta haya integrado la junta calificadora, según aparece en el acta de conformación de dicho órgano, ya que esa servidora únicamente cumplió las funciones que le correspondían, acorde a disposiciones legales expresas. En efecto, su desempeño se basa en dos calidades jurídicas distintas, ya que, en su condición de jefa directa, solo elabora la precalificación, y como integrante de la junta calificadora concurre con su voto para que sea esta la que en definitiva adopte una determinación, por lo que cabe desestimar la alegación en análisis (aplica criterio contenido en los dictámenes Nºs. 59.678, de 2014, y 19.054, de 2015). Finalmente, en lo que concierne a la reclamación del interesado sobre la falta de fundamento de la resolución del alcalde que se pronunció respecto de su apelación, cumple con precisar que la*

jurisprudencia administrativa de este Ente Fiscalizador, contenida, entre otros, en los dictámenes Nºs. 58.551 y 58.919, ambos de 2012, ha manifestado que dicha autoridad se encuentra en el imperativo de consignar expresamente, junto a la determinación que adopte, los antecedentes, razones o circunstancias objetivas que han servido de base para rechazar el recurso interpuesto». (**ID Dictamen:** 043994N16. **Fecha:** 14-06-2016. **Destinatarios:** señor Jaime Silva Acevedo, funcionario del Centro de Salud Familiar Michelle Bachelet Jeria de la Municipalidad de Maipú. **Texto:** Autoridad edilicia está facultada para disponer las destinaciones del personal de su dependencia, según las necesidades del servicio; jefatura directa es quien debe efectuar precalificación de funcionario; y, acoge reclamo por falta de fundamentación de resolución del alcalde que resuelve recurso de apelación. **Acción:** Aplica dictámenes 45011/2013, 37370/2014, 18744/2015, 27850/2016, 59678/2014, 19054/2015, 58551/2012, 58919/2012).

19. *«De este modo, contrario a lo aseverado por la entidad edilicia, debió corresponderle a esta última jefatura realizar la precalificación de la interesada y no al director de desarrollo comunitario, como aconteció en la especie, pues, como se observa, la señora Alvarado Hernández no depende en forma inmediata de este último.*
En consecuencia, y atendido que no consta que se haya realizado la precalificación por la jefatura directa a que alude el artículo 20, inciso primero, del citado decreto Nº 1.228, de 1992, se acoge el reclamo de la interesada, debiendo ese municipio retrotraer el proceso en estudio, a la etapa en que el respectivo jefe directo emita dicho informe, debiendo luego la junta calificadora adoptar un nuevo acuerdo debidamente fundado, informando de lo actuado a la Unidad de Seguimiento de la División de Municipalidades de esta Contraloría General, en el plazo de veinte días hábiles, contado desde la recepción del presente oficio.
Sin perjuicio de lo anterior, en lo que concierne a la falta de fundamentación del acuerdo de la junta calificadora, cabe expresar que, conforme a lo establecido en los artículos 42 de la ley Nº 18.883 y 28, inciso primero, del precitado decreto Nº 1.228, de 1992, aquel deberá ser siempre fundado, lo que no consta en la especie, y en relación con la circunstancia de haberse presentado el recurso de apelación en la oficina de partes del municipio, cabe recordar que en razón del principio de inexcusabilidad, establecido en el artículo 14 de la ley Nº 19.880, dicha unidad debió remitirlo a la autoridad correspondiente para su conocimiento y resolución». (**ID Dictamen:** 044144N16. **Fecha:** 14-06-2016. **Destinatarios:** Rosa Alvarado Hernández, funcionaria de la Municipalidad de Renca. **Texto:** Acoge reclamo de calificaciones de funcionaria regida por la ley Nº 18.883, por cuanto la precalificación no fue realizada por la jefatura directa. **Acción.**

20. *«Sobre el particular, conviene recordar que el dictamen Nº 87.371, de 2015, entre otros, ha resuelto que esta Entidad Fiscalizadora solo se halla facultada para pronunciarse sobre un proceso calificatorio, cuando en él se hubiere incurrido en algún vicio de procedimiento que implique una infracción legal o reglamentaria, pero no acerca del fondo de las consideraciones y apreciaciones vertidas sobre el empleado, puesto que ello es de competencia exclusiva de las autoridades y órganos evaluadores de la municipalidad, en las instancias que dispone la respectiva normativa.*
Sin perjuicio de lo anterior, y en cuanto a la reclamación referida a que no se consideró su precalificación, cabe hacer presente que según se ha precisado en el dictamen Nº 6.151, de 2016, en las juntas respectivas se encuentra radicada la potestad evaluadora, por lo que si bien sus resoluciones serán adoptadas teniendo en cuenta los informes efectuados por el jefe directo y la hoja de vida funcionaria, ello no implica que tales elementos sean vinculantes u obligatorios para dicho cuerpo colegiado, ya que este está autorizado para ponderar cualquier otro antecedente de que disponga en relación con el servidor». (**ID Dictamen:** 045481N16. **Fecha:** 20-06-2016. **Destinatarios:** doña Carolina Pizarro Fuentealba, funcionaria dependiente del departamento de salud de la Municipalidad de Lo Espejo. **Texto:** Rechaza reclamo sobre proceso calificatorio de funcionaria regida por la ley Nº 19.378, por cuanto la valoración del desempeño de los servidores corresponde a los respectivos órganos evaluadores municipales. **Acción:** Aplica dictámenes 87371/2015, 6151/2016).

21. *«Ahora bien, el decreto Nº 1.889, de 1995, del Ministerio de Salud —que aprueba el Reglamento de la Carrera Funcionaria del Personal regido por el Estatuto de Atención Primaria de Salud Municipal—, dispone en su artículo 67, que la comisión de calificación adoptará sus resoluciones teniendo en consideración necesariamente la precalificación del funcionario hecha por su jefe directo, la que consistirá en una evaluación cualitativa de su desempeño.*
En relación con ello, el dictamen Nº 65.672, de 2014, entre otros, ha precisado que las juntas calificadoras están dotadas de amplias facultades en lo que se refiere a la evaluación de los servidores, y que el informe del precalificador solo constituye uno de los elementos de análisis de que disponen dichos cuerpos colegiados para realizar su labor, el cual no tiene el carácter de vinculante, encontrándose habilitadas, en consecuencia, para asignar notas diversas a las contenidas en aquel instrumento.
De esta manera, entonces, si bien los acuerdos de la respectiva comisión deben ser adoptados teniendo en cuenta la precalificación, ello no implica que tales elementos sean vinculantes u obligatorios para ese cuerpo colegiado, como parece entender la interesada». (**ID Dictamen:** 056260N16. **Fecha:** 01-08-2016. **Destinatarios:** doña Patricia Normandin Urzúa,

funcionaria dependiente del departamento de salud de la Municipalidad de El Bosque. **Texto:** Precalificación no es vinculante para la comisión de calificación, al momento de adoptar su acuerdo. **Acción:** Aplica dictámenes 35801/2016, 65672/2014).

22. «*Sobre el particular, la jurisprudencia administrativa contenida, entre otros, en los dictámenes Nºs. 58.919, de 2012 y 43.994, de 2016, ha manifestado que la autoridad se encuentra en el imperativo de consignar expresamente, junto a la determinación que adopte, los antecedentes, razones o circunstancias objetivas que han servido de base para rechazar el recurso de apelación interpuesto.*

Pues bien, del examen de la documentación aportada, se advierte, que en el antes referido decreto Nº 686, de 2016, no se analizó las reclamaciones deducidas contra el resultado de la calificación impugnada ni se expresó fundamento o motivo alguno acerca de la evaluación obtenida por la funcionaria recurrente, rechazando el recurso sin indicar los antecedentes objetivos y las causas específicas que hayan servido de base para adoptar dicha decisión y limitándose a hacer alusión a la resolución Nº 5, de 2016, del alcalde del municipio, que no admitió la reclamación enunciada». (**ID Dictamen:** 056307N16. **Fecha:** 01-08-2016. **Destinatarios:** señora Carolina Cárcamo Avaria, funcionaria del Centro de Salud Familiar Pueblo Lo Espejo de la Municipalidad de Lo Espejo. **Texto:** Acoge reclamo de funcionaria regida por la ley Nº 19.378, respecto a su proceso calificatorio 2014-2015, por las razones que indica. **Acción:** Aplica dictámenes 58919/2012, 43994/2016).

23. «*Sobre el particular, conviene recordar que el dictamen Nº 45.481, de 2016, entre otros, ha resuelto que esta Entidad Fiscalizadora solo se halla facultada para pronunciarse sobre un proceso calificatorio, cuando en él se hubiere incurrido en algún vicio de procedimiento que implique una infracción legal o reglamentaria, pero no acerca del fondo de las consideraciones y apreciaciones vertidas sobre el empleado, puesto que ello es de competencia exclusiva de las autoridades y órganos evaluadores de la municipalidad, en las instancias que dispone la respectiva normativa. Respecto a la vulneración del principio de doble instancia alegada por el recurrente, por cuanto el administrador municipal habría intervenido como miembro del cuerpo colegiado y, posteriormente, rechazó su apelación, conviene señalar que, según el criterio sostenido en los dictámenes Nºs. 59.678, de 2014, 19.054, de 2015, 27.777, de 2016, y 43.723, de 2016, no configura un vicio de procedimiento en la calificación de un funcionario el hecho que el presidente de la junta calificadora sea, al mismo tiempo, por efecto de la subrogación, quien decida el recurso interpuesto en contra del acuerdo de dicho órgano evaluador, ya que ese servidor únicamente cumplió las funciones que le correspondían, acorde a disposiciones legales expresas».* (**ID Dictamen:** 065927N16. **Fecha:** 06-09-2016. **Destinatarios:** señor Humberto Díaz Farías, funcionario de la Municipalidad de San Joaquín. **Texto:** Desestima reclamo en contra de proceso calificatorio correspondiente al período 2012-2013, de funcionario regido por la ley Nº 18.883. **Acción:** Aplica dictámenes 45481/2016, 59678/2014, 19054/2015, 27777/2016, 43723/2016).

24. «*Sobre el particular, y en cuanto a la valoración insuficiente que, a juicio del peticionario se le otorgó, conviene recordar que el dictamen Nº 87.371, de 2015, entre otros, ha resuelto que esta Entidad Fiscalizadora solo se halla facultada para pronunciarse sobre un proceso calificatorio, cuando en él se hubiere incurrido en algún vicio de procedimiento que implique una infracción legal o reglamentaria, pero no acerca del fondo de las consideraciones y apreciaciones vertidas sobre el empleado, puesto que ello es de competencia exclusiva de las autoridades y órganos evaluadores de la municipalidad, en las instancias que dispone la respectiva normativa.*

Por su parte, y en lo que concierne a la falta de anotaciones de demérito a que alude el señor Uribe Tapia, cumple con señalar que según se ha precisado, entre otros, en el dictamen Nº 29.562, de 2016, las referidas notas constituyen solo uno de los antecedentes que se debe considerar para los efectos de la evaluación, por lo que su concurrencia u omisión no obligan a ubicar a un servidor en una determinada lista o asignarle cierto puntaje.

A su turno, y en relación con la demora en que se habría incurrido al llevar a cabo el procedimiento de que se trata, cabe hacer presente que el dictamen Nº 6.151, de 2016, entre otros, concluyó que, en materia de calificaciones, los plazos no son fatales, en atención a que lo más significativo es que la actuación o el deber, en definitiva se cumplan, sin perjuicio de las responsabilidades que pudieren originarse en tal situación.

Finalmente, y en cuanto a la integración de la comisión calificadora, cumple con indicar que en virtud de los artículos 44 de la ley Nº 19.378 y 61 del decreto Nº 1.889, de 1995, del Ministerio de Salud, esta se compondrá por un profesional del área de la salud, funcionario de la entidad, designado por el jefe superior de esta, quien la presidirá, el director del establecimiento en que se desempeña el servidor que va a ser calificado o la persona que designe el jefe superior de la entidad en los casos en que no sea posible determinar este integrante, y dos funcionarios de la dotación del establecimiento de la misma categoría del calificado, elegidos en votación por el personal sujeto a calificación, entre los que no se excluye a aquellos pertenecientes al mismo consultorio; sin que, por lo demás, se hayan acompañado antecedentes que permitan determinar la existencia de una eventual parcialidad». (**ID Dictamen:** 070287N16. **Fecha:** 27-09-2016. **Destinatarios:** don Walter Uribe Tapia, funcionario dependiente del departamento de salud de la Municipalidad de Lo Espejo. **Texto:** Rechaza reclamo sobre el proceso calificatorio de funcionario regido por la ley Nº 19.378, por no constituir vicios que afecten su validez las situaciones que alega. **Acción:** Aplica dictámenes 87371/2015, 29562/2016, 31387/2013, 6151/2016).

25. *«Pues bien, de acuerdo a los antecedentes tenidos a la vista, especialmente del informe de desempeño de la directora del Centro de Salud Familiar Eduardo Frei Montalva de la Municipalidad de La Cisterna, emitido en diciembre de 2015, aparece que la funcionaria en comento se desempeñó como técnico de nivel superior en el servicio de farmacia desde el 7 de abril al 30 de junio del año 2014, razón por la cual no se ajustó a derecho que la comisión calificadora tuviera en cuenta el desarrollo de una labor realizada por la señora Cárcamo Zagal en un período diverso al que estaba siendo evaluado»*. (**ID Dictamen:** 071005N16. **Fecha:** 29-09-2016. **Destinatarios:** señora Dorca Cárcamo Zagal, funcionaria del Departamento de Salud de la Municipalidad de La Cisterna. **Texto:** Municipalidad de La Cisterna debe retrotraer el proceso evaluatorio respecto de la funcionaria que indica hasta la etapa en que la comisión calificadora adopte un nuevo acuerdo. **Acción:** Reconsidera dictamen 25106/2016 Aplica dictamen 60973/2014).

26. *«Sobre el particular, cabe manifestar que conforme a lo previsto en los artículos 47 y 156, inciso primero, ambos de la ley Nº 18.883, a esta Contraloría General solo le corresponde intervenir en los procesos evaluatorios de los funcionarios, que hagan uso del recurso especial de reclamación dentro del plazo de 10 días hábiles, contado desde que se les notifica el fallo de la apelación deducida en contra de la resolución de la junta calificadora. De esta manera, el referido derecho de reclamación ha sido establecido en favor de los servidores que se vean afectados en su calificación, sea que lo ejerzan personalmente o representados, en cuyo último caso, según se ha precisado mediante el oficio circular Nº 24.143, de 2015, de esta Contraloría General —que imparte instrucciones para la atención de solicitudes de pronunciamiento jurídico—, deberán contener el instrumento que dé lugar a esa representación, lo que en esta oportunidad nuevamente no se advierte»*. (**ID Dictamen:** 091254N16. **Fecha:** 20-12-2016. **Destinatarios:** señor Víctor Sotomayor Castillos, funcionario de la Municipalidad de Algarrobo. **Texto:** Desestima solicitud de reconsideración del oficio Nº 10.584, de 2016, de la Contraloría Regional de Valparaíso. **Acción:** Aplica dictámenes 24143/2015, 24034/2010, 5846/2015).

27. *«Sobre el particular, cabe manifestar que de acuerdo con lo previsto en el artículo 47 y en el inciso primero del artículo 156, ambos de la ley Nº 18.883, a esta Contraloría General solo le corresponde intervenir en los procesos calificatorios de los funcionarios, que hagan uso del recurso especial de reclamación dentro del plazo de 10 días hábiles, contado desde que se les notifica el fallo de la apelación deducida en contra de la resolución del pertinente órgano colegiado (aplica criterio contenido en el dictamen Nº 16.884, de 2016). Ahora bien, de la documentación tenida a la vista, aparece que esta efectivamente fue notificada del resultado de su apelación con fecha 24 de agosto de 2016, habiendo deducido ante esta Contraloría General el recurso de reclamación que le otorga la normativa precedentemente reseñada el día 8 de septiembre de esa anualidad, es decir, una vez vencido el aludido término de diez días. En consecuencia, corresponde desestimar por extemporánea la presentación de la peticionaria respecto de su proceso calificatorio»*. (**ID Dictamen:** 092219N16. **Fecha:** 23-12-2016. **Destinatarios:** señora Viviana Vásquez González, funcionaria de la Municipalidad de Buin. **Texto:** Rechaza por extemporáneo reclamo sobre proceso calificatorio de funcionaria regida por la ley Nº 18.883. **Acción:** Aplica dictamen 16884/2016).

1. *«Sobre el particular, cabe señalar, en primer término, en lo que se refiere al reclamo efectuado por la recurrente acerca de la existencia de eventuales vicios en su calificación, que de acuerdo con lo dispuesto en el **artículo 47, en relación con el artículo 156, ambos de la citada ley Nº 18.883**, el plazo para reclamar de las calificaciones ante esta Entidad Fiscalizadora es de diez días hábiles, contados desde que se tuvo conocimiento de la situación, actuación o resolución que dio lugar al vicio que se reclama.*
*Pues bien, en el presente caso procede desestimar la alegación planteada en este sentido, considerando que el aludido plazo de diez **días hábiles se cuenta desde que el funcionario es notificado del fallo de la apelación deducida ante el alcalde en contra de las calificaciones**, término legal que, en la especie, a la data de esta reclamación, cual es el 28 de noviembre de 2008, había transcurrido en exceso, considerando que la interesada fue notificada de su calificación el 2 de julio de 2008, la que al firmar esta notificación, señaló que no interpondría recurso de apelación.*
*En consecuencia, la calificación asignada a la señora Donoso Fuentes **se encuentra ejecutoriada, siendo improcedente que el alcalde ordene su revisión, considerando que la preceptiva legal establece expresamente la oportunidad en que los funcionarios pueden reclamar de vicios en el procedimiento calificatorio y, asimismo, las autoridades ante las cuales deben efectuar tales reclamos»*. (**ID Dictamen:** 038325N09 **Fecha:** 17.07.2009 **Destinatarios:** Alcalde de la

Municipalidad de San Miguel. **Texto:** Plazo de funcionaria municipal para reclamar de sus calificaciones ante Contraloría es de 10 días hábiles, desde que fue notificada del fallo de la apelación deducida. Plazo para reclamar por ubicación en escalafón es de 10 días hábiles, contados desde que escalafón esté a disposición de funcionarios. En caso de empate en puntaje, se aplica factor antigüedad en el cargo, luego en grado, después en municipio, a continuación en Administración del Estado, y finalmente decide el alcalde. **Acción:** Aplica dictamen 47435/2007. Mismo criterio aplicado en **ID Dictamen: 061814N11 Fecha:** 30.09.2011 **Destinatarios:** Vladimir Muñoz Soto. **Texto:** Se abstiene de pronunciarse sobre reclamo de calificaciones de funcionario de la Municipalidad de Quilicura, por haberse interpuesto extemporáneamente e **ID Dictamen: 059780N11 Fecha:** 21.09.2011 **Destinatarios** Nandy Wylie San Martín **Texto** Pronunciamiento referido a oportunidad para reclamar en contra de proceso calificatorio de personal afecto a estatuto municipal).

2. *«Finalmente, en lo que atañe al pronunciamiento emitido por la autoridad edilicia, al conocer de la apelación deducida por la interesada, cabe hacer presente que si bien esa superioridad acogió parcialmente los planteamientos de aquella, al elevar a la nota máxima el subfactor cumplimiento de normas, sin embargo rechazó la solicitud formulada en cuanto a la nota en el subfactor cantidad de trabajo, sin indicar las razones que motivan tal actuación —tanto en el acto que resuelve la apelación, como en el documento de 19 de julio de 2011, por el cual se notificó a la afectada el resultado de dicho recurso—, lo que no se ajusta a lo precisado por este Organismo Contralor en los dictámenes Nºs. 29.632, de 2006, y 29.061, de 2009, en el sentido que dicha resolución debe fundamentarse, lo que no consta que haya ocurrido en el presente caso.*
En consecuencia, corresponde que se retrotraiga el procedimiento calificatorio de la especie, al estado en que el alcalde se pronuncie en forma fundada respecto de la apelación interpuesta por la recurrente». (**ID Dictamen: 075772N11 Fecha:** 02.12.2011 **Destinatarios:** Alcalde de la Municipalidad de El Bosque. **Texto:** Acoge parcialmente recurso especial de reclamación en proceso calificatorio. **Acción:** Aplica dictámenes 45413/2009, 28998/2011, 64170/2011, 29632/2006, 29061/2009)

3. *«Luego, es oportuno destacar que la resolución del alcalde que se pronuncie sobre el resultado de la apelación, necesariamente debe fundamentarse, lo que no aconteció en el presente caso, ya que no señala los antecedentes considerados para adoptar dicha decisión (aplica dictamen Nº 62.409, de 2010)».* (**ID Dictamen: 068184N11**[168] **Fecha:** 28.10.2011 **Destinatarios:** Alcalde de la Municipalidad de El Bosque. **Texto:** Acoge reclamo en proceso evaluatorio de funcionaria afecta a la ley 18883, por falta de la debida fundamentación del acuerdo de la junta calificadora. **Acción:** Aplica dictámenes 72737/2010, 34260/2011, 44518/2010, 54026/2010, 62409/2010, 33068/2009, 30019/2010. Mismo criterio aplicado en **ID Dictamen: 062096N11 Fecha:** 30.09.2011 **Destinatarios:** Alcalde de la Municipalidad de El Bosque. **Texto:** Procede acoger reclamo en proceso calificatorio de funcionaria afecta a la ley 18883, por falta de fundamentación de la resolución que rechaza recurso de apelación. **Acción:** Aplica dictámenes 33068/2009, 30019/2010, 72737/2010, 34260/2011, 17427/2011, 50020/2011 62409/2010)

4. *«Enseguida, cabe anotar que principios de igualdad y ecuanimidad de la actuación de los funcionarios y órganos que intervienen en la evaluación del personal municipal, exigen que la superioridad alcaldicia deba fundamentar la decisión que adopte al conocer y resolver el recurso de apelación que se deduzca en contra del acuerdo adoptado por la junta calificadora, lo que no aconteció en la situación planteada, puesto que en el documento que no se dio lugar a dicho recurso, derechamente se concluyó que no se acogía (aplica criterio contenido en los dictámenes Nºs. 29.632, de 2006, y 29.061, de 2009)».* (**ID Dictamen: 055628N11 Fecha:** 02.09.2011 **Destinatarios:** Alcalde de la Municipalidad de Santiago. **Texto:** Procede que el alcalde de la Municipalidad de Santiago se pronuncie nuevamente, sobre recurso de apelación en proceso calificatorio de funcionario municipal, esta vez de manera fundada. **Acción:** Aplica dictámenes 44424/2009, 29632/2006, 29061/2009)

5. *«Sobre el particular, en lo que atañe a la alegación formulada por el recurrente, respecto de la valoración insuficiente que se otorgó a su desempeño laboral, es del caso señalar que esta Entidad Fiscalizadora solo se encuentra facultada para pronunciarse respecto de un proceso calificatorio, cuando en él se hubiere incurrido en algún vicio de procedimiento que implique una infracción legal o reglamentaria, pero no respecto del fondo de las consideraciones y apreciaciones vertidas sobre un funcionario en dicha evaluación, como sucede con las notas asignadas, por cuanto*

---

[168] Para efectos de su consulta en la Base de Jurisprudencia de Contraloría General de la República, el citado dictamen se encuentra en la sección/materia: «generales», sin perjuicio de que se trata de uno de carácter municipal.

ello constituye un asunto que incide en el mérito funcionario, materia de competencia exclusiva de las autoridades y órganos calificadores de la respectiva municipalidad, en las instancias que contempla la normativa jurídica pertinente (aplica dictámenes Nºs. 669, 17.427 y 40.877, todos de 2011)». (**ID Dictamen: 050020N11 Fecha:** 09.08.2011 **Destinatarios** Luis Rebolledo Cáceres **Texto** Sobre reclamo de calificaciones, de funcionario de la Municipalidad de Santiago, regido por la ley 18883 **Acción** Aplica dictámenes 669/2011, 17427/2011, 40877/2011. Mismo criterio aplicado en **ID Dictamen: 040877N11 Fecha:** 30.06.2011 **Destinatarios:** Maximiliano Fernández Ortega. **Texto:** Sobre reclamo de calificaciones de funcionario municipal. Acción aplica dictámenes 669/2011, 15464/2011, 17427/2011)

6. *«Como es dable apreciar, y en concordancia con el **criterio contenido en los dictámenes Nºs. 29.186, de 2010; y 13.725 y 18.259, ambos de 2011**, de esta Entidad Fiscalizadora, la preceptiva indicada delimita expresamente la oportunidad en la cual, en materia de calificación, puede deducirse el reclamo de que trata el citado artículo 156, refiriéndola específicamente al momento posterior a la notificación de la resolución que falla el pertinente recurso de apelación, situación que no ha ocurrido en la especie».* (**ID Dictamen: 035475N11**[169] **Fecha:** 03.06.2011 **Destinatarios:** Tomás Reyes Veloz. **Texto:** No procede reconsiderar oficio sobre reclamo de calificaciones ante este organismo contralor, ya que éste sólo procede luego de haber interpuesto, previamente, el recurso de apelación ante el alcalde o su subrogante legal. **Acción:** Aplica dictámenes 29186/2010, 13725/2011, 18259/2011, 80509/2010. Mismo criterio aplicado en **ID Dictamen: 016083N12 Fecha:** 19.03.2012 **Destinatarios:** Inés Romero Moreno. **Texto:** Sobre reclamo de proceso calificatorio de funcionaria afecta a estatuto municipal. **Acción:** Aplica dictámenes 18259/2011, 35475/2011)

7. *«Finalmente, en cuanto a la eventual discriminación que alega el recurrente, en la evaluación correspondiente al subfactor asistencia y puntualidad, lo que habría incidido en su puntaje de calificación, cabe puntualizar que **la última de las instancias que el ordenamiento jurídico confiere para reclamar de las calificaciones, es el recurso previsto en el artículo 47, de la ley Nº 18.883**, norma que establece que una vez notificado al funcionario el fallo de la apelación que haya deducido ante el alcalde en contra de la resolución de la junta calificadora, sólo podrá reclamar directamente a la Contraloría General de acuerdo con el artículo 156 de dicho texto legal, esto es, en el plazo de diez días contado desde que se tiene conocimiento de ese fallo, por ende, corresponde rechazar, por extemporánea, la reclamación planteada sobre la materia».* (**ID Dictamen: 031319N11 Fecha:** 17.05.2011 **Destinatarios:** Rodrigo Barros Mc Intosh. **Texto:** Sobre ubicación en el escalafón para efectos del derecho a ascenso de funcionario de la Municipalidad de Recoleta)

8. *«Sobre el particular, cumple con aclarar que el citado dictamen Nº 24.269, de 2010, se fundamenta en **la jurisprudencia administrativa contenida, entre otros, en los dictámenes Nºs. 12.725, de 1996, y 12.209, de 1999,** en orden a que las asociaciones de funcionarios municipales están facultadas, acorde con el artículo 7º, inciso segundo, letra f), de la ley Nº 19.296, para representar a los funcionarios en los organismos y entidades en que la ley les concediere participación; y, además, a solicitud del interesado, podrán asumir la representación de los asociados para deducir, ante esta Contraloría General, el recurso de reclamación establecido en el respectivo Estatuto Administrativo.
Como puede advertirse, del tenor literal del referido precepto de la ley Nº 19.296, se colige que tratándose del recurso de reclamación que el personal edilicio puede deducir ante esta Contraloría General, reglado en el artículo 156 de la aludida ley Nº 18.883, situación en la que se encuentran precisamente las reclamaciones que se deduzcan en contra de las calificaciones, tales entidades gremiales solamente cuentan con atribuciones para representar a sus afiliados ante esta Entidad Fiscalizadora, cuando los interesados requieren expresamente su intervención, petición que debe constar en la presentación que las citadas agrupaciones de empleados formulen.
En efecto, cabe manifestar que los procesos calificatorios constituyen procedimientos reglados pormenorizadamente por la preceptiva legal y reglamentaria —contemplada en la mencionada ley Nº 18.883 y en el decreto Nº 1.228, de 1992, del Ministerio del Interior, que Aprueba el Reglamento de Calificaciones del Personal Municipal—, la que determina cada una de las etapas que los conforman, como asimismo las instancias en las que los interesados deben hacer valer sus planteamientos.
Así, la última de las instancias que el ordenamiento jurídico le confiere al personal para reclamar de sus calificaciones es el recurso que concede el artículo 47 de la referida ley Nº 18.883, que establece que una vez notificado al funcionario el fallo de la apelación que haya deducido ante el alcalde en contra de la resolución de la junta calificadora, sólo podrá*

---

[169]   Para efectos de su consulta en la Base de Jurisprudencia de Contraloría General de la República, el citado dictamen se encuentra en la sección/materia: «generales», sin perjuicio de que se trata de uno de carácter municipal.

reclamar directamente a la Contraloría General de acuerdo con el artículo 156 del citado texto legal, esto es, en el plazo de diez días desde que tiene conocimiento del fallo.

En este contexto, no resulta posible sostener que la asociación peticionaria represente a terceros funcionarios que eventualmente habrían sido afectados en sus calificaciones, en razón de vicios que afectarían a un proceso calificatorio, dado que no se acredita que esos servidores hayan solicitado su intervención, lo que sucede también en esta oportunidad, toda vez que sólo se acompaña un requerimiento del señor Hernández Benítez dirigido a la entidad gremial, que no dice relación con su situación funcionaria, sino que con la de otros funcionarios municipales que, como se ha expresado, no han solicitado ser representados para que ejerzan a su nombre el recurso de reclamación.

*Sin perjuicio de lo anterior, es preciso agregar que, en todo caso, el plazo previsto en los **artículos 47 y 156 de la ley Nº 18.883**, para deducir el recurso de reclamación en contra del proceso calificatorio 2006-2007, se encuentra vencido en exceso, debiendo tenerse presente que el artículo 48 de ese texto estatutario añade que una vez vencido el plazo para reclamar de las calificaciones ante la Contraloría General, o desde que el afectado es notificado de la resolución que resuelve ese reclamo, se entiende afinado el correspondiente proceso calificatorio, produciendo todos sus efectos jurídicos».* **(ID Dictamen: 020509N11 Fecha:** 05.04.2011 **Destinatarios:** Presidente de la Asociación de Funcionarios de la Municipalidad de La Florida. **Texto:** Sobre legitimación activa de Asociaciones de Funcionarios en reclamos de calificaciones de personal regido por la ley 18883, y oportunidad para su interposición. **Acción:** Aplica dictámenes 24269/2010, 12725/96, 12209/99)

9. «*Al respecto, cumple señalar que en virtud de los **artículos 47 y 156 de la anotada ley Nº 18.883**, a este Organismo de Control sólo le corresponde revisar los procesos evaluatorios de los servidores municipales, ante la posible existencia de vicios de legalidad que pudieren presentarse en sus diferentes etapas*». **(ID Dictamen: 015464N11 Fecha:** 14.03.2011 **Destinatarios:** Catalina Mancilla Flores. **Texto:** Sobre reclamo de ilegalidad en contra de calificaciones de funcionaria municipal. **Acción:** aplica dictámenes 42832/2008, 7655/2010)

10. «*Precisado lo anterior, cabe señalar, que los **procesos calificatorios se rigen por procedimientos reglados y formales, es decir, que determinan pormenorizadamente las etapas que los conforman y las instancias en las que los interesados deben hacer valer sus planteamientos, los que deben ser alegados en su totalidad y en un solo acto, no resultando admisible la interposición de reclamaciones sucesivas (aplica dictamen Nº 28.457, de 2008).***

*En este orden de ideas, **la última de las instancias que el ordenamiento jurídico le confiere al personal municipal para reclamar de sus calificaciones es el recurso que concede el artículo 47 de la ley Nº 18.883**, precepto que establece, en lo que interesa, que una vez notificado al funcionario del fallo de la apelación que haya deducido ante el alcalde en contra de la resolución de la Junta Calificadora, sólo podrá reclamar directamente a la Contraloría General de la República, de acuerdo con el artículo 156 de dicha ley, esto es, en el plazo de diez días hábiles contado desde que tuvo conocimiento del fallo.*

De este modo, y dado que la recurrente no reclamó en contra de la resolución que afinó su proceso calificatorio dentro del referido lapso, no existe fundamento legal que permita emitir un nuevo pronunciamiento respecto del proceso en comento, por lo que forzoso resulta concluir que dichas calificaciones comenzaron a producir sus efectos jurídicos desde que venció el plazo de 10 días para reclamar —época en la que quedaron ejecutoriadas con arreglo a lo dispuesto en el artículo 48 de la ley Nº 18.883—, ante este Órgano Contralor, de la notificación de la resolución fundada del alcalde de la Municipalidad de Parral, en cumplimiento del oficio Nº 264, de 2010, lo que, en la especie, aconteció el 1 de marzo de ese año». **(ID Dictamen: 013221N11 Fecha:** 03.03.2011 **Destinatarios:** Adriana Gaete. **Texto:** Desestima reclamo de proceso calificatorio de funcionaria regida por la ley 18883. **Acción:** Aplica dictámenes 28457/2008, 17726/2009, 35163/2010)

11. «*En lo que atañe a la alegación de la peticionaria sobre la falta de fundamentos de la resolución del alcalde que rechaza su apelación, es menester precisar que —si bien la autoridad edilicia en el informe emitido para los fines de atender la presente reclamación, expresa los motivos que sirvieron de base para adoptar esa decisión—, efectivamente consta que al resolver tal recurso, **omitió señalar las causas objetivas por las cuales mantuvo la calificación asignada (aplica dictámenes Nºs. 45.377, de 2009 y 67.595, de 2010, entre otros).***

*Por consiguiente, en mérito de lo expuesto, procede que ese municipio retrotraiga el proceso calificatorio (...), **al estado en que la máxima autoridad comunal resuelva fundadamente, la apelación deducida en contra de la calificación que le asignara la junta calificadora**»* (**ID Dictamen: 012555N11 Fecha:** 01.03.2011 **Destinatarios:** Alcalde Municipalidad de Quinta Normal. **Texto:** Sobre reclamo de calificaciones de funcionaria regida por la ley 18883. **Acción:** Aplica dictámenes 45377/2009, 67595/2010. Mismo criterio aplicado en **ID Dictamen: 045254N12 Fecha:** 26.07.2012 **Destinatarios:** Alcalde de la Municipalidad de La Cisterna. **Texto:** Acoge reclamo referido a proceso calificatorio de funcionarios de atención de salud municipal, por falta del acuerdo de la Comisión. **Acción:** aplica dictámenes 32807/2012, 51669/2009, 35175/2010, 78324/2011, 25406/2012)

12. «*Sobre el particular, en lo que atañe a la alegación formulada por la recurrente, respecto de la valoración insuficiente que se otorgó a su desempeño laboral, es del caso anotar que esta Entidad Fiscalizadora sólo se encuentra facultada para pronunciarse respecto de un proceso calificatorio, cuando en él se hubiere incurrido en algún vicio de procedimiento que implique una infracción legal o reglamentaria, pero no respecto del fondo de las consideraciones y apreciaciones vertidas sobre un funcionario en dicha evaluación, como sucede con las notas asignadas, por cuanto ello constituye un asunto que incide en el mérito funcionario, materia de competencia exclusiva de las autoridades y órganos calificadores de la respectiva municipalidad, en las instancias que contempla la normativa jurídica pertinente (aplica dictámenes Nºs. 15.934 y 35.163, ambos de 2010)*». (**ID Dictamen: 000669N11 Fecha:** 06.01.2011 **Destinatarios:** Erna Alarcón. **Texto:** Sobre reclamo de calificaciones de funcionaria municipal. **Acción:** Aplica dictámenes 15934/2010, 35163/2010. Mismo criterio aplicado en **ID Dictamen: 054639N12 Fecha:** 04.09.2012 **Destinatarios:** Alcaldesa de la Comuna de Pedro Aguirre Cerda. **Texto:** Desestima reclamo fundado en vicios en proceso de calificación de funcionaria municipal que indica. **Acción:** aplica dictámenes 25827/2009, 44424/2009, 8351/95, 55095/2008, 34260/2011, 25406/2012, 17726/2009)

13. «*En este contexto, se debe considerar que de los antecedentes tenidos a la vista se desprende que, don Jaime Ramírez Cortés, recurrió oportunamente a las instancias antes indicadas con el objeto de impugnar el procedimiento de calificación que le fue aplicado, siendo rechazadas sus solicitudes por las consideraciones que en su oportunidad se expusieron, dado lo cual no existe fundamento legal que permita a esta Entidad de Fiscalización emitir un nuevo pronunciamiento acerca de la evaluación en cuestión, por lo que forzoso resulta concluir que dichas calificaciones comenzaron a producir sus efectos jurídicos desde la fecha en que el interesado fue notificado del recurrido dictamen Nº 33.952, de 2012, cuestión que implica que a su respecto se configuró la causal de declaración de vacancia establecida en la letra c) del artículo 144 de la ley Nº 18.883, en concordancia con la letra c), del artículo 147, del anotado cuerpo estatutario*». (**ID Dictamen: 078577N12 Fecha:** 18.12.12 **Destinatarios:** Jaime Ramírez Cortés. **Texto:** Rechaza solicitud de reconsideración de dictamen 33952 de 2012 de esta Contraloría General. **Acción:** Aplica dictámenes 46016/2002, 28457/2008 Confirma dictamen 33952/2012)

14. «*En este orden, los artículos 45 a 47 de la ley Nº 18.883, establecen, en lo que interesa, el derecho del funcionario a apelar de la resolución de la junta calificadora ante el alcalde, y una vez notificado el fallo del recurso formulado, el servidor podrá recurrir directamente ante la Contraloría General, de conformidad al artículo 156 del indicado cuerpo estatutario.*
Ahora bien, atendido que las aludidas disposiciones legales no precisan la forma como debe manifestarse ese derecho, tendrá que estarse a la regulación de carácter supletoria contenida en la ley Nº 19.880 —sobre Procedimientos Administrativos que rigen los actos de los Órganos de la Administración del Estado—, cuyos artículos 5º y 19 previenen, en lo que interesa, que por regla general el procedimiento administrativo y los actos a que da origen, pueden realizarse por escrito o a través de técnicas y medios electrónicos.
Como puede advertirse al tenor de lo expuesto, el requisito necesario para que un reclamo como el de la especie produzca los efectos que le son propios, es que aquel se manifieste por escrito, exigencia que puede entenderse cumplida mediante la vía que en este acto se objeta, razón por la que, en la especie, debe reconocerse la validez de la reclamación de calificaciones del señor Méndez Vejar efectuada bajo esta modalidad y dentro de plazo, tal como en definitiva concluyó la Sede Regional del Biobío, lo que además es concordante con los principios de celeridad, economía procesal, no formalización, eficiencia, y eficacia, previstos en el recién mencionado cuerpo legal (aplica criterio contenido en los dictámenes Nºs. 12.723, de 2005, 68.864 y 79.645, ambos de 2011)». (**ID Dictamen: 065940N12 Fecha:** 23.10.2012 **Destinatarios:** Alcalde de la Municipalidad de Los Ángeles. **Texto:** Reconsidera oficio 155/2012, de la Contraloría Regional del Biobío, sobre proceso calificatorio de funcionario municipal. **Acción:** Aplica dictámenes 12723/2005, 68864/2011, 79645/2011, 54026/2010, 68184/2011, 41270/2007)[170]

---

[170]   Para efectos de su consulta en la Base de Jurisprudencia de Contraloría General de la República, el citado dictamen se encuentra en la sección/materia: «generales», sin perjuicio de que se trata de uno de carácter municipal.

15. «*Por otra parte, en cuanto a la alegación de la recurrente sobre la falta de fundamentos de la resolución del alcalde que se pronunció respecto de su apelación, cumple con precisar que, si bien la autoridad edilicia expresa —en el informe emitido para efectos de atender la presente reclamación— las razones que sirvieron de base para adoptar esa decisión, consta, principalmente de lo señalado en el aludido instrumento, que al resolver tal recurso omitió señalar las causas objetivas por las cuales modificó la calificación (...).*

En consecuencia, en mérito de lo expuesto, procede que ese municipio, dentro de un plazo de 15 días, retrotraiga el proceso de calificaciones correspondiente (...), al estado en que la máxima autoridad comunal resuelva fundadamente la apelación deducida en contra de la calificación que le asignara la junta calificadora (aplica criterio contenido, entre otros, en el dictamen Nº 67.595, de 2010)». (**ID Dictamen: 058919N12 Fecha:** 25.09.2012 Alcalde de la Municipalidad de Pudahuel. **Texto:** Acoge reclamo sobre proceso calificatorio de funcionario que individualiza, debiendo retrotraerse a la etapa en que la autoridad comunal resuelva fundadamente la apelación. **Acción:** aplica dictámenes 78324/2011, 25406/2012, 67595/2010. Mismo criterio aplicado en **ID Dictamen: 035152N11 Fecha:** 02.06.2011 **Destinatarios** Alcalde de la Municipalidad de Peñaflor. **Texto:** Sobre reclamo de calificaciones, de funcionario de la Municipalidad de Peñaflor, regido por la ley 18883. **Acción:** Aplica dictámenes 15934/2010, 35163/2010, 17427/2011, 49040/2010 72737/2010, 54947/2007, 51667/2008, 44909/2002, 29061/2009, 62409/2010 e **ID Dictamen: 045254N12 Fecha:** 26.07.2012 **Destinatarios:** Alcalde de la Municipalidad de La Cisterna. **Texto:** Acoge reclamo referido a proceso calificatorio de funcionarios de atención de salud municipal, por falta del acuerdo de la Comisión. **Acción:** aplica dictámenes 32807/2012, 51669/2009, 35175/2010, 78324/2011, 25406/2012)

16. «*Como cuestión previa, es del caso señalar que la jurisprudencia administrativa de este origen, contenida, entre otros, en el dictamen Nº 64.170, de 2011, ha precisado que este Ente Fiscalizador sólo está facultado para pronunciarse tratándose de un proceso calificatorio, cuando en él se hubiere incurrido en algún vicio de procedimiento que implique una infracción legal o reglamentaria, pero no acerca del fondo de las consideraciones y apreciaciones vertidas sobre el empleado, como sucede con las notas asignadas, puesto que ello constituye un asunto que incide en el mérito funcionario, lo que es de competencia exclusiva de las autoridades y órganos calificadores de la municipalidad, en las instancias que dispone la normativa. (...)*

Por otra parte, sobre la alegación planteada respecto de la falta de notificación de su precalificación, cabe consignar que dicha diligencia no está contemplada en la normativa citada como un trámite esencial del proceso calificatorio, sino que sólo resulta exigible respecto de la resolución del órgano colegiado que emite el acuerdo, con el objeto de que el evaluado haga valer los recursos que la ley le franquea para asumir su defensa (aplica criterio contenido, entre otros, en los dictámenes Nºs. 12.141, de 2004, y 29.632, de 2006).

A continuación, en lo que se refiere a la ausencia de fundamentación de la resolución que resuelve la apelación, cabe señalar que la decisión del alcalde necesariamente debe fundamentarse, lo que no aconteció en el presente caso, según consta de la documentación acompañada que da cuenta del rechazo de dicho recurso, ya que no señala los antecedentes considerados para adoptar dicha determinación (aplica criterio contenido en el dictamen Nº 62.096, de 2011)». (ID Dictamen: 058551N12 Fecha: 24.09.2012 Destinatarios Alcalde de la Municipalidad de Saavedra. Texto: Acoge reclamo en proceso calificatorio en la Municipalidad de Saavedra. Acción: Aplica dictámenes 64170/2011, 12141/2004, 29632/2006, 51161/2006, 64418/2009, 963/2010, 78324/2011, 25406/2012, 62096/2011, 10740/98, 32807/2012)

17. «*Sin perjuicio de lo anterior y en relación a la alegación del recurrente respecto de los procesos calificatorios de otros funcionarios municipales, cumple señalar que este Organismo Fiscalizador debe abstenerse de emitir un pronunciamiento, por cuanto no se ha acompañado el poder en virtud del cual se asume la representación correspondiente, según lo exige el artículo 22 de la ley Nº 19.880, que Establece Bases de los Procedimientos Administrativos que Rigen los Actos de los Órganos de la Administración del Estado*». (**ID Dictamen:** 050621N12 **Fecha:** 17.08.2012. **Destinatarios:** Cristián Chateauneuf Mediano. **Texto:** Desestima reclamo de calificaciones de funcionario regido por la ley 18883, por ser extemporáneo)

18. «*Sobre el particular, cabe señalar que de acuerdo a lo dispuesto en la preceptiva legal antes citada, el plazo para reclamar de las calificaciones ante este Organismo Fiscalizador es de diez días hábiles, contados desde que se tuvo conocimiento de la situación, actuación o resolución que dio lugar al vicio que se impugna, lo que en la especie aun no ha ocurrido, por cuanto conforme a lo informado por la corporación edilicia recurrida mediante oficio Nº 400/55/228, de 2012 —cuya fotocopia se adjunta para su conocimiento—, aun se encuentra pendiente la notificación del fallo de la apelación interpuesta por la interesada ante el alcalde.*

Por consiguiente, es dable concluir que esta Entidad se encuentra impedida, por ahora, para pronunciarse respecto del presente reclamo, sin perjuicio que la recurrente se dirija a este Órgano de Control, si lo estima del caso, después de

262   Capítulo II. Estatuto Administrativo para Funcionarios Municipales

conocida la resolución de la autoridad comunal, conforme a lo que señala el ya citado **artículo 47 de la ley N° 18.883** **(aplica dictamen N° 26.179, de 2003)**». **(ID Dictamen: 044387N12 Fecha:** 24.07.2012 **Destinatarios** Viviana Galleguillos Cereceda **Texto** Se abstiene de pronunciarse sobre reclamo de calificaciones de funcionaria regida por la ley 18883, cuya apelación no ha sido resuelta. **Acción** Aplica dictamen 26179/2003)

19. «*Sobre el particular, cabe señalar que de conformidad con el artículo 45 de la ley N° 18.883, el funcionario tendrá derecho a apelar de la resolución de la junta calificadora, y de este recurso conocerá el alcalde; mientras que según previene el **artículo 47 del citado texto legal**, una vez notificado el fallo de la apelación, el servidor solo podrá reclamar directamente a la Contraloría General, según lo dispuesto en el artículo 156 del aludido estatuto.*
*Como se advierte, y en concordancia con el criterio contenido en los **dictámenes N°s. 18.259 y 35.475, ambos de 2011**, de esta Entidad Fiscalizadora, la preceptiva indicada delimita expresamente la oportunidad en la cual, en materia de calificación, puede deducirse el reclamo de que trata el citado artículo 156, refiriéndola específicamente al momento posterior a la notificación de la resolución que falla el pertinente recurso de apelación, situación que no ha ocurrido en la especie.*
En efecto, según lo informado por la municipalidad, la peticionaria notificada de la resolución de la junta calificadora, no hizo uso del derecho de apelar ante el alcalde, hecho que configura la imposibilidad de parte de este Órgano de Control de conocer y pronunciarse respecto del recurso de reclamación de que se trata. En consecuencia, en mérito de lo expuesto, corresponde desestimar el reclamo interpuesto por la requirente». **(ID Dictamen: 016083N12 Fecha:** 19.03.2012 **Destinatarios:** Inés Romero Moreno. **Texto:** Sobre reclamo de proceso calificatorio de funcionaria afecta a estatuto municipal. **Acción:** Aplica dictámenes 18259/2011, 35475/2011)

20. «*En primer lugar, atendido lo señalado por la municipalidad, es necesario aclarar que la reclamación de la especie ha sido deducida dentro del plazo de diez hábiles fijado para tal efecto en los citados **artículos 47 y 156 de la ley N° 18.883**, contado desde que se tuviere conocimiento de la situación, resolución o actuación que dio lugar al vicio de que se reclama, toda vez que, tratándose de las calificaciones, dicho término legal debe computarse a contar de la notificación de la resolución por la cual el alcalde se pronuncia sobre la apelación que el interesado haya interpuesto en contra de su calificación, vale decir, **una vez que se han cumplido todas las diligencias del respectivo proceso, en que deben intervenir las autoridades u órganos municipales, y no durante su desarrollo**, como parece entenderlo esa entidad edilicia (**aplica dictámenes N°s. 59.780 y 61.814, ambos de 2011**)*». **(ID Dictamen: 012158N12 Fecha:** 01.03.2012 **Destinatarios:** Alcalde de la Municipalidad de Santiago. **Texto:** Desestima reclamo de ilegalidad interpuesto por funcionario municipal en contra de proceso calificatorio, por cuanto no se advierten vicios de ilegalidad en su tramitación. **Acción:** Aplica dictámenes 59780/2011, 61814/2011, 25827/2009, 33575/2009, 7474/2011, 669/2011, 17427/2011)

Artículo 48

El funcionario calificado por resolución ejecutoriada en lista 4 o por dos años consecutivos en lista 3, deberá retirarse de la Municipalidad dentro de los 15 días hábiles siguientes al término de la calificación. Si así no lo hiciere se le declarará vacante el empleo a contar desde el día siguiente a esa fecha. Se entenderá que la resolución queda ejecutoriada desde que venza el plazo para reclamar o desde que sea notificada la resolución de la Contraloría General de la República que falla el reclamo.

Si un funcionario conserva la calificación en lista 3, en virtud de lo dispuesto en el artículo 36, no se aplicará lo establecido en el inciso precedente, a menos que la falta de calificación se produzca en dos períodos consecutivos.

1. «*De la norma transcrita se desprende que esta contiene, por una parte, la regla general en materia de remoción del jefe de la unidad de control, la que deberá efectuarse por las causales de cese a que se refiere la ley N° 18.883, previa instrucción del respectivo procedimiento disciplinario; y, por otra, una regla especial acerca de aquellos sumarios en que se investigue específicamente el incumplimiento de las funciones propias de quienes ejercen ese cargo y, en particular, la de representar al concejo municipal los déficit que adviertan en el presupuesto municipal, debiendo estos últimos procesos substanciarse por este Organismo Fiscalizador, a requerimiento del ente colegiado (aplica dictamen N° 85.233, de 2015).*

Ahora bien, además de la destitución, como todo funcionario municipal, la jefatura de que se trata puede incurrir en alguna de las otras causales de cese previstas en el artículo 144 de la mencionada ley Nº 18.883, esto es, aceptación de renuncia; obtención de jubilación, pensión o renta vitalicia en un régimen previsional, en relación al respectivo cargo municipal; declaración de vacancia (por salud irrecuperable o incompatible con el desempeño del cargo; por pérdida sobreviniente de alguno de los requisitos de ingreso; y, por calificación en lista de Eliminación o Condicional); supresión del empleo; y, fallecimiento.

Dichas causales son independientes entre sí, y se sujetan a exigencias y regulaciones establecidas expresamente por el legislador para cada una de ellas, por lo que no requieren, por cierto, de la tramitación previa de un sumario administrativo.

A continuación, ante la negativa de dejar el cargo el municipio dictó el decreto alcaldicio Nº 215, de 2016, por el cual declaró vacante dicha plaza, en conformidad con los artículos 48; 144 y 147, letras c), de la ley Nº 18.883, ajustándose a derecho su cese, de acuerdo a lo expuesto con antelación». (**ID Dictamen:** 025294N18. **Fecha:** 08-10-2018. **Destinatarios:** don Iván Gajardo Calderón, exconcejal de la Municipalidad de Macul. **Texto:** La causal de cese de funciones de declaración de vacancia por «calificación del funcionario en lista de eliminación», es aplicable a quien desempeña el cargo de Director de la Unidad de Control Municipal, sin que se requiera, para hacerla efectiva, de la tramitación previa de un sumario administrativo. **Acción:** Aplica dictámenes 85838/2016, 85233/2015, 27777/2016, 1772/2015).

2. *«Sobre el particular, en lo que concierne a la reclamación relativa a que la precalificación efectuada por el jefe directo sería subjetiva y carecería de respaldo documental, cumple con señalar que este Ente Fiscalizador no está facultado para manifestarse acerca del fondo de las consideraciones y apreciaciones vertidas respecto de la empleada, puesto que ello constituye un asunto que incide en el mérito funcionario, lo que es de competencia exclusiva de las autoridades y órganos evaluadores de cada municipalidad, razón por la que esta Contraloría General debe abstenerse de emitir un pronunciamiento en esta materia (aplica dictámenes Nºs. 12.176, de 2013, y 37.940, de 2015).*

Luego, respecto a la posible vulneración del principio de doble instancia reclamada por la recurrente, por cuanto su jefe directo la habría precalificado y posteriormente actuado como miembro de la junta calificadora que determinó su ubicación en lista Nº 4, de eliminación, es preciso señalar, que según el criterio sostenido en los dictámenes Nºs. 37.750, de 2009, y 36.906, de 2013, entre otros, no se configura un vicio de procedimiento en la evaluación de un funcionario por el hecho que la jefatura directa sea, al mismo tiempo, integrante de la junta calificadora, ya que, en tal calidad, ese servidor únicamente cumplió las funciones que le correspondían, acorde a disposiciones legales expresas.

Al respecto, mediante los dictámenes Nºs. 45.011, de 2013, y 37.370, de 2014, entre otros, esta Contraloría General ha precisado que es atribución privativa de la autoridad edilicia ordenar las destinaciones del personal de su dependencia, decidiendo discrecionalmente, pero sin arbitrariedad, el modo de distribuirlo y ubicarlo según las necesidades de la repartición que dirige y la apreciación de las circunstancias o razones que justifican tanto la destinación del empleado, como el mejor aprovechamiento del recurso humano, facultad que debe materializarse a través de un decreto alcaldicio.

Finalmente, cumple indicar que, atendido que la señora Cea Navia al término del proceso calificatorio correspondiente al período 2014-2015 con 29 puntos, fue ubicada en lista Nº 4, de Eliminación, y acorde con lo dispuesto por el artículo 48 de la ley Nº 18.883, deberá retirarse de la Municipalidad de Padre Hurtado dentro de los 15 días hábiles siguientes a la notificación del presente pronunciamiento, debiendo agregarse que si así no lo hiciere, dicha entidad edilicia tendrá que declararle vacante el empleo a contar del día siguiente a esa data, de lo que informará a la Unidad de Seguimiento de la División de Municipalidades de esta Contraloría General, dentro del plazo de 30 días hábiles, contado desde la recepción del presente oficio». (**ID Dictamen:** 043723N16. **Fecha:** 13-06-2016. **Destinatarios:** señora Regina Cea Navia, funcionaria de la Municipalidad de Padre Hurtado. **Texto:** Rechaza reclamo sobre proceso calificatorio correspondiente al período 2014-2015; autoridad edilicia está facultada para disponer las destinaciones del personal de su dependencia, según las necesidades del servicio, y desestima reclamo por hostigamiento laboral por cuanto no se acompañan antecedentes que resulten indicativos de su existencia. **Acción:** Aplica dictámenes 12176/2013, 37940/2015, 37750/2009, 36906/2013, 59678/2014, 19054/2015, 45011/2013, 37370/2014, 52751/2012, 58556/2012, 16177/2014, 2292/2014).

1. *«Ahora bien, en la situación de la especie, consta que efectivamente la entidad edilicia publicó el 3 de septiembre de 2010, el escalafón vigente para el año 2009, data anterior a la de resolución del recurso de apelación por parte de la autoridad edilicia y del recurso de reclamación por esta Contraloría General, vale decir, **antes de que el proceso califica-torio que sirve de base para la elaboración del escalafón, se haya encontrado afinado**; no obstante, considerando que esos recursos han sido rechazados, tal irregularidad no ha tenido incidencia en la ubicación del señor Toledo Castro en dicho ordenamiento del personal municipal, sin perjuicio que la municipalidad, en lo sucesivo, tenga en consideración la normativa comentada precedentemente».* (**ID Dictamen:** 034260N11 **Fecha:** 27.05.2011 **Destinatarios:** Reinaldo Toledo

Castro. **Texto:** Sobre reclamo de calificaciones de funcionario regido por la ley 18883, confección de escalafón y destinación. **Acción:** Aplica dictámenes 49040/2010, 72737/2010)

2. «*Sin perjuicio de lo anterior, es preciso agregar que, en todo caso, el plazo previsto en los artículos 47 y 156 de la ley Nº 18.883, para deducir el recurso de reclamación en contra del proceso calificatorio 2006-2007, se encuentra vencido en exceso, debiendo tenerse presente que el **artículo 48** de ese texto estatutario añade que una vez vencido el plazo para reclamar de las calificaciones ante la Contraloría General, o desde que el afectado es notificado de la resolución que resuelve ese reclamo, se entiende afinado el correspondiente proceso calificatorio, **produciendo todos sus efectos jurídicos**. En consecuencia, el **proceso calificatorio que se pretende impugnar se encuentra ejecutoriado y, por ende, a firme las respectivas calificaciones**». (ID Dictamen: 020509N11 Fecha:* 05.04.2011 **Destinatarios:** Presidente de la Asociación de Funcionarios de la Municipalidad de La Florida **Texto:** Sobre legitimación activa de Asociaciones de Funcionarios en reclamos de calificaciones de personal regido por la ley 18883, y oportunidad para su interposición. **Acción:** Aplica dictámenes 24269/2010, 12725/96, 12209/99)

3. «*En este contexto, se debe considerar que de los antecedentes tenidos a la vista se desprende que, don Jaime Ramírez Cortés recurrió oportunamente a las instancias antes indicadas con el objeto de impugnar el procedimiento de calificación que le fue aplicado, siendo rechazadas sus solicitudes por las consideraciones que en su oportunidad se expusieron, dado lo cual no existe fundamento legal que permita a esta Entidad de Fiscalización emitir un nuevo pronunciamiento acerca de la evaluación en cuestión, por lo que **forzoso resulta concluir que dichas calificaciones comenzaron a producir sus efectos jurídicos desde la fecha en que el interesado fue notificado del recurrido dictamen Nº 33.952, de 2012**, (...)*». (**ID Dictamen:** 078577N12 **Fecha:** 18.12.12 **Destinatarios:** Jaime Ramírez Cortés. **Texto:** Rechaza solicitud de reconsideración de dictamen 33952 de 2012 de esta Contraloría General. **Acción:** Aplica dictámenes 46016/2002, 28457/2008 Confirma dictamen 33952/2012)

4. «*Sobre el particular, cabe señalar que de la información recabada por esta Entidad Fiscalizadora, se advierte que, efectivamente, la Municipalidad de Mostazal elaboró los escalafones de los años 2003, 2004, 2005 y 2006, y que estos fueron remitidos al Organismo Regional de Control para que tomara conocimiento de ellos, sin perjuicio que los respectivos procesos evaluatorios no se encontraban afinados, atendido que estaban aun pendientes las resoluciones de las apelaciones presentadas por la afectada. (...)*
*En este contexto, es dable concluir que **ha resultado improcedente la confección de los referidos escalafones por parte del municipio, con antelación a que los respectivos procesos calificatorios estuvieren terminados**, razón por la cual los instrumentos por los que se reclama, deberán dejarse sin efecto*». (**ID Dictamen:** 045003N12 **Fecha:** 26.07.2012 **Destinatarios:** Alcalde de la Municipalidad de Mostazal. **Texto:** Sobre reclamo relativo a elaboración de escalafones que indica. **Acción:** Aplica dictamen 34260/2011)

Artículo 49

Con el resultado de las calificaciones ejecutoriadas, las Municipalidades confeccionarán un escalafón disponiendo a los funcionarios de cada grado de la respectiva planta en orden decreciente conforme al puntaje obtenido.

En caso de producirse un empate, los funcionarios se ubicarán en el escalafón de acuerdo con su antigüedad: primero en el cargo, luego en el grado, luego en la Municipalidad, a continuación en la Administración del Estado, y finalmente, en el evento de mantenerse la concordancia, decidirá el Alcalde.

1. «*Sin embargo, es dable precisar que, en los aspectos de fondo, este Órgano Contralor hizo suyos los argumentos del citado ente edilicio, lo que implicaba, entre otras, desestimar el reclamo respecto del señor Núñez Zamora, por cuanto contaba con la antigüedad en el municipio acorde con la posición que se le asignó en el escalafón. Por consiguiente, se reconsidera el citado dictamen Nº 48.467, de 2015, en cuanto rechazó el reclamo formulado por extemporáneo, sin perjuicio que ello no incide en lo resuelto en definitiva por dicho pronunciamiento, en orden a que no se advertirían irregularidades en la ubicación del señor Núñez Zamora en el escalafón correspondiente al año 2013. En efecto, el artículo 49 de la ley Nº 18.883, prevé que "Con el resultado de las calificaciones ejecutoriadas, las municipalidades confecciona-*

rán un escalafón, disponiendo a los funcionarios de cada grado de la respectiva planta en orden decreciente conforme al puntaje obtenido", y en caso de producirse un empate, "se ubicarán en el escalafón de acuerdo con su antigüedad: primero en el cargo, luego en el grado, luego en la Municipalidad, a continuación en la Administración del Estado y finalmente, en el evento de mantenerse la concordancia, decidirá el Alcalde". Se reconsideran también los dictámenes Nºs. 40.235, de 2005 y 40.418, de 2013, de este origen, en cuanto en ellos se resolvió que solo es posible contabilizar los desempeños continuos para los efectos de determinar la antigüedad para el desempate de que se trata». (**ID Dictamen:** 000261N16. **Fecha:** 05-01-2016. **Destinatarios:** señora María Celeste Mora Escobar. **Texto:** Reconsidera parcialmente el dictamen Nº 48.467, de 2015, en atención a que reclamo fue planteado oportunamente. En la confección del escalafón para computar la antigüedad en el municipio deben considerarse los servicios continuos y discontinuos. **Acción:** Aplica dictamen 20252/2001 Reconsidera parcialmente dictamen 48467/2015, 40235/2005, 40418/2013).

2. *«Sobre el particular, es pertinente recordar que el artículo 49 de la ley Nº 18.883, prevé que con "el resultado de las calificaciones ejecutoriadas, las municipalidades confeccionarán un escalafón, disponiendo a los funcionarios de cada grado de la respectiva planta en orden decreciente conforme al puntaje obtenido", y en caso de producirse un empate, "se ubicarán en el escalafón de acuerdo con su antigüedad: primero en el cargo, luego en el grado, luego en la Municipalidad, a continuación en la Administración del Estado y finalmente, en el evento de mantenerse la concordancia, decidirá el Alcalde". Al respecto, la jurisprudencia administrativa de esta Entidad Fiscalizadora contenida en los dictámenes Nºs. 36.855, de 2000, y 261, de 2016, entre otros, ha precisado que la aludida preceptiva no distingue en cuanto a la calidad del desempeño efectuado para los fines de determinar la antigüedad en ninguno de los elementos que allí se mencionan, resultando útil en su contabilización todo el tiempo, continuo y discontinuo, servido por un empleado. Ahora bien, cabe señalar que la data de ingreso que debe consignarse en el escalafón para efectos de comenzar a contabilizar la antigüedad en el municipio respecto de un funcionario que se ha desempeñado en forma discontinua en aquel, corresponderá a la fecha del primer vínculo estatutario o bajo el Código del Trabajo que se haya verificado entre el servidor de que se trate y el órgano comunal (aplica criterio contenido en el dictamen Nº 25.450, de 2013)».* (**ID Dictamen:** 002474N18. **Fecha:** 22-01-2018. **Destinatarios:** Municipalidad de Ñuñoa. **Texto:** Para efectos de la confección del escalafón, tratándose de períodos discontinuos de desempeño, debe considerarse como fecha de ingreso al municipio respectivo la que corresponda a la primera designación del funcionario de que se trate. **Acción:** Aplica dictámenes 36855/2000, 261/2016, 25450/2013).

3. *«Ahora bien, en lo que respecta a la petición del ocurrente en cuanto a que se le aclare a quién le corresponde, acorde a lo señalado por el anotado oficio Nº 3.261, de 2015, de la Contraloría Regional del Maule, el ascenso al cargo de director de administración y finanzas, grado 6, de la planta de personal de la tantas veces citada entidad edilicia, cabe hacer presente que dicho pronunciamiento fue reconsiderado por su similar Nº 8.547, de la misma anualidad, de esa sede, precisando —en lo que interesa— que los funcionarios que se desempeñen en el grado 7 del estamento de directivos deben ser incorporados en el escalafón de mérito, ordenándose conforme al puntaje obtenido en el proceso calificatorio pertinente, según lo prevé el artículo 49, inciso primero, de la ley Nº 18.883, y de acuerdo a lo indicado en el inciso segundo de ese precepto, en el caso de producirse un empate.*
En dicho contexto, compete al municipio la determinación del funcionario a quien, cumpliendo los requisitos para ello, corresponda el ascenso a la plaza de director de administración y finanzas, en conformidad con el escalafón vigente a la época de creación del mencionado empleo, sin desmedro del control de este Organismo Fiscalizador de acuerdo con sus atribuciones». (**ID Dictamen:** 003247N16. **Fecha:** 14-01-2016. **Destinatarios:** Luis Alegría Cancino, director de obras de la Municipalidad de Constitución. **Texto:** Desestima solicitud de reconsideración del dictamen Nº 50.702, de 2015, por las razones que indica; y, la ordenación en el escalafón de mérito y antigüedad se efectúa conforme al puntaje obtenido en el proceso calificatorio pertinente. **Acción:** Aplica dictámenes 50702/2015, 30254/2015, 11812/2003).

4. *«Precisado lo anterior, cabe consignar que el artículo 49 de la ley Nº 18.883, prevé que "Con el resultado de las calificaciones ejecutoriadas, las municipalidades confeccionarán un escalafón disponiendo a los funcionarios de cada grado de la respectiva planta en orden decreciente conforme al puntaje obtenido", añadiendo su inciso segundo que "En caso de producirse un empate, los funcionarios se ubicarán en el escalafón de acuerdo con su antigüedad: primero en el cargo, luego en el grado, luego en la municipalidad, a continuación en la Administración del Estado, y finalmente, en el evento de mantenerse la concordancia, decidirá el Alcalde". Así las cosas, encontrándose empatados en sus calificaciones los señores Marchant Peñas y Mellado Hidalgo, corresponde recurrir a lo previsto en el antes citado artículo 49, inciso segundo, de la ley Nº 18.883, en cuanto a que debe ubicarse en el escalafón en cuestión a los aludidos funcionarios, en primer lugar, según la antigüedad en el cargo, luego en el grado, después en la municipalidad, a continuación en la Administración del Estado, y finalmente, en el evento de mantenerse la concordancia, decidirá el Alcalde».* (**ID Dictamen:**

003958N17. **Fecha:** 03-02-2017. **Destinatarios:** señor Jorge Mellado Hidalgo, secretario municipal de la Municipalidad de Los Ángeles. **Texto:** Para efectos del escalafón vigente para el año 2016 de la Municipalidad de Los Ángeles, el factor antigüedad en el cargo, tratándose de un aumento de grado producido por aplicación del inciso tercero del artículo 16 de la ley Nº 18.695, no coincide con la antigüedad en el grado. **Acción:** aplica dictámenes 25455/2012, 26936/2016, 10749/2015).

5. «*Como cuestión previa, y en relación a la actualización del escalafón vigente para el año 2016 a que se refiere el municipio, cabe anotar que de acuerdo con la jurisprudencia administrativa contenida, entre otros, en los dictámenes Nºs. 25.180, de 2012, y 14.023, de 2015, una vez que se ha publicado el escalafón por el municipio, este no puede efectuar correcciones a dicho ordenamiento, sea de oficio o a petición de los funcionarios, sino que ello solo podrá acontecer en virtud de los pronunciamientos de esta Entidad Fiscalizadora a que hayan lugar, como consecuencia de reclamaciones que los servidores deduzcan oportunamente en conformidad con el inciso tercero del artículo 50 de la ley Nº 18.883, toda vez que, vencido el plazo de diez días hábiles previsto en dicha disposición, el escalafón adquiere el carácter de inamovible. Puntualizado aquello, y en lo relativo a la forma en que debe considerarse para el escalafón correspondiente al año 2017 el incremento de grado previsto en el artículo primero transitorio de la ley Nº 20.922, es el caso recordar que el artículo 49 de la ley Nº 18.883, prevé, en su inciso primero, que "Con el resultado de las calificaciones ejecutoriadas, las municipalidades confeccionarán un escalafón disponiendo a los funcionarios de cada grado de la respectiva planta en orden decreciente conforme al puntaje obtenido", añadiendo su inciso segundo, que "En caso de producirse un empate, los funcionarios se ubicarán en el escalafón de acuerdo con su antigüedad: primero en el cargo, luego en el grado, luego en la municipalidad, a continuación en la Administración del Estado, y finalmente, en el evento de mantenerse la concordancia, decidirá el Alcalde"*». (**ID Dictamen:** 017587N18. **Fecha:** 12-07-2018. **Destinatarios:** Señor Joel Araya Bugueño, funcionario de la planta de técnicos, grado 12, de la Municipalidad de Viña del Mar. **Texto:** No se ajustó a derecho la modificación del escalafón 2016, por motivo que indica; el factor antigüedad en el cargo, para efectos de dicho instrumento, tratándose de un aumento de grado por aplicación del artículo primero transitorio de la ley Nº 20.922, no coincide con la antigüedad en el grado. **Acción:** Aplica dictámenes 25180/2012, 14023/2015, 25455/2012, 26936/2016, 10749/2015, 3958/2017, 69817/2010).

6. «*Sin perjuicio de lo anterior, es del caso hacer presente que en conformidad con lo dispuesto en el artículo 50 de la ley Nº 18.883, el escalafón comenzará a regir a contar desde el 1º de enero de cada año y durará doce meses, por lo que nada obsta a que las entidades edilicias efectúen una revisión cada anualidad de los rubros a que alude el artículo 49 del citado texto estatutario, pudiendo variar respecto de lo publicado en el escalafón anterior, debiendo corregir los datos inexactos o erróneos.*
Precisado lo anterior, es útil anotar que el inciso primero del artículo 49 de la citada ley Nº 18.883, prevé que "Con el resultado de las calificaciones ejecutoriadas, las municipalidades confeccionarán un escalafón disponiendo a los funcionarios de cada grado de la respectiva planta en orden decreciente conforme al puntaje obtenido", añadiendo su inciso segundo que "En caso de producirse un empate, los funcionarios se ubicarán en el escalafón de acuerdo con su antigüedad: primero en el cargo, luego en el grado, luego en la municipalidad, a continuación en la Administración del Estado, y finalmente, en el evento de mantenerse la concordancia, decidirá el alcalde". Sobre ello, corresponde hacer presente que el proceso de calificaciones, y el posterior escalafón que se confecciona en base a estas, se refiere al desempeño de un funcionario en particular, en un cargo determinado, al que se le ha asignado un grado o nivel remuneratorio, en relación a las exigencias y labores propias de la función que desarrolla, por lo que no procede extender el resultado de la evaluación en un empleo específico, a otro distinto.
En otro orden de consideraciones, y respecto a la antigüedad en el cargo a efectos de la confección del escalafón, la jurisprudencia administrativa contenida en los dictámenes Nºs. 3.475, de 1993; 28.868, de 1996; 18.503, de 1997; y, 25.455, de 2012, entre otros, ha precisado que el factor antigüedad en el cargo, al que se recurre primero, al existir igualdad en las calificaciones, tratándose de una misma planta, resulta coincidente con la antigüedad en el grado, luego, para determinarlo debe considerarse la fecha en que se experimentó una variación en el grado que sirve el funcionario afectado. En consecuencia, en mérito de lo expuesto y habiendo quedado de manifiesto que la Municipalidad de La Cisterna no determinó la antigüedad en el cargo de los funcionarios individualizados a lo largo de este oficio de conformidad con la fecha en que se produjo una variación en los grados que sirven los empleados afectados, según lo precisado por la jurisprudencia administrativa —salvo en el caso de las señoras Calderón Morales, Rayo Gómez, Baschmann Ibáñez y Soto Eastman, y del señor González Silva—, ese municipio deberá rectificar el escalafón vigente durante el año 2015, en lo que concierne a las señoras Huenchuleo Caniuqueo, Cárdenas Mateluna, Araya Miranda, Aravena Burgos, Torres Zapata, Arce Farfán, Soto Reyes, Neira Miranda, Díaz Cabrera, Madrid Campusano y los señores Cayupi Queupil, Contreras Valenzuela,

Gálvez González, Teran Gajardo y León Rodríguez, de todo lo cual informará a la Unidad de Validación y Registro de la División de Municipalidades de esta Contraloría General en el plazo de 20 días hábiles, contado desde la recepción del presente oficio». (**ID Dictamen:** 026936N16. **Fecha:** 11-04-2016. **Destinatarios:** señoras Lina Huenchuleo Caniuqueo, Iris Baschmann Ibáñez, Luzmira Cárdenas Mateluna, Jessica Soto Eastman, Magaly Rayo Gómez, Gloria Calderón Morales, Susana Araya Miranda, Edith Aravena Burgos, Gloria Torres Zapata, Herminda Arce Farfán, y los señores Luis Contreras Valenzuela y Carlos Gálvez González, todos funcionarios de la Municipalidad de La Cisterna. **Texto:** Factor antigüedad en el cargo coincide con la antigüedad en el grado, tratándose de la misma planta, determinándose conforme la fecha en que se experimentó la variación en el grado. **Acción:** Aplica dictamen 14023/2015, 146/2004, 25455/2012, 74975/2011, 3475/93, 28868/96, 18503/97, 22913/2010).

7. *«Puntualizado aquello, cabe señalar que el artículo 49 de la ley Nº 18.883, prevé, en su inciso primero, que "Con el resultado de las calificaciones ejecutoriadas, las municipalidades confeccionarán un escalafón disponiendo a los funcionarios de cada grado de la respectiva planta en orden decreciente conforme al puntaje obtenido", añadiendo su inciso segundo, que "En caso de producirse un empate, los funcionarios se ubicarán en el escalafón de acuerdo con su antigüedad: primero en el cargo, luego en el grado, luego en la municipalidad, a continuación en la Administración del Estado, y finalmente, en el evento de mantenerse la concordancia, decidirá el Alcalde". Como puede advertirse, el aumento de grado de que se trata no se produjo ni por ascenso ni por nombramiento del señor Mora Miranda para servir una plaza del estamento de técnicos, sino que se verificó por aplicación de lo previsto en el artículo primero transitorio de la ley Nº 20.922 (aplica criterio contenido en el dictamen Nº 3.958, de 2017). En ese orden de consideraciones, no procede que la antigüedad en el cargo y en el grado del funcionario en comento, para efectos del escalafón vigente para el año 2017, sean idénticas, por cuanto la primera corresponde a la data a partir de la cual el ocurrente fue ascendido por última vez a la plaza que ocupa, y la antigüedad en el grado, en el caso en examen, es aquella en que se incrementó el grado del señor Mora Miranda por la aplicación de lo establecido en el artículo primero transitorio de la ley Nº 20.922 (aplica criterio contenido en el dictamen Nº 3.958, de 2017)».* (**ID Dictamen:** 017588N18. **Fecha:** 12-07-2018. **Destinatarios:** señor Julio Mora Miranda, funcionario de la de la Municipalidad de San Bernardo. **Texto:** Para efectos del escalafón vigente para el año 2017 de la Municipalidad de San Bernardo, el factor antigüedad en el cargo, tratándose de un aumento de grado producido por aplicación del artículo primero transitorio de la ley Nº 20.922, no coincide con la antigüedad en el grado. **Acción:** Aplica dictámenes 69817/2010, 25455/2012, 26936/2016, 10749/2015, 3958/2017).

8. *«Sobre el particular, es pertinente recordar que el artículo 49 de la ley Nº 18.883, prevé que con "el resultado de las calificaciones ejecutoriadas, las municipalidades confeccionarán un escalafón, disponiendo a los funcionarios de cada grado de la respectiva planta en orden decreciente conforme al puntaje obtenido", y en caso de producirse un empate, "se ubicarán en el escalafón de acuerdo con su antigüedad: primero en el cargo, luego en el grado, luego en la Municipalidad, a continuación en la Administración del Estado y finalmente, en el evento de mantenerse la concordancia, decidirá el Alcalde".*
Precisado lo anterior, cabe señalar que los dictámenes Nºs. 33.011 y 80.962, ambos de 2014, en que la señora Mora Escobar fundamenta su solicitud, se refieren a una materia distinta a la analizada en el pronunciamiento cuya reconsideración requiere, esto es, al pago de la asignación del artículo 1º de la ley Nº 19.490, —que establece asignaciones y bonificaciones que señala para el personal del sector salud—, jurisprudencia que precisó que para efectos del pago de aquella, la antigüedad en la institución de un servidor anteriormente desvinculado de la misma, se computa desde la data de su reintegro». (**ID Dictamen:** 036569N16. **Fecha:** 17-05-2016. **Destinatarios:** señora María Celeste Mora Escobar, en representación de la Asociación de Funcionarios Municipales de San Bernardo. **Texto:** Rechaza solicitud de reconsideración del dictamen Nº 261, de 2016, por las razones que indica. **Acción:** Aplica dictámenes 33011/2014, 80962/2014, 20252/2001, 261/2016, 40235/2005, 40418/2013).

9. *«En un segundo orden de consideraciones, cabe consignar que el artículo 49 de la ley Nº 18.883, prevé que "Con el resultado de las calificaciones ejecutoriadas, las municipalidades confeccionarán un escalafón disponiendo a los funcionarios de cada grado de la respectiva planta en orden decreciente conforme al puntaje obtenido", añadiendo su inciso segundo que "En caso de producirse un empate, los funcionarios se ubicarán en el escalafón de acuerdo con su antigüedad: primero en el cargo, luego en el grado, luego en la municipalidad, a continuación en la Administración del Estado, y finalmente, en el evento de mantenerse la concordancia, decidirá el Alcalde".*
Sobre ello, corresponde hacer presente que el proceso de calificaciones, y el posterior escalafón que se confecciona en base a estas, se refiere al desempeño de un funcionario en particular, en un cargo determinado, al que se le ha asignado un grado o nivel remuneratorio, en relación a las exigencias y labores propias de la función que desarrolla, por lo que no procede extender el resultado de la evaluación en un empleo específico a otro distinto, razón por la cual quienes se en-

cuentren ejerciendo las funciones correspondientes a los cargos a los que han sido promovidos y todavía no hayan sido evaluados en sus nuevos empleos, corresponde que se les ubique en el último lugar de sus respectivos estamentos (aplica criterio contenido en el dictamen Nº 26.936, de 2016)». (**ID Dictamen:** 041014N16. **Fecha:** 03-06-2016. **Destinatarios:** señora María Celeste Mora Escobar, en representación de la Asociación de Funcionarios Municipales de San Bernardo. **Texto:** Asociaciones de funcionarios pueden plantear, con carácter general, irregularidades vinculadas al escalafón de mérito y antigüedad, sin que por ello se afecte la ubicación de los funcionarios cuando este ordenamiento se encuentre ejecutoriado. No procede extender el resultado de la evaluación en un empleo específico, a otro distinto. **Acción:** Aplica dictamen 6163/2014, 25180/2012, 29808/2016, 25455/2012, 26936/2016).

10. «*Sobre el particular, el artículo 49, inciso primero, de la ley Nº 18.883, establece que "Con el resultado de las calificaciones ejecutoriadas, las Municipalidades confeccionarán un escalafón disponiendo a los funcionarios de cada grado de la respectiva planta en orden decreciente conforme al puntaje obtenido". Añade su inciso segundo, que "En caso de producirse un empate, los funcionarios se ubicarán en el escalafón de acuerdo con su antigüedad: primero en el cargo, luego en el grado, luego, en la Municipalidad, a continuación en la Administración del Estado, y finalmente, en el evento de mantenerse la concordancia, decidirá el Alcalde".*
Por su parte, el artículo 52 de la anotada ley Nº 18.883, prevé que "El ascenso es el derecho de un funcionario de acceder a un cargo vacante de grado superior en la línea jerárquica de la respectiva planta, sujetándose estrictamente al escalafón, sin perjuicio de lo dispuesto en el artículo 54".
Al respecto, la jurisprudencia administrativa de este Órgano de Control contenida, entre otros, en el dictamen Nº 86.444, de 2014, ha manifestado que el ascenso es la forma normal de provisión de los empleos de carrera, en cuya virtud el servidor que se encuentra en el lugar preferente de la correspondiente planta, tiene el derecho a ser promovido al cargo superior —siempre que cumpla los requisitos legales y no le afecte alguna causal de inhabilidad para ocuparlo—; y, que cuando no sea factible la aplicación de dicho sistema debe convocarse a concurso.
Sobre la materia, de acuerdo con lo sostenido por la jurisprudencia administrativa de este Organismo de Control, contenida, entre otros, en el dictamen Nº 17.768, de 2003, cuando el legislador ha fijado como requisito específico para ocupar un determinado empleo municipal el de poseer experiencia, lo ha establecido prescindiendo de la calidad jurídica en que aquélla se ha adquirido. De esta manera, para los efectos de determinar si un funcionario tiene o no la experiencia requerida por la ley, resulta irrelevante la circunstancia de que la hubiera obtenido sirviendo un cargo como titular, a contrata o a honorarios, puesto que, cualquiera haya sido la naturaleza del vínculo que ha unido al funcionario con su empleador, dicho elemento no es, en definitiva, el determinante para los efectos anotados.
Lo anterior, por cuanto el requisito de la "experiencia" está relacionado con la destreza adquirida por el ejercicio de una profesión específica o por el desempeño de una función». (**ID Dictamen:** 043385N16. **Fecha:** 13-06-2016. **Destinatarios:** doña Virginia Urtubia Labreaux, funcionaria grado 11 de la planta de jefaturas de la Municipalidad de Huechuraba. **Texto:** Recurrente no se encontraba en el lugar preferente para ser ascendida. Cómputo de la experiencia establecida como requisito específico para el cargo, es con prescindencia de la calidad en que ella se obtenga. **Acción:** Aplica dictámenes 86444/2014, 17768/2003).

11. «*Luego, el artículo 49, inciso primero, de la citada ley Nº 18.883, previene que "Con el resultado de las calificaciones ejecutoriadas, las Municipalidades confeccionarán un escalafón disponiendo a los funcionarios de cada grado de la respectiva planta en orden decreciente conforme al puntaje obtenido".*
De la preceptiva legal anotada, se desprende que con el resultado de las calificaciones se confecciona el escalafón, instrumento en que los funcionarios se encuentran ordenados en forma decreciente de acuerdo con el puntaje obtenido en sus respectivos procesos evaluatorios, que sirve de base para el ascenso, permitiéndoles asegurar su derecho a la carrera funcionaria, garantizada en los artículos 38 de la Carta Fundamental, y 49 de la ley Nº 18.695 (aplica criterio contenido en el dictamen Nº 50.382, de 2015).
Ahora bien, en cuanto a la procedencia de que la Municipalidad de Chile Chico pueda desarrollar solo los últimos tres procesos calificatorios de su personal por las razones que expone, sin que efectúe las evaluaciones que se encuentran pendientes desde el año 1997, conviene precisar que el artículo 35 de la citada ley Nº 18.883, prevé que "El proceso de calificaciones deberá iniciarse el 1 de septiembre y terminarse a más tardar el 30 de noviembre de cada año".
Al respecto, la jurisprudencia administrativa contenida en los dictámenes Nºs. 77.376, de 2014 y 6.151, de 2016, entre otros, ha concluido que el plazo antes anotado no es fatal, en atención a que lo más significativo es que la actuación o el deber, en definitiva se cumplan, sin perjuicio de las responsabilidades que pudieren originarse en tal demora.
Así las cosas, la circunstancia de que no se hayan llevado a cabo los procesos calificatorios del personal del municipio desde el año 1997, no impide que aquellos se efectúen con posterioridad, pues de lo contrario se estaría afectando la

carrera funcionaria de los servidores del citado órgano comunal, toda vez que con el resultado de las evaluaciones se confecciona el escalafón, instrumento que sirve de base para el ascenso». (**ID Dictamen:** 071008N16. **Fecha:** 29-09-2016. **Destinatarios:** Municipalidad de Chile Chico. **Texto:** El plazo para llevar a cabo el proceso calificatorio del personal regido por la ley Nº 18.883 no es fatal, siendo lo más importante que la actuación o el deber, en definitiva se cumplan, sin perjuicio de las responsabilidades que pudieren originarse en tal situación. **Acción:** Aplica dictámenes 50382/2015, 77376/2014, 6151/2016, 32301/2009, 24210/2016, 13794/2012, 37418/2013, 56366/2014).

12. *«Sobre el particular, el artículo 49 de la ley Nº 18.883, prevé que "Con el resultado de las calificaciones ejecutoriadas, las municipalidades confeccionarán un escalafón disponiendo a los funcionarios de cada grado de la respectiva planta en orden decreciente conforme al puntaje obtenido", añadiendo su inciso segundo que "En caso de producirse un empate, los funcionarios se ubicarán en el escalafón de acuerdo con su antigüedad: primero en el cargo, luego en el grado, luego en la municipalidad, a continuación en la Administración del Estado, y finalmente, en el evento de mantenerse la concordancia, decidirá el Alcalde".*
A su turno, conforme al inciso tercero del artículo 50 de la citada ley Nº 18.883, los servidores tendrán derecho a reclamar de su ubicación en el escalafón con arreglo al artículo 156 del referido texto legal, vale decir, dentro del plazo de diez días hábiles, contado desde la fecha en que tal instrumento esté a disposición de los empleados para ser consultado, de modo que, una vez transcurrido dicho término sin que se haya hecho uso de esa prerrogativa, aquel adquiere el carácter de inamovible.
Por consiguiente, de acuerdo con el tenor del antes citado artículo 50, la reclamación de la especie ha sido interpuesta fuera de plazo, atendido que el escalafón en contra del cual efectivamente la interesada plantea la existencia de errores —y que originó los ascensos que cuestiona— son aquellos vigentes para los años 2014, 2015 y 2016, los cuales según señala el ente comunal, fueron dados a conocer a los funcionarios los días 29 de enero de 2014, 11 de junio de 2015, y 21 de abril de 2016, respectivamente, de modo que si existía algún error en los términos computados, la recurrente debió reclamar al respecto, en su oportunidad (aplica criterio contenido en el dictamen Nº 10.684, de 2010)». (**ID Dictamen:** 071019N16. **Fecha:** 29-09-2016. **Destinatarios:** señora Katherine Rivera Farías, funcionario de la Municipalidad de Peñalolén. **Texto:** Desestima por extemporáneo, reclamo sobre ubicación en los escalafones de mérito de los años 2014, 2015 y 2016. **Acción:** aplica dictamen 10684/2010).

13. *«Sobre el particular, cabe indicar que el artículo 49 de la ley Nº 18.883, prevé que "Con el resultado de las calificaciones ejecutoriadas, las municipalidades confeccionarán un escalafón disponiendo a los funcionarios de cada grado de la respectiva planta en orden decreciente conforme al puntaje obtenido", añadiendo su inciso segundo que "En caso de producirse un empate, los funcionarios se ubicarán en el escalafón de acuerdo con su antigüedad: primero en el cargo, luego en el grado, luego en la municipalidad, a continuación en la Administración del Estado, y finalmente, en el evento de mantenerse la concordancia, decidirá el Alcalde". De esta manera, en el escalafón correspondiente al año 2015 del personal de la Municipalidad de San Bernardo, la recurrente se encuentra ubicada en el Nº 121, con 61 puntos, existiendo cuatro servidores con 70 puntos en sus calificaciones que la anteceden en el grado 13 de la planta técnica, por lo que su ubicación en este ordenamiento se ajusta a lo dispuesto en el indicado artículo 49 de la ley Nº 18.883».* (**ID Dictamen:** 078458N16. **Fecha:** 25-10-2016. **Destinatarios:** señora Magaly Muñoz Rocha, funcionaria de la Municipalidad de San Bernardo. **Texto:** Desestima por extemporáneo reclamo sobre ubicación en los escalafones de mérito de los años 2013 y 2014; ubicación de la recurrente en el escalafón del año 2015, se ajustó a derecho. **Acción:** Aplica dictamen 71019/2016, 37940/2015).

1. *«Por su parte, el artículo 49, del aludido cuerpo estatutario, en el inciso primero, dispone que con el resultado de las calificaciones ejecutoriadas las Municipalidades, confeccionarán un escalafón disponiendo a los funcionarios de cada grado de la respectiva planta en orden decreciente conforme al puntaje obtenido; ordenamiento del personal que, de acuerdo a lo establecido por el artículo 50 de la misma ley, comenzará a regir a contar del 1 de enero de cada año y durará 12 meses.*
A su turno, el artículo 52, de la citada ley, establece que el ascenso es el derecho de un funcionario de acceder a un cargo vacante de grado superior en la línea jerárquica de la respectiva planta, sujetándose estrictamente al escalafón, sin perjuicio de lo dispuesto en el artículo 54.
En este contexto, corresponde hacer presente que el proceso de calificaciones, y el posterior escalafón que se confecciona en base a estas, se refiere al desempeño de un funcionario en particular, en un cargo determinado, al que se le ha asignado un grado o nivel remuneratorio, en relación a las exigencias y labores propias de la función que desarrolla, por lo que no procede extender el resultado de la evaluación en un empleo específico, a otro distinto (aplica criterio contenido en el dictamen Nº 75.919, de 2010).

Pues bien, en la situación planteada, la señora Quiñones Tabilo obtuvo 70 puntos de calificación, en el desempeño como administrativa grado 17, quedando ubicada en el escalafón vigente para el año 2011, en el primer lugar de dicho grado y planta, en razón de lo cual fue ascendida desde el 1 de febrero del mismo año a una vacante producida en el grado 16 administrativo; y, posteriormente, al originarse la vacancia en un grado 15 de la misma planta, si bien aquella se encontraba ejerciendo las funciones correspondientes al cargo al que había sido promovida, no obstante, **todavía no había sido evaluada en su nuevo empleo, por ende, debió ubicarse en el escalafón, en el último lugar de las plazas** *administrativas grado 16,* **hasta que el próximo proceso calificatorio le permitiera ocupar otro lugar**». (**ID Dictamen: 074975N11 Fecha:** 30.11.2011 **Destinatarios:** Alcalde de la Municipalidad de Vallenar. **Texto:** Sobre ubicación en el escalafón de personal municipal recientemente ascendido. **Acción:** aplica dictamen 75919/2010)

2. «*De este modo, de conformidad con las anotadas disposiciones legales, atendido que en la especie, las medidas disciplinarias fueron aplicadas en el lapso de desempeño funcionario que media entre el 1 de septiembre de 2007 al 31 de agosto de 2008, a tales empleados les afectó una rebaja de seis puntos en sus calificaciones, en el escalafón vigente para el año calendario 2009, toda vez que dicho período de calificaciones sirve de base para la confección de este último. En consecuencia, esta Contraloría General cumple con desestimar la alegación del recurrente, toda vez que las comentadas anotaciones de demérito no tienen incidencia en la elaboración del escalafón para el año 2011*». (**ID Dictamen: 052270N11 Fecha:** 18.08.2011 **Destinatarios:** Ernesto Bústiman Vizcarra. **Texto:** Sobre rebaja de calificaciones por anotaciones de demérito en virtud de medidas disciplinarias aplicadas a funcionarios municipales. **Acción:** Aplica dictamen 41521/2010)

3. «*Sobre el particular, cabe señalar que el artículo 52 de la ley Nº 18.883, sobre Estatuto Administrativo para Funcionarios Municipales, establece que el ascenso es el derecho de un funcionario de acceder a un cargo vacante de grado superior en la línea jerárquica de la respectiva planta, sujetándose estrictamente al escalafón, sin perjuicio de lo dispuesto en el artículo 54.*

A su vez, el **artículo 49 del citado texto legal,** *previene que con el resultado de las calificaciones ejecutoriadas, las municipalidades confeccionarán un escalafón disponiendo a los funcionarios de cada grado de la respectiva planta en orden decreciente conforme al puntaje obtenido, y en caso de producirse un empate, se ubicarán de acuerdo con su antigüedad, primero en el cargo, luego en el grado, luego en la municipalidad, a continuación en la Administración del Estado y finalmente, en el evento de mantenerse la concordancia, decidirá el alcalde.*

Enseguida, el artículo 50 de la misma ley, dispone que el escalafón comenzará a regir a contar del 1 de enero de cada año y durará doce meses.

A su turno, el artículo 57 del referido cuerpo estatutario, ordena que el ascenso regirá a partir de la fecha en que se produzca la vacante, de manera que, como lo ha precisado este **Ente Fiscalizador por los dictámenes Nºs. 70.202, de 2009, y 31.738, de 2010,** *cualquiera sea la época en que aquel se decrete, sus efectos se retrotraen al día en que se generó la vacancia del cargo, lo que implica que* **el escalafón a considerar para determinar cuál funcionario ocupa el lugar preferente para ascender, es aquel vigente, a la data en que se originó la vacante que se trata de proveer mediante la promoción.**

Pues bien, consta que el empleo de la especie, quedó vacante por la renuncia voluntaria presentada por la funcionaria que lo servía, la que fue aceptada por el municipio a través del decreto Nº 58, de 2010, a contar del 31 de diciembre de 2010, lo que, según lo ha precisado la jurisprudencia de este Órgano Contralor, contenida, entre otros, en los dictámenes Nºs. 28.426, de 1985, y 3.458, de 2001, implica que los servidores deben desempeñar funciones hasta el día inmediatamente anterior —30 de diciembre de 2010—, constituyendo aquella fecha la interrupción de funciones que los desvinculó de la Administración, de manera que desde ese instante, dicha dimisión produce todos sus efectos, dejando el trabajador de ser considerado funcionario y alejándose del servicio.

De este modo, por ende, la vacancia correspondiente se produjo el 31 de diciembre de 2010, por lo que para los fines del ascenso pertinente debe tenerse en consideración el escalafón vigente para este último año, elaborado con el resultado de las calificaciones del período comprendido entre el 1 de septiembre de 2008 y el 31 de agosto de 2009, según lo dispone el artículo 34 de la ley Nº 18.883.

En este contexto, es dable manifestar, que según el escalafón 2010 tenido a la vista, se advierte que la peticionaria no se encuentra ubicada en el lugar preferente del cargo profesional grado 8, correspondiendo efectivamente promover a doña Anaisa Hernández Durán, quien ocupa por el puntaje obtenido una posición superior respecto de la interesada en dicho ordenamiento del personal municipal, sin que le afecten inhabilidades para ascender». (**ID Dictamen:**

051140N11[171] **Fecha:** 12.08.2011 **Destinatarios:** Alcaldesa de la Municipalidad de Pedro Aguirre Cerda. **Texto:** Registra decreto 453/2011, de la Municipalidad de Pedro Aguirre Cerda, a través del cual se asciende a profesional que indica y atiende reclamo de ilegalidad. **Acción:** Aplica dictámenes 70202/2009, 31738/2010, 28426/85, 3458/2001. Mismo criterio aplicado en **ID Dictamen: 050594N11 Fecha:** 10.08.2011 **Destinatarios:** Alcalde de la Municipalidad de La Cisterna. **Texto:** Para efectos de ascenso el escalafón aplicable es aquel vigente a la época de producirse la vacante a proveer. **Acción:** Aplica dictámenes 70202/2009, 31738/2010, 28426/85, 3458/2001)

4. «*Ahora bien, en la situación de la especie, consta que efectivamente la entidad edilicia publicó el 3 de septiembre de 2010, el escalafón vigente para el año 2009, data anterior a la de resolución del recurso de apelación por parte de la autoridad edilicia y del recurso de reclamación por esta Contraloría General, vale decir, **antes de que el proceso calificatorio que sirve de base para la elaboración del escalafón, se haya encontrado afinado*; no obstante, considerando que esos recursos han sido rechazados, tal irregularidad no ha tenido incidencia en la ubicación del señor Toledo Castro en dicho ordenamiento del personal municipal, sin perjuicio que la municipalidad, en lo sucesivo, tenga en consideración la normativa comentada precedentemente»*. (**ID Dictamen: 034260N11 Fecha:** 27.05.2011 **Destinatarios:** Reinaldo Toledo Castro. **Texto:** Sobre reclamo de calificaciones de funcionario regido por la ley 18883, confección de escalafón y destinación. **Acción:** Aplica dictámenes 49040/2010, 72737/2010)

5. «*Como puede advertirse del tenor de las disposiciones anotadas, **la ubicación preferente en el escalafón es la que fija el servidor favorecido con el ascenso, ubicación que, a su vez, está determinada por el resultado de las calificaciones**, de modo que sólo procede recurrir a la antigüedad para establecer el lugar de los funcionarios en dicho ordenamiento del personal, en el orden de precedencia indicado, en la eventualidad que exista igualdad en los puntajes*». (**ID Dictamen: 031319N11 Fecha:** 17.05.2011 **Destinatarios:** Rodrigo Barros Mc Intosh. **Texto:** Sobre ubicación en el escalafón para efectos del derecho a ascenso de funcionario de la Municipalidad de Recoleta)

6. «*Ahora bien, considerando los antecedentes tenidos a la vista, en la especie existe entre la reclamante y el funcionario don Edmundo Díaz Ojeda, **igualdad en el puntaje alcanzado** —de 70 puntos—, **por lo que corresponde revisar primeramente la antigüedad en el cargo**, que en el caso de la recurrente es del 1 de noviembre de 1984, en cambio, la del señor Díaz Ojeda, es del 1 de junio del mismo año, esto es, 6 meses de antigüedad más que la peticionaria, por lo que al no existir coincidencia en estas fechas, no procede continuar examinando la antigüedad en el grado (**aplica criterio contenido en dictamen N° 38.325, de 2009, de esta Contraloría General**)*». (**ID Dictamen: 002097N11 Fecha:** 12.01.2011 **Destinatarios:** María Díaz. **Texto:** Sobre ubicación de funcionaria municipal en el escalafón de mérito vigente. **Acción:** Aplica dictamen 38325/2009)

7. «*Ahora bien, de la normativa expuesta y conforme a lo manifestado por la jurisprudencia administrativa de este origen, contenida, entre otros, en los **dictámenes N°s. 46.761, de 1998; y 5.835, de 2005**, ante la vacancia de un cargo en el escalafón genérico profesional, corresponde a la autoridad determinar, sujetándose estrictamente al orden del escalafón, quien tiene mejor derecho para ascender considerando a todos los empleados que puedan ser promovidos por encontrarse ubicados en el grado inmediatamente inferior a aquél que ha generado la vacante, sean éstos del escalafón de especialidad o genérico, dado que lo contrario importaría una discriminación arbitraria respecto de los servidores que cumplen funciones en este último.*

En consecuencia, en la especie, ante la vacancia del cargo grado 5, del escalafón profesional genérico de la Municipalidad de Lo Espejo, podrán ascender aquellos profesionales que, reuniendo las demás exigencias legales, tengan asignado un grado 6, sea en el escalafón genérico o en el de especialidad, determinándose a quien le corresponde la promoción, acorde lo manifestado anteriormente». (**ID Dictamen: 050433N12 Fecha:** 17.08.2012 **Destinatarios:** Alcalde de la Municipalidad de Lo Espejo. **Texto:** Sobre ascenso a cargo del escalafón profesional genérico de la planta de personal de la Municipalidad de Lo Espejo. **Acción:** aplica dictámenes 46761/98, 5835/2005)

8. «*Sobre el particular, cabe señalar que de la información recabada por esta Entidad Fiscalizadora, se advierte que, efectivamente, la Municipalidad de Mostazal elaboró los escalafones de los años 2003, 2004, 2005 y 2006, y que estos fueron remitidos al Organismo Regional de Control para que tomara conocimiento de ellos, sin perjuicio que los respec-*

---

[171] Para efectos de su consulta en la Base de Jurisprudencia de Contraloría General de la República, el citado dictamen se encuentra en la sección/materia: «generales», sin perjuicio de que se trata de uno de carácter municipal.

tivos procesos evaluatorios no se encontraban afinados, atendido que estaban aun pendientes las resoluciones de las apelaciones presentadas por la afectada. (...)
En este contexto, **es dable concluir que ha resultado improcedente la confección de los referidos escalafones por parte del municipio, con antelación a que los respectivos procesos calificatorios estuvieren terminados,** *razón por la cual los instrumentos por los que se reclama, deberán dejarse sin efecto».* (**ID Dictamen: 045003N12 Fecha:** 26.07.2012 **Destinatarios:** Alcalde de la Municipalidad de Mostazal. **Texto:** Sobre reclamo relativo a elaboración de escalafones que indica. **Acción:** Aplica dictamen 34260/2011)

9. «*Sobre el particular, cumple con expresar que el* **artículo 49 de la ley Nº 18.883, sobre Estatuto Administrativo para Funcionarios Municipales,** *prevé que con el resultado de las calificaciones ejecutoriadas, las municipalidades confeccionarán un escalafón, disponiendo a los funcionarios de cada grado de la respectiva planta en orden decreciente conforme al puntaje obtenido y, en caso de producirse un empate, agrega el* **inciso segundo** *del mismo precepto legal, se ubicarán en el escalafón de acuerdo con su antigüedad: primero en el cargo, luego en el grado, luego en la Municipalidad, a continuación en la Administración del Estado y, finalmente, en el evento de mantenerse la concordancia, decidirá el Alcalde.*
En este contexto, es necesario hacer presente que **cargo y función son conceptos diversos.** *En efecto,* **el cargo es aquel que se contempla en las plantas o como empleos a contrata en la institución, en cambio, la función se encuentra conformada por el conjunto de tareas que le corresponde realizar al funcionario, que forman parte de las potestades propias del servicio y se asignan a un cargo o empleo, de acuerdo con la importancia de las mismas y se diferencian de acuerdo al estamento al que pertenece el empleado, esto es, auxiliar, administrativo, técnico, profesional o directivo, por lo que resulta posible que un funcionario ascienda en el escalafón y por ende acceda a un nuevo cargo, y no se alteren sus funciones, ya que éstas se mantienen acordes a la planta a la que el servidor pertenece** *(aplica criterio contenido en el dictamen Nº 55.216, de 2004).*
Por su parte, **la jurisprudencia de este Organismo Contralor ha precisado en el dictamen Nº 18.503, de 1997, que el factor antigüedad en el cargo, al que se recurre primero al existir igualdad en las calificaciones, tratándose de una misma planta, resulta coincidente con la antigüedad en el grado, luego, para determinarlo debe considerarse la fecha en que se experimentó una variación en el grado que sirve el funcionario afectado.**
Pues bien, considerando que de los antecedentes tenidos a la vista, consta que se produjo un empate en las calificaciones de los señalados servidores, obteniendo ambos 70 puntos, y que el señor Álvarez Opazo comenzó a desempeñar el cargo técnico grado 13, con posterioridad a la fecha en que el señor Durán Aguayo fue nombrado en el mismo empleo, no procede que el recurrente quede ubicado en el primer lugar del escalafón». (**ID Dictamen: 025455N12 Fecha:** 02.05.2012 **Destinatarios:** Abraham Álvarez Opazo. **Texto:** Sobre ubicación en el escalafón en caso de igualdad en las calificaciones de funcionarios municipales. **Acción:** Aplica dictámenes 55216/2004, 18503/97)

10. «*Por su parte, este* **Organismo Contralor en el dictamen Nº 20.360, de 1999, ha precisado que, publicado el escalafón por el municipio, este no puede efectuar correcciones a dicho ordenamiento, sea de oficio o a petición de los funcionarios, sino que ello sólo podrá acontecer en virtud de los pronunciamientos de esta Entidad Fiscalizadora a que hayan lugar, como consecuencia de reclamaciones que los servidores deduzcan oportunamente de acuerdo con el referido inciso tercero del artículo 50, toda vez que, vencido dicho plazo, el escalafón adquiere el carácter de inamovible.**
De este modo, en atención a que la interesada indica en su presentación que no fue ascendida debido a su ubicación en los escalafones de los años 2009 y 2010, es preciso manifestar que de los antecedentes proporcionados por la mencionada entidad edilicia, se advierte que el municipio habría dado a conocer a su personal el último de tales escalafones, el día 7 de febrero de 2011, publicándolo en la intranet institucional, sin que la ocurrente reclamara dentro del plazo de 10 días hábiles, de acuerdo con la normativa precedentemente citada, razón por la cual la presente solicitud resulta extemporánea». (**ID Dictamen: 025180N12 Fecha:** 02.05.2012 **Destinatarios:** Nicole David Piñones. **Texto:** Sobre oportunidad para reclamar de ubicación en el escalafón del personal municipal. **Acción:** Aplica dictamen 20360/99. Mismo criterio aplicado en **ID Dictamen: 012761N12 Fecha:** 02.03.2012 **Destinatarios:** Elizabeth Galaz Schonffeldt. **Texto:** Reclamación de corrección de antigüedad en el cargo del escalafón en los años 2004 a 2010, es extemporánea, por cuanto excede de los 10 días hábiles contados desde la fecha de publicación en internet del último escalafón por parte de Municipalidad. **Acción:** Aplica dictámenes 31456/93, 20360/99, 19742/2005)

Artículo 50

El escalafón comenzará a regir a contar desde el 1° de enero de cada año y durará doce meses.

El escalafón será público para los funcionarios del respectivo municipio.

Los funcionarios tendrán derecho a reclamar de su ubicación en el escalafón con arreglo al artículo 156 de este Estatuto. El plazo para interponer este reclamo deberá contarse desde la fecha en que el escalafón esté a disposición de los funcionarios para ser consultado.

1. «*Sobre el particular, el inciso tercero del artículo 50 de la ley N° 18.883, prevé que los funcionarios tendrán derecho a reclamar de su ubicación en el escalafón con arreglo al artículo 156 del referido texto legal, vale decir, dentro del plazo de diez días hábiles, contado desde la fecha en que tal instrumento esté a disposición de los empleados para ser consultado, de modo que, una vez transcurrido dicho término sin que se haya hecho uso de esa prerrogativa, aquel adquiere el carácter de inamovible.*

Al respecto, es dable señalar que si bien mediante el oficio ordinario N° 609, fechado el 21 de marzo de 2016, el director de administración y finanzas remitió el escalafón correspondiente a las jefaturas de la entidad edilicia, de acuerdo con los antecedentes proporcionados por el municipio dicho instrumento fue recepcionado en las distintas unidades y dependencias municipales en días posteriores a esa data, quedando, por consiguiente, a partir de ese momento a disposición de los funcionarios para ser consultado». (**ID Dictamen: 003958N17. Fecha: 03-02-2017. Destinatarios:** señor Jorge Mellado Hidalgo de la Municipalidad de Los Ángeles. **Texto:** Para efectos del escalafón vigente para el año 2016 de la Municipalidad de Los Ángeles, el factor antigüedad en el cargo, tratándose de un aumento de grado producido por aplicación del inciso tercero del artículo 16 de la ley N° 18.695, no coincide con la antigüedad en el grado. **Acción:** aplica dictámenes 25455/2012, 26936/2016, 10749/2015).

2. «*Sobre el particular, cumple con señalar que de acuerdo al inciso tercero del artículo 50 de la ley N° 18.883, los servidores tendrán derecho a reclamar de su ubicación en el escalafón con arreglo al inciso primero del artículo 156 del referido texto legal, vale decir, dentro del plazo de diez días hábiles, contado desde la fecha en que tal instrumento esté a disposición de los empleados a fin de ser consultado. En relación a lo anterior, se ha estimado pertinente hacer presente que tales reclamaciones, deben referirse a situaciones específicas en que se hubiere producido un vicio de legalidad, no resultando procedente que esta Institución Contralora revise, en forma genérica, el escalafón elaborado por un municipio (aplica criterio contenido en el dictamen N° 5.846, de 2015)».* (**ID Dictamen: 004464N16. Fecha:** 18-01-2016. **Destinatarios:** señora María Sandoval Neira, funcionaria de la Municipalidad de La Cisterna. **Texto:** Desestima reclamo sobre revisión genérica del escalafón correspondiente al período 2014-2015 de la Municipalidad de La Cisterna. **Acción:** Aplica dictamen 5846/2015).

3. «*Sobre el particular, cumple con señalar que de acuerdo al inciso tercero del artículo 50 de la ley N° 18.883, los servidores tendrán derecho a reclamar de su ubicación en el escalafón con arreglo al inciso primero del artículo 156 del referido texto legal, vale decir, dentro del plazo de diez días hábiles, contado desde la fecha en que tal instrumento esté a disposición de los empleados a fin de ser consultado. En relación a lo anterior, se ha estimado pertinente hacer presente que tales reclamaciones, deben referirse a situaciones específicas en que se hubiere producido un vicio de legalidad, no resultando procedente que esta Institución Contralora revise, en forma genérica, el escalafón elaborado por un municipio (aplica criterio contenido en el dictamen N° 5.846, de 2015)».* (**ID Dictamen: 004473N16. Fecha:** 18-01-2016. **Destinatarios:** señora Francia Alarcón Hasbún, funcionaria de la Municipalidad de La Cisterna. **Texto:** Desestima reclamo sobre revisión genérica del escalafón correspondiente al período 2014-2015 de la Municipalidad de La Cisterna. **Acción:** Aplica dictamen 5846/2015).

4. «*Sobre el particular, cumple con señalar que de acuerdo al inciso tercero del artículo 50 de la ley N° 18.883, los servidores tendrán derecho a reclamar de su ubicación en el escalafón con arreglo al inciso primero del artículo 156 del referido texto legal, vale decir, dentro del plazo de diez días hábiles, contado desde la fecha en que tal instrumento esté a disposición de los empleados a fin de ser consultado, de modo que, una vez transcurrido dicho término sin que se haya hecho uso de esa prerrogativa, aquel adquiere el carácter de inamovible, tal como lo ha manifestado la jurisprudencia de esta Contraloría General contenida, entre otros, en el dictamen N° 92.197, de 2016)».* (**ID Dictamen: 006310N17. Fecha:** 21-02-2017. **Destinatarios:** señora Alda Véliz Syfrig, funcionaria de la Municipalidad de Constitución. **Texto:** Rechaza por

extemporáneos, reclamo sobre ubicación en los escalafones vigentes para los años 2015 y 2016, de la Municipalidad de Constitución. **Acción:** Aplica dictamen 92197/2016).

5. *«Como cuestión previa, y en relación a la actualización del escalafón vigente para el año 2016 a que se refiere el municipio, cabe anotar que de acuerdo con la jurisprudencia administrativa contenida, entre otros, en los dictámenes Nºs. 25.180, de 2012, y 14.023, de 2015, una vez que se ha publicado el escalafón por el municipio, este no puede efectuar correcciones a dicho ordenamiento, sea de oficio o a petición de los funcionarios, sino que ello solo podrá acontecer en virtud de los pronunciamientos de esta Entidad Fiscalizadora a que hayan lugar, como consecuencia de reclamaciones que los servidores deduzcan oportunamente en conformidad con el inciso tercero del artículo 50 de la ley Nº 18.883, toda vez que, vencido el plazo de diez días hábiles previsto en dicha disposición, el escalafón adquiere el carácter de inamovible».* (**ID Dictamen:** 017587N18. **Fecha:** 12-07-2018. **Destinatarios:** señor Joel Araya Bugueño, funcionario, de la Municipalidad de Viña del Mar. **Texto:** No se ajustó a derecho la modificación del escalafón 2016, por motivo que indica; el factor antigüedad en el cargo, para efectos de dicho instrumento, tratándose de un aumento de grado por aplicación del artículo primero transitorio de la ley Nº 20.922, no coincide con la antigüedad en el grado. **Acción:** Aplica dictámenes 25180/2012, 14023/2015, 25455/2012, 26936/2016, 10749/2015, 3958/2017, 69817/2010).

6. *«Con todo, debe tenerse presente que el inciso tercero del artículo 50 de la ley Nº 18.883, prevé que los funcionarios tendrán derecho a reclamar de su ubicación en el escalafón con arreglo al artículo 156 del citado texto legal, esto es, dentro de diez días hábiles, plazo que debe contarse desde la fecha en que el escalafón esté a disposición de los funcionarios para ser consultado. Al respecto, este Organismo Contralor, ha precisado, entre otros, en el dictamen Nº 25.180, de 2012, que una vez publicado este ordenamiento del personal por el municipio, no resulta procedente introducirle modificaciones, ya sea de oficio o a petición de los empleados, puesto que ello sólo podrá acontecer en virtud de los pronunciamientos de esta Entidad Fiscalizadora, emitidos como consecuencia de reclamaciones que los servidores deduzcan oportunamente de acuerdo con el referido inciso tercero del artículo 50, toda vez que, vencido dicho plazo, el escalafón adquiere el carácter de inamovible.*

Ahora bien, respecto a la antigüedad en el cargo a efectos de la confección del escalafón, la jurisprudencia administrativa contenida en los dictámenes Nºs. 25.455, de 2012, y 26.936, de 2016, entre otros, ha precisado que el factor antigüedad en el cargo, al que se recurre primero al existir igualdad en las calificaciones, tratándose de una misma planta, resulta coincidente con la antigüedad en el grado, luego, para determinarlo debe considerarse la fecha en que se experimentó una variación en el grado que sirve el funcionario afectado». (**ID Dictamen:** 041014N16. **Fecha:** 03-06-2016. **Destinatarios:** señora María Celeste Mora Escobar, en representación de la Asociación de Funcionarios Municipales de San Bernardo. **Texto:** Asociaciones de funcionarios pueden plantear, con carácter general, irregularidades vinculadas al escalafón de mérito y antigüedad, sin que por ello se afecte la ubicación de los funcionarios cuando°este ordenamiento se encuentre ejecutoriado. No procede extender el resultado de la evaluación en un empleo específico, a otro distinto. **Acción:** Aplica dictamen 6163/2014, 25180/2012, 29808/2016, 25455/2012, 26936/2016).

7. *«Sobre el particular, el inciso tercero del artículo 50 de la ley Nº 18.883, prevé que los funcionarios tendrán derecho a reclamar de su ubicación en el escalafón con arreglo al artículo 156 del citado texto legal, esto es, en el plazo de diez días hábiles, contado desde la fecha en que tal instrumento esté a disposición de los empleados para ser consultado.*

Al respecto, este Organismo Contralor, ha precisado, entre otros, en el dictamen Nº 25.180, de 2012, que una vez publicado este ordenamiento del personal por el municipio, no resulta procedente introducirle modificaciones, ya sea de oficio o a petición de los empleados, puesto que ello solo podrá acontecer en virtud de los pronunciamientos de esta Entidad Fiscalizadora, emitidos como consecuencia de reclamaciones que los servidores deduzcan oportunamente de acuerdo con el referido inciso tercero del artículo 50, toda vez que, vencido dicho plazo, el escalafón adquiere el carácter de inamovible.

De esta manera, en síntesis, los escalafones solo pueden enmendarse como consecuencia de reclamos que deduzcan los funcionarios, dentro del plazo para impugnarlos que la ley establece, adquiriendo el carácter de inamovibles si esto no ocurre.

Ahora bien, en cuanto a la solicitud de los interesados en orden a que esta Contraloría General ordene retrotraer el ordenamiento de personal correspondiente al año 2015, cabe señalar que en atención a la circunstancia expuesta en el párrafo precedente —esto es, que el escalafón mérito y antigüedad no ha sido puesto a disposición de los funcionarios—, no ha comenzado a computarse el plazo que la ley establece para impugnarlo, razón por la cual no resulta procedente que este Órgano Fiscalizador se pronuncie, por ahora, acerca de si este se encuentra ajustado a derecho». (**ID Dictamen:** 070994N16. **Fecha:** 29-09-2016. **Destinatarios:** señoras Mitzi Molina Carreño, Lina Huenchuleo Caniuqueo y María Sandoval Neira, todas funcionarias de la Municipalidad de La Cisterna. **Texto:** Municipio puede corregir el escalafón de mérito y antigüedad hasta la data en que sea puesto a disposición de los funcionarios, oportunidad a partir de la cual estos pueden formular los reclamos por su ubicación en dicho instrumento. **Acción:** Aplica dictámenes 25180/2012, 26936/2016).

8. «*A su turno, conforme al inciso tercero del artículo 50 de la citada ley Nº 18.883, los servidores tendrán derecho a reclamar de su ubicación en el escalafón con arreglo al artículo 156 del referido texto legal, vale decir, dentro del plazo de diez días hábiles, contado desde la fecha en que tal instrumento esté a disposición de los empleados para ser consultado, de modo que, una vez transcurrido dicho término sin que se haya hecho uso de esa prerrogativa, aquel adquiere el carácter de inamovible.*

Por consiguiente, de acuerdo con el tenor del antes citado artículo 50, la reclamación de la especie ha sido interpuesta fuera de plazo, atendido que el escalafón en contra del cual efectivamente la interesada plantea la existencia de errores —y que originó los ascensos que cuestiona— son aquellos vigentes para los años 2014, 2015 y 2016, los cuales según señala el ente comunal, fueron dados a conocer a los funcionarios los días 29 de enero de 2014, 11 de junio de 2015, y 21 de abril de 2016, respectivamente, de modo que si existía algún error en los términos computados, la recurrente debió reclamar al respecto, en su oportunidad (aplica criterio contenido en el dictamen Nº 10.684, de 2010)». (**ID Dictamen:** 071019N16. **Fecha:** 29-09-2016. **Destinatarios:** señora Katherine Rivera Farías, funcionario de la planta de profesionales, grado 9, de la Municipalidad de Peñalolén. **Texto:** Desestima por extemporáneo, reclamo sobre ubicación en los escalafones de mérito de los años 2014, 2015 y 2016. **Acción:** Aplica dictamen 10684/2010).

9. «*A su turno, conforme al inciso tercero del artículo 50 de la citada ley Nº 18.883, los servidores tendrán derecho a reclamar de su ubicación en el escalafón con arreglo al artículo 156 del referido texto legal, vale decir, dentro del plazo de diez días hábiles, contado desde la fecha en que tal instrumento esté a disposición de los empleados para ser consultado, de modo que, una vez transcurrido dicho término sin que se haya hecho uso de esa prerrogativa, aquel adquiere el carácter de inamovible. Ahora bien, en relación con los hechos alegados que habrían determinado la ubicación de la interesada en los escalafones de los años 2013 y 2014, y de acuerdo con el tenor del antes citado artículo 50, la reclamación de la especie ha sido interpuesta fuera de plazo, por cuanto conforme los antecedentes proporcionados por el ente comunal, tales ordenamientos fueron puestos a disposición de los funcionarios entre los días 31 de marzo al 2 de abril de 2015, en el caso del primero de los referidos instrumentos y el 18 de enero de 2016, en el caso del segundo, según consta en los certificados extendidos por la secretaria municipal subrogante de esa entidad edilicia (aplica criterio contenido en el dictamen Nº 71.019, de 2016)*». (**ID Dictamen:** 078458N16. **Fecha:** 25-10-2016. **Destinatarios:** señora Magaly Muñoz Rocha, funcionaria de la Municipalidad de San Bernardo. **Texto:** Desestima por extemporáneo reclamo sobre ubicación en los escalafones de mérito de los años 2013 y 2014; ubicación de la recurrente en el escalafón del año 2015, se ajustó a derecho. **Acción:** Aplica dictamen 71019/2016 Aplica dictamen 37940/2015).

10. «*Sobre el particular, cumple con señalar que de acuerdo al inciso tercero del artículo 50 de la ley Nº 18.883, los servidores tendrán derecho a reclamar de su ubicación en el escalafón con arreglo al artículo 156 del referido texto legal, vale decir, dentro del plazo de diez días hábiles, contado desde la fecha en que tal instrumento esté a disposición de los empleados para ser consultado de modo que, una vez transcurrido dicho término sin que se haya hecho uso de esa prerrogativa, aquel adquiere el carácter de inamovible, tal como lo ha manifestado la jurisprudencia de este origen contenida, entre otros, en el dictamen Nº 8.897, de 2014. Por consiguiente, de acuerdo con el tenor del antes aludido artículo 50, la reclamación de la señora Flores Cantillana presentada ante esta Contraloría General el 8 de agosto de 2016 ha sido interpuesta fuera de plazo, atendido que el escalafón en contra del cual efectivamente la interesada plantea la existencia de errores —y que originó el ascenso que cuestiona— es aquel vigente para el año 2015, el cual, según señala el citado certificado emitido por la secretaria municipal de la Municipalidad de San Bernardo, fue dado a conocer a los funcionarios en la data antes indicada, de modo que si existía algún error en dicho instrumento, la recurrente debió reclamar al respecto, en su oportunidad (aplica criterio contenido en el dictamen Nº 10.684, de 2010)*». (**ID Dictamen:** 084510N16. **Fecha:** 22-11-2016. **Destinatarios:** señora Carolina Flores Cantillana, funcionaria, de la Municipalidad de San Bernardo. **Texto:** Desestima reclamo sobre ubicación en escalafón de mérito y antigüedad por extemporáneo. **Acción:** Aplica dictamen 8897/2014 Aplica dictamen 95650/2015 Aplica dictamen 10684/2010 Aplica dictamen 15700/2012).

11. «*A su turno, el inciso segundo del aludido precepto señala que el escalafón será público para los funcionarios de la respectiva entidad edilicia —en armonía con lo preceptuado en el inciso segundo del artículo 50 de la ley Nº 18.883—, agregando que la oficina encargada del personal, es la unidad a la que corresponde adoptar las medidas conducentes para dar acceso a dicho instrumento, manteniendo una copia a disposición de los empleados a contar de la fecha de su vigencia. Luego, cumple con señalar que de acuerdo al inciso tercero del artículo 50 de la ley Nº 18.883, los servidores*

tendrán derecho a reclamar de su ubicación en el escalafón con arreglo al inciso primero del artículo 156 del referido texto legal, añadiendo que el plazo correspondiente —diez días hábiles—, se contará desde la fecha en que tal instrumento esté a disposición de los empleados a fin de ser consultado, de modo que, una vez transcurrido dicho término sin que se haya hecho uso de esa prerrogativa, aquel adquiere el carácter de inamovible, tal como lo ha manifestado la jurisprudencia de esta Contraloría General contenida, entre otros, en el dictamen Nº 8.897, de 2014. En este sentido, corresponde destacar que el referido inciso tercero del artículo 50, regula expresamente la forma de contabilización del plazo para reclamar de la confección del escalafón, la cual no se cuenta desde la oportunidad aludida en el artículo 38 del decreto Nº 1.228, de 1992, del entonces Ministerio del Interior, sino que desde que dicho instrumento esté a disposición de los empleados a fin de ser consultado, a lo que cabe agregar, como ya se indicó, que este es público para los funcionarios de la respectiva entidad edilicia. Ahora bien, de los antecedentes proporcionados por el municipio consta que el escalafón por el cual se reclama fue puesto en conocimiento de los funcionarios a contar del 4 de diciembre de 2015, en tanto que el reclamo de la interesada fue presentado en esta Entidad de Control el 20 de junio de 2016, habiendo transcurrido en consecuencia más de 10 días desde que tal instrumento estuvo a disposición de los empleados a fin de ser consultado». (ID Dictamen: 086617N16. Fecha: 30-11-2016. Destinatarios: Karen Pastene Barros, funcionaria de la Municipalidad de Santiago. Texto: Desestima reclamo en contra del escalafón del año 2015 de la Municipalidad de Santiago, por ser extemporáneo. Acción: aplica dictamen 8897/2014).

12. «Sobre el particular, cumple con señalar que de acuerdo al inciso tercero del artículo 50 de la ley Nº 18.883, los servidores tendrán derecho a reclamar de su ubicación en el escalafón con arreglo al inciso primero del artículo 156 del referido texto legal, vale decir, dentro del plazo de diez días hábiles, contado desde la fecha en que tal instrumento esté a disposición de los empleados a fin de ser consultado, de modo que, una vez transcurrido dicho término sin que se haya hecho uso de esa prerrogativa, aquel adquiere el carácter de inamovible, tal como lo ha manifestado la jurisprudencia de esta Contraloría General contenida, entre otros, en el dictamen Nº 97.800, de 2015. Ahora bien, de la documentación tenida a la vista, particularmente del certificado de septiembre de 2016, emitido por el secretario municipal de la Municipalidad de San Joaquín, aparece que el escalafón correspondiente a ese período, fue puesto en conocimiento de los funcionarios a contar del 23 de marzo del mismo año». (ID Dictamen: 092197N16. Fecha: 23-12-2016. Destinatarios: señora Carolina Meza Cisternas, funcionaria de la Municipalidad de San Joaquín. Texto: Rechaza por extemporáneo, reclamo sobre ubicación en escalafón vigente para el año 2014, de la Municipalidad de San Joaquín. Acción: Aplica dictamen 97800/2015).

13. «Sobre el particular, cumple con señalar que de acuerdo al inciso tercero del artículo 50 de la ley Nº 18.883, los servidores tendrán derecho a reclamar de su ubicación en el escalafón con arreglo al inciso primero del artículo 156 del referido texto legal, vale decir, dentro del plazo de diez días hábiles, contado desde la fecha en que tal instrumento esté a disposición de los empleados a fin de ser consultado. En efecto, el referido derecho de reclamación ha sido establecido en favor de los servidores afectados con su ubicación en el respectivo escalafón, sea que lo ejerzan personalmente o representados por una asociación de funcionarios, en cuyo caso, según se ha precisado mediante el oficio circular Nº 24.143, de 2015, de esta Contraloría General —que imparte instrucciones para la atención de solicitudes de pronunciamiento jurídico—, deberán acompañar la petición de representación del integrante de dicha organización en los términos previstos en la ley Nº 19.296, lo que no se advierte en la especie. Finalmente, cumple con manifestar que una vez publicado el escalafón, la entidad edilicia no puede efectuar correcciones al mismo, sea de oficio o a petición de los funcionarios, sino que ello solo podrá acontecer en virtud de los pronunciamientos de este origen a que hayan lugar, como consecuencia de reclamaciones que los servidores deduzcan oportunamente de acuerdo con las citadas normas (aplica dictamen Nº 14.023, de 2015)». (ID Dictamen: 102322N15. Fecha: 29-12-2015. Destinatarios: señora Herminda Arce Farfán, presidenta de la Asociación de Empleados Municipales de La Cisterna. Texto: Se abstiene de emitir el pronunciamiento requerido por asociación de funcionarios por falta de solicitud de representación; y, efectúa precisiones que indica. Acción: Aplica dictámenes 24143/2015, 5846/2015, 14023/2015).

1. «En este contexto, corresponde hacer presente que el proceso de calificaciones, y el posterior escalafón que se confecciona en base a estas, se refiere al desempeño de un funcionario en particular, en un cargo determinado, al que se le ha asignado un grado o nivel remuneratorio, en relación a las exigencias y labores propias de la función que desarrolla, por lo que no procede extender el resultado de la evaluación en un empleo específico, a otro distinto (aplica criterio contenido en el dictamen Nº 75.919, de 2010).
Pues bien, en la situación planteada, la señora Quiñones Tabilo obtuvo 70 puntos de calificación, en el desempeño como administrativa grado 17, quedando ubicada en el escalafón vigente para el año 2011, en el primer lugar de dicho grado y planta, en razón de lo cual fue ascendida desde el 1 de febrero del mismo año a una vacante producida en el grado

16 administrativo; y, posteriormente, al originarse la vacancia en un grado 15 de la misma planta, si bien aquella se encontraba ejerciendo las funciones correspondientes al cargo al que había sido promovida, no obstante, todavía no había sido evaluada en su nuevo empleo, por ende, debió ubicarse en el escalafón, en el último lugar de las plazas administrativas grado 16, hasta que el próximo proceso calificatorio le permitiera ocupar otro lugar». (**ID Dictamen: 074975N11 Fecha:** 30.11.2011 **Destinatarios:** Alcalde de la Municipalidad de Vallenar. **Texto:** Sobre ubicación en el escalafón de personal municipal recientemente ascendido. **Acción:** aplica dictamen 75919/2010)

2. *«Pues bien, consta que el empleo de la especie, quedó vacante por la renuncia voluntaria presentada por la funcionaria que lo servía, la que fue aceptada por el municipio a través del decreto Nº 58, de 2010, a contar del 31 de diciembre de 2010, lo que, según lo ha precisado la jurisprudencia de este Órgano Contralor, contenida, entre otros, en los dictámenes Nºs. 28.426, de 1985, y 3.458, de 2001, implica que los servidores deben desempeñar funciones hasta el día inmediatamente anterior —30 de diciembre de 2010—, constituyendo aquella fecha la interrupción de funciones que los desvinculó de la Administración, de manera que desde ese instante, dicha dimisión produce todos sus efectos, dejando el trabajador de ser considerado funcionario y alejándose del servicio.*

De este modo, por ende, la vacancia correspondiente se produjo el 31 de diciembre de 2010, por lo que para los fines del ascenso pertinente debe tenerse en consideración el escalafón vigente para este último año, elaborado con el resultado de las calificaciones del período comprendido entre el 1 de septiembre de 2008 y el 31 de agosto de 2009, según lo dispone el artículo 34 de la ley Nº 18.883.

En este contexto, es dable manifestar, que según el escalafón 2010 tenido a la vista, se advierte que la peticionaria no se encuentra ubicada en el lugar preferente del cargo profesional grado 8, correspondiendo efectivamente promover a doña Anaisa Hernández Durán, quien ocupa por el puntaje obtenido una posición superior respecto de la interesada en dicho ordenamiento del personal municipal, sin que le afecten inhabilidades para ascender». (**ID Dictamen: 051140N11 Fecha:** 12.08.2011 **Destinatarios:** Alcaldesa de la Municipalidad de Pedro Aguirre Cerda. **Texto:** Registra decreto 453/2011, de la Municipalidad de Pedro Aguirre Cerda, a través del cual se asciende a profesional que indica y atiende reclamo de ilegalidad. **Acción:** Aplica dictámenes 70202/2009, 31738/2010, 28426/85, 3458/2001)[172]

3. *«(...) como lo ha precisado este Ente Fiscalizador por los dictámenes Nºs. 70.202, de 2009, y 31.738, de 2010, cualquiera sea la época en que aquel se decrete, sus efectos se retrotraen al día en que se generó la vacancia del cargo, lo que implica que el escalafón a considerar para determinar cuál funcionario ocupa el lugar preferente para ascender, es aquel vigente, a la data en que se originó la vacante que se trata de proveer mediante la promoción».* (**ID Dictamen: 050594N11 Fecha:** 10.08.2011 **Destinatarios:** Alcalde de la Municipalidad de La Cisterna. **Texto:** Para efectos de ascenso el escalafón aplicable es aquel vigente a la época de producirse la vacante a proveer. **Acción:** Aplica dictámenes 70202/2009, 31738/2010, 28426/85, 3458/2001)

4. *«Como puede advertirse del tenor de las disposiciones anotadas, la ubicación preferente en el escalafón es la que fija el servidor favorecido con el ascenso, ubicación que, a su vez, está determinada por el resultado de las calificaciones, de modo que sólo procede recurrir a la antigüedad para establecer el lugar de los funcionarios en dicho ordenamiento del personal, en el orden de precedencia indicado, en la eventualidad que exista igualdad en los puntajes».* (**ID Dictamen: 031319N11 Fecha:** 17.05.2011 **Destinatarios:** Rodrigo Barros Mc Intosh. **Texto:** Sobre ubicación en el escalafón para efectos del derecho a ascenso de funcionario de la Municipalidad de Recoleta)

5. *«Pues bien, del análisis de los antecedentes acompañados, especialmente de la certificación del secretario municipal de dicha entidad edilicia, consta que el instrumento en contra del cual se reclama, fue dado a conocer a los respectivos funcionarios el día 13 de febrero del año 2012, habiendo reclamado la recurrente ante esta Contraloría General con fecha 23 de marzo de esa anualidad, por lo que cabe concluir que la presentación de la especie fue interpuesta fuera del indicado término, debiendo en consecuencia, desestimarse su reclamación por extemporánea (aplica criterio contenido en los dictámenes Nºs. 10.684, y 37.313, ambos de 2010)»* (**ID Dictamen: 058610N12 Fecha:** 25.09.2012 **Destinatarios:** Inés Castro Sánchez. **Texto:** Rechaza por extemporáneo reclamo sobre omisión de funcionaria municipal en el escalafón de mérito y antigüedad del año 2011, de la Municipalidad de Lo Espejo. **Acción:** Aplica dictámenes 10684/2010, 37313/2010. Mismo criterio aplicado en **ID Dictamen: 005373N11 Fecha:** 27.01.2011 **Destinatarios:** Verónica Mari-

---

[172] Para efectos de su consulta en la Base de Jurisprudencia de Contraloría General de la República, el citado dictamen se encuentra en la sección/materia: «generales», sin perjuicio de que se trata de uno de carácter municipal.

queo Álvarez. **Texto:** Sobre plazo para reclamar en contra de la ubicación en el escalafón. **Acción:** Aplica dictamen 22913/2010)

6. «*Sin perjuicio de lo expuesto, resulta oportuno hacer presente a la superioridad acerca de la necesidad de que provea los cargos vacantes en dicha institución, empleando la modalidad de promoción que corresponda, considerando que, tal como ha concluido el dictamen No 27.151, de 2012, entre otros, de este origen, la carrera funcionaria, reconocida en el artículo 38 de la Constitución Política y en el artículo 5º, letra e), de la anotada ley Nº 18.883, es un derecho fundamental de los empleados de la Administración, en especial a través del sistema de promociones, siendo un deber de los servicios públicos promover su materialización efectiva.*

Finalmente, en cuanto al error que existiría en el escalafón municipal que indica la peticionaria, cabe precisar que conforme con el artículo 50, inciso tercero, de la anotada ley Nº 18.883, los servidores tendrán derecho a reclamar de su ubicación en el respectivo documento, con arreglo al artículo 156 de dicho texto legal, vale decir, dentro de diez días hábiles contados desde la fecha en que ese instrumento esté a disposición de los funcionarios para ser consultado.

Ahora bien, es necesario hacer presente que el requerimiento de la especie, fue deducido ante esta Contraloría General el 4 de mayo de 2012, esto es, habiendo transcurrido en exceso el plazo de diez días hábiles, considerando que dicho escalafón fue dado a conocer a los funcionarios el 27 de octubre de 2011, según consta de los antecedentes tenidos a la vista en el presente estudio, por lo que procede desestimar también el reclamo de la especie». (**ID Dictamen: 039032N12 Fecha:** 29.06.2012 **Destinatarios:** Alcalde de la Municipalidad de Cerro Navia. **Texto:** Sobre oportunidad en que deben materializarse los ascensos y plazo para reclamar de escalafón municipal. **Acción:** aplica dictámenes 31614/2011, 27151/2012)

7. «*Luego, aunque de los antecedentes tenidos a la vista no ha sido posible establecer la fecha en que el escalafón fue puesto a disposición de todos los funcionarios del municipio, consta que el ocurrente presentó la carta Nº 6.682, dirigida a la alcaldesa de la Municipalidad de San Bernardo, para reclamar acerca de su errónea ubicación en él, el día 2 de agosto de 2011, de lo que se desprende que al menos a esa época el recurrente tuvo acceso al referido documento, verificándose a su respecto una notificación tácita, de conformidad con lo dispuesto en el artículo 47 de la ley Nº 18.880, sobre Bases de los Procedimientos Administrativos que Rigen los Actos de los Órganos de la Administración del Estado.*

En consecuencia, a la fecha en que el señor Rodríguez Espinoza dedujo su reclamo ante esta Contraloría General —14 de septiembre de 2011—, ya se encontraba vencido el término legal señalado en el referido artículo 50 de la ley Nº 18.883, para impugnar su ubicación en el mencionado escalafón (aplica dictámenes Nºs. 22.913, de 2010 y 5.373, de 2011)». (**ID Dictamen: 029162N12 Fecha:** 17.05.2012 **Destinatarios:** Hernán Rodríguez Espinoza. **Texto:** Desestima reclamo de funcionario municipal formulado en contra de su ubicación en escalafón, por extemporáneo. **Acción:** Aplica dictámenes 22913/2010, 5373/2011)

8. «*Por su parte, este Organismo Contralor en el dictamen Nº 20.360, de 1999, ha precisado que, publicado el escalafón por el municipio, este no puede efectuar correcciones a dicho ordenamiento, sea de oficio o a petición de los funcionarios, sino que ello sólo podrá acontecer en virtud de los pronunciamientos de esta Entidad Fiscalizadora a que hayan lugar, como consecuencia de reclamaciones que los servidores deduzcan oportunamente de acuerdo con el referido inciso tercero del artículo 50, toda vez que, vencido dicho plazo, el escalafón adquiere el carácter de inamovible.*

De este modo, en atención a que la interesada indica en su presentación que no fue ascendida debido a su ubicación en los escalafones de los años 2009 y 2010, es preciso manifestar que de los antecedentes proporcionados por la mencionada entidad edilicia, se advierte que el municipio habría dado a conocer a su personal el último de tales escalafones, el día 7 de febrero de 2011, publicándolo en la intranet institucional, sin que la ocurrente reclamara dentro del plazo de 10 días hábiles, de acuerdo con la normativa precedentemente citada, razón por la cual la presente solicitud resulta extemporánea». (**ID Dictamen: 025180N12 Fecha:** 02.05.2012 **Destinatarios:** Nicole David Piñones. **Texto:** Sobre oportunidad para reclamar de ubicación en el escalafón del personal municipal. **Acción:** Aplica dictamen 20360/99. Mismo criterio aplicado en **ID Dictamen: 012761N12**[173] **Fecha:** 02.03.2012 **Destinatarios:** Elizabeth Galaz Schonffeldt. **Texto:** Reclamación de corrección de antigüedad en el cargo del escalafón en los años 2004 a 2010, es extemporánea, por

---

[173]   Para efectos de su consulta en la Base de Jurisprudencia de Contraloría General de la República, el citado dictamen se encuentra en la sección/materia: «generales», sin perjuicio de que se trata de uno de carácter municipal.

cuanto excede de los 10 días hábiles contados desde la fecha de publicación en internet del último escalafón por parte de Municipalidad. **Acción:** Aplica dictámenes 31456/93, 20360/99, 19742/2005)

PÁRRAFO 4° DE LAS PROMOCIONES

Artículo 51

Las promociones se efectuarán por ascenso o excepcionalmente por concurso.

1. «*Sin perjuicio de lo anterior, se ha estimado pertinente indicar, en relación con el primer aspecto enunciado, que según se ha precisado en los dictámenes Nºs. 12.962, de 2000, y 76.048, de 2012, entre otros, conforme con los artículos 13 y 51 de la aludida ley Nº 18.883, la figura jurídica del ascenso constituye la forma general de provisión de los empleos municipales, de manera tal que los cargos que se encuentren vacantes en las plantas municipales, deben ser provistos a través del ascenso del funcionario que corresponda de acuerdo con el respectivo escalafón y que, por cierto, reúna los requisitos para ocupar la plaza de que se trate, o, ante la imposibilidad de proveerla mediante esa vía —por no existir funcionarios que reúnan las exigencias referidas—, efectuar un llamado a concurso para tal efecto.*
Al respecto, cumple con hacer presente que el recién citado cuerpo estatutario no contiene norma alguna que permita sostener que la promoción de un servidor deba decretarse en una fecha establecida, por lo que el respectivo alcalde no se encuentra legalmente obligado a disponerla dentro de un plazo determinado, sin perjuicio de lo cual, ello no puede implicar suspender indefinidamente en el tiempo la materialización del ascenso, pues atentaría contra la carrera funcionaria, consagrada en los artículos 38 de la Constitución Política de la República, 42 de la ley Nº 18.695 y en el párrafo 4º, del Título II, de la referida ley Nº 18.883 (aplica dictamen Nº 9.920, de 2013)». **(ID Dictamen:** 037492N16. **Fecha:** 20-05-2016. **Destinatarios:** doña Katherine Martorell Awad, concejala de la Municipalidad de Quinta Normal. **Texto:** Se ajustó a derecho que municipalidad dejara sin efecto concurso para proveer cargo de director de control, en virtud de su facultad para invalidar actos contrarios a derecho. Debe llamarse a un nuevo certamen, a la brevedad. **Acción:** Aplica dictámenes 14948/2015, 16050/2000, 2572/2004, 20240/2001, 34490/2013, 50702/2015, 101096/2014, 12962/2000, 76048/2012, 9920/2013).

2. «*Ahora bien, en cuanto a cómo proveer el precitado cargo, cabe indicar que se deberá acudir al ascenso por ser la forma normal de provisión de los empleos de carrera según se desprende de los artículos 51 y 52 de la ley Nº 18.883; y, en caso de no ser ello posible, convocarse a concurso (aplica criterio contenido en el dictamen Nº 82.558, de 2013). En ese contexto, y atendido lo señalado por el ya citado artículo 70 de la ley Nº 18.883, la alcaldesa de la precitada municipalidad deberá destinarla a desempeñar funciones propias del cargo para el que ha sido designada y de igual jerarquía, de modo que la destinación solo puede tener lugar, en la medida que las nuevas labores encomendadas sean inherentes a la planta a la que la funcionaria pertenece, como se ha manifestado, entre otros, en los dictámenes Nºs. 52.751 y 58.556, ambos de 2012, de lo cual el municipio deberá informar a la Unidad de Apoyo al Cumplimiento de la I Contraloría Regional Metropolitana de Santiago, en el plazo de 15 días hábiles, contado desde la recepción del presente pronunciamiento*». **(ID Dictamen:** 039810N17. **Fecha:** 10-11-2017. **Destinatarios:** Diputado don José Antonio Kast Rist. **Texto:** No se ajustó a derecho que la Municipalidad de Peñalolén diera aplicación a lo establecido en la letra a), del artículo 10, de la ley Nº 20.554; servidora que se indica deberá ser destinada a desempeñar funciones propias del cargo para el que ha sido designada. **Acción:** aplica dictámenes 39521/2012, 82558/2013, 52751/2012, 58556/2012).

3. «*Puntualizado lo anterior, en cuanto a cómo proveer la plaza en estudio, cabe indicar que el artículo 51 de la ley Nº 18.883, indica que las promociones se efectuarán por ascenso o excepcionalmente por concurso, estableciendo a continuación, en el artículo 52, que el ascenso es el derecho de un servidor de acceder a un cargo vacante de grado superior en la línea jerárquica de la respectiva planta, sujetándose estrictamente al escalafón, sin perjuicio de lo dispuesto en el artículo 54; precepto legal este último que dispone, en lo pertinente, que un "funcionario tendrá derecho a ascender a un cargo de otra planta, gozando de preferencia respecto de los funcionarios de ésta, cuando se encuentre en el tope de su planta, reúna los requisitos para ocupar el cargo y tenga un mayor puntaje en el escalafón que los funcionarios de la planta a la cual accede"*». **(ID Dictamen:** 040153N17. **Fecha:** 14-11-2017. **Destinatarios:** Municipalidad de Tirúa. **Texto:** Efectúa precisión que indica respecto al grado que corresponde al cargo de secretario municipal; plazas vacantes por las que se consulta, deberán ser provistas mediante concurso público. **Acción:** aplica dictámenes 81956/2014, 10749/2015, 25458/2012, 48811/2002, 54362/2010).

4. «*Ahora bien, si —como indica el municipio recurrente— la persona que ocupa el grado 15 no reúne los requisitos previstos en el ya citado artículo primero transitorio que la habilitarían para acceder al incremento de grado, en conformidad con el criterio formulado en la jurisprudencia administrativa contenida, entre otros, en el dictamen Nº 14.273, de 2015, para la provisión del cargo vacante en el grado 14 corresponde aplicar la normativa que contempla el Título II, Párrafo 4º, artículos 51 y siguientes de la ley Nº 18.883, esto es, por ascenso de quien tenga derecho a ello, y excepcionalmente por concurso, cuando no pueda operar la aludida modalidad.*

En efecto, el ascenso es la forma normal de provisión de los empleos de carrera, en cuya virtud el servidor que se encuentra en el lugar preferente de la correspondiente planta, tiene derecho a ser promovido al cargo de grado superior que se halle vacante siempre que cumpla los requisitos legales y no le afecte alguna causal de inhabilidad para ocuparlo (aplica criterio contenido en el dictamen Nº 35.543, de 2016).

Con todo, cumple con hacer presente que alcanzar, por la vía del ascenso, un cargo de grado superior, constituye una mera expectativa que solo podrá concretarse en el momento en que la autoridad lo disponga (aplica criterio contenido, entre otros, en los dictámenes Nºs. 6.898, de 2011, y 9.920, de 2013)». (**ID Dictamen: 085844N16. Fecha:** 28-11-2016. **Destinatarios:** Municipalidad de Padre Hurtado. **Texto:** Sobre artículo cuarto transitorio de la ley Nº 20.922. **Acción:** Aplica dictamen 14273/2015, 35543/2016, 6898/2011, 9920/2013).

5. «*En consideración a lo anterior, se ordenó al municipio que debía proveer a la brevedad posible los referidos cargos —creados de conformidad con la ley Nº 20.752—, aplicando al efecto la normativa contemplada en el Título II, Párrafo 4º, artículos 51 y siguientes de la ley Nº 18.883, para la selección y designación del cargo de director de administración y finanzas; y por concurso de oposición y antecedentes para el de director de control, según establece expresamente el artículo 29, inciso segundo, de la citada ley Nº 18.695. Precisado lo indicado en el párrafo precedente, cabe agregar que la autoridad municipal no puede suspender indefinidamente en el tiempo la promoción de un servidor o la convocatoria a un concurso, bajo el argumento de no contar con los medios necesarios para ello, o no haber dado cumplimiento a otra obligación que la misma ley le impone, pues ello importaría infringir el principio de la seguridad jurídica, en virtud del cual no pueden mantenerse indefinidamente en el tiempo las situaciones de incertidumbre en las relaciones, lo que atenta además contra la carrera funcionaria, consagrada en los artículos 38 de la Constitución Política de la República, 42 de la ley Nº 18.695 y en el Título II de la referida ley Nº 18.883, de tal manera que la autoridad llamada por la ley a definirlas, debe hacerlo en el más breve plazo que la razón, el sentido común y la equidad lo aconsejen. Lo contrario, podría importar un abandono de sus deberes o una desviación o abuso de facultades que, por cierto, pugnan con la forma en que deben interpretarse y aplicarse las normas de derecho (aplica criterio contenido en los dictámenes Nºs. 26.774 de 2003, y 37.492, de 2016)»*. (**ID Dictamen: 089821N16. Fecha:** 15-12-2016. **Destinatarios:** señores Samuel Espinoza Vilches, Juan Zúñiga Godoy y Avelino Farías Piña, todos exconcejales de la Municipalidad de San Pedro, y don Jeremías Vilches Mondaca, actual concejal. **Texto:** Se ajustó a derecho la decisión del alcalde de la Municipalidad de San Pedro, de asignar a la servidora que indica, la función de administradora municipal; ente comunal deberá dar cumplimiento a lo ordenado por el dictamen Nº 16.246, de 2015, de este organismo fiscalizador. **Acción:** Aplica dictámenes 45176/2003, 16246/2015, 14283/2009, 26774/2003, 37492/2016, 101096/2014).

1. «*Sobre el particular, es preciso señalar que de conformidad con los artículos 13 y 51 de la citada ley Nº 18.883, la provisión de los cargos municipales se efectúa por ascenso y excepcionalmente por concurso.*

A su vez, según lo dispone el artículo 52 del mismo cuerpo estatutario, se entiende por ascenso el derecho de un funcionario de acceder a un cargo vacante de grado superior en la línea jerárquica de la respectiva planta, sujetándose estrictamente al escalafón, sin perjuicio de lo dispuesto en el artículo 54.

Al respecto, este Organismo Contralor en los dictámenes Nºs. 49.715, de 2000, y 3.963, de 2007, ha precisado que para los fines de ascender, la preceptiva exige que el funcionario de que se trate cumpla los requisitos del empleo vacante, se ubique en el primer lugar del grado que sucede a aquel que está vacante en la línea jerárquica de la respectiva planta y no se encuentre afecto a las inhabilidades contempladas en el artículo 53 del mismo texto legal». (**ID Dictamen: 072527N11 Fecha:** 21.11.2011 **Destinatarios:** Alcalde de la Municipalidad de Independencia. **Texto:** Sobre derecho a ascenso en cargo municipal que no requiere requisitos específicos. **Acción:** Aplica dictámenes 49715/2000, 3963/2007, 52372/2008, 79220/2010)

2. «*Por lo demás, cabe anotar que la individualizada servidora se encontraba ubicada en el lugar preferente del escalafón vigente el año en que se produjo la vacante, cumplía el requisito específico para acceder a dicho cargo, consistente en contar con título técnico de contador y, además, no le afectaba alguna inhabilidad para ascender, de modo que le asistía el derecho a ser ascendida a esa plaza, según la preceptiva contenida en los artículos 51 a 57 del mismo texto legal.*

Por último, cabe aclarar que las promociones comunicadas por la municipalidad en el mes de febrero de 2011, corresponden a aquellas dispuestas por el municipio con ocasión de la confección del escalafón correspondiente al año 2010, y se refieren a cargos cuyas vacancias se produjeron como consecuencia del ascenso a que se ha hecho referencia en el párrafo anterior y que, además, resultan de inferior jerarquía al que ostenta la recurrente». (**ID Dictamen: 032545N11 Fecha:** 23.05.2011 **Destinatarios:** Magaly Muñoz Rocha. **Texto:** Sobre desestimación de reclamo sobre derecho a ascenso a cargo municipal)[174]

3. *«Por otra parte, conforme con los artículos 13 y **51 de la anotada ley Nº 18.883, la figura jurídica del ascenso constituye la forma general de provisión de los empleos municipales,** de manera tal que los cargos que se encuentren vacantes en las plantas municipales, deben ser provistos a través del ascenso del funcionario que corresponda de acuerdo con el respectivo escalafón y que, por cierto, reúna los requisitos establecidos para ocupar la plaza de que se trate, **y solo ante la imposibilidad de proveerla mediante esa vía —por no existir funcionarios que reúnan las exigencias indicadas—, será pertinente efectuar un llamado a concurso para tal efecto (aplica criterio contenido, entre otros, en los dictámenes Nºs. 12.962, de 2000, y 68.409, de 2012, de este origen)».* (**ID Dictamen: 076048N12 Fecha:** 06.12.2012 **Destinatarios:** Juez del Segundo Juzgado de Policía Local de Pudahuel. **Texto:** Procede proveer el cargo vacante de Secretario Abogado del Segundo Juzgado de Policía Local que indica mediante ascenso, y solo en el evento de no ser factible, por concurso público. **Acción:** Aplica dictámenes 12962/2000, 68409/2012, 50722/2002, 39521/2012)[175]

4. *«Sobre el particular, es dable precisar que el artículo 51 de la citada ley Nº 18.883, dispone que las promociones se efectuarán por ascenso o excepcionalmente por concurso. Añade el artículo 52 de dicho texto normativo, que el ascenso es el derecho de un funcionario a ascender a un cargo vacante de grado superior en la línea jerárquica de la respectiva planta, sujetándose estrictamente al escalafón, sin perjuicio de lo dispuesto en el artículo 54 del mismo cuerpo legal. (...)*
*En dicho contexto, de acuerdo a la información recabada por este Ente Fiscalizador, aparece que ninguno de los solicitantes, que se desempeñan en el grado 11 E.M.S. de la planta de técnicos, cumplía con alguno de los aludidos requisitos específicos, **al no poseer los estudios pertinentes, de manera tal que el municipio no pudo sino ascender a un funcionario que, no obstante encontrarse en un grado inferior, satisfacía la referida exigencia (aplica criterio contenido, entre otros, en el dictamen Nº 55.094, de 2007, de este origen).***
Por otra parte, en cuanto a la alegación relativa a la supuesta infracción del artículo 1º transitorio, de la ley Nº 19.280, cabe recordar que el artículo 12 de esa normativa, establece los requisitos académicos exigibles para el ingreso y la promoción en cargos de las plantas de personal de las municipalidades, detallando en su número 4, los correspondientes a la planta de técnicos.
Pues bien, el inciso primero del citado artículo 1º transitorio de la ley Nº 19.280, establece —en lo que interesa— que sin perjuicio de los requisitos establecidos en el artículo 12, para el ascenso del personal en servicio a la fecha de dictación de esa norma en las plantas de directivos, de jefaturas, de técnicos, de administrativos y de auxiliares, será exigible, alternativamente a lo señalado en el artículo antes mencionado, el requisito de haber desempeñado, a lo menos, diez años, cargos de planta en la municipalidad.
Agrega su inciso segundo que, en todo caso, los funcionarios que hayan ingresado a las respectivas plantas cumpliendo los requisitos exigidos al momento de su nombramiento, mantendrán su derecho al ascenso.
*En el enunciado marco normativo, **la reiterada jurisprudencia administrativa de este Ente de Control contenida, entre otros, en los dictámenes Nºs. 35.501, de 2002, y 65.933, de 2010, ha concluido que la protección especial que consagra la disposición legal antes transcrita, se refiere exclusivamente a los requisitos genéricos que contempla el artículo 12 de la mencionada ley Nº 19.280, sin que puedan entenderse comprendidos en ellos los requisitos específicos que establecieron los diversos decretos con fuerza de ley que fijaron las plantas de personal de los respectivos municipios».* (**ID Dictamen: 073804N12 Fecha:** 27.11.2012 **Destinatarios:** Blanca Navarrete Apiolaza y otro. **Texto:** Desestima reclamo sobre derecho a ascenso de funcionarios municipales que indica, por no cumplir los requisitos específicos previstos para los cargos vacantes de que se trata. **Acción:** Aplica dictámenes 55094/2007, 35501/2002, 65933/2010)

---

[174] Para efectos de su consulta en la Base de Jurisprudencia de Contraloría General de la República, el citado dictamen se encuentra en la sección/materia: «generales», sin perjuicio de que se trata de uno de carácter municipal.

[175] Para efectos de su consulta en la Base de Jurisprudencia de Contraloría General de la República, el citado dictamen se encuentra en la sección/materia: «generales», sin perjuicio de que se trata de uno de carácter municipal.

5. «Al respecto, es útil recordar que **el derecho al ascenso es un elemento fundamental de la carrera funcionaria, la que se encuentra garantizada en el artículo 38 de la Constitución Política de la República, y en el artículo 42 de la ley Nº 18.695, Orgánica Constitucional de Municipalidades.**
En armonía con los preceptos aludidos, el artículo 13 de la ley Nº 18.883, Estatuto Administrativo para Funcionarios Municipales, previene que la provisión de los cargos municipales se efectuará por el alcalde mediante nombramiento o ascenso. Agrega el inciso segundo que cuando no sea posible aplicar el ascenso en los cargos de planta, procederá aplicar las normas sobre nombramiento.
Por su parte, el artículo 51 del mismo texto estatutario dispone que las promociones se efectuarán por ascenso o excepcionalmente por concurso, en tanto que el artículo 52, prevé que el ascenso es el derecho de un funcionario de acceder a un cargo vacante de grado superior en la línea jerárquica de la respectiva planta, sujetándose estrictamente al escalafón, sin perjuicio de lo dispuesto en el artículo 54.
Como puede advertirse de las disposiciones reseñadas, **el ascenso es la forma normal de provisión de los empleos de carrera, en cuya virtud el servidor que se encuentra en el lugar preferente de la correspondiente planta, tiene derecho a ascender al cargo de grado superior que se halle vacante, siempre que cumpla los requisitos legales y no le afecte alguna causal de inhabilidad para ocuparlo, prerrogativa que asiste sucesivamente a los funcionarios que le siguen en el respectivo estamento (aplica criterio contenido en el dictamen Nº 4.381, de 2002, de este origen).**
Así entonces, y solo ante la imposibilidad de proveer una determinada plaza mediante la vía del ascenso —por no existir funcionarios que reúnan las exigencias antes indicadas—, **será pertinente efectuar un llamado a concurso para tal efecto, por cuanto la vacancia de ese cargo no puede permanecer indefinidamente a la espera de la eventualidad que, en una data posterior, alguno de los trabajadores del servicio de que se trate, reúna tales requisitos, toda vez que ello atentaría contra los principios de continuidad de la función pública, eficiencia y carrera funcionaria.**
En este orden de ideas, cabe referirse entonces, a la imposibilidad a la que alude esa corporación edilicia, de aplicar el mecanismo normal de promociones expuesto anteriormente, en el caso de la señora Echeverría Faccin, atendida su renuncia al ascenso al grado 7 E.M.S. de la planta de directivos, que presentara en su oportunidad.
Al respecto, cumple con precisar que el **derecho al ascenso previsto en el artículo 52 de la ley Nº 18.883, de acuerdo con la norma general contenida en el artículo 12 del Código Civil, es esencialmente renunciable, toda vez que está establecido únicamente a favor de la persona beneficiada con la promoción, es decir, sólo mira el interés individual del renunciante y su renuncia no se encuentra prohibida por norma legal alguna (aplica dictamen Nº 10.438, de 2002, de este Organismo Fiscalizador).**
En este contexto, resulta dable señalar que la circunstancia de haber renunciado la citada funcionaria al ascenso correspondiente al grado 7 E.M.S. de la planta de directivos, no fue más que el ejercicio de una prerrogativa que la misma ley le confiere, y como tal, no puede constituir una inhabilidad para ser promovida en situaciones sucesivas, por cuanto, por una parte, **el ascenso es un elemento de la carrera funcionaria garantizada en todo el ordenamiento jurídico; y, por la otra, la referida renuncia no se encuentra contemplada dentro de las inhabilidades para ascender que prevé el artículo 53 de la ley Nº 18.883.**
En consecuencia entonces, y en la oportunidad de realizada la consulta de que se trata, no procedía la convocatoria a concurso público para proveer el cargo de Secretario Municipal de esa entidad edilicia, grado 6 E.M.S. de la planta de directivos, habida cuenta que si bien la plaza grado 7 E.M.S. del mismo escalafón, se encontraba vacante, existía una funcionaria en el grado 8 E.M.S. que reunía los requisitos para ser ascendida a dicho empleo.
Sin perjuicio de ello y, en el evento de ser efectivo el cese de funciones de la señora Echeverría Faccin —lo que no consta a esta data—, corresponderá convocar al pertinente certamen a fin de proveer el antes citado cargo grado 6 E.M.S».
(**ID Dictamen: 068409N12 Fecha:** 31.10.2012. **Destinatarios:** Alcalde de la Municipalidad de Buin. **Texto:** Procede el ascenso de funcionaria municipal en la situación que indica, en tanto se encuentre en servicios, y compete a la autoridad alcaldicia investigar los hechos constitutivos de acoso laboral. **Acción:** Aplica dictámenes 42127/2009, 34820/2011, 21645/2012, 4381/2002, 10438/2002, 6898/2011, 15700/2012)

Artículo 52

El ascenso es el derecho de un funcionario de acceder a un cargo vacante de grado superior en la línea jerárquica de la respectiva planta, sujetándose estrictamente al escalafón, sin perjuicio de lo dispuesto en el artículo 54.

1. «*Sobre el particular, y en lo que atañe a la solicitud de reconsideración del ya anotado oficio Nº 4.745, de 2015, conviene recordar que conforme al artículo 52 de la mencionada ley Nº 18.883, "El ascenso es el derecho de un funcionario de acceder a un cargo vacante de grado superior en la línea jerárquica de la respectiva planta, sujetándose estrictamente al escalafón, sin perjuicio de lo dispuesto en el artículo 54". Luego, respecto de la posibilidad de llamar a concurso para proveer el cargo de director de administración y finanzas, dado que, a juicio del municipio en comento, no sería posible la aplicación del artículo 54, inciso primero, de la ley Nº 18.883, para disponer el ascenso de la interesada a esa plaza, es menester anotar que el aludido precepto legal, establece que "Un funcionario tendrá derecho a ascender a un cargo de otra planta, gozando de preferencia respecto de los funcionarios de ésta, cuando se encuentre en el tope de su planta, reúna los requisitos para ocupar el cargo y tenga un mayor puntaje en el escalafón que los funcionarios de la planta a la cual accede". Por consiguiente, y en atención a que el cargo de director de administración y finanzas creado por la Municipalidad de Galvarino, en virtud de la ley Nº 20.742, no puede ser provisto con arreglo al mecanismo general de ascenso al que se refiere el artículo 52 de la ley Nº 18.883, como tampoco al especial contenido en el citado artículo 54 del mismo texto legal, toda vez que en la especie resulta impracticable el procedimiento de confrontación de puntajes exigido, ese órgano comunal deberá convocar a un concurso público con tal objeto*». (**ID Dictamen:** 002221N16. **Fecha:** 11-01-2016. **Destinatarios:** doña Andrea Cordero Cordero, funcionaria de la Municipalidad de Galvarino. **Texto:** Desestima solicitud de reconsideración que indica, y procede que el cargo de director de administración y finanzas de la municipalidad de Galvarino se provea de conformidad con las reglas sobre concurso. **Acción:** aplica dictámenes 72527/2011, 63029/2015).

2. «*Sobre el particular, cabe recordar que el dictamen Nº 5.168, de 2015, atendiendo una consulta de la Municipalidad de Vicuña —referente a si el cargo de director de administración y finanzas creado en cumplimiento de lo dispuesto en el artículo 16, inciso segundo, de la ley Nº 18.695, luego de las modificaciones introducidas por la ley Nº 20.742, debía proveerse por ascenso, y, en el caso de ser así, si procedía promover al señor Hugo Rojas Pasten—, resolvió, sobre la base de la normativa y de la jurisprudencia que en él se analiza, que resultaba improcedente acudir a los mecanismos de ascenso, general y especial, previstos en los artículos 52 y 54 de la ley Nº 18.883, respectivamente, por lo que correspondía que ese órgano comunal convocara un concurso público con tal objeto. En efecto —de conformidad con el anotado pronunciamiento—, la jurisprudencia administrativa de esta Contraloría General que allí se indica, ha concluido que la modalidad especial de ascenso a que se refiere el mencionado artículo 54 de la ley Nº 18.883, requiere, en lo que interesa, que el funcionario que pretenda ser promovido tenga una mayor puntuación en el escalafón que los empleados de la planta a la que aspira acceder, lo que necesariamente supone un ejercicio de comparación de ambos puntajes de calificación, el cual no se puede realizar cuando la plaza vacante se ubica en el último grado, como ocurría en el caso, pues la planta de personal de la Municipalidad de Vicuña no contemplaba el cargo nominado de director de administración y finanzas, el cual fue creado por el municipio, asignándole el grado 8 E.M.S. en la planta de directivos, que corresponde, precisamente, al último del respectivo estamento.*

En este contexto, cumple con manifestar que, en atención a que la situación en comento ha sido estudiada por este Organismo Fiscalizador, y dado que el recurrente se limita a sostener una interpretación legal distinta de la sustentada en el aludido dictamen, sin aportar nuevos antecedentes, de hecho o de derecho, que difieran de los tenidos a la vista previamente, y que permitan modificar el criterio contenido en el pronunciamiento cuya reconsideración se solicita, corresponde rechazar la petición formulada». (**ID Dictamen:** 003422N18. **Fecha:** 26-01-2018. **Destinatarios:** Municipalidad de Vicuña. **Texto:** Desestima solicitud de reconsideración del dictamen Nº 5.168, de 2015, relativo a la provisión del cargo de director de administración y finanzas municipal que indica. **Acción:** Aplica dictámenes 5168/2015, 9391/2017).

3. «*En este contexto, y en relación con la solicitud que se plantea, cabe consignar, en primer término, que la regla general en materia de promoción se encuentra contenida en el artículo 52 de la ley Nº 18.883, el que prevé que "el ascenso es el derecho de un funcionario de acceder a un cargo vacante de grado superior en la línea jerárquica de la respectiva planta, sujetándose estrictamente al escalafón, sin perjuicio de lo dispuesto en el artículo 54".*

Luego, en consideración a que no concurre uno de los supuestos del aludido artículo 54, no resulta procedente disponer el ascenso conforme a tal precepto, por lo que el cargo en cuestión debe ser provisto mediante concurso público. En efecto, resulta esencial para disponer la modalidad excepcional de promoción de que se trata, el cumplimiento de cada una de las exigencias que la norma legal en estudio contempla, toda vez que la ausencia de alguna de ellas, cualquiera que sea, implica que el ascenso a un cargo de otra planta sea inaplicable, pues tales requisitos no pueden ser reemplazados por otros elementos de juicio (aplica dictámenes Nºs. 41.563, de 1994, y 22.795, de 1996).

A mayor abundamiento, del tenor de la disposición en estudio aparece que la preferencia que dicho mecanismo especial de ascenso prevé, se otorga respecto de los demás funcionarios de la planta a la que se pretende acceder, de lo que fluye claramente que resulta indispensable que en tal estamento existan otros funcionarios con derecho a ser promovidos, lo que supone, a su vez, que aquellos reúnan tanto los requisitos generales como específicos para el desempeño del cargo que se pretenda proveer, circunstancia que no concurre en la situación de que se trata». (**ID Dictamen:** 027428N18. **Fecha:** 06-11-2018. **Destinatarios:** alcalde de la Municipalidad de San Antonio. **Texto:** Desestima solicitud de reconsideración del dictamen N° 34.501, de 2017, de este origen, sobre provisión del cargo de director de obras de la Municipalidad de San Antonio. **Acción:** aplica dictámenes 35543/2016, 1201/95, 41563/94, 22795/96 Confirma dictamen 34501/2017).

4. *«Sobre el particular, conviene recordar que conforme al artículo 52 de la mencionada ley N° 18.883, "El ascenso es el derecho de un funcionario de acceder a un cargo vacante de grado superior en la línea jerárquica de la respectiva planta, sujetándose estrictamente al escalafón, sin perjuicio de lo dispuesto en el artículo 54". A su vez, el artículo 54, inciso primero, del anotado texto legal, establece que "Un funcionario tendrá derecho a ascender a un cargo de otra planta, gozando de preferencia respecto de los funcionarios de ésta, cuando se encuentre en el tope de su planta, reúna los requisitos para ocupar el cargo y tenga un mayor puntaje en el escalafón que los funcionarios de la planta a la cual accede". Interpretando la citada norma, la jurisprudencia administrativa de esta Contraloría General contenida, entre otros, en el dictamen N° 2.221, de 2016, ha precisado que para que opere el mecanismo especial de ascenso previsto en el mencionado artículo 54, deben concurrir, copulativamente, los requisitos que dicho precepto establece —sin perjuicio, en todo caso, del cumplimiento de las exigencias propias de la plaza vacante—, cuales son, que el funcionario que pretenda ser promovido se encuentre en el tope de su planta y, que tenga mayor puntaje en el escalafón que los servidores de aquella a la que procura ingresar, condición esta última que supone un ejercicio de comparación con los empleados que a ella pertenecen. Por consiguiente, no obstante que del artículo 3º del decreto con fuerza de ley N° 128-19.321, de 1994, del entonces Ministerio del Interior, que fijó la planta de personal de la Municipalidad de Saavedra, así como del análisis del escalafón vigente durante el año 2014, se desprende que la señora Barrera Machuca se encuentra ubicada en el tope del estamento de profesionales —reuniendo, por ende, los requisitos exigidos en los artículos 10 de la ley N° 18.883, y 12, N° 1, de la ley N° 19.280, para desempeñar el cargo vacante de que se trata—, no tiene mayor puntaje en el escalafón que el servidor de aquel estamento al que procuraba ingresar, por cuanto esta condición supone un ejercicio de comparación con los empleados que a ella pertenecen, que en la situación en estudio no pudo realizarse».* (**ID Dictamen:** 030234N16. **Fecha:** 22-04-2016. **Destinatarios:** Municipalidad de Saavedra. **Texto:** Reconsidera dictamen N° 63.029, de 2015, en razón de que el escalafón a considerar para efectos de la aplicación del artículo 54 de la ley N° 18.883 es el vigente a la fecha de creación del cargo de que se trata. **Acción:** Reconsidera parcialmente dictamen 63029/2015 Aplica dictamen 2221/2016).

5. *«Al respecto, cabe anotar que de acuerdo con el artículo 52 de la ley N° 18.883, el ascenso es el derecho de un funcionario de acceder a un cargo vacante de grado superior en la línea jerárquica de la respectiva planta, sujetándose estrictamente al escalafón, "sin perjuicio de lo dispuesto en el artículo 54". Enseguida, el inciso primero del artículo 54 del anotado texto legal, establece que un funcionario tendrá derecho a ascender a un cargo de otra planta, gozando de preferencia respecto de los funcionarios de ésta, cuando se encuentre en el tope de su planta, reúna los requisitos para ocupar el cargo y tenga un mayor puntaje en el escalafón que los funcionarios de la planta a la cual accede. Precisado lo anterior, y en lo que concierne a la situación del señor Sabaj Rojas, es menester recordar que este Organismo Contralor ha señalado, mediante los dictámenes Nos 2.221 y 30.234, ambos de 2016, que para que opere el mecanismo especial de ascenso previsto en el mencionado artículo 54, deben concurrir, copulativamente, los requisitos que dicho precepto establece —sin perjuicio, en todo caso, del cumplimiento de las exigencias propias de la plaza vacante—, cuales son, que el funcionario que pretenda ser promovido se encuentre en el tope de su planta, y que tenga mayor puntaje en el escalafón que los servidores de aquella a la que procura ingresar, condición esta última que supone un ejercicio de comparación con los empleados que a ella pertenecen. Lo anterior, toda vez que de acuerdo con el criterio contenido en los referidos pronunciamientos, el procedimiento de confrontación antes aludido requiere evaluar tanto al empleado a quien se asciende como a los funcionarios que integran la planta donde se ha originado la vacante, aunque hayan renunciado a dicha promoción, debiendo el puntaje del primero ser superior al de los segundos. En relación con lo anterior debe recordarse —conforme al criterio sostenido, entre otros, en el dictamen N° 89.821, de 2016, de este origen— que la autoridad municipal no puede omitir indefinidamente la convocatoria al referido concurso, por cuanto ello importaría infringir el principio de seguridad jurídica, en virtud del cual no pueden mantenerse indefinidamente en el tiempo las situaciones de incertidumbre en las relaciones. Además, y tal como se advierte en el citado pronunciamiento, la excesiva demora en proveer las vacantes atenta afecta la carrera funcionaria consagrada en los artículos 38 de la Constitución Política de la República; 42 de la ley N° 18.695, Orgánica Constitucional de Municipalidades; y en el Título II de la citada*

ley Nº 18.883, de tal manera que la autoridad debe efectuar las promociones en el más breve plazo que la razón, el sentido común y la equidad lo aconsejen. Lo contrario, podría importar un abandono de sus deberes o una desviación o abuso de facultades que, por cierto, pugnan con la forma en que deben interpretarse y aplicarse las normas de derecho». **(ID Dictamen:** 034501N17. **Fecha:** 25-09-2017. **Destinatarios:** Municipalidad de San Antonio. **Texto:** Para efectos del ascenso que regula el artículo 54 de la ley Nº 18.883, un servidor podrá acceder a un cargo de igual grado al que posee, en tanto se trate de un estamento jerárquicamente superior. No procede ascenso de funcionario que se individualiza en virtud de dicho precepto por los motivos que indica. **Acción:** Aplica dictámenes 34543/94, 47546/2013, 2221/2016, 30234/2016, 46617/2002, 89821/2016 Reconsidera parcialmente dictámenes 1201/95, 10376/96).

6. *«Sobre el particular, el artículo 52 de la ley Nº 18.883, prevé que "El ascenso es el derecho de un funcionario de acceder a un cargo vacante de grado superior en la línea jerárquica de la respectiva planta, sujetándose estrictamente al escalafón, sin perjuicio de lo dispuesto en el artículo 54". Al respecto, es dable manifestar que tal como lo ha sostenido esta Contraloría General a través del dictamen Nº 4.381, de 2002, entre otros, el ascenso es la forma normal de provisión de los empleos de carrera, en cuya virtud el servidor que se encuentra en el lugar preferente de la correspondiente planta, tiene derecho a ser promovido al cargo de grado superior que se halle vacante siempre que cumpla los requisitos legales y no le afecte alguna causal de inhabilidad para ocuparlo, prerrogativa que asiste, sucesivamente a los funcionarios que le siguen en el pertinente estamento».* **(ID Dictamen:** 035543N16. **Fecha:** 13-05-2016. **Destinatarios:** Municipalidad de Calbuco. **Texto:** Procede el ascenso de funcionaria que indica a cargo directivo grado 8. **Acción:** aplica dictámenes 4381/2002, 47511/2001, 14104/2012, 5168/2015).

7. *«Sobre el particular, el artículo 52 de la ley Nº 18.883, dispone, en lo pertinente, que el ascenso es el derecho de un funcionario de acceder a un cargo vacante de grado superior en la línea jerárquica de la respectiva planta, sujetándose estrictamente al escalafón A su vez, el artículo 57 del mencionado cuerpo estatutario señala que el ascenso regirá a partir de la fecha en que se produzca la vacante.*

Luego, en lo relativo a la asignación de mejoramiento a la gestión municipal, es menester recordar que el artículo 1º de la citada ley Nº 19.803 —texto legal cuya vigencia fue renovada por las leyes Nºs. 20.008 y 20.198—, otorga el beneficio en comento, en las condiciones que ese precepto señala, al personal de planta y a contrata regido por la ley Nº 18.883, a contar del 1 de enero de 2002.

En ese sentido, teniendo en consideración que los efectos de la promoción se retrotraen al día en que se generó la vacancia del cargo, siendo uno de estos el aumento en las remuneraciones del funcionario, en el caso en análisis ello implica una modificación en la base de cálculo de la asignación prevista en la citada ley Nº 19.803, teniendo derecho a este estipendio en proporción a los meses completos efectivamente trabajados.

En consecuencia, la Municipalidad de Cerrillos deberá realizar el cálculo y pago las diferencias producidas en relación a la asignación prevista en la ley Nº 19.803 por el incremento de las remuneraciones de la ocurrente producidas por el ascenso que se dispuso en su favor a partir del 12 de marzo de 2013, debiendo informar de ello a la Unidad de Seguimiento de la División de Municipalidades de esta Contraloría General, en el plazo de 20 días hábiles, contado desde la recepción de este pronunciamiento». **(ID Dictamen:** 037349N16. **Fecha:** 19-05-2016. **Destinatarios:** señora Ingeborg Chacón Morales, funcionaria de la Municipalidad de Cerrillos. **Texto:** Los efectos de los ascensos se retrotraen al día en que se generó la vacancia del cargo, siendo uno de aquellos el aumento de las remuneraciones del funcionario promovido, lo que implica una modificación en la base de cálculo de la asignación prevista en la ley Nº 19.803. **Acción:** Aplica dictámenes 51140/2011, 18329/2016).

8. *«Sobre el particular, el artículo 52 de la ley Nº 18.883 prevé que "El ascenso es el derecho de un funcionario de acceder a un cargo vacante de grado superior en la línea jerárquica de la respectiva planta, sujetándose estrictamente al escalafón, sin perjuicio de lo dispuesto en el artículo 54". Por su parte, cabe señalar que si bien el artículo 12 de la ley Nº 19.280 —hoy derogado por el artículo 7º de la ley Nº 20.922—, contemplaba los requisitos académicos generales para el ingreso y la promoción de los cargos de las plantas de personal de las municipalidades, detallando el nivel educacional exigido para cada una de ellas, estos fueron incorporados —con ciertas modificaciones— por medio del artículo 5º de la ley Nº 20.922, en nuevos incisos del artículo 8º de la ley Nº 18.883. En efecto, de la actual redacción del artículo 8º de la ley Nº 18.883 aparece que para el ingreso y la promoción en los cargos de las plantas de directivos de las municipalidades se deberá cumplir con los requisitos de tener un título profesional de una carrera de, a lo menos, ocho semestres de duración —misma extensión contemplada antes—, otorgado por una institución de educación superior del Estado o reconocida por éste. En consecuencia, quienes a la fecha de los encasillamientos y ascensos que se dispongan con ocasión de la preceptiva contenida en la ley Nº 20.922, se encuentren desempeñando cargos de planta amparados por lo que dispuso el reseñado artículo 1º transitorio de la ley Nº 19.280, mantienen su derecho a ser encasillados y ascendidos en*

la misma planta en que se encontraban a la fecha de publicación de la mencionada ley Nº 20.922. Así, no obstante no poseer un título profesional en los términos que lo ordena el nuevo artículo 8º de la ley Nº 18.883, el señor Bastías Contardo tendrá derecho a ascender en la misma planta en que se encontraba a la fecha de publicación de la ley Nº 20.922 —25 de mayo de 2016—, en la medida que a la época de entrada en vigencia de la ley Nº 19.280 —16 de diciembre de 1993— se haya encontrado en alguna de las hipótesis contempladas en el artículo 1º transitorio de dicho cuerpo normativo». (**ID Dictamen:** 038270N17. **Fecha:** 30-10-2017. **Destinatarios:** Municipalidad de San Clemente. **Texto:** Servidor por el cual se consulta tendrá derecho a ascender en la misma planta en que se encontraba a la fecha de publicación de la ley Nº 20.922, en la medida que se encuentre en alguna de las hipótesis del artículo 1º transitorio de la ley Nº 19.280. **Acción.**

9. *«Ahora bien, en cuanto a cómo proveer el precitado cargo, cabe indicar que se deberá acudir al ascenso por ser la forma normal de provisión de los empleos de carrera según se desprende de los artículos 51 y 52 de la ley Nº 18.883; y, en caso de no ser ello posible, convocarse a concurso (aplica criterio contenido en el dictamen Nº 82.558, de 2013). En ese contexto, y atendido lo señalado por el ya citado artículo 70 de la ley Nº 18.883, la alcaldesa de la precitada municipalidad deberá destinarla a desempeñar funciones propias del cargo para el que ha sido designada y de igual jerarquía, de modo que la destinación solo puede tener lugar, en la medida que las nuevas labores encomendadas sean inherentes a la planta a la que la funcionaria pertenece, como se ha manifestado, entre otros, en los dictámenes Nºs. 52.751 y 58.556, ambos de 2012, de lo cual el municipio deberá informar a la Unidad de Apoyo al Cumplimiento de la I Contraloría Regional Metropolitana de Santiago, en el plazo de 15 días hábiles, contado desde la recepción del presente pronunciamiento».* (**ID Dictamen:** 039810N17. **Fecha:** 10-11-2017. **Destinatarios:** Diputado don José Antonio Kast Rist. **Texto:** No se ajustó a derecho que la Municipalidad de Peñalolén diera aplicación a lo establecido en la letra a), del artículo 10, de la ley Nº 20.554; servidora que se indica deberá ser destinada a desempeñar funciones propias del cargo para el que ha sido designada. **Acción:** aplica dictámenes 39521/2012, 82558/2013, 52751/2012, 58556/2012).

10. *«Así las cosas, de acuerdo a lo previamente señalado, al cargo de secretario municipal contemplado en el decreto con fuerza de ley Nº 96-19.321, de 1994, del Ministerio del Interior, que adecúa, modifica y establece la planta de personal de la Municipalidad de Tirúa, le resulta plenamente aplicable lo dispuesto en el inciso tercero del artículo 16, de la ley Nº 18.695, razón por la cual, teniendo a la vista que según el referido decreto, el alcalde de la comuna tiene grado 7, a este le corresponderá el grado 9 y no el 10 como indica el ente comunal, sin que obste a lo expuesto el que pertenezca al estamento de jefaturas (aplica criterio contenido en el dictamen Nº 10.749, de 2015). Puntualizado lo anterior, en cuanto a cómo proveer la plaza en estudio, cabe indicar que el artículo 51 de la ley Nº 18.883, indica que las promociones se efectuarán por ascenso o excepcionalmente por concurso, estableciendo a continuación, en el artículo 52, que el ascenso es el derecho de un servidor de acceder a un cargo vacante de grado superior en la línea jerárquica de la respectiva planta, sujetándose estrictamente al escalafón, sin perjuicio de lo dispuesto en el artículo 54; precepto legal este último que dispone, en lo pertinente, que un "funcionario tendrá derecho a ascender a un cargo de otra planta, gozando de preferencia respecto de los funcionarios de ésta, cuando se encuentre en el tope de su planta, reúna los requisitos para ocupar el cargo y tenga un mayor puntaje en el escalafón que los funcionarios de la planta a la cual accede". Ahora bien, en el caso en estudio, aparece que de acuerdo al artículo 3º del decreto con fuerza de ley que establece la planta de personal de la Municipalidad de Tirúa, en la planta de jefatura no hay plazas con grados inferiores al del cargo de secretario municipal, pues este es el único que se contempla, por lo que no resulta posible aplicar la figura de promoción contemplada en el artículo 52 de la ley Nº 18.883».* (**ID Dictamen:** 040153N17. **Fecha:** 14-11-2017. **Destinatarios:** Municipalidad de Tirúa **Texto:** Efectúa precisión que indica respecto al grado que corresponde al cargo de secretario municipal; plazas vacantes por las que se consulta, deberán ser provistas mediante concurso público. **Acción:** Aplica dictámenes 81956/2014, 10749/2015, 25458/2012, 48811/2002, 54362/2010).

11. *«Por su parte, el artículo 52 de la anotada ley Nº 18.883, prevé que "El ascenso es el derecho de un funcionario de acceder a un cargo vacante de grado superior en la línea jerárquica de la respectiva planta, sujetándose estrictamente al escalafón, sin perjuicio de lo dispuesto en el artículo 54". Al respecto, la jurisprudencia administrativa de este Órgano de Control contenida, entre otros, en el dictamen Nº 86.444, de 2014, ha manifestado que el ascenso es la forma normal de provisión de los empleos de carrera, en cuya virtud el servidor que se encuentra en el lugar preferente de la correspondiente planta, tiene el derecho a ser promovido al cargo superior —siempre que cumpla los requisitos legales y no le afecte alguna causal de inhabilidad para ocuparlo—; y, cuando no sea factible la aplicación de dicho sistema debe convocarse a concurso. Además, el citado pronunciamiento precisó que, para tales fines, debe tenerse en consideración el escalafón vigente del año en que se generó la vacante, confeccionado con el resultado de las calificaciones relativas al período comprendido entre el 1 de septiembre del año anterior y el 31 de agosto de la anualidad en que se elabora dicho instrumento, de conformidad a lo previsto en el artículo 34 de la mencionada ley Nº 18.883».* (**ID Dictamen:** 043385N16.

Fecha: 13-06-2016. **Destinatarios:** doña Virginia Urtubia Labreaux, funcionaria grado 11 de la planta de jefaturas de la Municipalidad de Huechuraba. **Texto:** Recurrente no se encontraba en el lugar preferente para ser ascendida. Cómputo de la experiencia establecida como requisito específico para el cargo, es con prescindencia de la calidad en que ella se obtenga. **Acción:** Aplica dictámenes 86444/2014, 17768/2003).

1. *«Como puede advertirse de la normativa legal citada, **la fecha en la que debe determinarse, tanto si un funcionario reúne los requisitos para ascender como si está o no afecto a causales de inhabilidad, es aquélla en que se produce la vacante, puesto que a partir de ésta se entiende que el ascenso comienza a regir (aplica criterio contenido en el dictamen Nº 51.140, de 2011).***

Por otra parte, debe recordarse que, para efectos de la correcta aplicación de la medida disciplinaria impuesta al afectado, el artículo 51 de la ley Nº 19.880 —que Establece Bases de los Procedimientos Administrativos que rigen los Actos de los Órganos de la Administración del Estado— prevé, en lo que interesa, que los actos administrativos sólo producirán los efectos que les son propios en virtud de la notificación hecha de conformidad a la ley.

Enseguida, el artículo 129 de la ley Nº 18.883, dispone que las notificaciones que se realicen en el proceso sumarial deberán hacerse personalmente. Agrega, que si el funcionario no fuere habido por dos días consecutivos en su domicilio o en su lugar de trabajo, se le notificará por carta certificada, de lo cual deberá dejarse constancia.

En este contexto, y para determinar la data en que una medida disciplinaria comienza a producir válidamente sus efectos, debe estarse a la fecha en que se notifica el acto terminal que afina el sumario que le da origen, es decir, el que contiene la sanción que en definitiva se impone al inculpado, luego que el alcalde haya fallado el recurso de reposición interpuesto o vencido el plazo para deducirlo, sin que ello hubiera ocurrido.

Pues bien, de los antecedentes tenidos a la vista, es posible apreciar que la resolución por la cual se rechazó la reposición presentada por el recurrente el día 15 de noviembre de 2008, que consta a fojas 597, del respectivo expediente sumarial, no le fue notificada en los términos previamente indicados.

Atendido lo anterior, y considerando que según lo expresado por el recurrente, sólo tomó conocimiento del rechazo de su reposición, de manera tácita, el 15 de junio del año 2009, data en que se hizo efectiva en sus remuneraciones la sanción de multa aplicada, cabe señalar, al tenor de lo manifestado en los párrafos precedentes, que la medida sancionatoria produjo sus efectos jurídicos desde la última de las fechas citadas, por lo que es dable manifestar que, en el caso en comento, operó a su respecto la notificación tácita prevista en el artículo 47 de la citada ley Nº 19.880 (aplica criterio contenido en el dictamen Nº 44.837, de 2011).

*Siendo ello así, no cabe sino concluir que al 16 de enero de 2009, data en que se produjo la vacante del cargo de que se trata, el señor Alejandro Campos Pérez, **no** se encontraba afectado por la inhabilidad del artículo 53, letra d), de la ley Nº 18.883, puesto que, como se indicara, la sanción que se le aplicó comenzó a regir desde que aquel se impuso de la misma, lo que habría acontecido a partir del 15 de junio de 2009».* (**ID Dictamen:** 077465N11 **Fecha:** 12.12.2011 **Destinatarios:** Alcalde de la Municipalidad de La Florida. **Texto:** Acoge solicitud de reconsideración de oficio Nº 13099, de 2011, relativo a inhabilidad para ascender por aplicación de una medida disciplinaria, resolviendo que corresponde el ascenso del recurrente a partir de la fecha que indica, debiendo el municipio de La Florida adoptar las medidas que sean necesarias para regularizar su situación. **Acción:** Aplica dictámenes 51140/2011, 44837/2011, 56880/2011, 60677/2011 Reconsidera dictamen 13099/2011)

2. *«En este contexto, corresponde hacer presente **que el proceso de calificaciones, y el posterior escalafón que se confecciona en base a estas, se refiere al desempeño de un funcionario en particular, en un cargo determinado, al que se le ha asignado un grado o nivel remuneratorio, en relación a las exigencias y labores propias de la función que desarrolla, por lo que no procede extender el resultado de la evaluación en un empleo específico, a otro distinto (aplica criterio contenido en el dictamen Nº 75.919, de 2010).***

*Pues bien, en la situación planteada, la señora Quiñones Tabilo obtuvo 70 puntos de calificación, en el desempeño como administrativa grado 17, quedando ubicada en el escalafón vigente para el año 2011, en el primer lugar de dicho grado y planta, en razón de lo cual fue ascendida desde el 1 de febrero del mismo año a una vacante producida en el grado 16 administrativo; y, posteriormente, al originarse la vacancia en un grado 15 de la misma planta, si bien aquella se encontraba ejerciendo las funciones correspondientes al cargo al que había sido promovida, no obstante, **todavía no había sido evaluada en su nuevo empleo, por ende, debió ubicarse en el escalafón, en el último lugar de las plazas administrativas grado 16, hasta que el próximo proceso calificatorio le permitiera ocupar otro lugar».** (**ID Dictamen:** 074975N11 **Fecha:** 30.11.2011 **Destinatarios:** Alcalde de la Municipalidad de Vallenar. **Texto:** Sobre ubicación en el escalafón de personal municipal recientemente ascendido. **Acción:** aplica dictamen 75919/2010)

3. «*Al respecto, este* **Organismo Contralor en los dictámenes** *Nºs. 49.715, de 2000, y 3.963, de 2007, ha precisado que para los fines de ascender, la preceptiva exige que el funcionario de que se trate cumpla los requisitos del empleo vacante, se ubique en el primer lugar del grado que sucede a aquel que está vacante en la línea jerárquica de la respectiva planta y no se encuentre afecto a las inhabilidades contempladas en el artículo 53 del mismo texto legal.*

Por su parte, el aludido artículo 53, previene que serán inhábiles para ascender los funcionarios: a) que no hubieren sido calificados en lista de distinción o buena en el período inmediatamente anterior; b) que no hubieren sido calificados durante dos períodos consecutivos; c) hubieren sido objeto de la medida disciplinaria de censura, más de una vez, en los doce meses anteriores de producida la vacante; y d) hubieren sido sancionados con la medida disciplinaria de multa en los doce meses anteriores de producida la vacante.

Sobre este punto, esta Entidad Fiscalizadora en el dictamen Nº 49.715, de 2000, entre otros, ha concluido que la circunstancia que un funcionario no posea calificación dado su reciente ingreso, no se enmarca dentro de la inhabilidad contemplada en la referida letra a) del artículo 53 —y consecuentemente, tampoco en aquella prevista en la letra b) del mismo precepto legal—, por cuanto esa situación no fue expresamente contemplada dentro de tales inhabilidades, ni en ninguna otra norma legal relativa a la materia, no pudiendo agregarse, por la vía de la interpretación, un requerimiento adicional para poder acceder por ascenso a un cargo vacante.

Lo contrario significaría preferir a una persona ajena al municipio, vulnerándose de esta manera la carrera funcionaria contemplada en la letra e) del artículo 5º de la ley Nº 18.883.

Por consiguiente, atendidas las consideraciones expuestas, cumple esta Contraloría General con señalar que a la señora (...) no le afecta algún impedimento para ascender al cargo de director de administración y finanzas, directivo grado 5.

Enseguida, en cuanto a los requisitos académicos exigibles para el nombramiento en el empleo en comento, dado lo planteado por el municipio acerca de la especialidad de las labores asignadas al mismo, debe tenerse en cuenta que solamente compete al legislador la determinación de aquellos, no pudiendo ninguna autoridad administrativa agregar nuevas exigencias, los que tratándose de los empleos municipales están establecidos en el artículo 12 de la ley Nº 19.280 —genéricamente, según la planta respectiva y específicamente, para ocupar los cargos destinados al mando superior de las unidades de obras municipales, de asesoría jurídica y de control—, y en el texto legal que apruebe la estructura de cargos de la correspondiente municipalidad, también en forma específica, cuando, a juicio del legislador, deben ser satisfechos para cumplir eficientemente la labor asignada a un determinado grado y cargo dentro de la planta municipal. En este contexto, si el legislador no estimó pertinente en su oportunidad, requerir determinados estudios para desarrollar ciertas plazas de dirección en la planta del personal de una municipalidad, esta última no puede exigir actualmente que ellas sean cumplidas, para acceder a esos cargos, por la vía de la promoción; sin perjuicio que, en la eventualidad que su provisión deba efectuarse por concurso público, por no existir funcionarios que puedan ascender, no existe inconveniente para que en las bases del mismo se fije un perfil ocupacional deseable de los concursantes, en relación con la labor a cumplir, pero sin que ello impida que quienes tengan cualquier otro título puedan oponerse al certamen (aplica dictámenes Nºs. 52.372, de 2008, y 79.220, de 2010, entre otros).

Pues bien, en la situación que se analiza, es oportuno manifestar que el decreto con fuerza de ley Nº 182-19.321, de 1994, del antiguo Ministerio del Interior, que establece la planta de personal de ese municipio, no exige para ocupar el cargo de la especie algún título o requisito académico específico, por lo que a su respecto procede atenerse a los requisitos genéricos previstos en el artículo 12, Nº 1, de la ley Nº 19.280, vale decir, título profesional universitario o título profesional de una carrera de, a lo menos, ocho semestres de duración, otorgado por un establecimiento de educación superior del Estado o reconocido por este.

Por consiguiente, considerando que la preceptiva legal no establece la exigencia de un título específico para ocupar el cargo de director de administración y finanzas, directivo grado 5, no se ha ajustado a derecho que la Municipalidad de Independencia convocara a concurso público para proveerlo, toda vez que la peticionaria, a la fecha en que se produjo la vacancia del cargo de que se trata —20 de mayo de 2009—, reunía los requisitos genéricos contemplados en el artículo 12 de la ley Nº 19.280, puesto que posee el diploma de abogado, se encontraba ubicada en el grado inmediatamente inferior a la plaza vacante y no le afectaban las inhabilidades previstas en el artículo 53 de la ley Nº 18.883». (**ID Dictamen: 072527N11 Fecha:** 21.11.2011 **Destinatarios:** Alcalde de la Municipalidad de Independencia. **Texto:** Sobre derecho a ascenso en cargo municipal que no requiere requisitos específicos. **Acción:** Aplica dictámenes 49715/2000, 3963/2007, 52372/2008, 79220/2010)

4. «*Pues bien, consta que el empleo de la especie, quedó vacante por la renuncia voluntaria presentada por la funcionaria que lo servía, la que fue aceptada por el municipio a través del decreto Nº 58, de 2010, a contar del 31 de diciembre de 2010, lo que, según lo ha precisado la jurisprudencia de este Órgano Contralor, contenida, entre otros, en los dictámenes Nºs. 28.426, de 1985, y 3.458, de 2001, implica que los servidores deben desempeñar funciones hasta el día*

inmediatamente anterior —30 de diciembre de 2010—, constituyendo aquella fecha la interrupción de funciones que los desvinculó de la Administración, de manera que desde ese instante, dicha dimisión produce todos sus efectos, dejando el trabajador de ser considerado funcionario y alejándose del servicio.

*De este modo, por ende, la vacancia correspondiente se produjo el 31 de diciembre de 2010, por lo que **para los fines del ascenso pertinente debe tenerse en consideración el escalafón vigente para este último año, elaborado con el resultado de las calificaciones del período comprendido entre el 1 de septiembre de 2008 y el 31 de agosto de 2009, según lo dispone el artículo 34 de la ley Nº 18.883.***

En este contexto, es dable manifestar, que según el escalafón 2010 tenido a la vista, se advierte que la peticionaria no se encuentra ubicada en el lugar preferente del cargo profesional grado 8, correspondiendo efectivamente promover a doña (...), quien ocupa por el puntaje obtenido una posición superior respecto de la interesada en dicho ordenamiento del personal municipal, sin que le afecten inhabilidades para ascender». **(ID Dictamen: 051140N11**[176] **Fecha:** 12.08.2011 **Destinatarios:** Alcaldesa de la Municipalidad de Pedro Aguirre Cerda. **Texto:** Registra decreto 453/2011, de la Municipalidad de Pedro Aguirre Cerda, a través del cual se asciende a profesional que indica y atiende reclamo de ilegalidad. **Acción:** Aplica dictámenes 70202/2009, 31738/2010, 28426/85, 3458/2001. Mismo criterio aplicado en **ID Dictamen: 050594N11 Fecha:** 10.08.2011 **Destinatarios:** Alcalde de la Municipalidad de La Cisterna. **Texto:** Para efectos de ascenso el escalafón aplicable es aquel vigente a la época de producirse la vacante a proveer. **Acción:** Aplica dictámenes 70202/2009, 31738/2010, 28426/85, 3458/2001)

5. *«Por lo demás, cabe anotar que la individualizada servidora **se encontraba ubicada en el lugar preferente del escalafón vigente el año en que se produjo la vacante, cumplía el requisito específico para acceder a dicho cargo, (...) y, además, no le afectaba alguna inhabilidad para ascender, de modo que le asistía el derecho a ser ascendida a esa plaza, según la preceptiva contenida en los artículos 51 a 57 del mismo texto legal».* **(ID Dictamen: 032545N11 Fecha:** 23.05.2011 **Destinatarios:** Magaly Muñoz Rocha. **Texto:** Sobre desestimación de reclamo sobre derecho a ascenso a cargo municipal)[177]

6. *«En el contexto normativo anotado, este **Organismo Contralor mediante el dictamen Nº 46.634, de 2007, ha precisado que si bien el ascenso rige a contar de la fecha de vacancia del empleo de que se trate, de acuerdo con la disposición legal citada, la época en que se materializa es un acto discrecional de la autoridad llamada a disponerlo, dado que la preceptiva estatutaria no ha fijado un plazo dentro del cual deban ordenarse las promociones».* **(ID Dictamen: 031614N11 Fecha:** 18.05.2011 **Destinatarios:** Pedro Valdés Sazo, Presidente de la Asociación de Funcionarios de la Municipalidad de Peñalolén. **Texto:** Se pronuncia sobre improcedencia de exigir ascensos del personal regido por ley 18883, por cumplimiento de determinados plazos. **Acción:** Aplica dictamen 46634/2007)

7. *«Como puede advertirse del tenor de las disposiciones anotadas, **la ubicación preferente en el escalafón es la que fija el servidor favorecido con el ascenso, ubicación que, a su vez, está determinada por el resultado de las calificaciones, de modo que sólo procede recurrir a la antigüedad para establecer el lugar de los funcionarios en dicho ordenamiento del personal, en el orden de precedencia indicado, en la eventualidad que exista igualdad en los puntajes.***

Pues bien, el empleo cuya provisión se reclama, es el cargo profesional grado 6, vacante a contar de 1 de julio de 2010, por la renuncia voluntaria de doña Silvia García Garay, de manera que para tal efecto —según lo dispuesto en el artículo 57, de la ley Nº 18.883, que ordena que el ascenso regirá a partir de la fecha en que se produzca la vacante—, procede tener en consideración el escalafón vigente para ese año, elaborado con el resultado de las calificaciones del período comprendido entre el 1 de septiembre de 2008 y el 31 de agosto de 2009, en el cual el señor Marcelo Madrid Díaz se ubica en el lugar preferente con un puntaje de setenta puntos, a diferencia de lo que ocurre con el peticionario, que posee sesenta y nueve puntos, por lo que el primero goza de preferencia en el ascenso de que se trata, respecto del segundo». **(ID Dictamen: 031319N11 Fecha:** 17.05.2011 **Destinatarios:** Rodrigo Barros Mc Intosh. **Texto:** Sobre ubicación en el escalafón para efectos del derecho a ascenso de funcionario de la Municipalidad de Recoleta)

---

[176] Para efectos de su consulta en la Base de Jurisprudencia de Contraloría General de la República, el citado dictamen se encuentra en la sección/materia: «generales», sin perjuicio de que se trata de uno de carácter municipal.

[177] Para efectos de su consulta en la Base de Jurisprudencia de Contraloría General de la República, el citado dictamen se encuentra en la sección/materia: «generales», sin perjuicio de que se trata de uno de carácter municipal.

8. «*En este contexto, al originarse el 17 de junio de 2009 una vacante en un cargo directivo grado 7, la entidad edilicia por el decreto Nº 3.777, de 2010, dio cumplimiento al aludido oficio, ascendiendo al individualizado funcionario, en razón de lo cual, los recurrentes reclaman la improcedencia de lo ordenado mediante el oficio Nº 5.397, de 2004, en atención a que afectaría sus derechos al ascenso, considerando que se encuentran ubicados en lugares preferentes en el escalafón de mérito vigente para el año 2009.*

Sobre el particular, cabe señalar que este Organismo Contralor, mediante el aludido pronunciamiento analizó oportunamente cada una de las alegaciones que hacen valer los recurrentes, las cuales no constituyen nuevos antecedentes que permitan alterar el criterio sustentado en aquél, toda vez que ya han sido ponderadas en la emisión del mismo.

*Atendido lo expuesto, y **en resguardo de los principios generales informadores del ordenamiento jurídico, como son la buena fe y la seguridad y certeza jurídica, así como la existencia de situaciones jurídicas consolidadas que se han generado sobre la base de la confianza en el actuar de la Administración, y que ya comenzaron a producir sus efectos**, se desestiman las reclamaciones, y se ratifica el oficio Nº 5.397, de 2004, de la Sede Regional de Valparaíso*». (**ID Dictamen: 020718N11 Fecha:** 05.04.2011 Destinatarios Álvaro Inostroza Bidart **Texto** Sobre solicitud de reconsideración de oficio 5397/2004 de la Contraloría Regional de Valparaíso, que se pronunció sobre ascensos en la Municipalidad de Viña del Mar).

9. «*En este contexto, este **Organismo Contralor en los dictámenes Nºs. 11.018, de 2001, 12.230 y 79.197, ambos de 2010, ha precisado que si bien el ascenso rige a contar de la fecha de vacancia del empleo de que se trate, de acuerdo con la disposición legal antes citada, el mismo constituye un medio de provisión de los empleos públicos, en general, y de los cargos municipales, en particular, que sólo favorece a quienes conserven la calidad de funcionarios en servicio activo a la época de emisión del acto en cuya virtud se ordene la promoción.***

*Pues bien, en la situación de la especie, consta que el recurrente cesó en funciones en el cargo administrativo grado 14 que servía, el 20 de mayo de 2010, mediante el decreto Nº 1.213, de ese año, de la aludida entidad edilicia, por aceptación de su renuncia voluntaria al acogerse a la bonificación prevista en la ley Nº 20.387, data a la cual **su eventual ascenso al empleo que indica, constituía una mera expectativa, el que no puede ser materializado con posterioridad a su desvinculación laboral, toda vez que la promoción, como se ha anotado, es un mecanismo para proveer empleos aplicable únicamente a quien es funcionario a la fecha en que aquélla se ordene**». (ID Dictamen: 006898N11 Fecha:* 03.02.2011 **Destinatarios** Horacio Llanos Palacios. **Texto:** Sobre improcedencia de ascender a ex funcionario municipal. **Acción:** Aplica dictámenes 11018/2001, 12230/2010, 79197/2010)

10. «*Al respecto, este **Organismo Contralor ha precisado, en el dictamen Nº 3.267, de 2012, entre otros, que para que opere la modalidad especial de ascenso regulada por el precepto legal mencionado, no solo es necesario que se cumplan los requisitos del respectivo cargo, sino que además es menester que se den los demás supuestos que, <u>en forma copulativa</u>, establece la misma norma, vale decir, que el funcionario se encuentre en el tope de su planta y tenga un mayor puntaje en el escalafón que los servidores de aquella a la que pretende ingresar, condición esta última que supone un ejercicio de comparación con los empleados que a ella pertenecen, con derecho a ascenso en la misma.***

Pues bien, en el presente caso, consta que si bien el señor Flores Burgos cumple los requisitos para servir el cargo grado 9 E.M.S. de la planta de jefaturas, al amparo de la norma protectora contenida en el artículo 1º transitorio de la ley Nº 19.280; a su respecto, no concurren las otras dos condiciones previstas en el artículo 54 en comento, para ser ascendido a aquel, cuales son, encontrarse en el tope de su planta, y tener un mayor puntaje en el escalafón que los funcionarios de la planta a la cual accede.

En efecto, de los antecedentes tenidos a la vista, y particularmente, del escalafón de mérito y antigüedad correspondiente al año 2010 —que es el que, de conformidad con lo prevenido en el artículo 57 de la ley Nº 18.883 ha de considerarse, atendido que la plaza pretendida quedó vacante a contar del 1 de marzo de esa anualidad—, se desprende que el interesado, por una parte, no estaba ubicado en el primer lugar de los cargos grado 10 E.M.S. de la planta de técnicos, toda vez que a esa data, quien se encontraba en el tope de la misma era la señora Sonnia Valenzuela Rovere; y, por la otra, que no tenía un mayor puntaje en el escalafón que los servidores de la planta a la que aspira ingresar, por cuanto a esa fecha, el único cargo grado 10 E.M.S., de la planta de jefaturas, que contempla el artículo 3º del decreto con fuerza de ley Nº 39-19.280, de 1994, del antiguo Ministerio del Interior, que Adecua, Modifica y Establece la Planta de Personal de la Municipalidad de La Reina, se hallaba vacante, de modo que no resulta posible realizar el ejercicio de comparación que presupone el artículo 54 de la ley Nº 18.883.

*En consecuencia, esta Contraloría General cumple con concluir que el señor Flores Burgos no tiene derecho a ser promovido al cargo grado 9 E.M.S. de la planta de jefaturas, de ese municipio, en atención a que **no cumple todos los requisitos exigidos para tal efecto en el aludido artículo 54 de la ley Nº 18.883, por lo que esa corporación edilicia se ajustó*** *a derecho al haber convocado a un concurso público para proveer dicha plaza»*. (ID Dictamen: 078870N12 Fecha: 19.12.2012 Destinatarios: José Manuel Flores Burgos. Texto: Funcionario no tiene derecho a ser promovido al cargo grado 9º E.M.S., de la planta de jefaturas de Municipalidad, por cuanto no cumple todos los requisitos exigidos para tal efecto, en ley 18883 art. 54. Acción: Aplica dictamen 3267/2012)

11. «*Por otra parte, conforme con los artículos 13 y 51 de la anotada ley Nº 18.883, la figura jurídica del ascenso constituye la forma general de provisión de los empleos municipales, de manera tal que los cargos que se encuentren vacantes en las plantas municipales, deben ser provistos a través del ascenso del funcionario que corresponda de acuerdo con el respectivo escalafón y que, por cierto, reúna los requisitos establecidos para ocupar la plaza de que se trate, y solo ante la imposibilidad de proveerla mediante esa vía —por no existir funcionarios que reúnan las exigencias antes indicadas—, será pertinente efectuar un llamado a concurso para tal efecto (aplica criterio contenido, entre otros, en los dictámenes Nºs. 12.962, de 2000, y 68.409, de 2012, de este origen).*

Pues bien, para el caso particular de los cargos de Secretario Abogado creados por la citada ley Nº 19.777, esta Entidad de Control, mediante el dictamen Nº 50.722, de 2002, ha señalado, en lo pertinente, que de la historia fidedigna del establecimiento de las disposiciones de que se trata, queda de manifiesto que la intención del legislador fue que la primera provisión de los cargos profesionales creados por el reseñado texto legal, se realizará por concurso público, respetando así lo señalado por el Ejecutivo, en el Mensaje del respectivo proyecto, en el cual indicaba que "en virtud de lo dispuesto en el artículo 2º de ley Nº 19.280, se han aumentado los cargos de las plantas de personal de las Municipalidades, para la instalación de los juzgados que considera la presente iniciativa…" Agregándose, en el artículo transitorio, textualmente que "La primera provisión de los cargos profesionales que se crean por la presente ley, deberá realizarse por concurso público".

Agrega dicha jurisprudencia, que lo anterior, se debe a que, si bien el legislador efectuó varias indicaciones al anotado artículo transitorio, no formuló ninguna respecto de la forma de proveer los cargos de Secretarios Abogados de los nuevos juzgados.

De esta misma manera, las Comisiones de Constitución y Hacienda de la Cámara de Diputados, que luego de la indicación substitutiva enviada por el Ejecutivo, con fecha 6 de agosto de 2001, que aumentó el número de comunas favorecidas con los nuevos juzgados, solo se limitaron —en lo que interesa— a efectuar algunas modificaciones respecto a la manera de proveer los cargos de Jueces de Policía Local.

Asimismo, el citado dictamen Nº 50.722 precisa que, por una aparente inadvertencia del legislador, al haberse reemplazado este artículo transitorio por aquél que en definitiva fue aprobado y promulgado, se suprimió también la alusión que se hacía respecto de la primera provisión del cargo de Secretario Abogado, lo que, del estudio de las sesiones de las comisiones antes referidas, tanto de la Cámara de Diputados, como del Senado, así como también de las discusiones en particular en el pleno de ambas, no resulta concordante con el texto aprobado, toda vez que, claramente, no hubo una manifestación de voluntad en contrario a que tal provisión se efectuara por concurso público.

Por ende, el reseñado pronunciamiento determina que, por las razones que detalla, solo la primera provisión de los cargos de secretario abogado, creados por ley Nº 19.777, debía efectuarse por concurso público.

Pues bien, en mérito de lo precedentemente expuesto, habiéndose creado el cargo por el que se consulta por la anotada ley Nº 19.777, es posible concluir que la primera provisión del mismo debió efectuarse por medio del pertinente concurso público, siendo procedente que, en caso de vacancia —como ocurre en la situación que nos ocupa—, se provea conforme a las normas generales que rigen la materia, es decir, por ascenso (aplica criterio contenido, entre otros, en los dictámenes Nºs. 50.722, de 2002, y 39.521, de 2012, ambos de este origen).

Por su parte, en lo concerniente a lo solicitado por el recurrente, en cuanto a que se materialice el ascenso con estricto apego al escalafón vigente —en el evento de ser este el medio para proveer el cargo de que se trata—, cabe mencionar que el artículo 52 de la referida ley Nº 18.883, define el ascenso como el derecho que asiste a los funcionarios para acceder a un cargo vacante de grado superior en la línea jerárquica de la respectiva planta, sujetándose estrictamente al escalafón, sin perjuicio de lo dispuesto en el artículo 54.

En dicho contexto, de los antecedentes tenidos a la vista —en especial el escalafón del personal de la Municipalidad de Pudahuel correspondiente al año 2012—, aparece que la señora Daniela González López, se encontraba ubicada en el lugar preferente del grado inmediatamente inferior de la misma planta y cumplía con el requisito de contar con el título profesional de abogado, por lo que cabe concluir que la mencionada entidad edilicia ha actuado conforme a derecho al haber dispuesto el ascenso de tal». (ID Dictamen: 076048N12 Fecha: 06.12.2012 Destinatarios: Juez del Segundo Juzgado de Policía Local de Pudahuel. Texto: Procede proveer el cargo vacante de Secretario Abogado del Segundo Juzgado

292 Capítulo II. Estatuto Administrativo para Funcionarios Municipales

de Policía Local que indica mediante ascenso, y solo en el evento de no ser factible, por concurso público. **Acción**: Aplica dictámenes 12962/2000, 68409/2012, 50722/2002, 39521/2012)[178]

12. «*Precisado lo anterior, y en lo que concierne a la reconsideración solicitada, es del caso indicar que, según lo dispuesto en el artículo 57, de la citada ley N° 18.883, el derecho al ascenso rige a contar de la fecha de la vacante, de manera tal que la señora Céspedes Huerta debía cumplir los requisitos que establece esa ley para tal efecto, al 16 de noviembre de 2010.*

A continuación, cabe agregar que de los antecedentes tenidos a la vista, consta que la funcionaria individualizada ingresó a la planta de la Municipalidad de Melipilla a partir del 28 de septiembre de 2004, fecha en que se dictó el decreto N° 170, que la nombró titular en un cargo grado 11 de la planta técnica, posteriormente, en virtud de diversos ascensos, por decreto N° 49, del 9 de marzo de 2010, llegó a ocupar la plaza grado 9 de la planta de jefaturas, para finalmente, luego de participar en un concurso público convocado para proveer, entre otros, el cargo grado 9 de la planta directiva, ser designada en dicho empleo, por el decreto N° 45, de 1 de julio de 2011.

En este orden de ideas, puesto que a la época en que se generó la disponibilidad del cargo servido por la señora Carrasco Henríquez, la señora Céspedes Huerta no ocupaba el empleo inmediatamente inferior a aquel, no era posible aplicar a su respecto la regla general de los ascensos prevista en el artículo 52, de la citada ley N° 18.883, como tampoco la situación excepcional contemplada en el artículo 54 del mismo cuerpo estatutario, toda vez que al momento de producirse la vacante en comento no existían empleados con quienes realizar el ejercicio de comparación establecido en la aludida norma, según se desprende del escalafón de mérito y antigüedad de esa corporación edilicia correspondiente al año 2010 (aplica dictamen N° 25.458, de 2012, de este origen).

En consecuencia, habida consideración de lo precedentemente expuesto, y dado que los argumentos esgrimidos por el municipio no permiten variar el criterio sustentado mediante el oficio recurrido, resulta forzoso desestimar la reconsideración solicitada.

*Con todo, y atendido que, en la especie, la plaza grado 9 de la planta directiva, dejada vacante por la señora Céspedes Huerta con ocasión de su ascenso al grado 8 de la misma planta, fue provista, previo concurso público de oposición y antecedentes, con fecha 4 de enero de 2012, por el decreto N° 4, que nombró a don César Pérez Peña en dicho cargo, esto es, de forma previa a la emisión del pronunciamiento cuya reconsideración se solicita —12 de enero de 2012—, es preciso concluir que, por esta especial circunstancia, y en virtud de los **principios de buena fe y certeza jurídica, conforme a los cuales las personas que actúan confiados en el proceder regular de la Administración, no pueden ser perjudicadas por un error del órgano administrativo, en el cual no han tenido responsabilidad o participación alguna —bases elementales para la seguridad de las relaciones jurídicas—, debe entenderse válido,** en la especie, el ascenso de doña Judith Céspedes Huerta, al cargo grado 8 de la planta directiva, dispuesto a través del decreto N° 61, del 2011, por la Municipalidad de Melipilla (aplica criterio contenido, entre otros, en los dictámenes N°s. 51.870, de 2009, y 20.718, de 2011, de esta Entidad Fiscalizadora)*». **(ID Dictamen: 075320N12 Fecha:** 04.12.2012 **Destinatarios:** Alcalde de la Municipalidad de Melipilla. **Texto:** Desestima solicitud de reconsideración de dictamen de esta Contraloría General relativa a ascenso de funcionaria municipal. **Acción:** aplica dictámenes 15700/2012, 4824/2009, 14529/2010, 25458/2012, 51870/2009, 20718/2011)

13. «*En dicho contexto, de acuerdo a la información recabada por este Ente Fiscalizador, aparece que ninguno de los solicitantes, que se desempeñan en el grado 11 E.M.S. de la planta de técnicos, cumplía con alguno de los aludidos requisitos específicos, al no poseer los estudios pertinentes, de manera tal que el municipio no pudo sino ascender a un funcionario que, no obstante encontrarse en un grado inferior, satisfacía la referida exigencia (aplica criterio contenido, entre otros, en el dictamen N° 55.094, de 2007, de este origen).*

Por otra parte, en cuanto a la alegación relativa a la supuesta infracción del artículo 1° transitorio, de la ley N° 19.280, cabe recordar que el artículo 12 de esa normativa, establece los requisitos académicos exigibles para el ingreso y la promoción en cargos de las plantas de personal de las municipalidades, detallando en su número 4, los correspondientes a la planta de técnicos.

Pues bien, el inciso primero del citado artículo 1° transitorio de la ley N° 19.280, establece —en lo que interesa— que sin perjuicio de los requisitos establecidos en el artículo 12, para el ascenso del personal en servicio a la fecha de dictación

---

[178] Para efectos de su consulta en la Base de Jurisprudencia de Contraloría General de la República, el citado dictamen se encuentra en la sección/materia: «generales», sin perjuicio de que se trata de uno de carácter municipal.

de esa norma en las plantas de directivos, de jefaturas, de técnicos, de administrativos y de auxiliares, será exigible, alternativamente a lo señalado en el artículo antes mencionado, el requisito de haber desempeñado, a lo menos, diez años, cargos de planta en la municipalidad.

Agrega su inciso segundo que, en todo caso, los funcionarios que hayan ingresado a las respectivas plantas cumpliendo los requisitos exigidos al momento de su nombramiento, mantendrán su derecho al ascenso.

En el enunciado marco normativo, la reiterada jurisprudencia administrativa de este Ente de Control contenida, entre otros, en los dictámenes Nºs. 35.501, de 2002, y 65.933, de 2010, ha concluido que la protección especial que consagra la disposición legal antes transcrita, se refiere exclusivamente a los requisitos genéricos que contempla el artículo 12 de la mencionada ley Nº 19.280, sin que puedan entenderse comprendidos en ellos los requisitos específicos que establecieron los diversos decretos con fuerza de ley que fijaron las plantas de personal de los respectivos municipios.

En consecuencia, en la situación de la especie, a los interesados no les resulta aplicable la norma de excepción prevista en el comentado artículo 1º transitorio de la ley Nº 19.280, por ende, el ascenso del señor Díaz Painemal se ajustó a derecho, al no cumplir los recurrentes con los requisitos específicos exigidos para el cargo vacante de que se trata, por lo que procede desestimar su presentación». **(ID Dictamen: 073804N12 Fecha:** 27.11.2012 **Destinatarios:** Blanca Navarrete Apiolaza y otro. **Texto:** Desestima reclamo sobre derecho a ascenso de funcionarios municipales que indica, por no cumplir los requisitos específicos previstos para los cargos vacantes de que se trata. **Acción:** Aplica dictámenes 55094/2007, 35501/2002, 65933/2010)

14. «*Al respecto, es útil recordar que el derecho al ascenso es un elemento fundamental de la carrera funcionaria, la que se encuentra garantizada en el artículo 38 de la Constitución Política de la República, y en el artículo 42 de la ley Nº 18.695, Orgánica Constitucional de Municipalidades.*

En armonía con los preceptos aludidos, el artículo 13 de la ley Nº 18.883, Estatuto Administrativo para Funcionarios Municipales, previene que la provisión de los cargos municipales se efectuará por el alcalde mediante nombramiento o ascenso. Agrega el inciso segundo que cuando no sea posible aplicar el ascenso en los cargos de planta, procederá aplicar las normas sobre nombramiento.

Por su parte, el artículo 51 del mismo texto estatutario dispone que las promociones se efectuarán por ascenso o excepcionalmente por concurso, en tanto que el artículo 52, prevé que el ascenso es el derecho de un funcionario de acceder a un cargo vacante de grado superior en la línea jerárquica de la respectiva planta, sujetándose estrictamente al escalafón, sin perjuicio de lo dispuesto en el artículo 54.

Como puede advertirse de las disposiciones reseñadas, el ascenso es la forma normal de provisión de los empleos de carrera, en cuya virtud el servidor que se encuentra en el lugar preferente de la correspondiente planta, tiene derecho a ascender al cargo de grado superior que se halle vacante, siempre que cumpla los requisitos legales y no le afecte alguna causal de inhabilidad para ocuparlo, prerrogativa que asiste sucesivamente a los funcionarios que le siguen en el respectivo estamento (aplica criterio contenido en el dictamen Nº 4.381, de 2002, de este origen).

Así entonces, y solo ante la imposibilidad de proveer una determinada plaza mediante la vía del ascenso —por no existir funcionarios que reúnan las exigencias antes indicadas—, será pertinente efectuar un llamado a concurso para tal efecto, por cuanto la vacancia de ese cargo no puede permanecer indefinidamente a la espera de la eventualidad que, en una data posterior, alguno de los trabajadores del servicio de que se trate, reúna tales requisitos, toda vez que ello atentaría contra los principios de continuidad de la función pública, eficiencia y carrera funcionaria.

En este orden de ideas, cabe referirse entonces, a la imposibilidad a la que alude esa corporación edilicia, de aplicar el mecanismo normal de promociones expuesto anteriormente, en el caso de la señora Echeverría Faccin, atendida su renuncia al ascenso al grado 7 E.M.S. de la planta de directivos, que presentara en su oportunidad.

Al respecto, cumple con precisar que el derecho al ascenso previsto en el artículo 52 de la ley Nº 18.883, de acuerdo con la norma general contenida en el artículo 12 del Código Civil, es esencialmente renunciable, toda vez que está establecido únicamente a favor de la persona beneficiada con la promoción, es decir, sólo mira el interés individual del renunciante y su renuncia no se encuentra prohibida por norma legal alguna (aplica dictamen Nº 10.438, de 2002, de este Organismo Fiscalizador).

En este contexto, resulta dable señalar que la circunstancia de haber renunciado la citada funcionaria al ascenso correspondiente al grado 7 E.M.S. de la planta de directivos, no fue más que el ejercicio de una prerrogativa que la misma ley le confiere, y como tal, no puede constituir una inhabilidad para ser promovida en situaciones sucesivas, por cuanto, por una parte, el ascenso es un elemento de la carrera funcionaria garantizada en todo el ordenamiento jurídico; y, por la otra, la referida renuncia no se encuentra contemplada dentro de las inhabilidades para ascender que prevé el artículo 53 de la ley Nº 18.883. En consecuencia entonces, y en la oportunidad de realizada la consulta de que se trata, no procedía la convocatoria a concurso público para proveer el cargo de Secretario Municipal de esa entidad edilicia, grado 6

E.M.S. de la planta de directivos, habida cuenta que si bien la plaza grado 7 E.M.S. del mismo escalafón, se encontraba vacante, existía una funcionaria en el grado 8 E.M.S. que reunía los requisitos para ser ascendida a dicho empleo.
Sin perjuicio de ello y, en el evento de ser efectivo el cese de funciones de la señora Echeverría Faccin —lo que no consta a esta data—, corresponderá convocar el pertinente certamen a fin de proveer el antes citado cargo grado 6 E.M.S.
Lo anterior, por cuanto si bien el ascenso rige a contar de la fecha de vacancia del empleo de que se trata, de acuerdo con el artículo 57 de la ley Nº 18.883, el mismo constituye un medio de provisión de las plazas municipales que solo favorece a quienes conserven la calidad de funcionarios en servicio activo a la época de emisión del acto en cuya virtud se ordene la promoción (aplica dictamen Nº 6.898, de 2011, de este origen)» **(ID Dictamen: 068409N12 Fecha:** 31.10.2012. **Destinatarios:** Alcalde de la Municipalidad de Buin. **Texto:** Procede el ascenso de funcionaria municipal en la situación que indica, en tanto se encuentre en servicios, y compete a la autoridad alcaldicia investigar los hechos constitutivos de acoso laboral. **Acción:** Aplica dictámenes 42127/2009, 34820/2011, 21645/2012, 4381/2002, 10438/2002, 6898/2011, 15700/2012)

15. *«Sobre el particular, es menester indicar que el artículo 52 de la anotada ley Nº 18.883, establece que el ascenso es el derecho de un funcionario de acceder a un cargo vacante de grado superior en la línea jerárquica de la respectiva planta, sujetándose estrictamente al escalafón, sin perjuicio de lo dispuesto en el artículo 54 de dicho texto reglamentario.*
A su turno, el inciso primero del mencionado artículo 54, regula una modalidad particular de ascenso, mediante la cual un funcionario tiene derecho a ser promovido a un cargo de otra planta, gozando de preferencia respecto de los servidores de ésta, en la medida que, primero, se encuentre en el tope de la planta a que pertenece; a continuación, reúna los requisitos para ocupar el empleo de que se trata; y, por último, tenga un mayor puntaje en el escalafón que los funcionarios de la planta que pretende ingresar, requisitos que deben concurrir en forma copulativa (aplica dictamen Nº 75.919, de 2010).
Pues bien, de los antecedentes tenidos a la vista consta, tal como indicara el municipio, que el funcionario promovido, servía el cargo en un grado inmediatamente inferior al de la vacante —grado 12 E.M.S. de la planta de jefaturas—, y estaba calificado con la máxima puntuación —70 puntos—, al igual que la recurrente, advirtiéndose con ello, que esta última **no cumple con el requisito copulativo de tener un mayor puntaje en el escalafón que aquellos de la planta a la cual accede**, *por lo que su petición debe ser desestimada».* **(ID Dictamen: 059120N12 Fecha:** 26.09.2012 **Destinatarios:** Marcela Meza Toro **Texto:** Rechaza reclamo sobre ascenso a cargo de la planta de jefaturas que indica. **Acción:** Aplica dictamen 75919/2010)

16. *«Ahora bien, de la normativa expuesta y conforme a lo manifestado por* **la jurisprudencia administrativa de este origen, contenida, entre otros, en los dictámenes Nºs. 46.761, de 1998; y 5.835, de 2005, ante la vacancia de un cargo en el escalafón genérico profesional, corresponde a la autoridad determinar, sujetándose estrictamente al orden del escalafón, quien tiene mejor derecho para ascender considerando a todos los empleados que puedan ser promovidos por encontrarse ubicados en el grado inmediatamente inferior a aquél que ha generado la vacante, sean éstos del escalafón de especialidad o genérico, dado que lo contrario importaría una discriminación arbitraria respecto de los servidores que cumplen funciones en este último.**
En consecuencia, en la especie, ante la vacancia del cargo grado 5, del escalafón profesional genérico de la Municipalidad de Lo Espejo, podrán ascender aquellos profesionales que, reuniendo las demás exigencias legales, tengan asignado un grado 6, sea en el escalafón genérico o en el de especialidad, determinándose a quien le corresponde la promoción, acorde lo manifestado anteriormente». **(ID Dictamen: 050433N12 Fecha:** 17.08.2012 **Destinatarios:** Alcalde de la Municipalidad de Lo Espejo. **Texto:** Sobre ascenso a cargo del escalafón profesional genérico de la planta de personal de la Municipalidad de Lo Espejo. **Acción:** aplica dictámenes 46761/98, 5835/2005)

17. *«Por otra parte, en relación a la disminución de las remuneraciones de la ocurrente, cabe precisar que la situación que la afecta se ha producido como consecuencia de que el municipio, en definitiva, ha aplicado la legislación estatutaria contenida en los artículos 52 y siguientes de la ley Nº 18.883, Estatuto Administrativo para Funcionarios Municipales—, al tener que reubicársele en el grado que servía con anterioridad a su promoción irregular, por lo que debe desestimarse su reclamación en tal sentido.*
Sin embargo, es pertinente aclarar que los emolumentos pagados a la señora Rojas Godoy en el tiempo en que estuvo vigente el decreto Nº 79, de 2010, que dispuso su ascenso, a contar del 10 de octubre de 2009, y hasta que fuera dejado sin efecto, mediante su similar Nº 383, de 20 de diciembre de 2011, **deben entenderse bien percibidos, al encontrarse de buena fe, pues de lo contrario se produciría un enriquecimiento sin causa en favor del municipio (aplica criterio contenido en el dictamen Nº 47.768, de 2009)».** **(ID Dictamen: 048804N12 Fecha:** 09.08.2012 **Destinatarios:** Natalia Rojas

Godoy. **Texto:** Desestima reclamo relativo a ascenso de funcionaria municipal. **Acción:** Aplica dictámenes 75000/2011, 33620/2011, 59249/2011, 47768/2009)

18. «*Sin perjuicio de lo expuesto, resulta oportuno hacer presente a la superioridad acerca de la necesidad de que provea los cargos vacantes en dicha institución, empleando la modalidad de promoción que corresponda, considerando que, tal como ha concluido el* **dictamen No 27.151, de 2012, entre otros, de este origen, la carrera funcionaria, reconocida en el artículo 38 de la Constitución Política y en el artículo 5º, letra e), de la anotada ley Nº 18.883, es un derecho fundamental de los empleados de la Administración, en especial a través del sistema de promociones, siendo un deber de los servicios públicos promover su materialización efectiva**». (ID Dictamen: 039032N12 Fecha: 29.06.2012 **Destinatarios:** Alcalde de la Municipalidad de Cerro Navia. **Texto:** Sobre oportunidad en que deben materializarse los ascensos y plazo para reclamar de escalafón municipal. **Acción:** aplica dictámenes 31614/2011, 27151/2012. Mismo criterio aplicado en **ID Dictamen: 003267N12 Fecha:** 18.01.2012 **Destinatarios:** Agueda Olivares Ortega. **Texto:** Sobre exigencias para la procedencia de la promoción prevista en el artículo 54 de la ley Nº 18883. **Acción:** Aplica dictámenes 22725/2001, 51270/2009)

19. «*Por su parte, este* **Organismo Contralor en los dictámenes Nºs. 22.725, de 2001 y 51.270, de 2009, ha precisado que para que opere la modalidad especial de promoción regulada por el mencionado artículo 54, no es suficiente que se cumplan los requisitos del respectivo cargo —como parece entenderlo el recurrente—, sino que, además, es menester que se den los demás supuestos que, en forma copulativa, establece la misma norma, vale decir, que el funcionario se encuentre en el tope de su planta —exigencia que concurriría respecto del interesado— y tenga un mayor puntaje en el escalafón que los servidores de la planta a la que pretende ingresar, condición esta última que supone un ejercicio de comparación con los empleados de dicha planta, con derecho a ascenso en la misma.**
Así, es posible advertir que en la situación de la especie, no se cumple con el anotado tercer supuesto, establecido expresamente en el artículo 54 en análisis, esto es, que el peticionario tenga un mayor puntaje en el escalafón que los servidores de la planta a la cual accede, toda vez que esa condición supone un ejercicio de comparación con los empleados de dicha planta, de modo que en la eventualidad que **no exista ningún empleo con quien comparar el puntaje —como sucede precisamente en el presente caso—, se incumple uno de los requisitos, resultando inaplicable la citada disposición (aplica dictamen Nº 48.811, de 2002).**
En efecto, en el decreto con fuerza de ley Nº 188-19.321, de 1994, del antiguo Ministerio del Interior, que adecua, modifica y establece la planta de personal de la Municipalidad de Lanco, se establece que el cargo directivo grado 10, al cual pretende ascender el interesado, es el último grado de la planta de directivos, por lo que **no existen funcionarios con quienes efectuar la comparación de puntajes exigida, de modo que, respecto de esa plaza, resulta improcedente la figura jurídica de la promoción que se reclama y, por ende, debe ser provista mediante concurso público**». (ID Dictamen: 025458N12 Fecha: 02.05.2012 **Destinatarios:** Julio Alvarado Alvial. **Texto:** Sobre improcedencia de promoción de funcionario municipal en virtud del artículo 54 de la ley 18883, por inexistencia de servidores con quienes efectuar comparación de puntajes. **Acción:** Aplica dictámenes 22725/2001, 51270/2009, 48811/2002)

20. «*Como se aprecia, los ascensos pueden efectuarse por dos vías, una, que constituye la regla general, de acuerdo con el citado artículo 52, la que tiene lugar dentro de una misma planta y, otra, que es una modalidad excepcional, en virtud del referido artículo 54, que permite ingresar a una planta distinta*». (ID Dictamen: 014104N12 Fecha: 12.03.2012 **Destinatarios:** Ricardo Ulloa Mora y otro. **Texto:** Sobre modalidad especial de ascenso de personal municipal. **Acción:** aplica dictámenes 12482/99, 36947/2010)

Artículo 53

Serán inhábiles para ascender los funcionarios que:
a) No hubieren sido calificados en lista de distinción o buena en el período inmediatamente anterior;
b) No hubieren sido calificados durante dos períodos consecutivos;
c) Hubieren sido objeto de la medida disciplinaria de censura, más de una vez, en los doce meses anteriores de producida la vacante, y

d) Hubieren sido sancionados con la medida disciplinaria de multa en los doce meses anteriores de producida la vacante.

1. «*Por su parte, el artículo 53, del mismo cuerpo legal previene que serán inhábiles para ascender los funcionarios que: "a) No hubieren sido calificados en lista de distinción o buena en el período inmediatamente anterior; b) No hubieren sido calificados durante dos períodos consecutivos; c) Hubieren sido objeto de la medida disciplinaria de censura, más de una vez, en los doce meses anteriores de producida la vacante; y d) Hubieren sido sancionados con la medida disciplinaria de multa en los doce meses anteriores de producida la vacante". Sobre este punto, y en relación a la ausencia de calificaciones de un funcionario de reciente ingreso, esta Entidad Fiscalizadora en el dictamen Nº 72.527, de 2011, entre otros, ha concluido que dicha circunstancia no se enmarca dentro de las inhabilidades contempladas en las referidas letras a) y b), del artículo 53, por cuanto esa situación no fue expresamente contemplada por el legislador, no pudiendo agregarse, por la vía de la interpretación, un requerimiento adicional para acceder por ascenso a un cargo vacante, toda vez que lo contrario significaría preferir a una persona ajena al municipio, vulnerándose de esta manera la carrera funcionaria contemplada en la letra e) del artículo 5º de la ley Nº 18.883*». (**ID Dictamen:** 002221N16. **Fecha:** 11-01-2016. **Destinatarios:** doña Andrea Cordero Cordero, funcionaria de la Municipalidad de Galvarino. **Texto:** Desestima solicitud de reconsideración que indica, y procede que el cargo de director de administración y finanzas de la municipalidad de Galvarino se provea de conformidad con las reglas sobre concurso. **Acción:** aplica dictámenes 72527/2011, 63029/2015).

2. «*Al respecto, es menester reiterar lo manifestado por el pronunciamiento cuya reconsideración se requiere, en lo relativo a que el término "igualdad de condiciones" debe entenderse como equivalente a "igualdad de puntajes", ya que a través de los concursos se selecciona a las personas que serán nombradas en los cargos vacantes, selección que debe determinarse en base a los más altos puntajes asignados por la Comisión a los antecedentes presentados por los interesados, y no con el solo hecho de integrar la terna de postulantes propuestos a la autoridad superior del municipio (aplica dictamen Nº 70.508, de 2009). Pues bien, de acuerdo a lo manifestado por la aludida entidad edilicia, la señora Roa Lagos, funcionaria grado 12 de la planta administrativa, obtuvo 194 puntos, ubicándose en el primer lugar de la terna con el más alto puntaje y cumpliendo además la exigencia de encontrarse en el grado inmediatamente inferior al inicio de la planta en que se ubica la vacante concursada —grado 11, de la planta de profesionales—, sin que se advierta fundamento alguno para excluirla del beneficio contemplado en el precitado artículo 55 por la circunstancia de que obtuviera el mejor puntaje en el certamen convocado, superando al resto de los postulantes. De este modo, en la medida que la funcionaria no esté sujeta a alguna de las inhabilidades contempladas en el artículo 53 de la ley Nº 18.883 y cumpla los requisitos del cargo profesional grado 11 al que postuló, deberá ser nombrada en este*». (**ID Dictamen:** 030800N16. **Fecha:** 25-04-2016. **Destinatarios:** Municipalidad de Villarrica. **Texto:** Desestima solicitud de reconsideración del oficio Nº 6.547, de 2015, de la Contraloría Regional de la Araucanía, en atención a que no se aportan nuevos antecedentes que permitan alterar el criterio contenido en dicho pronunciamiento. **Acción:** Aplica dictámenes 70508/2009, 45251/2008).

3. «*Enseguida, acorde con lo establecido en el artículo 57 de la Ley 18.883, el ascenso rige a partir de la fecha en que se produce la vacante, lo cual implica que el funcionario que pretende ser promovido debe, a esa data, cumplir con los requisitos para ese efecto y no encontrarse afecto a alguna de las inhabilidades que contempla el artículo 53 del mismo texto estatutario (aplica criterio de dictamen Nº 47.511 de 2001).*
Pues bien, del análisis del escalafón de mérito y antigüedad vigente para el año 2015, se advierte que, si bien la señora Hinostroza Vera se encuentra ubicada en el tope de la planta de profesionales, posee un puntaje de calificación de 66 puntos, de modo que, efectuada la comparación con la señora Ojeda Miranda, quien tiene la misma calificación, la primera no cuenta con un mayor puntaje que el de la funcionaria de la planta a la que pretende acceder, no cumpliendo con todas las exigencias copulativas exigidas en el citado artículo 54 (aplica criterio contenido en el dictamen Nº 5.168, de 2015)». (**ID Dictamen:** 035543N16. **Fecha:** 13-05-2016. **Destinatarios:** Municipalidad de Calbuco. **Texto:** Procede el ascenso de funcionaria que indica a cargo directivo grado 8. **Acción:** aplica dictámenes 4381/2002, 47511/2001, 14104/2012, 5168/2015).

4. «*Agrega el artículo 56 del aludido cuerpo normativo, que para hacer efectivo el derecho establecido en el artículo precedente, los funcionarios deberán reunir los requisitos del cargo vacante a que se postula y no estar sujetos a las inhabilidades contempladas en el artículo 53.*
Ahora bien, tal disposición resulta aplicable también en el caso en que el servidor de que se trata obtenga un puntaje superior al resto de sus oponentes, pues, en tal situación, se encontrará cumpliendo en exceso las exigencias mínimas que la normativa prevé al efecto (aplica criterio contenido en el dictamen Nº 45.251, de 2008). Así, por lo demás, lo ha señalado

la jurisprudencia administrativa de esta Entidad de Control contenida en el dictamen Nº 30.800, de 2016, al concluir que goza de la referida preferencia, el funcionario que, encontrándose en el grado inmediatamente inferior al inicio de la planta del cargo concursado, integra la correspondiente terna con un puntaje mayor que los restantes oponentes, por cuanto no se advierte fundamento alguno para excluirle del indicado beneficio por la sola circunstancia de haber obtenido una mejor ponderación en el certamen y superado a los demás interesados. En consecuencia, cabe concluir que en la medida que el señor González Sanhueza no esté sujeto a alguna de las inhabilidades contempladas en el artículo 53 de la ley Nº 18.883 y cumpla con los requisitos del cargo al que concursó, la Municipalidad de Lonquimay deberá arbitrar las medidas pertinentes para que sea nombrado en el cargo de director de administración y finanzas, informando de ello a la Unidad de Seguimiento de la Contraloría Regional de la Araucanía, en el plazo de 20 días hábiles, contado desde la recepción del presente oficio». (**ID Dictamen:** 047346N16. **Fecha:** 24-06-2016. **Destinatarios:** señor Waldo González Sanhueza, funcionario de la Municipalidad de Lonquimay. **Texto:** Funcionarios que al llegar al grado inmediatamente inferior al inicio de otra planta en que existan empleos de ingreso vacantes, gozarán de preferencia para el nombramiento, en caso de obtener el puntaje más alto en el correspondiente certamen. **Acción:** Aplica dictámenes 45251/2008, 30800/2016).

1. «*Como puede advertirse de la normativa legal citada, **la fecha en la que debe determinarse, tanto si un funcionario reúne los requisitos para ascender como si está o no afecto a causales de inhabilidad, es aquélla en que se produce la vacante, puesto que a partir de ésta se entiende que el ascenso comienza a regir (aplica criterio contenido en el dictamen Nº 51.140, de 2011).***

Por otra parte, debe recordarse que, para efectos de la correcta aplicación de la medida disciplinaria impuesta al afectado, el artículo 51 de la ley Nº 19.880 —que Establece Bases de los Procedimientos Administrativos que rigen los Actos de los Órganos de la Administración del Estado— prevé, en lo que interesa, que los actos administrativos sólo producirán los efectos que les son propios en virtud de la notificación hecha de conformidad a la ley.

Enseguida, el artículo 129 de la ley Nº 18.883, dispone que las notificaciones que se realicen en el proceso sumarial deberán hacerse personalmente. Agrega, que si el funcionario no fuere habido por dos días consecutivos en su domicilio o en su lugar de trabajo, se le notificará por carta certificada, de lo cual deberá dejarse constancia.

*En este contexto, y **para determinar la data en que una medida disciplinaria comienza a producir válidamente sus efectos, debe estarse a la fecha en que se notifica el acto terminal que afina el sumario que le da origen, es decir, el que contiene la sanción que en definitiva se impone al inculpado, luego que el alcalde haya fallado el recurso de reposición interpuesto o vencido el plazo para deducirlo, sin que ello hubiera ocurrido.***

Pues bien, de los antecedentes tenidos a la vista, es posible apreciar que la resolución por la cual se rechazó la reposición presentada por el recurrente el día 15 de noviembre de 2008, que consta a fojas 597, del respectivo expediente sumarial, no le fue notificada en los términos previamente indicados.

Atendido lo anterior, y considerando que según lo expresado por el recurrente, sólo tomó conocimiento del rechazo de su reposición, de manera tácita, el 15 de junio del año 2009, data en que se hizo efectiva en sus remuneraciones la sanción de multa aplicada, cabe señalar, al tenor de lo manifestado en los párrafos precedentes, que la medida sancionatoria produjo sus efectos jurídicos desde la última de las fechas citadas, por lo que es dable manifestar que, en el caso en comento, operó a su respecto la notificación tácita prevista en el artículo 47 de la citada ley Nº 19.880 (aplica criterio contenido en el dictamen Nº 44.837, de 2011).

Siendo ello así, no cabe sino concluir que al 16 de enero de 2009, data en que se produjo la vacante del cargo de que se trata, el señor Alejandro Campos Pérez no se encontraba afectado por la inhabilidad del artículo 53, letra d), de la ley Nº 18.883, puesto que, como se indicara, la sanción que se le aplicó comenzó a regir desde que aquel se impuso de la misma, lo que habría acontecido a partir del 15 de junio de 2009». (**ID Dictamen:** 077465N11 **Fecha:** 12.12.2011 **Destinatarios:** Alcalde de la Municipalidad de La Florida. **Texto:** Acoge solicitud de reconsideración de oficio Nº 13099, de 2011, relativo a inhabilidad para ascender por aplicación de una medida disciplinaria, resolviendo que corresponde el ascenso del recurrente a partir de la fecha que indica, debiendo el municipio de La Florida adoptar las medidas que sean necesarias para regularizar su situación. **Acción:** Aplica dictámenes 51140/2011, 44837/2011, 56880/2011, 60677/2011 Reconsidera dictamen 13099/2011)

2. «*Al respecto, este **Organismo Contralor en los dictámenes Nºs. 49.715, de 2000, y 3.963, de 2007, ha precisado que para los fines de ascender, la preceptiva exige que el funcionario de que se trate cumpla los requisitos del empleo vacante, se ubique en el primer lugar del grado que sucede a aquel que está vacante en la línea jerárquica de la respectiva planta y no se encuentre afecto a las inhabilidades contempladas en el artículo 53 del mismo texto legal. (...)***

*Sobre este punto, esta **Entidad Fiscalizadora en el dictamen Nº 49.715, de 2000, entre otros, ha concluido que la circunstancia que un funcionario no posea calificación dado su reciente ingreso, no se enmarca dentro de la inhabilidad*** *contemplada en la referida letra a) del artículo 53 —y consecuentemente, tampoco en aquella prevista en la letra b) del mismo precepto legal—, por cuanto esa situación no fue expresamente contemplada dentro de tales inhabilidades, ni en ninguna otra norma legal relativa a la materia, no pudiendo agregarse, por la vía de la interpretación, un requerimiento adicional para poder acceder por ascenso a un cargo vacante.*

Lo contrario significaría preferir a una persona ajena al municipio, vulnerándose de esta manera la carrera funcionaria contemplada en la letra e) del artículo 5º de la ley Nº 18.883». **(ID Dictamen: 072527N11 Fecha:** 21.11.2011 **Destinatarios:** Alcalde de la Municipalidad de Independencia. **Texto:** Sobre derecho a ascenso en cargo municipal que no requiere requisitos específicos. **Acción:** Aplica dictámenes 49715/2000, 3963/2007, 52372/2008, 79220/2010)

3. *«Pues bien, en la situación de la especie se advierte que esa entidad edilicia, al término de un sumario administrativo, aplicó al señor Echeverría Ruiz, profesional grado 6, el 22 de mayo de 2007, la medida disciplinaria de multa de un cinco por ciento de su remuneración mensual, mediante el decreto Nº 2.459, de ese mismo año, por lo que al producirse el 31 de diciembre de 2007, una vacante en un cargo grado 5 de dicho estamento, si bien dicho funcionario se encontraba en el lugar preferente del escalafón para ser promovido a este último empleo, no obstante estaba inhabilitado para ello, en virtud del anotado precepto legal.*

Sin embargo, teniendo en consideración que el interesado había ejercido una acción de nulidad de derecho público en contra de dicha sanción, ante el 10º Juzgado Civil de Santiago, en causa rol Nº 20.558-07, proceso en el cual ese tribunal dictó una medida judicial precautoria de suspensión de los efectos de la sanción administrativa, el municipio ordenó su promoción, dejando constancia expresa de tal circunstancia en los vistos del correspondiente acto administrativo que aprueba el ascenso, de modo que una vez ejecutoriada la sentencia que rechazó la pretensión deducida por el interesado, la municipalidad dispuso el cumplimiento de aquella sanción, dejando sin efecto el citado decreto de ascenso.

*En este contexto, es del caso señalar que la **medida disciplinaria en comento fue impuesta al recurrente de conformidad con la normativa que regula la responsabilidad administrativa de los servidores municipales, y que los efectos jurídicos que le son propios —entre ellos, la inhabilidad para ascender—, solamente fueron suspendidos por orden judicial, de modo que una vez resuelto el asunto de fondo por el órgano jurisdiccional, mediante el rechazo de la acción judicial intentada, aquella produce sus consecuencias jurídicas.***

Por consiguiente, resulta procedente que la Municipalidad de Las Condes haya dejado sin efecto el ascenso del señor Echeverría Ruiz, sin perjuicio que este no deba reintegrar el aumento de remuneraciones percibidas por tal concepto, atendido que ejerció las funciones correspondientes, en virtud de una promoción presuntamente válida y lo contrario produciría un enriquecimiento sin causa en favor del municipio (aplica criterio contenido en el dictamen Nº 20.249, de 2001)». **(ID Dictamen: 072264N11 Fecha:** 18.11.2011 **Destinatarios:** Alcalde de la Municipalidad de Las Condes. **Texto:** Es improcedente el reintegro de remuneraciones en virtud de la invalidación del ascenso ordenado en razón de la suspensión judicial de la medida disciplinaria que obstaba a dicha promoción, una vez dictada sentencia. **Acción:** Aplica dictamen 20249/2001)

4. *«Sobre este último aspecto, en cuanto a lo planteado por el señor Solar Ríos, en relación con **la multa de un 5% de su remuneración mensual** dispuesta en contra de don Héctor Muñoz Véliz, mediante el decreto Nº 559, de 22 de diciembre de 2009 —notificada con fecha 30 de diciembre del mismo año—, es útil precisar que **esta no fue aplicada durante el período de doce meses anteriores de producida la vacante, requisito necesario para que se configure una inhabilidad a su respecto, de conformidad con la letra d) del artículo 53 de la ley Nº 18.883».*** **(ID Dictamen: 050594N11 Fecha:** 10.08.2011 **Destinatarios:** Alcalde de la Municipalidad de La Cisterna. **Texto:** Para efectos de ascenso el escalafón aplicable es aquel vigente a la época de producirse la vacante a proveer. **Acción:** Aplica dictámenes 70202/2009, 31738/2010, 28426/85, 3458/2001)

5. *«Por lo demás, cabe anotar que la individualizada servidora se encontraba ubicada en el lugar preferente del escalafón vigente el año en que se produjo la vacante, cumplía el requisito específico para acceder a dicho cargo, consistente en contar con título técnico de contador y, además, **no le afectaba alguna inhabilidad para ascender,** de modo que le asistía el derecho a ser ascendida a esa plaza, según la preceptiva contenida en los artículos 51 a 57 del mismo texto legal».* **(ID Dictamen: 032545N11 Fecha:** 23.05.2011 **Destinatarios:** Magaly Muñoz Rocha. **Texto:** Sobre desestimación de reclamo sobre derecho a ascenso a cargo municipal)[179]

---

[179] Para efectos de su consulta en la Base de Jurisprudencia de Contraloría General de la República, el citado dictamen se encuentra en la sección/materia: «generales», sin perjuicio de que se trata de uno de carácter municipal.

6. «*En este contexto, este* **Organismo Contralor en los dictámenes Nºs. 11.018, de 2001, 12.230 y 79.197**, *ambos de 2010, ha precisado que si bien el ascenso rige a contar de la fecha de vacancia del empleo de que se trate, de acuerdo con la disposición legal antes citada, el mismo constituye un medio de provisión de los empleos públicos, en general, y de los cargos municipales, en particular, que sólo favorece a quienes conserven la calidad de funcionarios en servicio activo a la época de emisión del acto en cuya virtud se ordene la promoción.*

Pues bien, en la situación de la especie, consta que el recurrente cesó en funciones en el cargo administrativo grado 14 que servía, el 20 de mayo de 2010, mediante el decreto Nº 1.213, de ese año, de la aludida entidad edilicia, por aceptación de su renuncia voluntaria al acogerse a la bonificación prevista en la ley Nº 20.387, data a la cual su eventual ascenso al empleo que indica, constituía una mera expectativa, el que no puede ser materializado con posterioridad a su desvinculación laboral, toda vez que la promoción, como se ha anotado, es un mecanismo para proveer empleos aplicable únicamente a quien es funcionario a la fecha en que aquélla se ordene». (**ID Dictamen: 006898N11 Fecha:** 03.02.2011 **Destinatarios** Horacio Llanos Palacios. **Texto:** Sobre improcedencia de ascender a ex funcionario municipal. **Acción:** Aplica dictámenes 11018/2001, 12230/2010, 79197/2010)

7. «*Ahora bien, en cuanto al derecho a ascenso por el que se consulta, cabe indicar que según lo sostenido por ambos recurrentes, a contar del 6 de septiembre de 2011 se produjo la vacancia de la plaza en comento, data a la que el único cargo grado 7 E.M.S. del escalafón directivo que contempla el decreto con fuerza de ley Nº 268-19.321, de 1994, del entonces Ministerio del Interior —que adecua, modifica y establece la respectiva planta de personal—, también estaba disponible, razón por la cual correspondería ascender a quien sirve el grado 8 E.M.S. de la misma planta, en este caso, a doña Francisca Echeverría Faccin.*

Sin embargo, ese municipio precisa que la referida funcionaria podría estar impedida de ser promovida, atendido que —con anterioridad— rechazó dicha prerrogativa respecto del grado inmediatamente superior, esto es, el cargo grado 7 de la referida planta.

Al respecto, es útil recordar que el derecho al ascenso es un elemento fundamental de la carrera funcionaria, la que se encuentra garantizada en el artículo 38 de la Constitución Política de la República, y en el artículo 42 de la ley Nº 18.695, Orgánica Constitucional de Municipalidades. (...)

Al respecto, cumple con precisar que el derecho al ascenso previsto en el artículo 52 de la ley Nº 18.883, de acuerdo con la norma general contenida en el artículo 12 del Código Civil, es esencialmente renunciable, toda vez que está establecido únicamente a favor de la persona beneficiada con la promoción, es decir, sólo mira el interés individual del renunciante y su renuncia no se encuentra prohibida por norma legal alguna (aplica dictamen Nº 10.438, de 2002, de este Organismo Fiscalizador).

*En este contexto, resulta dable señalar que la circunstancia de haber renunciado la citada funcionaria al ascenso correspondiente al grado 7 E.M.S. de la planta de directivos, no fue más que el ejercicio de una prerrogativa que la misma ley le confiere, y como tal, **no puede constituir una inhabilidad para ser promovida en situaciones sucesivas, por cuanto, por una parte, el ascenso es un elemento de la carrera funcionaria garantizada en todo el ordenamiento jurídico; y, por la otra, la referida renuncia no se encuentra contemplada dentro de las inhabilidades para ascender que prevé el artículo 53 de la ley Nº 18.883.***

En consecuencia entonces, y en la oportunidad de realizada la consulta de que se trata, no procedía la convocatoria a concurso público para proveer el cargo de Secretario Municipal de esa entidad edilicia, grado 6 E.M.S. de la planta de directivos, habida cuenta que si bien la plaza grado 7 E.M.S. del mismo escalafón, se encontraba vacante, existía una funcionaria en el grado 8 E.M.S. que reunía los requisitos para ser ascendida a dicho empleo.

Sin perjuicio de ello y, en el evento de ser efectivo el cese de funciones de la señora Echeverría Faccin —lo que no consta a esta data—, corresponderá convocar el pertinente certamen a fin de proveer el antes citado cargo grado 6 E.M.S

*Lo anterior, por cuanto si bien el ascenso rige a contar de la fecha de vacancia del empleo de que se trata, de acuerdo con el artículo 57 de la ley Nº 18.883, el mismo constituye un **medio de provisión de las plazas municipales que solo favorece a quienes conserven la calidad de funcionarios en servicio activo a la época de emisión del acto en cuya virtud se ordene la promoción (aplica dictamen Nº 6.898, de 2011, de este origen)***». (**ID Dictamen: 068409N12 Fecha:** 31.10.2012. **Destinatarios:** Alcalde de la Municipalidad de Buin. **Texto:** Procede el ascenso de funcionaria municipal en la situación que indica, en tanto se encuentre en servicios, y compete a la autoridad alcaldicia investigar los hechos constitutivos de acoso laboral. **Acción:** Aplica dictámenes 42127/2009, 34820/2011, 21645/2012, 4381/2002, 10438/2002, 6898/2011, 15700/2012)

Artículo 54

Un funcionario tendrá derecho a ascender a un cargo de otra planta, gozando de preferencia respecto de los funcionarios de ésta, cuando se encuentre en el tope de su planta, reúna los requisitos para ocupar el cargo y tenga un mayor puntaje en el escalafón que los funcionarios de la planta a la cual accede.

Este derecho corresponderá sucesivamente a los funcionarios que, cumpliendo las mismas exigencias del inciso anterior, ocupen los dos siguientes lugares en el escalafón, si el funcionario ubicado en el primer o segundo lugar renunciaren al ascenso, o no cumplieren con los requisitos necesarios para el desempeño del cargo.

1. «*Sobre el particular, y en lo que atañe a la solicitud de reconsideración del ya anotado oficio Nº 4.745, de 2015, conviene recordar que conforme al artículo 52 de la mencionada ley Nº 18.883, "El ascenso es el derecho de un funcionario de acceder a un cargo vacante de grado superior en la línea jerárquica de la respectiva planta, sujetándose estrictamente al escalafón, sin perjuicio de lo dispuesto en el artículo 54". Luego, respecto de la posibilidad de llamar a concurso para proveer el cargo de director de administración y finanzas, dado que, a juicio del municipio en comento, no sería posible la aplicación del artículo 54, inciso primero, de la ley Nº 18.883, para disponer el ascenso de la interesada a esa plaza, es menester anotar que el aludido precepto legal, establece que "Un funcionario tendrá derecho a ascender a un cargo de otra planta, gozando de preferencia respecto de los funcionarios de ésta, cuando se encuentre en el tope de su planta, reúna los requisitos para ocupar el cargo y tenga un mayor puntaje en el escalafón que los funcionarios de la planta a la cual accede". Interpretando la citada norma, la jurisprudencia administrativa de esta Contraloría General contenida, entre otros, en el dictamen Nº 63.029, de 2015, ha precisado que para que opere el mecanismo especial de ascenso previsto en el mencionado artículo 54, deben concurrir, copulativamente, los requisitos que dicho precepto establece —sin perjuicio, en todo caso, del cumplimiento de las exigencias propias de la plaza vacante—, cuales son, que el funcionario que pretenda ser promovido se encuentre en el tope de su planta y, que tenga mayor puntaje en el escalafón que los servidores de aquella a la que procura ingresar, condición esta última que supone un ejercicio de comparación con los empleados que a ella pertenecen. Por consiguiente, y en atención a que el cargo de director de administración y finanzas creado por la Municipalidad de Galvarino, en virtud de la ley Nº 20.742, no puede ser provisto con arreglo al mecanismo general de ascenso al que se refiere el artículo 52 de la ley Nº 18.883, como tampoco al especial contenido en el citado artículo 54 del mismo texto legal, toda vez que en la especie resulta impracticable el procedimiento de confrontación de puntajes exigido, ese órgano comunal deberá convocar a un concurso público con tal objeto*». (**ID Dictamen:** 002221N16. **Fecha:** 11-01-2016. **Destinatarios:** doña Andrea Cordero Cordero, funcionaria de la Municipalidad de Galvarino. **Texto:** Desestima solicitud de reconsideración que indica, y procede que el cargo de director de administración y finanzas de la municipalidad de Galvarino se provea de conformidad con las reglas sobre concurso. **Acción:** Aplica dictámenes 72527/2011, 63029/2015).

2. «*Sobre el particular, cabe recordar que el dictamen Nº 5.168, de 2015, atendiendo una consulta de la Municipalidad de Vicuña —referente a si el cargo de director de administración y finanzas creado en cumplimiento de lo dispuesto en el artículo 16, inciso segundo, de la ley Nº 18.695, luego de las modificaciones introducidas por la ley Nº 20.742, debía proveerse por ascenso, y, en el caso de ser así, si procedía promover al señor Hugo Rojas Pasten—, resolvió, sobre la base de la normativa y de la jurisprudencia que en él se analiza, que resultaba improcedente acudir a los mecanismos de ascenso, general y especial, previstos en los artículos 52 y 54 de la ley Nº 18.883, respectivamente, por lo que correspondía que ese órgano comunal convocara un concurso público con tal objeto. En efecto —de conformidad con el anotado pronunciamiento—, la jurisprudencia administrativa de esta Contraloría General que allí se indica, ha concluido que la modalidad especial de ascenso a que se refiere el mencionado artículo 54 de la ley Nº 18.883, requiere, en lo que interesa, que el funcionario que pretenda ser promovido tenga una mayor puntuación en el escalafón que los empleados de la planta a la que aspira acceder, lo que necesariamente supone un ejercicio de comparación de ambos puntajes de calificación, el cual no se puede realizar cuando la plaza vacante se ubica en el último grado, como ocurría en el caso, pues la planta de personal de la Municipalidad de Vicuña no contemplaba el cargo nominado de director de administración y finanzas, el cual fue creado por el municipio, asignándole el grado 8. E.M.S. en la planta de directivos, que corresponde, precisamente, al último del respectivo estamento. En este contexto, cumple con manifestar que, en atención a que la situación en comento ha sido estudiada por este Organismo Fiscalizador, y dado que el recurrente se limita a sostener*

una interpretación legal distinta de la sustentada en el aludido dictamen, sin aportar nuevos antecedentes, de hecho o de derecho, que difieran de los tenidos a la vista previamente, y que permitan modificar el criterio contenido en el pronunciamiento cuya reconsideración se solicita, corresponde rechazar la petición formulada». (**ID Dictamen:** 003422N18. **Fecha:** 26-01-2018. **Destinatarios:** Municipalidad de Vicuña. **Texto:** Desestima solicitud de reconsideración del dictamen Nº 5.168, de 2015, relativo a la provisión del cargo de director de administración y finanzas municipal que indica. **Acción:** Aplica dictámenes 5168/2015, 9391/2017).

3. *«Luego, conforme al artículo 3º del decreto con fuerza de ley Nº 178-19.321, de 1994, del entonces Ministerio del Interior —planta de personal de la Municipalidad de Graneros—, consta que el estamento técnico está constituido por dos cargos grado 12 y uno grado 14, mientras que el estamento de jefaturas se conforma por tres cargos grado 10 y tres grado 11. En este contexto, conviene tener presente que de acuerdo con lo previsto en el artículo 15, inciso primero, de la ley Nº 18.883, y en armonía con el criterio contenido, entre otros, en el dictamen Nº 8.601, de 2017, la forma de proveer las vacantes correspondientes al último grado de cada estamento es a través de un concurso público, sin que resulte posible que ello se efectúe por ascenso. Con todo, conviene aclarar que la hipótesis prevista en el inciso segundo del artículo 54 de la ley Nº 18.883, supone cumplir las mismas exigencias copulativas del inciso anterior a la fecha en que se produjeron las vacantes, dentro de las cuales está la encontrarse en el tope de la planta, que en el caso específico se inicia en el grado 12 (aplica dictámenes Nºs. 23.780, de 1998 y 36.863, de 2012)».* (**ID Dictamen:** 017782N18. **Fecha:** 13-07-2018. **Destinatarios:** señora Gilda Ávila Ayala, funcionaria de la Municipalidad de Graneros. **Texto:** No procede aplicar el ascenso especial previsto en el artículo 54 de la ley Nº 18.883, para proveer los cargos vacantes en el último grado de la planta de jefaturas de la Municipalidad de Graneros, los cuales deben llamarse a concurso público. **Acción:** Aplica dictámenes 8601/2017, 13713/2001, 23780/98, 36863/2012).

4. *«En este contexto, y en relación con la solicitud que se plantea, cabe consignar, en primer término, que la regla general en materia de promoción se encuentra contenida en el artículo 52 de la ley Nº 18.883, el que prevé que "el ascenso es el derecho de un funcionario de acceder a un cargo vacante de grado superior en la línea jerárquica de la respectiva planta, sujetándose estrictamente al escalafón, sin perjuicio de lo dispuesto en el artículo 54". Aparece de dicha disposición que el legislador previó una modalidad excepcional de promoción en el artículo 54 del referido cuerpo estatutario, el que prescribe, en su inciso primero, que "un funcionario tendrá derecho a ascender a un cargo de otra planta, gozando de preferencia respecto de los funcionarios de ésta, cuando se encuentre en el tope de su planta, reúna los requisitos para ocupar el cargo y tenga un mayor puntaje en el escalafón que los funcionarios de la planta a la cual accede".*
Interpretando el precepto citado, la reiterada jurisprudencia de esta Contraloría General ha indicado que la modalidad especial a que se refiere el mentado artículo 54 procede en la medida que se reúnan, copulativamente, los requisitos que dicha disposición establece —sin perjuicio, en todo caso, del cumplimiento de las exigencias propias de la plaza vacante—, cuales son, que el funcionario que pretenda ser promovido se encuentre en el tope de su planta y, que tenga un mayor puntaje en el escalafón que los servidores de aquella a la que procura ingresar, condición esta última que supone un ejercicio de comparación con los empleados que a ella pertenecen (aplica dictamen Nº 35.543, de 2016). Pues bien, la realización del aludido procedimiento de confrontación implica que tanto el empleado que pretende ascender a otro estamento como los funcionarios que integran la planta donde se ha originado la vacante, tengan una calificación asignada y, por cierto, derecho a ser promovidos a la plaza que no se ha provisto, debiendo el puntaje del primero ser superior al de los segundos (aplica dictamen Nº 1.201, de 1995). En este orden de consideraciones, y tal como se hizo presente en el pronunciamiento cuya reconsideración se solicita, a los funcionarios del estamento directivo de la Municipalidad de San Antonio, que seguían al cargo de director de obras, grado 6, no les asistía el derecho a ser promovidos a dicha plaza, pues no cumplían con el requisito para el desempeño de ese empleo que el legislador estableció en el artículo 8º, numeral 1, letra a) de la ley Nº 18.883, circunstancia que impide efectuar el cotejo correspondiente para efectos de aplicar el señalado artículo 54 de dicho cuerpo estatutario. Luego, en consideración a que no concurre uno de los supuestos del aludido artículo 54, no resulta procedente disponer el ascenso conforme a tal precepto, por lo que el cargo en cuestión debe ser provisto mediante concurso público. En efecto, resulta esencial para disponer la modalidad excepcional de promoción de que se trata, el cumplimiento de cada una de las exigencias que la norma legal en estudio contempla, toda vez que la ausencia de alguna de ellas, cualquiera que sea, implica que el ascenso a un cargo de otra planta sea inaplicable, pues tales requisitos no pueden ser reemplazados por otros elementos de juicio (aplica dictámenes Nºs. 41.563, de 1994, y 22.795, de 1996)». (**ID Dictamen:** 027428N18. **Fecha:** 06-11-2018. **Destinatarios:** alcalde de la Municipalidad de San Antonio. **Texto:** Desestima solicitud de reconsideración del dictamen Nº 34.501, de 2017, de este origen, sobre provisión del cargo de director de obras de la Municipalidad de San Antonio. **Acción:** Aplica dictámenes 35543/2016, 1201/95, 41563/94, 22795/96 Confirma dictamen 34501/2017).

302 Capítulo II. Estatuto Administrativo para Funcionarios Municipales

5. «*Interpretando la citada norma, la jurisprudencia administrativa de esta Contraloría General contenida, entre otros, en el dictamen Nº 2.221, de 2016, ha precisado que para que opere el mecanismo especial de ascenso previsto en el mencionado artículo 54, deben concurrir, copulativamente, los requisitos que dicho precepto establece —sin perjuicio, en todo caso, del cumplimiento de las exigencias propias de la plaza vacante—, cuales son, que el funcionario que pretenda ser promovido se encuentre en el tope de su planta y, que tenga mayor puntaje en el escalafón que los servidores de aquella a la que procura ingresar, condición esta última que supone un ejercicio de comparación con los empleados que a ella pertenecen. Lo anterior, conforme con el criterio contenido en el referido pronunciamiento, por cuanto el procedimiento de confrontación antes aludido, requiere evaluar tanto al empleado a quien se asciende como a los funcionarios que integran la planta donde se ha originado la vacante, aunque hayan renunciado a dicha promoción, debiendo el puntaje del primero ser superior al de los segundos*». (**ID Dictamen:** 030234N16. **Fecha:** 22-04-2016. **Destinatarios:** Municipalidad de Saavedra. **Texto:** Reconsidera dictamen Nº 63.029, de 2015, en razón de que el escalafón a considerar para efectos de la aplicación del artículo 54 de la ley Nº 18.883 es el vigente a la fecha de creación del cargo de que se trata. **Acción:** Reconsidera parcialmente dictamen 63029/2015 Aplica dictamen 2221/2016).

6. «*Por consiguiente, cabe manifestar que para los efectos del ascenso que regula el artículo 54 de la ley Nº 18.883, un funcionario podrá acceder a un cargo de igual grado al que posee, en tanto se trate de un estamento jerárquicamente superior. Precisado lo anterior, y en lo que concierne a la situación del señor Sabaj Rojas, es menester recordar que este Organismo Contralor ha señalado, mediante los dictámenes Nos 2.221 y 30.234, ambos de 2016, que para que opere el mecanismo especial de ascenso previsto en el mencionado artículo 54, deben concurrir, copulativamente, los requisitos que dicho precepto establece —sin perjuicio, en todo caso, del cumplimiento de las exigencias propias de la plaza vacante—, cuales son, que el funcionario que pretenda ser promovido se encuentre en el tope de su planta, y que tenga mayor puntaje en el escalafón que los servidores de aquella a la que procura ingresar, condición esta última que supone un ejercicio de comparación con los empleados que a ella pertenecen. Lo anterior, toda vez que de acuerdo con el criterio contenido en los referidos pronunciamientos, el procedimiento de confrontación antes aludido requiere evaluar tanto al empleado a quien se asciende como a los funcionarios que integran la planta donde se ha originado la vacante, aunque hayan renunciado a dicha promoción, debiendo el puntaje del primero ser superior al de los segundos. Ahora bien, en la especie, de conformidad con los antecedentes tenidos a la vista, los funcionarios que siguen en el estamento de directivos al cargo de director de obras, grado 6, no reúnen el requisito específico establecido en el decreto con fuerza de ley Nº 80-19.321, de 1994, del entonces Ministerio del Interior —que fijó la planta de personal de la Municipalidad de San Antonio—, para ocupar el cargo en comento, esto es, poseer indistintamente el título de arquitecto, de ingeniero civil, de constructor civil o de ingeniero constructor civil, por lo que al no asistirles el derecho a ser promovidos a la referida plaza, no es posible realizar el ejercicio de comparación entre ellos y don Armando Sabaj Rojas (aplica dictamen Nº 46.617, de 2002). Así entonces, en la medida que no exista un funcionario que tenga derecho a ascender en los términos previstos en la normativa estatutaria, el cargo vacante de director de obras deberá proveerse mediante concurso público, certamen al cual podrán postular desde luego los servidores municipales aludidos en el presente pronunciamiento (aplica criterio contenido en el dictamen Nº 2.221, de 2016)*». (**ID Dictamen:** 034501N17. **Fecha:** 25-09-2017. **Destinatarios:** Municipalidad de San Antonio. **Texto:** Para efectos del ascenso que regula el artículo 54 de la ley Nº 18.883, un servidor podrá acceder a un cargo de igual grado al que posee, en tanto se trate de un estamento jerárquicamente superior. No procede ascenso de funcionario que se individualiza en virtud de dicho precepto por los motivos que indica. **Acción:** Aplica dictámenes 34543/94, 47546/2013, 2221/2016, 30234/2016, 46617/2002, 89821/2016 Reconsidera parcialmente dictámenes 1201/95, 10376/96).

7. «*Al respecto, es menester hacer presente que, en conformidad con el artículo 16 de la ley Nº 18.695, mediante el decreto Nº 1.392, de 2014, el municipio modificó a partir del 23 de octubre de dicha anualidad, los grados de los cargos que dirigen las unidades mínimas aludidas en el inciso primero de dicha disposición, por lo cual la plaza de secretario municipal, pasó de grado 10 a grado 7 de la planta de directivos.*
Posteriormente, el señor Villarroel Villarroel, cesó en dicho cargo por jubilación a contar del 31 de octubre del 2015, siendo promovida a este la señora Irene Vargas Andrade, directivo grado 8. Por otro lado, la señora Verónica Soto Asenjo, directivo grado 9, quien tenía derecho a ascender a este último empleo, renunció a dicha promoción, quedando por tanto vacante el referido grado 8.
En tales condiciones, resulta pertinente determinar si tiene derecho a ser promovida a dicha plaza doña Cecia Ojeda Miranda, directivo grado 10; o en conformidad al procedimiento especial previsto en el artículo 54 de la ley Nº 18.883, doña María Hinostroza Vera, profesional grado 9, quien se encuentra ubicada en el tope de la planta de profesionales.

En relación con la materia, este Organismo Contralor ha precisado en el dictamen Nº 14.104, de 2012, entre otros, que para que opere el mecanismo especial de ascenso previsto en el mencionado artículo 54, deben concurrir, copulativamente, los requisitos que dicho precepto establece —sin perjuicio, en todo caso, del cumplimiento de las exigencias propias de la plaza vacante—, cuales son, que el funcionario que pretenda ser promovido se encuentre en el tope de su planta y, que tenga mayor puntaje en el escalafón que los servidores de aquella a la que procura ingresar, condición esta última que supone un ejercicio de comparación con los empleados que a ella pertenecen.

Pues bien, del análisis del escalafón de mérito y antigüedad vigente para el año 2015, se advierte que, si bien la señora Hinostroza Vera se encuentra ubicada en el tope de la planta de profesionales, posee un puntaje de calificación de 66 puntos, de modo que, efectuada la comparación con la señora Ojeda Miranda, quien tiene la misma calificación, la primera no cuenta con un mayor puntaje que el de la funcionaria de la planta a la que pretende acceder, no cumpliendo con todas las exigencias copulativas exigidas en el citado artículo 54 (aplica criterio contenido en el dictamen Nº 5.168, de 2015)». (**ID Dictamen**: 035543N16. **Fecha**: 13-05-2016. **Destinatarios**: Municipalidad de Calbuco. **Texto**: Procede el ascenso de funcionaria que indica a cargo directivo grado 8. **Acción**: aplica dictámenes 4381/2002, 47511/2001, 14104/2012, 5168/2015).

8. «*Ahora bien, en el caso en estudio, aparece que de acuerdo al artículo 3º del decreto con fuerza de ley que establece la planta de personal de la Municipalidad de Tirúa, en la planta de jefatura no hay plazas con grados inferiores al del cargo de secretario municipal, pues este es el único que se contempla, por lo que no resulta posible aplicar la figura de promoción contemplada en el artículo 52 de la ley Nº 18.883. A su vez, en cuanto al mecanismo contemplado en el artículo 54 del mismo cuerpo normativo, no resulta posible cumplir con el tercer supuesto antes anotado, esto es, que los servidores que se encuentren en los topes de las otras plantas tengan un mayor puntaje en el escalafón que los funcionarios del estamento al cual accede, toda vez que esa condición supone un ejercicio de comparación con los empleados de dicha planta, de modo que en la eventualidad que no exista ningún empleo con quien comparar el puntaje —como sucede precisamente en el presente caso, en que el cargo de secretario municipal es el único de la planta de jefatura—, resulta inaplicable la citada norma (aplica criterio contenido en el dictamen Nº 48.811, de 2002). Sobre la materia se debe tener en cuenta que de acuerdo a lo indicado en los párrafos precedentes, el procedimiento de confrontación que contempla el ya analizado artículo 54, requiere que tanto el empleado a quien se asciende como los funcionarios que integran la planta donde se ha originado la vacante, sean evaluados, debiendo el puntaje del primero ser superior al de los segundos, lo que es impracticable en caso de cargos disponibles en los últimos grados —como ocurre en la especie—, razón por la cual los empleos vacantes por lo que se consulta, deben ser provistos mediante concurso público (aplica criterio contenido en el dictamen Nº 54.362, de 2010)».* (**ID Dictamen**: 040153N17. **Fecha**: 14-11-2017. **Destinatarios**: Municipalidad de Tirúa. **Texto**: Efectúa precisión que indica respecto al grado que corresponde al cargo de secretario municipal; plazas vacantes por las que se consulta, deberán ser provistas mediante concurso público. **Acción**: Aplica dictámenes 81956/2014, 10749/2015, 25458/2012, 48811/2002, 54362/2010).

9. «*Por lo demás, un criterio en contrario implicaría eventualmente perjudicar a aquellos servidores que, en su caso, pudieran haber sido promovidos a un estamento distinto mediante el mecanismo especial que contempla el artículo 54 de la ley Nº 18.883, que permite ascender a un cargo de otra planta, gozando de preferencia respecto de los funcionarios de ésta —en las condiciones que indica—, lo que no se aviene con la intención del legislador al establecer el referido beneficio de aumento de grados».* (**ID Dictamen**: 084551N16. **Fecha**: 23-11-2016. **Destinatarios**: presidente nacional y el secretario general de la Confederación Nacional de Funcionarios Municipales de Chile (ASEMUCH). **Texto**: Se pronuncia acerca del alcance de la expresión «en la respectiva planta» empleado por los artículos primero, segundo y tercero transitorios de la ley Nº 20.922, y sobre la facultad otorgada por esta última disposición al alcalde en relación con el personal a contrata. **Acción**: Aplica dictamen 84400/2016).

1. «*Como puede advertirse de la normativa legal citada, **la fecha en la que debe determinarse, tanto si un funcionario reúne los requisitos para ascender como si está o no afecto a causales de inhabilidad, es aquélla en que se produce la vacante**, puesto que a partir de ésta se entiende que el ascenso comienza a regir (aplica criterio contenido en el dictamen Nº 51.140, de 2011).*

Por otra parte, debe recordarse que, para efectos de la correcta aplicación de la medida disciplinaria impuesta al afectado, el artículo 51 de la ley Nº 19.880 —que Establece Bases de los Procedimientos Administrativos que rigen los Actos de los Órganos de la Administración del Estado— prevé, en lo que interesa, que los actos administrativos sólo producirán los efectos que les son propios en virtud de la notificación hecha de conformidad a la ley.

Enseguida, el artículo 129 de la ley Nº 18.883, dispone que las notificaciones que se realicen en el proceso sumarial deberán hacerse personalmente. Agrega, que si el funcionario no fuere habido por dos días consecutivos en su domicilio o en su lugar de trabajo, se le notificará por carta certificada, de lo cual deberá dejarse constancia.

En este contexto, y para determinar la data en que una medida disciplinaria comienza a producir válidamente sus efectos, debe estarse a la fecha en que se notifica el acto terminal que afina el sumario que le da origen, es decir, el que contiene la sanción que en definitiva se impone al inculpado, luego que el alcalde haya fallado el recurso de reposición interpuesto o vencido el plazo para deducirlo, sin que ello hubiera ocurrido.

Pues bien, de los antecedentes tenidos a la vista, es posible apreciar que la resolución por la cual se rechazó la reposición presentada por el recurrente el día 15 de noviembre de 2008, que consta a fojas 597, del respectivo expediente sumarial, no le fue notificada en los términos previamente indicados.

Atendido lo anterior, y considerando que según lo expresado por el recurrente, sólo tomó conocimiento del rechazo de su reposición, de manera tácita, el 15 de junio del año 2009, data en que se hizo efectiva en sus remuneraciones la sanción de multa aplicada, cabe señalar, al tenor de lo manifestado en los párrafos precedentes, que la medida sancionatoria produjo sus efectos jurídicos desde la última de las fechas citadas, por lo que es dable manifestar que, en el caso en comento, operó a su respecto la notificación tácita prevista en el artículo 47 de la citada ley Nº 19.880 (aplica criterio contenido en el dictamen Nº 44.837, de 2011).

Siendo ello así, no cabe sino concluir que al 16 de enero de 2009, data en que se produjo la vacante del cargo de que se trata, el señor Alejandro Campos Pérez no se encontraba afectado por la inhabilidad del artículo 53, letra d), de la ley Nº 18.883, puesto que, como se indicara, la sanción que se le aplicó comenzó a regir desde que aquel se impuso de la misma, lo que habría acontecido a partir del 15 de junio de 2009». **(ID Dictamen: 077465N11 Fecha:** 12.12.2011 **Destinatarios:** Alcalde de la Municipalidad de La Florida. **Texto:** Acoge solicitud de reconsideración de oficio Nº 13099, de 2011, relativo a inhabilidad para ascender por aplicación de una medida disciplinaria, resolviendo que corresponde el ascenso del recurrente a partir de la fecha que indica, debiendo el municipio de La Florida adoptar las medidas que sean necesarias para regularizar su situación. **Acción:** Aplica dictámenes 51140/2011, 44837/2011, 56880/2011, 60677/2011 Reconsidera dictamen 13099/2011)

2. «*En este contexto, corresponde hacer presente que el proceso de calificaciones, y el posterior escalafón que se confecciona en base a estas, se refiere al desempeño de un funcionario en particular, en un cargo determinado, al que se le ha asignado un grado o nivel remuneratorio, en relación a las exigencias y labores propias de la función que desarrolla, por lo que no procede extender el resultado de la evaluación en un empleo específico, a otro distinto (aplica criterio contenido en el dictamen Nº 75.919, de 2010).*

Pues bien, en la situación planteada, la señora Quiñones Tabilo obtuvo 70 puntos de calificación, en el desempeño como administrativa grado 17, quedando ubicada en el escalafón vigente para el año 2011, en el primer lugar de dicho grado y planta, en razón de lo cual fue ascendida desde el 1 de febrero del mismo año a una vacante producida en el grado 16 administrativo; y, posteriormente, al originarse la vacancia en un grado 15 de la misma planta, si bien aquella se encontraba ejerciendo las funciones correspondientes al cargo al que había sido promovida, no obstante, todavía no había sido evaluada en su nuevo empleo, por ende, debió ubicarse en el escalafón, en el último lugar de las plazas administrativas grado 16, hasta que el próximo proceso calificatorio le permitiera ocupar otro lugar.

Por consiguiente, esta Contraloría General cumple con concluir que corresponde que ese municipio ascienda a doña Ana María Pizarro al cargo administrativo grado 15, en atención a que al momento de producirse la vacante, esto es, el 30 de abril de 2011, ocupaba el lugar preferente en el escalafón». **(ID Dictamen: 074975N11 Fecha:** 30.11.2011 **Destinatarios:** Alcalde de la Municipalidad de Vallenar. **Texto:** Sobre ubicación en el escalafón de personal municipal recientemente ascendido. **Acción:** aplica dictamen 75919/2010)

3. «*Al respecto, este Organismo Contralor en los dictámenes Nºs. 49.715, de 2000, y 3.963, de 2007, ha precisado que para los fines de ascender, la preceptiva exige que el funcionario de que se trate cumpla los requisitos del empleo vacante, se ubique en el primer lugar del grado que sucede a aquel que está vacante en la línea jerárquica de la respectiva planta y no se encuentre afecto a las inhabilidades contempladas en el artículo 53 del mismo texto legal.*

Por su parte, el aludido artículo 53, previene que serán inhábiles para ascender los funcionarios: a) que no hubieren sido calificados en lista de distinción o buena en el período inmediatamente anterior; b) que no hubieren sido calificados durante dos períodos consecutivos; c) hubieren sido objeto de la medida disciplinaria de censura, más de una vez, en los doce meses anteriores de producida la vacante; y d) hubieren sido sancionados con la medida disciplinaria de multa en los doce meses anteriores de producida la vacante.

Sobre este punto, esta Entidad Fiscalizadora en el dictamen Nº 49.715, de 2000, entre otros, ha concluido que la circunstancia que un funcionario no posea calificación dado su reciente ingreso, no se enmarca dentro de la inhabilidad contemplada en la referida letra a) del artículo 53 —y consecuentemente, tampoco en aquella prevista en la letra b) del mismo precepto legal—, por cuanto esa situación no fue expresamente contemplada dentro de tales inhabilidades, ni en ninguna otra norma legal relativa a la materia, no pudiendo agregarse, por la vía de la interpretación, un requerimiento adicional para poder acceder por ascenso a un cargo vacante.

Lo contrario significaría preferir a una persona ajena al municipio, vulnerándose de esta manera la carrera funcionaria contemplada en la letra e) del artículo 5º de la ley Nº 18.883.

Por consiguiente, atendidas las consideraciones expuestas, cumple esta Contraloría General con señalar que a la señora Sánchez Álvarez no le afecta algún impedimento para ascender al cargo de director de administración y finanzas, directivo grado 5». **(ID Dictamen: 072527N11 Fecha:** 21.11.2011 **Destinatarios:** Alcalde de la Municipalidad de Independencia. **Texto:** Sobre derecho a ascenso en cargo municipal que no requiere requisitos específicos. **Acción:** Aplica dictámenes 49715/2000, 3963/2007, 52372/2008, 79220/2010)

4. *«A su turno, el artículo 57 del referido cuerpo estatutario, ordena que el ascenso regirá a partir de la fecha en que se produzca la vacante, de manera que, como lo ha precisado este **Ente Fiscalizador por los dictámenes Nºs. 70.202, de 2009, y 31.738, de 2010, cualquiera sea la época en que aquel se decrete, sus efectos se retrotraen al día en que se generó la vacancia del cargo, lo que implica que el escalafón a considerar para determinar cuál funcionario ocupa el lugar preferente para ascender, es aquel vigente, a la data en que se originó la vacante que se trata de proveer mediante la promoción.***

Pues bien, consta que el empleo de la especie, quedó vacante por la renuncia voluntaria presentada por la funcionaria que lo servía, la que fue aceptada por el municipio a través del decreto Nº 58, de 2010, a contar del 31 de diciembre de 2010, lo que, según lo ha precisado la jurisprudencia de este Órgano Contralor, contenida, entre otros, en los dictámenes Nºs. 28.426, de 1985, y 3.458, de 2001, implica que los servidores deben desempeñar funciones hasta el día inmediatamente anterior —30 de diciembre de 2010—, constituyendo aquella fecha la interrupción de funciones que los desvinculó de la Administración, de manera que desde ese instante, dicha dimisión produce todos sus efectos, dejando el trabajador de ser considerado funcionario y alejándose del servicio.

De este modo, por ende, la vacancia correspondiente se produjo el 31 de diciembre de 2010, por lo que para los fines del ascenso pertinente debe tenerse en consideración el escalafón vigente para este último año, elaborado con el resultado de las calificaciones del período comprendido entre el 1 de septiembre de 2008 y el 31 de agosto de 2009, según lo dispone el artículo 34 de la ley Nº 18.883. En este contexto, es dable manifestar, que según el escalafón 2010 tenido a la vista, se advierte que la peticionaria no se encuentra ubicada en el lugar preferente del cargo profesional grado 8, correspondiendo efectivamente promover a doña Anaisa Hernández Durán, quien ocupa por el puntaje obtenido una posición superior respecto de la interesada en dicho ordenamiento del personal municipal, sin que le afecten inhabilidades para ascender». **(ID Dictamen: 051140N11**[180] **Fecha:** 12.08.2011 **Destinatarios:** Alcaldesa de la Municipalidad de Pedro Aguirre Cerda. **Texto:** Registra decreto 453/2011, de la Municipalidad de Pedro Aguirre Cerda, a través del cual se asciende a profesional que indica y atiende reclamo de ilegalidad. **Acción:** Aplica dictámenes 70202/2009, 31738/2010, 28426/85, 3458/2001. Mismo criterio aplicado en **ID Dictamen: 050594N11 Fecha:** 10.08.2011 **Destinatarios:** Alcalde de la Municipalidad de La Cisterna. **Texto:** Para efectos de ascenso el escalafón aplicable es aquel vigente a la época de producirse la vacante a proveer. **Acción:** Aplica dictámenes 70202/2009, 31738/2010, 28426/85, 3458/2001)

5. *«Por lo demás, cabe anotar que la individualizada servidora se encontraba **ubicada en el lugar preferente del escalafón vigente el año en que se produjo la vacante, cumplía el requisito específico para acceder a dicho cargo,** (...) y, además, no le afectaba alguna inhabilidad para ascender, de modo que le asistía el derecho a ser ascendida a esa plaza, según lo preceptiva contenida en los **artículos 51 a 57 del mismo texto legal.***

Por último, cabe aclarar que las promociones comunicadas por la municipalidad en el mes de febrero de 2011, corresponden a aquellas dispuestas por el municipio con ocasión de la confección del escalafón correspondiente al año 2010, y se refieren a cargos cuyas vacancias se produjeron como consecuencia del ascenso a que se ha hecho referencia en el párrafo anterior y que, además, resultan de inferior jerarquía al que ostenta la recurrente». **(ID Dictamen: 032545N11**

---

[180] Para efectos de su consulta en la Base de Jurisprudencia de Contraloría General de la República, el citado dictamen se encuentra en la sección/materia: «generales», sin perjuicio de que se trata de uno de carácter municipal.

Fecha: 23.05.2011 **Destinatarios:** Magaly Muñoz Rocha. **Texto:** Sobre desestimación de reclamo sobre derecho a ascenso a cargo municipal)

6. «*Como puede advertirse del tenor de las disposiciones anotadas, la* **ubicación preferente en el escalafón es la que fija el servidor favorecido con el ascenso, ubicación que, a su vez, está determinada por el resultado de las calificaciones, de modo que sólo procede recurrir a la antigüedad para establecer el lugar de los funcionarios en dicho ordenamiento del personal, en el orden de precedencia indicado, en la eventualidad que exista igualdad en los puntajes.**
Pues bien, el empleo cuya provisión se reclama, es el cargo profesional grado 6, vacante a contar de 1 de julio de 2010, por la renuncia voluntaria de doña Silvia García Garay, de manera que para tal efecto —según lo dispuesto en el artículo 57, de la ley Nº 18.883, que ordena que el ascenso regirá a partir de la fecha en que se produzca la vacante—, procede tener en consideración el escalafón vigente para ese año, elaborado con el resultado de las calificaciones del período comprendido entre el 1 de septiembre de 2008 y el 31 de agosto de 2009, en el cual el señor Marcelo Madrid Díaz se ubica en el lugar preferente con un puntaje de setenta puntos, a diferencia de lo que ocurre con el peticionario, que posee sesenta y nueve puntos, por lo que el primero goza de preferencia en el ascenso de que se trata, respecto del segundo».
(**ID Dictamen: 031319N11 Fecha:** 17.05.2011 **Destinatarios:** Rodrigo Barros Mc Intosh. **Texto:** Sobre ubicación en el escalafón para efectos del derecho a ascenso de funcionario de la Municipalidad de Recoleta)

7. «En el citado pronunciamiento, la Oficina Regional concluyó que tales promociones habrían vulnerado el derecho del señor Osiadacz Rastelli, a ascender a uno de los cargos directivos grado 7, conforme con el artículo 52 del mismo texto legal, **sin perjuicio que, atendido el principio jurídico de la buena fe, debían mantenerse los ascensos ya dispuestos** y, por ende, aquél debía ser ascendido al primer cargo vacante directivo grado 7 que se produjera. (...)
Atendido lo expuesto, y en resguardo de **los principios generales informadores del ordenamiento jurídico, como son la buena fe y la seguridad y certeza jurídica, así como la existencia de situaciones jurídicas consolidadas que se han generado sobre la base de la confianza en el actuar de la Administración, y que ya comenzaron a producir sus efectos, se desestiman las reclamaciones,** *y se ratifica el oficio Nº 5.397, de 2004, de la Sede Regional de Valparaíso».* (**ID Dictamen: 020718N11 Fecha:** 05.04.2011 Destinatarios Álvaro Inostroza Bidart **Texto** Sobre solicitud de reconsideración de oficio 5397/2004 de la Contraloría Regional de Valparaíso, que se pronunció sobre ascensos en la Municipalidad de Viña del Mar).

8. «Finalmente, en lo que atañe a la posibilidad de ascender de la recurrente al grado 10 de la planta profesional desde su cargo 12 de la planta administrativa, cumple con remitir fotocopia del **dictamen Nº 54.362, de 2010, a través del cual esta Entidad Fiscalizadora ha precisado, por las razones que enuncia, que no procede que la modalidad especial de promoción a una planta distinta, contemplada en el artículo 54 de la ley Nº 18.883, opere cuando el cargo vacante se encuentra en el último grado de otra planta».** (**ID Dictamen: 012258N11 Fecha:** 25.02.2011 **Destinatarios** Marcela Meza. **Texto:** Sobre reclamo de concurso regido por la ley 18883 y derecho a ascenso en la Municipalidad de El Monte. **Acción:** Aplica dictámenes 16812/2001, 54362/2010)

9. «*Siendo ello así, aun cuando se cumplieran por la recurrente las exigencias mencionadas en el citado* **artículo 54 de la ley Nº 18.883, que contempla una modalidad especial de ascenso a un cargo de otra planta, no procede que aquélla sea ubicada por esa vía en un cargo del mismo grado —que es el caso de la especie—, por cuanto el ascenso sólo opera en relación a cargos de grado superior (aplica criterio contenido en dictamen Nº 10.376, de 1996)».** (**ID Dictamen: 011701N11 Fecha:** 24.02.2011 **Destinatarios:** Viviana Galleguillos Cereceda. **Texto:** Sobre improcedencia de ascender por el artículo 54 de la ley 18883 a cargo de igual grado de planta diversa. **Acción:** aplica dictámenes 146/2004, 10376/96)

10. «*Al respecto, este* **Organismo Contralor ha precisado, en el dictamen Nº 3.267, de 2012,** *entre otros, que para que opere la modalidad especial de ascenso regulada por el precepto legal mencionado, no solo es necesario que se cumplan los requisitos del respectivo cargo, sino que además es menester que se den los demás supuestos que, <u>en forma copulativa</u>, establece la misma norma, vale decir, que el funcionario se encuentre en el tope de su planta y tenga un mayor puntaje en el escalafón que los servidores de aquella a la que pretende ingresar, condición esta última que supone un ejercicio de comparación con los empleados que a ella pertenecen, con derecho a ascenso en la misma.*
Pues bien, en el presente caso, consta que si bien el señor Flores Burgos cumple los requisitos para servir el cargo grado 9 E.M.S. de la planta de jefaturas, al amparo de la norma protectora contenida en el artículo 1º transitorio de la ley Nº 19.280; a su respecto, no concurren las otras dos condiciones previstas en el artículo 54 en comento, para ser ascendido a aquel, cuales son, encontrarse en el tope de su planta, y tener un mayor puntaje en el escalafón que los funcionarios de la planta a la cual accede.

*En efecto, de los antecedentes tenidos a la vista, y particularmente, del escalafón de mérito y antigüedad correspondiente al año 2010 —que es el que, de conformidad con lo prevenido en el artículo 57 de la ley Nº 18.883 ha de considerarse, atendido que la plaza pretendida quedó vacante a contar del 1 de marzo de esa anualidad—, se desprende que el interesado, por una parte, no estaba ubicado en el primer lugar de los cargos grado 10 E.M.S. de la planta de técnicos, toda vez que a esa data, quien se encontraba en el tope de la misma era la señora Sonnia Valenzuela Rovere; y, por la otra, que no tenía un mayor puntaje en el escalafón que los servidores de la planta a la que aspira ingresar, por cuanto a esa fecha, el único cargo grado 10 E.M.S., de la planta de jefaturas, que contempla el artículo 3º del decreto con fuerza de ley Nº 39-19.280, de 1994, del antiguo Ministerio del Interior, que Adecua, Modifica y Establece la Planta de Personal de la Municipalidad de La Reina, se hallaba vacante, de modo que **no resulta posible realizar el ejercicio de comparación que presupone el artículo 54 de la ley Nº 18.883**».* (**ID Dictamen: 078870N12 Fecha:** 19.12.2012 **Destinatarios:** José Manuel Flores Burgos. **Texto:** Funcionario no tiene derecho a ser promovido al cargo grado 9º E.M.S., de la planta de jefaturas de Municipalidad, por cuanto no cumple todos los requisitos exigidos para tal efecto, en ley 18883 art. 54. **Acción:** Aplica dictamen 3267/2012)

11. «*En dicho contexto, de los antecedentes tenidos a la vista —en especial el escalafón del personal de la Municipalidad de Pudahuel correspondiente al año 2012—, aparece que la señora Daniela González López, se encontraba ubicada en el lugar preferente del grado inmediatamente inferior de la misma planta y cumplía con el requisito de contar con el título profesional de abogado, por lo que cabe concluir que la mencionada entidad edilicia ha actuado conforme a derecho al haber dispuesto el ascenso de tal servidora*».* (**ID Dictamen: 076048N12 Fecha:** 06.12.2012 **Destinatarios:** Juez del Segundo Juzgado de Policía Local de Pudahuel. **Texto:** Procede proveer el cargo vacante de Secretario Abogado del Segundo Juzgado de Policía Local que indica mediante ascenso, y solo en el evento de no ser factible, por concurso público. **Acción:** Aplica dictámenes 12962/2000, 68409/2012, 50722/2002, 39521/2012)[181]

12. «*En este orden de ideas, puesto que a la época en que se generó la disponibilidad del cargo servido por la señora Carrasco Henríquez, la señora Céspedes Huerta no ocupaba el empleo inmediatamente inferior a aquel, no era posible aplicar a su respecto la regla general de los ascensos prevista en el artículo 52, de la citada ley Nº 18.883, como **tampoco la situación excepcional contemplada en el artículo 54 del mismo cuerpo estatutario, toda vez que al momento de producirse la vacante en comento no existían empleados con quienes realizar el ejercicio de comparación establecido en la aludida norma**, según se desprende del escalafón de mérito y antigüedad de esa corporación edilicia correspondiente al año 2010 (aplica dictamen Nº 25.458, de 2012, de este origen).*
En consecuencia, habida consideración de lo precedentemente expuesto, y dado que los argumentos esgrimidos por el municipio no permiten variar el criterio sustentado mediante el oficio recurrido, resulta forzoso desestimar la reconsideración solicitada.
Con todo, y atendido que, en la especie, la plaza grado 9 de la planta directiva, dejada vacante por la señora Céspedes Huerta con ocasión de su ascenso al grado 8 de la misma planta, fue provista, previo concurso público de oposición y antecedentes, con fecha 4 de enero de 2012, por el decreto Nº 4, que nombró a don César Pérez Peña en dicho cargo, esto es, de forma previa a la emisión del pronunciamiento cuya reconsideración se solicita —12 de enero de 2012—, **es preciso concluir que, por esta especial circunstancia, y en virtud de los principios de buena fe y certeza jurídica, conforme a los cuales las personas que actúan confiados en el proceder regular de la Administración, no pueden ser perjudicadas por un error del órgano administrativo, en el cual no han tenido responsabilidad o participación alguna** —bases elementales para la seguridad de las relaciones jurídicas—, debe entenderse válido, en la especie, el ascenso de doña Judith Céspedes Huerta, al cargo grado 8 de la planta directiva, dispuesto a través del decreto Nº 61, del 2011, por la Municipalidad de Melipilla **(aplica criterio contenido, entre otros, en los dictámenes Nºs. 51.870, de 2009, y 20.718, de 2011, de esta Entidad Fiscalizadora)**».* (**ID Dictamen: 075320N12 Fecha:** 04.12.2012 **Destinatarios:** Alcalde de la Municipalidad de Melipilla. **Texto:** Desestima solicitud de reconsideración de dictamen de esta Contraloría General relativa a ascenso de funcionaria municipal. **Acción:** aplica dictámenes 15700/2012, 4824/2009, 14529/2010, 25458/2012, 51870/2009, 20718/2011)

13. «*En dicho contexto, de acuerdo a la información recabada por este Ente Fiscalizador, aparece que ninguno de los solicitantes, que se desempeñan en el grado 11 E.M.S. de la planta de técnicos, cumplía con alguno de los aludidos*

---

[181]   Para efectos de su consulta en la Base de Jurisprudencia de Contraloría General de la República, el citado dictamen se encuentra en la sección/materia: «generales», sin perjuicio de que se trata de uno de carácter municipal.

*requisitos específicos, al no poseer los estudios pertinentes, de manera tal que **el municipio no pudo sino ascender a un funcionario que, no obstante encontrarse en un grado inferior, satisfacía la referida exigencia (aplica criterio conteni-do, entre otros, en el dictamen Nº 55.094, de 2007, de este origen).***

Por otra parte, en cuanto a la alegación relativa a la supuesta infracción del artículo 1º transitorio, de la ley Nº 19.280, cabe recordar que el artículo 12 de esa normativa, establece los requisitos académicos exigibles para el ingreso y la promoción en cargos de las plantas de personal de las municipalidades, detallando en su número 4, los correspondientes a la planta de técnicos.

Pues bien, el inciso primero del citado artículo 1º transitorio de la ley Nº 19.280, establece —en lo que interesa— que sin perjuicio de los requisitos establecidos en el artículo 12, para el ascenso del personal en servicio a la fecha de dictación de esa norma en las plantas de directivos, de jefaturas, de técnicos, de administrativos y de auxiliares, será exigible, alternativamente a lo señalado en el artículo antes mencionado, el requisito de haber desempeñado, a lo menos, diez años, cargos de planta en la municipalidad.

Agrega su inciso segundo que, en todo caso, los funcionarios que hayan ingresado a las respectivas plantas cumpliendo los requisitos exigidos al momento de su nombramiento, mantendrán su derecho al ascenso.

*En el enunciado marco normativo, la **reiterada jurisprudencia administrativa de este Ente de Control contenida, entre otros, en los dictámenes Nºs. 35.501, de 2002, y 65.933, de 2010, ha concluido que la protección especial que consagra la disposición legal antes transcrita, se refiere exclusivamente a los requisitos genéricos que contempla el artículo 12 de la mencionada ley Nº 19.280, sin que puedan entenderse comprendidos en ellos los requisitos específicos que establecieron los diversos decretos con fuerza de ley que fijaron las plantas de personal de los respectivos munici-pios».** (**ID Dictamen: 073804N12 Fecha:** 27.11.2012 **Destinatarios:** Blanca Navarrete Apiolaza y otro. **Texto:** Desestima reclamo sobre derecho a ascenso de funcionarios municipales que indica, por no cumplir los requisitos específicos previstos para los cargos vacantes de que se trata. **Acción:** Aplica dictámenes 55094/2007, 35501/2002, 65933/2010)

14. *«Al respecto, es útil recordar que **el derecho al ascenso es un elemento fundamental de la carrera funcionaria, la que se encuentra garantizada en el artículo 38 de la Constitución Política de la República, y en el artículo 42 de la ley Nº 18.695, Orgánica Constitucional de Municipalidades.***

En armonía con los preceptos aludidos, el artículo 13 de la ley Nº 18.883, Estatuto Administrativo para Funcionarios Municipales, previene que la provisión de los cargos municipales se efectuará por el alcalde mediante nombramiento o ascenso. Agrega el inciso segundo que cuando no sea posible aplicar el ascenso en los cargos de planta, procederá aplicar las normas sobre nombramiento.

Por su parte, el artículo 51 del mismo texto estatutario dispone que las promociones se efectuarán por ascenso o excep-cionalmente por concurso, en tanto que el artículo 52, prevé que el ascenso es el derecho de un funcionario de acceder a un cargo vacante de grado superior en la línea jerárquica de la respectiva planta, sujetándose estrictamente al escala-fón, sin perjuicio de lo dispuesto en el artículo 54.

*Como puede advertirse de las disposiciones reseñadas, **el ascenso es la forma normal de provisión de los empleos de carrera, en cuya virtud el servidor que se encuentra en el lugar preferente de la correspondiente planta, tiene derecho a ascender al cargo de grado superior que se halle vacante, siempre que cumpla los requisitos legales y no le afecte alguna causal de inhabilidad para ocuparlo,** prerrogativa que asiste sucesivamente a los funcionarios que le siguen en el respectivo estamento (aplica criterio contenido en el dictamen Nº 4.381, de 2002, de este origen).*

Así entonces, y solo ante la imposibilidad de proveer una determinada plaza mediante la vía del ascenso —por no existir funcionarios que reúnan las exigencias antes indicadas—, será pertinente efectuar un llamado a concurso para tal efecto, por cuanto la vacancia de ese cargo no puede permanecer indefinidamente a la espera de la eventualidad que, en una data posterior, alguno de los trabajadores del servicio de que se trate, reúna tales requisitos, toda vez que ello atentaría contra los principios de continuidad de la función pública, eficiencia y carrera funcionaria.

En este orden de ideas, cabe referirse entonces, a la imposibilidad a la que alude esa corporación edilicia, de aplicar el mecanismo normal de promociones expuesto anteriormente, en el caso de la señora Echeverría Faccin, atendida su renuncia al ascenso al grado 7 E.M.S. de la planta de directivos, que presentara en su oportunidad.

*Al respecto, cumple con precisar que el derecho al **ascenso previsto en el artículo 52 de la ley Nº 18.883, de acuerdo con la norma general contenida en el artículo 12 del Código Civil, es esencialmente renunciable,** toda vez que está establecido únicamente a favor de la persona beneficiada con la promoción, es decir, sólo mira el interés individual del renunciante y su renuncia no se encuentra prohibida por norma legal alguna (aplica dictamen Nº 10.438, de 2002, de este Organismo Fiscalizador).*

En este contexto, resulta dable señalar que la circunstancia de haber renunciado la citada funcionaria al ascenso corres-pondiente al grado 7 E.M.S. de la planta de directivos, no fue más que el ejercicio de una prerrogativa que la misma ley le confiere, y como tal, no puede constituir una inhabilidad para ser promovida en situaciones sucesivas, por cuanto, por una parte, el ascenso es un elemento de la carrera funcionaria garantizada en todo el ordenamiento jurídico; y, por la otra, la referida renuncia no se encuentra contemplada dentro de las inhabilidades para ascender que prevé el artículo 53 de la ley Nº 18.883.

En consecuencia entonces, y en la oportunidad de realizada la consulta de que se trata, no procedía la convocatoria a concurso público para proveer el cargo de Secretario Municipal de esa entidad edilicia, grado 6 E.M.S. de la planta de directivos, habida cuenta que si bien la plaza grado 7 E.M.S. del mismo escalafón, se encontraba vacante, existía una funcionaria en el grado 8 E.M.S. que reunía los requisitos para ser ascendida a dicho empleo. Sin perjuicio de ello y, en el evento de ser efectivo el cese de funciones de la señora Echeverría Faccin —lo que no consta a esta data—, corresponderá convocar el pertinente certamen a fin de proveer el antes citado cargo grado 6 E.M.S.

Lo anterior, por cuanto si bien el ascenso rige a contar de la fecha de vacancia del empleo de que se trata, de acuerdo **con el artículo 57 de la ley Nº 18.883, el mismo constituye un medio de provisión de las plazas municipales que solo favorece a quienes conserven la calidad de funcionarios en servicio activo a la época de emisión del acto en cuya virtud se ordene la promoción (aplica dictamen Nº 6.898, de 2011, de este origen)».** **(ID Dictamen: 068409N12 Fecha:** 31.10.2012. **Destinatarios:** Alcalde de la Municipalidad de Buin. **Texto:** Procede el ascenso de funcionaria municipal en la situación que indica, en tanto se encuentre en servicios, y compete a la autoridad alcaldicia investigar los hechos constitutivos de acoso laboral. **Acción:** Aplica dictámenes 42127/2009, 34820/2011, 21645/2012, 4381/2002, 10438/2002, 6898/2011, 15700/2012)

15. *«A su turno,* **el inciso primero del mencionado artículo 54,** *regula una modalidad particular de ascenso, mediante la cual un funcionario tiene derecho a ser promovido a un cargo de otra planta, gozando de preferencia respecto de los servidores de ésta, en la medida que, primero, se encuentre en el tope de la planta a que pertenece; a continuación, reúna los requisitos para ocupar el empleo de que se trata; y, por último, tenga un mayor puntaje en el escalafón que los funcionarios de la planta que pretende ingresar,* **requisitos que deben concurrir en forma copulativa (aplica dictamen Nº 75.919, de 2010).**

Pues bien, de los antecedentes tenidos a la vista consta, tal como indicara el municipio, que el funcionario promovido, servía el cargo en un grado inmediatamente inferior al de la vacante —grado 12 E.M.S. de la planta de jefaturas—, y estaba calificado con la máxima puntuación —70 puntos—, al igual que la recurrente, advirtiéndose con ello, que esta última no cumple con el requisito copulativo de tener un mayor puntaje en el escalafón que aquellos de la planta a la cual accede, por lo que su petición debe ser desestimada». **(ID Dictamen: 059120N12 Fecha:** 26.09.2012 **Destinatarios:** Marcela Meza Toro **Texto:** Rechaza reclamo sobre ascenso a cargo de la planta de jefaturas que indica. **Acción:** Aplica dictamen 75919/2010)

16. *«Ahora bien, de la normativa expuesta y conforme a lo manifestado por* **la jurisprudencia administrativa de este origen, contenida, entre otros, en los dictámenes Nºs. 46.761, de 1998; y 5.835, de 2005, ante la vacancia de un cargo en el escalafón genérico profesional, corresponde a la autoridad determinar, sujetándose estrictamente al orden del escalafón, quien tiene mejor derecho para ascender considerando a todos los empleados que puedan ser promovidos por encontrarse ubicados en el grado inmediatamente inferior a aquél que ha generado la vacante, sean éstos del escalafón de especialidad o genérico, dado que lo contrario importaría una discriminación arbitraria respecto de los servidores que cumplen funciones en este último.**

En consecuencia, en la especie, ante la vacancia del cargo grado 5, del escalafón profesional genérico de la Municipalidad de Lo Espejo, podrán ascender aquellos profesionales que, reuniendo las demás exigencias legales, tengan asignado un grado 6, sea en el escalafón genérico o en el de especialidad, determinándose a quien le corresponde la promoción, acorde lo manifestado anteriormente». **(ID Dictamen: 050433N12 Fecha:** 17.08.2012 **Destinatarios:** Alcalde de la Municipalidad de Lo Espejo. **Texto:** Sobre ascenso a cargo del escalafón profesional genérico de la planta de personal de la Municipalidad de Lo Espejo. **Acción:** aplica dictámenes 46761/98, 5835/2005)

17. *«En este contexto,* **la jurisprudencia administrativa de este origen, contenida, entre otros, en el dictamen Nº 31.614, de 2011, ha señalado que si bien el ascenso rige a contar de la fecha de vacancia del empleo de que se trate, de acuerdo al artículo 57, de la citada ley, la época en que este se materializa es un acto discrecional de la autoridad llamada a disponerlo, dado que la preceptiva estatutaria no ha fijado plazo dentro del cual deban ordenarse las promociones,** *por lo que debe desestimarse la petición de la recurrente en ese sentido.*

Sin perjuicio de lo expuesto, resulta oportuno hacer presente a la superioridad acerca de la necesidad de que provea los cargos vacantes en dicha institución, empleando la modalidad de promoción que corresponda, considerando que, tal como ha concluido el dictamen No 27.151, de 2012, entre otros, de este origen, la carrera funcionaria, reconocida en el artículo 38 de la Constitución Política y en el artículo 5º, letra e), de la anotada ley Nº 18.883, es un derecho fundamental de los empleados de la Administración, en especial a través del sistema de promociones, siendo un deber de los servicios públicos promover su materialización efectiva». (**ID Dictamen: 039032N12 Fecha:** 29.06.2012 **Destinatarios:** Alcalde de la Municipalidad de Cerro Navia. **Texto:** Sobre oportunidad en que deben materializarse los ascensos y plazo para reclamar de escalafón municipal. **Acción:** aplica dictámenes 31614/2011, 27151/2012)

18. «*Pues bien, en la especie, la peticionaria se ubicaba en el grado 14 de su planta, y no en el grado tope de ella, ocupado por un funcionario a quien no resultaba factible ascender en la situación en comento, por tener un grado 12 —superior al que se debía proveer—, por lo que no pudo tener lugar lo dispuesto en el inciso segundo del citado artículo 54 de la ley Nº 18.883 (aplica criterio contenido en los dictámenes Nºs. 25.207, de 2002 y 13.683, de 2010).*

Además, es necesario expresar que, aun en el evento que la solicitante hubiere podido postular al ascenso —si hubiese estado en el tope, como se indicó—, no podía ascender al cargo grado 13 de la planta de técnicos, ya que en esta última se ubicaba otra funcionaria en el grado 14, cuyo puntaje en el escalafón respectivo era superior al de la recurrente, situación fáctica que admite la propia peticionaria en su presentación de 3 de noviembre de 2011 —referencia Nº 189.895, de esa anualidad—. Es dable agregar que el decreto alcaldicio que promueve a la funcionaria que indica la recurrente, Nº 1.935, de 2011, fue registrado por la aludida Oficina Regional de Control, el 21 de marzo del año en curso.

Efectuadas estas precisiones, y en relación a lo expresado por la ocurrente, en orden a que la servidora que fue promovida al cargo que ella pretendía, no debió ser encasillada —en el año 1994—, en la planta de técnicos, ya que a esa data no contaba con un año en el desempeño del cargo, es dable manifestar, que en relación al pertinente encasillamiento, efectuado a través del decreto municipal Nº 647, de 1994, la misma peticionaria efectuó un reclamo ante la Contraloría Regional respectiva, el que fue atendido a través del oficio Nº 5.673, de esa misma anualidad, concluyéndose, en síntesis, que el referido acto se había ajustado a la normativa vigente.

*Por lo demás, es pertinente añadir que, **conforme a los principios generales del derecho, relativos a la seguridad de las relaciones jurídicas, el grado con que se desempeñó en forma continuada la funcionaria seleccionada, a partir del año 1994, configuraron en su favor una situación jurídica concreta que a la fecha de su ascenso actual —en el año 2011—, se encontraba consolidada, por lo que no resulta procedente controvertirla, como pretende la recurrente (aplica criterio contenido en los dictámenes Nºs. 7.880, de 2002, y 10.015, de 2011). (...)***

*Por consiguiente, se complementa el referido oficio Nº 11.045, de la mencionada Sede Regional, en el sentido que **la recurrente carecía del derecho a ascender por no encontrarse en el tope de la planta respectiva** y, en definitiva, se desestima la solicitud de la peticionaria».* (**ID Dictamen: 036863N12 Fecha:** 20.06.2012 **Destinatarios:** Gladys Ulloa Contreras. **Texto:** Desestima solicitud de reconsideración de oficio que se pronunció sobre reclamo relativo a ascenso por no encontrarse la peticionaria al tope de la planta respectiva. **Acción:** Aplica dictámenes 25207/2002, 13683/2010, 7880/2002, 10015/2011)[182]

19. «*Por su parte, este **Organismo Contralor en los dictámenes Nºs. 22.725, de 2001 y 51.270, de 2009, ha precisado que para que opere la modalidad especial de promoción regulada por el mencionado artículo 54, no es suficiente que se cumplan los requisitos del respectivo cargo (...), sino que, además, es menester que se den los demás supuestos que, en forma copulativa, establece la misma norma**, vale decir, que el funcionario se encuentre en el tope de su planta —exigencia que concurriría respecto del interesado— y tenga un mayor puntaje en el escalafón que los servidores de la planta a la que pretende ingresar, condición esta última que supone un ejercicio de comparación con los empleados de dicha planta, con derecho a ascenso en la misma.*

*Así, es posible advertir que en la situación de la especie, no se cumple con el anotado tercer supuesto, establecido expresamente en el artículo 54 en análisis, **esto es, que el peticionario tenga un mayor puntaje en el escalafón que los servidores de la planta a la cual accede**, toda vez que esa condición supone un ejercicio de comparación con los empleados de dicha planta, de modo que en la eventualidad que no exista ningún empleo con quien comparar el puntaje —como sucede precisamente en el presente caso—, se incumple uno de los requisitos, resultando inaplicable la citada disposición (aplica dictamen Nº 48.811, de 2002).*

En efecto, en el decreto con fuerza de ley Nº 188-19.321, de 1994, del antiguo Ministerio del Interior, que adecua, modifica y establece la planta de personal de la Municipalidad de Lanco, se establece que el cargo directivo grado 10, al

---

[182]   Para efectos de su consulta en la Base de Jurisprudencia de Contraloría General de la República, el citado dictamen se encuentra en la sección/materia: «generales», sin perjuicio de que se trata de uno de carácter municipal.

*cual pretende ascender el interesado, es el último grado de la planta de directivos, por lo que no existen funcionarios con quienes efectuar la comparación de puntajes exigida, de modo que, respecto de esa plaza, resulta improcedente la figura jurídica de la promoción que se reclama y, por ende, **debe ser provista mediante concurso público**».* (ID Dictamen: **025458N12 Fecha:** 02.05.2012 **Destinatarios:** Julio Alvarado Alvial. **Texto:** Sobre improcedencia de promoción de funcionario municipal en virtud del artículo 54 de la ley 18883, por inexistencia de servidores con quienes efectuar comparación de puntajes. **Acción:** Aplica dictámenes 22725/2001, 51270/2009, 48811/2002. Mismo criterio aplicado en **ID Dictamen: 003267N12 Fecha:** 18.01.2012 **Destinatarios:** Agueda Olivares Ortega. **Texto:** Sobre exigencias para la procedencia de la promoción prevista en el artículo 54 de la ley Nº 18883. **Acción:** Aplica dictámenes 22725/2001, 51270/2009)

20. *«Al respecto, cabe tener presente, que el pronunciamiento de la citada Oficina Regional, ratificado por el oficio Nº 4.919, de 2011, del mismo origen, manifestó, acorde con lo señalado en los **dictámenes Nºs. 1.201, de 1995; 22.795, de 1996; y 60.983, de 2010**, de este Organismo Contralor, que atendido que el referido precepto legal exige que quien pretenda ascender debe tener mayor puntaje en el escalafón que los servidores de la planta a la que accede, y que en la especie, dicho cargo es el único de la planta profesional, no puede efectuarse la comparación de puntajes requerida, por tanto el mencionado empleo debe necesariamente proveerse a través de concurso público».* (ID Dictamen: **020474N12 Fecha:** 10.04.2012 **Destinatarios:** Álex Ricardi de la Guarda **Texto:** Sobre improcedencia de ascenso de funcionario municipal por no cumplir con requisitos del artículo 54 de la ley 18883. **Acción:** Aplica dictámenes 1201/95, 22795/96, 60983/2010)

21. *«Como se aprecia, los ascensos pueden efectuarse por dos vías, una, que constituye la regla general, de acuerdo con el citado artículo 52, la que tiene lugar dentro de una misma planta y, otra, que es **una modalidad excepcional, en virtud del referido artículo 54**, que permite ingresar a una planta distinta.*
*Conforme con lo anterior, **no se puede prescindir del artículo 54 si con su aplicación no se altera la línea jerárquica de cargos de la planta donde se produce la vacante** y, en definitiva, la carrera funcionaria, por cuanto este precepto constituye una norma especial que prefiere por sobre la general, cuya procedencia implica el cumplimiento de los requisitos establecidos para la plaza que se provee y los demás supuestos que, copulativamente, señala dicha disposición legal, esto es, que el funcionario se encuentre en el tope de su planta y tenga un puntaje mayor en el escalafón que los servidores de la planta a la cual accede, condición esta última que supone un ejercicio de comparación con los empleados de dicha planta, con derecho a ascenso en la misma (aplica dictámenes Nºs. 12.482, de 1999, y 36.947, de 2010).*
En la especie, el cargo vacante corresponde al grado 10 de la planta de Jefaturas, de la Municipalidad de Tomé, por lo que procede determinar cuál de los dos funcionarios que sirven el grado inmediatamente inferior, esto es, don Ricardo Ulloa Mora, de la misma planta y doña Rosa Rodríguez González, de la planta de Técnicos, podría acceder al mismo.
Ahora bien, de los antecedentes tenidos a la vista y en mérito de lo expuesto, resulta procedente aplicar la modalidad especial de promoción contenida en el artículo 54 en estudio y, por ende, ascender a la señora Rodríguez González, pues, primero, reúne los requisitos generales para ocupar el cargo grado 10 en la planta de Jefaturas; luego, se encuentra ubicada en el primer lugar de los cargos técnicos grado 11 —en el escalafón de mérito vigente a la época de vacancia del cargo al que pretende ingresar—, el que corresponde al grado tope de esa planta; y, por último, tiene en dicho escalafón un puntaje mayor que el funcionario de la planta a la cual se desea acceder, atendido que registra 70 puntos en su calificación y el señor Ulloa Mora posee 68 puntos». (ID Dictamen: **014104N12 Fecha:** 12.03.2012 **Destinatarios:** Ricardo Ulloa Mora y otro. **Texto:** Sobre modalidad especial de ascenso de personal municipal. **Acción:** aplica dictámenes 12482/99, 36947/2010)

22. *«Al respecto, este Organismo Contralor en los dictámenes Nºs. 22.725, de 2001, y 51.270, de 2009, ha precisado que para que opere la modalidad especial de ascenso regulada por el referido precepto legal, no solo es necesario que se cumplan los requisitos del respectivo cargo, sino que además es menester que se den los demás supuestos que, <u>en forma copulativa</u>, establece la misma norma, vale decir, que el funcionario se encuentre en el tope de su planta y tenga un mayor puntaje en el escalafón que los servidores de la planta a la que pretende ingresar, condición esta última que supone un ejercicio de comparación con los empleados de dicha planta, con derecho a ascenso en la misma.*
Pues bien, en el presente caso, consta que la recurrente, primero, cumple con el nivel académico para ocupar el empleo de la especie —en virtud de la norma protectora contenida en el artículo 1º transitorio de la ley Nº 19.280—; luego, se encuentra ubicada en el primer lugar de los cargos administrativos grado 12 —en el escalafón de mérito año 2010, vigente a la época de vacancia de la plaza a la que pretende ser promovida—, el que corresponde al grado tope de esa planta; sin embargo, no tiene un mayor puntaje en el escalafón que la señora María Duarte Piña, funcionaria de la

planta a la cual desea acceder, puesto que esta última posee 70 puntos, máximo considerado en el escalafón de mérito municipal.

En consecuencia, cumple esta Contraloría General con concluir, que la señora Olivares Ortega no tiene derecho a ser promovida al cargo jefatura grado 11 de la Municipalidad de La Pintana, en atención a que no cumple todos los requisitos exigidos para tal efecto en el artículo 54 de la ley Nº 18.883.

Finalmente, tampoco procede el ascenso de la peticionaria al empleo en comento, atendida su posterior vacancia, producida por la renuncia voluntaria al mismo presentada por la señora Duarte Piña, a contar del 1 de enero de 2011, según consta en el decreto Nº 2, de igual año, del referido municipio, dado que en dicha situación no es posible efectuar el ejercicio de comparación de puntajes requerido en el artículo 54 de la ley Nº 18.883, por cuanto los cargos de grado inferior de la planta de jefaturas se encontraban vacantes a dicha fecha, por lo que corresponde su provisión mediante concurso público, de acuerdo con lo ordenado en el artículo 15 de la ley Nº 18.883, como efectivamente aconteció». (**ID Dictamen: 003267N12 Fecha:** 18.01.2012 **Destinatarios:** Agueda Olivares Ortega. **Texto:** Sobre exigencias para la procedencia de la promoción prevista en el artículo 54 de la ley Nº 18883. **Acción:** Aplica dictámenes 22725/2001, 51270/2009. Mismo criterio aplicado en **ID Dictamen: 025458N12 Fecha:** 02.05.2012 **Destinatarios:** Julio Alvarado Alvial. **Texto:** Sobre improcedencia de promoción de funcionario municipal en virtud del artículo 54 de la ley 18883, por inexistencia de servidores con quienes efectuar comparación de puntajes. **Acción:** Aplica dictámenes 22725/2001, 51270/2009, 48811/2002)

Artículo 55

Los funcionarios, al llegar al grado inmediatamente inferior al inicio de otra planta en que existan cargos de ingreso vacantes, gozarán de preferencia para el nombramiento, en caso de igualdad de condiciones, en el respectivo concurso.

1. *«Sobre el particular, cabe señalar que el citado artículo 55 de la ley Nº 18.883, establece que "Los funcionarios, al llegar al grado inmediatamente inferior al inicio de otra planta en que existan cargos de ingreso vacantes, gozarán de preferencia para el nombramiento, en caso de igualdad de condiciones, en el respectivo concurso". Al respecto, es menester reiterar lo manifestado por el pronunciamiento cuya reconsideración se requiere, en lo relativo a que el término "igualdad de condiciones" debe entenderse como equivalente a "igualdad de puntajes", ya que a través de los concursos se selecciona a las personas que serán nombradas en los cargos vacantes, selección que debe determinarse en base a los más altos puntajes asignados por la Comisión a los antecedentes presentados por los interesados, y no con el solo hecho de integrar la terna de postulantes propuestos a la autoridad superior del municipio (aplica dictamen Nº 70.508, de 2009). En este contexto, en cuanto a la alegación del municipio relativa a que se vulneraría la facultad para designar libremente a cualquier postulante de la terna, debe indicarse que el anotado artículo 55 constituye una norma de excepción a lo dispuesto en el artículo 20 de la ley Nº 18.883, que resulta aplicable a los casos en que se den los supuestos requeridos para su procedencia, hipótesis en la que la autoridad municipal está obligada a nombrar al funcionario de que se trate, por expresa disposición del anotado precepto (aplica criterio contenido en el dictamen Nº 45.251, de 2008)».* (**ID Dictamen:** 030800N16. **Fecha:** 25-04-2016. **Destinatarios:** Alcalde de la Municipalidad de Villarrica. **Texto:** Desestima solicitud de reconsideración del oficio Nº 6.547, de 2015, de la Contraloría Regional de la Araucanía, en atención a que no se aportan nuevos antecedentes que permitan alterar el criterio contenido en dicho pronunciamiento. **Acción:** Aplica dictámenes 70508/2009, 45251/2008).

2. *«Como puede advertirse, lo dispuesto en el anotado artículo 55 constituye una excepción a lo previsto en el artículo 20 del mismo texto legal —que faculta al alcalde para designar al postulante que estime más idóneo de la terna propuesta por la comisión—, hipótesis en la que la autoridad municipal está obligada a nombrar al funcionario de que se trate. Cabe señalar, que de la sola lectura del precitado artículo 55, resulta evidente la intención del legislador de privilegiar al empleado que se encuentra en el tope de una planta inferior a aquella en que se contempla el cargo vacante concursado, obligando al alcalde a designarlo cuando esté en igualdad de condiciones con otro u otros postulantes.*
Ahora bien, tal disposición resulta aplicable también en el caso en que el servidor de que se trata obtenga un puntaje superior al resto de sus oponentes, pues, en tal situación, se encontrará cumpliendo en exceso las exigencias mínimas que la normativa prevé al efecto (aplica criterio contenido en el dictamen Nº 45.251, de 2008)». (**ID Dictamen:** 047346N16. **Fecha:** 24-06-2016. **Destinatarios:** señor Waldo González Sanhueza, funcionario de la Municipalidad de Lonquimay. **Tex-

to: Funcionarios que al llegar al grado inmediatamente inferior al inicio de otra planta en que existan empleos de ingreso vacantes, gozarán de preferencia para el nombramiento, en caso de obtener el puntaje más alto en el correspondiente certamen. **Acción:** Aplica dictámenes 45251/2008, 30800/2016).

1. «*Por lo demás, cabe anotar que la individualizada servidora se encontraba ubicada en el lugar preferente del escalafón vigente el año en que se produjo la vacante, cumplía el requisito específico para acceder a dicho cargo, (...) y, además, no le afectaba alguna inhabilidad para ascender, de modo que le asistía el derecho a ser ascendida a esa plaza, según la preceptiva contenida en los artículos 51 a 57 del mismo texto legal*». (**ID Dictamen: 032545N11 Fecha:** 23.05.2011 **Destinatarios:** Magaly Muñoz Rocha. **Texto:** Sobre desestimación de reclamo sobre derecho a ascenso a cargo municipal)[183]

2. «*Lo anterior, por cuanto, la circunstancia que dos oponentes de la terna empaten en puntaje, no puede otorgarle preeminencia a quien reviste la calidad de funcionario*, aun cuando como sostiene el peticionario, ello se hubiere incorporado en las bases —lo que no consta ya que el municipio no remitió dicho antecedente—, salvo que aquél cumpla todos los supuestos previstos en el *artículo 55*, puesto que lo contrario *implicaría privar, por la vía administrativa, al alcalde de una facultad discrecional que le ha sido conferida por la propia ley*». (**ID Dictamen: 014343N11 Fecha:** 08.03.2011 **Destinatarios:** Alcalde de la Municipalidad de San Ramón. **Texto:** Sobre preferencia para ser nombrado en concurso regido por la ley 18883).

3. «(...) *en la especie, no correspondía emplear la norma contenida en el artículo 55 de la ley Nº 18.883, sobre Estatuto Administrativo para Funcionarios Municipales*, resultando aplicable la norma general contemplada en el artículo 20 de la citada ley, que faculta al alcalde para designar a cualquiera de los postulantes que integre la lista de los tres más altos puntajes». (**ID Dictamen: 015671N12 Fecha:** 16.03.2012 **Destinatarios:** Pedro Figueroa Castro. **Texto:** Desestima solicitud de reconsideración de oficio 8759/2011, de la Contraloría Regional del Maule, que desestimó reclamo de ilegalidad en contra del decreto 1825/2010, que designó a ganador del concurso convocado para proveer el cargo grado 8 de la planta directiva de la Municipalidad de Curicó)

Artículo 56

Para hacer efectivo el derecho que establece el artículo precedente, los funcionarios deberán reunir los requisitos del cargo vacante a que se postula y no estar sujetos a las inhabilidades contempladas en el artículo 53.

1. «*Agrega el artículo 56 del aludido cuerpo normativo, que para hacer efectivo el derecho establecido en el artículo precedente, los funcionarios deberán reunir los requisitos del cargo vacante a que se postula y no estar sujetos a las inhabilidades contempladas en el artículo 53.*
Así, por lo demás, lo ha señalado la jurisprudencia administrativa de esta Entidad de Control contenida en el dictamen Nº 30.800, de 2016, al concluir que goza de la referida preferencia, el funcionario que, encontrándose en el grado inmediatamente inferior al inicio de la planta del cargo concursado, integra la correspondiente terna con un puntaje mayor que los restantes oponentes, por cuanto no se advierte fundamento alguno para excluirle del indicado beneficio por la sola circunstancia de haber obtenido una mejor ponderación en el certamen y superado a los demás interesados». (**ID Dictamen: 047346N16. Fecha:** 24-06-2016. **Destinatarios:** señor Waldo González Sanhueza, funcionario de la Municipalidad de Lonquimay. **Texto:** Funcionarios que al llegar al grado inmediatamente inferior al inicio de otra planta en que existan empleos de ingreso vacantes, gozarán de preferencia para el nombramiento, en caso de obtener el puntaje más alto en el correspondiente certamen. **Acción:** Aplica dictámenes 45251/2008, 30800/2016).
«*Por lo demás, cabe anotar que la individualizada servidora se encontraba ubicada en el lugar preferente del escalafón vigente el año en que se produjo la vacante, cumplía el requisito específico para acceder a dicho cargo, consistente*

---

[183]   Para efectos de su consulta en la Base de Jurisprudencia de Contraloría General de la República, el citado dictamen se encuentra en la sección/materia: «generales», sin perjuicio de que se trata de uno de carácter municipal.

*en contar con título técnico de contador y, además, **no le afectaba alguna inhabilidad para ascender, de modo que le asistía el derecho a ser ascendida a esa plaza, según la preceptiva contenida en los artículos 51 a 57 del mismo texto legal».* (**ID Dictamen: 032545N11 Fecha:** 23.05.2011 **Destinatarios:** Magaly Muñoz Rocha. **Texto:** Sobre desestimación de reclamo sobre derecho a ascenso a cargo municipal)[184]

Artículo 57

El ascenso regirá a partir de la fecha en que se produzca la vacante.

1. *«Sobre el particular, el artículo 57 de la ley Nº 18.883, prevé que el ascenso rige a partir de la fecha en que se produce la vacante. Interpretando dicho precepto, esta Contraloría General ha concluido a través de los dictámenes Nºs. 18.868, de 2000, y 55.941, de 2013, entre otros, que cualquiera sea la oportunidad en que se materialice el ascenso —como mecanismo de provisión de empleos—, este se retrotrae al momento de producirse la vacante. En ese contexto, la Municipalidad de Hualpén al dictar el anotado decreto Nº 1.275, de 2015, regularizó la situación funcionaria del recurrente durante el período comprendido entre el 1 de mayo de 2010 y el 21 de noviembre de 2012, disponiendo su ascenso al grado 8 de la planta de jefaturas, cuyos efectos, conforme a lo previsto en el citado artículo 57 de la ley Nº 18.883, debieron retrotraerse a la fecha en que se produjo la respectiva vacante, por lo que correspondió reconocerle el derecho a percibir las remuneraciones equivalentes a esa plaza en el lapso antes señalado».* (**ID Dictamen:** 020520N16. **Fecha:** 15-03-2016. **Destinatarios:** señor Alberto Mülchi Gutiérrez, funcionario de la Municipalidad de Hualpén. **Texto:** Funcionario municipal tiene derecho a impetrar el pago de las diferencias remuneracionales durante el período que indica, a contar de la data en que se ordenó su ascenso. **Acción:** Aplica dictámenes 18868/2000, 55941/2013).

2. *«Enseguida, acorde con lo establecido en el artículo 57 de la Ley 18.883, el ascenso rige a partir de la fecha en que se produce la vacante, lo cual implica que el funcionario que pretende ser promovido debe, a esa data, cumplir con los requisitos para ese efecto y no encontrarse afecto a alguna de las inhabilidades que contempla el artículo 53 del mismo texto estatutario (aplica criterio de dictamen Nº 47.511 de 2001)».* (**ID Dictamen:** 035543N16. **Fecha:** 13-05-2016. **Destinatarios:** v. **Texto:** Procede el ascenso de funcionaria que indica a cargo directivo grado 8. **Acción:** aplica dictámenes 4381/2002, 47511/2001, 14104/2012, 5168/2015).

3. *«A su vez, el artículo 57 del mencionado cuerpo estatutario señala que el ascenso regirá a partir de la fecha en que se produzca la vacante. De este modo, cualquiera sea la época en que el ascenso se decrete, sus efectos —entre los que se encuentra el pago de las correspondientes remuneraciones—, se retrotraen al día en que se generó la vacancia del cargo (aplica criterio contenido en el dictamen Nº 51.140, de 2011)».* (**ID Dictamen:** 037349N16. **Fecha:** 19-05-2016. **Destinatarios:** señora Ingeborg Chacón Morales, funcionaria de la Municipalidad de Cerrillos. **Texto:** Los efectos de los ascensos se retrotraen al día en que se generó la vacancia del cargo, siendo uno de aquellos el aumento de las remuneraciones del funcionario promovido, lo que implica una modificación en la base de cálculo de la asignación prevista en la ley Nº 19.803. **Acción:** Aplica dictámenes 51140/2011, 18329/2016).

1. *«Sobre el particular, cumple con manifestar que, a esta data, la situación planteada por el recurrente se encuentra superada, toda vez que con fecha 26 de septiembre de 2011, fueron subsanadas las observaciones que esta Entidad Fiscalizadora había formulado a dicho decreto, por lo que corresponde que la Municipalidad de Santiago, **de conformidad con lo establecido en el artículo 57 de la ley Nº 18.883, sobre Estatuto Administrativo para Funcionarios Municipales, pague al señor Reveco Otazo los emolumentos propios del cargo al que fue promovido, a contar de la fecha de su vacancia,** (...)».* (**ID Dictamen: 079685N11 Fecha:** 22.12.2011 **Destinatarios:** Alcalde de la Municipalidad de Santiago. **Texto:** Corresponde que municipio pague a funcionario los emolumentos propios del cargo al que fue ascendido, a contar de la fecha de la vacancia. **Acción:** Aplica dictamen 4824/2009).

---

[184] Para efectos de su consulta en la Base de Jurisprudencia de Contraloría General de la República, el citado dictamen se encuentra en la sección/materia: «generales», sin perjuicio de que se trata de uno de carácter municipal.

2. *«Como puede advertirse de la normativa legal citada, la fecha en la que debe determinarse, tanto si un funcionario reúne los requisitos para ascender como si está o no afecto a causales de inhabilidad, es aquélla en que se produce la vacante, puesto que a partir de ésta se entiende que el ascenso comienza a regir (aplica criterio contenido en el dictamen Nº 51.140, de 2011)».* (**ID Dictamen: 077465N11 Fecha:** 12.12.2011 **Destinatarios:** Alcalde de la Municipalidad de La Florida. **Texto:** Acoge solicitud de reconsideración de oficio Nº 13099, de 2011, relativo a inhabilidad para ascender por aplicación de una medida disciplinaria, resolviendo que corresponde el ascenso del recurrente a partir de la fecha que indica, debiendo el municipio de La Florida adoptar las medidas que sean necesarias para regularizar su situación. **Acción:** Aplica dictámenes 51140/2011, 44837/2011, 56880/2011, 60677/2011 Reconsidera dictamen 13099/2011)

3. *«En este punto, es preciso indicar que de conformidad con el artículo 57 de la ley Nº 18.883, el ascenso rige a contar de la fecha en que se produzca la vacante, de manera que por aplicación de una ficción legal, cualquiera sea la oportunidad en que se disponga la promoción, sus efectos deben retrotraerse al momento de la vacancia del empleo de que se trate, tal como se precisó en los dictámenes Nos 36.102 y 48.442, ambos de 2006, de este origen».* (**ID Dictamen: 073233N11 Fecha:** 24.11.2011 **Destinatarios:** Alcalde de la Municipalidad de Santiago. **Texto:** Municipalidad debe gestionar los recursos para pagar la bonificación de la ley 20387, a que el peticionario tiene derecho, y acreditar el pago de las diferencias de remuneraciones que le corresponden en razón de ascenso, debiendo para ello solicitar la transferencia de los recursos correspondientes, cuando sean insuficientes. **Acción:** Aplica dictámenes 36102/2006, 48442/2006, 22715/2011)

4. *«A su turno, el artículo 57 del referido cuerpo estatutario, ordena que el ascenso regirá a partir de la fecha en que se produzca la vacante, de manera que, como lo ha precisado este Ente Fiscalizador por los dictámenes Nºs. 70.202, de 2009, y 31.738, de 2010, cualquiera sea la época en que aquel se decrete, sus efectos se retrotraen al día en que se generó la vacancia del cargo, lo que implica que el escalafón a considerar para determinar cuál funcionario ocupa el lugar preferente para ascender, es aquel vigente, a la data en que se originó la vacante que se trata de proveer mediante la promoción. (...)*
De este modo, por ende, la vacancia correspondiente se produjo el 31 de diciembre de 2010, por lo que para los fines del ascenso pertinente debe tenerse en consideración el escalafón vigente para este último año, elaborado con el resultado de las calificaciones del período comprendido entre el 1 de septiembre de 2008 y el 31 de agosto de 2009, según lo dispone el artículo 34 de la ley Nº 18.883». (**ID Dictamen: 051140N11[185] Fecha:** 12.08.2011 **Destinatarios:** Alcaldesa de la Municipalidad de Pedro Aguirre Cerda. **Texto:** Registra decreto 453/2011, de la Municipalidad de Pedro Aguirre Cerda, a través del cual se asciende a profesional que indica y atiende reclamo de ilegalidad. **Acción:** Aplica dictámenes 70202/2009, 31738/2010, 28426/85, 3458/2001. Mismo criterio aplicado en **ID Dictamen: 050594N11 Fecha:** 10.08.2011 **Destinatarios:** Alcalde de la Municipalidad de La Cisterna. **Texto:** Para efectos de ascenso el escalafón aplicable es aquel vigente a la época de producirse la vacante a proveer. **Acción:** Aplica dictámenes 70202/2009, 31738/2010, 28426/85, 3458/2001)

5. *«Por lo demás, cabe anotar que la individualizada servidora se encontraba ubicada en el lugar preferente del escalafón vigente el año en que se produjo la vacante, cumplía el requisito específico para acceder a dicho cargo, consistente en contar con título técnico de contador y, además, no le afectaba alguna inhabilidad para ascender, de modo que le asistía el **derecho a ser ascendida a esa plaza, según lo preceptiva contenida en los artículos 51 a 57 del mismo texto legal.***
Por último, cabe aclarar que las promociones comunicadas por la municipalidad en el mes de febrero de 2011, corresponden a aquellas dispuestas por el municipio con ocasión de la confección del escalafón correspondiente al año 2010, y se refieren a cargos cuyas vacancias se produjeron como consecuencia del ascenso a que se ha hecho referencia en el párrafo anterior y que, además, resultan de inferior jerarquía al que ostenta la recurrente». (**ID Dictamen: 032545N11 Fecha:** 23.05.2011 **Destinatarios:** Magaly Muñoz Rocha. **Texto:** Sobre desestimación de reclamo sobre derecho a ascenso a cargo municipal)[186]

---

[185] Para efectos de su consulta en la Base de Jurisprudencia de Contraloría General de la República, el citado dictamen se encuentra en la sección/materia: «generales», sin perjuicio de que se trata de uno de carácter municipal.

[186] Para efectos de su consulta en la Base de Jurisprudencia de Contraloría General de la República, el citado dictamen se encuentra en la sección/materia: «generales», sin perjuicio de que se trata de uno de carácter municipal.

6. «En el contexto normativo anotado, **este Organismo Contralor mediante el dictamen Nº 46.634, de 2007, ha precisado que si bien el ascenso rige a contar de la fecha de vacancia del empleo de que se trate, de acuerdo con la disposición legal citada, la época en que se materializa es un acto discrecional de la autoridad llamada a disponerlo, dado que la preceptiva estatutaria no ha fijado un plazo dentro del cual deban ordenarse las promociones**». (ID Dictamen: 031614N11 Fecha: 18.05.2011 **Destinatarios:** Pedro Valdés Sazo, Presidente de la Asociación de Funcionarios de la Municipalidad de Peñalolén. **Texto:** Se pronuncia sobre improcedencia de exigir ascensos del personal regido por ley 18883, por cumplimiento de determinados plazos. **Acción:** Aplica dictamen 46634/2007)

7. «Como puede advertirse del tenor de las disposiciones anotadas, la **ubicación preferente en el escalafón es la que fija el servidor favorecido con el ascenso, ubicación que, a su vez, está determinada por el resultado de las calificaciones, de modo que sólo procede recurrir a la antigüedad para establecer el lugar de los funcionarios en dicho ordenamiento del personal, en el orden de precedencia indicado, en la eventualidad que exista igualdad en los puntajes**.
Pues bien, el empleo cuya provisión se reclama, es el cargo profesional grado 6, vacante a contar de 1 de julio de 2010, por la renuncia voluntaria de doña Silvia García Garay, de manera que para tal efecto —según lo dispuesto en el artículo 57, de la ley Nº 18.883, que ordena que el ascenso regirá a partir de la fecha en que se produzca la vacante—, procede tener en consideración el escalafón vigente para ese año, elaborado con el resultado de las calificaciones del período comprendido entre el 1 de septiembre de 2008 y el 31 de agosto de 2009, en el cual el señor Marcelo Madrid Díaz se ubica en el lugar preferente con un puntaje de setenta puntos, a diferencia de lo que ocurre con el peticionario, que posee sesenta y nueve puntos, por lo que el primero goza de preferencia en el ascenso de que se trata, respecto del segundo». (**ID Dictamen: 031319N11 Fecha:** 17.05.2011 **Destinatarios:** Rodrigo Barros Mc Intosh. **Texto**: Sobre ubicación en el escalafón para efectos del derecho a ascenso de funcionario de la Municipalidad de Recoleta)

8. «En efecto, de los antecedentes tenidos a la vista, y particularmente, del escalafón de mérito y antigüedad correspondiente al año 2010 —que es el que, de conformidad con lo prevenido en el artículo 57 de la ley Nº 18.883 ha de considerarse, atendido que la plaza pretendida quedó vacante a contar del 1 de marzo de esa anualidad—, se desprende que el interesado, por una parte, no estaba ubicado en el primer lugar de los cargos grado 10 E.M.S. de la planta de técnicos, toda vez que a esa data, quien se encontraba en el tope de la misma era la señora Sonnia Valenzuela Rovere; y, por la otra, que no tenía un mayor puntaje en el escalafón que los servidores de la planta a la que aspira ingresar, por cuanto a esa fecha, el único cargo grado 10 E.M.S., de la planta de jefaturas, que contempla el artículo 3º del decreto con fuerza de ley Nº 39-19.280, de 1994, del antiguo Ministerio del Interior, que Adecua, Modifica y Establece la Planta de Personal de la Municipalidad de La Reina, se hallaba vacante, de modo que no resulta posible realizar el ejercicio de comparación que presupone el artículo 54 de la ley Nº 18.883.
En consecuencia, esta Contraloría General cumple con concluir que el señor Flores Burgos **no tiene derecho a ser promovido** al cargo grado 9 E.M.S. de la planta de jefaturas, de ese municipio, **en atención a que no cumple todos los requisitos exigidos para tal efecto en el aludido artículo 54 de la ley Nº 18.883**, (...)». (**ID Dictamen: 078870N12 Fecha:** 19.12.2012 **Destinatarios:** José Manuel Flores Burgos. **Texto:** Funcionario no tiene derecho a ser promovido al cargo grado 9º E.M.S., de la planta de jefaturas de Municipalidad, por cuanto no cumple todos los requisitos exigidos para tal efecto, en ley 18883 art. 54. **Acción:** Aplica dictamen 3267/2012)

9. «Precisado lo anterior, y en lo que concierne a la reconsideración solicitada, es del caso indicar que, según lo dispuesto en el artículo 57, de la citada ley Nº 18.883, el derecho al ascenso rige a contar de la fecha de la vacante, de manera tal que la señora Céspedes Huerta debía cumplir los requisitos que establece esa ley para tal efecto, al 16 de noviembre de 2010.
A continuación, cabe agregar que de los antecedentes tenidos a la vista, consta que la funcionaria individualizada ingresó a la planta de la Municipalidad de Melipilla a partir del 28 de septiembre de 2004, fecha en que se dictó el decreto Nº 170, que la nombró titular en un cargo grado 11 de la planta técnica, posteriormente, en virtud de diversos ascensos, por decreto Nº 49, del 9 de marzo de 2010, llegó a ocupar la plaza grado 9 de la planta de jefaturas, para finalmente, luego de participar en un concurso público convocado para proveer, entre otros, el cargo grado 9 de la planta directiva, ser designada en dicho empleo, por el decreto Nº 45, de 1 de julio de 2011.
En este orden de ideas, puesto que a la época en que se generó la disponibilidad del cargo servido por la señora Carrasco Henríquez, la señora Céspedes Huerta no ocupaba el empleo inmediatamente inferior a aquel, **no era posible aplicar a su respecto la regla general de los ascensos prevista en el artículo 52, de la citada ley Nº 18.883, como tampoco la situación excepcional contemplada en el artículo 54 del mismo cuerpo estatutario, toda vez que al momento de producirse la vacante en comento no existían empleados con quienes realizar el ejercicio de comparación establecido en la aludida norma,** según se desprende del escalafón de mérito y antigüedad de esa corporación edilicia correspondiente

al año 2010 (aplica dictamen Nº 25.458, de 2012, de este origen)». (**ID Dictamen: 075320N12 Fecha:** 04.12.2012 **Destinatarios:** Alcalde de la Municipalidad de Melipilla. **Texto:** Desestima solicitud de reconsideración de dictamen de esta Contraloría General relativa a ascenso de funcionaria municipal. **Acción:** aplica dictámenes 15700/2012, 4824/2009, 14529/2010, 25458/2012, 51870/2009, 20718/2011)

10. *«Lo anterior, por cuanto si bien el ascenso rige a contar de la fecha de vacancia del empleo de que se trata, de acuerdo con el artículo 57 de la ley Nº 18.883, el mismo constituye un medio de provisión de las plazas municipales que solo favorece a quienes conserven la calidad de funcionarios en servicio activo a la época de emisión del acto en cuya virtud se ordene la promoción (aplica dictamen Nº 6.898, de 2011, de este origen)»*. (**ID Dictamen: 068409N12 Fecha:** 31.10.2012. **Destinatarios:** Alcalde de la Municipalidad de Buin. **Texto:** Procede el ascenso de funcionaria municipal en la situación que indica, en tanto se encuentre en servicios, y compete a la autoridad alcaldicia investigar los hechos constitutivos de acoso laboral. **Acción:** Aplica dictámenes 42127/2009, 34820/2011, 21645/2012, 4381/2002, 10438/2002, 6898/2011, 15700/2012)

11. *«En este contexto, la jurisprudencia administrativa de este origen, contenida, entre otros, en el dictamen Nº 31.614, de 2011, ha señalado que si bien el ascenso rige a contar de la fecha de vacancia del empleo de que se trate, de acuerdo al artículo 57, de la citada ley, la época en que este se materializa es un acto discrecional de la autoridad llamada a disponerlo, dado que la preceptiva estatutaria no ha fijado plazo dentro del cual deban ordenarse las promociones, por lo que debe desestimarse la petición de la recurrente en ese sentido.*
Sin perjuicio de lo expuesto, resulta oportuno hacer presente a la superioridad acerca de la necesidad de que provea los cargos vacantes en dicha institución, empleando la modalidad de promoción que corresponda, considerando que, tal como ha concluido el dictamen No 27.151, de 2012, entre otros, de este origen, la carrera funcionaria, reconocida en el artículo 38 de la Constitución Política y en el artículo 5º, letra e), de la anotada ley Nº 18.883, es un derecho fundamental de los empleados de la Administración, en especial a través del sistema de promociones, siendo un deber de los servicios públicos promover su materialización efectiva». (**ID Dictamen: 039032N12 Fecha:** 29.06.2012 **Destinatarios:** Alcalde de la Municipalidad de Cerro Navia. **Texto:** Sobre oportunidad en que deben materializarse los ascensos y plazo para reclamar de escalafón municipal. **Acción:** aplica dictámenes 31614/2011, 27151/2012)

Capítulo III
Conceptualizaciones básicas sobre derechos y obligaciones funcionarias

I. Derechos y obligaciones de los funcionarios

En esta parte, haremos una breve referencia a algunos aspectos doctrinarios sobre los derechos y obligaciones funcionarias.

De partida, de debemos recordar, tal como lo señalamos en el capítulo I de esta obra, entre el Estado y los funcionarios públicos, en nuestro sistema jurídico se genera un vínculo de carácter estatutario, donde son los respectivos cuerpos normativos los que se encargan de señalar cuales son los derechos y obligaciones de estos últimos, lo cual debe complementarse, evidentemente, con todo el campo de los derechos fundamentales, que, tal como señala el artículo 5º de la Carta Fundamental, estén reconocidos en la Constitución y en los tratados internacionales ratificados por Chile y que se encuentren vigentes.

La relación jurídica de empleado público que se plasma desde la formulación estatutaria conlleva la definición de un conjunto de derechos y obligaciones que corresponden al empleado público por el hecho de serlo. A partir de esta simple afirmación cabe indicar que, muy a menudo, se produce una cierta asimetría entre la regulación de los deberes —que tiende a ser parca en su definición— y el régimen disciplinario que no es sino el trasunto obligacional consecuencia, precisamente, del incumplimiento de aquellos. El régimen disciplinario se convierte así en el instrumento pasivo de definición positiva de los deberes de los funcionarios en tanto en cuanto al castigar determinadas conductas les impone la obligación positiva de no realizarlas.

En cuanto a los Derechos Fundamentales de las personas, también los denominados «Derechos Fundamentales Laborales», donde, así como la dignidad humana se alza como la base axiomática de los Derechos Fundamentales y aquellos que se insertan en el orden laboral no escapan al núcleo referido. El trabajo constituye el mecanismo a través del cual, el ser humano vincula su actividad con su pleno desarrollo material y espiritual (en términos similares se refiere nuestra Carta Fundamental al fin del Estado, promoción del bien común, en el artículo 1º inciso 4º).

En este orden de ideas y reafirmando la importancia del trabajo en la evolución integral de las personas, la Declaración Universal de Derechos Humanos, prescribe al respecto lo siguiente[187]:

1. Toda persona tiene derecho al trabajo, a la libre elección de su trabajo, a condiciones equitativas y satisfactorias de trabajo y a la protección contra el desempleo.

---

[187] Artículo 23 de la Declaración Universal de Derechos Humanos, adoptada y proclamada por la Asamblea General de las Naciones Unidas en su resolución 217 A (III), de 10 de diciembre de 1948.

2. Toda persona tiene derecho, sin discriminación alguna, a igual salario por trabajo igual.

3. Toda persona que trabaja tiene derecho a una remuneración equitativa y satisfactoria, que le asegure, así como a su familia, una existencia conforme a la dignidad humana y que será completada, en caso necesario, por cualesquiera otros medios de protección social.

4. Toda persona tiene derecho a fundar sindicatos y a sindicarse para la defensa de sus intereses.

Tanto la Declaración Universal de Derechos Humanos, como la Organización Internacional del Trabajo (OIT), han promovido los Derechos Fundamentales laborales, en el marco del «trabajo decente», institución que ha sido definida como: «Aquel trabajo productivo que se realiza en condiciones de libertad, equidad, seguridad y dignidad humana»[188].

La incorporación de la concepción del trabajo decente repercutió en el fomento del reconocimiento de los principios del Derecho Laboral y de los Derechos Fundamentales en el trabajo, como factores importantes para lograr el cumplimiento efectivo de todos los objetivos estratégicos de la OIT, y el impacto colectivo que esos principios y derechos tienen en la consecución de la justicia social en el contexto de la globalización[189].

Los Derechos Fundamentales laborales pueden ser conceptualizados como aquellos derechos básicos que aseguran el respeto de la dignidad humana en el ámbito de las relaciones de trabajo, sea en sentido estricto, es decir, aquellos derechos que emanan directamente de las relaciones laborales, sea en sentido amplio o no específico, es decir, aquellos Derechos Fundamentales que conserva el trabajador aún dentro de la empresa[190].

Es importante destacar que en el marco de los instrumentos internacionales gravitantes, un grupo selecto de derechos laborales han sido elevados al rango de fundamentales, dentro de los cuales cabe destacar los siguientes: el derecho a la libertad del trabajo, la prohibición de la esclavitud y de la servidumbre, la prohibición del trabajo forzoso, la prohibición de discriminación en materia de empleo, el derecho al trabajo, el derecho a la tutela de sus créditos bajo la circunstancia de quiebra del empleador, el derecho a la huelga y a la seguridad social, entre otros[191].

---

[188]   ORGANIZACIÓN INTERNACIONAL DEL TRABAJO. 2009. Conocer los Derechos Fundamentales en el Trabajo. 1ª Edición. Oficina Subregional para Centroamérica, Haití, Panamá y República Dominicana, pág. 7.

[189]   «Principios y Derechos Fundamentales en el Trabajo: del compromiso a la acción». Informe IV. Conferencia Internacional del Trabajo, 101ª reunión, 2012, pág. 8

[190]   Canessa Montejo, Miguel. 2008. «Los derechos humanos laborales. El núcleo duro de derechos (core rights) y el "ius cogens" laboral». Revista del Ministerio del Trabajo y Asuntos Sociales (72): pág. 111

[191]   «En el extenso corpus de derechos en el trabajo establecidos por las normas de la OIT, ésta y la comunidad internacional reconocen como principios y derechos fundamentales en el trabajo la libertad de asociación y la libertad sindical y el reconocimiento efectivo del derecho de negociación colectiva; la eliminación de todas las formas de trabajo forzoso u obligatorio; la abolición efectiva del trabajo infantil, y la eliminación de

II. Clasificación de los Derechos Fundamentales del trabajador

Los Derechos Fundamentales que tienen por titular al trabajador, admiten la siguiente clasificación[192]:

1. Derechos Fundamentales laborales, en sentido estricto

Son aquellos derechos a los cuales hemos venido haciendo alusión y que comprenden aquellos que emanan directamente de las relaciones laborales, como son la libertad de trabajo, el derecho a la no discriminación en materia laboral, entre otros.

2. Derechos Fundamentales del trabajador en base a la ciudadanía laboral

La institución de la ciudadanía laboral, se refieren, también, a los Derechos Fundamentales Laborales inespecíficos. Lo anterior porque los Derechos Fundamentales del trabajador dentro de la órbita de la ciudadanía laboral, han sido nomenclaturizados también como «inespecíficos» y han sido conceptualizados en los siguientes términos: «Son aquellos atribuidos al trabajador en su calidad de ciudadano, que han concedido al Derecho del Trabajo la posibilidad de garantizar al interior de las empresas un trato digno y acorde con un miembro de una sociedad democrática»[193].

La «ciudadanía laboral» se traduce en que los trabajadores gozan de la protección de los derechos que les corresponden como ciudadanos, aun dentro de la empresa.

Seguidamente, y entrando derechamente en el tema de los derechos de los funcionarios públicos, podemos señalar que ellos son titulares activos de derechos, en la medida en que ocupan la posición de poder dentro de la relación jurídica estatutaria, y sitúan a la Administración en la posición de deber, toda vez que ésta se obliga a abstenerse, bajo cualquier pretexto, de entorpecer el ejercicio de los referidos derechos.

En este orden de ideas, la doctrina sostenida por el profesor Rolando Pantoja Bauzá, ha distinguido en los derechos que tienen como titulares a los funcionarios públicos, las siguientes categorías:

---

la discriminación en materia de empleo y ocupación. Estas cuatro categorías de principios y derechos forman parte integrante de la Constitución de la OIT.

La Declaración de Filadelfia adoptada en 1944, que constituye su anexo, fue determinante al destacar el derecho que tienen todos los seres humanos, sin distinción de raza, credo o sexo, a perseguir su bienestar material y su desarrollo espiritual en condiciones de libertad y dignidad seguridad económica y en igualdad de oportunidades». Organización Internacional del Trabajo. (2012). Principios y Derechos Fundamentales en el Trabajo: del compromiso a la acción. Informe IV. Conferencia Internacional del Trabajo, 101ª reunión.

[192]   Bogen Valdés, Felipe, «Aplicación del procedimiento de tutela a los funcionarios municipales», Memoria de prueba para optar al grado de Licenciado en Ciencias Jurídicas y Sociales, Facultad de Derecho Universidad de Chile, año 2016, pág. 82 y siguientes.

[193]   Ugarte Cataldo, José Luis. 2009. Tutela de Derechos Fundamentales del Trabajador. Santiago, Editorial Legal Publishing, pág. 3

Derechos de la carrera funcionaria, consagrado en el artículo 87 de la ley N° 18.883, Estatuto Administrativo para Funcionarios Municipales, que señala: «Todo funcionario tendrá derecho a gozar de estabilidad en el empleo y a ascender en el respectivo escalafón; participar en los concursos; hacer uso de feriados, permisos y licencias; recibir asistencia en caso de accidente en actos de servicio o de enfermedad contraída a consecuencia del desempeño de sus funciones, y a participar en las acciones de capacitación, de conformidad con las normas del presente Estatuto».

«Asimismo, tendrá derecho a gozar de todas las prestaciones y beneficios que contemplen los sistemas de previsión y bienestar social en conformidad a la ley de protección a la maternidad, de acuerdo a las disposiciones del Título II, del Libro II, del Código del Trabajo».

Derechos económicos. Acá tenemos: Derecho a ocupar la casa habitación del respectivo Servicio; Derecho a recibir remuneraciones; Inembargabilidad de las remuneraciones hasta el 50% de ellas. (Artículo 89, 92 y 94 ley N° 18.883).

Derechos sociales o de la familia, comprenden los derechos a los feriados, a los permisos y licencias médicas, incluida la licencia materna, el último mes de remuneraciones del funcionario para su cónyuge, hijos o padres, en ese orden, en caso de fallecimiento.

Derechos de seguridad social, comprenden los derechos a la percepción de la remuneración mensual del empleado fallecido por parte del cónyuge sobreviviente, de los hijos o de los padres; el derecho a las prestaciones por accidentes en actos ejecutados en razón del servicio o por enfermedades contraídas con ocasión de la función, como también los derechos a asignación familiar y materna.

Derechos Gremiales, por ejemplo, el derecho a constituir asociaciones gremiales, o la afiliación a servicios de bienestar, entre otros.

III. Obligaciones funcionarias

Obligaciones de Hacer contenidas en el artículo 58 del Estatuto Administrativo para Funcionarios Municipales, también llamados «deberes positivos», como, por ejemplo: «ejercer personalmente el cargo de manera regular y continua».

Obligaciones de No Hacer contenidas en los artículos 83 a 86 de la ley N° 18.883, denominadas también «prohibiciones» e «incompatibilidades».

El incumplimiento de estas obligaciones, genera responsabilidad para el funcionario infractor, que, como veremos en el capitulo sobre responsabilidad, puede ser: administrativa, civil o penal, y, en algunos casos, política.

TÍTULO III
De las Obligaciones Funcionarias

PÁRRAFO 1º NORMAS GENERALES

Artículo 58

Serán obligaciones de cada funcionario:

a) Desempeñar personalmente las funciones del cargo en forma regular y continua, sin perjuicio de las normas sobre delegación;

b) Orientar el desarrollo de sus funciones al cumplimiento de los objetivos de la municipalidad y a la mejor prestación de los servicios que a ésta correspondan;

c) Realizar sus labores con esmero, cortesía, dedicación y eficiencia, contribuyendo a materializar los objetivos de la municipalidad;

d) Cumplir la jornada de trabajo y realizar los trabajos extraordinarios que ordene el superior jerárquico;

e) Cumplir las destinaciones y las comisiones de servicio que disponga la autoridad competente;

f) Obedecer las órdenes impartidas por el superior jerárquico;

g) Observar estrictamente el principio de la probidad administrativa regulado por la ley Nº 18.575 Art. 6º Nº 2 y demás disposiciones especiales;

h) Guardar secreto en los asuntos que revistan el carácter de reservados en virtud de la ley, del reglamento, de su naturaleza o por instrucciones especiales;

i) Observar una vida social acorde con la dignidad del cargo;

j) Proporcionar con fidelidad y precisión los datos que la municipalidad le requiera relativos a situaciones personales o de familia, cuando ello sea de interés para la municipalidad, debiendo ésta guardar debida reserva de los mismos;

k) Denunciar ante el Ministerio Público, o ante la policía si no hubiere fiscalía en la comuna en que tiene su sede la municipalidad, con la debida prontitud, crímenes o simples delitos y al alcalde los hechos de carácter irregular o las faltas al principio de probidad de que tome conocimiento;

l) Rendir fianza cuando en razón de su cargo tenga la administración y custodia de fondos o bienes, de conformidad con la Ley Orgánica Constitucional de la Contraloría General de la República, y

m) Justificarse ante el superior jerárquico de los cargos que se le formulen con publicidad, dentro del plazo que éste le fije, atendidas las circunstancias del caso.

---

1. «De ello se sigue que la Municipalidad de Copiapó, en caso de advertir infracciones a las normas de probidad que todo funcionario público debe estrictamente observar y que están consagradas en la Constitución Política (artículo 8º, inciso primero), la ley Nº 18.575 (artículos 52 y siguientes) y el Estatuto Administrativo para Funcionarios Municipales (artículo 58, letra g) en concordancia con su artículo 123), debe iniciar oportunamente un procedimiento disciplinario, cuestión que no ocurrió en la especie.

En efecto, de los antecedentes tenidos a la vista aparece que los hechos por los que el recurrente fue condenado en sede penal no fueron objeto de sumario administrativo oportunamente, correspondiendo que esa municipalidad de Copiapó determine si aún es factible perseguir una responsabilidad administrativa y, en el evento de estar prescrita la acción disciplinaria, determinar las responsabilidades por la omisión o tardanza». (**ID Dictamen:** 003833N19. **Fecha:** 06-02-2019. **Destinatarios:** ex funcionario de la Municipalidad de Copiapó. **Texto:** La concesión por sentencia ejecutoriada de alguna de las penas sustitutivas a que se refiere la ley Nº 18.216 implica considerar al condenado como si no hubiese cometido delito para todos los efectos legales, observando los demás requisitos que su artículo 38 exige; pero ello no obsta el

324   Capítulo III. Conceptualizaciones básicas sobre derechos y obligaciones funcionarias

cumplimiento de las penas accesorias ni la prosecución de la responsabilidad administrativa, en su caso. **Acción:** Aplica dictámenes 77312/2016, 28719/95, 20003/2003, 15025/2009, 7986/2018).

2. «*En lo relativo a que al haber sido beneficiado con la medida de remisión condicional de la pena por sentencia ejecutoriada no estaría afecto a inhabilidad alguna de ingreso y permanencia en cargos públicos, cumple con recordar que su representado fue destituido —en sede administrativa— por infringir los deberes funcionarios contemplados en las letras b), c) y g) del artículo 58 de la ley Nº 18.883, y el principio de probidad administrativa contenido en los artículos 52 y 54, letra c), de la ley Nº 18.575, y no por haber sido condenado por crimen o simple delito —en sede penal—. Por consiguiente, la destitución no fue dispuesta por haber perdido alguno de los requisitos establecidos por el legislador tanto para el ingreso como para la permanencia en un cargo público, sino por la aplicación de una sanción administrativa previo procedimiento disciplinario, sin que resulte aplicable a su respecto el artículo 38 de la ley Nº 18.216, como pretende el ocurrente. En cuanto a que esta Contraloría General debe acatar su jurisprudencia administrativa, debiendo, por ende, ratificar el sobreseimiento definitivo a que alude el anotado oficio Nº 5.211, de 2016, de la Sede Regional de Los Lagos, cabe señalar que a esta Entidad de Control le corresponde la función de determinar la correcta aplicación de las leyes y reglamentos que rigen a los organismos de la Administración, de manera que, ya sea de oficio o a petición de parte, puede reconsiderar un pronunciamiento, si como resultado de un nuevo estudio del asunto y sobre la base de mayores antecedentes o circunstancias inexistentes o desconocidas en su oportunidad, adquiere la convicción de que la materia debe resolverse de manera diferente, como ocurrió en este caso (aplica criterio contenido en los dictámenes Nºs. 18.662, de 2010, y 91.236, de 2016)*». (**ID Dictamen:** 006895N18. **Fecha:** 09-03-2018. **Destinatarios:** señor Miguel Urrutia Tobar. **Texto:** Desestima solicitud de reconsideración del dictamen Nº 14.513, de 2017, por las razones que indica, debiendo la Municipalidad de Puyehue dar cumplimiento a dicho pronunciamiento; requerimientos que se hagan a la autoridad deben realizarse en términos respetuosos y convenientes. **Acción:** confirma dictamen 14513/2017 aplica dictámenes 5651/2014, 48959/2015, 18662/2010, 91236/2016, 95641/2015, 14888/2017).

3. «*Al respecto, resulta necesario señalar que el sumario administrativo realizado por la Municipalidad de La Florida en contra del interesado, tiene su origen en no haberse presentado a su lugar de desempeño, formulándole cargos por transgresión a lo dispuesto en las letras d) y f) del artículo 58 de la ley Nº 18.883, esto es, por incumplir con su jornada laboral durante aproximadamente 18 meses en los que de acuerdo a lo indicado en la vista fiscal "no realizó trabajo alguno en ninguna dependencia municipal durante su jornada laboral, no siendo demostrable siquiera el hecho de haber permanecido al interior del municipio", y no observar las órdenes impartidas por su superior jerárquico, disponiendo en definitiva la aplicación de la medida de destitución.*
Luego, a través del anotado dictamen Nº 1.788, de 2015, esta Entidad de Control rechazó el reclamo que al efecto formuló el recurrente, concluyendo que no se apreciaba la existencia de los vicios que este alegaba. En lo que dice relación con la indemnización de perjuicios exigida, cabe precisar que la determinación de responsabilidades pecuniarias constituye una materia de naturaleza litigiosa respecto de la cual este Ente Fiscalizador no puede intervenir ni informar, de conformidad con lo dispuesto en el artículo 6º, inciso tercero, de la ley Nº 10.336 (aplica criterio contenido en el dictamen Nº 60.879, de 2014)». (**ID Dictamen:** 007294N16. **Fecha:** 28-01-2016. **Destinatarios:** don Carlos Cifuentes Fuentes, exfuncionario de la Municipalidad de La Florida. **Texto:** Rechaza solicitud de reconsideración del dictamen Nº 1.788, de 2015, que desestimó el reclamo de exfuncionario municipal que indica, en contra de la medida disciplinaria de destitución, por no aportar nuevos antecedentes. **Acción:** Aplica dictámenes 31911/2014, 60879/2014, 1788/2015).

4. «*Como cuestión previa, cumple con precisar que conforme a lo dispuesto en el artículo 25, inciso primero, de la ley Nº 19.296, en aquellos casos en que se imponga la medida disciplinaria de destitución a dirigentes de asociaciones de funcionarios de la Administración del Estado —calidad que posee la señora Contreras Aguirre, según da cuenta el certificado de vigencia de la directiva de la organización de que forma parte, emitido por la Dirección del Trabajo con fecha 5 de agosto de 2015—, esta Contraloría General debe ratificar dicha sanción efectuando un estudio del proceso sumarial y de la resolución que la disponga, confirmándola o indicando en un pronunciamiento jurídico, las observaciones que impiden tener por justificada legalmente la desvinculación (aplica dictamen Nº 21.083, de 2015). En ese contexto, a la peticionaria se le formularon dos cargos en el sumario de que se trata, los que constan a fojas 594 a 596, y 881 a 882, de autos. El primero de ellos, consiste en la vulneración del citado artículo 58, letra c), de la ley Nº 18.883, el cual impone a la recurrente, la obligación de "Realizar sus labores con esmero, cortesía, dedicación y eficiencia, contribuyendo a materializar los objetivos de la municipalidad", al no haber rendido ante la correspondiente tesorería municipal, el pago de un permiso de circulación respecto del que actuó como giradora y cajera, encontrándose acreditado que el contribuyente enteró el monto de su valor a través del sistema Transbank. A su turno, el segundo cargo que se le formuló a la recurrente, fue infringir los ya indicados artículos 58, letras c) y g), de la ley Nº 18.883, y 62, Nºs. 3º y 8º, de la ley Nº 18.575, relativos*

al deber aludido en el párrafo precedente y al de observar el principio de probidad administrativa, según se desprende de las conductas consistentes, en síntesis, en haber recibido —mediante cheque y efectivo— los pagos de los permisos de circulación correspondientes a los vehículos que se individualizan en el proceso sumarial, sin rendir su entero con los instrumentos entregados por los contribuyentes con dicho objeto; y, en la circunstancia de girar comprobantes de obtención de permisos de circulación respecto de los cuales también actuó como cajera, faltando los antecedentes de respaldo, cuestión que además ocurrió tratándose de situaciones en que desempeñó únicamente la labor de cobradora. En lo que se refiere a que la fiscal no practicó las diligencias solicitadas por la recurrente a fojas 988, corresponde señalar que ello no constituye un vicio que afecte el respectivo procedimiento, toda vez que, como fuera puntualizado por esta Contraloría General a través del dictamen Nº 78.751, de 2014, entre otros, el instructor debe acceder a tales peticiones cuando las pruebas requeridas resulten útiles, pertinentes y plausibles para esclarecer los hechos que han sido objeto de la investigación y el grado de responsabilidad que cabe al inculpado, de lo que es dable inferir que puede denegarlas en tanto no reúnan esas condiciones, lo que aconteció en el caso de que se trata. En consecuencia, en mérito de lo expuesto precedentemente, y de lo dispuesto en el citado artículo 25 de la ley Nº 19.296, esta Entidad Fiscalizadora cumple con ratificar la medida disciplinaria de destitución ordenada respecto de la señora Contreras Aguirre mediante el aludido decreto Nº 237, de 2015, haciendo presente que esa superioridad deberá comunicar a este Organismo la data de su notificación al afectado, adjuntando la constancia pertinente, a fin de computar el plazo de impedimento de ingreso a la Administración del Estado que establezcan las disposiciones legales vigentes en relación con esa misma circunstancia». (**ID Dictamen:** 007799N16. **Fecha:** 01-02-2016. **Destinatarios:** señora Lilian Contreras Aguirre, servidora de la Municipalidad de San Joaquín. **Texto:** Rechaza reclamo interpuesto en contra de proceso disciplinario que indica, por lo que se ratifica, según lo previsto en el artículo 25 de la ley Nº 19.296, la medida de destitución aplicada a dirigente gremial que menciona. **Acción:** Aplica dictámenes 21083/2015, 78751/2014, 4660/2012).

5. «*Enseguida, cabe indicar que la jurisprudencia administrativa contenida en los dictámenes Nºs. 11.682, de 2010; 65.492, de 2011; 42.796, de 2014; y 55.021, de 2016, entre otros, ha señalado que la asignación en análisis no puede constituirse en una forma de incrementar las remuneraciones, ni tampoco condicionarse su otorgamiento al mero cumplimiento de una obligación estatutaria, sino que deben otorgarse únicamente en razón de las necesidades del servicio, atendiendo al nivel y la categoría funcionaria, o la especialidad que requiera el mismo, sin vincularla a intereses particulares o a una persona determinada. En dicho contexto, no se ajustó a derecho que la entidad edilicia fijara como factores de la aludida asignación, los componente de "asistencia", y "puntualidad" en el desempeño de la jornada laboral, ya que estos —según lo contemplado en el artículo 58, letra d), de la ley Nº 18.883, aplicable supletoriamente en la especie— son obligaciones a las que están sujetos todos los servidores municipales (aplica criterio contenido en el dictamen Nº 42.796, de 2014»*. (**ID Dictamen:** 019102N17. **Fecha:** 25-05-2017. **Destinatarios:** Municipalidad de Freire. **Texto:** Reconsidera oficio Nº 3.676, de 2016, de la Contraloría Regional de La Araucanía, ya que no procedió que municipio fijara como factores de la asignación del artículo 45 de la ley Nº 19.378, componentes que representan el mero cumplimiento de obligaciones estatutarias. **Acción:** Aplica dictámenes 11682/2010, 65492/2011, 42796/2014, 55021/2016).

6. «*Sobre la materia, se debe precisar que el artículo 58, letra k), de la citada ley Nº 18.883, prevé que es una obligación funcionaria el denunciar ante el Ministerio Público, o ante la policía, con la debida prontitud, los hechos constitutivos de crímenes o simples delitos, asimismo, comunicar al alcalde irregularidades o faltas al principio de probidad de que tome conocimiento. Al respecto, la jurisprudencia administrativa de este origen, contenida, entre otros, en los dictámenes Nºs. 28.833, de 2016, y 481, de 2018, han sostenido que la autoridad administrativa que toma conocimiento de una conducta que reviste caracteres de delito debe ponderar en cada caso si los antecedentes que tiene a la vista le permiten adquirir el grado de convicción necesario para dar por establecida la efectividad de aquélla, para efectuar la denuncia a la autoridad competente, análisis que desde luego requiere un tiempo razonable. En razón de lo anterior, la Contraloría Regional de Coquimbo instruirá un sumario administrativo a objeto de verificar el cumplimiento de la obligación establecida en el artículo 58, letra k), de la citada ley Nº 18.883, así como de la situación advertida en el párrafo precedente, determinando, de corresponder, las responsabilidades administrativas de los funcionarios que pudieran resultar involucrados».* (**ID Dictamen:** 019264N18. **Fecha:** 01-08-2018. **Destinatarios:** Diputado señor Daniel Núñez Arancibia. **Texto:** Se instruirá un sumario administrativo para determinar si se dio cumplimiento a la obligación establecida en el artículo 58, letra k), de la ley Nº 18.883. **Acción:** Aplica dictámenes 28833/2016, 481/2018).

7. «*Por su parte, en lo relativo a que, a juicio del ocurrente, este no debió haber sido evaluado por haber realizado múltiples denuncias al alcalde relacionadas con irregularidades ocurridas en el municipio producto del "no acatamiento de las normas que rigen los procedimientos administrativos", debiendo aplicarse a su respecto el anotado artículo 88 A de la ley Nº 18.883, cabe señalar que el apuntado precepto prevé, en lo que interesa, que los funcionarios que ejerzan las*

acciones a que se refiere la letra k) del artículo 58 tendrán los derechos que en el primer precepto citado se establecen. A su turno, el citado artículo 58, letra k), de la ley Nº 18.883, señala que serán obligaciones de cada funcionario "Denunciar ante el Ministerio Público, o ante la policía si no hubiere fiscalía en la comuna en que tiene su sede la municipalidad, con la debida prontitud, los crímenes o simples delitos y al alcalde los hechos de carácter irregular o las faltas al principio de probidad de que tome conocimiento".

Luego, entre los derechos que prevé el citado artículo 88 A, se encuentra el establecido en la letra c), consistente, en lo que importa, en que los funcionarios que denuncien tendrán derecho a no ser objeto de precalificación anual, si el denunciado fuese su superior jerárquico, desde la fecha en que el alcalde tenga por presentada la denuncia y hasta noventa días después de haber terminado la investigación sumaria o sumario, incoados a partir de la citada acusación, salvo que expresamente la solicitare el denunciante. Si no lo hiciere, regirá su última calificación para todos los efectos legales.

Enseguida, es útil tener en consideración, que de la historia fidedigna del establecimiento de la ley Nº 20.205, —que, en lo que interesa, incorporó el citado artículo 88 A a la ley Nº 18.883—, es posible advertir que la finalidad de la normativa en comento fue amparar a los servidores municipales que, de buena fe, denuncien hechos de corrupción cometidos por agentes de la Administración del Estado, evitando que sean objeto de futuras represalias, o cualquier otra medida de presión que intente inhibirlos de realizar dichas denuncias, tal como por lo demás lo ha manifestado este Órgano de Fiscalización en los dictámenes Nºs. 58.731, de 2009, y 84.997, de 2014 entre otros.

Pues bien, de los antecedentes tenidos a la vista consta que el señor Molina Zamora ha ejercido las funciones propias del director de control, consistentes en hacerle presente al alcalde los actos que no se avienen con el ordenamiento jurídico, no constituyendo aquella circunstancia una denuncia en los términos del anotado artículo 58, letra k), de la ley Nº 18.883, razón por la cual no resulta aplicable a su respecto el artículo 88 A del cuerpo estatutario de que se trata». (**ID Dictamen:** 027777N16. **Fecha:** 14-04-2016. **Destinatarios:** señor Arturo Molina Zamora, director de control de la Municipalidad de Macul. **Texto:** Por no verificarse los vicios alegados, se rechaza reclamo de calificación de funcionario regido por la ley Nº 18.883. Ejercicio de las funciones de director de control no constituyen una denuncia en los términos del artículo 58, letra k), de la ley Nº 18.883, no resultando aplicable la letra c) del artículo 88 A de dicho cuerpo estatutario. **Acción:** Aplica dictamen 35475/2011, 43769/2015, 59678/2014, 58731/2009, 84997/2014, 40287/2014, 28203/2015).

8. «*Ahora bien, en lo que dice relación con lo expresado por el señor Díaz Soto, en orden a que se debió elaborar una propuesta de gestión que no se contemplaba en las bases concursales, cumple con señalar que según lo manifestado por la Municipalidad de Mulchén, dicho trámite se exigió a todos los postulantes, de lo que es posible concluir que en ese caso, se dio cumplimiento al principio de igualdad de los oponentes que debe cautelarse en todo concurso público, por lo que dicha situación no constituyó un vicio que afectara la legalidad del mencionado procedimiento desde el momento que aquello no determinó una ventaja para alguno de los oponentes ni influyó en el resultado del mismo, razón por la cual no es posible estimar que, por esa sola circunstancia, el respectivo certamen haya carecido de objetividad y transparencia, y que ello haga necesaria su invalidación (aplica criterio contenido en el dictamen Nº 46.535, de 2013). En otro orden de ideas, y respecto a la solicitud presentada por los concejales de la Municipalidad de Mulchén para que esta Entidad Fiscalizadora investigue las eventuales irregularidades en los certificados de postítulos indicados en su presentación, cumple con manifestar que corresponde a la entidad edilicia efectuar la denuncia pertinente para que se indaguen esas anomalías ante el Ministerio Público, o la policía si no hubiere fiscalía en el lugar, conforme a lo dispuesto en el artículo 58, letra k), de la ley Nº 18.883, con el fin de que se investigue la eventual comisión del delito de falsificación de instrumento público».* (**ID Dictamen:** 033422N16. **Fecha:** 06-05-2016. **Destinatarios:** don Juan Díaz Soto. **Texto:** El funcionario designado como jefe del Departamento de Administración de Educación Municipal de Mulchén cumple con los requisitos legales para ejercer ese empleo y los concursos realizados para proveer el cargo de director en los establecimientos educacionales que se indican, se encuentran ajustados a derecho. **Acción:** Aplica dictámenes 102879/2015, 7476/2014, 46535/2013).

10. «*Como cuestión previa, es dable manifestar que el procedimiento de que se trata, fue incoado mediante el decreto alcaldicio Nº 932, de 2014, habiéndose formulado cargos al peticionario —según consta a fojas 21—, por negarse a ayudar a doña Elsa Vallejos Arteaga —residente de la comuna de Renca y Presidenta de la Junta de Vecinos de su barrio—, quien le solicitó asistencia para solucionar los problemas que presentaban ciertas luminarias, reaccionando el funcionario ante tal requerimiento "de manera molesta, dándole una mala atención y un mal trato a la reclamante", vulnerando así lo dispuesto en la letra c) del artículo 58 de la ley Nº 18.883, esto es "realizar sus labores con esmero, cortesía, dedicación y eficiencia, contribuyendo a materializar los objetivos de la municipalidad". Al respecto, es del caso precisar que a este Órgano Fiscalizador, en el ejercicio de sus facultades constitucionales y legales, le corresponde objetar jurídicamente la decisión de un procedimiento disciplinario, si del examen de los antecedentes se aprecia alguna infracción al*

principio del debido proceso, a la normativa legal o reglamentaria que regula la materia, o bien, si se observa una resolución de carácter arbitrario, que generen un vicio esencial en el mismo, como lo ha señalado, entre otros, el dictamen Nº 11.434, de 2014, de este origen». (**ID Dictamen:** 035676N16. **Fecha:** 13-05-2016. **Destinatarios:** don Nelson Caballero Martínez, encargado de estadísticas y reclamos de luminarias de la Municipalidad de Renca. **Texto:** Rechaza reclamo de funcionario municipal en contra de investigación sumaria, al término de la cual se le aplicó la medida disciplinario de multa. **Acción:** Aplica dictámenes 11434/2014, 1788/2015, 2373/2010, 7027/2014).

11. *«Ahora bien, de acuerdo con el precitado oficio circular y la jurisprudencia administrativa de esta Entidad Fiscalizadora contenida, entre otros, en los dictámenes Nºs. 10.848, de 2013, y 1.788, de 2015, el registro consiste en una mera anotación material del acto respectivo y no constituye en sí mismo un control preventivo de legalidad, por lo que no considera la revisión de los procedimientos disciplinarios que fueren instruidos por los entes edilicios, como se pretende en el presente caso por el municipio de Buin.*

Sin desmedro de lo expuesto, es dable señalar que, en caso de aparecer en un proceso disciplinario hechos que revistan caracteres de delito —como ocurrió en la especie, según se advierte de la correspondiente vista fiscal—, conforme al artículo 58, letra k), de la anotada ley Nº 18.883, se debe efectuar la denuncia respectiva ante el Ministerio Público, por lo que dicho municipio tendrá que realizar la misma, informando de ello a la Unidad de Seguimiento de la División de Municipalidades de este Órgano Fiscalizador, en el mismo plazo de 20 días hábiles anteriormente señalado (aplica criterio contenido en el dictamen Nº 57.574, de 2014)». (**ID Dictamen:** 036571N16. **Fecha:** 17-05-2016. **Destinatarios:** Municipalidad de Buin. **Texto:** Trámite de registro no constituye una instancia de revisión de un procedimiento disciplinario; desestima por extemporáneo reclamo de ilegalidad en contra de sanción dispuesta en sumario administrativo instruido por la Municipalidad de Buin. **Acción:** Aplica dictámenes 15700/2012, 10848/2013, 1788/2015, 12452/2013, 4558/2015, 57574/2014).

12. *«Sobre el particular, corresponde manifestar, que el artículo 58, letra d), de la ley Nº 18.883, establece, entre las obligaciones funcionarias, el deber de cumplir con la jornada de trabajo; a su turno, el artículo 62, inciso final del mismo texto legal, ordena que los servidores municipales deberán desempeñar su cargo en forma permanente durante la jornada ordinaria de trabajo; y, finalmente, el artículo 69, inciso final del citado cuerpo normativo, dispone que los atrasos y ausencias reiterados, sin causa justificada, serán sancionados con destitución, previa investigación sumaria. Como puede apreciarse, de los mencionados preceptos legales, es posible advertir que todos los funcionarios, sin distinción alguna, están sujetos a la obligación de cumplir con la jornada y el horario establecido para el desempeño de su trabajo, de modo que, ante la ausencia de texto legal expreso que fije un régimen particular de control, compete a las respectivas autoridades de los servicios, en este caso al alcalde, determinar mediante el correspondiente acto administrativo, el o los sistemas de control de la jornada laboral de todos los empleados de su dependencia (aplica criterio contenido en los dictámenes Nºs. 26.782, de 1999 y 42.784, de 2012, entre otros). Sin perjuicio de anterior, si bien la autoridad superior puede disponer diferentes mecanismos de control horario, considerando las diversas tareas del personal municipal, ello no puede afectar los principios de igualdad ante la ley y de no discriminación que rigen en nuestro ordenamiento jurídico, y siempre, por cierto, que esta diferencia se fundamente en la naturaleza de las funciones que desempeñen y no solo en razón de su jerarquía (aplica criterio contenido en el dictamen Nºs. 2.075, de 2011 y 76.135, de 2014)».* (**ID Dictamen:** 043716N16. **Fecha:** 13-06-2016. **Destinatarios:** Municipalidad de Macul. **Texto:** Autoridad municipal puede disponer diferentes mecanismos de control horario, considerando las diversas tareas que ejecuta el personal, sin afectar los principios de igualdad ante la ley y de no discriminación, y siempre que esta diferencia se fundamente en la naturaleza de las funciones que aquel desempeñe y no solo en razón de su jerarquía. **Acción:** Aplica dictámenes 26782/99, 42784/2012, 2075/2011, 76135/2014).

13. *«Sobre el particular, cabe recordar que el criterio establecido por esta Contraloría General, vigente a la fecha de emisión del citado dictamen Nº 80.936, de 2014, señalaba que al acogerse por esta Entidad Fiscalizadora una reclamación en relación con una medida disciplinaria de destitución impuesta por un municipio y procederse a la reapertura del sumario, debía estarse al término del proceso disciplinario, para que una vez acontecido aquello y solo en el evento de disponerse una sanción no expulsiva, o bien la absolución o el sobreseimiento de la investigación, se procedería a evaluar el reingreso del funcionario y el entero de estipendios durante el tiempo en que se encontró desvinculado de su cargo por imposición de la sanción expulsiva.*

Dicha interpretación fue modificada a través del dictamen Nº 17.500, de 2016, en el sentido que decretada la reapertura del sumario, si el acto impugnado dispuso el término de la relación laboral, dicha desvinculación no puede producir efectos, y por lo tanto, se mantiene el vínculo estatutario con la entidad, nuevo criterio que solo genera efectos para el futuro, sin afectar las situaciones acaecidas durante la vigencia de la doctrina que ha sido sustituida por este pronunciamiento.

Precisado lo anterior, cabe señalar que la ley Nº 18.883, no contiene norma alguna que permita sostener que la promoción de un servidor deba decretarse en una fecha establecida, por lo que el alcalde de que se trate, no se encuentra legalmente obligado a disponerla dentro de un plazo determinado.

Finalmente, en lo que dice relación con lo reclamado por don Armando Cortés Igor, es necesario señalar que de los antecedentes tenidos a la vista se advierte una demora en la sustanciación del sumario instruido en su contra, dilación que podría afectar la responsabilidad administrativa del fiscal designado y de la unidad de asesoría jurídica del municipio, a quienes, en conformidad con los artículos 58 y 61, letra a), de la anotada ley Nº 18.883, corresponde velar por la correcta y oportuna tramitación de los procesos sumariales, obligación dentro de la cual se entiende incorporada la de dar cumplimiento a los plazos que contempla la normativa legal, en concordancia con lo manifestado, entre otros, en el dictamen Nº 7.027, de 2014.

En mérito de lo antes expuesto, la Municipalidad de Santiago tendrá que afinar, en el plazo de 15 días hábiles, el aludido proceso disciplinario, remitiendo copia del decreto que así lo disponga a la Unidad de Seguimiento de la Fiscalía de este Órgano de Control». (**ID Dictamen:** 056275N16. **Fecha:** 01-08-2016. **Destinatarios:** señora Alicia Espejo Rojas, funcionaria de la Municipalidad de Santiago. **Texto:** La posibilidad que tiene un funcionario de alcanzar, por la vía del ascenso, un cargo de grado superior, constituye una mera expectativa que solo podría concretarse en el momento en que la autoridad lo ordena. Se advierte una demora en la sustanciación de sumario, por lo que municipio tendrá que afinar, en el plazo que se indica, el proceso disciplinario. **Acción:** Aplica dictámenes 17500/2016, 5040/97, 6898/2011, 9920/2013, 7027/2014).

14. «*Según consta a fojas 239 del expediente, se formuló un cargo único al peticionario, por no haber ejercido las funciones que se le encomiendan con diligencia y eficacia, al faltar dineros en la cuenta corriente municipal donde se encuentra el precitado fondo; realizar las rendiciones de cuentas de manera incompleta y con errores manifiestos; no haber elaborado las conciliaciones bancarias comprendidas entre el año 2008 y mediados del año 2013, sin justificación válida; no haber tomado las medidas conducentes al resguardo de los expedientes que sirvan de respaldo a la emisión de determinados cheques; la existencia de documentos bancarios girados y cobrados sin rendir y sin constancia de que se haya entregado algún beneficio con ellos, transgrediéndose a través de las citadas conductas, según se indica, lo dispuesto en las letras a), b) y g) del artículo 58 de la ley Nº 18.883. Precisado lo anterior, y en lo que se refiere a las alegaciones de mérito planteadas por el interesado, en relación a que los problemas concernientes a las conciliaciones se habrían generado por inconvenientes propios de los departamentos del municipio que estaban involucrados, y que su responsabilidad no se encontraría acreditada, cumple con manifestar que, tal como lo ha señalado la jurisprudencia de este origen, contenida entre otros, en el dictamen Nº 97.968, de 2014, si bien a este Organismo de Control le corresponde velar porque se respeten las normas legales y constitucionales que rigen a los servidores municipales en esta materia, entre ellas las relativas a la responsabilidad funcionaria, tal circunstancia no lo convierte en una instancia procesal por cuyo intermedio se pueda dejar sin efecto un acto administrativo dictado por la autoridad competente, sobre la base de los mismos hechos ya indagados en el proceso, por lo que no se emitirá un pronunciamiento acerca de tales reclamaciones».* (**ID Dictamen:** 076296N16. **Fecha:** 17-10-2016. **Destinatarios:** don Jorge Neira Herrera, exfuncionario de la Municipalidad de Santiago. **Texto:** Rechaza reclamo de ilegalidad en contra de sumario administrativo, al término del cual se aplicó la medida disciplinaria de destitución a funcionario municipal que indica. **Acción:** Aplica dictamen 97968/2014 Aplica dictamen 14965/2015 Aplica dictamen 35562/2016 Aplica dictamen 95660/2015).

15. «*Al respecto, resulta necesario señalar que el sumario administrativo realizado por la Municipalidad de La Florida en contra del interesado, tiene su origen en no haberse presentado a su lugar de desempeño, formulándole cargos por transgresión a lo dispuesto en las letras d) y f) del artículo 58 de la ley Nº 18.883, esto es, por incumplir con su jornada laboral durante aproximadamente 18 meses en los que de acuerdo a lo indicado en la vista fiscal "no realizó trabajo alguno en ninguna dependencia municipal durante su jornada laboral, no siendo demostrable siquiera el hecho de haber permanecido al interior del municipio", y no observar las órdenes impartidas por su superior jerárquico, disponiendo en definitiva la aplicación de la medida de destitución.*

Luego, a través del anotado dictamen Nº 1.788, de 2015, esta Entidad de Control rechazó el reclamo que al efecto formuló el recurrente, concluyendo que no se apreciaba la existencia de los vicios que este alegaba. En lo que dice relación con la indemnización de perjuicios exigida, cabe precisar que la determinación de responsabilidades pecuniarias constituye una materia de naturaleza litigiosa respecto de la cual este Ente Fiscalizador no puede intervenir ni informar, de conformidad con lo dispuesto en el artículo 6º, inciso tercero, de la ley Nº 10.336 (aplica criterio contenido en el dictamen Nº

60.879, de 2014)». (**ID Dictamen:** 007294N16. **Fecha:** 28-01-2016. **Destinatarios:** don Carlos Cifuentes Fuentes, exfuncionario de la Municipalidad de La Florida. **Texto:** echaza solicitud de reconcideración del dictamen Nº 1.788, de 2015, que desestimó el reclamo de exfuncionario municipal que indica, en contra de la medida disciplinaria de destitución, por no aportar nuevos antecedentes. **Acción:** Aplica dictámenes 31911/2014, 60879/2014, 1788/2015).

16. «*Sobre el particular, cabe recordar que el artículo 58, letra k), de la ley Nº 18.883, previene que serán obligaciones de cada funcionario "Denunciar ante el Ministerio Público, o ante la policía si no hubiere fiscalía en la comuna en que tiene su sede la municipalidad, con la debida prontitud, los crímenes o simples delitos y al alcalde los hechos de carácter irregular o las faltas al principio de probidad de que tome conocimiento".*

Así, y tal como se señaló en el pronunciamiento cuya reconsideración se requiere, el artículo 88 A, letra c), del anotado cuerpo legal, prescribe que los funcionarios que ejerzan las acciones a que se refiere el precitado artículo 58, letra k), tendrán derecho a no ser objeto de precalificación anual, si el denunciado fuese su superior jerárquico, desde la fecha en que el alcalde tenga por presentada la denuncia y hasta noventa días después de haber terminado la investigación sumaria o sumario incoados a partir de la citada acusación, salvo que expresamente la solicitare el denunciante. Si no lo hiciere, regirá su última calificación para todos los efectos legales. Ahora bien, la jurisprudencia administrativa de este Órgano de Control contenida, entre otros, en el dictamen Nº 40.287, de 2014, ha manifestado que la protección que concede la preceptiva en comento se encuentra definida en directa relación con la denuncia presentada y con el procedimiento disciplinario a que dé lugar, por lo que se otorgará solo en el evento que esta cumpla con todos los requisitos legales.

Así, en cuanto a la jurisprudencia administrativa de este Órgano de Control a que alude el peticionario, cumple aclarar que el dictamen Nº 74.921, de 2012, confirma el criterio aplicado en el presente pronunciamiento, por cuanto rechaza la denuncia presentada por un director de control amparado en el artículo 58, letra k), por no haberse acompañado antecedentes que la acreditaran en los términos y oportunidad exigidos por dicha preceptiva, lo que ratifica el hecho de que quienes ejercen esa potestad están facultados para efectuar válidamente dichas acusaciones, en la medida que no se trate de hechos de los que tomaron conocimiento en ejercicio de las funciones propias del cargo. Por su parte, en el caso del dictamen Nº 84.997, de 2014, se trata de una situación diversa a la analizada, toda vez que alude a las denuncias efectuadas por un director de obras municipales, en el desempeño de su cargo, quien —sin perjuicio del deber general de todo funcionario público establecido en al anotado artículo 58, letra k), de la ley Nº 18.883—, acorde con el artículo 24 de la ley Nº 18.695, no tiene la obligación de representar al alcalde los actos municipales que estime ilegales, como sí forma parte de los deberes del director de control por lo que no resulta aplicable a la situación planteada». (**ID Dictamen:** 085838N16. **Fecha:** 28-11-2016. **Destinatarios:** señor Arturo Molina Zamora, exdirector de control de la Municipalidad de Macul. **Texto:** Rechaza solicitud de reconsideración de dictamen Nº 27.777, de 2016, ya que el ejercicio de las funciones de director de control no constituyen denuncias en los términos del artículo 58, letra k), de la ley Nº 18.883; y desestima reclamo por acoso laboral. **Acción:** Aplica dictamen 40287/2014, 85233/2015, 74656/2015, 99268/2014 confirma dictamen 27777/2016).

17. «*En ese contexto, y según aparece a fojas 126 de autos, a la señora Garau Rojas se le formuló el cargo consistente en haber infringido lo dispuesto en las letras a), b), c) y d) del artículo 58 del Estatuto Administrativo para Funcionarios Municipales, porque en el período que va desde el 27 de febrero hasta el 11 de diciembre, ambos de 2013 "no registró en el reloj control existente en el Departamento de Higiene Ambiental, su hora de salida, aduciendo que en dicho período asistió al Hospital del Trabajador para consultas médicas y/o terapias kinesiológicas, aseveración que cotejada con la información proporcionada por la Asociación Chilena de Seguridad, se pudo determinar que difiere sustancialmente en la cantidad de días en que fue atendida por dicho centro asistencial, no logrando en consecuencia aportar medios de prueba que permitieran concluir que había asistido todos los días del período ya citado, al referido centro asistencial".*

Precisado lo anterior, y en lo que atañe a las alegaciones de mérito invocadas por la afectada, es del caso manifestar que si bien según el mencionado artículo 156, inciso primero, corresponde a este Órgano de Fiscalización velar por el acatamiento de las normas jurídicas que rigen a los funcionarios municipales en esta materia, ello no lo convierte en una instancia procesal para que se solicite dejar sin efecto un acto emanado de la autoridad competente, sobre la base de la exposición de los mismos hechos ya investigados en el sumario de que se trata, por lo que acerca de tales consideraciones no se emitirá un pronunciamiento (aplica dictámenes Nºs. 7.027 y 33.162, ambos de 2014)». (**ID Dictamen:** 097163N15. **Fecha:** 07-12-2015. **Destinatarios:** señora Ada Garau Rojas, funcionaria de la Municipalidad de San Miguel. **Texto:** Rechaza reclamo de ilegalidad en contra del acto administrativo que impuso la medida disciplinaria de suspensión del empleo por tres meses, con goce del 50% de las remuneraciones, a funcionaria municipal que indica. **Acción:** Aplica dictámenes 7027/2014, 33162/2014, 49549/2013, 84885/2013).

1. «*Al respecto, este* **Organismo Contralor en el dictamen Nº 28.240, de 2011, entre otros, ha precisado que si las plantas municipales contemplan horas de la ley Nº 15.076, los profesionales médicos se regirán por ese cuerpo legal y por la ley Nº 18.883,** *según proceda, conforme con lo establecido en el precepto legal antes anotado;* **en cambio, si la planta no consulta esas horas o estas son insuficientes, es posible que las municipalidades contraten a esos servidores mediante las normas del Código del Trabajo.** *(...)*
Por ende, atendido que **todos los servidores municipales están sujetos al deber de cumplir con la jornada y el horario establecido para el desempeño de su cargo, previéndose los efectos jurídicos que se derivarán en caso de trasgresión de esos deberes,** *corresponde que la autoridad alcaldicia ordene la instrucción del correspondiente procedimiento administrativo a fin de determinar la efectividad de lo señalado en tal sentido por la Directora de Tránsito y Transporte Público, la eventual responsabilidad administrativa que afectaría al recurrente y, en su caso, ordene el reintegro de las remuneraciones percibidas indebidamente por concepto de tiempo no laborado*». (**ID Dictamen: 078336N11 Fecha:** 15.12.2011 **Destinatarios:** Alcalde de la Municipalidad de Llanquihue **Texto:** Sobre pago de trienios a médico cirujano del gabinete sicotécnico sujeto a la ley 15076 y cumplimiento de la jornada de trabajo. **Acción:** aplica dictámenes 43108/2000, 28240/2011)

2. «*Finalmente, y en cuanto a lo expresado en su oportunidad por el municipio en el sentido que el asesor jurídico habría actuado por instrucciones de la autoridad alcaldicia, cabe recordar que, en conformidad con lo dispuesto en los* **artículos 58, letra f), y 59 de la ley Nº 18.883,** *para que aquel funcionario haya podido eximirse de responsabilidad por tal actuación ha debido, en su oportunidad, representar la respectiva orden por escrito y su superior, a su vez, reiterarla en igual forma, supuestos que no constan que hayan concurrido en la especie*». (**ID Dictamen: 062923N11 Fecha:** 05.10.2011 **Destinatarios:** Alcalde Municipalidad de Concón. **Texto:** No procede contratación a honorarios de abogado, con el objeto de asumir la defensa judicial del alcalde en una situación de carácter particular, en materia penal; del mismo modo, el asesor jurídico municipal no puede asumir la representación judicial de un empleado contratado a honorarios por el municipio, dado que las normas legales sobre la materia se refieren a la obligación del municipio de defender a los funcionarios municipales, calidad jurídica en la que no se encuentra una persona contratada a honorarios. **Acción:** Aplica dictámenes 23688/2001, 49102/2003).

3. «*Por su parte, corresponde tener en cuenta que la* **letra e) del artículo 58 del citado cuerpo estatutario,** *establece, entre las obligaciones funcionarias, la de cumplir las destinaciones y las comisiones de servicio que disponga la autoridad competente. (...) Enseguida, en relación a la naturaleza de las labores a desempeñar, debe manifestarse que don Germán Soza Salazar posee un nombramiento en calidad de titular en la planta de administrativos, escalafón de especialidad "Inspectores" —decreto Nº 2.047, de 2008, del indicado municipio—, y fue destinado a prestar servicios, desde la dirección de inspección general, a la subdirección de gestión administrativa, específicamente, a la unidad de aprovisionamiento que forma parte de esa última; por tanto, atendido que aquel ocupa un empleo al cual la ley le ha asignado funciones específicas, cuales son, las inspectivas,* **se encontrará ajustado a derecho tal traslado, en la medida que este implique continuar cumpliendo tareas de la misma especie,** *lo que no es posible verificar con los antecedentes acompañados* **(aplica criterio contenido en los dictámenes Nºs. 3.093 y 45.167, ambos de 2003)**». (**ID Dictamen: 061864N11 Fecha:** 30.09.2011 **Destinatarios:** Alcalde de la Municipalidad de Santiago. **Texto:** Las destinaciones de funcionarios municipales cuando el cargo tiene asignado funciones específicas, como ocurre con los inspectores, deben ser ordenadas para cumplir tareas de la misma especie. **Acción:** Aplica dictámenes 3093/2003, 45167/2003, 52658/2011, 40197/2011)

4. «*Por su parte, el* **artículo 58, letra e),** *del aludido cuerpo estatutario, dispone que los funcionarios están obligados a cumplir las destinaciones y comisiones de servicio que la autoridad competente disponga en el ejercicio de sus atribuciones.*
De la interpretación de las disposiciones legales antes citadas, se infiere que para que un funcionario se encuentre obligado a cumplir, en lo que interesa, una destinación, es menester que las funciones que por su intermedio se deban realizar, sean de la misma jerarquía que aquéllas que son propias del cargo para el cual fue nombrado, entendiendo que son tales, las asignadas a una determinada planta (aplica criterio contenido en el dictamen Nº 47.387, de 1999).
Asimismo, cabe considerar que **es una atribución privativa la que permite a la autoridad ordenar las destinaciones de su dependencia,** *decidiendo como distribuir y ubicar a los funcionarios, según lo requieran las necesidades de la repartición, correspondiéndole la apreciación de las circunstancias o razones que justifican la destinación de un funcionario, como el mejor aprovechamiento del personal* **(aplica dictamen Nº 24.336, de 2004)**». (**ID Dictamen: 058477N11 Fecha:** 14.09.2011 **Destinatarios:** Jorge Ulloa Aguillón. **Texto:** Sobre destinación de funcionario perteneciente a la planta técnica de la Municipalidad de Talcahuano, a servicios que se encuentran en una jerarquía distinta de aquella en la cual fue

nombrado. Éste constituye un hecho irregular que el municipio debe subsanar. **Acción:** Aplica dictámenes 47387/99, 24336/2004, 3481/2006)

5. «*En este contexto, y dado que, como ha quedado demostrado de las consideraciones vertidas precedentemente, en la situación analizada no concurrieron los supuestos establecidos por la ley para disponer la revocación o invalidación del permiso Nº 12.610, de 2005, no cabe sino concluir que la emisión por parte del señor Ramos Lobos de la resolución Nº 1, de 2006, constituyó el **ejercicio irregular de una facultad conferida por la ley, excediendo efectivamente sus atribuciones en la materia, e infringiendo la preceptiva relacionada con las obligaciones que los servidores municipales deben cumplir en el desempeño de sus funciones**, en particular, los **artículos 58, letras b), c) y g), de la ley Nº 18.883, y 52 y 62, Nº 8, de la ley Nº 18.575.***

*De acuerdo con lo anterior, entonces, la actuación reprochada al interesado en el cargo subsistente, configuró una vulneración al principio de probidad, la cual, tras ser apreciada por el respectivo alcalde, de manera fundada y en el ejercicio de sus facultades, tuvo mérito suficiente para determinar que se le aplicara la medida sancionatoria de destitución, **asunto que esta Entidad de Control no puede entrar a calificar, toda vez que la ley ha radicado en la autoridad comunal tanto la valoración de las pruebas que se allegan a un sumario como el consecuente ejercicio de la potestad sancionatoria**».* (**ID Dictamen: 056880N11 Fecha:** 07.09.2011 **Destinatarios:** Miguel Ramos Lobos. **Texto:** Procedió medida disciplinaria de destitución en contra de Director de Obras que invalidó permiso de edificación otorgado conforme a derecho, habiéndose acreditado en el procedimiento disciplinario el cargo formulado, vinculado a infracciones al principio de probidad administrativa. **Acción:** Aplica dictámenes 31011/2009, 3562/91, 39833/2001, 2641/2005, 49531/2008, 53290/2004, 53875/2009, 47295/2006)

6. «*En lo que concierne a la observación formulada en el oficio Nº 2.480, de 2011, relativa a que los cargos que se les imputaron a los afectados regidos por el Código del Trabajo aluden a la **ley Nº 18.883**, en particular a la **letra g), de su artículo 58**, cabe señalar que tal hecho no afecta la validez del procedimiento sumarial que se analiza, puesto que la referencia que se hace de la citada norma, solo tuvo por objeto dejar de manifiesto el deber que recae sobre todo servidor público, incluidos quienes se rigen por las disposiciones del Código del Trabajo, de ajustar su actuar al principio de probidad administrativa, consagrado en el artículo 8º de la Constitución Política, el cual, según el artículo 52 de la ley Nº 18.575 —Orgánica Constitucional de Bases Generales de la Administración del Estado—, consiste en observar una conducta funcionaria intachable y un desempeño honesto y leal de la función o cargo, con preeminencia del interés general sobre el particular*».* (**ID Dictamen: 050081N11 Fecha:** 09.08.2011 **Destinatarios:** Contralor Regional de La Araucanía. **Texto:** Sobre legalidad del procedimiento aplicado en sumario administrativo incoado en contra de los funcionarios municipales. **Acción:** Aplica dictamen 38203/2002)

7. «*Enseguida, cabe señalar que según lo previene el **artículo 58, letra k), de la ley Nº 18.883**, será obligación del funcionario denunciar al Ministerio Público, o ante la policía si no hubiere fiscalía en la comuna en que tiene su sede la municipalidad, con la debida prontitud, los crímenes o simples delitos y al alcalde los hechos de carácter irregular o las faltas al principio de probidad de que tome conocimiento.*

Por su parte, la letra b) del artículo 88 A de la mencionada ley establece, en lo pertinente, que los funcionarios que ejerzan las acciones a que se refiere el artículo 58 letra k), tendrán derecho a no ser trasladados de localidad o de la función que desempeñaren, sin autorización por escrito, desde la fecha en que el alcalde tenga por presentada la denuncia y hasta noventa días después de haber terminado la investigación sumaria o sumario, incoados a partir de la citada denuncia. (...)

Al respecto, cumple con manifestar que sin perjuicio de la competencia de esta Entidad Fiscalizadora para conocer de las denuncias aludidas precedentemente, este Organismo de Control no es de aquellos ante los cuales la normativa mencionada dispone que deben efectuarse las denuncias a que alude el artículo 58 letra k), cuales son, el Ministerio Público, la policía o el alcalde, según corresponda.

Lo anterior, habida consideración que el catálogo de derechos de carácter protector que el legislador consagró en forma expresa, no puede extenderse a otras situaciones no previstas al efecto o interpretarse como cláusulas abiertas en las que puedan ser asimiladas otras circunstancias no contempladas expresamente en dicha preceptiva estatutaria (aplica dictamen Nº 15.772, de 2011)».* (**ID Dictamen: 031221N11[194] Fecha:** 17.05.2011 **Destinatarios:** Alcaldesa Municipali-

---

[194]   Para efectos de su consulta en la Base de Jurisprudencia de Contraloría General de la República, el citado dictamen se encuentra en la sección/materia: «generales», sin perjuicio de que se trata de uno de carácter municipal.

dad de San Bernardo. **Texto:** Sobre aplicación de norma de protección prevista en la letra b) del artículo 88 A de la ley 18883, a funcionario municipal, que formuló denuncia ante Contraloría General. **Acción:** Aplica dictamen 15772/2011). Mismo criterio aplicado en **ID Dictamen: 015772N11 Fecha:** 15.03.2011 **Destinatarios:** Nelson Caucoto Pereira Oficina Derechos Humanos Corporación de Asistencia Judicial Región Metropolitana. **Texto:** Sobre solicitud de reincorporación, fuero gremial y protección del artículo 88 A de la ley 18883. **Acción:** Aplica dictámenes 15405/2010, 37870/2007 confirma dictamen 61530/2010).

8. «*Por su parte, el **artículo 58, letra e), de ese cuerpo estatutario**, dispone que los funcionarios están obligados a cumplir las destinaciones y comisiones de servicio que la autoridad competente disponga en el ejercicio de sus atribuciones. En este contexto, este Organismo Contralor en los dictámenes Nºs. 3.481, de 2006, y 36.961, de 2010, ha precisado que para que un servidor se encuentre obligado a cumplir una destinación, es menester que las funciones que por su intermedio deba realizar, sean de la misma jerarquía que aquéllas que son propias del cargo para el cual fue nombrado, entendiéndose que son tales, las asignadas a una determinada planta, condición que concurre en este caso, dado que considerando que la recurrente ocupa un cargo genérico grado 14 de la planta administrativa, el que no tiene asignado tareas específicas, ha sido destinada a cumplir labores de esa misma especie en su nuevo lugar de desempeño, de modo que con tal decisión no se produce menoscabo en su posición jerárquica.*

*No obstante lo anterior, atendido lo manifestado por la peticionaria, en orden a que el lugar en que ha sido ubicada carecería de las condiciones mínimas de higiene y seguridad, que le permitan conservar su salud y realizar adecuadamente su trabajo —del cual acompaña fotografías—, debe hacerse presente que en cumplimiento de los **artículos 17 de la ley Nº 18.575, Orgánica Constitucional de Bases Generales de la Administración del Estado, y 42, inciso primero, de la ley Nº 18.695, que protege la dignidad de la función pública**, la Municipalidad de Pedro Aguirre Cerda debe de inmediato adoptar las medidas pertinentes, informando acerca de ellas a esta Entidad Fiscalizadora*». (**ID Dictamen: 002055N11 Fecha:** 12.01.2011 **Destinatarios** Alcaldesa de la Municipalidad de Pedro Aguirre Cerda. **Texto:** Sobre requisitos para destinación de funcionaria municipal. **Acción:** aplica dictámenes 3481/2006, 36961/2010)

9. «*Luego, en virtud de las diligencias efectuadas, el fiscal formuló nuevos cargos a los imputados —a fojas 2.072 a 2.078, 2.083 a 2.084, 2.088 a 2.091, 2.096 a 2.097—, describiéndose detalladamente los hechos constitutivos de las infracciones que se imputan y como ellas afectaron los deberes que establecen las normas legales que se vulneraron, específicamente, el **artículo 52 de la ley Nº 18.575, Orgánica Constitucional de Bases Generales de la Administración del Estado, en relación con la letra g) del artículo 58 de la citada ley Nº 18.883** —ambas normas relativas a la observancia del principio de probidad administrativa—. Además, respecto del señor Corral Barraza, se describieron —a fojas 2.079 a 2.080— las conductas que vulneraban los artículos **58, letras b), c) y g)**, del citado estatuto, en relación con el artículo 62, Nº 4, de la anotada ley Nº 18.575, relativos al cumplimiento de los objetivos municipales y a la obligación de realizar sus deberes con esmero, cortesía, dedicación y eficiencia. (...)*

Ahora bien, del análisis de los referidos cargos, se ha podido verificar que ellos cumplen con las exigencias que ha señalado la jurisprudencia administrativa de este Organismo de Control para su eficacia, esto es, haber sido formulados en términos concretos y precisos y especificar los hechos investigados que configuren un incumplimiento de los deberes u obligaciones contemplados en las normas legales que se estiman transgredidas, las que se citaron expresamente, de manera de permitirle a los inculpados efectuar una adecuada defensa respecto de la conducta reprochada y al Servicio, a su vez, aplicar fundadamente la medida disciplinaria que en derecho corresponda (aplica criterio contenido en el dictamen Nº 77.909, de 2011, de este origen)». (**ID Dictamen: 076051N12 Fecha:** 06.12.2012 **Destinatarios:** Rogelio Castillo Morales. **Texto:** Rechaza reclamos de ilegalidad en contra del sumario administrativo afinado por decreto 93/2012, de la Municipalidad de Peñalolén. **Acción:** Aplica dictámenes 73364/2011, 77909/2011, 73449/2011, 47766/2010, 53505/2010, 31025/2005, 24927/2012)

10. «*Enseguida, en lo relativo a las prerrogativas a que hace alusión el peticionario en su reclamo, que impedirían que se le aplicara una sanción expulsiva, cabe señalar que la regulación de las mismas está contenida en los artículos 88 A y 88 B de la mencionada ley. Nº 18.883, que fueron incorporados por la ley Nº 20.205, que protege al funcionario que denuncia irregularidades y faltas al principio de probidad.*

*La primera de tales disposiciones, en lo que interesa, establece que los funcionarios que ejerzan las acciones a que se refiere el **artículo 58, letra k), del aludido cuerpo estatutario**, no podrán ser objeto de las medidas disciplinarias de suspensión del empleo o de destitución, desde la fecha en que el alcalde tenga por presentada la denuncia y hasta noventa días después de haber terminado la investigación sumaria o sumario administrativo, incoados a partir de aquella.*

*A su vez, el anotado artículo 88 B de la ley Nº 18.883, dispone que la denuncia debe ser fundada y cumplir con los requisitos que en el mismo se indican; mientras que la citada **letra k) del artículo 58 de ese texto legal**, afirma que constituye una obligación funcionaria ejercer tal acción ante la autoridad competente, con la debida prontitud.*
*En concordancia con lo anterior, la **jurisprudencia administrativa de este Órgano de Control, contenida, entre otros, en los dictámenes Nºs. 61.457, de 2008, y 20.471**, de 2009, ha sostenido que la protección que concede la normativa en comento se encuentra establecida en directa relación con la denuncia presentada y con el procedimiento disciplinario a que dé lugar, por lo que se otorgará solo en la medida que esta cumpla con todos los requisitos legales».* (ID Dictamen: **074921N12 Fecha:** 03.12.2012 **Destinatarios:** Alcalde de la Municipalidad de Hualpén. **Texto:** Acoge reclamos de ilegalidad en contra de sumario administrativo instruido por Municipalidad y se pronuncia sobre aplicación de ley 18695 art. 29 inc./fin. **Acción:** Aplica dictámenes 49580/2008, 65284/2011, 49744/2012, 1603/2010, 72575/2011, 19892/2009, 2030/2011, 26652/82, 15116/86, 5850/96, 46231/2004, 34010/2005, 61457/2008, 20471/2009)

11. *«Finalmente, en lo que atañe a la solicitud del señor Valdebenito Contreras en orden a que se le aplique la norma de protección del artículo 88 A, letra a), de la ley Nº 18.883, corresponde indicar que dicha preceptiva prescribe que los funcionarios que ejerzan las acciones a que se refiere el **artículo 58, letra k), de la ley en comento** —relativa a la obligación de denunciar al alcalde los hechos de carácter irregular o las faltas al principio de probidad de que tome conocimiento—, no podrán ser objeto de las medidas disciplinarias de suspensión del empleo o de destitución, desde la fecha en que el alcalde tenga por presentada la denuncia y hasta noventa días después de haber terminado la investigación sumaria o sumario, incoados a partir de la citada denuncia.*
*En relación con lo anterior, y acorde con lo manifestado en el **dictamen Nº 36.909, de 2010, de esta Entidad Fiscalizadora**, cabe señalar que la relación laboral de los educadores con desempeño en el ámbito municipal, se rige íntegramente por la normativa de la ley Nº 19.070, y de manera excepcional, cuando aquella no regula una determinada materia, procede, de conformidad con el artículo 71 de dicho estatuto, aplicar supletoriamente las disposiciones del Código del Trabajo y sus leyes complementarias.*
De este modo, el señor Valdebenito Contreras no tiene derecho a la protección que establece el artículo 88 A, letra a), de la ley Nº 18.883, toda vez que atendida su calidad de profesional de la educación, no le resulta aplicable dicha preceptiva estatutaria, debiendo rectificarse, en ese sentido, el oficio Nº 12.287, de 2011, de la aludida Sede Regional». (ID Dictamen: **067489N12 Fecha:** 29.10.2012 **Destinatarios:** Alcalde de la Municipalidad de Talca. **Texto:** Sobre reapertura de proceso disciplinario contra docentes e improcedencia de aplicarles el art. 88 A lt/a de la ley 18883. **Acción:** Aplica dictámenes 15680/2012, 43658/2012, 36909/2010, 4182/2011)

12. *«Enseguida, cabe indicar que a los peticionarios les fueron formulados cargos a fojas 532 y siguientes, por haber infringido el **artículo 58, letra b), de la citada ley Nº 18.883**, y por haber transgredido lo dispuesto en el artículo 7º, del decreto supremo Nº 89, de 2002, del Ministerio de Salud, Reglamento de Prevención de la Rabia en el Hombre y en los Animales, ya que ellos no se encontraban facultados para proceder al sacrificio de los antedichos especímenes. (...)*
*En este contexto, en relación con la afirmación de los recurrentes, en orden a haber actuado por instrucciones de las jefaturas del Departamento de Higiene y Medio Ambiente del municipio, sin la supervisión de un veterinario entre los años 2008 a 2010, conviene recordar que, en conformidad con lo prescrito en los **artículos 58, letra f), y 59 de la aludida ley Nº 18.883, para que hubieran podido eximirse de responsabilidad por sus actuaciones —por esta causal—, han debido, en su oportunidad, representar la respectiva orden por escrito y su superior, a su vez, reiterarla en igual forma**, supuesto que no se ha verificado en la especie (aplica criterio contenido en el dictamen Nº 62.923, de 2011).*
Luego, de los antecedentes tenidos a la vista, es posible constatar que se encuentra acreditada la falta imputada a los inculpados, cual es, haber sacrificado especímenes caninos sanos sin tener facultades para ello.
No obstante lo anterior, aun cuando la infracción imputada se refiere al incumplimiento de deberes funcionarios, éstos no se contemplan entre las causales específicas que, conforme al artículo 123 de la ley Nº 18.883, facultan y obligan a la autoridad a aplicar la sanción de destitución, por lo que sólo ameritarían esa medida expulsiva si se hubieren calificado fundadamente como una grave infracción al principio de probidad, tal como ha precisado, entre otros, el dictamen Nº 77.321, de 2010, de este Órgano de Control, lo que no aconteció en la especie». (**ID Dictamen: 066591N12 Fecha:** 25.10.2012 **Destinatarios** Alcalde de la Municipalidad de San Joaquín. **Texto:** Acoge reclamo de ilegalidad en contra del decreto 21/2012, de la Municipalidad de San Joaquín, que aplicó la medida de destitución a los funcionarios que indica. **Acción:** Aplica dictámenes 44837/2011, 5122/2012, 62923/2011, 77321/2010, 69752/2010, 14076/2011, 22078/2007, 39954/2008, 15801/2009)

13. *«Asimismo, es necesario indicar que, al no haber sido legalmente designado en su cargo por no cumplir con los requisitos para ello, el señor Gutiérrez Miranda **no se incorporó válidamente a la Administración del Estado y, por lo***

tanto, al no gozar de la calidad de funcionario municipal, no estuvo afecto a responsabilidad administrativa, siendo jurídicamente imposible para el municipio concluir el procedimiento disciplinario instruido en su contra (aplica dictámenes Nºs. 36.734, de 2008 y 76.516, de 2011).

Por lo tanto, por las consideraciones expuestas, se desestima el reclamo del recurrente, debiendo la Municipalidad de Santiago arbitrar las medidas tendientes a obtener la restitución de las remuneraciones percibidas por este.

*Por último, es menester señalar que conforme a lo dispuesto en el **artículo 58 letra k), la ley Nº 18.883**, Estatuto Administrativo para Funcionarios Municipales, la entidad edilicia debe formular la denuncia corresponde ante el Ministerio Público, con el fin de que se investigue la eventual comisión de delitos en los hechos que motivan este pronunciamiento».* (**ID Dictamen: 065679N12 Fecha:** 22.10.2012 **Destinatarios:** Raúl Gutiérrez Miranda. **Texto:** Sobre invalidación de designación docente, por no tener título profesional la persona en que recayó. **Acción:** Aplica dictámenes 53903/2004, 49427/2006, 36734/2008, 76516/2011)

14. *«En este contexto, a la señora Báez Green y al señor Hernández Meza, les fue formulado el cargo único de haber otorgado permisos de edificación y recepciones definitivas municipales de las viviendas correspondientes al proyecto Acceso a la Vivienda II, sin cumplir con los requisitos establecidos en la normativa legal vigente, infringiendo así lo dispuesto en los artículos 1.2.1, 1.4.2, 5.1.6., 5.2.5., y 5.2.6., todos de la Ordenanza General de Urbanismo y Construcciones, y el **artículo 58, letra g), de la ley Nº 18.883**.*

*Puntualizado lo anterior, cumple con señalar que si bien a este **Organismo de Control le corresponde velar porque se respeten las normas constitucionales y legales que regulan los procedimientos sumariales que se instruyen en contra de servidores municipales, a objeto de resguardar que la autoridad dé cumplimiento a los principios de juridicidad y del debido proceso, ello no lo convierte en una instancia procesal para que se solicite dejar sin efecto un acto administrativo dictado por la autoridad municipal competente (aplica dictamen Nº 43.373, de 2012)».*** (**ID Dictamen: 063047N12 Fecha:** 10.10.2012 **Destinatarios:** Alonso Basualto Arias. **Texto:** Dictamen emitido por el fiscal sumariante reúne todas las exigencias previstas en la normativa legal que regula la materia, de modo que decreto alcaldicio que aprueba la vista fiscal, señalando los hechos y el derecho aplicable, se encuentra debidamente fundado. **Acción:** Aplica dictámenes 43373/2012, 58110/2009)[195]

15. *«Además, es dable recordar que esta Contraloría General, al emitir el pronunciamiento cuya reconsideración se solicita, ha ejercido las atribuciones que le confieren los artículos 6º, inciso primero, de la ley Nº 10.336 y 52 de la ley Nº 18.695, que la habilitan para dictaminar sobre los asuntos que se relacionen con el Estatuto Administrativo y el funcionamiento de las entidades sujetas a su fiscalización, toda vez que, en virtud de lo dispuesto en los artículos 40 de la ley Nº 18.695 y 1º de la ley Nº 18.883 —Estatuto Administrativo para Funcionarios Municipales—, **el alcalde es funcionario municipal y, en tal calidad, está sujeto a las obligaciones estatutarias correspondientes, entre las cuales se encuentra el deber de observar el principio de probidad administrativa regulado en la ley Nº 18.575, acorde con la letra g) del artículo 58 de dicho texto estatutario».*** (**ID Dictamen: 062603N12 Fecha:** 09.10.2012 **Destinatarios:** Alcalde de la Municipalidad de Coyhaique. **Texto:** Rechaza solicitud de reconsideración de dictamen 15860/2012, de la Contraloría General, que acogió denuncia sobre conflicto de intereses que afectó al alcalde de la Municipalidad de Coyhaique en relación con actuaciones vinculadas con el Proyecto Hidroeléctrico Aysén. **Acción:** Aplica dictámenes 30739/98, 27994/2009 Confirma dictamen 15860/2012)

16. *«A lo expuesto, es menester agregar que la **letra e) del artículo 58, del aludido cuerpo legal**, establece, en lo que interesa, como una de las obligaciones de los servidores municipales, la de cumplir las destinaciones que disponga la autoridad competente. (...)*

En este contexto, es dable manifestar que, si bien la recurrente pudo ser destinada con arreglo a lo previsto en el artículo 70 de la citada ley Nº 18.883, tal decisión debe garantizar que las nuevas funciones a desempeñar sean aquellas para las cuales fue designada, en este caso, de contador general, exigencia que, según los antecedentes tenidos a la vista —especialmente el informe de labores técnicas evacuado por el municipio—, es posible verificar que se cumple, toda vez que estas dicen relación directa con el cargo que sirve, por lo que se debe rechazar la reclamación de la especie». (**ID Dictamen: 052751N12 Fecha:** 28.08.2012 **Destinatarios:** Alcaldesa de la Municipalidad de Recoleta. **Texto:** Rechaza

---

[195]   Para efectos de su consulta en la Base de Jurisprudencia de Contraloría General de la República, el citado dictamen se encuentra en la sección/materia: «generales», sin perjuicio de que se trata de uno de carácter municipal.

reclamo de presunta destinación irregular de funcionaria de la Municipalidad de Recoleta. **Acción:** Aplica dictámenes 37586/2009, 42127/2009, 34820/2011, 21645/2012)

17. «*Sin perjuicio de lo anterior, según lo dispuesto en los **artículos 58** y 61, letra a), de la citada **ley Nº 18.883**, es responsabilidad del fiscal instructor y de la Unidad Jurídica del municipio, como lo ha precisado este Organismo Contralor, entre otros, en el dictamen Nº 13.330, de 2012, velar por la correcta y oportuna tramitación de los procesos sumariales hasta la vista fiscal, obligación dentro de la cual se entiende incorporada la de dar **cumplimiento a los plazos que contempla la normativa legal aludida**».* (**ID Dictamen: 049744N12 Fecha:** 14.08.2012 **Destinatarios:** Cristian Prieto Serey. **Texto:** Desestima reclamo de ilegalidad en contra de medida disciplinaria de destitución por atrasos reiterados. **Acción:** Aplica dictámenes 29937/2012, 18835/2012, 38280/2010, 76892/2011 33054/2000, 22509/2005, 49342/2009, 44837/2011, 50081/2011, 13330/2012, 80779/2011. Mismo criterio aplicado en **ID Dictamen: 013330N12 Fecha:** 07.03.2012 **Destinatarios:** Alcalde de la Municipalidad de Maipú. **Texto:** Desestima reclamo de ilegalidad en contra del decreto 6464/2011, de la Municipalidad de Maipú, mediante el cual se aplicó la medida disciplinaria de multa del cinco por ciento de su remuneración mensual, con arreglo a los artículos 120 lt/b, y 122 lt/a de la ley 18883, a funcionario de esa entidad edilicia. **Acción:** Aplica dictámenes 28791/2009, 44837/2011, 62969/2009, 27262/2006)

18. «*Como cuestión previa, cabe señalar que según da cuenta el expediente sumarial respectivo, a las afectadas se les formuló cargo por haber incurrido en conducta reprochable al incumplir gravemente las obligaciones que impone su función, establecidas en **las letras a), b), c) y f) del artículo 58 de la citada ley Nº 18.883**, al haber dado un trato descortés a la usuaria que indica, cuando esta concurrió a la unidad municipal ventanilla única, actuando las sumariadas sin el debido esmero y cortesía en el desempeño de sus labores.*
En primer término, y en lo que se refiere al mérito de las alegaciones planteadas, es menester aclarar que si bien corresponde a este Organismo de Control velar porque se respeten las normas legales y constitucionales que rigen a los funcionarios municipales en esta materia, entre ellas, las relativas a la responsabilidad administrativa, tal circunstancia no lo convierte en una instancia procesal por cuyo intermedio se pueda dejar sin efecto un acto administrativo dictado por la autoridad competente para ese efecto, sobre la base de la exposición de los mismos hechos ya investigados en el sumario, por lo que no se emitirá pronunciamiento al respecto (aplica dictámenes Nºs. 5.122, y 18.835, ambos de 2012).
En cuanto a la legalidad del sumario adjunto, cumple con señalar que, revisados los antecedentes, ha sido posible constatar la inexistencia de vicios de procedimiento que lo afecten, toda vez que en su tramitación se realizaron todas las diligencias tendientes a establecer la veracidad y existencia de los hechos ordenados investigar, y se procuraron también las instancias legales a fin de asegurar la debida defensa de las inculpadas, acreditándose, (...), su responsabilidad administrativa de acuerdo al cargo que se les formuló a fojas 18, respetándose la garantía de un justo y racional procedimiento, razón por lo que deben desestimarse las reclamaciones en tal sentido. (...)
*En lo que respecta a la falta de asesoría jurídica prestada por la municipalidad a las reclamantes, en conformidad a lo dispuesto en el artículo 88 de la ley Nº 18.883, debe tenerse presente que la labor de asistencia que las municipalidades pueden prestar a sus funcionarios en conformidad a dicha disposición, está referida únicamente a ser defendidos y a exigir que la municipalidad a la que pertenezcan persiga la responsabilidad civil y criminal de las personas que atenten contra su vida o su integridad corporal, con motivo del desempeño de sus funciones, o que por dicho motivo, los injurien o calumnien en cualquier forma, **siempre que el afectado no haya cometido un hecho que, al menos presuntamente, pueda implicar la infracción a sus deberes funcionarios, tal como lo ha precisado la jurisprudencia administrativa contenida, entre otros, en el dictamen Nº 67.868, de 2010**, de este origen, por lo que la reclamación en tal sentido no resulta atendible en el caso en comento*». (**ID Dictamen: 044997N12 Fecha:** 26.07.2012 **Destinatarios:** Alcalde de la Municipalidad de Quinta Normal. **Texto:** Rechaza reclamos de ilegalidad en contra de las medidas disciplinarias de censura aplicadas por la Municipalidad de Quinta Normal. **Acción:** Aplica dictámenes 5122/2012, 18835/2012, 67868/2010)

19. «*Sobre el particular, corresponde manifestar, que el **artículo 58, letra d), de la ley Nº 18.883** —Estatuto Administrativo para Funcionarios Municipales—, establece, entre las obligaciones funcionarias, el deber de cumplir con la jornada de trabajo; a su turno, el artículo 62, inciso final del mismo texto legal, ordena que los servidores públicos deberán desempeñar su cargo en forma permanente durante la jornada ordinaria de trabajo; y, finalmente, el artículo 69, inciso final del citado cuerpo normativo, dispone que los atrasos y ausencias reiterados, sin causa justificada, serán sancionados con destitución, previa investigación sumaria.*
Por su parte, el artículo 61, letra a), del referido texto estatutario —en armonía con lo dispuesto en el artículo 11 de la ley Nº 18.575, Orgánica Constitucional de Bases Generales de la Administración del Estado—, indica como una de las obligaciones especiales del alcalde y de las jefaturas, el ejercer un control jerárquico permanente del funcionamiento de las unidades y de la actuación del personal de su dependencia.

*Ahora bien, de los mencionados preceptos legales, es posible advertir que **todos los funcionarios, sin distinción alguna, están sujetos a la obligación de cumplir con la jornada y el horario establecido para el desempeño de su trabajo, de modo que, ante la ausencia de texto legal expreso que fije un régimen particular de control, compete a las respectivas autoridades de los servicios, en este caso al alcalde, determinar mediante el correspondiente acto administrativo, el o los sistemas de control de la jornada laboral de todos los empleados de su dependencia (aplica criterio contenido en los dictámenes Nºs. 26.782, de 1999 y 13.069, de 2010, entre otros).***

En efecto, la normativa expuesta y la jurisprudencia administrativa reseñada, han reconocido a la máxima autoridad edilicia, la facultad de velar por el cumplimiento de la jornada de trabajo, y considerando que la legislación pertinente no ha establecido un mecanismo especial de registro de asistencia para el municipio cuya situación se analiza, cabe señalar que esta Contraloría General no advierte inconvenientes de orden jurídico para que la Municipalidad de Quinta Normal, implemente distintos mecanismos de control del cumplimiento de la jornada de trabajo del personal de su dependencia.

*Por otra parte, en lo que respecta a **la exclusión de ciertos funcionarios del indicado sistema de registro, es menester recordar que la atribución del alcalde para establecer diversos mecanismos de control sobre la materia, le permite fijar el o los sistemas que considere adecuados para tal efecto y los funcionarios que quedarán adscritos a uno u otro sistema, en la medida, por cierto, que esta diferencia se fundamente en la naturaleza de las funciones que estos desempeñen y no solo en razón de su jerarquía, tal como lo ha precisado el dictamen Nº 20.246, de 2001, de este origen, entre otros.***

En ese sentido, cumple con manifestar que si bien resulta procedente que el anotado municipio implemente sistemas diferentes de control del cumplimiento de la jornada, no se ajustó a derecho que solo en razón de sus cargos, se hubiere eximido del sistema de registro biométrico a los directores municipales, por lo que dicha entidad edilicia deberá tomar las medidas necesarias a fin de regularizar dicha situación (...)». **(ID Dictamen: 042784N12 Fecha:** 17.07.2012 **Destinatarios:** Alcalde de la Municipalidad de Quinta Normal. **Texto:** Sobre aplicación de distintos sistemas de control horario y acuerdo de junta calificadora. **Acción:** Aplica dictámenes 26782/99, 13069/2010, 20246/2001, 44518/2010, 29086/2011)

20. *«Finalmente, en relación a lo manifestado por los recurrentes, en el sentido que el director del área de fiscalización del citado municipio estaría **faltando a sus obligaciones funcionarias, cabe señalar que tal declaración importa una denuncia que debe ser deducida ante la autoridad edilicia aportando los antecedentes en que se funda, atendido que en el alcalde, como máxima autoridad municipal, está radicada la potestad disciplinaria, y es quien debe ponderar si los hechos denunciados ameritan disponer la instrucción de un procedimiento disciplinario, a fin de determinar la existencia de responsabilidades administrativas por parte de funcionarios de su dependencia, tal como lo ha manifestado la jurisprudencia administrativa contenida, entre otros, en los dictámenes Nºs. 14.317, de 2011 y 1.126, de 2012».*** **(ID Dictamen: 035854N12 Fecha:** 15.06.2012 **Destinatarios:** Rodrigo Ponce de León Ahumada y otros. **Texto:** Es atribución privativa de la autoridad máxima de una municipalidad ordenar las destinaciones del personal de su dependencia, con la limitación de que las funciones que deba cumplir el empleado sean las propias del cargo para el cual ha sido nombrado y sin que ello signifique arbitrariedad, como asimismo ponderar si hechos denunciados ameritan disponer instrucción de un procedimiento disciplinario. **Acción:** aplica dictámenes 61864/2011, 720/2005, 45369/2008, 3583/2010, 4338/2012, 14317/2011, 1126/2012)

21. *«Finalmente, en el evento que ese municipio haya detectado una eventual falsificación de permisos de circulación —situación a la que hace mención el recurrente en su presentación, pero respecto de la cual ese servicio no se pronuncia en su informe—, **corresponde que esa entidad edilicia ponga los respectivos antecedentes a disposición del organismo competente, de conformidad con lo previsto en el artículo 58, letra k), de la ley Nº 18.883, que aprueba el Estatuto Administrativo para Funcionarios Municipales».*** **(ID Dictamen: 033731N12 Fecha:** 07.06.2012 **Destinatarios:** Mario Jara Donoso. **Texto:** Sobre la negativa de la municipalidad que indica, de aceptar el pago del permiso de circulación como taxi del vehículo de alquiler que se señala. **Acción:** Aplica dictamen 61429/2009)

22. *«Por su parte, la **letra e), del artículo 58 de la referida ley Nº 18.883**, establece, entre las obligaciones funcionarias, la de cumplir las destinaciones y las comisiones de servicio que disponga la autoridad competente.*

Al respecto, es necesario manifestar, tal como se ha señalado por esta Entidad Fiscalizadora, mediante el dictamen Nº 14.317, de 2011, entre otros, que es atribución privativa de la autoridad máxima de una municipalidad, ordenar mediante un acto administrativo formal, vale decir, por decreto del alcalde, las destinaciones del personal de su dependencia, decidiendo discrecionalmente cómo distribuir y ubicar a los funcionarios, según lo requieran las necesidades de la repartición que dirige, con la sola limitación de que las funciones que deba cumplir el empleado sean las propias del cargo para el cual ha sido nombrado y sin que ello signifique arbitrariedad.

En este contexto, es dable precisar que para que un servidor se encuentre obligado a cumplir una destinación, es menester que las funciones que deba realizar, sean de la misma jerarquía que aquéllas que son propias del cargo para el cual fue nombrado, entendiéndose que son tales, las asignadas a una determinada planta (aplica dictámenes Nºs. 36.961, de 2010, y 2.055, de 2011).

*Ahora bien, de conformidad con el criterio de este **Organismo de Control**, contenido entre otros, en los dictámenes Nºs. 41.889, de 2009 y 54.730, de 2011, si bien el actuar de la municipalidad se enmarca dentro del ámbito de su competencia al destinar un funcionario, ello debe verificarse a través del correspondiente acto administrativo, toda vez que acorde con el artículo 3º de la ley Nº 19.880 —que Establece las Bases de los Procedimientos Administrativos que rigen los actos de los Órganos de la Administración del Estado, aplicable a las municipalidades de conformidad con lo prescrito en el artículo 2º de ese cuerpo legal—, las decisiones escritas que adopte la Administración se expresarán por medio de actos administrativos, entendiéndose por estos, las decisiones formales que emitan los órganos de la Administración del Estado en las cuales se contienen declaraciones de voluntad, realizadas en el ejercicio de una potestad pública».* (**ID Dictamen: 033658N12 Fecha:** 07.06.2012 **Destinatarios:** Alcalde de la Municipalidad de El Bosque. **Texto:** Se pronuncia sobre reclamación interpuesta por funcionaria regida por la ley 19378, en contra de municipio, por las constantes destinaciones de que ha sido objeto, expresándose que de los antecedentes tenidos a la vista, no se advierte que las destinaciones de la especie fueran materializadas a través de decretos alcaldicios, sin que tampoco consten, de manera indubitada, las tareas que debió asumir la recurrente, y si aquellas se relacionaron con las funciones propias de un técnico de nivel superior, categoría a la que pertenece la peticionaria. **Acción:** Aplica dictámenes 14317/2011, 36961/2010, 2055/2011, 41889/2009, 54730/2011)[196]

23. *«Lo anterior no resulta atendible, por cuanto **el deber de obediencia consagrado en el artículo 58, letra f), de la ley Nº 18.883, no resulta aplicable en la situación investigada, al tratarse de una riña entre dos funcionarios**, siendo igualmente reprochable la conducta respecto de ambos».* (**ID Dictamen: 030590N12 Fecha:** 24.05.2012 **Destinatarios:** Alcalde de la Municipalidad de Tucapel. **Texto:** No ratifica medida disciplinaria de destitución contenida en el decreto 768/2011, de la Municipalidad de Tucapel y atiende diversas solicitudes acerca de la situación del afectado. **Acción:** Aplica dictámenes 38280/2010, 29188/2006, 27108/83, 40282/97, 329/2006, 2019/2010, 44764/2009, 50142/2009, 54642/2005)

24. *«Al respecto, es necesario observar que lo expresado por el municipio no resulta atendible, considerando que, en el expediente sumarial, consta que el señor García Lecaros, en su calidad de secretario municipal y director de tránsito subrogante, permitió que las sociedades comerciales a que se refiere el expediente realizaran actividades relacionadas con la captación de contribuyentes y el otorgamiento y tramitación de permisos de circulación, lo que implicó el desempeño por parte de terceros de funciones privativas de la corporación edilicia; autorizó el aumento proporcional del precio mensual de los servicios de aquellas empresas de manera permanente y sin respetar la formalidad correspondiente de dicho acto administrativo, pese a ser una atribución discrecional del municipio, según el contrato; firmó decretos aprobando devoluciones de impuestos por permisos de circulación para las mismas entidades sin haber acreditado su procedencia; entregó los timbres de caja, los formularios y las bases de datos de los referidos permisos a empleados de dos empresas, para efectos de estampar los pagos pertinentes, traspasando así funciones municipales a terceros; permitió que las sociedades comerciales a cargo de esas labores no registrasen oportunamente el día de pago en la caja Nº 108; y no realizó a su debido tiempo las gestiones para recuperar las sumas correspondientes al pago del incremento por la venta de permisos de circulación y al aporte al Fondo Común Municipal.*
*Dichas actuaciones fueron reprochadas al señor García Lecaros en sus cargos (...) como una vulneración a los **artículos 58, letra c), de la ley Nº 18.883, y 62, Nº 8, de la ley Nº 18.575, sobre Bases Generales de la Administración del Estado**, encontrándose debidamente acreditadas (...), y analizadas tanto en la vista fiscal (...) que rola a fojas 685 y siguientes, como en la resolución (...), de esta Contraloría General, que propone las medidas disciplinarias de la especie».* (**ID Dictamen: 005465N12 Fecha:** 27.01.2012 **Destinatarios:** Alcalde de la Municipalidad de Colina. **Texto:** Devuelve sin tramitar decreto Nº 39, de 2011, de la Municipalidad de Colina, por el cual ese municipio aplica las medidas disciplinarias que indica. **Acción:** Aplica dictamen 58365/2004)

---

[196] Para efectos de su consulta en la Base de Jurisprudencia de Contraloría General de la República, el citado dictamen se encuentra en la sección/materia: «generales», sin perjuicio de que se trata de uno de carácter municipal.

25. «*En cuanto al cargo relativo a la contravención del **artículo 58, letra c), de la ley Nº 18.883** —que establece el deber de realizar sus labores con esmero, cortesía, dedicación y eficiencia, contribuyendo a materializar los objetivos de la municipalidad—, por haber enviado a la subdirectora de recursos humanos un informe referente a la necesidad de poner término a ciertas contrataciones a honorarios de parientes de los directores de control y administración y finanzas, por infringir las normas de probidad administrativa, lo que a juicio del investigador dejaría de manifiesto que la inculpada desconocía la normativa sobre la materia, aplicándola erróneamente, y evidenciaría falta de acuciosidad en el desempeño de sus funciones, al denunciar hechos que estarían ajustados a derecho, cabe manifestar que **no se advierte de qué manera dicha actuación pudiera haber afectado el deber que establece la aludida preceptiva**». (*ID Dictamen: 004170N12 **Fecha:** 23.01.2012 **Destinatarios:** Alcalde de la Municipalidad de Maipú. **Texto:** Sobre procedencia de medida disciplinaria de destitución de funcionaria municipal afecta a fuero gremial. **Acción:** aplica dictámenes 35972/2011, 29991/2010, 42476/2011)

26. «*No obstante, **se ha estimado necesario complementar tal pronunciamiento en el sentido de precisar que la sola circunstancia que los hechos denunciados hayan ocurrido fuera de la jornada laboral de los servidores de que se trata no implica, necesariamente, entender que no se ha podido configurar respecto de estos una falta al principio de probidad administrativa** —consagrado en los artículos 8º de la Constitución Política y 52 y siguientes de la ley Nº 18.575— o comprometer sus responsabilidades administrativas, en concordancia con lo dispuesto en el artículo 58, letras g) e i), de la ley Nº 18.883.*
En efecto, la jurisprudencia administrativa de esta Entidad de Control, contenida, entre otros, en los dictámenes Nºs. 10.086, de 2000; 49.580, de 2008, y 42.372, de 2010, ha precisado que el aludido principio de probidad administrativa conlleva el deber de observar una vida privada acorde con la dignidad de la función, pudiendo incluso afectar el comportamiento privado del funcionario, en tanto este pudiere significar, entre otras consecuencias, el desprestigio del servicio o faltar a la lealtad debida a sus jefaturas, a sus compañeros o a la comunidad». (**ID Dictamen: 003259N12 Fecha:** 18.01.2012 **Destinatarios:** Alcalde de la Municipalidad de Combarbalá. **Texto:** Sobre solicitud de reconsideración de oficios relativos a celebración de sesiones del concejo municipal, publicidad de sumario administrativo y hechos que indica. **Acción**: Aplica dictámenes 10254/2010, 36239/2001, 39322/2001, 10086/2000, 49580/2008, 42372/2010)[197]

27. «*Se ha dirigido nuevamente a esta Contraloría General doña María Álvarez López, en representación de doña Lucía Araneda Peña, reclamando en contra de la Municipalidad de La Florida, por el cobro que esta efectuara a su representada por concepto de patente municipal por el arrendamiento de un inmueble de su propiedad, ubicado en la respectiva comuna.*
*Asimismo, se sostiene que la Dirección Jurídica de dicha entidad edilicia no dio respuesta al requerimiento que le fuera remitido mediante oficio Nº 40.068, de 2011, de esta Contraloría General, y que el funcionario que indica de esa unidad, habría incurrido en una infracción a sus obligaciones funcionarias, en especial al **artículo 58, letra c), de la ley Nº 18.883, que aprueba el Estatuto Administrativo para Funcionarios Municipales**. (...)*
*En otro orden de consideraciones, en lo que atañe a la **supuesta infracción a las obligaciones administrativas por parte del funcionario** que se indica en la presentación en comento —que consistiría en haber tenido un trato descortés hacia la reclamante—, es dable manifestar que no se aportan antecedentes que permitan emitir un pronunciamiento sobre tal aspecto.*
Finalmente, en lo que dice relación con lo sostenido por la recurrente vinculado con la falta de respuesta de parte de la Unidad Jurídica Municipal al tenor de lo que le instruyera esta Entidad de fiscalización, se ha estimado pertinente hacer presente a la Municipalidad de La Florida que, en lo sucesivo, deberá dar estricto cumplimiento a los requerimientos e instrucciones de este Organismo Fiscalizador, considerando lo dispuesto en el artículo 9º de la ley Nº 10.336, sobre Organización y Atribuciones de la Contraloría General de la República». (**ID Dictamen: 003090N12 Fecha:** 17.01.2012 **Destinatarios:** Alcalde de la Municipalidad de La Florida. **Texto:** Sobre improcedencia del cobro de patente comercial respecto de vecino de quien no se ha acreditado por la autoridad edilicia que efectivamente desarrolle una actividad gravada. **Acción:** aplica dictámenes 64178/2011, 26664/2011, 66666/2011)

28. «*Así entonces, **el ejercicio de la función pública supone que todo servidor, en su quehacer funcionario y en todas sus actuaciones, dé estricto cumplimiento al principio de probidad administrativa, el cual en este ámbito de aplica-*

---

[197]   Para efectos de su consulta en la Base de Jurisprudencia de Contraloría General de la República, el citado dictamen se encuentra en la sección/materia: «generales», sin perjuicio de que se trata de uno de carácter municipal.

ción debe ser practicado evitando la verificación, entre otras, de las conductas descritas en el artículo 62, Nº 8, de la aludida ley Nº 18.575, esto es, contravenir los deberes de eficiencia, eficacia y legalidad que rigen el desempeño de los cargos públicos, con grave entorpecimiento del servicio o del ejercicio de los derechos ciudadanos ante la Administración (aplica criterio contenido, entre otros, en el dictamen Nº 27.262, de 2006).

En este sentido, cabe tener presente, además, lo dispuesto en el artículo 58, letra c), de la ley Nº 18.883, el cual dispone como obligación de cada servidor el realizar sus labores con esmero, cortesía, dedicación y eficiencia, contribuyendo a materializar los objetivos de la municipalidad.

*Pues bien, en la especie, es dable advertir que en el contexto normativo expuesto, el Alcalde de la Municipalidad de Yungay se ajustó a derecho al sancionar con la medida de destitución a los ocurrentes, por haber incurrido en una **grave contravención al principio de probidad, el que fue vulnerado al dejar de cumplir las obligaciones previsionales del municipio**, haciendo que el ente edilicio tuviera que enfrentar el pago de multas e intereses por los atrasos imputados a los recurrentes, cuya sanción está expresamente establecida en la ley, razón por la que debe desestimarse la reclamación de la especie (aplica dictamen Nº 49.580, de 2008).*

Por otra parte, y dado que el fundamento de las alegaciones planteadas por los recurrentes conciernen al mérito de la decisión adoptada al término de un proceso sumarial y no a su legalidad, cabe manifestar que si bien a esta Contraloría General le compete velar por el respeto de las normas legales y constitucionales que rigen a los servidores municipales, incluidas las que regulan los procedimientos disciplinarios, ello no la convierte en una instancia procesal para dejar sin efecto un acto administrativo dictado por la autoridad competente, sobre la base de la exposición de los mismos hechos ya investigados en el sumario, tal como acontece en la especie (aplica criterio contenido en los dictámenes Nºs. 28.791, de 2009, y 65.284, de 2011)». (**ID Dictamen: 001217N12 Fecha:** 09.01.2012 **Destinatarios:** Daniel Soto Venegas. **Texto:** Confirma dictamen de Contraloría General que concluyó que el sumario administrativo instruido por Municipalidad de Yungay, a cuyo término se aplicó la medida disciplinaria de destitución a los funcionarios que indica, a través del decreto alcaldicio Nº 828, de 2010, se ajustó a derecho. **Acción:** Aplica dictámenes 49465/2006, 47412/2007, 2373/2010, 27262/2006, 49580/2008, 28791/2009, 65284/2011, 71550/2011, 17457/2011)

29. *«Por lo tanto, no cabe sino entender que, tratándose de fondos que corresponden a otros servicios públicos, la retención de los mismos por parte de los respectivos tesoreros municipales se rige por las reglas generales previstas al efecto en los artículos 60 y siguientes de la ley Nº 10.336, de Organización y Atribuciones de esta Contraloría General, y por cierto, atendidas las obligaciones funcionarias reguladas en el artículo 58 de la mencionada ley Nº 18.883, tal hecho podría dar lugar a responsabilidades administrativas, en la medida que así se hubiere determinado en el respectivo proceso sumarial, sin perjuicio de las responsabilidades civiles y penales que pudieran concurrir».* (**ID Dictamen:** 000571N12 **Fecha:** 04.01.2012 **Destinatarios:** Alcalde de la Municipalidad de Lo Espejo. **Texto:** Sobre pago de multas del art. 114 de la Ley de Tránsito en municipios distintos de aquel correspondiente al juzgado de policía local que ha impuesto la respectiva sanción).

Artículo 59

En el caso a que se refiere la letra f) del artículo anterior, si el funcionario estimare ilegal una orden deberá representarla por escrito, y si el superior la reitera en igual forma, aquél deberá cumplirla, quedando exento de toda responsabilidad, la cual recaerá por entero en el superior que hubiere insistido en la orden. Tanto el funcionario que representare la orden, como el superior que la reiterare, enviarán copia de las comunicaciones mencionadas a la jefatura superior correspondiente, dentro de los cinco días siguientes contados desde la fecha de la última de estas comunicaciones. Si se tratare de una orden impartida por el alcalde, las copias se remitirán al respectivo consejo de desarrollo comunal.

1. *«Finalmente, y en cuanto a lo expresado en su oportunidad por el municipio en el sentido que el asesor jurídico habría actuado por instrucciones de la autoridad alcaldicia, cabe recordar que, en conformidad con lo dispuesto en los **artículos 58, letra f), y 59 de la ley Nº 18.883**, para que aquel funcionario haya podido eximirse de responsabilidad por tal actuación ha debido, en su oportunidad, representar la respectiva orden por escrito y su superior, a su vez, reiterarla en igual forma, supuestos que no constan que hayan concurrido en la especie».* (**ID Dictamen: 062923N11 Fecha:** 05.10.2011

Destinatarios: Alcalde Municipalidad de Concón. **Texto:** No procede contratación a honorarios de abogado, con el objeto de asumir la defensa judicial del alcalde en una situación de carácter particular, en materia penal; del mismo modo, el asesor jurídico municipal no puede asumir la representación judicial de un empleado contratado a honorarios por el municipio, dado que las normas legales sobre la materia se refieren a la obligación del municipio de defender a los funcionarios municipales, calidad jurídica en la que no se encuentra una persona contratada a honorarios. **Acción:** Aplica dictámenes 23688/2001, 49102/2003)

2. *«En lo relacionado con el segundo cargo, tampoco consta en la carpeta investigativa que el Juez Titular haya insistido la orden representada por el señor Martínez Gutiérrez —en virtud de lo dispuesto en el **artículo 59 de la ley Nº 18.883**—, relativa a la entrega de un expediente sumarial, en el cual el Juez Titular se encontraba inhabilitado para resolver, de acuerdo a los antecedentes que rolan a fojas 228, 232, 235, 236 y 626, de modo tal que el inculpado no estaba obligado a cumplirla».* (**ID Dictamen: 042147N11 Fecha:** 05.07.2011 **Destinatarios:** Alcalde de la Municipalidad de San Miguel. **Texto:** Observa decreto 7/2011 de la Municipalidad de San Miguel que aplica la medida disciplinaria de destitución y atiende reclamo de ilegalidad que indica. **Acción:** aplica dictámenes 62381/2004, 39536/2010)

3. *«Enseguida, cabe indicar que a los peticionarios les fueron formulados cargos a fojas 532 y siguientes, por haber infringido el **artículo 58, letra b), de la citada ley Nº 18.883**, y por haber transgredido lo dispuesto en el artículo 7º, del decreto supremo Nº 89, de 2002, del Ministerio de Salud, Reglamento de Prevención de la Rabia en el Hombre y en los Animales, ya que ellos no se encontraban facultados para proceder al sacrificio de los antedichos especímenes. (...)*
*En este contexto, en relación con la afirmación de los recurrentes, en orden a haber actuado por instrucciones de las jefaturas del Departamento de Higiene y Medio Ambiente del municipio, sin la supervisión de un veterinario entre los años 2008 a 2010, conviene recordar que, en conformidad con lo prescrito en los artículos 58, letra f), y **59 de la aludida ley Nº 18.883, para que hubieran podido eximirse de responsabilidad por sus actuaciones —por esta causal—, han debido, en su oportunidad, representar la respectiva orden por escrito y su superior, a su vez, reiterarla en igual forma, supuesto que no se ha verificado en la especie (aplica criterio contenido en el dictamen Nº 62.923, de 2011).***
No obstante lo anterior, aun cuando la infracción imputada se refiere al incumplimiento de deberes funcionarios, éstos no se contemplan entre las causales específicas que, conforme al artículo 123 de la ley Nº 18.883, facultan y obligan a la autoridad a aplicar la sanción de destitución, por lo que sólo ameritarían esa medida expulsiva si se hubieren calificado fundadamente como una grave infracción al principio de probidad, tal como ha precisado, entre otros, el dictamen Nº 77.321, de 2010, de este Órgano de Control, lo que no aconteció en la especie». (**ID Dictamen: 066591N12 Fecha:** 25.10.2012 **Destinatarios:** Alcalde de la Municipalidad de San Joaquín. **Texto:** Acoge reclamo de ilegalidad en contra del decreto 21/2012, de la Municipalidad de San Joaquín, que aplicó la medida de destitución a los funcionarios que indica. **Acción:** Aplica dictámenes 44837/2011, 5122/2012, 62923/2011, 77321/2010, 69752/2010, 14076/2011, 22078/2007, 39954/2008, 15801/2009)

Artículo 60

En la situación contemplada en la letra m) del artículo 58 si los cargos fueren de tal naturaleza que se comprometiere el prestigio de la municipalidad, el superior jerárquico deberá ordenar al inculpado que publique sus descargos en el mismo órgano de comunicación en que aquéllos se formularon, haciendo uso del derecho de rectificación y respuesta que confiere la ley respectiva.

Artículo 61

Serán obligaciones especiales del alcalde y jefes de unidades las siguientes:
a) Ejercer un control jerárquico permanente del funcionamiento de las unidades y de la actuación del personal de su dependencia, extendiéndose dicho control tanto a la eficiencia

y eficacia en el cumplimiento de los fines establecidos, como a la legalidad y oportunidad de las actuaciones;

b) Velar permanentemente por el cumplimiento de los planes y de la aplicación de las normas dentro del ámbito de sus atribuciones, sin perjuicio de las obligaciones propias del personal de su dependencia, y

c) Desempeñar sus funciones con ecuanimidad y de acuerdo a instrucciones claras y objetivas de general aplicación, velando permanentemente para que las condiciones de trabajo permitan una actuación eficiente de los funcionarios.

1. «*Sobre el particular y como cuestión previa, es dable señalar que el proceso disciplinario de que se trata fue ordenado instruir por una eventual defraudación a las arcas municipales en relación con los ingresos de bodegaje y traslados de grúa de vehículos mal estacionados, formulándose cargos a la recurrente —a fojas 501 a 506—, en resumen, por, a) contravenir los deberes de eficiencia y eficacia al no haber gestionado la entrega oportuna y periódica al servidor que indica, de los ingresos que percibía su unidad, entre los años 2008 a 2012; b) no haber ejercido un control jerárquico y permanente del personal bajo su dependencia, al haberse constatado que el servidor que señala realizó labores para las cuales no estaba habilitado, constituyendo aquella conducta una infracción al artículo 61 letra a) de la ley Nº 18.883; y, c) haber tenido un comportamiento negligente en el ingreso, la administración, traslado y custodia de fondos públicos, durante los años 2008 y 2012. Ahora bien, en lo que dice relación con la falta de precisión del reproche que se reclama, es dable indicar que el dictamen Nº 42.292, de 2014, entre otros, ha resuelto que el principal objetivo que se persigue con dicho trámite es presentar en forma clara al inculpado el hecho anómalo que se le imputa, de tal manera que tenga la posibilidad de defenderse en cada una de las instancias establecidas para ese efecto, lo que —a la luz de los antecedentes sumariales— se cumplió a cabalidad, según dan cuenta sus descargos —fojas 505 a 515— y la interposición de su respectivo recurso de reposición —sin número—, en que aparece de modo manifiesto el conocimiento que tenía de la infracción que se le atribuyó a la interesada*». (**ID Dictamen:** 005768N17. **Fecha:** 15-02-2017. **Destinatarios:** doña Marcela Garrido Blu, funcionaria de la Municipalidad de Concepción. **Texto:** Municipio debió proceder a la encomendación de funciones que indica en un servidor que integre la planta de directivos o jefaturas. Rechaza reclamo en contra de sumario que señala. **Acción:** Aplica dictámenes 42292/2014, 44445/2010, 3705/2012).

2. «*Como cuestión previa, es menester indicar que al señor Claudio Lizasoaín Stückrath, se le reprochó un cargo único —a fojas 73—, en lo que interesa, por no ejercer en su calidad de administrador de la piscina del parque O'Higgins y de jefe directo del exservidor que señala, el control de las recaudaciones por concepto de entradas a dicho centro de recreación, infringiendo lo dispuesto en el artículo 61 de la referida ley Nº 18.883.*
En efecto, en lo que respecta al señor Claudio Lizasoaín Stückrath, en cuanto a que no tendría la supervigilancia directa del "cajero de la piscina del parque O'Higgins", por lo que la sanción que se le aplicó carecería de fundamento, es oportuno indicar que el interesado expresa —según aparece a fojas 29 y 30 del expediente— que "todos los funcionarios que se desempeñan en la piscina dependen de mí", testimonio que, en definitiva, fue relevante para que el instructor sumarial fundara —como consta en la vista fiscal de fojas 87 a 93— la responsabilidad administrativa que se le atribuyó, de acuerdo al cargo consignado a fojas 73 y 74». (**ID Dictamen:** 012822N16. **Fecha:** 17-02-2016. **Destinatarios:** señor Claudio Lizasoaín Stückrath, servidor de la Municipalidad de Santiago, y don Francisco Cañas López, abogado, en representación de don Pedro Jerez Canales, exfuncionario de la misma entidad edilicia. **Texto:** Rechaza reclamos en contra de las medidas disciplinarias que indica, aplicadas a servidores de la Municipalidad de Santiago, por ajustarse a derecho el sumario de la especie. **Acción.**

3. «*Por su parte, el artículo 61, letra c), de la ley Nº 18.883, dispone, que es obligación del alcalde y jefes de unidades "Desempeñar sus funciones con ecuanimidad y de acuerdo a instrucciones claras y objetivas de general aplicación, velando permanentemente para que las condiciones de trabajo permitan una actuación eficiente de los funcionarios". En ese contexto normativo, es dable entender que cada municipalidad debe, en conformidad con su presupuesto, dotar a su personal de los medios necesarios a fin de que estos puedan llevar a cabo en forma oportuna y eficiente las funciones que la normativa les ha asignado*». (**ID Dictamen:** 036576N16. **Fecha:** 17-05-2016. **Destinatarios:** señor Arturo Molina Zamora, director de control de la Municipalidad de Macul. **Texto:** Municipio debe proveer de insumos necesarios a todas sus unidades a fin de poder cumplir con las funciones que la ley le encomienda. **Acción.**

4. «*Sobre el particular, corresponde manifestar, que el artículo 58, letra d), de la ley Nº 18.883, establece, entre las obligaciones funcionarias, el deber de cumplir con la jornada de trabajo; a su turno, el artículo 62, inciso final del mismo texto legal, ordena que los servidores municipales deberán desempeñar su cargo en forma permanente durante la jornada ordinaria de trabajo; y, finalmente, el artículo 69, inciso final del citado cuerpo normativo, dispone que los atrasos y ausencias reiterados, sin causa justificada, serán sancionados con destitución, previa investigación sumaria. Por su parte, el artículo 61, letra a), del referido texto estatutario —en armonía con lo dispuesto en el artículo 11 de la ley Nº 18.575—, indica como una de las obligaciones especiales del alcalde y de las jefaturas, el ejercer un control jerárquico permanente del funcionamiento de las unidades y de la actuación del personal de su dependencia. Como puede apreciarse, de los mencionados preceptos legales, es posible advertir que todos los funcionarios, sin distinción alguna, están sujetos a la obligación de cumplir con la jornada y el horario establecido para el desempeño de su trabajo, de modo que, ante la ausencia de texto legal expreso que fije un régimen particular de control, compete a las respectivas autoridades de los servicios, en este caso al alcalde, determinar mediante el correspondiente acto administrativo, el o los sistemas de control de la jornada laboral de todos los empleados de su dependencia (aplica criterio contenido en los dictámenes Nºs. 26.782, de 1999 y 42.784, de 2012, entre otros). Sin perjuicio de anterior, si bien la autoridad superior puede disponer diferentes mecanismos de control horario, considerando las diversas tareas del personal municipal, ello no puede afectar los principios de igualdad ante la ley y de no discriminación que rigen en nuestro ordenamiento jurídico, y siempre, por cierto, que esta diferencia se fundamente en la naturaleza de las funciones que desempeñen y no solo en razón de su jerarquía (aplica criterio contenido en el dictamen Nºs. 2.075, de 2011 y 76.135, de 2014)*». (**ID Dictamen:** 043716N16. **Fecha:** 13-06-2016. **Destinatarios:** Municipalidad de Macul. **Texto:** Autoridad municipal puede disponer diferentes mecanismos de control horario, considerando las diversas tareas que ejecuta el personal, sin afectar los principios de igualdad ante la ley y de no discriminación, y siempre que esta diferencia se fundamente en la naturaleza de las funciones que aquel desempeñe y no solo en razón de su jerarquía. **Acción:** Aplica dictámenes 26782/99, 42784/2012, 2075/2011, 76135/2014).

5. «*Finalmente, en lo que dice relación con lo reclamado por don Armando Cortés Igor, es necesario señalar que de los antecedentes tenidos a la vista se advierte una demora en la sustanciación del sumario instruido en su contra, dilación que podría afectar la responsabilidad administrativa del fiscal designado y de la unidad de asesoría jurídica del municipio, a quienes, en conformidad con los artículos 58 y 61, letra a), de la anotada ley Nº 18.883, corresponde velar por la correcta y oportuna tramitación de los procesos sumariales, obligación dentro de la cual se entiende incorporada la de dar cumplimiento a los plazos que contempla la normativa legal, en concordancia con lo manifestado, entre otros, en el dictamen Nº 7.027, de 2014*». (**ID Dictamen:** 056275N16. **Fecha:** 01-08-2016. **Destinatarios:** señora Alicia Espejo Rojas, funcionaria de la Municipalidad de Santiago. **Texto:** La posibilidad que tiene un funcionario de alcanzar, por la vía del ascenso, un cargo de grado superior, constituye una mera expectativa que solo podría concretarse en el momento en que la autoridad lo ordena. Se advierte una demora en la sustanciación de sumario, por lo que municipio tendrá que afinar, en el plazo que se indica, el proceso disciplinario. **Acción:** Aplica dictámenes 17500/2016, 5040/97, 6898/2011, 9920/2013, 7027/2014).

6. «*En dicho contexto, al señor Javier Sobarzo Valladares se le formularon cargos —a fojas 1.798 a 1.799—, en síntesis, por no haber fiscalizado, respectivamente: que los funcionarios que se indica efectivamente cumplieran con las horas extraordinarias que les fueron pagadas entre los años 2011 y 2014; que los servidores que señala percibieran las remuneraciones correspondientes a su carrera funcionaria, desde la fecha de su traspaso al Estatuto de Atención Primaria de Salud Municipal; y, finalmente, que las remuneraciones percibidas a título de planilla suplementaria por el personal allí individualizado fueran efectivamente las pertinentes, de acuerdo a lo previsto en el artículo cuarto transitorio de la ley Nº 20.250, infringiendo con ello gravemente el principio de probidad administrativa, a juicio del municipio, además de contravenir las obligaciones previstas en el artículo 61, letras a) y b), de la ley Nº 18.883, en orden a ejercer un control jerárquico permanente del funcionamiento de las unidades y de la actuación del personal de su dependencia, y velar permanentemente por el cumplimiento de los planes y de la aplicación de las normas dentro del ámbito de sus atribuciones. En efecto, en relación con lo planteado por la entidad edilicia, cabe expresar que la medida de destitución que se impusiera al señor Sobrazo Valladares, constituye la máxima sanción correctiva que contempla el ordenamiento jurídico, ya que ella implica la desvinculación del servidor de que se trate, con la consecuencia de quedar imposibilitado de ejercer un cargo público, salvo que transcurran cinco años, por lo que corresponde que aquella sea determinada fehacientemente en el procedimiento disciplinario en que ha tenido lugar, lo que conlleva que, tratándose de la vulneración al principio de probidad administrativa, esta deba importar un grave incumplimiento de los deberes funcionarios, lo que en el caso en análisis, no se advierte (aplica criterio contenido en el dictamen Nº 36.229, de 2013)*». (**ID Dictamen:**

081405N16. **Fecha:** 09-11-2016. **Destinatarios:** Municipalidad de Algarrobo. **Texto:** Rechaza solicitudes de reconsideración del oficio Nº 10.627, de 2016, de la Contraloría Regional de Valparaíso, por las razones que indica. **Acción:** Aplica dictamen 36229/2013 aplica dictamen 79626/2011 aplica dictamen 35895/2016 aplica dictamen 76866/2015 aplica dictamen 15700/2012).

1. «*A su vez, se hace necesario recordar que tanto el alcalde como los jefes de unidades, deben mantener un control jerárquico permanente del funcionamiento de las unidades y de la actuación del personal de su dependencia, extendiéndose dicho control a la eficiencia y eficacia en el cumplimiento de los fines establecidos, y a la legalidad y oportunidad de las actuaciones, de conformidad con lo ordenado en los artículos 11, de la ley Nº 18.575 y 61, letra a), de la ley Nº 18.883.*

Atendido lo expresado, no se advierte ilicitud en la actuación de la autoridad edilicia al sancionar con la medida de destitución a la reclamante, ya que ésta al omitir, de manera reiterada —en el período comprendido entre el 1 de enero del 2004 al 31 de marzo de 2006—, el debido cumplimiento de sus labores, en especial, en lo referente a tomar las medidas de control que su cargo de directora de administración y finanzas le requería, posibilitó que dicha superioridad estimara que las infracciones cometidas por la inculpada revistieron la entidad suficiente para ser calificadas como graves, tal y como aparece en la fundamentación de la vista fiscal de fojas 1.278, determinación ante la cual se encontraba en el imperativo de disponer la destitución, por tratarse de una sanción específica (aplica criterio contenido en dictamen Nº 74.066, de 2010)». (**ID Dictamen: 071484N11 Fecha:** 15.11.2011 **Destinatarios:** Municipalidad de Pelluhue. **Texto:** Desestima solicitud de reconsideración de oficio de Contraloría Regional del Maule que se pronunció sobre sumario administrativo instruido a funcionarios de la Municipalidad de Pelluhue que aplica medida expulsiva y del reclamo de ilegalidad sobre el mismo, por no haberse presentado dentro de plazo. **Acción:** Aplica dictámenes 77577/2010, 30733/2000, 49580/2008, 74066/2010, 17865/95, 6926/2001, 25203/2009, 76494/2010, 10075/2011, 42741/2011, 39563/2011, 4824/2009, 4182/2011)

2. «*Por otra parte, en cuanto a la alegación del inculpado, referida a que las adjudicaciones irregulares que se le imputan las realizó de acuerdo a las propuestas que previamente le presentaba, al efecto, la Encargada de Adquisiciones de la aludida entidad edilicia, cumple señalar, de conformidad con lo establecido en el artículo 61, letra a), del antes citado texto legal, que es inherente al cargo de jefe de unidad que desempeñaba, la obligación de ejercer un control jerárquico permanente de sus subordinados en cuanto a la eficiencia, eficacia, legalidad y oportunidad de sus actuaciones, adoptando las medidas pertinentes para precaver la ocurrencia de situaciones como las de la especie, lo que de no acontecer, genera la correspondiente responsabilidad administrativa por falta a sus deberes funcionarios».* (**ID Dictamen: 007296N11 Fecha:** 04.02.2011 **Destinatarios:** Alcalde de la Municipalidad de Padre Hurtado. **Texto:** Aplicación de medida disciplinaria de destitución por circunstancias agravantes dada reprochable conducta anterior. **Acción:** Aplica dictamen 61379/2008)

3. «*Por otro lado, en lo que concierne a la excesiva demora en la tramitación del procedimiento en análisis, es menester informar que los plazos de sustanciación de los procedimientos disciplinarios instruidos por los municipios, que contempla el Título V de la ley Nº 18.883, para la realización de las diversas diligencias, no poseen el carácter de esenciales y, por ende, las actuaciones no serán privadas de validez cuando la administración se exceda en el tiempo establecido por la ley para tales efectos.*

Sin perjuicio de lo anterior, según lo dispuesto en los artículos 58 y 61, letra a), de la citada ley Nº 18.883, es responsabilidad del fiscal instructor y de la Unidad Jurídica del municipio, como lo ha precisado este Organismo Contralor, entre otros, en el dictamen Nº 13.330, de 2012, velar por la correcta y oportuna tramitación de los procesos sumariales hasta la vista fiscal, obligación dentro de la cual se entiende incorporada la de dar cumplimiento a los plazos que contempla la normativa legal aludida». (**ID Dictamen: 049744N12 Fecha:** 14.08.2012 **Destinatarios:** Cristian Prieto Serey **Texto:** Desestima reclamo de ilegalidad en contra de medida disciplinaria de destitución por atrasos reiterados. **Acción:** Aplica dictámenes 29937/2012, 18835/2012, 38280/2010, 76892/2011 33054/2000, 22509/2005, 49342/2009, 44837/2011, 50081/2011, 13330/2012, 80779/2011. Mismo criterio aplicado en **ID Dictamen: 013330N12 Fecha:** 07.03.2012 **Destinatarios:** Alcalde de la Municipalidad de Maipú. **Texto:** Desestima reclamo de ilegalidad en contra del decreto 6464/2011, de la Municipalidad de Maipú, mediante el cual se aplicó la medida disciplinaria de multa del cinco por ciento de su remuneración mensual, con arreglo a los artículos 120 lt/b, y 122 lt/a de la ley 18883, a funcionario de esa entidad edilicia. **Acción:** Aplica dictámenes 28791/2009, 44837/2011, 62969/2009, 27262/2006)

4. «*Por otra parte, en lo que dice relación a la falta de tramitación de las solicitudes de feriado y de permisos formulados por el interesado, es dable manifestar que en virtud de lo dispuesto en el artículo 61, letra a), de la ley Nº 18.883,*

los alcaldes y jefes de unidades deben ejercer un control jerárquico permanente del funcionamiento de ellas y de la actuación del personal de su dependencia, extendiéndose dicho control tanto a la eficiencia y eficacia en el cumplimiento de los fines establecidos, como a la legalidad y oportunidad de las actuaciones.
Conforme a lo expresado, cabe concluir que, en el evento que esa entidad edilicia aun no haya resuelto dichos requerimientos, se deberán arbitrar las medidas tendientes a dar pronta respuesta al reclamante». (**ID Dictamen: 049376N12 Fecha:** 13.08.2012 **Destinatarios:** Alcalde de la Municipalidad de Macul. **Texto:** Cambio de unidad de dirigente gremial no afecta su fuero laboral. Municipalidad debe atender oportunamente solicitudes de sus funcionarios. **Acción:** Aplica dictámenes 34817/2010, 33182/2000, 11107/2005. Aclara dictámenes 13817/2005, 55258/2006)

5. «*Por su parte, el artículo 61, letra a), del referido texto estatutario —en armonía con lo dispuesto en el artículo 11 de la ley Nº 18.575, Orgánica Constitucional de Bases Generales de la Administración del Estado—, indica como una de las obligaciones especiales del alcalde y de las jefaturas, el ejercer un control jerárquico permanente del funcionamiento de las unidades y de la actuación del personal de su dependencia».* (**ID Dictamen: 042784N12 Fecha:** 17.07.2012 **Destinatarios:** Alcalde de la Municipalidad de Quinta Normal. **Texto:** Sobre aplicación de distintos sistemas de control horario y acuerdo de junta calificadora. **Acción:** Aplica dictámenes 26782/99, 13069/2010, 20246/2001, 44518/2010, 29086/2011 Fuentes Legales)

6. «*En consecuencia, con el mérito de lo expuesto, cabe concluir que la Dirección de Obras Municipales de Peñalolén no ha ejercido cabalmente las funciones encomendadas en el título III de la ley Nº 18.883, Estatuto Administrativo para Funcionarios Municipales, principalmente en el artículo 61, letra a), en tanto dispone como obligación especial de los jefes de unidades "velar permanentemente por el cumplimiento de los planes y de la aplicación de las normas dentro del ámbito de sus atribuciones (...)", todo lo cual podría, eventualmente, originar responsabilidades administrativas para el titular de la unidad y su personal a cargo».* (**ID Dictamen:** 012274N12 **Fecha:** 01.03.2012 **Destinatarios:** Alcalde de la Municipalidad de Peñalolén. **Texto:** Sobre construcciones sin permiso de edificación en la Comuna de Peñalolén. **Acción:** Aplica dictámenes 20311/2011, 26901/2009, 18447/2004, 2797/2009, 61047/2008, 28097/2011, 34326/2004, 74890/2010)[198]

7. «*Siendo así, y considerando lo dispuesto en el mencionado artículo 24 de la ley Nº 18.287, en orden a que, encontrándose vigente la anotación en el Registro de Multas de Tránsito No Pagadas, no resulta procedente la renovación del permiso de circulación del vehículo afectado, no cabe sino concluir que el incumplimiento de dicha norma puede comprometer la responsabilidad administrativa del director de tránsito respectivo —la que, en todo caso, deberá determinarse a través del correspondiente proceso sumarial—, considerando lo previsto en el artículo 61 de la ley Nº 18.883, Estatuto Administrativo para Funcionarios Municipales, en virtud del cual el control jerárquico ejercido por los jefes de las unidades municipales se extiende, en lo que interesa, a la legalidad de las actuaciones del personal de su dependencia —sin perjuicio de las responsabilidades que pudieran afectar a este—, no obstante las eventuales responsabilidades penales que pudieran concurrir paralelamente».* (**ID Dictamen:** 000571N12 **Fecha:** 04.01.2012 **Destinatarios:** Alcalde de la Municipalidad de Lo Espejo. **Texto:** Sobre pago de multas del art. 114 de la Ley de Tránsito en municipios distintos de aquel correspondiente al juzgado de policía local que ha impuesto la respectiva sanción)

PÁRRAFO 2º DE LA JORNADA DE TRABAJO

Artículo 62

La jornada ordinaria de trabajo de los funcionarios será de cuarenta y cuatro horas semanales distribuidas de lunes a viernes, no pudiendo exceder de nueve horas diarias.

El alcalde podrá proveer cargos de la planta a jornada parcial de trabajo, cuando ello sea necesario por razones de buen servicio. En estos casos los funcionarios tendrán una remu-

---

[198] Para efectos de su consulta en la Base de Jurisprudencia de Contraloría General de la República, el citado dictamen se encuentra en la sección/materia: «generales», sin perjuicio de que se trata de uno de carácter municipal.

neración proporcional al tiempo trabajado y de manera alguna podrán desempeñar trabajos extraordinarios remunerados.

Los funcionarios deberán desempeñar su cargo en forma permanente durante la jornada ordinaria de trabajo.

1. «*Finalmente, en cuanto a la procedencia del pago de la asignación profesional contemplada en el artículo 1º de la ley Nº 20.922 a los funcionarios profesionales que se desempeñan en los juzgados de policía local —excluidas las magistraturas de dichos entes jurisdiccionales—, cabe señalar que la jurisprudencia de este Organismo de Control, contenida en el dictamen Nº 85.677, de 2016, ha concluido que, en consideración a que de acuerdo a la ficción contenida en el decreto ley Nº 812, de 1974, para efectos de las remuneraciones que esos servidores deban percibir, la jornada de carácter especial que estos sirven debe entenderse como una jornada ordinaria completa —esto es, de 44 horas semanales, conforme lo regulado en el artículo 62 de la ley Nº 18.883—, y que la asignación profesional por la cual se consulta posee una naturaleza remuneratoria, cuyo otorgamiento presupone, entre otros requisitos, desempeñar una jornada completa de 44 horas semanales —de acuerdo al artículo 3º del decreto ley Nº 479, de 1974—, los empleados de los referidos órganos jurisdiccionales —excluidas sus magistraturas— dan cumplimiento a la mencionada exigencia, resultando procedente el pago del estipendio previsto en el artículo 1º de la ley 20.922, en la medida que aquellos cumplan con los demás requerimientos para su entero*». (**ID Dictamen:** 003036N17. **Fecha:** 27-01-2017. **Destinatarios:** Municipalidad de Conchalí. **Texto:** Los incrementos de grados en virtud de los artículos primero y segundo transitorios de la ley Nº 20.922, deberán efectuarse en consideración a aquel que posea el funcionario beneficiado al 25 de mayo de 2016 y al 1 de enero de 2017, según corresponda. **Acción:** Aplica dictamen 85677/2016).

2. «*Sobre el particular, corresponde manifestar, que el artículo 58, letra d), de la ley Nº 18.883, establece, entre las obligaciones funcionarias, el deber de cumplir con la jornada de trabajo; a su turno, el artículo 62, inciso final del mismo texto legal, ordena que los servidores municipales deberán desempeñar su cargo en forma permanente durante la jornada ordinaria de trabajo; y, finalmente, el artículo 69, inciso final del citado cuerpo normativo, dispone que los atrasos y ausencias reiterados, sin causa justificada, serán sancionados con destitución, previa investigación sumaria. Como puede apreciarse, de los mencionados preceptos legales, es posible advertir que todos los funcionarios, sin distinción alguna, están sujetos a la obligación de cumplir con la jornada y el horario establecido para el desempeño de su trabajo, de modo que, ante la ausencia de texto legal expreso que fije un régimen particular de control, compete a las respectivas autoridades de los servicios, en este caso al alcalde, determinar mediante el correspondiente acto administrativo, el o los sistemas de control de la jornada laboral de todos los empleados de su dependencia (aplica criterio contenido en los dictámenes Nºs. 26.782, de 1999 y 42.784, de 2012, entre otros)*». (**ID Dictamen:** 043716N16. **Fecha:** 13-06-2016. **Destinatarios:** Municipalidad de Macul. **Texto:** Autoridad municipal puede disponer diferentes mecanismos de control horario, considerando las diversas tareas que ejecuta el personal, sin afectar los principios de igualdad ante la ley y de no discriminación, y siempre que esta diferencia se fundamente en la naturaleza de las funciones que aquel desempeñe y no solo en razón de su jerarquía. **Acción:** Aplica dictámenes 26782/99, 42784/2012, 2075/2011, 76135/2014).

3. «*Puntualizado lo anterior, en lo concerniente al monto a que ascenderá la asignación especial de Directivo-Jefatura, cabe recordar que el artículo 62 de la ley Nº 18.883, permite al alcalde proveer cargos de la planta a jornada parcial de trabajo, agregando que en estos casos los funcionarios tendrán una remuneración proporcional al tiempo laborado*». (**ID Dictamen:** 063201N16. **Fecha:** 26-08-2016. **Destinatarios:** Municipalidades de Vitacura y Talca; la Asociación de Abogados Municipales de Chile. **Texto:** Emite pronunciamiento sobre diversos preceptos de la ley Nº 20.922, relativos a funcionarios municipales. Reconsiderado parcialmente por dictamen 84400/2016. **Acción.**

4. «*Así las cosas, considerando que de acuerdo a la precitada ficción, para efectos de las remuneraciones que dichos servidores deban percibir, la jornada de carácter especial que sirven los funcionarios de los juzgados de policía local debe entenderse como una jornada ordinaria completa —esto es, de 44 horas semanales, conforme lo regulado en el artículo 62 de la ley Nº 18.883— y que la asignación profesional por la cual se consulta, posee una naturaleza remuneratoria, cuyo otorgamiento presupone —entre otros requisitos—, desempeñar una jornada completa de 44 horas semanales, cabe concluir que los empleados de los referidos órganos jurisdiccionales dan cumplimiento a la mencionada exigencia, dispuesta por el inciso primero del artículo 3º del decreto Nº 479, de 1974, resultando procedente el pago del estipendio previsto en el artículo 1º de la ley 20.922, en la medida que aquellos cumplan con los demás requerimientos para su entero*». (**ID Dictamen:** 085677N16. **Fecha:** 28-11-2016. **Destinatarios:** Municipalidades de Providencia y de San Miguel. **Texto:** Resulta procedente el pago de la asignación profesional contemplada en el artículo 1º de la ley Nº 20.922,

a los funcionarios de los juzgados de policía local —excluidas las magistraturas de dichos órganos—, en la medida que cumplan con los requisitos para ello. **Acción:** Aplica dictamen 63201/2016 Aplica dictamen 33175/2012 Aplica dictamen 54532/2015).

5. *«En ese contexto, y según aparece de fojas 88 a 89 del expediente respectivo, al mencionado funcionario se le formularon cinco cargos, de los cuales —luego de sus descargos— subsistieron el primero y el segundo, lo que se advierte de fojas 3 a 6, consistente el primero de ellos en no cumplir con la obligación funcionaria de desempeñar personalmente en forma regular y continua las funciones del cargo en que fue nombrado en calidad de nominativo "director de tránsito y transporte públicos", entendiendo la autoridad que se vulneró lo dispuesto en el artículo 58, letra a), de la ley Nº 18.883; y el segundo relativo a no registrar asistencia durante los meses de enero, febrero, marzo y hasta el 29 de abril de 2016, en el cumplimiento del cargo nominativo de director de tránsito y transporte públicos, en la jornada de trabajo ordinaria de cuarenta y cuatro horas semanales, distribuidas de lunes a viernes, infringiendo con ello lo previsto en los artículos 58, letra d), 62 y 69, todos de la ley Nº 18.883. Pues bien, del análisis de los aludidos cargos, en lo que interesa, se advierte que, encontrándose estrechamente relacionados, el segundo de ellos le imputa al señor Alarcón Muñoz una conducta que no es de aquellas a que se refiere el inciso final del artículo 69 de la ley Nº 18.883 —atrasos y ausencias reiterados, sin causa justificada—, las que serán sancionados con destitución, previa investigación sumaria».* (**ID Dictamen:** 083097N16. **Fecha:** 16-11-2016. **Destinatarios:** Municipalidad de Cerro Navia. **Texto:** Funcionario que fue objeto de un traslado irregular al juzgado de policía local debió reintegrarse al departamento de tránsito y transporte públicos cuando el alcalde así lo ordenó. Acoge reclamo en contra de destitución, por lo que no se ratifica en conformidad al artículo 25 de la ley Nº 19.296. **Acción:** Aplica dictamen 10524/2015 aplica dictamen 37508/2016 aplica dictamen 39493/2002 aplica dictamen 43002/2001 aplica dictamen 17518/2000 aplica dictamen 19488/2013 aplica dictamen 49116/2015).

1. *«Sobre el particular, es menester hacer presente que el **artículo 3º, inciso tercero, de la ley Nº 18.883**, sobre Estatuto Administrativo para Funcionarios Municipales, dispone que los médicos cirujanos que se desempeñen en los gabinetes sicotécnicos se regirán por la ley Nº 15.076, sobre Estatuto para los Médicos Cirujanos, Farmacéuticos o Químicos Farmacéuticos, Bioquímicos y Cirujanos Dentistas, en lo que respecta a las remuneraciones y demás beneficios económicos, horario de trabajo e incompatibilidades. En las demás materias, que procedan, les serán aplicables las normas de este estatuto.*
*Al respecto, este **Organismo Contralor en el dictamen Nº 28.240, de 2011**, entre otros, ha precisado que si las plantas municipales contemplan horas de la ley Nº 15.076, los profesionales médicos se regirán por ese cuerpo legal y por la ley Nº 18.883, según proceda, conforme con lo establecido en el precepto legal antes anotado; en cambio, si la planta no consulta esas horas o estas son insuficientes, es posible que las municipalidades contraten a esos servidores mediante las normas del Código del Trabajo. (...)*
*Enseguida, en lo concerniente al incumplimiento de la jornada de trabajo en que habría incurrido el reclamante, es necesario recordar que la referida **ley Nº 18.883, establece en sus artículos** 58, letra d), y **62, inciso tercero**, la obligación de todo funcionario de cumplir con aquella y de desempeñar su cargo en forma permanente durante dicho período; y, que el artículo 69 de igual cuerpo legal, se refiere a las consecuencias jurídicas que acarrea para el empleado tanto la inobservancia del cumplimiento efectivo de la jornada prevista para el ejercicio de sus labores, como los atrasos y ausencias reiterados, sin causa justificada.*
*Por ende, atendido que **todos los servidores municipales están sujetos al deber de cumplir con la jornada y el horario establecido para el desempeño de su cargo, previéndose los efectos jurídicos que se derivarán en caso de trasgresión de esos deberes**, corresponde que la autoridad alcaldicia ordene la instrucción del correspondiente procedimiento administrativo a fin de determinar la efectividad de lo señalado en tal sentido por la Directora de Tránsito y Transporte Público, la eventual responsabilidad administrativa que afectaría al recurrente y, en su caso, ordene el reintegro de las remuneraciones percibidas indebidamente por concepto de tiempo no laborado».* (**ID Dictamen: 078336N11 Fecha:** 15.12.2011 **Destinatarios:** Alcalde de la Municipalidad de Llanquihue. **Texto:** Sobre pago de trienios a médico cirujano del gabinete sicotécnico sujeto a la ley 15076 y cumplimiento de la jornada de trabajo. **Acción:** aplica dictámenes 43108/2000, 28240/2011)

2. *«Pues bien, del tenor de las disposiciones anotadas, corresponde concluir que, atendidas las atribuciones que la preceptiva le confiere a **la autoridad edilicia para administrar el personal municipal, aquella debe resolver la forma en que los funcionarios deben cumplir su jornada de trabajo, tanto ordinaria como extraordinaria, dentro del marco normativo contemplado en los artículos 62 a 69 de la citada ley Nº 18.883**, la que, eventualmente, podrá implicar la realización de trabajos extraordinarios, según lo establecido en el artículo 63 de ese texto estatutario, o bien, el cumplimiento de un sistema de turnos de llamada, de conformidad con lo dispuesto en el artículo 67 de la misma ley, en los*

términos precisados por el citado dictamen Nº 79.246, de 2010». (**ID Dictamen: 065485N11 Fecha:** 17.10.2011 **Destinatarios:** Alcaldesa de la Municipalidad de San Pedro de Atacama. **Texto:** Procede que los municipios establezcan un sistema de turnos de llamada para los empleados que laboren en unidades encargadas de las emergencias comunales; el período en que deben estar ubicables, no puede ser considerado como trabajo extraordinario, salvo que, verificada la emergencia se labore efectivamente y se cumplan las demás condiciones que dan derecho a descanso complementario o a percibir el emolumento correspondiente. **Acción:** Aplica dictamen 10242/95 Confirma dictamen 79246/2010)

3. *«En este orden de ideas, cabe hacer presente que según lo dispuesto en el **artículo 53 de la ley Nº 15.231**, sobre Organización y Atribuciones de los Juzgados de Policía Local, en relación con las normas contenidas en el decreto ley Nº 812, de 1974, es la Corte de Apelaciones respectiva la facultada para fijar los días y horas de funcionamiento de estos Tribunales.*

Por su parte, la jurisprudencia administrativa de esta Contraloría General, contenida, entre otros, en los dictámenes Nºs. 20.366, de 1999 y 33.175, de 2012, ha precisado que la jornada laboral de todo el personal que se desempeña en los Juzgados de Policía Local, incluido el Juez, tiene el carácter de especial, y que por una ficción legal, se entiende que constituye su jornada completa, prevaleciendo sobre aquella contenida en el artículo 62 de la ley Nº 18.883, que fija la jornada ordinaria de trabajo del personal municipal.

Ahora bien, el artículo 108 de dicho cuerpo estatutario, en lo que interesa, establece que los funcionarios podrán solicitar permisos para ausentarse de sus labores por motivos particulares hasta por seis días hábiles en el año calendario, con goce de remuneraciones, los que podrán fraccionarse por días o medios días; sin regular expresamente situaciones de jornadas laborales especiales, como la que se analiza.

Sobre el particular, cumple con indicar que este Organismo de Control, a través de los dictámenes Nºs. 4.948, de 1991 y 56.741, de 2004, entre otros, ha concluido que el fraccionamiento de los permisos con goce de remuneraciones por medios días, a que se refiere la norma legal recién citada, debe entenderse que concierne al período equivalente a media jornada diaria de trabajo del funcionario, según sea la modalidad de cumplimiento de la jornada semanal ordinaria.

Ello, por cuanto la aludida disposición, al establecer que los funcionarios pueden solicitar tales permisos con el propósito de ausentarse de sus labores, está precisando que para el cómputo de esa franquicia, "día" es sinónimo de jornada de trabajo, de modo que su fraccionamiento corresponde efectuarlo en relación a la jornada que los servidores desarrollan en forma permanente, la que en el caso de los Juzgados de Policía Local, es aquella fijada por la respectiva Corte de Apelaciones». (**ID Dictamen: 055101N12 Fecha:** 05.09.2012 **Destinatarios:** Alcalde de la Municipalidad de Río Negro. **Texto:** Rechaza solicitud de reconsideración de oficio Nº 2984, de 2012, de la Contraloría Regional de Los Lagos, sobre fraccionamiento de permiso con goce de remuneraciones de Juez de Policía Local. **Acción:** Aplica dictámenes 20366/99, 33175/2012, 4948/91, 56741/2004)[199]

4. *«Sobre el particular, corresponde manifestar, que el artículo 58, letra d), de la ley Nº 18.883 —Estatuto Administrativo para Funcionarios Municipales—, establece, entre las obligaciones funcionarias, el deber de cumplir con la jornada de trabajo; a su turno, el **artículo 62, inciso final** del mismo texto legal, ordena que los servidores públicos deberán desempeñar su cargo en forma permanente durante la jornada ordinaria de trabajo; y, finalmente, el artículo 69, inciso final del citado cuerpo normativo, dispone que los atrasos y ausencias reiterados, sin causa justificada, serán sancionados con destitución, previa investigación sumaria.*

Por su parte, el artículo 61, letra a), del referido texto estatutario —en armonía con lo dispuesto en el artículo 11 de la ley Nº 18.575, Orgánica Constitucional de Bases Generales de la Administración del Estado—, indica como una de las obligaciones especiales del alcalde y de las jefaturas, el ejercer un control jerárquico permanente del funcionamiento de las unidades y de la actuación del personal de su dependencia.

*Ahora bien, de los mencionados preceptos legales, es posible advertir que **todos los funcionarios, sin distinción alguna, están sujetos a la obligación de cumplir con la jornada y el horario establecido para el desempeño de su trabajo, de modo que, ante la ausencia de texto legal expreso que fije un régimen particular de control, compete a las respectivas autoridades de los servicios, en este caso al alcalde, determinar mediante el correspondiente acto administrativo, el o los sistemas de control de la jornada laboral de todos los empleados de su dependencia (aplica criterio contenido en los dictámenes Nºs. 26.782, de 1999 y 13.069, de 2010, entre otros).***

---

[199] Para efectos de su consulta en la Base de Jurisprudencia de Contraloría General de la República, el citado dictamen se encuentra en la sección/materia: «generales», sin perjuicio de que se trata de uno de carácter municipal.

En efecto, la normativa expuesta y la jurisprudencia administrativa reseñada, han reconocido a la máxima autoridad edilicia, la facultad de velar por el cumplimiento de la jornada de trabajo, y considerando que la legislación pertinente no ha establecido un mecanismo especial de registro de asistencia para el municipio cuya situación se analiza, cabe señalar que esta Contraloría General no advierte inconvenientes de orden jurídico para que la Municipalidad de Quinta Normal, implemente distintos mecanismos de control del cumplimiento de la jornada de trabajo del personal de su dependencia.

*Por otra parte, en lo que respecta a la exclusión de ciertos funcionarios del indicado sistema de registro, es menester recordar que la atribución del alcalde para establecer diversos mecanismos de control sobre la materia, le permite fijar el o los sistemas que considere adecuados para tal efecto y los funcionarios que quedarán adscritos a uno u otro sistema, en la medida, por cierto, que **esta diferencia se fundamente en la naturaleza de las funciones que estos desempeñen y no solo en razón de su jerarquía, tal como lo ha precisado el dictamen Nº 20.246, de 2001, de este origen, entre otros»**. (ID Dictamen: 042784N12 Fecha:* 17.07.2012 **Destinatarios:** Alcalde de la Municipalidad de Quinta Normal. **Texto:** Sobre aplicación de distintos sistemas de control horario y acuerdo de junta calificadora. **Acción:** Aplica dictámenes 26782/99, 13069/2010, 20246/2001, 44518/2010, 29086/2011)

5. *«Al respecto, cabe señalar que, sin perjuicio del trabajo diurno o por turnos que establecen, respectivamente, los **artículos 62 y 67, de la ley Nº 18.883, Estatuto Administrativo para Funcionarios Municipales,** el artículo 64 de esa ley define el trabajo nocturno como aquel que se realiza entre las veintiuna horas de un día y las siete horas del día siguiente, de lo cual se infiere que se trata de una modalidad del ejercicio de la función pública, con el fin de atender las necesidades colectivas en el ámbito comunal, en el señalado horario».* (**ID Dictamen:** 034617N12 **Fecha:** 12.06.2012 **Destinatarios:** Alcalde de la Municipalidad de Santiago. **Texto:** Sobre recargo del valor de la hora de trabajo respecto de funcionarios municipales que realizan trabajos nocturnos).

6. *«Como cuestión previa, cabe manifestar que el criterio cuya reconsideración se solicita, contenido, entre otros, en los dictámenes Nºs. 31.399, de 1993; 41.034, de 1995; 20.366, de 1999; y 56.741, de 2004, ha determinado que la jornada laboral de todo el personal que se desempeña en los Juzgados de Policía Local, incluido el juez, tiene el carácter de especial, y que, por una ficción legal, se entiende que a su respecto constituiría su jornada completa, y prevalece sobre la contenida en el artículo 62 de la ley Nº 18.883, Estatuto Administrativo para Funcionarios Municipales, que fija una jornada ordinaria de trabajo de cuarenta y cuatro horas semanales. Ello, por cuanto si bien tales servidores son funcionarios municipales, por lo que se encuentran afectos al régimen de ese cuerpo estatutario —salvo las excepciones legales expresas respecto de dichos magistrados—, según lo dispuesto en el artículo 53 de la ley Nº 15.231, de Organización y Atribuciones de los Juzgados de Policía Local —cuyo texto refundido, coordinado y sistematizado fue fijado por decreto Nº 307, de 1978, del Ministerio de Justicia—, en relación con las normas contenidas en el decreto ley Nº 812, de 1974, su jornada de trabajo es la que fije la respectiva Corte de Apelaciones para el correspondiente Juzgado. Sobre el particular, es dable anotar que el artículo 53 de la indicada ley Nº 15.231, dispone, en lo pertinente, que la Corte de Apelaciones, previo informe de la Municipalidad y del Juez de Policía Local correspondientes, fijará los días y horas de funcionamiento de estos Juzgados en su respectivo territorio.*

En ningún caso, las audiencias al público serán inferiores a tres por semana y se celebrarán en días distintos, con una duración de al menos tres horas cada una.

Por su parte, el decreto ley Nº 812, de 1974, del Ministerio de Justicia, declara, en su artículo 1º, que el artículo 21 del decreto ley Nº 249, de 1973 —referido a la jornada ordinaria de trabajo de cuarenta y cuatro horas semanales del personal regido por la escala única de sueldos, sistema remuneratorio a que se encontraba afecto a dicha época el personal municipal— no se aplica ni ha sido aplicable a los Juzgados de Policía Local; añadiendo su artículo 2º que, asimismo, corresponde exclusivamente a la Corte de Apelaciones respectiva fijar el horario de funcionamiento de estos Juzgados, el que se entenderá completo para el solo efecto de las remuneraciones.

*Pues bien, del tenor de las disposiciones anotadas, corresponde concluir que **los funcionarios municipales que se desempeñan en los Juzgados de Policía Local, incluido el magistrado, por cierto, deben cumplir la jornada especial de trabajo que les fija la respectiva Corte de Apelaciones, no pudiendo los alcaldes exigirles una superior.***

*Lo anterior, por cuanto la normativa que regula la materia, establecida en el artículo 53 de la ley Nº 15.231, y en el decreto ley Nº 812, de 1974, constituye una **regulación de carácter especial que, como tal, prevalece sobre aquella contenida en el artículo 62 de la citada ley Nº 18.883, que fija la jornada ordinaria de trabajo del personal municipal.** (...)*

*En otro orden de ideas, y en lo que dice relación con el mecanismo de control de asistencia aplicable a los jueces de policía local, cabe tener presente que esta **Entidad Fiscalizadora ha manifestado en los dictámenes Nºs. 22.712, de 2011, y 4.274, de 2012, entre otros, que los jueces de policía local son funcionarios municipales regidos por la ley Nº***

18.883, en concordancia con lo prescrito en la ley Nº 15.231, sin perjuicio de aquellos aspectos en que están sujetos a la supervigilancia directiva, correccional y económica de la correspondiente Corte de Apelaciones, de manera que les resulta aplicable la normativa que regula a tales servidores.
En dicho contexto, la **reiterada jurisprudencia administrativa contenida, entre otros, en los dictámenes Nºs. 26.022, de 2002, y 44.501, de 2006, ha precisado que corresponde al jefe superior del servicio, en uso de sus facultades para dirigir y administrar el respectivo organismo, implementar el sistema o modalidad que estime necesario o conveniente, para asegurar tanto la asistencia al trabajo como la permanencia en él y, según lo dispone el artículo 56 de ley Nº 18.695 —Orgánica Constitucional de Municipalidades—, el alcalde es la máxima autoridad de la municipalidad y en tal calidad le corresponde su dirección y administración superior y la supervigilancia de su funcionamiento.**
En tales condiciones, es menester concluir que el mecanismo de control de asistencia aplicable a los jueces de policía local, será aquél que fije la respectiva autoridad edilicia». (ID Dictamen: 033175N12 Fecha: 05.06.2012 Destinatarios: Alcalde de la Municipalidad de La Florida. **Texto:** Sobre jornada de trabajo del personal que se desempeña en Juzgados de Policía Local, y del Juez respectivo, del control de asistencia de éste y, de la realización de trabajos extraordinarios. Reconsidera toda jurisprudencia en contrario. **Acción:** Aplica dictámenes 22712/2011, 4274/2012, 26022/2002, 44501/2006, 46595/2000, 16243/2011, 33130/74, 17719/2008 Reconsidera parcialmente dictámenes 31399/93, 29791/95, 36789/95, 41034/95, 19133/2000, 33471/2000, 47516/2001)

Artículo 63

El alcalde podrá ordenar trabajos extraordinarios a continuación de la jornada ordinaria, de noche o en días sábados, domingos y festivos, cuando hayan de cumplirse tareas impostergables.

Los trabajos extraordinarios se compensarán con descanso complementario. Si ello no fuere posible por razones de buen servicio, aquéllos serán compensados con un recargo en las remuneraciones.

1. *«Luego, en cuanto a la disminución de horas extraordinarias que habría afectado a la interesada, cumple con hacer presente que, considerando la naturaleza de las funciones ejecutadas por la recurrente, el pago de estas resulta procedente solo cuando concurre el requisito previsto en el artículo 63, inciso primero, de la ley Nº 18.883, esto es, "cuando hayan de cumplirse tareas impostergables", por lo que no corresponde considerarlas como un estipendio de carácter permanente, como pretende la interesada, sin desmedro, por cierto, que, además, deban ser dispuestas mediante una orden de la máxima jefatura edilicia y que las actividades respectivas se realicen a continuación de la jornada ordinaria, de noche o en días sábados, domingos o festivos (aplica criterio de dictamen Nº 15.218, de 2015)».* (**ID Dictamen:** 028844N16. **Fecha:** 19-04-2016. **Destinatarios:** señora María Gutiérrez Abarza, funcionaria de la Municipalidad de Santiago. **Texto:** La autoridad puede distribuir y ubicar al personal de su dependencia según las necesidades del servicio, siempre que las tareas asignadas correspondan al escalafón al que pertenece o se encuentre asimilado el funcionario. Pago de horas extraordinarias solo procede en condiciones que indica. **Acción:** Aplica dictamen 85677/2016).

1. *«Por su parte, el **artículo 63 de la ley Nº 18.883, sobre Estatuto Administrativo para Funcionarios Municipales**, dispone que el alcalde puede ordenar trabajos extraordinarios a continuación de la jornada ordinaria, de noche o en días sábados, domingos y festivos, cuando hayan de cumplirse tareas impostergables; para luego, el artículo 67 del mismo cuerpo estatutario, añadir que puede establecer turnos entre su personal y fijar los descansos complementarios correspondan, cuya finalidad es hacer posible el cumplimiento de la obligación que recae sobre los municipios de satisfacer las necesidades colectivas, de manera regular y continua.*
*Pues bien, del tenor de las disposiciones anotadas, corresponde concluir que, **atendidas las atribuciones que la preceptiva le confiere a la autoridad edilicia para administrar el personal municipal, aquella debe resolver la forma en que los funcionarios deben cumplir su jornada de trabajo, tanto ordinaria como extraordinaria, dentro del marco normativo contemplado en los artículos 62 a 69 de la citada ley Nº 18.883**, la que, eventualmente, podrá implicar la realización de trabajos extraordinarios, según lo establecido en el artículo 63 de ese texto estatutario, o bien, el cumplimiento de un sistema de turnos de llamada, de conformidad con lo dispuesto en el artículo 67 de la misma ley, en los términos precisados por el citado **dictamen Nº 79.246, de 2010.***

Finalmente, cumple con expresar que el tiempo de espera del comienzo de las tareas encomendadas, no constituye desempeño de horas extraordinarias, al tenor del artículo 63 de la ley Nº 18.883, pues únicamente procede estimar como tales, los períodos en que el servidor está a disposición del empleador, los que corresponden a los lapsos comprendidos en el horario señalado por la superioridad para la realización del trabajo (aplica criterio contenido en el dictamen Nº 10.242, de 1995)». **(ID Dictamen: 065485N11 Fecha:** 17.10.2011 **Destinatarios:** Alcaldesa de la Municipalidad de San Pedro de Atacama. **Texto:** Procede que los municipios establezcan un sistema de turnos de llamada para los empleados que laboren en unidades encargadas de las emergencias comunales; el período en que deben estar ubicables, no puede ser considerado como trabajo extraordinario, salvo que, verificada la emergencia se labore efectivamente y se cumplan las demás condiciones que dan derecho a descanso complementario o a percibir el emolumento correspondiente. **Acción:** Aplica dictamen 10242/95 Confirma dictamen 79246/2010)

2. *«Ahora bien, en cuanto al eventual menoscabo económico que las destinaciones ocasionarían a los servidores, al no poder realizar horas extraordinarias, es necesario aclarar que conforme con lo dispuesto por el artículo 63 del aludido texto legal, aquellas proceden cuando deben cumplirse tareas impostergables y son compensadas con descanso complementario, y si no es posible, con un recargo en las remuneraciones; por ende, su retribución pecuniaria obedece al desarrollo de un trabajo extra que la autoridad ordena ejecutar, de modo que si no existe dicho mandato, no puede estimarse como un perjuicio económico dejar de percibir la correspondiente asignación, puesto que, en tal circunstancia, no existe una labor extra que deba ser remunerada».* **(ID Dictamen: 061864N11 Fecha:** 30.09.2011 **Destinatarios:** Alcalde de la Municipalidad de Santiago. **Texto:** Las destinaciones de funcionarios municipales cuando el cargo tiene asignado funciones específicas, como ocurre con los inspectores, deben ser ordenadas para cumplir tareas de la misma especie. **Acción:** Aplica dictámenes 3093/2003, 45167/2003, 52658/2011, 40197/2011)

3. *«Al respecto, cabe hacer presente que la reiterada jurisprudencia administrativa de esta Entidad de Control, ha precisado que de conformidad con lo dispuesto en el artículo 63 de la ley Nº 18.883, sobre Estatuto Administrativo para Funcionarios Municipales, las horas extraordinarias solo se configuran y otorgan los derechos correlativos —compensación con descanso complementario o su retribución en dinero—, cuando concurren tres requisitos copulativos, esto es, que hayan de cumplirse tareas impostergables; que exista orden formal de la jefatura superior, a través de un acto administrativo exento de toma de razón, dictado en forma previa a su ejecución e individualizando al personal que lo ejecutará; y que los trabajos respectivos se realicen a continuación de la jornada ordinaria, de noche o en días sábados, domingos o festivos (aplica criterio contenido en los dictámenes Nºs. 46.554 y 48.484, ambos de 2008, y 3.583, de 2010)».* **(ID Dictamen: 052265N11 Fecha:** 18.08.2011 **Destinatarios:** Jennifer Villagra Jara. **Texto:** Requisitos para proceder al pago de trabajos extraordinarios de personal municipal. **Acción:** Aplica dictámenes 46554/2008, 48484/2008, 3583/2010)

4. *«Sobre el particular, es menester consignar que de acuerdo con el artículo 63, inciso segundo, de la ley Nº 18.883, Estatuto Administrativo para Funcionarios Municipales, los trabajos extraordinarios deben compensarse con descanso complementario, y si ello no fuere posible por razones de buen servicio, aquellos serán compensados con un recargo en las remuneraciones.*
Enseguida, es dable señalar que de conformidad con lo expresado por esta Entidad Fiscalizadora, entre otros, en el dictamen Nº 38.978, de 2005, si a un ex funcionario no se le otorgó el descanso complementario a que tenía derecho antes de su retiro, éste debe serle compensado pecuniariamente, pues es esa la única forma de retribuir estos trabajos y evitar un enriquecimiento sin causa para el municipio. Agrega esa jurisprudencia, que el derecho a la compensación pecuniaria, en dicha circunstancia, nace al expirar la relación funcionaria del empleado.
En este contexto, debe precisarse que los derechos estatutarios relativos a sueldos, asignaciones y beneficios del personal de la Administración del Estado son irrenunciables, ya que no solo atienden al interés individual del renunciante, sino al orden público, por lo que no procede la dimisión anticipada del beneficio en análisis, como parece entender el municipio (aplica criterio contenido en el dictamen Nº 10.542, de 2000)». **(ID Dictamen: 035330N11 Fecha:** 03.06.2011 **Destinatarios:** Alcalde (S) de la Municipalidad de La Florida. **Texto:** Sobre procedencia de pagar horas extraordinarias a ex funcionario de la Municipalidad de La Florida. Ver dictamen 63296/2011. **Acción:** Aplica dictámenes 38978/2005, 10542/2000, 51740/2010, 2201/2011)

5. *«Sobre el particular, cabe señalar, que el artículo 63 de la ley Nº 18.883, Estatuto Administrativo para Funcionarios Municipales, dispone que el alcalde puede ordenar trabajos extraordinarios a continuación de la jornada ordinaria, de noche o en días sábados, domingos y festivos, cuando hayan de cumplirse tareas impostergables.*

En este sentido, debe precisarse que dichos trabajos extraordinarios proceden y otorgan los derechos correlativos, cuales son, compensación con descanso complementario o pago, según resuelva la autoridad, cuando se cumplan los siguientes requisitos copulativos: primero, que se trate de tareas impostergables; luego, que exista una orden del jefe superior del servicio; y, finalmente, que los trabajos respectivos se realicen a continuación de la jornada ordinaria, de noche o en días sábados, domingos o festivos (aplica el criterio contenido en el dictamen Nº 46.554, de 2008). (...) Enseguida, conviene aclarar que de conformidad con el artículo 9º de la ley Nº 19.104 —modificado por la ley Nº 20.280—, el máximo de horas extraordinarias diurnas cuyo pago podrá autorizarse, será de 40 horas por funcionario al mes, limitación que sólo podrá excederse cuando se trate de trabajos de carácter imprevisto motivado por fenómenos naturales o calamidades públicas que hagan imprescindible trabajar un mayor número de horas extraordinarias, de lo cual deberá dejarse expresa constancia en la resolución que ordene la ejecución de tales trabajos, lo que tratándose de las municipalidades se dispondrá mediante un decreto alcaldicio fundado, en el cual deberán precisar, entre los argumentos expuestos, los costos que la medida implica para las arcas municipales, con mención específica de los montos involucrados.

De este modo, y tal como lo ha precisado este Organismo Contralor en el dictamen Nº 5.921, de 2010, las horas extraordinarias se caracterizan porque sólo tienen lugar en las condiciones anotadas, debiendo ser autorizadas mediante actos administrativos dictados en forma previa a su ejecución, en los que se individualizará el personal que las desarrollará, el número de horas a efectuar y el período que abarca dicha aprobación (...).

*Ahora bien, en atención a que de la normativa expuesta se advierte que **únicamente las horas extraordinarias diurnas se encuentran sujetas a un límite por el legislador** y, en la eventualidad que sea necesario ordenar la ejecución de un mayor número de las 40, se requiere un acto administrativo fundado, es posible inferir que tal restricción no alcanza a las horas extraordinarias realizadas en horario nocturno (...)».* **(ID Dictamen:** 013258N11 **Fecha:** 03.03.2011 **Destinatarios:** Alcalde de la Municipalidad de Arica. **Texto:** Sobre solicitud de reconsideración de oficio de la Contraloría Regional de Arica y Parinacota relativo a restitución de lo percibido por concepto de horas extraordinarias en caso que indica. **Acción:** aplica dictámenes 46554/2008, 5921/2010)[200]

6. *«Sobre el particular, cabe hacer presente que de acuerdo a lo dispuesto en el **artículo 63 de la ley Nº 18.883, Estatuto Administrativo para Funcionarios Municipales**, los trabajos extraordinarios ordenados por el alcalde, se compensarán con descanso complementario. Si ello no fuere posible por razones de buen servicio, aquéllos serán compensados con un recargo en las remuneraciones.*

*En relación con lo anterior, la **jurisprudencia administrativa de este Órgano de Control ha manifestado uniformemente, mediante los dictámenes Nºs. 38.978, de 2005, y 5.903, de 2010**, entre otros, que si a un ex funcionario no se le otorgó el descanso complementario a que tenía derecho antes de su cese de funciones —encontrándose, se entiende, dentro del plazo para impetrarlo—, éste debe serle compensado pecuniariamente, pues es esa la única forma de retribuir estos trabajos y evitar un enriquecimiento sin causa para la Administración.*

Consecuente con el criterio señalado, dicha jurisprudencia ha precisado que el derecho a la compensación pecuniaria, en tales circunstancias, nace al expirar la relación funcionaria del empleado y prescribe en el plazo de seis meses, según lo establecido en el artículo 98, en relación con el artículo 97, letra c), de la aludida ley Nº 18.883». **(ID Dictamen:** 007944N11 **Fecha:** 08.02.2011 **Destinatarios:** Alcalde Municipalidad de Conchalí. **Texto:** Sobre pago de horas extraordinarias a ex funcionarios municipales. **Acción:** Aplica dictámenes 38978/2005, 5903/2010)[201]

7. *«Sobre el particular, cabe señalar que el **artículo 63 de la ley Nº 18.883, sobre Estatuto Administrativo para Funcionarios Municipales**, establece que los trabajos extraordinarios que ordene el alcalde, a continuación de la jornada ordinaria, de noche o en días sábados, domingos y festivos, cuando hayan de cumplirse tareas impostergables, se compensarán con descanso complementario y si ello no fuere posible por razones de buen servicio, se dispondrá su compensación con un recargo en las remuneraciones, en los términos que ordena el artículo 65 del citado estatuto.*

---

[200]   Para efectos de su consulta en la Base de Jurisprudencia de Contraloría General de la República, el citado dictamen se encuentra en la sección/materia: «generales», sin perjuicio de que se trata de uno de carácter municipal.

[201]   Para efectos de su consulta en la Base de Jurisprudencia de Contraloría General de la República, el citado dictamen se encuentra en la sección/materia: «generales», sin perjuicio de que se trata de uno de carácter municipal.

De este modo, la retribución del trabajo extraordinario, sea mediante el otorgamiento de descanso complementario o con un recargo en las remuneraciones, procede en la medida que hayan de cumplirse tareas impostergables; que exista orden formal de la autoridad edilicia, a través de un acto administrativo dictado en forma previa a su ejecución e individualizando al personal que lo ejecutará; y, que los trabajos respectivos se realicen a continuación de la jornada ordinaria, de noche o en días sábados, domingos o festivos (aplica criterio contenido en dictámenes Nºs. 48.484, de 2008, y 3.583, de 2010).

En este contexto, los **dictámenes Nºs. 38.978, de 2005, y 41.241, de 2010,** *han manifestado que si a un exfuncionario no se le otorgó el descanso complementario a que tenía derecho antes de expirar en sus labores, el trabajo cumplido en exceso de la jornada laboral ordinaria debe serle compensado pecuniariamente, pues esa es la única forma de retribuirlo y evitar un enriquecimiento sin causa para el municipio, beneficio que nace al expirar la relación funcionaria del empleado y cuyo cobro prescribe en el plazo de seis meses a contar de dicha data, de conformidad con lo dispuesto en el artículo 98 del mismo cuerpo estatutario».* (**ID Dictamen: 018948N12 Fecha:** 03.04.2012 Alcalde de la Municipalidad de Conchalí. **Texto:** Sobre pago de trabajos extraordinarios a exfuncionario municipal. **Acción:** Aplica dictámenes 48484/2008, 3583/2010, 38978/2005, 41241/2010, 65270/2011)

8. «*Sobre el particular, cabe señalar que el* **artículo 63 de la ley Nº 18.883, sobre Estatuto Administrativo para Funcionarios Municipales,** *establece que los trabajos extraordinarios que ordene el alcalde, a continuación de la jornada ordinaria, de noche o en días sábados, domingos y festivos, cuando hayan de cumplirse tareas impostergables, se compensarán con descanso complementario y si ello no fuere posible por razones de buen servicio, se dispondrá su compensación con un recargo en las remuneraciones, en los términos que ordena el artículo 65 del citado estatuto.*

Así, la retribución del trabajo extraordinario, sea mediante el otorgamiento de descanso complementario o con un recargo en las remuneraciones, procede en la medida que hayan de cumplirse tareas impostergables; que exista orden formal de la autoridad edilicia, a través de un acto administrativo dictado en forma previa a su ejecución e individualizando al personal que lo ejecutará; y, que los trabajos respectivos se realicen a continuación de la jornada ordinaria, de noche o en días sábados, domingos o festivos (aplica criterio contenido en dictámenes Nºs. 48.484, de 2008 y 3.583, de 2010).

Por su parte, este **Organismo Contralor en el dictamen Nº 34.714, de 2009,** *ha concluido que si a un exfuncionario no se le otorgó el descanso complementario antes de expirar en sus labores, derecho que prescribe en el plazo de dos años, según la norma contenida en el artículo 157 de la referida ley Nº 18.883, el trabajo cumplido en exceso de la jornada laboral ordinaria debe serle compensado pecuniariamente, beneficio que nace al expirar la relación funcionaria del empleado y cuyo cobro prescribe en el plazo de seis meses a contar de dicha data, de conformidad con lo dispuesto en el artículo 98 del mismo cuerpo estatutario».* (**ID Dictamen: 004338N12 Fecha:** 23.01.2012 **Destinatarios** Alcalde de la Municipalidad de La Reina. **Texto:** Sobre procedencia del pago de horas extraordinarias a exfuncionaria municipal, cuyo desempeño no consta en el registro de asistencia. **Acción:** Aplica dictámenes 48484/2008, 3583/2010, 34714/2009)

Artículo 64

Se entenderá por trabajo nocturno el que se realiza entre las veintiuna horas de un día y las siete horas del día siguiente.

1. «*Pues bien, del tenor de las disposiciones anotadas, corresponde concluir que, atendidas las atribuciones que la preceptiva le confiere a* **la autoridad edilicia para administrar el personal municipal, aquella debe resolver la forma en que los funcionarios deben cumplir su jornada de trabajo, tanto ordinaria como extraordinaria, dentro del marco normativo contemplado en los artículos 62 a 69 de la citada ley Nº 18.883,** *la que, eventualmente, podrá implicar la realización de trabajos extraordinarios, según lo establecido en el artículo 63 de ese texto estatutario, o bien, el cumplimiento de un sistema de turnos de llamada, de conformidad con lo dispuesto en el artículo 67 de la misma ley, en los términos precisados por el citado* **dictamen Nº 79.246, de 2010**». (**ID Dictamen: 065485N11 Fecha:** 17.10.2011 **Destinatarios:** Alcaldesa de la Municipalidad de San Pedro de Atacama. **Texto:** Procede que los municipios establezcan un sistema de turnos de llamada para los empleados que laboren en unidades encargadas de las emergencias comunales; el período en que deben estar ubicables, no puede ser considerado como trabajo extraordinario, salvo que, verificada

la emergencia se labore efectivamente y se cumplan las demás condiciones que dan derecho a descanso complementario o a percibir el emolumento correspondiente. **Acción:** Aplica dictamen 10242/95 Confirma dictamen 79246/2010)

2. *«De este modo, y tal como lo ha precisado este **Organismo Contralor en el dictamen Nº 5.921, de 2010, las horas extraordinarias se caracterizan porque sólo tienen lugar en las condiciones anotadas, debiendo ser autorizadas mediante actos administrativos dictados en forma previa a su ejecución, en los que se individualizará el personal que las desarrollará, el número de horas a efectuar y el período que abarca dicha aprobación, (...).***
*Ahora bien, **en atención a que de la normativa expuesta se advierte que únicamente las horas extraordinarias diurnas se encuentran sujetas a un límite por el legislador** y, en la eventualidad que sea necesario ordenar la ejecución de un mayor número de las 40, se requiere un acto administrativo fundado, **es posible inferir que tal restricción no alcanza a las horas extraordinarias realizadas en horario nocturno** (...)»* **(ID Dictamen: 013258N11 Fecha:** 03.03.2011 **Destinatarios:** Alcalde de la Municipalidad de Arica. **Texto:** Sobre solicitud de reconsideración de oficio de la Contraloría Regional de Arica y Parinacota relativo a restitución de lo percibido por concepto de horas extraordinarias en caso que indica. **Acción:** aplica dictámenes 46554/2008, 5921/2010)[202]

3. *«Al respecto, cabe señalar que, sin perjuicio del trabajo diurno o por turnos que establecen, respectivamente, los artículos 62 y 67, de la ley Nº 18.883, Estatuto Administrativo para Funcionarios Municipales, el **artículo 64 de esa ley define el trabajo nocturno como aquel que se realiza entre las veintiuna horas de un día y las siete horas del día siguiente, de lo cual se infiere que se trata de una modalidad del ejercicio de la función pública, con el fin de atender las necesidades colectivas en el ámbito comunal, en el señalado horario».* **(ID Dictamen: 034617N12 Fecha:** 12.06.2012 **Destinatarios:** Alcalde de la Municipalidad de Santiago. **Texto:** Sobre recargo del valor de la hora de trabajo respecto de funcionarios municipales que realizan trabajos nocturnos).

Artículo 65

El descanso complementario destinado a compensar los trabajos extraordinarios realizados a continuación de la jornada, serán igual al tiempo trabajado más un aumento de veinticinco por ciento.

En el evento que lo anterior no fuere posible, la asignación que corresponda se determinará recargando en un veinticinco por ciento el valor de la hora diaria de trabajo. Para estos efectos, el valor de la hora diaria de trabajo ordinario será el cuociente que se obtenga de dividir por ciento noventa el sueldo y las demás asignaciones que determine la ley.

1. *«Por su parte, el artículo 63 de la ley Nº 18.883, sobre Estatuto Administrativo para Funcionarios Municipales, dispone que el alcalde puede ordenar trabajos extraordinarios a continuación de la jornada ordinaria, de noche o en días sábados, domingos y festivos, cuando hayan de cumplirse tareas impostergables; para luego, el artículo 67 del mismo cuerpo estatutario, añadir que puede establecer turnos entre su personal y fijar los descansos complementarios que correspondan, cuya finalidad es hacer posible el cumplimiento de la obligación que recae sobre los municipios de satisfacer las necesidades colectivas, de manera regular y continua.*
*Pues bien, del tenor de las disposiciones anotadas, corresponde concluir que, atendidas las atribuciones que la preceptiva confiere a la autoridad edilicia para administrar el personal municipal, aquella debe resolver la forma en que los funcionarios deben cumplir su jornada de trabajo, tanto ordinaria como extraordinaria, **dentro del marco normativo contemplado en los artículos 62 a 69 de la citada ley Nº 18.883**, la que, eventualmente, podrá implicar la realización de trabajos extraordinarios, según lo establecido en el artículo 63 de ese texto estatutario, o bien, el cumplimiento de un sistema de turnos de llamada, de conformidad con lo dispuesto en el artículo 67 de la misma ley, en los términos precisados por el citado dictamen Nº 79.246, de 2010.*

---

[202] Para efectos de su consulta en la Base de Jurisprudencia de Contraloría General de la República, el citado dictamen se encuentra en la sección/materia: «generales», sin perjuicio de que se trata de uno de carácter municipal.

Finalmente, cumple con expresar que el tiempo de espera del comienzo de las tareas encomendadas, no constituye desempeño de horas extraordinarias, al tenor del artículo 63 de la ley Nº 18.883, pues únicamente procede estimar como tales, los períodos en que el servidor está a disposición del empleador, los que corresponden a los lapsos comprendidos en el horario señalado por la superioridad para la realización del trabajo (aplica criterio contenido en el dictamen Nº 10.242, de 1995)». (**ID Dictamen: 065485N11 Fecha:** 17.10.2010 **Destinatarios:** Alcaldesa de la Municipalidad de San Pedro de Atacama. **Texto:** Procede que los municipios establezcan un sistema de turnos de llamada para los empleados que laboren en unidades encargadas de las emergencias comunales; el período en que deben estar ubicables, no puede ser considerado como trabajo extraordinario, salvo que, verificada la emergencia se labore efectivamente y se cumplan las demás condiciones que dan derecho a descanso complementario o a percibir el emolumento correspondiente. **Acción:** Aplica dictamen 10242/95 Confirma dictamen 79246/2010)

2. *«Luego, en cuanto a su retribución pecuniaria —aspecto que interesa en la especie, considerando que es la única modalidad de compensación que resulta posible, atendida la calidad de ex funcionario del recurrente—, de acuerdo con lo establecido en los **artículos** 64, 65 y 66 de la citada **ley Nº 18.883**, el pago correspondiente a los trabajos extraordinarios realizados a continuación de la jornada, se determinará recargando en un veinticinco por ciento el valor de la hora diaria de trabajo ordinario —esto es, el cuociente que se obtenga de dividir por ciento noventa el sueldo y las demás asignaciones que indique la ley—, y, para los trabajos nocturnos —entre las veintiuna horas de un día y las siete horas del día siguiente—, en días sábados, domingo y festivos, se abonará un recargo del cincuenta por ciento sobre la hora ordinaria de trabajo calculada en la forma antes señalada.*

*Enseguida, conviene aclarar que de conformidad con el **artículo 9º de la ley Nº 19.104** —modificado por la ley Nº 20.280—, el máximo de horas extraordinarias diurnas cuyo pago podrá autorizarse, será de 40 horas por funcionario al mes, limitación que sólo podrá excederse cuando se trate de trabajos de carácter imprevisto motivado por fenómenos naturales o calamidades públicas que hagan imprescindible trabajar un mayor número de horas extraordinarias, de lo cual deberá dejarse expresa constancia en la resolución que ordene la ejecución de tales trabajos, lo que tratándose de las municipalidades se dispondrá mediante un decreto alcaldicio fundado, en el cual deberán precisar, entre los argumentos expuestos, los costos que la medida implica para las arcas municipales, con mención específica de los montos involucrados.*

*De este modo, y tal como lo ha precisado este **Organismo Contralor en el dictamen Nº 5.921, de 2010**, las horas extraordinarias se caracterizan porque sólo tienen lugar en las condiciones anotadas, debiendo ser autorizadas mediante actos administrativos dictados en forma previa a su ejecución, en los que se individualizará el personal que las desarrollará, el número de horas a efectuar y el período que abarca dicha aprobación, (...).*

Ahora bien, en atención a que de la normativa expuesta se advierte que únicamente las horas extraordinarias diurnas se encuentran sujetas a un límite por el legislador y, en la eventualidad que sea necesario ordenar la ejecución de un mayor número de las 40, se requiere un acto administrativo fundado, es posible inferir que tal restricción no alcanza a las horas extraordinarias realizadas en horario nocturno, (...)». (**ID Dictamen: 013258N11 Fecha:** 03.03.2011 **Destinatarios:** Alcalde de la Municipalidad de Arica. **Texto:** Sobre solicitud de reconsideración de oficio de la Contraloría Regional de Arica y Parinacota relativo a restitución de lo percibido por concepto de horas extraordinarias en caso que indica. **Acción:** aplica dictámenes 46554/2008, 5921/2010)

3. *«Sobre el particular, cabe señalar que el artículo 63 de la ley Nº 18.883, sobre Estatuto Administrativo para Funcionarios Municipales, establece que los trabajos extraordinarios que ordene el alcalde, a continuación de la jornada ordinaria, de noche o en días sábados, domingos o festivos, cuando hayan de cumplirse tareas impostergables, se compensarán con descanso complementario y si ello no fuere posible por razones de buen servicio, se dispondrá su compensación con un recargo en las remuneraciones, en los términos que ordena el **artículo 65 del citado estatuto**.*

De este modo, la retribución del trabajo extraordinario, sea mediante el otorgamiento de descanso complementario o con un recargo en las remuneraciones, procede en la medida que hayan de cumplirse tareas impostergables; que exista orden formal de la autoridad edilicia, a través de un acto administrativo dictado en forma previa a su ejecución e individualizando al personal que lo ejecutará; y, que los trabajos respectivos se realicen a continuación de la jornada ordinaria, de noche o en días sábados, domingos o festivos (aplica criterio contenido en dictámenes Nºs. 48.484, de 2008, y 3.583, de 2010).

*En este contexto, los **dictámenes Nºs. 38.978, de 2005, y 41.241, de 2010**, han manifestado que si a un exfuncionario no se le otorgó el descanso complementario a que tenía derecho antes de expirar en sus labores, el trabajo cumplido en exceso de la jornada laboral ordinaria debe serle compensado pecuniariamente, pues esa es la única forma de retribuirlo y evitar un enriquecimiento sin causa para el municipio, beneficio que nace al expirar la relación funcionaria* *del empleado y cuyo cobro prescribe en el plazo de seis meses a contar de dicha data, de conformidad con lo dispuesto en el artículo 98 del mismo cuerpo estatutario».* **(ID Dictamen: 018948N12 Fecha:** 03.04.2012 **Destinatarios:** Alcalde de la Municipalidad de Conchalí. **Texto:** Sobre pago de trabajos extraordinarios a exfuncionario municipal. **Acción:** Aplica dictámenes 48484/2008, 3583/2010, 38978/2005, 41241/2010, 65270/2011.

4. *«Sobre el particular, cabe señalar que el artículo 63 de la ley Nº 18.883, sobre Estatuto Administrativo para Funcionarios Municipales, establece que los trabajos extraordinarios que ordene el alcalde, a continuación de la jornada ordinaria, de noche o en días sábados, domingos y festivos, cuando hayan de cumplirse tareas impostergables, se compensarán con descanso complementario y si ello no fuere posible por razones de buen servicio, se dispondrá su compensación con un recargo en las remuneraciones, en los términos que ordena el artículo 65 del citado estatuto.*

Así, la retribución del trabajo extraordinario, sea mediante el otorgamiento de descanso complementario o con un recargo en las remuneraciones, procede en la medida que hayan de cumplirse tareas impostergables; que exista orden formal de la autoridad edilicia, a través de un acto administrativo dictado en forma previa a su ejecución e individualizando al personal que lo ejecutará; y, que los trabajos respectivos se realicen a continuación de la jornada ordinaria, de noche o en días sábados, domingos o festivos (aplica criterio contenido en dictámenes Nºs. 48.484, de 2008 y 3.583, de 2010).

Por su parte, este Organismo Contralor en el dictamen Nº 34.714, de 2009, ha concluido que si a un exfuncionario no se le otorgó el descanso complementario antes de expirar en sus labores, derecho que prescribe en el plazo de dos años, según la norma contenida en el artículo 157 de la referida ley Nº 18.883, el trabajo cumplido en exceso de la jornada laboral ordinaria debe serle compensado pecuniariamente, beneficio que nace al expirar la relación funcionaria del empleado y cuyo cobro prescribe en el plazo de seis meses a contar de dicha data, de conformidad con lo dispuesto en el artículo 98 del mismo cuerpo estatutario». **(ID Dictamen: 004338N12 Fecha:** 23.01.2012 **Destinatarios:** Alcalde de la Municipalidad de La Reina. **Texto:** Sobre procedencia del pago de horas extraordinarias a exfuncionaria municipal, cuyo desempeño no consta en el registro de asistencia. **Acción:** Aplica dictámenes 48484/2008, 3583/2010, 34714/2009)

5. *«En relación a la materia examinada, es dable manifestar que, acorde a lo dispuesto en el citado artículo 16, inciso primero, del decreto Nº 54, de 1969, del Ministerio del Trabajo y Previsión Social, Reglamento de Funcionamiento de Comités Paritarios, los referidos comités se reunirán en forma ordinaria, una vez al mes, pero podrán hacerlo en forma extraordinaria a petición conjunta de un representante de los trabajadores y de uno de los de la empresa.*

Señala el inciso tercero del precepto reglamentario en comento, que las reuniones se efectuarán en horarios de trabajo, considerándose como trabajado el tiempo en ellas empleado. Por decisión de la empresa, las sesiones podrán efectuarse fuera de dicho horario, pero en tal caso, el tiempo ocupado en ellas será considerado como trabajo extraordinario para los efectos de su remuneración.

Queda en evidencia, entonces, que el **pago de horas extraordinarias se encuentra supeditado a que por decisión de la autoridad municipal se autorice el funcionamiento del comité paritario en horario extraordinario y que efectivamente sesione en tal horario.**

Luego, **las labores que hubiesen realizado los integrantes del comité paritario de que se trata, inherentes a su función de miembros del mismo, no se pueden considerar como trabajadas para ese comité sino en la medida que hubieran sido efectuadas en sesiones debidamente constituidas y, en tal caso, habrá lugar al pago de horas extraordinarias sólo si dichas sesiones se verifican fuera de la jornada ordinaria de trabajo, previa autorización de la jefatura superior de la entidad edilicia.** *(...)*

Enseguida, en cuanto a la participación en las sesiones de los miembros designados en calidad de suplentes, (...) al no haberse comprobado la participación de los miembros suplentes del aludido comité en reemplazo de los titulares, el pago de horas extraordinarias en su favor no resultó procedente.

En tercer lugar, en cuanto a la petición subsidiaria de las recurrentes señoras García Muñoz y Urzúa Rodríguez, para que se declare la prescripción extintiva de la obligación de reintegrar las sumas percibidas por concepto de horas extraordinarias de que se trata, cabe recordar que el **artículo 98 de la citada ley Nº 18.883, prescribe que el derecho al cobro de las asignaciones que establece el artículo anterior —entre otras, aquella de la letra c) del artículo 97, asignación de horas extraordinarias—, prescribirá en el plazo de seis meses contado desde la fecha en que se hicieron exigibles,** *norma que se refiere a la prescripción del derecho que tiene el funcionario a exigir el pago de horas extraordinarias, y no como ocurre en el presente caso en que la municipalidad se encuentra en la necesidad de exigir su reintegro, atendido el pago indebido de aquellas, aplicándose a su respecto, la norma general de prescripción del artículo 2.515 del Código Civil (aplica criterio contenido en los dictámenes Nºs. 3.883 y 21.787, ambos de 2008). (...)*

*Finalmente, es dable advertir, en esta oportunidad, que la autoridad municipal dispuso, mediante decreto Nº 5.219, de 2009, el pago de horas extraordinarias al cincuenta por ciento efectivamente trabajadas, en circunstancias que de acuerdo a lo establecido en el **inciso segundo del artículo 65 de la ley Nº 18.883**, la asignación de que se trata se determinará recargando en un veinticinco por ciento el valor de la hora diaria de trabajo, salvo que se trate de trabajos nocturnos o en días sábado, domingo y festivos, cuyo no es el caso, por lo que la autoridad edilicia deberá adoptar las medidas pertinentes para regularizar la situación»*. **(ID Dictamen: 003017N12 Fecha:** 17.01.2012 **Destinatarios:** Alcalde de la Municipalidad de Lo Barnechea. **Texto:** Municipio de Lo Barnechea deberá instar por el reintegro de las sumas pagadas en exceso a favor del personal que se indica, todos miembros del Comité Paritario de Higiene y Seguridad, por concepto de horas extraordinarias. **Acción:** Confirma dictamen 48851/2011 Aplica dictámenes 3883/2008, 21787/2008)

Artículo 66

Los empleados que deban realizar trabajos nocturnos o en días sábado, domingo y festivos deberán ser compensados con un descanso complementario igual al tiempo trabajado más un aumento de cincuenta por ciento.

En caso de que el número de empleados de una municipalidad o unidad de la misma, impida dar el descanso complementario a que tienen derecho los funcionarios que hubieren realizado trabajos en días sábado, domingo y festivos u horas nocturnas, se les abonará un recargo del cincuenta por ciento sobre la hora ordinaria de trabajo calculada conforme al artículo anterior.

1. *«Por su parte, el artículo 63 de la ley Nº 18.883, sobre Estatuto Administrativo para Funcionarios Municipales, dispone que el alcalde puede ordenar trabajos extraordinarios a continuación de la jornada ordinaria, de noche o en días sábados, domingos y festivos, cuando hayan de cumplirse tareas impostergables; para luego, el artículo 67 del mismo cuerpo estatutario, añadir que puede establecer turnos entre su personal y fijar los descansos complementarios que correspondan, cuya finalidad es hacer posible el cumplimiento de la obligación que recae sobre los municipios de satisfacer las necesidades colectivas, de manera regular y continua.*
*Pues bien, del tenor de las disposiciones anotadas, corresponde concluir que, atendidas las atribuciones que la preceptiva le confiere a la autoridad edilicia para administrar el personal municipal, aquella debe resolver la forma en que los funcionarios deben cumplir su jornada de trabajo, tanto ordinaria como extraordinaria, **dentro del marco normativo contemplado en los artículos 62 a 69 de la citada ley Nº 18.883**, la que, eventualmente, podrá implicar la realización de trabajos extraordinarios, según lo establecido en el artículo 63 de ese texto estatutario, o bien, el cumplimiento de un sistema de turnos de llamada, de conformidad con lo dispuesto en el artículo 67 de la misma ley, en los términos precisados por el citado dictamen Nº 79.246, de 2010.*
*Finalmente, cumple con expresar que **el tiempo de espera del comienzo de las tareas encomendadas, no constituye desempeño de horas extraordinarias**, al tenor del artículo 63 de la ley Nº 18.883, pues únicamente procede estimar como tales, los períodos en que el servidor está a disposición del empleador, los que corresponden a los lapsos comprendidos en el horario señalado por la superioridad para la realización del trabajo (aplica criterio contenido en el dictamen Nº 10.242, de 1995)»*. **(ID Dictamen: 065485N11 Fecha:** 17.10.2011 **Destinatarios:** Alcaldesa de la Municipalidad de San Pedro de Atacama. **Texto:** Procede que los municipios establezcan un sistema de turnos de llamada para los empleados que laboren en unidades encargadas de las emergencias comunales; el período en que deben estar ubicables, no puede ser considerado como trabajo extraordinario, salvo que, verificada la emergencia se labore efectivamente y se cumplan las demás condiciones que dan derecho a descanso complementario o a percibir el emolumento correspondiente. **Acción**: Aplica dictamen 10242/95 Confirma dictamen 79246/2010)

2. *«Sobre el particular, cabe señalar, que el artículo 63 de la ley Nº 18.883, Estatuto Administrativo para Funcionarios Municipales, dispone que el alcalde puede ordenar trabajos extraordinarios a continuación de la jornada ordinaria, de noche o en días sábados, domingos y festivos, cuando hayan de cumplirse tareas impostergables.*
*En este sentido, debe precisarse que dichos **trabajos extraordinarios proceden y otorgan los derechos correlativos, cuales son, compensación con descanso complementario o pago, según resuelva la autoridad, cuando se cumplan los siguientes requisitos copulativos: primero, que se trate de tareas impostergables; luego, que exista una orden del jefe***

superior del servicio; y, finalmente, que los trabajos respectivos se realicen a continuación de la jornada ordinaria, de noche o en días sábados, domingos o festivos (aplica el criterio contenido en el dictamen Nº 46.554, de 2008).

*Luego, en cuanto a su retribución pecuniaria —aspecto que interesa en la especie, considerando que es la única modalidad de compensación que resulta posible, atendida la calidad de ex funcionario del recurrente—, de acuerdo con lo establecido en los **artículos 64, 65 y 66 de la citada ley Nº 18.883**, el pago correspondiente a los trabajos extraordinarios realizados a continuación de la jornada, se determinará recargando en un veinticinco por ciento el valor de la hora diaria de trabajo ordinario —esto es, el cuociente que se obtenga de dividir por ciento noventa el sueldo y las demás asignaciones que indique la ley—, y, **para los trabajos nocturnos —entre las veintiuna horas de un día y las siete horas del día siguiente—, en días sábados, domingo y festivos, se abonará un recargo del cincuenta por ciento sobre la hora ordinaria de trabajo calculada en la forma antes señalada.***

Enseguida, conviene aclarar que de conformidad con el artículo 9º de la ley Nº 19.104 —modificado por la ley Nº 20.280—, el máximo de horas extraordinarias diurnas cuyo pago podrá autorizarse, será de 40 horas por funcionario al mes, limitación que sólo podrá excederse cuando se trate de trabajos de carácter imprevisto motivado por fenómenos naturales o calamidades públicas que hagan imprescindible trabajar un mayor número de horas extraordinarias, de lo cual deberá dejarse expresa constancia en la resolución que ordene la ejecución de tales trabajos, lo que tratándose de las municipalidades se dispondrá mediante un decreto alcaldicio fundado, en el cual deberán precisar, entre los argumentos expuestos, los costos que la medida implica para las arcas municipales, con mención específica de los montos involucrados.

*De este modo, y tal como lo ha precisado este **Organismo Contralor en el dictamen Nº 5.921, de 2010, las horas extraordinarias se caracterizan porque sólo tienen lugar en las condiciones anotadas, debiendo ser autorizadas mediante actos administrativos dictados en forma previa a su ejecución, en los que se individualizará el personal que las desarrollará, el número de horas a efectuar y el período que abarca dicha aprobación (...).***

*Ahora bien, en atención a que de la normativa expuesta se advierte que únicamente las horas extraordinarias diurnas se encuentran sujetas a un límite por el legislador y, en la eventualidad que sea necesario ordenar la ejecución de un mayor número de las 40, se requiere un acto administrativo fundado, **es posible inferir que tal restricción no alcanza a las horas extraordinarias realizadas en horario nocturno (...)».*** **(ID Dictamen: 013258N11 Fecha:** 03.03.2011 **Destinatarios:** Alcalde de la Municipalidad de Arica. **Texto:** Sobre solicitud de reconsideración de oficio de la Contraloría Regional de Arica y Parinacota relativo a restitución de lo percibido por concepto de horas extraordinarias en caso que indica. **Acción:** aplica dictámenes 46554/2008, 5921/2010)²⁰³

3. *«Al respecto, cabe señalar que, sin perjuicio del trabajo diurno o por turnos que establecen, respectivamente, los artículos 62 y 67, de la ley Nº 18.883, Estatuto Administrativo para Funcionarios Municipales, el **artículo 64 de esa ley define el trabajo nocturno como aquel que se realiza entre las veintiuna horas de un día y las siete horas del día siguiente, de lo cual se infiere que se trata de una modalidad del ejercicio de la función pública, con el fin de atender las necesidades colectivas en el ámbito comunal, en el señalado horario.***

*Enseguida, cabe señalar que el **artículo 66** del cuerpo legal citado prescribe —en lo que interesa— que los empleados que deban realizar trabajos nocturnos o en días sábado, domingo y festivos deberán ser compensados con un descanso complementario —del modo que señala—, o bien, cuando ello no sea posible, se les abonará un recargo del cincuenta por ciento sobre la hora ordinaria de trabajo, calculada en la forma que indica.*

*De lo expuesto se desprende, entonces, que **el trabajo realizado en horario nocturno, esto es, entre las veintiuna horas de un día y las siete horas del día siguiente, debe ser compensado del modo que señala la aludida norma** o, en su defecto, con el pago con el recargo del cincuenta por ciento sobre la hora ordinaria de trabajo calculada de la forma allí indicada, que ha sido la fórmula aplicada por el municipio, según se desprende de su resolución exenta Nº 136, de 14 de enero de 2011, por la que resolvió compensar, con un recargo fijo y permanente de un 50% de valor de la jornada diurna al personal cuya jornada normal de trabajo sea desarrollada entre las horas indicadas.*

*De las normas antes transcritas, se desprende que la **jornada nocturna, independiente de que incida en días hábiles o inhábiles, contempla la compensación aludida en el artículo 66 de la ley, sin que se advierta que deba pagarse con un doble recargo cuando dicha jornada nocturna se realice en días sábado, domingo o festivos, tanto porque no lo***

---

²⁰³ Para efectos de su consulta en la Base de Jurisprudencia de Contraloría General de la República, el citado dictamen se encuentra en la sección/materia: «generales», sin perjuicio de que se trata de uno de carácter municipal.

establece la ley expresamente, cuanto porque no se puede inferir de una interpretación sistemática y finalista de la misma.
En consecuencia, no corresponde que los trabajos que desarrolla el personal del municipio aludido en horario nocturno, se paguen con un doble recargo cuando se ejecuten en días sábado domingo o festivos». (**ID Dictamen: 034617N12 Fecha:** 12.06.2012 **Destinatarios:** Alcalde de la Municipalidad de Santiago. **Texto:** Sobre recargo del valor de la hora de trabajo respecto de funcionarios municipales que realizan trabajos nocturnos).

Artículo 67

El alcalde ordenará los turnos pertinentes entre su personal y fijará los descansos complementarios que correspondan.

1. *«Por su parte, el artículo 63 de la ley Nº 18.883, sobre Estatuto Administrativo para Funcionarios Municipales, dispone que el alcalde puede ordenar trabajos extraordinarios a continuación de la jornada ordinaria, de noche o en días sábados, domingos y festivos, cuando hayan de cumplirse tareas impostergables; para luego, el **artículo 67** del mismo cuerpo estatutario, añadir que puede establecer turnos entre su personal y fijar los descansos complementarios que correspondan, cuya finalidad es hacer posible el cumplimiento de la obligación que recae sobre los municipios de satisfacer las necesidades colectivas, de manera regular y continua.*
*Pues bien, del tenor de las disposiciones anotadas, corresponde concluir que, atendidas las atribuciones que la preceptiva le confiere a la **autoridad edilicia para administrar el personal municipal, aquella debe resolver la forma en que los funcionarios deben cumplir su jornada de trabajo, tanto ordinaria como extraordinaria, dentro del marco normativo contemplado en los artículos 62 a 69 de la citada ley Nº 18.883, la que, eventualmente, podrá implicar la realización de trabajos extraordinarios, según lo establecido en el artículo 63 de ese texto estatutario, o bien, el cumplimiento de un sistema de turnos de llamada, de conformidad con lo dispuesto en el artículo 67 de la misma ley, en los términos precisados por el citado dictamen Nº 79.246, de 2010.***
Finalmente, cumple con expresar que el tiempo de espera del comienzo de las tareas encomendadas, no constituye desempeño de horas extraordinarias, al tenor del artículo 63 de la ley Nº 18.883, pues únicamente procede estimar como tales, los períodos en que el servidor está a disposición del empleador, los que corresponden a los lapsos comprendidos en el horario señalado por la superioridad para la realización del trabajo (aplica criterio contenido en el dictamen Nº 10.242, de 1995)». (**ID Dictamen: 065485N11 Fecha:** 17.10.2011 **Destinatarios:** Alcaldesa de la Municipalidad de San Pedro de Atacama. **Texto:** Procede que los municipios establezcan un sistema de turnos de llamada para los empleados que laboren en unidades encargadas de las emergencias comunales; el período en que deben estar ubicables, no puede ser considerado como trabajo extraordinario, salvo que, verificada la emergencia se labore efectivamente y se cumplan las demás condiciones que dan derecho a descanso complementario o a percibir el emolumento correspondiente. **Acción:** Aplica dictamen 10242/95 Confirma dictamen 79246/2010)

2. *«Sin perjuicio de lo expuesto, cabe hacer presente que el **artículo 67 de la ley Nº 18.883,** Estatuto Administrativo para Funcionarios Municipales, faculta al Alcalde para establecer turnos entre su personal y fijar los descansos complementarios que correspondan, cuya finalidad es hacer posible el cumplimiento de la obligación que recae sobre los municipios de satisfacer las necesidades colectivas, de manera regular y continua.*
*En consecuencia, **corresponde al Alcalde, autorizar, mediante el correspondiente acto administrativo, la modificación de la jornada laboral de los empleados de su dependencia,** por lo que no ha resultado procedente que dicha modificación fuera dispuesta sin dicha aprobación».* (**ID Dictamen: 057646N12 Fecha:** 14.09.2012 Destinatarios Alcalde de la Municipalidad de Vitacura. **Texto:** Sobre reclamo por extensión de jornada en días libres, no pago de indemnización y vacaciones. **Acción:** Aplica dictámenes 43665/2012, 20366/97, 34714/2009)

3. *«Al respecto, cabe señalar que, sin perjuicio del trabajo diurno **o por turnos** que establecen, respectivamente, los artículos 62 y **67, de la ley Nº 18.883, Estatuto Administrativo para Funcionarios Municipales,** el artículo 64 de esa ley define el trabajo nocturno como aquel que se realiza entre las veintiuna horas de un día y las siete horas del día siguiente, de lo cual se infiere que se trata de una modalidad del ejercicio de la función pública, con el fin de atender las necesidades colectivas en el ámbito comunal, en el señalado horario».* (**ID Dictamen: 034617N12 Fecha:** 12.06.2012

Destinatarios: Alcalde de la Municipalidad de Santiago. **Texto:** Sobre recargo del valor de la hora de trabajo respecto de funcionarios municipales que realizan trabajos nocturnos).

Artículo 68

Los funcionarios no estarán obligados a trabajar las tardes de los días 17 de septiembre y 24 y 31 de diciembre de cada año, sin perjuicio de lo dispuesto en el artículo 63.

1. «*Pues bien, del tenor de las disposiciones anotadas, corresponde concluir que, atendidas las atribuciones que la preceptiva le confiere a la autoridad edilicia para administrar el personal municipal, aquella debe resolver la forma en que los funcionarios deben cumplir su jornada de trabajo, tanto ordinaria como extraordinaria, dentro del **marco normativo contemplado en los artículos 62 a 69 de la citada ley Nº 18.883**, (...)*». (**ID Dictamen: 065485N11 Fecha:** 17.10.2011 **Destinatarios:** Alcaldesa de la Municipalidad de San Pedro de Atacama. **Texto:** Procede que los municipios establezcan un sistema de turnos de llamada para los empleados que laboren en unidades encargadas de las emergencias comunales; el período en que deben estar ubicables, no puede ser considerado como trabajo extraordinario, salvo que, verificada la emergencia se labore efectivamente y se cumplan las demás condiciones que dan derecho a descanso complementario o a percibir el emolumento correspondiente. **Acción:** Aplica dictamen 10242/95 Confirma dictamen 79246/2010)

2. «*Como cuestión previa, cabe indicar que la ley Nº 20.215 incorporo un nuevo artículo 35 ter a la referida preceptiva laboral, el cual consigna que "En cada año calendario que los días 18 y 19 de septiembre sean días martes y miércoles, respectivamente, o miércoles y jueves, respectivamente, será feriado el día lunes 17 o el día viernes 20 de dicho mes, según el caso".*

*Sobre la materia, es útil expresar que el inciso segundo del artículo 1º del mencionado ordenamiento laboral establece que **las normas en el contenidas no se aplicaran a los funcionarios de la Administración del Estado**, centralizada y **descentralizada**, del Congreso Nacional y del Poder Judicial, ni a los trabajadores de las empresas o instituciones del Estado o de aquellas en que este tenga aportes, participación o representación, siempre que dichos dependientes se encuentren sometidos por ley a un estatuto especial.*

*No obstante añade, en su inciso tercero, que **los servidores de las entidades señaladas en el inciso precedente se sujetaran a las normas de este Código en los aspectos o materias no regulados en sus respectivos estatutos, siempre que no fueren contrarias a estos últimos.***

Con arreglo a dicho artículo 1º, esta Entidad Fiscalizadora manifestó, en su dictamen Nº 52.648, de 2006, que solo cabe entender que las disposiciones del Código Laboral tendrán aplicación respecto de los funcionarios del Estado que se encuentran sometidos por ley a un estatuto especial, cuando concurran las siguientes condiciones copulativas, a saber, que la materia no esté tratada en su respectiva normativa y que la regulación que contempla ese cuerpo legal, no contraríe ninguno de los preceptos y principios que informan el cuerpo estatutario cuyo silencio se suple.

Precisado lo anterior, conviene tener presente que ni la ley Nº 18.834, sobre Estatuto Administrativo, ni los demás textos legales aplicables al personal de la Administración del Estado, han declarado ninguna fecha como festiva o feriado legal, sino que <u>únicamente se han limitado a eximirlos de la obligación de trabajar</u> las tardes de los días 17 de septiembre y 24 y 31 de diciembre de cada año, como ocurre en el artículo 71 de dicha ley o en el artículo 68 de la ley Nº 18.883, que aprobó el Estatuto Administrativo para los funcionarios municipales.

*Por consiguiente, es dable concluir que ante el silencio del Estatuto Administrativo en la materia, el **artículo 35 ter del Código del Trabajo resulta aplicable a los funcionarios de la Administración del Estado**, sea que se rijan por la ley Nº 18.834 o por cualquiera de los otros estatutos aplicables a este personal.*

En el mismo sentido, cabe agregar que entender que lo previsto en el citado artículo 35 ter solo beneficia a los empleados regidos por el Código del Trabajo, implicaría efectuar una discriminación arbitraria en desmedro de los servidores del sector público, quienes quedarían exceptuados del descanso en comento, propósito que, por lo demás, de acuerdo con los antecedentes, no cabe atribuir al legislador, según aparece en la historia fidedigna del establecimiento de la ley Nº 20.215 —correspondiente al Boletín Nº 4.976-13, específicamente en el primer informe de la Comisión de Trabajo y Previsión Social del Senado, de 28 de agosto de 2007—, si se considera que en su discusión se tuvo presente precisamente la dispar situación laboral entre el sector público y privado para esa época en determinados aspectos, sin recoger tal distinción para estos efectos.

A mayor abundamiento, es útil considerar que una situación similar a la que ahora se plantea acontece con el feriado del 1 de mayo, el que actualmente se consigna en el inciso segundo del artículo 35 del Código del Trabajo, y que es aplicable a todos los funcionarios públicos, cualquiera sea la normativa estatutaria a la que se encuentren sujetos». (**ID Dictamen: 051485N12 Fecha:** 22.08.2012 **Destinatarios:** Presidente de la Asociación Nacional de Funcionarios del Trabajo de Chile. **Texto:** Sobre aplicación del art. 35 ter del Código del Trabajo a los funcionarios de la Administración del Estado. **Acción:** aplica dictamen 52648/2006)[204]

Artículo 69

Por el tiempo durante el cual no se hubiere efectivamente trabajado no podrán percibirse remuneraciones, salvo que se trate de feriados, licencias o permisos con goce de remuneraciones, previstos en este Estatuto, de suspensión preventiva contemplada en el artículo 134, o de caso fortuito o fuerza mayor.

Mensualmente deberá descontarse por los pagadores, a requerimiento escrito del jefe inmediato, el tiempo no trabajado por los empleados, considerando que la remuneración correspondiente a un día, medio día o una hora de trabajo, será el cuociente que se obtenga de dividir la remuneración mensual por treinta, sesenta y ciento noventa, respectivamente.

Las deducciones de rentas motivadas por inasistencia o por atrasos injustificados, no afectarán al monto de las imposiciones y demás descuentos, los que deben calcularse sobre el total de las remuneraciones, según corresponda.

Tales deducciones constituirán ingreso propio de la municipalidad empleadora.

Los atrasos y ausencias reiterados, sin causa justificada, serán sancionados con destitución, previa investigación sumaria.

1. *«En cuanto a la aplicación del* **artículo 69, inciso final, de la ley Nº 18.883**, *debe recordarse que dicho precepto sanciona con destitución a los funcionarios que hubieren incurrido en atrasos y ausencias reiterados, sin causa justificada, situación en la que se encontraba la interesada,* **de acuerdo con el mérito del sumario respectivo**, *de manera que, en la especie, la autoridad no hizo más que aplicarle la medida disciplinaria que la propia ley establece para quienes incurren en esa falta administrativa».* (**ID Dictamen: 080779N11 Fecha:** 27.12.2011 **Destinatarios:** Alcalde de la Municipalidad de La Cisterna. **Texto:** Sobre reclamos de ilegalidad en contra de decretos que aplican las medidas disciplinarias que indican. **Acción:** Aplica dictámenes 57368/2010, 9604/2000, 4182/2011, 42127/2009)

2. *«Por su parte, el* **artículo 69 de la ley Nº 18.883** *—que como se indicó tiene aplicación supletoria en este caso—, prescribe que, con las salvedades que señala, las que no concurren en la especie, por el tiempo durante el cual no se hubiere efectivamente trabajado no podrán percibirse remuneraciones, debiendo añadirse que —conforme al criterio contenido en los* **dictámenes Nºs. 52.681 y 53.781, ambos de 2004 y 7.207, de 2007, entre otros—, para efectuar los descuentos respectivos sólo es necesario incoar una investigación sumaria cuando, a juicio de la autoridad correspondiente, no existan antecedentes objetivos que permitan demostrar que un empleado no ha trabajado, no obstante haber registrado su asistencia, siendo, por el contrario, aplicable el sistema de descuento directo, en aquellos casos en que existan efectivamente tales antecedentes».* (**ID Dictamen: 068873N11 Fecha:** 02.11.2011 **Destinatarios:** Alcalde de la Municipalidad de San Nicolás. **Texto:** Se ajusta a derecho descuento de remuneraciones por paralización de actividades de los funcionarios de la Salud Municipalizada que indica, toda vez que no podrán percibirse remuneraciones por tiempo no trabajado. **Acción:** Aplica dictámenes 52681/2004, 53781/2004, 7207/2007, 34436/2000)

3. *«Pues bien, del tenor de las disposiciones anotadas, corresponde concluir que, atendidas las atribuciones que la preceptiva le confiere a la autoridad edilicia para administrar el personal municipal, aquella debe resolver la forma en que*

---

[204]   Para efectos de su consulta en la Base de Jurisprudencia de Contraloría General de la República, el citado dictamen se encuentra en la sección/materia: «generales».

los funcionarios deben cumplir su jornada de trabajo, tanto ordinaria como extraordinaria, dentro del marco normativo contemplado en los artículos 62 a 69 de la citada ley Nº 18.883, (...)». (**ID Dictamen: 065485N11 Fecha:** 17.10.2011 **Destinatarios:** Alcaldesa de la Municipalidad de San Pedro de Atacama. **Texto:** Procede que los municipios establezcan un sistema de turnos de llamada para los empleados que laboren en unidades encargadas de las emergencias comunales; el período en que deben estar ubicables, no puede ser considerado como trabajo extraordinario, salvo que, verificada la emergencia se labore efectivamente y se cumplan las demás condiciones que dan derecho a descanso complementario o a percibir el emolumento correspondiente. **Acción:** Aplica dictamen 10242/95 Confirma dictamen 79246/2010)

4. *«Sobre el particular, cabe señalar que el **artículo 69 de la ley Nº 18.883**, sobre Estatuto Administrativo para Funcionarios Municipales —aplicable supletoriamente al personal de la especie, en virtud de lo dispuesto en el artículo 4º de la ley Nº 19.378, sobre Estatuto de Atención Primaria de Salud Municipal—, ordena que "por el tiempo durante el cual no se hubiere efectivamente trabajado no podrán percibirse remuneraciones", salvo las situaciones especiales establecidas en el mismo precepto legal.*

*De este modo, considerando que lo anterior obedece al **deber funcionario de desempeñar personalmente las funciones del cargo, en forma regular y continua, y la correlativa obligación del órgano administrativo a retribuir el ejercicio del empleo**, es necesario que la infracción a aquel imperativo conste de manera fehaciente, mediante antecedentes objetivos que demuestren que el empleado no trabajó, situación que no resulta posible determinar en la situación planteada, atendido que, por una parte, la asociación peticionaria sólo manifiesta que sus integrantes habrían cumplido labores en las fechas indicadas y, por otra, el municipio se limita a afirmar lo contrario.*

*Por consiguiente, **en la eventualidad que la entidad edilicia cuente con antecedentes fidedignos que den cuenta que los funcionarios no laboraron esos días, resulta procedente que haya realizado, directamente, los descuentos de las remuneraciones, en cambio, de no ser así, se debe disponer la instrucción de un procedimiento sumarial, tendiente a determinar los hechos controvertidos (aplica criterio contenido en los dictámenes Nºs. 5.005, de 1997, y 7.207, de 2007)».* (**ID Dictamen: 061841N11 Fecha:** 30.09.2011 **Destinatarios:** Alcaldesa de la Municipalidad de Huechuraba. **Texto:** Sobre descuento de remuneraciones a personal municipal por paralización de actividades. **Acción:** Aplica dictámenes 5005/97, 7207/2007)

5. *«Al respecto, cabe señalar que según lo establece el **artículo 69 de la ley Nº 18.883**, Estatuto Administrativo para Funcionarios Municipales, por el tiempo durante el cual no se hubiere efectivamente trabajado no podrán percibirse remuneraciones, salvo que se trate de feriados, licencias, o permisos con goce de remuneraciones, de la suspensión preventiva contemplada en el artículo 134, de caso fortuito o de fuerza mayor. Mensualmente deberá descontarse por los pagadores, a requerimiento escrito del jefe inmediato, el tiempo no trabajado por los empleados, calculado en la forma que en dicho precepto se indica.*

*A su vez, el artículo 63 del decreto Nº 3, de 1984, del Ministerio de Salud, Reglamento de Autorización de Licencias Médicas por las Comisiones de Medicina Preventiva e Invalidez e Instituciones de Salud Previsional, previene, en lo que interesa, que la **devolución o reintegro de las remuneraciones o subsidios indebidamente percibidos por el beneficiario de una licencia no autorizada, rechazada o invalidada, es obligatorio; y que, sin perjuicio de lo anterior, el empleador adoptará las medidas conducentes al inmediato reintegro, por parte del trabajador, de los referidos emolumentos.***

*En concordancia con estas disposiciones, la **jurisprudencia administrativa de este Organismo Contralor, contenida en los dictámenes Nºs. 54.576, de 2009; 58.482, de 2011, y 49.737, de 2012, entre otros, todos de este origen, ha precisado que tratándose de inasistencias al trabajo derivadas de licencias médicas reducidas o rechazadas por las respectivas Instituciones de Salud Previsional, procede el descuento o retención de las remuneraciones correspondientes, u obligan a la devolución de las sumas percibidas indebidamente, por tratarse de ausencias injustificadas a las labores.** En este mismo sentido, los **dictámenes Nºs. 49.261, de 2003, 44.810 y 60.068, ambos de 2009, y 80.179, de 2010, han manifestado que procede la retención de remuneraciones por parte de la autoridad municipal, aunque se encuentre pendiente el pronunciamiento de la Comisión de Medicina Preventiva e Invalidez, sobre el rechazo de las licencias de que se trate.***

De esta manera, si bien resultó procedente que la Municipalidad de Conchalí dedujera de los estipendios de las recurrentes, la suma equivalente al lapso de las licencias médicas rechazadas por la respectiva Institución Previsional de Salud —por cuanto, como se expresó, no es impedimento que no se hayan resuelto las pertinentes apelaciones—, tratándose de doña Jacqueline Escobar Ramírez, se constata que la Compin se pronunció negativamente respecto de su solicitud, sin embargo aquella apeló de ese rechazo a la Superintendencia de Salud —autoridad técnica de control de las instituciones de previsión social, según los artículos 3º, 28 y 38, letra f), de la ley Nº 16.395, Orgánica de la Superintendencia de Seguridad Social—, la que, en definitiva, por el oficio Nº 055844, del 2011, autorizó seis de las licencias médicas que motivaron la retención de sus remuneraciones por el municipio, ordenando el pago de los subsidios correspondientes. Por consiguiente, en mérito de lo expuesto, en la situación de doña Jacqueline Escobar Ramírez, teniendo en consideración la resolución emanada posteriormente de la Superintendencia de Salud, la entidad edilicia, en la medida que mantenga aun pendiente la restitución de sus estipendios por dicho concepto, deberá, a la brevedad, proceder a reintegrárselos, y tratándose de doña Ana Pizarro Jerez, respecto de quien fueron rechazadas por la Isapre las licencias médicas respectivas, cabe concluir que se ajustaron a derecho los descuentos remuneracionales efectuados por tal motivo, sin perjuicio de lo que posteriormente resuelva la Comisión de Medicina Preventiva e Invalidez, o, en su defecto, la Superintendencia de Salud». (**ID Dictamen: 072782N12 Fecha:** 21.11.2012 **Destinatarios** Alcalde de la Municipalidad de Conchalí **Texto** Descuentos de remuneraciones por concepto de licencias médicas rechazadas. **Acción** Aplica dictámenes 54576/2009, 58482/2011, 49737/2012, 49261/2003, 44810/2009, 60068/2009, 80179/2010)

6. «*De este modo, al 28 de mayo de 2012, el señor Contreras Quezada poseía la calidad de funcionario del referido municipio, por lo que no se ajustó a derecho que este no acogiera a tramitación el permiso médico que el interesado intentó entregar ese día, ya que **las municipalidades tienen la obligación de admitir y tramitar las licencias médicas, mientras la persona en quien inciden las mismas mantenga su vinculación laboral a la fecha de su presentación,** como ocurrió en el caso en comento, **lo que deberá tenerse en cuenta para efectos de calcular la remuneración correspondiente a ese período (aplica criterio contenido en los dictámenes Nºs. 54.046, de 2010, y 11.903, de 2011, ambos de este origen).***

Por último, en cuanto al no pago de las horas extraordinarias alegadas por el afectado, y de cuyo monto habrían sido descontadas las sumas derivadas del incumplimiento de su horario de trabajo y las correspondientes a deudas que aquel tenía con diversas empresas contraídas a través del Servicio de Bienestar respectivo, esa entidad edilicia deberá realizar una reliquidación de lo que le correspondía percibir al recurrente, considerando el entero de la remuneración adeudada por haberse negado a tramitar la licencia médica presentada, como se precisó anteriormente, y efectuando las imputaciones que fueren procedentes, con estricta sujeción a la normativa que regula las deducciones de remuneraciones por incumplimiento de jornada laboral, y las ordenadas por el sistema de bienestar, contenidas, respectivamente en los artículos 69 y 95 de la ley Nº 18.883, (...)». (**ID Dictamen: 068445N12 Fecha:** 31.10.2012 **Destinatarios:** Alcalde de la Municipalidad de Puente Alto. **Texto: Acoge parcialmente** reclamo sobre término de contrata, pago de horas extraordinarias y no recepción de licencia médica de exservidor de la Municipalidad de Puente Alto. **Acción:** Aplica dictámenes 16557/2010, 26594/2010, 31337/2012, 40625/2008, 18033/2011, 79784/2011, 54046/2010, 11903/2011)[205]

7. «*Enseguida, sobre la deducción de la remuneración de la afectada ordenada por la referida municipalidad, cabe señalar que, según lo manifestado por este **Ente de Fiscalización, entre otros, en los dictámenes Nos 45.487, de 2010 y 19.381, de 2011,** de acuerdo con lo dispuesto en la preceptiva citada, es obligatoria la devolución o reintegro de las remuneraciones o subsidios indebidamente percibidos por el beneficiario de una licencia rechazada, encontrándose las municipalidades facultadas para efectuar directamente tales deducciones.*

*En este contexto, cabe concluir que resultó procedente el actuar de la Municipalidad de Recoleta al descontar de las remuneraciones de la señora Hermosilla Quezada las sumas relativas al pago de las referidas licencias médicas, aun cuando se habrían efectuado antes de que se resolviera la apelación que presentara la interesada ante la Superintendencia de Seguridad Social sobre el rechazo de las mismas, toda vez que, según ha concluido la **jurisprudencia administrativa de esta Entidad de Control, contenida, entre otros, en los dictámenes Nos 80.179, de 2010, y 13.836, de 2012, la circunstancia de encontrarse pendiente el aludido pronunciamiento no obsta a la retención de sus emolumentos**».* (**ID Dictamen: 065922N12 Fecha:** 23.10.2012 **Texto:** Desestima reclamo sobre descuentos de remuneraciones por licencias médicas rechazadas por los organismos competentes en la materia. **Acción:** aplica dictámenes 43152/2008, 43709/2010, 43662/2011, 45487/2010 19381/2011, 80179/2010, 13836/2012)

8. «*Efectuadas las precisiones anteriores y en relación al reclamo en examen, cabe señalar que, según lo previsto en el artículo 4º, inciso primero, de la anotada ley Nº 19.378, en todo lo no regulado expresamente por las disposiciones de dicho estatuto, se aplica supletoriamente la ley Nº 18.883, Estatuto Administrativo para Funcionarios Municipales —como sucede con la materia de la especie—, texto legal este último que, en el artículo 69, dispone, en lo pertinente,*

---

[205]   Para efectos de su consulta en la Base de Jurisprudencia de Contraloría General de la República, el citado dictamen se encuentra en la sección/materia: «generales», sin perjuicio de que se trata de uno de carácter municipal.

que por el tiempo durante el cual no se hubiere efectivamente trabajado, no podrán percibirse remuneraciones, salvo que se trate de feriados, licencias o permisos con goce de remuneraciones, de suspensión preventiva contemplada en el artículo 134, o de caso fortuito o fuerza mayor.

*Pues bien, en la especie, la circunstancia que el señor Cleveland Mujica no realizara la labor que correspondía a su cargo, por haberse dispuesto a su respecto una destinación irregular, **configura fuerza mayor, en los términos que describe el artículo 45 del Código Civil**, toda vez que al ser separado del ejercicio de las labores propias de su plaza, las dejó de cumplir en virtud de un acto de autoridad al que no podía resistir.*

*Así entonces, el periodo que la peticionaria estuvo separada del ejercicio de su función, entre la fecha que le fuera notificada la medida disciplinaria (...) hasta la época en que se ordenó su reincorporación al municipio, (...), **procede que se pague el total de los emolumentos a que tenía derecho, junto a sus cotizaciones previsionales, ya que en tal caso, ha quedado de manifiesto que no pudo desempeñar el cargo, por un acto de autoridad ajeno a su voluntad, concurriendo los supuestos de la fuerza mayor que hacen procedente el pago de las remuneraciones excepcionalmente, en casos en que no se ha desempeñado efectivamente el mismo (aplica criterio contenido en los dictámenes Nºs. 6.001 y 42.587, ambos de 2011)»**.* (**ID Dictamen:** 064868N12 **Fecha:** 18.10.2012 **Destinatarios:** Alcalde de la Municipalidad de Quilicura. **Texto:** Acoge reclamo sobre pago de remuneraciones a funcionario municipal durante tiempo que estuvo destinado ilegalmente al desempeño de otro cargo. **Acción:** aplica dictámenes 43301/2004, 33367/2011, 42587/2011, 56269/2011, 26414/2012 65092/2010, 11257/2011. Mismo criterio aplicado en **ID Dictamen:** 060542N12 **Fecha:** 01.10.2012 **Destinatarios:** Alcalde de la Municipalidad de Concón. **Texto:** Acoge reclamo sobre derecho al pago de remuneraciones de funcionario municipal por el tiempo que estuvo separada de su cargo por acto de autoridad y rechaza solicitud respecto de feriado anual que indica. **Acción:** Aplica dictámenes 74351/2011, 29953/2012, 6001/2011, 42587/2011, 23173/2012, 58499/2008, 5586/2012, 48547/2012)

9. «*Precisó, sin embargo, dicho pronunciamiento, que en la eventualidad de que la **servidora de que se trata no hubiera concurrido a trabajar efectivamente durante toda su jornada laboral, esa entidad edilicia debía efectuar los descuentos remuneracionales pertinentes, de conformidad con lo dispuesto en el artículo 69 de la ley Nº 18.883**, Estatuto Administrativo para Funcionarios Municipales. (...)*

*En este orden de ideas, cabe hacer presente que según lo dispuesto en el artículo 53 de la ley Nº 15.231, sobre Organización y Atribuciones de los Juzgados de Policía Local, en relación con las normas contenidas en el decreto ley Nº 812, de 1974, es la Corte de Apelaciones respectiva la facultada para fijar los días y horas de funcionamiento de estos Tribunales. Por su parte, **la jurisprudencia administrativa de esta Contraloría General, contenida, entre otros, en los dictámenes Nºs. 20.366, de 1999 y 33.175, de 2012, ha precisado que la jornada laboral de todo el personal que se desempeña en los Juzgados de Policía Local, incluido el Juez, tiene el carácter de especial, y que por una ficción legal, se entiende que constituye su jornada completa**, prevaleciendo sobre aquella contenida en el artículo 62 de la ley Nº 18.883, que fija la jornada ordinaria de trabajo del personal municipal.*

Ahora bien, el artículo 108 de dicho cuerpo estatutario, en lo que interesa, establece que los funcionarios podrán solicitar permisos para ausentarse de sus labores por motivos particulares hasta por seis días hábiles en el año calendario, con goce de remuneraciones, los que podrán fraccionarse por días o medios días; sin regular expresamente situaciones de jornadas laborales especiales, como la que se analiza.

*Sobre el particular, cumple con indicar que este **Organismo de Control, a través de los dictámenes Nºs. 4.948, de 1991 y 56.741, de 2004, entre otros, ha concluido que el fraccionamiento de los permisos con goce de remuneraciones por medios días, a que se refiere la norma legal recién citada, debe entenderse que concierne al período equivalente a media jornada diaria de trabajo del funcionario, según sea la modalidad de cumplimiento de la jornada semanal ordinaria.***

*Ello, por cuanto la aludida disposición, al establecer que **los funcionarios pueden solicitar tales permisos con el propósito de ausentarse de sus labores**, está precisando que para el cómputo de esa franquicia, "día" es sinónimo de jornada de trabajo, de modo que su fraccionamiento corresponde efectuarlo en relación a la jornada que los servidores desarrollan en forma permanente, la que en el caso de los Juzgados de Policía Local, es aquella fijada por la respectiva Corte de Apelaciones.*

En tal entendido, y sin perjuicio que el municipio haya estado en lo correcto al señalar que la jornada ordinaria completa de la señora Gantz Margulis para el día 22 de marzo de 2012 comprendía solo desde las 9:00 hasta las 12:00 horas —según habría determinado la Corte de Apelaciones de Valdivia—, dicha entidad edilicia debió autorizar el permiso con goce de remuneraciones por medio día que esta solicitara, en los mismos términos de su petición, sin que haya resultado procedente que alterara lo expresamente requerido por esa funcionaria sobre la base de presumir que pretendía hacer uso de un día completo del beneficio de la especie; independientemente de luego tener que constatar la efectividad de

que tal servidora haya concurrido durante la fracción restante para completar la jornada laboral de ese día, en lo no cubierto por el respectivo permiso.
De esta manera, entonces, la Municipalidad de Río Negro deberá dejar sin efecto el decreto Nº 835, de 2012 y, a la luz de lo expuesto en el presente oficio, verificar si la señora Gantz Margulis asistió durante la media jornada laboral que debía cumplir el día para el que solicitó el permiso de que se trata, considerando para ello, la jornada diaria especial que haya fijado la Corte de Apelaciones correspondiente —cualquiera sea la duración de esta—, y adoptar, de resultar necesario, las medidas tendientes a regularizar dicha situación, a través de los descuentos remuneracionales pertinentes».
(ID Dictamen: 055101N12 Fecha: 05.09.2012 **Destinatarios:** Alcalde de la Municipalidad de Río Negro. **Texto:** Rechaza solicitud de reconsideración de oficio Nº 2984, de 2012, de la Contraloría Regional de Los Lagos, sobre fraccionamiento de permiso con goce de remuneraciones de Juez de Policía Local. **Acción:** Aplica dictámenes 20366/99, 33175/2012, 4948/91, 56741/2004)[206]

10. *«Puntualizado lo anterior, es útil anotar que según aparece a fojas 145 del expediente sumarial, al mencionado servidor se le formuló un cargo único, consistente en no haber cumplido en reiteradas ocasiones con su obligación de asistir a su jornada de trabajo por el período comprendido desde octubre de 2009 al mes de abril de 2011, entendiendo la autoridad que vulneró lo dispuesto en el **artículo 69, de la ley Nº 18.883**, de acuerdo al cual los atrasos y ausencias reiterados, sin causa justificada, serán sancionados con destitución, previa investigación sumaria. (...)*
*En cuanto a lo que asevera el señor Prieto Serey acerca de que sus atrasos estarían justificados, cabe recordar que, **en concordancia con lo dispuesto en el citado artículo 69, inciso primero, de la ley Nº 18.883, la jurisprudencia administrativa de este Organismo Contralor, ha precisado que las causales que pueden excusar a un funcionario de cumplir la obligación de desempeñar sus funciones en forma regular y continua por todo el lapso que comprenda la jornada que se tenga asignada, tanto en el caso de las ausencias como respecto de los atrasos, son el uso de feriados, licencias, permisos administrativos, suspensión preventiva en un procedimiento disciplinario o bien cuando aquel estuviera impedido de realizar su jornada laboral, ya sea por caso fortuito o fuerza mayor**, condiciones que no constan se hayan verificado respecto del interesado (aplica criterio contenido en el dictamen Nº 18.835, de 2012).*
Asimismo, es necesario indicar que el alcalde, como máxima autoridad del municipio y titular de la potestad disciplinaria, debe ponderar las situaciones que ameriten la instrucción de un procedimiento administrativo, a fin de determinar las responsabilidades funcionarias consiguientes como, también, considerar la justificación de los respectivos atrasos, en el caso que corresponda (aplica criterio contenido en dictámenes Nºs. 38.280, de 2010 y 76.892, de 2011)». **(ID Dictamen: 049744N12 Fecha:** 14.08.2012 **Destinatarios:** Cristian Prieto Serey **Texto:** Desestima reclamo de ilegalidad en contra de medida disciplinaria de destitución por atrasos reiterados. **Acción:** Aplica dictámenes 29937/2012, 18835/2012, 38280/2010, 76892/2011 33054/2000, 22509/2005, 49342/2009, 44837/2011, 50081/2011, 13330/2012, 80779/2011)

11. *«Al respecto, cabe señalar que según lo establece el **artículo 69 de la ley Nº 18.883, sobre Estatuto Administrativo para Funcionarios Municipales**, por el tiempo durante el cual no se hubiere efectivamente trabajado no podrán percibirse remuneraciones, salvo que se trate de feriados, licencias, o permisos con goce de remuneraciones, de la suspensión preventiva contemplada en el artículo 134, de caso fortuito o de fuerza mayor. Mensualmente deberá descontarse por los pagadores, a requerimiento escrito del jefe inmediato, el tiempo no trabajado por los empleados, calculado en la forma que en dicho precepto se indica.*
A su vez, el artículo 63 del decreto Nº 3, de 1984, del Ministerio de Salud, Reglamento de Autorización de Licencias Médicas por las Comisiones de Medicina Preventiva e Invalidez e Instituciones de Salud Previsional, previene, en lo que interesa, que la devolución o reintegro de las remuneraciones o subsidios indebidamente percibidos por el beneficiario de una licencia no autorizada, rechazada o invalidada, es obligatorio; y que, sin perjuicio de lo anterior, el empleador adoptará las medidas conducentes al inmediato reintegro, por parte del trabajador, de los referidos emolumentos.
*En concordancia con estas disposiciones, **la jurisprudencia administrativa del Organismo Contralor en forma reiterada ha precisado que tratándose de inasistencias al trabajo derivadas de licencias médicas reducidas o rechazadas por las respectivas Instituciones de Salud Previsional, procede el descuento o retención de las remuneraciones correspondientes, u obligan a la devolución de las sumas percibidas indebidamente, por tratarse de ausencias injustificadas a las labores (aplica dictámenes Nºs. 54.576, de 2009; y 58.482, de 2011).***

---

[206]   Para efectos de su consulta en la Base de Jurisprudencia de Contraloría General de la República, el citado dictamen se encuentra en la sección/materia: «generales», sin perjuicio de que se trata de uno de carácter municipal.

De esta manera, considerando que las deducciones de remuneraciones por las que se reclama, tuvieron su origen en el rechazo y reducción de licencias médicas, el actuar del municipio resultó ajustado a derecho, atendido que como consecuencia de lo anterior surgió, por una parte, la obligación para el servidor de reintegrar las remuneraciones percibidas por aquellos días en que se rechazaron y redujeron, respectivamente, los permisos médicos de que se trata y, por otra, para el municipio el deber de arbitrar las medidas necesarias para resarcir el pago indebido que se realizó al funcionario recurrente, ello con el fin de evitar un perjuicio patrimonial al ente edilicio y su correlativo enriquecimiento sin causa a favor del señor Gallardo Gower». (**ID Dictamen: 049737N12 Fecha:** 14.08.2012 **Destinatarios:** Ricardo Gallardo Gower. **Texto:** Desestima reclamo por descuento de remuneraciones por rechazo y reducción de licencia médica. **Acción:** Aplica dictámenes 54576/2009, 58482/2011, 33464/2002, 24790/2007)[207]

12. *«En este sentido, resulta necesario manifestar, de acuerdo con el **criterio contenido en el dictamen Nº 11.107, de 2005, de este origen, que el funcionario que abandona su empleo para hacer uso de feriado o permiso sin goce de remuneraciones** —como habría ocurrido en la especie—, **sin esperar la aprobación de su respectiva solicitud, incurre en ausencia injustificada a sus labores, por lo que no tiene derecho a gozar de sus emolumentos».* (**ID Dictamen: 049376N12 Fecha:** 13.08.2012 **Destinatarios:** Alcalde de la Municipalidad de Macul. **Texto:** Cambio de unidad de dirigente gremial no afecta su fuero laboral. Municipalidad debe atender oportunamente solicitudes de sus funcionarios. **Acción:** Aplica dictámenes 34817/2010, 33182/2000, 11107/2005. Aclara dictámenes 13817/2005, 55258/2006)

13. *«Por otra parte, en lo que concierne al pronunciamiento solicitado en relación con el pago de la totalidad de remuneraciones al señor Henríquez Valdés, no obstante que no habría ejecutado labores por más de dos años, por encontrarse suspendido de su cargo con motivo de la tramitación de un sumario administrativo, es del caso señalar que el **artículo 69 de la ley Nº 18.883, Estatuto Administrativo para Funcionarios Municipales,** expresa que por el tiempo durante el cual no se hubiere efectivamente trabajado no podrán percibirse remuneraciones, salvo que se trate de feriados, licencias o permisos con goce de remuneraciones, previstos en ese Estatuto; de suspensión preventiva contemplada en el artículo 134 del mismo texto legal; o de caso fortuito o fuerza mayor.*
En este orden de ideas, se debe recordar que el aludido artículo 134 de la ley Nº 18.883, dispone, en lo que interesa, que en el curso de un sumario administrativo el fiscal podrá suspender de sus funciones al o a los inculpados, como medida preventiva. Agrega la norma, que en caso que el fiscal proponga en su dictamen la medida disciplinaria de destitución, podrá decretar que se mantenga la suspensión preventiva, circunstancia en la que el inculpado quedará privado del cincuenta por ciento de sus remuneraciones.
*Como puede advertirse de la normativa citada, **la aplicación de la medida de suspensión preventiva no autoriza para privar al funcionario de parte alguna de sus remuneraciones, a menos que hubiese operado la situación excepcional de prórroga** a que alude la disposición referida, **sin que, además, haya establecido un plazo de duración de la misma** (aplica criterio contenido en el dictamen Nº 39.321, de 2011)».* (**ID Dictamen: 046056N12 Fecha:** 30.07.2012 **Destinatarios:** Alcalde de la Municipalidad de Maipú. **Texto:** Sobre inhabilidad sobreviniente por parentesco en designación de funcionaria en cargo de jefatura y pago de remuneraciones a funcionario municipal suspendido de sus labores. **Acción:** Aplica dictámenes 78210/2011, 43920/2008, 15700/2012, 39321/2011, 34113/2012)[208]

14. *«Sobre el particular, corresponde manifestar, que el artículo 58, letra d), de la ley Nº 18.883 —Estatuto Administrativo para Funcionarios Municipales—, establece, entre las obligaciones funcionarias, el deber de cumplir con la jornada de trabajo; a su turno, el artículo 62, inciso final del mismo texto legal, ordena que los servidores públicos deberán desempeñar su cargo en forma permanente durante la jornada ordinaria de trabajo; y, finalmente, el **artículo 69, inciso final** del citado cuerpo normativo, dispone que los atrasos y ausencias reiterados, sin causa justificada, serán sancionados con destitución, previa investigación sumaria.*
Por su parte, el artículo 61, letra a), del referido texto estatutario —en armonía con lo dispuesto en el artículo 11 de la ley Nº 18.575, Orgánica Constitucional de Bases Generales de la Administración del Estado—, indica como una de las

---

[207]   Para efectos de su consulta en la Base de Jurisprudencia de Contraloría General de la República, el citado dictamen se encuentra en la sección/materia: «generales», sin perjuicio de que se trata de uno de carácter municipal.

[208]   Para efectos de su consulta en la Base de Jurisprudencia de Contraloría General de la República, el citado dictamen se encuentra en la sección/materia: «generales», sin perjuicio de que se trata de uno de carácter municipal.

obligaciones especiales del alcalde y de las jefaturas, el ejercer un control jerárquico permanente del funcionamiento de las unidades y de la actuación del personal de su dependencia.

*Ahora bien, de los mencionados preceptos legales, es posible advertir que **todos los funcionarios, sin distinción alguna, están sujetos a la obligación de cumplir con la jornada y el horario establecido para el desempeño de su trabajo**, de modo que, ante la ausencia de texto legal expreso que fije un régimen particular de control, compete a las respectivas autoridades de los servicios, en este caso al alcalde, determinar mediante el correspondiente acto administrativo, el o los sistemas de control de la jornada laboral de todos los empleados de su dependencia (aplica criterio contenido en los dictámenes Nºs. 26.782, de 1999 y 13.069, de 2010, entre otros)».* (**ID Dictamen: 042784N12 Fecha:** 17.07.2012 **Destinatarios:** Alcalde de la Municipalidad de Quinta Normal. **Texto:** Sobre aplicación de distintos sistemas de control horario y acuerdo de junta calificadora. **Acción:** Aplica dictámenes 26782/99, 13069/2010, 20246/2001, 44518/2010, 29086/2011)

15. *«Finalmente, en lo relativo al goce de remuneraciones de los funcionarios municipales que puedan designarse en las plazas que crea el legislador en la ley a que se refiere el presente dictamen, antes de la completa instalación de los tribunales, sea mediante actos administrativos expresos o ante la aplicación que para la inactividad municipal prevé la ley Nº 15.231, en su artículo 4º, inciso tercero, es menester indicar que **constituye un principio general inherente al ejercicio de la función pública el que** —salvo causales legales tales como feriados, licencias médicas o permisos administrativos—, **sólo puedan percibirse remuneraciones por el tiempo durante el cual se hubiere efectivamente trabajado, circunstancia que no puede concurrir, mientras no medie la adecuada y jurídica instalación de los tantas veces mencionados juzgados.** Así, por ejemplo, lo disponen el **artículo 69 de la ley Nº 18.883**, el artículo 72, de la ley Nº 18.834, y lo consigna desde los albores republicanos el principio establecido en el senado consulto de 16 de abril de 1823, conforme al cual, no deben percibir sueldos los empleados que no han estado en ejercicio de sus destinos, puesto que **el trabajo es el que justifica las remuneraciones prohibiendo pagar estipendios a funcionarios públicos por desempeños no realizados efectivamente** (aplica criterio contenido en los dictámenes 25.787, de 1998; 17.122, de 1997; 22.069, 16.036 y 2.195, todos de 1996; y 40.807, de 1994, entre otros)».* (**ID Dictamen: 033779N12 Fecha:** 08.06.2012 **Destinatarios** Alcalde de la Municipalidad de Dalcahue **Texto** Sobre instalación de Juzgados de Policía Local, creados por ley 20554. **Acción** aplica dictámenes 41005/2002, 77/2003, 17971/2009, 24385/2009, 71458/2009, 19422/2011, 25787/98, 17122/97, 22069/96, 16036/96, 2195/96, 40807/94)[209]

16. *«Sostiene la recurrente, en síntesis, que el haberse ausentado injustificadamente de su lugar de trabajo —hecho por el cual se le formuló el cargo único—, se debió a que padece una depresión debidamente diagnosticada, a consecuencia de lo cual olvidó solicitar y presentar en el municipio la correspondiente licencia médica, habiendo solicitado en reiteradas ocasiones audiencias, a diversas jefaturas, a fin de solucionar su situación, por lo que requiere que se deje sin efecto la sanción aplicada.*

Sobre la materia, es necesario precisar que si bien compete a esta Entidad de Control velar por el respeto de las normas constitucionales y legales que rigen a los servidores municipales, incluidas las que regulan los procedimientos disciplinarios —como los de la especie—, tal circunstancia no la convierte en una instancia en la que pueda solicitarse que se deje sin efecto un acto administrativo sancionatorio dictado por la autoridad edilicia competente, toda vez que la ley ha radicado en esta la potestad disciplinaria.

*Ahora bien, en cuanto a la legalidad del procedimiento sumarial de que se trata, cumple informar que, del examen de sus antecedentes, se pudo establecer que **las ausencias sin causa justificada imputadas a la recurrente se encuentran debidamente acreditadas, según consta de la propia declaración de la afectada,** la cual rola a fojas 25 del expediente; y que en la tramitación del mismo se respetó el derecho a su defensa jurídica, toda vez que, conforme aparece a fojas 25 y 41 del expediente, se le tomó declaración indagatoria, se le formularon cargos y, en general, se procuraron las instancias legales a fin de asegurar su debida defensa, dándose cumplimiento a la garantía de un justo y racional procedimiento».* (**ID Dictamen: 025410N12 Fecha:** 02.05.2012 **Destinatarios:** Cecilia López Estay. **Texto:** Desestima reclamo de ilegalidad en contra de medida disciplinaria de destitución aplicada por la Municipalidad de Estación Central)

17. *«Por otra parte, en lo que atañe a la consulta referida a las remuneraciones del alcalde formalizado, es del caso recordar que el **artículo 69 de la ley Nº 18.883, sobre Estatuto Administrativo para Funcionarios Municipales,** expresa*

---

[209]   Para efectos de su consulta en la Base de Jurisprudencia de Contraloría General de la República, el citado dictamen se encuentra en la sección/materia: «generales», sin perjuicio de que se trata de uno de carácter municipal.

que por el tiempo durante el cual no se hubiere efectivamente trabajado no podrán percibirse remuneraciones, salvo que se trate de feriados, licencias o permisos con goce de remuneraciones, previstos en ese texto legal, de la suspensión preventiva contemplada en el artículo 134 del mismo, o de caso fortuito o de fuerza mayor.

Sobre este aspecto, es del caso anotar que durante parte del período en que la autoridad alcaldicia no pudo desempeñar sus funciones, se le autorizaron, a solicitud suya, días de permisos administrativos y feriado, con el objeto de justificar su inasistencia al municipio, actuaciones que —en concordancia con el criterio sustentado en el dictamen Nº 52.000, de 1966— no corresponde objetar en consideración a la finalidad con la que se formularon los correspondientes requerimientos.

*Lo anterior, por cuanto **la sola circunstancia de encontrarse un funcionario privado de libertad en virtud de una resolución judicial no lo exime de sus deberes estatutarios, como tampoco lo priva de los derechos correlativos.***

En razón de lo expresado, tratándose de días justificados mediante permisos con goce de remuneraciones o feriado, ha resultado procedente el correspondiente pago de remuneraciones.

*A su turno, en lo que atañe al **resto del período de incapacidad temporal para el desempeño del cargo —derivada de la medida de prisión preventiva— que no ha sido justificado por permisos o feriado, cabe recordar que la reiterada y uniforme jurisprudencia administrativa de esta Entidad de Control, contenida, entre otros, en los dictámenes Nºs. 18.430, de 1999, y 48.668, de 2005, ha manifestado que el derecho de un servidor a percibir remuneraciones por el período durante el cual no desempeñó sus labores por encontrarse detenido o en prisión preventiva, está condicionado a lo que, en último término, resuelva la justicia ordinaria en el respectivo juicio criminal, pudiendo solamente percibirlas en el evento que sea absuelto o sobreseído definitivamente.***

*En efecto, **si un empleado ha sido detenido o sometido a prisión preventiva durante un juicio criminal, y por ello se ausenta del servicio, no puede percibir remuneración, pero si el proceso aludido termina por absolución o sobreseimiento definitivo, procede el pago de dichas sumas, ya que en ese evento debe estimarse que el referido servidor ha estado impedido para desempeñarse en razón de un acto de autoridad constitutivo de fuerza mayor —en los términos definidos en el artículo 45 del Código Civil—, la que supone, entre otros requisitos la inimputabilidad del hecho, es decir, que provenga de una causal ajena a la voluntad del afectado, quien no debe haber contribuido a su ocurrencia** (aplica criterio contenido en el dictamen Nº 23.798, de 2010).*

De este modo, durante el período de prisión preventiva del señor Rivera Arancibia no justificado por el uso de permisos administrativos con goce de remuneraciones o feriado, este solo podrá percibir remuneraciones en la medida que se dicte sentencia de sobreseimiento o de absolución a su favor en la respectiva causa». (**ID Dictamen: 020996N12 Fecha:** 12.04.2012 **Destinatarios:** Alcalde de la Municipalidad de Hualpén. **Texto:** Sobre consultas relativas a efectos de formalización y prisión preventiva de alcalde de la Municipalidad de Hualpén. **Acción:** Aplica dictámenes 1131/96, 52000/66, 18430/99, 48668/2005, 23798/2010, 12756/2000)

18. *«En relación con lo anterior, resulta necesario anotar que en concordancia con lo dispuesto en el citado **artículo 69, inciso primero, de la ley Nº 18.883, la jurisprudencia administrativa ha precisado que las causales que pueden excusar a un funcionario de cumplir la mencionada obligación, tanto en el caso de las ausencias como respecto de los atrasos, son el uso de feriados, licencias, permisos administrativos, o bien cuando aquel estuviera impedido de realizar su jornada laboral, ya sea por caso fortuito o fuerza mayor,** condiciones que no consta que se hayan verificado respecto de los exfuncionarios expulsados (aplica criterio contenido en el dictamen Nº 25.867, de 2006). (...)*

*En cuanto a la supuesta arbitrariedad por la determinación en contra de quienes se dirigió la acción disciplinaria, lo que vulneraría el principio de igualdad ante la ley, procede señalar que **en virtud de lo previsto en los artículos 63, letras c) y d), de la ley Nº 18.695, y 124 y siguientes de la ley Nº 18.883, corresponde al alcalde, en cuanto máxima autoridad del municipio y titular de la potestad disciplinaria, ponderar las situaciones que ameriten la instrucción de un procedimiento administrativo,** a fin de determinar las responsabilidades funcionarias consiguientes, como también ponderar la justificación de los respectivos atrasos, en los casos que corresponda, por lo que no se advierte la irregularidad de que se reclama (aplica criterio contenido en los dictámenes Nºs. 38.280, de 2010 y 76.892, de 2011)».* (**ID Dictamen: 018835N12 Fecha:** 02.04.2012 **Destinatarios:** Alcalde de la Municipalidad de Buin. **Texto:** Atiende reclamos de ilegalidad en contra de los decretos Nº s. 293, 294, 295, 296, 297 y 298, y restituye decretos Nºs. 198 y 290, todos de 2011, de la Municipalidad de Buin. **Acción:** Aplica dictámenes 44837/2011, 11542/2010, 25867/2006, 50081/2011, 38280/2010, 76892/2011, 30977/97, 2680/99, 2094/2001, 4173/2012, 33054/2000, 22509/2005, 49342/2009, 938/2009, 28938/2009, 24070/2010, 18133/2010, 30936/2011, 43130/2000, 42476/2011)

PÁRRAFO 3º DE LAS DESTINACIONES, COMISIONES DE SERVICIO Y COMETIDOS FUNCIONARIOS

Artículo 70

Los funcionarios sólo podrán ser destinados a desempeñar funciones propias del cargo para el que han sido designados dentro de la municipalidad correspondiente. Las destinaciones deberán ser ordenadas por el alcalde de la respectiva municipalidad.

La destinación implica prestar servicios en funciones de la misma jerarquía en cualquier localidad de la comuna o agrupación de comunas en su caso.

1. «*Sobre el particular, cabe señalar que el artículo 70 de la ley Nº 18.883, dispone que los funcionarios solo pueden ser destinados a ejecutar labores propias del cargo en el que han sido designados dentro de la entidad edilicia correspondiente. Agrega, que las destinaciones deberán ser ordenadas por el alcalde de la respectiva municipalidad, e implican efectuar tareas de la misma jerarquía en cualquier localidad de la comuna o agrupación de aquellas, en su caso. En este contexto, la jurisprudencia administrativa de esta Entidad Fiscalizadora, contenida, entre otros, en los dictámenes Nºs. 58.477, de 2011, y 51.321, de 2014, ha manifestado que es atribución privativa del alcalde disponer los traslados del personal de su dependencia, y decidir discrecionalmente, pero sin arbitrariedad, la manera de distribuir y ubicar a los servidores, según lo requieran las necesidades del servicio y la apreciación de las circunstancias o razones que justifican tanto la destinación del empleado, como el mejor aprovechamiento del recurso humano, debiendo materializarse a través de un decreto alcaldicio. Lo anterior, con la limitación de que las tareas que deba cumplir el servidor sean de igual jerarquía y propias del cargo para el cual fue nombrado, de modo que la destinación solo puede tener lugar, en la medida que las nuevas labores encomendadas sean inherentes a la planta a la que el funcionario pertenece, como se ha precisado, entre otros, en los dictámenes Nºs. Así, quienes pertenecen a la planta de administrativos —como en la situación de la especie— no pueden realizar trabajos que por su naturaleza sean propios de las funciones de otro escalafón, como el de auxiliares, que únicamente pueden ejecutar tareas de orden subalterno o de servicios menores (aplica criterio contenido en los dictámenes Nºs. 24.319 y 35.012, ambos de 2009)*». (**ID Dictamen: 000447N16. Fecha:** 05-01-2016. **Destinatarios:** señora Rocío Duarte González, funcionaria de la Municipalidad de Quinta Normal. **Texto:** Alcaldesa solo puede destinar a funcionaria regida por la ley 18.883 para el desempeño de las funciones propias del cargo en el que ha sido designada y acoge reclamo sobre proceso calificatorio por no encontrarse fundamentado el rechazo de recurso de apelación. **Acción:** Aplica dictámenes 58477/2011, 51321/2014, 52751/2012, 58556/2012, 32658/2013, 24319/2009, 35012/2009, 67595/2010, 64310/2015).

2. «*Asimismo, es pertinente recordar que el artículo 70 de la ley Nº 18.883 —aplicable supletoriamente a quienes se rigen por la anotada ley Nº 19.378, en virtud del artículo 4º de ese cuerpo normativo—, previene que "Los funcionarios sólo podrán ser destinados a desempeñar funciones propias del cargo para el que han sido designados dentro de la municipalidad correspondiente. Las destinaciones deberán ser ordenadas por el alcalde de la respectiva municipalidad". Agrega su inciso segundo, en lo que interesa, que "La destinación implica prestar servicios en funciones de la misma jerarquía". Al respecto, esta Contraloría General ha precisado, a través del dictamen Nº 28.922, de 2009, entre otros, que el decreto de traspaso que se dicte en cumplimiento de la precitada normativa, es un acto administrativo de naturaleza jurídica meramente declarativa, que solo tiene por finalidad formalizar y constatar el cambio del régimen estatutario del personal de que se trate, incorporándolo a la dotación de salud correspondiente, en iguales condiciones que aquellas en que se encontraban contratados con arreglo a las disposiciones del Código del Trabajo)*». (**ID Dictamen: 002520N16. Fecha:** 12-01-2016. **Destinatarios:** Municipalidad de Talagante. **Texto:** Al establecerse una nueva organización interna del departamento de salud municipal, corresponde que a los funcionarios traspasados en conformidad con la ley Nº 20.250, se les asignen labores acordes con su designación en la dotación y la jerarquía de sus cargos. **Acción:** Aplica dictámenes 28922/2009, 23971/2015, 66307/2015).

3. «*Sobre el particular, el inciso primero del artículo 70 de la ley Nº 18.883 señala que "Los funcionarios sólo podrán ser destinados a desempeñar funciones propias del cargo para el que han sido designados dentro de la municipalidad correspondiente. Las destinaciones deberán ser ordenadas por el alcalde de la respectiva municipalidad". Agrega el inciso segundo del referido precepto que, "La destinación implica prestar servicios en funciones de la misma jerarquía en cualquier localidad de la comuna o agrupación de comunas en su caso". En este contexto, la jurisprudencia administrativa de*

esta Entidad Fiscalizadora, contenida, entre otros, en el dictamen Nº 81.721, de 2014, ha manifestado que es atribución privativa del alcalde disponer los traslados del personal de su dependencia, y decidir discrecionalmente, pero sin arbitrariedad, como distribuir y ubicar a los funcionarios, según lo requieran las necesidades del servicio y la apreciación de las circunstancias o razones que justifican tanto la destinación del empleado, como el mejor aprovechamiento del recurso humano, facultad que debe materializarse a través de un decreto alcaldicio. Lo anterior, como se ha indicado, entre otros, en el dictamen Nº 32.658, de 2013, con la limitación de que las tareas que deba cumplir el servidor sean de igual jerarquía y propias del cargo para el cual fue nombrado, de modo que esa figura solo puede tener lugar, en la medida que las nuevas labores encomendadas sean inherentes a la planta a la que el funcionario pertenece». (**ID Dictamen:** 006062N16. **Fecha:** 25-01-2016. **Destinatarios:** don Carlos Godoy Navarro, funcionario de la Municipalidad de Providencia. **Texto:** Destinación de servidor municipal regido por la ley Nº 18.883, debe ser para labores de la misma jerarquía y propias del cargo para el cual fue nombrado; desestima reclamo por hostigamiento laboral atendido que no se acompañan antecedentes que lo acrediten. **Acción:** Aplica dictámenes 81721/2014, 32658/2013, 16177/2014, 2292/2014).

4. *«A continuación, corresponde analizar la destinación de don Juan Muñoz Caro, para cumplir la comentada función de director de seguridad pública en la Municipalidad de San Carlos. Al respecto, es útil recordar que el artículo 70 de la ley Nº 18.883 prevé, en lo que importa, que los empleados solo pueden ser destinados a ejecutar funciones propias del cargo en el que han sido designados dentro de la entidad edilicia, lo que involucra el desarrollo de actividades del mismo nivel jerárquico.*

Luego, el dictamen Nº 42.291, de 2016, entre otros, ha precisado que un servidor se encuentra obligado a acatar una destinación, cuando las funciones que por su intermedio deba realizar sean de igual jerarquía que aquellas que son inherentes al puesto para el cual fue nombrado, entendiéndose por tales las asignadas a una determinada planta. Siendo así, se colige que la destinación ordenada respecto del ocurrente se ajusta a los términos de la citada normativa, por cuanto las funciones que por su intermedio debe realizar son de igual jerarquía que aquellas inherentes al puesto genérico para el cual fue nombrado, ya que, en ambos casos, se trata de ejercer tareas relativas al estamento directivo (aplica criterio del dictamen Nº 3.420, de 2003). Además, la institución analizada supone necesariamente la mantención de la titularidad de la plaza que ha desempeñado el funcionario a quien se destina, pues no constituye un medio para proveer cargos públicos, cuestión que no discute esa superioridad. (aplica dictamen Nº 3.093, de 2003)». (**ID Dictamen:** 026027N18. **Fecha:** 18-10-2018. **Destinatarios:** Municipalidad de San Pedro de la Paz. **Texto:** El cargo de director de seguridad pública es de exclusiva confianza del alcalde, por lo que no procede convocar un concurso público para proveerlo. Se ajustó a derecho destinación de directivo genérico para cumplir funciones en la referida calidad, ya que implicó el desarrollo de labores de igual jerarquía. **Acción:** Aplica dictámenes 62989/2015, 12926/2006, 42291/2016, 3420/2003, 3093/2003).

5. *«Precisado lo anterior, debe señalarse que el inciso primero del artículo 70 de la ley Nº 18.883, dispone, en lo que interesa, que "Los funcionarios sólo podrán ser destinados a desempeñar funciones propias del cargo para el que han sido designados dentro de la municipalidad correspondiente. Las destinaciones deberán ser ordenadas por el alcalde de la respectiva municipalidad". Agrega el inciso segundo de ese precepto, que "La destinación implica prestar servicios en funciones de la misma jerarquía en cualquier localidad de la comuna o agrupación de comunas en su caso". Respecto de la normativa citada, los dictámenes Nºs. 43.026, de 2008, y 50.066, de 2011, han precisado que las destinaciones de los funcionarios solo proceden tratándose de plazas o funciones reguladas por un mismo estatuto, por lo que jurídicamente no corresponde efectuar destinaciones a cargos regidos por cuerpos estatutarios distintos. En este orden de ideas, cabe hacer presente que en virtud de la ley Nº 20.647 —que modifica la ley Nº 19.754—, se incorporó a todo el personal de la atención primaria de salud municipal, que es regulado por la ley Nº 19.378, a las prestaciones de bienestar que los municipios se encuentran autorizados a otorgar. Dicha preceptiva, además, permitió que cada entidad administradora regida por ese último texto normativo, constituyera un sistema propio de prestaciones de bienestar para tales trabajadores, dictándose al efecto su propio reglamento».* (**ID Dictamen:** 036108N16. **Fecha:** 16-05-2016. **Destinatarios:** doña Janette Cid Aedo y don Jaime Parés Contreras, presidenta y secretario de la Asociación de Directivos, Profesionales y Técnicos de Concepción. **Texto:** No se ajustó a derecho destinación de funcionaria de la planta profesional del municipio al servicio de bienestar dependiente de la Dirección de Administración de Salud Municipal, por cuanto ha involucrado cargos regidos por estatutos diferentes. **Acción:** Aplica dictámenes 43026/2008, 50066/2011).

6. *«Sobre el particular, y tratándose de la destinación del señor Hidalgo Zamora al cargo de coordinador de la unidad de evaluación de procesos, dependiente de la dirección de seguridad humana, cabe manifestar que el artículo 70 de la citada ley Nº 18.883, prevé que "Los funcionarios sólo podrán ser destinados a desempeñar funciones propias del cargo para el que han sido designados dentro de la municipalidad correspondiente. Las destinaciones deberán ser ordenadas por el alcalde de la respectiva municipalidad". Agrega el inciso segundo de la aludida disposición, que "La destinación*

implica prestar servicios en funciones de la misma jerarquía en cualquier localidad de la comuna o agrupación de comunas en su caso".

Interpretando la anotada preceptiva, esta Contraloría General ha manifestado, a través de los dictámenes Nºs. 43.121, de 2012, y 10.524, de 2015, entre otros, que tratándose de cargos de denominación específica, el ejercicio de la facultad de destinar a los empleados que los sirven, se encuentra limitado, cuando no impedido, por cuanto no se pueden alterar las funciones propias de una plaza de dicha naturaleza. Ahora bien, según el artículo 3º del decreto con fuerza de ley Nº 124-19.321, de 1994, del entonces Ministerio del Interior, el cargo de "Jefe Departamento de Desarrollo Comunitario", se encuentra contemplado de manera específica en la planta de la Municipalidad de La Pintana, en el estamento de directivos, grado 6, plaza que fue provista mediante el nombramiento del señor Hidalgo Zamora, a contar del 15 de enero de 1997, como consta del decreto alcaldicio Nº 94, de tal año.

Asimismo, y de la documentación que la Municipalidad de La Pintana mantiene de manera pública en su página web, aparece que mediante el artículo 19 del reglamento Nº 2, de 2014, se implementó dentro de su estructura interna, la dirección de seguridad humana —en la que actualmente presta servicios el interesado—, dependencia distinta de la dirección de desarrollo comunitario.

En ese contexto, cabe manifestar que el indicado ente edilicio no se ajustó a derecho al destinar al señor Hidalgo Zamora —nombrado para desempeñar el cargo nominado de "Jefe Departamento de Desarrollo Comunitario"—, a servir la plaza de coordinador de la unidad de evaluación de procesos, dependiente de la dirección de seguridad humana, como ocurrió en la especie». (**ID Dictamen:** 037508N16. **Fecha:** 20-05-2016. **Destinatarios:** señor José Hidalgo Zamora, funcionario nombrado para desempeñar el cargo de «Jefe Departamento de Desarrollo Comunitario», directivo grado 6, en la Municipalidad de La Pintana. **Texto:** Resulta improcedente destinar cargos nominados; corresponde adjuntar la documentación que justifique el puntaje otorgado en el subfactor asistencia y puntualidad; y, no constan antecedentes que resulten indicativos de acoso laboral. **Acción:** Aplica dictamen 43121/2012 Aplica dictamen 10524/2015 Aplica dictamen 8906/2014 Aplica dictamen 87488/2015 Aplica dictamen 95648/2015).

7. «*En relación a lo anterior, es del caso recordar que, con arreglo a lo preceptuado, en lo pertinente, en el artículo 70 de la ley Nº 18.883, los funcionarios municipales solo pueden ser destinados a desempeñar funciones propias del cargo para el que han sido designados dentro de la municipalidad correspondiente. Así las cosas, atendida la naturaleza directiva del cargo del que era titular quien ejercía como secretario abogado del juzgado de policía local, debió estimarse improcedente su desempeño en tal empleo y, por ende, no pudo entenderse que este último se encontrara válidamente provisto a la fecha de vigencia de la ley Nº 20.554. En ese contexto, y atendido lo señalado por el ya citado artículo 70 de la ley Nº 18.883, la alcaldesa de la precitada municipalidad deberá destinarla a desempeñar funciones propias del cargo para el que ha sido designada y de igual jerarquía, de modo que la destinación solo puede tener lugar, en la medida que las nuevas labores encomendadas sean inherentes a la planta a la que la funcionaria pertenece, como se ha manifestado, entre otros, en los dictámenes Nºs. 52.751 y 58.556, ambos de 2012, de lo cual el municipio deberá informar a la Unidad de Apoyo al Cumplimiento de la I Contraloría Regional Metropolitana de Santiago, en el plazo de 15 días hábiles, contado desde la recepción del presente pronunciamiento».* (**ID Dictamen:** 039810N17. **Fecha:** 10-11-2017. **Destinatarios:** Diputado don José Antonio Kast Rist. **Texto:** No se ajustó a derecho que la Municipalidad de Peñalolén diera aplicación a lo establecido en la letra a), del artículo 10, de la ley Nº 20.554; servidora que se indica deberá ser destinada a desempeñar funciones propias del cargo para el que ha sido designada. **Acción:** Aplica dictámenes 39521/2012, 82558/2013, 52751/2012, 58556/2012).

8. «*Sobre el particular, en cuanto a la reclamación de que la jerarquía de labores para las cuales fue destinado el interesado no se encontraría acorde a su nombramiento como directivo, cabe indicar que el artículo de la ley Nº 18.883, prevé, en lo que importa, que los empleados solo pueden ser destinados a ejecutar funciones propias del cargo en el que han sido designados dentro de la entidad edilicia, lo que involucra el desarrollo de actividades del mismo nivel jerárquico en cualquier localidad de la comuna o agrupación de aquellas.*

Al respecto, la jurisprudencia administrativa de este Ente Contralor, contenida en los dictámenes Nºs. 58.556, de 2012, y 74.026, de 2013, entre otros, ha precisado que un servidor se encuentra obligado a acatar una destinación, cuando las funciones que por su intermedio deba realizar, sean de igual jerarquía que aquellas que son inherentes al puesto para el cual fue nombrado, entendiéndose por tales, las asignadas a una determinada planta. De esta manera, teniendo en consideración que la planta del municipio de Quinta Normal no contempla de manera nominada la plaza de director de obras municipales y que de acuerdo a la precitada norma, se ha ordenado por el legislador que en todas las entidades edilicias se contemple dicho cargo, este deberá ser desempeñado por uno de sus directivos genéricos, —siempre y cuando cumpla con los requisitos específicos para dicha labor—, y, de no ser ello posible, procede que el ente comunal contrate, por un período determinado, los servicios de un profesional que lo ejerza (aplica criterio de dictámenes Nºs. 43.428, de 2010, y 70.402, de 2015)». (**ID Dictamen:** 042291N16. **Fecha:** 08-06-2016. **Destinatarios:** señor Juan Ávila Aguirre, directivo genérico, grado 5, de la Municipalidad de Quinta Normal. **Texto:** Funciones a las cuales fue destinado el interesado, tendrán que ser acordes a su nivel jerárquico. Planta municipal no contempla de manera nominada la plaza de director de obras, por lo que cargo deberá ser ejercido por un directivo genérico que cumpla con los requisitos para dicha función, y en caso de no ser ello posible, proceder en los términos que se indican. **Acción:** Aplica dictámenes 58556/2012, 74026/2013, 43428/2010, 70402/2015).

9. *Sobre el particular, cabe señalar que el artículo 70 de la ley Nº 18.883, dispone que los funcionarios solo podrán ser destinados a desempeñar funciones propias del cargo para el que han sido designados dentro de la municipalidad correspondiente, debiendo las destinaciones ser ordenadas por el alcalde respectivo. Agrega el inciso segundo de tal precepto, que «la destinación implica prestar servicios en funciones de la misma jerarquía en cualquier localidad de la comuna o agrupación de comunas en su caso». En relación con la citada normativa, el dictamen Nº 74.026, de 2013, entre otros, ha precisado que es atribución privativa de los alcaldes ordenar las destinaciones del personal de su dependencia, decidiendo discrecionalmente la forma de distribuir y ubicar a los servidores, según lo requieran las necesidades de la repartición que dirige, con la sola limitación de que las labores que deba ejecutar el empleado sean las propias del cargo para el cual ha sido designado y sin que ello implique arbitrariedad.*
Agrega dicho pronunciamiento que para que un servidor se encuentre obligado a acatar una destinación, es menester que las funciones que por su intermedio deba realizar, sean de la misma jerarquía que aquellas que son propias del cargo para el que fue nombrado, entendiéndose que son tales, las asignadas a una determinada planta. En este orden de ideas, cabe hacer presente que el dictamen Nº 55.347, de 2004, entre otros, ha concluido que los cargos que involucran dirigir unidades municipales, solo pueden desempeñarse por funcionarios pertenecientes a la planta de directivos o jefaturas. (**ID Dictamen:** 042294N16. **Fecha:** 08-06-2016. **Destinatarios:** Municipalidad de San Ramón. **Texto:** Se ajustó a derecho destinación de funcionario que ejerce un cargo directivo genérico de la planta municipal, a jefatura de unidad municipal. **Acción:**. Aplica dictámenes 86057/2014, 74026/2013, 55347/2004).

10. *«A continuación, en cuanto a la procedencia de la destinación a que alude la peticionaria, debe señalarse que el inciso primero del artículo 70 de la ley Nº 18.883, dispone, en lo que interesa, que "Los funcionarios sólo podrán ser destinados a desempeñar funciones propias del cargo para el que han sido designados dentro de la municipalidad correspondiente. Las destinaciones deberán ser ordenadas por el alcalde de la respectiva municipalidad". Agrega el inciso segundo de ese precepto, que "La destinación implica prestar servicios en funciones de la misma jerarquía en cualquier localidad de la comuna o agrupación de comunas en su caso". Al respecto, mediante los dictámenes Nºs. 45.011, de 2013, y 37.370, de 2014, entre otros, esta Contraloría General ha precisado que es atribución privativa de la autoridad edilicia ordenar las destinaciones del personal de su dependencia, decidiendo discrecionalmente, pero sin arbitrariedad, el modo de distribuirlo y ubicarlo según las necesidades de la repartición que dirige y la apreciación de las circunstancias o razones que justifican tanto la destinación del empleado, como el mejor aprovechamiento del recurso humano, facultad que debe materializarse a través de un decreto alcaldicio.*
Lo anterior, con la limitación de que las tareas que deba cumplir la servidora sean de igual jerarquía y propias del cargo para el cual fue nombrada, de modo que la destinación solo puede tener lugar, en la medida que las nuevas labores encomendadas sean inherentes a la planta a la que la funcionaria pertenece, como se ha manifestado, entre otros, en los dictámenes Nºs. 52.751 y 58.556, ambos de 2012.
Así, este Organismo de Control en el dictamen Nº 16.177, de 2014, ha concluido que quienes pertenezcan a la planta de auxiliares —como en la situación de la especie—, solo pueden realizar trabajos de orden subalterno o de servicios menores, esto es, labores que por su naturaleza no sean de aquellas que corresponda ejecutar a los funcionarios de los demás escalafones previstos en la norma estatutaria.
En este contexto, de los antecedentes tenidos a la vista, en particular, del decreto alcaldicio Nº 1.599, de 2016, de la Municipalidad de Padre Hurtado, y del memorando Nº 266, de igual año, del director subrogante de aseo y operaciones de dicha entidad, se advierte que la requirente fue destinada al recinto municipal administrado por esa dirección denominado "Casa Kaplan", para efectuar labores de su grado y escalafón, entre otras, las correspondientes a aseo de las instalaciones del edificio, baños, cocina, salones, patio, por lo que, atendido que el traslado de la interesada se dispuso a través del respectivo acto administrativo y que las tareas que se le encomendó ejecutar en su nueva dependencia corresponden a aquellas para cuyo desempeño fue nombrada, es posible concluir, que la destinación se ajustó a derecho, debiendo rechazarse dicha alegación». (**ID Dictamen:** 043723N16. **Fecha:** 13-06-2016. **Destinatarios:** señora Regina Cea Navia, funcionaria de la Municipalidad de Padre Hurtado. **Texto:** Rechaza reclamo sobre proceso calificatorio correspondiente

al período 2014-2015; autoridad edilicia está facultada para disponer las destinaciones del personal de su dependencia, según las necesidades del servicio, y desestima reclamo por hostigamiento laboral por cuanto no se acompañan antecedentes que resulten indicativos de su existencia. **Acción:** Aplica dictámenes 12176/2013, 37940/2015, 37750/2009, 36906/2013, 59678/2014, 19054/2015, 45011/2013, 37370/2014, 52751/2012, 58556/2012, 16177/2014, 2292/2014).

11. *«Sobre el particular, cabe señalar, que en cuanto a la pertinencia de la destinación a que alude el recurrente, el inciso primero, del artículo 70 de la ley Nº 18.883 —aplicable supletoriamente en virtud del anotado artículo 4º, inciso primero, de la ley Nº 19.378—, previene que "Los funcionarios solo podrán ser destinados a desempeñar funciones propias del cargo para el que han sido designados dentro de la municipalidad correspondiente".*
Enseguida, el inciso segundo de la anotada norma legal, preceptúa que "La destinación implica prestar servicios en funciones de la misma jerarquía en cualquier localidad de la comuna o agrupación de comunas en su caso".
Al respecto, mediante los dictámenes Nºs. 45.011, de 2013, y 37.370, de 2014, entre otros, esta Contraloría General ha precisado que es atribución privativa de la autoridad edilicia ordenar las destinaciones del personal de su dependencia, decidiendo discrecionalmente el modo de distribuirlo y ubicarlo según las necesidades de la repartición que dirige». (**ID Dictamen:** 043994N16. **Fecha:** 14-06-2016. **Destinatarios:** señor Jaime Silva Acevedo, funcionario del Centro de Salud Familiar Michelle Bachelet Jeria de la Municipalidad de Maipú. **Texto:** Autoridad edilicia está facultada para disponer las destinaciones del personal de su dependencia, según las necesidades del servicio; jefatura directa es quien debe efectuar precalificación de funcionario; y, acoge reclamo por falta de fundamentación de resolución del alcalde que resuelve recurso de apelación. **Acción:** Aplica dictámenes 45011/2013, 37370/2014, 18744/2015, 27850/2016, 59678/2014, 19054/2015, 58551/2012, 58919/2012).

12. *«De esta manera, el servidor adquiere la propiedad del cargo, sin perjuicio de que, posteriormente, la autoridad edilicia se encuentre facultada para, en conformidad con el artículo 70 de la ley Nº 18.883 —aplicable supletoriamente de acuerdo a lo indicado en el artículo 4º de la citada ley Nº 19.378—, reasignar la ubicación donde el profesional deba cumplir las labores propias de su cargo, con la limitación de que se refiera a la totalidad de la jornada con la que fue incorporado primitivamente.*
Lo anterior, por cuanto el nombramiento para cumplir una función determinada se vincula con la jornada semanal total para la que fue designado el profesional, de manera que su división en diferentes establecimientos de atención primaria significaría desnaturalizarlo, ya que la ley no permite fraccionar el número de horas cronológicas semanales a desempeñar, lo que requiere de una norma expresa que lo faculte, como ocurre, por ejemplo, en la hipótesis del artículo 4º de la ley Nº 19.664, que otorga atribuciones para ello a los directores de los servicios de salud respecto de cargos de profesionales funcionarios afectos a la ley Nº 15.076 (aplica criterio contenido en el dictamen Nº 16.387, de 2010).
Con todo, resulta pertinente hacer presente que lo expuesto no impide que esa autoridad determine designar a un mismo funcionario en cargos independientes, con jornadas parciales compatibles entre sí, en distintos establecimientos de atención primaria de salud, en la medida que el desempeño simultáneo de tales empleos, no signifique exceder una jornada de 44 horas semanales, conforme los límites que, sobre la materia, establece el artículo 84 de la ley Nº 18.883, —aplicable supletoriamente de acuerdo con el artículo 4º, inciso primero, de la ley Nº 19.378— (aplica criterio contenido en el dictamen Nº 36.084, de 2001)». (**ID Dictamen:** 047351N16. **Fecha:** 24-06-2016. **Destinatarios:** señor Demetrio Beltrán Tiznado. **Texto:** No se ajusta a derecho el fraccionamiento del cargo de un funcionario regido por la ley Nº 19.378 por medio de destinaciones de carácter, efectuándose a su respecto más de una calificación por su desempeño. **Acción:** Aplica dictamen 24137/1998 Aplica dictamen 16387/2010 Aplica dictamen 36084/2001).

13. *«A su turno, y en cuanto al traslado por el que reclama el recurrente, cabe señalar que el artículo 70 de la ley Nº 18.883, dispone que los funcionarios solo podrán ser destinados a desempeñar funciones propias del cargo para el que han sido designados dentro de la municipalidad correspondiente, debiendo las destinaciones ser ordenadas por el alcalde respectivo. Agrega el inciso segundo de tal precepto, que "la destinación implica prestar servicios en funciones de la misma jerarquía en cualquier localidad de la comuna o agrupación de comunas en su caso". En relación con la citada normativa, el dictamen Nº 74.026, de 2013, entre otros, ha precisado que es atribución privativa de los alcaldes ordenar las destinaciones del personal de su dependencia, decidiendo discrecionalmente la forma de distribuir y ubicar a los servidores, según lo requieran las necesidades de la repartición que dirige, con la sola limitación de que las labores que deba ejecutar el empleado sean las propias del cargo para el cual ha sido designado y sin que ello implique arbitrariedad. Agrega ese pronunciamiento, que para que un servidor se encuentre obligado a acatar una destinación, es menester que las funciones que por su intermedio deba realizar, sean de la misma jerarquía que aquellas que son propias del cargo para el que fue nombrado, entendiéndose que son tales las asignadas a una determinada planta».* (**ID Dictamen:** 065514N16. **Fecha:** 02-09-2016. **Destinatarios:** señor Lorenzo Molina Ramírez, funcionario de la Municipa-

lidad de Conchalí. **Texto:** No se advierten irregularidades en sumario administrativo que indica. Alcalde es quien debe ponderar la procedencia de iniciar un procedimiento disciplinario para investigar denuncias de acoso laboral. Se ajustó a derecho destinación de funcionario. **Acción:** Confirma dictamen 80112/2015 Aplica dictamen 90889/2015, 7027/2014, 10160/2014, 17191/2015, 74026/2013).

14. *«Por su parte, el artículo 70 de la citada ley Nº 18.883, prevé, en lo que importa, que los empleados solo pueden ser destinados a ejecutar labores propias del cargo en el que han sido designados dentro de la entidad edilicia, lo que involucra el desarrollo de actividades de la misma jerarquía en cualquier localidad de la comuna o agrupación de aquellas. Al efecto, la jurisprudencia administrativa de esta Entidad Fiscalizadora, contenida, entre otros, en los dictámenes Nºs. 58.477, de 2011, y 51.321, de 2014, ha manifestado que es atribución privativa del alcalde disponer los traslados del personal de su dependencia, y decidir discrecionalmente, pero sin arbitrariedad, la manera de distribuir y ubicar a los funcionarios, según lo requieran las necesidades del servicio y la apreciación de las circunstancias o razones que justifican tanto la destinación del empleado, como el mejor aprovechamiento del recurso humano, facultad que debe materializarse a través de un decreto alcaldicio. En relación a lo anterior, la jurisprudencia de este Órgano Contralor, también ha señalado, en el dictamen Nº 65.514, de 2016, entre otros, que para que un servidor se encuentre obligado a acatar una destinación, es menester que las funciones que por su intermedio deba realizar, sean de la misma jerarquía que aquellas que son propias del cargo para el que fue nombrado».* (**ID Dictamen:** 078688N16. **Fecha:** 26-10-2016. **Destinatarios:** Alcalde de la Municipalidad de La Pintana. **Texto:** Ente comunal deberá notificar a servidor de la nueva resolución de la junta calificadora; complementa dictamen Nº 37.508, de 2016, en el sentido de que el municipio al establecer su organización interna, debe contemplar el cargo nominado de Jefe de Departamento de Desarrollo Comunitario, debiendo asignarle funciones acordes a su denominación. **Acción:** Aplica dictamen 58477/2011 Aplica dictamen 51321/2014 Aplica dictamen 65514/2016 Complementa dictamen 37508/2016).

15. *«Precisado lo anterior, es conveniente tener presente que el artículo 70 de la ley Nº 18.883, prevé, en lo que importa, que los empleados solo pueden ser destinados a ejecutar labores propias del cargo en el que han sido designados dentro de la entidad edilicia, lo que involucra el desarrollo de actividades de la misma jerarquía en cualquier localidad de la comuna o agrupación de aquellas.*
A continuación, cumple con manifestar que la jurisprudencia administrativa contenida, entre otros, en los dictámenes Nºs. 10.524, de 2015, y 37.508, de 2016, ha precisado que tratándose de cargos de denominación específica —como el desempeñado por el señor Alarcón Muñoz—, el ejercicio de la facultad de destinar a los empleados que los sirven, se encuentra limitado, cuando no impedido, por cuanto no se pueden alterar las funciones propias de una plaza de dicha naturaleza». (**ID Dictamen:** 083097N16. **Fecha:** 16-11-2016. **Destinatarios:** Municipalidad de Cerro Navia. **Texto:** Funcionario que fue objeto de un traslado irregular al juzgado de policía local debió reintegrarse al departamento de tránsito y transporte públicos cuando el alcalde así lo ordenó. Acoge reclamo en contra de destitución, por lo que no se ratifica en conformidad al artículo 25 de la ley Nº 19.296. **Acción:** aplica dictamen 10524/2015 aplica dictamen 37508/2016 aplica dictamen 39493/2002 aplica dictamen 43002/2001 aplica dictamen 17518/2000 aplica dictamen 19488/2013 aplica dictamen 49116/2015).

1. *«Por su parte, corresponde tener en cuenta que la letra e) del artículo 58 del citado cuerpo estatutario, establece, entre las obligaciones funcionarias, la de cumplir las destinaciones y las comisiones de servicio que disponga la autoridad competente.*
Ahora bien, en cuanto al eventual menoscabo económico que las destinaciones ocasionarían a los servidores, al no poder realizar horas extraordinarias, es necesario aclarar que conforme con lo dispuesto por el artículo 63 del aludido texto legal, aquellas proceden cuando deben cumplirse tareas impostergables y son compensadas con descanso complementario, y si no es posible, con un recargo en las remuneraciones; por ende, su retribución pecuniaria obedece al desarrollo de un trabajo extra que la autoridad ordena ejecutar, de modo que si no existe dicho mandato, no puede estimarse como un perjuicio económico dejar de percibir la correspondiente asignación, puesto que, en tal circunstancia, no existe una labor extra que deba ser remunerada.
*Enseguida, en relación a la naturaleza de las labores a desempeñar, debe manifestarse que don Germán Soza Salazar posee un nombramiento en calidad de titular en la planta de administrativos, escalafón de especialidad "Inspectores" —decreto Nº 2.047, de 2008, del indicado municipio—, y fue destinado a prestar servicios, desde la dirección de inspección general, a la subdirección de gestión administrativa, específicamente, a la unidad de aprovisionamiento que forma parte de esa última; por tanto, **atendido que aquel ocupa un empleo al cual la ley le ha asignado funciones específicas, cuales son, las inspectivas, se encontrará ajustado a derecho tal traslado, en la medida que este implique continuar cumpliendo tareas de la misma especie,** lo que no es posible verificar con los antecedentes acompañados (aplica crite-*

rio contenido en los dictámenes Nºs. 3.093 y 45.167, ambos de 2003)». **(ID Dictamen: 061864N11 Fecha:** 30.09.2011 **Destinatarios:** Alcalde de la Municipalidad de Santiago. **Texto:** Las destinaciones de funcionarios municipales cuando el cargo tiene asignado funciones específicas, como ocurre con los inspectores, deben ser ordenadas para cumplir tareas de la misma especie. **Acción:** Aplica dictámenes 3093/2003, 45167/2003, 52658/2011, 40197/2011)

2. *«Precisado lo anterior, corresponde agregar que esta **Entidad Fiscalizadora mediante el referido dictamen Nº 65.092, de 2010** —por el cual se atendió, entre otras, una reclamación deducida por el recurrente—, determinó que su destinación a cumplir labores que no eran inherentes al empleo específico para el cual había sido designado, esto es, Director del Departamento de Salud de la Municipalidad de Quilicura, **contraviene el artículo 70 de la ley Nº 18.883, sobre Estatuto Administrativo para los Funcionarios Municipales, aplicable supletoriamente al personal de la especie, de conformidad con lo establecido en el artículo 4º, inciso primero de la ley Nº 19.378.***

*En tales condiciones, procede hacer presente que **de acuerdo con el criterio contenido, entre otros, en los dictámenes Nºs. 31.259, de 1999; 1.254, de 2005, y 40.638, de 2007, los funcionarios deben ser evaluados atendidas las exigencias y características del cargo en el cual han sido designados**, de modo que el proceso calificatorio que pondere el ejercicio de funciones ajenas al empleo que legalmente posee el servidor, adolece de un vicio de legalidad insubsanable que impide otorgarle validez».* **(ID Dictamen: 058863N11 Fecha:** 15.09.2011 **Destinatarios:** Alcalde Municipalidad de Quilicura. **Texto:** No procede calificación de Director del Departamento de Salud Municipal mientras se encontraba impedido de ejercer las funciones propias de su cargo. **Acción:** Aplica dictámenes 65092/2010, 11257/2011, 31259/99, 1254/2005, 40638/2007)[210]

3. *«Sobre el particular, es del caso señalar que de conformidad con lo establecido en los **artículos 70 de la ley Nº 18.883, sobre Estatuto Administrativo para Funcionarios Municipales**, y 43, inciso tercero, de la ley Nº 18.695, Orgánica Constitucional de Municipalidades, los funcionarios sólo podrán ser destinados a desempeñar funciones propias del cargo para el que han sido designados dentro de la entidad edilicia correspondiente. Agrega el aludido **artículo 70**, que las destinaciones deberán ser ordenadas por el alcalde de la respectiva municipalidad, e implica prestar funciones de la misma jerarquía en cualquier localidad de la comuna o agrupación de comunas, en su caso.*

*Por su parte, el artículo 58, letra e), del aludido cuerpo estatutario, dispone que los funcionarios están obligados a cumplir las destinaciones y comisiones de servicio que la autoridad competente disponga en el ejercicio de sus atribuciones. De la interpretación de las disposiciones legales antes citadas, se infiere que para que **un funcionario se encuentre obligado a cumplir, en lo que interesa, una destinación, es menester que las funciones que por su intermedio se deban realizar, sean de la misma jerarquía que aquéllas que son propias del cargo para el cual fue nombrado**, entendiendo que son tales, las asignadas a una determinada planta (aplica criterio contenido en el dictamen Nº 47.387, de 1999). Asimismo, cabe considerar que es **una atribución privativa la que permite a la autoridad ordenar las destinaciones de su dependencia, decidiendo como distribuir y ubicar a los funcionarios, según lo requieran las necesidades de la repartición**, correspondiéndole la apreciación de las circunstancias o razones que justifican la destinación de un funcionario, como el mejor aprovechamiento del personal (aplica dictamen Nº 24.336, de 2004).*

*Luego, en la situación de la especie, cabe señalar que el señor Pineda Ramírez está nombrado en un **cargo genérico en el escalafón técnico del municipio**, atendido lo cual y no teniendo dicha plaza asignadas tareas específicas, la destinación en comento sólo requiere que el nuevo desempeño posea una jerarquía acorde con la planta funcionaria a que pertenece, debiendo encomendársele labores concordantes con aquélla (aplica criterio contenido en el dictamen Nº 3.481, de 2006)».* **(ID Dictamen: 058477N11 Fecha:** 14.09.2011 **Destinatarios:** Jorge Ulloa Aguillón. **Texto:** Sobre destinación de funcionario perteneciente a la planta técnica de la Municipalidad de Talcahuano, a servicios que se encuentran en una jerarquía distinta de aquella en la cual fue nombrado. Éste constituye un hecho irregular que el municipio debe subsanar. **Acción:** Aplica dictámenes 47387/99, 24336/2004, 3481/2006)

4. *«Precisado lo anterior, cabe manifestar que de conformidad con el **artículo 70 del referido texto legal, el cual rige el vínculo estatutario del interesado con el municipio**, los funcionarios solo podrán ser destinados a cumplir funciones propias del cargo para el que han sido designados dentro de la municipalidad correspondiente, por orden del alcalde de la respectiva municipalidad, para prestar servicios en funciones de la misma jerarquía en cualquier localidad de la comuna o agrupación de comunas en su caso.*

---

[210] Para efectos de su consulta en la Base de Jurisprudencia de Contraloría General de la República, el citado dictamen se encuentra en la sección/materia: «generales», sin perjuicio de que se trata de uno de carácter municipal.

Al respecto, es menester expresar, que la reiterada e invariable jurisprudencia de este Órgano Contralor, contenida, entre otros, en los dictámenes Nºs. 25.132, de 2007, y 43.026, de 2008, ha concluido que las destinaciones de los funcionarios solo proceden tratándose de plazas o funciones reguladas por un mismo estatuto, por lo que jurídicamente no corresponde efectuar destinaciones a cargos regidos por cuerpos estatutarios distintos». (**ID Dictamen: 050066N11 Fecha:** 09.08.2011 **Destinatarios:** José Carrasco Castillo. **Texto:** Sobre calificación de funcionario municipal regido por la ley 18883, destinado a una dependencia sujeta a un régimen estatutario diverso. **Acción:** Aplica dictámenes 25132/2007, 43026/2008. Mismo criterio aplicado en **ID Dictamen: 080280N12 Fecha:** 26.12.2012 **Destinatarios:** Alcaldesa de la Municipalidad de Santiago. **Texto:** Acoge parcialmente reclamo sobre asignación irregular de funciones de exservidor municipal. **Acción:** aplica dictámenes 16544/2010, 50066/2011)

5. *«A consecuencia de lo anterior, la Municipalidad de Cerrillos mediante la resolución Nº 103/018, de 18 de diciembre de 2009, dispuso la destinación de la señora Pilar Sanhueza Montero, técnico grado 11, a contar de esa data, desde la Dirección de Obras Municipales al Departamento de Servicios Generales, de acuerdo con lo establecido en el artículo 70 de la ley Nº 18.883, Estatuto Administrativo para Funcionarios Municipales. (...)*
Sobre este punto, la jurisprudencia de este Organismo Contralor, contenida, entre otros, en los dictámenes Nºs. 26.814, de 1999; 44.034, de 2002; 33.499, de 2004, y 42.467, de 2009, ha precisado que la subrogación es un mecanismo de reemplazo concebido en relación con los cargos existentes en la planta de la respectiva municipalidad, para los fines de proveer, en forma inmediata, la ausencia definitiva o temporal de los servidores que ejercen el empleo correspondiente y, así, mantener la continuidad en la satisfacción de las necesidades de la comunidad local; por lo que, en el evento que el cargo no se encuentre contemplado en la planta de personal respectiva, únicamente se trataría de una asignación o encomendación de labores o funciones, que no tiene asignada por la ley una remuneración determinada.
En consecuencia, en mérito de las consideraciones que anteceden, es posible concluir que la tarea de dirigir la unidad municipal denominada Departamento de Servicios Generales, no constituye un empleo previsto en la planta de personal de la Municipalidad de Cerrillos —y tampoco es ejercida por un funcionario que ocupe el cargo grado 8 de la planta de jefaturas—, por ende, no es posible respecto de tal función aplicar la figura jurídica de la subrogación, sin perjuicio que, por la vía de la asignación de funciones, se le encomiende su cumplimiento a la señora Sanhueza Montero, en caso de ausencia del señor Ramírez López, lo que no le otorga el derecho a percibir un aumento en sus remuneraciones por dicho concepto». (**ID Dictamen: 033068N11 Fecha:** 25.05.2011 **Destinatarios:** Alcalde de la Municipalidad de Cerrillos. **Texto:** Sobre identificación de cargo municipal e improcedencia de subrogación respecto de la mera asignación de funciones en la Municipalidad de Cerrillos. **Acción:** Aplica dictámenes 26814/99, 44034/2002, 33499/2004, 42467/2009 Complementa dictámenes 12554/2010, 31426/2010)

6. *«Enseguida, en lo que respecta al reclamo formulado por el interesado, referente a que como asesor técnico del Departamento de Salud Municipal fue destinado, en primer término, a ejecutar labores administrativas, luego al Centro de Salud Santiago Nueva Extremadura, para desarrollar ese mismo tipo de funciones y, posteriormente, al Centro de Salud San Rafael —situaciones que, a su juicio, son demostraciones de acoso laboral—, cabe hacer presente que el artículo 4º de la ley Nº 19.378, dispone que en todo lo no regulado expresamente por esa ley, se aplican supletoriamente las normas de la ley Nº 18.883, lo que acontece tratándose de las destinaciones, materia respecto de la cual el artículo 70 de este último texto legal, faculta a los alcaldes para destinar al personal bajo su subordinación a prestar servicios en labores de la misma jerarquía, en cualquier localidad de la comuna o agrupación de comunas en su caso.*
Al respecto, la jurisprudencia administrativa de esta Entidad Fiscalizadora, contenida, entre otros, en los dictámenes Nºs. 52.029, de 2006 y 60.472, de 2010, ha precisado que es atribución privativa de la autoridad máxima de una municipalidad, ordenar mediante un acto administrativo formal, vale decir, por decreto del alcalde, las destinaciones del personal de su dependencia, decidiendo discrecionalmente cómo distribuir y ubicar a los funcionarios, según lo requieran las necesidades de la repartición que dirige, con la sola limitación de que las funciones que deba cumplir el empleado sean las propias del cargo para el cual ha sido nombrado y sin que ello signifique arbitrariedad.
Ahora bien, menester es destacar que de los documentos acompañados se ha podido determinar que las destinaciones de la especie no fueron materializadas a través de un decreto alcaldicio y, por lo mismo, no consta de manera clara las funciones que debió asumir el recurrente, aunque según lo sostenido por éste habrían sido de carácter administrativo, las que no son inherentes a la categoría de técnico, atendida su clasificación en la dotación de salud de ese municipio.
En mérito de lo expuesto, cabe concluir que las destinaciones dispuestas (...), no se ajustan a la normativa y jurisprudencia existente sobre la materia, por lo que la autoridad edilicia deberá adoptar las medidas pertinentes a fin de regularizar la situación reclamada, a la brevedad». (**ID Dictamen: 014317N11 Fecha:** 08.03.2011 **Destinatarios:** Alcalde de la Municipalidad de La Pintana. **Texto:** Sobre pago de asignación y destinación de funcionario afecto a la ley 19378, y de-

nuncia de acoso laboral en el Departamento de Salud Municipal de La Pintana. **Acción:** Aplica dictámenes 29647/2006, 45291/2010, 57626/2009, 52029/2006, 60472/2010, 50033/2010, 22522/2010)

7. «*Sobre el particular, es del caso señalar que de conformidad con lo establecido en los **artículos 70 de la ley Nº 18.883, sobre Estatuto Administrativo para Funcionarios Municipales,** y 43, inciso tercero, de la ley Nº 18.695, Orgánica Constitucional de Municipalidades, los funcionarios sólo podrán ser destinados a desempeñar funciones propias del cargo para el que han sido designados dentro de la entidad edilicia correspondiente. Agrega este precepto legal, que las destinaciones deberán ser ordenadas por el alcalde de la respectiva municipalidad, e implica prestar funciones de la misma jerarquía en cualquier localidad de la comuna o agrupación de comunas, en su caso.*

Por su parte, el artículo 58, letra e), de ese cuerpo estatutario, dispone que los funcionarios están obligados a cumplir las destinaciones y comisiones de servicio que la autoridad competente disponga en el ejercicio de sus atribuciones.

*En este contexto, este **Organismo Contralor en los dictámenes Nºs. 3.481, de 2006, y 36.961, de 2010, ha precisado que para que un servidor se encuentre obligado a cumplir una destinación, es menester que las funciones que por su intermedio deba realizar, sean de la misma jerarquía que aquéllas que son propias del cargo para el cual fue nombrado, entendiéndose que son tales, las asignadas a una determinada planta,** condición que concurre en este caso, dado que considerando que la recurrente ocupa un cargo genérico grado 14 de la planta administrativa, el que no tiene asignado tareas específicas, ha sido destinada a cumplir labores de esa misma especie en su nuevo lugar de desempeño, de modo que con tal decisión **no se produce menoscabo en su posición jerárquica.***

*No obstante lo anterior, atendido lo manifestado por la peticionaria, en orden a que el lugar en que ha sido ubicada carecería de las condiciones mínimas de higiene y seguridad, que le permitan conservar su salud y realizar adecuadamente su trabajo —del cual acompaña fotografías—, debe hacerse presente que en cumplimiento de los **artículos 17 de la ley Nº 18.575, Orgánica Constitucional de Bases Generales de la Administración del Estado, y 42, inciso primero, de la ley Nº 18.695, que protege la dignidad de la función pública,** la Municipalidad de Pedro Aguirre Cerda debe de inmediato adoptar las medidas pertinentes (...)»* (**ID Dictamen: 002055N11 Fecha:** 12.02.2011 **Destinatarios.** Alcaldesa de la Municipalidad de Pedro Aguirre Cerda. **Texto:** Sobre requisitos para destinación de funcionaria municipal. **Acción:** aplica dictámenes 3481/2006, 36961/2010)

8. «*Sobre el particular, cabe recordar que el **artículo 70 de la ley Nº 18.883, Estatuto Administrativo para Funcionarios Municipales,** aplicable supletoriamente en la especie en virtud de lo dispuesto en el artículo 4º de la ley Nº 19.378, Estatuto de Atención Primaria de Salud Municipal, ha entregado al alcalde la facultad de destinar al personal de su dependencia, según las necesidades del municipio, debiendo dicha autoridad evaluar y determinar la oportunidad y conveniencia de decretar esa medida. Agrega, el inciso final de aquel precepto legal, que la destinación implica prestar servicios en funciones de la misma jerarquía en cualquier localidad de la comuna o agrupación de comunas en su caso. (...)*

*Sin perjuicio de lo anterior, cumple con reiterar lo ordenado en el citado **dictamen Nº 33.658, de 2012,** de este origen, en el sentido que, acorde con el artículo 3º de la ley Nº 19.880, que Establece las Bases de los Procedimientos Administrativos que rigen los Actos de los Órganos de la Administración del Estado, aplicable a las municipalidades de conformidad con lo previsto en el artículo 2º de ese cuerpo legal, las decisiones que adopte la Administración deberán expresarse por medio de actos administrativos, entendiéndose por estos, las decisiones formales que emitan los órganos de la Administración del Estado en las cuales se contienen declaraciones de voluntad, realizadas en el ejercicio de una potestad pública, como ocurre en el caso de ordenarse destinaciones como las de la especie*». (**ID Dictamen: 074987N12 Fecha:** 03.12.2012 **Destinatarios:** Alcalde de la Municipalidad de El Bosque. **Texto:** Las decisiones formales que adopte la administración, como las que ordenan destinaciones de funcionarios municipales, deben expresarse por medio de actos administrativos. **Acción:** Confirma dictamen 33658/2012)

9. «*Al respecto, es dable precisar que la citada **ley Nº 19.378 no contempla normas sobre destinaciones del personal de atención primaria de salud,** por lo que, de acuerdo a lo dispuesto en su artículo 4º, corresponde aplicar supletoriamente en la materia, lo establecido en el artículo 70 de la ley Nº 18.883, Estatuto Administrativo para Funcionarios Municipales, disposición que ha entregado al alcalde la facultad de destinar al personal de su dependencia, según las necesidades del municipio, debiendo dicha autoridad evaluar y determinar la oportunidad y conveniencia de decretar esa medida. Agrega, el inciso final de este último precepto legal, que la destinación implica prestar servicios en funciones de la misma jerarquía en cualquier localidad de la comuna o agrupación de comunas en su caso.*

En este sentido, la jurisprudencia administrativa de esta Entidad de Control contenida, entre otros, en los dictámenes Nºs. 24.084, de 2002, y 41.969, de 2004, ha manifestado que la indicada atribución tiene como límite el que la destinación implique para el servidor el desempeño de las funciones propias del cargo para el que fue nombrado, lo que conlleva prestar servicios de la misma jerarquía.

Así, en la situación de la especie, mediante la anotada resolución se encargó a la peticionaria la realización de labores administrativas, las que no son inherentes al cargo para el cual fue nombrada, esto es, de técnico auxiliar de enfermería, por lo que cabe concluir que dicho traslado no se ajustó a derecho.

*En dicho contexto, y en cuanto a la determinación de la categoría en que debe ser clasificada la señora Mora Méndez, cabe señalar que, de acuerdo a lo señalado en el **inciso primero del artículo 63 de la ley Nº 18.575, Orgánica Constitucional de Bases Generales de la Administración del Estado, la designación de una persona inhábil será nula, y que la invalidación no obligará a la restitución de las remuneraciones percibidas por el inhábil, siempre que la inadvertencia de la inhabilidad no le sea imputable.***

Pues bien, el hecho que la funcionaria afectada haya carecido del título técnico que la habilitaba para ser clasificada en la categoría de que se trata, es una irregularidad que vició el correspondiente nombramiento en forma permanente y que no puede entenderse superada por el solo transcurso del tiempo, de manera que tal designación, por su propia naturaleza, pone a la autoridad en la obligación de declarar la nulidad del respectivo acto administrativo, en cumplimiento del principio de juridicidad consagrado en los artículos 6º y 7º de la Constitución Política de la República, obligación que persistirá mientras subsista la inhabilidad (aplica criterio contenido, entre otros, en los dictámenes Nºs. 36.734, de 2008, y 76.516, de 2011).

En consecuencia, la Municipalidad de Concepción deberá dejar sin efecto el decreto Nº 1.070, de 2002, por cuyo intermedio se dispuso el traspaso de doña Rosa Mora Méndez a la categoría de técnico de nivel superior prevista en la letra C del artículo 5º de la ley Nº 19.378, como asimismo su actual destinación, y proceder a clasificar a la afectada en la categoría que corresponda, de acuerdo al nivel de estudios que posee y acredite, (...)». **(ID Dictamen: 065594N12 Fecha:** 22.10.2012 **Destinatarios:** Alcalde de la Municipalidad de Concepción. **Texto:** Medidas que procede adoptar por error de la administración en la clasificación de funcionaria de la dotación de salud municipal. Reconsidera oficio 2166/2012 de la Contraloría Regional del Biobío. **Acción:** Aplica dictámenes 24084/2002, 41969/2004, 36734/2008, 76516/2011)

10. *«Sin perjuicio de lo anterior, en relación con el traslado a que hace referencia la peticionaria, se debe tener presente que de conformidad con lo establecido en los artículos 43, inciso tercero, de la ley Nº 18.695, Orgánica Constitucional de Municipalidades y **70 de la citada ley Nº 18.883**, los funcionarios solo podrán ser destinados a desempeñar funciones propias del cargo para el que han sido designados dentro de la entidad edilicia correspondiente.*

*Agrega el aludido **artículo 70**, que las destinaciones deberán ser ordenadas por el alcalde de la respectiva municipalidad, e implican prestar funciones de la misma jerarquía en cualquier localidad de la comuna o agrupación de comunas, en su caso.*

En dicho contexto, la **jurisprudencia administrativa de este Organismo Contralor, contenida entre otros, en los dictámenes Nºs. 2.055 y 15.757, ambos de 2011, ha precisado que para que un servidor se encuentre obligado a cumplir una destinación, es menester que las funciones que por su intermedio deba realizar, sean de la misma jerarquía que aquéllas que son propias del cargo para el cual fue nombrado, entendiéndose que son tales, las asignadas a una determinada planta».** (ID Dictamen: 058556N12 Fecha:** 24.09.2012 **Destinatarios:** María Vásquez Gutiérrez. **Texto:** Sobre denuncia por acoso laboral de alcalde. **Acción:** Aplica dictámenes 34325/2006, 19327/2008, 48324/2009, 29940/2012, 2055/2011, 15757/2011)

11. *«Al respecto, cumple con hacer presente, que el **artículo 70 de la ley Nº 18.883, Estatuto Administrativo para Funcionarios Municipales** —aplicable supletoriamente en la especie, en virtud de lo ordenado por el artículo 4º de la ley Nº 19.378, Estatuto de Atención Primaria de Salud Municipal—, establece que los funcionarios podrán ser destinados a desempeñar funciones propias del cargo para el que han sido designados dentro de la municipalidad correspondiente. En efecto, este **Organismo de Control, mediante los dictámenes Nºs. 25.931 y 54.781, ambos de 2009, y 13.395, de 2012, entre otros, ha precisado que es atribución privativa de la autoridad máxima de un municipio reordenar el personal de su dependencia, decidiendo como distribuirlo y ubicarlo, según lo requieran las necesidades de la repartición que dirige, con la sola limitación de que los trabajos que deba cumplir sean aquellos para los cuales ha sido nombrado y sin que ello signifique arbitrariedad».** (ID Dictamen: 053810N12 Fecha:** 30.08.2012 **Destinatarios:** Sandra Vásquez Rivera. **Texto:** Se ajusta a derecho destinación de funcionaria municipal no resultando procedente pago de asignación por desempeño difícil que reclama. **Acción:** aplica dictámenes 25931/2009, 54781/2009, 13395/2012, 34595/2009, 34599/2009)[211]

---

[211] Para efectos de su consulta en la Base de Jurisprudencia de Contraloría General de la República, el citado dictamen se encuentra en la sección/materia: «generales», sin perjuicio de que se trata de uno de carácter municipal.

12. *«Del análisis de la norma descrita, cabe indicar que es atribución privativa de la autoridad máxima de una municipalidad ordenar las destinaciones del personal de su dependencia, decidiendo discrecionalmente como distribuir y ubicar a los servidores, según lo requieran las necesidades de la repartición que dirige, con la sola limitación de que las tareas que deba cumplir sean las propias del cargo para el cual ha sido nombrado y sin que ello signifique arbitrariedad (aplica criterio contenido en el dictamen Nº 37.586, de 2009).*
A lo expuesto, es menester agregar que la letra e) del artículo 58, del aludido cuerpo legal, establece, en lo que interesa, como una de las obligaciones de los servidores municipales, la de cumplir las destinaciones que disponga la autoridad competente». (**ID Dictamen: 052751N12 Fecha:** 28.08.2012 Destinatarios: Alcaldesa de la Municipalidad de Recoleta. **Texto:** Rechaza reclamo de presunta destinación irregular de funcionaria de la Municipalidad de Recoleta. **Acción:** Aplica dictámenes 37586/2009, 42127/2009, 34820/2011, 21645/2012. Mismo criterio aplicado en **ID Dictamen: 035854N12 Fecha:** 15.06.2012 **Destinatarios:** Rodrigo Ponce de León Ahumada y otros. **Texto:** Es atribución privativa de la autoridad máxima de una municipalidad ordenar las destinaciones del personal de su dependencia, con la limitación de que las funciones que deba cumplir el empleado sean las propias del cargo para el cual ha sido nombrado y sin que ello signifique arbitrariedad, como asimismo ponderar si hechos denunciados ameritan disponer instrucción de un procedimiento disciplinario. **Acción:** aplica dictámenes 61864/2011, 720/2005, 45369/2008, 3583/2010, 4338/2012, 14317/2011, 1126/2012)

13. *«En relación con la citada disposición, la jurisprudencia administrativa de este Organismo de Control, contenida, entre otros, en los dictámenes Nºs. 3.823, de 2000 y 45.287, de 2002, ha manifestado que los cargos de denominación específica —como al que se alude en la consulta—, limitan, cuando no impiden, la destinación del funcionario que lo sirve, pues esta medida no puede alterar las funciones propias de la plaza que ocupa el empleado, según la denominación indicada en la ley, planta o reglamento del municipio, de manera tal que los funcionarios que sirven tales empleos sólo pueden ejercer las labores propias de los cargos para los que han sido designados».* (**ID Dictamen: 043121N12 Fecha:** 18.07.2012 **Destinatarios:** Alcalde de la Municipalidad de La Pintana. **Texto:** Sobre improcedencia de destinación de funcionario municipal regido por la ley 18883, designado en un cargo de denominación específica. **Acción:** Aplica dictámenes 3823/2000, 45287/2002)

14. *«Sobre este aspecto, es dable anotar que según el tenor de la citada letra b), si el cargo de Secretario de Juzgado de Policía Local en comento era servido —a la fecha de entrada en vigencia de la ley Nº 20.554— por un profesional que no contaba con el referido título, se modifican "por el solo ministerio de la ley" los decretos con fuerza de ley que establecieron las respectivas plantas de personal municipal, creándose en la planta profesional el cargo nominado de Secretario Abogado de Juzgado de Policía Local. (...)*
Es menester agregar que, tratándose de los funcionarios que, como consecuencia de la aplicación de la letra b) del citado artículo 10, deban dejar de cumplir las funciones de Secretario de Juzgado de Policía Local, deberán ser destinados por la autoridad edilicia, con sujeción a lo dispuesto en el artículo 70 de la ley Nº 18.883, Estatuto Administrativo para Funcionarios Municipales». (**ID Dictamen: 039521N12 Fecha:** 04.07.2012 **Destinatarios:** Alcalde de la Municipalidad de Placilla. **Texto:** Se pronuncia sobre alcance de los artículos 2º, 10 y 11 de la ley 20554, en relación con diversas consultas vinculadas con el cargo de Secretario de Juzgado de Policía Local, y atiende consulta relativa a provisión de cargo profesional de la planta de personal de la Municipalidad de Arica. **Acción:** Aplica dictámenes 17464/96, 3250/96)

15. *«Por su parte, es del caso señalar que de conformidad con lo establecido en los artículos 70, de la citada ley Nº 18.883, y 43, inciso tercero, de la ley Nº 18.695, Orgánica Constitucional de Municipalidades, los funcionarios solo podrán ser destinados a desempeñar funciones propias del cargo para el que han sido designados dentro de la entidad edilicia correspondiente. Agrega el aludido artículo 70, que las destinaciones deberán ser ordenadas por el alcalde de la respectiva municipalidad, e implica prestar funciones de la misma jerarquía en cualquier localidad de la comuna o agrupación de comunas, en su caso. (...)*
En este mismo sentido cabe hacer presente, por una parte, que el señor Alvarado Martínez está nombrado en un cargo genérico en el escalafón directivo del municipio, de conformidad a lo dispuesto en el artículo 4º del decreto con fuerza de ley Nº 330-19.321, de 1994, del Ministerio del Interior, que Establece la Planta de Personal de la Municipalidad de Maipú y, por otra, que el cargo de director del Servicio de Agua Potable y Alcantarillado, grado 5º, del mismo escalafón, no contempla requisitos específicos para su provisión, por lo que la destinación en comento se ha ajustado a derecho, desde el momento que mantiene en su nuevo desempeño la misma jerarquía que en el anterior, pues en ambos casos se trata de ejercer labores relativas a la planta directiva, siendo irrelevante el nombre con que se designe al departamento, sección o unidad a la que fue destinado, por lo que no se ha producido menoscabo en su posición jerárquica (aplica criterio contenido en dictámenes Nºs. 51.136, de 2008, y 70.997, de 2010)». (**ID Dictamen: 034113N12 Fecha:**

11.06.2012 **Destinatarios:** Alcalde de la Municipalidad de Maipú. **Texto:** Sobre demora en tramitación de sumario administrativo y destinación de directivo al cargo de director de Servicio Municipal de Agua Potable y Alcantarillado de la Municipalidad de Maipú. **Acción:** Aplica dictámenes 51136/2008, 70997/2010 Fuentes)

16. «*Sobre el particular, cabe hacer presente que el **artículo 4º de la ley Nº 19.378**, Estatuto de Atención Primaria de Salud Municipal, dispone que en todo lo no regulado expresamente por esa ley, se aplican supletoriamente las normas de la ley Nº 18.883, Estatuto Administrativo para Funcionarios Municipales, lo que acontece tratándose de las destinaciones, materia respecto de la cual el artículo 70 de este último texto legal, faculta a los alcaldes para ordenar las destinaciones del personal bajo su subordinación, a prestar servicios en labores de la misma jerarquía, en cualquier localidad de la comuna o agrupación de comunas en su caso.*

Por su parte, la letra e), del artículo 58 de la referida ley Nº 18.883, establece, entre las obligaciones funcionarias, la de cumplir las destinaciones y las comisiones de servicio que disponga la autoridad competente. (...)

*Al respecto, es necesario manifestar, tal como se ha señalado por esta **Entidad Fiscalizadora**, mediante el dictamen Nº 14.317, de 2011, entre otros, que es atribución privativa de la autoridad máxima de una municipalidad, ordenar mediante un acto administrativo formal, vale decir, por decreto del alcalde, las destinaciones del personal de su dependencia, decidiendo discrecionalmente cómo distribuir y ubicar a los funcionarios, según lo requieran las necesidades de la repartición que dirige, con la sola limitación de que las funciones que deba cumplir el empleado sean las propias del cargo para el cual ha sido nombrado y sin que ello signifique arbitrariedad.*

En este contexto, es dable precisar que para que un servidor se encuentre obligado a cumplir una destinación, es menester que las funciones que deba realizar, sean de la misma jerarquía que aquéllas que son propias del cargo para el cual fue nombrado, entendiéndose que son tales, las asignadas a una determinada planta (aplica dictámenes Nºs. 36.961, de 2010, y 2.055, de 2011).

*Ahora bien, de conformidad con el criterio de este **Organismo de Control**, contenido entre otros, en los dictámenes Nºs. 41.889, de 2009 y 54.730, de 2011, si bien el actuar de la municipalidad se enmarca dentro del ámbito de su competencia al destinar un funcionario, ello debe verificarse a través del correspondiente acto administrativo, toda vez que acorde con el artículo 3º de la ley Nº 19.880 —que Establece las Bases de los Procedimientos Administrativos que rigen los actos de los Órganos de la Administración del Estado, aplicable a las municipalidades de conformidad con lo prescrito en el artículo 2º de ese cuerpo legal—, las decisiones escritas que adopte la Administración se expresarán por medio de actos administrativos, entendiéndose por estos, las decisiones formales que emitan los órganos de la Administración del Estado en las cuales se contienen declaraciones de voluntad, realizadas en el ejercicio de una potestad pública.*

En este mismo sentido, es menester precisar que tales actos administrativos, según prescribe el artículo 12 de la ley Nº 18.695, se denominan decretos alcaldicios cuando se trata de resoluciones emanadas de los alcaldes que versan sobre casos particulares.

En la especie, de los antecedentes tenidos a la vista, no se advierte que las destinaciones de la especie fueran materializadas a través de los correspondientes decretos alcaldicios, sin que tampoco consten, de manera indubitada, las tareas que debió asumir la recurrente, y si aquellas se relacionaron con las funciones propias de un técnico de nivel superior, categoría a la que pertenece la peticionaria». (**ID Dictamen: 033658N12 Fecha:** 07.06.2012 **Destinatarios:** Alcalde de la Municipalidad de El Bosque. **Texto:** Se pronuncia sobre reclamación interpuesta por funcionaria regida por la ley 19378, en contra de municipio, por las constantes destinaciones de que ha sido objeto, expresándose que de los antecedentes tenidos a la vista, no se advierte que las destinaciones de la especie fueran materializadas a través de decretos alcaldicios, sin que tampoco consten, de manera indubitada, las tareas que debió asumir la recurrente, y si aquellas se relacionaron con las funciones propias de un técnico de nivel superior, categoría a la que pertenece la peticionaria. **Acción:** Aplica dictámenes 14317/2011, 36961/2010, 2055/2011, 41889/2009, 54730/2011)[212]

17. «*En ese contexto, cabe indicar que en el citado pronunciamiento, se señaló que en el evento de realizarse reestructuraciones a las unidades que conforman la organización interna del municipio, esto debería efectuarse mediante una modificación del reglamento municipal con acuerdo del concejo. Sin embargo, es útil precisar, que no es necesario reformar tal texto normativo, en caso de asignar a un servidor municipal a otras labores dentro de éste, como erróneamente parece entenderlo el recurrente, ya que de conformidad con el **artículo 70 de la ley Nº 18.883**, sobre Estatuto*

---

[212] Para efectos de su consulta en la Base de Jurisprudencia de Contraloría General de la República, el citado dictamen se encuentra en la sección/materia: «generales», sin perjuicio de que se trata de uno de carácter municipal.

Administrativo para Funcionarios Municipales, la destinación es una facultad exclusiva del alcalde, por lo que éste no necesitó, en la especie, acuerdo del Concejo Municipal, para decidir el cambio de funciones del señor Bizama Sánchez. Siguiendo el mismo orden de ideas, es dable agregar, que conforme lo ha sostenido la jurisprudencia de esta Entidad Fiscalizadora, en los dictámenes Nºs. 42.842, de 1994, 34.907, de 1997, y 3.686, de 2001, un funcionario en un cargo adscrito, o en extinción, puede ser destinado a otras actividades, ello, con la limitante de que se trate de labores propias del puesto para el que ha sido designado dentro de la municipalidad, lo que significa prestar servicios de la misma jerarquía, conservando igual grado y remuneración.

Así, a los servidores municipales que ocupan empleos adscritos les deben ser asignadas funciones correspondientes a la planta en que fue identificado su cargo, lo que se cumple en la situación examinada, ya que las labores de Coordinador del Consejo Comunal de Organizaciones de la Sociedad Civil, que le han sido atribuidas al señor Bizama Sánchez, constituyen tareas que corresponden a la planta directiva, a la que se encontraba asociado su anterior trabajo como director de extensión cultural, entendiéndose, además, que éste mantiene igual grado y remuneración, por lo que su situación dentro del municipio no se ha visto alterada por la destinación dispuesta a su respecto». (ID Dictamen: 015840N12 Fecha: 16.03.2012 Destinatarios: Alejandro Navarro Brain. Texto: Sobre procedencia de destinación de funcionario en un cargo en extinción, asignándosele labores en la planta en que fue identificado su cargo, con igual grado y remuneración. Acción: Aplica dictámenes 42842/94, 34907/97, 3686/2001, 60785/2009, 40293/2009)[213]

18. «*Luego, es necesario señalar que, en conformidad con lo dispuesto en el artículo 70 de la ley Nº 18.883, sobre Estatuto Administrativo para Funcionarios Municipales —aplicable supletoriamente en virtud de lo ordenado por el artículo 4º de la ley Nº 19.378— una municipalidad se encuentra facultada para destinar a un funcionario de atención primaria de salud a ejercer funciones propias del cargo en que ha sido designado (aplica criterio contenido en el dictamen Nº 25.931, de 2009).*

En efecto, esta Entidad Fiscalizadora mediante los dictámenes Nºs. 25.931 y 54.781, ambos de 2009, ha precisado que es atribución privativa de la autoridad máxima de una municipalidad ordenar las destinaciones del personal de su dependencia, decidiendo cómo distribuir y ubicar a los funcionarios, según lo requieran las necesidades de la repartición que dirige, con la sola limitación de que las funciones que deba cumplir el funcionario sean las propias del cargo para el cual ha sido nombrado y sin que ello signifique arbitrariedad.

Pues bien, en la especie, la destinación de que fue objeto la señora Briceño Quinteros se dispuso por el alcalde, para ejercer las funciones inherentes a su nombramiento en la categoría b), cuales son las inherentes al título profesional de matrona que posee, primero, en el Centro de Salud Rural de Chamiza y luego en el equipo de salud rural, manteniendo en su nuevo lugar de trabajo, la misma categoría, nivel funcionario y carga horaria de trabajo.

En este contexto, es posible sostener que la medida de destinación en comento se encuentra ajustada a derecho». (ID Dictamen: 013395N12 Fecha: 07.03.2012 Destinatarios: Alcalde de la Municipalidad de Puerto Montt. Texto: Sobre destinación de funcionaria traspasada, por mandato de la ley 20250, al régimen estatutario previsto en la ley 19378 y pago de remuneraciones que indica. Acción: Aplica dictámenes 25931/2009, 54781/2009, 13261/2011, 44781/2011, 16583/2009, 37969/2009)

19. «*Enseguida, sobre la destinación impugnada por el recurrente, que significó trasladar a la señora Manzano Morales desde el cargo de Directora de la Dirección de Medio Ambiente al de Jefe del Departamento de Gerencia de Medio Ambiente, es del caso señalar que, de acuerdo con los documentos que se adjuntan, con posterioridad a dicho traslado la Municipalidad de Antofagasta, mediante resolución Nº 540, de 2011, dispuso a su respecto una nueva destinación, esta vez, al cargo de Directora de la Dirección de Seguridad Ciudadana, plaza que posee la misma jerarquía que la que servía en la primera de aquellas, ajustándose esta última medida a lo dispuesto en el artículo 70 de la ley Nº 18.883, sobre Estatuto Administrativo para Funcionarios Municipales, y a la jurisprudencia emitida sobre la materia, contenida en los dictámenes Nºs. 36.961, de 2010 y 2.055, de 2011, entre otros».* (ID Dictamen: 004749N12 Fecha: 25.01.2012 Destinatarios: Alcaldesa de la Municipalidad de Antofagasta. Texto: Sobre modificación de organización interna de mu-

---

[213] Para efectos de su consulta en la Base de Jurisprudencia de Contraloría General de la República, el citado dictamen se encuentra en la sección/materia: «generales», sin perjuicio de que se trata de uno de carácter municipal.

nicipalidad que indica y destinación de funcionaria. **Acción:** Aplica dictámenes 25930/2000, 45980/2001, 55347/2004, 36961/2010, 2055/2011)[214]

Artículo 71

Cuando la destinación implique un cambio de su residencia habitual, deberá notificarse al funcionario con treinta días de anticipación, a lo menos, de la fecha en que deba asumir sus nuevas labores.

«Como cuestión previa, es del caso precisar que de conformidad con lo establecido en los artículos 43, inciso tercero, de la ley Nº 18.695, Orgánica Constitucional de Municipalidades y 70 de la ley Nº 18.883, Estatuto Administrativo para Funcionarios Municipales, los funcionarios sólo podrán ser destinados a desempeñar funciones propias del cargo para el que han sido designados dentro de la entidad edilicia correspondiente. Agrega el aludido artículo 70, que las destinaciones deberán ser ordenadas por el alcalde de la respectiva municipalidad, e implican prestar funciones de la misma jerarquía en cualquier localidad de la comuna o agrupación de comunas, en su caso.
Por su parte, de acuerdo con lo preceptuado en el artículo 89, inciso primero, de la citada ley Nº 18.883, el funcionario tendrá derecho a ocupar con su familia, gratuitamente, la vivienda que exista en el lugar en que funcione la municipalidad, cuando la naturaleza de sus labores sea la mantención o vigilancia permanente del recinto y esté obligado a vivir en él. (...)
Lo anterior por lo demás, se encuentra en armonía con el criterio jurisprudencial contenido, entre otros, en los dictámenes Nºs. 19.550, de 1994 y 20.260, de 1997, conforme a los cuales el derecho a usar una vivienda municipal se conserva en la medida que permanezcan las condiciones que dieron lugar al otorgamiento de tal beneficio.
No obsta lo anterior la circunstancia de habérsele omitido notificar al servidor la nueva destinación sin la antelación prevista en el artículo 71 de la ley Nº 18.883, por cuanto dicha norma fue establecida con el fin de otorgarle un lapso prudente para adoptar los resguardos tendientes a resolver asuntos personales derivados de la mudanza, y no para privar de validez la respectiva decisión, *más aun considerando que en la situación de que se trata, el plazo de 30 días previsto en el precepto legal aludido, se encuentra latamente excedido (**aplica dictámenes Nºs. 38.429, de 1997, 46.561, de 2001 y 58.082, de 2007**)».* (**ID Dictamen:** 047416N12 **Fecha:** 06.08.2012 **Texto:** Acoge solicitud de reconsideración de oficio 19/2012, de la Contraloría Regional de Los Lagos sobre procedencia del beneficio previsto en el art. 89 de la ley 18883. **Acción:** Aplica dictámenes 19550/94, 20260/97, 38429/97, 46561/2001, 58082/2007)[215]

Artículo 72

Los funcionarios municipales podrán ser designados por el alcalde en comisión de servicio para el desempeño de funciones ajenas al cargo, en la misma municipalidad, sea en el territorio nacional o en el extranjero. En caso alguno estas comisiones podrán significar el desempeño de funciones de inferior jerarquía a las del cargo, o ajenas a los conocimientos que éste requiere o a la municipalidad.

---

[214] Para efectos de su consulta en la Base de Jurisprudencia de Contraloría General de la República, el citado dictamen se encuentra en la sección/materia: «generales», sin perjuicio de que se trata de uno de carácter municipal.
[215] Para efectos de su consulta en la Base de Jurisprudencia de Contraloría General de la República, el citado dictamen se encuentra en la sección/materia: «generales», sin perjuicio de que se trata de uno de carácter municipal.

1. *«Finalmente, en cuanto a la obligación que contraería el municipio en virtud de la letra a) de la cláusula cuarta del proyecto de convenio en examen, en orden a "cooperar con recurso humano" para la implementación de la farmacia, cabe consignar que del análisis de los artículos 43 y 139 de la ley Nº 18.695, y 72 de la ley Nº 18.883 —que aprueba Estatuto Administrativo para Funcionarios Municipales—, se advierte que las comisiones de servicio de los funcionarios municipales no pueden disponerse para ser efectuadas en instituciones de derecho privado como la Corporación Municipal de Desarrollo Social de Cerro Navia».* **(ID Dictamen:** 004230N17. **Fecha:** 06-02-2017. **Destinatarios:** El Alcalde de la Municipalidad de Cerro Navia, en su calidad de presidente del directorio de la Corporación Municipal de Desarrollo Social de Cerro Navia. **Texto:** Farmacia de establecimiento de atención primaria de salud que está a cargo de una corporación municipal debe ser administrada por esta última entidad. No obstante, el municipio respectivo puede desarrollar acciones de colaboración en la materia, en los términos permitidos por la normativa aplicable. **Acción:** Aplica dictámenes 13636/2016, 44447/2010, 26194/2013, 60528/2014).

2. *«No obstante, cabe tener presente que el artículo 72 de ese cuerpo estatutario señala que los funcionarios municipales podrán ser designados por el alcalde en comisión de servicio para el desempeño de funciones ajenas al cargo, en la misma municipalidad, sea en el territorio nacional o en el extranjero, añadiendo su artículo 73 que dicha medida no podrá extenderse por más de tres meses en cada año calendario, tanto en el territorio nacional como en el extranjero. Ahora bien, teniendo en cuenta que, como se dijo, los estudios de que se trata no son de exclusivo interés particular del funcionario que postula y se adjudica la beca, sino también del municipio, es procedente que esa entidad edilicia disponga una comisión de estudios en los casos en que el programa de que se trate coincida con la jornada laboral que se tenga asignada, aun cuando aquella exceda el plazo de tres meses previamente anotado, lo que constituye un permiso que autoriza el pago de los emolumentos por el lapso de la ausencia.*
En este sentido es útil considerar que carecería de sentido que el legislador haya creado un sistema especial de becas para formar a funcionarios municipales en materias afines a la gestión de esas entidades de administración local, seleccionando la Administración carreras y diplomados que son impartidos en horarios diurnos, sin que dichos servidores sean autorizados para no desarrollar todo o parte de su jornada por coincidir con sus obligaciones académicas o que, pudiendo ausentarse de la labor, pierdan por ello las remuneraciones correspondientes». **(ID Dictamen:** 016811N16. **Fecha:** 03-03-2016. **Destinatarios:** Municipalidad de Conchalí. **Texto:** Procede que se disponga una comisión de estudios a favor de un funcionario beneficiado por la beca de formación establecida en el artículo 4º de la ley Nº 20.742, cuya jornada laboral coincida con el horario del programa que cursa. **Acción:** Aplica dictámenes Aplica dictamen 55234/2011).

3. *«Luego, en relación a la comisión de servicio, cabe tener presente que el artículo 72 de la ley Nº 18.883 señala que los funcionarios municipales podrán ser designados por el alcalde en tal calidad para el desempeño de funciones ajenas al cargo, en la misma municipalidad, sea en el territorio nacional o en el extranjero, añadiendo su artículo 73 que dicha medida no podrá extenderse por más de tres meses en cada año calendario, tanto en el territorio nacional como en el extranjero. Sobre la materia, la jurisprudencia de este Organismo de Control, contenida en el dictamen Nº 16.811, de 2016, luego de precisar —en relación a los becarios que cursen sus estudios en jornada diurna— que ni la ley Nº 20.742 ni el decreto Nº 1.933, de 2014, del Ministerio del Interior y Seguridad Pública —que aprueba el reglamento del fondo concursable de formación de funcionarios municipales—, contienen una autorización expresa para que quienes se adjudiquen las aludidas becas puedan realizar sus estudios superiores utilizando tiempo de su jornada laboral, ni para continuar percibiendo sus remuneraciones por el lapso durante el cual coincidan esas tareas académicas con su jornada de trabajo, ha señalado que en consideración a que los estudios de que se trata no son de exclusivo interés particular del funcionario becado, sino también del municipio, es procedente que la entidad edilicia disponga una comisión de estudios en los casos en que el programa de que se trate coincida con la jornada laboral que se tenga asignada».* **(ID Dictamen:** 038240N17. **Fecha:** 30-10-2017. **Destinatarios:** don Andrés Moya Saravia, funcionario de la Municipalidad de Valparaíso. **Texto:** No procede disponer una comisión de servicios respecto del interesado, eventuales accidentes en el periodo empleado para cursar estudios en virtud de beca otorgada en conformidad al artículo 4º de la Ley Nº 20.742, quedan cubiertos por el seguro escolar; y no podrá considerarse como jornada extraordinaria el referido tiempo. **Acción:** Aplica dictámenes 16811/ 2016, 345/2014, 55234/2011).

4. *«Por otra parte, el artículo 72 de la citada ley Nº 18.883, previene que los funcionarios municipales pueden ser designados por el alcalde en comisión de servicio para el desempeño de funciones ajenas al cargo, en la misma municipalidad, sea en el territorio nacional o en el extranjero. En caso alguno esas comisiones podrán significar el desempeño de funciones de inferior jerarquía a las del cargo, o ajenas a los conocimientos que este requiere o al municipio.*
Luego, la jurisprudencia administrativa contenida, entre otros, en dictamen Nº 39.493, de 2002, ha precisado que el cometido funcionario puede significar tanto el desarrollo de todas las labores inherentes a un empleo, como el de fun-

ciones específicas, pero siempre por un lapso definido de tiempo; en cambio, la comisión de servicios implica el ejercicio de ciertas funciones ajenas al empleo y, para las cuales el servidor posee conocimientos que lo habilitan para realizarlas en buena forma». (**ID Dictamen:** 083097N16. **Fecha:** 16-11-2016. **Destinatarios:** Municipalidad de Cerro Navia. **Texto:** Funcionario que fue objeto de un traslado irregular al juzgado de policía local debió reintegrarse al departamento de tránsito y transporte públicos cuando el alcalde así lo ordenó. Acoge reclamo en contra de destitución, por lo que no se ratifica en conformidad al artículo 25 de la ley Nº 19.296. **Acción:** aplica dictamen 10524/2015, 37508/2016, 39493/2002, 43002/2001, 17518/2000, 19488/2013, 49116/2015).

1. *«Enseguida, este **Organismo de Control en los dictámenes Nºs. 52.819, de 2002, y 37.591, de 2003** —a los cuales alude el municipio en su consulta—, entre otros, ha precisado que **no corresponde que el alcalde, como máxima autoridad edilicia, ordene el desarrollo de labores de representación gremial, propias del ámbito de las asociaciones de funcionarios reguladas en la ley Nº 19.296, de manera que dichas tareas no pueden ser materia de cometidos funcionarios o comisiones de servicio y, por ende, tampoco dan derecho a la percepción de viáticos.***

Ahora bien, en la situación planteada en la especie, de los antecedentes tenidos a la vista aparece que se trata de servidores municipales, que en su calidad de tales, participarían en una actividad de interés para la municipalidad, por cuyo intermedio, además, consolidan sus competencias laborales, toda vez que, del programa del seminario de que se trata, se verifica que éste no constituye una reunión propiamente gremial —al contrario de aquellos en los cuales incidían los pronunciamientos mencionados en el párrafo anterior—, enmarcándose de este modo dicho evento, en lo establecido en los artículos 22 y 23, letra c), de la citada ley Nº 18.883, en orden a que se entienden por capacitación, entre otras, las actividades destinadas a que los funcionarios desarrollen, complementen, perfeccionen o actualicen los conocimientos y destrezas necesarios para el eficiente desempeño de sus cargos o aptitudes funcionarias, como asimismo, aquellas de interés para la municipalidad.

*En ese contexto, este **Organismo Fiscalizador no advierte inconvenientes para que la asistencia del personal municipal al mencionado seminario —con prescindencia de su calidad de dirigentes gremiales—, se disponga a través de una comisión de servicio, en la medida que se determine que aquel cumple con las condiciones necesarias para ser calificado como capacitación**, tal como sucede en este caso, la que, por una parte, constituye un derecho de los funcionarios públicos y, por otra, un deber de la Administración asegurarla, de conformidad con lo establecido en el artículo 38 de la Constitución Política, en relación con los artículos 20 de la ley Nº 18.575; 46 y 49 de la ley Nº 18.695, y 22 y siguientes de la ley Nº 18.883 (aplica criterio contenido en el dictamen Nº 3.444 de 1999).*

Finalmente, cabe añadir que atendido lo dispuesto en el artículo 97, letra e), de la ley Nº 18.883, en relación con lo establecido en el artículo 1º del decreto con fuerza de ley Nº 262, de 1977, del Ministerio de Hacienda —Reglamento de Viáticos para el Personal de la Administración Pública—, los funcionarios municipales en comento tendrán derecho a percibir viáticos, toda vez que se trata de comisiones de servicio, vale decir, de servidores que, en su carácter de tales y por razones de servicio, deben ausentarse del lugar de desempeño habitual, dentro del territorio nacional». (**ID Dictamen: 031093N11 Fecha:** 16.05.2011 **Destinatarios:** Alcalde de la Municipalidad de Lo Prado. **Texto:** Sobre participación en actividades de capacitación de funcionarios municipales que poseen la calidad de dirigentes gremiales. **Acción:** Aplica dictámenes 52819/2002, 37591/2003)

2. *«En primer lugar, cabe recordar que el artículo 137 del citado texto legal, establece que dos o más municipalidades, pertenezcan o no a una misma provincia o región, podrán constituir asociaciones municipales para los efectos de facilitar la solución de problemas que les sean comunes o lograr el mejor aprovechamiento de los recursos disponibles, debiendo contener, entre otros aspectos, aquellos que establece el artículo 138 de ese texto legal, esto es, las obligaciones que asuman los respectivos asociados; los aportes financieros y demás recursos materiales que cada municipio proporcionará para dar cumplimiento a las tareas concertadas; el personal que se dispondrá al efecto y el municipio que tendrá a su cargo la administración y dirección de los servicios que se presten u obras que se ejecuten.*

Enseguida, el inciso final del artículo 139 del mencionado cuerpo normativo, indica que respecto del personal que se disponga para los efectos de cumplir el convenio, no regirá la limitación de tiempo para las comisiones de servicio que sea necesario ordenar cuando se trate de personal municipal.

*A su vez, es necesario señalar que, según lo preceptuado en el **artículo 72 de la ley Nº 18.883, Estatuto Administrativo para Funcionarios Municipales** —en lo que interesa— en caso alguno estas comisiones podrán significar el desempeño de funciones de inferior jerarquía a las del cargo o ajenas a los conocimientos que este requiere o a la municipalidad.*

*Por consiguiente, conforme a las disposiciones citadas, **no se desprenden limitaciones en orden a la naturaleza de las funciones que el personal que se desempeñe en virtud de tales comisiones de servicios y en el marco del convenio de asociatividad como el de la especie, pueda desarrollar, siendo suficiente que se respeten las condiciones esta-***

blecidas en el último precepto citado para su ejercicio, relativas a la jerarquía y conocimientos del cargo o función asignada, sin que se advierta que estos aspectos, en el presente caso, se hayan afectado». (ID Dictamen: **062810N12** Fecha: 09.10.2012 **Destinatarios:** Segundo Vicepresidente de la Cámara de Diputados. **Texto:** Complementa dictamen 79871/2011, de esta Contraloría General, relativo a contratación a honorarios de funcionaria municipal que indica. **Acción:** Complementa dictamen 79871/2011 Aplica dictamen 60469/2008)

3. «*Sobre el particular, en lo que atañe a la omisión de la opinión de su jefe directo, el informe municipal se ha limitado a señalar que la funcionaria depende orgánicamente de la señalada Dirección de Desarrollo Comunitario, jefatura que realizó la precalificación, de modo que no ha controvertido lo manifestado por la interesada en el sentido de que a contar del año 2009, se encuentra en una comisión de servicios en el aludido Departamento de Educación Municipal, a cargo de la labor denominada "Diagnóstico y actualización de atención de alumnos prioritarios que están reconocidos en la Subvención Especial Preferencial (SEP)". (...)*
*Precisado lo anterior, cabe señalar que, según lo dispuesto en los **artículos 72 y 73 de la citada ley Nº 18.883**, los funcionarios municipales pueden ser designados en comisiones de servicio, las que no pueden sobrepasar los tres meses. Por consiguiente, si la interesada se ha desempeñado en el citado Departamento de Educación Municipal, en el período que comprende el proceso calificatorio del cual reclama, es necesario concluir que su jefe directo, para los efectos de la precalificación, debió ser la jefatura de aquella unidad y no la de la Dirección de Desarrollo Comunitario (aplica criterio contenido en los dictámenes Nºs. 8.351, de 1995 y 55.095, de 2008)».* (ID Dictamen: **054639N12 Fecha:** 04.09.2012 **Destinatarios:** Alcaldesa de la Comuna de Pedro Aguirre Cerda. **Texto:** Desestima reclamo fundado en vicios en proceso de calificación de funcionaria municipal que indica. **Acción:** aplica dictámenes 25827/2009, 44424/2009, 8351/95, 55095/2008, 34260/2011, 25406/2012, 17726/2009)

4. «*Por otra parte, en cuanto a lo sostenido por el peticionario en orden a que determinados integrantes de la unidad técnica de fiscalización cumplirían labores ajenas a las atingentes a sus cargos, es menester precisar que, según los antecedentes tenidos a la vista y lo informado, en su oportunidad por el municipio, las funciones encomendadas a aquellos son propias de las competencias correspondientes a las plazas para las cuales fueron nombrados y, por ende, se cumplieron en virtud de cometidos funcionarios, con arreglo a lo previsto en el artículo 75 de la ley Nº 18.883 —Estatuto Administrativo para Funcionarios Municipales.*
Con todo, cabe también hacer presente que, en conformidad con lo dispuesto en el artículo 72 de ese cuerpo estatutario, los empleados municipales pueden, asimismo, ser designados en comisiones de servicio para desempeñar funciones ajenas al respectivo cargo». (**ID Dictamen: 005395N12 Fecha:** 27.01.2012 **Destinatarios:** Ruperto Alonso Ojeda Vildoso. **Texto:** Rechaza solicitud de reconsideración de oficio relativo a legalidad de decreto alcaldicio que indica).

Artículo 73

Los funcionarios no podrán ser designados en comisión de servicio, durante más de tres meses, en cada año calendario, tanto en el territorio nacional como en el extranjero.
El límite señalado no será aplicable respecto de los delegados que designe el alcalde.

1. «*No obstante, cabe tener presente que el artículo 72 de ese cuerpo estatutario señala que los funcionarios municipales podrán ser designados por el alcalde en comisión de servicio para el desempeño de funciones ajenas al cargo, en la misma municipalidad, sea en el territorio nacional o en el extranjero, añadiendo su artículo 73 que dicha medida no podrá extenderse por más de tres meses en cada año calendario, tanto en el territorio nacional como en el extranjero. Ahora bien, teniendo en cuenta que, como se dijo, los estudios de que se trata no son de exclusivo interés particular del funcionario que postula y se adjudica la beca, sino también del municipio, es procedente que esa entidad edilicia disponga una comisión de estudios en los casos en que el programa de que se trate coincida con la jornada laboral que se tenga asignada, aun cuando aquella exceda el plazo de tres meses previamente anotado, lo que constituye un permiso que autoriza el pago de los emolumentos por el lapso de la ausencia.*
En este sentido es útil considerar que carecería de sentido que el legislador haya creado un sistema especial de becas para formar a funcionarios municipales en materias afines a la gestión de esas entidades de administración local, seleccionando la Administración carreras y diplomados que son impartidos en horarios diurnos, sin que dichos servidores sean autorizados para no desarrollar todo o parte de su jornada por coincidir con sus obligaciones académicas o que,

pudiendo ausentarse de la labor, pierdan por ello las remuneraciones correspondientes». (**ID Dictamen:** 016811N16. **Fecha:** 03-03-2016. **Destinatarios:** Municipalidad de Conchalí. **Texto:** Procede que se disponga una comisión de estudios a favor de un funcionario beneficiado por la beca de formación establecida en el artículo 4º de la ley Nº 20.742, cuya jornada laboral coincida con el horario del programa que cursa. **Acción:** Aplica dictamen 55234/2011).

2. *«Luego, en relación a la comisión de servicio, cabe tener presente que el artículo 72 de la ley Nº 18.883 señala que los funcionarios municipales podrán ser designados por el alcalde en tal calidad para el desempeño de funciones ajenas al cargo, en la misma municipalidad, sea en el territorio nacional o en el extranjero, añadiendo su artículo 73 que dicha medida no podrá extenderse por más de tres meses en cada año calendario, tanto en el territorio nacional como en el extranjero. Sobre la materia, la jurisprudencia de este Organismo de Control, contenida en el dictamen Nº 16.811, de 2016, luego de precisar —en relación a los becarios que cursen sus estudios en jornada diurna— que ni la ley Nº 20.742 ni el decreto Nº 1.933, de 2014, del Ministerio del Interior y Seguridad Pública —que aprueba el reglamento del fondo concursable de formación de funcionarios municipales—, contienen una autorización expresa para que quienes se adjudiquen las aludidas becas puedan realizar sus estudios superiores utilizando tiempo de su jornada laboral, ni para continuar percibiendo sus remuneraciones por el lapso durante el cual coincidan esas tareas académicas con su jornada de trabajo, ha señalado que en consideración a que los estudios de que se trata no son de exclusivo interés particular del funcionario becado, sino también del municipio, es procedente que la entidad edilicia disponga una comisión de estudios en los casos en que el programa de que se trate coincida con la jornada laboral que se tenga asignada. Ahora bien, de acuerdo a lo indicado en el párrafo precedente aparece que no se justifica disponer una comisión de servicios respecto del señor Moya Saravia, toda vez que sus actividades académicas corresponden a una jornada vespertina que no coincide con su jornada laboral, de manera que no se podrían ver afectadas sus remuneraciones».* (**ID Dictamen:** 038240N17. **Fecha:** 30-10-2017. **Destinatarios:** don Andrés Moya Saravia, funcionario de la Municipalidad de Valparaíso. **Texto:** No procede disponer una comisión de servicios respecto del interesado, eventuales accidentes en el periodo empleado para cursar estudios en virtud de beca otorgada en conformidad al artículo 4º de la Ley Nº 20.742, quedan cubiertos por el seguro escolar; y no podrá considerarse como jornada extraordinaria el referido tiempo. **Acción:** Aplica dictámenes 16811/ 2016, 345/2014, 55234/2011).

3. *«Añade el inciso primero del artículo 73 del anotado cuerpo legal, que los funcionarios municipales no podrán ser designados en comisión de servicio, durante más de tres meses, en cada año calendario, tanto en el territorio nacional como en el extranjero. A su turno, el artículo 75 de la aludida ley Nº 18.883, prevé que "Los funcionarios municipales pueden cumplir cometidos funcionarios que los obliguen a desplazarse dentro o fuera de su lugar de desempeño habitual para realizar labores específicas inherentes al cargo que sirven. Estos cometidos no requieren ser ordenados formalmente, salvo que originen gastos para la municipalidad, tales como pasajes, viáticos u otros análogos, en cuyo caso se dictará el respectivo decreto". Luego, la jurisprudencia administrativa contenida, entre otros, en dictamen Nº 39.493, de 2002, ha precisado que el cometido funcionario puede significar tanto el desarrollo de todas las labores inherentes a un empleo, como el de funciones específicas, pero siempre por un lapso definido de tiempo; en cambio, la comisión de servicios implica el ejercicio de ciertas funciones ajenas al empleo y, para las cuales el servidor posee conocimientos que lo habilitan para realizarlas en buena forma».* (**ID Dictamen:** 083097N16. **Fecha:** 16-11-2016. **Destinatarios:** Municipalidad de Cerro Navia. **Texto:** Funcionario que fue objeto de un traslado irregular al juzgado de policía local debió reintegrarse al departamento de tránsito y transporte públicos cuando el alcalde así lo ordenó. Acoge reclamo en contra de destitución, por lo que no se ratifica en conformidad al artículo 25 de la ley Nº 19.296. **Acción:** aplica dictamen 10524/2015, 37508/2016, 39493/2002, 43002/2001, 17518/2000, 19488/2013, 49116/2015).

«Sobre el particular, en lo que atañe a la omisión de la opinión de su jefe directo, el informe municipal se ha limitado a señalar que la funcionaria depende orgánicamente de la señalada Dirección de Desarrollo Comunitario, jefatura que realizó la precalificación, de modo que no ha controvertido lo manifestado por la interesada en el sentido de que a contar del año 2009, se encuentra en una comisión de servicios en el aludido Departamento de Educación Municipal, a cargo de la labor denominada "Diagnóstico y actualización de atención de alumnos prioritarios que están reconocidos en la Subvención Especial Preferencial (SEP)". (...)

*Sin perjuicio de lo anterior, es dable advertir que **la comisión de servicios de que ha sido objeto la peticionaria ha excedido con creces el plazo de duración establecido en la ley, por lo que el municipio deberá arbitrar las medidas que sean necesarias para regularizar esa situación».* (**ID Dictamen:** 054639N12 **Fecha:** 04.09.2012 **Destinatarios:** Alcaldesa de la Comuna de Pedro Aguirre Cerda. **Texto:** Desestima reclamo fundado en vicios en proceso de calificación de funcionaria municipal que indica. **Acción:** aplica dictámenes 25827/2009, 44424/2009, 8351/95, 55095/2008, 34260/2011, 25406/2012, 17726/2009)

Artículo 74

Cuando la comisión deba efectuarse en el extranjero, el decreto alcaldicio que así lo disponga deberá ser fundado, determinando la naturaleza de ésta y las razones de interés público que la justifican. El decreto especificará si el funcionario seguirá ganando las remuneraciones asignadas a su cargo u otras adicionales, en moneda nacional o extranjera, debiendo indicarse la fuente legal a que deba imputarse el gasto y el plazo de duración de la comisión. Copia de este decreto se remitirá al Ministerio de Relaciones Exteriores.

(ID Dictamen: 043537N99 Fecha: 11.11.1999 Destinatarios: Juanita Fernández Fuenzalida y otro, municipalidad de palmilla. **Texto:** Se ajustó a derecho en lo formal comisión de servicios, debidamente autorizada por el concejo, dispuesta desde el 1/7/99 hasta el 31/8/99, para que alcalde que señala se trasladara a España a fin de implementar un protocolo de cooperación con los ayuntamientos de Gijón, Extremadura y Barcelona. Sólo que en el futuro tales comisiones han de efectuarse mediante decreto alcaldicio fundado, no por «resolución administrativa exenta» como sucedió en el caso en examen. Ello, porque acorde ley 18883 art. 72, art. 73 y art. 74, en relación con ley 18695 art. 34 y art. 69 lt/ll, al alcalde, en su calidad de funcionario municipal, puede designársele en comisión de servicios en el extranjero para desempeñar labores ajenas a su cargo, por un periodo no superior a 3 meses, a través de un decreto fundado, en que se determine la naturaleza de aquella y las razones de interés público que la justifican, correspondiendo al concejo autorizarla. No obstante, considerando que el tiempo de la comisión fue absolutamente desproporcionado, atendida la naturaleza de las gestiones a realizar, y que durante la misma el citado jefe edilicio, cuyas actividades artísticas en el extranjero son de público conocimiento, se dedicó, además, al rodaje de una película, su viaje no estuvo fundado en razones de interés público sino que también de índole privado, estas últimas en desmedro del desempeño efectivo del empleo. Por ende, corresponde a los concejales como titulares de la acción ante el tribunal electoral regional competente, en virtud de ley 18695 art. 53, acreditar ante dicho órgano jurisdiccional que efectivamente hubo abandono de funciones por parte del alcalde titular en ese periodo. **Acción:** aplica dictámenes 1131/96, 29058/99)[216]

Artículo 75

Los funcionarios municipales pueden cumplir cometidos funcionarios que los obliguen a desplazarse dentro o fuera de su lugar de desempeño habitual para realizar labores específicas inherentes al cargo que sirven. Estos cometidos no requieren ser ordenados formalmente, salvo que originen gastos para la municipalidad, tales como pasajes, viáticos u otros análogos, en cuyo caso se dictará el respectivo decreto.

1. «*Sobre el particular, y en lo que se refiere al cometido funcionario del señor Wong Jonson, el artículo 75 de la ley Nº 18.883, dispone que "Los funcionarios municipales pueden cumplir cometidos funcionarios que los obliguen a desplazarse dentro o fuera de su lugar de desempeño habitual para realizar labores específicas inherentes al cargo que sirven. Estos cometidos no requieren ser ordenados formalmente, salvo que originen gastos para la municipalidad, tales como pasajes, viáticos u otros análogos, en cuyo caso se dictará el respectivo decreto". Al respecto, el dictamen Nº 77.601, de 2014, ha precisado que las funciones efectuadas por los servidores públicos bajo dicha figura jurídica, pueden consistir en labores realizadas en el ejercicio de actividades correspondientes al cargo que desempeñan o de ciertas tareas específicas, siempre inmanentes al empleo de planta o a contrata que ocupan. Sin perjuicio de lo anterior, cumple hacer presente que si bien la normativa que regula la materia no establece un plazo de duración de los cometidos funcionarios, esta es una figura jurídica que por su naturaleza descansa sobre la base de una extensión limitada en el tiempo,*

---

[216] Transcrito textual. Sin acceso a documento completo. (www.contraloria.cl). Para efectos de su consulta en la Base de Jurisprudencia de Contraloría General de la República, el citado dictamen se encuentra en la sección/materia: «generales», sin perjuicio de que se trata de uno de carácter municipal.

al referirse al cumplimiento transitorio de labores específicas, por lo que debe evitarse que esta se transforme en una forma de asignación permanente de funciones, separando a él o los empleados que lo desempeñen, de los cargos para los cuales fueron nombrados (aplica criterio contenido en el dictamen Nº 25.621, de 2007)». (**ID Dictamen:** 012319N16. **Fecha:** 16-02-2016. **Destinatarios:** señor Guillermo Reeves Iriarte, concejal de la Municipalidad de Cerrillos. **Texto:** Se ajustó derecho cometido funcionario que indica; sobre vacancia del cargo de director de administración y finanzas; no procede la reincorporación de director de control mientras se encuentra suspendido por sumario administrativo; y sobre estado de tramitación de las observaciones que señala. **Acción:** Aplica dictámenes 77601/2014, 25621/2007, 95650/2015, 46314/2004).

2. «*A su turno, el artículo 75 de la aludida ley Nº 18.883, prevé que "Los funcionarios municipales pueden cumplir cometidos funcionarios que los obliguen a desplazarse dentro o fuera de su lugar de desempeño habitual para realizar labores específicas inherentes al cargo que sirven. Estos cometidos no requieren ser ordenados formalmente, salvo que originen gastos para la municipalidad, tales como pasajes, viáticos u otros análogos, en cuyo caso se dictará el respectivo decreto". Luego, la jurisprudencia administrativa contenida, entre otros, en dictamen Nº 39.493, de 2002, ha precisado que el cometido funcionario puede significar tanto el desarrollo de todas las labores inherentes a un empleo, como el de funciones específicas, pero siempre por un lapso definido de tiempo; en cambio, la comisión de servicios implica el ejercicio de ciertas funciones ajenas al empleo y, para las cuales el servidor posee conocimientos que lo habilitan para realizarlas en buena forma».* (**ID Dictamen:** 083097N16. **Fecha:** 16-11-2016. **Destinatarios:** Municipalidad de Cerro Navia. **Texto:** Funcionario que fue objeto de un traslado irregular al juzgado de policía local debió reintegrarse al departamento de tránsito y transporte públicos cuando el alcalde así lo ordenó. Acoge reclamo en contra de destitución, por lo que no se ratifica en conformidad al artículo 25 de la ley Nº 19.296. **Acción:** Aplica dictamen 10524/2015, 37508/2016, 39493/2002, 43002/2001, 17518/2000, 19488/2013, 49116/2015).

1. «*En ese orden de ideas, la jurisprudencia administrativa ha precisado, en los dictámenes Nºs. 34.086, de 2004; 43.947, de 2007, y 42.073, de 2008, entre otros, el alcance de la noción de cometido funcionario, entendiendo que dicha medida significa, para los funcionarios públicos, el cumplimiento transitorio, dentro o fuera del lugar de su desempeño habitual, de labores propias del cargo que sirven, pudiendo consistir en el ejercicio de todas las funciones correspondientes a éste o de ciertas tareas específicas, siempre inmanentes al empleo de planta o contrata que ocupa el servidor.*
Así, y en armonía con lo señalado en el dictamen Nº 62.786, de 2009, resulta procedente la autorización de cometidos funcionarios para la asistencia a actividades de capacitación, siempre que estas últimas digan relación y sean necesarias para el buen desempeño de las funciones inherentes a la plaza que se sirve, y que hayan sido incorporadas por la autoridad edilicia en su programa de capacitación anual.
En conclusión, y en el evento que los diplomados constituyan una actividad de capacitación, se podrá autorizar la concurrencia a ellos mediante cometidos funcionarios, ***todo lo cual deberá ser ponderado y resuelto, en su oportunidad, por la autoridad edilicia, de acuerdo a la normativa y criterios jurisprudenciales antes expuestos*».* (**ID Dictamen:** 075277N12 **Fecha:** 04.12.2012 **Destinatarios:** Alcalde de la Municipalidad de Valdivia. **Texto:** Procede disponer cometidos funcionarios para que servidores participen en diplomados en la medida que el cumplimiento de dicha actividad sea inherente al cargo que sirve. **Acción:** Reconsidera parcialmente dictamen 52439/2004 Aplica dictámenes 3444/99, 6435/2000, 53851/2008, 43557/2011, 34086/2004, 43947/2007, 42073/2008, 62786/2009)

2. «*Para fundar su solicitud, el recurrente señala que se designó una unidad técnica de fiscalización distinta de la prevista en las bases de la aludida licitación y que la conformación de esta importó una modificación de la estructura orgánica del municipio, ya que fue integrada por funcionarios que no pertenecían a la Dirección de Aseo y Ornato, encargada de la propuesta, quienes pasaron a cumplir funciones ajenas a las propias de sus cargos.*
*Al respecto, no cabe sino reiterar lo expresado en el citado oficio Nº 2.213, de 2011, en orden a que la referida **unidad técnica constituye una "comisión de fiscalización"** creada en concordancia con lo establecido en las bases de la aludida licitación —en particular, en sus acápites 1.6 y 1.18— y **no una unidad orgánica del municipio, por lo que su establecimiento no implicó alterar las funciones en las que se organiza internamente la mencionada entidad edilicia.***
Asimismo, corresponde anotar que, tal como lo sostuviera dicho pronunciamiento, la integración de aquella unidad técnica fue dispuesta por el alcalde, como autoridad máxima del municipio, en conformidad con lo dispuesto en el artículo 56 de la ley Nº 18.695, Orgánica Constitucional de Municipalidades.
*Por otra parte, en cuanto a lo sostenido por el peticionario en orden a que determinados integrantes de la unidad técnica de fiscalización cumplirían labores ajenas a las atingentes a sus cargos, es menester precisar que, según los antecedentes tenidos a la vista y lo informado, en su oportunidad por el municipio, **las funciones encomendadas a aquellos son***

propias de las competencias correspondientes a las plazas para las cuales fueron nombrados y, por ende, se cumplieron en virtud de cometidos funcionarios, con arreglo a lo previsto en el artículo 75 de la ley Nº 18.883 —Estatuto Administrativo para Funcionarios Municipales». (ID Dictamen: 005395N12 Fecha: 27.01.2012 Destinatarios: Ruperto Alonso Ojeda Vildoso. Texto: Rechaza solicitud de reconsideración de oficio relativo a legalidad de decreto alcaldicio que indica).

PÁRRAFO 4º DE LA SUBROGACIÓN

Artículo 76

La subrogación de un cargo procederá cuando no esté desempeñado efectivamente por el titular o suplente.

1. *«Sobre el particular, cabe recordar que de acuerdo a los artículos 6º y 76, ambos de la ley Nº 18.883, son subrogantes aquellos funcionarios que desempeñan cargos de planta en las municipalidades, cuando estos no están siendo servidos efectivamente por el titular o suplente de los mismos. A su turno, y de conformidad a lo dispuesto en el artículo 78 del anotado cuerpo estatutario, en los casos de subrogación asumirá las respectivas funciones, por el solo ministerio de la ley, el servidor de la misma unidad que siga en el orden jerárquico, que reúna los requisitos para desempeñarlo. Sin perjuicio de ello, y en aquellos casos en que en la unidad no existan funcionarios que reúnan los requisitos para desempeñar las labores correspondientes al cargo que deba proveerse mediante el mecanismo en examen, el alcalde podrá determinar otro orden de subrogación, conforme a lo previsto en el artículo 79 de la citada ley Nº 18.883. Interpretando dicha normativa, esta Contraloría General ha precisado, a través de los dictámenes Nºs. 28.880, de 1996, y 50.702, de 2015, entre otros, que cuando el alcalde altere el orden de subrogación, debe en todo caso nombrar a un funcionario que cumpla los requisitos previstos para desempeñar la plaza de que se trate. Lo anterior, por cuanto la subrogación importa el desempeño de un cargo de planta, de modo que el funcionario que sea designado en tal calidad debe dar cumplimiento a los requisitos contemplados en el artículo 10, de la citada ley Nº 18.883, entre los cuales se cuenta, en su letra d), el "Haber aprobado la educación básica y poseer el nivel educacional o título profesional o técnico que por la naturaleza del empleo exija la ley". Ahora bien, dado que en la situación de la especie, el alcalde alteró el orden legal de subrogancia por no existir funcionarios de planta en la dirección de desarrollo comunitario que pudieran desempeñar la plaza de director de esa unidad, debió haber nombrado a un empleado que cumpliera la exigencia contemplada en el artículo 12, Nº 1, de la ley Nº 19.280, cual es, contar con un "título profesional universitario o título profesional de una carrera de, a lo menos, ocho semestres de duración, otorgado por un establecimiento de educación superior del Estado o reconocido por éste", para servir dicho cargo»* (ID Dictamen: 011115N16. Fecha: 11-02-2016. Destinatarios: Municipalidad de Quilicura. Texto: Desestima solicitud de reconsideración del dictamen Nº 65.129, de 2015, de este origen, por no aportarse antecedentes nuevos que permitan alterar lo concluido en este, sin perjuicio de complementarlo en el sentido que indica. Acción: Complementa dictamen 65129/2015 Aplica dictámenes 28880/96, 50702/2015).

2. *«Sobre el particular, de acuerdo a los artículos 6º y 76, ambos de la ley Nº 18.883, son subrogantes aquellos funcionarios que entran a desempeñar el empleo del titular o suplente por el sólo ministerio de la ley, cuando estos se encuentran impedidos de desempeñarlos por cualquier causa. A su vez, y en lo que se refiere a los requisitos que deben cumplir quienes subroguen al director de tránsito y transporte públicos de la Municipalidad de Cerro Navia, la jurisprudencia administrativa de esta Contraloría General, ha precisado a través de los dictámenes Nºs. 50.702, de 2015, y 65.390, de 2016, entre otros, que cuando el alcalde altere el orden de subrogación, debe en todo caso nombrar a un funcionario que cumpla los requisitos previstos para desempeñar la plaza de que se trate».* (ID Dictamen: 014896N17. Fecha: 27-04-2017. Destinatarios: diputada señora Cristina Girardi Lavín. Texto: Funcionarios que actúan como subrogantes deben cumplir con los requisitos previstos para desempeñar la plaza de que se trate. Acción: aplica dictámenes 50702/2015, 65390/2016, 51275/2014, 100130/2014).

3. *«Sobre el particular, de acuerdo a los artículos 6º y 76, ambos de la ley Nº 18.883, son subrogantes aquellos funcionarios que desempeñan cargos de planta en las municipalidades, cuando estos no están siendo servidos efectivamente por el titular o suplente de los mismos.*

Sin perjuicio de ello, y en aquellos casos en que en la unidad no existan funcionarios que reúnan los requisitos para desempeñar las labores correspondientes al cargo que deba proveerse mediante el mecanismo en examen, el alcalde podrá determinar otro orden de subrogación, conforme a lo previsto en el artículo 79 de la citada ley Nº 18.883.

Por su parte, en lo que se refiere a los requisitos que deben cumplir quienes subroguen al director de tránsito y transporte públicos de la Municipalidad de Cerro Navia, la jurisprudencia administrativa de esta Contraloría General, ha precisado a través del dictamen Nº 11.115, de 2016, entre otros, que cuando el alcalde altere el orden de subrogación, debe en todo caso nombrar a un funcionario que cumpla los requisitos previstos para desempeñar la plaza de que se trate.

Pues bien, el artículo 4º del decreto con fuerza de ley Nº 164-19.321, de 1994, del entonces Ministerio del Interior, que fijó la planta de personal de la Municipalidad de Cerro Navia, establece que para ejercer el cargo de director de tránsito y transporte públicos se requiere poseer "título de ingeniero" y "experiencia profesional de a lo menos un año en el sector municipal", razón por la cual el alcalde debió haber designado en calidad de subrogante a un funcionario que cumpliera tales exigencias». **(ID Dictamen:** 065390N16. **Fecha:** 02-09-2016. **Destinatarios:** Municipalidad de Cerro Navia. **Texto:** Cuando el alcalde altere el orden de subrogación, debe nombrar a un funcionario que cumpla los requisitos previstos para desempeñar la plaza de que se trate. **Acción:** Aplica dictamen 11115/2016).

1. «*Sobre el particular, considerando que el interesado afirma haber desempeñado el cargo de secretario municipal, en calidad de subrogante, cabe hacer presente que el artículo 76 de la ley Nº 18.883, sobre Estatuto Administrativo para Funcionarios Municipales, dispone que la subrogación procede cuando un cargo no está siendo desempeñado efectivamente por el titular o suplente.*

Al respecto, este Organismo Contralor en los dictámenes Nºs. 44.034, de 2002, y 51.897, de 2003, ha precisado que la subrogación es un mecanismo de reemplazo automático, que opera, de acuerdo con lo dispuesto en el artículo 78 del mismo texto legal, según el orden jerárquico dentro de la unidad correspondiente, pudiendo el alcalde fijar otro orden, de conformidad con el artículo 79, cuando en dicha unidad no existan funcionarios que reúnan los requisitos para desempeñar las labores pertinentes, caso este último en que la autoridad edilicia debe dictar el respectivo decreto de designación.

Además, es útil agregar que, para que proceda la subrogación, es necesaria la existencia de una causal legal plausible y de relativa permanencia que justifique la intervención del subrogante y, además, que el titular o suplente se encuentre impedido para desempeñar su cargo como consecuencia de una circunstancia prevista por el legislador que origine tal impedimento, como acontece, entre otros, con el feriado, las licencias médicas, los permisos, el cumplimiento de una comisión de servicios o de un cometido funcionario, o que se trate de un asunto en que no deba intervenir por tener interés él, o su cónyuge u otra persona ligada al funcionario por relaciones de parentesco (aplica criterio contenido en el dictamen Nº 2.436, de 1992)». **(ID Dictamen:** 074579N11 **Fecha:** 29.11.2011 **Destinatarios:** Marco Antonio Muñoz Ahumada. **Texto:** Resulta procedente que la Municipalidad de Panquehue haya convocado a concurso público para proveer cargo de secretario municipal. Funcionario Municipal que no ha acreditado el requisito específico de experiencia de un año en dicho cargo, no tiene derecho al ascenso que reclama. **Acción:** Aplica dictámenes 44034/2002, 51897/2003, 2436/92)

2. «*Ahora bien, cabe considerar que según lo dispuesto en los artículos 6º, inciso final, y 76, ambos de la ley Nº 18.883, son subrogantes aquellos funcionarios que entran a desempeñar el empleo del titular o suplente por el solo ministerio de la ley, cuando éstos se encuentren impedidos de ejercerlo por cualquier causa; lo que, conforme con el artículo 78 del mismo texto legal, opera por el solo ministerio de la ley, respecto del funcionario de la misma unidad que siga en el orden jerárquico, que reúna los requisitos para el desempeño del cargo, teniendo el subrogante derecho al sueldo del cargo que subrogare —como agrega el artículo 80—, si la plaza se encontrare vacante o si el titular de la misma por cualquier motivo no goza de dicha remuneración.*

Sobre este punto, la jurisprudencia de este Organismo Contralor, contenida, entre otros, en los dictámenes Nºs. 26.814, de 1999; 44.034, de 2002; 33.499, de 2004, y 42.467, de 2009, ha precisado que la subrogación es un mecanismo de reemplazo concebido en relación con los cargos existentes en la planta de la respectiva municipalidad, para los fines de proveer, en forma inmediata, la ausencia definitiva o temporal de los servidores que ejercen el empleo correspondiente y, así, mantener la continuidad en la satisfacción de las necesidades de la comunidad local; por lo que, en el evento en que el cargo no se encuentre contemplado en la planta de personal respectiva, únicamente se trataría de una asignación o encomendación[217] de labores o funciones, que no tiene asignada por la ley una remuneración deter-

---

[217] «Encomendación» Transcrito textual Dictamen (ID Dictamen: 033068N11 Fecha: 25.05.2011)

minada». (**ID Dictamen: 033068N11 Fecha:** 25.05.2011 **Destinatarios:** Alcalde de la Municipalidad de Cerrillos. **Texto:** Sobre identificación de cargo municipal e improcedencia de subrogación respecto de la mera asignación de funciones en la Municipalidad de Cerrillos. **Acción:** Aplica dictámenes 26814/99, 44034/2002, 33499/2004, 42467/2009 Complementa dictámenes 12554/2010, 31426/2010. Mismo criterio aplicado en **ID Dictamen: 034113N12 Fecha:** 11.06.2012 **Destinatarios:** Alcalde de la Municipalidad de Maipú. **Texto:** Sobre demora en tramitación de sumario administrativo y destinación de directivo al cargo de director de Servicio Municipal de Agua Potable y Alcantarillado de la Municipalidad de Maipú. **Acción:** Aplica dictámenes 51136/2008, 70997/2010)

3. «*Como cuestión previa, es útil recordar que el artículo 7º de la ley Nº 19.602 —que modificó la ley Nº 18.695, Orgánica Constitucional de Municipalidades, en materia de gestión municipal—, creó el cargo de administrador municipal en todas las municipalidades del país, modificando de pleno derecho los decretos con fuerza de ley que establecen las plantas municipales en cada una de ellas, precisando que dicha plaza tendría el grado más alto de la planta de directivos correspondiente.*

Asimismo, cabe anotar que el artículo 30 de la ley Nº 18.695, prevé, en lo que interesa, que existirá un administrador municipal en todas las comunas donde lo decida el concejo a proposición del alcalde, siendo designado por este último. Añade que aquel será el colaborador directo de la autoridad alcaldicia, entre otras, en las tareas de coordinación y gestión permanente del municipio, ejerciendo las atribuciones que señale el reglamento municipal y las que le delegue el edil, siempre que estén vinculadas con la naturaleza de su cargo.

De las normas transcritas, es posible advertir que el legislador ha creado en las plantas de los municipios del país el referido cargo en cuanto tal —el que se relaciona directamente con el alcalde y es de confianza de este, según lo ha precisado, entre otros, el dictamen Nº 59.748, de 2011—, sin vincularlo a alguna de las unidades municipales previstas en los artículos 15 y siguientes de la ley Nº 18.695 y sin tampoco crear una nueva unidad a la que deba entenderse adscrito.

Precisado lo anterior, es del caso señalar que el artículo 76 de la ley Nº 18.883, dispone que la subrogación de un cargo procederá cuando no esté desempeñado efectivamente por el titular o suplente.

Por su parte, el artículo 78 del mismo cuerpo estatutario, prescribe que, en los demás casos de subrogación —distintos al del alcalde— asumirá las respectivas funciones, por el solo ministerio de la ley, el funcionario de la misma unidad que siga en el orden jerárquico y que reúna los requisitos para el desempeño del cargo.

Ahora bien, en relación con las disposiciones indicadas, se aprecia que el mecanismo de subrogación que establece el artículo 78 de la ley Nº 18.883, supone la existencia de una unidad municipal —entendida como alguna de las dependencias internas en que la entidad edilicia puede organizarse al tenor de lo preceptuado en el artículo 15 de la ley Nº 18.695—, en la que haya un cargo que deba ser subrogado y un servidor que le siga en la línea jerárquica y reúna los requisitos para ocuparlo temporalmente.

Luego, y dado que, como se precisara, el cargo de administrador municipal no se encuentra inserto en una unidad determinada, no se verifica uno de los supuestos sobre los que descansa la figura de la subrogación del citado artículo 78, precepto que invoca la recurrente para sostener que ha debido asumir por el solo ministerio de la ley como subrogante de tal plaza.

En consecuencia, en mérito de lo expuesto, procede desestimar la reclamación de la interesada en cuanto solicita se le reconozca su derecho a subrogar al administrador municipal». (**ID Dictamen: 015278N12 Fecha:** 15.03.2012 **Destinatarios:** Ana María Saavedra Araos. **Texto:** Sobre aplicación de regla de subrogación contenida en el art. 78 de la ley 18883 al cargo de administrador municipal. **Acción:** Aplica dictamen 59748/2011)

Artículo 77

En los casos de subrogación del cargo de alcalde, asumirá las respectivas funciones, por el solo ministerio de la ley, el funcionario en ejercicio que le siga en orden de jerarquía dentro de la municipalidad, con excepción de los jueces de policía local. Sin perjuicio de lo anterior, el alcalde podrá designar como subrogante a un funcionario que no corresponda a dicho orden, para lo cual consultará al consejo de desarrollo comunal.

1. «*En efecto, tanto el artículo 62 de la ley Nº 18.695, como el artículo 77 de la mencionada ley Nº 18.883, prescriben que quien deba subrogar a la máxima autoridad, lo hará "en sus funciones", lo que supone, que aquellas son las propias*

de un jefe de servicio, las que en la especie, se explicitan en el artículo 63 del primero de los ordenamientos aludidos, entre las que se encuentra, el velar por el principio de probidad administrativa y aplicar medidas al personal de su dependencia». (**ID Dictamen:** 011370N16. **Fecha:** 12-02-2016. **Destinatarios:** señor Ricardo Henríquez Valdés, funcionario de la Municipalidad de Maipú. **Texto:** Desestima reclamos de ilegalidad en contra de decreto alcaldicio que indica, por cuanto la acción disciplinaria no se encuentra prescrita, al no completarse los cuatro años establecidos en el inciso primero del artículo 154 de la ley Nº 18.883. **Acción:** Aplica dictámenes 17865/95, 10075/2011, 52491/2012, 55419/2015, 42741/2011, 39563/2011, 57220/2013, 51321/2014).

2. *«Luego, en lo referente a que quien resolviera la apelación del ocurrente haya sido el administrador municipal en calidad de alcalde subrogante —lo que a juicio del señor Moreno Chuecas, le restaría imparcialidad por depender de la máxima autoridad comunal—, cumple con manifestar que ello no constituye un vicio de legalidad que afecte el proceso calificatorio en examen, toda vez que, conforme a los artículos 77, inciso primero, de la ley Nº 18.883, y 7º, inciso segundo, de la ley Nº 19.602, es precisamente a dicho servidor a quien la ley le ha encomendado el deber de subrogar al alcalde, por tratarse del empleado que le sigue en el orden jerárquico, y al pronunciarse sobre el recurso de que se trata, precisamente, cumplió una de las funciones que le corresponden al titular (aplica criterio contenido en el dictamen Nº 55.090, de 2003)».* (**ID Dictamen:** 025268N16. **Fecha:** 05-04-2016. **Destinatarios:** señor Carlos Moreno Chuecas, director del departamento de administración de salud de la Municipalidad de Los Ángeles. **Texto:** Se abstiene de emitir el pronunciamiento solicitado en relación a materias resueltas por los tribunales de justicia. Factor asistencia y puntualidad debe ponderarse con sujeción a antecedentes o elementos de juicio fidedignos. **Acción:** Aplica dictámenes 43769/2015, 23586/2015, 24265/2015, 55090/2003, 57464/2014, 44644/2004, 29086/2011).

*«En relación con la materia, cumple manifestar que el inciso final del artículo 62 de la citada ley Nº 18.695, al referirse a algunos aspectos de la elección de nuevo alcalde que procede efectuar en caso de vacancia de dicha plaza —según lo señalado en el inciso cuarto—, dispone, en lo que interesa, que mientras aquél no sea elegido, regirá lo preceptuado en el inciso primero de ese artículo, el cual, a su vez, **regula la subrogación de tal cargo, previendo —en concordancia con lo establecido en el artículo 77 de la ley Nº 18.883 Estatuto Administrativo para Funcionarios Municipales—,** que ésta corresponderá al funcionario que siga a la autoridad edilicia en orden de jerarquía dentro de la municipalidad, con las salvedades que indica.*

*Habida consideración de lo anterior, cabe concluir que **mientras no se realice la elección respectiva, procede que el cargo de alcalde sea subrogado en los términos previstos en el referido inciso primero, sin que obste a ello que se excedan los cuarenta y cinco días a que alude esa norma, toda vez que la extensión de tal subrogación estará supeditada,** en definitiva, a la verificación del mencionado proceso (aplica criterio contenido en el dictamen Nº 27.320, de 2009)».* (**ID Dictamen:** 031309N11 **Fecha:** 17.05.2011 **Destinatarios:** Director Administración y Finanzas Municipalidad de La Florida. **Texto:** Sobre subrogación del cargo de alcalde y procedencia de que el subrogante perciba la asignación de dirección superior. **Acción:** Aplica dictámenes 27320/2009, 2363/2010)

Artículo 78

En los demás casos de subrogación asumirá las respectivas funciones, por el solo ministerio de la ley, el funcionario de la misma unidad que siga en el orden jerárquico, que reúna los requisitos para el desempeño del cargo.

1. *«En efecto, cabe recordar que el citado artículo 1º transitorio de la ley Nº 19.280, es una norma de protección ante eventuales futuros ascensos, en favor de aquellos funcionarios que a la data de su entrada en vigor ya se encontraban incorporados a las respectivas plantas de personal, habiendo ingresado con un régimen jurídico diferente al que introdujo ese texto legal, sea porque en su oportunidad fueron eximidos de los requisitos de estudio o sus exigencias eran otras (aplica dictamen Nº 30.254, de 2015).*

Siendo así, es del caso manifestar que de acuerdo a lo señalado precedentemente, no es el dictamen Nº 50.702, de 2015, el que permite que un servidor que posee un título técnico acceda a un cargo de la planta directiva, sino que fue el legislador el que mediante el anotado artículo 1º transitorio de la ley Nº 19.280 previó de manera expresa dicha posibilidad, por lo que cabe desestimar la alegación del señor Alegría Cancino en ese sentido.

Luego, en cuanto a que el anotado dictamen atentaría contra la carrera funcionaria al permitir la subrogancia del cargo de director de administración y finanzas —que se encontraba vacante— sin establecer un plazo para ello, es del caso recordar que el pronunciamiento recurrido se limitó a constatar que en la situación allí analizada operó el citado mecanismo por el solo ministerio de la ley, en conformidad con lo previsto en el artículo 78 de la ley Nº 18.883, ordenando a la Municipalidad de Constitución adoptar, a la brevedad, las medidas tendientes a proveer, en lo que interesa, dicho empleo por ascenso o concurso, según correspondiera, razón por la cual se rechaza la reclamación del señor Alegría Cancino a ese respecto». (**ID Dictamen:** 003247N16. **Fecha:** 14-01-2016. **Destinatarios:** señor Luis Alegría Cancino, director de obras de la Municipalidad de Constitución. **Texto:** Desestima solicitud de reconsideración del dictamen Nº 50.702, de 2015, por las razones que indica; y, la ordenación en el escalafón de mérito y antigüedad se efectúa conforme al puntaje obtenido en el proceso calificatorio pertinente. **Acción:** Aplica dictámenes 50702/2015, 30254/2015, 11812/2003).

2. *«A su turno, y de conformidad a lo dispuesto en el artículo 78 del anotado cuerpo estatutario, en los casos de subrogación asumirá las respectivas funciones, por el solo ministerio de la ley, el servidor de la misma unidad que siga en el orden jerárquico, que reúna los requisitos para desempeñarlo. Sin perjuicio de ello, y en aquellos casos en que en la unidad no existan funcionarios que reúnan los requisitos para desempeñar las labores correspondientes al cargo que deba proveerse mediante el mecanismo en examen, el alcalde podrá determinar otro orden de subrogación, conforme a lo previsto en el artículo 79 de la citada ley Nº 18.883. Lo anterior, por cuanto la subrogación importa el desempeño de un cargo de planta, de modo que el funcionario que sea designado en tal calidad debe dar cumplimiento a los requisitos contemplados en el artículo 10, de la citada ley Nº 18.883, entre los cuales se cuenta, en su letra d), el "Haber aprobado la educación básica y poseer el nivel educacional o título profesional o técnico que por la naturaleza del empleo exija la ley"».* (**ID Dictamen:** 011115N16. **Fecha:** 11-02-2016. **Destinatarios:** Municipalidad de Quilicura. **Texto:** Desestima solicitud de reconsideración del dictamen Nº 65.129, de 2015, de este origen, por no aportarse antecedentes nuevos que permitan alterar lo concluido en este, sin perjuicio de complementarlo en el sentido que indica. **Acción:** Complementa dictamen 65129/2015 Aplica dictámenes 28880/96, 50702/2015).

3. *«A su turno, y de conformidad con lo dispuesto en el artículo 78 del anotado cuerpo estatutario, en los casos de subrogación asumirá las respectivas funciones, por el solo ministerio de la ley, el servidor de la misma unidad que siga en el orden jerárquico, que reúna los requisitos para desempeñarlo. Sin perjuicio de ello, y en aquellos casos en que en la unidad no existan funcionarios que reúnan los requisitos para desempeñar las labores correspondientes al cargo que deba proveerse mediante el mecanismo en examen, el alcalde podrá determinar otro orden de subrogación, conforme a lo previsto en el artículo 79 de la citada ley Nº 18.883. A su vez, y en lo que se refiere a los requisitos que deben cumplir quienes subroguen al director de tránsito y transporte públicos de la Municipalidad de Cerro Navia, la jurisprudencia administrativa de esta Contraloría General, ha precisado a través de los dictámenes Nºs. 50.702, de 2015, y 65.390, de 2016, entre otros, que cuando el alcalde altere el orden de subrogación, debe en todo caso nombrar a un funcionario que cumpla los requisitos previstos para desempeñar la plaza de que se trate».* (**ID Dictamen:** 014896N17. **Fecha:** 27-04-2017. **Destinatarios:** Prosecretario de la Cámara de Diputados, a requerimiento de la diputada señora Cristina Girardi Lavín. **Texto:** Funcionarios que actúan como subrogantes deben cumplir con los requisitos previstos para desempeñar la plaza de que se trate. **Acción:** aplica dictámenes 50702/2015, 65390/2016, 51275/2014, 100130/2014).

4. *«Sobre el particular, cabe hacer presente que el dictamen Nº 53.697, de 2006, entre otros, ha precisado que de acuerdo con lo previsto en los artículos 78 de la ley Nº 18.883 y 24 de la ley Nº 18.695, la subrogación del director de obras municipales corresponderá al funcionario de la misma unidad que le siga en el orden jerárquico, independientemente de la planta a la que pertenece, y que cumpla con los requisitos para desempeñar ese cargo, esto es, que se trate de un arquitecto, ingeniero civil, constructor civil o de un ingeniero constructor civil. Luego, si en la respectiva unidad no existe un funcionario que reúna tales exigencias, el alcalde, en virtud de la facultad que le concede el artículo 79 de la aludida ley Nº 18.883, podrá designar como subrogante a un servidor de otra dependencia y siempre, por cierto, que cuente con alguno de los títulos profesionales antes referidos».* (**ID Dictamen:** 028559N16. **Fecha:** 18-04-2016. **Destinatarios:** doña Evelyn Noyer Ovalle, directora de obras de la Municipalidad de San Joaquín. **Texto:** Se abstiene de emitir pronunciamiento sobre hostigamiento y reclamo de calificaciones 2012-2013, por encontrarse el asunto en conocimiento de los tribunales de justicia. Rechaza reclamo de calificaciones 2011-2012, por alegar cuestiones de mérito. Corresponde subrogar a director de obras a quien sigue en el orden jerárquico dentro de la unidad y cumple los requisitos del cargo. **Acción:** Aplica dictámenes 53697/2006, 64170/2011, 37418/2013).

5. *«En ese contexto, en el evento en que el secretario municipal intervenga en virtud de la delegación de firma "por orden del Alcalde", no podrá —a la vez— rubricar como ministro de fe la actuación signada en razón de la aludida delegación,*

debiendo ser subrogado para ese efecto por el funcionario de la misma unidad que le siga en el orden jerárquico y que reúna los requisitos para el desempeño del empleo de secretario municipal, según lo previsto en el artículo 78 del aludido texto estatutario. Lo anterior, por cuanto, de conformidad con lo precisado en la jurisprudencia administrativa de esta Entidad de Control contenida, entre otros, en los dictámenes Nºs. 53.217, de 2002, y 75.804, de 2011, los funcionarios de la Administración del Estado deben respetar el principio de probidad administrativa, el que tiene como objetivo impedir que intervengan no solo en la resolución sino también en el examen o estudio de determinados asuntos o materias, aquellos servidores que puedan verse afectados por un conflicto de intereses en el ejercicio de su empleo o función», en virtud de circunstancias que objetivamente puedan alterar la imparcialidad con que estos deben desempeñarse». (**ID Dictamen: 032412N17. Fecha:** 05-09-2017. **Destinatarios:** Municipalidad de Litueche. **Texto:** Procede que el alcalde delegue en el secretario municipal la facultad de firmar «por orden del alcalde». **Acción:** Aplica dictámenes 3159/2000, 43221/99, 7941/2006, 29178/2009, 53217/2002, 75804/2011).

6. *«En tal sentido, es útil precisar que el artículo 78 de la ley Nº 18.883, no contempló que el funcionario nombrado como subrogante debía encontrarse ubicado en la misma planta que el titular de la plaza que se subrogue, de modo que no resulta posible incorporar dicha exigencia por la vía interpretativa como pretende ese municipio.*
Asimismo, en cuanto a la facultad que le asistiría al alcalde para nombrar como subrogante de un cargo de exclusiva confianza a quien estime conveniente, en atención a la naturaleza de dicha plaza, cumple con consignar que si bien es a esa autoridad a la que corresponde nombrar y remover a quien designe en calidad de titular de un empleo de tal carácter, esa atribución no se extiende a la de designar a su subrogante, toda vez los artículos 78 y 79 de la citada ley Nº 18.883, no le confieren dicha potestad (aplica criterio contenido en el dictamen Nº 3.093, de 2003)». (**ID Dictamen:** 036105N16. **Fecha:** 16-05-2016. **Destinatarios:** alcalde de la Municipalidad de Huechuraba. **Texto:** Desestima solicitud de reconsideración del dictamen Nº 70.954, de 2015, por no aportarse antecedentes nuevos que permitan alterar lo concluido en este. **Acción:** Aplica dictámenes 70954/2015, 3093/2003).

7. *«Fundamenta su requerimiento, en síntesis, en que, a su juicio, resultaría razonable que ante la imposibilidad de desempeñar sus cargos por parte de los directivos y jefaturas regidos por la ley Nº 19.378 se pueda recurrir al mecanismo de la subrogancia previsto en el artículo 78 de la ley Nº 18.883. Sobre el particular, de conformidad con lo establecido en el artículo 14 de la ley Nº 19.378, la forma en que se proveen los cargos de la dotación de salud podrá ser por contrato indefinido, contrato a plazo fijo o contrato de reemplazo, definiendo a este último como "aquel que se celebra con un trabajador no funcionario para que, transitoriamente, y sólo mientras dure la ausencia del reemplazado, realice las funciones que éste no puede desempeñar por impedimento, enfermedad o ausencia autorizada", agregando dicho precepto que este "no podrá exceder de la vigencia del contrato del funcionario que se reemplaza". En ese contexto, en el evento que por causa de un impedimento, enfermedad o ausencia autorizada de un funcionario regido por el estatuto de atención primaria de salud municipal se requiera suplir a dicho servidor, no procede disponer su subrogación conforme al artículo 78 de la ley Nº 18.883, toda vez que, de acuerdo con lo previsto en el inciso primero del artículo 4º de la ley Nº 19.378, la aplicación supletoria del estatuto administrativo para funcionarios municipales solo es posible cuando la materia de que se trata no ha sido expresamente regulada por la ley Nº 19.378, lo que no se verifica en el caso en comento, por cuanto el legislador ha previsto —precisamente— la contratación de reemplazo para suplir las anotadas ausencias (aplica dictámenes Nº 14.500, de 1998, y 10.856, de 2014)».* (**ID Dictamen:** 044100N17. **Fecha:** 19-12-2017. **Destinatarios:** Municipalidad de Los Ángeles. **Texto:** Rechaza solicitud de reconsideración del oficio Nº 1.079, de 2017, de la Contraloría Regional del Bío-Bío, por la razón que indica. **Acción:** Aplica dictámenes 41712/2002, 91025/2015, 14500/98, 10856/2014).

8. *«A su turno, y de conformidad a lo dispuesto en el artículo 78 del anotado cuerpo estatutario, en los casos de subrogación asumirá las respectivas funciones, por el solo ministerio de la ley, el servidor de la misma unidad que siga en el orden jerárquico, que reúna los requisitos para desempeñarlo.*
Sin perjuicio de ello, y en aquellos casos en que en la unidad no existan funcionarios que reúnan los requisitos para desempeñar las labores correspondientes al cargo que deba proveerse mediante el mecanismo en examen, el alcalde podrá determinar otro orden de subrogación, conforme a lo previsto en el artículo 79 de la citada ley Nº 18.883.
Por su parte, en lo que se refiere a los requisitos que deben cumplir quienes subroguen al director de tránsito y transporte públicos de la Municipalidad de Cerro Navia, la jurisprudencia administrativa de esta Contraloría General, ha precisado a través del dictamen Nº 11.115, de 2016, entre otros, que cuando el alcalde altere el orden de subrogación, debe en todo caso nombrar a un funcionario que cumpla los requisitos previstos para desempeñar la plaza de que se trate». (**ID Dictamen:** 065390N16. **Fecha:** 02-09-2016. **Destinatarios:** Municipalidad de Cerro. **Texto:** Cuando el alcalde altere el

orden de subrogación, debe nombrar a un funcionario que cumpla los requisitos previstos para desempeñar la plaza de que se trate. **Acción:** Aplica dictamen 11115/2016).

1. «*Sobre el particular, considerando que el interesado afirma haber desempeñado el cargo de secretario municipal, en calidad de subrogante, cabe hacer presente que el artículo 76 de la ley Nº 18.883, sobre Estatuto Administrativo para Funcionarios Municipales, dispone que la subrogación procede cuando un cargo no está siendo desempeñado efectivamente por el titular o suplente.*

*Al respecto, este **Organismo Contralor en los dictámenes Nºs. 44.034, de 2002, y 51.897, de 2003, ha precisado que la subrogación es un mecanismo de reemplazo automático, que opera, de acuerdo con lo dispuesto en el artículo 78 del mismo texto legal, según el orden jerárquico dentro de la unidad correspondiente,** pudiendo el alcalde fijar otro orden, de conformidad con el artículo 79, cuando en dicha unidad no existan funcionarios que reúnan los requisitos para desempeñar las labores pertinentes, caso este último en que la autoridad edilicia debe dictar el respectivo decreto de designación.*

*Además, es útil agregar que, **para que proceda la subrogación, es necesaria la existencia de una causal legal plausible y de relativa permanencia que justifique la intervención del subrogante y, además, que el titular o suplente se encuentre impedido para desempeñar su cargo como consecuencia de una circunstancia prevista por el legislador que origine tal impedimento, como acontece, entre otros, con el feriado, las licencias médicas, los permisos, el cumplimiento de una comisión de servicios o de un cometido funcionario, o que se trate de un asunto en que no deba intervenir por tener interés él, o su cónyuge u otra persona ligada al funcionario por relaciones de parentesco (aplica criterio contenido en el dictamen Nº 2.436, de 1992)*»**. (ID Dictamen: 074579N11 Fecha: 29.11.2011 Destinatarios:** Marco Antonio Muñoz Ahumada. **Texto:** Resulta procedente que la Municipalidad de Panquehue haya convocado a concurso público para proveer cargo de secretario municipal. Funcionario Municipal que no ha acreditado el requisito específico de experiencia de un año en dicho cargo, no tiene derecho al ascenso que reclama. **Acción:** Aplica dictámenes 44034/2002, 51897/2003, 2436/92)

2. «*Ahora bien, cabe considerar que según lo dispuesto en los artículos 6º, inciso final, y 76, ambos de la ley Nº 18.883, son subrogantes aquellos funcionarios que entran a desempeñar el empleo del titular o suplente por el solo ministerio de la ley, cuando éstos se encuentren impedidos de ejercerlo por cualquier causa; lo que, conforme con el **artículo 78 del mismo texto legal,** opera por el solo ministerio de la ley, respecto del funcionario de la misma unidad que siga en el orden jerárquico, que reúna los requisitos para el desempeño del cargo, teniendo el subrogante derecho al sueldo del cargo que subrogare —como agrega el artículo 80—, si la plaza se encontrare vacante o si el titular de la misma por cualquier motivo no goza de dicha remuneración.*

*Sobre este punto, **la jurisprudencia de este Organismo Contralor, contenida, entre otros, en los dictámenes Nºs. 26.814, de 1999; 44.034, de 2002; 33.499, de 2004, y 42.467, de 2009, ha precisado que la subrogación es un mecanismo de reemplazo concebido en relación con los cargos existentes en la planta de la respectiva municipalidad, para los fines de proveer, en forma inmediata, la ausencia definitiva o temporal de los servidores que ejercen el empleo correspondiente y, así, <u>mantener la continuidad en la satisfacción de las necesidades de la comunidad local</u>;** por lo que, en el evento que el cargo no se encuentre contemplado en la planta de personal respectiva, únicamente se trataría de una asignación o encomendación[218] de labores o funciones, que no tiene asignada por la ley una remuneración determinada*». (**ID Dictamen: 033068N11 Fecha:** 25.05.2011 **Destinatarios:** Alcalde de la Municipalidad de Cerrillos. **Texto:** Sobre identificación de cargo municipal e improcedencia de subrogación respecto de la mera asignación de funciones en la Municipalidad de Cerrillos. **Acción:** Aplica dictámenes 26814/99, 44034/2002, 33499/2004, 42467/2009 Complementa dictámenes 12554/2010, 31426/2010)

3. «*Sobre el particular, cumple recordar, en primer lugar, que según lo previsto en el **artículo 78 de la ley Nº 18.883, Estatuto Administrativo para Funcionarios Municipales,** en los casos de subrogación, asume las funciones respectivas, por el solo ministerio de la ley, el funcionario de la misma unidad que siga en el orden jerárquico, que reúna los requisitos para el desempeño del cargo.*

El artículo 79 del mismo cuerpo estatutario añade que, no obstante, el alcalde podrá determinar otro orden de subrogación cuando no existan en la unidad funcionarios que cumplan los requisitos para desempeñar las labores correspondientes.

---

[218] «Encomendación» Transcrito textual Dictamen (ID Dictamen: 033068N11 Fecha: 25.05.2011)

A su vez, el artículo 24, inciso final, de la ley Nº 18.695, Orgánica Constitucional de Municipalidades, establece que quien ejerza la jefatura de la unidad de Obras Municipales deberá poseer indistintamente el título de arquitecto, de ingeniero civil, de constructor civil o de ingeniero constructor civil.

Como es posible advertir del tenor literal de la norma citada en el párrafo anterior, ésta regula específicamente los requisitos para el desempeño del cargo de jefe de la unidad de Obras Municipales, disponiendo, de manera expresa, que quienes posean los títulos de arquitecto, ingeniero civil, constructor civil o ingeniero constructor civil, están habilitados para el ejercicio de esa plaza, sin efectuar distinción alguna en relación con el número de habitantes de la respectiva comuna, por lo que, para dilucidar si en la dependencia en cuestión existen funcionarios que cumplan los correspondientes requisitos, debe estarse a esa regulación, la que constituye la normativa actualmente vigente en la materia.

Sin perjuicio de lo anterior, y en cuanto a la aplicabilidad —reclamada por la entidad recurrente— del artículo 8º del decreto con fuerza de ley Nº 458, de 1975, del Ministerio de Vivienda y Urbanismo, Ley General de Urbanismo y Construcciones —que, en su inciso primero, distinguía respecto de la población comunal para los efectos de determinar los requisitos exigibles al Director de Obras Municipales—, es menester manifestar que, en conformidad con lo dispuesto en el artículo 5º del decreto ley Nº 2.879, de 1979 y en concordancia con lo manifestado por esta Contraloría General —entre otros— en el dictamen Nº 42.186, de 1998, las condiciones que, para el desempeño del cargo en cuestión, establecía la aludida Ley General de Urbanismo y Construcciones, se encuentran derogadas, por lo que no procede su aplicación en la actualidad.

En este contexto, el cargo en comento podrá ser ejercido, en cualquier entidad edilicia del país, por una persona que tenga alguno de los títulos mencionados, de manera alternativa, en el citado artículo 24. **Siendo así, en la medida que en una determinada Dirección de Obras Municipales exista un funcionario con alguno de estos títulos, éste deberá asumir, en su caso, la subrogación de la plaza de que se trata, sin que la autoridad edilicia pueda designar a otro servidor para tal efecto, en cumplimiento de lo preceptuado en los referidos artículos 78 y 79 de la ley Nº 18.883».** (**ID Dictamen:** 021470N11 **Fecha:** 08.04.2011 **Destinatarios:** Alcalde Municipalidad de San Carlos. **Texto:** Sobre solicitud de reconsideración de dictamen 6654/2010, de la Contraloría Regional del Biobío, relativo a nombramiento de Director de Obras subrogante de la Municipalidad de San Carlos. **Acción:** Aplica dictamen 42186/98)

4. «*Sobre el particular, conviene recordar que esta Entidad Contralora, realizando una interpretación armónica de los* **artículos 78 de la ley Nº 18.883, Estatuto Administrativo para Funcionarios Municipales** *y 24 de la ley Nº 18.695, Orgánica Constitucional de Municipalidades, se ha encargado de establecer, entre otros, mediante los dictámenes Nºs. 35.046, de 2001, y 7.308, de 2002, que la subrogación del Director de Obras Municipales corresponderá, en primer término, al servidor de la misma unidad que siga en el orden jerárquico y que cumpla con los requisitos para ejercer ese cargo, esto es, que se trate de un arquitecto, ingeniero civil, constructor civil o un ingeniero constructor civil.*

Ahora bien, para efectos de determinar el referido orden, **la jurisprudencia administrativa de esta Contraloría General contenida, entre otros, en los dictámenes Nºs. 43.108, de 2001, y 46.195, de 2005, ha precisado que el nivel jerárquico de los funcionarios al cual debe estarse al momento de definir a quien le corresponde la obligación de subrogar un cargo, está establecido, genéricamente, por el grado o nivel remuneratorio que estos poseen dentro de la misma unidad.**

Lo anterior, agregan dichos pronunciamientos, es **sin perjuicio del régimen jerarquizado y disciplinado a que están afectos los funcionarios de la Administración, según lo previsto en los artículos 7º y 17 de la ley Nº 18.575, Orgánica Constitucional de Bases Generales de la Administración del Estado, en concordancia con el cual, para el caso de las municipalidades, el artículo 7º de la citada ley Nº 18.883, que contempla las diversas plantas que pueden existir al interior de las entidades edilicias, fija un orden jerárquico en donde el escalafón de directivos está por sobre el estamento de profesionales.**

Así, entonces, de presentarse entre los servidores que podrían desempeñarse como subrogantes al interior de una unidad, igualdad jerárquica desde el punto de vista de su nivel remuneratorio, pero diferencia en cuanto a la planta a la que pertenezcan, debe necesariamente atenderse a esta última; de tal manera que un empleado grado 5 de la planta de directivos poseerá mayor jerarquía que un servidor de igual grado remuneratorio del estamento de profesionales. **Situación distinta ocurre cuando se está ante funcionarios que desempeñan un cargo de igual grado y planta, pues en tales casos, sí procede considerar su antigüedad en el respectivo grado para efectos de determinar el orden de subrogación que proceda, según se precisara en el dictamen Nº 3.955, de 2004, de este origen,** *a que se refiere la entidad edilicia en su informe».* (**ID Dictamen:** 080449N12 **Fecha:** 27.12.2012 **Destinatarios:** Alcalde de la Municipalidad de Maipú. **Texto:** Sobre orden de subrogación del cargo de Director de Obras Municipales, entre funcionarios de igual grado dentro de la misma unidad. **Acción:** Aplica dictámenes 35046/2001, 7308/2002, 43108/2001, 46195/2005, 3955/2004)

5. «(...) al contrario de lo sostenido por la recurrente, respecto de dicho funcionario no operó la subrogación de un servidor de una unidad distinta a la que se trata, puesto que el citado funcionario directivo fue destinado del Departamento de Administración y Finanzas a dicho servicio, **quien se constituyó en el funcionario de mayor jerarquía de esta última unidad, asumiendo, por tanto, la subrogación legal del cargo de director de aquella, atendida la ausencia del titular».** **(ID Dictamen: 069861N12 Fecha:** 09.11.2012 **Destinatarios:** Pedro Aguirre Moya, Presidente de la Asociación de Funcionarios del Servicio Municipal de Agua Potable y Alcantarillado de la Municipalidad de Maipú. **Texto:** Ratifica dictamen 34113/2012, de este origen, respecto de la subrogancia de cargo que indica. **Acción:** Confirma dictamen 34113/2012).

6. «Como cuestión previa, es útil recordar que el artículo 7º de la ley Nº 19.602 —que modificó la ley Nº 18.695, Orgánica Constitucional de Municipalidades, en materia de gestión municipal—, creó el cargo de administrador municipal en todas las municipalidades del país, modificando de pleno derecho los decretos con fuerza de ley que establecen las plantas municipales en cada una de ellas, precisando que dicha plaza tendría el grado más alto de la planta de directivos correspondiente.

Asimismo, cabe anotar que el artículo 30 de la ley Nº 18.695, prevé, en lo que interesa, que existirá un administrador municipal en todas las comunas donde lo decida el concejo a proposición del alcalde, siendo designado por este último. Añade que aquel será el colaborador directo de la autoridad alcaldicia, entre otras, en las tareas de coordinación y gestión permanente del municipio, ejerciendo las atribuciones que señale el reglamento municipal y las que le delegue el edil, siempre que estén vinculadas con la naturaleza de su cargo.

De las normas transcritas, es posible advertir que el legislador ha creado en las plantas de los municipios del país el referido cargo en cuanto tal —el que se relaciona directamente con el alcalde y es de confianza de este, según lo ha precisado, entre otros, el dictamen Nº 59.748, de 2011—, sin vincularlo a alguna de las unidades municipales previstas en los artículos 15 y siguientes de la ley Nº 18.695 y sin tampoco crear una nueva unidad a la que deba entenderse adscrito.

Precisado lo anterior, es del caso señalar que el artículo 76 de la ley Nº 18.883, dispone que la subrogación de un cargo procederá cuando no esté desempeñado efectivamente por el titular o suplente.

Por su parte, el **artículo 78** del mismo cuerpo estatutario, prescribe que, en los demás casos de subrogación —distintos al del alcalde— asumirá las respectivas funciones, por el solo ministerio de la ley, el funcionario de la misma unidad que siga en el orden jerárquico y que reúna los requisitos para el desempeño del cargo.

Ahora bien, en relación con las disposiciones indicadas, se aprecia que **el mecanismo de subrogación que establece el artículo 78 de la ley Nº 18.883, supone la existencia de una unidad municipal —entendida como alguna de las dependencias internas en que la entidad edilicia puede organizarse al tenor de lo preceptuado en el artículo 15 de la ley Nº 18.695—, en la que haya un cargo que deba ser subrogado y un servidor que le siga en la línea jerárquica y reúna los requisitos para ocuparlo temporalmente.**

Luego, y dado que, como se precisara, **el cargo de administrador municipal no se encuentra inserto en una unidad determinada, no se verifica uno de los supuestos sobre los que descansa la figura de la subrogación del citado artículo 78**, precepto que invoca la recurrente para sostener que ha debido asumir por el solo ministerio de la ley como subrogante de tal plaza.

En consecuencia, en mérito de lo expuesto, **procede desestimar la reclamación de la interesada en cuanto solicita se le reconozca su derecho a subrogar al administrador municipal».** **(ID Dictamen: 015278N12 Fecha:** 15.03.2012 **Destinatarios:** Ana María Saavedra Araos. **Texto:** Sobre aplicación de regla de subrogación contenida en el art. 78 de la ley 18883 al cargo de administrador municipal. **Acción:** Aplica dictamen 59748/2011)

Artículo 79

No obstante, el alcalde podrá determinar otro orden de subrogación cuando no existan en la unidad funcionarios que reúnan los requisitos para desempeñar las labores correspondientes.

1. «Sin perjuicio de ello, y en aquellos casos en que en la unidad no existan funcionarios que reúnan los requisitos para desempeñar las labores correspondientes al cargo que deba proveerse mediante el mecanismo en examen, el alcalde podrá determinar otro orden de subrogación, conforme a lo previsto en el artículo 79 de la citada ley Nº 18.883. Interpretando dicha normativa, esta Contraloría General ha precisado, a través de los dictámenes Nºs. 28.880, de 1996, y 50.702, de 2015, entre otros, que cuando el alcalde altere el orden de subrogación, debe en todo caso nombrar a un

funcionario que cumpla los requisitos previstos para desempeñar la plaza de que se trate. Lo anterior, por cuanto la *subrogación importa el desempeño de un cargo de planta, de modo que el funcionario que sea designado en tal calidad debe dar cumplimiento a los requisitos contemplados en el artículo 10, de la citada ley Nº 18.883, entre los cuales se cuenta, en su letra d), el "Haber aprobado la educación básica y poseer el nivel educacional o título profesional o técnico que por la naturaleza del empleo exija la ley"». **(ID Dictamen:** 011115N16. **Fecha:** 11-02-2016. **Destinatarios:** Municipalidad de Quilicura. **Texto:** Desestima solicitud de reconsideración del dictamen Nº 65.129, de 2015, de este origen, por no aportarse antecedentes nuevos que permitan alterar lo concluido en este, sin perjuicio de complementarlo en el sentido que indica. **Acción:** Complementa dictamen 65129/2015 Aplica dictámenes 28880/96, 50702/2015).

2. *«Sin perjuicio de ello, y en aquellos casos en que en la unidad no existan funcionarios que reúnan los requisitos para desempeñar las labores correspondientes al cargo que deba proveerse mediante el mecanismo en examen, el alcalde podrá determinar otro orden de subrogación, conforme a lo previsto en el artículo 79 de la citada ley Nº 18.883. A su vez, y en lo que se refiere a los requisitos que deben cumplir quienes subroguen al director de tránsito y transporte públicos de la Municipalidad de Cerro Navia, la jurisprudencia administrativa de esta Contraloría General, ha precisado a través de los dictámenes Nºs. 50.702, de 2015, y 65.390, de 2016, entre otros, que cuando el alcalde altere el orden de subrogación, debe en todo caso nombrar a un funcionario que cumpla los requisitos previstos para desempeñar la plaza de que se trate».* **(ID Dictamen:** 014896N17. **Fecha:** 27-04-2017. **Destinatarios:** Prosecretario de la Cámara de Diputados, a requerimiento de la diputada señora Cristina Girardi Lavín. **Texto:** Funcionarios que actúan como subrogantes deben cumplir con los requisitos previstos para desempeñar la plaza de que se trate. **Acción:** Aplica dictámenes 50702/2015, 65390/2016, 51275/2014, 100130/2014).

3. *«Luego, si en la respectiva unidad no existe un funcionario que reúna tales exigencias, el alcalde, en virtud de la facultad que le concede el artículo 79 de la aludida ley Nº 18.883, podrá designar como subrogante a un servidor de otra dependencia y siempre, por cierto, que cuente con alguno de los títulos profesionales antes referidos. Ahora bien, considerando lo informado por la anotada entidad edilicia, en orden a que no existirían otros funcionarios dentro de la dirección de obras municipales que puedan reemplazar a la señora Noyer Ovalle, y que según aparece en el Sistema de Información y Control del Personal de la Administración del Estado —SIAPER— que mantiene este Órgano Fiscalizador, el servidor de que se trata desempeña un cargo grado 6º de la planta de profesionales y tiene el título de arquitecto, ha resultado procedente su designación como subrogante —a través del decreto Nº 2.075, de 2015—, ya que ejerce sus funciones en la misma unidad y cumple con los requisitos pertinentes».* **(ID Dictamen:** 028559N16. **Fecha:** 18-04-2016. **Destinatarios:** doña Evelyn Noyer Ovalle, directora de obras de la Municipalidad de San Joaquín. **Texto:** Se abstiene de emitir pronunciamiento sobre hostigamiento y reclamo de calificaciones 2012-2013, por encontrarse el asunto en conocimiento de los tribunales de justicia. Rechaza reclamo de calificaciones 2011-2012, por alegar cuestiones de mérito. Corresponde subrogar a director de obras a quien sigue en el orden jerárquico dentro de la unidad y cumple los requisitos del cargo. **Acción:** Aplica dictámenes 53697/2006, 64170/2011, 37418/2013).

4. *«Asimismo, en cuanto a la facultad que le asistiría al alcalde para nombrar como subrogante de un cargo de exclusiva confianza a quien estime conveniente, en atención a la naturaleza de dicha plaza, cumple con consignar que si bien es a esa autoridad a la que corresponde nombrar y remover a quien designe en calidad de titular de un empleo de tal carácter, esa atribución no se extiende a la de designar a su subrogante, toda vez que los artículos 78 y 79 de la citada ley Nº 18.883, no le confieren dicha potestad (aplica criterio contenido en el dictamen Nº 3.093, de 2003)».* **(ID Dictamen:** 036105N16. **Fecha:** 16-05-2016. **Destinatarios:** Municipalidad de Huechuraba. **Texto:** Desestima solicitud de reconsideración del dictamen Nº 70.954, de 2015, por no aportarse antecedentes nuevos que permitan alterar lo concluido en este. **Acción:** Aplica dictámenes 70954/2015, 3093/2003).

5. *«Sin perjuicio de ello, y en aquellos casos en que en la unidad no existan funcionarios que reúnan los requisitos para desempeñar las labores correspondientes al cargo que deba proveerse mediante el mecanismo en examen, el alcalde podrá determinar otro orden de subrogación, conforme a lo previsto en el artículo 79 de la citada ley Nº 18.883.*
En ese orden de consideraciones, y de los antecedentes tenidos a la vista, no se advierte que se hubieran verificado las circunstancias que autorizan al alcalde para alterar el orden de subrogación del cargo de director de tránsito y transporte públicos, esto es, que en la unidad no existan funcionarios que reúnan los requisitos para desempeñar las labores correspondientes a esa plaza, debiendo informar en relación con la materia a la Unidad de Seguimiento de la División de Municipalidades de este Órgano de Control, dentro del plazo de 20 días hábiles, contado desde la recepción del presente oficio. Por su parte, en lo que se refiere a los requisitos que deben cumplir quienes subroguen al director de tránsito y transporte públicos de la Municipalidad de Cerro Navia, la jurisprudencia administrativa de esta Contraloría General, ha

398 Capítulo III. Conceptualizaciones básicas sobre derechos y obligaciones funcionarias

precisado a través del dictamen Nº 11.115, de 2016, entre otros, que cuando el alcalde altere el orden de subrogación, debe en todo caso nombrar a un funcionario que cumpla los requisitos previstos para desempeñar la plaza de que se trate». (**ID Dictamen:** 065390N16. **Fecha:** 02-09-2016. **Destinatarios:** Municipalidad de Cerro Navia. **Texto:** Cuando el alcalde altere el orden de subrogación, debe nombrar a un funcionario que cumpla los requisitos previstos para desempeñar la plaza de que se trate. **Acción:** Aplica dictamen 11115/2016).

1. *«Sobre el particular, considerando que el interesado afirma haber desempeñado el cargo de secretario municipal, en calidad de subrogante, cabe hacer presente que el artículo 76 de la ley Nº 18.883, sobre Estatuto Administrativo para Funcionarios Municipales, dispone que la subrogación procede cuando un cargo no está siendo desempeñado efectivamente por el titular o suplente.*
*Al respecto, este **Organismo Contralor en los dictámenes Nºs. 44.034, de 2002, y 51.897, de 2003, ha precisado que la subrogación es un mecanismo de reemplazo automático, que opera, de acuerdo con lo dispuesto en el artículo 78 del mismo texto legal, según el orden jerárquico dentro de la unidad correspondiente, pudiendo el alcalde fijar otro orden, de conformidad con el artículo 79,** cuando en dicha unidad no existan funcionarios que reúnan los requisitos para desempeñar las labores pertinentes, **caso este último en que la autoridad edilicia debe dictar el respectivo decreto de designación.***
*Además, es útil agregar que, **para que proceda la subrogación, es necesaria la existencia de una causal legal plausible y de relativa permanencia que justifique la intervención del subrogante y, además, que el titular o suplente se encuentre impedido para desempeñar su cargo como consecuencia de una circunstancia prevista por el legislador que origine tal impedimento, como acontece, entre otros, con el feriado, las licencias médicas, los permisos, el cumplimiento de una comisión de servicios o de un cometido funcionario, o que se trate de un asunto en que no deba intervenir por tener interés él, o su cónyuge u otra persona ligada al funcionario por relaciones de parentesco (aplica criterio contenido en el dictamen Nº 2.436, de 1992)».*** (**ID Dictamen:** 074579N11 **Fecha:** 29.11.2011 **Destinatarios:** Marco Antonio Muñoz Ahumada. **Texto:** Resulta procedente que la Municipalidad de Panquehue haya convocado a concurso público para proveer cargo de secretario municipal. Funcionario Municipal que no ha acreditado el requisito específico de experiencia de un año en dicho cargo, no tiene derecho al ascenso que reclama. **Acción:** Aplica dictámenes 44034/2002, 51897/2003, 2436/92)

2. *«A su vez, el artículo 24, inciso final, de la ley Nº 18.695, Orgánica Constitucional de Municipalidades, establece que quien ejerza la jefatura de la unidad de Obras Municipales deberá poseer indistintamente el título de arquitecto, de ingeniero civil, de constructor civil o de ingeniero constructor civil.*
Como es posible advertir del tenor literal de la norma citada en el párrafo anterior, ésta regula específicamente los requisitos para el desempeño del cargo de jefe de la unidad de Obras Municipales, disponiendo, de manera expresa, que quienes posean los títulos de arquitecto, ingeniero civil, constructor civil o ingeniero constructor civil, están habilitados para el ejercicio de esa plaza, sin efectuar distinción alguna en relación con el número de habitantes de la respectiva comuna, por lo que, para dilucidar si en la dependencia en cuestión existen funcionarios que cumplan los correspondientes requisitos, debe atenerse a esa regulación, que constituye la normativa actualmente vigente en la materia.
Sin perjuicio de lo anterior, y en cuanto a la aplicabilidad —reclamada por la entidad recurrente— del artículo 8º del decreto con fuerza de ley Nº 458, de 1975, del Ministerio de Vivienda y Urbanismo, Ley General de Urbanismo y Construcciones —que, en su inciso primero, distinguía respecto de la población comunal para los efectos de determinar los requisitos exigibles al Director de Obras Municipales—, es menester manifestar que, en conformidad con lo dispuesto en el artículo 5º del decreto ley Nº 2.879, de 1979 y en concordancia con lo manifestado por esta Contraloría General —entre otros— en el dictamen Nº 42.186, de 1998, las condiciones que, para el desempeño del cargo en cuestión, establecía la aludida Ley General de Urbanismo y Construcciones, se encuentran derogadas, por lo que no procede su aplicación en la actualidad.
*En este contexto, el cargo en comento podrá ser ejercido, en cualquier entidad edilicia del país, por una persona que tenga alguno de los títulos mencionados, de manera alternativa, en el citado artículo 24. Siendo así, **en la medida que en una determinada Dirección de Obras Municipales exista un funcionario con alguno de estos títulos, éste deberá asumir, en su caso, la subrogación de la plaza de que se trata, sin que la autoridad edilicia pueda designar a otro servidor para tal efecto, en cumplimiento de lo preceptuado en los referidos artículos 78 y 79 de la ley Nº 18.883.***
En consecuencia, en mérito de lo expuesto, y considerando que la Dirección de Obras respectiva cuenta con profesionales que cumplirían con los requisitos para el desempeño del cargo, según lo señala el propio municipio en su presentación —"los demás profesionales de dicha dirección son ingenieros constructores y constructores civiles"—, no cabe sino desestimar la presente solicitud de reconsideración y reiterar lo concluido en el dictamen objeto de ésta, en cuanto sostiene

que la Municipalidad de San Carlos no se ajustó a derecho al nombrar al señor Molina Araya —funcionario de la Secretaría Comunal de Planificación— como Director de Obras Municipales subrogante, con prescindencia de los funcionarios de dicha unidad habilitados para ejercer tal cargo». (**ID Dictamen: 021470N11 Fecha:** 08.04.2011 **Destinatarios:** Alcalde Municipalidad de San Carlos. **Texto:** Sobre solicitud de reconsideración de dictamen 6654/2010, de la Contraloría Regional del Biobío, relativo a nombramiento de Director de Obras subrogante de la Municipalidad de San Carlos. **Acción:** Aplica dictamen 42186/98)

Artículo 80

El funcionario subrogante no tendrá derecho al sueldo del cargo que desempeñe en calidad de tal, salvo si éste se encontrare vacante o si el titular del mismo por cualquier motivo no gozare de dicha remuneración.

1. *«Ahora bien, sobre el particular, es pertinente indicar que los aludidos juzgados de policía local son tribunales especiales que no forman parte del Poder Judicial y que, desde el punto de vista de su estructura, constituyen dependencias de la entidad edilicia, resultándoles aplicables, en lo que dice relación con su orden interno, la ley Nº 15.231, y en lo concerniente a su personal, las disposiciones de la ley Nº 18.883.*
En este contexto, cabe indicar que el inciso final del artículo 6º de la mencionada ley Nº 18.883, indica que "Son subrogantes aquellos funcionarios que entran a desempeñar el empleo del titular o suplente por el sólo ministerio de la ley, cuando éstos se encuentren impedidos de desempeñarlo por cualquier causa". A su vez, el artículo 80 de la ley Nº 18.883, dispone que "El funcionario subrogante no tendrá derecho al sueldo del cargo que desempeñe en calidad de tal, salvo si este se encontrare vacante o si el titular del mismo por cualquier motivo no gozare de dicha remuneración". Añade el artículo 81 de esa ley, que el anotado mecanismo de reemplazo "solo procederá si la subrogación tiene una duración superior a un mes".
En este sentido, en armonía con las citadas normas, la jurisprudencia de este origen, contenida, entre otros, en el dictamen Nº 32.391, de 2006, ha resuelto que para percibir el sueldo del cargo que se subroga, se requiere que el empleo esté vacante o que el titular, por cualquier causa, no goce de dicho estipendio y, además, que la mencionada subrogación tenga una duración ininterrumpida superior a un mes». (**ID Dictamen:** 044794N17. **Fecha:** 28-12-2017. **Destinatarios:** doña Marisol Aburto Barría, secretaria subrogante del Juzgado de Policía Local de San Juan de la Costa. **Texto:** Reconsidera el oficio Nº 6.110, de 2016, de la Contraloría Regional de Los Lagos, por cuanto la funcionaria que se indica tiene derecho al entero de la diferencia entre su sueldo y aquel que corresponda al grado del cargo de secretario abogado del juzgado de policía local. **Acción:** aplica dictámenes 58197/2012, 2487/2013, 32391/2006, 65962/2014, 45817/2011).

2. *«Luego, según lo prevé, en lo que interesa, el artículo 80 de la ley Nº 18.883, "El funcionario subrogante no tendrá derecho al sueldo del cargo que desempeñe en calidad de tal, salvo si éste se encontrare vacante". En ese contexto, cabe concluir que estando vacantes tales cargos, operó la subrogación de estos, razón por la que los solicitantes, producto de su ejercicio en esa calidad, tienen derecho a percibir el sueldo del empleo subrogado, desde la data de su creación y hasta que sean provistos».* (**ID Dictamen:** 047936N15. **Fecha:** 15-06-2015. **Destinatarios:** señor Mario Morales Ponce, funcionario de la Municipalidad de Molina. **Texto:** Procede el pago de diferencia de remuneraciones por desempeño en calidad de subrogante de cargo directivo creado en virtud del artículo 16 de la ley Nº 18.695. **Acción:** Aplica dictámenes 44034/2002, 18221/2005, 15122/2014, 30034/94, 26901/2013, 14980/2015 Complementa dictamen 28213/2015).

1. *«En relación con la materia, cumple manifestar que el inciso final del artículo 62 de la citada ley Nº 18.695, al referirse a algunos aspectos de la elección de nuevo alcalde que procede efectuar en caso de vacancia de dicha plaza —según lo señalado en el inciso cuarto—, dispone, en lo que interesa, que mientras aquél no sea elegido, regirá lo preceptuado en el inciso primero de ese artículo, el cual, a su vez, regula la subrogación de tal cargo, previendo —en concordancia con lo establecido en el artículo 77 de la ley Nº 18.883 Estatuto Administrativo para Funcionarios Municipales—, que ésta corresponderá al funcionario que siga a la autoridad edilicia en orden de jerarquía dentro de la municipalidad, con las salvedades que indica.*
*Habida consideración de lo anterior, cabe concluir que **mientras no se realice la elección respectiva, procede que el cargo de alcalde sea subrogado en los términos previstos en el referido inciso primero, sin que obste a ello que se exce-***

*dan los cuarenta y cinco días a que alude esa norma, toda vez que la extensión de tal subrogación estará supeditada, en definitiva, a la verificación del mencionado proceso (aplica criterio contenido en el dictamen Nº 27.320, de 2009). Por otra parte, en lo concerniente a los estipendios que corresponde percibir al funcionario que subrogue al alcalde, cabe indicar que el **artículo 80 de la ley Nº 18.883**, establece que el funcionario subrogante no tendrá derecho al sueldo del cargo que desempeñe en calidad de tal, salvo si éste se encontrare vacante o si el titular del mismo, por cualquier motivo, no gozare de dicha remuneración. Es del caso añadir que, según lo prevé el artículo 81 del mismo cuerpo estatutario, ese derecho sólo procederá si la subrogación tiene una duración superior a un mes.*

*Atendido el tenor de las citadas disposiciones, en la especie, encontrándose vacante el cargo de alcalde por un plazo superior al enunciado, procede que el subrogante perciba el sueldo propio del mismo, resultando del caso hacer presente que el **dictamen Nº 2.363, de 2010, ha precisado que el derecho previsto en el aludido artículo 80 se circunscribe al "sueldo" del cargo que se subroga, sin alcanzar al resto de las remuneraciones que corresponden a éste, y que, por las razones que especifica, la asignación regulada en el artículo 69 de la ley Nº 18.695 constituye una remuneración distinta del sueldo, de manera que el subrogante no tiene derecho a ella***». (ID Dictamen: 031309N11 Fecha: 17.05.2011 **Destinatarios:** Director Administración y Finanzas Municipalidad de La Florida. **Texto:** Sobre subrogación del cargo de alcalde y procedencia de que el subrogante perciba la asignación de dirección superior. **Acción:** Aplica dictámenes 27320/2009, 2363/2010)

2. «*Ahora bien, cabe considerar que según lo dispuesto en los artículos 6º, inciso final, y 76, ambos de la ley Nº 18.883, son subrogantes aquellos funcionarios que entran a desempeñar el empleo del titular o suplente por el solo ministerio de la ley, cuando éstos se encuentren impedidos de ejercerlo por cualquier causa; lo que, conforme con el artículo 78 del mismo texto legal, opera por el solo ministerio de la ley, respecto del funcionario de la misma unidad que siga en el orden jerárquico, que reúna los requisitos para el desempeño del cargo, **teniendo el subrogante derecho al sueldo del cargo que subrogare —como agrega el artículo 80—, si la plaza se encontrare vacante o si el titular de la misma por cualquier motivo no goza de dicha remuneración**.*

Sobre este punto, la jurisprudencia de este Organismo Contralor, contenida, entre otros, en los dictámenes Nºs. 26.814, de 1999; 44.034, de 2002; 33.499, de 2004, y 42.467, de 2009, ha precisado que la subrogación es un mecanismo de reemplazo concebido en relación con los cargos existentes en la planta de la respectiva municipalidad, para los fines de proveer, en forma inmediata, la ausencia definitiva o temporal de los servidores que ejercen el empleo correspondiente y, así, mantener la continuidad en la satisfacción de las necesidades de la comunidad local; por lo que, en el evento que el cargo no se encuentre contemplado en la planta de personal respectiva, únicamente se trataría de una asignación o encomendación[219] *de labores o funciones, que no tiene asignada por la ley una remuneración determinada*». (**ID Dictamen: 033068N11 Fecha:** 25.05.2011 **Destinatarios:** Alcalde de la Municipalidad de Cerrillos. **Texto:** Sobre identificación de cargo municipal e improcedencia de subrogación respecto de la mera asignación de funciones en la Municipalidad de Cerrillos. **Acción:** Aplica dictámenes 26814/99, 44034/2002, 33499/2004, 42467/2009 Complementa dictámenes 12554/2010, 31426/2010. Mismo criterio aplicado en **ID Dictamen: 034113N12 Fecha:** 11.06.2012 **Destinatarios:** Alcalde de la Municipalidad de Maipú. **Texto:** Sobre demora en tramitación de sumario administrativo y destinación de directivo al cargo de director de Servicio Municipal de Agua Potable y Alcantarillado de la Municipalidad de Maipú. **Acción:** Aplica dictámenes 51136/2008, 70997/2010)

3. «*Sobre la materia, cabe tener presente que esta Entidad de Control ha manifestado en los dictámenes Nºs. 31.399, de 1993; 6.962, de 2000; 50.662, de 2008; 13.092 de 2010; y 22.712, de 2011, entre otros, que los Jueces de Policía Local son funcionarios municipales regidos por la ley Nº 18.883, que aprueba el Estatuto Administrativo para Funcionarios Municipales, en concordancia con lo prescrito en la ley Nº 15.231, sobre organización y atribuciones de los Juzgados de Policía Local, sin perjuicio de aquellos aspectos en que están sujetos a la supervigilancia directiva, correccional y económica de la correspondiente Corte de Apelaciones, de manera que gozan de las prerrogativas que corresponden a tales servidores, que sean conciliables con la normativa especial que los rige.*

*Enseguida, es dable manifestar, de acuerdo con lo prescrito en el **artículo 80 de la citada ley Nº 18.883, que si un funcionario subroga en el cargo a un Juez de Policía Local, tendrá derecho al sueldo de este último, si el cargo se encontrare vacante o el titular del mismo, por cualquier motivo, no gozare de dicha remuneración**, como ocurre en la especie.*

*En cambio, **diversa resulta la situación del abogado que, no siendo funcionario, subroga al magistrado**, por cuanto aquél tiene derecho al sueldo del cargo que desempeña, más las remuneraciones accesorias correspondientes, tal como*

---

[219]   «Encomendación» Transcrito textual Dictamen (ID Dictamen: 033068N11 Fecha: 25.05.2011)

lo indicara el dictamen Nº 30.015, de 1989, de esta Entidad de Control». **(ID Dictamen: 004274N12 Fecha:** 23.01.2012 **Destinatarios:** Alcalde Municipalidad de Cisnes. **Texto:** Resulta procedente que Juez de Policía Local subrogante perciba el sueldo del titular de dicho cargo, toda vez que éste último no está gozando de sus remuneraciones, debiendo prolongar su jornada de trabajo en la Defensoría Penal Regional XI Región de Aysén, para compensar las horas no trabajadas por tal motivo. **Acción:** Aplica dictámenes 31399/93, 6962/2000, 50662/2008, 13092/2010, 22712/2011, 30015/89)[220]

Artículo 81

El derecho contemplado en el artículo precedente sólo procederá si la subrogación tiene una duración superior a un mes.

«En relación con la materia, cumple manifestar que el inciso final del artículo 62 de la citada ley Nº 18.695, al referirse a algunos aspectos de la elección de nuevo alcalde que procede efectuar en caso de vacancia de dicha plaza —según lo señalado en el inciso cuarto—, dispone, en lo que interesa, que mientras aquél no sea elegido, regirá lo preceptuado en el inciso primero de ese artículo, el cual, a su vez, regula la subrogación de tal cargo, previendo —en concordancia con lo establecido en el artículo 77 de la ley Nº 18.883 Estatuto Administrativo para Funcionarios Municipales—, que ésta corresponderá al funcionario que siga a la autoridad edilicia en orden de jerarquía dentro de la municipalidad, con las salvedades que indica.

*Habida consideración de lo anterior, cabe concluir que **mientras no se realice la elección respectiva, procede que el cargo de alcalde sea subrogado en los términos previstos en el referido inciso primero, sin que obste a ello que se excedan los cuarenta y cinco días a que alude esa norma, toda vez que la extensión de tal subrogación estará supeditada, en definitiva, a la verificación del mencionado proceso** (aplica criterio contenido en el dictamen Nº 27.320, de 2009).*

*Por otra parte, en lo concerniente a los estipendios que corresponde percibir al funcionario que subrogue al alcalde, cabe indicar que el artículo 80 de la ley Nº 18.883, establece que el funcionario subrogante no tendrá derecho al sueldo del cargo que desempeñe en calidad de tal, salvo si éste se encontrare vacante o si el titular del mismo, por cualquier motivo, no gozare de dicha remuneración. Es del caso añadir que, según lo prevé el **artículo 81** del mismo cuerpo estatutario, ese derecho sólo procederá si la subrogación tiene una duración superior a un mes.*

*Atendido el tenor de las citadas disposiciones, en la especie, encontrándose vacante el cargo de alcalde por un plazo superior al enunciado, procede que el subrogante perciba el sueldo propio del mismo, resultando del caso hacer presente que el **dictamen Nº 2.363, de 2010,** ha precisado que el derecho previsto en el aludido artículo 80 se circunscribe al "sueldo" del cargo que se subroga, sin alcanzar al resto de las remuneraciones que correspondan a éste, y que, por las razones que específica, la asignación regulada en el artículo 69 de la ley Nº 18.695 constituye una remuneración distinta del sueldo, de manera que el subrogante no tiene derecho a ella».* **(ID Dictamen: 031309N11 Fecha:** 17.05.2011 **Destinatarios:** Director Administración y Finanzas Municipalidad de La Florida. **Texto:** Sobre subrogación del cargo de alcalde y procedencia de que el subrogante perciba la asignación de dirección superior. **Acción:** Aplica dictámenes 27320/2009, 2363/2010)

PÁRRAFO 5º DE LAS PROHIBICIONES

Artículo 82

El funcionario estará afecto a las siguientes prohibiciones:

a) Ejercer facultades, atribuciones o representación de las que no esté legalmente investido, o no le hayan sido delegadas;

---

[220] Para efectos de su consulta en la Base de Jurisprudencia de Contraloría General de la República, el citado dictamen se encuentra en la sección/materia: «generales», sin perjuicio de que se trata de uno de carácter municipal.

b) Intervenir, en razón de sus funciones, en asuntos en que tengan interés él, su cónyuge, sus parientes consanguíneos hasta el tercer grado inclusive o por afinidad hasta el segundo grado, y las personas ligadas a él por adopción.

c) Actuar en juicio ejerciendo acciones civiles en contra de los intereses del Estado o de las instituciones que de él formen parte, salvo que se trate de un derecho que ataña directamente al funcionario, a su cónyuge o a sus parientes hasta el tercer grado de consanguinidad o por afinidad hasta el segundo grado y las personas ligadas a él por adopción;

d) Intervenir ante los tribunales de justicia como parte, testigo o perito, respecto de hechos de que hubiere tomado conocimiento en el ejercicio de sus funciones, o declarar en juicio en que tenga interés el Estado o sus organismos, sin previa comunicación a su superior jerárquico;

e) Someter a tramitación innecesaria o dilación los asuntos entregados a su conocimiento o resolución, o exigir para estos efectos documentos o requisitos no establecidos en las disposiciones vigentes.

f) Solicitar, hacerse prometer, o aceptar donativos, ventajas o privilegios de cualquier naturaleza para sí o para terceros;

g) Ejecutar actividades, ocupar tiempo de la jornada de trabajo o utilizar personal, material o información reservada o confidencial de la municipalidad para fines ajenos a los institucionales;

h) Realizar cualquier actividad política dentro de la Administración del Estado o usar su autoridad, cargo o bienes de la municipalidad para fines ajenos a sus funciones;

i) Organizar o pertenecer a sindicatos en el ámbito de la Administración del Estado; dirigir, promover o participar en huelgas, interrupción o paralización de actividades, totales o parciales, en la retención indebida de personas o bienes, y en otros actos que perturben el normal funcionamiento de los órganos de la Administración;

j) Atentar contra los bienes de la municipalidad, cometer actos que produzcan la destrucción de materiales, instrumentos o productos de trabajo o disminuyan su valor o causen su deterioro;

k) Incitar a destruir, inutilizar o interrumpir instalaciones públicas o privadas, o participar en hechos que las dañen;

l) Realizar cualquier acto atentatorio a la dignidad de los demás funcionarios. Se considerará como una acción de este tipo el acoso sexual, entendido según los términos del artículo 2º, inciso segundo, del Código del Trabajo, y la discriminación arbitraria, según la define el artículo 2º de la ley que establece medidas contra la discriminación, y

m) Realizar todo acto calificado como acoso laboral en los términos que dispone el inciso segundo del artículo 2º del Código del Trabajo.

1. *«Como puede apreciarse, las pretensiones que en esta sede administrativa nuevamente hace valer el interesado, y que dicen relación con la validez de las actuaciones del denunciado y las medidas que el servicio debiera adoptar para el resguardo del derecho que se habría quebrantado con el supuesto ejercicio ilegal de un cargo público, tienen su fundamento en los mismos hechos que han sido sometidos al conocimiento de la justicia penal».* (**ID Dictamen:** 044792N17. **Fecha:** 28-12-2017. **Destinatarios:** señor Pablo Manríquez Díaz en representación de Pesquera Bahía Coronel S.A. **Texto:** Rechaza solicitud de reconsideración de oficios que indica, ya que de acuerdo con el artículo 6º, inciso tercero, de la ley Nº 10.336, a Contraloría no le corresponde informar ni intervenir en asuntos sometidos al conocimiento de los tribunales de justicia, lo que ocurre en la situación planteada en la especie. **Acción:** aplica dictamen 7827/2017).

2. *«Ahora bien, y conforme se ha indicado, por ejemplo, en los dictámenes Nº 66.002, de 2011 y 53.573, de 2015, de esta procedencia, los prestadores de servicios a honorarios carecen de responsabilidad administrativa, salvo que posean la calidad de agentes públicos, lo que no se acredita respecto del denunciado, razón por la cual, en principio, no resulta posible hacer efectiva dicha responsabilidad respecto del señor Hidalgo Acuña».* (**ID Dictamen:** 024260N18 **Fecha:** 28-

09-2018 **Destinatarios: doña Gloria Díaz Seguel Texto:** Servidor a honorarios habría incurrido en la incompatibilidad contemplada en el inciso segundo del artículo 56 de la ley N° 18.575, al patrocinar causas civiles en contra de un organismo del Estado distinto a aquel donde se desempeña. **Acción:** Aplica dictámenes 4747/2012, 7083/2001, 66002/2011, 53573/2015, 40520/2015 Aclara dictamen 82301/2014).

3. *«En consecuencia, en atención a lo expuesto, cumple manifestar que la secretaria municipal de Maullín **no** se ajustó a derecho al suspender y convocar a las referidas sesiones ordinarias del concejo en fechas distintas a las determinadas por aquel, debiendo la entidad edilicia en lo sucesivo, ajustar su proceder acorde con la preceptiva que rige la materia y adoptar las medidas para que los reglamentos internos se adecúen a las modificaciones introducidas por la anotada ley N° 20.742, dentro del plazo de 60 días hábiles contado desde la recepción del presente oficio, debiendo informar al respecto a la Contraloría Regional de Los Lagos».* (**ID Dictamen:** 100110N14 **Fecha:** 24-12-2014. **Destinatarios:** señora Mónica Navarro Bustamante y de los señores Miguel Ángel Barrera Sánchez y Eduardo Mansilla Villarroel, concejales de la Municipalidad de Maullín. **Texto:** Corresponde al concejo modificar las fechas de sus sesiones ordinarias sin que el alcalde u otro funcionario municipal esté autorizado para alterar unilateralmente dicho calendario. **Acción:** Aplica dictámenes 3259/2012, 60347/2013, 58403/2014, 78172/2014, 26921/94).

4. *«En consecuencia, en mérito de lo expuesto y acorde con la normativa citada, es dable concluir que en ningún caso pueden desempeñarse como directores ni en funciones de administración en las corporaciones de educación, salud y atención de menores, quienes tengan con el Alcalde un vínculo matrimonial, de adopción o de parentesco —hasta el tercer grado por consanguinidad o segundo por afinidad—, como tampoco procede que, aun cuando no sea para cumplir esas funciones, esa autoridad intervenga, en su carácter de presidente de dichas instituciones, en la contratación de las personas con las que tenga tales vínculos, toda vez que con ello se vulneraría el principio de probidad administrativa».* (**ID Dictamen:** 034149N04. **Fecha:** 07-07-2004. **Destinatarios: Texto:** no pueden desempeñarse como directores ni en funciones de administración en las corporaciones de educación, salud y atención de menores, quienes tengan con el alcalde vínculo matrimonial, de adopción o de parentesco, hasta el tercer grado por consanguinidad o segundo por afinidad, como tampoco procede que, aun cuando no sea para cumplir esas funciones, esa autoridad intervenga, en su carácter de presidente de dichas instituciones, en la contratación de las personas con las que tenga tales vínculos, pues ello vulneraría el principio de probidad administrativa. El desempeño del alcalde como presidente de las mencionadas corporaciones no constituye el ejercicio de una actividad particular, sino el desarrollo de una función pública propia del cargo de alcalde, por cuanto tal participación ha sido ordenada por la ley en atención a razones de interés público. Los alcaldes al presidir las referidas corporaciones, deben someterse a los principios que rigen el desempeño de la función pública, particularmente, al de probidad administrativa, consistente en observar una conducta funcionaria intachable y un desempeño honesto y leal de la función o cargo, con preeminencia del interés general sobre el particular. Contraviene principalmente ese principio, intervenir en razón de sus funciones, en asuntos en que tenga interés personal o en que lo tengan el cónyuge, hijos, adoptados o parientes hasta el tercer grado de consanguinidad y segundo de afinidad inclusive. También contraviene aquel principio, participar en decisiones en que exista cualquier circunstancia que le reste imparcialidad. Así, dado que la actuación del alcalde como presidente de las entidades aludidas conlleva el ejercicio de una función pública propia de su cargo edilicio, su intervención en los procesos de contratación de personal debe verificarse con plena observancia del principio de probidad administrativa, lo que no se cumpliría si se aceptara que dispusiera el nombramiento de alguna persona con la cual tenga un vínculo matrimonial o de parentesco, ya que este acto supone una ventaja de índole pecuniaria para esta última. Finalmente, conforme ley 18695 art. 134, contraloría tiene atribuciones para fiscalizar el manejo de los recursos financieros de esas corporaciones, sea tratándose de fondos provenientes de subvenciones o aportes fiscales como de ingresos propios, por lo que en razón de esa competencia, debe verificar que dicha gestión se efectuó también en un marco de probidad y transparencia y que las contrataciones que se realicen con cargo a esos recursos se verifiquen con sujeción a ese marco regulatorio. **Acción:** aplica dictámenes 30020/90, 11507/2003, 33133/2002).

5. *«En armonía con lo expresado, la letra c) del artículo 84 de la ley N° 18.834, sobre Estatuto Administrativo, prohíbe al empleado actuar en juicio ejerciendo **acciones civiles** en contra de los **intereses del Estado** o de las instituciones que formen parte de éste, a menos que sea un derecho que le atañe directamente o a quienes ese precepto indica».* (**ID Dictamen:** 018881N17. **Fecha:** 24-05-2017. **Destinatarios:** Subdirector Jurídico del Servicio de Vivienda y Urbanización Metropolitano. **Texto:** Conforme a lo informado por el Consejo de Defensa del Estado, infracción denunciada, cometida por uno de sus funcionarios, fue castigada. **Acción.**

6. *«Se ha dirigido a esta Contraloría General el señor Eduardo Reveco Quezada, juez de policía local de la Municipalidad de Tucapel, solicitando la reconsideración del oficio Nº 3.003, de 2016, de la Sede Regional del Bío-Bío, por las consideraciones que expone».* (**ID Dictamen:** 074121N16. **Fecha:** 07-10-2016. **Destinatarios:** señor Eduardo Reveco Quezada, juez de policía local de la Municipalidad de Tucapel. **Texto:** Sobre solicitud de reconsideración de oficio de la Contraloría Regional del Bío-Bío. **Acción:** Aplica dictamen 2291/2014, 21843/2013, 79119/2014, 23979/2003, 8934/2002, 62603/2012).

7. *«Finalmente, cabe considerar que, en el evento que la persona designada sea un sujeto pasivo del artículo 3º de la ley Nº 20.730 —que regula el lobby y las gestiones que En los términos previamente anotados, es procedente aceptar las donaciones por las que se consulta, representen intereses particulares ante las autoridades y funcionarios—, el pertinente viaje deberá ser consignado en el registro de agenda pública establecido en su artículo 7º, número 1, en los términos del artículo 8º, número 2, de ese cuerpo legal».* (**ID Dictamen:** 003656N17. **Fecha:** 02-02-2017. **Destinatarios:** Grifols Chile S.A. **Texto:** Los servicios de salud pueden recibir donaciones consistentes en aportes para la asistencia y participación de sus funcionarios en seminarios, congresos, jornadas y otros similares, en la medida en que se cumplan las condiciones que indica. **Acción:** aplica dictamen 30441/2016).

8. *«Pues bien, de conformidad a la legislación aplicable a la consulta de la especie, contenida en la ley Nº 18.575, cabe señalar que a juicio de esta Contraloría General el referido regalo no puede considerarse como un donativo oficial o protocolar, ni tampoco cabe dentro de aquellos que autoriza la costumbre, en primer lugar, por su elevado valor comercial, y en segundo término, por tratarse de un objeto de estricto uso personal, circunstancias que no permiten clasificarlo dentro de las categorías antes referidas».* (**ID Dictamen:** 001869N17. **Fecha:** 19-01-2017. **Destinatarios:** señor Ministro de Relaciones Exteriores. **Texto:** Un objeto de uso estrictamente personal y de elevado valor comercial no cumple los parámetros que se fijan para la aceptación de donativos en el artículo 62, Nº 5, inciso segundo, de la ley Nº 18.575, por lo que debe ser restituido. **Acción.**

9. *«En consecuencia, en mérito de lo expuesto, y atendido que en el proceso disciplinario en análisis no hay evidencia de los vicios de legalidad reclamados y que no se invocan otros hechos que permitan variar lo resuelto por la superioridad del servicio, procede cursar la resolución Nº 10, de 2016, por ajustarse a derecho, y rechazar la presentación del señor Roberto Aguilera Cuevas».* (**ID Dictamen:** 086483N16. **Fecha:** 29-11-2016. **Destinatarios:** Roberto Aguilera Cueva. **Texto:** Cursa la resolución Nº 10, de 2016, de la Superintendencia de Educación y rechaza reclamo de funcionario sancionado con destitución. **Acción:** Aplica dictamen 97968/2014, 20824/2016, 26099/2002, 58041/2012, 10786/2016, 78393/2010, 26496/2015).

10. *«Así, entonces, siempre que las actividades aludidas precedentemente se desarrollen fuera de la jornada de trabajo de los funcionarios del Cementerio Municipal de Melipilla, con prescindencia de los recursos de dicha entidad edilicia y en la medida que aquellas no se relacionen con el campo de las labores propias de dicho organismo, no se advierte inconveniente jurídico en su realización».* (**ID Dictamen:** 004464N19. **Fecha:** 12-02-2019. **Destinatarios:** alcalde de la Municipalidad de Melipilla y de don Juan Carlos González Santander. **Texto:** Funcionarios del Cementerio Municipal de Melipilla podrán desempeñar tareas de regadío de sepulturas y ejecutar obras que no se relacionen con el campo de las labores propias de dicha entidad, fuera de su jornada laboral y con prescindencia de los recursos de dicho órgano comunal. **Acción:** Aplica dictámenes 88923/2016, 50083/2011, 14658/2009, 68302/2016, 40520/2015).

11. *«En razón a lo anterior, los servidores y autoridades de gobierno están impedidos de realizar cualquier actividad de carácter político utilizando bienes públicos, entre las cuales cabe considerar no solo la participación en eventos, reuniones o proclamaciones de ese carácter, sino que además —y en armonía con lo resuelto en el oficio Nº 54.207, de 2011, de este origen— las opiniones o declaraciones de contenido político o que aludan o afecten a determinadas tendencias políticas».* (**ID Dictamen:** 016518N18. **Fecha:** 29-06-2018. **Destinatarios:** señores Diputados (as) Gonzalo Fuenzalida Figueroa, Paulina Núñez Urrutia, Juan Antonio Coloma Álamos y María José Hoffman Opazo, y los ex Diputados (as) Nicolás Monckeberg Díaz, Felipe Ward Edwards y Claudia Nogueria Fernández. **Texto:** Mensajes en las cuentas de twitter oficiales de los organismos públicos, no pueden reproducir declaraciones que tengan por objeto favorecer o perjudicar candidaturas, tendencias o partidos políticos. **Acción:** Aplica dictamen 33908/2014, 54207/2011).

12. *«Como cuestión previa, cabe manifestar que el pertinente sumario administrativo se ordenó instruir con el objeto de establecer la responsabilidad administrativa que le afectaría al mencionado servidor, por haber utilizado el vehículo fiscal A-7027, de cargo del Centro de Atención a Víctimas de Atentados Sexuales de Valparaíso, para fines no institucionales ni por razones de servicio».* (**ID Dictamen:** 009044N18. **Fecha:** 06-04-2018. **Destinatarios:** Policía de Investigaciones de

Chile. **Texto:** Desestima recurso de reclamación interpuesto por funcionario de la Policía de Investigaciones de Chile, en atención a que la responsabilidad administrativa derivada de la conducta en que incurrió en los hechos indagados, se encuentra comprobada. **Acción:** Aplica dictámenes 16994/2014, 85153/2015, 61543/2014, 18810/2017, 25916/2017).

13. *«En mérito de lo señalado, ese servicio deberá iniciar el procedimiento disciplinario comprometido en su respuesta, de manera de investigar si se ha producido un mal uso de bienes fiscales, que pudiere derivar en una vulneración del principio de probidad y, por ende, en una contravención al interés general de la comunidad, remitiendo en el plazo de 10 días hábiles contados desde la recepción de presente oficio, copia del acto administrativo que así lo disponga».* **(ID Dictamen:** 024769N17. **Fecha:** 06-07-2017. **Destinatarios:** Diputado don Joaquín Godoy Ibáñez. **Texto:** Sobre presuntas irregularidades en la instalación del letrero que se indica. **Acción:** aplica dictámenes 84563/2015, 26478/2009, 47732/2010, 54029/2010, 41526/2012, 77843/2015, 23853/2015, 47523/2013).

14. *«En este contexto, tratándose de servidores públicos, en el desempeño de sus respectivos cargos, deben abstenerse de realizar actividades políticas, en cumplimiento de las normas sobre probidad administrativa contenida en la aludida ley Nº 18.575, y en el artículo 82, letras g) y h), de la ley Nº 18.883, sobre el Estatuto Administrativo para Funcionarios Municipales, estándoles prohibido, "Ejecutar actividades, ocupar tiempo de la jornada de trabajo o utilizar personal, material o información reservada o confidencial de la municipalidad para fines ajenos a los institucionales" y "Realizar cualquier actividad política dentro de la Administración del estado o usar su autoridad, cargo o bienes de la municipalidad para fines ajenos a sus funciones".* **(ID Dictamen:** 025971N18. **Fecha:** 17-10-2018. **Destinatarios:** Diputada doña María José Hoffmann Opazo. **Texto:** Declaraciones de las autoridades no pueden tener por objeto favorecer o perjudicar candidaturas, tendencias o partidos políticos. **Acción:** Aplica dictámenes 38002/2017, 28330/2017, 16518/2018).

15. *«Se ha dirigido a esta Contraloría General el Prosecretario de la Cámara de Diputados, por requerimiento del Diputado don Hugo Gutiérrez Gálvez, denunciando al Subsecretario del Interior por la dictación del oficio circular Nº 19.191, de 29 de agosto de 2016, de esa cartera, que dispuso una serie de instrucciones atingentes a las elecciones municipales de dicho año».* **(ID Dictamen:** 043206N17. **Fecha:** 11-12-2017. **Destinatarios: Prosecretario de la Cámara de Diputados, por requerimiento del Diputado don Hugo Gutiérrez Gálvez. Texto:** Documento por el que se consulta no debe ser considerado como una instrucción que exija a los funcionarios candidatos a solicitar permiso sin goce de remuneraciones en período de campaña, sin perjuicio del deber de estos de acatar las prohibiciones que se indican. **Acción:** aplica dictámenes 37475/2016, 38512/2016, 69771/64, 55133/2003, 41242/2014, 8600/2016).

16. *«En este contexto, tratándose de servidores públicos, en el desempeño de sus respectivos cargos, deben abstenerse de realizar actividades políticas, en cumplimiento de las normas sobre probidad administrativa contenida en la aludida ley Nº 18.575, y en el artículo 82, letras g) y h), de la ley Nº 18.883, sobre el Estatuto Administrativo para Funcionarios Municipales, estándoles prohibido, "Ejecutar actividades, ocupar tiempo de la jornada de trabajo o utilizar personal, material o información reservada o confidencial de la municipalidad para fines ajenos a los institucionales" y "Realizar cualquier actividad política dentro de la Administración del estado o usar su autoridad, cargo o bienes de la municipalidad para fines ajenos a sus funciones".* **(ID Dictamen:** 025971N18. **Fecha:** 17-10-2018. **Destinatarios:** Diputada doña María José Hoffmann Opazo. **Texto:** Declaraciones de las autoridades no pueden tener por objeto favorecer o perjudicar candidaturas, tendencias o partidos políticos. **Acción:** Aplica dictámenes 38002/2017, 28330/2017, 16518/2018).

17. *«Finalmente, es conveniente hacer presente que al ser el Instituto Industrial Superior de Chillán un establecimiento de educación técnico-profesional, administrado por una institución del Estado, como lo es la UTEM, sus funcionarios se encuentran impedidos de negociar colectivamente en cualquiera de sus modalidades conforme al artículo 304 del Código del Trabajo, cuestión que ya fue respondida al gremio recurrente mediante el dictamen Nº 53.083, de 2014, de este origen».* **(ID Dictamen:** 065081N16. **Fecha:** 02-09-2016. **Destinatarios:** Sindicato de Trabajadores del liceo «Instituto Industrial Superior de Chillán», ex A-11. **Texto:** Los trabajadores del liceo que se indica, administrado por la universidad estatal que se señala, poseen la calidad de funcionarios públicos y tienen los derechos y obligaciones del régimen legal que se menciona. **Acción:** Aplica dictámenes 31273/94, 34417/95, 45411/2009, 75329/2010, 2872/2016, 36605/95, 42548/2013, 53083/2014).

18. *«En primer término, en cuanto a que no se habría configurado una conducta de acoso laboral puesto que para ello se requiere que exista reiteración, corresponde advertir que si bien durante la tramitación del sumario se pudo apreciar que esta no tuvo ese carácter, lo cierto es que el comportamiento por el cual se lo sancionó constituyó, como se detalla en su formulación de cargo de fojas 102, un hecho puntual que vulneró el artículo 84, letra l) de la ley Nº 18.834, que prohíbe todo acto atentatorio contra la dignidad humana de los demás funcionarios, cuya transgresión compromete la*

responsabilidad administrativa del infractor, conforme con lo resuelto, entre otros, en el dictamen Nº 28.084, de 2015, de esta procedencia». (**ID Dictamen:** 085157N15. **Fecha:** 27-10-2015. **Destinatarios:** Paola Arangua Ruíz. **Texto:** Cursa resolución Nº 266, de 2015, del Instituto Nacional del Deporte de Chile, que sanciona con censura a la funcionaria que indica. Hechos imputados se encuentran acreditados y medida disciplinaria impuesta guarda correspondencia con la gravedad de los mismos. **Acción:** Aplica dictámenes 28084/2015, 72964/2013, 62356/2015).

19. *«En consecuencia, dado que los hechos descritos podrían configurar el supuesto establecido en el referido artículo 125, letra d), de la ley Nº 18.834, corresponde que la autoridad en comento, ordene la instrucción de un proceso disciplinario, con el objeto de verificar la eventual vulneración de dicho precepto, para lo cual deberá emitir la resolución que designa al fiscal, remitiendo una copia a la Unidad de Seguimiento de la Fiscalía de esta Entidad de Control en el plazo de 10 días, contado desde la recepción del presente oficio».* (**ID Dictamen:** 035873N17. **Fecha:** 05-10-2017. **Destinatarios:** José Muñoz Pizarro, funcionario de la Dirección de Obras Hidráulicas. **Texto:** Dirección de Obras Hidráulicas deberá iniciar un proceso sumarial para determinar si ha existido responsabilidad administrativa de parte de las servidoras que se señalan. **Acción:** aplica dictamen 87166/2016).

20. *«Siendo así, corresponde que ese servicio disponga la reapertura del proceso disciplinario de la especie, con el objeto de que se agoten todas las instancias necesarias para indagar adecuadamente las actuaciones denunciadas por la familia de la señora Espinoza Mora, debiendo remitir copia del acto administrativo que así lo ordene a la Unidad de Seguimiento de la Fiscalía de esta Contraloría General, en el plazo de 10 días contados desde la recepción del presente oficio».* (**ID Dictamen:** 092738N16. **Fecha:** 26-12-2016. **Destinatarios:** Iván Espinoza Mora, en representación de su hermana la señora Silvia Espinoza Mora, exfuncionaria del Servicio de Impuestos Internos. **Texto:** Corresponde que servicio ordene la reapertura de proceso disciplinario que indica. **Acción.**

21. *«Pues bien, consta a fojas 657 de autos que, en cumplimiento del referido oficio, el alcalde titular, a través del decreto Nº 830, de 2010, dejó sin efecto el citado decreto Nº 244, de 2010 y ordenó la reapertura del sumario, disponiendo el fiscal diversas diligencias probatorias, esencialmente interrogatorios, procediendo a formular cargos una vez más en contra de las señoras Arias Ortega y Melo Abdo y, además, en contra de doña Paola Carreño Ponce, (los que rolan desde fojas 700 a 703, de autos), y que, en síntesis, consisten en haber empleado bienes municipales en provecho propio y ocupar parte de la jornada de trabajo en fines ajenos a los institucionales, al utilizar en forma permanente, habitual y continua el computador municipal a su cargo, en horario laboral para mantener conversaciones por chat, ajenas a las labores propias del servicio, utilizando un software cuya instalación no fue autorizada, lo que constituye una vulneración al principio de probidad administrativa y a los artículos 82, letras g) y h) de la ley Nº 18.883, sobre Estatuto Administrativo para funcionarios Municipales y 62 Nºs. 3 y 4 de la ley Nº 18.575, Orgánica Constitucional de Bases Generales de la Administración del Estado. (...)*
Sobre la materia, debe tenerse presente que conforme a lo previsto en los Nº s. 3 y 4 del artículo 62 de la citada ley Nº 18.575, el empleo de bienes de la institución en provecho propio o de terceros, o la utilización de recursos del organismo para fines ajenos a los institucionales, constituyen conductas que contravienen el principio de probidad administrativa.
Sin perjuicio de lo reseñado, cabe consignar que de acuerdo con lo preceptuado en el inciso primero del artículo 9º del decreto Nº 93, de 2006, del Ministerio Secretaría General de la Presidencia, que aprueba la norma técnica para la adopción de medidas destinadas a minimizar los efectos perjudiciales de los mensajes electrónicos masivos no solicitados que se reciban en las casillas electrónicas de los órganos de la Administración del Estado, los funcionarios de los mismos pueden, inclusive, utilizar casillas institucionales para comunicaciones personales o privadas, a menos que expresamente la respectiva autoridad o jefe superior de servicio lo prohíba, caso en el cual se autorizará a los funcionarios para habilitar y acceder a una casilla personal desde el terminal o equipo computacional que tenga asignado en la institución (aplica dictamen Nº 38.224, de 2009).
Ahora bien, examinado el proceso en cuestión, y fundamentalmente la prueba destinada a acreditar los cargos referidos, es dable señalar que del mérito del proceso ha quedado establecido que las dos funcionarias recurrentes que han sido objeto de cargos, en el periodo comprendido entre el 9 de abril de 2009 y el 3 de julio de ese año, mantuvieron conversaciones a través de una casilla privada de MSN Messenger, utilizando los computadores del municipio, programa que era utilizado por la generalidad del personal de esa municipalidad con la anuencia de la autoridad alcaldicia —según se desprende, entre otras, de las declaraciones de fojas 361 y siguientes—, ya que su uso si bien no se había autorizado expresamente, tampoco fue prohibido, permitiéndose que, al no existir un correo institucional, ese programa fuera utilizado principalmente para fines institucionales.
En este contexto, tampoco resulta procedente calificar la utilización de los computadores institucionales como un uso indebido de bienes municipales desde que, como se ha dicho, el acceso a casillas de correo electrónico privadas desde

un terminal o equipo computacional institucional no se encuentra prohibido, ni hay constancia de cotidianeidad de este tipo de conducta que evidenciaría el empleo de un bien municipal de manera impropia, toda vez que examinada la incidencia de la conducta que se reprocha en el desarrollo de la función diaria, es posible señalar que, en general, las conversaciones se extendían por lapsos de diversa consideración en un día; y que el horario más utilizado coincidía con aquel en que las funcionarias presuntamente tomaban su colación —14 a 15 horas—.

Con todo, resulta menester hacer presente que, atendido que las comunicaciones a que se ha hecho referencia se efectuaron a través de un sistema de mensajería instantánea asociado a una casilla de correo privada, no resultó procedente, en razón de lo prescrito en el artículo 19 N°s. 4 y 5 de la Carta Fundamental, la actuación de determinados servidores municipales de acceder al contenido de las conversaciones privadas sostenidas por otros empleados de la Municipalidad de Concón a través de medios electrónicos, sin el consentimiento de éstos.

Por consiguiente, en mérito de lo expuesto y de los antecedentes existentes en el respectivo proceso sumarial, procede concluir que, en la especie, no se ha acreditado que las señoras Arias Ortega y Melo Abdo hayan incurrido en infracción al principio de probidad ni tampoco a la normativa que rige, en el caso de la primera, y regía, tratándose de la segunda, sus relaciones jurídico laborales con la Municipalidad de Concón, por lo que se acoge el reclamo deducido en la especie, debiendo ser absueltas en el proceso sumarial que nos ocupa». (**ID Dictamen: 074351N11 Fecha:** 28.11.2011 **Destinatarios:** Alcalde de la Municipalidad de Concón. **Texto:** Observa decreto 191/2011, de la Municipalidad de Concón, que aplica medida disciplinaria de destitución a funcionarias que indica, y acoge reclamo del art. 156 de la ley 18883, interpuesto por las afectadas, contra la legalidad del procedimiento disciplinario, ordenando su absolución. **Acción:** Aplica dictámenes 33791/2009, 52784/2009, 44477/2011, 23688/2001, 38224/2009, 43361/2005)[221]

22. *«Enseguida, se debe tener en consideración que **toda paralización de actividades vulnera lo previsto en el artículo 19, N° 16, inciso final, de la Constitución Política, de conformidad con el cual no podrán declararse en huelga los funcionarios del Estado ni de las Municipalidades**, prohibición que se encuentra relacionada con lo prescrito en el artículo 3° de la ley N° 18.575, Orgánica Constitucional de Bases Generales de la Administración del Estado, en orden a que los servicios públicos deben satisfacer las necesidades públicas en forma continua y permanente; como asimismo, el artículo 82, letra i), de la ley N° 18.883 —aplicable en forma supletoria al personal regido por la ley N° 19.378, de conformidad a lo dispuesto en el artículo 4°—, en cuya virtud a los funcionarios les afecta la prohibición, en lo que interesa, de dirigir, promover o participar en huelgas, interrupción o paralización de actividades, totales o parciales, y en otros actos que perturben el normal funcionamiento de los órganos de la Administración.*

Por su parte, el artículo 69 de la ley N° 18.883 —que como se indicó tiene aplicación supletoria en este caso—, prescribe que, con las salvedades que señala, las que no concurren en la especie, por el tiempo durante el cual no se hubiere efectivamente trabajado no podrán percibirse remuneraciones, debiendo añadirse que —conforme al criterio contenido en los dictámenes N°s. 52.681 y 53.781, ambos de 2004 y 7.207, de 2007, entre otros—, para efectuar los descuentos respectivos sólo es necesario incoar una investigación sumaria cuando, a juicio de la autoridad correspondiente, no existan antecedentes objetivos que permitan demostrar que un empleado no ha trabajado, no obstante haber registrado su asistencia, siendo, por el contrario, aplicable el sistema de descuento directo, en aquellos casos en que existan efectivamente tales antecedentes». (**ID Dictamen: 068873N11 Fecha:** 02.11.2011 **Destinatarios:** Alcalde de la Municipalidad de San Nicolás. **Texto:** Se ajusta a derecho descuento de remuneraciones por paralización de actividades de los funcionarios de la Salud Municipalizada que indica, toda vez que no podrán percibirse remuneraciones por tiempo no trabajado. **Acción:** Aplica dictámenes 52681/2004, 53781/2004, 7207/2007, 34436/2000)

23. *«Sobre el particular, cumple manifestar que el referido **artículo 82, letra c), de la ley N° 18.883**, contempla entre las prohibiciones que afectan a los funcionarios municipales, el actuar en juicio ejerciendo acciones civiles en contra de los intereses del Estado o de las instituciones que de él formen parte, salvo que se trate de un derecho que ataña directamente al funcionario, a su cónyuge o a sus parientes hasta el tercer grado de consanguinidad o por afinidad hasta el segundo grado y las personas ligadas a él por adopción, **disposición que, en similares términos, se encuentra contenida en el artículo 56 de la ley N° 18.575, Orgánica Constitucional de Bases Generales de la Administración del Estado.***

*Al respecto, cabe agregar que, según se ha precisado, entre otros, en los **dictámenes N°s. 7.083, de 2001, 23.979, de 2003 y 31.267, de 2010, la prohibición en comento, relativa al ejercicio de acciones civiles, se refiere específicamente a***

---

[221] Para efectos de su consulta en la Base de Jurisprudencia de Contraloría General de la República, el citado dictamen se encuentra en la sección/materia: «generales», sin perjuicio de que se trata de uno de carácter municipal.

la defensa en causas litigiosas de contenido patrimonial en que la contraparte sea un organismo de la Administración del Estado, en las que exista la posibilidad de que este sea condenado pecuniariamente. (...)
Luego, por aplicación de la jurisprudencia administrativa citada, y considerando que el recurso interpuesto tiene por objeto que se deje sin efecto la destitución del cargo de la afectada, así como la naturaleza de esa acción cautelar, no se advierte que su resolución pueda implicar una condena pecuniaria para el municipio, por lo que debe entenderse que dicho recurso no queda comprendido dentro de las acciones civiles a que se refiere la prohibición en análisis.
La conclusión anterior, por lo demás, armoniza con la jurisprudencia administrativa de esta Entidad Fiscalizadora, contenida, entre otros, en los dictámenes Nºs. 39.501, de 2007 y 47.762, de 2009, en orden a que las normas prohibitivas o sobre incompatibilidades son de derecho estricto, por lo que ellas deben ser interpretadas en forma restrictiva, especialmente si se considera que pueden incidir en el desarrollo de una actividad económica.
En consecuencia, en mérito de lo expuesto, cabe concluir que la representación del señor Retamales Tirado en la acción cautelar de que se trata no se encuentra afectada por la prohibición en comento». (**ID Dictamen: 050525N11 Fecha:** 10.08.2011 **Destinatarios:** Alcalde de la Municipalidad de Melipilla. **Texto:** Sobre abogado funcionario que asume el patrocinio en juicio seguido en contra del municipio en que cumple funciones. **Acción:** Aplica dictámenes 7083/2001, 23979/2003, 31267/2010, 39501/2007, 47762/2009, 42476/2011, 21877/97)

24. *«Enseguida, en lo que atañe a la denuncia formulada respecto de la existencia del vínculo matrimonial entre los funcionarios señores Carlos Miño Morales y Liliana Solís Soto, cabe informar que éstos se encuentran nombrados en empleos de la categoría a), del artículo 5º del citado texto estatutario, correspondiente a los profesionales Médicos Cirujanos, Farmacéuticos, Químico-Farmacéuticos, Bioquímicos y Cirujano-Dentistas —y no en cargos de jefaturas o directivos—, de manera que no les afectan las inhabilidades de ingreso y sobrevinientes contempladas en los artículos 54, letra b) y 64, ambos de la ley Nº 18.575, Orgánica Constitucional de Bases Generales de la Administración del Estado.*
Ello, sin perjuicio que la autoridad edilicia deba velar por la observancia de las disposiciones contenidas en los artículos 62, Nº 6 de la citada ley Nº 18.575, y 82, letra, b) de la ley Nº 18.883, sobre Estatuto Administrativo para Funcionarios Municipales —aplicable supletoriamente al personal de una dotación de salud municipal, en virtud de lo dispuesto en el artículo 4º de la ley Nº 19.378—, referidos a la prohibición funcionaria de intervenir, en razón de sus funciones, en asuntos en que tenga interés el cónyuge». (**ID Dictamen: 032891N11 Fecha:** 24.05.2011 **Destinatarios:** Belsamira Rivera Chávez. **Texto:** Sobre término de la relación laboral e inhabilidades por vínculo matrimonial entre funcionarios de la dotación de salud municipal. **Acción:** Aplica dictamen 38564/2009)[222]

25. *«Enseguida, en cuanto a las alegaciones de acoso laboral formuladas por el afectado —las que se vincularían, entre otros aspectos, con maltratos verbales—, es preciso manifestar que de acuerdo con lo dispuesto en la letra l) del artículo 82 de la ley Nº 18.883 —aplicable supletoriamente en virtud del artículo 4º de la citada ley Nº 19.378—, en relación con el artículo 1º de la Constitución Política de la República, están proscritos en nuestro sistema jurídico los actos de hostigamiento que atenten contra la dignidad de las personas, prohibición cuya transgresión compromete la responsabilidad administrativa del infractor y, por ende, debe sancionarse previo el procedimiento sumarial correspondiente (aplica criterio contenido en el dictamen Nº 50.033, de 2010).*
Por lo tanto, y habida consideración que en el alcalde, como máxima autoridad del municipio está radicada la potestad disciplinaria, corresponde que éste pondere si los hechos denunciados ameritan disponer la instrucción de un procedimiento disciplinario, a fin de determinar la existencia de responsabilidades administrativas (aplica criterio contenido en el dictamen Nº 22.522, de 2010)». (**ID Dictamen: 014317N11 Fecha:** 08.03.2011 **Destinatarios:** Alcalde de la Municipalidad de La Pintana. **Texto:** Sobre pago de asignación y destinación de funcionario afecto a la ley 19378, y denuncia de acoso laboral en el Departamento de Salud Municipal de La Pintana. **Acción:** Aplica dictámenes 29647/2006, 45291/2010, 57626/2009, 52029/2006, 60472/2010, 50033/2010, 22522/2010. Mismo criterio aplicado en **ID Dictamen: 001126N12 Fecha:** 06.01.2012 **Destinatarios:** Alcalde de la Municipalidad de San Ramón. **Texto:** Sobre presuntos actos de acoso laboral, irregularidades en el Departamento de Salud de la Municipalidad de San Ramón y remuneraciones adeudadas. **Acción:** aplica dictámenes 22522/2010, 14317/2011, 45291/2010, 6973/2011, 39513/2011, 22955/2010, 79469/2010)

26. *«Precisado lo anterior, es dable anotar que este Organismo Fiscalizador, a través de sus pronunciamientos Nºs. 43.670 y 61.393, ambos de 2012, entre otros, ha sostenido que el alcalde es el encargado de verificar la eventual*

---

[222] Para efectos de su consulta en la Base de Jurisprudencia de Contraloría General de la República, el citado dictamen se encuentra en la sección/materia: «generales», sin perjuicio de que se trata de uno de carácter municipal.

existencia de situaciones relacionadas con acoso laboral y ordenar, si procediere, la instrucción de un procedimiento disciplinario, motivo por el cual, esa autoridad edilicia deberá adoptar las medidas pertinentes a fin de indagar las posibles infracciones al artículo 82, letra m), de la ley Nº 18.883, Estatuto Administrativo para Funcionarios Municipales, aplicable supletoriamente en la especie, por expresa disposición del artículo 4º de la ley Nº 19.378, Estatuto de Atención Primaria de Salud Municipal, (...)». (**ID Dictamen: 074980N12 Fecha:** 03.03.2012 **Destinatarios:** Bernarda Rivera Pino. **Texto:** La autoridad edilicia es la encargada de verificar, por medio de un procedimiento disciplinario, si procede, la existencia de eventuales situaciones relacionadas con acoso laboral. **Acción:** Aplica dictámenes 24400/99, 43670/2012, 61393/2012)[223]

27. *«En este contexto, resulta pertinente anotar que conforme con el invariable criterio jurisprudencial de esta Contraloría General, contenido, entre otros, en los dictámenes Nºs. 13.372, de 2008, 80.174, de 2010, y 14.691, de 2012, si bien el hecho de que los integrantes del comité de selección participen al mismo tiempo como postulantes en el certamen concursal constituye una infracción al principio de probidad administrativa, toda vez que se incurriría en la conducta contemplada en los artículos 62, Nº 6, de la ley Nº 18.575, Orgánica Constitucional de Bases Generales de la Administración del Estado, y 82, letra b), de la ley Nº 18.883, aquel se encontraría suficientemente resguardado si el funcionario afectado por la inhabilidad, se abstiene de intervenir en la evaluación de los candidatos a los cargos en que tenga interés, lo que efectivamente ocurrió en la situación de la especie».* (**ID Dictamen: 061436N12 Fecha:** 03.10.2012 **Destinatarios:** Christian Hormazábal Lagos. **Texto:** Desestima reclamaciones sobre vicios de legalidad en procedimientos concursales que indica. **Acción:** Aplica dictámenes 13372/2008, 80174/2010, 14691/2012, 60742/2011, 24660/2000, 23862/2004, 51349/2005, 4474/2012, 14160/2012)[224]

28. *«Al respecto, cumple manifestar que la razón por la cual el señor Abdala Valenzuela dejó de ejercer la mencionada plaza fue, precisamente, su designación como alcalde subrogante, en conformidad con lo dispuesto en el artículo 62, inciso primero, en concordancia con el artículo 61, ambos de la aludida ley Nº 18.695, atendida la incapacidad temporal que afecta al edil titular, don Waldo Sankán Martínez.*
Teniendo en consideración lo anterior, cabe indicar que si bien la ley no regula la situación por la que se consulta, no se advierte la existencia de ninguna norma de la que pueda desprenderse un impedimento para que un funcionario que, estando obligado —por aplicación del mandato legal contenido en el anotado inciso tercero del artículo 107— a suspender temporalmente el ejercicio del cargo de alcalde subrogante que se encontraba desempeñando, retome, durante tal período, las labores inherentes a la plaza de que es titular (aplica criterio contenido en el dictamen Nº 47.427, de 2008).
Armoniza con lo señalado en el párrafo precedente el criterio contenido en el dictamen Nº 30.738, de 2004, el que concluye que no resulta objetable que los funcionarios municipales, distintos del alcalde, que sean candidatos al cargo de edil o concejal, continúen desempeñando sus labores durante el período consignado, considerando que el citado artículo 107, inciso tercero, solamente impone tal prohibición a quien ejerce como máxima autoridad edilicia, sin extenderla al resto de los funcionarios municipales, quienes también pueden aspirar a dichos cargos en las elecciones respectivas,
Con todo, cumple recordar que, en virtud de lo establecido en los artículos 19 de ley Nº 18.575, Orgánica Constitucional de Bases Generales de la Administración del Estado, y 82, letra h), de la ley Nº 18.883, que aprueba el Estatuto Administrativo para Funcionarios Municipales, está impedido a los funcionarios municipales realizar cualquier actividad política dentro de la Administración del Estado, como asimismo, usar su autoridad, cargo o bienes de la municipalidad para fines ajenos a sus labores». (**ID Dictamen: 058554N12 Fecha:** 24.09.2012 **Destinatarios:** Alcalde (s) de la Municipalidad de Arica. **Texto:** Sobre aplicación del art. 107 inc./3 de la ley 18695, respecto de alcalde subrogante de la Municipalidad de Arica que es candidato a concejal, y procedencia de que reasuma transitoriamente sus funciones como Director de Desarrollo Comunitario. **Acción:** aplica dictámenes 47427/2008, 51229/2008, 15000/2012, 30738/2004)

---

[223]   Para efectos de su consulta en la Base de Jurisprudencia de Contraloría General de la República, el citado dictamen se encuentra en la sección/materia: «generales», sin perjuicio de que se trata de uno de carácter municipal.
[224]   Para efectos de su consulta en la Base de Jurisprudencia de Contraloría General de la República, el citado dictamen se encuentra en la sección/materia: «generales», sin perjuicio de que se trata de uno de carácter municipal.

29. «*Sobre el particular, es del caso señalar que conforme a lo establecido en el artículo 8º de la Constitución Política de la República, el ejercicio de las funciones públicas obliga a sus titulares a dar estricto cumplimiento al principio de probidad en todas sus actuaciones.*

A su vez, según lo precisa —en lo pertinente— el artículo 52 de la ley Nº 18.575, Orgánica Constitucional de Bases Generales de la Administración del Estado, el principio de probidad administrativa consiste en observar una conducta funcionaria intachable y un desempeño honesto y leal de la función o cargo, con preeminencia del interés general sobre el particular. Su inobservancia, agrega, acarreará las responsabilidades y sanciones que determinen la Constitución, las leyes y la propia ley Nº 18.575.

*Por su parte, cabe indicar que el **artículo 82 de la ley Nº 18.883, Estatuto Administrativo para Funcionarios Municipales** —norma aplicable a los alcaldes en virtud de lo dispuesto en su artículo 1º y en el artículo 40, inciso tercero, de la ley Nº 18.695, Orgánica Constitucional de Municipalidades—, previene, en lo pertinente, que al personal municipal le está prohibido usar su autoridad o cargo para fines ajenos a sus funciones.*

*De lo anterior se desprende que el **cargo público que sirve la autoridad alcaldicia debe desempeñarse con la más estricta imparcialidad y no puede ser utilizado para finalidades distintas a las institucionales.***

En este contexto, no corresponde que quien ejerce la plaza de alcalde use su cargo y el nombre y logotipo del municipio en bienes privados —como lo son los calendarios entregados en la especie— para fines particulares, por lo que, en lo sucesivo, el edil deberá abstenerse de realizar ese tipo de actuaciones». (**ID Dictamen:** 058286N12 **Fecha:** 24.09.2012 **Destinatarios:** Alcalde de la Municipalidad de Padre Hurtado. **Texto:** Sobre distribución de los elementos publicitarios que indica por parte del alcalde de la Municipalidad de Padre Hurtado. **Acción:** Aplica dictámenes 26969/2009, 15000/2012)

30. «*Sobre el particular, cumple con aclarar que si bien los alcaldes tienen la calidad de funcionarios municipales y, como tales, se encuentran afectos a responsabilidad administrativa, a ningún órgano se le ha otorgado la potestad de aplicarles alguna de las medidas disciplinarias contempladas en la ley Nº 18.883, Estatuto Administrativo para Funcionarios Municipales, por lo que, consecuentemente, esta Contraloría General no tiene atribuciones para determinar dicha responsabilidad (aplica dictámenes Nºs. 3.687, de 2007 y 48.324, de 2009).*

*No obstante, en la especie, se puede advertir que **la denuncia del ocurrente se ha dirigido, además, en contra de funcionarios distintos al alcalde, razón por la cual esa autoridad, acorde con lo señalado en los dictámenes Nºs. 42.127, de 2009; 34.820 y 24.236, ambos de 2011, debe ponderar la necesidad de disponer el respectivo procedimiento disciplinario, con el fin de esclarecer los hechos denunciados, que pudieren constituir infracción a lo establecido en el artículo 82, letra l), de la mencionada ley Nº 18.883,** que prohíbe realizar cualquier acto atentatorio a la dignidad de los demás servidores, (...)*». (**ID Dictamen:** 029940N12 **Fecha:** 23.05.2012 **Destinatarios:** Alcalde de la Municipalidad de Valdivia. **Texto:** Sobre presuntos actos de acoso laboral y responsabilidad administrativa de la autoridad edilicia. **Acción:** Aplica dictámenes 3687/2007, 48324/2009, 42127/2009, 34820/2011, 24236/2011)

31. «*En seguida, es del caso anotar que las autoridades políticas y administrativas, incluyendo a los alcaldes, deben ceñirse al principio de juridicidad, consagrado en los **artículos 6º y 7º de la Constitución Política de la República y 2º de la ley Nº 18.575, Orgánica Constitucional de Bases Generales de la Administración del Estado, conforme al cual no pueden ejercer más atribuciones que aquellas que expresamente les ha conferido el ordenamiento jurídico.***

*Así, **los ediles deben circunscribir sus actuaciones al marco jurídico regulatorio de las funciones municipales y de las atribuciones a través de las cuales estas deben cumplirse, el que se encuentra contenido, principalmente, en la ley Nº 18.695, Orgánica Constitucional de Municipalidades.***

*A su vez, tales autoridades revisten la condición de funcionarios municipales, siéndoles aplicable —en virtud de lo dispuesto en los artículos 40, inciso tercero, de la ley Nº 18.695, y 1º de la ley Nº 18.883, Estatuto Administrativo para Funcionarios Municipales—, entre otras normas, la **letra h) del artículo 82** del mencionado cuerpo estatutario, con arreglo al cual, en lo que interesa, al funcionario le estará prohibido usar su autoridad o cargo para fines ajenos a sus funciones.*

Ahora bien, en la especie, de los antecedentes tenidos a la vista no se advierte que la convocatoria al acto en homenaje a la persona de que se trata se encuentre vinculada con el cumplimiento de una determinada función municipal.

*En tal entendido, **la actuación de la autoridad edilicia, en orden a invitar al referido evento invocando el cargo que ejerce y, por ende, la representación del respectivo municipio, ha excedido el marco jurídico vigente y ha importado la contravención a una prohibición expresa que le impone la preceptiva estatutaria** antes citada*». (**ID Dictamen:** 015676N12 **Fecha:** 16.03.2012 **Destinatarios:** Segundo Vicepresidente de la Cámara. **Texto:** Sobre procedencia de la actuación del alcalde de Providencia, en invitar a un acto de homenaje a una persona que actualmente se encuentra condenada en procesos por crímenes de lesa humanidad.)

32. «1.- PRESCINDENCIA POLÍTICA DE LOS FUNCIONARIOS DE LA ADMINISTRACIÓN DEL ESTADO. *En primer lugar, es necesario tener presente que de acuerdo con el principio de juridicidad, contemplado en los **artículos 6º y 7º de la Constitución Política** y lo dispuesto en los **artículos 2º, 3º, 5º y 7º de la ley Nº 18.575, Orgánica Constitucional de Bases Generales de la Administración del Estado**, es obligación primordial de los servidores públicos cumplir fiel y esmeradamente, dentro de su competencia, los cometidos propios de sus cargos, con miras a la eficiente atención de las necesidades públicas.*

*Enseguida, debe considerarse que, conforme con lo prescrito en el **artículo 8º de la Carta Fundamental**, el ejercicio de las funciones públicas obliga a sus titulares a dar estricto cumplimiento al principio de probidad en todas sus actuaciones.*

A su turno, el inciso segundo del artículo 52 de la aludida ley Nº 18.575, previene que el principio de probidad administrativa consiste en observar una conducta funcionaria intachable y un desempeño honesto y leal de la función o cargo, con preeminencia del interés general sobre el particular.

*En este mismo orden de ideas, el artículo 53 de la citada ley Nº 18.575, precisa que el interés general exige el empleo de medios idóneos de diagnóstico, decisión y control, para concretar, dentro del orden jurídico, una gestión eficiente y eficaz. Se expresa en el **recto y correcto ejercicio del poder público por parte de las autoridades administrativas; en lo razonable e imparcial de sus decisiones; en la rectitud de ejecución de las normas, planes, programas y acciones; en la integridad ética y profesional de la administración de los recursos públicos que se gestionan; en la expedición en el cumplimiento de sus funciones legales, y en el acceso ciudadano a la información administrativa, en conformidad a la ley.***

De lo anterior se desprende que los cargos públicos que sirven funcionarios, autoridades y jefaturas, deben desempeñarse con la más estricta imparcialidad, otorgando a todas las personas de manera regular y continua las prestaciones que la ley impone al respectivo servicio, sin discriminaciones.

Asimismo, cabe tener presente que el artículo 19 de la mencionada ley Nº 18.575, señala que "el personal de la Administración del Estado estará impedido de realizar cualquier actividad política dentro de la Administración".

Por lo tanto, el funcionario público, en el desempeño de su cargo, no puede realizar actividades ajenas al mismo, como son las de carácter político contingente, ni tampoco valerse de ese empleo para favorecer o perjudicar a determinada candidatura, tendencia o partido político.

En el mismo sentido, la letra h) del artículo 84 de la ley Nº 18.834, sobre Estatuto Administrativo —cuyo texto refundido, coordinado y sistematizado fue fijado por el decreto con fuerza de ley Nº 29, de 2004, del Ministerio de Hacienda—, expresamente prohíbe a los funcionarios regidos por ese cuerpo legal "realizar cualquier actividad política dentro de la Administración del Estado o usar su autoridad, cargo o bienes de la institución para fines ajenos a sus funciones".

*En este contexto, cabe recordar que similar norma se contiene en la **letra h) del artículo 82 de la ley Nº 18.883, sobre Estatuto Administrativo para Funcionarios Municipales**.*

Es necesario manifestar que el citado artículo 19 de la ley Nº 18.575, resulta plenamente aplicable a todos los servidores públicos, cualquiera sea el estatuto jurídico que los rija, y que su debido respeto resulta esencial para garantizar la absoluta transparencia de un acto destinado a elegir a las autoridades comunales.

Luego, la prohibición de realizar actividades de carácter político en el desempeño del cargo, rige también para aquellos funcionarios que hayan inscrito sus candidaturas a concejal o alcalde, quienes, si bien pueden, en general, continuar ejerciendo sus cargos, no deben emplearlos en beneficio de esa candidatura.

De lo expuesto se desprende que en el desempeño de la función pública, los empleados estatales, cualquiera sea su jerarquía y el estatuto jurídico que los rija, están impedidos de realizar actividades de carácter político contingente y, en tal virtud, v. gr., no pueden hacer proselitismo o propaganda política, promover o intervenir en campañas o participar en reuniones o proclamaciones para tales fines, ejercer coacción sobre los empleados u otras personas con el mismo objeto y, en general, valerse de la autoridad o cargo para favorecer o perjudicar, por cualquier medio, candidaturas, tendencias o partidos políticos.

En razón de iguales fundamentos, es también ilícito usar para los indicados propósitos, los recursos públicos, asimismo, los bienes fiscales, municipales o de otras entidades estatales, tal como se precisa en el punto III de estas instrucciones.

Lo anterior, por lo demás, se ve reforzado por lo prescrito en el artículo 27 de la ley Nº 19.884, sobre Transparencia, Límite y Control del Gasto Electoral, según el cual "los funcionarios públicos no podrán realizar actividad política dentro del horario dedicado a la Administración del Estado, ni usar su autoridad, cargo o bienes de la institución para fines ajenos a sus funciones".

Por el contrario, al margen del desempeño del cargo, el empleado, en su calidad de ciudadano, se encuentra plenamente habilitado para ejercer los derechos políticos consagrados en el artículo 13 de la Carta Fundamental, pudiendo emitir libremente sus opiniones en materias políticas y realizar actividades de esa naturaleza. Conviene agregar que tales actividades, en las condiciones indicadas, son esencialmente voluntarias, sin que sea admisible que autoridades o funcionarios, por cualquier medio, coaccionen a otros empleados, requiriéndoles su participación, colaboración o intervención de cualquier índole, en las mismas.

*Lo señalado es **sin perjuicio de las prohibiciones especiales que el ordenamiento jurídico contempla para determinados servicios, (...)**.*

*Ahora bien, tratándose de las **municipalidades, los concejales, no obstante no poseer la calidad de funcionarios públicos, también deben, en el desempeño de sus cargos, abstenerse de realizar actividades políticas en cumplimiento de las normas sobre probidad administrativa contenidas en la ley Nº 18.575, cuya observancia les resulta exigible por expreso mandato del inciso final del artículo 40 de la ley Nº 18.695, Orgánica Constitucional de Municipalidades».*** (**ID Dictamen: 015000N12 Fecha:** 15.03.2012 **Texto:** Imparte instrucciones con motivo de las elecciones municipales del año 2012, especialmente sobre: prescindencia política de los funcionarios de la Administración del Estado; aplicación de los artículos 156 y siguientes de la ley 10336; prohibición de uso de bienes, vehículos y recursos en actividades políticas; regulaciones atingentes a personal que deben tenerse especialmente en cuenta; situación de los alcaldes y concejales; responsabilidades y denuncias; cumplimiento y difusión de estas instrucciones y conclusiones. **Acción:** Aplica dictámenes 24886/95, 60132/2008, 34943/2009, 62786/2009, 35593/95 54354/2008, 19503/2009, 1979/2012, 11552/2005, 34684/99, 6278/2009, 54319/2004, 2363/2010)

33. «*Efectuada la indagatoria respectiva, complementada con lo informado por el Subdirector Jurídico de la mencionada entidad comunal, a través de correos electrónicos fechados el 23 y 27 de diciembre de 2011, se estableció que, efectivamente, en dependencias de la Alcaldía de la Municipalidad de Vitacura se llevó a cabo una reunión almuerzo en la fecha señalada, que contó con la asistencia de los senadores señores Carlos Larraín Peña y Baldo Prokurica Prokurica y de los diputados señora Karla Rubilar Barahona y señor Joaquín Godoy Ibáñez, en la que se habrían tratado "diversos temas de contingencia política, incluidos asuntos partidistas, todas materias de interés de los participantes de la reunión". Cabe agregar que **no se determinó participación de otros funcionarios municipales, distintos del Alcalde,** y además, que el almuerzo fue financiado por este, con cheque de su cuenta corriente personal, de lo cual se desprende que en la actividad en comento no hubo detrimento del patrimonio del municipio.*

*No obstante lo anterior, cabe tener presente que, en conformidad a lo dispuesto en el artículo 40, inciso segundo, de la ley Nº 18.695, Orgánica Constitucional de Municipalidades y, en el artículo 1º de la ley Nº 18.883, Estatuto Administrativo para Funcionarios Municipales, **el Alcalde tiene la calidad de funcionario municipal.***

*Asimismo, corresponde señalar que, **para la letra h) del artículo 82 de la precitada ley Nº 18.883**, prohíbe expresamente a los funcionarios regidos por ese cuerpo legal "Realizar cualquier actividad política dentro de la Administración del Estado o usar su autoridad, cargo o bienes de la municipalidad para fines ajenos a sus funciones".*

En el mismo orden de ideas, es del caso precisar que, en cumplimiento de las normas sobre probidad administrativa contenidas en la ley Nº 18.575, Orgánica Constitucional de Bases Generales de la Administración del Estado, el alcalde, en el desempeño de su cargo, debe abstenerse de realizar actividades políticas.

De este modo, debe concluirse que la realización de una reunión de las características anotadas, en la Alcaldía de la Municipalidad de Vitacura, resultó improcedente.

*Sin embargo, debe agregarse que, conforme **la reiterada jurisprudencia administrativa emanada de este Organismo de Control, contenida, entre otros, en los dictámenes Nº 22.397, de 2008, y 46.324, de 2009, aun cuando los alcaldes tienen la calidad de funcionarios municipales y como tales se encuentran afectos a responsabilidad administrativa, a ninguna autoridad se le ha otorgado la potestad de aplicarles alguna de las medidas disciplinarias contempladas en la ley Nº 18.883.** Agrega dicha jurisprudencia que, **para establecer la responsabilidad de un funcionario se requiere la sustanciación en su contra de un procedimiento sumarial y la aplicación de la sanción que corresponda al mérito que arrojare ese sumario**; no obstante, en la especie, conforme los antecedentes recopilados, no existen otros funcionarios involucrados, por lo que **no resulta pertinente iniciar un sumario administrativo, en esta oportunidad.***

*En consecuencia, tal como esos mismos dictámenes señalan, **establecer si la situación denunciada compromete efectivamente la responsabilidad del alcalde, con las consecuencias jurídicas que ello importe para esa autoridad edilicia, constituyen aspectos que deben ser determinados en las instancias jurisdiccionales, políticas o administrativas correspondientes».*** (**ID Dictamen: 007337N12 Fecha:** 06.02.2012 **Destinatarios:** Segundo Vicepresidente de la Cámara de Diputados. **Texto:** Resulta improcedente realizar en dependencia municipales reuniones de carácter político-partidistas. **Acción:** aplica dictámenes 22397/2008, 46324/2009)

34. «*Como cuestión previa, es del caso anotar que mediante el **dictamen Nº 50.525, de 2011**, esta Contraloría General, atendiendo una presentación deducida por la misma municipalidad, relativa al patrocinio por parte del señor Retamales*

*Tirado de un recurso de protección interpuesto en contra de esa corporación edilicia, concluyó que, **por la naturaleza de dicha acción cautelar, esa representación no se encontraba afectada por la prohibición que establece el artículo 82, letra c), de la ley Nº 18.883**, que impide a los funcionarios municipales actuar en juicio ejerciendo acciones civiles en contra de los intereses del Estado o de las instituciones que de él formen parte, salvo en los casos que la propia norma indica, disposición que, en similares términos, se encuentra contenida en el artículo 56 de la ley Nº 18.575.*

*Lo anterior, atendido que **la jurisprudencia administrativa de esta Entidad de Control, contenida, entre otros, en los dictámenes Nºs. 7.083, de 2001; 23.979, de 2003 y 31.267, de 2010, ha manifestado que la prohibición en comento, relativa al ejercicio de acciones civiles, se refiere específicamente a la defensa en causas litigiosas de contenido patrimonial, en que la contraparte sea un organismo de la Administración del Estado en las que exista la posibilidad de que este sea condenado pecuniariamente**, características que no posee el recurso de protección.*

Ahora bien, en lo que concierne a la situación planteada en esta oportunidad, cabe señalar que, efectuada la correspondiente indagatoria, ha sido posible determinar que el señor Retamales Tirado ha actuado como abogado patrocinante en los recursos de protección, roles Nºs. 321; 279; 277; y 280, todos de 2009 —relativos al incremento previsional previsto en el artículo 2º del decreto ley Nº 3.501, de 1980—, deducidos ante la Corte Apelaciones de San Miguel, en contra de las Municipalidades de Buin, Paine, Melipilla y Padre Hurtado, respectivamente. Del mismo modo, lo ha hecho en la interposición de una demanda de nulidad de derecho público, ante el Segundo Juzgado de Letras de Talca, en contra de la Municipalidad de Constitución, rol Nº C-005046, de 2010.

*Al respecto, en relación con las cuatro causas judiciales patrocinadas por el señor Retamales Tirado **correspondientes a recursos de protección, cumple con reiterar lo expresado en el citado dictamen Nº 50.525, de 2011, en orden a que atendida la naturaleza de este tipo de acciones, no le resulta aplicable la prohibición del artículo 82, letra c), de la ley Nº 18.883, en concordancia con el artículo 56 de la ley Nº 18.575**.*

No obstante, tratándose de la demanda de nulidad de derecho público, cabe señalar que se cumplen los supuestos previstos en la jurisprudencia antes mencionada para los efectos de aplicar la prohibición en comento, por cuanto se verifica la existencia de una causa litigiosa en la que se encuentra comprometido el interés pecuniario de la Municipalidad de Constitución.

*En efecto, **si bien la demanda de nulidad de derecho público persigue que se declare la nulidad de un acto dictado en contravención al principio de legalidad, se encuentran asociadas a ella acciones de carácter patrimonial, tales como las de indemnización de perjuicio y de restitución de un bien o de un derecho, de modo tal que su interposición implica involucrar pecuniariamente al Estado o a un organismo de la Administración y, por consiguiente, cabe considerarla como una de aquellas acciones a que se refiere la prohibición en comento**.*

*Corrobora lo expuesto, la historia fidedigna del establecimiento de ley Nº 19.653, que incorporó el artículo 58 —actual artículo 56— a la ley Nº 18.575, ya que en ella se deja constancia de que con la **prohibición funcionaria de actuar en juicio ejerciendo acciones civiles en contra de los intereses del Estado o de las instituciones que de él formen parte**, "se aclara en la ley el sentido y alcance de esta prohibición, recogiendo la interpretación de la Contraloría General de la República en orden a que, para transgredir este deber de abstención, es menester que haya una contienda jurisdiccional en que pueda resultar comprometido el interés pecuniario del Estado o de las entidades que integran el sector público".*

*En consecuencia, y puesto que en la situación que se analiza la demanda de nulidad de derecho público deducida por el señor Retamales Tirado en contra de la Municipalidad de Constitución, dio curso a una causa litigiosa, cuyo objetivo es que se dejen sin efecto los dictámenes que indica, y que como consecuencia inmediata se condene a la Municipalidad de Constitución al pago de lo que, a su juicio, tales pronunciamientos habrían privado a sus representados de percibir por concepto del incremento previsional, regulado en el artículo 2º del decreto ley Nº 3.501, de 1980, debe concluirse que **la representación de dicha persona en esa acción judicial se encuentra afectada por la prohibición del artículo 82, letra c), de la ley Nº 18.883, en relación con el artículo 56 de la ley Nº 18.575**.*

Siendo ello así, la Municipalidad de Melipilla deberá disponer la instrucción de un sumario administrativo, a fin de determinar si la gravedad de la conducta del señor Retamales Tirado hace procedente la aplicación de alguna medida disciplinaria». (**ID Dictamen: 004747N12 Fecha:** 25.01.2012 **Destinatarios:** Alcalde de la Municipalidad de Melipilla. **Texto:** Sobre patrocinio por parte de funcionario municipal de causas judiciales que indica **Acción:** Aplica dictámenes 50525/2011, 7083/2001, 23979/2003, 31267/2010, 21877/97)[225]

---

[225]   Para efectos de su consulta en la Base de Jurisprudencia de Contraloría General de la República, el citado dictamen se encuentra en la sección/materia: «generales», sin perjuicio de que se trata de uno de carácter municipal.

PÁRRAFO 6º DE LAS INCOMPATIBILIDADES

Artículo 83

En una misma municipalidad no podrán desempeñarse personas ligadas entre sí por matrimonio, por parentesco de consanguinidad hasta el tercer grado inclusive, de afinidad hasta el segundo grado, o adopción, cuando entre ellas se produzca relación jerárquica.

Si respecto de funcionarios con relación jerárquica entre sí, se produjera alguno de los vínculos que se indican en el inciso anterior, el subalterno deberá ser destinado a otra función en que esa relación no se produzca.

1. «*En efecto, el anotado cambio de unidad no modificará la dependencia jerárquica que aquel mantiene con la directora del Departamento de Salud Municipal de Machalí, doña Daniela Zavando Matalama, por consiguiente, el aludido funcionario puede continuar realizando sus funciones en la misma unidad en la que actualmente se desempeña, haciéndose presente que de conformidad con el artículo 62, Nº 6, de la ley Nº 18.575, la mencionada directora deberá abstenerse de participar en cualquier decisión que pudiere relacionarse con la situación funcionaria del citado servidor, atendido el vínculo matrimonial que existe entre ambos*». (**ID Dictamen:** 001356N18. **Fecha:** 17-01-2018. **Destinatarios:** Municipalidad de Machalí. **Texto:** No se ha configurado inhabilidad sobreviniente en la situación que indica por las razones que se exponen. **Acción:** aplica dictámenes 19575/2013, 16463/2016, 65092/2010, 46307/2009, 75090/2010).

2. «*Finalmente, en lo que atañe a la validez de los nombramientos en calidad de titular a contar del 1 de agosto de 2015, que favorecieron a los funcionarios Silva Clavijo, cumple con hacer presente que este punto será resuelto en conjunto con la solicitud de reconsideración del dictamen Nº 46.786, de 2016, de este origen, efectuada por la Municipalidad de El Tabo e ingresada como referencia Nº 210.913, de 2016, pronunciamiento que resolvió, por las razones que en él se consignan, que no se ajustó a derecho que doña Beatriz Piña Báez cesara en la función directiva de que se trata, debiendo retornar a ellas*». (**ID Dictamen:** 001748N17 **Fecha:** 18-01-2017. **Destinatarios:** Municipalidad de El Tabo. **Texto:** De conformidad con la legislación vigente, el divorcio no disuelve el parentesco por afinidad, por lo que las inhabilidades respectivas se mantienen. **Acción:** Aplica dictámenes 36734/2008, 8400/2016).

3. «*En dicho contexto resulta evidente que la circunstancia de que el señor Parés Contreras —directivo de una jerarquía igual o superior a la de jefe de departamento— haya contraído matrimonio con la señora Cartes Poblete, empleada de la misma entidad, sin que entre ellos exista una relación jerárquica, entendida como un vínculo de autoridad o dependencia, no importa que esta última deba dejar su cargo, como lo pretende el denunciante, por no existir la inhabilidad a que éste alude*». (**ID Dictamen:** 016463N16 **Fecha:** 02-03-2016. **Destinatarios:**. **Texto:** No se ha configurado una inhabilidad sobreviniente en el caso que se indica, por las razones que se exponen. **Acción:** Reconsidera dictamen 23956/2010 Aplica dictamen 19575/2013).

4. «*Alcalde de la Municipalidad de San Miguel ha solicitado un pronunciamiento en orden a determinar la procedencia de nombrar en calidad de contratada a una prima, ello en atención a la inhabilidad de ingreso a la Administración del Estado prevista en los **artículos 54, letra b), de Ley Nº 18.575 y 83 de Ley Nº 18.883**, que afecta a las personas que, teniendo con las autoridades o funcionarios que se indican, alguno de los vínculos de parentesco que señalan, postulan a un cargo en la respectiva municipalidad. (...)*
Sobre el particular, en primer término, cabe señalar que conforme lo dispone el artículo 54, letra b), de Ley Nº 18.575, se encuentran inhabilitadas para ingresar a cargos de la Administración del Estado, las personas que tengan la calidad de cónyuge, hijos, adoptados o parientes hasta el tercer grado de consanguinidad y segundo de afinidad inclusive respecto de las autoridades y de los funcionarios directivos del Organismo de la Administración Civil del Estado al que postulan, hasta el nivel de jefe de departamento o su equivalente inclusive.
*Asimismo, el **artículo 83 de Ley Nº 18.883**, señala que en una misma municipalidad no podrán desempeñarse personas ligadas entre sí por matrimonio, por parentesco de consanguinidad hasta el tercer grado inclusive, de afinidad hasta el segundo grado, o adopción cuando entre ellos se produzca relación jerárquica.*
*En consecuencia, en mérito de lo precedentemente expuesto, cabe concluir que **no existe impedimento legal que prohíba el ingreso** a la Municipalidad de San Miguel, **a un pariente ligado en cuarto grado por consanguinidad con la Autoridad Edilicia**»*. (**ID Dictamen:** 035999N05 **Fecha:** 02.08.2005 **Destinatarios:** alcalde municipalidad de San Miguel.

Texto: No existe impedimento legal que prohíba el ingreso a municipalidad a un pariente ligado en cuarto grado por consanguinidad (prima) con el alcalde. Ello, por cuanto conforme al artículo 54, lt/b, de la ley 18575, se encuentran inhabilitadas las personas que tengan la calidad de cónyuge, hijos, adoptados o parientes hasta tercer grado de consanguinidad y segundo de afinidad inclusive, respecto de las autoridades y de los funcionarios directivos del organismo de la administración civil del estado, hasta el nivel de jefe de departamento o su equivalente inclusive. Asimismo el art. 83 ley 18883, señala que en la misma municipalidad no podrán desempeñarse personas ligadas por matrimonio, parentesco consanguinidad hasta tercer grado, de afinidad hasta segundo grado, o adopción cuando entre ellos se produzca relación jerárquica)

Artículo 84

Todos los empleos a que se refiere el presente Estatuto serán incompatibles entre sí. Lo serán también con todo otro empleo o toda otra función que se preste al Estado, aun cuando los empleados, o funcionarios de que se trate se encuentren regidos por normas distintas de las contenidas en este Estatuto. Se incluyen en esta incompatibilidad las funciones o cargos de elección popular.

Son también incompatibles los empleos regidos por este Estatuto, con cargos remunerados por funciones docentes en establecimientos dependientes o vinculados a la respectiva municipalidad.

Sin embargo, puede un empleado ser nombrado para un empleo incompatible, en cuyo caso, si asumiere el nuevo empleo, cesará por el sólo ministerio de la ley en el cargo anterior.

Lo dispuesto en los incisos precedentes, será aplicable a los cargos de jornada parcial en los casos que, en conjunto, excedan de cuarenta y cuatro horas semanales.

1. «*Siendo así, corresponde que ese servicio disponga la reapertura del proceso disciplinario de la especie, con el objeto de que se agoten todas las instancias necesarias para indagar adecuadamente las actuaciones denunciadas por la familia de la señora Espinoza Mora, debiendo remitir copia del acto administrativo que así lo ordene a la Unidad de Seguimiento de la Fiscalía de esta Contraloría General, en el plazo de 10 días contados desde la recepción del presente oficio*». (**ID Dictamen:** 092738N16. **Fecha:** 26-12-2016. **Destinatarios:** Iván Espinoza Mora, en representación de su hermana la señora Silvia Espinoza Mora, exfuncionaria del Servicio de Impuestos Internos. **Texto:** Corresponde que servicio ordene la reapertura de proceso disciplinario que indica. **Acción.**

2. «*En conformidad con lo expresado, y en atención a que, en la especie, el señor Fabián Rojas Andrade se rige por la ley Nº 19.378 y fue proclamado concejal de la comuna de Putaendo mediante "Sentencia de Proclamación de Concejales" Nº 13, de 1 de diciembre de 2016, del Tribunal Electoral Regional de la Quinta Región de Valparaíso, asumiendo en el cargo el 6 de diciembre de la misma anualidad, es dable concluir que se encuentra afectado por la incompatibilidad en análisis, no resultando procedente que siga desempeñándose como empleado municipal bajo ese estatuto, toda vez que el respectivo nombramiento ha cesado por el solo ministerio de la ley*». (**ID Dictamen:** 008256N18. **Fecha:** 26-03-2018. **Destinatarios:** Fabián Rojas Andrade, funcionario del Departamento de Salud de la Municipalidad de Putaendo. **Texto:** Sobre incompatibilidad entre el cargo de técnico regido por la ley Nº 19.378 y de concejal en el mismo municipio. **Acción:** Aplica dictámenes 78567/2012, 51351/2013).

3. «*Requerido informe al municipio, lo emitió a través del oficio Nº DJ-40, de 2010, en el cual expone que el recurrente, luego de asumir un cargo en la Secretaría Ministerial de Educación de la Región Metropolitana, el 23 de junio de 2003, —en virtud de la resolución Nº 410, de 2003, del Ministerio de Educación—, por el solo ministerio de la ley, cesó en su empleo municipal.*
*Como cuestión previa, es menester hacer presente que con ocasión de diversas reclamaciones efectuadas por el recurrente, cuya única pretensión fue la de validar y mantener su nombramiento como profesional a contrata, asimilado al grado 8 de la E.U.S., en la referida secretaría ministerial, este **Órgano Fiscalizador**, a través del dictamen Nº 10.707, de 2005, manifestó que al haber asumido labores en dicha entidad, a contar del 23 de junio de 2003, manteniendo su*

vínculo laboral vigente con la Municipalidad de Renca, al interesado se le hizo aplicable la incompatibilidad prevista en el artículo 84, de la citada ley Nº 18.883, que establece que todos los empleos regidos por ese estatuto son incompatibles entre sí, y con toda otra función o empleo que se preste al Estado.

Por ello, el señor Rojas Arancibia cesó en el cargo que servía en la Municipalidad de Renca —en la data indicada—, por el solo ministerio de la ley, en virtud del inciso tercero de la citada disposición legal». (**ID Dictamen:** 049912N11 **Fecha:** 09.08.2011 **Destinatarios:** Antonio Rojas Arancibia. **Texto:** Sobre solicitud de reincorporación de ex funcionario a cargo municipal en el que cesó al asumir un empleo incompatible. **Acción:** Aplica dictámenes 10707/2005, 19946/2004, 5116/2008, 67568/2009, 26660/2011)

4. *«Ahora bien, en relación con la materia, resulta necesario hacer presente que de acuerdo con lo dispuesto en el artículo 75 de la ley Nº 18.695 —Orgánica Constitucional de Municipalidades—, los cargos de concejales serán incompatibles, en lo que interesa, con todo empleo, función o comisión que se desempeñe en la misma municipalidad y en las corporaciones o fundaciones en que ella participe, con excepción de los cargos profesionales no directivos en educación, salud o servicios municipalizados.*

*En este contexto, **la jurisprudencia administrativa, contenida, entre otros, en los dictámenes Nºs. 48.434, de 2006 y 3.648, de 2009, ha sostenido que si bien esta Contraloría General carece de competencia para dictaminar sobre la incompatibilidad de los concejales —cuya declaración compete al Tribunal Electoral Regional respectivo—, le corresponde, sin embargo, pronunciarse acerca de las incompatibilidades que puedan afectar a los funcionarios públicos para ocupar cargos de elección popular —como es el de concejal—, para lo cual tiene en cuenta el régimen estatutario que rige al respectivo funcionario.***

Establecido lo anterior, menester es anotar que dado que la ley Nº 19.070, sobre Estatuto Docente, no considera la función de profesor encargado, y que sólo contempla, al tenor de lo preceptuado en sus artículos 5º a 8º, las funciones de docencia de aula, docente-directiva y técnico-pedagógica, la jurisprudencia de esta Entidad Fiscalizadora, contenida, entre otros, en el dictamen Nº 33.586, de 2006, ha precisado que la labor de profesor encargado corresponde a una asignación de funciones encomendada a un docente de aula para salvar una situación excepcional que se produce en ciertos planteles rurales que no cuentan con docente directivo.

*Lo aseverado precedentemente conlleva a afirmar —en concordancia con el criterio contenido en el dictamen Nº 7.751, de 2006— que si bien los profesores encargados de unidades educativas, además de cumplir funciones de docencia de aula, tienen asignadas horas de docencia directiva, no invisten la calidad jurídica de directores. De este modo, **el cargo de profesor encargado de que se trata, se encuentra amparado por la excepción a que se refiere el citado artículo 75.***

*Siendo ello así, no se advierte que la labor en estudio sea incompatible con un cargo de elección popular, **considerando que la ley Nº 19.070 no contempla alguna incompatibilidad entre las funciones en cuestión, a diferencia de lo que acontece con la ley Nº 18.883 —Estatuto Administrativo para Funcionarios Municipales—, cuyo artículo 84 dispone** expresamente que los empleos regidos por dicho texto legal son incompatibles con otro empleo o función que se preste al Estado, incluidos los de elección popular.*

*En estas condiciones, cabe concluir que atendido que **las incompatibilidades son de derecho estricto, el desempeño del cargo de profesor encargado de la especie, no resulta incompatible con el de concejal, sin perjuicio, por cierto, de lo que eventualmente puedan determinar los Tribunales Electorales Regionales, en una situación concreta, respecto de la incompatibilidad que pueda afectar el ejercicio del cargo de concejal».*** (**ID Dictamen:** 013217N11 **Fecha:** 03.03.2011 **Destinatarios:** Tulio Mateluna Martínez. **Texto:** Sobre compatibilidad entre cargos de concejal y profesor encargado de un establecimiento educacional municipal y cumplimiento de jornada de trabajo. **Acción:** Aplica dictámenes 48434/2006, 3648/2009, 33586/2006, 7751/2006, 43601/2008)

5. *«Como cuestión previa, cabe señalar, **en cuanto a las incompatibilidades que pueden afectar a los concejales que, en concordancia con lo preceptuado en el artículo 77 de la citada ley Nº 18.695, la jurisprudencia administrativa de esta Entidad de Control, contenida en el dictamen Nº 34.109, de 2012, entre otros, ha concluido que no corresponde a la Contraloría General, sino que a los tribunales electorales regionales pertinentes, pronunciarse sobre aquellas.***

*Agrega el referido pronunciamiento, que **lo anterior, no obsta al ejercicio de las atribuciones dictaminadoras de esta Entidad Fiscalizadora respecto de las incompatibilidades que puedan afectar, desde la perspectiva estatutaria, a los funcionarios públicos que tienen la calidad de concejales,** toda vez que ello implica interpretar las normas que rigen al personal de la Administración del Estado, materia que se encuentra dentro del ámbito de competencia de este Órgano Contralor. (...)*

*Así, **las labores docentes de que se trata resultan compatibles con el desempeño como concejal, considerando, además, que la ley Nº 19.070 no contempla alguna incompatibilidad entre las funciones en cuestión, a diferencia de lo***

que acontece con la ley Nº 18.883, Estatuto Administrativo para Funcionarios Municipales, cuyo artículo 84 dispone expresamente que los empleos regidos por dicho texto legal son incompatibles con otro empleo o función que se preste al Estado, incluidos los de elección popular (aplica criterio contenido en el dictamen Nº 13.217, de 2011, de este origen).
En estas condiciones, cabe concluir que el ejercicio de la función docente técnico-pedagógica resulta compatible con el desempeño como concejal». **(ID Dictamen: 078567N12 Fecha:** 18.12.2012 **Destinatarios:** Alcalde de la Municipalidad de Futaleufú. **Texto:** Son compatibles las labores docentes técnico-pedagógicas con el desempeño de concejal, considerando que ley 19070 no contempla alguna incompatibilidad. **Acción:** Aplica dictámenes 34109/2012, 61740/2009, 13217/2011)[226]

6. «*Se ha dirigido a esta Contraloría General el señor Víctor Zúñiga Caris, presidente de la Junta de Vecinos Eusebio Lillo, reclamando en contra de la Municipalidad de Ñuñoa, por las irregularidades que, a su juicio, se habrían producido en la constitución del Consejo Comunal de Organizaciones de la Sociedad Civil de Ñuñoa, las que serán analizadas en el desarrollo del presente oficio. (…)*
En primer término, se reclama que integrarían dicho consejo comunal dos funcionarias del municipio.
Al respecto, cabe anotar que el inciso tercero del artículo 95 de la ley Nº 18.695, indica que serán aplicables a los miembros del consejo comunal de organizaciones de la sociedad civil las inhabilidades e incompatibilidades que esa ley contempla para los miembros de los concejos.
Al efecto, es del caso indicar que el artículo 75 de dicha normativa dispone, en lo pertinente, que los cargos de concejales serán incompatibles con todo empleo, función o comisión que se desempeñe en la misma municipalidad y en las corporaciones o fundaciones en que ella participe, con excepción de los cargos profesionales no directivos en educación, salud o servicios municipalizados.
A su vez, cumple hacer presente que, en concordancia con lo anterior, el inciso primero del artículo 84 de la ley Nº 18.883, sobre Estatuto Administrativo para los Funcionarios Municipales, previene, en lo que interesa, que los empleos afectos a dicho cuerpo normativo son incompatibles "con todo otro empleo o toda otra función que se preste al Estado, aun cuando los empleados o funcionarios de que se trate se encuentren regidos por normas distintas de las contenidas en este Estatuto". (…)
En este contexto, atendido que, al momento de constituirse el referido consejo, las denunciadas ejercían funciones que no son de las excepcionadas en el aludido artículo 75 —cargos profesionales no directivos en educación, salud o servicios municipalizados—, aquellas se encontraban afectas a la referida incompatibilidad, no pudiendo integrarlo válidamente». **(ID Dictamen: 072053N12 Fecha:** 19.11.2012 **Destinatarios:** Alcalde de la Municipalidad de Ñuñoa. **Texto:** Sobre presuntas irregularidades cometidas en la constitución del Consejo Comunal de Organizaciones de la Sociedad Civil de Ñuñoa. **Acción:** Aplica dictámenes 15700/2012, 58563/2012, 64352/2012)

7. «*Pues bien, consta de los antecedentes que obran en poder de este Organismo Contralor que la Municipalidad de Lo Espejo, en cumplimiento de lo ordenado por el referido inciso quinto del artículo 94 de la ley Nº 18.695, dictó, sobre la base del reglamento tipo propuesto por la aludida subsecretaría —sancionado por su resolución exenta Nº 5.983, de 2011, modificada por su resolución exenta Nº 12.573, del mismo año—, el reglamento que regula su consejo comunal de organizaciones de la sociedad civil, cuyo cuestionado artículo 7º, letra c), previene, en lo pertinente —y en idénticos términos que el mencionado reglamento tipo—, que no podrán ser candidatos a consejeros "Las personas que a la fecha de inscripción de sus candidaturas tengan vigente o suscriban, por sí o por terceros, contratos o cauciones con la Municipalidad".*
Efectuadas las consideraciones precedentes, es útil anotar que del análisis de las normas de la citada ley Nº 18.695, no se aprecia ningún precepto que prohíba ser candidato a consejero a quienes tengan contratos vigentes con la respectiva entidad edilicia.
En este sentido, es pertinente consignar que el artículo 95 de la referida ley Nº 18.695, que establece los requisitos para ser miembro de los referidos consejos, prescribe, en su inciso tercero, que "Serán aplicables a los miembros del consejo comunal de organizaciones de la sociedad civil las inhabilidades e incompatibilidades que esta ley contempla para los miembros de los concejos".

---

[226] Para efectos de su consulta en la Base de Jurisprudencia de Contraloría General de la República, el citado dictamen se encuentra en la sección/materia: «generales», sin perjuicio de que se trata de uno de carácter municipal.

*En este contexto, **conviene resaltar que la disposición legal recién transcrita hace aplicables a los integrantes de los consejos comunales de las organizaciones de la sociedad civil las inhabilidades e incompatibilidades que, en virtud de la ley Nº 18.695, rigen a los miembros de los concejos municipales, las cuales se encuentran establecidas en su artículo 75, pero no las prohibiciones que ese mismo texto normativo prevé para ser candidato a concejal, las que están contenidas en su artículo 74.***

*En mérito de lo expuesto, y habida consideración que el artículo 19, Nº 17, de la Constitución Política de la República, asegura a todas las personas la admisión a todas las funciones y empleos públicos, sin otros requisitos que los que impongan la Carta Fundamental y las leyes, y que acorde se ha precisado por la **jurisprudencia administrativa contenida en los dictámenes Nºs. 30.588, de 2004; 14.920, de 2010 y 69.893, de 2011**, de esta Entidad Fiscalizadora, las normas que establecen inhabilidades e incompatibilidades son de derecho estricto, por lo que han de ser interpretadas de manera restrictiva, es dable concluir que resulta improcedente que por medio de normas infralegales, como ocurre con el reglamento tipo propuesto por la Subsecretaría de Desarrollo Regional y Administrativo y con el cuestionado texto reglamentario dictado por la Municipalidad de Lo Espejo, se hagan extensivas a quienes presenten sus candidaturas para ser consejero del consejo comunal de organizaciones de la sociedad civil, las exigencias que el artículo 74 de la citada ley Nº 18.695 contempla para los candidatos a concejales, tal como acontece con aquélla prevista en su letra c), relativa a las personas que tengan contratos vigentes con la respectiva municipalidad, ya que, según se ha explicado, ello no tiene sustento legal.*

Por consiguiente, cumple señalar que las normas contenidas en las letras c) de los artículos 7ºs. del reglamento tipo propuesto por la Subsecretaría de Desarrollo Regional y Administrativo, y del Reglamento del Consejo Comunal de Organizaciones de la Sociedad Civil de la Comuna de Lo Espejo, no se ajustan a derecho.

En este orden de ideas, es menester advertir que tanto la mencionada subsecretaría, como la Municipalidad de Lo Espejo, deben adoptar las medidas necesarias para ajustar sus actos a las pautas recién establecidas por medio del presente pronunciamiento.

*Ahora bien, en lo que concierne a la situación particular del presidente de la organización consultante, es pertinente consignar que el hecho de ser funcionario auxiliar a contrata de la Municipalidad de Lo Espejo **no le impediría, eventualmente, desempeñarse como miembro de su consejo comunal de las organizaciones de la sociedad civil, toda vez que la inhabilidad prevista en la <u>letra a) del inciso segundo del aludido artículo 75 de la ley Nº 18.695</u>, en cuanto impide ejercer ese cargo a quienes tengan contratos vigentes con la respectiva** municipalidad —y que rige a los integrantes de esa clase de órganos colegiados, en virtud de lo indicado en el mencionado inciso tercero del artículo 95 del mismo cuerpo legal—, no resultaría aplicable en la especie, en atención a que la relación laboral que existe entre el señor Aravena Salas y tal entidad edilicia no tiene una naturaleza contractual, sino estatutaria, ya que dicho tipo de vínculos se originan con la dictación del acto jurídico unilateral mediante el cual la autoridad administrativa competente dispone la designación del correspondiente servidor público, y no producto de una convención entre partes.*

Con todo, es del caso anotar que en el evento que el señor Aravena Salas asumiera el cargo de consejero, dada su calidad de funcionario a contrata, sí se encontraría afecto a la incompatibilidad prevista en el <u>inciso primero del citado artículo 75 de la ley Nº 18.695</u>, pues lo estatuido en dicho precepto, en relación con lo prescrito en el citado inciso tercero del artículo 95 del mismo cuerpo legal, determinan que el señalado cargo de consejero es incompatible con "todo empleo, función o comisión que se desempeñe en la misma municipalidad y en las corporaciones o fundaciones en que ella participe (...)".

*Cumple hacer presente que, en concordancia con lo anterior, el **inciso primero del artículo 84 de la ley Nº 18.883, sobre Estatuto Administrativo para los Funcionarios Municipales,** previene, en lo que interesa, que los empleos que se rigen por dicho cuerpo normativo —entre los cuales se encuentra, por cierto, la plaza a contrata que ocupa el señor Aravena Salas— son incompatibles "con todo otro empleo o toda otra función que se preste al Estado, aun cuando los empleados o funcionarios de que se trate se encuentren regidos por normas distintas de las contenidas en este Estatuto".*

*De este modo, cabe sostener que **si el señor Aravena Salas asume la referida función de consejero, cesará por el solo ministerio de la ley en su cargo de funcionario auxiliar a contrata** (...), según lo ordena el inciso tercero del mencionado artículo 84*». (**ID Dictamen:** 055082N12 **Fecha:** 05.09.2012 **Destinatarios:** Alcalde de la Municipalidad de Lo Espejo. **Texto:** Sobre la juridicidad de ciertas disposiciones del Reglamento del Consejo Comunal de Organizaciones de la Sociedad Civil de la Comuna de Lo Espejo, relativas a las exigencias para ser candidato a consejero de ese órgano colegiado y para el ejercicio de dicho cargo. **Acción:** Aplica dictámenes 30588/2004, 14920/2010, 69893/2011)

8. «*Se ha dirigido a esta Contraloría General don Antonio Rojas Arancibia, solicitando la reconsideración del dictamen Nº 49.912, de 2011, de este origen, mediante el cual se concluyó que su petición de ser reincorporado a la Municipalidad de Renca, por no haberse configurado la causal de incompatibilidad de empleos establecida en el **artículo 84 de la ley***

Nº 18.883, sobre Estatuto Administrativo para Funcionarios Municipales, se interpuso fuera del plazo de dos años contemplado para tales efectos en el artículo 157 de dicho texto legal. (...)

*Sobre el particular, cabe tener presente que en el pronunciamiento de la especie se precisó que, al haber asumido el recurrente labores en la Secretaría Regional Ministerial de Educación de la Región Metropolitana, el 23 de junio de 2003, —en virtud de la resolución Nº 410, de ese año, de la Cartera de Educación—, **por el solo ministerio de la ley, cesó en su empleo municipal, ya que se hizo aplicable, con esa data, la incompatibilidad prevista en el artículo 84, de la citada ley Nº 18.883,** que establece, en lo que interesa, que todos los empleos regidos por ese estatuto son incompatibles con toda otra función o empleo que se preste al Estado.*

Por otra parte, en relación a la alegación formulada por el recurrente en cuanto a la validez de su contratación en la aludida secretaría, procede reiterar lo señalado en los dictámenes Nos 10.707 y 37.315, ambos de 2005, y 12.051, de 2007, acerca de la legitimidad del nombramiento del recurrente en el cargo de abogado a contrata, asimilado al grado 8º E.U.S, luego de ser seleccionado en el concurso al que llamó la referida repartición pública, teniendo aquel conocimiento del cargo que ocuparía en ella a contar del 23 de junio de 2003, oportunidad en la que lo habría asumido previa aceptación formal y escrita». (**ID Dictamen: 050127N12 Fecha:** 16.08.2012 **Destinatarios:** Antonio Rojas Arancibia. **Texto:** Rechaza solicitud de reconsideración de dictamen que se pronunciara sobre cese de funciones por asumir un empleo compatible. **Acción:** aplica dictámenes 10707/2005, 37315/2005, 12051/2007 confirma dictamen 49912/2011)[227]

9. *«A su turno, la Municipalidad de Valdivia requiere un pronunciamiento sobre la situación de don Domingo Soto Game, funcionario de la planta directiva que fue destinado a cumplir las labores del cargo de Secretario del Primer Juzgado de Policía Local —el que no se encuentra nominado en la planta de personal de ese municipio, contenida en el decreto con fuerza de ley Nº 279-19.321, de 1994, del antiguo Ministerio del Interior—, por ser el único que contaba con el título de abogado.*

Ello, por cuanto, el municipio considera que respecto de esa plaza se cumpliría el supuesto previsto en el artículo 10, letra b), de la ley Nº 20.554, referido a las entidades ediles en que el cargo de Secretario de Juzgado de Policía Local, no se encuentra servido por un profesional con título de abogado.

Al respecto, es del caso recordar que, con arreglo a lo preceptuado, en lo pertinente, en el artículo 70 de la citada ley Nº 18.883, los funcionarios municipales solo pueden ser destinados a desempeñar funciones propias del cargo para el que han sido designados dentro de la municipalidad correspondiente.

Ahora bien, del estudio de la historia fidedigna del establecimiento de la ley Nº 20.554, se aprecia que las funciones relativas al cargo de Secretario de Juzgado de Policía Local son propias de la planta de profesionales de los municipios, tal como queda de manifiesto de la intervención del Diputado García-Huidobro —Primer Trámite Constitucional, Discusión en Sala—, y de los Informes de la Comisión de Gobierno Interior, tanto del Primer como del Segundo Trámite Constitucional, en los que se indica que en las municipalidades donde ya existe el cargo de secretario, los alcaldes, mediante decreto, deberán identificar los cargos de la planta de "Profesionales" que se transforman en empleos nominados de "secretario abogado de juzgado de Policía Local"».

Luego, y atendida la naturaleza del cargo del que es titular el señor Soto Game, debe estimarse improcedente su destinación al cargo de Secretario del Primer Juzgado de Policía Local de la Municipalidad de Valdivia, que servía y, por ende, no puede entenderse que este último se encontrara válidamente provisto a la fecha de vigencia de la ley Nº 20.554.

*Siendo así, en el caso reseñado se ha producido la creación del cargo de Secretario Abogado de Juzgado de Policía Local, en virtud de lo establecido en el artículo 10, letra b), de la ley Nº 20.554, debiendo procederse a su identificación en la planta de profesionales, acorde con lo dispuesto en el artículo 11 de esa ley, **correspondiendo que el funcionario a que se refiere la consulta, sea destinado a un empleo acorde con su nombramiento.**

**Lo expresado, es sin perjuicio de la facultad que le asiste a dicho funcionario, en el evento que la municipalidad provea esa plaza a través de concurso público, de participar en el respectivo certamen, caso en el cual, de resultar designado en tal cargo, se generará a su respecto la situación prevista en el inciso tercero del artículo 84 de la ley Nº 18.883».*
(**ID Dictamen:** 039521N12 **Fecha:** 04.07.2012 **Destinatarios:** Alcalde de la Municipalidad de Placilla. **Texto:** Se pronuncia sobre alcance de los artículos 2º, 10 y 11 de la ley 20554, en relación con diversas consultas vinculadas con el cargo de Secretario de Juzgado de Policía Local, y atiende consulta relativa a provisión de cargo profesional de la planta de personal de la Municipalidad de Arica. **Acción:** Aplica dictámenes 17464/96, 3250/96)

---

[227]   Para efectos de su consulta en la Base de Jurisprudencia de Contraloría General de la República, el citado dictamen se encuentra en la sección/materia: «generales», sin perjuicio de que se trata de uno de carácter municipal.

Artículo 85

No obstante lo dispuesto en el artículo anterior, el desempeño de los cargos a que se refiere el presente Estatuto será compatible:

a) Con los cargos docentes de hasta un máximo de doce horas semanales, en establecimientos que no sean dependientes o no estén vinculados a la respectiva municipalidad;

b) Con el ejercicio de funciones a honorarios, siempre que se efectúen fuera de la jornada ordinaria de trabajo;

c) Con el ejercicio de un máximo de dos cargos de miembro de consejos o juntas directivas de organismos estatales, y

d) Con la calidad de subrogante o suplente.

1. «*A su turno, el **artículo 85 de la reseñada ley Nº 18.883**, prevé, en su **letra d)**, la compatibilidad de los empleos regidos por dicho cuerpo legal, con los cargos de suplente y subrogante.*
Agregando, el artículo 86 del mismo ordenamiento que, en los casos a que se refiere la aludida letra d), los funcionarios conservarán la propiedad del cargo o empleo de que sean titulares.
*Como puede advertirse **al tenor de la normativa expuesta, y en armonía con lo manifestado por la jurisprudencia administrativa de esta Entidad Fiscalizadora, contenida, entre otros, en los dictámenes Nºs. 27.997, de 1993, y 28.561, de 2000, no existe impedimento para que un funcionario que ocupa un cargo titular de planta pueda ser nombrado como suplente en otro de exclusiva confianza, sin que pierda la propiedad de aquél, dado que es la propia ley la que lo autoriza.***
Sin embargo, ello no significa que, por tal circunstancia, se permita desempeñar cargos vacantes de esa naturaleza, en calidad de suplentes, sin limitación de tiempo, como al parecer entiende la autoridad recurrente.
*En este sentido, cabe agregar que, a diferencia de lo que acontece con la ley Nº 18.834, Estatuto Administrativo, el cual en su artículo 87, letra e), establece expresamente la compatibilidad de cargos afectos a dicho estatuto con los de exclusiva confianza; **la ley Nº 18.883, no contempla tal posibilidad, y considerando que en derecho público los órganos de la Administración del Estado solo pueden realizar aquello para lo cual están expresamente facultados, tampoco es posible nombrar a un funcionario de planta como titular en un cargo de exclusiva confianza y mantenerle la propiedad del mismo***». (**ID Dictamen: 068493N12 Fecha:** 31.10.2012 **Destinatarios:** Alcalde de la Municipalidad de San Antonio. **Texto:** Rechaza solicitud de reconsideración de oficio 13030/2011, de la Contraloría Regional de Valparaíso, sobre improcedencia de suplencias que indica. **Acción:** Aplica dictámenes 27997/93, 28561/2000)

2. «*Por lo demás, la **letra b) del artículo 85 de la ley Nº 18.883**, sobre **Estatuto Administrativo para Funcionarios Municipales**, establece expresamente que los cargos a que se refiere ese estatuto —entre los cuales se encuentra el de secretario municipal— serán compatibles con el ejercicio de funciones a honorarios, siempre que se efectúen fuera del horario de trabajo.*
Con todo, cabe recordar que las contrataciones a honorarios que pueden aprobar los municipios deben enmarcarse en lo establecido en el artículo 4º de la citada ley Nº 18.883, en cuanto permite la contratación sobre la base de honorarios a profesionales y técnicos de educación superior o expertos en determinadas materias, cuando deban realizarse labores accidentales y que no sean las habituales de la municipalidad. Añade que se podrá contratar sobre la base de honorarios, la prestación de servicios para cometidos específicos, conforme a las normas generales.
*En este orden de ideas y en concordancia con **el criterio sostenido en el citado oficio Nº 2.372, de 2007, de una interpretación armónica de las normas citadas, es posible colegir que los directivos municipales pueden ser contratados en base a honorarios por la misma entidad para labores accidentales y que no sean habituales en el municipio o para cometidos específicos, siempre que se realicen fuera del horario de trabajo, sin que resulte aplicable al efecto la prohibición contenida en el artículo 4º de la ley Nº 19.886**.*
*En este contexto, atendido a que la consulta de dicho municipio dice relación con la contratación a honorarios del secretario municipal para asumir responsabilidades en la "cartera hipotecaria", sin que se adjunten los antecedentes que permitan precisar esta función, cabe señalar que ello **resultará jurídicamente procedente en la medida que las labores contratadas se ajusten a lo dispuesto en el artículo 4º de la ley Nº 18.883 y se efectúen fuera del horario de trabajo del respectivo funcionario directivo***». (**ID Dictamen: 025191N12 Fecha:** 02.05.2012 **Destinatarios** Alcalde de la

Municipalidad de Curanilahue. **Texto:** Sobre contratación a honorarios de funcionario directivo de la Municipalidad de Curanilahue. **Acción:** Aplica dictamen 37922/2007)

3. «*5) Contratos a honorarios y convenios que involucren la prestación de servicios personales.*

*Este **Organismo de Control fiscalizará especialmente las tareas encomendadas a las personas contratadas a honorarios respecto a su efectiva ejecución y al respeto de horarios de trabajo, cuando corresponda**, velando, por cierto, que se emitan los informes que en cada caso se contemplen en el respectivo contrato.*

Sobre el particular, debe darse cumplimiento a las disposiciones de los artículos 11 de la ley Nº 18.834 y 4º de la ley Nº 18.883, teniendo presente que las labores realizadas deben corresponder a aquellas previstas en los contratos respectivos, relacionadas siempre con los objetivos de la institución de que se trate.

En relación a aquellos funcionarios que además tengan contratos a honorarios, se debe hacer presente que esas labores deben ser realizadas fuera de la jornada ordinaria de trabajo, conforme a lo dispuesto en los artículos 87, letra b), de la ley Nº 18.834 y 85, letra b), de la ley Nº 18.883». (**ID Dictamen:** 015000N12 **Fecha:** 15.03.2012 **Texto:** Imparte instrucciones con motivo de las elecciones municipales del año 2012, especialmente sobre: prescindencia política de los funcionarios de la Administración del Estado; aplicación de los artículos 156 y siguientes de la ley 10336; prohibición de uso de bienes, vehículos y recursos en actividades políticas; regulaciones atingentes a personal que deben tenerse especialmente en cuenta; situación de los alcaldes y concejales; responsabilidades y denuncias; cumplimiento y difusión de estas instrucciones y conclusiones. **Acción:** Aplica dictámenes 24886/95, 60132/2008, 34943/2009, 62786/2009, 35593/95 54354/2008, 19503/2009, 1979/2012, 11552/2005, 34684/99, 6278/2009, 54319/2004, 2363/2010)

Artículo 86

La compatibilidad de remuneraciones no libera al funcionario de las obligaciones propias de su cargo, debiendo prolongar su jornada para compensar las horas que no haya podido trabajar por causa del desempeño de los empleos compatibles.

En el caso de la letra d) del artículo anterior, no se aplicará lo dispuesto en el inciso precedente, y los funcionarios conservarán la propiedad del cargo o empleo de que sean titulares.

La remuneración del funcionario en el evento de la subrogación o suplencia, será sólo la del empleo que desempeñe en esta calidad cuando proceda conforme a los artículos 6º y 80, y siempre que la remuneración sea superior a la que le corresponde en su cargo como titular.

1. «*En cuanto a la recuperación de las horas de trabajo no realizadas mientras se cumplen las labores de concejal, cabe señalar que de acuerdo a lo dispuesto en el artículo 86 de la ley Nº 18.883, la "compatibilidad de remuneraciones no libera al funcionario de las obligaciones propias de su cargo, debiendo prolongar su jornada para compensar las horas que no haya podido trabajar por causa del desempeño de los empleos compatibles" —norma que se replica en el artículo 88 de la ley Nº 18.834—, por lo que para recuperar tales lapsos, se debe extender la jornada mediante el establecimiento de un sistema de horario adicional, el cual debe ser lo suficientemente flexible (aplica criterio contenido en el dictamen Nº 19.480, de 1993)*». (**ID Dictamen:** 043360N17. **Fecha:** 11-12-2017. **Destinatarios:** Servicio de Salud O'Higgins. **Texto:** Criterio contenido en el dictamen Nº 9.070, de 2015, rige desde la publicación de la ley Nº 20.742. Precisa procedimiento para recuperar jornada laboral de funcionarios que a la vez son concejales y realizar descuentos de sus remuneraciones, de proceder. **Acción:** aplica dictámenes 33082/2013, 50185/2007, 9070/2015, 50220/2004, 62498/2008, 4478/2016, 19480/93, 38182/2005, 24790/2007, 21688/2011).

2. «*Sobre la materia, cabe tener presente que esta Entidad de Control ha manifestado en los dictámenes Nºs. 31.399, de 1993; 6.962, de 2000; 50.662, de 2008; 13.092 de 2010; y 22.712, de 2011, entre otros, que los Jueces de Policía Local son funcionarios municipales regidos por la ley Nº 18.883, que aprueba el Estatuto Administrativo para Funcionarios Municipales, en concordancia con lo prescrito en la ley Nº 15.231, sobre organización y atribuciones de los Juzgados de Policía Local, sin perjuicio de aquellos aspectos en que están sujetos a la supervigilancia directiva, correccional y económica de la correspondiente Corte de Apelaciones, de manera que gozan de las prerrogativas que corresponden a tales servidores, que sean conciliables con la normativa especial que los rige.*

Enseguida, es dable manifestar, de acuerdo con lo prescrito en el artículo 80 de la citada ley Nº 18.883, que si un funcionario subroga en el cargo a un Juez de Policía Local, tendrá derecho al sueldo de este último, si el cargo se encontrare vacante o el titular del mismo, por cualquier motivo, no gozare de dicha remuneración, como ocurre en la especie.

*En cambio, **diversa resulta la situación del abogado que, no siendo funcionario, subroga al magistrado, por cuanto aquél tiene derecho al sueldo del cargo que desempeña, más las remuneraciones accesorias correspondientes, tal como lo indicara el dictamen Nº 30.015, de 1989, de esta Entidad de Control.***

*Por otra parte, es necesario tener presente que, de conformidad con lo previsto en el artículo 88 de la ley Nº 18.834, sobre Estatuto Administrativo —al cual se encuentra sometido el funcionario en comento por el cargo desempeñado en la Defensoría Penal Pública—, al tiempo que lo dispone el **artículo 86 de la ley Nº 18.883**, la compatibilidad de remuneraciones no libera al funcionario de las obligaciones propias de su cargo, debiendo prolongar su jornada para compensar las horas que no haya podido trabajar por causa del desempeño de ambos empleos».* **(ID Dictamen: 004274N12 Fecha: 23.01.2012 Destinatarios:** Alcalde Municipalidad de Cisnes. **Texto:** Resulta procedente que Juez de Policía Local subrogante perciba el sueldo del titular de dicho cargo, toda vez que éste último no está gozando de sus remuneraciones, debiendo prolongar su jornada de trabajo en la Defensoría Penal Regional XI Región de Aysén, para compensar las horas no trabajadas por tal motivo. **Acción:** Aplica dictámenes 31399/93, 6962/2000, 50662/2008, 13092/2010, 22712/2011, 30015/89)[228]

---

[228] Para efectos de su consulta en la Base de Jurisprudencia de Contraloría General de la República, el citado dictamen se encuentra en la sección/materia: «generales», sin perjuicio de que se trata de uno de carácter municipal.

TÍTULO IV
De los Derechos Funcionarios

PÁRRAFO 1° NORMAS GENERALES

Artículo 87

Todo funcionario tendrá derecho a gozar de estabilidad en el empleo y a ascender en el respectivo escalafón; participar en los concursos; hacer uso de feriados, permisos y licencias; recibir asistencia en caso de accidente en actos de servicio o de enfermedad contraída a consecuencia del desempeño de sus funciones, y a participar en las acciones de capacitación, de conformidad con las normas del presente Estatuto.

Asimismo, tendrá derecho a gozar de todas las prestaciones y beneficios que contemplen los sistemas de previsión y bienestar social en conformidad a la ley de protección a la maternidad, de acuerdo a las disposiciones del Título II, del Libro II, del Código del Trabajo.

1. «*Precisado lo anterior, cabe mencionar, en relación al primer requisito, que acorde con lo prescrito los artículos 45 y siguientes de la ley Nº 18.575, y en los artículos 3º, letra f) y 6º, de la ley Nº 18.834 —sobre Estatuto Administrativo—, la carrera funcionaria asegura a los servidores afectos a ella, entre otros derechos, el de estabilidad en el empleo, iniciándose con el ingreso en calidad de titular a un cargo de la planta y extendiéndose hasta las plazas de jerarquía inmediatamente inferior a las de exclusiva confianza*». (**ID Dictamen:** 001157N19. **Fecha:** 14-01-2019. **Destinatarios:** Subsecretaría de Vivienda y Urbanismo. **Texto:** Funcionarias de la Subsecretaría de Vivienda y Urbanismo, solo podrán acceder a la bonificación adicional que contempla el artículo 1º de la ley Nº 20.948 si, entre otros requisitos, reúnen las condiciones mínimas de desempeño y tiempo de servicio exigidos por ese texto legal. **Acción:** Aplica dictámenes 60795/2008, 41169/2017, 8576/2017).

2. «*Al respecto, debe recordarse que el peticionario mantuvo la condición de suplente hasta el 30 de diciembre de 2017, resultando necesario señalar que de acuerdo con lo prescrito en los artículos 43 y siguientes de la ley Nº 18.575, y en los artículos 3º, letra f) y 6º, de la ley Nº 18.834, la carrera funcionaria asegura a los servidores afectos a ella, entre otros derechos, el de estabilidad en el empleo, iniciándose con el ingreso en calidad de titular a un cargo de la planta y extendiéndose hasta las plazas de jerarquía inmediatamente inferior a las de exclusiva confianza*». (**ID Dictamen:** 025436N18 **Fecha:** 10-10-2018 **Destinatarios:** Jaime Pommiez Ilufi. **Texto:** Confirma oficio Nº 41.169, de 2017, de este origen, que concluyó que para acceder a la bonificación adicional de la ley Nº 20.948, se requiere la calidad de funcionario de carrera, excluyéndose a los empleados que solo sirven un cargo de suplentes, pues interesado no aporta nuevos antecedentes que permitan variar lo resuelto. **Acción:** Aplica dictámenes 60795/2008, 66029/2009, 21124/2017 Confirma dictamen 41169/2017).

3. «*Al respecto, la jurisprudencia administrativa contenida, entre otros, en el dictamen Nº 62.989, de 2015, precisó que los cargos de exclusiva confianza del alcalde no gozan de estabilidad en el empleo, pues están sujetos a la libre designación y remoción de aquel, por lo que la pérdida de confianza de quien lo ejerza implica que el servidor de que se trata está obligado a abandonarlo, cuestión que se materializa a través de la petición de renuncia, la cual debe presentarse a la autoridad edilicia dentro del plazo que esta indique, pues en caso contrario, procede declarar su vacancia a través del pertinente decreto, el que debe ser notificado al afectado*». (**ID Dictamen:** 008563N18 **Fecha:** 29-03-2018. **Destinatarios:** Municipalidad de Putre. **Texto:** Quien sea designado en el cargo de director de desarrollo comunitario debe contar con título profesional, de conformidad con lo previsto en el artículo 8º, número 1), de la ley Nº 18.883. **Acción:** Aplica dictámenes 62989/2015, 15138/2014).

4. «*Por otra parte, según lo dispuesto en el artículo 89 de la ley Nº 18.695, Orgánica Constitucional de Municipalidades, las normas que rigen a los funcionarios municipales, dentro de las que deben considerarse comprendidas las normas de protección a la maternidad que establece el Código Laboral por la remisión efectuada al mismo por el artículo 87, inciso segundo, de la ley Nº 18.883, no resultan aplicables a los concejales, salvo en materia de responsabilidad civil y penal*». (**ID Dictamen:** 006580N19. **Fecha:** 07-03-2019. **Destinatarios:** Concejala de la Municipalidad de Calama, señora Caro-

lina Paz Latorre Cruz. **Texto:** El ejercicio de un cargo de elección popular no obsta al derecho de la madre de alimentar a su hijo menor de dos años. Reconsidera toda jurisprudencia en contrario. **Acción:** Aplica dictámenes 27862/2008, 17381/2009, 37691/2008).

5. «*Sobre la materia, cabe señalar que el inciso primero del artículo 203 del Código del Trabajo —aplicable a los funcionarios municipales, en virtud de lo prescrito en los artículos 194 del señalado texto laboral y 87 de la ley Nº 18.883—, expresa, en lo que interesa, que las empresas que ocupan veinte o más trabajadoras de cualquier edad o estado civil, deberán tener salas anexas e independientes del local de trabajo, en donde las mujeres puedan dar alimento a sus hijos menores de dos años y dejarlos mientras estén en el trabajo.*
Ahora bien, en cuanto al pronunciamiento de esta Entidad de Fiscalización citado por las recurrentes, que concluyó —en lo que interesa—, que a quien le corresponde proveer de alimentos y cuidados a un menor abandonado le asiste el derecho por el que se consulta, es dable manifestar que los dictámenes Nºs. 12.980, de 2008; 36.242, de 2009; y 22.960, de 2012, todos de este origen, entre otros, han señalado que el derecho a sala cuna le corresponde a quien tenga legalmente bajo su cuidado a un menor. (...)
Finalmente, respecto de la señora Alejandra Yáñez Godoy, aun cuando percibe asignación familiar por su nieta, no le asiste por esa sola circunstancia el derecho al beneficio solicitado, por cuanto no cumple con los requisitos exigidos por la normativa analizada, al no ser la madre de la menor ni haber obtenido legalmente su cuidado, materia esta última de competencia de los Tribunales de Justicia». (**ID Dictamen: 059188N12 Fecha:** 26.09.2012 **Destinatarios:** Asociación de Funcionarios Municipales de La Florida. **Texto:** No procede beneficio de sala cuna y jardín infantil para nietos de funcionarias que no han obtenido legalmente su cuidado. **Acción:** aplica dictámenes 35424/2000, 12980/2008, 36242/2009, 22960/2012, 57838/2009, 30001/2012)

6. «*En este orden de consideraciones, es menester puntualizar que la circunstancia que de conformidad con el artículo 87, inciso segundo, de la ley Nº 18.883, los servidores municipales se rijan por las disposiciones sobre protección a la maternidad contenidas en el Código del Trabajo, no implica que les sean aplicables los pronunciamientos emanados de la Dirección del Trabajo, por cuanto mantienen la calidad de funcionarios públicos afectos a la jurisprudencia de este Órgano de Control*». (**ID Dictamen: 029946N12 Fecha:** 23.05.2012 **Destinatarios:** Alcalde de la Municipalidad de Casablanca. **Texto:** Sobre improcedencia de compensación económica por no uso de sala cuna. **Acción:** Aplica dictámenes 53496/2011, 4680/2007, 80179/2010)

7. «*Respecto del planteamiento sostenido por la señora Morales Carrasco, en orden a justificar sus atrasos en la enfermedad de su hija menor de edad, fundándose en el artículo 199 bis del Código del Trabajo, corresponde señalar que si bien la norma que invoca se encuentra dentro de aquellas sobre protección a la maternidad contempladas en el Título II del Libro I del Código del Trabajo y, por lo tanto, aplicable a las funcionarias municipales en virtud de lo establecido en el artículo 87, inciso segundo, de la ley Nº 18.883, para el uso de aquel beneficio se requiere una solicitud formal y que concurran las demás condiciones que indica ese precepto, lo que tal como reconoce la interesada, no aconteció en la especie*». (**ID Dictamen: 018835N12 Fecha:** 02.04.2012 **Destinatarios:** Alcalde de la Municipalidad de Buin. **Texto:** Atiende reclamos de ilegalidad en contra de los decretos Nº s. 293, 294, 295, 296, 297 y 298, y restituye decretos Nºs. 198 y 290, todos de 2011, de la Municipalidad de Buin. **Acción:** Aplica dictámenes 44837/2011, 11542/2010, 25867/2006, 50081/2011, 38280/2010, 76892/2011, 30977/97, 2680/99, 2094/2001, 4173/2012, 33054/2000, 22509/2005, 49342/2009, 938/2009, 28938/2009, 24070/2010, 18133/2010, 30936/2011, 43130/2000, 42476/2011)

8. «*Quinto: Que, en consonancia con lo anterior, nuestra legislación interna consagra la protección de la maternidad en el Código del Trabajo, a partir del artículo 194, normativa que, por expreso mandato del legislador, se aplica por igual a todos los trabajadores, de momento que quedan sujetos a ella los servicios de la administración pública, los servicios semifiscales, de administración autónoma, de las municipalidades y todos los servicios y establecimientos, cooperativas o empresas industriales, extractivas, agrícolas o comerciales, sean de propiedad fiscal, semifiscal, de administración autónoma o independiente, municipal o particular o perteneciente a una corporación de derecho público o privado. Así las cosas, se trata de un beneficio de carácter universal, cuyas beneficiarias pueden pertenecer tanto al sector público —cuyo es el caso de autos— como al privado.*
Sexto: Que dicha normativa resguarda el embarazo, la recuperación física luego del parto, el apego y el cuidado del hijo recién nacido, contemplando como derechos de la madre trabajadora, entre otros, un descanso de maternidad, pre y post nacimiento, "ordinario" así como uno suplementario, en los casos de enfermedad comprobada, y el pago de un subsidio equivalente a la totalidad de las remuneraciones y asignaciones que perciba, con las deducciones que le ley precisa durante dichos periodos.

Séptimo: Que, en ese contexto, es posible afirmar que la acción realizada por la recurrida no ha respetado la normativa que regula la protección de la maternidad, tanto a nivel legal como supra legal, toda vez que su actuar ha significado poner término a los servicios de la recurrente justamente en el periodo en que la ley —en consonancia con el ordenamiento internacional— persigue garantizar a la madre su tranquilidad económica y emocional con miras a proteger la vida y mejor desarrollo del ser que está por nacer.

Noveno: Que, en efecto, el hecho de notificar a la recurrente, madre trabajadora, la medida disciplinaria de destitución, mientras se encontraba con licencia por enfermedad a consecuencia del embarazo, involucra afectar un derecho constitucional, desde que tal medida pretende hacerse efectiva en un lapso que nuestro ordenamiento jurídico busca cautelar, en procura de valores superiores. Se compromete así el normal desarrollo del embarazo, la estabilidad emocional de la madre y la posibilidad cierta de contar con los medios económicos que permitan hacer frente a los gastos derivados de la maternidad y del cuidado del hijo, lo que se traduce en una limitación a la garantía constitucional que consagra el numeral uno del artículo número 19 de la Constitución Política de la República, en lo que se refiere a la integridad física y síquica, tanto de la madre como del hijo.

Séptimo: Que, ahora bien, no puede desconocerse que cuando la autoridad administrativa lleva a cabo su función disciplinaria cumple con un derecho/deber que la legalidad le impone. De hecho, escapa al ámbito de esta acción constitucional juzgar el mérito o justificación de la medida de destitución adoptada respecto de la recurrente. Empero, los derechos tutelares de la maternidad corresponden a mínimos garantizados que —en coherencia con las obligaciones asumidas a nivel internacional y en ese carácter elemental— cabe reconocer a toda madre trabajadora del sector público, incluyéndose en ello los casos en que los servicios terminen como consecuencia de una medida de destitución aplicada en un sumario administrativo afinado. Así las cosas, lo que esta Corte debe discernir es la necesidad de que la sanción aludida deba ejecutarse de inmediato, con prescindencia del estado de embarazo de la funcionaria recurrente. En concreto, si existe una posibilidad alternativa para que la destitución pueda llevarse a cabo, sin que ello importe dañar el núcleo esencial de los derechos fundamentales de la madre y del hijo neonato. En ese ejercicio de ponderación, ha de concluirse que las funciones o fines de orden disciplinario deben replegarse en beneficio del derecho que ha de prevalecer en este caso, es decir, el que cautela la maternidad, en cuanto inspirado en la conservación de los ingresos de la mujer, de manera de garantizarle durante dicho periodo la estabilidad económica y emocional que resulta imprescindible, del modo que más adelante se especifica.

Octavo: Que, por ende, en cuanto la destitución de la recurrente comporta una ejecución inmediata, se tiene que ese acto deviene en ilegalidad, afectándose de esa manera los derechos y garantías que reconocen el numeral primero del artículo 19 de la Constitución Política. En tales condiciones, cabe hacer lugar al recurso interpuesto, disponiéndose que la medida disciplinaria de destitución de la madre trabajadora recurrente, sólo podrá llevarse a efecto una vez que haya expirado el descanso de maternidad que establece el artículo 195 del Código del Trabajo»[229] **(Corte de Santiago Rol Nº 9557-2012 Fecha:** 26.07.2012. **Sala:** Pronunciada por la Octava Sala de la Iltma. Corte de Apelaciones de Santiago, presidida por el Ministro señor Leopoldo Andrés Llanos Sagristá e integrada por la Ministro señora Adelita Ravanales Arriagada y por la Abogada Integrante señora Claudia Schmidt Hott.- «Se confirma la sentencia apelada de fecha veintiséis de julio de dos mil doce» en **CS Rol Nº 6104-2012 Fecha:** 13.09.2012 **Sala:** Pronunciado por la Tercera Sala de esta Corte Suprema integrada por la Ministro Sra. María Eugenia Sandoval G., los Ministros Suplentes Sr. Carlos Cerda F., y Sra. Dinorah Cameratti R., y los Abogados Integrantes Sr. Jorge Baraona G., y Sr. Alfredo Prieto B).

Artículo 88

Los funcionarios tendrán derecho, además, a ser defendidos y a exigir que la municipalidad a que pertenezcan persiga la responsabilidad civil y criminal de las personas que atenten contra su vida o su integridad corporal, con motivo del desempeño de sus funciones, o que, por dicho motivo, los injurien o calumnien en cualquier forma.

La denuncia será hecha ante el respectivo tribunal por el alcalde de la municipalidad, tanto si el afectado es él, como si lo fuere cualquier funcionario. En este último caso se requerirá siempre una solicitud escrita del afectado.

---

[229]   Transcripción textual de la cita.

1. *«Sobre el particular, es menester indicar, que mediante el dictamen Nº 85.838, de 28 de noviembre de 2016, esta Entidad de Fiscalización atendió las presentaciones a que alude el peticionario, rechazando la solicitud de reconsideración del pronunciamiento Nº 27.777, de igual año, que concluyó que al recurrente no le resulta aplicable el artículo 88 A de la ley Nº 18.883, por cuanto el ejercicio de las funciones propias del cargo de director de control no constituyen denuncias en los términos del artículo 58, letra k), del mencionado cuerpo normativo, por lo que no procede que sea amparado por dicho precepto legal».* (**ID Dictamen:** 091273N16. **Fecha:** 20-12-2016. **Destinatarios:** Arturo Molina Zamora, exdirector de control de la Municipalidad de Macul. **Texto:** SobDesestima requerimiento de exdirector de control de la Municipalidad de Macul por las razones que indica. **Acción:** Aplica dictamen 85838/2016).

2. *«En ese contexto, cabe señalar que dicho resguardo no resulta aplicable en la situación planteada, en consideración a que en conformidad al aludido artículo 29, letra c), de la ley Nº 18.883, a la dirección de control le corresponde hacer presente a la máxima autoridad municipal aquellos actos que no se ajusten al ordenamiento jurídico, lo que ha ocurrido en la especie, ya que el señor Sergio Achá Cartes, en el período que indica, ha ejercido las funciones propias del director de control, razón por la cual, no constituyendo aquella actuación una denuncia en los términos del precepto que invoca, no resulta aplicable a su respecto el artículo 88 A del citado Estatuto (aplica criterio contenido en el dictamen Nº 27.777, de 2016)».* (**ID Dictamen:** 085898N16 **Fecha:** 28-11-2016. **Destinatarios:** Sergio Achá Cartes, director de Control de la Municipalidad de Cerrillos. **Texto:** Rechaza reclamo en contra de proceso calificatorio. Artículo 88 A de la ley Nº 18.883, no es aplicable al ejercicio de las funciones de director de control. **Acción:** Aplica dictamen 45481/2016, 29562/2016, 52154/2014, 56366/2014, 12533/2015, 27777/2016, 43222/2015).

3. *«Pues bien, de los antecedentes tenidos a la vista consta que el señor Molina Zamora ha ejercido las funciones propias del director de control, consistentes en hacerle presente al alcalde los actos que no se avienen con el ordenamiento jurídico, no constituyendo aquella circunstancia una denuncia en los términos del anotado artículo 58, letra k), de la ley Nº 18.883, razón por la cual no resulta aplicable a su respecto el artículo 88 A del cuerpo estatutario de que se trata».* (**ID Dictamen:** 027777N16. **Fecha:** 14-04-2016. **Destinatarios: Arturo Molina Zamora, director de control de la Municipalidad de Macul. Texto:** Por no verificarse los vicios alegados, se rechaza reclamo de calificación de funcionario regido por la ley Nº 18.883. Ejercicio de las funciones de director de control no constituyen una denuncia en los términos del artículo 58, letra k), de la ley Nº 18.883, no resultando aplicable la letra c) del artículo 88 A de dicho cuerpo estatutario. **Acción:** aplica dictamen 35475/2011, 43769/2015, 59678/2014, 58731/2009, 84997/2014, 40287/2014, 28203/2015).

4. *«Precisado lo anterior, y en lo que respecta al reclamo relativo a la contratación de un abogado para asumir la defensa en juicio del alcalde por un delito de carácter informático —causa RUC 0910023307-7—, cabe señalar que el **artículo 88** —contenido en el Título IV "De los Derechos Funcionarios"— de la ley Nº 18.883** establece que los funcionarios tendrán derecho a ser defendidos y a exigir que la municipalidad a que pertenezcan persiga la responsabilidad civil y criminal de las personas que atenten contra su vida o su integridad corporal, con motivo del desempeño de sus funciones, o que, por dicho motivo, los injurien o calumnien en cualquier forma.*
*Su **inciso segundo** agrega que la denuncia será hecha ante el respectivo tribunal por el alcalde de la municipalidad, tanto si el afectado es él, como si lo fuere cualquier funcionario. En este último caso se requerirá siempre una solicitud escrita del afectado.*
*Al respecto **la jurisprudencia de esta Entidad de Control, ha precisado, entre otros, en el dictamen Nº 49.102, de 2003, que del tenor de la disposición citada, es posible apreciar que esta supone, por una parte, la intervención de un tercero que atente en contra del funcionario en la forma que ella misma indica y, por otra, que dicho agravio sea cometido con motivo del desempeño de las funciones del afectado.***
*En este marco normativo y jurisprudencial es posible sostener que tanto el alcalde como los demás funcionarios municipales regidos por la citada ley Nº 18.883, pueden hacer valer el derecho a defensa que establece el **artículo 88** aludido, **siempre que se cumplan copulativamente los supuestos señalados precedentemente.***
Ahora bien, de los antecedentes tenidos a la vista, no se advierte que el alcalde u otro servidor cumplan los requisitos previstos en el citado artículo 88, para tener derecho a ser defendidos judicialmente por el municipio.
En efecto, en la especie no se trata de agravios cometidos por un tercero en contra de funcionarios con ocasión del desempeño de sus cargos, sino de una causa penal iniciada en contra de quienes resulten responsables ante el Juzgado de Garantía de Viña del Mar, por un delito de carácter informático relacionado con el supuesto uso indebido de computadores de propiedad municipal por parte de determinados servidores». (**ID Dictamen: 062923N11 Fecha:** 05.10.2011 **Destinatarios:** Alcalde Municipalidad de Concón. **Texto:** No procede contratación a honorarios de abogado, con el objeto de asumir la defensa judicial del alcalde en una situación de carácter particular, en materia penal; del mismo modo, el asesor jurídico municipal no puede asumir la representación judicial de un empleado contratado a honorarios por el

municipio, dado que las normas legales sobre la materia se refieren a la obligación del municipio de defender a los funcionarios municipales, calidad jurídica en la que no se encuentra una persona contratada a honorarios. **Acción:** Aplica dictámenes 23688/2001, 49102/2003)

5. *«(...) la labor de asistencia jurídica que las municipalidades pueden prestar a sus funcionarios, está referida únicamente a la situación contemplada en el artículo 88 de la ley Nº 18.883, es decir, a ser defendidos y a exigir que la municipalidad a la que pertenezcan persiga la responsabilidad civil y criminal de las personas que atenten contra su vida o su integridad corporal, con motivo del desempeño de sus funciones, o que por dicho motivo, los injurien o calumnien en cualquier forma, exigiéndose además, que el afectado no haya cometido un hecho que, al menos presuntamente, pueda implicar la infracción a sus deberes funcionarios, como lo ha precisado la jurisprudencia administrativa contenida, entre otros, en el dictamen Nº 67.868, de 2010, de este origen, supuestos que no se configuran en la especie».* (**ID Dictamen: 048533N12 Fecha:** 09.08.2012 **Destinatarios:** Alcalde de la Municipalidad de Lo Espejo. **Texto:** Sobre reclamo de exfuncionaria municipal por no pago de horas extras, cotizaciones previsionales y denuncia de asesoría jurídica prestada por funcionarios municipales en juicio de cuentas. **Acción:** Aplica dictámenes 65270/2011, 47955/2010, 67868/2010. Mismo criterio aplicado en **ID Dictamen: 044997N12 Fecha:** 26.07.2012 **Destinatarios:** Alcalde de la Municipalidad de Quinta Normal. **Texto:** Rechaza reclamos de ilegalidad en contra de las medidas disciplinarias de censura aplicadas por la Municipalidad de Quinta Normal. **Acción:** Aplica dictámenes 5122/2012, 18835/2012, 67868/2010)

6. *«Finalmente, en lo que concierne a la posibilidad de defensa judicial del alcalde por parte del asesor jurídico de la entidad edilicia, es dable expresar que conforme al **criterio sustentado en el dictamen Nº 12.756, de 2000**, no resulta aplicable la norma del artículo 88 de la citada ley Nº 18.883, que confiere el derecho a los funcionarios a que la respectiva municipalidad los defienda en las condiciones que indica, pues para ello se requiere como antecedente injurias o calumnias que sufran aquellos con ocasión del desempeño de sus funciones.*

Pues bien, en la especie no concurren tales supuestos, razón por la que resulta improcedente que el asesor jurídico del Municipio de Hualpén asuma la defensa judicial del señor Rivera Arancibia.

Lo anterior, por cierto, sin perjuicio de las labores de carácter informativo que la asesoría jurídica municipal deba, en su caso, cumplir en relación con los requerimientos judiciales que sobre la materia se le formulen en el ámbito de sus funciones». (**ID Dictamen: 020996N12 Fecha:** 12.04.2012 **Destinatarios:** Alcalde de la Municipalidad de Hualpén. **Texto:** Sobre consultas relativas a efectos de formalización y prisión preventiva de alcalde de la Municipalidad de Hualpén. **Acción:** Aplica dictámenes 1131/96, 52000/66, 18430/99, 48668/2005, 23798/2010, 12756/2000)

7. *«Por otra parte, cabe tener presente que, en conformidad con el **criterio contenido, entre otros, en los dictámenes Nºs. 37.965, de 1973 y 37.076, de 1996**, el derecho a defensa que asiste a los funcionarios municipales, regulado en el referido artículo 88 del aludido texto legal, responde al espíritu del legislador de velar por la respetabilidad de la función pública, por lo que tal beneficio estatutario no opera cuando es el servidor quien ha incurrido en un hecho que eventualmente puede comprometer su responsabilidad penal o civil, resultando el caso agregar que, por lo demás, según el criterio sustentado en el dictamen Nº 49.785, de 2009, la mencionada garantía no puede extenderse a la representación de intereses de una índole diversa a la señalada —esto es, la defensa del derecho a la vida, la integridad corporal o el honor de los funcionarios— o que no deriven directamente de las circunstancias específicas que ha establecido el precepto legal sobre la materia, ni ejercerse sin sujeción a las condiciones que la jurisprudencia administrativa ha indicado.*

Siendo así, atendido que el legislador ha previsto, excepcionalmente, el derecho a defensa de los funcionarios en los términos planteados en la referida disposición, resulta improcedente entender, mediante la interpretación del aludido artículo 4º del Estatuto Administrativo para Funcionarios Municipales efectuada en el anotado dictamen Nº 27.951, de 2003, que en casos en que no concurran los supuestos regulados en el citado artículo 88, procedería que el municipio provea los medios necesarios para la defensa de los funcionarios en un juicio en que se persigue su responsabilidad penal, aun cuando los hechos que la originarían se enmarquen dentro del ejercicio de sus funciones, por cuanto dicha responsabilidad es siempre personal, de manera que debe descartarse que tal defensa implique el resguardo de un interés municipal.

*De este modo, **tratándose de la defensa de un interés particular, no corresponde al municipio solventar los costos que esta involucre, salvo cuando concurren las precisas circunstancias contempladas en el mencionado artículo 88, caso en el que la propia ley, por la especial entidad de los bienes jurídicos comprometidos y el hecho de producirse el agravio respectivo con ocasión del ejercicio de una función pública, dispone un tratamiento excepcional».* (**ID Dictamen: 018944N12 Fecha:** 03.04.2012 **Destinatarios:** Alcalde de la Municipalidad de Concón. **Texto:** Acoge parcialmente solicitud de reconsideración de dictamen 62923/2011, relativo a defensa municipal de alcalde y de servidor a honorarios que indica en causa judicial por delito informático. **Acción:** Aplica dictámenes 37965/73, 37076/96, 49785/2009, 27951/2003, 17719/2008 Reconsidera parcialmente dictamen 62923/2011 Complementa dictamen 62923/2011)

Artículo 88 A

Los funcionarios que ejerzan las acciones a que se refiere la letra k) del artículo 58 Art. 2º Nº 2 tendrán los siguientes derechos:

a) No podrán ser objeto de las medidas disciplinarias de suspensión del empleo o de destitución, desde la fecha en que el alcalde tenga por presentada la denuncia y hasta noventa días después de haber terminado la investigación sumaria o sumario incoados a partir de la citada denuncia.

b) No ser trasladados de localidad o de la función que desempeñaren, sin su autorización por escrito, durante el lapso a que se refiere la letra precedente.

c) No ser objeto de precalificación anual, si el denunciado fuese su superior jerárquico, durante el mismo lapso a que se refieren las letras anteriores, salvo que expresamente la solicitare el denunciante. Si no lo hiciere, regirá su última calificación para todos los efectos legales.

1. *«Al respecto, requiere que sea esta Sede Central la que estudie los antecedentes, por cuánto estima que la Contraloría Regional de Los Ríos carece de la imparcialidad necesaria debido a que, en su oportunidad, propuso se le aplicara por la máxima autoridad edilicia la medida disciplinaria de destitución. Añade que, amparándose en el artículo 88 A de la ley Nº 18.883, efectuó una denuncia al concejo municipal por la irregularidad que indica, por lo que no se habría ajustado a derecho que se le haya aplicado dicha sanción».* (**ID Dictamen:** 004265N18. **Fecha:** 06-02-2018. **Destinatarios: dirigente de la asociación de funcionarios de la Municipalidad de Panguipulli. Texto:** Compete a la Contraloría Regional de Los Ríos efectuar el trámite de toma de razón y de ratificación de sanción aplicada mediante el decreto alcaldicio que se indica, conforme al artículo 9º de la resolución Nº 1.002, de 2011, de este origen. **Acción:** aplica dictámenes 31221/2011, 23228/2013).

2. *«Luego, en lo que refiere a que se vulneraría lo dispuesto en el artículo 88 A de la ley Nº 18.883, toda vez que habría efectuado una denuncia al concejo municipal en relación con la presunta irregularidad que indica, resulta necesario señalar que las letras a) y c) de dicha disposición, previenen —en lo que interesa— que los servidores que denuncien a la autoridad edilicia hechos irregulares o faltas al principio de probidad de que tomen conocimiento, no podrán ser objeto de las medidas disciplinarias de suspensión del empleo o de destitución, desde la fecha en que el alcalde tenga por presentada la denuncia y hasta noventa días después de haber terminado la investigación sumaria o sumario, incoados a partir de la citada acusación, y asimismo, tendrán derecho a no ser objeto de precalificación anual, si el denunciado fuese su superior jerárquico, durante el mismo lapso precedentemente referido, salvo que expresamente la solicitare el denunciante».* (**ID Dictamen:** 004265N18. **Fecha:** 06-02-2018. **Destinatarios: dirigente de la asociación de funcionarios e la Municipalidad de Panguipulli. Texto:** Compete a la Contraloría Regional de Los Ríos efectuar el trámite de toma de razón y de ratificación de sanción aplicada mediante el decreto alcaldicio que se indica, conforme al artículo 9º de la resolución Nº 1.002, de 2011, de este origen. **Acción:** aplica dictámenes 31221/2011, 23228/2013).

3. *«El interesado expone en esta oportunidad, que durante el período 2014-2015, a cuyo término fue evaluado en lista 4, de eliminación, y durante el cual desempeñó la plaza de director de control, efectuó 20 denuncias escritas, en las que hizo presente irregularidades administrativas de diversa naturaleza, las que no fueron consideradas acusaciones conforme con el artículo 58, letra k), de la ley Nº 18.883, privándolo del derecho contenido en la letra c) del artículo 88 A de ese cuerpo normativo; agregando, que los dictámenes Nºs. 74.921, de 2012, y 84.997, de 2014, efectúan una aplicación diversa de este último precepto. Además, requiere que se establezca la ilegalidad del decreto alcaldicio Nº 215, de 2016, que declaró la vacancia de su cargo. Asimismo, solicita que esta Institución de Control prosiga con la tramitación del sumario administrativo incoado por el decreto alcaldicio Nº 467, de 2016; y, reclama actos de hostigamiento y persecución en su contra».* (**ID Dictamen:** 085838N16. **Fecha:** 28-11-2016. **Destinatarios:** Arturo Molina Zamora, exdirector de control de la Municipalidad de Macul. **Texto:** Rechaza solicitud de reconsideración de dictamen Nº 27.777, de 2016, ya que el ejercicio de las funciones de director de control no constituyen denuncias en los términos del artículo 58,

letra k), de la ley Nº 18.883; y desestima reclamo por acoso laboral. **Acción:** aplica dictamen 40287/2014, 85233/2015, 74656/2015, 99268/2014 confirma dictamen 27777/2016).

4. *«En primer término, es menester precisar que el artículo 2º de la aludida ley Nº 20.205, modificó, en lo que interesa, la letra k) del artículo 58 de la ley Nº 18.883, Estatuto Administrativo para Funcionarios Municipales, e incorporó a dicho cuerpo legal, los* **artículos 88 A y 88 B.***

Enseguida, cabe señalar que según lo previene el artículo 58, letra k), de la ley Nº 18.883, será obligación del funcionario denunciar al Ministerio Público, o ante la policía si no hubiere fiscalía en la comuna en que tiene su sede la municipalidad, con la debida prontitud, los crímenes o simples delitos y al alcalde los hechos de carácter irregular o las faltas al principio de probidad de que tome conocimiento. (...)

Al respecto, cumple con manifestar que sin perjuicio de la competencia de esta Entidad Fiscalizadora para conocer de las denuncias aludidas precedentemente, este **Organismo de Control no es de aquellos ante los cuales la normativa mencionada dispone que deben efectuarse las denuncias a que alude el artículo 58 letra k), cuales son, el Ministerio Público, la policía o el alcalde, según corresponda.***

Lo anterior, habida consideración que el **catálogo de derechos de carácter protector que el legislador consagró en forma expresa, no puede extenderse a otras situaciones no previstas al efecto o interpretarse como cláusulas abiertas en las que puedan ser asimiladas otras circunstancias no contempladas expresamente en dicha preceptiva estatutaria (aplica dictamen Nº 15.772, de 2011).***

En este contexto, cabe concluir que el recurrente no se encuentra amparado por las normas de protección contempladas en los artículos 88 A y siguientes de la ley Nº 18.883, en razón de las denuncias que efectuó ante esta Contraloría General, por lo que su destinación habría resultado procedente, en la medida que se cumplan todos los requisitos de ésta». (**ID Dictamen: 031221N11 Fecha:** 17.05.2011 **Destinatarios:** Alcaldesa Municipal de San Bernardo. **Texto:** Sobre aplicación de norma de protección prevista en la letra b) del artículo 88 A de la ley 18883, a funcionario municipal, que formuló denuncia ante Contraloría General. **Acción:** Aplica dictamen 15772/2011)[230]

5. *«Al respecto, corresponde recordar que la letra k) del artículo 58 de la aludida ley Nº 18.883, establece que constituye una obligación funcionaria "Denunciar ante el Ministerio Público, o ante la policía si no hubiere fiscalía en la comuna en que tiene su sede la municipalidad, con la debida prontitud, los crímenes o simples delitos y al alcalde los hechos de carácter irregular o las faltas al principio de probidad de que tome conocimiento". (...)*

Precisado lo anterior, cabe recordar que, en la especie la señora Aburto Díaz, formuló ante esta Contraloría General dos denuncias por presuntas irregularidades en la Municipalidad de El Bosque, debiendo hacerse presente que, con **independencia de la competencia de esta Entidad Fiscalizadora para conocer de las mismas, este Ente de Control no es de aquellos organismos ante los cuales la preceptiva dispone que debe efectuarse la denuncia para los efectos que interesan, a saber: Ministerio Público, policía si no hubiere fiscalía en la comuna sede de la municipalidad o alcalde.***

Ello, por cuanto el **catálogo de derechos de carácter protector que el legislador consagró en forma expresa no puede extenderse a otras situaciones no previstas al efecto o interpretarse como cláusulas abiertas en las que puedan ser asimiladas otras circunstancias no contempladas expresamente en dicha preceptiva estatutaria (aplica criterio contenido en el dictamen Nº 15.405, de 2010). (...)***

Por consiguiente, cabe señalar que la recurrente no se encuentra amparada por las normas de protección contempladas en los artículos 88 A y siguientes de la ley Nº 18.883, en razón de las denuncias que indica». (**ID Dictamen: 015772N11 Fecha:** 15.03.2011 **Destinatarios:** Nelson Caucoto Pereira Oficina Derechos Humanos Corporación de Asistencia Judicial Región Metropolitana. **Texto:** Sobre solicitud de reincorporación, fuero gremial y protección del artículo 88 A de la ley 18883. **Acción:** Aplica dictámenes 15405/2010, 37870/2007 confirma dictamen 61530/2010).

6. *«En relación con lo anterior, y acorde con lo manifestado en* **el dictamen Nº 36.909, de 2010, de esta Entidad Fiscalizadora, cabe señalar que la relación laboral de los educadores con desempeño en el ámbito municipal, se rige íntegramente por la normativa de la ley Nº 19.070, y de manera excepcional, cuando aquella no regula una determinada materia, procede, de conformidad con el artículo 71 de dicho estatuto, aplicar supletoriamente las disposiciones del Código del Trabajo y sus leyes complementarias.***

---

[230] Para efectos de su consulta en la Base de Jurisprudencia de Contraloría General de la República, el citado dictamen se encuentra en la sección/materia: «generales», sin perjuicio de que se trata de uno de carácter municipal.

*De este modo, el señor Valdebenito Contreras no tiene derecho a la protección que establece el **artículo 88 A, letra a), de la ley Nº 18.883, toda vez que atendida su calidad de profesional de la educación, no le resulta aplicable dicha preceptiva estatutaria** (...)».* (**ID Dictamen: 067489N12 Fecha:** 29.10.2012 **Destinatarios:** Alcalde de la Municipalidad de Talca. **Texto:** Sobre reapertura de proceso disciplinario contra docentes e improcedencia de aplicarles el art. 88 A lt/a de la ley 18883. **Acción:** Aplica dictámenes 15680/2012, 43658/2012, 36909/2010, 4182/2011)

7. *«Ahora bien, en cuanto a la consulta respecto a la aplicación de la norma de protección contenida en el precitado **artículo 88 A**, resulta necesario señalar que las **letras a) y c)**, de dicha disposición, previenen —en lo que interesa—, que los servidores que denuncien a la autoridad edilicia hechos irregulares o las faltas al principio de probidad de que tomen conocimiento, no podrán ser objeto de las medidas disciplinarias de suspensión de empleo o de destitución, desde la fecha en que el alcalde tenga por presentada la denuncia y hasta noventa días después de haber terminado la investigación sumaria o sumario, incoados a partir de la citada acusación. Asimismo, tendrán derecho a no ser objeto de precalificación anual, si el denunciado fuese su superior jerárquico, durante el mismo lapso precedentemente referido, salvo que expresamente la solicitare el denunciante.*
*En ese contexto, cabe señalar que dicho resguardo **no resulta aplicable en la situación planteada, puesto que el término de los servicios prestados por el recurrente operó en virtud de una causal legal de cesación de funciones, como lo es el vencimiento de su nombramiento a contrata, debiendo precisarse que la aludida norma de protección no contempló dentro de sus beneficios, la prórroga de una contrata (aplica dictámenes Nºs. 10.822 y 2.518, ambos de 2010)».* (**ID Dictamen: 048889N12 Fecha:** 09.08.2012 **Destinatarios:** René Mondaca Moya. **Texto:** Rechaza reclamo sobre término de contrata y aplicación del artículo 88 A, de la ley Nº 18.883. **Acción:** Aplica dictámenes 15162/2002, 3432/2007, 10822/2010, 2518/2010)

Artículo 88 B

La denuncia a que se refiere el artículo precedente deberá ser fundada y cumplir los siguientes requisitos:

a) Identificación y domicilio del denunciante.

b) La narración circunstanciada de los hechos.

c) La individualización de quienes los hubieren cometido y de las personas que los hubieren presenciado o que tuvieren noticia de ellos, en cuanto le constare al denunciante.

d) Acompañar los antecedentes y documentos que le sirvan de fundamento, cuando ello sea posible.

La denuncia deberá formularse por escrito y ser firmada por el denunciante. Si éste no pudiere firmar, lo hará un tercero a su ruego.

En ella podrá solicitarse que sean secretos, respecto de terceros, la identidad del denunciante o los datos que permitan determinarla, así como la información, antecedentes y documentos que entregue o indique con ocasión de la denuncia.

Si el denunciante formulare la petición del inciso precedente, quedará prohibida la divulgación, en cualquier forma, de esta información. La infracción de esta obligación dará lugar a las responsabilidades administrativas que correspondan.

Las denuncias que no cumplan con lo prescrito en los incisos primero y segundo precedentes se tendrán por no presentadas.

La autoridad que reciba la denuncia tendrá desde esa fecha un plazo de tres días hábiles para resolver si la tendrá por presentada.

Si habiendo transcurrido el término establecido en el inciso anterior, la autoridad no se ha pronunciado sobre la procedencia de la denuncia, entonces se tendrá por presentada.

1. «*En primer término, es menester precisar que el artículo 2º de la aludida ley Nº 20.205, modificó, en lo que interesa, la letra k) del artículo 58 de la ley Nº 18.883, Estatuto Administrativo para Funcionarios Municipales, e incorporó a dicho cuerpo legal, los **artículos 88 A y 88 B**.*

Enseguida, cabe señalar que según lo previene el artículo 58, letra k), de la ley Nº 18.883, será obligación del funcionario denunciar al Ministerio Público, o ante la policía si no hubiere fiscalía en la comuna en que tiene su sede la municipalidad, con la debida prontitud, los crímenes o simples delitos y al alcalde los hechos de carácter irregular o las faltas al principio de probidad de que tome conocimiento.

Por su parte, la letra b) del artículo 88 A de la mencionada ley establece, en lo pertinente, que los funcionarios que ejerzan las acciones a que se refiere el artículo 58 letra k), tendrán derecho a no ser trasladados de localidad o de la función que desempeñaren, sin autorización por escrito, desde la fecha en que el alcalde tenga por presentada la denuncia y hasta noventa días después de haber terminado la investigación sumaria o sumario, incoados a partir de la citada denuncia.

*A su turno, el **artículo 88 B** del texto legal en estudio, dispone que la denuncia a que se refiere el artículo precedente deberá ser fundada y cumplir con los requisitos que el precepto indica.*

*Al respecto, cumple con manifestar que sin perjuicio de la competencia de esta Entidad Fiscalizadora para conocer de las denuncias aludidas precedentemente, **este Organismo de Control no es de aquellos ante los cuales la normativa mencionada dispone que deben efectuarse las denuncias a que alude el artículo 58 letra k), cuales son, el Ministerio Público, la policía o el alcalde, según corresponda.***

*Lo anterior, habida consideración que el **catálogo de derechos de carácter protector que el legislador consagró en forma expresa, no puede extenderse a otras situaciones no previstas al efecto o interpretarse como cláusulas abiertas en las que puedan ser asimiladas otras circunstancias no contempladas expresamente en dicha preceptiva estatutaria (aplica dictamen Nº 15.772, de 2011).***

En este contexto, cabe concluir que el recurrente no se encuentra amparado por las normas de protección contempladas en los artículos 88 A y siguientes de la ley Nº 18.883, en razón de las denuncias que efectuó ante esta Contraloría General, por lo que su destinación habría resultado procedente, en la medida que se cumplan todos los requisitos de ésta».
(ID Dictamen: 031221N11 Fecha: 17.05.2011 Destinatarios: Alcaldesa Municipalidad de San Bernardo. Texto: Sobre aplicación de norma de protección prevista en la letra b) del artículo 88 A de la ley 18883, a funcionario municipal, que formuló denuncia ante Contraloría General. Acción: Aplica dictamen 15772/2011)[231]

2. «*Al respecto, corresponde recordar que la letra k) del artículo 58 de la aludida ley Nº 18.883, establece que constituye una obligación funcionaria "Denunciar ante el Ministerio Público, o ante la policía si no hubiere fiscalía en la comuna en que tiene su sede la municipalidad, con la debida prontitud, los crímenes o simples delitos y al alcalde los hechos de carácter irregular o las faltas al principio de probidad de que tome conocimiento".*

Por su parte el artículo 88 A, en su letra a), dispone —en lo que interesa— que los funcionarios que ejerzan las acciones a que se refiere el aludido artículo 58, letra k), "No podrán ser objeto de las medidas disciplinarias de suspensión del empleo o de destitución, desde la fecha en que el alcalde tenga por presentada la denuncia y hasta noventa días después de haber terminado la investigación sumaria o sumario, incoados a partir de la citada denuncia".

*A su vez, el **inciso primero del artículo 88 B**, preceptúa que la denuncia en comento debe ser fundada y cumplir los requisitos de contener la identificación y domicilio del denunciante, la narración circunstanciada de los hechos, la individualización de quienes los hubieren cometido y de las personas que los hubieren presenciado o tuvieren noticias de ellos, en cuanto le constare al denunciante, y acompañar los antecedentes y documentos que le sirvan de fundamento, cuando ello sea posible.*

*Dicha denuncia, agrega el **inciso segundo**, debe formularse por escrito y ser firmada por el denunciante, y si éste no pudiere firmar, lo hará un tercero a su ruego.*

*En este orden de ideas, el **inciso quinto del citado artículo 88 B**, dispone que las denuncias que no cumplan con lo prescrito en los incisos precedentes, se tendrán por no presentadas.*

*Precisado lo anterior, cabe recordar que, en la especie la señora Aburto Díaz, formuló ante esta Contraloría General dos denuncias por presuntas irregularidades en la Municipalidad de El Bosque, debiendo hacerse presente que, con independencia de la competencia de esta Entidad Fiscalizadora para conocer de las mismas, este **Ente de Control no es***

---

[231]   Para efectos de su consulta en la Base de Jurisprudencia de Contraloría General de la República, el citado dictamen se encuentra en la sección/materia: «generales», sin perjuicio de que se trata de uno de carácter municipal.

de aquellos organismos ante los cuales la preceptiva dispone que debe efectuarse la denuncia para los efectos que interesan, a saber: Ministerio Público, policía si no hubiere fiscalía en la comuna sede de la municipalidad o alcalde. Ello, por cuanto el catálogo de derechos de carácter protector que el legislador consagró en forma expresa no puede extenderse a otras situaciones no previstas al efecto o interpretarse como cláusulas abiertas en las que puedan ser asimiladas otras circunstancias no contempladas expresamente en dicha preceptiva estatutaria (aplica criterio contenido en el dictamen Nº 15.405, de 2010). (...)
Por consiguiente, cabe señalar que la recurrente no se encuentra amparada por las normas de protección contempladas en los artículos 88 A y siguientes de la ley Nº 18.883, en razón de las denuncias que indica». (**ID Dictamen: 015772N11 Fecha:** 15.03.2011 **Destinatarios:** Nelson Caucoto Pereira Oficina Derechos Humanos Corporación de Asistencia Judicial Región Metropolitana. **Texto:** Sobre solicitud de reincorporación, fuero gremial y protección del artículo 88 A de la ley 18883. **Acción:** Aplica dictámenes 15405/2010, 37870/2007 confirma dictamen 61530/2010).

3. *«Enseguida, en lo relativo a las prerrogativas a que hace alusión el peticionario en su reclamo, que impedirían que se le aplicara una sanción expulsiva, cabe señalar que la regulación de las mismas está contenida en los **artículos 88 A y 88 B de la mencionada ley. Nº 18.883**, que fueron incorporados por la ley Nº 20.205, que **protege al funcionario que denuncia irregularidades y faltas al principio de probidad**.*
La primera de tales disposiciones, en lo que interesa, establece que los funcionarios que ejerzan las acciones a que se refiere el artículo 58, letra k), del aludido cuerpo estatutario, no podrán ser objeto de las medidas disciplinarias de suspensión del empleo o de destitución, desde la fecha en que el alcalde tenga por presentada la denuncia y hasta noventa días después de haber terminado la investigación sumaria o sumario administrativo, incoados a partir de aquella.
*A su vez, el anotado **artículo 88 B de la ley Nº 18.883**, dispone que la denuncia debe ser fundada y cumplir con los requisitos que en el mismo se indican; mientras que la citada letra k) del artículo 58 de ese texto legal, afirma que constituye una obligación funcionaria ejercer tal acción ante la autoridad competente, con la debida prontitud.*
*En concordancia con lo anterior, la **jurisprudencia administrativa de este Órgano de Control, contenida, entre otros, en los dictámenes Nºs. 61.457, de 2008, y 20.471, de 2009**, ha sostenido que la protección que concede la normativa en comento se encuentra establecida en directa relación con la denuncia presentada y con el procedimiento disciplinario a que dé lugar, por lo que se otorgará solo en la medida que esta cumpla con todos los requisitos legales».* (**ID Dictamen: 074921N12 Fecha:** 03.12.2012 **Destinatarios:** Alcalde de la Municipalidad de Hualpén. **Texto:** Acoge reclamos de ilegalidad en contra de sumario administrativo instruido por Municipalidad y se pronuncia sobre aplicación de ley 18695 art. 29 inc./fin. **Acción:** Aplica dictámenes 49580/2008, 65284/2011, 49744/2012, 1603/2010, 72575/2011, 19892/2009, 2030/2011, 26652/82, 15116/86, 5850/96, 46231/2004, 34010/2005, 61457/2008, 20471/2009)

Artículo 89

El funcionario tendrá derecho a ocupar con su familia, gratuitamente, la vivienda que exista en el lugar en que funcione la municipalidad, cuando la naturaleza de sus labores sea la mantención o vigilancia permanente del recinto y esté obligado a vivir en él.

Aun en el caso de que el funcionario no esté obligado por sus funciones a habitar la casa habitación destinada a la municipalidad, tendrá derecho a que le sea cedida para vivir con su familia. En este caso, pagará una renta equivalente al diez por ciento del sueldo asignado al cargo, suma que le será descontada mensualmente. Este derecho podrá ser exigido, sucesiva y excluyentemente, por los funcionarios que residan en la localidad respectiva, según su orden de jerarquía funcionaria. Sin embargo, una vez concedido no podrá ser dejado sin efecto en razón de la preferencia indicada.

El derecho a que se refiere este artículo, no corresponderá a aquel funcionario que sea, él o bien su cónyuge, propietario de una vivienda en la localidad en que presta sus servicios.

1. *«La Contraloría Regional de Magallanes y Antártica Chilena ha remitido a este Nivel Central, la consulta planteada por la Municipalidad de San Gregorio mediante el oficio Nº 251, de 2010, a fin de que se determine el grado al que correspondería asimilar a la funcionaria doña Verónica Cantero Fredericksen, contratada según la normativa del Código*

del Trabajo como encargada del Departamento de Administración de Educación Municipal, según se expresa, para los efectos de calcular el monto a descontarle de sus remuneraciones, por concepto del uso de una vivienda ubicada en esa dependencia, que le fuera asignada por el decreto exento Nº 848, del mismo año.

*Sobre el particular, en primer término, en lo que atañe a las funciones encomendadas a la interesada, es preciso advertir que el **empleo de encargada del Departamento de Administración de Educación Municipal no se encuentra previsto en la legislación del sector municipal**, y en el evento de corresponder a la dirección, administración, supervisión y coordinación de esa unidad municipal —como se desprende de la denominación del mismo—, se trataría del cargo de Jefe de dicho Departamento, el que, sea cual fuere su denominación, de acuerdo a lo ordenado en el artículo 34, de la ley Nº 19.070, sobre Estatuto de los Profesionales de la Educación, en relación con lo establecido en los artículos 1º, 2º y 7º de ese texto legal, entre otros, está regido por ese cuerpo estatutario. (...)*

Efectuadas las precisiones precedentes, en cuanto a la posibilidad de asignarle una vivienda a un trabajador regido por el Código del Trabajo, cumple con señalar que dentro de las estipulaciones que debe contener un contrato de trabajo, conforme con lo dispuesto en el artículo 10, inciso segundo, de ese texto legal, se encuentra, en su caso, la de señalar los beneficios adicionales que suministre el empleador en forma de casa habitación, luz, combustible, alimento u otras prestaciones en especie o servicios.

Al respecto, este Organismo Contralor en los dictámenes Nºs. 59.731 y 21.281, ambos de 2009, ha precisado que las entidades que integran la Administración del Estado —como sucede con las municipalidades—, pueden pactar estipendios con sus trabajadores sujetos al Código del Trabajo, siempre que sean acordes con el concepto de remuneración contemplado en el artículo 41 de ese Código, es decir, una contraprestación en dinero y las adicionales en especie avaluables en dinero que percibe el trabajador de su empleador por causa del contrato de trabajo.

De este modo, si bien es posible otorgar el uso de una vivienda al personal sujeto al Código de Trabajo, considerando que ese beneficio constituye remuneración, debe determinarse el valor del mismo y, en consecuencia, imputarse a los estipendios convenidos con el empleado municipal, de lo que deberá dejarse constancia en el respectivo contrato o, en su defecto, en un anexo de éste.

En este mismo sentido debe procederse con el teléfono de propiedad municipal, cuyo uso se habría entregado a la funcionaria, según se desprende de un descuento que por ese concepto se efectúa de sus remuneraciones, en la liquidación de éstas correspondiente al mes de mayo de 2010, que se acompaña.

*Finalmente, cabe aclarar que la **referencia que se efectúa al derecho del servidor municipal a que se le ceda una vivienda, destinada a la correspondiente municipalidad, previo pago de una renta equivalente al diez por ciento del sueldo asignado al cargo, constituye un derecho previsto en el artículo 89 de la ley Nº 18.883, sobre Estatuto Administrativo de los Funcionarios Municipales, y, por ende, únicamente aplicable al personal regido por ese cuerpo estatutario,** preceptiva del todo ajena a la situación analizada».* (**ID Dictamen: 005689N11 Fecha:** 28.01.2011 **Destinatarios:** Alcalde Municipalidad de San Gregorio. **Texto:** Puede otorgarse el beneficio de casa habitación a los trabajadores sujetos al Código del Trabajo, considerando este beneficio como remuneración, debiendo determinarse el valor del mismo e imputarse a los estipendios convenidos, de lo que deberá dejarse constancia en el respectivo contrato o, en su defecto, en un anexo de éste).

2. *«La Municipalidad de Osorno ha solicitado a esta Contraloría General la reconsideración del oficio Nº 19, de 2012, emitido por la Sede Regional de Los Lagos, mediante el cual se concluyó, en lo que interesa, que a don Cristián Salazar Briceño, funcionario de esa corporación edilicia, le asistiría el derecho a continuar ocupando la vivienda de propiedad municipal que le fuera entregada con ocasión de la destinación que a su respecto fuera ordenada, no obstante habérsele puesto término a ésta, por cuanto no ha operado una causal de cese de dicho beneficio. (...)*

*Por su parte, de acuerdo con lo preceptuado en el **artículo 89, inciso primero, de la citada ley Nº 18.883,** el funcionario tendrá derecho a ocupar con su familia, gratuitamente, la vivienda que exista en el lugar en que funcione la municipalidad, cuando la naturaleza de sus labores sea la mantención o vigilancia permanente del recinto y esté obligado a vivir en él.*

Ahora bien, en la situación de la especie, es pertinente recordar que como se dispusiera en su oportunidad por el municipio, mediante decreto Nº 1.542, de 2010, se reconoció el derecho del señor Salazar Briceño y su familia, a ocupar gratuitamente la vivienda de propiedad municipal ubicada en calle Cochrane Nº 1.336, de esa comuna, mientras aquel se desempeñara como encargado del recinto Estadio Rubén Marcos Peralta, debiendo restituir el inmueble en tanto dejara de cumplir tal labor o cesara en sus funciones.

Siendo ello así y atendido que según el decreto exento Nº 5.556, de 2011, el señor Salazar Briceño fue destinado a cumplir funciones en el Primer y Segundo Juzgados de Policía Local de esa corporación edilicia, no cabe sino concluir que a contar de la data en que tal acto administrativo surtió sus efectos, expiró su derecho a continuar usando la vivienda que le fuera proporcionada por el aludido decreto Nº 1.542.

*Lo anterior por lo demás, se encuentra en armonía con el **criterio jurisprudencial contenido, entre otros, en los dictámenes Nºs. 19.550, de 1994 y 20.260, de 1997, conforme a los cuales el derecho a usar una vivienda municipal se conserva en la medida que permanezcan las condiciones que dieron lugar al otorgamiento de tal beneficio».* **(ID Dictamen:** 047416N12 **Fecha:** 06.08.2012 **Texto:** Acoge solicitud de reconsideración de oficio 19/2012, de la Contraloría Regional de Los Lagos sobre procedencia del beneficio previsto en el art. 89 de la ley 18883. **Acción:** Aplica dictámenes 19550/94, 20260/97, 38429/97, 46561/2001, 58082/2007)[232]

Artículo 90

Los funcionarios tendrán derecho a solicitar la permuta de sus cargos. La permuta consistirá en el cambio voluntario de sus respectivos cargos entre dos funcionarios titulares de distinta municipalidad, y de igual grado de la respectiva planta, siempre que posean los requisitos legales y reglamentarios para ocupar los respectivos empleos, y la aceptación de los alcaldes correspondientes.

Los funcionarios que permuten sus empleos pasarán al respectivo grado, hasta que obtengan una nueva calificación.

1. *«Sobre la materia, cabe indicar que de acuerdo al artículo 90 de la ley Nº 18.883, la permuta corresponde a un derecho funcionario que consiste en el cambio voluntario de sus respectivos cargos entre dos funcionarios titulares de distinta municipalidad, y de igual grado de la respectiva planta, siempre que posean los requisitos legales y reglamentarios para ocupar los respectivos empleos, y la aceptación de los alcaldes correspondientes».* **(ID Dictamen:** 017455N17. **Fecha:** 15-05-2017. **Destinatarios:** Confederación Nacional Unión de Funcionarios Municipales. **Texto:** Atiende diversas consultas en relación con la ley Nº 20.922. **Acción:** aplica dictámenes 84551/2016, 84400/2016, 85844/2016).

2. *«En relación con el referido derecho, esta **Entidad Fiscalizadora estima que los jueces de policía local pueden hacer uso del mismo, en la medida que se observen las exigencias** que la norma recién citada prevé, y que suponen, entre otros aspectos, **dar cumplimiento a los requisitos legales para ocupar el empleo que se permuta,** lo que tratándose de los respectivos magistrados implica, entre otras cosas, tener domicilio dentro de la provincia a que corresponda la comuna donde presten sus servicios, de conformidad con lo preceptuado en el inciso final del artículo 5º de la mencionada ley Nº 15.231.*

*En consecuencia, por las razones expuestas, debe concluirse que **es aplicable al cargo de juez de policía local lo dispuesto en el artículo 90 de la ley Nº 18.883,** lo cual, evidentemente, debe entenderse sin perjuicio de las atribuciones de las Cortes de Apelaciones respecto de tales magistrados, a quienes, de conformidad con el inciso primero del citado artículo 4º de la ley Nº 15.231, les corresponde formular las ternas para su designación».* **(ID Dictamen:** 013092N10 **Fecha:** 11.03.2010 **Destinatarios:** Carlos Guzmán Baigorria. **Texto:** Sobre permuta del cargo de Juez de Policía Local. **Acción:** Aplica dictámenes 31399/93, 6962/2000, 50662/2008)

Artículo 91

DEROGADO

---

[232] Para efectos de su consulta en la Base de Jurisprudencia de Contraloría General de la República, el citado dictamen se encuentra en la sección/materia: «generales», sin perjuicio de que se trata de uno de carácter municipal.

PÁRRAFO 2º DE LAS REMUNERACIONES Y ASIGNACIONES

Artículo 92

Los funcionarios tendrán derecho a percibir por sus servicios las remuneraciones y demás asignaciones adicionales que establezca la ley, en forma regular y completa.

1. *«Se ha dirigido a esta Contraloría General la Asociación de Funcionarios de la Municipalidad de Santiago, solicitando un pronunciamiento que determine la oportunidad en que debe enterarse la asignación de mejoramiento de la gestión municipal, toda vez que la citada entidad edilicia, con anterioridad al año 2016, pagaba tal estipendio en conjunto con las remuneraciones correspondientes a los meses de mayo, julio, octubre y diciembre, alterando en dicha anualidad el día de pago del citado emolumento, no coincidiendo —en la actualidad— con el entero de las remuneraciones del personal que tiene derecho a la asignación en comento, lo que estiman improcedente».* (**ID Dictamen:** 027063N18. **Fecha:** 30-10-2018. **Destinatarios:** Asociación de Funcionarios de la Municipalidad de Santiago. **Texto:** Municipalidad de Santiago debe pagar la asignación de mejoramiento de la gestión municipal conjuntamente con las remuneraciones de los meses de mayo, julio, octubre y diciembre de cada año. **Acción:** Aplica dictámenes 70910/2011, 30088/2013, 7660/2003, 16195/2016).

2. *«Se han dirigido a esta Entidad de Control las Municipalidades de Providencia y Fresia, la señora Yanecth Almendra Soto, servidora de este último municipio, y el señor Miguel Gómez Quijada —Presidente de la Federación Regional de Funcionarios Municipales de la Región de Los Lagos—, solicitando un pronunciamiento acerca de si el personal adscrito a la planta municipal tiene derecho al incremento de grados dispuesto en los artículos primero y segundo transitorios de la ley Nº 20.922, y en segundo término, la aludida asociación consulta si dichos servidores pueden percibir la asignación especial de Directivo-Jefatura prevista en el artículo undécimo transitorio del citado texto legal».* (**ID Dictamen:** 012508N17. **Fecha:** 12-04-2017. **Destinatarios:** Municipalidades de Providencia y Fresia, la señora Yanecth Almendra Soto, servidora de este último municipio, y el señor Miguel Gómez Quijada —Presidente de la Federación Regional de Funcionarios Municipales de la Región de Los Lagos. **Texto:** Los funcionarios municipales que ejercen cargos adscritos no tienen derecho al incremento de grados previsto en los artículos primero y segundo transitorios de la ley Nº 20.922, pudiendo, en todo caso, percibir la asignación especial de directivo-jefatura establecida en el artículo undécimo transitorio del citado texto legal. **Acción:** complementa dictamen 6463/2017 aplica dictámenes 27109/2014, 88517/2015, 63201/2016, 2947/99, 33377/2011).

3. *«En relación con la materia, cabe recordar que el artículo 1º de la citada ley Nº 19.803 —texto legal cuya vigencia fue renovada por las leyes Nºs. 20.008 y 20.198—, establece la denominada asignación de mejoramiento de la gestión municipal a otorgarse al personal de planta y a contrata regido por la ley Nº 18.883, Estatuto Administrativo para Funcionarios Municipales, a contar del 1º de enero de 2002.*
Dicha asignación, según dispone el inciso segundo del mismo precepto legal, será pagada a los aludidos funcionarios que se encuentren en servicio a la fecha de pago, en cuatro cuotas, en los meses de mayo, julio, octubre y diciembre del año siguiente a aquél en que se ha dado cumplimiento a las metas propuestas. Agrega, que el funcionario que haya dejado de prestar servicios antes de completarse el trimestre correspondiente, tendrá derecho a su pago en proporción a los meses completos efectivamente trabajados.
*Por su parte, el artículo 2º del texto legal en análisis, dispone que **dicho emolumento considera los siguientes componentes: a) el incentivo por gestión institucional, vinculado al cumplimiento eficiente y eficaz de un programa anual de mejoramiento de la gestión municipal, con objetivos específicos de gestión institucional, medible en forma objetiva en cuanto a su grado de cumplimiento, a través de indicadores preestablecidos, y b) el incentivo de desempeño colectivo por área de trabajo, vinculado al cumplimiento de metas por dirección, departamento o unidad municipal.***
A su turno, el referido artículo 9º señala las diversas modalidades que pueden adoptar los municipios para medir este último componente, para efectos de su cumplimiento y consiguiente pago. (...)
*Al respecto, la **jurisprudencia administrativa de esta Entidad de Control, contenida, entre otros, en el dictamen Nº 65.297, de 2011, ha concluido que, en lo que respecta al componente correspondiente al incentivo por gestión institucional, este se encuentra estrechamente ligado a la institución de que se trate y no a sus trabajadores,** lo anterior aun cuando sean tales funcionarios quienes se beneficiarán con dicho incremento, por cuanto se concede por el legislador al órgano administrativo que ha alcanzado las metas que la propia entidad ha previsto cumplir, sin tomar en conside-*

ración si quienes accederán a la misma participaron o no en el logro de sus objetivos, exigiéndose solamente por la normativa, que los servidores en cuestión se encuentren en servicio a la fecha de pago, único requisito exigido para tales efectos. (...)

Por otra parte, la aludida jurisprudencia establece que el componente correspondiente al incentivo de desempeño colectivo por área de trabajo posee una naturaleza remuneratoria, en conformidad con lo prescrito en el artículo 92 de la citada ley Nº 18.883, y en el artículo 1º de la aludida ley Nº 19.803, por lo que constituye una contraprestación a la participación en el cumplimiento de metas y objetivos, acorde con el criterio manifestado en los dictámenes Nºs. 4.273, de 1991; 16.973, de 1999, y 36.294, de 2009, entre otros.

De este modo, el entero de este último componente, sólo puede beneficiar a quienes efectivamente participaron del cumplimiento de metas por dirección, departamento o unidad municipal, sin que corresponda incluir a los servidores que no concurrieron a dicho objetivo». (**ID Dictamen: 078529N12 Fecha:** 18.12.2012 **Destinatarios:** Alcalde de la Municipalidad de Licantén. **Texto:** Sobre pago de la asignación de mejoramiento de la gestión municipal a los jueces de los juzgados de policía local. **Acción:** Aplica dictámenes 65297/2011, 4273/91, 16973/99, 36294/2009).

Artículo 93

Las remuneraciones se devengarán desde el día en que el funcionario asuma el cargo y se pagarán por mensualidades iguales y vencidas. Las fechas efectivas de pago podrán ser distintas para cada municipalidad.

Si el funcionario para asumir sus funciones necesitare trasladarse a un lugar distinto del de su residencia, la remuneración se devengará desde el día en que éste emprenda viaje, y si fuere a desempeñar un empleo en el extranjero, desde quince días antes del viaje.

1. *«Se ha dirigido a esta Contraloría General la Asociación de Funcionarios de la Municipalidad de Santiago, solicitando un pronunciamiento que determine la oportunidad en que debe enterarse la asignación de mejoramiento de la gestión municipal, toda vez que la citada entidad edilicia, con anterioridad al año 2016, pagaba tal estipendio en conjunto con las remuneraciones correspondientes a los meses de mayo, julio, octubre y diciembre, alterando en dicha anualidad el día de pago del citado emolumento, no coincidiendo —en la actualidad— con el entero de las remuneraciones del personal que tiene derecho a la asignación en comento, lo que estiman improcedente».* (**ID Dictamen:** 027063N18. **Fecha:** 30-10-2018. **Destinatarios:** Asociación de Funcionarios de la Municipalidad de Santiago. **Texto:** Municipalidad de Santiago debe pagar la asignación de mejoramiento de la gestión municipal conjuntamente con las remuneraciones de los meses de mayo, julio, octubre y diciembre de cada año. **Acción:** Aplica dictámenes 70910/2011, 30088/2013, 7660/2003, 16195/2016).

2. *«Lo anterior, por cuanto el citado artículo 93 de la ley Nº 18.883, alude únicamente a que las fechas efectivas de pago podrán ser distintas para cada municipalidad, pero no contempla la posibilidad de establecer épocas diferentes para enterar las remuneraciones dentro de la misma dependiendo del estatuto jurídico al que se encuentren afectos los funcionarios que laboran en ella (aplica criterio contenido en el dictamen Nº 17.634, de 2005)».* (**ID Dictamen:** 094253N15. **Fecha:** 27-11-2015. **Destinatarios:** Las asociaciones de funcionarios de los centros de salud familiar Clotario Blest, Dr. Carlos Godoy, Dr. Iván Insunza, Dr. Luis Ferrada Urzúa, Presidenta Michelle Bachelet, y de la dirección de salud, todas de la Municipalidad de Maipú. **Texto:** Corresponde que las municipalidades determinen la fecha de pago de su dependencia, la que deberá ser la misma para todos los funcionarios. **Acción:** Aplica dictamen 17634/2005).

3. *«Sobre el particular, corresponde precisar que de acuerdo con lo previsto en el artículo 92 de la ley Nº 18.883, Estatuto Administrativo para Funcionarios Municipales, estos tendrán derecho a percibir por sus servicios las remuneraciones y demás asignaciones adicionales que establezca la ley —entre ellas la correspondiente a horas extraordinarias—, en forma regular y completa.*

Enseguida, el artículo 93 del mismo texto legal, prescribe que las remuneraciones se devengarán desde el día en que el funcionario asuma el cargo y se pagarán por mensualidades iguales y vencidas, añadiendo que las fechas efectivas de pago podrán ser distintas para cada municipalidad.

*Por su parte, a través de los **dictámenes Nºs. 22.876, de 1999, 7.660, de 2003, y 75.904, de 2010**, este Organismo Fiscalizador, interpretando las disposiciones precitadas —además de las homólogas contenidas en la ley Nº 18.834, Estatuto Administrativo—, ha concluido que las horas extraordinarias deben pagarse conjuntamente con las remuneraciones en la fecha de pago que se haya determinado para el servicio correspondiente».* **(ID Dictamen: 075100N12 Fecha: 13.12.2012 Destinatarios:** Alcalde de la Municipalidad de Melipilla. **Texto:** Sobre improcedencia de pago de horas extraordinarias en dos parcialidades mensuales. **Acción:** aplica dictámenes 29498/2012, 22876/99, 7660/2003, 75904/2010)

Artículo 94

Las remuneraciones son embargables hasta en un cincuenta por ciento, por resolución judicial ejecutoriada dictada en juicio de alimentos o a requerimiento de la municipalidad a que pertenezca el funcionario, para hacer efectiva la responsabilidad civil proveniente de los actos realizados por éste en contravención a sus obligaciones funcionarias.

Artículo 95

Queda prohibido deducir de las remuneraciones del funcionario otras cantidades que las correspondientes al pago de impuestos, cotizaciones de seguridad social y demás establecidas expresamente por las leyes.

Con todo, el alcalde a petición escrita del funcionario podrá autorizar que se deduzcan de la remuneración de este último, sumas o porcentajes determinados destinados a efectuar pagos de cualquier naturaleza, pero que no podrán exceder en conjunto del quince por ciento de la remuneración. Si existieren deducciones ordenadas por sistema de bienestar, el límite indicado se reducirá en el monto que representen aquéllas.

1. *«En ese sentido, al no existir una norma expresa que establezca el orden en que aquellos deben ser descontados, procede que se efectúen una vez deducidos los otros descuentos y según las fechas en que fueron comunicados al municipio, vale decir, el orden de preferencia lo determina el más antiguo, a la luz de los principios generales que rigen la prelación de créditos en nuestro ordenamiento jurídico».* **(ID Dictamen: 002031N19. Fecha:** 21-01-2019. **Destinatarios:** Municipalidad de Arica. **Texto:** Criterio contenido en el dictamen Nº 3.646, de 2017, de este origen, resulta aplicable a todos los créditos sociales suscritos con las cajas de compensación. **Acción:** Aplica dictámenes 3646/2017, 20903/2018, 20131/2006, 40773/2009).

2. *«A su turno, el inciso final del citado artículo 95 de la ley Nº 18.883, prevé que el alcalde a petición escrita del funcionario podrá autorizar que se deduzcan de la remuneración de este último, sumas o porcentajes determinados destinados a efectuar pagos de cualquier naturaleza, pero que no podrán exceder en conjunto del quince por ciento de la remuneración, agregando que si existieren deducciones ordenadas por sistema de bienestar, el límite indicado se reducirá en el monto que representen aquellas».* **(ID Dictamen: 020327N18. Fecha:** 10-08-2018. **Destinatarios:** Rogelio Ramírez Leyton, funcionario de la Municipalidad de Malloa. **Texto:** Compete a quienes desarrollan labores de manejo de vehículos dar cumplimiento a las disposiciones legales que rigen el tránsito, en particular, aquellas contenidas en la ley Nº 18.290, por lo que las consecuencias pecuniarias que puedan derivar de su infracción son de responsabilidad y cargo de estos. **Acción:** plica dictámenes 14690/2013, 57424/2009, 76908/2011, 46595/2000, 5120/2017).

3. *«Por otra parte, y en cuanto a lo indicado por la peticionaria, en orden a que se le habrían estado efectuando descuentos voluntarios correspondientes al 32% de su renta, cumple con hacer presente que de acuerdo con lo dispuesto en el referido artículo 95 de la ley Nº 18.883, tales deducciones no pueden exceder del quince por ciento de la remuneración. En consecuencia, la Municipalidad de Ranquil deberá reliquidar las remuneraciones de la señora Moraga Cartes, tenien-*

do en consideración lo expresado en el presente pronunciamiento, de lo que informará documentadamente a la Contra- loría Regional del Bío-Bío, en el plazo de 20 días hábiles, contado desde la recepción de este dictamen». (**ID Dictamen: 002456N18. Fecha:** 22-01-2018. **Destinatarios:** Gloria Moraga Cartes, funcionaria dependiente de la Municipalidad de Ranquil. **Texto:** Los descuentos deben calcularse sobre la remuneración que el servidor ha conservado, luego de la aplicación del inciso tercero del artículo 134 de la ley Nº 18.883. **Acción:** aplica dictámenes 30012/2000, 38883/2003).

4. *«Sobre la materia, este Organismo de Control en los dictámenes Nºs. 57.424, de 2009, y 55.674, de 2010, entre otros, ha concluido que las deducciones solicitadas por las asociaciones de funcionarios, caben dentro de la categoría de descuentos voluntarios, sujetos, por tanto, al límite del quince por ciento de las remuneraciones del trabajador, establecido en el inciso segundo del artículo 95 de la ley Nº 18.883.*

Ahora bien, tratándose de las asociaciones de funcionarios municipales que han asumido la labor de efectuar acciones de bienestar —como sucede en la especie—, esta Entidad Fiscalizadora mediante los dictámenes Nºs. 7.810 y 45.810, ambos de 2001, y 50.538, de 2008, ha precisado que, excepcionalmente, las deducciones que tales entidades gremia- les soliciten por concepto de prestaciones de bienestar[233] deben tener un tratamiento semejante al que corresponde a ese mismo tipo de beneficios entregados por un servicio de bienestar, es decir, no se encuentran sujetas al límite máximo de deducción del quince por ciento de la remuneración del dependiente». (**ID Dictamen:** 065491N11 **Fecha:** 17.10.2011 **Destinatarios:** Alcalde de la Municipalidad de Macul. **Texto:** Sobre descuentos de remuneraciones por pres- taciones de bienestar realizadas por asociaciones de funcionarios municipales, en relación con el límite que establece el art. 95 de la ley 18883. **Acción:** Aplica dictámenes 57424/2009, 55674/2010, 7810/2001, 45810/2001, 50538/2008. Mismo criterio aplicado en **ID Dictamen:** 044225N11[234] **Fecha:** 13.07.2011 **Destinatarios:** Alcalde Municipalidad Con- chalí. **Texto:** Sobre no integro en entidades acreedoras de descuentos voluntarios efectuados de las remuneraciones de funcionaria municipal. **Acción:** Aplica dictámenes 57424/2009, 30921/2010, 47955/2010 Fuentes Legales)

5. *«De igual forma, conviene aclarar que los descuentos a que se refieren los actos cuestionados por los peticionarios, se relacionan con montos percibidos indebidamente por los mismos, de modo que no quedan afectos a la prohibición de deducción de remuneraciones establecida en el artículo 95 de la ley Nº 18.883, Estatuto Administrativo para Fun- cionarios Municipales, (...), pues en conformidad con el citado artículo 67 de la ley Nº 10.336, el Contralor se encuentra legalmente facultado para ordenar esas deducciones tratándose, como ocurre en la especie, de sumas mal otorgadas».* (**ID Dictamen:** 033231N11 **Fecha:** 25.05.2011 **Destinatarios:** Alcalde de la Municipalidad de Padre Hurtado. **Texto:** Sobre cumplimiento de la resolución 4887/2010, de Contraloría General, relativa a la condonación parcial de sumas perci- bidas indebidamente por concepto de incremento previsional y orden de reintegro de las mismas por funcionarios de la Municipalidad de Padre Hurtado. **Acción:** Aplica dictámenes 48869/2004, 28995/2011. Mismo criterio aplicado reiteradamente en esta materia: **ID Dictamen:** 016452N11 **Fecha:** 17.03.2011 **Destinatarios:** Presidente Corte de Apela- ciones de Santiago. **Texto:** Informa recurso de protección Rol de Ingreso Corte de Apelaciones de Santiago Nº 7.680 de 2010, interpuesto por doña Irma Godoy Cortes y otros, funcionarios de la Municipalidad de Chillán Viejo, en contra del Contralor General. **Acción:** Aplica dictámenes 329/2006, 40282/97, 27108/83, 8466/2008, 44764/2009 50142/2009; **ID Dictamen:** 009351N11 **Fecha:** 15.02.2011 **Destinatarios:** Presidente Corte de Apelaciones de Valparaíso. **Texto:** Informa recurso de protección Rol de Ingreso Corte de Apelaciones de Valparaíso Nº 63, de 2011, interpuesto por don Her- nán Chávez Chávez y otros, funcionarios de la Municipalidad de San Esteban. **Acción:** Aplica dictámenes 44764/2009, 50142/2009, 329/2006, 40282/97, 27108/83; **ID Dictamen:** 004330N11 **Fecha:** 24.01.2011 **Destinatarios:** Presidente de la Iltma Corte de Apelaciones de Rancagua. **Texto:** Informa recurso de protección rol de ingreso Corte de Apelaciones de Rancagua Nº 18/2011 interpuesto en contra de la resolución 3628/2010, de Contraloría, que precisa los criterios a con- siderar para los efectos de los reintegros de remuneraciones, reiterando la orden de devolver las sumas pagadas indebi-

---

[233]   *«Precisado lo anterior, debe manifestarse que la expresión "prestaciones de bienestar" debe entenderse como comprensiva de todas aquellas que tienen un carácter de índole social y, en general, las que por su naturaleza corresponde entregar a esas entidades, tales como protección a la salud, a la familia, a la educación y cul- tura, al esparcimiento, y a la habitación, criterio que ha sido establecido, entre otros, en los dictámenes Nºs. 26.695 de 1992 y 35.909 de 2000».* (**ID Dictamen: 045810N01 Fecha:** 06.12.2001 **Destinatarios:** Contra- lor Regional del Bío Bío **Acción:** aplica dictámenes 7810/2001, 79168/75, 47638/80, 26743/92, 26695/92, 35909/2000. **Fuentes Legales:** Ley 18883 art. 87 inc/2, DL 249/73 art. 23, Ley 18883 art. 95)

[234]   Para efectos de su consulta en la Base de Jurisprudencia de Contraloría General de la República, el citado dictamen se encuentra en la sección/materia: «generales», sin perjuicio de que se trata de uno de carácter municipal.

damente a funcionarios municipales por concepto del incremento previsional del dl 3501/80. **Acción:** Aplica dictámenes 44764/2009, 50142/2009, 329/2006, 40282/97, 27108/83, 8466/2008, 57151/2005; **ID Dictamen: 003506N11 Fecha:** 20.01.2011 **Destinatarios:** Presidente de la Iltma. Corte de Apelaciones de Talca. **Texto:** Informa recurso de protección rol de ingreso Corte de Apelaciones de Talca Nº 1143, de 2010, interpuesto por funcionarios de la Municipalidad de San Javier en contra del Contralor General, por haber ordenado la devolución de sumas pagadas indebidamente por concepto de incremento previsional. **Acción:** aplica dictámenes 44764/2009, 50142/2009, 329/2006, 40282/97, 27108/83, 8466/2008; **ID Dictamen: 002128N11 Fecha:** 13.01.2011 **Destinatarios:** Presidente de la Iltma Corte de Apelaciones de Talca. **Texto:** Informa recurso de protección, ingreso Corte de Apelaciones de Talca rol 1158/2010, interpuesto contra la resolución exenta 3546/2010 de Contraloría, que precisó los criterios a considerar para efecto de los reintegros de las sumas percibidas indebidamente por concepto de incremento previsional. **Acción:** Aplica dictámenes 44764/2009, 50142/2009, 329/2006, 40282/97, 27108/83, 8466/2008, 57151/2005, 12809/2010; **ID Dictamen: 000839N11 Fecha:** 07.01.2011 **Destinatarios:** Presidente de la Iltma. Corte de Apelaciones de Talca. **Texto:** Informa recurso de protección rol de ingreso Corte de Apelaciones de Talca Nº 1126, de 2010, interpuesto por don Francisco Antonio Vergara Gálvez y otros, funcionarios de la Municipalidad de Romeral. **Acción:** Aplica dictámenes 44764/2009, 50142/2009, 329/2006, 40282/97, 27108/83, 8466/2008 e **ID Dictamen: 000838N11 Fecha:** 07.01.2011 **Destinatarios:** Presidente Ilustrísima Corte de Apelaciones de Temuco. **Texto:** Informa recurso de protección rol de ingreso Corte de Apelaciones de Temuco 1955/2010, interpuesto por doña Alicia del Carmen Manquean Conejeros y otros, funcionarios de la Municipalidad de Nueva Imperial. **Acción:** Aplica dictámenes 44764/2009, 50142/2009, 329/2006, 40282/97, 27108/83, 8466/2008, 57151/2005, 12809/2010)

6. «*Sin perjuicio de lo anterior, es dable precisar que, según lo prevé el* **artículo 95 de la ley Nº 18.883, Estatuto Administrativo para Funcionarios Municipales, el alcalde se encuentra facultado para autorizar descuentos voluntarios en las remuneraciones de los servidores cuando estos así lo han solicitado,** *como ocurrió en la especie, por lo que se ajustó a derecho la actuación del municipio en ese sentido*». (**ID Dictamen: 071043N12 Fecha:** 15.11.2012 **Destinatarios:** Sergio Honores Caimanque. **Texto:** Confirma oficio 2007/2012, de la Contraloría Regional de Coquimbo, sobre irregularidades ocurridas en el servicio de bienestar de Municipalidad. **Acción:** Aplica dictámenes 34580/2012, 23688/2001, 74351/2011)

7. «*Por último, en cuanto al no pago de las horas extraordinarias alegadas por el afectado, y de cuyo monto habrían sido descontadas las sumas derivadas del incumplimiento de su horario de trabajo y las correspondientes a deudas que aquel tenía con diversas empresas contraídas a través del Servicio de Bienestar respectivo, esa entidad edilicia deberá realizar una reliquidación de lo que le correspondía percibir al recurrente, considerando el entero de la remuneración adeudada por haberse negado a tramitar la licencia médica presentada, como se precisó anteriormente, y efectuando las imputaciones que fueren procedentes, con estricta sujeción a la normativa que regula las deducciones de remuneraciones por incumplimiento de jornada laboral, y las ordenadas por el sistema de bienestar, contenidas, respectivamente en los artículos 69 y* **95 de la ley Nº 18.883** (...)» (**ID Dictamen: 068445N12 Fecha:** 31.10.2012 **Destinatarios:** Alcalde de la Municipalidad de Puente Alto. **Texto:** Acoge parcialmente reclamo sobre término de contrata, pago de horas extraordinarias y no recepción de licencia médica de exservidor de la Municipalidad de Puente Alto. **Acción:** Aplica dictámenes 16557/2010, 26594/2010, 31337/2012, 40625/2008, 18033/2011, 79784/2011, 54046/2010, 11903/2011)[235]

8. «*Se ha dirigido a esta Contraloría General el alcalde de la Municipalidad de Macul pidiendo un pronunciamiento que precise si los descuentos que las asociaciones de funcionarios municipales solicitan por concepto de préstamos de dinero que terceros realizan a los funcionarios, pueden ser considerados como prestaciones de bienestar, toda vez que el dictamen Nº 65.491, de 2011, emitido a propósito de una anterior solicitud de la misma autoridad comunal, no resuelve el punto en cuestión. (...)*
Pues bien, el aludido oficio Nº 65.491, de 2011, señaló, en primer término, que las deducciones solicitadas por las asociaciones de funcionarios, en general, quedan comprendidas dentro de la categoría de descuentos voluntarios, sujetos, por tanto, al límite del quince por ciento de las remuneraciones del trabajador, establecido en el inciso segundo de la disposición en comento.

---

[235]   Para efectos de su consulta en la Base de Jurisprudencia de Contraloría General de la República, el citado dictamen se encuentra en la sección/materia: «generales», sin perjuicio de que se trata de uno de carácter municipal.

Añadió ese pronunciamiento que, excepcionalmente, las deducciones que tales entidades gremiales soliciten por concepto de prestaciones de bienestar —cuando han asumido la labor de efectuar acciones de esa índole—, deben tener un tratamiento semejante al que corresponde a ese mismo tipo de beneficios entregados por un servicio de bienestar, es decir, no se encuentran sujetas al límite máximo del quince por ciento de la remuneración del dependiente, vale decir, se trata entonces, de un descuento legal, de acuerdo a la aclaración efectuada por el dictamen Nº 1.183, de 2012, de este origen.

*Lo anterior, **no significa que todos los descuentos que requieran las asociaciones de funcionarios cuando realizan labores propias de un servicio de bienestar, revistan por esa sola circunstancia el carácter de legales**, y precisamente el caso planteado por el municipio en esta oportunidad, corresponde a aquellas deducciones que se consideran voluntarias. Así lo resolvió el **dictamen Nº 57.424, de 2009** —invocado en el mismo oficio Nº 65.491, de 2011—, el que, en síntesis, **reconsideró la jurisprudencia que otorgó carácter legal a los descuentos ordenados por un servicio de bienestar, originados en obligaciones contraídas por el funcionario con instituciones financieras, intermediadas por el citado servicio, deducciones que califica de voluntarias, quedando afectas al límite del quince por ciento a que se ha hecho alusión.**

Del mismo modo, el citado oficio dejó sin efecto el criterio conforme al cual las asociaciones de funcionarios podrían solicitar descuentos por planilla para el pago de deudas contraídas con terceros por su intermedio, en un porcentaje superior al máximo que contempla la ley, materia a la que se refiere el municipio en su actual consulta.

*En consecuencia, es necesario concluir que los **descuentos a las remuneraciones, solicitadas por una asociación de funcionarios municipales que tengan su origen en préstamos de terceros deben considerarse voluntarios y por ende afectos a la limitación prevista en el inciso segundo del artículo 95 de la anotada ley Nº 18.883**.*

Lo anterior, en el entendido que "los terceros" a que alude la autoridad comunal en su presentación —lo cual no especifica—, no sean instituciones que se encuentran autorizadas por ley para efectuar deducciones a las remuneraciones, como ocurre con las cajas de compensación de asignación familiar (aplica criterio contenido en el dictamen Nº 5.912, de 2012)». (**ID Dictamen: 058929N12 Fecha:** 25.09.2012 **Destinatarios:** Municipalidad de Macul. **Texto:** Los descuentos a las remuneraciones, solicitados por una asociación de funcionarios municipales que tengan su origen en préstamos de terceros deben considerarse voluntarios y por ende afectos a la limitación prevista en el inc./2 del art. 95 de la ley 18883. **Acción:** aplica dictámenes 1183/2012, 57424/2009, 5912/2012, 27314/2010, 16212/2011, 68620/2011)

Artículo 96

No podrá anticiparse la remuneración de un empleado por causa alguna, ni siquiera en parcialidades, salvo lo dispuesto en este Estatuto.

Artículo 97

Los funcionarios tendrán derecho a percibir las siguientes asignaciones:

a) Pérdida de caja, que se concederá sólo al funcionario que en razón de su cargo tenga manejo de dinero efectivo como función principal, salvo que la municipalidad contrate un sistema de seguro para estos efectos;

b) Movilización, que se concederá al funcionario que por la naturaleza de su cargo, deba realizar visitas domiciliarias o labores inspectivas fuera de la oficina en que desempeña sus funciones habituales, pero dentro de la misma ciudad, a menos que la municipalidad proporcione los medios correspondientes;

c) Horas extraordinarias, que se concederá al funcionario que deba realizar trabajos nocturnos o en días sábado, domingo y festivos o a continuación de la jornada de trabajo, las que se calcularán sobre el sueldo base y la asignación municipal respectiva, siempre que no se hayan compensado con descanso suplementario;

d) Cambio de residencia, que se concederá al funcionario que para asumir el cargo, o cumplir una nueva destinación, se vea obligado a cambiar su residencia habitual, y al que una vez terminadas sus funciones vuelva al lugar en que residía antes de ser nombrado. Esta asignación comprenderá una suma equivalente a un mes de remuneraciones correspondientes al nuevo empleo; pasajes para él y las personas que le acompañen, siempre que por éstas perciba asignación familiar, y flete para el menaje y efectos personales hasta por un mil kilogramos de equipaje y diez mil de carga.

Las personas que deban cambiar de residencia para hacerse cargo del empleo en propiedad al ingresar o cesar en funciones sólo tendrán derecho a los dos últimos beneficios señalados precedentemente. Las personas que ingresen tendrán derecho a que se les conceda un anticipo hasta por una cantidad equivalente a un mes de remuneración, la que deberán reembolsar en el plazo de un año, por cuotas mensuales iguales. El traslado que se decrete a solicitud expresa del interesado no dará derecho a percibir la asignación establecida en esta norma;

e) Viático, pasajes, u otros análogos, cuando corresponda, en los casos de comisión de servicios y de cometidos funcionarios, y

f) Otras asignaciones contempladas en leyes especiales.

g) Asignación de antigüedad, que se concederá a los trabajadores de planta y a contrata por cada dos años de servicios efectivos en un mismo grado, será imponible y se devengará automáticamente desde el 1º del mes siguiente a aquel en que se hubiere cumplido el bienio respectivo.

El monto de la asignación de antigüedad se determinará calculando un 2% sobre los sueldos base de cada uno de los grados de la escala por períodos de dos años, con un límite de treinta años.

El funcionario que ascienda tendrá derecho, en todo caso, en el cargo de promoción, a una renta no inferior a la de su cargo anterior más la asignación por antigüedad que estuviere percibiendo, incrementada en un bienio. Para este efecto se le reconocerá en el nuevo cargo aquella asignación de antigüedad que le asegure dicha renta.

Si el sueldo del grado del cargo de promoción fuere equivalente o superior a la renta que asegura el inciso precedente, se percibirá éste, sin antigüedad.

Si el funcionario hubiere ascendido o ascendiere antes de completar un bienio, se reconocerá para el cómputo del próximo, el tiempo corrido entre la fecha del cumplimiento del anterior y la del ascenso.

Los funcionarios que sean nombrados, sin solución de continuidad, en una municipalidad distinta, conservarán la asignación de antigüedad de que disfrutaban en el cargo que servían y el tiempo corrido entre la fecha de cumplimiento del último bienio y la del nombramiento en la nueva entidad, debiendo aplicárseles las reglas relativas a los efectos de los ascensos en la misma municipalidad si el grado del nuevo cargo es superior al del que servían.

Los funcionarios que permutan sus empleos, mantendrán los bienios y el tiempo transcurrido desde la fecha de cumplimiento del último bienio.

Inciso Final.- DEROGADO.-

1. «Se ha dirigido a esta Contraloría General el alcalde de la Municipalidad de Mostazal, solicitando la reconsideración del oficio Nº 1.012, de 2016, a través del cual la Contraloría Regional del Libertador General Bernardo O'Higgins ordenó a dicha entidad edilicia dejar sin efecto el decreto Nº 6, del mismo año, que, en lo que interesa, aplicó la medida disciplinaria de destitución a doña Carolina Orellana Soto, al término de una investigación sumaria instruida en su contra —luego elevada a sumario administrativo—, en atención a que su responsabilidad administrativa se encontraba extinguida por prescripción de la acción disciplinaria; emitir en su reemplazo el acto administrativo que corresponda; y, adoptar las medidas tendientes a regularizar la situación de la afectada, pagándole las remuneraciones pertinentes durante el

tiempo en que estuvo alejada de sus funciones». (**ID Dictamen:** 081292N16. **Fecha:** 08-11-2016. **Destinatarios:** Municipalidad de Mostazal. **Texto:** Rechaza solicitud de reconsideración del oficio Nº 1.012, de 2016, de la Contraloría Regional del Libertador General Bernardo O'Higgins. Demora en la tramitación de sumario administrativo no puede atribuirse a actuaciones de dicha sede regional. **Acción:** Aplica dictámenes 17500/2016, 2030/2011, 14283/2009, 36229/2013, 29603/2009, 41239/2014, 4548/2013).

2. «*Luego, respecto a la alegación formulada por el señor Mejías Caris, en cuanto a que no se le habrían pagado 2 días correspondientes a descanso complementario, la jurisprudencia de este Ente de Control contenida, entre otros, en el dictamen Nº 64.668, de 2014, ha precisado que si a un servidor no se le otorgó el descanso complementario que le correspondía antes de su cese, aquel debe serle compensado pecuniariamente, pues es la única forma de retribuir esos trabajos y evitar un enriquecimiento sin causa para el órgano administrativo, evento en el cual, el derecho al pago nace al expirar el vínculo funcionario del empleado y prescribe en el plazo de seis meses, según lo dispuesto en los artículos 97, letra c), y 98, ambos de la ley Nº 18.883»*. (**ID Dictamen:** 042573N16. **Fecha:** 09-06-2016. **Destinatarios:** Marcelo Mejías Caris y la señora Paola Cerda González.: Aplica dictámenes 76866/2015, 21093/2015, 35562/2016, 91174/2014, 12271/2015, 64668/2014).

3. «*La Contraloría Regional de Antofagasta ha remitido a este Nivel Central la presentación de la Municipalidad de Mejillones, mediante la cual solicita un pronunciamiento respecto de la aplicación del decreto exento Nº 90, de 2018, del Ministerio de Hacienda, que "Define localidades para efectos del pago de viáticos", puesto que, a su entender, en el aludido acto administrativo no se estipula el pago de dicho beneficio a funcionarios que se deban movilizar a la localidad de Michilla —pese a que esta se encuentra más alejada que caleta Los Hornos, la que sí habilita la percepción de anotado estipendio—; o a la capital regional, lo que implicaría que aquellos deban solventar sus gastos de traslado y manutención»*. (**ID Dictamen:** 027435N18. **Fecha:** 06-11-2018. **Destinatarios:** Municipalidad de Mejillones. **Texto:** Cometidos funcionarios realizados en una misma localidad no autorizan la percepción de viático. Gastos incurridos por servidores municipales en el ejercicio de su función deben ser costeados por el municipio. **Acción:** Aplica dictámenes 60595/2012, 69393/2014).

4. «*La Contraloría Regional de Los Ríos ha remitido la presentación del presidente de la Asociación de Funcionarios Municipales de Valdivia, mediante la cual requiere un pronunciamiento que determine si los servidores municipales que participaron en el censo abreviado realizado el 19 de abril de 2017, tienen derecho a percibir el viático de faena establecido en el artículo 7º del decreto con fuerza de ley Nº 262, de 1977, del Ministerio de Hacienda»*. (**ID Dictamen:** 007950N18. **Fecha:** 22-03-2018. **Destinatarios:** Asociación de Funcionarios Municipales de Valdivia. **Texto:** No procede enterar viático de faena, previsto en el artículo 7º del D.F.L. Nº 262, de 1977, del Ministerio de Hacienda, a los funcionarios municipales que participaron en el censo abreviado realizado el 19 de abril del 2017. **Acción:** aplica dictámenes 14522/2017, 11273/2015, 79254/2014, 9310/92).

5. «*Se ha dirigido nuevamente a esta Contraloría General don Abelardo Salgado Rubio, exfuncionario de la Municipalidad de Puerto Varas, solicitando la reconsideración de los dictámenes Nºs. 1.287 y 67.883, ambos de 2015, los que desestimaron la procedencia del pago de viáticos al recurrente por los gastos en que incurrió con ocasión del traslado a su lugar de destinación»*. (**ID Dictamen:** 090532N16. **Fecha:** 19-12-2016. **Destinatarios:** Abelardo Salgado Rubio, exfuncionario de la Municipalidad de Puerto Varas. **Texto:** Desestima solicitud de reconsideración de los dictámenes Nºs. 1.287 y 67.883, ambos de 2015, en atención a que no se acompañan nuevos antecedentes que permitan alterar lo resuelto en ellos. **Acción:** Confirma dictámenes 1287/2015, 67883/2015).

6. «*Se ha dirigido a esta Contraloría General la Asociación de Funcionarios de la Municipalidad de Santiago, solicitando un pronunciamiento que determine la oportunidad en que debe enterarse la asignación de mejoramiento de la gestión municipal, toda vez que la citada entidad edilicia, con anterioridad al año 2016, pagaba tal estipendio en conjunto con las remuneraciones correspondientes a los meses de mayo, julio, octubre y diciembre, alterando en dicha anualidad el día de pago del citado emolumento, no coincidiendo —en la actualidad— con el entero de las remuneraciones del personal que tiene derecho a la asignación en comento, lo que estiman improcedente»*. (**ID Dictamen:** 027063N18. **Fecha:** 30-10-2018. **Destinatarios:** Asociación de Funcionarios de la Municipalidad de Santiago. **Texto:** Municipalidad de Santiago debe pagar la asignación de mejoramiento de la gestión municipal conjuntamente con las remuneraciones de los meses de mayo, julio, octubre y diciembre de cada año. **Acción:** Aplica dictámenes 70910/2011, 30088/2013, 7660/2003, 16195/2016).

7. *«Requerida al efecto, la Subsecretaría de Desarrollo Regional y Administrativo informó que es esta Entidad de Control la que debe interpretar las disposiciones pertinentes para determinar si procede el pago retroactivo por el año 2014 del anotado componente base, teniendo presente en ello la normativa sobre prescripción contenida en el artículo 98 de la ley Nº 18.883».* (**ID Dictamen:** 034957N16. **Fecha:** 12-05-2016. **Destinatarios: Municipalidad de Río Verde. Texto:** Derecho a exigir el pago del componente base a que alude la letra c) del artículo 2º de la ley Nº 19.803, prescribe en seis meses contados desde que se hizo exigible. **Acción:** Aplica dictámenes 85686/2014, 97789/2014, 1529/2016).

8. *«En mérito de lo expuesto, corresponde que el ente comunal de San Joaquín —teniendo a la vista el cumplimiento de las metas del referido programa de mejoramiento de la gestión municipal— verifique la procedencia del pago del componente de incentivo por gestión institucional y, en su caso, efectúe el entero de aquel, de todo lo cual deberá informar a la Unidad de Seguimiento de la División de Municipalidades de este Órgano de Control en el plazo de 20 días hábiles, contado desde la recepción del presente oficio».* (**ID Dictamen:** 001529N16. **Fecha:** 07-01-2016. **Destinatarios:** Ana Navarro Arriagada, Presidenta de la Asociación de Empleados Municipales de San Joaquín. **Texto:** Resulta inoficioso pronunciarse sobre el componente base por el que se consulta, toda vez que aquello se encuentra en vías de solución. Corresponde al Municipio verificar la procedencia de pago del incentivo por gestión institucional. **Acción:** aplica dictamen 54684/2011).

9. *«Por otra parte, conforme con lo previsto en el artículo 98 de la ley Nº 18.883, el derecho al cobro de las asignaciones que establece la letra f) del artículo 97 de ese texto legal —entre las que se encuentran las contempladas en leyes especiales, como acontece con la analizada—, prescribirá en seis meses contados desde que se hizo exigible el pago de los emolumentos en cuestión, plazo que, en la especie, corresponde computar a contar de la fecha de notificación al interesado de la referida resolución exenta Nº 72.094, de 2014, de la Superintendencia de Pensiones que autorizó su cambio de sistema previsional».* (**ID Dictamen:** 000948N16. **Fecha:** 06-01-2016. **Destinatarios: Luis Humberto Pozas Paredes, funcionario de la Municipalidad de Recoleta. Texto:** Funcionario municipal tiene derecho a percibir el beneficio previsto en el artículo 11 de la ley Nº 18.675, en forma retroactiva desde la fecha en que se incorporó al sistema de pensiones del decreto ley Nº 3.500, de 1980, debiendo considerarse el plazo de prescripción para exigir el cobro de ese emolumento, contemplado en el artículo 98 de la ley Nº 18.883. **Acción:** Aplica dictamen 38942/2002, 8921/2004).

10. *«La Contraloría Regional de Valparaíso ha remitido las presentaciones del señor Joel Araya Bugueño, funcionario de la planta de técnicos, grado 12, de la Municipalidad de Viña del Mar, por las que reclama en contra de esa entidad edilicia, por cuanto al modificar el escalafón correspondiente al año 2016 fue ubicado en octavo lugar, debiendo —a su juicio— estar en el primer lugar».* (**ID Dictamen:** 017587N18. **Fecha:** 12-07-2018. **Destinatarios:** Joel Araya Bugueño funcionario de la Municipalidad de Viña del Mar. **Texto:** No se ajustó a derecho la modificación del escalafón 2016, por motivo que indica; el factor antigüedad en el cargo, para efectos de dicho instrumento, tratándose de un aumento de grado por aplicación del artículo primero transitorio de la ley Nº 20.922, no coincide con la antigüedad en el grado. **Acción:** Aplica dictámenes 25180/2012, 14023/2015, 25455/2012, 26936/2016, 10749/2015, 3958/2017, 69817/2010).

11. *«La I Contraloría Regional Metropolitana de Santiago ha remitido la presentación del señor Julio Mora Miranda, funcionario de la planta de técnicos, grado 9, de la Municipalidad de San Bernardo, por la que reclama en contra de esa entidad edilicia, por cuanto al confeccionar el escalafón correspondiente al año 2017 fue ubicado en tercer lugar, debiendo —a su juicio— estar en primer lugar».* (**ID Dictamen:** 017588N18. **Fecha:** 12-07-2018. **Destinatarios:** Julio Mora Miranda, funcionario de la Municipalidad de San Bernardo. **Texto:** Para efectos del escalafón vigente para el año 2017 de la Municipalidad de San Bernardo, el factor antigüedad en el cargo, tratándose de un aumento de grado producido por aplicación del artículo primero transitorio de la ley Nº 20.922, no coincide con la antigüedad en el grado. **Acción:** Aplica dictámenes 69817/2010, 25455/2012, 26936/2016, 10749/2015, 3958/2017).

12. *«En efecto, el aumento de grado en cuestión no produjo un desplazamiento del director de control de la anotada entidad edilicia a un cargo de mayor remuneración, por cuanto la plaza ejercida por el señor Mora Astroza continuó siendo la de jefatura de dicha unidad municipal, no resultando aplicable —en la especie— lo previsto en los incisos tercero y cuarto del artículo 97, letra g), de la ley Nº 18.883».* (**ID Dictamen:** 015340N18. **Fecha:** 20-06-2018. **Destinatarios:** Víctor Mora Astroza, director de control de la Municipalidad de Villarrica. **Texto:** Reconsidera, en lo pertinente, el dictamen Nº 10.749, de 2015, por cuanto el aumento de grado del director de control que indica, se verificó por aplicación de lo previsto en el inciso tercero del artículo 16 de la ley Nº 18.695. **Acción:** Aplica dictámenes 35084/2014, 3958/2017 Reconsidera parcialmente dictamen 10749/2015).

13. «*Se ha dirigido a esta Contraloría General la Municipalidad de Padre Hurtado consultando si procede reliquidar las diferencias resultantes por el pago retroactivo de las remuneraciones de los funcionarios beneficiados con el incremento de grado previsto en el artículo primero transitorio de la ley Nº 20.922, en particular, respecto de las horas extraordinarias y las asignaciones de antigüedad y mejoramiento de la gestión municipal*». (**ID Dictamen:** 045002N17. **Fecha:** 28-12-2017. **Destinatarios: Municipalidad de Padre Hurtado. Texto:** Asignación de mejoramiento de la gestión municipal debe reliquidarse respecto del personal que fue beneficiario del incremento de grado previsto en el artículo primero transitorio de la ley Nº 20.922, no así las de antigüedad y de horas extraordinarias. **Acción:** aplica dictámenes 56591/2009, 3304/2010, 18329/2016, 84551/2016).

14. «*La Sede Regional de Los Lagos ha remitido la presentación del señor Cristian Villegas Fernández, presidente de la Asociación de Funcionarios de Atención Primaria de Salud Municipal de Calbuco —AFAPRISAM—, mediante la cual requiere la reconsideración del oficio Nº 3.098, de 2015, de ese origen, que concluyó, en lo que interesa, que el personal de atención primaria de salud por el que se consulta, debe reintegrar el viático que se les enteró para gastos de alimentación, por cuanto no tiene derecho a su pago, toda vez que para su procedencia es necesario que se incurra en ese tipo de gastos con motivo del desempeño de labores no habituales, lo que no habría acontecido en la especie, ya que se les habría proporcionado una colación*». (**ID Dictamen:** 013923N17. **Fecha:** 21-04-2017. **Destinatarios:** Cristian Villegas Fernández, presidente de la Asociación de Funcionarios de Atención Primaria de Salud Municipal de Calbuco —AFAPRISAM—. **Texto:** Municipio deberá ponderar la procedencia de viático a personal de atención primaria de salud en la situación que indica. **Acción:** Aplica dictámenes 21447/2003, 79254/2014).

15. «*Para el pago de la asignación de antigüedad prevista en la letra g) del artículo 97 de la ley Nº 18.883, no son útiles los servicios prestados en conformidad con el código del trabajo*». (**ID Dictamen:** 029593N16. **Fecha:** 20-04-2016. **Destinatarios: Marlene Henríquez Bastías, funcionaria de la Municipalidad de La Florida. Texto:** Para el pago de la asignación de antigüedad prevista en la letra g) del artículo 97 de la ley Nº 18.883, no son útiles los servicios prestados en conformidad con el código del trabajo. **Acción:** Aplica dictámenes 38011/94, 819/2016).

16. «*2.- **La asignación municipal no integra la base de cálculo del incremento de remuneraciones**.*
*Dicha asignación, establecida en el artículo 24 del decreto ley Nº 3.551, de 1980, aun cuando rige desde el 1 de enero de 1981, conforme al artículo 31 de ese mismo cuerpo normativo, atendido que no era imponible a aquella fecha no puede incluirse en la base de cálculo del incremento dispuesto en el artículo 2º del decreto ley Nº 3.501, de 1980, aunque después se le haya dado esa calidad, en conformidad con lo dispuesto en el artículo 9º de ley 18.675, **tal como lo ha reconocido esta Entidad de Control, entre otros, en sus dictámenes Nºs. 28.993, de 1998, y 54.846 de 2010, jurisprudencia que demuestra, una vez más, la postura uniforme y reiterada de la Contraloría General de la República sobre la materia**.*
En este contexto, cumple con hacer presente que si la ley Nº 18.675 hizo imponible la referida asignación municipal recién en el año 1987, fue porque precisamente antes no tenía esa calidad, (...).
*3.- **Las horas extraordinarias no integran la base de cálculo del incremento de remuneraciones**.*
En lo relativo a las horas extraordinarias, cabe manifestar que el citado artículo 9º de la ley Nº 18.675, dispone que las remuneraciones y bonificaciones no imponibles de los trabajadores de las entidades regidas por las normas legales que en él se señalan, entre ellos, el personal municipal, estarán afectas, a contar del 1 de enero de 1988, a las cotizaciones para el financiamiento de los beneficios de pensiones que establecen la columna 3 del artículo 1º del decreto ley Nº 3.501, de 1980, y el artículo 17 del decreto ley Nº 3.500, de 1980, según corresponda, a excepción de los estipendios que menciona, entre los cuales se encuentran precisamente esas horas.
Por tal motivo, es dable entender que las horas extraordinarias de los servidores mencionados, como se expresara, entre otros, en los dictámenes Nºs. 28.472, de 2006, y 62.363, de 2009, de este Organismo de Control, incluidos los dependientes de las municipalidades, cualquiera sea el régimen provisional al que se encuentren adscritos, por expreso mandato de la referida disposición legal, no están sujetas a cotizaciones y no revisten el carácter de imponibles, por lo cual no se consideran en la base de cálculo del aludido incremento.
4.-La asignación de antigüedad no integra la base de cálculo del incremento de remuneraciones.
*Al respecto cabe anotar que el **artículo 97, letra g), de la ley Nº 18.883, Estatuto Administrativo de los Funcionarios Municipales, modificado por el artículo 1º de ley Nº 19.180**, contempla el beneficio de la asignación de antigüedad en favor de los funcionarios municipales, el cual se concederá a los trabajadores de planta por cada dos años de servicios efectivos en un mismo grado, será imponible, y se devengará automáticamente desde el 1º del mes siguiente a aquel en que se hubiere cumplido el bienio respectivo, beneficio que, establecido con posterioridad al 28 de febrero de 1981, **no puede considerarse en la determinación del incremento en estudio, tal como lo ha reconocido la jurisprudencia de**

este Organismo Fiscalizador, entre otros, en su dictamen Nº 24.822, de 1993, confirmando nuevamente todo lo dicho sobre la materia». **(ID Dictamen: 080781N11 Fecha:** 27.12.2011 **Destinatarios:** Irma Soto Rodríguez. **Texto:** Informa acerca del incremento contemplado en el art. 2 del dl 3501/80, solicitado por el Consejo de Defensa del Estado en el caso que indica. **Acción:** Aplica dictámenes 8466/2008, 44764/2009, 50142/2009, 27108/83, 40282/97, 329/2006, 41551/2008, 28993/98, 54846/2010, 28472/2006, 62363/2009, 24822/93, 3420/2011)[236]

17. *«Sobre el particular, en lo que atañe al pago del estipendio solicitado, cabe señalar que el artículo 1º de la ley Nº 19.803 —texto legal cuya vigencia fue renovada por las leyes Nºs. 20.008 y 20.198—, otorga una asignación de mejoramiento de la gestión municipal al personal de planta y a contrata regido por la ley Nº 18.883, sobre Estatuto Administrativo para Funcionarios Municipales, que se encuentre en servicio a la fecha del pago de la respectiva cuota de la asignación.*

Dispone el mismo precepto legal, en su inciso segundo, que el incentivo se pagará en cuatro cuotas, en los meses de mayo, julio, octubre y diciembre de cada año, cuyo monto será equivalente, respectivamente, al valor acumulado entre los meses de enero a marzo, abril a junio, julio a septiembre y octubre a diciembre, como resultado de la aplicación mensual de esta asignación. El funcionario que haya dejado de prestar servicios antes de completarse el trimestre respectivo, tendrá derecho a la asignación en proporción a los meses completos efectivamente trabajados.

Pues bien, consta que la Municipalidad de Independencia, mediante el decreto Nº 361, del 18 de mayo de 2010, aceptó la renuncia voluntaria del recurrente, a contar del 27 de mayo de igual año —con la finalidad de que este pudiese acogerse al beneficio que otorga la ley Nº 20.387—, de manera que si bien aquél no se encontraba en servicio a la época del pago de la segunda cuota —mes de julio—, le asistía el derecho a percibir la proporción correspondiente al mes de abril de 2010, el que habría trabajado íntegramente.

Sin embargo, debe considerarse que el artículo 98 de la ley Nº 18.883, prevé que el derecho al cobro de las asignaciones que establece el artículo 97, de ese texto legal, entre las que se encuentran las contempladas en leyes especiales, como acontece con el beneficio de que se trata, prescribirá en el plazo de seis meses contados desde que se hicieron exigibles (aplica los dictámenes Nºs. 52.791, de 2009, y 24.251, de 2010)». **(ID Dictamen: 070910N11 Fecha:** 11.11.2011 **Destinatarios:** José Arratia Leiva. **Texto:** Derecho a la asignación de mejoramiento a la gestión municipal, por metas del año 2009, prescribe dentro de 6 meses desde que se hizo exigible, según ley 18883 art. 98 y art. 97. **Acción:** Aplica dictámenes 52791/2009, 24251/ 2010)

18. *«Sobre el particular, cabe indicar que el artículo 98 de la ley Nº 18.883, sobre Estatuto Administrativo para Funcionarios Municipales, dispone que el derecho al cobro de las asignaciones que establece el artículo 97 de esa ley —entre las cuales se encuentran las horas extraordinarias—, prescribirá en el plazo de seis meses contado desde la fecha en que se hicieron exigibles, es decir, desde el día en que periódicamente se paguen las remuneraciones en la municipalidad respectiva, por mensualidades iguales y vencidas (aplica dictámenes Nºs. 50.426, de 2008, y 45.487, de 2010).*

Pues bien, el citado término legal se interrumpe administrativamente, a través de la solicitud que el interesado realice ante la autoridad a la que le corresponde reconocer su entero, esto es, ante el propio municipio o ante este Organismo Contralor, de modo que sólo procede el pago de dicho estipendio en relación con el período de seis meses contado hacia atrás, desde la fecha en que se presentó la petición respectiva.

En este contexto, de los antecedentes tenidos a la vista, no se acredita que el interesado haya reclamado a la Municipalidad de La Reina el entero de los estipendios en comento, sino que recurrió por primera vez ante esta Entidad Fiscalizadora el 25 de octubre de 2010 —reclamación a la que se le asignó el Nº 105.971, de ese año—, interrumpiendo con ello el plazo de prescripción del monto adeudado a esa data.

Por consiguiente, y tal como señala el municipio, se encuentra prescrita la acción para que el señor Campusano Rivera cobre los trabajos extraordinarios desempeñados en el período que media entre el 23 de octubre de 2007 al 12 de marzo de 2010, y, por ende, sólo tiene derecho al entero de las cuatro horas extras realizadas el 11 de mayo de ese último año, fecha esta que se encuentra comprendida dentro de los seis meses anteriores a la data en que requirió el pago de los emolumentos de la especie». **(ID Dictamen: 065270N11 Fecha:** 17.10.11 **Destinatarios:** Nino Campusano Rivera. **Texto:** Derecho al cobro de trabajos extraordinarios, del personal regido por la ley 18883, prescribe en el plazo de seis meses, desde la fecha en que se hicieron exigibles, esto es, desde la fecha en que normalmente se paguen las remuneraciones.

---

[236] Para efectos de su consulta en la Base de Jurisprudencia de Contraloría General de la República, el citado dictamen se encuentra en la sección/materia: «generales».

Para interrumpir la prescripción del derecho al cobro, es necesario efectuar el reclamo respectivo ante la autoridad que debe efectuar el pago o ante este Órgano de Control. **Acción:** Aplica dictámenes 50426/2008, 45487/2010)[237]

19. *«En este contexto y atendido que, al tenor de lo dispuesto en los artículos 40, inciso segundo, de la ley Nº 18.695 y 1º de la ley Nº 18.883 —Estatuto Administrativo para Funcionarios Municipales—, los alcaldes ostentan tal calidad y se rigen —en lo pertinente— por las normas de este último ordenamiento relativas a derechos, les asiste, acorde con el **artículo 97, letra e), de ese cuerpo estatutario**, el derecho a percibir, entre otros emolumentos, viáticos por las comisiones de servicios y cometidos funcionarios que en su caso deban cumplir.*

*Al respecto y en concordancia con **una interpretación armónica de la normativa referida**, es dable colegir que tratándose de la autoridad alcaldicia, los cometidos funcionarios o comisiones de servicio que a su respecto se dispongan, deben resultar concordantes con las condiciones en que el respectivo concejo —en los casos en que este deba intervenir— ha autorizado el correspondiente encargo.*

*En este sentido, aplicando el criterio sustentado en el aludido **dictamen Nº 38.853, de 2007**, es posible sostener que, en principio, corresponde el reintegro de aquellas sumas percibidas por un alcalde por concepto de viáticos derivados de cometidos no autorizados por el concejo o autorizados en términos distintos a los considerados por este.*

No obstante, es necesario recordar que, conforme lo ha reconocido la jurisprudencia administrativa —contenida, entre otros, en el dictamen Nº 2.285, de 1994—, en derecho público los actos irregulares pueden ser saneados, ratificados o convalidados por otro acto expreso que corrigiendo los vicios del anterior lo confirme, apruebe o ratifique.

*A su turno, es del caso hacer presente que el **desempeño efectivo de un cometido realizado en el ejercicio del cargo de alcalde y en representación del municipio, importa el cumplimiento de una función pública y no un acto personal, de manera que si los gastos que el mismo irrogue son asumidos por el servidor de que se trate con su patrimonio personal y no por la municipalidad se produciría un enriquecimiento sin causa en beneficio de esta última (aplica criterio contenido en el dictamen Nº 8.442, de 2009).***

Ahora bien, en la especie, de acuerdo con los antecedentes tenidos a la vista, la autorización del concejo para que la alcaldesa realizara el cometido en cuestión fue otorgada en el entendido que este no irrogaría gastos para la municipalidad, por lo que, al cambiar las condiciones en que aquel se llevaría a cabo, esa autoridad debió informar a ese cuerpo colegiado de tal circunstancia, supuesto que no se verificó en la oportunidad debida, produciéndose, por consiguiente, una irregularidad al pagarse viáticos no considerados, los que fueron finalmente reintegrados.

Sin embargo, tampoco consta que, con posterioridad, la situación enunciada haya sido sometida al acuerdo del concejo municipal a fin de que este adoptara una decisión tendiente a la regularización de la misma y a evitar un eventual enriquecimiento sin causa a favor del municipio». (**ID Dictamen: 051677N11 Fecha:** 17.08.2011 **Destinatarios:** Alcaldesa de la Municipalidad de Pedro Aguirre Cerda. **Texto:** Sobre pago a alcaldesa de viáticos no considerados en la autorización del respectivo cometido por parte del Concejo Municipal. **Acción:** Aplica dictámenes 38853/2007, 2285/94, 8442/2009)

20. *«Sobre el particular, cumple con manifestar que el artículo 72, de la ley Nº 18.883, sobre Estatuto Administrativo para Funcionarios Municipales, previene que estos servidores podrán ser designados por el alcalde en comisión de servicio para el desempeño de funciones ajenas al cargo, en la misma municipalidad, sea en el territorio nacional o en el extranjero.*

Enseguida, este Organismo de Control en los dictámenes Nºs. 52.819, de 2002, y 37.591, de 2003 —a los cuales alude el municipio en su consulta—, entre otros, ha precisado que no corresponde que el alcalde, como máxima autoridad edilicia, ordene el desarrollo de labores de representación gremial, propias del ámbito de las asociaciones de funcionarios reguladas en la ley Nº 19.296, de manera que dichas tareas no pueden ser materia de cometidos funcionarios o comisiones de servicio y, por ende, tampoco dan derecho a la percepción de viáticos.

*Ahora bien, en la situación planteada en la especie, de los antecedentes tenidos a la vista aparece que se trata de servidores municipales, que en su calidad de tales, participarían en una actividad de interés para la municipalidad, por cuyo intermedio, además, consolidan sus competencias laborales, toda vez que, del programa del seminario de que se trata, se verifica que éste no constituye una reunión propiamente gremial —al contrario de aquellos en los cuales incidían los pronunciamientos mencionados en el párrafo anterior—, **enmarcándose de este modo dicho evento, en lo establecido en los artículos 22 y 23, letra c), de la citada ley Nº 18.883, en orden a que se entienden por capacitación, entre otras,***

---

[237] Para efectos de su consulta en la Base de Jurisprudencia de Contraloría General de la República, el citado dictamen se encuentra en la sección/materia: «generales», sin perjuicio de que se trata de uno de carácter municipal.

las actividades destinadas a que los funcionarios desarrollen, complementen, perfeccionen o actualicen los conocimientos y destrezas necesarios para el eficiente desempeño de sus cargos o aptitudes funcionarias, como asimismo, aquellas de interés para la municipalidad.

*En este contexto, este **Organismo Fiscalizador** no advierte inconvenientes para que la asistencia del personal municipal al mencionado seminario —con prescindencia de su calidad de dirigentes gremiales—, se disponga a través de una comisión de servicio, en la medida que se determine que aquel cumple con las condiciones necesarias para ser calificado como capacitación, tal como sucede en este caso, la que, por una parte, constituye un derecho de los funcionarios públicos y, por otra, un deber de la Administración asegurarla, de conformidad con lo establecido en el artículo 38 de la Constitución Política, en relación con los artículos 20 de la ley Nº 18.575; 46 y 49 de la ley Nº 18.695, y 22 y siguientes de la ley Nº 18.883 (aplica criterio contenido en el dictamen Nº 3.444 de 1999).*

Finalmente, cabe añadir que atendido lo dispuesto en el artículo 97, letra e), de la ley Nº 18.883, en relación con lo establecido en el artículo 1º del decreto con fuerza de ley Nº 262, de 1977, del Ministerio de Hacienda —Reglamento de Viáticos para el Personal de la Administración Pública—, los funcionarios municipales en comento tendrán derecho a percibir viáticos, toda vez que se trata de comisiones de servicio, vale decir, de servidores que, en su carácter de tales y por razones de servicio, deben ausentarse del lugar de desempeño habitual, dentro del territorio nacional». (ID Dictamen: 031093N11 Fecha: 16.05.2011 Destinatarios: Alcalde de la Municipalidad de Lo Prado. Texto: Sobre participación en actividades de capacitación de funcionarios municipales que poseen la calidad de dirigentes gremiales. Acción: Aplica dictámenes 52819/2002, 37591/2003)

21. *«Enseguida, en lo que respecta a la circunstancia de que con motivo del traspaso, el municipio le adeudaría el monto correspondiente a la bonificación sustitutiva de las asignaciones de colación y movilización, establecida en el artículo 4º de la ley Nº 18.717, es del caso hacer presente que esta Entidad Fiscalizadora en los dictámenes Nºs. 19.196, de 1998 y 53.173, de 2007, ha señalado que el mencionado beneficio es aplicable al personal municipal que cumple funciones en la atención primaria de salud municipal, por aplicación supletoria del artículo 97, letra f), de la ley Nº 18.883, sobre Estatuto Administrativo para Funcionarios Municipales, según lo dispuesto en el inciso primero del artículo 4º de la aludida ley Nº 19.378.*

Por lo tanto, cabe colegir que al recurrente le asiste el derecho a percibir la bonificación reclamada; ello, en la medida que el derecho al cobro no se encuentre extinguido por el transcurso del plazo de prescripción de seis meses, contemplado en el artículo 98 de la referida ley Nº 18.883 —aplicable supletoriamente en virtud de lo establecido en el precitado artículo 4º—, circunstancia que habrá acontecido en la eventualidad que el interesado haya interrumpido dicho término legal, reclamando oportunamente su pago ante el municipio, por cuanto la alegación de la especie fue deducida ante esta Entidad de Control con posterioridad al vencimiento del plazo en comento (aplica criterio contenido en el dictamen Nº 22.999, de 2010)». (ID Dictamen: 010601N11 Fecha: 18.02.2011 Destinatarios: Alcalde Municipalidad de Lo Barnechea. Texto: Sobre remuneraciones y desvinculación de ex funcionario afecto a la ley 19378, por aplicación de la ley 20250. Acción: Aplica dictámenes 27448/2010, 19196/98, 53173/2007, 22999/2010 53982/2009)

22. *«En relación con lo anterior, la jurisprudencia administrativa de este Órgano de Control ha manifestado uniformemente, mediante los dictámenes Nºs. 38.978, de 2005, y 5.903, de 2010, entre otros, que si a un ex funcionario no se le otorgó el descanso complementario a que tenía derecho antes de su cese de funciones —encontrándose, se entiende, dentro del plazo para impetrarlo—, éste debe serle compensado pecuniariamente, pues es esa la única forma de retribuir estos trabajos y evitar un enriquecimiento sin causa para la Administración.*

Consecuente con el criterio señalado, dicha jurisprudencia ha precisado que el derecho a la compensación pecuniaria, en tales circunstancias, nace al expirar la relación funcionaria del empleado y prescribe en el plazo de seis meses, según lo establecido en el artículo 98, en relación con el artículo 97, letra c), de la aludida ley Nº 18.883.

Pues bien, en la especie, de los antecedentes tenidos a la vista, específicamente de lo señalado por el propio municipio, aparece que las funcionarias de que se trata, al momento de su desvinculación del municipio, tenían derecho a hacer uso de descanso complementario, en compensación a los trabajos extraordinarios que efectivamente realizaron, por lo que, habiendo requerido al efecto a la entidad edilicia oportunamente, nada obsta para que perciban el pago correspondiente a dicho concepto.

Sin perjuicio de lo anterior, y sobre lo consultado por el municipio en relación a la posibilidad de retener el pago en comento a la espera de la resolución del Ministerio Público —en el marco del proceso penal que se instruye en contra de ambas funcionarias con ocasión de los hechos materia del aludido sumario administrativo—, cabe señalar que, respecto a la posibilidad de hacer descuentos o retenciones a lo adeudado a las ex servidoras de que se trata, ha de tenerse en cuenta lo dispuesto en los artículos 6 y 7 de la Constitución Política de la República, y en el artículo 2 de la ley Nº 18.575,

Orgánica Constitucional de Bases Generales de la Administración del Estado, según los cuales las **entidades públicas no tendrán más atribuciones que las que expresamente les haya conferido el ordenamiento jurídico; requiriendo el municipio, en consecuencia, facultades legales expresas para efectuar las aludidas retenciones,** *lo que no acontece en la especie».* (**ID Dictamen: 007944N11 Fecha:** 08.02.2011 **Destinatarios:** Alcalde Municipalidad de Conchalí. **Texto:** Sobre pago de horas extraordinarias a ex funcionarios municipales. **Acción:** Aplica dictámenes 38978/2005, 5903/2010)[238]

23. *«En primer término, cabe recordar que el artículo 4º de la ley Nº 20.198, que modifica normas sobre remuneraciones de los funcionarios municipales —publicada en el diario oficial de 9 de julio de 2007—, dispuso que las municipalidades debían aumentar, a contar del 1 de enero de 2007 y del 1 de enero de 2008, respectivamente, el sueldo base mensual de la escala de sueldos del personal municipal, establecido en el artículo 23 del decreto ley Nº 3.551, de 1980, en los montos que para cada grado y año se indican en dicha disposición.*

Enseguida, es necesario señalar que mediante el dictamen Nº 41.551, de 2008, esta Entidad Fiscalizadora, interpretando el señalado precepto legal, precisó que, en su virtud, se estableció el incremento retroactivo del sueldo base mensual del personal municipal —a contar del 1 de enero de 2007—, el que, en tanto constituye base de cálculo de otros emolumentos, conlleva el aumento retroactivo de aquellos, a la indicada fecha.

Consecuente con ello, concluyó ese pronunciamiento que debía procederse a reliquidar las franquicias de carácter habitual y permanente que se calculan sobre el sueldo base, en el período comprendido entre el 1 de enero y el 9 de julio de 2007, fecha de publicación de la ley Nº 20.198, tales como la asignación municipal del artículo 24 del decreto ley Nº 3.551 de 1980; la asignación de antigüedad de la letra g) del artículo 97 de la ley Nº 18.883, Estatuto Administrativo de los Funcionarios Municipales, bonificaciones de salud y pensiones de los artículos 3º de la ley Nº 18.566, 10 y 11 de la ley Nº 18.675, bonificación única tributable sustitutiva de la colación y movilización del artículo 4º de la ley Nº 18.717, asignaciones de pérdida de caja y de zona, entre otras, así como también el incremento previsional dispuesto en el artículo 2º del decreto ley Nº 3.501, de 1980, y la bonificación del artículo 11 de la ley Nº 19.803.

Luego, **a requerimiento de diversos municipios y de la Asociación Chilena de Municipalidades, se efectuó un nuevo estudio sobre la materia, y mediante dictamen Nº 57.270, de 2008, de este origen, se precisó que el incremento dispuesto por el citado artículo 4º de la ley Nº 20.198, no puede afectar el monto de aquellas asignaciones o incrementos que no se calculan en relación al sueldo base de la escala de sueldos del personal municipal, contenida en el artículo 23 del decreto ley Nº 3.551, de 1980, siendo improcedente la reliquidación de aquellos emolumentos cuyo monto es fijado por la ley,** *como ocurre, por ejemplo, con la asignación municipal.*

Posteriormente, esta Entidad de Control, mediante el dictamen Nº 6.105, de 2009, aclaró que las remuneraciones pagadas o devengadas a favor de los funcionarios municipales entre la data de vigencia de la ley Nº 20.198 y hasta el 3 de diciembre del año 2008 —fecha de emisión del aludido oficio Nº 57.270—, en los términos dispuestos por el mencionado dictamen Nº 41.551, del mismo año, debían entenderse válidamente percibidas o convenidas, según el caso, por los servidores en cuyo favor las municipalidades respectivas hubieren procedido a su pago o acordado mecanismos para tales efectos en dicho período.

No obstante, tal como se indicó en el oficio Nº 57.270 de 2008, a partir de su vigencia, las entidades edilicias deben someterse estrictamente al criterio contenido en él, según el cual corresponde excluir del aumento dispuesto por el artículo 4º de la ley Nº 20.198, todos aquellos emolumentos que no se calculan en relación con el aludido sueldo base, entre ellos, la asignación municipal regulada por el artículo 24 del decreto ley Nº 3.551 de 1980». (**ID Dictamen: 068408N12 Fecha:** 31.10.2012 **Destinatarios:** Alcalde de la Municipalidad de Curacautín. **Texto:** Municipalidad debe ajustar el cálculo de las remuneraciones de sus funcionarios a la normativa que rige la materia y a la jurisprudencia de este órgano de control. **Acción:** Aplica dictámenes 57270/2008, 6105/2009, 44764/2009, 50142/2009, 5791/2011)

24. *«La Contraloría General de la República, en uso de sus atribuciones legales, ha estimado conveniente impartir instrucciones tendientes a precisar el alcance de las normas sobre modificación de la escala de sueldos base fijada para el personal de las municipalidades por el artículo 23 del decreto ley Nº 3.551, de 1980, contenidas en la ley Nº 20.624 publicada en el Diario Oficial de 30 de agosto de 2012, para los efectos de su aplicación a contar del día 1 de octubre de esta anualidad. (...)*
2.- PROCEDIMIENTO DE CÁLCULO.

---

[238]   Para efectos de su consulta en la Base de Jurisprudencia de Contraloría General de la República, el citado dictamen se encuentra en la sección/materia: «generales», sin perjuicio de que se trata de uno de carácter municipal.

A su vez, el artículo 3º de la citada ley Nº 20.624, señala que el aumento dispuesto por el aludido artículo 1º de la misma norma no afectará la determinación del monto de las asignaciones, otros emolumentos o incrementos que no se calculen en relación al sueldo base que se modifica, tales como, la asignación municipal regulada por el artículo 24 del decreto ley Nº 3.551 de 1980; las bonificaciones de salud y pensiones de los artículos 3º de la ley Nº 18.566, y 10 y 11 de la ley Nº 18.675; la bonificación única tributable sustitutiva de la colación y movilización del artículo 4º de la ley Nº 18.717; y la asignación de pérdida de caja de la letra a), del artículo 97 de la ley Nº 18.883, en relación con el artículo 7º del decreto Nº 10.559, de 1960, del Ministerio de Hacienda (aplica criterio contenido, entre otros, en los dictámenes Nºs. 6.105, de 2009, y 44.070, de 2010)». (**ID Dictamen: 061167N12 Fecha:** 03.10.2012 **Destinatarios:** Subsecretario de Desarrollo Regional y Administrativo. **Texto:** Instrucciones para la aplicación de la ley 20624, que modifica la escala de sueldos base fijada para el personal de las municipalidades por el art. 23 del dl 3551/81. **Acción:** Aplica dictámenes 6105/2009, 44070/2010, 80781/2011)

25. *«Sobre el particular, el artículo 98 de la ley Nº 18.883, Estatuto Administrativo para Funcionarios Municipales, dispone que el derecho al cobro de las asignaciones que establece el **artículo 97 de esa ley —entre las cuales se encuentran las horas extraordinarias—**, prescribirá en el plazo de seis meses contados desde la fecha en que se hicieron exigibles, es decir, desde el día en que periódicamente se paguen las remuneraciones en la municipalidad respectiva, por mensualidades iguales y vencidas, término legal que se interrumpe administrativamente, a través de la solicitud que el interesado realice ante la autoridad a la que le corresponde realizar su entero o ante este Organismo Fiscalizador (aplica dictamen Nº 65.270, de 2011)».* (**ID Dictamen: 048533N12 Fecha:** 09.08.2012 **Destinatarios** Alcalde de la Municipalidad de Lo Espejo. **Texto:** Sobre reclamo de exfuncionaria municipal por no pago de horas extras, cotizaciones previsionales y denuncia de asesoría jurídica prestada por funcionarios municipales en juicio de cuentas. **Acción:** Aplica dictámenes 65270/2011, 47955/2010, 67868/2010)

26. *«Ahora bien, en lo que se refiere al pago del aludido beneficio a la señora Baeza Rebolledo —funcionaria de la planta municipal—, es necesario manifestar que tal como lo ha precisado este **Ente Fiscalizador mediante su jurisprudencia administrativa,** contenida, entre otros, en el dictamen Nº 1.631, de 2007, el desplazamiento de un funcionario a un cargo de mayor renta como consecuencia de un ascenso, produce la absorción de bienios, sin desmedro del derecho que le asiste al empleado ascendido para que se le reconozca en su nueva ubicación una asignación que le asegure una renta no inferior a la que percibía en el cargo anterior más la asignación de antigüedad que estuviera percibiendo, incrementada en un bienio.*
De esta manera, debe compararse el sueldo base del cargo anterior más el monto de la asignación de antigüedad a que tuviera derecho, aumentada en un bienio, con el sueldo base del nuevo cargo, para así poder determinar el número de bienios que se absorben, reconociéndose la asignación de antigüedad que asegure dicha renta. No obstante, si el sueldo del grado en promoción fuere equivalente o superior a la renta determinada mediante aquella operación, debe percibirse la remuneración del nuevo grado, sin derecho a la asignación de antigüedad (aplica dictamen Nº 38.189 de 1998). (...)
*Hecha esta aclaración, es dable indicar que de los antecedentes que se encuentran en poder de este Órgano de Control, se verifica que la funcionaria por la cual se consulta fue contratada en el grado 10 de la planta técnica el día 1 de abril de 2009, siendo prorrogado su contrato sucesivamente, de tal manera que, atendido lo dispuesto por el citado **artículo 97, letra g), de la ley Nº 18.883,** en orden a que los funcionarios a contrata tendrán derecho a percibir la referida asignación de antigüedad por cada dos años de servicios efectivos en un mismo grado, la que se devengará automáticamente desde el 1º del mes siguiente a aquél en que se hubiere cumplido el bienio respectivo, a la servidora le corresponde el beneficio en examen a contar del 1 de mayo de 2011, data en la que reunió los requisitos exigidos por la norma para su percepción».* (**ID Dictamen: 030595N12 Fecha:** 24.05.2012 **Destinatarios:** Alcalde de la Municipalidad de Lo Espejo. **Texto:** Sobre forma de pago de la asignación de antigüedad a funcionarios municipales de planta y contratados. **Acción:** Aplica dictámenes 1631/2007, 38189/98, 51232/2009, 6064/2012, 46377/2007, 14177/2009)[239]

27. *«Enseguida, en lo que atañe al incentivo de desempeño colectivo por área de trabajo —previsto en la citada letra b) del artículo 2º—, debe considerarse que el artículo 9º, inciso primero, de la ley Nº 19.803, establece que su aplicación la acordará el alcalde con la o las asociaciones de funcionarios de la municipalidad respectiva, en el mes de diciembre de cada año, con la aprobación del concejo; agregando el inciso segundo, que corresponderá al porcentaje máximo que*

---

[239] Para efectos de su consulta en la Base de Jurisprudencia de Contraloría General de la República, el citado dictamen se encuentra en la sección/materia: «generales», sin perjuicio de que se trata de uno de carácter municipal.

señala, sobre la base de cálculo que indica, según el grado de cumplimiento de las metas anuales comprometidas en el programa de mejoramiento de la gestión municipal por parte de la dirección, departamento o unidad municipal, acorde con la estimación porcentual allí fijada.

El inciso tercero del referido artículo 9º, previene, en lo que interesa, que a falta del aludido acuerdo, se aplicará un incentivo de desempeño individual que, asimismo, se acordará en diciembre de cada año con la o las asociaciones de funcionarios, en los términos que indica, previa aprobación del concejo. A falta de este último acuerdo, la aplicación de dicho incentivo se efectuará en consideración al sistema de calificación de desempeño vigente en el municipio.

*Como queda de manifiesto, dado que el artículo 9º de la ley Nº 19.803, dispone tres procedimientos sucesivos, uno en defecto del otro, destinados a la determinación de los servidores beneficiarios del incentivo de desempeño colectivo o, en su reemplazo, de desempeño individual, es posible concluir que el municipio, al no haber acordado con la o las asociaciones de funcionarios la aplicación del incentivo al desempeño colectivo e individual en la oportunidad respectiva, debe dar cumplimiento al procedimiento supletorio mencionado precedentemente, correspondiendo que se determine este componente, en atención a las calificaciones del personal (aplica dictámenes Nºs. 49.026 y 52.791, ambos de 2009). En este punto, cabe tener presente el plazo de prescripción ordenado en el artículo 98 de la ley Nº 18.883, que prevé que el derecho al cobro de las asignaciones que establece el **artículo 97 de ese texto legal, entre las que se encuentran las contempladas en leyes especiales**, como acontece con el **beneficio analizado**, prescribirá en el plazo de seis meses contado desde que se hicieron exigibles, de manera que atendido que los interesados han reclamado el entero en diferentes fechas, el municipio deberá determinar en cada caso particular la data de interrupción del aludido plazo de prescripción, procediendo al pago hasta seis meses contado hacia atrás desde el respectivo requerimiento».* (**ID Dictamen: 003092N12 Fecha:** 07.01.2012 **Destinatarios:** Alcalde de la Municipalidad de Hualpén. **Texto:** Sobre pago de la asignación de mejoramiento de la gestión municipal en caso que la municipalidad no apruebe el programa respectivo. **Acción:** aplica dictámenes 49026/2009, 52791/2009)

28. *«En tercer lugar, en cuanto a la petición subsidiaria de las recurrentes señoras García Muñoz y Urzúa Rodríguez, para que se declare la prescripción extintiva de la obligación de reintegrar las sumas percibidas por concepto de horas extraordinarias de que se trata, cabe recordar que el artículo 98 de la citada ley Nº 18.883, prescribe que el derecho al cobro de las asignaciones que establece el artículo anterior —entre otras, aquella de la **letra c) del artículo 97, asignación de horas extraordinarias**—, prescribirá en el plazo de seis meses contado desde la fecha en que se hicieron exigibles, norma que se refiere a la prescripción del derecho que tiene el funcionario a exigir el pago de horas extraordinarias, y no como ocurre en el presente caso en que la municipalidad se encuentra en la necesidad de exigir su reintegro, atendido el pago indebido de aquellas, aplicándose a su respecto, la norma general de prescripción del artículo 2.515 del Código Civil (aplica criterio contenido en los dictámenes Nºs. 3.883 y 21.787, ambos de 2008)».* (**ID Dictamen: 003017N12 Fecha:** 17.01.2012 **Destinatarios:** Alcalde de la Municipalidad de Lo Barnechea. **Texto:** Municipio de Lo Barnechea deberá instar por el reintegro de las sumas pagadas en exceso a favor del personal que se indica, todos miembros del Comité Paritario de Higiene y Seguridad, por concepto de horas extraordinarias. **Acción:** Confirma dictamen 48851/2011 Aplica dictámenes 3883/2008, 21787/2008)

Artículo 98

El derecho al cobro de las asignaciones que establece el artículo anterior, prescribirá en el plazo de seis meses contado desde la fecha en que se hicieron exigibles.

1. *«Se ha dirigido a esta Contraloría General el alcalde de la Municipalidad de Mostazal, solicitando la reconsideración del oficio Nº 1.012, de 2016, a través del cual la Contraloría Regional del Libertador General Bernardo O'Higgins ordenó a dicha entidad edilicia dejar sin efecto el decreto Nº 6, del mismo año, que, en lo que interesa, aplicó la medida disciplinaria de destitución a doña Carolina Orellana Soto, al término de una investigación sumaria instruida en su contra —luego elevada a sumario administrativo—, en atención a que su responsabilidad administrativa se encontraba extinguida por prescripción de la acción disciplinaria; emitir en su reemplazo el acto administrativo que corresponda; y, adoptar las medidas tendientes a regularizar la situación de la afectada, pagándole las remuneraciones pertinentes durante el tiempo en que estuvo alejada de sus funciones».* (**ID Dictamen:** 081292N16. **Fecha:** 08-11-2016. **Destinatarios:** Alcalde de la Municipalidad de Mostazal. **Texto:** Rechaza solicitud de reconsideración del oficio Nº 1.012, de 2016, de la Contra-

loría Regional del Libertador General Bernardo O'Higgins. Demora en la tramitación de sumario administrativo no puede atribuirse a actuaciones de dicha sede regional. **Acción:** Aplica dictámenes 17500/2016, 2030/2011, 14283/2009, 36229/2013, 29603/2009, 41239/2014, 4548/2013).

2. *«Luego, respecto a la alegación formulada por el señor Mejías Caris, en cuanto a que no se le habrían pagado 2 días correspondientes a descanso complementario, la jurisprudencia de este Ente de Control contenida, entre otros, en el dictamen Nº 64.668, de 2014, ha precisado que si a un servidor no se le otorgó el descanso complementario que le correspondía antes de su cese, aquel debe serle compensado pecuniariamente, pues es la única forma de retribuir esos trabajos y evitar un enriquecimiento sin causa para el órgano administrativo, evento en el cual, el derecho al pago nace al expirar el vínculo funcionario del empleado y prescribe en el plazo de seis meses, según lo dispuesto en los artículos 97, letra c), y 98, ambos de la ley Nº 18.883».* **(ID Dictamen:** 042573N16. **Fecha:** 09-06-2016. **Destinatarios:** don Marcelo Mejías Caris y la señora Paola Cerda González, ambos ex servidores de la Municipalidad de Cerrillos. **Texto:** Rechaza reclamos de ilegalidad en contra de medidas disciplinarias de destitución. **Acción:** Aplica dictámenes 76866/2015, 21093/2015, 35562/2016, 91174/2014, 12271/2015, 64668/2014).

3. *«En mérito de lo expuesto, corresponde que el ente comunal de San Joaquín —teniendo a la vista el cumplimiento de las metas del referido programa de mejoramiento de la gestión municipal— verifique la procedencia del pago del componente de incentivo por gestión institucional y, en su caso, efectúe el entero de aquel, de todo lo cual deberá informar a la Unidad de Seguimiento de la División de Municipalidades de este Órgano de Control en el plazo de 20 días hábiles, contado desde la recepción del presente oficio».* **(ID Dictamen:** 001529N16. **Fecha:** 07-01-2016. **Destinatarios:** Ana Navarro Arriagada, Presidenta de la Asociación de Empleados Municipales de San Joaquín. **Texto:** Resulta inoficioso pronunciarse sobre el componente base por el que se consulta, toda vez que aquello se encuentra en vías de solución. Corresponde al Municipio verificar la procedencia de pago del incentivo por gestión institucional. **Acción:** Aplica dictamen 54684/2011).

4. *«Requerida al efecto, la Subsecretaría de Desarrollo Regional y Administrativo informó que es esta Entidad de Control la que debe interpretar las disposiciones pertinentes para determinar si procede el pago retroactivo por el año 2014 del anotado componente base, teniendo presente en ello la normativa sobre prescripción contenida en el artículo 98 de la ley Nº 18.883».* **(ID Dictamen:** 034957N16. **Fecha:** 12-05-2016. **Destinatarios:** Municipalidad de Río Verde. **Texto:** Derecho a exigir el pago del componente base a que alude la letra c) del artículo 2º de la ley Nº 19.803, prescribe en seis meses contados desde que se hizo exigible. **Acción:** Aplica dictámenes 85686/2014, 97789/2014, 1529/2016).

5. *«Sobre el particular, cabe hacer presente que la jurisprudencia administrativa de este Organismo Contralor ha precisado, entre otros en los dictámenes Nºs. 44.122, de 2010, y 39.534, de 2011 —cuyas fotocopias se remiten, para su conocimiento y aplicación—, que el acceso a un determinado nivel da derecho a percibir las remuneraciones asignadas al mismo, a contar de la fecha en que se complete el puntaje requerido para tal efecto, sin perjuicio de considerar que el derecho al cobro del sueldo base respectivo prescribe en el plazo de dos años, contemplado en el artículo 157 de la ley Nº 18.883, sobre Estatuto Administrativo para Funcionarios Municipales, y las asignaciones en el plazo de seis meses, previsto en el artículo 98 del mismo texto legal, ambos contados desde la fecha en que se hicieron exigibles.*
De este modo, en la eventualidad que exista retardo de parte del interesado en solicitar el pago pertinente, procederá aplicar los referidos plazos de prescripción, los cuales se interrumpen administrativamente a través de la solicitud formal del interesado, o de quien lo represente, ante el municipio o ante esta Entidad Fiscalizadora, por tanto sólo procede el pago de los estipendios del nuevo nivel, por un período de seis meses o de dos años, según el caso, contados hacia atrás desde la fecha en que se presente la petición respectiva». **(ID Dictamen:** 076090N11 **Fecha:** 05.12.2011 **Destinatarios:** Alcalde de la Municipalidad de Lo Espejo. **Texto:** Sobre procedencia de pago de diferencias de remuneraciones a personal de la salud municipal, por cambio de nivel y determinación de data de sus requerimientos para efectos de la prescripción. **Acción:** Aplica dictámenes 44122/2010, 39534/2011)[240]

6. *«(...) debe considerarse que el **artículo 98 de la ley Nº 18.883**, prevé que el derecho al cobro de las asignaciones que establece el artículo 97, de ese texto legal, entre las que se encuentran las contempladas en leyes especiales, como*

---

[240] Para efectos de su consulta en la Base de Jurisprudencia de Contraloría General de la República, el citado dictamen se encuentra en la sección/materia: «generales», sin perjuicio de que se trata de uno de carácter municipal.

acontece con el beneficio de que se trata, prescribirá en el plazo de seis meses contados desde que se hicieron exigibles (aplica los dictámenes Nºs. 52.791, de 2009, y 24.251, de 2010).

De este modo, el derecho del señor Arratia Leiva a percibir la asignación en análisis, por el período indicado, se hizo exigible a contar de la data de su cese de funciones —27 de mayo de 2010—, acreditando un reclamo ante el municipio sobre el pago pertinente, recién el día 3 de agosto de 2011, el que fue atendido a través del memorándum Nº 347, de 2011, y posteriormente, a esta Entidad Fiscalizadora el 29 de agosto de igual año, esto es, una vez transcurrido con creces el plazo legal de seis meses antes anotado.

En consecuencia, procede desestimar la pretensión del peticionario, en este sentido, por cuanto su derecho al cobro de la asignación de mejoramiento a la gestión municipal, por las metas cumplidas en el año 2009, se encuentra prescrito». (ID Dictamen: 070910N11 Fecha: 11.11.2011 Destinatarios: José Arratia Leiva Texto: Derecho a la asignación de mejoramiento a la gestión municipal, por metas del año 2009, prescribe dentro de 6 meses desde que se hizo exigible, según ley 18883 art. 98 y art. 97. Acción: Aplica dictámenes 52791/2009, 24251/ 2010. Mismo criterio aplicado en ID Dictamen: 065270N11[241] Fecha: 17.10.2011 Destinatarios: Nino Campusano Rivera. Texto: Derecho al cobro de trabajos extraordinarios, del personal regido por la ley 18883, prescribe en el plazo de seis meses, desde la fecha en que se hicieron exigibles, esto es, desde la fecha en que normalmente se paguen las remuneraciones. Para interrumpir la prescripción del derecho al cobro, es necesario efectuar el reclamo respectivo ante la autoridad que debe efectuar el pago o ante este Órgano de Control. Acción: Aplica dictámenes 50426/2008, 45487/2010)

7. *«Ahora bien, atendida la problemática planteada, cabe advertir que este Organismo Contralor en el dictamen Nº 5.840, de 2002, entre otros, ha puntualizado que el examen de la concurrencia de los requisitos necesarios para impetrar el bono de escolaridad, debe efectuarse en relación con el momento en que debe hacerse el pago del mismo, de manera que la solicitud del beneficio y su correspondiente acreditación puede realizarse con posterioridad al mes de marzo —data en la cual se devenga el derecho—, sin perjuicio de considerar, desde esa época, el plazo de prescripción de seis meses previsto en el artículo 98 de la ley Nº 18.883, sobre Estatuto Administrativo para Funcionarios Municipales».* (ID Dictamen: 058906N11 Fecha: 15.09.2011 Destinatarios: Alcalde Municipalidad de Padre Hurtado. Texto: La acreditación de requisitos para la percepción del bono de escolaridad debe hacerse al momento del pago de dicho beneficio, pudiendo ser después del mes de marzo, época en que surge el derecho para el solicitante, sin desmedro de las normas sobre prescripción que pudiesen ser aplicables al caso. Acción: Aplica dictamen 5840/2002)[242]

8. *«Luego, debe indicarse que, tal como lo ha precisado este Organismo Contralor en el dictamen Nº 44.122, de 2010, en el evento de existir retardo de parte del interesado en requerir el cambio de nivel a que tiene derecho —en virtud de lo dispuesto en el artículo 4º transitorio de la ley Nº 19.378—, procede aplicar supletoriamente las normas sobre prescripción contempladas en la ley Nº 18.883, sobre Estatuto Administrativo para Funcionarios Municipales, en orden a que el derecho a cobrar las asignaciones prescribe en seis meses y el nuevo sueldo base en el lapso de dos años, ambos plazos contados desde la fecha en que se hicieron exigibles, de conformidad con lo establecido en los artículos 98 y 157 de la citada ley Nº 18.883.*

En este contexto, es menester recordar que la prescripción se interrumpe administrativamente a través de la solicitud formal del peticionario o de quien lo represente, ante la entidad edilicia o ante esta Entidad Fiscalizadora, de manera que sólo procede el pago de dichos estipendios en relación con el período de seis meses o de dos años, según corresponda, contado hacia atrás desde la fecha en que se presentare la petición respectiva, interrumpiendo con ello los anotados plazos de prescripción (aplica dictamen Nº 44.084, de 2010, entre otros).

En consecuencia, considerando que el municipio reconoció a través del decreto Nº 59, de 2008, el acceso de la señora Aguilera Esquivel a los niveles 7, 6, 5 y 4, de la categoría E, a contar de los meses de abril de los años 2002, 2004, 2006 y 2008, respectivamente, sin que aquélla acredite que con anterioridad a la data de la presente reclamación ante esta Contraloría General, deducida el 28 de marzo de 2011, haya requerido el pago de los aumentos de sus remuneraciones que tales cambios le otorgaban, procede concluir que, tal como lo indicó el municipio recurrido, su derecho a exigir el

---

[241] Para efectos de su consulta en la Base de Jurisprudencia de Contraloría General de la República, el citado dictamen se encuentra en la sección/materia: «generales», sin perjuicio de que se trata de uno de carácter municipal.

[242] Para efectos de su consulta en la Base de Jurisprudencia de Contraloría General de la República, el citado dictamen se encuentra en la sección/materia: «generales», sin perjuicio de que se trata de uno de carácter municipal.

entero por el indicado período, a esta data, se encuentra prescrito». (**ID Dictamen: 045817N11 Fecha:** 20.07.2011 **Destinatarios:** María Elena Aguilera Esquivel. **Texto:** Sobre pago de diferencias de remuneraciones por cambio de nivel, a funcionaria municipal regida por ley 19378. **Acción:** Aplica dictámenes 44122/2010, 44084/2010. Mismo criterio aplicado en **ID Dictamen: 045642N11 Fecha:** 19.07.2011 **Destinatarios:** Alcalde de la Municipalidad de San Ramón. **Texto:** Sobre pago de diferencias de remuneraciones por cambio de nivel, a funcionaria municipal regida por la ley 19378. **Acción:** Aplica dictámenes 44122/2010, 44084/2010)

9. *«En este punto, es preciso agregar, considerando que la entidad edilicia recurrente no procedió en la forma indicada, que para los fines del pago de lo adeudado por el concepto indicado, corresponde considerar la norma contenida en el artículo 157 de la **ley Nº 18.883**, sobre Estatuto Administrativo para Funcionarios Municipales, —aplicable en forma supletoria al personal regido por la ley Nº 19.378, en virtud de lo dispuesto en su artículo 4º—, en cuya virtud el derecho al cobro del nuevo sueldo base —y de sus posteriores reajustes por ley, si ello hubiere sido omitido—, prescribe en el plazo de dos años contado desde la fecha en que aquellos se hicieron exigibles (aplica dictamen Nº 44.122, de 2010). Ahora bien, en atención a que la preceptiva otorga otros emolumentos al personal de la especie, cuya base de cálculo comprende el sueldo base —como sucede con las **asignaciones de atención primaria municipal y de zona**, según se dispone en los artículos 25 y 26 de la ley Nº 19.378, a modo de ejemplo—, es necesario agregar que, asimismo, la entidad edilicia debe efectuar los cálculos pertinentes a fin de determinar sus montos, teniendo en cuenta, en estos casos, el plazo de prescripción de seis meses previsto en el **artículo 98 de la ley Nº 18.883**».* (**ID Dictamen: 039534N11 Fecha:** 24.06.2011 **Destinatarios:** Alcalde Municipalidad Coquimbo. **Texto:** Sobre determinación y pago de remuneraciones al personal regido por la ley 19378. **Acción:** Aplica dictámenes 44122/2010, 53173/2007, 15930/2008, 48951/2004)

10. *«Sobre el particular, cumple con señalar que este Organismo Contralor se pronunció sobre la materia de la especie, a través del dictamen Nº 52.791, de 2009, con ocasión de una presentación deducida por la Asociación de Profesionales Pedro de Valdivia, en el cual se precisó que la Municipalidad de Santiago debe pagar el estipendio en comento, a todos los funcionarios representados por la mencionada entidad, de acuerdo al procedimiento que allí se indicó.*
*Lo anterior, por cuanto ese municipio no incluyó el referido incentivo en el pago de la asignación de mejoramiento de la gestión municipal, incumplimiento que, según se expresa en dicho pronunciamiento, no es imputable a tales servidores, los que, por lo demás, habían efectuado el requerimiento de cobro dentro del plazo legal establecido en el citado **artículo 98 de la ley Nº 18.883**.*
Ahora bien, en la eventualidad que se trate de funcionarios municipales que no integren la denominada Asociación de Profesionales Pedro de Valdivia —lo que no resulta posible precisar, atendidos los términos generales en que ha sido planteada la consulta—, tendrán derecho al pago respectivo, en la medida que hayan reclamado oportunamente su entero, esto es, antes del vencimiento del plazo de prescripción de seis meses a que se ha hecho referencia, lo que debe determinar el propio municipio». (**ID Dictamen: 020096N11 Fecha:** 01.04.2011 **Destinatarios:** Alcalde Municipalidad de Santiago. **Texto:** Sobre prescripción del derecho al cobro de un componente de la asignación de mejoramiento de la gestión municipal. **Acción:** Aplica dictamen 52791/2009)

11. *«Enseguida, en lo que respecta a la circunstancia de que con motivo del traspaso, el municipio le adeudaría el monto correspondiente a la bonificación sustitutiva de las **asignaciones de colación y movilización**, establecida en el artículo 4º de la ley Nº 18.717, es del caso hacer presente que esta Entidad Fiscalizadora en los dictámenes Nºs. 19.196, de 1998 y 53.173, de 2007, ha señalado que el mencionado beneficio es aplicable al personal municipal que cumple funciones en la atención primaria de salud municipal, por aplicación supletoria del artículo 97, letra f), de la ley Nº 18.883, sobre Estatuto Administrativo para Funcionarios Municipales, según lo dispuesto en el inciso primero del artículo 4º de la aludida ley Nº 19.378.*
Por lo tanto, cabe colegir que al recurrente le asiste el derecho a percibir la bonificación reclamada; ello, en la medida que el derecho al cobro no se encuentre extinguido por el transcurso del plazo de prescripción de seis meses, contemplado en el artículo 98 de la referida ley Nº 18.883 —aplicable supletoriamente en virtud de lo establecido en el precitado artículo 4º—, circunstancia que habrá acontecido en la eventualidad que el interesado haya interrumpido dicho término legal, reclamando oportunamente su pago ante el municipio, por cuanto la alegación de la especie fue deducida ante esta Entidad de Control con posterioridad al vencimiento del plazo en comento (aplica criterio contenido en el dictamen Nº 22.999, de 2010)». (**ID Dictamen: 010601N11 Fecha:** 18.02.2011 **Destinatarios:** Alcalde Municipalidad de Lo Barnechea. **Texto:** Sobre remuneraciones y desvinculación de ex funcionario afecto a la ley 19378, por aplicación de la ley 20250. **Acción:** Aplica dictámenes 27448/2010, 19196/98, 53173/2007, 22999/2010 53982/2009)

12. «*Sobre el particular, cabe hacer presente que de acuerdo a lo dispuesto en el artículo 63 de la ley N° 18.883, Estatuto Administrativo para Funcionarios Municipales, los trabajos extraordinarios ordenados por el alcalde, se compensarán con descanso complementario. Si ello no fuere posible por razones de buen servicio, aquéllos serán compensados con un recargo en las remuneraciones.*
*En relación con lo anterior, la **jurisprudencia administrativa de este Órgano de Control ha manifestado uniformemente, mediante los dictámenes N°s. 38.978, de 2005, y 5.903, de 2010, entre otros, que si a un ex funcionario no se le otorgó el descanso complementario a que tenía derecho antes de su cese de funciones —encontrándose, se entiende, dentro del plazo para impetrarlo—, éste debe serle compensado pecuniariamente, pues es esa la única forma de retribuir estos trabajos y evitar un enriquecimiento sin causa para la Administración.***
Consecuente con el criterio señalado, dicha jurisprudencia ha precisado que el derecho a la compensación pecuniaria, en tales circunstancias, nace al expirar la relación funcionaria del empleado y prescribe en el plazo de seis meses, según lo establecido en el artículo 98, en relación con el artículo 97, letra c), de la aludida ley N° 18.883». (**ID Dictamen: 007944N11 Fecha:** 08.02.2011 **Destinatarios:** Alcalde Municipalidad de Conchalí. **Texto:** Sobre pago de horas extraordinarias a ex funcionarios municipales. **Acción:** Aplica dictámenes 38978/2005, 5903/2010)

13. «*Por último, cabe precisar que el primer **reclamo efectuado por la peticionaria** respecto de las horas extraordinarias cuyo pago impetra ante ese municipio, se remonta al 26 de julio de 2011, por lo que el mismo **ha sido apto para interrumpir la prescripción**, en los términos previstos en el artículo 98 de la ley N° 18.883, texto legal supletorio, en la especie, según prevé el inciso primero del artículo 4° de la citada ley N° 19.378 (aplica criterio contenido en el dictamen N° 10.601, de 2011, de esta Entidad de Control)*». (**ID Dictamen:** 075322N12 **Fecha:** 04.12.2012 Destinatarios Alcalde de la Municipalidad de Arica. **Texto:** Acoge reclamo de profesional de la salud dependiente de la Municipalidad de Arica respecto del pago de horas extraordinarias en el marco de un programa de estudios de especialización. **Acción:** Aplica dictámenes 13227/2011, 2888/2010, 42801/2012, 10601/2011)

14. «*En síntesis, de lo manifestado, se debe concluir que la interesada reunió los **requisitos establecidos en el referido reglamento para percibir la asignación** en comento hasta la época en que las sumas que se le otorgaron fueron rendidas, ya que con posterioridad, al no contar con fondos a rendir, careció de una de las exigencias establecidas en el precitado reglamento para decretar su pago.*
*Sin perjuicio de lo anterior, debe tenerse presente la regla prevista en el **artículo 98 de la ley N° 18.883, Estatuto Administrativo para Funcionarios Municipales —aplicable supletoriamente en la especie en virtud de lo dispuesto en el artículo 4° de la ley N° 19.378—**, que indica que el derecho al cobro de las asignaciones, como la de la especie, prescribe en el plazo de seis meses contado desde la fecha en que se hicieron exigibles.*
*En ese contexto, y considerando que **no consta que la peticionaria haya reclamado del pago de tal estipendio ante el municipio directamente**, con anterioridad a la presentación efectuada ante este Organismo Fiscalizador, el 29 de mayo de 2012, ha de considerarse que su petición ha sido extemporánea para impetrar el beneficio a que tuvo derecho*». (**ID Dictamen: 073813N12 Fecha:** 27.11.2012 **Destinatarios:** Alcalde de la Municipalidad de Quilicura. **Texto:** Sobre pago de asignación transitoria de la ley 19378 y gastos efectuados con cargo a peculio personal. **Acción:** aplica dictámenes 26414/2012, 23709/2009, 14021/2011, 3277/2012, 51247/2009, 32560/2011)[243]

15. «*En cuanto a la posible prescripción que, a juicio de la unidad de control municipal, podría operar en el presente caso, es necesario recordar que, de acuerdo a lo dispuesto en el **artículo 98 de la referida ley N° 18.883 —aplicable al caso en virtud del aludido artículo 4°, inciso primero de la ley N° 19.378—**, el derecho al cobro de las asignaciones que establece el artículo anterior, prescribirá en el plazo de seis meses contados desde la fecha en que se hicieron exigibles. Pues bien, conforme a los antecedentes tenidos a la vista, una vez dictado el decreto N° 289, de 31 de marzo de 2011 —en cumplimiento de lo informado en el dictamen N° 65.092, de 2010 y ratificado por el N° 11.257, de 2011—, el señor Cleveland Mujica reclamó el 5 de abril de ese mismo año el pago de dicho estipendio, por lo que, en la especie, **no transcurrieron más de seis meses desde que dicho emolumento se hizo exigible, contado desde la fecha desde la cual el municipio dispuso la restitución en el cargo que lo generaba.***
Por tanto, el interesado tiene derecho a percibir la diferencia de las remuneraciones y aquellos estipendios inherentes a la función de Jefe del Departamento de Salud Municipal, de los que fue privado como consecuencia de su destinación

---

[243]   Para efectos de su consulta en la Base de Jurisprudencia de Contraloría General de la República, el citado dictamen se encuentra en la sección/materia: «generales», sin perjuicio de que se trata de uno de carácter municipal.

irregular». **(ID Dictamen: 064868N12 Fecha:** 18.10.2012 **Destinatarios:** Alcalde de la Municipalidad de Quilicura. **Texto:** Acoge reclamo sobre pago de remuneraciones a funcionario municipal durante tiempo que estuvo destinado ilegalmente al desempeño de otro cargo. **Acción:** aplica dictámenes 43301/2004, 33367/2011, 42587/2011, 56269/2011, 26414/2012 65092/2010, 11257/2011)

16. «*El pronunciamiento recurrido analizó, en primer término, el denominado **incentivo por gestión institucional, regulado en el artículo 4º de la ley Nº 19.803** —vinculado al cumplimiento eficiente y eficaz de un programa anual de mejoramiento de la gestión municipal, con objetivos específicos de gestión institucional, medible en forma objetiva en cuanto a su grado de cumplimiento, a través de indicadores preestablecidos—, señalando, por las razones que expone, que su pago se encuentra subordinado al grado de cumplimiento efectivo de las metas a alcanzar, previamente fijadas en el correspondiente programa de mejoramiento de la gestión municipal, de manera que este instrumento constituye un antecedente esencial y fundamento directo para el entero del aludido componente. (...)*

*Asimismo, el oficio recurrido agregó que, para la procedencia del pago de este emolumento debía tenerse presente el plazo de prescripción a que se refiere el **artículo 98 de la referida ley Nº 18.883**, que prevé que el derecho al cobro de las asignaciones que establece el artículo 97 de ese texto legal, entre las que se encuentran las contempladas en leyes especiales, como acontece con el beneficio analizado, es de seis meses contado desde **que se hizo exigible el pago de los emolumentos** en cuestión.*

En consecuencia, se confirma el dictamen Nº 3.092, de 2012, de este origen, debiendo la Municipalidad de Hualpén pagar a los funcionarios municipales que reclamaron oportunamente la asignación de mejoramiento de la gestión municipal, en lo que se refiere al componente incentivo de desempeño colectivo por área de trabajo, conforme al criterio precedentemente señalado, teniendo en cuenta las calificaciones del personal y las reglas de prescripción reseñadas, (...)». **(ID Dictamen: 060567N12 Fecha:** 01.10.2012 **Destinatarios:** Alcalde de la Municipalidad de Hualpén. **Texto:** Desestima solicitud de reconsideración de dictamen sobre pago de la asignación de mejoramiento de la gestión municipal y aclara su sentido. **Acción:** Confirma dictamen 3092/2012)

17. «*Sin perjuicio de lo anterior, cabe hacer presente que conforme a lo previsto en el **artículo 98 de la ley Nº 18.883**, que Aprueba Estatuto Administrativo para Funcionarios Municipales —aplicable supletoriamente en la situación de la especie de acuerdo con lo dispuesto en el artículo 4º de la citada ley Nº 19.378—, el derecho al cobro de las asignaciones que establece el artículo 97 de esa ley, entre las que se encuentran las contempladas en leyes especiales, como acontece con el beneficio analizado, prescribirá en el plazo de seis meses contado desde la fecha en que se hicieron exigibles, término que se interrumpe administrativamente con la solicitud que el interesado o quien lo represente, realice ante la autoridad a la que le corresponde reconocer su pago o ante este Órgano de Fiscalización.*

En consecuencia, de conformidad con lo expuesto, y la normativa citada, sólo procederá el pago del beneficio por el que se consulta en la medida que se cumplan los requisitos anotados, en relación con el período de seis meses, contado hacia atrás desde la fecha en que se presentó la petición respectiva (aplica dictamen Nº 30.091, de 2012)». **(ID Dictamen: 048566N12 Fecha:** 09.08.2012 **Destinatarios:** Orielle D'Andrea Villenas. **Texto:** Sobre pago retroactivo de asignación de desempeño difícil. **Acción:** Aplica dictámenes 34595/2009, 34599/2009, 30091/2012)

18. «*Sobre el particular, el **artículo 98 de la ley Nº 18.883**, Estatuto Administrativo para Funcionarios Municipales, dispone que el derecho al cobro de las asignaciones que establece el artículo 97 de esa ley —entre las cuales se encuentran las horas extraordinarias—, prescribirá en el plazo de seis meses contados desde la fecha en que se hicieron exigibles, es decir, **desde el día en que periódicamente se paguen las remuneraciones en la municipalidad respectiva, por mensualidades iguales y vencidas**, término legal que se interrumpe administrativamente, a través de la solicitud que el interesado realice ante la autoridad a la que le corresponde realizar su entero o ante este Organismo Fiscalizador (aplica dictamen Nº 65.270, de 2011)»*. **(ID Dictamen: 048533N12 Fecha:** 09.08.2012 **Destinatarios:** Alcalde de la Municipalidad de Lo Espejo. **Texto:** Sobre reclamo de exfuncionaria municipal por no pago de horas extras, cotizaciones previsionales y denuncia de asesoría jurídica prestada por funcionarios municipales en juicio de cuentas. **Acción:** Aplica dictámenes 65270/2011, 47955/2010, 67868/2010)

19. «*(...) el dictamen Nº 33.924, de 2008, de este origen, el cual concluye que el plazo de prescripción a que alude el artículo 99 del citado cuerpo normativo, —tal como prevé, en los mismos términos, el artículo 98 de la ley Nº 18.883, Estatuto Administrativo para Funcionarios Municipales—, resulta aplicable aun cuando haya existido un error en el cálculo de la asignación de que se trate, en la interpretación de la normativa pertinente, o cuando por la inadvertencia de la Administración de la concurrencia de un supuesto que permitía al interesado la percepción del estipendio en un monto mayor, este se hubiere pagado sólo parcialmente, atendido que la anotada disposición no distingue entre el derecho al cobro de todo o parte de las asignaciones como la de la especie.*

*Tal planteamiento ya se encontraba contenido en los **dictámenes Nºs. 17.312, de 1990; 20.250 y 28.008 de 1991; 22.358, de 1992; 24.888, de 1993, 29.748, de 1995; y recientemente, en el dictamen Nº 36.944, de 2010.***
*Por último, es útil consignar que **aun tratándose de beneficios que deben concederse de oficio, como acontece en la especie, los empleados municipales deben ser diligentes en su cobro con el objeto de obtenerlos dentro del plazo establecido para tal fin (aplica dictámenes Nºs. 38.810, de 1998, y 671, de 2011)».*** (ID Dictamen: 047598N12 Fecha: 06.08.2012 **Destinatarios:** Juan Carlos Alegría Barraza. **Texto:** Aun tratándose de beneficios que deben concederse de oficio, como ocurre con la asignación de mejoramiento de la gestión municipal, los empleados deben ser diligentes en su cobro con el objeto de obtenerlos dentro del plazo establecido para ese fin. **Acción:** Aplica dictámenes 33924/2008, 17312/90, 20250/91, 28008/91, 22358/92, 24888/93, 29748/95, 36944/2010, 38810/98, 671/2011)

20. *«En este orden de consideraciones, cabe señalar que de conformidad con lo previsto en los **artículos 98** y **157 de la ley Nº 18.883, sobre Estatuto Administrativo para Funcionarios Municipales, —aplicable en forma supletoria al personal regido por la ley Nº 19.378, en virtud de lo dispuesto en el artículo 4º—,** el derecho al cobro de las asignaciones prescribe en seis meses y del nuevo sueldo base —y de sus posteriores reajustes por ley, si ello hubiere sido omitido—, en el plazo de dos años contados desde la fecha en que se hicieron exigibles (**aplica dictámenes Nºs. 44.122, de 2010, y 45.642, de 2011**). En este contexto, cumple recordar que la **prescripción se interrumpe administrativamente a través de la solicitud formal del peticionario o de quien lo represente, ante la entidad edilicia o ante este Órgano de Control, de manera que sólo procede el pago de dichos estipendios en relación con el período de seis meses o de dos años, según corresponda,** contado hacia atrás desde la fecha en que se presentare la petición respectiva, interrumpiendo con ello los anotados plazos de prescripción (**aplica dictamen Nº 44.084, de 2010**)».* (ID Dictamen: 030091N12 Fecha: 23.05.2012 **Destinatarios:** Alcalde de la Municipalidad de Tomé. **Texto:** Sobre determinación de sueldo base de personal regido por la ley 19378, Estatuto de Atención Primaria de Salud Municipal. **Acción:** Aplica dictámenes 48951/2004, 39534/2011, 44122/2010, 45642/2011, 44084/2010)

21. *«En este contexto, los **dictámenes Nºs. 38.978, de 2005, y 41.241, de 2010, han manifestado que si a un exfuncionario no se le otorgó el descanso complementario a que tenía derecho antes de expirar en sus labores, el trabajo cumplido en exceso de la jornada laboral ordinaria debe serle compensado pecuniariamente,** pues esa es la única forma de retribuirlo y evitar un enriquecimiento sin causa para el municipio, beneficio que nace al expirar la relación funcionaria del empleado y cuyo cobro prescribe en el plazo de seis meses a contar de dicha data, de conformidad con lo dispuesto en el artículo 98 del mismo cuerpo estatutario».* (ID Dictamen: 018948N12 Fecha: 03.04.2012 **Destinatarios:** Alcalde de la Municipalidad de Conchalí. **Texto:** Sobre pago de trabajos extraordinarios a exfuncionario municipal. **Acción:** Aplica dictámenes 48484/2008, 3583/2010, 38978/2005, 41241/2010, 65270/2011)

22. *«Así entonces, considerando que para la procedencia del pago del estipendio en comento, es imperativo que el personal regido por el Estatuto de Atención Primaria de Salud Municipal, se haya desempeñado sin interrupción **durante todo el año anterior a aquel en que se efectuó el pago** (...).*
*En este mismo orden de ideas, en lo atinente al pago de la asignación correspondiente al año 2010, **los funcionarios de la especie tendrán derecho a esta, en la medida que se hayan desempeñado durante todo el año 2009,** sin perjuicio que corresponda considerar la norma contenida en el **artículo 98 de la ley Nº 18.883, sobre Estatuto Administrativo para Funcionarios Municipales, —aplicable en forma supletoria al personal regido por la ley Nº 19.378, en virtud de lo dispuesto en su artículo 4º—,** en cuya virtud el derecho al cobro de las asignaciones, prescribe en el plazo de seis meses contado desde la fecha en que se hizo exigible (**aplica criterio contenido en los dictámenes Nºs. 22.999 y 79.225, ambos de 2010**). Por consiguiente, teniendo en cuenta el comentado contexto normativo, se concluye que los servidores tendrán derecho a percibir el pago de la analizada asignación del año 2010, siempre que lo hayan requerido oportunamente ante la Municipalidad de Calbuco ante este Organismo de Control, interrumpiendo administrativamente el mencionado plazo de prescripción, caso en el cual procede que se reliquiden las sumas adeudadas hasta seis meses, contados hacia atrás, desde la fecha de la respectiva solicitud».* (ID Dictamen: 004166N12 Fecha: 23.01.2012 **Destinatarios:** Alcalde de la Municipalidad de Calbuco. **Texto:** Personal traspasado actualmente regido por Estatuto de Atención Primaria de Salud Municipal tiene derecho al pago de la asignación de desarrollo y estímulo al desempeño colectivo si hubiere laborado sin interrupción durante el año anterior. **Acción:** aplica dictámenes 22999/2010, 79225/2010)[244]

---

[244] Para efectos de su consulta en la Base de Jurisprudencia de Contraloría General de la República, el citado dictamen se encuentra en la sección/materia: «generales», sin perjuicio de que se trata de uno de carácter municipal.

23. «*En este punto, cabe tener presente el plazo de prescripción ordenado en el artículo 98 de la ley Nº 18.883, que prevé que el derecho al cobro de las asignaciones que establece el artículo 97 de ese texto legal, entre las que se encuentran las contempladas en leyes especiales, como acontece con el beneficio analizado, prescribirá en el plazo de seis meses contado desde que se hicieron exigibles, de manera que atendido que los interesados han reclamado el entero en diferentes fechas, el municipio deberá determinar en cada caso particular la data de interrupción del aludido plazo de prescripción, procediendo al pago hasta seis meses contado hacia atrás desde el respectivo requerimiento*». (**ID Dictamen: 003092N12 Fecha:** 17.01.2012 **Destinatarios:** Alcalde de la Municipalidad de Hualpén. **Texto:** Sobre pago de la asignación de mejoramiento de la gestión municipal en caso que la municipalidad no apruebe el programa respectivo. **Acción:** aplica dictámenes 49026/2009, 52791/2009)

24. «*En tercer lugar, en cuanto a la petición subsidiaria de las recurrentes señoras García Muñoz y Urzúa Rodríguez, para que se declare la prescripción extintiva de la obligación de reintegrar las sumas percibidas por concepto de horas extraordinarias de que se trata, cabe recordar que el artículo 98 de la citada ley Nº 18.883, prescribe que el derecho al cobro de las asignaciones que establece el artículo anterior —entre otras, aquella de la letra c) del artículo 97, asignación de horas extraordinarias—, prescribirá en el plazo de seis meses contado desde la fecha en que se hicieron exigibles, norma que se refiere a la prescripción del derecho que tiene el funcionario a exigir el pago de horas extraordinarias, y no como ocurre en el presente caso en que la municipalidad se encuentra en la necesidad de exigir su reintegro, atendido el pago indebido de aquellas, aplicándose a su respecto, la norma general de prescripción del artículo 2.515 del Código Civil (aplica criterio contenido en los dictámenes Nºs. 3.883 y 21.787, ambos de 2008)*». (**ID Dictamen: 003017N12 Fecha:** 17.01.2012 **Destinatarios:** Alcalde de la Municipalidad de Lo Barnechea. **Texto:** Municipio de Lo Barnechea deberá instar por el reintegro de las sumas pagadas en exceso a favor del personal que se indica, todos miembros del Comité Paritario de Higiene y Seguridad, por concepto de horas extraordinarias. **Acción:** Confirma dictamen 48851/2011 Aplica dictámenes 3883/2008, 21787/2008)

Artículo 99

El funcionario conservará la propiedad de su cargo, sin derecho a remuneración, mientras hiciere el servicio militar o formare parte de las reservas nacionales movilizadas o llamadas a instrucción. Lo anterior no interrumpirá la antigüedad del funcionario para todos los efectos legales.

El personal de reserva, llamado a servicio por períodos inferiores a treinta días, tendrá derecho a que se le pague por ese período, el total de las remuneraciones que estuviere percibiendo a la fecha de ser llamado.

Artículo 100

El funcionario que usare indebidamente los derechos a que se refiere este párrafo, estará obligado a reintegrar los valores percibidos, sin perjuicio de su responsabilidad disciplinaria.

PÁRRAFO 3º DE LOS FERIADOS

Artículo 101

Se entiende por feriado el descanso a que tiene derecho el funcionario, con el goce de todas las remuneraciones durante el tiempo y bajo las condiciones que más adelante se establecen.

1. «*Luego, y tal como lo ha señalado esta **Entidad Fiscalizadora en los dictámenes Nºs. 58.499, de 2008, y 5.586, de 2012, el derecho a feriado se extingue si el funcionario no hace uso de él durante el año que se devenga, a menos que habiéndolo solicitado oportunamente, la autoridad lo haya anticipado o postergado, evento en el cual puede pedir su acumulación.***

*En similar sentido, a través del **dictamen Nº 48.547, de 2012**, de este origen, se ha precisado que la referida acumulación de feriado no constituye, por sí misma, un derecho para el funcionario, sino solo en la medida que, habiendo requerido hacer uso de él oportunamente durante el año correspondiente, éste haya sido anticipado o postergado por la autoridad en los términos y condiciones antedichos.*

*En este contexto, consta que la interesada solicitó el feriado correspondiente al año 2011, solo al momento de ser reincorporada al ejercicio de su cargo, en virtud del anotado decreto Nº 37, de 16 de enero de 2012, de manera que su manifestación de voluntad fue extemporánea, considerando que **la referida petición debió, necesariamente, formularse dentro del respectivo año calendario**, por lo que cabe concluir que el derecho a gozar de ese feriado se encuentra extinguido*». (**ID Dictamen: 060542N12 Fecha:** 01.10.2012 **Destinatarios:** Alcalde de la Municipalidad de Concón. **Texto:** Acoge reclamo sobre derecho al pago de remuneraciones de funcionario municipal por el tiempo que estuvo separada de su cargo por acto de autoridad y rechaza solicitud respecto de feriado anual que indica. **Acción:** Aplica dictámenes 74351/2011, 29953/2012, 6001/2011, 42587/2011, 23173/2012, 58499/2008, 5586/2012, 48547/2012)

2. «*Sobre el particular, cabe hacer presente que la citada **ley Nº 18.883, señala en su artículo 101**, que se entiende por feriado el descanso a que tiene derecho el empleado, con el goce de todas las remuneraciones durante el tiempo y bajo las condiciones que se indican; agregando el artículo 102, que dicha franquicia corresponderá a cada año calendario.*

A su vez, el artículo 106 del aludido cuerpo estatutario, dispone que el servidor que ingrese a la municipalidad no tendrá derecho a hacer uso del referido descanso en tanto no haya cumplido efectivamente un año de servicio.

*En relación con la norma recién transcrita, menester resulta indicar que este Organismo de Control, a través de los **dictámenes Nºs. 5.149, de 1991 y 23.951, de 2005**, entre otros, ha precisado que ésta se aplica respecto de quienes ingresan por primera vez a la municipalidad, y que este último término ha sido empleado por dicha disposición en forma genérica, esto es, comprendiendo a todos los municipios del país y no únicamente a aquel en que se esté desempeñando el funcionario de que se trate.*

Luego, el requisito de cumplir un año de servicio para estos efectos, debe exigirse al momento de producirse el ingreso, por primera vez, al sector municipal y no respecto de cada una de las entidades edilicias en las que se desempeñe.

En tal entendido, a aquellos empleados que han prestado con anterioridad servicios por más de un año en alguna municipalidad —y que, por tanto, se reincorporan a tal sector—, no procede exigirles nuevamente el cumplimiento del requisito contemplado en el mencionado artículo 106, rigiendo por tanto, a su respecto, la regla general contenida en el artículo 102 de ese cuerpo estatutario, en virtud de la cual, el feriado legal corresponderá a cada año calendario». (**ID Dictamen: 048614N12 Fecha:** 09.08.2012 **Destinatarios:** Alcalde de la Municipalidad de Buin. **Texto:** Acoge reclamo sobre derecho a feriado legal de funcionario que se ha desempeñado por un período inferior a un año en el respectivo municipio. **Acción:** Aplica dictámenes 5149/91, 23951/2005)

Artículo 102

El feriado corresponderá a cada año calendario y será de quince días hábiles para los funcionarios con menos de quince años de servicios, de veinte días hábiles para los funcionarios con quince o más años de servicios y menos de veinte, y de veinticinco días hábiles para los funcionarios con veinte o más años de servicio.

Para estos efectos, no se considerarán como días hábiles los días sábado y se computarán los años trabajados como dependiente, en cualquier calidad jurídica, sea en el sector público o privado.

1. «*Sobre el particular, de acuerdo con lo prescrito en el inciso primero del artículo 102 de la ley Nº 18.883, el feriado corresponde a cada año calendario y su duración puede ser de hasta veinticinco días hábiles, según sean los años de servicio que posea el respectivo funcionario*». (**ID Dictamen:** 030596N16. **Fecha:** 22-04-2016. **Destinatarios:** don Mario Fer-

nández Giordano, Juez de Policía Local de la Municipalidad de Renca. **Texto:** Rechaza reclamo sobre solicitud de acumulación de feriados por no cumplir requisitos para su procedencia. **Acción:** Aplica dictámenes 27351/2006, 2368/2010).

2. «*Sobre el particular, cabe anotar que en el* **inciso primero, del artículo 18 de la aludida ley Nº 19.378, se establece que el personal con más de un año de servicio tendrá derecho a un feriado con goce de todas sus remuneraciones. Se agrega en el inciso segundo, que el feriado corresponderá a cada año calendario y tendrá la duración que se indica, según los años de servicio.**

Por su parte, en el inciso quinto de la citada disposición legal, se previene que para tales efectos, no se considerarán como días hábiles los días sábado y se computarán los años trabajados en el sector público en cualquier calidad jurídica, en establecimientos municipales, corporaciones privadas de atención primaria de salud y en los Programas de Empleo Mínimo, Programas de Obras para Jefes de Hogar y Programa de Expansión de Recursos Humanos, desempeñados en el sector salud y debidamente acreditados en la forma que determine el Reglamento.

En relación con la citada norma, cabe manifestar que esta constituye una disposición especial establecida por el legislador en favor del personal de la Atención Primaria de Salud Municipal, en la que no se hace distinción en cuanto a la calidad en que deben realizarse los servicios para los efectos indicados, por lo que resulta posible considerar aquellos prestados en calidad de contratados a honorarios, criterio que, por lo demás, es coincidente con el sostenido por la jurisprudencia administrativa de la Dirección del Trabajo.

Diferente es la situación prevista en los pronunciamientos aludidos por la Municipalidad de Paine, ya que aquellos se encuentran referidos al personal regido por las leyes Nºs. 18.834 y 18.883, cuerpos estatutarios diversos al aplicable en la especie, y en los que expresamente se establece —en sus artículos 103 y 102, respectivamente—**, que para efectos del feriado, se computarán los años trabajados como "dependiente", excluyéndose, por ende, aquellos servidos a honorarios**». (**ID Dictamen:** 060673N11 **Fecha:** 26.09.2011 **Destinatarios:** Alcalde Municipalidad de Paine. **Texto:** Periodos servidos a honorarios son computables, para el cálculo de feriado, respecto de todo el personal regido por la ley 19378, constituyendo ésta una situación especial, aplicable sólo a estos casos. **Acción:** Aplica dictamen 43829/99)[245]

3. «*Sobre el particular, cabe hacer presente que la citada ley Nº 18.883, señala en su artículo 101, que se entiende por feriado el descanso a que tiene derecho el empleado, con el goce de todas las remuneraciones durante el tiempo y bajo las condiciones que se indican; agregando el* **artículo 102**, *que dicha franquicia corresponderá a cada año calendario.*

A su vez, el artículo 106 del aludido cuerpo estatutario, dispone que el servidor que ingrese a la municipalidad no tendrá derecho a hacer uso del referido descanso en tanto no haya cumplido efectivamente un año de servicio.

En relación con la norma recién transcrita, menester resulta indicar que este Organismo de Control, a través de los dictámenes Nºs. 5.149, de 1991 y 23.951, de 2005, entre otros, ha precisado que ésta se aplica respecto de quienes ingresan por primera vez a la municipalidad, y que este último término ha sido empleado por dicha disposición en forma genérica, esto es, comprendiendo a todos los municipios del país y no únicamente a aquel en que se esté desempeñando el funcionario de que se trate.

Luego, el requisito de cumplir un año de servicio para estos efectos, debe exigirse al momento de producirse el ingreso, por primera vez, al sector municipal y no respecto de cada una de las entidades edilicias en las que se desempeñe.

En tal entendido, a **aquellos empleados que han prestado con anterioridad servicios por más de un año en alguna municipalidad** —y que, por tanto, se reincorporan a tal sector—**, no procede exigirles nuevamente el cumplimiento del requisito contemplado en el mencionado artículo 106, rigiendo por tanto, a su respecto, la regla general contenida en el artículo 102 de ese cuerpo estatutario, en virtud de la cual, el feriado legal corresponderá a cada año calendario**». (**ID Dictamen:** 048614N12 **Fecha:** 09.08.2012 **Destinatarios:** Alcalde de la Municipalidad de Buin. **Texto:** Acoge reclamo sobre derecho a feriado legal de funcionario que se ha desempeñado por un período inferior a un año en el respectivo municipio. **Acción:** Aplica dictámenes 5149/91, 23951/2005)

---

[245]   Para efectos de su consulta en la Base de Jurisprudencia de Contraloría General de la República, el citado dictamen se encuentra en la sección/materia: «generales», sin perjuicio de que se trata de uno de carácter municipal.

Artículo 103

El funcionario solicitará su feriado indicando la fecha en que hará uso de este derecho, el cual no podrá en ningún caso ser denegado discrecionalmente.

Cuando las necesidades del servicio así lo aconsejen el alcalde podrá anticipar o postergar la época del feriado, a condición de que éste quede comprendido dentro del año respectivo, salvo que el funcionario en este caso pidiere expresamente hacer uso conjunto de su feriado con el que corresponda al año siguiente. Sin embargo, no podrán acumularse más de dos períodos consecutivos de feriados.

Los funcionarios podrán solicitar hacer uso del feriado en forma fraccionada, pero una de las fracciones no podrá ser inferior a diez días. La autoridad correspondiente autorizará dicho fraccionamiento de acuerdo a las necesidades del servicio.

1. «*Por su parte, el inciso primero del artículo 103, del mismo texto legal, dispone que el funcionario solicitará su feriado indicando la fecha en que hará uso de éste derecho, el cual no podrá en ningún caso ser denegado discrecionalmente. A su vez, el inciso segundo de esta norma establece en lo pertinente que, cuando las necesidades del servicio así lo aconsejen, el alcalde podrá anticipar o postergar la época del feriado, a condición de que éste quede comprendido dentro del año respectivo, salvo que el funcionario pida expresamente hacer uso conjunto de su feriado con el que corresponda al año siguiente*». (**ID Dictamen:** 030596N16. **Fecha:** 22-04-2016. **Destinatarios:** don Mario Fernández Giordano, Juez de Policía Local de la Municipalidad de Renca. **Texto:** Rechaza reclamo sobre solicitud de acumulación de feriados por no cumplir requisitos para su procedencia. **Acción:** Aplica dictámenes 27351/2006, 2368/2010).

2. «*Se ha dirigido a esta Contraloría General don Juan Antonio Castillo Gallardo, funcionario de la Contraloría Regional de Aysén del General Carlos Ibáñez del Campo, para solicitar que se reconsideren los dictámenes Nos 29.136 y 46.795, ambos de 2016, de esta Entidad Fiscalizadora, en la parte que disponen que el goce del aumento de feriado en zonas extremas sigue siendo accesorio al de la totalidad o una fracción del feriado ordinario*». (**ID Dictamen:** 006803N17. **Fecha:** 27-02-2017. **Destinatarios:** Juan Antonio Castillo Gallardo, funcionario de la Contraloría Regional de Aysén del General Carlos Ibáñez del Campo. **Texto:** En virtud de las modificaciones que introdujo la ley Nº 20.883 a las leyes Nºs. 18.834 y 18.883, el aumento de cinco días de feriado para zonas extremas debe sujetarse a las reglas del feriado ordinario y puede fraccionarse. **Acción:** Reconsidera parcialmente dictámenes 29136/2016, 46795/2016 aplica dictámenes 84000/2016, 86786/2015, 27963/2015).

3. «*Luego, y tal como lo ha señalado esta **Entidad Fiscalizadora en los dictámenes Nºs. 58.499, de 2008, y 5.586, de 2012**, el derecho a feriado se extingue si el funcionario no hace uso de él durante el año que se devenga, a menos que habiéndolo solicitado oportunamente, la autoridad lo haya anticipado o postergado, evento en el cual puede pedir su acumulación.*
*En similar sentido, a través del **dictamen Nº 48.547, de 2012**, de este origen, se ha precisado que la referida acumulación de feriado no constituye, por sí misma, un derecho para el funcionario, sino solo en la medida que, habiendo requerido hacer uso de él oportunamente durante el año correspondiente, éste haya sido anticipado o postergado por la autoridad en los términos y condiciones antedichos.*
*En este contexto, consta que la interesada solicitó el feriado correspondiente al año 2011, solo al momento de ser reincorporada al ejercicio de su cargo, en virtud del anotado decreto Nº 37, de 16 de enero de 2012, de manera que su manifestación de voluntad fue extemporánea, considerando que **la referida petición debió, necesariamente, formularse dentro del respectivo año calendario**, por lo que cabe concluir que el derecho a gozar de ese feriado se encuentra extinguido*». (**ID Dictamen: 060542N12 Fecha:** 01.10.2012 **Destinatarios:** Alcalde de la Municipalidad de Concón. **Texto:** Acoge reclamo sobre derecho al pago de remuneraciones de funcionario municipal por el tiempo que estuvo separada de su cargo por acto de autoridad y rechaza solicitud respecto de feriado anual que indica. **Acción:** Aplica dictámenes 74351/2011, 29953/2012, 6001/2011, 42587/2011, 23173/2012, 58499/2008, 5586/2012, 48547/2012)

4. «*Se ha dirigido a esta Contraloría General la señora Evangelina Alegría Olave, funcionaria de la Municipalidad de Buin, reclamando que ese municipio le requirió que se reincorporara a sus labores pese que, a su entender, se encontraba vigente su feriado, toda vez que con ocasión de las licencias médicas que le fueron extendidas, el primer acto administrativo que la autorizaba para hacer uso de su descanso anual —el cual comprendía el período en que debió*

ausentarse del trabajo por enfermedad—, fue reemplazado por uno posterior que permitía gozar del mismo una vez finalizados los permisos médicos. (...)

Ahora bien, contrario a lo que parece entender esa corporación edilicia, según da cuenta el memorándum Nº 327, de 2011, de la jefa de la Unidad de Control dirigido al alcalde, es necesario aclarar que en la situación de la especie no se ha configurado la suspensión del feriado de la funcionaria, por haberle sobrevenido enfermedad grave, según ponderación realizada por el alcalde, toda vez que aquella no se encontraba haciendo uso del descanso al momento de serle extendido el primer permiso médico, sino que, atendida esta última circunstancia, se determinó un nuevo lapso durante el cual ejercería el derecho a feriado.

En efecto, el municipio mediante el aludido decreto exento Nº 894, de 2011, resolvió otorgarle a la recurrente el feriado desde el 28 de marzo y hasta el 15 de abril de dicho año, acto administrativo a través del cual ejerció su facultad en orden a ponderar que procedía posponer la época en que originalmente se le otorgaba el feriado, en consideración a la enfermedad que la afectaba, según daban cuenta las licencias médicas que le habían sido extendidas (aplica criterio contenido en dictamen Nº 44.065, de 2008).

Por consiguiente no ha correspondido que la Municipalidad de Buin haya dispuesto el reintegro de la señora Alegría Olave a sus funciones antes del término de su feriado, por ende, considerando que a aquella, por acto de autoridad, se le privó del derecho a hacer uso de su feriado correspondiente al año 2011, dentro de este período, la entidad edilicia, excepcionalmente, debe disponer su acumulación para el año 2012». **(ID Dictamen: 014507N12 Fecha:** 14.03.2012 **Destinatarios:** Alcalde de la Municipalidad de Buin. **Texto:** Sobre improcedencia de ordenar la reincorporación de funcionaria municipal que hace uso de feriado. **Acción:** Aplica dictamen 44065/2008)

Artículo 104

Los funcionarios que se desempeñen en unidades o servicios municipales que dejen de funcionar por un lapso superior a veinte días dentro de cada año, no gozarán del derecho a feriado, pero podrán completar el que les correspondiere según sus años de servicios. No regirá esta disposición para los funcionarios que deban por cualquier causa trabajar durante ese período.

«**ID Dictamen: 031922N94 Fecha:** 13.09.1994 **Destinatarios:** Alcalde Municipalidad de Temuco. **Texto:** Es improcedente otorgar a funcionarios municipales el beneficio de un día de permiso por nacimiento y muerte de un hijo, o muerte del cónyuge, contenido en dfl 1/94 art. 66, que fija texto refundido, coordinado y sistematizado del código del trabajo. Ello, porque dicho artículo inserto en el **capítulo/vii,** sobre feriado anual y permisos, no es aplicable a los funcionarios municipales regidos por ley 18883, la que en su **PÁRRAFO/4 del TÍTULO/iv** contempla entre los derechos funcionarios, los feriados (artículos 101 a 105), y los permisos (artículos 107 a 109), de estos servidores; y el código citado y sus leyes complementarias solo tienen aplicación supletoria, es decir, únicamente en aquello no previsto en el estatuto administrativo de los funcionarios municipales. Así, los permisos y feriados referidos no son aplicables al caso examinado, por tratarse de una materia regulada expresamente por dicho texto estatutario»[246]

---

[246] 3. Transcrito textual. Sin acceso a documento completo. (www.contraloria.cl). Para efectos de su consulta en la Base de Jurisprudencia de Contraloría General de la República, el citado dictamen se encuentra en la sección/materia: «generales», sin perjuicio de que se trata de uno de carácter municipal. **El criterio sustentado en dicho dictamen se encuentra obsoleto, a propósito de la incorporación del artículo 108 bis en virtud de la publicación de la ley 20.137. Ver dictámenes: ID Dictamen: 032659N08 Fecha: 14.07.2008 Destinatarios: María Cecilia Herrera Barrueto. Texto: No procede que a funcionaria regida por ley 18883, se le conceda permiso sin goce de remuneraciones por el plazo de 2 años, para permanecer en el extranjero, atendido que su cónyuge sería destinado fuera del país. Ello, porque según el art. 109 del citado estatuto, los funcionarios municipales pueden solicitar permiso sin goce de remuneraciones, hasta por tres meses en cada año calendario salvo el caso de haber obtenido alguna de las becas señaladas en dicha norma. No corresponde aplicar por analogía, el art. 110 de la ley 18834, que autoriza el permiso sin goce de remuneraciones para permanecer en el extranjero hasta por 2 años, pues la recurrente se rige por la ley 18883 que regula espe-**

Artículo 105

El funcionario que desempeñe sus funciones en las comunas de Isla de Pascua, de Juan Fernández y de la Antártica, tendrá derecho a que su feriado se aumente en el tiempo que le demande el viaje de ida al continente y regreso a sus funciones.

Los funcionarios que residan en las regiones de Tarapacá, Antofagasta, Aisén del General Carlos Ibáñez del Campo, y de Magallanes y de la Antártica Chilena, y en las provincias de Chiloé y Palena de la Región de los Lagos, tendrán derecho a gozar de su feriado aumentado en cinco días hábiles.

1. «*Se ha dirigido a esta Contraloría General don Juan Antonio Castillo Gallardo, funcionario de la Contraloría Regional de Aysén del General Carlos Ibáñez del Campo, para solicitar que se reconsideren los dictámenes Nos 29.136 y 46.795, ambos de 2016, de esta Entidad Fiscalizadora, en la parte que disponen que el goce del aumento de feriado en zonas extremas sigue siendo accesorio al de la totalidad o una fracción del feriado ordinario*». (**ID Dictamen: 006803N17. Fecha: 27-02-2017. Destinatarios:** don Juan Antonio Castillo Gallardo, funcionario de la Contraloría Regional de Aysén del General Carlos Ibáñez del Campo. **Texto:** En virtud de las modificaciones que introdujo la ley Nº 20.883 a las leyes Nºs. 18.834 y 18.883, el aumento de cinco días de feriado para zonas extremas debe sujetarse a las reglas del feriado ordinario y puede fraccionarse. **Acción:** reconsidera parcialmente dictámenes 29136/2016, 46795/2016 aplica dictámenes 84000/2016, 86786/2015, 27963/2015).

2. «*Idéntica modificación efectuó la ley mencionada en último término respecto del inciso segundo del artículo 105 de la ley Nº 18.883, Estatuto Administrativo para Funcionarios Municipales, norma similar a la antes reseñada*». (**ID Dictamen: 046795N16. Fecha: 24-06-2016. Destinatarios:** don Jorge Beamin Rosas, funcionario de la Contraloría Regional de Aysén del General Carlos Ibáñez del Campo. **Texto:** No obstante la modificación introducida por la ley Nº 20.883 al aumento de feriado de zonas extremas, dicho beneficio sigue siendo accesorio al feriado ordinario y no puede ser

---

cíficamente la materia. Dicha interpretación analógica sólo procede en situaciones en que existe silencio u omisión del legislador. Distinto es el caso en que la ley ha consignado expresamente el otorgamiento de beneficios previstos en otros ordenamientos, como ocurre con el art. 108 bis de ley 18883, que concede a los funcionarios municipales el derecho a gozar de los permisos del art. 66 del código del trabajo. No se han vulnerado los artículos 5 y 19 num/2 de la Constitución, ya que la materia está especialmente regulada por la normativa señalada, la cual ha sido dictada conforme a los artículos 38 de la Carta Fundamental y 15 de la ley 18575. Acción: Aplica dictámenes 18582/95, 31922/94, 5504/2008) e ID Dictamen: 005504N08 Fecha: 05.02.2008 Destinatarios: Alcalde Municipalidad de Las Condes. Texto: Para computar los días de permiso que otorgan los artículos 195 inc./2 y 66 inc./1 del Código del Trabajo, debe considerarse la jornada semanal de trabajo a la que se encuentre obligado el trabajador y hacerse efectivo dentro de esos días, en forma continua. Ello, porque de esos preceptos aparece que el legislador estableció un beneficio a favor del padre trabajador, en el primer caso, y de los servidores en general, en el segundo, otorgando días de permiso pagados en los casos de nacimiento de un hijo y muerte de un hijo o del cónyuge, los que, tratándose de la primera situación, pueden utilizarse en dos modalidades a elección del padre, esto es, como días «corridos» si los ocupa desde el momento del parto, o dentro del primer mes desde la fecha del nacimiento en forma fraccionada o continua; en cambio, en la segunda situación, siempre deberán hacerse efectivos como días «corridos» a partir del día del respectivo fallecimiento. El Diccionario de la Real Academia define el permiso como el período durante el cual alguien está autorizado para dejar su trabajo u otras obligaciones y el art. 107 de la ley 18883 indica que permiso es la ausencia transitoria de la municipalidad por parte de un funcionario. Así, según esta definición legal y a la intención o espíritu de la normativa analizada que es permitir que el trabajador se ausente de sus labores, durante el tiempo que señala, para cumplir con sus obligaciones familiares, no puede entenderse que este permiso deba hacerse efectivo comprendiendo aquellos días en que el empleado no está obligado a trabajar, puesto que, de ser así, en la práctica aquél no gozaría en su totalidad del beneficio que le favorece. De este modo, la alusión a días corridos debe entenderse como días continuos dentro de aquellos en que el servidor está obligado a trabajar, sin considerar los días de descanso semanal ni los feriados legales. Acción: Aplica Dictámenes 55925/2006, 4258/2007)

fraccionado, procediendo su acumulación conjuntamente con la totalidad o una fracción del feriado ordinario. Reconsiderado parcialmente por dictamen 6803/2017. **Acción:** Aplica dictámenes 58327/2003, 50352/2002, 29136/2016).

3. «*Se ha dirigido a esta Contraloría General el Prosecretario de la Cámara de Diputados, quien remite una solicitud del diputado Luis Rocafull López, en orden a que se informe si los asistentes de la educación pertenecientes a instituciones educacionales administradas directamente por las municipalidades o por corporaciones privadas sin fines de lucro creadas por estas, gozan o no del derecho a su feriado aumentado en cinco días, que establece el artículo 105 de la ley Nº 18.883*». (**ID Dictamen:** 011764N17. **Fecha:** 07-04-2017. **Destinatarios:** Prosecretario de la Cámara de Diputados. **Texto:** Atiende oficio Nº 20.074, de 2016, de la Cámara de Diputados, relativo a aumento de feriado a que tienen derecho los asistentes de la educación. **Acción:** reconsidera parcialmente dictamen 23709/2009 aplica dictámenes 819/2016, 41213/2015, 23709/2009, 68484/2011, 32067/2013, 41093/2015, 26507/2008, 46442/2015, 54790/2012, 31764/2013, 57298/2013, 46128/2014, 61851/2015).

4. «*Al respecto, dable es precisar, que el **dictamen Nº 17.276 de 1996**, concluyó que dado que el artículo 18 de la ley 19.378, regula expresamente lo concerniente al feriado del personal de atención primaria de salud municipal, no resulta procedente aplicar en forma supletoria las disposiciones contenidas en la ley 18.883 y, por ende, no es factible concederles el beneficio contemplado en el artículo 105 de ese ordenamiento*, que otorga el derecho a aumentar su feriado en los términos que indica, a los funcionarios municipales que se desempeñen en las comunas, provincias y regiones que señala. (...)*
A mayor abundamiento, conviene destacar que las normas de la ley 19.378, constituyen disposiciones estatutarias de derecho público que contienen mandatos imperativos, por lo que no procede que la autoridad conceda a dichos servidores beneficios no establecidos en los preceptos legales respectivos (aplica criterio contenido en el dictamen Nº 13.731 de 1997).
En este contexto, es preciso advertir que el legislador al elaborar el proyecto de ley que dio origen al Estatuto de Atención Primaria de Salud Municipal, expresó que para los "equipos de Atención Primaria" que existen en Chile, venía a… "llenar un vacío de nuestra legislación en materia de carrera funcionaria, estabilidad laboral, ingreso por concursos públicos, derechos del personal y la gran cantidad de normas que regulan sus diversos aspectos..."
De este modo, es posible inferir, por tanto, que el legislador al tratar el feriado no pretendió otorgar al personal más beneficios que aquéllos que expresamente prevé la ley, puesto que de haberlo querido perfectamente podría haber agregado el aumento de cinco días hábiles, contemplado en el artículo 105 de la ley 18.883; sin embargo, en el artículo 18 regló pormenorizadamente el feriado, refundiendo las disposiciones de los artículo 102 y 103 del Estatuto para los Funcionarios Municipales, de manera que, en la especie, no es posible dar aplicación supletoria a las normas de este último ordenamiento, porque no existe un vacío legal al respecto.
Finalmente, respecto de la vulneración al principio de igualdad ante la ley, consagrado en el artículo 19, Nº 2 de la Constitución Política de la República, es oportuno aclarar, como cuestión previa, que en la Administración Municipal coexiste una multiplicidad de regímenes estatutarios distintos, y si bien, en la ley 18.883 y en la ley 15.076 se reconoce el beneficio de los cinco días hábiles adicionales de feriado, no es menos cierto que en otros textos legales, v.gr: Ley 19.070 y Código del Trabajo, dicha franquicia no fue considerada, de manera que, (...) no existe una discriminación arbitraria en contra de los funcionarios de atención primaria de salud». (**ID Dictamen:** 045206N01 **Fecha:** 04.12.2001 **Destinatarios:** Contralor Regional de Tarapacá. **Texto:** al feriado del personal de atención primaria de salud municipal, no procede aplicar supletoriamente las disposiciones de ley 18883 y especialmente el art. 105 de este texto, que otorga el derecho a aumentar su feriado según indica. Ello, porque si bien dichos servidores tienen la calidad de funcionarios públicos, ello no implica que por ese solo hecho deba aplicarse una norma no prevista por el legislador, pues como señala el mensaje de dicho estatuto: los derechos de que gozaran los funcionarios de atención primaria de salud y entre ellos, el feriado progresivo de vacaciones con goce de remuneraciones. Asimismo, las disposiciones de ley 19378, son de derecho público y contienen mandatos imperativos, por lo que no procede que la autoridad conceda beneficios no establecidos en las normas legales competentes. Además, de la historia de ley 19378, fluye que ella lleno un vacío legal en materia de carrera funcionaria, estabilidad laboral, ingreso por concurso público, derechos del personal y la cantidad de normas que regulan sus diversos aspectos. Así, cuando el legislador se refirió al feriado, no pretendió otorgar más beneficios que aquellos expresamente previstos, pues de quererlo habría agregado el aumento de cinco días hábiles del art. 105 de ley 18883, reglando el feriado al refundir en el art. 18 los artículos 102 y 103 de ley 18883, de manera que no procede aplicar supletoriamente las normas de este, porque no existe vacío legal. Finalmente, lo anterior no vulnera el principio de igualdad ante la ley, dado que en la administración coexisten varios regímenes estatutarios y si bien algunos contemplan el beneficio reclamado, otros no lo hacen. **Acción:** aplica dictamen 13731/97 confirma dictamen 17276/96)

Artículo 106

El funcionario que ingrese a la municipalidad no tendrá derecho a hacer uso de feriado en tanto no haya cumplido efectivamente un año de servicio.

*«Sobre el particular, cabe hacer presente que la citada ley Nº 18.883, señala en su artículo 101, que se entiende por feriado el descanso a que tiene derecho el empleado, con el goce de todas las remuneraciones durante el tiempo y bajo las condiciones que se indican; agregando el artículo 102, que dicha franquicia corresponderá a cada año calendario. A su vez, el **artículo 106 del aludido cuerpo estatutario**, dispone que el servidor que ingrese a la municipalidad no tendrá derecho a hacer uso del referido descanso en tanto no haya cumplido efectivamente un año de servicio.*

*En relación con la norma recién transcrita, menester resulta indicar que este **Organismo de Control, a través de los dictámenes Nºs. 5.149, de 1991 y 23.951, de 2005**, entre otros, ha precisado que esta se aplica respecto de quienes ingresan por primera vez a la municipalidad, y que este último término ha sido empleado por dicha disposición en forma genérica, esto es, comprendiendo a todos los municipios del país y no únicamente a aquel en que se esté desempeñando el funcionario de que se trate.*

Luego, el requisito de cumplir un año de servicio para estos efectos, debe exigirse al momento de producirse el ingreso, por primera vez, al sector municipal y no respecto de cada una de las entidades edilicias en las que se desempeñe. En tal entendido, a aquellos empleados que han prestado con anterioridad servicios por más de un año en alguna municipalidad —y que, por tanto, se reincorporan a tal sector—, no procede exigirles nuevamente el cumplimiento del requisito contemplado en el mencionado artículo 106, rigiendo por tanto, a su respecto, la regla general contenida en el artículo 102 de ese cuerpo estatutario, en virtud de la cual, el feriado legal corresponderá a cada año calendario.

Ahora bien, de los antecedentes que obran en poder de este Organismo de Control, aparece que el recurrente se desempeñó en la Municipalidad de Colbún entre los años 1996 y 2006, para luego incorporarse a la Municipalidad de Buin, a contar del 1 de noviembre de 2011, por lo que, en su caso, el período de un año de servicio a que se refiere el artículo 106 de la ley Nº 18.883, se encuentra íntegramente cumplido, procediendo, en consecuencia, acoger el reclamo presentado por el señor Campos Flores, debiendo la Municipalidad de Buin ajustar su actuar al criterio contenido en el presente oficio». (**ID Dictamen: 048614N12 Fecha:** 09.08.2012 **Destinatarios:** Alcalde de la Municipalidad de Buin. **Texto:** Acoge reclamo sobre derecho a feriado legal de funcionario que se ha desempeñado por un período inferior a un año en el respectivo municipio. **Acción:** Aplica dictámenes 5149/91, 23951/2005)

PÁRRAFO 4º DE LOS PERMISOS

Artículo 107

Se entiende por permiso la ausencia transitoria de la municipalidad por parte de un funcionario en los casos y condiciones que más adelante se indican.

El alcalde podrá conceder o denegar discrecionalmente dichos permisos.

«Sobre este punto, cabe señalar que los artículos 42 de la ley Nº 18.883 y 28 del decreto Nº 1.228, de 1992, del Ministerio del Interior, Reglamento de Calificaciones del Personal Municipal, establecen que los acuerdos de la junta calificadora deben ser siempre fundados y anotarse en las actas de calificaciones correspondientes.

Al respecto, la jurisprudencia de esta Contraloría General ha precisado que la fundamentación se refiere a la obligación de indicar los antecedentes objetivos y las razones específicas que sirven de base para asignar la evaluación que se impone al funcionario cuyo desempeño se califica, a fin de que éste tome conocimiento de las consideraciones tenidas en cuenta para juzgar su labor funcionaria, lo que le permitirá contar con los antecedentes necesarios para desvirtuar, por la vía de la apelación, la calificación asignada y, además, le servirá de orientación para mejorar su desempeño laboral (aplica criterio contenido en el dictamen Nº 29.632, de 2006). (...)

No obstante lo anterior, es menester aclarar que resulta improcedente que las notas asignadas en los subfactores de Cantidad e Interés por el Trabajo, se fundamenten en que las ausencias reiteradas de la interesada, debido al uso de permisos y licencias médicas, ocasionaron trabajos inconclusos y poca permanencia en el lugar de trabajo.

Ello, por cuanto esta Entidad Fiscalizadora mediante el dictamen Nº 55.593, de 2008, ha precisado que el goce prolongado de licencias médicas válidamente extendidas, no pueden dar lugar a la rebaja de notas en los factores pertinentes, ya que aquéllas significan el legítimo ejercicio de un derecho estatutario; lo que asimismo acontece tratándose de los permisos, como lo señala el dictamen Nº 15.078, de 2002, considerando que en éstos se presentan dos elementos, por una parte, el funcionario que lo solicita y por otra, el alcalde, quien en uso de las facultades inherentes a la potestad jerárquica que inviste, podrá concederlos o denegarlos discrecionalmente, según las necesidades del servicio respectivo, de acuerdo a lo establecido en el inciso segundo del artículo 107 de la ley Nº 18.883». (ID Dictamen: 047986N09 Fecha: 01.09.2009 Destinatarios: Alcalde Municipalidad de La Cisterna Texto Se pronuncia acerca de reclamo de calificaciones de funcionaria regida por la ley 18883. Acción: Aplica dictámenes 17726/2009, 29632/2006, 5683/2005 55593/2008, 15078/2002)

Artículo 108

Los funcionarios podrán solicitar permisos para ausentarse de sus labores por motivos particulares hasta por seis días hábiles en el año calendario, con goce de remuneraciones. Estos permisos podrán fraccionarse por días o medios días.

Los funcionarios municipales podrán solicitar que los días hábiles insertos entre dos feriados, o un feriado y un día sábado o domingo, según el caso, puedan ser de descanso, con goce de remuneraciones, en tanto se recuperen con otra jornada u horas de trabajo, realizadas con anterioridad o posterioridad al feriado respectivo.

1. *«Se ha dirigido a esta Contraloría General el Subsecretario de Economía y Empresas de Menor Tamaño consultando sobre la extensión de la jornada que debe recuperar un funcionario que hace uso del permiso establecido en el inciso segundo del artículo 109 de la ley Nº 18.834, sobre Estatuto Administrativo, el día 31 de diciembre, en relación con lo dispuesto en su artículo 71».* (ID Dictamen: 001752N19. Fecha: 18-01-2019. Destinatarios: Subsecretario de Economía y Empresas de Menor Tamaño. Texto: Recuperación por el ejercicio del permiso establecido en el inciso segundo de los artículos 109 de la ley Nº 18.834 y 108 de la ley Nº 18.883, debe efectuarse por la cantidad de horas que efectivamente corresponde desempeñar en la jornada que cubre dicho permiso. Acción: Aplica dictámenes 78109/2015, 24829/2018, 26384/90, 33072/2013, 59753/2011).

2. *«Se ha dirigido a esta Contraloría General la Asociación de Profesionales de la Dirección del Servicio de Salud Reloncaví, solicitando la reconsideración del dictamen Nº 5.836, de 2015, de esta procedencia, el cual concluyó que el permiso con goce de remuneraciones que otorga el artículo 66 bis del Código del Trabajo no es extensible a los funcionarios regidos por la ley Nº 18.883».* (ID Dictamen: 042891N16. Fecha: 10-06-2016. Destinatarios: Asociación de Profesionales de la Dirección del Servicio de Salud Reloncaví. Texto: Rechaza solicitud de reconsideración de dictamen que indica, por cuanto el permiso con goce de remuneraciones que contempla el artículo 66 bis del Código del Trabajo no es posible extenderlo a los funcionarios que señala. Acción: Aplica dictámenes 52648/2006, 51485/2012, 45734/2010, 17056/2012 confirma dictámenes 3730/2015, 5836/2015).

3. *«Por su parte, la jurisprudencia administrativa de esta Contraloría General, contenida, entre otros, en los dictámenes Nºs. 20.366, de 1999 y 33.175, de 2012, ha precisado que la jornada laboral de todo el personal que se desempeña en los Juzgados de Policía Local, incluido el Juez, tiene el carácter de especial, y que por una ficción legal, se entiende que constituye su jornada completa, prevaleciendo sobre aquella contenida en el artículo 62 de la ley Nº 18.883, que fija la jornada ordinaria de trabajo del personal municipal.*

Ahora bien, el artículo 108 de dicho cuerpo estatutario, en lo que interesa, establece que los funcionarios podrán solicitar permisos para ausentarse de sus labores por motivos particulares hasta por seis días hábiles en el año calendario, con goce de remuneraciones, los que podrán fraccionarse por días o medios días; sin regular expresamente situaciones de jornadas laborales especiales, como la que se analiza.

Sobre el particular, cumple con indicar que este Organismo de Control, a través de los dictámenes Nºs. 4.948, de 1991 y 56.741, de 2004, entre otros, ha concluido que el fraccionamiento de los permisos con goce de remuneraciones por medios días, a que se refiere la norma legal recién citada, debe entenderse que concierne al período equivalente a media jornada diaria de trabajo del funcionario, según sea la modalidad de cumplimiento de la jornada semanal ordinaria.

Ello, por cuanto la aludida disposición, al establecer que los funcionarios pueden solicitar tales permisos con el propósito de ausentarse de sus labores, está precisando que para el cómputo de esa franquicia, "día" es sinónimo de jornada de trabajo, de modo que su fraccionamiento corresponde efectuarlo en relación a la jornada que los servidores desarrollan en forma permanente, la que en el caso de los Juzgados de Policía Local, es aquella fijada por la respectiva Corte de Apelaciones». (**ID Dictamen: 055101N12 Fecha:** 05.09.2012 **Destinatarios:** Alcalde de la Municipalidad de Río Negro. **Texto:** Rechaza solicitud de reconsideración de oficio Nº 2984, de 2012, de la Contraloría Regional de Los Lagos, sobre fraccionamiento de permiso con goce de remuneraciones de Juez de Policía Local. **Acción:** Aplica dictámenes 20366/99, 33175/2012, 4948/91, 56741/2004)[247]

Artículo 108 bis

Todo funcionario municipal tendrá derecho a gozar de los permisos contemplados en el artículo 66 del Código del Trabajo[248].

1. «*(...) la ley Nº 18.883 no contempla disposición alguna que someta a los funcionarios municipales, supletoriamente, a la ley Nº 18.834 y que sólo cuando ha consignado expresamente el otorgamiento de beneficios previstos en otros ordenamientos, como acontece con su artículo 108 bis —que concede a los funcionarios municipales el derecho a gozar de los permisos establecidos en el artículo 66 del Código de Trabajo—, procede el reconocimiento de los mismos en relación con ese personal (aplica criterio contenido en los dictámenes Nºs. 31.922, de 1994 y 5.504, de 2008)*».
(**ID Dictamen: 032659N08 Fecha:** 14.07.2008 **Destinatarios:** María Cecilia Herrera Barrueto. **Texto:** No procede que a funcionaria regida por ley 18883, se le conceda permiso sin goce de remuneraciones por el plazo de 2 años, para permanecer en el extranjero, atendido que su cónyuge sería destinado fuera del país. Ello, porque según el art. 109 del citado estatuto, los funcionarios municipales pueden solicitar permiso sin goce de remuneraciones, hasta por tres meses en cada año calendario salvo el caso de haber obtenido alguna de las becas señaladas en dicha norma. No corresponde aplicar por analogía, el art. 110 de la ley 18834, que autoriza el permiso sin goce de remuneraciones para permanecer en el extranjero hasta por 2 años, pues la recurrente se rige por la ley 18883 que regula específicamente la materia. Dicha interpretación analógica sólo procede en situaciones en que existe silencio u omisión del legislador. Distinto es el caso en que la ley ha consignado expresamente el otorgamiento de beneficios previstos en otros ordenamientos, como ocurre con el art. 108 bis de ley 18883, que concede a los funcionarios municipales el derecho a gozar de los permisos del art. 66 del código del trabajo. No se han vulnerado los artículos 5 y 19 num/2 de la Constitución, ya que la materia está especialmente regulada por la normativa señalada, la cual ha sido dictada conforme a los artículos 38 de la Carta Fundamental y 15 de la ley 18575. **Acción:** Aplica dictámenes 18582/95, 31922/94, 5504/2008)

---

[247] Para efectos de su consulta en la Base de Jurisprudencia de Contraloría General de la República, el citado dictamen se encuentra en la sección/materia: «generales», sin perjuicio de que se trata de uno de carácter municipal.

[248] Art. 66. Código del Trabajo: En el caso de muerte de un hijo así como en el de muerte del cónyuge, todo trabajador tendrá derecho a siete días corridos de permiso pagado, adicional al feriado anual, independientemente del tiempo de servicio.
Igual permiso se aplicará por tres días hábiles en el caso de muerte de un hijo en período de gestación así como en el de muerte del padre o de la madre del trabajador.
Estos permisos deberán hacerse efectivos a partir del día del respectivo fallecimiento.
No obstante, tratándose de una defunción fetal, el permiso se hará efectivo desde el momento de acreditarse la muerte, con el respectivo certificado de defunción fetal.
El trabajador al que se refiere el inciso primero gozará de fuero laboral por un mes, a contar del respectivo fallecimiento. Sin embargo, tratándose de trabajadores cuyos contratos de trabajo sean a plazo fijo o por obra o servicio determinado, el fuero los amparará sólo durante la vigencia del respectivo contrato si éste fuera menor a un mes, sin que se requiera solicitar su desafuero al término de cada uno de ellos.
Los días de permiso consagrados en este artículo no podrán ser compensados en dinero.

2. «*Se ha dirigido a esta Contraloría General el Alcalde de la Municipalidad de Las Condes, solicitando un pronunciamiento respecto a la forma de computar la duración de los permisos paternal y por muerte de hijo o cónyuge, contemplados en los artículos 195 y* **66 del Código del Trabajo,** *respectivamente.*

En primer término, conviene hacer presente, que las referidas normas legales son aplicables en la especie, toda vez que el aludido artículo 195, está ubicado en el Título II, del Libro II, del Código del Trabajo, que contiene normas sobre protección a la maternidad, a las que conforme al artículo 194 del mismo Código **están sujetos todos los trabajadores, sean públicos o privados, incluidos los servidores municipales.** *A su vez, el citado* **artículo 66 se aplica al personal de los municipios en virtud de lo previsto en el artículo 108 bis de la ley Nº 18.883** *—Estatuto de los Funcionarios Municipales—,* **agregado por el artículo 3º de la ley Nº 20.137.**

Precisado lo anterior, cabe señalar que el inciso segundo del artículo 195 del Código del Trabajo, intercalado por la ley Nº 20.047 y modificado a su vez por el Nº 2, del artículo 1º de la ley Nº 20.137, expresa que el padre tendrá derecho a un permiso pagado de cinco días en caso de nacimiento de un hijo, el que podrá utilizar a su elección desde el momento del parto, y en este caso será de días corridos, o distribuirlo dentro del primer mes desde la fecha del nacimiento. Este permiso también se otorgará al padre que se le conceda la adopción de un hijo, contado desde la respectiva sentencia definitiva. Este derecho es irrenunciable.

Por su parte, el **artículo 66,** *del mismo Código,* **sustituido por el Nº 1, del artículo 1º de la ley Nº 20.137,** *dispone, en lo que interesa, en su inciso primero, que "en el caso de muerte de un hijo así como en el de muerte del cónyuge, todo trabajador tendrá derecho a siete días corridos de permiso pagado, adicional al feriado anual, independientemente del tiempo de servicio".*

Ahora bien, de las normas descritas, se colige que el **legislador ha establecido un beneficio a favor** *del padre trabajador, en el primer caso, y* **de los servidores en general, en el segundo,** *otorgando días de permiso pagados en los casos de nacimiento de un hijo y muerte de un hijo o del cónyuge, los, que, tratándose de la primera situación, pueden utilizarse en dos modalidades a elección del padre, esto es, como días "corridos" si los ocupa desde el momento del parto, o dentro del primer mes desde la fecha del nacimiento en forma fraccionada o continua;* **en cambio, en la segunda situación, siempre deberán hacerse efectivos como días "corridos" a partir del día del respectivo fallecimiento.**

Lo expuesto lleva a determinar, enseguida, qué debe entenderse por **"días corridos de permiso",** *para lo cual cumple manifestar que el Diccionario de la Real Academia define el permiso como el período durante el cual alguien está autorizado para dejar su trabajo u otras obligaciones. Por otra parte, el artículo 107 del Estatuto Municipal, estatuye que permiso es la ausencia transitoria de la municipalidad por parte de un funcionario.*

Conforme a esta definición legal y a la intención o espíritu de la normativa en análisis, que es permitir que el trabajador se ausente de sus labores, durante el tiempo que señala, para cumplir con sus obligaciones familiares, no sería consecuente entender que este permiso deba hacerse efectivo comprendiendo aquellos días en que el empleado no está obligado a trabajar, puesto que, de ser así, en la práctica aquél no gozaría en su totalidad del beneficio que le favorece.

Por consiguiente, para el cómputo de los días de permiso a que se refieren los artículos 66 y 195 del Código del Trabajo, debe estarse a aquellos en que el respectivo trabajador debe cumplir con su jornada laboral». (**ID Dictamen: 005504N08**

Fecha: 05.02.2008 **Destinatarios:** Alcalde Municipalidad de Las Condes. **Texto:** Para computar los días de permiso que otorgan los artículos 195 inc./2 y 66 inc./1 del Código del Trabajo, debe considerarse la jornada semanal de trabajo a la que se encuentre obligado el trabajador y hacerse efectivo dentro de esos días, en forma continua. Ello, porque de esos preceptos aparece que el legislador estableció un beneficio a favor del padre trabajador, en el primer caso, y de los servidores en general, en el segundo, otorgando días de permiso pagados en los casos de nacimiento de un hijo y muerte de un hijo o del cónyuge, los que, tratándose de la primera situación, pueden utilizarse en dos modalidades a elección del padre, esto es, como días «corridos» si los ocupa desde el momento del parto, o dentro del primer mes desde la fecha del nacimiento en forma fraccionada o continua; en cambio, en la segunda situación, siempre deberán hacerse efectivos como días «corridos» a partir del día del respectivo fallecimiento. El Diccionario de la Real Academia define el permiso como el período durante el cual alguien está autorizado para dejar su trabajo u otras obligaciones y el art. 107 de la ley 18883 indica que permiso es la ausencia transitoria de la municipalidad por parte de un funcionario. Así, según esta definición legal y a la intención o espíritu de la normativa analizada que es permitir que el trabajador se ausente de sus labores, durante el tiempo que señala, para cumplir con sus obligaciones familiares, no puede entenderse que este permiso deba hacerse efectivo comprendiendo aquellos días en que el empleado no está obligado a trabajar, puesto que, de ser así, en la práctica aquél no gozaría en su totalidad del beneficio que le favorece. De este modo, la alusión a días corridos debe entenderse como días continuos dentro de aquellos en que el servidor está obligado a trabajar, sin considerar los días de descanso semanal ni los feriados legales. **Acción:** Aplica Dictámenes 55925/2006, 4258/2007)

Artículo 109

El funcionario podrá solicitar sin goce de remuneraciones, por motivos particulares, hasta por tres meses en cada año calendario.

El límite señalado en el inciso anterior, no será aplicable en el caso de funcionarios que obtengan becas otorgadas de acuerdo a la legislación vigente.

1. «*La Superintendencia de Seguridad Social ha remitido una presentación formulada por la Municipalidad de Quinta Normal, mediante la cual, en relación con la situación de la funcionaria de la citada entidad edilicia doña Ximena Galdames Cassigoli, solicita un pronunciamiento respecto de si a aquella le asistió el derecho de presentar licencias médicas durante el período en que se encontraba gozando de un permiso sin goce de remuneraciones, así como sobre el destino que debe dar a la suma que recibiera por concepto de subsidio de incapacidad laboral de la citada servidora*». (**ID Dictamen:** 090030N16. **Fecha:** 15-12-2016. **Destinatarios:** Municipalidad de Quinta Normal. **Texto:** No procede que funcionaria que se rige por la ley Nº 18.883, presente licencias médicas durante período en que se encuentra haciendo uso de permiso sin goce de remuneraciones. **Acción:** Aplica dictámenes 14065/2011, 35698/2016, 57454/2013).

2. «*Sobre el particular, cabe señalar que, tal como lo ha indicado la Oficina Regional de Aysén en su informe, **la jurisprudencia administrativa de este Ente de Control, contenida en los dictámenes Nºs. 31.399 de 1993; 6.962, de 2000; 50.662, de 2008, y 13.092 de 2010, entre otros, ha precisado que los Jueces de Policía Local son funcionarios municipales regidos por la ley Nº 18.883, sobre Estatuto Administrativo para Empleados Municipales**, sin perjuicio de aquellos aspectos en que están sujetos a la supervigilancia directiva, correccional y económica de la correspondiente Corte de Apelaciones, de manera que gozan de las prerrogativas que corresponden a tales servidores, que sean conciliables con la normativa especial ya enunciada.*

*En este contexto, conviene indicar que el **artículo 109 de la citada ley Nº 18.883** dispone que el funcionario podrá solicitar permiso sin goce de remuneraciones, por motivos particulares, hasta por tres meses en cada año calendario, agregando en su inciso segundo, que el límite señalado no será aplicable en el caso de funcionarios que obtengan becas otorgadas de acuerdo a la legislación vigente.*

*Asimismo, resulta útil consignar que el **dictamen Nº 43.164, de 1997, de este Órgano Contralor, concluyó que cuando un funcionario municipal obtenga una beca conferida según el ordenamiento jurídico, el ejercicio de la misma no será obstaculizado por el límite de plazo de tres meses antes aludido para hacer uso de permiso sin goce de remuneraciones, toda vez que el ánimo del legislador, en armonía con el principio de perfeccionamiento de los empleados municipales, reconocido en el artículo 46 de ley Nº 18.695, Orgánica Constitucional de Municipalidades, ha sido privilegiar el perfeccionamiento de los mencionados servidores**.*

Ahora bien, de los antecedentes tenidos a la vista aparece que el señor Chacano Montiel es alumno regular del Magíster ya enunciado, impartido por la Universidad Finis Terrae, entidad que le otorgó una beca para cursarlo, lo que lo habilita para hacer uso de permiso sin goce de remuneraciones por el término superior a tres meses establecido en el aludido inciso segundo del artículo 109 de ley Nº 18.883.

*Lo anterior, por cuanto, de conformidad con lo expresado en el citado **dictamen Nº 43.164, de 1997, la expresión, "de acuerdo a la legislación vigente" que emplea la disposición ante citada, tiene por objeto dejar establecido que no cualquier beca otorga derecho a exceder el límite en cuestión, sino que debe tratarse de una que tenga, por razones de certeza y seriedad, respaldo o fundamento en una norma jurídica. (...)***

*De conformidad con lo expuesto, corresponde concluir que una beca otorgada por esa Casa de Estudios encuentra su **fundamento en el ordenamiento jurídico vigente, que ampara la autonomía académica, económica y administrativa de los establecimientos de educación superior para el cumplimiento de sus fines**, tal como aparece del artículo 104 del decreto con fuerza de ley Nº 2, de 2009, del Ministerio de Educación, que fija el texto refundido, coordinado y sistematizado de la ley Nº 20.370, con las normas no derogadas del decreto con fuerza de ley Nº 1, de 2005, de esa Secretaría de Estado*». (**ID Dictamen: 022712N11 Fecha:** 13.04.2011 **Destinatarios:** Alcalde de la Municipalidad de Cisnes **Texto:** Sobre otorgamiento de permiso sin goce de remuneraciones a un funcionario municipal para cursar estudios de postgrado. **Acción:** Aplica dictámenes 31399/93, 6962/2000, 50662/2008, 13092/2010, 43164/97)[249]

---

[249]   Para efectos de su consulta en la Base de Jurisprudencia de Contraloría General de la República, el citado dictamen se encuentra en la sección/materia: «generales», sin perjuicio de que se trata de uno de carácter municipal.

PÁRRAFO 5º DE LAS LICENCIAS MÉDICAS

Artículo 110

Se entiende por licencia médica el derecho que tiene el funcionario de ausentarse o reducir su jornada de trabajo durante un determinado lapso, con el fin de atender al restablecimiento de su salud, en cumplimiento de una prescripción profesional certificada por un médico cirujano, cirujano dentista o matrona, según corresponda, autorizada por el competente Servicio de Salud o Institución de Salud Previsional, en su caso. Durante su vigencia el funcionario continuará gozando del total de sus remuneraciones.

Durante el período de permiso postnatal parental regulado en el artículo 197 bis del Código del Trabajo, los funcionarios que hagan uso de él también continuarán gozando del total de sus remuneraciones.

1. «*La Superintendencia de Seguridad Social ha remitido una presentación formulada por la Municipalidad de Quinta Normal, mediante la cual, en relación con la situación de la funcionaria de la citada entidad edilicia doña Ximena Galdames Cassigoli, solicita un pronunciamiento respecto de si a aquella le asistió el derecho de presentar licencias médicas durante el período en que se encontraba gozando de un permiso sin goce de remuneraciones, así como sobre el destino que debe dar a la suma que recibiera por concepto de subsidio de incapacidad laboral de la citada servidora*». (**ID Dictamen:** 090030N16. **Fecha:** 15-12-2016. **Destinatarios:** Municipalidad de Quinta Normal. **Texto:** No procede que funcionaria que se rige por la ley Nº 18.883, presente licencias médicas durante período en que se encuentra haciendo uso de permiso sin goce de remuneraciones. **Acción:** Aplica dictámenes 14065/2011, 35698/2016, 57454/2013).

2. «*La Municipalidad de Santiago consulta acerca del procedimiento de cálculo de los montos que debe recuperar de las Instituciones de Salud Previsional —ISAPRE— y de las Comisiones de Medicina Preventiva e Invalidez —COMPIN—, por las licencias médicas de sus empleados*». (**ID Dictamen:** 005291N19. **Fecha:** 21-02-2019. **Destinatarios:** Municipalidad de Santiago. **Texto:** Señala forma de cálculo del monto del subsidio que las municipalidades deben recuperar de los organismos previsionales competentes por las licencias médicas de sus funcionarios. **Acción:** Aplica dictámenes 56915/2009, 2559/2014).

3. «*La Contraloría Regional de Tarapacá ha remitido la presentación de la Municipalidad de Alto Hospicio, consultando acerca de la legalidad del oficio circular Nº 015/0004, de 12 de enero de 2018, a través del cual la Dirección Regional de la Junta Nacional de Jardines Infantiles de Tarapacá, en virtud de lo establecido en la ley de presupuestos vigente, informó sobre la improcedencia de financiar gastos por licencias médicas de los funcionarios que se desempeñan en jardines infantiles y salas cunas administrados por los municipios, vía transferencia de fondos (VTF)*». (**ID Dictamen:** 025014N18. **Fecha:** 05-10-2018. **Destinatarios:** Municipalidad de Alto Hospicio. **Texto:** La ley de presupuestos de 2018 prohíbe que, durante el presente año, los municipios financien con cargo a los recursos transferidos por la Junji, los gastos por licencias médicas del personal que indica. **Acción:** Aplica dictámenes 819/2016, 41320/2017, 15351/2018, 24224/2016, 46770/2016, 59203/2016, 18455/2017).

4. «*Ahora bien, cabe anotar que la glosa 05 aplicable a la asignación 09-11-01-24-03-170, prevista en la ley Nº 21.053, de Presupuestos del Sector Público para el año 2018, dispone que "Con cargo a estos convenios no se podrán pagar los gastos asociados al artículo 110 de la ley Nº 18.883, y se descontarán de la transferencia los días no trabajados por este concepto"*». (**ID Dictamen:** 001161N19. **Fecha:** 20-06-2018. **Destinatarios:** Natalia Ogaz Díaz, exservidora de la Municipalidad de Valparaíso. **Texto:** Desestima solicitud de reconsideración del dictamen Nº 22.358, de 2017, toda vez que no se aportan nuevos antecedentes sustanciales. El archivo provisional no exime de la posibilidad de imponer una medida disciplinaria por los mismos hechos. **Acción:** Confirma dictamen 22358/2017 aplica dictámenes 86064/2014, 15364/2011, 13939/2017, 21093/2015).

5. «*Se ha dirigido a esta Contraloría General la Junta Nacional de Jardines Infantiles, JUNJI, realizando una serie de consultas relativas a la asignación establecida en el artículo 3º de la ley Nº 20.905*». (**ID Dictamen:** 013703N18. **Fecha:** 04-06-2018. **Destinatarios:** Junta Nacional de Jardines Infantiles, JUNJI. **Texto:** Solo tienen derecho a la asignación que establece el artículo 3º de la ley Nº 20.905, quienes tengan un contrato de trabajo o nombramiento vigente a la fecha

de su pago y cumplan las funciones y requisitos que allí se señalan, incluso si gozan de licencia médica. **Acción:** Aplica dictámenes 16099/2017, 29593/2016, 90030/2016, 41320/2017).

6. «*La Municipalidad de Temuco solicita aclarar el dictamen Nº 59.203, de 2016, de esta Contraloría General, que concluyó que la Junta Nacional de Jardines Infantiles (JUNJI) debía aceptar en las rendiciones de cuentas presentadas por las entidades edilicias, los gastos de licencias médicas y contratos de reemplazo de los funcionarios que se desempeñan en los jardines infantiles y salas cunas que los municipios administran vía transferencia de fondos (VTF). Además, instruyó que la JUNJI debía ajustar el manual de transferencias que regula ese programa, en orden a aceptar en las rendiciones los emolumentos de dicho personal, después del plazo que allí se indicaba*». (**ID Dictamen:** 041320N17. **Fecha:** 24-11-2017. **Destinatarios:** La Municipalidad de Temuco. **Texto:** Confirma el dictamen Nº 59.203 de 2016, de este origen, por lo que la JUNJI debe ajustar el manual de transferencias que indica, en los términos que se señala. **Acción:** Confirma dictamen 59203/2016 Aplica dictámenes 819/2016, 59203/2016, 18455/2017).

7. «*Se ha dirigido a esta Contraloría General la Municipalidad de Paine, solicitando un pronunciamiento respecto a los alcances del oficio Nº 16.966, de 2016, de este origen, en cuanto a precisar si la ley Nº 19.464 rige en todos los aspectos de la relación laboral que mantienen los asistentes de educación de las salas cunas y jardines infantiles financiados vía transferencia de fondos de la Junta Nacional de Jardines Infantiles, JUNJI. En tal sentido, consulta a quien corresponde solventar los gastos derivados del otorgamiento de los beneficios que prevé ese texto legal*». (**ID Dictamen:** 018455N17. **Fecha:** 19-05-2017. **Destinatarios:** Municipalidad de Paine. **Texto:** Asistentes de la educación de jardines infantiles financiados por la Junta Nacional de Jardines Infantiles, están afectos a lo previsto en el artículo 110 de la ley Nº 18.883, en los términos que indica. Ratifica dictamen Nº 35.698, de 2016. **Acción:** Confirma dictamen 35698/2016 aplica dictámenes 43426/2016, 59203/2016, 819/2016).

8. «*Se ha dirigido a esta Contraloría General doña Jenny Cerpa Soto, ex asistente de la educación de la Municipalidad de La Cisterna, solicitando la reconsideración del oficio Nº 52.737, de 2016, a través del cual este Organismo Fiscalizador remitió a la recurrente el informe emitido por la aludida entidad edilicia, en el que se indicó que el día 29 de febrero de esa anualidad, terminó el contrato a plazo fijo que se mantenía con la interesada, por lo que no corresponde el pago de las licencias médicas presentadas con posterioridad a su desvinculación*». (**ID Dictamen:** 086628N16. **Fecha:** 30-11-2016. **Destinatarios:** Jenny Cerpa Soto, ex asistente de la educación de la Municipalidad de La Cisterna. **Texto:** Municipio solo se encontraba obligado a tramitar y pagar las licencias médicas de la peticionaria mientras se mantuvo su vinculación laboral. En la medida que la entidad edilicia haya recibido subsidios por permisos médicos posteriores al cese, deberá restituirlos a la institución de salud previsional respectiva. **Acción:** aplica dictámenes 67599/2010, 819/2016, 72080/2012, 41229/2016).

9. «*Se ha dirigido a esta Contraloría General la señora María Eliana Cavieres Sepúlveda, exfuncionaria de la Municipalidad de Recoleta, recurriendo en contra del decreto alcaldicio Nº 1.329, de 4 de mayo de 2016, que declaró la vacancia de su cargo por salud incompatible, toda vez que, según su parecer, la licencias médicas de las que ha hecho uso obedecerían a una enfermedad de origen laboral, adjuntando para ello un certificado de la Comisión de Medicina Preventiva e Invalidez —en adelante, COMPIN— emitido el 21 de diciembre de 2005, que indica que la ocurrente padece una enfermedad profesional, razón por la cual estima que no habría correspondido computar los días de reposo de que hiciere uso con posterioridad a esa data para los efectos de adoptar dicha determinación*». (**ID Dictamen:** 071319N16. **Fecha:** 30-09-2016. **Destinatarios:** María Eliana Cavieres Sepúlveda, exfuncionaria de la Municipalidad de Recoleta. **Texto:** Declaración de vacancia por salud incompatible se ajustó a derecho, ya que las licencias médicas que la motivaron tuvieron su origen en una enfermedad común. **Acción:** Aplica dictámenes 5014/2016, 22346/2015, 58934/2005).

10. «*La Junji debe aceptar en las rendiciones de cuentas de los municipios que señala, los gastos de licencias médicas y contratos de reemplazo de funcionarios que se desempeñan en los establecimientos que indica*». (**ID Dictamen:** 059203N16. **Fecha:** 10-08-2016. **Destinatarios: Municipalidad de Puerto Montt. Texto:** La Junji debe aceptar en las rendiciones de cuentas de los municipios que señala, los gastos de licencias médicas y contratos de reemplazo de funcionarios que se desempeñan en los establecimientos que indica. **Acción:** Aplica dictámenes 22138/2015, 43426/2016, 67599/2010, 35698/2016 complementa dictamen 61531/2012).

11. «*Se ha dirigido a esta Contraloría General la señora Maritza Álvarez Espinoza, funcionaria de la Municipalidad de Padre Hurtado, reclamando que en el mes de mayo del año 2015 no se le pagó en forma íntegra el componente base de la asignación de mejoramiento de la gestión municipal contemplada en la ley Nº 19.803, el que estima le corresponde a todo evento*». (**ID Dictamen:** 042695N16. **Fecha:** 09-06-2016. **Destinatarios:** Maritza Álvarez Espinoza, funcionaria de la

Municipalidad de Padre Hurtado. **Texto:** Con anterioridad a la modificación introducida por la ley Nº 20.891, durante el período en que funcionaria hizo uso de permiso postnatal parental, solo le correspondió percibir el pertinente subsidio. Asignación de la ley Nº 19.803, se paga en proporción al tiempo desempeñado en el período. **Acción:** Aplica dictamen 75302/2013 Aplica dictamen 29076/2013 Aplica dictamen 16195/2016).

12. «*Municipalidad debe enterar a los asistentes de la educación que laboran en jardines infantiles municipales financiados vía transferencia de fondos JUNJI, y que se encuentren con licencias médicas, el total de sus remuneraciones, debiendo regularizar la situación de los mismos, y precisa lo que indica*». **(ID Dictamen:** 035698N16. **Fecha:** 13-05-2016. **Destinatarios: Chris Parra Riffo, Presidenta de la «Asociación de Funcionarios Jardines Infantiles y Salas Cunas Vía Transferencia de Fondos Paine».** Texto: Municipalidad debe enterar a los asistentes de la educación que laboran en jardines infantiles municipales financiados vía transferencia de fondos JUNJI, y que se encuentren con licencias médicas, el total de sus remuneraciones, debiendo regularizar la situación de los mismos, y precisa lo que indica. **Acción:** Aplica dictámenes 22138/2015, 67599/2010, 819/2016).

13. «*En consecuencia, atendido lo expresado, ese municipio deberá, por una parte, proceder al entero inmediato de las bonificaciones que se le adeudan a la afectada, y por otra, adoptar las medidas pertinentes para el cobro de la suma precedentemente señalada, informando a este Organismo de Control de ambas actuaciones, en el plazo de 15 días hábiles contados desde la recepción del presente oficio*». **(ID Dictamen:** 024591N16. **Fecha:** 01-04-2016. **Destinatarios:** Municipalidad de Viña del Mar y doña María América Barrera Navarro. **Texto:** Cálculo de la bonificación por retiro voluntario de la ley Nº 20.649, debe considerar el promedio de las remuneraciones mensuales de los 12 meses inmediatamente anteriores al cese. No procede descontar del monto de ese beneficio sumas adeudadas por concepto de remuneraciones indebidamente percibidas. **Acción:** Aplica dictamen 17847/2015).

14. «*A su vez, es dable manifestar que, el artículo 38 de la ley Nº 19.070, Estatuto de los Profesionales de la Educación, define lo que se entiende por licencia médica y prescribe que durante su vigencia los profesionales de la educación continuarán gozando del total de sus remuneraciones, al igual como lo establece el artículo 110 de la ley Nº 18.883, Estatuto Administrativo para Funcionarios Municipales.*
Al respecto, resulta oportuno destacar, que el dictamen Nº 23.792, de 2010, de esta Contraloría General, dirigido al Ministerio de Educación, precisó que la aludida bonificación es de naturaleza remuneratoria, por lo que se les debe pagar a los funcionarios que, cumpliendo los requisitos para percibirla, se encuentren haciendo uso de licencia médica, razón por la cual, además, no corresponde que perciban el subsidio por incapacidad laboral, establecido en el decreto con fuerza de ley Nº 44, de 1978, del Ministerio del Trabajo y Previsión Social, de parte de la pertinente institución de salud.
En este orden de ideas, es útil anotar, que tal como lo ha expresado el dictamen Nº 25.365, de 2012, de este Órgano de Control, el pago del beneficio en comento no se encuentra condicionado a la observancia de ciertos trámites entre el municipio y el Ministerio de Educación, sin perjuicio de las gestiones indispensables para obtener de esa Secretaría de Estado, los recursos necesarios para su ulterior financiamiento, por lo que cumplidos los requisitos para obtener el señalado bono, los docentes que tengan derecho al mismo, podrán exigir su entero al respectivo sostenedor, el que está obligado a su pago». (**ID Dictamen:** 050639N12 **Fecha:** 17.08.2012 **Destinatarios:** Alcalde de la Municipalidad de la Cisterna. **Texto:** Sobre pago de la bonificación de reconocimiento profesional a docente que se encontraba haciendo uso de licencia médica. **Acción** aplica dictámenes 23792/2010, 25365/2012. Mismo criterio aplicado en **ID Dictamen: 034627N12**[250] **Fecha:** 12.06.2012 **Destinatarios:** Alcalde de la Municipalidad de Lo Espejo. **Texto:** Sobre pago de Bono de Reconocimiento Profesional a docente que se encontraba haciendo uso de licencia médica. **Acción:** Aplica dictámenes 42316/2009, 56554/2009, 23792/2010)

15. «*Además, es necesario considerar que de conformidad con el artículo 110 de la ley Nº 18.883 —disposición aplicable en la especie, según lo establecido en el aludido artículo 4º de la ley Nº 19.464—, sólo se consideran para el cómputo del respectivo plazo de seis meses, las licencias médicas válidas, es decir, aquellas que producen todos los efectos que el ordenamiento jurídico les atribuye, por lo que —como esta Entidad Fiscalizadora lo ha precisado en los dictámenes Nºs. 19.473, de 1992, y 58.934, de 2005—, los permisos médicos que por distintos motivos no fueren autorizados*

---

[250] Para efectos de su consulta en la Base de Jurisprudencia de Contraloría General de la República, el citado dictamen se encuentra en la sección/materia: «generales», sin perjuicio de que se trata de uno de carácter municipal.

por la institución de salud previsional que corresponda, no son útiles para estimar que un funcionario tiene salud incompatible con el cargo». (**ID Dictamen: 000059N12 Fecha:** 02.01.2012 **Destinatarios:** Alcalde de la Municipalidad de Independencia. **Texto:** Observa decreto 460/2011, de la Municipalidad de Independencia, que declara vacante el cargo de asistente de la educación, y atiende reclamo de ilegalidad en su contra. **Acción:** Aplica dictámenes 60614/2008, 13255/2011, 19473/92, 58934/2005, 39809/2007, 43781/2009, 38312/2007, 14852/2010)

16. «*Quinto: Que, en consonancia con lo anterior, **nuestra legislación interna consagra la protección de la maternidad** en el Código del Trabajo, a partir del artículo 194, normativa que, por expreso mandato del legislador, se aplica por igual a todos los trabajadores, de momento que quedan sujetos a ella los servicios de la administración pública, los servicios semifiscales, de administración autónoma, de las municipalidades y todos los servicios y establecimientos, cooperativas o empresas industriales, extractivas, agrícolas o comerciales, sean de propiedad fiscal, semifiscal, de administración autónoma o independiente, municipal o particular o perteneciente a una corporación de derecho público o privado. Así las cosas, se trata de un beneficio de carácter universal, cuyas beneficiarias pueden pertenecer tanto al sector público —cuyo es el caso de autos— como al privado.*

Sexto: Que dicha normativa resguarda el embarazo, la recuperación física luego del parto, el apego y el cuidado del hijo recién nacido, contemplando como derechos de la madre trabajadora, entre otros, un descanso de maternidad, pre y post nacimiento, "ordinario" así como uno suplementario, en los casos de enfermedad comprobada, y el pago de un subsidio equivalente a la totalidad de las remuneraciones y asignaciones que perciba, con las deducciones que la ley precisa durante dichos periodos.

Séptimo: Que, en ese contexto, es posible afirmar que la acción realizada por la recurrida no ha respetado la normativa que regula la protección de la maternidad, tanto a nivel legal como supra legal, toda vez que su actuar ha significado poner término a los servicios de la recurrente justamente en el periodo en que la ley —en consonancia con el ordenamiento internacional— persigue garantizar a la madre su tranquilidad económica y emocional con miras a proteger la vida y mejor desarrollo del ser que está por nacer.

*Noveno: Que, en efecto, el **hecho de notificar a la recurrente, madre trabajadora, la medida disciplinaria de destitución, mientras se encontraba con licencia por enfermedad a consecuencia del embarazo, involucra afectar un derecho constitucional, desde que tal medida pretende hacerse efectiva en un lapso que nuestro ordenamiento jurídico busca cautelar, en procura de valores superiores.** Se compromete así el normal desarrollo del embarazo, la estabilidad emocional de la madre y la posibilidad cierta de contar con los medios económicos que permitan hacer frente a los gastos derivados de la maternidad y del cuidado del hijo, lo que se traduce en una limitación a la garantía constitucional que consagra el numeral uno del artículo número 19 de la Constitución Política de la República, en lo que se refiere a la integridad física y síquica, tanto de la madre como del hijo.*

*Séptimo: Que, ahora bien, no puede desconocerse que cuando la autoridad administrativa lleva a cabo su función disciplinaria cumple con un derecho/deber que la legalidad le impone. De hecho, escapa al ámbito de esta acción constitucional juzgar el mérito o justificación de la medida de destitución adoptada respecto de la recurrente. Empero, **los derechos tutelares de la maternidad corresponden a mínimos garantizados que —en coherencia con las obligaciones asumidas a nivel internacional y en ese carácter elemental— cabe reconocer a toda madre trabajadora del sector público,** incluyéndose en ello los casos en que los servicios terminen como consecuencia de una medida de destitución aplicada en un sumario administrativo afinado. Así las cosas, lo que esta Corte debe discernir es la necesidad de que la sanción aludida deba ejecutarse de inmediato, con prescindencia del estado de embarazo de la funcionaria recurrente. En concreto, si existe una posibilidad alternativa para que la destitución pueda llevarse a cabo, sin que ello importe dañar el núcleo esencial de los derechos fundamentales de la madre y del hijo neonato. En ese ejercicio de ponderación, ha de concluirse que las funciones o fines de orden disciplinario deben replegarse en beneficio del derecho que ha de prevalecer en este caso, es decir, el que cautela la maternidad, en cuanto inspirado en la conservación de los ingresos de la mujer, de manera de garantizarle durante dicho periodo la estabilidad económica y emocional que resulta imprescindible, del modo que más adelante se especifica.*

Octavo: Que, por ende, en cuanto la destitución de la recurrente comporta una ejecución inmediata, se tiene que ese acto deviene en ilegalidad, afectándose de esa manera los derechos y garantías que reconocen el numeral primero del artículo 19 de la Constitución Política. En tales condiciones, cabe hacer lugar al recurso interpuesto, disponiéndose que la medida disciplinaria de destitución de la madre trabajadora recurrente, sólo podrá llevarse a efecto una vez que haya expirado el descanso de maternidad que establece el artículo 195 del Código del Trabajo»[251] (**Corte de Santiago Rol**

---

[251] Transcripción textual de la cita.

Nº 9557-2012 Fecha: 26.07.2012. **Sala:** Pronunciada por la Octava Sala de la Iltma. Corte de Apelaciones de Santiago, presidida por el Ministro señor Leopoldo Andrés Llanos Sagristá e integrada por la Ministro señora Adelita Ravanales Arriagada y por la Abogada Integrante señora Claudia Schmidt Hott.- «Se confirma la sentencia apelada de fecha veintiséis de julio de dos mil doce» en **CS Rol Nº 6104-2012 Fecha:** 13.09.2012 **Sala:** Pronunciado por la Tercera Sala de esta Corte Suprema integrada por la Ministro Sra. María Eugenia Sandoval G., los Ministros Suplentes Sr. Carlos Cerda F., y Sra. Dinorah Cameratti R., y los Abogados Integrantes Sr. Jorge Baraona G., y Sr. Alfredo Prieto B).

Artículo 111

La declaración de irrecuperabilidad de los funcionarios afiliados a una Administradora de Fondos de Pensiones será resuelta por la Comisión Médica competente, en conformidad con las normas legales que rigen a estos organismos, disposiciones a las que se sujetarán los derechos que de tal declaración emanan para el funcionario.

1. «*Comisiones médicas previstas en el decreto ley Nº 3.500, de 1980, pueden pronunciarse sobre la irrecuperabilidad de un funcionario que ya ha cumplido la edad para jubilar, con la única finalidad de obtener el beneficio establecido en el artículo 149 de la ley Nº 18.883, prescindiendo de efectuar una declaración de invalidez*». (**ID Dictamen:** 027161N18. **Fecha:** 31-10-2018. **Destinatarios:** Superintendencia de Pensiones. **Texto:** Comisiones médicas previstas en el decreto ley Nº 3.500, de 1980, pueden pronunciarse sobre la irrecuperabilidad de un funcionario que ya ha cumplido la edad para jubilar, con la única finalidad de obtener el beneficio establecido en el artículo 149 de la ley Nº 18.883, prescindiendo de efectuar una declaración de invalidez. **Acción:** Aplica dictamen 23985/2009).

2. «*En este contexto, es necesario informar que resultó procedente que la Municipalidad de Santiago notificara a doña Elisabeth Soto Guajardo, personalmente el 28 de agosto del presente año, el aludido pronunciamiento emitido por la Comisión Médica Central de la Superintendencia de Pensiones, en su calidad de organismo competente en el presente caso, comunicándole que en cumplimiento de lo ordenado por el comentado artículo 149 y en virtud de la declaración de invalidez dictaminada respecto de la interesada, procede a liberarla del desempeño de su empleo por el lapso de seis meses, contado desde esa notificación, con derecho al pago de sus remuneraciones hasta el 1 de marzo de 2010, a cuyo término se producirá, por mandato legal, el término de su relación laboral con el municipio*». (**ID Dictamen:** 066618N09 **Fecha:** 30.11.2009 **Destinatarios:** Elisabeth Soto Guajardo. **Texto:** Docente cuya salud es declarada irrecuperable, debe retirarse del municipio dentro del plazo de 6 meses desde la notificación de la resolución que lo declara y si no se retira la municipalidad debe dictar el decreto que declare la vacancia del empleo. Esta declaración afecta todos los empleos compatibles y le impide incorporarse a la Administración del Estado, salvo que se solicite la revocación. **Acción:** Aplica dictámenes 48084/2004, 26746/2009, 15035/2000)

Artículo 112

La declaración de irrecuperabilidad afectará a todos los empleos compatibles que desempeñe el funcionario y le impedirá reincorporarse a la Administración del Estado.

1. «*El Departamento de Previsión Social y Personal de esta Contraloría General ha solicitado un pronunciamiento acerca de la interpretación del nuevo inciso tercero del artículo 151 de la ley Nº 18.834, sobre Estatuto Administrativo —introducido por el artículo 63 de la ley Nº 21.050—, en relación con el artículo 112 de ese mismo texto estatutario*». (**ID Dictamen:** 017351N18. **Fecha:** 11-07-2018. **Destinatarios:** El Departamento de Previsión Social y Personal de esta Contraloría General. **Texto:** Nuevos incisos tercero de los artículos 151 de la ley Nº 18.834 y 148 de la ley Nº 18.883, exigen para declarar la salud incompatible una evaluación previa de la comisión de medicina preventiva e invalidez, la que no obsta a la atribución de las comisiones médicas de la Superintendencia de Pensiones para declarar la irrecuperabilidad de los

servidores que se indican. **Acción:** Aplica dictamen 23985/2009 Complementa dictámenes 28713/2011, 2415/2013, 13570/2015, 5014/2016).

2. «*Mediante el oficio Nº 65.273, de 2011, la Superintendencia de Seguridad Social ha remitido a esta Contraloría General la presentación de don Hugo Espinoza Inostroza, ex profesional de la educación dependiente de la Municipalidad de Cabrero, a través de la cual solicita se determine si puede ingresar nuevamente a cargos de dicho municipio o de otras entidades de la Administración Pública, considerando que cesó en sus funciones por declaración de vacancia del cargo por salud irrecuperable. (...)*

Sobre el particular, cabe señalar que el artículo 72, letra h), de la ley Nº 19.070, sobre Estatuto de los Profesionales de la Educación —de acuerdo con el texto vigente a la data de expiración laboral de la especie—, establece, en lo pertinente, que los docentes que forman parte de una dotación docente del sector municipal, dejarán de pertenecer a ella, por salud irrecuperable con el desempeño de su función en conformidad con la ley Nº 18.883, Estatuto Administrativo para Funcionarios Municipales; texto legal este último que, en su artículo 149, inciso primero, preceptúa, que si se hubiere declarado irrecuperable la salud de un funcionario, este deberá retirarse de la municipalidad dentro del plazo de seis meses, contado desde la fecha en que se le notifique la resolución por la cual se declare su irrecuperabilidad. Si transcurrido este plazo el empleado no se retirare, procederá la declaración de vacancia del cargo. (...)

*Como puede advertirse, el mencionado artículo 149, es categórico en ordenar que, en la circunstancia analizada, el funcionario debe retirarse no sólo del cargo que sirve, sino que también de la municipalidad, agregando el artículo 112 que la declaración de irrecuperabilidad afectará a todos los empleos compatibles que desempeñe el servidor y le impedirá reincorporarse a la Administración del Estado, **impedimento que, de acuerdo con lo precisado por este Órgano Contralor en los dictámenes Nºs. 26.746 y 66.618, ambos de 2009, se aplica aunque el empleo al cual el funcionario se pretenda incorporar, se rija por una normativa estatutaria diferente, ya que la ley no distingue y prohíbe, en sentido amplio, la reincorporación a la Administración del Estado.***

*Ahora bien, tal como lo ha concluido la anotada **jurisprudencia administrativa, habiendo mediado la declaración de salud irrecuperable de un exfuncionario, por parte del organismo médico competente, dicho pronunciamiento mantiene su vigencia mientras no sea rectificado o revocado por la misma autoridad que lo emitió**, de manera que el señor Espinoza Inostroza podrá ingresar nuevamente a una entidad de la Administración del Estado, en la medida que obtenga una modificación de tal declaración».* (**ID Dictamen:** 001717N12 **Fecha:** 10.01.2012 **Destinatarios:** Hugo Espinoza Inostroza. **Texto:** Si el organismo médico competente que emitió declaración de salud irrecuperable de funcionario la rectifica o revoca, el servidor puede reingresar a la administración. **Acción:** Aplica dictámenes 26746/2009, 66618/2009)

PÁRRAFO 6º DE LAS PRESTACIONES SOCIALES

Artículo 113

En caso de que un funcionario fallezca, el cónyuge o conviviente civil sobreviviente, los hijos o los padres, en el orden señalado, tendrán derecho a percibir la remuneración que a éste correspondiere, hasta el último día del mes en que ocurriere el deceso.

1. «*La Contraloría Regional de Coquimbo ha remitido la presentación de la Municipalidad de Combarbalá, a través de la cual consulta acerca de la procedencia de enterar el pago de la remuneración del mes de septiembre de 2016 y de la asignación de mejoramiento de la gestión municipal, a la viuda del exservidor Roberto Araya Cortés, quien haciendo uso de licencias médicas desde el 11 de julio hasta el 9 de agosto, y desde el 10 de agosto hasta el 8 de septiembre del año 2016, falleció el 1 de septiembre de la citada anualidad*». (**ID Dictamen:** 038151N17. **Fecha:** 30-10-2017. **Destinatarios:** Municipalidad de Combarbalá. **Texto:** Municipio deberá pagar a la viuda de exfuncionario la remuneración y asignación de mejoramiento de la gestión municipal considerando el mes de septiembre de 2016 como íntegramente trabajado. **Acción:** Aplica dictámenes 35717/2014, 26659/2006, 51906/2015, 27862/2016).

2. «*Finalmente, es menester destacar que los **artículos 113** y 17 transitorio, ambos de la **ley Nº 18.883 —Estatuto Administrativo para Funcionarios Municipales—, no son aplicables al caso sometido al conocimiento de este Organismo Superior, como entiende la peticionaria, ya que el artículo 4º de la ley Nº 19.464 es claro, en el sentido de que el personal asistente de la educación de los establecimientos educacionales administrados directamente por***

las municipalidades, sólo estarán afectos a las normas de la aludida ley Nº 18.883 en cuanto a permisos y licencias médicas, a diferencia de la materia abordada en la preceptiva descrita». **(ID Dictamen: 062430N08 Fecha:** 13.12.2008 **Destinatarios:** Alcalde Municipalidad de Pedro Aguirre Cerda. **Texto:** Viuda de asistente de la educación de establecimiento educacional municipal puede percibir, como heredera, la bonificación por retiro voluntario y su incremento, establecidos en los artículos 1 y 2 transitorios de la ley 20244. Ello, porque el ex servidor formalizó por escrito antes de que expiraran los noventa días siguientes a la fecha de publicación de la referida norma, su intención de acogerse a la bonificación, acreditando con el correspondiente certificado que tenía 66 años de edad. No tiene derecho al pago de la indemnización por años de servicio, porque el inc./3 del art. 1 tan señalado, determina la incompatibilidad de dicha indemnización con cualquier otra que, por término de relación laboral o por años de servicio en el sector municipal, pudiere corresponder al personal asistente de la educación, cualquiera fuere su origen y a cuyo pago concurra el empleador. No obstante, si el trabajador hubiere pactado con su empleador una indemnización a todo evento cuyo monto fuere mayor, podrá optar por esta última. Al personal aludido sólo se le aplica la ley 18883 tratándose de permisos y licencias médicas, por tanto, la viuda no tiene derecho a los beneficios señalados en los artículos 113 y 17 tran de este estatuto. **Acción:** Aplica dictamen 50446/2008)

Artículo 114

El funcionario que se accidentare en actos de servicio o se enfermare a consecuencia o con ocasión del desempeño de sus funciones tendrá derecho a obtener la asistencia médica correspondiente hasta su total recuperación.

Se entenderá por accidente en acto de servicio toda lesión que el funcionario sufra a causa o con ocasión del trabajo, que le produzca la muerte o la incapacidad para el desempeño de sus labores, según dictamen de la Comisión Médica de Medicina Preventiva e Invalidez del Servicio de Salud correspondiente.

Se entenderá por enfermedad producida a consecuencia del desempeño de las funciones aquella que, según dictamen de la Comisión Médica de Medicina Preventiva e Invalidez del Servicio de Salud que corresponda, tenga como causa directa el ejercicio de las funciones propias del empleo. Su existencia se comprobará con la sola exhibición de este dictamen.

La asistencia médica señalada en el inciso primero, comprenderá el pago por parte de la municipalidad empleadora, de los gastos provenientes de la atención médica, hospitalaria, quirúrgica, dental, ortopédica y de todos los medios terapéuticos y auxiliares relativos al tratamiento prescrito para la recuperación del funcionario, hasta que éste sea dado de alta o declarado imposibilitado para reasumir sus funciones, por la entidad de salud competente.

Los procedimientos, condiciones, modalidades y valor de las prestaciones médicas, hospitalarias, quirúrgicas, dentales, ortopédicas y de todos los medios terapéuticos y auxiliares relativos al tratamiento prescrito para la recuperación del funcionario serán determinados, sin ulterior reclamo, por el Servicio de Salud pertinente, y el alcalde ordenará sin más trámite el pago señalado por dicho Servicio.

La ocurrencia de un accidente en acto de servicio deberá ser comprobada por investigación sumaria, la que deberá iniciarse a más tardar dentro de los diez días posteriores a aquel en que se haya producido el hecho.

Se considerarán también accidentes en actos de servicio los que sufra el funcionario en el trayecto de ida o regreso entre su residencia y su lugar de trabajo.

1. «*Se ha dirigido a esta Contraloría General la señora María Eliana Cavieres Sepúlveda, exfuncionaria de la Municipalidad de Recoleta, recurriendo en contra del decreto alcaldicio Nº 1.329, de 4 de mayo de 2016, que declaró la vacancia de su cargo por salud incompatible, toda vez que, según su parecer, la licencias médicas de las que ha hecho uso obedecerían a una enfermedad de origen laboral, adjuntando para ello un certificado de la Comisión de Medicina*

Preventiva e Invalidez —en adelante, COMPIN— emitido el 21 de diciembre de 2005, que indica que la ocurrente padece una enfermedad profesional, razón por la cual estima que no habría correspondido computar los días de reposo de que hiciere uso con posterioridad a esa data para los efectos de adoptar dicha determinación». (**ID Dictamen:** 071319N16. **Fecha:** 30-09-2016. **Destinatarios: María Eliana Cavieres Sepúlveda, exfuncionaria de la Municipalidad de Recoleta.** **Texto:** Declaración de vacancia por salud incompatible se ajustó a derecho, ya que las licencias médicas que la motivaron tuvieron su origen en una enfermedad común. **Acción:** Aplica dictámenes 5014/2016, 22346/2015, 58934/2005).

2. «*Se ha dirigido a esta Contraloría General la señora Mónica Garrido Díaz, exfuncionaria de la Municipalidad de Recoleta, recurriendo en contra del decreto alcaldicio Nº 1.329, del año 2016, que declaró la vacancia de su cargo por salud incompatible, toda vez que, según su parecer, las licencias médicas en que se fundamenta tal determinación obedecerían a una enfermedad de origen laboral por haber sido víctima de hostigamiento por parte de sus jefaturas, lo que la habría llevado a sufrir una patología "en términos psicológicos", solicitando, además, un pronunciamiento en orden a si la dolencia que aquella padece tiene por causa su trabajo».* (**ID Dictamen:** 070289N16. **Fecha:** 27-09-2016. **Destinatarios: Mónica Garrido Díaz, exfuncionaria de la Municipalidad de Recoleta. Texto:** Declaración de vacancia por salud incompatible se ajustó derecho, ya que las licencias médicas que la motivaron tuvieron su origen en una enfermedad común. **Acción:** Aplica dictámenes 5014/2016, 61649/2016).

3. «*Se ha dirigido a esta Contraloría General el señor Patricio Raffo Guzmán, exfuncionario de la Municipalidad de Quilicura, reclamando en contra del decreto alcaldicio Nº 3.386, de 9 de diciembre de 2015, que declaró la vacancia de su cargo por salud incompatible, ya que, a su juicio, las enfermedades que dieron origen a las respectivas licencias médicas son de carácter profesional. Agrega, que el acto administrativo que dispuso el mencionado cese de funciones no indica los supuestos de hecho en que se basa, lo que lo invalidaría».* (**ID Dictamen:** 027862N16. **Fecha:** 14-04-2016. **Destinatarios: Patricio Raffo Guzmán, exfuncionario de la Municipalidad de Quilicura. Texto:** Acoge reclamo de exfuncionario municipal, únicamente, en lo referido a la asignación de mejoramiento de la gestión municipal dispuesta en la ley Nº 19.803; y se ajustó a derecho la declaración de vacancia de su cargo por salud irrecuperable. **Acción:** Aplica dictámenes 69759/2015, 21236/2015, 42796/2014, 51906/2015, 42862/2009, 29076/2013, 3458/2001, 60472/2010).

4. «*Declaración de vacancia por salud incompatible se ajustó a derecho, ya que las licencias médicas que la motivaron tuvieron su origen en una enfermedad común; desestima reclamo por hostigamiento laboral».* (**ID Dictamen:** 005014N16. **Fecha:** 20-01-2016. **Destinatarios: Carola Bravo Vargas, exfuncionaria del Centro de Salud Familiar Doctor Fernando Monckeberg, de la Municipalidad de Peñaflor. Texto:** Declaración de vacancia por salud incompatible se ajustó a derecho, ya que las licencias médicas que la motivaron tuvieron su origen en una enfermedad común; desestima reclamo por hostigamiento laboral. **Acción:** Aplica dictamen 69759/2015, 2292/2014).

5. «*Sobre el particular, cabe señalar que el citado artículo 148, confiere al alcalde la facultad de considerar como salud incompatible con el desempeño del cargo, el haber hecho uso de licencia médica en un lapso continuo o discontinuo superior a seis meses en los dos últimos años, sin mediar una declaración de salud irrecuperable, **siendo improcedente considerar para tal cómputo las licencias por accidentes del trabajo y de origen laboral, a que se refiere el artículo 114 de la misma ley**, y aquellas a que alude el Título II, del Libro II, del Código del Trabajo, sobre Protección a la Maternidad».* (**ID Dictamen: 030967N12**[252] **Fecha:** 28.05.2012 **Destinatarios:** Mónica Cornejo Hernández. **Texto:** Sobre término de relación laboral de docente de la Municipalidad de Santiago por salud incompatible **Acción:** Aplica dictámenes 22910/2010, 44470/2010, 9601/2005, 48994/2008, 78010/2010. Mismo criterio aplicado en **ID Dictamen: 001740N12**[253] **Fecha:** 10.01.2012 **Destinatarios:** Alcalde la Municipalidad de La Pintana. **Texto:** Debe rechazarse la reclamación de ilegalidad formulada en contra de la dictación del dto 2060/2011, de Municipalidad, por haberse acreditado la concurrencia de los requisitos que configuran la causal de desvinculación laboral por salud incompatible con el desempeño del cargo. **Acción:** Aplica dictámenes 37971/2009, 13252/2010; **ID Dictamen: 001549N12 Fecha:** 10.01.2012 **Destinatarios:** Alcalde de la Municipalidad de Maipú. **Texto:** Sobre declaración de vacancia de cargo de funcionaria

---

[252]   Para efectos de su consulta en la Base de Jurisprudencia de Contraloría General de la República, el citado dictamen se encuentra en la sección/materia: «generales», sin perjuicio de que se trata de uno de carácter municipal.

[253]   Para efectos de su consulta en la Base de Jurisprudencia de Contraloría General de la República, el citado dictamen se encuentra en la sección/materia: «generales», sin perjuicio de que se trata de uno de carácter municipal.

regida por la ley 19378, por salud incompatible con el desempeño del mismo. Reconsiderado por dictamen 34107/2012. **Acción:** Aplica dictámenes 20072/2007, 46236/2011, 32148/97; **ID Dictamen: 070101N11**[254] **Fecha:** 08.11.2011 **Destinatarios:** Alcalde Municipalidad de Lo Prado. **Texto:** Reclamo por decreto de la Municipalidad de Lo Prado que declara vacante cargo por salud incompatible con su desempeño. **Acción:** Aplica dictámenes 47446/2009, 13252/2010; **ID Dictamen: 059960N11**[255] **Fecha:** 21.09.2011 **Destinatarios:** Rosa Rivera Martínez. **Texto:** Bonificación por retiro voluntario para profesionales de la educación de la ley 20158, no le corresponde a docente que se desvinculó por salud incompatible con el desempeño de la función ya que dicho beneficio favorece a quienes, entre otros requisitos, cesaran en sus funciones por renuncia voluntaria. **Acción:** Aplica dictámenes 25960/2009, 51688/2010, 78010/2010, 48737/2009; **ID Dictamen: 036936N11**[256] **Fecha:** 10.06.2011 **Destinatarios:** Ricardo Vargas Medina. **Texto:** Sobre pronunciamiento relativo a la declaración de vacancia por salud incompatible, calificaciones y término de procedimiento disciplinario incoado contra funcionario municipal. **Acción:** aplica dictámenes 72803/2009, 69879/2010, 60472/2010; e **ID Dictamen: 000025N11 Fecha:** 03.01.2011 **Destinatarios:** Presidente de la Corte de Apelaciones de Santiago. **Texto:** Informa Recurso de Protección Rol de Ingreso Corte Nº 7.705, de 2010, interpuesto por doña Jeanette Guerrero Carrillo. **Acción:** aplica dictámenes 42851/2007, 46174/2007, 41754/2008, 57451/2009, 15915/2010, 60370/2010)

Artículo 115

Si se declarare la irrecuperabilidad del funcionario con motivo de un accidente en acto de servicio o por una enfermedad producida por el desempeño de sus funciones, éste tendrá derecho, cualquiera sea el tiempo servido, a una pensión equivalente a aquella que hubiere percibido en las mismas circunstancias de encontrarse cotizando en el Instituto de Normalización Previsional.

Los beneficiarios de pensiones de sobrevivencia de un funcionario que falleciere a consecuencia de un accidente en acto de servicio o por una enfermedad producida a consecuencia del desempeño de dichas funciones, tendrán derecho por partes iguales a una pensión de viudez u orfandad, en su caso. La pensión será equivalente al setenta y cinco por ciento de la que le habría correspondido al causante si se hubiere incapacitado como consecuencia del accidente o de la enfermedad.

Las pensiones a que se refieren los dos incisos precedentes, serán de cargo de la municipalidad empleadora, pero la entidad previsional respectiva, concurrirá al pago con la cantidad que le corresponda de acuerdo con la ley.

Cuando el accidente en acto de servicio se produzca fuera del lugar de la residencia habitual del funcionario y hubiere necesidad, calificada por el alcalde de la municipalidad respectiva, de que un miembro de la familia, o la persona que el funcionario señale, se dirija al lugar en que éste se encuentra, la municipalidad le pagará los pasajes de ida y regreso.

Si de la enfermedad o accidente derivare el fallecimiento, los gastos del traslado del funcionario fallecido, y de su acompañante si lo hubiere, serán de cargo de la municipalidad correspondiente.

---

[254] Para efectos de su consulta en la Base de Jurisprudencia de Contraloría General de la República, el citado dictamen se encuentra en la sección/materia: «generales», sin perjuicio de que se trata de uno de carácter municipal.

[255] Para efectos de su consulta en la Base de Jurisprudencia de Contraloría General de la República, el citado dictamen se encuentra en la sección/materia: «generales», sin perjuicio de que se trata de uno de carácter municipal.

[256] Para efectos de su consulta en la Base de Jurisprudencia de Contraloría General de la República, el citado dictamen se encuentra en la sección/materia: «generales», sin perjuicio de que se trata de uno de carácter municipal.

Lo dispuesto en los incisos anteriores y en el artículo precedente, se aplicará a los funcionarios que no estén afectos a las normas de la ley N° 16.744.

«En la situación de la especie y atendidos los antecedentes aportados por el municipio ocurrente, doña IVM pudo disfrutar de dicha pensión sólo por el lapso de un año, por no cumplir las exigencias que le hubieran permitido conservarla indefinidamente, por lo que ha recurrido ante el empleador de su cónyuge solicitando el otorgamiento de una **pensión de sobrevivencia, de acuerdo con lo dispuesto en el artículo 115 de la ley N° 18.883***, precepto que, en lo que interesa, establece que los beneficiarios de pensión de sobrevivencia de un funcionario que fallece a consecuencia de un accidente en acto de servicio o por una enfermedad producida a consecuencia del desempeño de las mismas labores, tendrán derecho, por partes iguales, a una pensión de viudez u orfandad, según corresponda. La pensión equivale al 75% de la que le habría correspondido al causante si se hubiera incapacitado como consecuencia del accidente o de la enfermedad. Además, el inciso final de este artículo establece que lo dispuesto en él y en el artículo 114 de la ley N° 18.883 se aplicará a los funcionarios que no estén afectos a las normas de la ley N° 16.744.*

A este respecto, cabe recordar que la normativa de los referidos **artículos** *114 y* **115 del Estatuto de los empleados municipales** *es similar a la que se aplicaba a los servidores de la Administración Civil del Estado, regidos por la ley N° 18.834 y que estaba contenida en sus artículos 110 y 111, en relación con los cuales la jurisprudencia de esta Contraloría General, sustentada, entre otros, en el dictamen N° 30.257, de 1996, ha concluido que las normas establecidas en los artículos 110 y 111 de la ley N° 18.834, sobre accidentes del trabajo y enfermedades profesionales han perdido su vigor desde el 1 de marzo de 1995, fecha en que entró a regir la ley N° 19.345, que sujetó a los trabajadores de la Administración Civil del Estado, centralizada y descentralizada y de las entidades que indica —entre ellos, a los de las municipalidades— al seguro contra riesgos de accidentes del trabajo y enfermedades profesionales establecido por la ley N° 16.744,* **predicamento que también cabe aplicar tratándose de los artículos** *114 y* **115 de la ley N° 18.883***.*

Ahora bien, no obstante lo anterior, es del caso señalar que la citada ley N° 19.345, en su artículo 5º, contiene una norma de protección para aquellos trabajadores que se encontraban en servicio a la fecha de su vigencia —1 de marzo de 1995— y que sufran un accidente del trabajo o una enfermedad profesional que los incapacite en un porcentaje igual o superior al 70% o que les cause la muerte, disponiendo que en estos casos el trabajador tendrá derecho a que la pensión mensual que le correspondiere conforme a la ley 16.744 no podrá ser de un monto inferior a la que le hubiere correspondido percibir en las mismas circunstancias de haberse aplicado las normas por las que se regían en esta materia con anterioridad a la fecha de entrada en vigencia de la presente ley —es decir, en este caso, la del **artículo 115 de la ley N° 18.883***— para cuyo efecto el organismo administrador efectuará los cálculos respectivos, y si la resultante es mayor que la de la ley N° 16.744, la diferencia será de cargo fiscal.*

En la situación especial que ella regula, esta norma excepcional exige como condición que el trabajador causante del beneficio haya estado en servicio el 1 de marzo de 1995 —fecha de vigencia de la ley N° 19.345— e implica que la pensión debe otorgarse de acuerdo con las normas de la ley N° 16.744, pero su monto mensual no puede ser inferior a la que le habría correspondido al beneficiario de conformidad con la normativa aplicable antes de esa fecha, en este caso el artículo 115 de la ley N° 18.883, de modo que si ésta resulta superior a aquélla, el organismo administrador de la ley N° 16.744 —que puede ser la respectiva Caja de Previsión o una Mutualidad de Empleadores— debe pagar su valor y cobrar la diferencia al Fisco. En el evento contrario, obviamente, el beneficiario recibirá el monto de pensión que le corresponda, conforme a esta última ley. Todo ello de acuerdo con el texto íntegro del artículo 5º de la ley N° 19.345.

En el caso que se analiza, sin embargo, y de acuerdo con los antecedentes que en relación con el ex servidor individualizado existen en este Organismo Contralor, se ha podido comprobar que sus funciones en dicho municipio se realizaron solamente desde el 1 de febrero de 1997 hasta el 6 de septiembre de 1998, día éste en que falleció, razón por la cual sólo es posible concluir, entonces, que a doña IVM no le asiste el derecho a configurar pensión conforme al artículo 5º de la ley N° 19.345, ya que al 1 de marzo de 1995, su cónyuge no se encontraba en servicio, así como tampoco es posible concederle ese beneficio en virtud del artículo 115 de la ley N° 18.883, como se ha solicitado, por ser inaplicable esta norma en la especie». (**ID Dictamen: 022402N01 Fecha:** 18.06.2001 **Destinatarios:** Alcalde Municipalidad Santo Domingo. **Texto:** cónyuge sobreviviente de funcionario municipal quien ejerció funciones entre el 1/2/97 y el 6/9/98, fecha en que falleció en actos del servicio, no tiene derecho a configurar pensión de viudez acorde art. 115 de ley 18883, ni a la del art. 5 de ley 19345. Ello, porque la recurrente accedió, al fallecer su cónyuge, a la pensión que el art. 44 de ley 16744 otorga a la viuda mayor de 45 años o inválida de cualquier edad del fallecido en accidente en acto de servicio, equivalente a los montos que indica; el beneficio también alcanza a la viuda menor de esa edad, durante un año prorrogable por todo el tiempo que mantenga a su cuidado hijos legítimos, causantes de asignación familiar, transformándose la franquicia en vitalicia si al término de ese plazo o su prorroga cumple 45 años. La recurrente disfrutó de la franquicia del art. 44 por un ano, dado que no reunía los requisitos para conservarla indefinidamente. Enseguida, conforme art. 115 de ley 18883, los beneficiarios de pensión de sobrevivencia de un funcionario que fallece en acto de servicio o por enfermedad producida a consecuencia del desempeño de las mismas labores, tendrán derecho, por partes iguales, a pensión de viudez u orfandad, disposición que se aplicara a quienes no estén afectas a las normas de la ley 16744. Por su parte, dictamen 30257/96, referido a los artículos 110 y 111 de ley 18834, normas similares a los artículos 114 y 115 de ley 18883, señaló que desde el 1/3/95, fecha de vigencia de ley 19345, que sometió a los trabajadores de la administración civil del estado, centralizada y descentralizada y entidades que indica a la ley 16744, las disposiciones de los estatutos citados no son aplicables, en materias de accidentes del trabajo y enfermedades profesionales. No obstante lo anterior, conforme art. 5 de ley 19345, los trabajadores en servicio al 1/3/95, cuyo no es el caso del causante, y que sufran un accidente en acto del servicio o enfermedad profesional que los incapacite en los porcentajes que menciona o les cause muerte, tendrán derecho a que la pensión mensual que les correspondería conforme ley 16744 no sea inferior a la que les habría correspondido percibir en iguales circunstancias de haberse aplicado las normas que los regían con anterioridad, y la diferencia seria de cargo fiscal, disposición que tampoco se aplica a la recurrente, dada la data de ingreso al servicio de su cónyuge. **Acción:** aplica dictamen 30257/96)

Artículo 116

Los funcionarios tendrán derecho a afiliarse a los Servicios de Bienestar, en los casos y condiciones que establezcan sus estatutos. Además podrán afiliarse a los Servicios de Bienestar Regionales, que se establecen en el artículo 112 del Estatuto Administrativo.

Las municipalidades efectuarán los aportes de bienestar respecto de cada funcionario, sin sobrepasar el máximo legal de los mismos.

Artículo 117

El funcionario tendrá derecho a asignaciones familiares y maternal, de acuerdo con la legislación vigente.

Capítulo IV
De la responsabilidad de los funcionarios municipales

I. Investigación sumaria y sumario administrativo

Normativa:

- **Nacional**: Artículos 1 inciso cuarto, 5, 6, 7 y 38 Constitución Política de la República; artículos 126 al 145 del Estatuto Administrativo; artículo 28 de la Ley N° 19.884; artículos 18 y 46 de la Ley N° 18.575, Orgánica Constitucional de Bases Generales de la Administración del Estado; Ley 18.883, Estatuto Administrativo para los Funcionarios Municipales; Ley 18.834 Estatuto Administrativo; artículo 11 del D.L. N° 799, de 1974, sobre uso y circulación de vehículos estatales; artículos 131 al 139 de la Ley N° 10.336, Orgánica Constitucional de la Contraloría General de la República.

- **Internacional:** artículos 30 al 35 de la Convención de las Naciones Unidas contra la Corrupción; Artículo X de la Convención Interamericana contra la Corrupción.

II. Concepto de responsabilidad administrativa

El inciso segundo del artículo 119 del Estatuto Administrativo, Ley N° 18.834 y el inciso segundo del artículo 118 del Estatuto Administrativo para Funcionarios Municipales, disponen que los funcionarios incurrirán en responsabilidad administrativa cuando la infracción a sus deberes y obligaciones fuere susceptible de la aplicación de una medida disciplinaria, la que deberá ser acreditada mediante investigación sumaria o sumario administrativo.

Por su parte, el inciso tercero del artículo 118 del cuerpo legal citado, agrega que, tratándose del alcalde su responsabilidad administrativa se hará efectiva en conformidad al artículo 76, letra b) de la ley N° 18.695.

En base a esta definición se puede señalar que los elementos que configuran la responsabilidad administrativa son:

1) Infracción de los deberes y obligaciones que establece el Estatuto Administrativo por parte de un funcionario o agente público.

Cabe señalar que, tratándose del personal sujeto al Código del Trabajo, no procede la aplicación de las medidas disciplinarias que contempla el Estatuto Administrativo, pero sí procede aplicar los mecanismos de dicho Código (tales como los artículos 160 o 154 N° 10, en su caso). Es importante resaltar, que la Contraloría General de la República exige realizar una breve investigación sumaria que acredite y fundamente la causal de término del contrato contemplada en el Código del Trabajo y que se pretende aplicar.

2) Existencia de una investigación sumaria o de un sumario administrativo. Ambos son mecanismos creados para establecer la efectividad de las contravenciones, sus circunstancias y la identidad de sus autores, garantizando un proceso justo para las personas investigadas, según establece este Estatuto. La diferencia fundamental entre ambas radica en lo concentrado y abreviado del procedimiento de la investigación sumaria, a diferencia del sumario administrativo que tiene una duración mayor.

3) Aplicación de una medida disciplinaria. Dichas medidas están expresamente señaladas y definidas en los artículos 120 y siguientes del Estatuto Administrativo para Funcionarios Municipales, y corresponden a:

- **La censura**: es la reprensión por escrito que se hace al funcionario, dejándose constancia de ella en la respectiva hoja de vida, mediante una anotación de demérito de dos puntos en el factor de calificación correspondiente.

- **La multa**: es la privación de un porcentaje de la remuneración mensual, la que no podrá ser inferior a un 5% ni superior a un 20% de ésta. En todo caso, el funcionario mantendrá su obligación de servir el cargo.

- **La suspensión**: es la privación temporal del empleo con goce de un 50% hasta un 70% de sus remuneraciones, sin estar facultado el funcionario para hacer uso de las prerrogativas y derechos inherentes a su cargo.

- **La destitución**: La destitución es la decisión del alcalde de poner término a los servicios de un funcionario.

La medida disciplinaria de destitución procederá sólo cuando los hechos constitutivos de la infracción vulneren gravemente el principio de probidad administrativa, y en los siguientes casos:

a) Ausentarse de la municipalidad por más de tres días consecutivos, sin causa justificada;

b) Infringir las disposiciones de las letras i), j) y k) del artículo 82;

c) Infringir lo dispuesto en la letra l) del artículo 82;

d) Condena por crimen o simple delito, y

e) Efectuar denuncias de irregularidades o de faltas al principio de probidad de las que haya afirmado tener conocimiento, sin fundamento y respecto de las cuales se constatare su falsedad o el ánimo deliberado de perjudicar al denunciado.

f) En los demás casos contemplados en este Estatuto o leyes especiales.

El inciso sexto del artículo 124 del Estatuto Administrativo para Funcionarios Municipales, establece que como resultado de una investigación sumaria no puede aplicarse la sanción de destitución, sin perjuicio de los casos contemplados en el mismo Estatuto (como, por ejemplo, los atrasos y ausencias reiteradas en el artículo 69, inciso final).

4) **Extinción de la responsabilidad administrativa**. El artículo 153 del Estatuto Administrativo para Funcionarios Municipales, señala que ésta se extingue por la muerte

del funcionario, por haber cesado éste en sus funciones, por haberse cumplido la sanción y por prescripción de la acción disciplinaria.

Algunas reglas de la prescripción

- Su plazo es de cuatro años contados desde el día en que se hubiere incurrido en la acción u omisión; pero, si hay hechos constitutivos de delito, la acción prescribe conjuntamente con la acción penal (art. 154)
- Se interrumpe si el funcionario incurre nuevamente en falta administrativa. En tal caso, el tiempo ya transcurrido se pierde.
- Se suspende desde que se formulan cargos en el sumario o investigación sumaria respectiva.
- Continúa corriendo el plazo, como si no se hubiese interrumpido, si el proceso administrativo se paraliza por más de dos años o si transcurren dos calificaciones funcionarias sin que haya sido sancionado.

Es importante señalar además, que el investigador sumariante o el fiscal sumariante, según sea el caso, están facultados para declarar la prescripción.

III. Principios que rigen la responsabilidad administrativa

La jurisprudencia de la Contraloría General de la República y la doctrina han ido moldeando, sobre la base de las normas vigentes, una serie de principios aplicables a la responsabilidad administrativa.

Entre ellos destacan los siguientes:

a) Principio de la independencia de sanciones

El artículo 119 del Estatuto Administrativo para Funcionarios Municipales, dispone que la sanción administrativa es independiente a la responsabilidad civil y penal, pues cada una de éstas opera en un ámbito diferente. Por lo tanto, esto significa que la condena, el sobreseimiento, la absolución judicial y otras resoluciones en materia penal no inciden en el proceso disciplinario administrativo, incoado en razón de los mismos hechos.

En otras palabras, el funcionario en razón de los mismos hechos, puede ser objeto de diferentes sanciones: administrativa, civil o penal o sólo recibir alguna de ellas.

Esta regla general solamente tiene una excepción: que la sanción administrativa consista en destitución y en el proceso criminal el funcionario hubiere sido absuelto o sobreseído definitivamente por no constituir delito los hechos denunciados. En este caso, el funcionario debe ser reincorporado. En los demás casos de sobreseimiento definitivo o sentencia absolutoria, el afectado puede pedir la reapertura del sumario. Y si en éste también se le absuelve, procede la reincorporación.

Si en los casos anteriores no fuere posible llevar a efecto la reincorporación en el plazo de seis meses desde la absolución, el empleado tiene derecho a exigir una indemnización consistente en el pago de la remuneración que le habría correspondido percibir en su cargo durante el tiempo que hubiera permanecido alejado hasta un tope de tres años.

b) Principio del debido proceso

La Ley 18.575, Orgánica Constitucional de Bases Generales de la Administración del Estado, en su artículo 18, señala que en el ejercicio de la potestad disciplinaria de la administración se asegurará el derecho a un racional y justo procedimiento.

Esto se traduce en que el Estatuto Administrativo contemple diversas herramientas que permiten cumplir con el debido proceso, tales como la presencia de recursos en contra de las resoluciones de la autoridad; la obligatoriedad de notificar las resoluciones; la posibilidad de inhabilitar a un fiscal parcial; la existencia de un período de prueba, etc.

Lo anterior, es una manifestación de la garantía constitucional denominada igualdad ante la justicia, consagrada en el numeral 3º del artículo 19 de la Carta Fundamental de 1980.

No basta con que la Ley establezca derechos si ello no va acompañado de las medidas de protección adecuadas para asegurar que tales derechos se respeten.

Cualquiera que recurra a la justicia ha de ser atendido por los tribunales (de cualquier naturaleza), con arreglo a unas mismas leyes y con sujeción a un procedimiento común, igual y fijo.

El artículo 8º de la Declaración de Derechos del Hombre de la ONU: «Toda persona tiene derecho, a un recurso efectivo ante los tribunales nacionales competentes, que la ampare contra actos que violen sus derechos fundamentales reconocidos por la Constitución o la ley».

Por su parte, el Artículo 10º de la misma Convención, señala: «Toda persona tiene derecho, en condiciones de plena igualdad, a ser oída públicamente, y con justicia, por un tribunal independiente e imparcial, para la determinación de sus derechos y obligaciones o para el examen de cualquier acusación contra ella en materia penal».

El inciso 5º, Nº 3º, artículo 19 de la Constitución Política, dispone que: «Toda sentencia de un órgano que ejerza jurisdicción debe fundarse en un proceso previo legalmente tramitado. Corresponderá al legislador establecer siempre las garantías de un procedimiento y una investigación racionales y justos». Esta norma es la fuente del principio del debido proceso.

La Comisión de Estudios de la Constitución de 1980, dejó expresamente establecido que, con el objeto de que no pudiera interpretarse que lo debido es lo que está en la ley, se optó por no utilizar la expresión **«debido proceso»,** sino los vocablos **«racional y justo»,** entiendo que la **«racionalidad»** está referida al procedimiento, y lo «**justo**», a lo sustantivo.

Deberá estarse a la naturaleza del procedimiento para determinar si se cumple o no con las exigencias —**imperativas para el legislador**— de establecer siempre las garantías de un racional y justo procedimiento.

En actas, para la historia fidedigna de la disposición (Sesión N° 103, págs. 19 y 20), se dejó constancia que todos coincidían en que eran garantías mínimas de un racional y justo proceso **permitir oportuno conocimiento de la acción; adecuada defensa y producción de la prueba que correspondiere.**

En términos generales, la Corte Suprema ha establecido que: «Se vulnera el debido procedimiento en un juicio sobre ética profesional sin en el sumario interno realizado se actuó sin la debida prudencia e imparcialidad, omitiéndose diligencias importantes, **con las cuales pueda llegarse a otras conclusiones**» (C. S., 8-4-1988, R, t. 85, sec. 5ª, pág. 44)

c) Principio del derecho a defensa

Estrechamente vinculado con el anterior. Consiste básicamente en que los funcionarios tienen derecho a requerir la intervención de un abogado; a responder ante los cargos que se les formulen; a que éstos les sean notificados y a presentar pruebas que los desvirtúen. Además, ningún funcionario puede ser sancionado por hechos que no hayan sido materia de cargos (legalidad del juzgamiento). Finalmente, toda medida disciplinaria debe también ser notificada al afectado, para que pueda interponer los recursos que estime pertinentes.

d) Principio de legalidad

Las sanciones administrativas sólo pueden aplicarse en conformidad con los preceptos legales que las establecen y por las causales y autoridades que en ellos se contemplan. Por lo tanto, no pueden aplicarse otras sanciones administrativas que las expresamente contempladas en el Estatuto Administrativo que las enumera taxativamente, debiendo respetarse en forma estricta los procedimientos existentes para imponerlas.

e) Principio de la proporcionalidad de las sanciones

Esto se traduce en que la administración, al ejercer su potestad sancionadora, debe atenerse al mérito del proceso e imponer una sanción que se ajuste a la gravedad del ilícito cometido, fundamentando su decisión en la resolución que aplica la sanción.

f) Principio pro reo

En primer término deben aplicarse las medidas disciplinarias establecidas en la ley vigente al momento de cometerse la infracción, pero puede aplicarse una ley posterior a la infracción cuando contiene una sanción más benigna.

g) Principio de la inexcusabilidad o desconocimiento de las obligaciones funcionarias

De acuerdo a este principio, no puede acogerse como eximente de responsabilidad administrativa el desconocimiento de las normas vigentes que sancionan el incumplimiento de sus obligaciones, puesto que de acuerdo al artículo 8° del Código Civil, nadie puede alegar desconocimiento de la ley después que ésta haya sido publicada en el diario oficial.

IV. Procedimientos administrativos disciplinarios. Investigación sumaria

a) Definición y características: La investigación sumaria es aquel procedimiento administrativo disciplinario, breve y concentrado, destinado a verificar la existencia de los hechos y la individualización de los responsables y su participación.

Lo instruye un funcionario del servicio denominado investigador, a quien corresponde proponer la sanción, mediante un informe o vista, a la autoridad que ordenó la investigación.

Las únicas sanciones disciplinarias que pueden aplicarse mediante este procedimiento son las de censura, multa o suspensión. Sólo excepcionalmente puede aplicarse la destitución cuando la ley lo permite u ordena expresamente, como ocurre con los atrasos y ausencias reiterados, conforme al artículo 69, inciso final, del Estatuto Administrativo para Funcionarios Municipales.

b) Procedimiento (artículos 124 y 125 Estatuto Administrativo para Funcionarios Municipales)

1) Inicio:

- Debe ordenarse mediante una resolución por el jefe superior de la institución, secretario regional ministerial o el director regional de servicios nacionales desconcentrados, cuando aquél estime que los hechos son susceptibles de ser sancionados con una medida disciplinaria o en caso de disponerlo expresamente la ley.

2) Instrucción:

- Sujeto a cargo: un funcionario, que se denomina «instructor» o «Investigador Sumariante», actúa como investigador.

- El procedimiento es verbal, pero de lo actuado debe levantarse acta general que firman los que hayan declarado. No se designa n ministro de fe o actuario, como en los sumarios.

- Es un procedimiento breve, pues se extiende hasta por cinco días, al término de los cuales deben formularse los cargos. Luego, el afectado tiene dos días para responder. Si además solicita rendir prueba el investigador debe señalar un plazo para ello, el que no puede exceder de tres días. Vencido el período de prueba, el investigador debe emitir una vista o informe en el término de dos días. En dicha vista o informe se debe contener una relación de los hechos, los fundamentos o conclusiones a que hubiere llegado, formulando la proposición que estime procedente. La proposición puede consistir en absolver al afectado o en aplicarle una sanción que no sea la destitución.

- Notificaciones: deben hacerse personalmente, sin embargo, si el funcionario no es habido por dos días consecutivos en su domicilio o en su lugar de trabajo, se le notifica por carta certificada, de la cual debe dejarse constancia.

3) Finalización y recursos:

- La autoridad tiene dos días como plazo para resolver si acoge la proposición del instructor o adopta una decisión diferente.

- Recursos: contra la resolución que aplica la sanción procede el recurso de reposición que debe interponerse en el término de dos días ante el Alcalde quien dispone también del plazo de dos días para resolver. (Acá no hay prórrogas de plazo)

4) Transformación en sumario:

- La investigación sumaria puede transformarse en un sumario administrativo si en el transcurso de la investigación se constata que los hechos revisten una mayor gravedad. En tal caso, la autoridad competente debe disponer que se ponga término a la investigación y se prosiga mediante un sumario.

V. Sumario administrativo

a) Definición y características

Es aquel procedimiento administrativo disciplinario de lato conocimiento que busca establecer la existencia de los hechos, la individualización de los responsables y su participación, y la aplicación de la medida disciplinaria que corresponda en el caso de que el funcionario haya infringido sus deberes y obligaciones.

A diferencia de la investigación sumaria, el sumario administrativo es de más larga duración, ya que se extiende por 20 días a lo menos. Está a cargo de un funcionario del servicio que se denomina fiscal, no investigador; y, mediante el sumario administrativo, pueden aplicarse todas las medidas disciplinarias que contempla el Estatuto Administrativo para Funcionarios Municipales, incluida la destitución.

b) Procedimiento (artículos 126 al 143 Estatuto Administrativo para Funcionarios Municipales)

1) Inicio y normas generales:

- Debe ordenarse mediante una resolución por el jefe superior de la institución, el secretario regional ministerial o el director regional de servicios nacionales desconcentrados, cuando la naturaleza de los hechos denunciados o su gravedad así lo exijan. Puede o no venir precedido de una investigación sumaria.

- Funcionario encargado: Está a cargo de un fiscal que es designado por la misma autoridad que ordena el sumario, debiéndole ser notificada su designación. El fiscal debe tener igual o mayor grado o jerarquía que el funcionario que aparezca involucrado en los hechos.

Por otro lado, el fiscal debe designar un actuario; en esta calidad puede ser designado cualquier funcionario de la administración, quien tendrá la calidad de ministro de fe y debe certificar todas las actuaciones del sumario. El actuario se entiende en comisión de servicio para todos los efectos legales.

- Implicancias o recusaciones: Estas instituciones tienen por objeto velar por la imparcialidad del fiscal y del actuario, por lo tanto, ambos pueden ser implicados o recusados. Los funcionarios que son citados por primera vez a declarar en calidad de inculpados, deben ser apercibidos para que formulen las implicancias o recusaciones.

- Procedimiento escrito: El sumario administrativo debe llevarse en un expediente foliado en letras y números, y se forma con todas las declaraciones, actuaciones y diligencias, y con todos los documentos que se acompañan. Toda actuación debe llevar la firma del fiscal y del actuario.

- Salvo que incidan en trámites que tengan influencia decisiva en los resultados del sumario, los vicios de procedimiento no afectan la legalidad de la resolución que aplique la medida disciplinaria.

- Los plazos son de días hábiles. Para estos efectos el día sábado es inhábil.

- Notificaciones: deben hacerse personalmente; sin embargo, si el funcionario no es habido por dos días consecutivos en su domicilio o en su lugar de trabajo, se le notifica por carta certificada, de la cual debe dejarse constancia. En ambos casos, debe entregarse copia íntegra de la resolución respectiva.

2) Tramitación:

- Atribuciones del fiscal: tiene amplias facultades para realizar la investigación y los funcionarios están obligados a prestar la colaboración que se les solicite. Así, por ejemplo, puede suspender de sus funciones o destinar transitoriamente a otro cargo dentro de la misma institución y ciudad, al o a los inculpados. La medida termina automáticamente al dictarse el sobreseimiento o al emitirse el dictamen del fiscal.

- Extensión: La investigación de los hechos debe realizarse en el plazo de 20 días. En casos calificados, al existir diligencias pendientes decretadas oportunamente y no cumplidas por fuerza mayor, se puede prorrogar el plazo hasta completar 60 días. Tal ampliación la resuelve el jefe superior de la institución, esto es, el Alcalde.

- Es secreto hasta la fecha de formulación de cargos, oportunidad en la cual deja de serlo para el inculpado y para el abogado que asume su defensa.

- Terminada la investigación, ésta se debe declarar cerrada y deben formularse cargos al o a los afectados o solicitar sobreseimiento, en el plazo de tres días de cerrada la investigación.

- Si el fiscal propone el sobreseimiento, se envían los antecedentes al alcalde. Dicha autoridad puede aprobar o rechazar la proposición. Si la rechaza, debe disponer que se complete la investigación dentro del plazo de cinco días.

- Si el fiscal propone cargos, deben notificarse éstos al inculpado, quien tiene cinco días desde la notificación para presentar descargos, defensas y solicitar y presentar pruebas. Dicho plazo puede prorrogarse por otros cinco días siempre que la prórroga se solicite antes del vencimiento del plazo.

- Si el inculpado solicita prueba, el fiscal debe señalar un plazo para tal efecto que no puede exceder de 20 días.

- Contestados los cargos o vencido el plazo de prueba, el fiscal debe emitir un dictamen dentro del plazo de cinco días. En él debe proponer la absolución o sanción que a su juicio corresponde aplicar. Dicha proposición debe contener todos los antecedentes de hecho y de derecho (como el grado de participación, las circunstancias atenuantes y agravantes) y la proposición que formule la autoridad. Si los hechos acreditados pudieren importar la perpetración de delitos, el dictamen debe solicitar que los antecedentes se remitan a la justicia ordinaria.

3) Finalización y recursos:

- Emitido el dictamen, el fiscal debe elevar los antecedentes al alcalde, quien debe resolver en el plazo de cinco días. En dicha resolución debe adoptar una de las siguientes posibilidades: lo absuelve, aplica la medida disciplinaria u ordena la realización de nuevas diligencias o la corrección de vicios de procedimientos, fijando un plazo para tales efectos. Si de las nuevas diligencias resultan nuevos cargos, se notifican al afectado sin más trámite, para que dentro de tres días haga sus observaciones.

- En contra de la resolución procede tanto el recurso de reposición ante la misma autoridad alcaldicia. El recurso de reposición debe ser fundado, interponerse en el plazo de cinco días y fallarse dentro de los cinco días siguientes.

- Es necesario tener presente que sin perjuicio de este recurso, puede reclamarse ante la Contraloría General de la República si se hubieren producido vicios de legalidad que afectaren los derechos que el estatuto confiere a los funcionarios. El plazo para reclamar es, de 10 días hábiles contados desde que tuvieren conocimiento de la resolución, situación o actuación que dio lugar al vicio que se reclama (art. 156). La Contraloría General de la República resuelve oyendo al Alcalde, quien debe emitir su informe en el plazo de 10 días hábiles. Vencido este plazo, con o sin informe, la Contraloría General de la República resolverá en el plazo de 20 días hábiles.

c) Excepciones en que la propia Contraloría General de la República instruye investigaciones o sumarios administrativos

La regla general es que las investigaciones sumarias y los sumarios administrativos deben ser ordenados por el jefe superior de la institución, el secretario regional ministerial o el director regional del servicio nacional desconcentrado, según corresponda. Sin embargo, excepcionalmente la Contraloría General de la República puede instruirlos directamente. La Ley N° 10.336, Orgánica Constitucional de la Contraloría General de la República, dispone que el contralor o cualquier otro funcionario de esta institución, especialmente facultado por aquél, podrá ordenar, cuando lo estime necesario, la instrucción de sumarios administrativos, suspender a los jefes de oficina o de servicios y a los demás funcionarios, y poner a los responsables en casos de desfalcos o irregularidades graves, a disposición de la justicia ordinaria (artículo 133).

En estos casos la potestad para aplicar las sanciones permanece en el servicio al que pertenece el funcionario. Contraloría General de la República sólo realiza la investigación y propone a la autoridad del servicio respectivo, si corresponde, la aplicación de una sanción, cuestión que deberá valorar dicha autoridad. Cabe señalar que aunque la autoridad goza de discrecionalidad para decidir qué medida adoptar, la resolución respectiva debe ir a toma de razón, y en este trámite se examinará si la decisión está debidamente fundada (véanse los dictámenes de Contraloría General de la República N° 31.539/2005 y N° 28.260/2006).

Las investigaciones y sumarios administrativos que instruya la Contraloría General de la República se regirán por la Ley N° 10.336 y la Resolución N° 510 de 16/10/2013, de Contraloría General de la República, que aprueba el Reglamento de Sumarios instruidos por este organismo.

VI. Sumarios instruidos por Contraloría General de la República

Existen algunos casos en que la ley encarga directamente la investigación de los hechos a la Contraloría General de la República. A modo ejemplo tenemos:

1) Ley N° 19.884, de 2003, sobre Control, Límite y Transparencia del Gasto Electoral

Su artículo 28 dispone que la responsabilidad administrativa por infringir sus disposiciones se hará efectiva, directa y exclusivamente, por un procedimiento disciplinario que llevará a efecto la Contraloría General de la República. En estos casos Contraloría propondrá la medida disciplinaria y la autoridad competente para aplicar la sanción no podrá modificar la propuesta del órgano contralor sino a través de una resolución fundada, sujeta al trámite de toma de razón

2) D.L. N° 799/1974, que regula el uso y circulación de vehículos estatales

Su artículo 11 faculta a la Contraloría General de la República para hacer efectiva la responsabilidad administrativa de quienes infrinjan sus normas «*y aplique las sanciones que correspondan, estatuidas en este decreto ley, previa investigación sumaria*». Se trata de un caso muy excepcional, pues permite que Contraloría General de la República sancione directamente. Con todo, la misma disposición faculta a Contraloría General de la República para delegar esta facultad en los servicios respectivos.

3) Ley N° 20.285, de transparencia de la función pública y de acceso a la información de la Administración del Estado

Este cuerpo legal, en su artículo 49, dispone que: «*Las sanciones previstas en este título serán aplicadas por el Consejo, previa instrucción de una investigación sumaria o sumario administrativo, ajustándose a las normas del Estatuto Administrativo. Con todo, cuando así lo solicite el Consejo, la Contraloría General de la República, de acuerdo a las normas de su ley orgánica, podrá incoar el sumario y establecer las sanciones que correspondan*».

De la misma manera, el inciso final del artículo 30, otorga la facultad a la Corte de Apelaciones respectiva que, conociendo de un «habeas data» o «amparo de publicidad», pueda solicitar que se instruya un proceso disciplinario administrativo. Al efecto señala: «En la misma resolución, el Tribunal podrá señalar la necesidad de iniciar un procedimiento disciplinario para establecer si algún funcionario o autoridad ha incurrido en alguna de las infracciones al Título VI, el que se instruirá conforme a lo señalado en esta ley».

4) Ley N° 20.880, sobre probidad en la función pública y prevención de los conflictos de intereses

Este cuerpo legal, donde se regula, entre otras materias, las declaraciones de intereses y patrimonio que deben realizar determinados funcionarios públicos, como también lo referente al mandato especial de administración de cartera de valores y la enajenación forzosa (en doctrina el fideicomiso ciego), entrega a Contraloría General de la República, competencia para instruir procesos disciplinarios y, en algunos casos, aplicar directamente la sanción. Al efecto tenemos:

Inciso primero del artículo 10: *«La Contraloría General de la República fiscalizará la oportunidad, integridad y veracidad del contenido de la declaración de intereses y patrimonio respecto de los sujetos señalados en el Capítulo 1° de este Título».*

Seguidamente, el artículo 11 dispone: *«Si la persona obligada a efectuar o actualizar la declaración de intereses y patrimonio no la realiza dentro del plazo dispuesto para ello o la efectúa de manera incompleta o inexacta, la Contraloría General de la República de oficio o a petición fundada de cualquier interesado deberá apercibir al infractor para que la realice o rectifique dentro del plazo de diez días hábiles, notificándolo por carta certificada, conforme a lo establecido en el artículo 46 de la ley N° 19.880. Si tras el apercibimiento se mantuviera el incumplimiento, la Contraloría formulará cargos y el obligado tendrá el plazo de diez días hábiles para contestarlos. En caso de ser necesario, el período probatorio será de ocho días hábiles. Podrán utilizarse todos los medios de prueba, siendo ésta apreciada conforme a las reglas de la sana crítica. La Contraloría, dentro de los diez días hábiles siguientes a aquel en que se evacuó la última diligencia, mediante resolución fundada, propondrá al jefe de servicio, o a quien haga sus veces, la aplicación de una multa a beneficio fiscal de cinco a cincuenta unidades tributarias mensuales. Dicha multa se reiterará por cada mes adicional de retardo desde la notificación de la sanción».*

«Si el incumplimiento se mantuviera por un período superior a los cuatro meses siguientes a la notificación de la sanción, se considerará falta grave a la probidad y dará lugar a la destitución o cese de funciones del infractor, de acuerdo al estatuto respectivo».

«De todo lo anterior se dejará constancia en la respectiva hoja de vida funcionaria».

«El cese en funciones del sujeto obligado no extingue la responsabilidad a que haya lugar por infracción a las obligaciones de este Título, la que podrá hacerse efectiva dentro de los cuatro años siguientes al incumplimiento».

«Lo dispuesto en este artículo no obsta a la eventual responsabilidad penal que correspondiere conforme al artículo 210 del Código Penal».

Por su parte, el artículo 12 señala que: *«La responsabilidad por el incumplimiento de las obligaciones que establece este Título se hará efectiva por quien, en conformidad a la Constitución o la ley, tenga la potestad disciplinaria o la facultad para remover al infractor, según corresponda».*

«Tratándose de los jefes de servicio, consejeros regionales, alcaldes y concejales que infrinjan las obligaciones establecidas en este Título, las sanciones que procedan a su respecto serán aplicadas por la Contraloría General de la República conforme a lo dispuesto en el artículo 11 de esta ley y a sus respectivos estatutos».

«La sanción que se aplique se notificará, según corresponda, al consejero, alcalde o concejal, y al secretario ejecutivo o secretario municipal respectivo, quien deberá ponerla en conocimiento del consejo regional o concejo municipal, según corresponda, en la sesión más próxima».

«Respecto del Contralor General de la República será la Cámara de Diputados la encargada de verificar el debido cumplimiento de las disposiciones de esta ley».

Luego, el TÍTULO III, de este cuerpo legal, a propósito del mandato especial de administración de cartera de valores y la enajenación forzosa, en su artículo 46, dispone que: *«Corresponderá velar por el cumplimiento de las disposiciones de este Título: 1. A la Contraloría General de la República respecto de las autoridades de la Administración del Estado obligadas».*

5) Ley N° 20.730, regula el lobby y las gestiones que representen intereses particulares ante las autoridades y funcionarios

Este cuerpo legal, que regula la publicidad en la actividad de lobby y demás gestiones que representen intereses particulares, con el objeto de fortalecer la transparencia y probidad en las relaciones con los órganos del Estado, en su artículo 17, señala que: *«Los alcaldes, concejales, directores de obras municipales y secretarios municipales que incurran en alguna de las infracciones establecidas en los artículos 15 y 16 serán sancionados por la Contraloría General de la República conforme a lo dispuesto en dichas normas».*

«Una vez ejecutoriada la sanción que se aplique, se notificará por el organismo competente al concejo municipal en la sesión más próxima que celebre. Asimismo, dicha sanción se deberá incluir en la cuenta pública a que hace referencia el artículo 67 de la ley N° 18.695 e incorporarse en el extracto de la misma, que debe ser difundida a la comunidad».

VII. Responsabilidad penal funcionarios públicos

Normativa

- **Nacional**: Artículos 1 inciso cuarto, 5, 6, 7, 32 numeral 20 y 38 de la Constitución Política de la República; Artículo 120 del Estatuto Administrativo; Título III, parágrafo 4, y Título V del Código Penal; ley N° 21.121 de 2018.
- **Internacional**: artículos 15 a 22 de la Convención de las Naciones Unidas contra la Corrupción; artículos VI, VIII y IX de la Convención Interamericana contra la Corrupción; artículos 8 y 9 de la Convención de las Naciones Unidas contra la Delincuencia Organizada Transnacional.

Independencia de las responsabilidades en materia penal

¿Puede una misma conducta tener asignada, al mismo tiempo, una medida disciplinaria administrativa y una sanción penal?

Como ya se explicó en los párrafos anteriores, las sanciones disciplinarias que se le apliquen a un funcionario público son independientes de las sanciones penales que puedan derivarse de la misma conducta, cuando ésta constituye a su vez un ilícito o delito. De allí que un mismo hecho pueda generar, al mismo tiempo, una responsabilidad administrativa, una responsabilidad penal y una responsabilidad civil.

En este sentido, y de conformidad a lo que dispone el artículo 119 del Estatuto Administrativo para Funcionarios Municipales, la sanción administrativa es independiente de la responsabilidad civil y penal y, en consecuencia, las actuaciones o resoluciones referidas a ésta, tales como el archivo provisional, la suspensión condicional del procedimiento, los acuerdos reparatorios, la condena, el sobreseimiento o la absolución judicial no excluyen la posibilidad de aplicar al funcionario una medida disciplinaria en razón de los mismos hechos.

Aplicando la misma lógica, cuando un funcionario es sancionado con la destitución como consecuencia exclusiva de hechos que revisten caracteres de delito y, posteriormente, en el proceso criminal es absuelto o sobreseído definitivamente por no constituir delito los hechos denunciados, debe ser reincorporado a la institución en el cargo que desempeñaba a la fecha de la destitución o en otro de igual jerarquía. En este caso conservará todos sus derechos y beneficios legales y previsionales, como si hubiere estado en actividad.

En los demás casos de sobreseimiento definitivo o sentencia absolutoria, el funcionario podrá pedir la reapertura del sumario administrativo y, si en éste también se le absolviere, procederá la reincorporación en los términos antes señalados.

Si no fuese posible llevar a la práctica la reincorporación en el plazo de seis meses, contado desde la absolución administrativa, el empleado tendrá derecho a exigir, como única indemnización por los daños y perjuicios que la medida disciplinaria le hubiere irrogado, el pago de la remuneración que le habría correspondido percibir en su cargo durante el tiempo que hubiere permanecido alejado de la administración, hasta un máximo de tres años. La suma que corresponda deberá pagarse en un solo acto y reajustada conforme a la variación del índice de precios al consumidor, desde la fecha de cese de funciones hasta el mes anterior al de pago efectivo.

La Contraloría General de la República, por su parte, ha sostenido en diversos dictámenes que el artículo 119 del Estatuto Administrativo para Funcionarios Municipales, establece el principio de independencia de la responsabilidad administrativa frente a las responsabilidades civil y penal.

En esta parte, es importante destacar el denominada «Ley anticorrupción», esto es, la ley Nº 21.121 de 2018, que Modifica el Código Penal y otras normas legales para la prevención, detección y persecución de la corrupción.

Este cuerpo legal, viene a modificar el Código penal, en sus artículos 21, 223, 239, 240 bis, 241, 248 bis, 249, 250 bis, 251 y 470; se reemplazan los artículos 240, 248, 250 y 251 bis. De la misma manera se incorporan a este código los artículos 39 quáter, 251 quáter, 251 quinquies, 251 sexies, 260 bis, 260 ter, 260 quáter, 287 bis y 287 ter.

Seguidamente, se modifica la ley N° 20.393, relativa a la responsabilidad penal de las personas jurídicas sobre este tipo de delitos, en sus artículos 1, 8, 9, 10, 12, 13, 14, 15, 16 y 23; y, se modifica el artículo 27 de la ley N° 19.913 en materia de lavado y blanqueo de activos.

Como consecuencia de estas modificaciones, en términos generales, se aumentan las penas corporales, pecuniarias y restrictivas de derechos aplicables a las distintas figuras constitutivas de delitos contempladas en el Código Penal, cometidos por funcionarios públicos, como la malversación de caudales públicos, fraudes y exacciones ilegales.

De esta manera, en relación con las penas corporales, se propone la reclusión menor en sus grados medio a máximo. Asimismo, se propone el aumento de las multas aplicables y la inhabilitación absoluta temporal. Así, ejemplo, se sanciona al empleado público que, directa o indirectamente, se interese en cualquier negociación, actuación, contrato, operación o gestión en la cual hubiese de intervenir en relación con su cargo.

Sin perjuicio de todo lo relativo a delitos de personas jurídicas y particulares, nos interesa lo relativo a los funcionarios públicos. En este orden, en relación a las figuras delictuales atingentes a los empleados públicos, se abordan un aumento de las penas y sanciones para quienes exigen o acepten mayores derechos a los correspondientes a su cargo o beneficios económicos para sí o terceros; para quienes reciban beneficios económicos o de otra naturaleza por omitir actos propios de su cargo; o para los que ejerzan influencia en otro empleado con el fin de obtener de este una decisión que pueda generar un provecho para un tercero interesado.

En la misma línea, se aumenta las penas para los empleados públicos que reciben un beneficio económico o de otra naturaleza, para sí o para un tercero, por cometer crímenes o simples delitos contemplados en este marco legal, como la malversación de caudales públicos, fraude y cohecho. Asimismo, se perfecciona la normativa relativo al cohecho atingente a los funcionarios públicos en relación a operaciones internacionales.

Este cuerpo legal, también se define que no se les aplicará el grado mínimo de las penas de los delitos mencionados, cuando se trate de empleados públicos que desempeñen un cargo de elección popular, de exclusiva confianza de estos, de alta dirección pública del primer nivel jerárquico o por un fiscal del Ministerio Público o por cualquiera que, perteneciendo o no al orden judicial, ejerza jurisdicción; por los Comandantes en Jefe del Ejército, de la Armada, de la Fuerza Aérea, o por el General Director de Carabineros o el Director General de la Policía de Investigaciones.

La restricción recién señalada se aplicará también cuando los delitos se cometan con ocasión de los siguientes procesos: designación en un cargo público; procedimientos de adquisición, contratación o concesión; permisos o autorizaciones para el desarrollo de actividades económicas; y fiscalización de actividades económicas. Se fijan, además, plazos de prescripción y agravantes.

De acuerdo con lo anterior, y en relación específica a los funcionarios o empleados públicos, podemos destacar las siguientes modificaciones:

1.- Respecto del delito de cohecho y soborno.

En este caso, se amplía lo que se denomina «Beneficios constitutivos de corrupción», la que ahora puede ser de naturaleza económica o de otro tipo y no requiere de una contraprestación por parte del empleado público. De esta manera, para que se configuraran los delitos de cohecho y soborno los beneficios solicitados, aceptados, ofrecidos o entregados debían ser de naturaleza económica. Ahora la Ley amplía las hipótesis delictuales de cohecho y soborno a beneficios de cualquier tipo.

También en relación a estos tipos penales, se establece un cohecho y soborno sin necesidad de contraprestación o quid pro quo («algo a cambio de algo» o «una cosa por la otra»).

Antes de la modificación, el único caso de cohecho o soborno que podía darse sin necesidad de probar la intención o resultado de dar o recibir una contraprestación o quid pro quo por parte del funcionario público, era el caso del llamado cohecho o soborno «en razón del cargo». Un supuesto de este delito era que el beneficio solicitado, aceptado, ofrecido o entregado consistiera en un pago o derecho mayor al que le correspondía al funcionario público en razón de su cargo. Ello implicaba que este delito fuera muy poco aplicado, ya que a la mayoría de los funcionarios públicos —especialmente los de más alto rango, como un Ministro de Estado, Subsecretario, senador o diputado— no les corresponde recibir un pago o derecho de un particular en razón de su cargo. La Ley modifica lo anterior y dispone que este delito se configura ante la solicitud, aceptación, ofrecimiento o entrega de cualquier tipo de beneficio a que el funcionario público no tenga derecho. De esta manera, cualquier beneficio indebido que se ofrezca a un funcionario público o que éste acepte, podrá constituir delito, sin necesidad de probar la intención o el efecto de una contraprestación por parte del funcionario público, con lo cual se dará real aplicación a esta figura penal.

Esta modificación, incorpora, además, cambios a la figura penal del «soborno a funcionario público extranjero». En el texto original, para incurrir en este delito se exigía que el negocio o ventaja indebidos que se pretendía lograr mediante el soborno fuera en el ámbito de «cualesquiera transacciones internacionales», ahora se amplía ese ámbito a «cualquier tipo actividad económica desempeñada en el extranjero».

De la misma manera, se contempla que este delito se configura también cuando el soborno tiene como objetivo que el funcionario público extranjero cumpla con funciones propias de su cargo; por ejemplo, los llamados pagos o propinas de agilización o facilitación, lo que no estaba contemplado expresamente con anterioridad a la Ley.

2.- Respecto de los Regalos corporativos. Dádivas que no constituyen soborno o cohecho.

En este caso, se agregó al Código penal el artículo 251 sexies, que establece que no se considerará cohecho los donativos oficiales o protocolares, o aquellos de escaso valor económico, que autoriza la costumbre, como manifestaciones de cortesía o buena educación. Lo anterior no se aplicará para los que se ofreciere o diere a un funcionario público extranjero para que omita o ejecute, o por haber omitido o ejecutado un acto con infracción a los deberes de su cargo.

3.- Nuevas normas comunes para delitos funcionarios públicos.

La Ley introduce ciertas normas comunes para delitos cometidos por funcionarios públicos, tales como: a) una calificante para altos cargos, mediante la cual se excluye la aplicación del grado mínimo de la respectiva pena; b) la suspensión de la prescripción del delito mientras el respectivo funcionario ejerza el cargo, para evitar la impunidad por el transcurso del tiempo; c) una agravante especial por formar parte de una agrupación u organización para cometer el respectivo delito; d) la cooperación eficaz como atenuante que permite al tribunal reducir la pena hasta en dos grados.

4.- Aumento de multas.

La Ley aumenta las multas aplicables a ciertos delitos, incluidos el soborno y otros delitos cometidos por funcionarios públicos.

5.- Aumento y efectividad de privación de libertad y plazo de prescripción respecto de ciertos delitos.

La Ley aumenta las penas privativas de libertad respecto a ciertos delitos, incluidos el soborno, cohecho y otros delitos funcionarios. Las conductas a las que anteriormente se les asignaban penas de simples delitos (por ejemplo, cohecho a funcionario público extranjero) hoy están sujetas a penas de crimen, es decir, penas privativas de libertad desde los cinco años y un día. Como consecuencia del aumento de las penas mínimas, la prescripción para estas conductas ha aumentado de cinco a diez años, y los condenados deben cumplir una pena privativa de libertad efectiva en lugar de penas alternativas.

6.- Prescripción delitos funcionarios públicos.

De manera específica, se pospone el inicio del plazo de prescripción en los delitos funcionarios al momento en que el empleado público cesare en su cargo o función.

7.- Cooperación eficaz

Se contempla la figura de cooperación eficaz para ciertos delitos (N° 3 anterior). La cooperación eficaz, que conduzca al esclarecimiento de los hechos investigados o permita la identificación de sus responsables o sirva para prevenir o impedir la perpetración o consumación de estos delitos o facilite el comiso de los bienes, instrumentos, efectos o productos del delito, será atenuante.

8.- Nuevas penas.

Al efecto: a) para los delitos calificados como crímenes, las penas de inhabilitación absoluta perpetua y absoluta temporal; y, b) para las figuras calificadas como simples delitos, la pena de inhabilitación absoluta temporal. En ambos casos, esta pena consiste en la inhabilidad para ejercer cargos, empleos, oficios o profesiones, en empresas que contraten con órganos o empresas del Estado, empresas en que el Estado tenga una participación mayoritaria, o empresas que participen en concesiones otorgadas por el Estado o tengan por objeto la provisión de servicios de utilidad pública.

9.- Amplía delitos base de lavado de activos.

Se amplía los delitos base del delito de lavado de activos agregando los delitos de apropiación indebida y administración desleal.

10.- Nuevo delito: Corrupción entre particulares.

Si bien no se vincula a delitos de funcionarios públicos, es interesante resaltar que es cuerpo legal incorpora la figura penal de la corrupción entre particulares. Este nuevo delito sanciona al empleado o mandatario que solicita o acepta un beneficio económico o de otra naturaleza, para efectos de favorecer o por haber favorecido en el ejercicio de sus labores la contratación de un oferente en vez de otro, y a quien da, ofrece o consiente en dar a aquel empleado o mandatario ese beneficio con ese mismo objetivo.

Delitos que atentan contra la imparcialidad en el ejercicio de la función pública

a) Cohecho: Se entiende por cohecho la conducta activa o pasiva de un funcionario público destinada a recibir una retribución no debida en el ejercicio de su cargo, así como la conducta activa o pasiva de un particular destinada a dar a un funcionario público una retribución no debida en el ejercicio del cargo de éste (este último también se denomina soborno). Junto al tráfico de influencias constituye uno de los delitos más paradigmáticos en materia de corrupción. Los artículos 248 a 251 del Código Penal señalan las diversas formas de realización del cohecho.

1) Cohecho por el cumplimiento de un deber (artículo 248 del Código Penal).

Luego de la modificación efectuada por la ley N° 21.121, ya citada, esta norma queda como sigue:

«El empleado público que en razón de su cargo solicitare o aceptare un beneficio económico o de otra naturaleza al que no tiene derecho, para sí o para un tercero, será sancionado con la pena de reclusión menor en su grado medio, inhabilitación absoluta para cargos u oficios públicos temporal en su grado mínimo y multa del tanto del beneficio solicitado o aceptado. Si el beneficio fuere de naturaleza distinta a la económica, la multa será de veinticinco a doscientos cincuenta unidades tributarias mensuales.

El empleado público que solicitare o aceptare recibir mayores derechos de los que le están señalados por razón de su cargo, o un beneficio económico o de otra naturaleza, para sí o un tercero, para ejecutar o por haber ejecutado un acto propio de su cargo en razón del cual no le están señalados derechos, será sancionado con la pena de reclusión menor en sus grados medio a máximo, inhabilitación absoluta temporal para cargos u oficios públicos en su grado medio y multa del tanto al duplo de los derechos o del beneficio solicitados o aceptados. Si el beneficio fuere de naturaleza distinta a la económica, la multa será de cincuenta a quinientas unidades tributarias mensuales».

Este artículo describe la figura básica del cohecho, sancionando al empleado público que solicita o acepta recibir mayores derechos que los que le están señalados por razón de su cargo, o un beneficio económico o de otra naturaleza al que no tiene derecho, para sí o un tercero para ejecutar o por haber ejecutado un acto propio de su cargo, en razón del cual no le están señalados derechos.

Para que se configure este delito, y de conformidad a su definición en el código, es necesario que el funcionario realice la siguiente conducta: solicitar o aceptar una retribución no debida en el ejercicio del cargo. No es necesario que la solicitud o petición se haga de manera expresa, basta que se realice de cualquier forma idónea para transmitir el mensaje (a través de un gesto, por ejemplo). En cuanto a la aceptación, tampoco es necesario que ésta se realice de manera expresa, basta con que la conducta del funcionario dé a entender que éste consiente en la solicitud.

En cuanto a recibir mayores derechos que los que le están señalados por razón de su cargo, se debe entender que esto ocurre cuando un funcionario acepta algo que no le corresponde de acuerdo a sus atribuciones, por ejemplo, si un notario cobrase o aceptase dinero más allá del monto que corresponde cobrar por el trámite que se realiza.

Recibe un beneficio económico aquel funcionario que no pudiendo nunca cobrar por un servicio lo hace, por ejemplo, por aquellos trámites que según la ley son gratuitos.

El beneficio puede ser no sólo económico, sino que puede ser de otra naturaleza al que no tiene derecho.

En nuestro ordenamiento jurídico, y dada la redacción del delito de cohecho en el Código Penal, hay que entender por actos propios del cargo a aquéllos cuya realización obedece al ejercicio de las funciones públicas, debiendo descartarse los actos que no pertenecen a la esfera de atribuciones del empleado.

2) Cohecho por la infracción de un deber (artículo 248 bis del Código Penal)

Se sanciona con penas superiores a la figura del artículo anterior al funcionario público que solicitare o aceptare recibir un beneficio económico o de otra naturaleza, para sí o un tercero para omitir o por haber omitido un acto debido propio de su cargo, o para ejecutar o por haber ejecutado un acto con infracción a los deberes de su cargo.

Se sanciona con la pena de reclusión menor en su grado máximo a reclusión mayor en su grado mínimo y, además, con las penas de inhabilitación absoluta temporal para cargos u oficios públicos en su grado máximo y multa del duplo al cuádruplo del provecho solicitado o aceptado.

Si el beneficio fuere de naturaleza distinta a la económica, la multa será de cien a mil unidades tributarias mensuales.

Si la infracción al deber del cargo consistiere en ejercer influencia en otro empleado público con el fin de obtener de éste una decisión que pueda generar un provecho para un tercero interesado, se impondrá la pena de inhabilitación absoluta para cargos u oficios públicos, perpetua, además de las penas de reclusión y multa establecidas en el inciso precedente.

3) Cohecho por la comisión de un delito funcionario (artículo 249 del Código Penal)

Se sanciona al empleado público que solicita o acepta recibir un beneficio económico, para sí o para un tercero, con la finalidad de cometer determinados crímenes y simples delitos establecidos en el Título V del Código Penal (de los crímenes y simples delitos cometidos por empleados públicos en el desempeño de sus cargos) o en el párrafo 4 del Título III del Libro II del Código Penal (de los crímenes y simples delitos que afectan los derechos garantidos por la Constitución).

En este caso, el funcionario público será sancionado con las penas de reclusión menor en su grado máximo a reclusión mayor en su grado mínimo, de inhabilitación absoluta perpetua para cargos u oficios públicos y multa del cuádruplo del provecho solicitado o aceptado. Si el beneficio fuere de naturaleza distinta de la económica, la multa será de ciento cincuenta a mil quinientas unidades tributarias mensuales.

Las penas señaladas, se aplicarán sin perjuicio de las que además corresponda imponer por la comisión del crimen o simple delito de que se trate.

4) Soborno (artículo 250 del Código Penal)

A partir de la referida ley N° 21.121, que sustituyó este artículo, esta figura sanciona al que diere, ofreciere o consintiere en dar a un empleado público un beneficio económico o de otra naturaleza, en provecho de éste o de un tercero, en razón del cargo del empleado en los términos del inciso primero del artículo 248, o para que realice las acciones o incurra en las omisiones señaladas en los artículos 248, inciso segundo, 248 bis y 249, o por haberlas realizado o haber incurrido en ellas. En este caso se sanciona con las mismas penas de multa e inhabilitación establecidas en dichas disposiciones.

Se sanciona más severamente, cuando el beneficio dado, ofrecido o consentido en razón del cargo del empleado público sea en los términos del inciso primero del artículo 248, donde el sobornante será sancionado, además, con la pena de reclusión menor en su grado medio, en el caso del beneficio dado u ofrecido, o de reclusión menor en su grado mínimo, en el caso del beneficio consentido.

Tratándose del beneficio dado, ofrecido o consentido en relación con las acciones u omisiones del inciso segundo del artículo 248, el sobornante será sancionado, además, con la pena de reclusión menor en sus grados medio a máximo, en el caso del beneficio dado u ofrecido, o de reclusión menor en sus grados mínimo a medio, en el caso del beneficio consentido.

Seguidamente, tratándose del beneficio dado, ofrecido o consentido en relación con las acciones u omisiones señaladas en el artículo 248 bis, el sobornante será sancionado, además, con pena de reclusión menor en su grado máximo a reclusión mayor en su grado mínimo, en el caso del beneficio dado u ofrecido, o de reclusión menor en sus grados medio a máximo, en el caso del beneficio consentido.

Finalmente, tratándose del beneficio dado, ofrecido o consentido en relación con los crímenes o simples delitos señalados en el artículo 249, el sobornante será sancionado, además, con pena de reclusión menor en su grado máximo a reclusión mayor en su grado mínimo, en el caso del beneficio dado u ofrecido, o con reclusión menor en sus grados medio a máximo, en el caso del beneficio consentido. Las penas previstas en este inciso se aplicarán sin perjuicio de las que además corresponda imponer por la comisión del crimen o simple delito de que se trate.

Luego esta la figura penal del artículo 250 bis, modificado por la ya citada ley N° 21.121, donde en los casos en que el delito previsto en el artículo 250, tuviere por objeto la realización u omisión de una actuación de las señaladas en los artículos 248 o 248 bis que mediare en causa criminal a favor del imputado, y fuere cometido por su cónyuge o su conviviente civil, por alguno de sus ascendientes o descendientes consanguíneos o afines, por un colateral consanguíneo o afín hasta el segundo grado inclusive, o por persona ligada a él por adopción, sólo se impondrá al responsable la multa que corresponda conforme las disposiciones.

b) Tráfico de influencias

El tráfico de influencias consiste en que un funcionario se aproveche de la posición de predominio o de la posición favorable que tiene en relación con determinados centros públicos de decisión, para obtener un beneficio particular.

Este delito se encuentra establecido en el artículo 240 bis del Código Penal, que dispone:

Las penas establecidas en el artículo precedente serán también aplicadas al empleado público que, interesándose directa o indirectamente en cualquier clase de contrato u operación en que deba intervenir otro empleado público, ejerciere influencia en éste para obtener una decisión favorable a sus intereses.

«Las mismas penas se impondrán al empleado público que, para dar interés a cualquiera de las personas expresadas en los incisos segundo y final del artículo precedente en cualquier clase de contrato u operación en que deba intervenir otro empleado público, ejerciere influencia en él para obtener una decisión favorable a esos intereses».

«En los casos a que se refiere este artículo el juez podrá imponer la pena de inhabilitación absoluta perpetua para cargos u oficios públicos».

En nuestro ordenamiento, este delito se configura como una modalidad especial de realización de los delitos de negociación incompatible y de cohecho, es decir, sólo en relación a estos delitos puede haber tráfico de influencias (véase también la modalidad del artículo 248 bis del Código Penal).

Lo que pretende proteger la tipificación de este delito es la imparcialidad y objetividad en la función pública con la finalidad político-criminal de evitar la desviación del interés general hacia fines particulares.

La sanción que se aplica es la misma establecida para el delito de negociación incompatible, con la diferencia que en este caso el juez podrá imponer la pena de inhabilitación absoluta perpetua para ejercer cargos u oficios públicos.

Delitos que atentan contra los aspectos patrimoniales de la función pública

a) Malversación de bienes o fondos

1) Sustracción de fondos (Artículo 233 del Código Penal)

Acá se sanciona a el empleado público que, teniendo a su cargo caudales o efectos públicos o de particulares en depósito, consignación o secuestro, los substrajere o consintiere que otro los substraiga.

Se sanciona:

1º Con presidio menor en sus grados medio a máximo, si la substracción excediere de una unidad tributaria mensual y no pasare de cuatro unidades tributarias mensuales.

2º Con presidio menor en su grado máximo a presidio mayor en su grado mínimo, si excediere de cuatro unidades tributarias mensuales y no pasare de cuarenta unidades tributarias mensuales.

3º Con presidio mayor en sus grados mínimo a medio, si excediere de cuarenta unidades tributarias mensuales.

En todos los casos, con las penas de multa del doble de lo substraído y de inhabilitación absoluta temporal en su grado medio a inhabilitación absoluta perpetua para cargos y oficios públicos.

La doctrina mayoritaria entiende que el bien jurídico protegido mediante la tipificación de este delito es la probidad administrativa, pero las conductas que el código describe ostentan también un carácter patrimonial evidente y en algunos casos representan una lesión o atentado contra la propiedad o intereses del Fisco, a tal punto que en el artículo 233 del Código Penal las penas se gradúan según el monto de lo sustraído. Por ello muchos autores entienden que lo que se busca proteger es doble, por un lado, la probidad administrativa y, por otro, el patrimonio fiscal.

2) Sustracción de fondos culposa (Artículo 234 del Código Penal)

Este artículo sanciona al empleado público que, por abandono o negligencia inexcusables, diere ocasión a que se efectúe por otra persona la substracción de caudales o efectos públicos o de particulares de que se trata en los tres números del artículo 233.

Esta disposición sanciona una malversación negligente; se trata de una figura culposa que sanciona una falta al deber funcionario de resguardo, más que el aprovechamiento del funcionario de su posición de garante de los bienes.

La sanción que se aplica en este caso, es la suspensión en cualquiera de sus grados, quedando éste, además, obligado a la devolución de la cantidad o efectos substraídos.

3) Sustracción de fondos con reintegro (Artículo 235 del Código Penal)

En este caso, se sanciona al empleado que, con daño o entorpecimiento del servicio público, aplicare a usos propios o ajenos los caudales o efectos puestos a su cargo.

Quien incurre en este delito ha de ser un funcionario público y el objeto material de este son caudales o efectos puestos a su cargo. La conducta que se sanciona es que dichos caudales sean destinados a un fin diferente al que les corresponde, no a un fin público, sino a uno privado. Lo peculiar de esta figura penal, es el reintegro de los caudales, donde si no lo hace se agrava la penalidad y se le aplican las del artículo 233.

La sanción aplicada para este delito son las penas de inhabilitación especial temporal para el cargo u oficio en su grado medio y multa de la mitad al tanto de la cantidad que hubiere sustraído.

En caso de que el uso indebido de los fondos fuere sin daño ni entorpecimiento del servicio público, las penas serán suspensión del empleo en su grado medio y multa de la mitad de la cantidad sustraída, sin perjuicio del reintegro.

4) Desviación de fondos públicos (Artículo 236 del Código Penal)

Este artículo sanciona al empleado público que arbitrariamente diere a los caudales o efectos que administre una aplicación pública diferente de aquella a que estuvieren destinados.

Lo que se busca proteger a través de su tipificación es la buena marcha de la administración pública, el recto orden de la gestión económica del Estado y el correcto desempeño de los empleados públicos en las funciones que les corresponden.

La sanción que se aplica en este caso a quien incurriere en este delito es la pena de suspensión del empleo en su grado medio, si de ello resultare daño o entorpecimiento para el servicio u objeto en que debían emplearse, y la misma pena, en su grado mínimo, si no resultare daño o entorpecimiento.

5) Negativa a realizar un pago debido (Artículo 237 del Código Penal)

Este artículo sanciona al empleado público que, debiendo hacer pago como tenedor de fondos del Estado, rehusare hacerlo sin causa bastante.

No obstante, en contraste, este artículo dentro del título de la malversación de caudales públicos es más bien una forma de desobediencia, denegación de auxilio o abuso en contra de los particulares, dependiendo de la circunstancia.

La sanción que se le aplica al funcionario que incurre en este delito es la pena de suspensión del empleo en sus grados mínimo a medio.

6) Extensión de las normas anteriores a fondos municipales y establecimientos públicos de instrucción o beneficencia (Artículo 238 del Código Penal)

Este artículo establece una disposición general, aplicable a todos los delitos relacionados con la malversación de caudales públicos. Este artículo señala que las disposiciones de este párrafo son extensivas al que se halle encargado por cualquier concepto de fondos, rentas o efectos municipales o pertenecientes a un establecimiento público de instrucción o beneficencia.

Su inciso segundo dispone que en los delitos a que se refiere este párrafo se aplicará el máximo del grado cuando el valor de lo malversado excediere de 400 UTM, siempre que la pena señalada al delito conste de uno solo en conformidad a lo establecido en el inciso tercero del artículo 67 de este código. Si la pena consta de dos o más grados, se impondrá el grado máximo.

b) Fraude al fisco

Este delito se contempla en el artículo 239 del Código Penal. Es una forma especial del delito de estafa, pues se configura cuando un funcionario público consiente en la defraudación efectuada por un tercero al Estado, a las municipalidades o a los establecimientos públicos de instrucción o beneficencia.

El fraude al fisco es un delito que se relaciona con el deber de lealtad y corrección de los funcionarios públicos en el cumplimiento de sus cometidos, e implica una falta a la probidad.

Lo que se busca con la tipificación de este delito es la protección del correcto desempeño de la función pública, interés que resulta lesionado cuando el funcionario no cumple el deber de velar por los intereses patrimoniales del fisco de acuerdo con criterios de economía y eficiencia, vulnerando con ello, alternativamente, los principios de objetividad, imparcialidad y transparencia.

Para que este delito se consuma requiere del engaño y perjuicio propios del delito de estafa. El perjuicio causado al fisco puede comprender pérdidas directas o privación de un lucro legítimo.

Quien participa en este delito como tercero podría ser sancionado a título de estafa común, calificada o especial.

En cuanto a las sanciones, tenemos la pena de presidio menor en sus grados medio a máximo.

En aquellos casos en que el monto de lo defraudado excediere de cuarenta unidades tributarias mensuales, se impondrá la pena de presidio menor en su grado máximo a presidio mayor en su grado mínimo.

Si la defraudación excediere de cuatrocientas unidades tributarias mensuales se aplicará la pena de presidio mayor en sus grados mínimo a medio.

En todo caso, se aplicarán las penas de multa de la mitad al tanto del perjuicio causado e inhabilitación absoluta temporal para cargos, empleos u oficios públicos en sus grados medio a máximo.

c) Negociación incompatible

Este artículo, que fue reemplazado por la ley N° 21.121, tipifica este delito, sancionando con la pena de reclusión menor en sus grados medio a máximo, inhabilitación absoluta temporal para cargos, empleos u oficios públicos en sus grados medio a máximo y multa de la mitad al tanto del valor del interés que hubiere tomado en el negocio, en los siguientes casos:

1° El empleado público que directa o indirectamente se interesare en cualquier negociación, actuación, contrato, operación o gestión en la cual hubiere de intervenir en razón de su cargo.

2° El árbitro o el liquidador comercial que directa o indirectamente se interesare en cualquier negociación, actuación, contrato, operación o gestión en la cual hubiere de intervenir en relación con los bienes, cosas o intereses patrimoniales cuya adjudicación, partición o administración estuviere a su cargo.

3° El veedor o liquidador en un procedimiento concursal que directa o indirectamente se interesare en cualquier negociación, actuación, contrato, operación o gestión en la cual hubiere de intervenir en relación con los bienes o intereses patrimoniales cuya salvaguardia o promoción le corresponda.

4° El perito que directa o indirectamente se interesare en cualquier negociación, actuación, contrato, operación o gestión en la cual hubiere de intervenir en relación con los bienes o cosas cuya tasación le corresponda.

5° El guardador o albacea que directa o indirectamente se interesare en cualquier negociación, actuación, contrato, operación o gestión en la cual hubiere de intervenir en relación con el patrimonio de los pupilos y las testamentarías a su cargo, incumpliendo las condiciones establecidas en la ley.

6° El que tenga a su cargo la salvaguardia o la gestión de todo o parte del patrimonio de otra persona que estuviere impedida de administrarlo, que directa o indirectamente se interesare en cualquier negociación, actuación, contrato, operación o gestión en la cual hubiere de intervenir en relación con ese patrimonio, incumpliendo las condiciones establecidas en la ley.

7° El director o gerente de una sociedad anónima que directa o indirectamente se interesare en cualquier negociación, actuación, contrato, operación o gestión que involucre a la sociedad, incumpliendo las condiciones establecidas por la ley, así como toda persona a quien le sean aplicables las normas que en materia de deberes se establecen para los directores o gerentes de estas sociedades.

Las mismas penas se impondrán a las personas enumeradas en el inciso precedente si, en las mismas circunstancias, dieren o dejaren tomar interés, debiendo impedirlo, a su cónyuge o conviviente civil, a un pariente en cualquier grado de la línea recta o hasta en el tercer grado inclusive de la línea colateral, sea por consanguinidad o afinidad.

Lo mismo valdrá en caso de que alguna de las personas enumeradas en el inciso primero, en las mismas circunstancias, diere o dejare tomar interés, debiendo impedirlo, a terceros asociados con ella o con las personas indicadas en el inciso precedente, o a sociedades, asociaciones o empresas en las que ella misma, dichos terceros o esas personas ejerzan su administración en cualquier forma o tengan interés social, el cual deberá ser superior al diez por ciento si la sociedad fuere anónima.

Luego, de acuerdo con el artículo 240 bis, se sanciona, con las mismas penas del artículo 240:

1.-Al empleado público que, interesándose directa o indirectamente en cualquier clase de contrato u operación en que deba intervenir otro empleado público, ejerciere influencia en éste para obtener una decisión favorable a sus intereses.

2.- Al empleado público que, para dar interés a cualquiera de las personas expresadas en los incisos segundo y final del artículo 240 en cualquier clase de contrato u operación en que deba intervenir otro empleado público, ejerciere influencia en él para obtener una decisión favorable a esos intereses.

Se establece, además, que, en cualquiera de estos casos, el juez podrá imponer la pena de inhabilitación absoluta perpetua para cargos u oficios públicos.

d) El incremento patrimonial relevante e injustificado

El artículo 241 bis del Código Penal sanciona al empleado público que durante el ejercicio de su cargo obtenga un incremento patrimonial relevante e injustificado. Este delito será sancionado con multa equivalente al monto del incremento patrimonial indebido y con la pena de inhabilitación absoluta temporal para el ejercicio de cargos y oficios públicos en sus grados mínimo a medio.

Delitos que afectan la confianza pública depositada en los funcionarios

a) Infidelidad en la custodia de documentos

Según los artículos 242 al 245 del Código Penal, estos delitos comprenden la sustracción y supresión de documentos; la rotura de sellos; y la apertura de papeles.

Respecto del primero de ellos, el artículo 242 indica, por un lado, que el funcionario o eclesiástico que sustraiga o destruya papeles o documentos que le han sido confiados en virtud de su cargo, se le sancionará con una pena que va desde la reclusión menor en su grado mínimo a máximo, y una multa que va desde 11 a 25 UTM, dependiendo del daño producido a la causa pública.

En cuanto a la rotura de sellos, el artículo 243 expresa que aquel funcionario que tiene a su cargo la custodia de papeles o efectos sellados por la autoridad, y que quebrante o consienta en el quebrantamiento de los sellos, recibirá la pena de reclusión menor en su grado mínimo a medio, y una multa de 11 a 15 UTM.

En relación a la apertura de papeles cerrados, el artículo 244 señala que aquel funcionario que abra o consienta en abrir papeles cerrados que le han sido confiados, sin la autorización competente, será sancionado con la pena de reclusión menor en su grado mínimo, y una multa de 6 a 10 UTM.

b) Violación de secretos

Si bien el legislador no define de manera expresa lo que es el secreto, la doctrina se ha encargado de hacerlo. Así, se puede entender por secreto aquel hecho que es conocido sólo por un círculo restringido de personas y respecto del cual existe, por parte de alguien, un interés legítimo en que el conocimiento del mismo se mantenga limitado a ese círculo de personas, pues su conocimiento por otros afectaría un bien de que es titular (su honor, sus intereses, su tranquilidad.

Este delito se encuentra contemplado en los artículos 246, 247 y 247 bis del Código Penal y comprende aquellas conductas que dicen relación con lo siguiente:

1) Violación de secretos públicos. Esta se da en el caso que un funcionario público revele secretos que en virtud de su cargo tiene, o entregue documentos o copias de papeles que tenga a su cargo, y que no deben ser publicados. La sanción que se le aplica al funcionario en este caso es la suspensión del empleo en su grado mínimo a medio, y una multa de 21 a 30 UTM. En el caso que esta entrega o revelación cause grave daño a la causa pública, se sanciona al infractor con reclusión mayor en cualquiera de sus grados, y una multa de 21 a 30 UTM.

2) Violación de secretos privados. Se trata de aquella acción que realiza un funcionario al descubrir los secretos de un particular que en razón de su cargo tiene. Se le sanciona con pena de reclusión menor en su grado mínimo a medio, y una multa de 6 a 10 UTM.

3) Uso de información privilegiada. En este caso se sanciona a aquel funcionario que, haciendo uso de un secreto o de una información concreta reservada, de que tenga conocimiento en virtud de su cargo, obtenga un beneficio económico para sí o para otro. Este funcionario será sancionado con la pena de reclusión menor en su grado mínimo a medio, y una multa que puede ascender al triple del beneficio obtenido.

Lo que se busca proteger con el establecimiento de estos delitos es el adecuado funcionamiento de la administración; si los empleados públicos revelan secretos propios de las labores que ejercen, ya sea para beneficiarse ellos mismos o un tercero o para perjudicar al organismo al que pertenecen, lo que se produce es que se impide que la función pública se ejerza de manera adecuada, traduciéndose esto en una deficiente prestación de los servicios que les encomiendan.

c) Abusos contra particulares

Este tipo de delitos comprende los denominados vejámenes y apremios ilegítimos; la denegación de servicio; y la solicitación de personas.

1) Vejaciones o apremios (Artículo 255 del Código Penal)

Este artículo sanciona al empleado público que, desempeñando un acto de servicio, cometiere cualquier vejación (maltrato, molestias, perjuicios) injusta contra las personas o usare apremios ilegítimos (forma de atentado en contra de la integridad física y síquica) o innecesarios para el desempeño del servicio respectivo.

El funcionario será sancionado con la pena de reclusión menor en su grado mínimo, salvo que el hecho sea constitutivo de un delito de mayor gravedad, caso en el cual se aplicará sólo la pena asignada por la ley a éste.

Si la conducta descrita en el inciso precedente se cometiere en contra de una persona menor de edad o en situación de vulnerabilidad por discapacidad, enfermedad o vejez; o en contra de una persona que se encuentre bajo el cuidado, custodia o control del empleado público, la pena se aumentará en un grado.

No se considerarán como vejaciones injustas las molestias o penalidades que sean consecuencia únicamente de sanciones legales, o que sean inherentes o incidentales a éstas, ni las derivadas de un acto legítimo de autoridad.

2) Denegación de servicio (Artículo 256 del Código Penal)

Se refiere al empleado público del orden administrativo que maliciosamente retardare o negare a los particulares la protección o servicio que deba dispensarles en conformidad a las leyes y reglamentos.

Se sanciona con las penas de suspensión del empleo en cualquiera de sus grados y multa de once a veinte unidades tributarias mensuales.

3) Solicitud de favores sexuales (Artículos 258 y 259 del Código Penal)

Este delito sanciona aquellas conductas en que un funcionario solicita favores sexuales de las personas que acuden a él, ya sea por tener pretensiones pendientes o por encontrarse bajo su guarda o cuidado.

La sanción aplicable para este delito va desde inhabilitación especial temporal para el cargo u oficio en su grado medio hasta la inhabilitación especial perpetua; y puede ser aplicada la pena de reclusión menor en cualquiera de sus grados.

Algunas normas comunes incorporadas al Código Penal, por la ya citada ley N° 21.121

En materia de prescripción, el nuevo artículo 260 bis, establece que en los delitos contemplados en los Párrafos 5, 6, 9 y 9 bis del Título Quinto el plazo de prescripción de la acción penal empezará a correr desde que el empleado público que intervino en ellos cesare en su cargo o función. Sin embargo, si el empleado, dentro de los seis meses que siguen al cese de su cargo o función, asumiere uno nuevo con facultades de dirección, supervigilancia o control respecto del anterior, el plazo de prescripción empezará a correr desde que cesare en este último.

Luego, se considera circunstancia agravante de los delitos contemplados en los Párrafos 5, 6, 9 y 9 bis el hecho de que los responsables hayan actuado formando parte de una agrupación u organización de dos o más personas destinada a cometer dichos hechos punibles, siempre que ésta o aquélla no constituyere una asociación ilícita de que trata el Párrafo 10 del Título VI del Libro Segundo.

Por su parte, se considera circunstancia atenuante de responsabilidad penal de los delitos contemplados en los Párrafos 5, 6, 9 y 9 bis la cooperación eficaz que conduzca al esclarecimiento de los hechos investigados o permita la identificación de sus responsables, o sirva para prevenir o impedir la perpetración o consumación de estos delitos, o facilite el comiso de los bienes, instrumentos, efectos o productos del delito. En estos casos, el tribunal podrá reducir la pena hasta en dos grados.

Se entiende por cooperación eficaz el suministro de datos o informaciones precisos, verídicos y comprobables, que contribuyan necesariamente a los fines señalados en el inciso anterior.

La circunstancia atenuante prevista en el artículo 260 quáter, no se aplicará a los empleados públicos que desempeñen un cargo de elección popular o de exclusiva confianza de éstos, o de alta dirección pública del primer nivel jerárquico; a los que sean fiscales del Ministerio Público; ni a aquellos que, perteneciendo o no al orden judicial, ejerzan jurisdicción.

Delitos que afectan el buen funcionamiento de la administración

a) Nombramientos ilegales

El artículo 220 del Código Penal sanciona al funcionario que a sabiendas designe a una persona en un cargo público que se encuentra afecta a inhabilidad legal que le impida ejercer dicho cargo.

La sanción que se le aplica a dicho funcionario es la inhabilitación especial temporal en cualquiera de sus grados, y una multa de 5 a 10 UTM.

Lo que se busca proteger con la tipificación de este delito es el correcto desempeño de las funciones públicas, valor que presupone un estricto respeto del principio de legalidad.

b) Usurpación de atribuciones

A esta figura se refieren los artículos 221 y 222 del Código Penal. El código sanciona a aquel funcionario que dicte reglamentos o disposiciones generales que excedan de modo malicioso el ejercicio de sus atribuciones. La sanción que se aplica en este caso es la suspensión del empleo en su grado medio.

Por su parte, el artículo 222 del mismo código sanciona al empleado del orden judicial que se arrogare atribuciones propias de las autoridades administrativas o impidiere a éstas el ejercicio legítimo de las suyas.

La sanción que se aplica es la suspensión del empleo en su grado medio. El artículo también sanciona a todo empleado del orden administrativo que se arrogare atribuciones judiciales o impidiere la ejecución de una providencia dictada por tribunal competente.

c) Resistencia y desobediencia

El artículo 252 del Código Penal dispone que aquel funcionario que se niegue abiertamente a obedecer las órdenes de sus superiores en materias del servicio, será sancionado con la inhabilitación especial perpetua para el cargo u oficio.

Del mismo modo, dicho artículo sanciona a aquel funcionario que una vez suspendida alguna ejecución de órdenes de sus superiores, las desobedezca una vez que estos últimos hayan desaprobado dicha suspensión.

d) Denegación de auxilio y abandono de destino

Estos delitos se contemplan en los artículos 253 y 254 del Código Penal respectivamente. Se ha entendido por denegación de auxilio aquella situación en que un funcionario obligado a cooperarle legal o reglamentariamente a otro del cual no depende jerárquicamente, no lo hace.

Esta falta de cooperación se sanciona con suspensión del empleo en su grado mínimo a medio, y una multa de 6 a 10 UTM, pudiendo agravarse esta sanción si resultare grave daño a la causa pública.

El abandono de destino consiste en que un empleado, sin renunciar a su cargo, abandona el destino que tiene asignado sin esperar un plazo prudencial para ser reemplazado. Las sanciones y modalidades están en el artículo 254 del Código Penal.

VIII. Responsabilidad civil de los funcionarios públicos

Normativa:

- **Nacional**: artículos 1 inciso cuarto, 5, 6, 7, 38 y 98 de la Constitución Política de la República; artículos 16, 96, 101, 102, 107 bis, 109 a 119 de la Ley Nº 10.336, Orgánica Constitucional de la Contraloría General de la República; artículos 18 y 42 de la Ley Orgánica Constitucional de Bases Generales de la Administración del Estado; artículos 2319 y 2332 del Código Civil.

Régimen de responsabilidad civil aplicable a los funcionarios Públicos

La Ley Orgánica Constitucional de Bases Generales de la Administración del Estado (artículo 18) y el Estatuto Administrativo para Funcionarios Municipales (artículo 119) señalan que un funcionario puede incurrir en responsabilidad civil. Ambas regulaciones aclaran que este tipo de responsabilidad se aplica con independencia de la responsabilidad administrativa o penal.

La responsabilidad civil es aquella que surge a consecuencia de los daños que ocasionen los funcionarios en el ejercicio de sus funciones y que se traduce en la obligación de indemnizar dichos perjuicios.

Las normas que regulan las atribuciones, derechos y obligaciones de los funcionarios no señalan cuáles son los requisitos que se deben exigir para hacer efectiva la responsabilidad civil. Esta omisión es subsanada con las normas de responsabilidad civil extracontractual reguladas en el Código Civil, aplicadas como normas supletorias.

A lo anterior hay que añadir que la Ley N° 10.336, Orgánica de la Contraloría General de la República, regula la responsabilidad de quienes custodian o administran fondos fiscales.

Sanción aplicable a un funcionario que es responsable civilmente

A diferencia de las responsabilidades penales y administrativas, que producen sanciones diferentes, la responsabilidad civil siempre produce la misma sanción. Esta consiste en entregar una cierta cantidad de dinero a la persona afectada (sea al fisco o un particular), ya sea por concepto de indemnización de perjuicios o de restitución.

Requisitos que exige la ley para aplicar la responsabilidad civil a los funcionarios

El Código Civil no desarrolla en términos precisos los requisitos que debe cumplir un acto para generar responsabilidad civil extracontractual. A falta de una regulación expresa, la doctrina ha identificado los siguientes elementos como constitutivos de responsabilidad civil:

La responsabilidad civil de los funcionarios públicos: el juicio de cuentas

a) **Acción u omisión**: acción corresponde a una conducta positiva del funcionario. En relación con la omisión se exige, como requisito particular, que se produzca la no ejecución de una acción que el funcionario tenía la obligación de realizar.

b) **Capacidad**: la responsabilidad civil extracontractual regula la capacidad según la edad de la persona involucrada y sus facultades mentales. El artículo 2319 del Código Civil señala que son incapaces:

– Los menores de siete años;

– Los dementes;

– El menor de dieciséis años que haya cometido un delito o cuasidelito sin discernimiento.

c) **Culpa o dolo**: es la falta de cuidado o diligencia en la realización de una acción. La responsabilidad civil sólo exige un nivel de diligencia común u ordinario en la realización de una acción; no se pide un cuidado extremo o extraordinario. Por otro lado, el análisis del nivel de cuidado exigible, no se debe realizar tomando en consideración las características particulares del funcionario responsable, sino que se debe hacer según un patrón objetivo, en consideración a un funcionario tipo, que no tenga condiciones especiales que lo diferencien de los demás.

d) Daño: es el perjuicio que afecta a una persona como consecuencia de la realización de una acción.

El daño puede ser de carácter patrimonial y/o moral. Generalmente el perjuicio patrimonial se configura en aquellos casos en que la acción del funcionario afecta cosas materiales cuyo valor puede ser expresado en dinero. El daño es de carácter moral en aquellos casos en que la acción del funcionario afecta elementos que no tienen un valor en dinero, por ejemplo, se afectan los sentimientos.

e) Causalidad: es imprescindible que el acto del funcionario esté directamente vinculado con el perjuicio causado. La acción u omisión del funcionario debe ser la fuente inmediata del daño.

f) El acto que ocasionó el perjuicio debe haber sido realizado en ejercicio de las funciones o con ocasión de las funciones: un funcionario puede ser civilmente responsable por actos realizados en su vida privada y por actos vinculados al ejercicio de sus funciones. Para este manual, las acciones relevantes son las desarrolladas en este segundo plano.

Solamente la concurrencia de todos los elementos analizados puede generar responsabilidad civil. La falta de uno de éstos impide que el tribunal acoja la acción de indemnización de perjuicios.

Medios existen para hacer efectiva la responsabilidad civil

Cuando el fisco debe pagar una suma de dinero debido a una sentencia judicial, tiene derecho a que el funcionario que ocasionó el hecho que la motivó le restituya lo pagado. Para que esto ocurra, es necesario que exista una falta personal de ese funcionario (art. 38 de la Constitución y 42 de la Ley de Bases Generales de la Administración del Estado). En tal caso el fisco podrá demandar judicialmente al funcionario.

Además, el art. 87 de la Ley Nº 10.336, Orgánica de la Contraloría General de la República, señala que el Contralor podrá ordenar que se descuenten de las remuneraciones de los funcionarios las sumas que el fisco u otra institución estatal deba pagar a terceros en virtud de sentencia judicial, cuando se haya hecho efectiva su responsabilidad civil por actos realizados en el ejercicio de las funciones respectivas.

Por último, tratándose de los funcionarios que custodian, administran, recaudan o invierten rentas, fondos o bienes fiscales, existe un procedimiento especial para exigir que respondan: el juicio de cuentas.

Plazo de prescripción de la acción

El artículo 2332 del Código Civil señala que la acción prescribe en cuatro años contados desde la perpetración del hecho.

La Contraloría General de la República y el examen de cuentas; casos en que procede iniciar un juicio de cuentas.

La Contraloría General de la República puede iniciar juicios de cuentas en contra de funcionarios o ex funcionarios cuando con motivo de la administración de los recursos entregados a su custodia han actuado ilegalmente, con dolo o negligencia, provocando daño al patrimonio público.

Este juicio tiene por objeto que el Estado se resarza de los perjuicios que se le hayan causado, situación que fluye del respectivo examen de cuentas o de las conclusiones de un sumario administrativo. La demanda respectiva se llama reparo y se deduce en contra de los inculpados, los que, por regla general, deben responder en forma solidaria.

Están afectos a la acción fiscalizadora de Contraloría General, los órganos y servicios centralizados y descentralizados de la Administración del Estado, incluyendo los gobiernos regionales, las municipalidades y las empresas públicas del Estado creadas por ley, con la sola excepción de aquellas reparticiones marginadas por ley de su control. Aun cuando no integran la Administración del Estado, se encuentran también sujetas al control de Contraloría General de la República las instituciones de carácter privado en que el Estado tenga aportes, representación o participación en los porcentajes que señala el artículo 16º, inciso segundo, de la Ley Nº 10.336. Dicho control se preocupa de «cautelar el cumplimiento de los fines de esas empresas, sociedades o entidades, la regularidad de sus operaciones, hacer efectivas las responsabilidades de sus directivos o empleados, y obtener la información o antecedentes necesarios para formular un balance nacional».

Asimismo, la Contraloría General de la República tiene atribuciones con respecto a las entidades del sector privado que perciban, en virtud de leyes permanentes, aportes o subvenciones del Estado para finalidades específicas y determinadas, con el objeto de verificar el cumplimiento de esos fines.

La Contraloría General de la República tiene también la fiscalización de todas las organizaciones no gubernamentales (ONG) que reciben aportes o subvenciones estatales para verificar el empleo de estos recursos en los fines previstos por el legislador.

a) Materia de reparo.

Por regla general, es materia de reparos en las cuentas la circunstancia de carecer éstas de alguno de los requisitos señalados en las disposiciones pertinentes de la Ley Nº 10.336, Orgánica Constitucional de la Contraloría General de la República, y, en general, la de omitirse el cumplimiento de cualquiera disposición legal o reglamentaria que consulte contribución, aportes o impuestos a favor del fisco u otras instituciones, o que ordene alguna modalidad en la forma de recaudar las rentas, efectuar los egresos o rendir las cuentas (artículo 101 de la Ley N° 10.336).

b) Objetivo del examen de los expedientes.

En el juicio de cuentas se realiza un examen de expedientes. A través de ese análisis se pretende comprobar los siguientes elementos:

- Que la documentación sea auténtica;
- Que las operaciones de aritmética o contabilidad sean exactas;
- Que se hayan cumplido las leyes sobre timbres y estampillas, y otros impuestos y derechos;
- Que los gastos hayan sido correctamente imputados dentro del presupuesto, ley, decreto o resolución que lo autorice, de modo que corresponda al objeto para el cual fueron destinados los fondos;
- Que el gasto haya sido autorizado por funcionario competente.

c) Plazo de prescripción de esta acción.

Toda cuenta debe ser examinada dentro del plazo de un año contado desde la fecha de recepción por la Contraloría General de la República de los documentos respectivos. El artículo 96 de la Ley N° 10.336 señala que transcurrido el plazo de un año cesará la responsabilidad del cuentadante y la que pueda afectar a terceros.

d) Efecto que produce el plazo de prescripción del juicio de cuentas.

El plazo de prescripción de un año produce como consecuencia la extinción de la acción para dar inicio al juicio de cuentas. Este plazo solamente tiene repercusiones en la acción especial de cuentas.

Es decir, siguen vigentes las acciones generales y ordinarias para perseguir la responsabilidad de un funcionario, las que deben ser ejercidas en los tribunales ordinarios.

e) Eventual responsabilidad penal de este juicio.

El artículo 102 de la Ley N° 10.336 señala que si durante el transcurso del procedimiento se advierten reparos o irregularidades que hagan presumir la existencia de hechos delictuosos, el examinador deberá ponerlos inmediatamente en conocimiento de su jefe. El jefe tiene la responsabilidad de calificar la gravedad del asunto, y, si lo estima procedente, informará detalladamente y por escrito al Contralor, quien podrá ordenar que se informe a la justicia ordinaria.

Por otro lado, el artículo 117 de la Ley N° 10.336 señala que si durante la tramitación del juicio se advirtiere la existencia de un hecho que pueda constituir un delito, el juez de primera instancia ordenará formular la denuncia correspondiente en el ámbito de la justicia penal, siempre cuando la justicia ordinaria no tenga conocimiento de estos hechos. Incluso se señala que si el hecho delictual tiene relación directa con el reparo objeto del juicio, se suspenderá el procedimiento de cuentas hasta que recaiga resolución ejecutoriada en el juicio penal.

f) Eventual responsabilidad administrativa de este juicio.

El artículo 116 de la Ley N° 10.336 señala que cuando por la naturaleza de los hechos investigados no procediere condenar pecuniariamente al funcionario, el juez de primera instancia podrá juzgar el reparo como una infracción administrativa y aplicar alguna de las medidas disciplinarias contempladas en el Estatuto Administrativo.

g) Integración del tribunal encargado de desarrollar el juicio de cuentas.

El juez de primera instancia es el Subcontralor, y el tribunal de segunda instancia estará integrado por el contralor general, quien lo presidirá, y por dos abogados que hayan destacado en la actividad profesional o universitaria, los cuales serán designados por el Presidente de la República, a propuesta en terna del contralor general. Sus reemplazantes serán designados en igual forma.

h) Procedimiento del juicio de cuentas

1) Inicio: Este juicio se inicia en el supuesto que el examinador de cuentas señale reparos a las operaciones o documentos presentados. En la formulación de reparos el examinador debe señalar las irregularidades detectadas en los documentos u operaciones y formular las consideraciones de hecho y de derecho que fundamentan su decisión. El artículo 107 bis de la Ley N° 10.336 señala que el reparo constituirá la demanda en el juicio de cuentas.

2) Contestación del reparo: El funcionario tiene un plazo de quince días para contestar el reparo, contados desde la notificación. En la contestación se deben acompañar todos los documentos que el cuentadante estime convenientes para su defensa. Si no se contesta el reparo el juez tiene dos alternativas. En primer lugar, puede otorgar una ampliación del plazo para contestar. En segundo lugar, puede declarar de oficio la rebeldía del funcionario, con el solo mérito del certificado que expedirá el secretario del juzgado (artículo 109 de Ley N° 10.336).

3) Informe del jefe del departamento y contestación del fiscal: Producida la contestación o si el funcionario se encuentra en rebeldía, el jefe del departamento debe informar sobre el expediente dentro de un plazo de 30 días. Acto seguido, el expediente debe ser remitido al fiscal, quien es parte de este juicio como representante de los intereses del fisco o de las instituciones públicas afectadas. El fiscal tiene un plazo de 15 días para contestar el reparo y enviar el expediente al juzgado de cuentas (artículo 110 de la Ley N° 10.336).

4) Rendición de Prueba: los medios legales de prueba en el juicio de cuentas son los documentos que se acompañan en la contestación del reparo, las medidas para mejor resolver ordenadas por el juez de primera instancia y toda otra prueba que aporten las partes con posterioridad a la contestación. El juez de primera instancia valora prudencialmente la prueba legal rendida (artículo 111 de la Ley N° 10.336).

5) Dictación de Sentencia: cumplidos todos los trámites, vencidos los plazos y salvados los errores u omisiones observados en la tramitación del juicio, el expediente quedará en estado de sentencia, la cual deberá dictarse dentro del plazo de 30 días contado desde la última diligencia (artículo 113 de la Ley N° 10.336).

6) Recurso de Apelación: Las partes tienen un plazo fatal de 15 días para apelar la sentencia, contado desde la notificación. El tribunal de segunda instancia debe oír al recurrente y al fiscal, de la misma forma y dentro de los mismos plazos regulados en primera instancia. El tribunal debe pronunciarse dentro de 30 días contados desde la concesión de la apelación.

El tribunal puede abrir de oficio o a petición de parte un término probatorio especial para que se rinda la prueba que no hubiere podido rendirse en primera instancia o que verse sobre hechos nuevos. El término probatorio especial no puede exceder de 10 días (artículo 119 de la Ley N° 10.336).

¿Cómo se puede exigir el cumplimiento de la sentencia de condena?

El contralor puede ordenar que se descuenten directamente de las remuneraciones del funcionario, por las oficinas pagadoras correspondientes, las sumas equivalentes a los cargos que hubieren resultado en su contra.

También se puede desarrollar un juicio ejecutivo ante la justicia ordinaria. Es interesante resaltar que el artículo 128 de la Ley N° 10.336 señala que es la fiscalía de la Contraloría General de la República quien debe ejercer la acción destinada a lograr el cumplimiento de la sentencia dictada en juicio de cuentas.

¿Cuáles son las sanciones aplicables a un funcionario que incumple la obligación de pagar una cierta cantidad de dinero como consecuencia de la sentencia condenatoria?

El funcionario condenado por una sentencia firme y ejecutoriada debe efectuar dentro de tercero día el reintegro de la cantidad adeudada. Si no se efectúa el pago, la persona responsable deberá pagar un interés penal del 1% mensual.

En segundo lugar, el funcionario condenado por sentencia firme y ejecutoriada, requerido de cumplimiento, debe satisfacer, en el término de un mes, por sí o por fiador, los cargos que hubiesen resultado en su contra. En el supuesto que el funcionario incumpla esta obligación, deberá ser suspendido de su cargo por el contralor y será separado de su cargo si el integro no se efectúa dentro de los dos meses siguientes a la suspensión (artículo 125 de la Ley N° 10.336).

Límite al ejercicio de la acción del juicio de cuentas

A pesar de que la Ley N° 10.336 no regula un límite dentro del cual se permita ejercer la acción del juicio de cuentas, la jurisprudencia de la Contraloría General de la República ha señalado que por razones de economía procesal, no se podrá perseguir el resarcimiento de los perjuicios en aquellas situaciones irregulares cuyo valor en dinero sea ínfimo.

TÍTULO V
De la Responsabilidad Administrativa

Artículo 118

El empleado que infringiere sus obligaciones o deberes funcionarios podrá ser objeto de anotaciones de demérito en su hoja de vida o de medidas disciplinarias.

Los funcionarios incurrirán en responsabilidad administrativa cuando la infracción a sus deberes y obligaciones fuere susceptible de la aplicación de una medida disciplinaria, la que deberá ser acreditada mediante investigación sumaria o sumario administrativo.

Tratándose del alcalde su responsabilidad administrativa se hará efectiva en conformidad al artículo 60 de la ley N° 18.695.

1. «*La I Contraloría Regional Metropolitana de Santiago ha remitido la presentación de don Iván Gajardo Calderón, exconcejal de la Municipalidad de Macul, quien solicita un pronunciamiento acerca de la juridicidad del decreto alcaldicio N° 3.480, de 2016 —mediante el cual esa entidad edilicia invalidó el decreto alcaldicio N° 215, de tal año, que declaró la vacancia del cargo del director de control, don Arturo Molina Zamora—, y, en particular, respecto de la procedencia de que el órgano comunal ordenara pagar a aquel funcionario las remuneraciones que dejó de percibir después del cese, toda vez que no habría trabajado efectivamente en dicho período*». (**ID Dictamen:** 025294N18. **Fecha:** 08-10-2018. **Destinatarios:** Iván Gajardo Calderón, exconcejal de la Municipalidad de Macul. **Texto:** La causal de cese de funciones de declaración de vacancia por «calificación del funcionario en lista de eliminación», es aplicable a quien desempeña el cargo de Director de la Unidad de Control Municipal, sin que se requiera, para hacerla efectiva, de la tramitación previa de un sumario administrativo. **Acción:** Aplica dictámenes 85838/2016, 85233/2015, 27777/2016, 1772/2015).

2. «*Reincorporación solicitada por el interesado fue dispuesta por el municipio; decreto que afina sumario no puede aplicar, respecto de un funcionario, más de una medida disciplinaria por los mismos hechos*». (**ID Dictamen:** 078692N16. **Fecha:** 26-10-2016. **Destinatarios:** Jorge Campos Flores, exfuncionario de la Municipalidad de Buin. **Texto:** Reincorporación solicitada por el interesado fue dispuesta por el municipio; decreto que afina sumario no puede aplicar, respecto de un funcionario, más de una medida disciplinaria por los mismos hechos. **Acción:** Aplica dictamen 36229/2013 Aplica dictamen 77203/2012, 40018/2010, 86461/2015, 15700/2012).

3. «*Sobre el particular, cumple con recordar que los sumarios administrativos instruidos por las municipalidades, son procedimientos reglados, cuya tramitación se encuentra contenida en los **artículos 118 al 143 de la ley N° 18.883, Estatuto Administrativo para Funcionarios Municipales**. (...)*

*Finalmente, en relación con la petición del señor Guzmán Gálvez, es necesario indicar que, de acuerdo con el **oficio N° 32.148, de 1997** —que imparte instrucciones respecto a los actos municipales sujetos a trámite de registro ante esta Entidad de Control—, sólo se encuentra sometido a dicho trámite, el acto terminal de un procedimiento disciplinario, es decir, aquel que contiene la decisión de la autoridad en cuanto a la sanción, absolución o sobreseimiento que, a su juicio, corresponde aplicar según el resultado que haya arrojado el proceso ordenado instruir (...)*». (**ID Dictamen:** 079504N11 **Fecha:** 21.12.2011 **Destinatarios:** Alcalde de la Municipalidad de La Florida. **Texto:** Proceso disciplinario no se encuentra afinado, por lo que Alcalde deberá dictar el decreto que sobresea al sumariado —por cuanto no se formularon cargos— o bien, la orden de que se prosiga la investigación, en caso de estimarse que ella no se encuentra agotada, debiendo registrarse, únicamente, el acto terminal que contiene la decisión de la autoridad en cuanto a la sanción, absolución o sobreseimiento. **Acción:** Aplica dictámenes 32148/97, 61883/2010)[257]

4. «*Sobre la materia, es menester tener presente, en primer término, que los **artículos 118, inciso segundo, de la ley N° 18.883, Estatuto Administrativo para Funcionarios Municipales**, y 119, inciso segundo, de la ley N° 18.834, Estatuto Administrativo, señalan que los funcionarios incurrirán en responsabilidad administrativa cuando la infracción a sus*

---

[257] Para efectos de su consulta en la Base de Jurisprudencia de Contraloría General de la República, el citado dictamen se encuentra en la sección/materia: «generales», sin perjuicio de que se trata de uno de carácter municipal.

Capítulo IV. De la responsabilidad de los Funcionarios Municipales

deberes y obligaciones fuere susceptible de la aplicación de una medida disciplinaria, la que deberá ser acreditada mediante investigación sumaria o sumario administrativo.

Por otra parte, corresponde anotar que la ley Nº 19.886 junto con establecer un procedimiento general y reglado conforme al cual deben tramitarse las licitaciones de los contratos a los cuales dicho cuerpo normativo se refiere, ha creado, en su Capítulo V, el Tribunal de Contratación Pública, órgano jurisdiccional al que le compete, de acuerdo con lo señalado en el artículo 24 de la referida ley, conocer de la acción de impugnación contra actos u omisiones, ilegales o arbitrarios, ocurridos en los procedimientos administrativos de contratación con organismos públicos regidos por el citado texto legal, que tengan lugar entre la aprobación de las bases de la respectiva licitación y su adjudicación, ambas inclusive.

*Como se puede advertir, el mencionado **Tribunal de Contratación Pública, que sólo ejerce funciones jurisdiccionales, no posee competencia para establecer responsabilidades administrativas de funcionarios públicos, la que sólo compete a esta Entidad de Control y a las autoridades administrativas que determina la ley.***

Luego, y en lo que respecta al ámbito que nos ocupa, cabe señalar que, de conformidad con el artículo 98 de la Constitución Política, corresponde a esta Contraloría General, entre otras potestades, ejercer el control de legalidad de los actos de la Administración del Estado y fiscalizar el ingreso y la inversión de los fondos del Fisco, de las municipalidades y de los demás organismos y servicios que determinen las leyes.

Ahora bien, tales potestades, proyectadas al ámbito disciplinario, comprenden las facultades para practicar las auditorías, inspecciones, investigaciones y sumarios que se estimen pertinentes, según lo previsto en los artículos 21 A y 131 a 139, especialmente 133 bis, de la ley Nº 10.336, sobre Organización y Atribuciones de la Contraloría General, y demás leyes especiales, con el fin, entre otros, de establecer los hechos sujetos a investigación, las eventuales infracciones, los involucrados, sus grados de culpabilidad y aplicar o proponer, según sea el caso, las medidas disciplinarias que correspondan.

Por otra parte, conviene, además, considerar lo establecido en el artículo 119 de la ley Nº 18.883, Estatuto Administrativo para Funcionarios Municipales, y 120 de la ley Nº 18.834, Estatuto Administrativo, que consagran el principio de independencia de responsabilidades, esto es, que la sanción administrativa es independiente de la responsabilidad civil y penal, y en consecuencia, como precisa el anotado precepto, las actuaciones o resoluciones referidas a ésta, no excluyen la posibilidad de aplicar al funcionario una medida disciplinaria en razón de los mismos hechos, en las condiciones y bajo las excepciones que contempla el ordenamiento jurídico.

*En este orden de consideraciones, cabe señalar, con relación al artículo 6º de la mencionada ley Nº 10.336, que impide a esta Entidad Fiscalizadora intervenir o informar los asuntos de naturaleza litigiosa o que estén sometidos al conocimiento de los Tribunales de Justicia, que esta **Contraloría General ha precisado que dicho precepto se refiere a la facultad de este Organismo de Control para emitir dictámenes sólo en dichos asuntos, lo que de ningún modo impide el ejercicio de las demás funciones y atribuciones que el ordenamiento jurídico le ha conferido, tales como la de hacer efectiva la responsabilidad administrativa de funcionarios públicos afectos a su fiscalización, mediante los correspondientes sumarios administrativos**, acorde con lo manifestado en los dictámenes Nºs. 19.957 de 1996; 15.191 de 1998; 43.535 de 1999; 39.570 de 2000; 23.688 y 35.624, ambos de 2001; 11.752 y 18.779, ambos de 2003; 18.712 de 2005; y 56.773, de 2009, entre otros.*

Por consiguiente, en mérito de las atribuciones que le asisten a esta Contraloría General, procede que las denuncias que le formule la Dirección de Compras y Contratación Pública sobre eventuales responsabilidades administrativas de funcionarios públicos que han intervenido en procesos licitatorios, sean atendidas por este Organismo de Control arbitrando las medidas que en derecho correspondan». (**ID Dictamen: 003293N11 Fecha:** 18.01.2011 **Destinatarios:** Director de la Dirección de Compras y Contratación Pública. **Texto:** Sobre atribuciones de la Contraloría General para establecer responsabilidades administrativas en licitaciones reguladas por la ley 19886. **Acción:** Aplica dictámenes 19957/96, 15191/98, 43535/99, 39570/2000, 23688/2001, 35624/2001, 11752/2003, 18779/2003, 18712/2005, 56773/2009)[258]

5. «*Finalmente, esa entidad edilicia deberá tener presente, en lo sucesivo, que según lo establecido en el **inciso segundo del artículo 118, de la referida ley Nº 18.883,** los funcionarios incurrirán en responsabilidad administrativa cuando la infracción de sus deberes y obligaciones fuere susceptible de la aplicación de una medida disciplinaria, **no como se hizo en esta oportunidad en que se impuso a la ocurrente y al profesor Jaime Artemio Soto Muñoz una doble sanción por los mismos hechos, esto es, censura y multa, vulnerando el principio del "non bis in ídem" (aplica dictamen Nº 41.736,***

---

[258] Para efectos de su consulta en la Base de Jurisprudencia de Contraloría General de la República, el citado dictamen se encuentra en la sección/materia: «generales», sin perjuicio de que se trata de uno de carácter municipal.

de 2004)». **(ID Dictamen: 077203N12 Fecha:** 12.12.2012 **Destinatarios:** Alcalde de la Municipalidad de Cobquecura. **Texto:** Acoge reclamo de ilegalidad en sumario administrativo que indica, por no constituir infracción administrativa los hechos materia de cargo. **Acción:** Aplica dictámenes 32700/2012, 19970/2005, 26738/2009, 20980/2012, 30977/97, 18839/2004, 41736/2004)

6. «(...) de acuerdo a lo dispuesto en el **artículo 118 y siguientes de la ley Nº 18.883, Estatuto Administrativo para Funcionarios Municipales, corresponde al alcalde como máxima autoridad, ordenar la instrucción de los procesos disciplinarios que procedan, a fin de determinar la efectividad de los diferentes hechos denunciados y establecer si de ellos emanan eventuales responsabilidades administrativas».** **(ID Dictamen: 072080N12 Fecha:** 19.11.2012 **Destinatarios:** Alcalde de la Municipalidad de Melipilla. **Texto:** Sobre término de designación a contrata y pago de remuneraciones a funcionario de la Municipalidad de Melipilla. **Acción:** Aplica dictámenes 31337/2012, 46647/2007, 33111/2010, 48251/2010, 39675/2011, 79784/2011)²⁵⁹

7. «*Atendido lo anterior, y conforme a lo señalado en el dictamen Nº 3.293, de 2011, a éste Órgano de Control sólo le cabe pronunciarse con el fin, entre otros, de establecer los hechos sujetos a investigación, las eventuales infracciones y los involucrados en la eventual responsabilidad administrativa que pudiese afectar a los funcionarios en los términos dispuestos en el artículo 118, inciso segundo, de la ley Nº 18.883, Estatuto Administrativo para Funcionarios Municipales, aplicable para el caso en comento*». **(ID Dictamen: 047996N12 Fecha:** 07.08.2012 **Destinatarios:** Alcalde de la Municipalidad de Talagante. **Texto:** Sobre eventuales irregularidades en adjudicación de la licitación pública denominada «Mejoramiento Balneario Municipal, Parque Tegualda», Provincia de Talagante. **Acción:** aplica dictamen 3293/2011)²⁶⁰

8. «*Sobre este punto, la jurisprudencia de esta Entidad de Fiscalización ha precisado que una vez afinado el proceso disciplinario instruido con motivo de una nueva falta cometida por el mismo servidor y en el que se le aplique una sanción, el plazo de prescripción de que se trata se entenderá interrumpido a contar del día en que ocurrieron los hechos materia de esta nueva infracción y, si es menester, se ordenará la reapertura del procedimiento en que el afectado fue absuelto o sobreseído por la mencionada forma de extinguir la responsabilidad administrativa que, en estricto rigor, se interrumpió por una infracción posterior (aplica criterio contenido en los dictámenes Nºs. 6.926, de 2001; y 29.991, de 2010).*

*De esa manera, las conductas materia de reproche que el peticionario alega como reiteraciones, no tienen el mérito de interrumpir la prescripción, habida cuenta que ellas **no fueron debidamente constatadas mediante la instrucción de un expediente sumarial distinto del que se instruyó***». **(ID Dictamen: 046072N12 Fecha:** 30.07.2012 **Destinatarios:** Alcalde de la Municipalidad de Maipú. **Texto:** Rechaza solicitud de reconsideración de dictamen 4170/2012, de este origen, relativo a medida disciplinaria de destitución aplicada a funcionaria municipal afecta a fuero gremial, solicitud de reincorporación, y petición que indica. **Acción:** Aplica dictámenes 6926/2001, 29991/2010, 15657/2012, 24927/2012, 51667/2008, 32692/2011, 15860/2012 Confirma dictamen 4170/2012)

9. «*En relación a esta materia, cabe señalar que lo resuelto en el Nº 2 del precitado decreto Nº 48-A, de 2012, en orden a aplicar una anotación de demérito como consecuencia del proceso disciplinario en mención, no se ajusta a lo establecido en el artículo 118, inciso segundo, de la ley Nº 18.883, Estatuto Administrativo para Funcionarios Municipales, precepto según el cual dichos servidores incurren en responsabilidad administrativa cuando la infracción a sus deberes sea acreditada en un sumario o investigación sumaria, a cuyo término se dispone la aplicación de una medida disciplinaria, que se encuentran puntualizadas en el artículo 120 del mismo cuerpo estatutario, sin que entre ellas se contemple la anotación de demérito.*

De esta manera la referida entidad edilicia deberá afinar dicho procedimiento disciplinario conforme a derecho, y remitirlo con sus respectivos antecedentes, para su tramitación de rigor ante este Organismo Contralor, (...)». **(ID Dictamen:**

²⁵⁹ Para efectos de su consulta en la Base de Jurisprudencia de Contraloría General de la República, el citado dictamen se encuentra en la sección/materia: «generales», sin perjuicio de que se trata de uno de carácter municipal.

²⁶⁰ Para efectos de su consulta en la Base de Jurisprudencia de Contraloría General de la República, el citado dictamen se encuentra en la sección/materia: «generales», sin perjuicio de que se trata de uno de carácter municipal.

032095N12 Fecha: 31.05.2012 **Destinatarios:** Alcalde de Cerro Navia. **Texto:** Sobre paralización de las obras de reposición de la escuela Nº 386 Santander de España. **Acción:** Aplica dictamen 15700/2012)

10. «*Finalmente, respecto al eventual acoso laboral, cabe informar que la jurisprudencia administrativa de este Organismo de Control, contenida, entre otros, en el dictamen Nº 21.645, de 2012, ha concluido que la existencia de situaciones como la denunciada, debe ser analizada en las instancias judiciales pertinentes o mediante la instrucción de un procedimiento sumarial.*
Además, resulta útil agregar que, acorde con lo previsto en el artículo 118 y siguientes de la mencionada ley Nº 18.883, corresponde al alcalde, como máxima autoridad municipal, ordenar la instrucción de los procesos administrativos que procedan, a fin de determinar la efectividad de los diferentes hechos denunciados y establecer si de ellos emanan eventuales responsabilidades funcionarias». **(ID Dictamen: 031337N12 Fecha:** 29.05.2012 **Destinatarios:** Alcalde de la Municipalidad de Melipilla. **Texto:** Sobre término de nombramiento de funcionario contratado, tramitación de licencias médicas y acoso laboral. **Acción:** Aplica dictámenes 66048/2009, 36592/2011, 1596/2011, 68462/2011, 46647/2007, 33111/20120 48251/2010, 21645/2012)[261]

11. «*Por otra parte, el interesado solicita que se persiga la responsabilidad por notable abandono de deberes en que, a su juicio, habría incurrido el alcalde de ese municipio, al rechazar sin razón la oferta económica del 31 de enero de 2007 para reparar el Museo y Archivo de Chiloé, circunstancia que, conforme indica, no habría sido investigada por la Contraloría Regional de Los Lagos. (...)*
Por último, es menester precisar que, de acuerdo con lo establecido en el artículo 60, incisos primero, letra c), y cuarto, de la ley Nº 18.695, Orgánica Constitucional de Municipalidades, el notable abandono de deberes constituye una causal de cese en el cargo de alcalde que debe ser declarada por el tribunal electoral respectivo —y no por esta Contraloría General—, a requerimiento de a lo menos un tercio de los concejales en ejercicio, razón por la cual, esta Entidad de Control carece de competencia para pronunciarse a ese respecto (aplica criterio contenido en el dictamen Nº 10.024, de 2011)». **(ID Dictamen: 073486N11 Fecha:** 24.11.2011 **Destinatarios:** Jorge Iturra Valdés. **Texto:** Desestima reclamo de funcionario de la Municipalidad de Castro que incide en aplicación de medida disciplinaria. **Acción:** Aplica dictamen 10024/2011)

Artículo 119

La sanción administrativa es independiente de la responsabilidad civil y penal y, en consecuencia, las actuaciones o resoluciones referidas a ésta, tales como el archivo provisional, la aplicación del principio de oportunidad, la suspensión condicional del procedimiento, los acuerdos reparatorios, la condena, el sobreseimiento o la absolución judicial no excluyen la posibilidad de aplicar al funcionario una medida disciplinaria en razón de los mismos hechos. Si se le sancionare con la medida de destitución como consecuencia exclusiva de hechos que revisten caracteres de delito y en el proceso criminal hubiere sido absuelto o sobreseído definitivamente por no constituir delito los hechos denunciados, el funcionario deberá ser reincorporado a la municipalidad en el cargo que desempeñaba a la fecha de la destitución o en otro de igual jerarquía. En este caso conservará todos sus derechos y beneficios legales y previsionales, como si hubiere estado en actividad.

En los demás casos de sobreseimiento definitivo o sentencia absolutoria, podrá pedir la reapertura del sumario administrativo y, si en éste también se le absolviere, procederá la reincorporación en los términos antes señalados.

---

[261] Para efectos de su consulta en la Base de Jurisprudencia de Contraloría General de la República, el citado dictamen se encuentra en la sección/materia: «generales», sin perjuicio de que se trata de uno de carácter municipal.

Si no fuere posible llevar a la práctica la reincorporación en el plazo de seis meses, contado desde la absolución administrativa, el empleado tendrá derecho a exigir, como única indemnización por los daños y perjuicios que la medida disciplinaria le hubiere irrogado, el pago de la remuneración que le habría correspondido percibir en su cargo durante el tiempo que hubiere permanecido alejado de la municipalidad, hasta un máximo de tres años. La suma que corresponda deberá pagarse en un solo acto y reajustada conforme a la variación del índice de precios al consumidor, desde la fecha de cese de funciones hasta el mes anterior al de pago efectivo.

1. «*Finalmente, y sin perjuicio de todo lo expuesto, se hace necesario recordar lo que el inciso primero artículo 119 de la ley Nº 18.883 dispone en relación a la responsabilidad de los funcionarios públicos, que "La sanción administrativa es independiente de la responsabilidad civil y penal", y en consecuencia, las actuaciones o resoluciones referidas a ésta, tales como la condena, "no excluyen la posibilidad de aplicar al funcionario una medida disciplinaria en razón de los mismos hechos"*». (**ID Dictamen: 003833N19. Fecha:** 06-02-2019. **Destinatarios:** ex funcionario de la Municipalidad de Copiapó. **Texto:** La concesión por sentencia ejecutoriada de alguna de las penas sustitutivas a que se refiere la ley Nº 18.216 implica considerar al condenado como si no hubiese cometido delito para todos los efectos legales, observando los demás requisitos que su artículo 38 exige; pero ello no obsta el cumplimiento de las penas accesorias ni la prosecución de la responsabilidad administrativa, en su caso. **Acción:** Aplica dictámenes 77312/2016, 28719/95, 20003/2003, 15025/2009, 7986/2018).

2. «*Se ha dirigido a esta Contraloría General la señora Natalia Ogaz Díaz, exservidora de la Municipalidad de Valparaíso, solicitando la reconsideración del dictamen Nº 22.358, de 2017 —pronunciamiento que, a su vez, reconsideró el oficio Nº 16.594, de 2016, de la Contraloría Regional de Valparaíso—, recaído en el proceso disciplinario mediante el cual se sancionó a la recurrente con la medida de destitución, y por el cual se concluyó que las faltas reprochadas a su respecto se encontraban acreditadas*». (**ID Dictamen:** 001161N19. **Fecha:** 14-01-2019. **Destinatarios:** Natalia Ogaz Díaz, exservidora de la Municipalidad de Valparaíso. **Texto:** Desestima solicitud de reconsideración del dictamen Nº 22.358, de 2017, toda vez que no se aportan nuevos antecedentes sustanciales. El archivo provisional no exime de la posibilidad de imponer una medida disciplinaria por los mismos hechos. **Acción:** Confirma dictamen 22358/2017 aplica dictámenes 86064/2014, 15364/2011, 13939/2017, 21093/2015).

3. «*La Contraloría Regional de Los Lagos ha remitido la presentación de la señora Ulda Vargas Pinol, exfuncionaria de la Municipalidad de San Juan de la Costa, mediante la cual solicita la reconsideración del oficio Nº 4.767, de 2015, de ese origen, que ratificó —en conformidad con lo dispuesto en el artículo 25 de la ley Nº 19.296— la medida disciplinaria de destitución —contemplada en los artículos 120, letra d), y 123, de la ley Nº 18.883—, que le fuera aplicada a través del decreto Nº 4.139, de 2014, de tal ente edilicio, por cuanto estimó que la reclamación interpuesta en contra de dicho acto administrativo había sido extemporánea, sin perjuicio de lo cual precisó, que el pertinente proceso sumarial se encontraba ajustado a derecho*». (**ID Dictamen:** 018919N16. **Fecha:** 09-03-2016. **Destinatarios:** Ulda Vargas Pinol, exfuncionaria de la Municipalidad de San Juan de la Costa. **Texto:** Reconsidera oficio Nº 4.767, de 2015, de la Contraloría Regional de Los Lagos, por cuanto el hecho constitutivo de uno de los cargos formulados se encuentra prescrito; y, efectúa precisión que indica. **Acción:** Aplica dictámenes 73001/2015, 31011/2009, 41239/2014).

4. «*Se ha dirigido a esta Contraloría General el señor Claudio Guerra Montenegro, exfuncionario de la Municipalidad de San Bernardo, quien —en el ejercicio del derecho establecido en el inciso primero del artículo 156 de la ley Nº 18.883—, reclama en contra de la legalidad de la medida disciplinaria de destitución, que esa entidad edilicia le aplicó a través del decreto Nº 903, de 2015, mantenida por su similar Nº 21, de 2016, con arreglo a lo previsto en el inciso final del artículo 69 y los artículos 120, letra d), y 123, del citado texto estatutario*». (**ID Dictamen:** 037515N16. **Fecha:** 20-05-2016. **Destinatarios: Claudio Guerra Montenegro, exfuncionario de la Municipalidad de San Bernardo. Texto:** Rechaza reclamo de exfuncionario municipal en contra de sumario, al término del cual se le destituyó por ausencias y atrasos reiterados, conforme al inciso final del artículo 69 de la ley Nº 18.883. **Acción:** Aplica dictámenes 51208/2015, 24576/2016, 84887/2013).

5. «*Ahora bien, atendido que la referida medida de destitución se fundó en que los hechos materia del mismo revestían características de delito, decretándose, posteriormente, en sede judicial, el sobreseimiento de la causa respectiva, por no existir presunciones de que se haya verificado el hecho que le dio origen, relacionado con la causal establecida en el*

*artículo 408, Nº 1, del Código de Procedimiento Penal, surgió para la autoridad edilicia la obligación de reabrir el procedimiento sumarial, en el evento de que lo solicitare el interesado, como efectivamente ocurrió, según se advierte de las presentaciones que el afectado formuló ante esta Entidad de Control —referencias Nº s. 42.699, 79.469 y 83.277, todas de 2007, y 239.079, de 2010—, con el objeto de que se determine si esa circunstancia modifica la sanción impuesta, según lo previsto en el **artículo 119 de la ley Nº 18.883**, puesto que de ser así, esto es, que se le aplique una medida distinta a la de la destitución, desaparecería para el señor Zúñiga Madariaga la causal de inhabilidad para ingresar a los municipios y a otros organismos de la Administración del Estado.*

*Con todo, es necesario precisar que la **obligación de reabrir el citado procedimiento sumarial** que pesa sobre la Municipalidad de Isla de Maipo, **no implica que esta deba reincorporar a sus funciones** al señor Zúñiga Madariaga, durante el tiempo que mantenga reabierto el sumario para los efectos anotados, ya que la aceptación de su renuncia como causal de cese, produjo todos sus efectos.*

*Del mismo modo, **tampoco importa alterar la causal de cese de funciones** de la aludida persona, la cual, como se ha indicado, corresponde a la de aceptación de su renuncia, debiendo entenderse que la incidencia de la referida reapertura en la situación funcionaria de dicho exservidor, solamente dice relación con lo dispuesto en el inciso final del artículo 145 de la ley Nº 18.883, puesto que si la municipalidad decide aplicar una medida distinta de la destitución, deberá modificarse aquella que, en conformidad con ese precepto, se hubiere anotado en la hoja de vida de aquel».* **(ID Dictamen: 074860N11 Fecha:** 29.11.2011 **Destinatarios:** Alcalde de la Municipalidad de Isla de Maipo. **Texto:** Rechaza solicitud de reconsideración de dictamen y reitera a municipio orden de reabrir sumario administrativo en contra de exservidor para efectos que indica. **Acción:** Aplica dictámenes 32221/2008, 2060/2011, 33344/2011)

6. *«Por su parte, el artículo 3º de la ley Nº 18.883, dispone que el personal que se desempeñe en servicios traspasados desde organismos o entidades del sector público y que administre directamente la municipalidad se regirá por las normas del Código del Trabajo; lo que resulta concordante con lo establecido en el artículo 4º de la ley Nº 19.464, que ordena que el personal asistente de la educación, que se desempeña, entre otros, en planteles de educación administrados directamente por las municipalidades, se rige por las disposiciones de ese código —salvo en los casos que indica (...).*

Al respecto, la jurisprudencia de este Organismo Fiscalizador, contenida en el dictamen Nº 7.512, de 2008, entre otros, ha precisado que la circunstancia que las leyes dispongan que ciertos personales que se desempeñan en la Administración estén regidos por el Código del Trabajo significa, precisamente, que su régimen estatutario es el contenido en dicho ordenamiento, lo cual se traduce en que no tienen más derechos que los contemplados en sus normas.

Pues bien, en este contexto, y considerando que del examen de la preceptiva contenida en el Código del Trabajo, no se advierte norma alguna que haga extensivo el beneficio que concede el referido artículo 119, de la ley Nº 18.883, a los servidores que se rigen por dicho código, forzoso resulta concluir que no les resulta aplicable lo dispuesto en ese artículo.

Por consiguiente, y dado que, como se indicara, la relación laboral del señor Luis Antiñir Maripan con la citada municipalidad, se encontraba afecta al Código del Trabajo, no procede que se le aplique lo dispuesto en el artículo 119, de la ley Nº 18.883.

Sin perjuicio de lo expresado, es menester precisar que en conformidad con lo prescrito en el artículo 18 de la ley Nº 18.575, Orgánica Constitucional de Bases Generales de la Administración del Estado, el personal de la Administración —dentro del que se incluye, por cierto, a los asistentes de la educación—, se encuentra sujeto a responsabilidad administrativa, la que es independiente de la civil y de la penal, lo cual implica que las actuaciones o resoluciones referidas a un eventual proceso criminal, no excluyen la posibilidad de aplicar al servidor una medida administrativa en razón de los mismos hechos, como ocurrió en la especie». **(ID Dictamen: 074539N11 Fecha:** 29.11.2011 **Destinatarios:** Alcaldesa de la Municipalidad de Pedro Aguirre Cerda. **Texto:** Sobre aplicación del art. 119, de la ley 18883, a ex servidor municipal afecto al Código del Trabajo. **Acción:** Aplica dictamen 7512/2008)

7. *«Enseguida, en lo referente a que el citado informe habría ordenado disponer un procedimiento disciplinario, cabe señalar que de acuerdo con lo dispuesto en el **artículo 119 de la ley Nº 18.883**, Estatuto Administrativo para Funcionarios Municipales, la sanción administrativa es independiente de la responsabilidad civil derivada de un mismo hecho, de manera tal que la tramitación de un juicio de cuentas no es incompatible con la instrucción de un sumario administrativo, dado que persiguen hacer efectivas responsabilidades diferentes. Además, de las conclusiones tercera y cuarta del informe aparece claramente que el sumario que debe instruir ese municipio se refiere a determinar eventuales responsabilidades administrativas derivadas del retraso en el pago de los descuentos voluntarios efectuados a los funcionarios, en tanto el reparo a presentar ante el Tribunal de Cuentas pretende resarcir el perjuicio causado al patrimonio municipal, por el pago de los intereses aplicados por la mora en dicho pago».* **(ID Dictamen: 051792N11 Fecha:** 17.08.2011 **Destinatarios:** Alcalde de la Municipalidad de Coquimbo. **Texto:** Sobre solicitud de reconsideración final del

Informe Final Nº 98, de 2010, de la Contraloría Regional de Coquimbo. **Acción:** Aplica dictámenes 29418/89, 5763/91 complementa dictámenes 29418/89, 5763/91 Aclara dictámenes 29418/89, 5763/91)[262]

8. «*Sobre el particular, es preciso recordar, que el **inciso primero del artículo 119 de la ley Nº 18.883**, establece, en lo que interesa, que **para que proceda la reincorporación de un funcionario, se requiere, por una parte, que haya sido sancionado administrativamente con la medida disciplinaria de destitución como consecuencia exclusiva de hechos que revisten caracteres de delito y, por otra, que en el proceso criminal haya sido absuelto o sobreseído definitivamente por no constituir delito los hechos denunciados, esto es, en virtud del artículo 408, Nº 2, del Código de Procedimiento Penal.***

En las condiciones anotadas, de acuerdo con los nuevos antecedentes aportados, se advierte que en la situación de la especie, si bien concurre uno de los supuestos que obligan al municipio a reincorporar a los requirentes a su cargo, cual es, que en el proceso penal fueron sobreseídos definitivamente en virtud del artículo 408, Nº 2, del Código de Procedimiento Penal; no obstante, como se expresó en el referido dictamen Nº 29.915, de 2009, no se cumple la segunda exigencia, esto es, que se les haya sancionado con la medida disciplinaria de destitución como consecuencia exclusiva de hechos que revistan caracteres de delito, por cuanto sus destituciones se fundamentaron tanto en hechos respecto de los cuales fueron sobreseídos penalmente, como en actos constitutivos de infracciones a sus deberes funcionarios, según se verifica en la formulación de cargos del correspondiente sumario administrativo.

*Por consiguiente, en mérito de lo expuesto, es preciso concluir que los peticionarios no tienen derecho a ser reincorporados a la entidad municipal, toda vez que no concurren **las exigencias que, en forma copulativa, requiere el comentado inciso primero del artículo 119 de la ley Nº 18.883.***

*Enseguida, en cuanto al argumento relativo a que el municipio pudo ejercer la acción disciplinaria en su contra, dado que por aplicación del artículo 154 de la citada ley Nº 18.883, se consideró que aquella prescribía conjuntamente con la acción penal, en circunstancias que, en definitiva, no fueron sancionados penalmente, cabe aclarar que la acción es el derecho a deducir una pretensión ante un tribunal de justicia y obligar a que este se pronuncie sobre ella según corresponda en derecho, no siendo un requisito para la extensión del plazo de prescripción, que el tribunal califique en forma previa los hechos como constitutivos de delito, **toda vez que aquella no se encuentra supeditada a las resultas del proceso criminal**, como pretenden los recurrentes **(aplica el dictamen Nº 28.181, de 2001).***

*Además, en lo que se refiere a la alegación de los recurrentes, en el sentido que, una vez obtenido el sobreseimiento definitivo, procedería que se retrotraigan las cosas, al estado de aplicar las normas sobre prescripción contenidas en el citado artículo 154 —lo que permitiría estimar, que la acción administrativa no prescribió conjuntamente con la acción penal, como lo sostienen aquéllos—, debe precisarse que un **efecto de esa naturaleza únicamente se encuentra previsto por el legislador, en las hipótesis que regula el comentado artículo 119, de modo que resulta improcedente pretender su aplicación extensiva a figuras jurídicas diversas reguladas en disposiciones diferentes.***

*En este orden de ideas, es necesario expresar, que como lo ha concluido este **Organismo Contralor en los dictámenes Nºs. 696, de 1996 y 48.668, de 2005, la Administración tiene el deber de destituir, sin esperar el fallo de la Justicia Ordinaria, a aquellos servidores cuyas labores no se encuadren dentro de las normas que se exigen para el desempeño de los cargos públicos, lo que se vincula con el principio de independencia de la sanción administrativa con las responsabilidades civil y penal**, regulado en la preceptiva anotada».* (**ID Dictamen: 043575N11 Fecha:** 11.07.2011 **Destinatarios:** Ricardo Leiva Uribe-Echeverría y otros. **Texto:** El derecho a solicitar la reincorporación del art. 119 de la ley 18883, se hace exigible desde que queda ejecutoriada la sentencia que declara el sobreseimiento definitivo en proceso criminal pertinente y prescribe en un plazo de dos años, que se interrumpe con la petición ante la municipalidad, iniciándose un nuevo plazo desde la fecha del oficio municipal denegatorio. **Acción:** Aplica dictámenes 28181/2001, 696/96, 48668/2005 Confirma dictamen 29915/2009)[263]

9. «*Finalmente, se ha estimado necesario puntualizar, en cuanto a lo sostenido por la autoridad recurrente, en orden a que los hechos por los que se instruyó el sumario respectivo, también dieron lugar a la persecución de la responsabilidad*

---

[262] Para efectos de su consulta en la Base de Jurisprudencia de Contraloría General de la República, el citado dictamen se encuentra en la sección/materia: «generales», sin perjuicio de que se trata de uno de carácter municipal.

[263] Para efectos de su consulta en la Base de Jurisprudencia de Contraloría General de la República, el citado dictamen se encuentra en la sección/materia: «generales», sin perjuicio de que se trata de uno de carácter municipal.

*penal de los inculpados conforme a la denuncia presentada ante la Fiscalía Local respectiva, lo que, en su concepto inhibiría el actuar del Ente de Control, de conformidad al artículo 6º de la ley Nº 10.336, corresponde manifestar que la circunstancia descrita no es óbice para que la Oficina Regional de Control haya procedido a efectuar el control de legalidad de la decisión adoptada por la autoridad, máxime considerando el **principio de independencia de responsabilidades, contemplado en el artículo 119 de la ley Nº 18.883, sobre Estatuto Administrativo para Funcionarios Municipales**».* (**ID Dictamen: 017457N11 Fecha:** 22.03.2011 **Destinatarios:** Alcalde de la Municipalidad de Yungay. **Texto:** Sobre solicitud de reconsideración del oficio Nº 6025, de 2010, de la Contraloría Regional del Bío Bío, que observó decretos de la Municipalidad de Yungay, que aplicaron medidas disciplinarias que indica. **Acción:** Aplica dictamen 52975/2009)

10. «*Asimismo, es dable señalar que si bien, a esta Entidad Fiscalizadora le corresponde velar por las normas que aseguren el respeto al principio del debido proceso, velando por la regularidad del procedimiento, en dicho ejercicio no puede sustituir a la administración activa en la ponderación o valoración de las pruebas destinadas a establecer un juicio de valor acerca de la responsabilidad administrativa de un inculpado.*

Por último, es dable hacer presente que aun cuando se trate de los mismos hechos, es posible que las ponderaciones que existan en materia administrativa para establecer la existencia de responsabilidad de esa índole, sean distintas de las que se realicen en el contexto de un juicio penal.

*Lo anterior, en conformidad con el **principio de independencia de responsabilidades consagrado en el referido artículo 119 de la ley Nº 18.883**, de manera que aun el sobreseimiento del proceso por la causal 3ª del artículo 408 del Código de Procedimiento Penal, puede dejar subsistente la existencia de responsabilidad administrativa, en concepto del fiscal y la autoridad administrativa*». (**ID Dictamen:** 015364N11 **Fecha:** 14.03.2011 **Destinatarios:** Arnaldo Obando Rodríguez. **Texto:** Sobre solicitud de reapertura de sumario. **Acción:** Aplica dictamen 24265/2010)

11. «*Además, debe aclararse que de acuerdo con lo dispuesto en el citado precepto legal, sólo si al servidor se le sancionare con la medida de destitución como consecuencia exclusiva de hechos que revisten caracteres de delito y en el proceso criminal hubiere sido absuelto o sobreseído definitivamente por no constituir delito los hechos denunciados, deberá ser reincorporado a la municipalidad en el cargo que desempeñaba a la fecha de la destitución o en otro de igual jerarquía.*

Por tanto, si bien la recurrente no acompaña la documentación relativa al proceso penal que la afectó, teniendo en cuenta lo señalado por la misma, en orden a que fue condenada, es preciso informar que no cumple las condiciones que exige la anotada disposición legal, que permitan su reincorporación al cargo que servía en la Municipalidad de María Pinto.

*Luego, en cuanto a la posibilidad de reincorporarse, en general, a cualquier empleo en la Administración del Estado, cabe señalar que la **inhabilidad para ingresar que afecta a las personas que se hallen condenadas por crimen y simple delito**, establecida en el artículo 54, de la ley Nº 18.575, Orgánica Constitucional de Bases Generales de la Administración del Estado, según lo ha concluido este Organismo Contralor en los dictámenes Nºs. 36.773, de 2006, y 49.544, de 2008, no alcanza a quienes sean favorecidos por sentencia ejecutoriada por alguno de los beneficios previstos en la ley Nº 18.216 —entre los cuales, se encuentra la libertad vigilada que menciona la interesada—, toda vez que su otorgamiento tiene mérito suficiente para la omisión en los certificados de antecedentes, de las anotaciones a que dio origen la condena, la cual se extiende a cualquier exigencia de orden legal y administrativo que afecte al favorecido con dicha medida, relativo al hecho de haber delinquido, haciendo desaparecer los resultados de la sanción. (...)*

Finalmente, procede manifestar que el artículo 38, letra f), de la ley Nº 10.336, sobre Organización y Atribuciones de esta Contraloría General, establece que esta Entidad Fiscalizadora debe llevar una nómina al día de los funcionarios separados o destituidos, administrativamente de cualquier empleo o cargo público, sin que pueda darse curso a ningún nombramiento recaído en persona alguna afectada con la medida indicada a menos que intervenga decreto supremo de rehabilitación». (**ID Dictamen:** 012943N11 **Fecha:** 02.03.2011 **Destinatarios** Daniela Ibarra Hernández. **Texto:** Sobre reincorporación a la Administración del Estado de funcionaria destituida y condenada en sede penal. **Acción:** Aplica dictámenes 36773/2006, 49544/2008, 58851/2008)

12. «*Por otra parte, conviene, además, considerar lo establecido en el **artículo 119 de la ley Nº 18.883**, Estatuto Administrativo para Funcionarios Municipales, y 120 de la ley Nº 18.834, Estatuto Administrativo, que consagran el **principio de independencia de responsabilidades**, esto es, que la sanción administrativa es independiente de la responsabilidad civil y penal, y en consecuencia, como precisa el anotado precepto, las actuaciones o resoluciones referidas a ésta, no excluyen la posibilidad de aplicar al funcionario una medida disciplinaria en razón de los mismos hechos, en las condiciones y bajo las excepciones que contempla el ordenamiento jurídico.*

En este orden de consideraciones, cabe señalar, con relación al artículo 6º de la mencionada ley Nº 10.336, que impide a esta Entidad Fiscalizadora intervenir o informar los asuntos de naturaleza litigiosa o que estén sometidos al conocimien-

*to de los Tribunales de Justicia, que esta Contraloría General ha precisado que dicho precepto se refiere a la facultad de este Organismo de Control para emitir dictámenes sólo en dichos asuntos, lo que de **ningún modo impide el ejercicio de las demás funciones y atribuciones que el ordenamiento jurídico le ha conferido, tales como la de hacer efectiva la responsabilidad administrativa de funcionarios públicos afectos a su fiscalización, mediante los correspondientes sumarios administrativos, acorde con lo manifestado en los dictámenes Nºs. 19.957 de 1996; 15.191 de 1998; 43.535 de 1999; 39.570 de 2000; 23.688 y 35.624, ambos de 2001; 11.752 y 18.779, ambos de 2003; 18.712 de 2005; y 56.773, de 2009, entre otros.***

*Por consiguiente, **en mérito de las atribuciones que le asisten a esta Contraloría General, procede que las denuncias que le formule la Dirección de Compras y Contratación Pública sobre eventuales responsabilidades administrativas de funcionarios públicos que han intervenido en procesos licitatorios, sean atendidas por este Organismo de Control arbitrando las medidas que en derecho correspondan».* (ID Dictamen: 003293N11 Fecha:** 18.01.2011 **Destinatarios:** Director de la Dirección de Compras y Contratación Pública. **Texto:** Sobre atribuciones de la Contraloría General para establecer responsabilidades administrativas en licitaciones reguladas por la ley 19886. **Acción:** Aplica dictámenes 19957/96, 15191/98, 43535/99, 39570/2000, 23688/2001, 35624/2001, 11752/2003, 18779/2003, 18712/2005, 56773/2009)[264]

13. *«Asimismo, cabe hacer presente que según lo ha precisado esta Contraloría General, entre otros, mediante los dictámenes Nºs. 26.652, de 1982; 15.116, de 1986, y 5.850, de 1996, no es posible emplear la expresión "sustracción" en la formulación de cargos, como se hiciera en aquellos en que se atribuye al señor Parra Ortiz esa acción respecto de archivos con documentación municipal, un libro de correspondencia, un acta de incautación de la Policía de Investigaciones de Chile y una carpeta de viáticos que se encontraran en la Dirección de Control, ya que el uso de tal vocablo conlleva la imputación de un delito, en circunstancias que **los cargos deben estar referidos a hechos concretos y verificados, que impliquen una infracción de deberes funcionarios, no obstante que puedan constituir, eventualmente, conductas delictivas.***

*Lo anterior, sin embargo, no obsta a la obligación que le impone el inciso final del artículo 137 de la precitada ley Nº 18.883 al fiscal, de proceder de inmediato a formalizar la respectiva denuncia a la Justicia Ordinaria, si estima que los hechos investigados en el proceso sumarial pudieran revestir caracteres de delito, obligación que no lo inhabilita para proseguir con su indagación, toda vez que la responsabilidad administrativa y la sanción que pueda traer aparejada, son independientes de la responsabilidad civil y penal que aquellos puedan acarrear, según lo previsto en el **artículo 119 del cuerpo normativo** antes aludido, criterio concordante, por lo demás, con lo resuelto en el dictamen Nº 46.231, de 2004, de esta Entidad de Control, entre otros».* (ID Dictamen: 074921N12 Fecha: 03.12.2012 **Destinatarios:** Alcalde de la Municipalidad de Hualpén. **Texto:** Acoge reclamos de ilegalidad en contra de sumario administrativo instruido por Municipalidad y se pronuncia sobre aplicación de ley 18695 art. 29 inc/fin. **Acción:** Aplica dictámenes 49580/2008, 65284/2011, 49744/2012, 1603/2010, 72575/2011, 19892/2009, 2030/2011, 26652/82, 15116/86, 5850/96, 46231/2004, 34010/2005, 61457/2008, 20471/2009)

14. *«Finalmente, en cuanto a la competencia de este Ente Fiscalizador para conocer de los reclamos deducidos en contra de las licitaciones públicas, es necesario indicar que, de acuerdo con lo prescrito en el artículo 98 de la Constitución Política, corresponde a esta Contraloría General, entre otras potestades, ejercer el control de legalidad de los actos de la Administración del Estado y fiscalizar el ingreso y la inversión de los fondos del Fisco, de las municipalidades y de los demás organismos y servicios que determinen las leyes, las cuales, acorde con lo previsto en la ley Nº 10.336, sobre Organización y Atribuciones de esta Contraloría General, comprenden, entre otros mecanismos de control, el examen preventivo de juridicidad y la emisión de dictámenes.*

A su vez, a este Organismo de Control le corresponde practicar las auditorías, inspecciones, investigaciones y sumarios que se estimen pertinentes, según lo previsto en los artículos 21 A y 131 a 139 de la referida ley Nº 10.336, con el fin, entre otros, de establecer los hechos sujetos a investigación, las eventuales infracciones al ordenamiento jurídico y las responsabilidades administrativas involucradas.

Pues bien, teniendo en consideración las referidas potestades, las que no comparte el Tribunal de Contratación Pública, y, especialmente, que la determinación de la responsabilidad administrativa de los funcionarios municipales —la que es

---

[264] Para efectos de su consulta en la Base de Jurisprudencia de Contraloría General de la República, el citado dictamen se encuentra en la sección/materia: «generales», sin perjuicio de que se trata de uno de carácter municipal.

*independiente de las de carácter civil y penal, **en concordancia con el principio de independencia de responsabilidades consagrado en el artículo 119 de la ley Nº 18.883, Estatuto Administrativo para Funcionarios Municipales— supone la verificación previa de si efectivamente se ha vulnerado la normativa que estos han debido cumplir, es posible sostener que esta Entidad Fiscalizadora se encuentra habilitada para pronunciarse sobre eventuales infracciones a la referida ley Nº 19.886*»**. (ID Dictamen: 047877N12 Fecha:** 07.08.2012 **Destinatarios:** Alcalde de la Municipalidad de Huechuraba. **Texto:** Desestima reclamo relativo a la admisibilidad y evaluación de las ofertas en licitación pública «Estudios para la Construcción del Edificio Consistorial de Huechuraba»)

15. «*En síntesis, la autoridad municipal utiliza como argumento para modificar las sanciones propuestas, rebajándolas a censura, el que habiéndose formulado denuncia por tales hechos —se refiere a uno de los cargos relativo al control insuficiente de las labores técnicas de los encargados de supervisar el contrato que indica—, el Ministerio Público ejerció la facultad de no perseverar en la investigación, lo que importa desconocer el principio de independencia de responsabilidades contemplado en **el artículo 119 de la ley Nº 18.883**, según el cual, en lo que interesa, la sanción administrativa es independiente de la responsabilidad penal y, en consecuencia, **las actuaciones o resoluciones referidas a esta —como es la atribución de no perseverar—, no excluyen la posibilidad de aplicar al funcionario una medida disciplinaria en razón de los mismos hechos**.*
Luego, tal argumentación no resulta eficaz, porque pretende extraer del contenido de una actuación propia de las autoridades con competencia en materia penal, una consecuencia en el proceso administrativo en cuestión, resultando totalmente ajeno al mérito del proceso disciplinario de que se trata». **(ID Dictamen: 044197N12 Fecha:** 23.07.2012 **Destinatarios:** Alcalde de la Municipalidad de Huechuraba **Texto:** Representa decreto 587/2011, de la Municipalidad de Huechuraba, por el cual aplica a los funcionarios que indica las medidas disciplinarias que señala. **Acción:** Aplica dictámenes 40731/2005, 40018/2010, 47914/2009, 43783/2009)

16. «*Al respecto, cabe recordar que el referido **dictamen Nº 74.539, de 2011, concluyó, en síntesis, que el beneficio contenido en el artículo 119 de la ley Nº 18.883 —que establece el derecho del funcionario que ha sido destituido como consecuencia exclusiva de hechos que revisten caracteres de delito y en el correspondiente proceso criminal ha sido absuelto o sobreseído definitivamente por no constituir delito los hechos denunciados, a ser reincorporado al municipio en las condiciones que allí se señalan—, no resulta aplicable (...), toda vez que se trataba de un asistente de la educación regido por las normas del Código del Trabajo, no existiendo norma alguna que haga extensivo el beneficio de que se trata a los funcionarios que se rigen por dicho código**.*
*Pues bien, analizadas las argumentaciones planteadas en esta oportunidad y sus antecedentes, es dable manifestar que ellos no permiten modificar lo concluido en el pronunciamiento impugnado, debiendo señalarse que no se advierte la supuesta discriminación arbitraria que alega el recurrente, toda vez que el hecho de que el **afectado haya revestido la calidad de funcionario municipal no implica que le sean aplicables los derechos contemplados en la ley Nº 18.883**, puesto que su estatuto jurídico es el Código del Trabajo —en virtud de lo establecido expresamente por el artículo 4º de la ley Nº 19.464—, el cual no establece un beneficio como el de la especie.*
*En este contexto, resulta del todo armónico con el principio de juridicidad consagrado en los **artículos 6º y 7º de la Carta Fundamental y 2º de la ley Nº 18.575, Orgánica Constitucional de Bases Generales de la Administración del Estado**, que al señor Antiñir Maripan no se le hubiere aplicado una determinada disposición legal —prevista expresamente para los funcionarios afectos a la ley Nº 18.883—, por **no encontrarse contemplada en el estatuto jurídico que regulaba su relación laboral con la entidad edilicia**.*
En segundo término, sostiene el recurrente que su representado no cometió falta administrativa, ya que, en este caso, la infracción atribuida consistió precisamente en la perpetración de un delito que no cometió, según lo resuelto por la justicia ordinaria, de manera que el ente administrativo no pudo dar por acreditado el hecho por la sola declaración de la presunta víctima, por lo que la sanción impuesta ha violentado el principio de inocencia y las normas del debido proceso.
*En relación a este aspecto, es preciso hacer presente lo dispuesto en el **artículo 18, inciso primero, de la citada ley Nº 18.575**, que establece el principio de independencia de las responsabilidades que pueden afectar a los funcionarios públicos, al señalar que el personal de la Administración del Estado estará sujeto a responsabilidad administrativa, sin perjuicio de la responsabilidad civil y penal que pueda afectarle.*
*Sobre el punto en cuestión, **la jurisprudencia de esta Entidad de Control, contenida, entre otros, en el dictamen Nº 32.758, de 2009, ha señalado que el proceso disciplinario administrativo se sustenta en fundamentos jurídicos y elementos de ponderación distintos a los del proceso penal, por lo que no es necesario acreditar la participación en un delito, para determinar la responsabilidad administrativa respecto de los mismos hechos, dado que esta última es la que afecta al funcionario público, como resultado de una acción u omisión que implica una infracción a sus deberes***

funcionarios, cuya consecuencia es la aplicación por parte de la Administración de una medida disciplinaria al infractor; en cambio, la responsabilidad penal es la que se configura en caso de incurrirse en un ilícito penal y es sancionada por la justicia ordinaria con la imposición de una pena.

Por último, respecto de la procedencia de disponer la reapertura del procedimiento de que se trata, en base al nuevo antecedente tenido a la vista, esto es, la sentencia absolutoria del afectado, cumple señalar que de acuerdo con la reiterada jurisprudencia administrativa de este Órgano Fiscalizador, contenida en los dictámenes Nºs. 56.047, de 1963; 12.739, de 2005; y 16.517 y 32.758, ambos de 2009, la facultad de ordenar la reapertura de un proceso disciplinario ya afinado se encuentra radicada en la autoridad sancionadora, la que debe resolver si existe o no mérito suficiente para disponerla, lo que sólo tendrá lugar si se incurrió en un error de hecho esencial, o bien, si se tomaron en consideración antecedentes falsos, o si se acompañan nuevos antecedentes que no hubieren sido ponderados en su oportunidad y que revisten tal magnitud que permitan modificar sustancialmente lo resuelto por la Administración». (**ID Dictamen: 028135N12 Fecha:** 14.05.2012 **Destinatarios:** Mauricio Calquín Urquiola. **Texto:** Desestima solicitud de reconsideración de dictamen 74539/2011, acerca de derecho de reincorporación de exfuncionario municipal. **Acción:** Aplica dictámenes 32758/2009, 56047/63, 12739/2005, 16517/2009 Confirma dictamen 74539/2011)

17. *«Sobre el particular, cabe hacer presente que de conformidad con los artículos 119 de la ley Nº 18.883, sobre Estatuto Administrativo para Funcionarios Municipales, y 18 de la ley Nº 18.575, Orgánica Constitucional de Bases Generales de la Administración del Estado, las responsabilidades administrativa y penal son independientes, puesto que el procedimiento disciplinario de la Administración tiene por objeto investigar y determinar la existencia de actos u omisiones en que incurra un servidor municipal, que impliquen una infracción a las obligaciones funcionarias que le imponen su condición de tal, el que se expresa en la aplicación al infractor de una medida disciplinaria; en cambio, el proceso destinado a perseguir la responsabilidad penal se sustenta en <u>fundamentos jurídicos y elementos de ponderación distintos</u>, cual es la comisión de una figura tipificada como delito por la ley, la que se castiga con una pena (aplica criterio contenido en los dictámenes Nºs. 37.984, de 2007 y 24.265, de 2010).*

De este modo, aun cuando se trate de los mismos hechos, es posible que las ponderaciones que existan en materia administrativa para establecer la existencia de responsabilidad de esa índole, sean distintas de las que se realicen en el contexto de un juicio penal». (**ID Dictamen: 003404N12 Fecha:** 18.01.2012 **Destinatarios:** Ximena Manríquez Rojas y otros. **Texto:** Sobre ejercicio de la potestad disciplinaria respecto de hechos en los que se dictó sentencia penal condenatoria, otorgándose la remisión condicional de la pena. **Acción:** Aplica dictámenes 37984/2007, 24265/2010, 6894/2010, 24064/2010, 48554/2010)[265]

Artículo 120

Los funcionarios podrán ser objeto de las siguientes medidas disciplinarias:

a) Censura;
b) Multa;
c) Suspensión del empleo desde treinta días a tres meses, y
d) Destitución.

Las medidas disciplinarias se aplicarán tomando en cuenta la gravedad de la falta cometida y las circunstancias atenuantes o agravantes que arroje el mérito de los antecedentes.

1. *«Por lo tanto, la Municipalidad de Providencia deberá enterar la remuneración que estuviere pendiente de pago al interesado, hasta la fecha en que mantuvo su calidad de funcionario municipal, esto es, al 22 de diciembre de 2015, informando de ello a la Unidad de Seguimiento de la División de Municipalidades de este Órgano de Control en el plazo de 20 días hábiles, contado desde la recepción del presente oficio».* (**ID Dictamen:** 035688N16. **Fecha:** 13-05-2016. **Destinatarios: Carlos Allende Soza, exservidor de la Municipalidad de Providencia. Texto:** Rechaza reclamo de exfuncionario

---

[265] Para efectos de su consulta en la Base de Jurisprudencia de Contraloría General de la República, el citado dictamen se encuentra en la sección/materia: «generales», sin perjuicio de que se trata de uno de carácter municipal.

municipal en contra de sumario administrativo, al término del cual se le aplicó la medida de destitución; y, municipio deberá pagar remuneraciones a exservidor hasta la fecha en que mantuvo su calidad de funcionario municipal. **Acción:** Aplica dictámenes 85320/2015, 14965/2015, 54004/2013, 81073/2013, 21236/2015).

2. «*Por su parte, los incisos cuarto y quinto de este último precepto legal disponen que a requerimiento de a lo menos un tercio de los concejales en ejercicio, el tribunal electoral regional respectivo declarará la causal de cesación en el cargo de alcalde o, en subsidio, los integrantes del citado órgano pluripersonal pueden pedir la aplicación de alguna de las medidas disciplinarias de las letras a), b), y c) del artículo 120 de la ley Nº 18.883, estas son, censura, multa y suspensión del empleo desde treinta días a tres meses*». (**ID Dictamen:** 004270N19. **Fecha:** 08-02-2019. **Destinatarios:** Municipalidad de La Cruz. **Texto:** La sanción por presentación extemporánea de la declaración de intereses y patrimonio de que se trata se rige por la normativa de la ley Nº 18.575, vigente al momento en que se cometió la infracción, la que no determina la autoridad facultada para aplicarla respecto de un alcalde. **Acción:** Aplica dictámenes 18606/2017, 26224/2017, 7444/2011, 40421/2011).

3. «*Por su parte, los incisos cuarto y quinto de este último precepto legal disponen que a requerimiento de a lo menos un tercio de los concejales en ejercicio, el tribunal electoral regional respectivo declarará la causal de cesación en el cargo de alcalde o, en subsidio, los integrantes del citado órgano pluripersonal pueden pedir la aplicación de alguna de las medidas disciplinarias de las letras a), b), y c) del artículo 120 de la ley Nº 18.883, estas son, censura, multa y suspensión del empleo desde treinta días a tres meses*». (**ID Dictamen:** 002782N19. **Fecha:** 25-01-2019. **Destinatarios:** Municipalidad de Frutillar. **Texto:** La ley Nº 19.886 no ha determinado la autoridad facultada para aplicar la sanción prevista en su artículo 8º, letra c), lo que se informa a los poderes colegisladores. **Acción:** Aplica dictámenes 10873/94, 7444/2011).

4. «*La Contraloría Regional de Los Lagos ha remitido la presentación de la señora Ulda Vargas Pinol, exfuncionaria de la Municipalidad de San Juan de la Costa, mediante la cual solicita la reconsideración del oficio Nº 4.767, de 2015, de ese origen, que ratificó —en conformidad con lo dispuesto en el artículo 25 de la ley Nº 19.296— la medida disciplinaria de destitución —contemplada en los artículos 120, letra d), y 123, de la ley Nº 18.883—, que le fuera aplicada a través del decreto Nº 4.139, de 2014, de tal ente edilicio, por cuanto estimó que la reclamación interpuesta en contra de dicho acto administrativo había sido extemporánea, sin perjuicio de lo cual precisó, que el pertinente proceso sumarial se encontraba ajustado a derecho*». (**ID Dictamen:** 018919N16. **Fecha:** 09-03-2016. **Destinatarios:** Ulda Vargas Pinol, exfuncionaria de la Municipalidad de San Juan de la Costa. **Texto:** Reconsidera oficio Nº 4.767, de 2015, de la Contraloría Regional de Los Lagos, por cuanto el hecho constitutivo de uno de los cargos formulados se encuentra prescrito; y, efectúa precisión que indica. **Acción:** Aplica dictámenes 73001/2015, 31011/2009, 41239/2014).

5. «*Se ha dirigido a esta Contraloría General el señor Arturo Molina Zamora, servidor de la Municipalidad de Macul, quien —en el ejercicio del derecho establecido en el inciso primero del artículo 156 de la ley Nº 18.883—, reclama en contra de la legalidad de la medida disciplinaria de multa del 15% de su remuneración mensual, que esa entidad edilicia le aplicó a través del decreto Nº 2.915, de 2015, con arreglo a lo previsto en los artículos 120, letra b), y 122, del citado texto estatutario*». (**ID Dictamen:** 028555N16. **Fecha:** 18-04-2016. **Destinatarios: Arturo Molina Zamora, servidor de la Municipalidad de Macul. Texto:** Rechaza reclamo de funcionario municipal en contra de sumario, al término del cual se le aplico la medida de multa. **Acción:** Aplica dictamen 90175/2015).

6. «*Se ha dirigido a esta Contraloría General el señor Jorge Rodríguez Salazar, exservidor de la Municipalidad de La Cisterna, quien —en el ejercicio del derecho establecido en el inciso primero del artículo 156 de la ley Nº 18.883—, reclama en contra de la legalidad de la medida disciplinaria de destitución que esa entidad edilicia le aplicó a través del decreto Nº 1.435, de 2015, con arreglo a lo previsto en los artículos 120, letra d), y 123, del citado texto estatutario*». (**ID Dictamen:** 016882N16. **Fecha:** 03-03-2016. **Destinatarios:** Jorge Rodríguez Salazar, exservidor de la Municipalidad de La Cisterna. **Texto:** Rechaza reclamo de exfuncionario municipal en contra de sumario administrativo, al término del cual se le aplicó la medida de destitución. **Acción:** Aplica dictámenes 7027/2014, 71484/2011).

7. «*Se ha dirigido a esta Contraloría General el señor Claudio Guerra Montenegro, exfuncionario de la Municipalidad de San Bernardo, quien —en el ejercicio del derecho establecido en el inciso primero del artículo 156 de la ley Nº 18.883—, reclama en contra de la legalidad de la medida disciplinaria de destitución, que esa entidad edilicia le aplicó a través del decreto Nº 903, de 2015, mantenida por su similar Nº 21, de 2016, con arreglo a lo previsto en el inciso final del artículo 69 y los artículos 120, letra d), y 123, del citado texto estatutario*». (**ID Dictamen:** 037515N16. **Fecha:** 20-05-2016. **Destinatarios: Claudio Guerra Montenegro, exfuncionario de la Municipalidad de San Bernardo. Texto:** Rechaza reclamo de exfuncionario municipal en contra de sumario, al término del cual se le destituyó por ausencias y atrasos reitera-

dos, conforme al inciso final del artículo 69 de la ley Nº 18.883. **Acción:** Aplica dictámenes 51208/2015, 24576/2016, 84887/2013).

8. «*La Contraloría Regional del Bío-Bío ha remitido la presentación efectuada por doña Marcela Garrido Blu, funcionaria de la Municipalidad de Concepción, quien en el ejercicio del derecho establecido en el artículo 156 de la ley Nº 18.883, reclama respecto de la medida disciplinaria de censura, contemplada en los artículos 120, letra a), y 121, del citado texto legal, que le fuera aplicada a través del decreto alcaldicio Nº 500, de 2016*». (**ID Dictamen:** 005768N17. **Fecha:** 15-02-2017. **Destinatarios:** Marcela Garrido Blu, funcionaria de la Municipalidad de Concepción. **Texto:** Municipio debió proceder a la encomendación de funciones que indica en un servidor que integre la planta de directivos o jefaturas. Rechaza reclamo en contra de sumario que señala. **Acción:** aplica dictámenes 42292/2014, 44445/2010, 3705/2012).

9. «*Se ha dirigido a esta Contraloría General la señora María Gloria Sandoval Neira, funcionaria grado 14 de la planta administrativa, de la Municipalidad de La Cisterna, quien en el ejercicio del derecho establecido en el artículo 156 de la ley Nº 18.883, reclama respecto de la medida disciplinaria de censura, contemplada en los artículos 120, letra a), y 121, del citado texto legal, que le fuera aplicada por ese órgano comunal, a través del decreto alcaldicio Nº 326, de 2016*». (**ID Dictamen:** 071012N16. **Fecha:** 29-09-2016. **Destinatarios:** María Gloria Sandoval Neira, funcionaria de la Municipalidad de La Cisterna. **Texto:** Desestima reclamo de ilegalidad en contra de procedimiento disciplinario instruido por la Municipalidad de La Cisterna, al término del cual se aplicó la medida de censura a la funcionaria que indica. **Acción:** Aplica dictamen 78751/2014).

10. «*Se ha dirigido a esta Contraloría General el señor Abdón Jerez Martínez, exdirector del departamento de educación de la Municipalidad de Alhué, quien reclama en contra de la legalidad de las medidas disciplinarias de destitución que esa entidad edilicia le aplicó a través de los decretos Nºs. 1.068 y 1.069, ambos de 2015, con arreglo a lo previsto en los artículos 120, letra d), y 123, de la ley Nº 18.883, mediante dos procesos sancionatorios instruidos por esa municipalidad, impugnados en esta oportunidad*». (**ID Dictamen:** 040013N16. **Fecha:** 30-05-2016. **Destinatarios:** Abdón Jerez Martínez, exdirector del departamento de educación de la Municipalidad de Alhué. **Texto:** Acoge reclamo de exfuncionario por no haberse ajustado a derecho sumarios que señala, al término de los cuales se le destituyó por las razones que indica, debiendo el municipio ordenar su reapertura, reincorporándolo a sus labores y pagando la remuneración devengada durante el período en que estuvo separado de su cargo. **Acción:** Aplica dictamen 17500/2016).

11. «*En consecuencia, cumple con manifestar que el decreto Nº 90, de 2016, no se ajusta a derecho, en atención a que el alcalde carece de competencia para imponer la sanción de la especie, por lo que la citada entidad edilicia deberá invalidar dicho acto administrativo, informando de ello a la Unidad de Seguimiento de la Fiscalía de esta Contraloría General, en el plazo de 15 días hábiles, contado desde la recepción del presente pronunciamiento*». (**ID Dictamen:** 035240N16. **Fecha:** 13-05-2016. **Destinatarios:** Municipalidad de San José de Maipo. **Texto:** Municipalidad de San José de Maipo deberá invalidar el decreto Nº 90, de 2016, por no ajustarse a derecho. **Acción.**

12. «*Se ha dirigido a esta Contraloría General don Nelson Caballero Martínez, encargado de estadísticas y reclamos de luminarias de la Municipalidad de Renca, quien haciendo uso del derecho establecido en el artículo 156, inciso primero, de la ley Nº 18.883, reclama en contra del procedimiento disciplinario al término del cual se le impuso a través del decreto alcaldicio Nº 1.364, de 2015, la medida de multa del quince por ciento de la remuneración mensual, conforme a lo previsto en los artículos 120, letra b), y 122, letra b), del citado texto normativo*». (**ID Dictamen:** 035676N16. **Fecha:** 13-05-2016. **Destinatarios:** Nelson Caballero Martínez, encargado de estadísticas y reclamos de luminarias de la Municipalidad de Renca. **Texto:** Rechaza reclamo de funcionario municipal en contra de investigación sumaria, al término de la cual se le aplicó la medida disciplinario de multa. **Acción:** Aplica dictámenes 11434/2014, 1788/2015, 2373/2010, 7027/2014).

13. «*Se ha dirigido a esta Contraloría General el señor Pablo Olea Vega, exfuncionario de la Municipalidad de Paine, quien en el ejercicio del derecho establecido en el artículo 156 de la ley Nº 18.883, reclama respecto de la medida disciplinaria de destitución, contemplada en los artículos 120, letra d), y 123, del citado texto legal, aplicada por ese órgano comunal a través del decreto Nº 2.845, de 2015, que rechazó el recurso de reposición interpuesto en contra de su similar Nº 2.657, del mismo año*». (**ID Dictamen:** 006355N16. **Fecha:** 25-01-2016. **Destinatarios:** Pablo Olea Vega, exfuncionario de la Municipalidad de Paine. **Texto:** Acoge reclamo de ilegalidad en contra de sumario administrativo, al término del cual se aplicó la medida disciplinaria de destitución a exfuncionario municipal que indica, por no adjuntarse antecedentes que permitan acreditar el hecho imputado de manera indubitada. **Acción:** aplica dictámenes 2313/97, 99449/2015).

14. «*Se han dirigido a esta Contraloría General don Marcelo Mejías Caris y la señora Paola Cerda González, ambos exservidores de la Municipalidad de Cerrillos, quienes haciendo uso del derecho establecido en el artículo 156 de la ley Nº 18.883, reclaman respecto de la medida disciplinaria de destitución que se les aplicó por medio del decreto alcaldicio Nº 201, de 2015, con arreglo a lo previsto en el artículo 120, letra d), del citado texto estatutario*». (**ID Dictamen:** 042573N16. **Fecha:** 09-06-2016. **Destinatarios:** don Marcelo Mejías Caris y la señora Paola Cerda González, ambos exservidores de la Municipalidad de Cerrillos. **Texto:** Rechaza reclamos de ilegalidad en contra de medidas disciplinarias de destitución. **Acción:** Aplica dictámenes 76866/2015, 21093/2015, 35562/2016, 91174/2014, 12271/2015, 64668/2014).

15. «*Sobre la materia, es del caso señalar que si bien compete a esta **Entidad Fiscalizadora** velar por el respeto de las normas constitucionales y legales que rigen a los funcionarios municipales, incluidas las relativas a los procedimientos disciplinarios y a la aplicación o interpretación de las normas jurídicas que regulan la garantía constitucional de un debido proceso, ello no la convierte en una instancia procesal para que se solicite dejar sin efecto un acto administrativo dictado por la autoridad edilicia competente —sobre la base de la exposición de los mismos hechos ya investigados en el sumario correspondiente—, puesto que la ley ha radicado en aquella la potestad sancionadora. (…)*
Por último, en lo que atañe a la reclamación formulada, en el sentido de que en el sumario no se le habría reconocido la atenuante de irreprochable conducta anterior, debe señalarse que tal circunstancia no constituye una actuación municipal irregular, dado que la jurisprudencia administrativa de esta Entidad de Control, en los dictámenes Nºs. 49.465, de 2006, 47.412, de 2007, y 2.373, de 2010, entre otros, ha expresado que al estar asignada en el ordenamiento jurídico, una sanción específica respecto de quienes incurren en infracciones graves al principio de probidad administrativa —como ocurre en la especie—, la autoridad se encuentra en el imperativo de disponerla, no pudiendo aplicar una medida distinta, ni ponderar las circunstancias que eventualmente podrían aminorar la responsabilidad funcionaria de los respectivos servidores». (**ID Dictamen: 081326N11 Fecha:** 29.12.2011 **Destinatarios:** Alcaldesa de la Municipalidad de Recoleta. **Texto:** Atiende reclamo de ilegalidad en contra del decreto Nº 820, de 2011, de la Municipalidad de Recoleta. **Acción:** Aplica dictámenes 49465/2006, 47412/2007, 2373/2010)

16. «*Ahora bien, en lo que se refiere a las demás alegaciones planteadas por la recurrente, es dable señalar que el análisis y calificación de los hechos que constituyen las faltas que son objeto de un proceso disciplinario, y la determinación del grado de responsabilidad administrativa que en ellos le cabe a los imputados, son materias que, según se desprende del artículo 138 de la ley Nº 18.883, se han entregado, de manera primaria, a los órganos de la Administración activa, correspondiéndole a esta **Entidad de Fiscalización** velar porque la potestad disciplinaria de aquellos sea ejercida conforme a la legislación que rige los procedimientos disciplinarios respectivos y, cuando corresponda, objetar la decisión de la superioridad si del examen de los antecedentes sumariales se aprecia alguna infracción al debido proceso, a la normativa legal o reglamentaria que regula la materia, o bien, si se observa alguna decisión de carácter arbitrario, tal como se ha sostenido, entre otros, en los dictámenes de este origen Nos 17.746, de 2009; 8.217 y 13.177, ambos de 2010. (…)*
Finalmente, es dable manifestar que, en el evento que la interesada resulte afectada por la aplicación de una medida disciplinaria, como consecuencia de las actuaciones investigadas en el proceso de que es objeto, y considere que este adolece de vicios de legalidad, puede interponer, ante esta Entidad Fiscalizadora, el recurso especial de reclamación contemplado en el artículo 156 de la ley Nº 18.883, dentro del plazo de diez días hábiles, contado desde que se le notifique el decreto de término, el que será resuelto una vez que el municipio remita los antecedentes del caso». (**ID Dictamen: 079687N11 Fecha:** 22.12.2011 **Destinatarios:** María Soledad Lira Salazar. **Texto:** Aclara en los términos que indica oficio Nº 6827, de 2011, de la Contraloría Regional de Valparaíso, mediante el cual se formularon observaciones al decreto alcaldicio Nº 1030, de 2010, de la Municipalidad de El Quisco, que afinó un sumario administrativo y aplicó a la recurrente la medida disciplinaria de destitución. **Acción:** Aplica dictámenes 17746/2009, 8217/2010, 13177/2010)[266]

17. «*En este contexto, y para determinar la **data en que una medida disciplinaria comienza a producir válidamente sus efectos**, debe estarse a la fecha en que se notifica el acto terminal que afina el sumario que le da origen, es decir, el que contiene la sanción que en definitiva se impone al inculpado, luego que el alcalde haya fallado el recurso de reposición interpuesto o vencido el plazo para deducirlo, sin que ello hubiera ocurrido. (…)*

---

[266]   Para efectos de su consulta en la Base de Jurisprudencia de Contraloría General de la República, el citado dictamen se encuentra en la sección/materia: «generales», sin perjuicio de que se trata de uno de carácter municipal.

*Por último, y sobre lo consultado por el afectado en relación con la facultad que tendría el alcalde de aumentar la sanción propuesta por el fiscal en un sumario, es del caso anotar que la ley ha radicado en la autoridad comunal la potestad disciplinaria, en conformidad con lo dispuesto en los artículos 63, letras c) y d), de la ley Nº 18.695, Orgánica Constitucional de Municipalidades, y 138 de la ley Nº 18.883, de tal forma que la **proposición contenida en el dictamen que emite el fiscal de un procedimiento disciplinario, no resulta vinculante para el alcalde, quien tiene la facultad de modificar tal proposición (aplica criterio contenido en los dictámenes Nºs. 56.880 y 60.677, ambos de 2011)».* (**ID Dictamen: 077465N11 Fecha:** 12.12.2011 **Destinatarios:** Alcalde de la Municipalidad de La Florida. **Texto:** Acoge solicitud de reconsideración de oficio Nº 13099, de 2011, relativo a inhabilidad para ascender por aplicación de una medida disciplinaria, resolviendo que corresponde el ascenso del recurrente a partir de la fecha que indica, debiendo el municipio de La Florida adoptar las medidas que sean necesarias para regularizar su situación. **Acción:** Aplica dictámenes 51140/2011, 44837/2011, 56880/2011, 60677/2011 Reconsidera dictamen 13099/2011)

18. *«En tales circunstancias, es dable recordar lo sostenido por **la jurisprudencia administrativa contenida en los dictámenes Nºs. 53.903, de 2004 y 49.427, de 2006, en el sentido que el uso de antecedentes falsos para la incorporación a la Administración del Estado, en la medida que con ellos se pretenda acreditar un requisito de ingreso que no se tiene, afecta la validez del acto de nombramiento, por cuanto este se emitió sobre la base de supuestos de hecho que no se ajustan a la realidad y, por consiguiente, a la normativa que le era aplicable, de manera que, de conformidad con lo dispuesto en el artículo 63 de la ley Nº 18.575, dicho nombramiento es nulo. (...)*
*De acuerdo con las consideraciones anteriormente anotadas, cabe concluir, que la persona de que se trata, **no ha podido tener la calidad de funcionario municipal** y, por lo tanto, en atención a que el ordenamiento jurídico no considera como sujetos afectos a responsabilidad administrativa a quienes no han sido legalmente designados, no resultó jurídicamente procedente que se le hubiera aplicado la medida disciplinaria de destitución (aplica criterio contenido en el dictamen Nº 49.427, de 2006).*
En consecuencia, procede que se disponga el sobreseimiento del procedimiento disciplinario en comento, considerando que el señor Lastra Cifuentes no tenía la calidad de funcionario municipal». (**ID Dictamen: 076516N11 Fecha:** 06.12.2011 **Destinatarios:** Alcalde de la Municipalidad de El Bosque. **Texto:** La persona de que se trata no ha podido tener la calidad de funcionario municipal y, por lo tanto, en atención a que el ordenamiento jurídico no considera como sujetos afectos a responsabilidad administrativa a quienes no han sido legalmente designados, no resultó jurídicamente procedente que se le hubiere aplicado la medida disciplinaria de destitución. En consecuencia, procede que se disponga el sobreseimiento del procedimiento disciplinario en comento considerando que la persona que se indica no tenía la calidad de funcionario municipal. **Acción:** Aplica dictámenes 53903/2004, 49427/2006, 36734/2008)[267]

19. *«Finalmente, es del caso señalar que **sólo está afecto a trámite de registro el acto terminal de un proceso administrativo, esto es, aquel que contiene la absolución, sobreseimiento o sanción que, en definitiva, se impone al o los inculpados en un procedimiento disciplinario,** carácter que no reviste el decreto Nº 356, de 2010, el cual sólo es un acto interno del proceso (aplica criterio contenido en el dictamen Nº 42.476, de 2011)».* (**ID Dictamen: 073971N11 Fecha:** 28.11.2011 **Destinatarios:** Alcalde de la Municipalidad de Cerrillos. **Texto:** Observa y devuelve decretos que aplican medidas disciplinarias y atiende reclamo de ilegalidad en sumario administrativo incoado en Municipalidad de Cerrillos. **Acción:** aplica dictámenes 24352/2010, 44837/2011, 42476/2011)

20. *«Sobre el particular, en lo que concierne a las alegaciones de mérito formuladas por el recurrente, es del caso señalar que si bien a este **Organismo Fiscalizador le corresponde velar porque se respeten las normas constitucionales y legales que regulan los procedimientos sumariales que se instruyen en contra de funcionarios municipales, a objeto de resguardar que la autoridad dé cumplimiento a los principios de juridicidad y del debido proceso; ello no lo convierte en una instancia procesal para que se solicite dejar sin efecto un acto administrativo dictado por la autoridad municipal competente, sobre la base de la exposición de los mismos hechos ya investigados en el sumario correspondiente,** como acontece en la especie».* (**ID Dictamen: 073449N11 Fecha:** 24.11.2011 **Destinatarios:** Alcalde de la Municipalidad de Maipú. **Texto:** Desestima reclamo de ilegalidad en proceso sumarial incoado en la Municipalidad de Maipú por cuanto en el examen de legalidad se ha constatado que en él se procuraron todas las instancias legales a fin de asegurar la debida defensa del inculpado).

---

[267] Para efectos de su consulta en la Base de Jurisprudencia de Contraloría General de la República, el citado dictamen se encuentra en la sección/materia: «generales», sin perjuicio de que se trata de uno de carácter municipal.

21. «*En lo que atañe a que la **sanción de destitución puede imponerse únicamente cuando se verifican las conductas señaladas expresamente en el artículo 123 de la ley Nº 18.883**, se debe indicar que el aludido precepto dispone en lo que interesa, que la medida disciplinaria de destitución procederá sólo cuando los hechos constitutivos de la infracción vulneren gravemente el principio de probidad administrativa y en otros casos que dicho artículo expone. (...) Así, atendido que las actuaciones de un funcionario que pueden implicar una vulneración del referido principio de probidad son múltiples, la calificación de la infracción compete a la Administración activa (aplica criterio contenido en dictamen Nº 77.577, de 2010). (...) Atendido lo expresado, no se advierte ilicitud en la actuación de la autoridad edilicia al sancionar con la medida de destitución a la reclamante, ya que ésta al omitir, de manera reiterada —en el período comprendido entre el 1 de enero del 2004 al 31 de marzo de 2006—, el debido cumplimiento de sus labores, en especial, en lo referente a tomar las medidas de control que su cargo de directora de administración y finanzas le requería, posibilitó que dicha superioridad estimara que las infracciones cometidas por la inculpada revistieron la entidad suficiente para ser calificadas como graves, tal y como aparece en la fundamentación de la vista fiscal de fojas 1.278, determinación ante la cual se encontraba en el imperativo de disponer la destitución, por tratarse de una sanción específica (aplica criterio contenido en dictamen Nº 74.066, de 2010)*». (**ID Dictamen: 071484N11 Fecha:** 15.11.2011 **Destinatarios:** Municipalidad de Pelluhue. **Texto:** Desestima solicitud de reconsideración de oficio de Contraloría Regional del Maule que se pronunció sobre sumario administrativo instruido a funcionarios de la Municipalidad de Pelluhue que aplica medida expulsiva y del reclamo de ilegalidad sobre el mismo, por no haberse presentado dentro de plazo. **Acción:** Aplica dictámenes 77577/2010, 30733/2000, 49580/2008, 74066/2010, 17865/95, 6926/2001, 25203/2009, 76494/2010, 10075/2011, 42741/2011, 39563/2011, 4824/2009, 4182/2011)

22. «*Como cuestión previa, es del caso recordar que esta Entidad de Fiscalización, atendiendo una anterior presentación de la recurrente, procedió a emitir el oficio Nº 18.211, de 2010, a través del cual rechazó un reclamo interpuesto por aquélla en contra de la legalidad del procedimiento sumarial instruido en su contra por ese municipio, y a cuyo término, mediante el decreto Nº 2.832, de 2009, se le aplicó la medida disciplinaria de destitución, con arreglo a los artículos 120, letra d), y 123, ambos de la ley Nº 18.883 —Estatuto Administrativo para Funcionarios Municipales—, por estimar, por una parte, que en el proceso administrativo aludido se había acreditado la responsabilidad de la interesada en los hechos materia del sumario —requerir, en razón de su cargo, para sí, sumas de dinero a personas que solicitaron licencias de conducir en esa municipalidad—, y, por otra, que se había respetado la garantía de un justo y racional procedimiento. (...) Precisado lo anterior, cabe manifestar que la recurrente funda su actual presentación en que, a su juicio, la aplicación de la citada medida disciplinaria, hecho ocurrido el día 6 de noviembre de 2009, habría carecido de eficacia, atendido que a esa data se encontraba favorecida con la inamovilidad funcionaria prevista en el artículo 156, inciso primero, de la ley Nº 10.336, de Organización y Atribuciones de la Contraloría General de la República, relacionada con la última elección presidencial, llevada a cabo el 13 de diciembre de 2009, por cuanto, en su opinión, tal beneficio se extendía desde el día 2 de noviembre de 2009 hasta el 13 de abril de 2010, ambas fechas inclusive. Al respecto, debe señalarse que de conformidad con lo dispuesto en el citado artículo 156, inciso primero, de la ley Nº 10.336, y con las instrucciones impartidas por el oficio Nº 48.097, de 2009, de la Contraloría General, las medidas disciplinarias expulsivas no pueden decretarse dentro del plazo de prohibición establecido en dicha norma legal, es decir, desde 30 días antes y hasta 60 días después de la elección de Presidente de la República, (...), salvo en los procesos instruidos por esta Entidad de Control, situación que no se configura en el caso en estudio (aplica dictámenes Nºs. 8.292, de 2000 y 13.384, de 2010)*». (**ID Dictamen: 068602N11 Fecha:** 28.10.2011 **Destinatarios:** Maribel Castro Pardo. **Texto:** Rechaza solicitud de reconsideración de oficio Nº 55676, de 2010, que rechazó petición de suspensión de los efectos de medida disciplinaria aplicada a ex funcionaria municipal. **Acción:** Confirma dictámenes 18211/2010, 55676/2010 Aplica dictámenes 46174/2007, 40607/2008, 48097/2009, 8292/2000, 13384/2010)[268]

23. «*Como cuestión previa, y en lo que concierne a las alegaciones de mérito formuladas por la recurrente, cabe manifestar que si bien a esta Contraloría General le compete velar por el respeto de las normas legales y constitucionales que rigen a los servidores municipales, incluidas las que regulan los procedimientos disciplinarios, ello no la convierte en una*

---

[268]   Para efectos de su consulta en la Base de Jurisprudencia de Contraloría General de la República, el citado dictamen se encuentra en la sección/materia: «generales», sin perjuicio de que se trata de uno de carácter municipal.

instancia procesal para dejar sin efecto un acto administrativo dictado por la autoridad competente, sobre la base de la exposición de los mismos hechos ya investigados en el sumario, tal como acontece en la especie (aplica criterio contenido en los dictámenes Nºs. 28.791, de 2009, y 44.837, de 2011). (...)

Respecto a la forma en que la autoridad administrativa ponderó la prueba, estimando que "por la multiplicidad y gravedad de los cargos" debía aplicar la medida expulsiva que se reclama, es menester precisar que, de acuerdo a lo resuelto por **la jurisprudencia de este Ente Fiscalizador, el mérito probatorio que puedan tener los elementos de convicción que consten en la investigación, debe ser apreciado por la autoridad edilicia pertinente, y no por esta Contraloría General, toda vez que la ley ha radicado en ella la potestad disciplinaria, en conformidad con lo dispuesto en los artículos 63, letras c) y d), de la ley Nº 18.695, Orgánica Constitucional de Municipalidades, y 138 de la ley Nº 18.883 (aplica criterio contenido en los dictámenes Nºs. 61.869, de 2004, y 62.969, de 2009).**

Así, resulta oportuno precisar que el principio de la probidad administrativa, que la sancionada alega no haber transgredido, consiste en observar una conducta funcionaria intachable y un desempeño honesto y leal de la función o cargo, con preeminencia del interés general sobre el particular, según se define en el artículo 52 de la ley Nº 18.575, Orgánica Constitucional de Bases Generales de la Administración del Estado, que alcanza a todas y a cada una de las actividades que un funcionario público debe realizar como consecuencia del ejercicio de su cargo, lo que acorde a los múltiples incumplimientos comprobados en el sumario, la afectada no respetó a cabalidad (aplica criterio contenido en el dictamen Nº 49.580, de 2008).

De esta manera, es del caso anotar que el **alcalde ejerció la facultad de aplicar una medida disciplinaria conforme al mérito que asignó a los hechos debidamente verificados en el presente sumario, cumpliendo con las limitaciones generales que le imponen el debido proceso y la exigencia de que su decisión sea fundada, razonable y no revista caracteres de arbitrariedad o abuso (aplica criterio contenido en los dictámenes Nºs. 52.975, de 2009; 17.457 y 56.880, ambos de 2011)».** (**ID Dictamen: 065284N11 Fecha:** 17.10.2011 **Destinatarios:** Alcalde de la Municipalidad de San Miguel. **Texto:** Restituye actos administrativos emanados de la Municipalidad de San Miguel referidos a procedimiento disciplinario señalando que sólo están afectos a registro el acto terminal que absuelve, sobresee o aplica medida a funcionario determinado y no un acto interno del proceso, como es el caso. **Acción:** aplica dictámenes 28791/2009, 44837/2011, 50081/2011, 61869/2004, 62969/2009, 49580/2008, 52975/2009, 17457/2011, 56880/2011, 31011/2009, 42476/2011)

24. «*Sobre la materia, es del caso señalar que si bien compete a esta Entidad Fiscalizadora velar por el respeto de las normas constitucionales y legales que rigen a los funcionarios municipales, incluidas las relativas a los procedimientos disciplinarios y a la aplicación o interpretación de las normas jurídicas que regulan la garantía constitucional de un debido proceso, ello no la convierte en una instancia procesal para que se solicite dejar sin efecto un acto administrativo dictado por la autoridad edilicia competente —sobre la base de la exposición de los mismos hechos ya investigados en el sumario correspondiente—, puesto que la ley ha radicado en aquélla la potestad sancionadora.*

En este contexto, en relación con lo manifestado por el recurrente en cuanto a la apreciación de las pruebas allegadas al proceso administrativo, así como a las circunstancias atenuantes que operarían a su favor, es menester precisar que **no procede que este Organismo de Control emita un pronunciamiento a ese respecto, por tratarse de un asunto de mérito, cuya ponderación constituye una facultad que recae en forma exclusiva en la autoridad edilicia, en la que se encuentra radicada la potestad disciplinaria,** *en conformidad con lo dispuesto en los artículos 63, letras c) y d), de la ley Nº 18.695, y 138 de la ley Nº 18.883».* (**ID Dictamen: 062872N11 Fecha:** 05.10.2011 **Destinatarios:** Alcalde Municipalidad de San Miguel. **Texto:** Contraloría no es instancia procesal para solicitar dejar sin efecto un acto administrativo dictado por la autoridad edilicia competente, sobre la base de la exposición de los mismos hechos ya investigados en sumario. Apreciación de pruebas y atenuantes es un asunto de mérito).

25. «*Precisado lo anterior, y en relación a las alegaciones de mérito de las peticionarias, relativas a la imprecisión de los hechos denunciados y al rechazo de los argumentos consignados en sus correspondientes defensas, cumple manifestar que si bien a esta Contraloría General le compete velar por el respeto de las normas legales y constitucionales que rigen a los servidores municipales, incluidas las que regulan los procedimientos disciplinarios, ello no la convierte en una instancia procesal para dejar sin efecto un acto administrativo dictado por la autoridad competente, sobre la base de la exposición de los mismos hechos ya investigados en este expediente sumarial, tal como acontece en la especie (aplica criterio contenido en los dictámenes Nºs. 28.791, de 2009, y 44.837, de 2011).*

Ahora bien, sobre la legalidad del proceso disciplinario en cuestión, cabe señalar que de sus antecedentes se advierte que se dio cumplimiento a la garantía de un justo y racional procedimiento puesto que, por una parte, los cargos formulados a las recurrentes, a fojas 65 y 73, cumplieron con las **exigencias que ha señalado la jurisprudencia administrativa** *de este Organismo de Control para su eficacia, toda vez que dieron satisfacción al principal objetivo que se persigue con ellos, esto es, dar a conocer en forma clara a las inculpadas los hechos anómalos imputados; y por otra, éstas tuvieron la posibilidad de defenderse en cada una de las instancias legales establecidas para ese efecto, según aparece de la presentación de sus descargos, contenidos a fojas 85 y 89, así como de la interposición de los respectivos recursos de reposición (aplica criterio contenido en los dictámenes Nºs. 44.837 y 50.081, ambos de 2011)»*. (ID Dictamen: 062858N11 Fecha: 05.10.2011 Destinatarios: Alcalde de la Municipalidad de Pirque. Texto: Sobre reclamo de ilegalidad en contra del decreto 637/2011, de la Municipalidad de Pirque por el que se aplicaron las medidas disciplinarias de censura y multa de un 10% de la remuneración mensual a las funcionarias que indica. Acción: Aplica dictámenes 28791/2009, 44837/2011, 50081/2011, 67819/2010, 39763/2011)

26. *«Como cuestión previa, cabe recordar que esta Contraloría General, mediante resolución de 4 de noviembre de 2009, dispuso la instrucción de un sumario administrativo en la Municipalidad de Pedro Aguirre Cerda, a cuyo término, por resolución exenta Nº 4.768, de 2010, se propuso a la autoridad edilicia aplicar a los funcionarios Mabel Rojas Cornejo y Juan Alvarado Martínez, la medida disciplinaria de multa del cinco por ciento de su remuneración mensual, conforme a lo previsto en los artículos 120, letra b), y 122, letra a), de la ley Nº 18.883. Asimismo, se recomendó la absolución de don Mauricio Lineros Navarrete y de doña Ana María Rodrigo Churruca, por no asistirles responsabilidad administrativa en los hechos investigados.*

Sobre el particular, necesario resulta recordar que si bien el alcalde no se encuentra en el imperativo de aplicar las medidas propuestas por este Órgano Contralor en virtud del artículo 133 bis de la ley Nº 10.336, de Organización y Atribuciones de esta Contraloría General, puesto que efectivamente la potestad disciplinaria se encuentra radicada en la Administración activa, en el ejercicio de esta prerrogativa la autoridad edilicia no puede desconocer la responsabilidad administrativa que ha sido acreditada a través del correspondiente proceso disciplinario, pues la discrecionalidad de que goza sólo la faculta para escoger cuál medida específica puede aplicarle, pero siempre tomando en cuenta el mérito de los respectivos autos.

En este contexto, y de acuerdo con el criterio contenido en el dictamen Nº 36.336, de 2009, de este Organismo Fiscalizador, y a las consideraciones anteriormente anotadas, es dable concluir que la alcaldesa de la Municipalidad de Pedro Aguirre Cerda, en el ejercicio de su potestad disciplinaria, no está facultada para desconocer la existencia de responsabilidad administrativa de los servidores infractores de deberes funcionarios, si esta responsabilidad ya ha sido acreditada en un procedimiento disciplinario instruido por esta Entidad Fiscalizadora, como acontece en la especie (...)». (ID Dictamen: 062401N11 Fecha: 04.10.2011 Destinatarios: Alcaldesa de la Municipalidad de Pedro Aguirre Cerda. Texto: Representa dto 222/2011 de la Municipalidad de Pedro Aguirre Cerda, que absuelve de responsabilidad administrativa a funcionarios que indica, ya que alcaldesa no puede desconocer la responsabilidad administrativa acreditada a través del proceso disciplinario, estando solo facultada para escoger la medida específica que aplicará, conforme el mérito de autos. Acción: Aplica dictamen 36336/2009)

27. *«Sobre el particular, es del caso recordar que la citada municipalidad, al término del proceso sumarial antes indicado, dispuso, mediante decreto Nº 4.092, de 2006, que se aplicara a la recurrente la medida disciplinaria de destitución, en virtud de lo dispuesto en los artículos 120, letra d), y 123 de la ley Nº 18.883 —Estatuto Administrativo para Funcionarios Municipales—, sanción de la que se dejó constancia en su hoja de vida, en conformidad a lo previsto en el artículo 145 de esa ley, toda vez que durante la sustanciación del respectivo sumario, el municipio, como se indicara, había aceptado su renuncia voluntaria presentada al cargo que desempeñaba, hecho que, en definitiva, produjo su desvinculación del servicio. (...)*

En este contexto, debe indicarse que, tal como lo ha manifestado reiteradamente la jurisprudencia de este Organismo de Control, la circunstancia que un servidor se desvincule de un municipio por aceptación de su renuncia, estando pendiente a su respecto la sustanciación de un sumario, no constituye un impedimento para que al término de ese proceso pueda serle aplicada una medida expulsiva, por cuanto, el cese de funciones por renuncia no puede ser invocado para impedir que la administración ejerza su potestad sancionadora, ni menos implicar la extinción de la responsabilidad administrativa que pueda afectar a un funcionario, conforme a los principios generales que regulan la función pública (aplica criterio contenido en los dictámenes Nºs. 26.608, de 1998, y 34.450, de 2000).

En efecto, acorde con el citado criterio, de aceptarse que por la vía de la presentación de la renuncia voluntaria no pudiesen aplicarse las sanciones correspondientes, el funcionario podría evitar la efectividad de la pena que eventualmente se le aplique y los efectos propios de ésta, con lo cual, tratándose de la medida disciplinaria de destitución, resultaría, además, inaplicable lo dispuesto en el artículo 38, letra f), de la ley Nº 10.336 —sobre Organización y Atribuciones de la Contraloría General—, que impide a esta Entidad de Control dar curso al nombramiento de una persona que ha sido separada o destituida, administrativamente de cualquier empleo o cargo público, a menos que intervenga decreto supremo de rehabilitación.

Asimismo, mediante dicho mecanismo perdería eficacia el principio de probidad administrativa, consagrado en el Título III de la ley Nº 18.575 —Orgánica Constitucional de Bases Generales de la Administración del Estado—, que obliga a observar una conducta funcionaria intachable en el cumplimiento de las labores funcionarias, ya que su vulneración quedaría impune.

Siendo ello así, cabe concluir que el hecho que la Municipalidad de Las Condes hubiera aceptado la renuncia de la señora Carmona Morel, a contar del día 18 de julio de 2006, produciéndose, en consecuencia, su alejamiento de ese municipio por dicha causal, no implica, acorde con el planteamiento señalado en los párrafos precedentes, que la medida disciplinaria de destitución que se aplicó, a través del decreto Nº 4.092, de 2006, de esa entidad edilicia, no se encuentre produciendo los efectos que le son propios, desde el 29 de abril de 2011, data en que le fue notificado ese acto.

Sin perjuicio de ello, cumple manifestar que si bien, de acuerdo con el criterio contenido, entre otros, en el dictamen Nº 7.201 de 2000, de este Organismo de Control, el ordenamiento jurídico no contempla un plazo para hacer valer la causal de extinción de la responsabilidad administrativa, siendo posible alegarla en cualquier instancia del proceso sumarial, (...).

*En relación con lo que sostiene la recurrente, en orden a que el registro del decreto Nº 4.092, de 2006, a su juicio, erróneamente efectuado por esta Contraloría General, debería dejarse sin efecto puesto que debió practicarse después de la notificación válida del referido acto administrativo, es menester aclarar que dicho trámite, al que, conforme al **artículo 53 de la ley Nº 18.695, Orgánica Constitucional de Municipalidades, están sujetas las resoluciones que afecten a funcionarios municipales, consiste tan sólo en una mera anotación material del acto correspondiente, por lo que dichos decretos rigen desde la fecha de su notificación al afectado, sin que su eficacia se encuentre subordinada al aludido trámite, lo que guarda armonía con lo previsto en el artículo 51, inciso segundo, de la ley Nº 19.880, que Establece Bases de los Procedimientos Administrativos que rigen los Actos de los Órganos de la Administración del Estado (aplica criterio contenido en el dictamen Nº 39.213, de 2010)».** (ID Dictamen: 059951N11 Fecha: 21.09.2011 Destinatarios: Giovanna Carmona Morel. **Texto:** Sobre cese de funciones por renuncia en relación con la potestad sancionadora de la autoridad administrativa y prescripción de la acción disciplinaria. **Acción:** Aplica dictámenes 79238/2010, 26608/98, 34450/2000, 7201/2000, 39213/2010)[269]

28. «*Enseguida, y en lo que se refiere a las alegaciones de mérito efectuadas por el interesado, cumple manifestar que si bien a este Organismo de Control le compete velar porque se respeten las normas legales y constitucionales que rigen a los funcionarios municipales en esta materia, entre ellas las relativas a la responsabilidad administrativa, tal circunstancia no lo convierte en una instancia procesal por cuyo intermedio se pueda dejar sin efecto un acto administrativo dictado por la autoridad competente para ese efecto, sobre la base de la exposición de los mismos hechos ya investigados en el sumario, por lo que no se pronunciará sobre tales alegaciones. (...)*

*De acuerdo con lo anterior, entonces, **la actuación reprochada al interesado en el cargo subsistente, configuró una vulneración al principio de probidad, la cual, tras ser apreciada por el respectivo alcalde, de manera fundada y en el ejercicio de sus facultades, tuvo mérito suficiente para determinar que se le aplicara la medida sancionatoria de destitución, asunto que esta Entidad de Control no puede entrar a calificar, toda vez que la ley ha radicado en la autoridad comunal tanto la valoración de las pruebas que se allegan a un sumario como el consecuente ejercicio de la potestad sancionatoria*».** (ID Dictamen: 056880N11 Fecha: 07.09.2011 Destinatarios: Miguel Ramos Lobos. **Texto:** Procedió medida disciplinaria de destitución en contra de Director de Obras que invalidó permiso de edificación otorgado conforme a derecho, habiéndose acreditado en el procedimiento disciplinario el cargo formulado, vinculado a infracciones al principio de probidad administrativa. **Acción:** Aplica dictámenes 31011/2009, 3562/91, 39833/2001, 2641/2005, 49531/2008, 53290/2004, 53875/2009, 47295/2006)

29. «*Finalmente, en lo que se refiere a los servidores Nancy Cepeda Sepúlveda y Juan Paillalef Zúñiga, **es imperativo indicar que tras la reapertura del sumario de la especie,** ordenada por decreto Nº 1.392, de 2010, **que retrotrajo el procedimiento disciplinario a la etapa de investigación, no se les formularon cargos, por lo que no procede que se haya sancionado** a la primera —atendido lo establecido en el artículo 138, inciso tercero, de la ley Nº 18.883—, ni que se*

---

[269] Para efectos de su consulta en la Base de Jurisprudencia de Contraloría General de la República, el citado dictamen se encuentra en la sección/materia: «generales», sin perjuicio de que se trata de uno de carácter municipal.

hubiere absuelto al segundo (aplica criterio contenido en el dictamen N⁰ 35.623, de 2006)». **(ID Dictamen: 056865N11 Fecha:** 07.09.2011 **Destinatarios:** Alcalde de la Municipalidad de Ñuñoa. **Texto:** Observa decreto 818/2011, de la Municipalidad de Ñuñoa, que aplica medidas disciplinarias y absuelve a funcionarios que indica, y atiende reclamos de ilegalidad. **Acción:** Aplica dictámenes 38203/2002, 35623/2006, 50081/2011)[270]

30. «*Por su parte, atendida la situación planteada, debe considerarse que el **artículo 120, letra c), del mencionado cuerpo estatutario**, establece que los funcionarios podrán ser objeto de la medida disciplinaria de suspensión del empleo desde treinta días a tres meses, la que, según lo ordena el inciso primero del artículo 122 A, consiste en la privación temporal del empleo con goce de un cincuenta a un setenta por ciento de las remuneraciones y sin poder hacer uso de los derechos y prerrogativas inherentes al cargo, agregando el inciso segundo de este último precepto legal, que se dejará constancia de ella en la hoja de vida del funcionario mediante una anotación de demérito de seis puntos en el factor correspondiente.*

*Ahora bien, se advierte que los funcionarios a que alude el recurrente, fueron sancionados por el municipio a través del decreto N⁰ 598, de 13 de junio de 2008 —al término de un sumario administrativo instruido por este Organismo Contralor—, con la **medida disciplinaria de suspensión en el empleo**, la señora Toro Rojas por treinta días con goce de un setenta por ciento de sus remuneraciones y el señor Mora Saldías por cincuenta días con goce de un cincuenta por ciento de sus emolumentos, las que, según se dejó constancia por esta Entidad Fiscalizadora en el oficio N⁰ 41.521, de 2010, se hicieron efectivas a contar del mes de julio de 2008.*

*De este modo, de conformidad con las anotadas disposiciones legales, atendido que en la especie, las **medidas disciplinarias fueron aplicadas en el lapso de desempeño funcionario** que media entre el 1 de septiembre de 2007 al 31 de agosto de 2008, a tales empleados les afectó una rebaja de seis puntos en sus calificaciones, en el escalafón vigente para el año calendario 2009, **toda vez que dicho período de calificaciones sirve de base para la confección de este último**».* **(ID Dictamen: 052270N11 Fecha:** 18.08.2011 **Destinatarios:** Ernesto Bústiman Vizcarra. **Texto:** Sobre rebaja de calificaciones por anotaciones de demérito en virtud de medidas disciplinarias aplicadas a funcionarios municipales. **Acción:** Aplica dictamen 41521/2010)

31. «*En lo que concierne a la observación formulada en el oficio N⁰ 2.480, de 2011, relativa a que los **cargos que se les imputaron a los afectados regidos por el Código del Trabajo aluden a la ley N⁰ 18.883**, en particular a la letra g), de su artículo 58, cabe señalar que tal hecho no afecta la validez del procedimiento sumarial que se analiza, puesto que la referencia que se hace de la citada norma, solo tuvo por objeto dejar de manifiesto el deber que recae sobre todo servidor público, incluidos quienes se rigen por las disposiciones del Código del Trabajo, de ajustar su actuar al principio de probidad administrativa, consagrado en el artículo 8⁰ de la Constitución Política, el cual, según el artículo 52 de la ley N⁰ 18.575 —Orgánica Constitucional de Bases Generales de la Administración del Estado—, consiste en observar una conducta funcionaria intachable y un desempeño honesto y leal de la función o cargo, con preeminencia del interés general sobre el particular.*

Por lo demás, el mero error en la cita legal no constituye un hecho al que pueda atribuírsele el mérito de haber influido en la resolución del sumario de la especie».* **(ID Dictamen: 050081N11 Fecha:** 09.08.2011 **Destinatarios** Contralor Regional de La Araucanía. **Texto:** Sobre legalidad del procedimiento aplicado en sumario administrativo incoado en contra de los funcionarios municipales. **Acción:** Aplica dictamen 38203/2002)

32. «*Sin perjuicio de lo anterior, resulta necesario señalar, **para efectos de la correcta aplicación de la medida disciplinaria impuesta al afectado, que el artículo 51 de la ley N⁰ 19.880** —que Establece Bases de los Procedimientos Administrativos que rigen los Actos de los Órganos de la Administración del Estado— prevé, en lo que interesa, que los actos administrativos sólo producirán los efectos que les son propios en virtud de la notificación hecha de conformidad a la ley*».* **(ID Dictamen: 044837N11 Fecha:** 15.07.2011 **Destinatarios:** Alcalde de la Municipalidad de San José de Maipo. **Texto:** Atiende reclamo de ilegalidad en contra del decreto 53/2010, de la Municipalidad de San José de Maipo por el que se aplicó la medida disciplinaria de suspensión del empleo por dos meses con goce del sesenta por ciento de su remuneración mensual. **Acción:** Aplica dictamen 47644/2009, 2094/2001, 3174/2009, 44092/2010)

---

[270]   Para efectos de su consulta en la Base de Jurisprudencia de Contraloría General de la República, el citado dictamen se encuentra en la sección/materia: «generales», sin perjuicio de que se trata de uno de carácter municipal.

33. «*Establecido lo anterior, y en cuanto al mérito de la sanción dispuesta, cabe señalar que si bien compete a este Organismo Fiscalizador velar por el respeto de las normas constitucionales y legales que rigen a los funcionarios municipales, incluidas las relativas a los procedimientos disciplinarios y a la aplicación o interpretación de las normas jurídicas que regulan la garantía constitucional de un debido proceso, ello no lo convierte en una instancia procesal para que se solicite dejar sin efecto un acto administrativo dictado por la autoridad edilicia competente, sobre la base de la exposición de los mismos hechos ya investigados en el sumario correspondiente.*

*Por otra parte, en lo que concierne a la legalidad del proceso administrativo en cuestión, cabe manifestar que esta Entidad de Control al registrar, con fecha 24 de noviembre de 2010, el citado decreto Nº 3.956, de igual año, procedió a la revisión de dicho sumario, pudiendo constatarse que en su tramitación se respetó el derecho a defensa jurídica del recurrente, toda vez que se le tomó declaración indagatoria, se le formularon cargos precisos y, en general, se le procuraron las instancias legales a fin de asegurar su debida defensa, a saber, se abrió un término probatorio a solicitud del propio interesado, pudo formular sus descargos y, una vez dictado el decreto alcaldicio por el cual se estableció su responsabilidad en los hechos investigados, dedujo el respectivo recurso de reposición —el que fue rechazado por la autoridad edilicia—, **de manera que se dio cumplimiento a la garantía de un justo y racional procedimiento**». (**ID Dictamen: 043890N11 Fecha: 12.07.2011 Destinatarios:** Patricio Ossa. **Texto:** Acerca de solicitud de reconsideración del dictamen 8331/2011 que rechazó una reclamación por extemporánea. Se pronuncia sobre la legalidad de medida disciplinaria aplicada a funcionario municipal. **Acción:** Reconsidera dictamen 8331/2011)

34. «*Por otra parte, cabe anotar que **cuando en un proceso disciplinario se dispone, de manera conjunta, sancionar o absolver a varios inculpados, corresponde que la autoridad edilicia emita un solo documento de término que contenga todas las decisiones adoptadas, luego que el alcalde haya fallado el o los recursos de reposición interpuestos o haya vencido el plazo para deducirlos**, lo que no ocurrió en la especie, dado que con posterioridad a la presentación de las reposiciones por parte de las afectadas, se dictaron dos decretos de término (**aplica criterio contenido en el dictamen Nº 46.518, de 2008**).*

*Asimismo, resulta útil señalar que **solamente se encuentra sujeto a trámite de registro el acto terminal que contiene la absolución, sobreseimiento o sanción que, en definitiva, se impone a el o los inculpados en un procedimiento disciplinario**, característica que no reviste el decreto Nº 127, de 2010, el cual sólo constituye un acto interno dentro del sumario*». (**ID Dictamen: 042476N11 Fecha:** 06.07.2011 **Destinatarios:** Alcalde de la Municipalidad de Melipilla. **Texto:** Sobre petición de reconsideración de oficio que indica; Observa decreto 154, de 2010 de la Municipalidad de Melipilla; y se refiere a los decretos 127/2010 y 153/2010, mediante los cuales, por el primero, se rechaza reposición presentada, manteniéndose la sanción de destitución, en tanto que por el segundo se acoge una reposición presentada rebajando una medida de destitución. **Acción:** Aplica dictamen 46518/2008 Confirma dictamen 8725/2011)

35. «(...) *cumple manifestar que la respectiva **investigación no se encuentra agotada, requisito indispensable para que sea declarado el cierre del sumario y, posteriormente, formular cargos (aplica dictámenes Nºs. 62.381, de 2004, y 39.536, de 2010)*». (**ID Dictamen:** 042147N11 **Fecha:** 05.07.2011 **Destinatarios:** Alcalde de la Municipalidad de San Miguel. **Texto:** Observa decreto 7/2011 de la Municipalidad de San Miguel que aplica la medida disciplinaria de destitución y atiende reclamo de ilegalidad que indica. **Acción:** aplica dictámenes 62381/2004, 39536/2010)

36. «*Se ha dirigido a esta Contraloría General el señor Víctor Rojas Chahuel, ex funcionario de la Municipalidad de Macul, reclamando que esa entidad edilicia no ha dispuesto su comparecencia ante la Comisión de Medicina Preventiva e Invalidez, con el fin de que se evalúe su imputabilidad en los hechos investigados en un sumario administrativo instruido en su contra.*

*Sobre el particular, cumple con señalar que este Organismo Contralor mediante el oficio Nº 11.629, de 2010 —con ocasión del trámite de registro del decreto Nº 1.897, de 2009, de la Municipalidad de Macul, que aplica al recurrente la medida disciplinaria de destitución, contemplada en el artículo 120, letra d), de la ley Nº 18.883, sobre Estatuto Administrativo para Funcionarios Municipales—, concluyó que es necesario **requerir un informe de la respectiva Comisión de Medicina Preventiva e Invalidez, que determine si aquél poseía el suficiente juicio y discernimiento a la data de los hechos que se le imputan, como para atribuirle responsabilidad administrativa, teniendo en cuenta la enfermedad que padecería**, (...)*». (**ID Dictamen: 038405N11 Fecha:** 17.06.2011 **Texto:** Sobre comparecencia de ex funcionario ante la Comisión de Medicina Preventiva e Invalidez, en sumario administrativo incoado por la Municipalidad de Macul. **Acción:** Aplica dictámenes 11629/2010, 8970/2009)

37. «*Sobre el particular, se debe indicar que conforme lo dispone el artículo 133 bis de la ley Nº 10.336, de Organización y Atribuciones de esta Contraloría General, en los sumarios instruidos por este Ente de Fiscalización en las municipalida-*

des, corresponderá al Contralor General proponer a la autoridad administrativa que haga efectiva la responsabilidad administrativa de los funcionarios involucrados, quien aplicará directamente las sanciones que procedan. Añade la norma legal, que en el caso que dicha autoridad imponga una sanción distinta, deberá hacerlo **mediante resolución fundada, sujeta al trámite de toma de razón por la Contraloría**». (**ID Dictamen: 032896N11 Fecha:** 24.05.2011 **Destinatarios:** Alcalde Municipalidad de Til Til. **Texto:** Sobre rebaja de medidas disciplinarias propuestas al término de sumario administrativo instruido por la Contraloría General)

38. «*Como puede advertirse, la Corte de Apelaciones de San Miguel, al fallar el recurso de protección interpuesto por la recurrente,* **se manifestó sobre la legalidad del procedimiento disciplinario** *que la afectó, motivo por el cual esta Contraloría General debe abstenerse de pronunciarse sobre el particular, atendido lo dispuesto en el antes citado artículo 6º, inciso tercero, de la ley Nº 10.336*». (**ID Dictamen:** 020506N11 **Fecha:** 05.04.2011 **Destinatarios:** Rosicler Benítez **Texto:** Se abstiene de emitir pronunciamiento por tratarse de un asunto sometido al conocimiento de los Tribunales de Justicia. **Acción:** Aplica dictamen 67609/2010)

39. «*Sobre el particular, es del caso anotar que el citado inciso segundo del artículo 133 bis de la ley Nº 10.336, dispone que en los sumarios que este Organismo de Fiscalización realice en las municipalidades, en el caso que la autoridad administrativa imponga una sanción distinta a la propuesta por el Contralor General, deberá hacerlo mediante resolución fundada, sujeta al trámite de toma de razón, entendiéndose por tal aquélla en que las razones que la motivan* —**las que deben explicitarse en el acto administrativo respectivo**—, *son de carácter objetivo, atingentes a la situación investigada, de acuerdo al mérito del proceso y, en fin, ajustadas a la legalidad* (aplica criterio contenido en dictamen Nº 61.379, de 2008).

En este contexto, examinado el decreto en comento, cumple manifestar que **esa autoridad edilicia, además de exponer los hechos, los analiza a la luz de los principios de probidad administrativa y fe pública, a lo cual agrega como circunstancia agravante, la reprochable conducta anterior del recurrente, motivo por el cual la sanción más severa que se le aplica obedece al imperativo de proporcionalidad que debe existir en la especie.** (...)

Ahora bien, en relación a lo argumentado por el señor Escanilla Camus, en orden a que la sanción impuesta por ese municipio se basaría en hechos ya ponderados en otras instancias procesales e incluso en procedimientos sumariales anteriores, no aportando dicha decisión antecedentes nuevos que permitan, a su juicio, elevar la sanción propuesta por este Organismo de Control, cabe remitirse al análisis realizado precedentemente, debiendo agregar que la **mencionada reprochable conducta funcionaria del inculpado, considerada por la autoridad edilicia a fin de aplicar una sanción más rigurosa, constituye una circunstancia agravante de la falta principal objeto del proceso sumarial de la especie** —*según lo dispuesto en el artículo 120, inciso final, de la ley Nº 18.883, Estatuto Administrativo para los Funcionarios Municipales—, sin que sea posible prescindir de ella, como lo pretende el encausado*». (**ID Dictamen:** 007296N11 **Fecha:** 04.02.2011 **Destinatarios:** Alcalde de la Municipalidad de Padre Hurtado. **Texto:** Aplicación de medida disciplinaria de destitución por circunstancias agravantes dada reprochable conducta anterior. **Acción:** Aplica dictamen 61379/2008)

40. «*Como cuestión previa, cabe tener presente que este Organismo de Fiscalización instruyó un sumario administrativo en esa entidad edilicia, (...) a cuyo término se propuso a su alcalde —Mediante la resolución Nº 3.818, de 2009, del Contralor General—, por una parte, aplicar en contra de los señores Sabat Pietracaprina y Bravo Aris,* **la medida disciplinaria de multa** *del 5% de sus remuneraciones mensuales, establecida en el* **artículo 120, letra b), de la ley Nº 18.883, Estatuto Administrativo para Funcionarios Municipales, en relación con el artículo 122, letra a),** *del mismo texto legal* **y, por otra, absolver** *de cargos a los señores José Bucarey Sepúlveda, Sergio Beaumont Araya y Andrés Ibarra Videla, por no encontrarse acreditadas sus responsabilidades administrativas en los hechos investigados.*

En este contexto, la aludida autoridad edilicia dictó el decreto Nº 3.362, de 2009, sobreseyendo a los señores Sabat Pietracaprina y Bravo Aris, el cual fue devuelto al municipio sin tramitar en virtud del oficio Nº 41.226, de 2010, toda vez que, en síntesis, **no resultaba atendible su fundamentación,** *específicamente (...),* **por cuanto dicha norma fue incorporada con posterioridad a los hechos que se les imputan a los afectados** *(...)*». (**ID Dictamen:** 007203N11 **Fecha:** 04.02.2011 **Destinatarios:** Alcalde Municipalidad de Vitacura. **Texto:** Devuelve sin tramitar decreto 3.436, de 2010, de la Municipalidad de Vitacura, que sobresee de responsabilidad administrativa a funcionarios que indica. **Acción:** Aplica dictamen 41226/2010)

41. «*En efecto, de acuerdo a lo señalado por* **la jurisprudencia administrativa de esta Entidad de Fiscalización, contenida, entre otros, en el dictamen Nº 34.503, de 2004, las imputaciones que se formulen en el sumario deben ser concretas y precisas y, necesariamente, contener el detalle de los hechos constitutivos de la o las infracciones que se le imputa al o los inculpados y la forma como ellos han afectado los deberes que establecen las normas legales*

que se han vulnerado, de modo que se les permita asumir adecuadamente su defensa y, a su vez, el Servicio pueda fundadamente determinar, si fuere procedente, la aplicación de la medida disciplinaria que en derecho amerite la falta administrativa.

De esta manera, entonces, no resulta posible, como acontece en la especie, la imputación de conductas genéricas o imprecisas tales como "malos tratos verbales", utilizada en el cargo que se formula a todos los inculpados, ni imputaciones vagas y poco concretas, en que se describe la conducta pero no se señala siquiera el período de ocurrencia de los hechos o la forma en que ésta se entiende configurada, (...); lo que impide que los afectados tomen cabal conocimiento de las infracciones que se les atribuyen, vulnerando su derecho a defensa». **(ID Dictamen: 002030N11 Fecha: 12.01.2011 Destinatarios:** Alcalde de la Municipalidad de Santiago. **Texto:** Observa decreto de la Municipalidad de Santiago que aplica medidas disciplinarias que indica, ordenando retrotraer proceso sumarial para dar cumplimiento a principio del debido proceso. **Acción:** aplica dictámenes 34503/2004, 34010/2005)

42. *«Finalmente, en lo que respecta a la eventual responsabilidad a la que se encontraría sujeto el alcalde por la suscripción de los convenios cuestionados, cumple con señalar que conforme a lo sostenido por esta Entidad Fiscalizadora en el dictamen Nº 48.324, de 2009, si bien estos tienen la calidad de funcionarios municipales y como tales, están afectos a responsabilidad administrativa, en la legislación vigente ninguna autoridad tiene la potestad de aplicarles alguna de las medidas disciplinarias contempladas en el artículo 120 de la ley Nº 18.883, sobre Estatuto Administrativo para los Funcionarios Municipales, por lo que, consecuentemente este Organismo de Control no tiene, en general, atribuciones para determinar y hacer efectiva esa responsabilidad.*
Lo señalado, también tiene lugar tratándose de un exalcalde, en cuyo caso opera la causal de extinción de la responsabilidad administrativa de cesación en el cargo, contenida en el artículo 153, letra b), de la aludida ley Nº 18.883, salvo que aquel, al finalizar su correspondiente mandato asuma, sin solución de continuidad, un cargo en otro órgano de la Administración del Estado, por cuanto esa situación solo implicaría una variación del cargo que ejerce, pero no de la condición de funcionario público, que es la que sirve de base a esa responsabilidad, tal como lo precisa el dictamen Nº 62.213, de 2008». **(ID Dictamen: 080243N12 Fecha:** 26.12.2012 **Destinatarios:** Alcalde de la Municipalidad de Concepción. **Texto:** Sobre improcedencia de que municipalidad celebre contratos mediante trato directo con las escuelas de lenguaje que indica sin que se acrediten las causales que justifiquen ese mecanismo de contratación; y responsabilidad administrativa del alcalde. **Acción:** Aplica dictámenes 30447/2010, 651/2011, 48093/2010, 46564/2011, 48324/2009, 62213/2008)[271]

43. *«Finalmente, esa entidad edilicia deberá tener presente, en lo sucesivo, que según lo establecido en el inciso segundo del artículo 118, de la referida ley Nº 18.883, los funcionarios incurrirán en responsabilidad administrativa cuando la infracción de sus deberes y obligaciones fuere susceptible de la aplicación de una medida disciplinaria, no como se hizo en esta oportunidad en que se impuso a la ocurrente y al profesor Jaime Artemio Soto Muñoz una doble sanción por los mismos hechos, esto es, censura y multa, vulnerando el principio del "non bis in idem" (aplica dictamen Nº 41.736, de 2004)».* **(ID Dictamen: 077203N12 Fecha:** 12.12.2012 **Destinatarios:** Alcalde de la Municipalidad de Cobquecura. **Texto:** Acoge reclamo de ilegalidad en sumario administrativo que indica, por no constituir infracción administrativa los hechos materia de cargo. **Acción:** Aplica dictámenes 32700/2012, 19970/2005, 26738/2009, 20980/2012, 30977/97, 18839/2004, 41736/2004)

44. *«Puntualizado lo anterior, cumple con señalar que si bien a este Organismo de Control le corresponde velar porque se respeten las normas constitucionales y legales que regulan los procedimientos sumariales que se instruyen en contra de servidores municipales, a objeto de resguardar que la autoridad dé cumplimiento a los principios de juridicidad y del debido proceso, ello no lo convierte en una instancia procesal para que se solicite dejar sin efecto un acto administrativo dictado por la autoridad municipal competente (aplica dictamen Nº 43.373, de 2012). (...)*
Enseguida, en relación a la presunta falta de argumentación del oficio Nº 1.623, de la citada anualidad, que rechazó el recurso de reposición interpuesto por los recurrentes en contra del citado decreto alcaldicio Nº 83, debe manifestarse que en él se han expuesto las consideraciones que han permitido a la autoridad comunal adoptar la decisión de sancionar a los peticionarios, constituyendo precisamente aquellas, el fundamento de la medida disciplinaria aplicada, habida cuenta que en el expediente respectivo se acreditó el incumplimiento de sus obligaciones funcionarias, las que ameritan un reproche por parte de la autoridad alcaldicia, en quien está radicada la potestad disciplinaria (aplica

---

[271] Para efectos de su consulta en la Base de Jurisprudencia de Contraloría General de la República, el citado dictamen se encuentra en la sección/materia: «generales», sin perjuicio de que se trata de uno de carácter municipal.

dictamen Nº 58.110, de 2009)». **(ID Dictamen: 063047N12 Fecha:** 10.10.2012 **Destinatarios:** Alonso Basualto Arias. **Texto:** Dictamen emitido por el fiscal sumariante reúne todas las exigencias previstas en la normativa legal que regula la materia, de modo que decreto alcaldicio que aprueba la vista fiscal, señalando los hechos y el derecho aplicable, se encuentra debidamente fundado. **Acción:** Aplica dictámenes 43373/2012, 58110/2009)[272]

45. «*Asimismo, es necesario indicar que **el alcalde, como máxima autoridad del municipio y titular de la potestad disciplinaria, debe ponderar las situaciones que ameriten la instrucción de un procedimiento administrativo, a fin de determinar las responsabilidades funcionarias** consiguientes como, también, considerar la justificación de los respectivos atrasos, en el caso que corresponda **(aplica criterio contenido en dictámenes Nºs. 38.280, de 2010 y 76.892, de 2011)**.*
*Por su parte, en lo que atañe a las circunstancias atenuantes que, a juicio del recurrente, no habrían sido consideradas en su caso para la aplicación de la sanción dispuesta, vulnerándose con ello el principio de proporcionalidad, corresponde indicar que la **reiterada jurisprudencia de este Órgano de Control, contenida, entre otros, en los dictámenes Nºs. 33.054, de 2000; 22.509, de 2005; y 49.342, de 2009, ha sostenido que cuando la ley asigna una medida disciplinaria específica para determinada infracción, como acontece respecto de los atrasos reiterados, la autoridad administrativa se encuentra en el imperativo legal de disponerla, sin perjuicio que, en virtud de la potestad disciplinaria que posee, determine, a través de un acto administrativo fundado, rebajarla imponiendo en sustitución de ella una sanción no expulsiva**, atribución que, en la situación que se analiza, el alcalde resolvió no ejercer.*
*Ahora bien, acerca de la falta de precisión del cargo formulado al interesado, en el cual se habría omitido citar la preceptiva infringida en la especie, es dable manifestar que aquel **cumplió con las exigencias que ha señalado la jurisprudencia administrativa de esta Entidad Fiscalizadora para su eficacia, ya que, por una parte, se dio satisfacción al principal objetivo que se persigue con dicho trámite, esto es, dar a conocer en forma clara al inculpado el hecho anómalo que se le imputa; y, por otra, se verificó que tuvo la posibilidad de defenderse**, según consta en los descargos que presentó a fojas 108 del expediente disciplinario **(aplica criterio contenido en los dictámenes Nºs. 44.837 y 50.081, ambos de 2011)»*. **(ID Dictamen: 049744N12 Fecha:** 14.08.2012 **Destinatarios:** Cristian Prieto Serey. **Texto:** Desestima reclamo de ilegalidad en contra de medida disciplinaria de destitución por atrasos reiterados. **Acción:** Aplica dictámenes 29937/2012, 18835/2012, 38280/2010, 76892/2011 33054/2000, 22509/2005, 49342/2009, 44837/2011, 50081/2011, 13330/2012, 80779/2011)

46. «*Precisado lo anterior, y **en lo que se refiere a la nulidad de derecho público alegada por el recurrente, se debe indicar que el ordenamiento jurídico no otorga facultad alguna a esta Entidad Fiscalizadora que le permita declarar la nulidad de los actos administrativos que los órganos de la Administración emitan en el ejercicio de sus funciones** (aplica criterio contenido en los dictámenes Nºs. 43.991, de 2009, y 64.337, de 2011).*
*Por otra parte, en cuanto a la **solicitud de nulidad de todo lo obrado del sumario** de que se trata, es del caso hacer presente que el sumario administrativo es un procedimiento reglado, en este caso, por los artículos 133 y siguientes de la ley Nº 10.336, de Organización y Atribuciones de la Contraloría General de la República, y por la resolución Nº 236, de 1998, de este origen, que contiene el reglamento de sumarios instruidos por esta repartición, atendido lo cual **no cabe admitir otros trámites o recursos que no sean los previstos especialmente en las disposiciones establecidas al efecto, no siendo esta la instancia procesal para plantear la solicitud de que se trata** (aplica criterio contenido en el dictamen Nº 14.047, de 2012)»*. **(ID Dictamen: 048885N12 Fecha:** 09.08.2012 **Destinatarios:** Horacio Cortés Molina. **Texto:** Desestima reclamaciones en relación con sumario administrativo instruido por la Contraloría Regional de Antofagasta. **Acción:** Aplica dictámenes 43991/2009, 64337/2011, 14047/2012)

47. «*En síntesis, la autoridad municipal utiliza como argumento para modificar las sanciones propuestas, rebajándolas a censura, el que habiéndose formulado denuncia por tales hechos —se refiere a uno de los cargos relativo al control insuficiente de las labores técnicas de los encargados de supervisar el contrato que indica—, el Ministerio Público ejerció la facultad de no perseverar en la investigación, lo que importa desconocer el principio de independencia de responsabilidades contemplado en el artículo 119 de la ley Nº 18.883, según el cual, en lo que interesa, **la sanción administrativa es independiente de la responsabilidad penal y, en consecuencia, las actuaciones o resoluciones referidas a esta —como es la atribución de no perseverar—, no excluyen la posibilidad de aplicar al funcionario una medida disciplinaria en razón de los mismos hechos**.*

---

[272] Para efectos de su consulta en la Base de Jurisprudencia de Contraloría General de la República, el citado dictamen se encuentra en la sección/materia: «generales», sin perjuicio de que se trata de uno de carácter municipal.

Luego, tal argumentación no resulta eficaz, porque pretende extraer del contenido de una actuación propia de las autoridades con competencia en materia penal, una consecuencia en el proceso administrativo en cuestión, resultando totalmente ajeno al mérito del proceso disciplinario de que se trata. (...)

Igualmente, en cuanto al fundamento para rebajar la sanción propuesta respecto de los señores Obreque Bravo y Rossi Giacosa, la autoridad edilicia argumenta en relación a uno de los cargos formulados en su contra —relativo a la falta de supervisión de la contratación a honorarios de la persona que señala—, que el fiscal instructor debió formular cargos a la persona contratada a honorarios por ese municipio, haciendo presente, no obstante, que en la misma vista fiscal del sumario, el fiscal se refirió a esta circunstancia.

*Pues bien, tal argumentación, no resulta atendible, ya que constituye una apreciación acerca de cómo debió actuar el fiscal a cargo, sin perjuicio de considerar lo **inoficioso que resultaría dirigir una investigación en contra de quien, en definitiva, no podría resultar responsable administrativamente,** como ocurre con las personas que prestan servicios en un municipio en virtud de un contrato a honorarios, tal como lo ha precisado la jurisprudencia administrativa contenida, entre otros, en el dictamen N° 47.914, de 2009, de este origen».* (**ID Dictamen: 044197N12 Fecha:** 23.07.2012 **Destinatarios:** Alcalde de la Municipalidad de Huechuraba. **Texto:** Representa decreto 587/2011, de la Municipalidad de Huechuraba, por el cual aplica a los funcionarios que indica las medidas disciplinarias que señala. **Acción:** Aplica dictámenes 40731/2005, 40018/2010, 47914/2009, 43783/2009)

48. «*Como resultado de dicho proceso disciplinario, por decreto alcaldicio N° 48-A, de 26 de marzo de 2012, se ordenó aplicar a doña Isabel Cornejo Bustos, "la medida disciplinaria" de una anotación de demérito en su hoja de vida.*

*En relación a esta materia, cabe señalar que lo resuelto en el N° 2 del precitado decreto N° 48-A, de 2012, en orden a aplicar una anotación de demérito como consecuencia del proceso disciplinario en mención, **no se ajusta a lo establecido en el artículo 118, inciso segundo, de la ley N° 18.883,** Estatuto Administrativo para Funcionarios Municipales, precepto según el cual dichos servidores incurren en responsabilidad administrativa cuando la infracción a sus deberes sea acreditada en un sumario o investigación sumaria, a cuyo término se dispone la aplicación de una medida disciplinaria, las que se encuentran puntualizadas en el artículo 120 del mismo cuerpo estatutario, sin que entre ellas se contemple la anotación de demérito».* (**ID Dictamen: 032095N12 Fecha:** 31.05.2012 **Destinatarios** Alcalde de Cerro Navia. **Texto:** Sobre paralización de las obras de reposición de la escuela N° 386 Santander de España. **Acción:** Aplica dictamen 15700/2012)

49. «*Se ha dirigido a esta Contraloría General, doña Cecilia López Estay, exfuncionaria de la Municipalidad de Estación Central, quien reclama en contra de la legalidad de la **medida disciplinaria de destitución** aplicada en su contra por la Municipalidad de Estación Central, mediante decreto N° 529, de 2011, **con arreglo a lo establecido en los artículos 69, inciso final, 120 y 123 de la ley N° 18.883,** Estatuto Administrativo para Funcionarios Municipales.*

Sostiene la recurrente, en síntesis, que el haberse ausentado injustificadamente de su lugar de trabajo —hecho por el cual se le formuló el cargo único—, se debió a que padece una depresión debidamente diagnosticada, a consecuencia de lo cual olvidó solicitar y presentar en el municipio la correspondiente licencia médica, habiendo solicitado en reiteradas ocasiones audiencias, a diversas jefaturas, a fin de solucionar su situación, por lo que requiere que se deje sin efecto la sanción aplicada.

Sobre la materia, es necesario precisar que si bien compete a esta Entidad de Control velar por el respeto de las normas constitucionales y legales que rigen a los servidores municipales, incluidas las que regulan los procedimientos disciplinarios —como los de la especie—, tal circunstancia no la convierte en una instancia en la que pueda solicitarse que se deje sin efecto un acto administrativo sancionatorio dictado por la autoridad edilicia competente, toda vez que la ley ha radicado en esta la potestad disciplinaria.

*Ahora bien, en cuanto a la legalidad del procedimiento sumarial de que se trata, cumple informar que, del examen de sus antecedentes, se pudo establecer que las ausencias sin causa justificada imputadas a la recurrente se encuentran debidamente acreditadas, según consta de la propia declaración de la afectada, la cual rola a fojas 25 del expediente; y que en la tramitación del mismo se **respetó el derecho a su defensa jurídica,** toda vez que, conforme aparece a fojas 25 y 41 del expediente, se le tomó declaración indagatoria, se le formularon cargos y, en general, se **procuraron las instancias legales** a fin de asegurar su debida defensa, dándose cumplimiento a la garantía de un justo y racional procedimiento.*

Por consiguiente, se desestima la reclamación deducida (...)». (**ID Dictamen: 025410N12 Fecha:** 02.05.2012 **Destinatarios:** Cecilia López Estay. **Texto:** Desestima reclamo de ilegalidad en contra de medida disciplinaria de destitución aplicada por la Municipalidad de Estación Central)

50. «*Finalmente, es dable manifestar, a fin de que ese municipio lo tenga presente en lo sucesivo, que si bien **la autoridad edilicia no se encuentra en el imperativo de aplicar las medidas propuestas por esta Entidad de Control, puesto que efectivamente la potestad disciplinaria se encuentra radicada en la Administración activa, en el ejercicio de esta prerrogativa aquella no puede desconocer la responsabilidad administrativa que ha sido acreditada a través del correspondiente proceso disciplinario, pues la discrecionalidad de que goza sólo la faculta para escoger cuál medida específica puede aplicarle, pero siempre tomando en cuenta el mérito de los respectivos autos** (aplica dictamen N*º* 63.294, de 2011)*». (**ID Dictamen: 017873N12 Fecha:** 28.03.2012 **Destinatarios:** Alcalde de la Municipalidad de Santiago. **Texto:** Representa decreto 3741/2011, de la Municipalidad de Santiago, que absuelve de responsabilidad administrativa a funcionarios que indica. **Acción:** Aplica dictamen 63294/2011)[273]

51. «*Sobre el particular, cabe señalar que a través del dictamen N*º *69.214, de 2009, este Organismo de Fiscalización observó el procedimiento sumarial de que se trata, por cuanto los **cargos formulados** al señor Arenas González, en su oportunidad, **no fueron claros, precisos y concretos, de manera tal que se vio afectado su derecho a defensa**, motivo por el cual se ordenó al municipio reabrir la investigación para proceder a formular los cargos nuevamente, en los términos indicados.*
*Consecuencia de lo anterior, además, **no se ratificó la aplicación de la medida disciplinaria de destitución en los términos del artículo 25 de la ley N*º *19.296**, que establece Normas sobre Asociaciones de Funcionarios de la Administración del Estado, atendida la calidad de dirigente gremial del inculpado*». (**ID Dictamen: 017731N12 Fecha:** 28.03.2012 **Destinatarios:** Alcalde de la Municipalidad de Peñaflor. **Texto:** Ratifica medida disciplinaria de destitución. **Acción:** Aplica dictamen 69214/2009)

52. «*Por lo demás, cabe consignar que de acuerdo a lo dispuesto por **la jurisprudencia de este Ente Fiscalizador, contenida en el dictamen N*º *62.969, de 2009**, entre otros, el mérito probatorio que puedan tener los elementos de convicción que consten en la investigación, debe ser apreciado por quien sustancia el proceso disciplinario y por la autoridad que ejerce la potestad disciplinaria, y no por esta Contraloría General*». (**ID Dictamen: 013330N12 Fecha:** 07.03.2012 **Destinatarios:** Alcalde de la Municipalidad de Maipú. **Texto:** Desestima reclamo de ilegalidad en contra del decreto 6464/2011, de la Municipalidad de Maipú, mediante el cual se aplicó la medida disciplinaria de multa del cinco por ciento de su remuneración mensual, con arreglo a los artículos 120 lt/b, y 122 lt/a de la ley 18883, a funcionario de esa entidad edilicia. **Acción:** Aplica dictámenes 28791/2009, 44837/2011, 62969/2009, 27262/2006. Mismo criterio aplicado en **ID Dictamen: 007186N12 Fecha:** 06.02.2012 **Destinatarios:** Alcalde de la Municipalidad de Santiago. **Texto:** Pronunciamiento sobre reclamo en contra de proceso sumarial afinado que aplica medida a funcionario municipal, en orden a determinar que el mérito probatorio es apreciado por quien sustancia el proceso y la autoridad que ejerce la potestad disciplinaria. **Acción:** aplica dictamen 62969/2009)

53. «*En lo que concierne a la **prolongación de la medida de destinación**, se debe indicar que el inciso tercero del aludido artículo N*º *134 de la ley N*º *18.883 dispone, en lo que interesa, que esta cesará automáticamente si la resolución recaída en el sumario o en el recurso de reposición respectivo, absuelve al inculpado o aplica una medida disciplinaria distinta de la destitución, de tal modo, que en la situación que afecta a la recurrente, la medida preventiva de la especie debió cesar al momento de notificársele el acto administrativo que rechazó el recurso de reposición interpuesto por la sumariada, es decir, el 16 de agosto de 2011 (aplica criterio contenido en el dictamen N*º *11.206, de 2005).*
En razón de lo anterior, y en el entendido que la destinación de que se trata se haya mantenido en el tiempo, la autoridad edilicia deberá adoptar las medidas necesarias a modo de ajustar su actuar a los términos anotados en el presente oficio». (**ID Dictamen: 006376N12 Fecha:** 01.02.2012 **Destinatarios:** Alcalde de la Municipalidad de La Reina. **Texto:** Se pronuncia sobre ilegalidad de la prolongación de medida de destinación que se asignara a funcionaria de la Municipalidad de La Reina, como consecuencia de una investigación sumaria elevado a sumario cuya duración excede a la conclusión del procedimiento disciplinario. **Acción:** aplica dictámenes 5033/2006, 19008/2008, 11206/2005, 42476/2011)

54. «*En este sentido, cabe señalar que **la jurisprudencia de este Órgano de Fiscalización ha manifestado que le corresponde, en el control preventivo de legalidad, examinar si ese acto se encuentra fundado, entendiendo que lo está, si*

---

[273]   Para efectos de su consulta en la Base de Jurisprudencia de Contraloría General de la República, el citado dictamen se encuentra en la sección/materia: «generales», sin perjuicio de que se trata de uno de carácter municipal.

las razones que lo motivan son de carácter objetivo y atingentes a la situación investigada, de acuerdo al mérito del proceso y ajustadas a la legalidad (aplica dictamen Nº 58.365, de 2004).

Pues bien, en la especie, cumple manifestar que el único argumento que esgrime la autoridad edilicia para justificar la rebaja de las sanciones aplicadas, es que en el sumario de que se trata no se calificó como graves las infracciones atribuidas al señor García Lecaros, circunstancia que impediría a su respecto, la aplicación de la medida disciplinaria de destitución y que, por lo tanto, atendido el principio de proporcionalidad, deben rebajárseles a los demás inculpados las respectivas sanciones. (...)

En este contexto, del mérito del sumario, aparece con meridiana claridad la veracidad de las infracciones de que se trata, y la gravedad de las mismas, de manera que corresponde al municipio invocar los razonamientos necesarios a fin de controvertir lo anterior, si no concuerda con tales afirmaciones, lo que no acontece en la especie.

*A su vez, cabe indicar que tampoco resulta procedente la modificación de las medidas disciplinarias de los señores Sepúl-veda Rojas y Zúñiga Castro, basada únicamente en la rebaja de la del señor García Lecaros, toda vez que las **sanciones propuestas por esta Entidad Fiscalizadora, lo son en consideración a las responsabilidades que debidamente se han acreditado respecto de cada uno de los inculpados».* (**ID Dictamen:** 005465N12 **Fecha:** 27.01.2012 **Destinatarios:** Alcalde de la Municipalidad de Colina. **Texto:** Devuelve sin tramitar decreto Nº 39, de 2011, de la Municipalidad de Colina, por el cual ese municipio aplica las medidas disciplinarias que indica. **Acción:** Aplica dictamen 58365/2004)

55. *«Puntualizado lo anterior, en cuanto a las alegaciones de mérito formuladas por la recurrente, específicamente en lo que dice **relación con la línea investigativa desarrollada por el fiscal del proceso sumarial en comento, es del caso señalar que si bien a este Ente Fiscalizador le corresponde velar porque se respeten las normas constitucionales y legales que regulan los procedimientos sancionatorios que se instruyen en contra de funcionarios municipales, a objeto de resguardar que la autoridad dé cumplimiento a los principios de juridicidad y del debido proceso, ello no la convierte en una instancia procesal para que se solicite dejar sin efecto un acto administrativo dictado por la autoridad municipal competente, sobre la base de la exposición de los mismos hechos ya investigados en el sumario correspondiente,** como acontece en la especie, por lo que sobre lo alegado no se emitirá pronunciamiento (aplica criterio contenido en el dictamen Nº 73.449, de 2011)».* (**ID Dictamen:** 005122N12 **Fecha:** 26.01.2012 **Destinatarios:** Alcalde de la Municipalidad de Ñuñoa. **Texto:** Observa decreto Nº 1447, de 2011, de la Municipalidad de Ñuñoa, que aplica medidas disciplinarias a funcionarios que indica, y atiende reclamo de ilegalidad de los afectados. **Acción:** Aplica dictámenes 73449/2011, 59867/2009, 4725/2010)[274]

56. *«Finalmente, en lo que concierne a la **determinación de la fecha desde la cual se hace efectiva la medida disciplinaria de destitución aplicada,** para efectos de establecer el período de inhabilidad para ingresar a cargos de la Administración del Estado, conviene recordar que, de acuerdo con la reiterada jurisprudencia administrativa de este origen, contenida en los dictámenes Nºs. 46.174, de 2007, y 4.824, de 2009, los decretos alcaldicios relativos al personal rigen in actum, esto es, desde la fecha de su notificación al afectado, sin que su eficacia se subordine al trámite de registro al que se encuentran sujetos, en conformidad con el artículo 53 de la ley Nº 18.695, Orgánica Constitucional de Municipalidades, ya que ese trámite consiste en una mera anotación material del respectivo acto en los registros que lleva al efecto esta Entidad Fiscalizadora, sin importar un control preventivo de legalidad.*

En este sentido, según lo ha establecido la misma jurisprudencia, la interposición del reclamo contemplado en el artículo 156 de la ley Nº 18.883, no suspende la ejecución del acto impugnado, cuyos efectos rigen y deben ser acatados en plenitud, salvo que la autoridad llamada a conocerlo, a petición fundada del interesado, pueda suspender su ejecución, cuando el cumplimiento de lo que se resolviere pueda causar daño irreparable o hacer imposible la realización de lo que se resolviere en el evento de acogerse el recurso, conforme a lo establecido en el artículo 57 de la ley Nº 19.880, sobre Bases de los Procedimientos Administrativos que rigen los Actos de los Órganos de la Administración del Estado, situación que no aconteció en este caso». (**ID Dictamen:** 004660N12 **Fecha:** 24.01.2012 **Destinatarios:** Miguel Ángel Reyes Poblete. **Texto:** Confirma oficio por el cual se rechazó la reclamación que se interpusiera en contra del decreto alcaldicio 264/2010, de la Municipalidad de Pelluhue, mediante el cual se determinó que las conductas materia de la investigación fueron acreditadas mediante distintos medios de prueba, correspondiendo la aplicación de la medida disciplinaria de destitución. **Acción:** Aplica dictámenes 46174/2007, 4824/2009)

---

[274]   Para efectos de su consulta en la Base de Jurisprudencia de Contraloría General de la República, el citado dictamen se encuentra en la sección/materia: «generales», sin perjuicio de que se trata de uno de carácter municipal.

57. *«Sobre el particular, debe precisarse que si bien compete a este Órgano de Control velar por el respeto de las normas jurídicas que rigen a los funcionarios municipales —entre otras, las relacionadas con los procesos sumariales—, ello no lo convierte en una instancia procesal para que aquellos soliciten dejar sin efecto un acto administrativo dictado por la autoridad competente, en el ejercicio de las facultades que al efecto le ha conferido la legislación vigente, sobre la base de la exposición de los mismos hechos ya investigados en el sumario de que se trate, por lo que respecto a las alegaciones de mérito realizadas por el recurrente en su presentación, no cabe a esta Entidad Fiscalizadora emitir un pronunciamiento.*

*En cuanto a la legalidad del sumario de la especie, cumple con señalar que revisados sus antecedentes **no ha sido posible constatar la existencia de vicios de procedimiento que lo afecten, puesto que en su tramitación se realizaron todas las diligencias tendientes a establecer la veracidad y existencia de los hechos ordenados investigar, y se procuraron también las instancias legales a fin de asegurar la debida defensa del sumariado, (...) su responsabilidad administrativa de acuerdo al cargo que se le formuló,** el cual no pudo desacreditar, **respetándose en definitiva la garantía de un justo y racional procedimiento»**.* (**ID Dictamen: 002264N12 Fecha:** 12.01.2012 **Destinatarios:** Alcalde de la Municipalidad de Santiago **Texto:** Sobre reclamo de ilegalidad en contra de medida disciplinaria de censura aplicada por decreto Nº 3250, de 2011, de la Municipalidad de Santiago).

58. *«En efecto, de acuerdo a lo señalado por **la jurisprudencia administrativa de esta Entidad de Fiscalización, contenida, entre otros, en los dictámenes Nºs. 2.030 y 39.321, ambos de 2011, las imputaciones que se formulen en el sumario deben ser concretas y precisas y, necesariamente, contener el detalle de los hechos constitutivos de la o las infracciones que se imputan al o los inculpados y la forma como ellos han afectado los deberes que establecen las normas legales que se han vulnerado, de modo que se les permita asumir adecuadamente su defensa y, a su vez, el servicio pueda fundadamente determinar, si fuere procedente, la aplicación de la medida disciplinaria que en derecho amerite la falta administrativa**. (...)*

*En segundo término, en cuanto a la acreditación de los hechos que se indagan y la prueba rendida al efecto, es dable precisar que, **para que sea declarado el cierre del sumario y posteriormente decretada una sanción determinada, esta Contraloría General ha manifestado, entre otros, mediante el dictamen Nº 34.010, de 2005, que es necesario que la investigación se encuentre agotada**, lo que ocurre cuando el fiscal ha aportado todos los elementos de prueba que apoyen la respectiva resolución, estableciendo de manera coherente e indubitada la relación existente entre los hechos investigados y la responsabilidad que en ellos les corresponde a quienes resultaron imputados, con el objeto de llegar a la convicción de la inocencia o culpabilidad de estos, situación que no se ha advertido en esta ocasión. (...)*

*En cuanto a la calidad de dirigente gremial que reclama poseer el afectado, es necesario hacer presente que este Organismo Contralor ha precisado que el **fuero gremial no constituye impedimento para que se sustancie un proceso sumarial en contra de quien se encuentre amparado por aquel, en la eventualidad de infracciones a las obligaciones y deberes estatutarios y, por ende, que como resultado del mismo se le aplique una medida disciplinaria, con los consiguientes efectos jurídicos que ello implica, sin perjuicio de que si ella es destitución, requerirá la intervención de este Ente de Control en conformidad a lo establecido en el artículo 25 de la ley Nº 19.296, que Establece Normas sobre Asociaciones de Funcionarios de la Administración del Estado (aplica criterio contenido en los dictámenes Nºs. 13.659, de 2000; 1.172, de 2002; 4.939, de 2004; y 75.954, de 2011)»**.* (**ID Dictamen: 002041N12 Fecha:** 11.01.2012 **Destinatarios:** Alcalde de la Municipalidad de Maipú. **Texto:** Observa dto 4110/2011, de la Municipalidad de Maipú, por el cual se puso término a un procedimiento disciplinario y aplicó medida de multa de 10% de remuneración a funcionario que indica y atiende reclamo de ilegalidad, haciendo presente que alcalde debe ordenar la reapertura del sumario en examen, retrotrayéndolo a la etapa indagatoria, a fin de que se realicen todas las diligencias necesarias para esclarecer las irregularidades cometidas y, de resultar procedente, formular los cargos pertinentes, señalando concretamente las conductas anómalas o transgresiones en que habría incurrido el o los inculpados. **Acción:** Aplica dictámenes 28791/2009, 44837/2011, 2030/2011, 39321/2011, 34010/2005, 12528/96, 30128/97, 9082/2006, 13659/2000, 1172/2002, 4939/2004, 75954/2011)[275]

59. *«Por su parte, respecto a la reapertura del sumario, cumple con precisar que conforme a la **invariable jurisprudencia administrativa de esta Entidad Contralora, contenida, entre otros, en el dictamen Nº 57.958, de 2010, sólo correspon-***

---

[275] Para efectos de su consulta en la Base de Jurisprudencia de Contraloría General de la República, el citado dictamen se encuentra en la sección/materia: «generales», sin perjuicio de que se trata de uno de carácter municipal.

de a la autoridad superior del municipio, en uso de las facultades generales de que se encuentra investida, disponer la reapertura de un sumario administrativo, en la medida en que se acredite fehacientemente que al momento de aplicarse la sanción, se incurrió en un error de hecho esencial, o bien, el recurrente alegue nuevos antecedentes, no ponderados en la investigación, que sean de tal envergadura que pudieren permitir modificar o invalidar el castigo impuesto (...)». **(ID Dictamen: 000512N12 Fecha:** 04.01.2012 **Destinatarios:** Verónica Carrasco Henríquez. **Texto:** Sólo corresponde a la autoridad superior del municipio, en uso de las facultades generales de que está investida, disponer la reapertura de un sumario administrativo, en la medida que se acredite, fehacientemente, que al momento de aplicarse la sanción se incurrió en un error de hecho esencial, o bien el recurrente alegue nuevos antecedentes no ponderados en la investigación. **Acción:** Aplica dictámenes 8725/2011, 42476/2011, 57958/2010, 18133/2010)[276]

Artículo 121

La censura consiste en la reprensión por escrito que se hace al funcionario, de la cual se dejará constancia en su hoja de vida, mediante una anotación de demérito de dos puntos en el factor de calificación correspondiente.

1. *«La Contraloría Regional del Bío-Bío ha remitido la presentación efectuada por doña Marcela Garrido Blu, funcionaria de la Municipalidad de Concepción, quien en el ejercicio del derecho establecido en el artículo 156 de la ley Nº 18.883, reclama respecto de la medida disciplinaria de censura, contemplada en los artículos 120, letra a), y 121, del citado texto legal, que le fuera aplicada a través del decreto alcaldicio Nº 500, de 2016».* **(ID Dictamen: 005768N17. Fecha:** 15-02-2017. **Destinatarios: Marcela Garrido Blu, funcionaria de la Municipalidad de Concepción. Texto:** Municipio debió proceder a la encomendación de funciones que indica en un servidor que integre la planta de directivos o jefaturas. Rechaza reclamo en contra de sumario que señala. **Acción:** Aplica dictámenes 42292/2014, 44445/2010, 3705/2012).

2. *«Se ha dirigido a esta Contraloría General la señora María Gloria Sandoval Neira, funcionaria grado 14 de la planta administrativa, de la Municipalidad de La Cisterna, quien en el ejercicio del derecho establecido en el artículo 156 de la ley Nº 18.883, reclama respecto de la medida disciplinaria de censura, contemplada en los artículos 120, letra a), y 121, del citado texto legal, que le fuera aplicada por ese órgano comunal, a través del decreto alcaldicio Nº 326, de 2016».* **(ID Dictamen: 071012N16. Fecha:** 29-09-2016. **Destinatarios:** María Gloria Sandoval Neira, funcionaria de la Municipalidad de La Cisterna. **Texto:** Desestima reclamo de ilegalidad en contra de procedimiento disciplinario instruido por la Municipalidad de La Cisterna, al término del cual se aplicó la medida de censura a la funcionaria que indica. **Acción:** Aplica dictamen 78751/2014).

3. *«De esta manera, es del caso anotar que el alcalde ejerció la facultad de aplicar una medida disciplinaria conforme al mérito que asignó a los hechos debidamente verificados en el presente sumario, cumpliendo con las **limitaciones generales que le imponen el debido proceso y la exigencia de que su decisión sea fundada, razonable y no revista ca-racteres de arbitrariedad o abuso (aplica criterio contenido en los dictámenes Nºs. 52.975, de 2009; 17.457 y 56.880, ambos de 2011)».*** **(ID Dictamen: 065284N11 Fecha:** 17.10.2011 **Destinatarios:** Alcalde de la Municipalidad de San Miguel. **Texto:** Restituye actos administrativos emanados de la Municipalidad de San Miguel referidos a procedimiento disciplinario señalando que sólo están afectos a registro el acto terminal que absuelve, sobresee o aplica medida a funcionario determinado y no un acto interno del proceso, como es el caso. **Acción:** aplica dictámenes 28791/2009, 44837/2011, 50081/2011, 61869/2004, 62969/2009, 49580/2008, 52975/2009, 17457/2011, 56880/2011, 31011/2009, 42476/2011)

4. *«La Municipalidad de Pedro Aguirre Cerda ha remitido a esta Contraloría General el decreto Nº 221, de 2011, de la Municipalidad de Pedro Aguirre Cerda, mediante el cual se aplica a la señora Alejandra Arellano Araya y al señor Cristián Pombet Bonefoy, las **medidas disciplinarias de censura** y multa de un 10% de la remuneración mensual, respectivamen-*

---

[276] Para efectos de su consulta en la Base de Jurisprudencia de Contraloría General de la República, el citado dictamen se encuentra en la sección/materia: «generales», sin perjuicio de que se trata de uno de carácter municipal.

te, previstas en los artículos 121 y 122, de la ley Nº 18.883, Estatuto Administrativo para Funcionarios Municipales, acto administrativo que se ha registrado por esta Entidad Fiscalizadora, en cumplimiento del artículo 53 de la ley Nº 18.695, Orgánica Constitucional de Municipalidades. (...)

*Por su parte, en lo atañe al daño patrimonial experimentado por el municipio, es necesario hacer presente que la responsabilidad civil que irroga la pérdida o deterioro de los fondos o bienes municipales, **en los casos en que el daño aparezca relacionado con la infracción de los deberes y prohibiciones funcionarias, comprobada en un sumario administrativo, tal como acontece en la especie, debe hacerse efectiva ante los organismos jurisdiccionales competentes, esto es, ante los Tribunales·Ordinarios de Justicia o ante el Juzgado de Cuentas de esta Contraloría General».** (ID Dictamen: 054194N11 Fecha: 29.08.2011 Destinatarios Alcaldesa de la Municipalidad de Pedro Aguirre Cerda Texto Observa decreto 221/2011 de la Municipalidad de Pedro Aguirre Cerda, mediante el cual se aplican las medidas disciplinarias de censura y multa de un 10% de la remuneración mensual, previstas en los artículos 121 y 122, de la ley 18883, Estatuto Administrativo para Funcionarios Municipales, acto administrativo que se ha registrado por esta Entidad Fiscalizadora, en cumplimiento del art. 53 de la ley 18695, Orgánica Constitucional de Municipalidades)[277].

5. *«Como se infiere, la anotada **disminución del puntaje de calificación, que afecta al servidor a quien se le ha impuesto una medida disciplinaria de censura, constituye el efecto jurídico que el legislador ha establecido para dicha sanción, de modo que la superioridad de que se trate, no se encuentra facultada para elevar el puntaje correspondiente**, toda vez que tal atribución no se encuentra comprendida en la potestad evaluadora radicada en los órganos y autoridades calificadoras, sino que es un mandato expreso del legislador.*

*Por consiguiente, sobre la base de las consideraciones expuestas, esta Entidad Fiscalizadora cumple con concluir que es improcedente que el alcalde de la Municipalidad de Lo Espejo, al conocer el recurso de apelación interpuesto por la señora Muñoz Guajardo, haya subido su puntaje, dejando sin efecto la rebaja de dos puntos en el factor de calificación establecida en el **artículo 121 de la ley Nº 18.883**, situación que deberá regularizar, a la brevedad».* (**ID Dictamen: 043097N11 Fecha:** 08.07.2011 **Destinatarios:** Alcalde de la Municipalidad de Lo Espejo. **Texto:** Sobre rebaja de calificaciones de funcionaria de la Municipalidad de Lo Espejo, por la aplicación de una medida disciplinaria. **Acción:** Aplica dictamen 14068/2011)

6. *«Con todo, es útil anotar, que conforme lo han concluido los **dictámenes Nºs. 16.985, de 1995, 41.286, de 2001, 27.785, de 2002 y 54.948, de 2009, la aludida rebaja en el factor de calificación que corresponda por la aplicación de una medida disciplinaria, debe aplicarse sobre el resultado del promedio aritmético de los respectivos subfactores después de ser éste multiplicado por el coeficiente de ponderación de que se trate,** y no respecto de las notas asignadas a éstos, por lo que el procedimiento aplicado en la especie, de efectuar la rebaja a la nota del subfactor no se ajustó a derecho».* (**ID Dictamen: 014068N11 Fecha:** 08.03.2011 **Destinatarios:** Alcalde de la Municipalidad de Lo Espejo. **Texto:** Sobre reclamo de calificaciones de funcionarias de la Municipalidad de Lo Espejo, regidas por la ley 18883. **Acción:** Aplica dictámenes 44518/2010, 54026/2010, 16985/95 41286/2001, 27785/2002, 54948/2009, 49077/2010)

7. *«En síntesis, **la autoridad municipal utiliza como argumento para modificar las sanciones propuestas, rebajándolas a censura,** el que habiéndose formulado denuncia por tales hechos —se refiere a uno de los cargos relativo al control insuficiente de las labores técnicas de los encargados de supervisar el contrato que indica—, el Ministerio Público ejerció la facultad de no perseverar en la investigación, lo que importa desconocer el principio de independencia de responsabilidades contemplado en el artículo 119 de la ley Nº 18.883, según el cual, en lo que interesa, la sanción administrativa es independiente de la responsabilidad penal y, en consecuencia, las actuaciones o resoluciones referidas a esta —como es la atribución de no perseverar—, no excluyen la posibilidad de aplicar al funcionario una medida disciplinaria en razón de los mismos hechos.*

*Luego, tal argumentación no resulta eficaz, porque pretende extraer del contenido de una actuación propia de las autoridades con competencia en materia penal, una **consecuencia en el proceso administrativo en cuestión, resultando totalmente ajeno al mérito del proceso disciplinario** de que se trata».* (**ID Dictamen: 044197N12 Fecha:** 23.07.2012 **Destinatarios:** Alcalde de la Municipalidad de Huechuraba. **Texto:** Representa decreto 587/2011, de la Municipalidad de Huechuraba, por el cual aplica a los funcionarios que indica las medidas disciplinarias que señala. **Acción:** Aplica dictámenes 40731/2005, 40018/2010, 47914/2009, 43783/2009)

---

[277] Para efectos de su consulta en la Base de Jurisprudencia de Contraloría General de la República, el citado dictamen se encuentra en la sección/materia: «generales», sin perjuicio de que se trata de uno de carácter municipal.

8. *«Ahora bien, atendido que en la situación de que se trata consta que la señora Cena Godoy tomó conocimiento del decreto que le impone la medida disciplinaria de censura el 16 de agosto de 2011, según se indica en acta de notificación adjuntada en el expediente sumarial, y el reclamo de la especie fue interpuesto con fecha 5 de septiembre de la misma anualidad, esto es, con posterioridad al plazo de diez días antes aludido, es del caso señalar que aquel resulta extemporáneo, por lo que debe ser desestimado por esta Entidad Fiscalizadora. (...)*

*En lo que concierne a la **prolongación de la medida de destinación, se debe indicar que el inciso tercero del aludido artículo Nº 134 de la ley Nº 18.**883 dispone, en lo que interesa, que esta cesará automáticamente si la resolución recaída en el sumario o en el recurso de reposición respectivo, absuelve al inculpado o aplica una medida disciplinaria distinta de la destitución, de tal modo, que en la situación que afecta a la recurrente, la medida preventiva de la especie debió cesar al momento de notificársele el acto administrativo que rechazó el recurso de reposición interpuesto por la sumariada, es decir, el 16 de agosto de 2011 (aplica criterio contenido en el dictamen Nº 11.206, de 2005).*

En razón de lo anterior, y en el entendido que la destinación de que se trata se haya mantenido en el tiempo, la autoridad edilicia deberá adoptar las medidas necesarias a modo de ajustar su actuar a los términos anotados en el presente oficio». **(ID Dictamen: 006376N12 Fecha:** 01.02.2012 **Destinatarios** Alcalde de la Municipalidad de La Reina. **Texto:** Se pronuncia sobre ilegalidad de la prolongación de medida de destinación que se asignara a funcionaria de la Municipalidad de La Reina, como consecuencia de una investigación sumaria elevado a sumario cuya duración excede a la conclusión del procedimiento disciplinario. **Acción:** aplica dictámenes 5033/2006, 19008/2008, 11206/2005, 42476/2011)

Artículo 122

La multa consiste en la privación de un porcentaje de la remuneración mensual, la que no podrá ser inferior a un cinco por ciento ni superior a un veinte por ciento de ésta. El funcionario en todo caso mantendrá su obligación de servir el cargo.

Se dejará constancia en la hoja de vida del funcionario de la multa impuesta, mediante una anotación de demérito en el factor de calificación correspondiente, de acuerdo a la siguiente escala:

a) Si la multa no excede del diez por ciento de la remuneración mensual, la anotación será de dos puntos;

b) Si la multa es superior al diez por ciento y no excede del quince por ciento de la remuneración mensual, la anotación será de tres puntos, y

Si la multa es superior al quince por ciento de la remuneración mensual, la anotación será de cuatro puntos.

1. *«Se ha dirigido a esta Contraloría General el señor Arturo Molina Zamora, servidor de la Municipalidad de Macul, quien —en el ejercicio del derecho establecido en el inciso primero del artículo 156 de la ley Nº 18.883—, reclama en contra de la legalidad de la medida disciplinaria de multa del 15% de su remuneración mensual, que esa entidad edilicia le aplicó a través del decreto Nº 2.915, de 2015, con arreglo a lo previsto en los artículos 120, letra b), y 122, del citado texto estatutario».* **(ID Dictamen:** 028555N16. **Fecha:** 18-04-2016. **Destinatarios: Arturo Molina Zamora, servidor de la Municipalidad de Macul. Texto:** Rechaza reclamo de funcionario municipal en contra de sumario, al término del cual se le aplico la medida de multa. **Acción:** Aplica dictamen 90175/2015).

2. *«Se ha dirigido a esta Contraloría General don Nelson Caballero Martínez, encargado de estadísticas y reclamos de luminarias de la Municipalidad de Renca, quien haciendo uso del derecho establecido en el artículo 156, inciso primero, de la ley Nº 18.883, reclama en contra del procedimiento disciplinario al término del cual se le impuso a través del decreto alcaldicio Nº 1.364, de 2015, la medida de multa del quince por ciento de la remuneración mensual, conforme a lo previsto en los artículos 120, letra b), y 122, letra b), del citado texto normativo».* **(ID Dictamen:** 035676N16. **Fecha:** 13-05-2016. **Destinatarios: Nelson Caballero Martínez, encargado de estadísticas y reclamos de luminarias de la Municipalidad de Renca. Texto:** Rechaza reclamo de funcionario municipal en contra de investigación sumaria, al término

de la cual se le aplicó la medida disciplinario de multa. **Acción:** Aplica dictámenes 11434/2014, 1788/2015, 2373/2010, 7027/2014).

3. «*Se ha dirigido a esta Contraloría General don Alejandro Luarte Vergara, funcionario de la Municipalidad de Cholchol, solicitando un pronunciamiento que determine si procedía que, en la etapa de evaluación de antecedentes, dicha entidad edilicia lo excluyera del concurso interno convocado en cumplimiento del artículo 2º de la ley Nº 20.858, por encontrarse suspendido de su empleo en virtud de la medida disciplinaria dispuesta mediante el decreto alcaldicio Nº 631, de 3 de agosto de 2015*». (**ID Dictamen:** 018331N16. **Fecha:** 08-03-2016. **Destinatarios:** Alejandro Luarte Vergara, funcionario de la Municipalidad de Cholchol. **Texto:** No resultó procedente que la comisión evaluadora del concurso interno convocado en virtud del artículo 2º de la ley Nº 20.858, excluyera de la etapa de evaluación de antecedentes a funcionario afectado con una medida disciplinaria de suspensión de su empleo. **Acción:** Aplica dictamen 29566/2003).

4. «*Se ha dirigido a esta Contraloría General el señor Claudio Lizasoaín Stückrath, servidor de la Municipalidad de Santiago, y don Francisco Cañas López, abogado, en representación de don Pedro Jerez Canales, exfuncionario de la misma entidad edilicia, quienes haciendo uso del derecho establecido en el inciso primero del artículo 156 de la ley Nº 18.883, reclaman respecto del proceso sancionatorio instruido en su contra por el indicado municipio, el que concluyó con la aplicación —por el decreto alcaldicio Nº 1.834, de 2015— de la medida disciplinaria de multa de un quince por ciento de su remuneración mensual, y de destitución, respectivamente, de acuerdo a lo dispuesto en los artículos 120, letras b) y d); 122, letra b), y 123 del referido texto legal*». (**ID Dictamen:** 012822N16. **Fecha:** 17-02-2016. **Destinatarios: Claudio Lizasoaín Stückrath, servidor de la Municipalidad de Santiago, y don Francisco Cañas López, abogado, en representación de don Pedro Jerez Canales, exfuncionario de la misma entidad edilicia. Texto:** Rechaza reclamos en contra de las medidas disciplinarias que indica, aplicadas a servidores de la Municipalidad de Santiago, por ajustarse a derecho el sumario de la especie. **Acción.**

5. «*Por otra parte, se advierte que la sanción aplicada al interesado no es de aquellas contempladas en el ordenamiento jurídico, ya que la sanción de multa a que se refiere el artículo 122 de la ley Nº 18.883, solamente se aplica por una vez, y no por "tres meses", como se decretó en la especie*». (**ID Dictamen: 002041N12 Fecha:** 11.01.2012 **Destinatarios:** Alcalde de la Municipalidad de Maipú. **Texto:** Observa dto 4110/2011, de la Municipalidad de Maipú, por el cual se puso término a un procedimiento disciplinario y aplicó medida de multa de 10% de remuneración a funcionario que indica y atiende reclamo de ilegalidad, haciendo presente que alcalde debe ordenar la reapertura del sumario en examen, retrotrayéndolo a la etapa indagatoria, a fin de que se realicen todas las diligencias necesarias para esclarecer las irregularidades cometidas y, de resultar procedente, formular los cargos pertinentes, señalando concretamente las conductas anómalas o transgresiones en que habría incurrido el o los inculpados. **Acción:** Aplica dictámenes 28791/2009, 44837/2011, 2030/2011, 39321/2011, 34010/2005, 12528/96, 30128/97, 9082/2006, 13659/2000, 1172/2002, 4939/2004, 75954/2011)[278]

6. «*Como cuestión previa, es útil recordar que el interesado fue objeto de un proceso disciplinario, a cuyo término, y mediante el citado decreto Nº 221, de 2008, se le aplicó la medida disciplinaria de multa del 10% de su remuneración mensual, prevista en los artículos 120, letra b), y 122, letra a), de la ley Nº 18.883, acto administrativo que fue registrado por este Organismo de Control, con fecha 20 de febrero de 2009. (...)*
A su vez, el artículo 53 letra d), del mencionado texto legal, preceptúa que son inhábiles para ascender los funcionarios que hubieren sido sancionados con la medida disciplinaria de multa en los doce meses anteriores de producida la vacante. (...)
Atendido lo anterior, y considerando que según lo expresado por el recurrente, sólo tomó conocimiento del rechazo de su reposición, de manera tácita, el 15 de junio del año 2009, data en que se hizo efectiva en sus remuneraciones la sanción de multa aplicada, cabe señalar, al tenor de lo manifestado en los párrafos precedentes, que la medida sancionatoria produjo sus efectos jurídicos desde la última de las fechas citadas, por lo que es dable manifestar que, en el caso en comento, operó a su respecto la notificación tácita prevista en el artículo 47 de la citada ley Nº 19.880 (aplica criterio contenido en el dictamen Nº 44.837, de 2011)». (**ID Dictamen: 077465N11 Fecha:** 12.12.2011 **Destinatarios:** Alcalde de la Municipalidad de La Florida. **Texto:** Acoge solicitud de reconsideración de oficio Nº 13099, de 2011, relativo a

---

[278] Para efectos de su consulta en la Base de Jurisprudencia de Contraloría General de la República, el citado dictamen se encuentra en la sección/materia: «generales», sin perjuicio de que se trata de uno de carácter municipal.

inhabilidad para ascender por aplicación de una medida disciplinaria, resolviendo que corresponde el ascenso del recurrente a partir de la fecha que indica, debiendo el municipio de La Florida adoptar las medidas que sean necesarias para regularizar su situación. **Acción:** Aplica dictámenes 51140/2011, 44837/2011, 56880/2011, 60677/2011 Reconsidera dictamen 13099/2011)

Artículo 122 A

La suspensión consiste en la privación temporal del empleo con goce de un cincuenta a un setenta por ciento de las remuneraciones y sin poder hacer uso de los derechos y prerrogativas inherentes al cargo.

Se dejará constancia de ella en la hoja de vida del funcionario mediante una anotación de demérito de seis puntos en el factor correspondiente.

1. *«Ahora bien, atendida la situación planteada, es necesario hacer presente que este Organismo Contralor ha precisado mediante los dictámenes Nºs. 13.659, de 2000; 1.172, de 2002, y 4.939, de 2004, que el fuero gremial no constituye impedimento para que se sustancie un proceso sumarial en contra de quien se encuentre amparado por aquel, en la eventualidad de infracciones a las obligaciones y deberes estatutarios y, por ende, que como resultado del mismo se le aplique una medida disciplinaria, con los consiguientes efectos jurídicos que ello implica.*
*En este orden de ideas, corresponde agregar que el **artículo 122-A de la ley Nº 18.883**, sobre **Estatuto Administrativo para Funcionarios Municipales**, ordena que la medida disciplinaria de suspensión consiste en la privación temporal del empleo desde treinta días a tres meses con goce de un cincuenta a un setenta por ciento de las remuneraciones, sin poder hacer uso de los derechos y prerrogativas inherentes al cargo, dejándose constancia de ella en la hoja de vida del funcionario mediante una anotación de demérito de seis puntos en el factor correspondiente.*
*Como puede advertirse, **el propio legislador estableció que la citada sanción administrativa debe verse reflejada en las calificaciones del funcionario afectado, mediante una deducción en el puntaje del factor respectivo, de lo que se colige que dicho elemento constituye un todo indivisible con dicha medida»**.* (**ID Dictamen: 047110N11 Fecha:** 26.07.2011 **Destinatarios:** Rosa Morales Carrasco. **Texto:** Sobre rebaja de calificaciones por aplicación de medida disciplinaria a dirigente gremial. **Acción:** Aplica dictámenes 42789/2000, 78572/2010, 13659/2000, 1172/2002, 4939/2004, 41286/2001, 27785/2002, 54948/2009)

2. *«Siendo ello así, **la medida disciplinaria de suspensión del empleo** dispuesta por el decreto Nº 53, de 2010, en contra del recurrente, **comenzó a regir desde que éste tomó conocimiento del rechazo del recurso de reposición** que dedujera, (...)».* (**ID Dictamen: 044837N11 Fecha:** 15.07.2011 **Destinatarios:** Alcalde de la Municipalidad de San José de Maipo. **Texto:** Atiende reclamo de ilegalidad en contra del decreto 53/2010, de la Municipalidad de San José de Maipo por el que se aplicó la medida disciplinaria de suspensión del empleo por dos meses con goce del sesenta por ciento de su remuneración mensual. **Acción:** Aplica dictamen 47644/2009, 2094/2001, 3174/2009, 44092/2010)

3. *«Ahora bien, en lo que se refiere a la alegación de que existiría una doble sanción a un mismo hecho, al haberse considerado dentro del proceso calificatorio impugnado un sumario administrativo instruido durante el periodo 2009-2010, es del caso mencionar el criterio contenido en los **dictámenes Nºs. 54.947, de 2007 y 22.227, de 2010, el cual sostiene que un funcionario puede ser sancionado disciplinariamente y experimentar una rebaja en su calificación por los mismos hechos, siempre que estos sean ponderados sólo una vez en sus calificaciones, ya sea cuando acaecieron, o cuando se sancionan.***
*En la especie, se advierte en los antecedentes, que el recurrente fue sancionado por el municipio a través del decreto alcaldicio Nº 3, del 4 de enero de 2011, consignándose en la hoja de vida del funcionario durante el periodo calificatorio en cuestión, una anotación de demérito de 6 puntos en el factor correspondiente, conforme al **artículo 122 A de la ley Nº 18.883**, sin que conste haberse hecho el referido descuento en el ciclo evaluatorio anterior.*
Por tanto, al operar la rebaja sólo en el periodo en el cual se materializó la sanción, tal situación se ajustó a derecho». (**ID Dictamen: 026416N12 Fecha:** 08.05.2012 **Destinatarios:** Alcalde de la Municipalidad de La Reina. **Texto:** Acoge reclamo calificatorio por falta de fundamentación en acuerdo de la Junta Calificadora pertinente. **Acción:** aplica dic-

támenes 72737/2010, 78324/2011, 54947/2007, 22227/2010, 54948/2009, 24327/2010, 39605/2011, 41640/2007, 441/2012)[279]

Artículo 123

La destitución es la decisión del alcalde de poner término a los servicios de un funcionario. La medida disciplinaria de destitución procederá sólo cuando los hechos constitutivos de la infracción vulneren gravemente el principio de probidad administrativa, y en los siguientes casos:

a) Ausentarse de la municipalidad por más de tres días consecutivos, sin causa justificada;

b) Infringir las disposiciones de las letras i), j) y k) del artículo 82;

c) Infringir lo dispuesto en la letra l) del artículo 82;

d) Condena por crimen o simple delito, y

e) Efectuar denuncias de irregularidades o de faltas al principio de probidad de las que haya afirmado tener conocimiento, sin fundamento y respecto de las cuales se constatare su falsedad o el ánimo deliberado de perjudicar al denunciado.

f) En los demás casos contemplados en este Estatuto o leyes especiales.

1. «*Se ha dirigido a esta Contraloría General el señor Claudio Lizasoaín Stückrath, servidor de la Municipalidad de Santiago, y don Francisco Cañas López, abogado, en representación de don Pedro Jerez Canales, exfuncionario de la misma entidad edilicia, quienes haciendo uso del derecho establecido en el inciso primero del artículo 156 de la ley Nº 18.883, reclaman respecto del proceso sancionatorio instruido en su contra por el indicado municipio, el que concluyó con la aplicación —por el decreto alcaldicio Nº 1.834, de 2015— de la medida disciplinaria de multa de un quince por ciento de su remuneración mensual, y de destitución, respectivamente, de acuerdo a lo dispuesto en los artículos 120, letras b) y d); 122, letra b), y 123 del referido texto legal*». (**ID Dictamen:** 012822N16. **Fecha:** 17-02-2016. **Destinatarios: Claudio Lizasoaín Stückrath, servidor de la Municipalidad de Santiago, y don Francisco Cañas López, abogado, en representación de don Pedro Jerez Canales, exfuncionario de la misma entidad edilicia. Texto:** Rechaza reclamos en contra de las medidas disciplinarias que indica, aplicadas a servidores de la Municipalidad de Santiago, por ajustarse a derecho el sumario de la especie. **Acción.**

2. «*Se ha dirigido a esta Contraloría General un ex funcionario de la Municipalidad de Copiapó, quien reclama en contra de los decretos alcaldicios de ese origen Nº 4.751, de 2017 —que lo designó Director de Tránsito subrogante, separándolo de sus funciones como Director de Administración y Finanzas—, y Nº 5.334, del mismo año —que declaró vacante su cargo por inhabilidad sobreviniente, al haber sido condenado como autor del delito de malversación de caudales públicos—, por cuanto a su juicio son ilegales. Por ello, solicita la reincorporación a sus funciones y el pago de las remuneraciones y asignaciones correspondientes al lapso en que fue privado de ejercer sus labores, ya que a su parecer, al haberse remitido condicionalmente la pena que le fue aplicada, no procede su desvinculación*». (**ID Dictamen:** 003833N19. **Fecha:** 06-02-2019. **Destinatarios:** x funcionario de la Municipalidad de Copiapó. **Texto:** La concesión por sentencia ejecutoriada de alguna de las penas sustitutivas a que se refiere la ley Nº 18.216 implica considerar al condenado como si no hubiese cometido delito para todos los efectos legales, observando los demás requisitos que su artículo 38 exige; pero ello no obsta el cumplimiento de las penas accesorias ni la prosecución de la responsabilidad administrativa, en su caso. **Acción:** Aplica dictámenes 77312/2016, 28719/95, 20003/2003, 15025/2009, 7986/2018).

3. «*Se ha dirigido a esta Contraloría General la Municipalidad de Algarrobo, solicitando la reconsideración del oficio Nº 10.627, de 2016, de la Sede Regional de Valparaíso, que, en lo que interesa, rechazó el requerimiento de revisar el*

---

[279]   Para efectos de su consulta en la Base de Jurisprudencia de Contraloría General de la República, el citado dictamen se encuentra en la sección/materia: «generales», sin perjuicio de que se trata de uno de carácter municipal.

pronunciamiento Nº 6.105, de 2016, de ese origen, que concluyera que dicha entidad edilicia debía reabrir respecto del señor Javier Sobarzo Valladares —director del departamento de salud del aludido órgano comunal— el sumario administrativo en cuya virtud se le aplicó la medida disciplinaria de destitución, por cuanto no se advierte el sustento de la imputación de una falta grave al principio de probidad administrativa en los términos que expresa, y que hiciera procedente la aplicación de la anotada sanción». (**ID Dictamen:** 081405N16. **Fecha:** 09-11-2016. **Destinatarios:** Municipalidad de Algarrobo. **Texto:** Rechaza solicitudes de reconsideración del oficio Nº 10.627, de 2016, de la Contraloría Regional de Valparaíso, por las razones que indica. **Acción:** Aplica dictamen 36229/2013, 79626/2011, 35895/2016, 76866/2015, 15700/2012).

4. *«Rechaza solicitud de reconsideración del oficio Nº 3.144, de 2016, de la Contraloría Regional de Los Lagos, que desestimó el reclamo de exfuncionario municipal que indica, en contra de la medida disciplinaria de destitución, por no aportar nuevos antecedentes y efectúa precisiones que indica».* (**ID Dictamen:** 065380N16. **Fecha:** 02-09-2016. **Destinatarios:** Ramón Alarcón Maureira, exfuncionario de la Municipalidad de Río Negro. **Texto:** Rechaza solicitud de reconsideración del oficio Nº 3.144, de 2016, de la Contraloría Regional de Los Lagos, que desestimó el reclamo de exfuncionario municipal que indica, en contra de la medida disciplinaria de destitución, por no aportar nuevos antecedentes y efectúa precisiones que indica. **Acción:** Aplica dictámenes 35562/2016, 21093/2015, 360/2014).

5. *«Esta Contraloría General ha debido abstenerse de tomar razón del decreto del epígrafe, por el cual la Municipalidad de Castro aplicó a la señora María Luisa Cifuentes Miranda, directora de obras municipales de esa entidad edilicia, la medida disciplinaria de suspensión del empleo por un mes, con goce del 50% de su remuneración mensual, y al señor Juan Pablo Sottolichio Silva, asesor jurídico de dicha comuna, la de multa equivalente a un 10% de su remuneración mensual, por cuanto no se ajusta a derecho».* (**ID Dictamen:** 048463N16. **Fecha:** 01-07-2016. **Destinatarios:** Municipalidad de Castro. **Texto:** Representa decreto Nº 143, de 2016, de la Municipalidad de Castro. **Acción:** Aplica dictámenes 40018/2010, 86461/2015, 49465/2006, 47412/2007, 2373/2010, 59786/2011).

6. *«Se ha dirigido a esta Contraloría General el señor Abdón Jerez Martínez, exdirector del departamento de educación de la Municipalidad de Alhué, quien reclama en contra de la legalidad de las medidas disciplinarias de destitución que esa entidad edilicia le aplicó a través de los decretos Nºs. 1.068 y 1.069, ambos de 2015, con arreglo a lo previsto en los artículos 120, letra d), y 123, de la ley Nº 18.883, mediante dos procesos sancionatorios instruidos por esa municipalidad, impugnados en esta oportunidad».* (**ID Dictamen:** 040013N16. **Fecha:** 30-05-2016. **Destinatarios:** Abdón Jerez Martínez, exdirector del departamento de educación de la Municipalidad de Alhué. **Texto:** Acoge reclamo de exfuncionario por no haberse ajustado a derecho sumarios que señala, al término de los cuales se le destituyó por las razones que indica, debiendo el municipio ordenar su reapertura, reincorporándolo a sus labores y pagando la remuneración devengada durante el período en que estuvo separado de su cargo. **Acción:** Aplica dictamen 17500/2016).

7. *«Se ha dirigido a esta Contraloría General el señor Claudio Guerra Montenegro, exfuncionario de la Municipalidad de San Bernardo, quien —en el ejercicio del derecho establecido en el inciso primero del artículo 156 de la ley Nº 18.883—, reclama en contra de la legalidad de la medida disciplinaria de destitución, que esa entidad edilicia le aplicó a través del decreto Nº 903, de 2015, mantenida por su similar Nº 21, de 2016, con arreglo a lo previsto en el inciso final del artículo 69 y los artículos 120, letra d), y 123, del citado texto estatutario».* (**ID Dictamen:** 037515N16. **Fecha:** 20-05-2016. **Destinatarios:** Claudio Guerra Montenegro, exfuncionario de la Municipalidad de San Bernardo. **Texto:** Rechaza reclamo de exfuncionario municipal en contra de sumario, al término del cual se le destituyó por ausencias y atrasos reiterados, conforme al inciso final del artículo 69 de la ley Nº 18.883. **Acción:** Aplica dictámenes 51208/2015, 24576/2016, 84887/2013).

8. *«Por lo tanto, la Municipalidad de Providencia deberá enterar la remuneración que estuviere pendiente de pago al interesado, hasta la fecha en que mantuvo su calidad de funcionario municipal, esto es, al 22 de diciembre de 2015, informando de ello a la Unidad de Seguimiento de la División de Municipalidades de este Órgano de Control en el plazo de 20 días hábiles, contado desde la presentación del presente oficio».* (**ID Dictamen:** 035688N16. **Fecha:** 13-05-2016. **Destinatarios:** Carlos Allende Soza, exservidor de la Municipalidad de Providencia. **Texto:** Rechaza reclamo de exfuncionario municipal en contra de sumario administrativo, al término del cual se le aplicó la medida de destitución; y, municipio deberá pagar remuneraciones a exservidor hasta la fecha en que mantuvo su calidad de funcionario municipal. **Acción:** Aplica dictámenes 85320/2015, 14965/2015, 54004/2013, 81073/2013, 21236/2015).

9. *«Reconsidera oficio Nº 4.767, de 2015, de la Contraloría Regional de Los Lagos, por cuanto el hecho constitutivo de uno de los cargos formulados se encuentra prescrito; y, efectúa precisión que indica».* (**ID Dictamen:** 018919N16.

Fecha: 09-03-2016. **Destinatarios:** Ulda Vargas Pinol, exfuncionaria de la Municipalidad de San Juan de la Costa. **Texto:** Reconsidera oficio Nº 4.767, de 2015, de la Contraloría Regional de Los Lagos, por cuanto el hecho constitutivo de uno de los cargos formulados se encuentra prescrito; y, efectúa precisión que indica. **Acción:** Aplica dictámenes 73001/2015, 31011/2009, 41239/2014).

10. «*Se ha dirigido a esta Contraloría General el señor Jorge Rodríguez Salazar, exservidor de la Municipalidad de La Cisterna, quien —en el ejercicio del derecho establecido en el inciso primero del artículo 156 de la ley Nº 18.883—, reclama en contra de la legalidad de la medida disciplinaria de destitución que esa entidad edilicia le aplicó a través del decreto Nº 1.435, de 2015, con arreglo a lo previsto en los artículos 120, letra d), y 123, del citado texto estatutario*». (**ID Dictamen:** 016882N16. **Fecha:** 03-03-2016. **Destinatarios:** Jorge Rodríguez Salazar, exservidor de la Municipalidad de La Cisterna. **Texto:** Rechaza reclamo de exfuncionario municipal en contra de sumario administrativo, al término del cual se le aplicó la medida de destitución. **Acción:** Aplica dictámenes 7027/2014, 71484/2011).

11. «*Se ha dirigido a esta Contraloría General el señor Pablo Olea Vega, exfuncionario de la Municipalidad de Paine, quien en el ejercicio del derecho establecido en el artículo 156 de la ley Nº 18.883, reclama respecto de la medida disciplinaria de destitución, contemplada en los artículos 120, letra d), y 123, del citado texto legal, aplicada por ese órgano comunal a través del decreto Nº 2.845, de 2015, que rechazó el recurso de reposición interpuesto en contra de su similar Nº 2.657, del mismo año*». (**ID Dictamen:** 006355N16. **Fecha:** 25-01-2016. **Destinatarios: Pablo Olea Vega, exfuncionario de la Municipalidad de Paine. Texto:** Acoge reclamo de ilegalidad en contra de sumario administrativo, al término del cual se aplicó la medida disciplinaria de destitución a exfuncionario municipal que indica, por no adjuntarse antecedentes que permitan acreditar el hecho imputado de manera indubitada. **Acción:** aplica dictámenes 2313/97, 99449/2015).

12. «*Por último, en lo que atañe a la reclamación formulada, en el sentido de que en el sumario no se le habría reconocido la atenuante de irreprochable conducta anterior, debe señalarse que tal circunstancia no constituye una actuación municipal irregular, dado que la jurisprudencia administrativa de esta Entidad de Control, en los dictámenes Nºs. 49.465, de 2006, 47.412, de 2007, y 2.373, de 2010, entre otros, ha expresado que al estar asignada en el ordenamiento jurídico, una sanción específica respecto de quienes incurren en infracciones graves al principio de probidad administrativa —como ocurre en la especie—, la autoridad se encuentra en el imperativo de disponerla, no pudiendo aplicar una medida distinta, ni ponderar las circunstancias que eventualmente podrían aminorar la responsabilidad funcionaria de los respectivos servidores*». (**ID Dictamen: 081326N11 Fecha:** 29.12.2011 **Destinatarios:** Alcaldesa de la Municipalidad de Recoleta. **Texto:** Atiende reclamo de ilegalidad en contra del decreto Nº 820, de 2011, de la Municipalidad de Recoleta. **Acción:** Aplica dictámenes 49465/2006, 47412/2007, 2373/2010)

13. «*En lo que atañe a que la sanción de destitución puede imponerse únicamente cuando se verifican las conductas señaladas expresamente en el artículo 123 de la ley Nº 18.883, se debe indicar que el aludido precepto dispone en lo que interesa, que la medida disciplinaria de destitución procederá sólo cuando los hechos constitutivos de la infracción vulneren gravemente el principio de probidad administrativa y en otros casos que dicho artículo expone.*
Ahora bien, el hecho que la reclamante no hubiese incurrido en las situaciones que señala expresamente la norma citada, no significa que su actuar que dio origen al sumario, no constituya una conducta reprochable, de carácter grave, susceptible de castigarse con la más drástica medida disciplinaria, como, en definitiva, ocurrió (aplica criterio contenido en el dictamen Nº 30.733, de 2000 y 49.580, de 2008)». (**ID Dictamen:** 071484N11 **Fecha:** 15.11.2011 **Destinatarios:** Municipalidad de Pelluhue. **Texto:** Desestima solicitud de reconsideración de oficio de Contraloría Regional del Maule que se pronunció sobre sumario administrativo instruido a funcionarios de la Municipalidad de Pelluhue que aplica medida expulsiva y del reclamo de ilegalidad sobre el mismo, por no haberse presentado dentro de plazo. **Acción:** Aplica dictámenes 77577/2010, 30733/2000, 49580/2008, 74066/2010, 17865/95, 6926/2001, 25203/2009, 76494/2010, 10075/2011, 42741/2011, 39563/2011, 4824/2009, 4182/2011)

14. «*En lo que atañe a la medida de destitución que se le aplicó, la cual, según indica, habría carecido de fundamento, en virtud de lo dispuesto en el artículo 123 de la ley Nº 18.883, Estatuto Administrativo para Funcionarios Municipales, es dable precisar que a los profesionales de la educación afectos a la normativa de la ley Nº 19.070, Estatuto de los Profesionales de la Educación, como sucede con el recurrente, sólo puede aplicárseles, tras finalizar un procedimiento sumarial, la sanción de amonestación mediante constancia del hecho en su hoja de vida o el término de la relación laboral, según lo establecido en el artículo 145, del decreto Nº 453, de 1991, del Ministerio de Educación, reglamento de esa ley.*

Sin perjuicio de lo anterior, el error formal en que incurrió la Municipalidad de Quilicura al imponerle al recurrente la sanción de destitución y no el término de su relación laboral, en ningún caso puede entenderse que privó de validez a la medida expulsiva aplicada, la que ha producido todos sus efectos legales desde la fecha en que le fue notificada (aplica criterio contenido en el dictamen Nº 12.622, de 2004)». (**ID Dictamen: 069819N11 Fecha:** 07.11.2011 **Destinatarios:** Alcalde de la Municipalidad de Quilicura. **Texto:** Rechaza reclamo de ilegalidad planteada por ex funcionario municipal, a quien se aplicara medida expulsiva en sumario administrativo. **Acción:** Aplica dictámenes 12622/2004, 29052/2002, 49575/2008, 56880/2011)

15. *«De esta manera, y puesto que en su situación, el decreto que le aplicó la medida disciplinaria de destitución había producido sus efectos desde que le fuera notificado, no resultaba procedente suspender tales efectos ni aun estando pendiente su reclamo (aplica criterio contenido, entre otros, en los dictámenes Nºs. 46.174, de 2007 y 40.607, de 2008)».* (**ID Dictamen: 068602N11 Fecha:** 28.10.2011 **Destinatarios** Maribel Castro Pardo. **Texto:** Rechaza solicitud de reconsideración de oficio Nº 55676, de 2010, que rechazó petición de suspensión de los efectos de medida disciplinaria aplicada a ex funcionaria municipal. **Acción:** Confirma dictámenes 18211/2010, 55676/2010 Aplica dictámenes 46174/2007, 40607/2008, 48097/2009, 8292/2000, 13384/2010)

16. *«Respecto a la forma en que la autoridad administrativa ponderó la prueba, estimando que "por la multiplicidad y gravedad de los cargos" debía aplicar la medida expulsiva que se reclama, es menester precisar que, de acuerdo a lo resuelto por la jurisprudencia de este Ente Fiscalizador, el mérito probatorio que puedan tener los elementos de convicción que consten en la investigación, debe ser apreciado por la autoridad edilicia pertinente, y no por esta Contraloría General, toda vez que la ley ha radicado en ella la potestad disciplinaria, en conformidad con lo dispuesto en los artículos 63, letras c) y d), de la ley Nº 18.695, Orgánica Constitucional de Municipalidades, y 138 de la ley Nº 18.883 (aplica criterio contenido en los dictámenes Nºs. 61.869, de 2004, y 62.969, de 2009).*
Así, resulta oportuno precisar que el principio de la probidad administrativa, (...) consiste en observar una conducta funcionaria intachable y un desempeño honesto y leal de la función o cargo, con preeminencia del interés general sobre el particular, según se define en el artículo 52 de la ley Nº 18.575, Orgánica Constitucional de Bases Generales de la Administración del Estado, que alcanza a todas y a cada una de las actividades que un funcionario público debe realizar como consecuencia del ejercicio de su cargo, lo que acorde a los múltiples incumplimientos comprobados en el sumario, la afectada no respetó a cabalidad (aplica criterio contenido en el dictamen Nº 49.580, de 2008).
De esta manera, es del caso anotar que el alcalde ejerció la facultad de aplicar una medida disciplinaria conforme al mérito que asignó a los hechos debidamente verificados en el presente sumario, cumpliendo con las limitaciones generales que le imponen el debido proceso y la exigencia de que su decisión sea fundada, razonable y no revista caracteres de arbitrariedad o abuso (aplica criterio contenido en los dictámenes Nºs. 52.975, de 2009; 17.457 y 56.880, ambos de 2011)». (**ID Dictamen: 065284N11 Fecha:** 17.10.2011 **Destinatarios:** Alcalde de la Municipalidad de San Miguel. **Texto:** Restituye actos administrativos emanados de la Municipalidad de San Miguel referidos a procedimiento disciplinario señalando que sólo están afectos a registro el acto terminal que absuelve, sobresee o aplica medida a funcionario determinado y no un acto interno del proceso, como es el caso. **Acción:** aplica dictámenes 28791/2009, 44837/2011, 50081/2011, 61869/2004, 62969/2009, 49580/2008, 52975/2009, 17457/2011, 56880/2011, 31011/2009, 42476/2011)

17. *«En este contexto, debe indicarse que, tal como lo ha manifestado reiteradamente la jurisprudencia de este Organismo de Control, la circunstancia que un servidor se desvincule de un municipio por aceptación de su renuncia, estando pendiente a su respecto la sustanciación de un sumario, no constituye un impedimento para que al término de ese proceso pueda serle aplicada una medida expulsiva, por cuanto, el cese de funciones por renuncia no puede ser invocado para impedir que la administración ejerza su potestad sancionadora, ni menos implicar la extinción de la responsabilidad administrativa que pueda afectar a un funcionario, conforme a los principios generales que regulan la función pública (aplica criterio contenido en los dictámenes Nºs. 26.608, de 1998, y 34.450, de 2000).*
En efecto, acorde con el citado criterio, de aceptarse por la vía de la presentación de la renuncia voluntaria no pudiesen aplicarse las sanciones correspondientes, el funcionario podría evitar la efectividad de la pena que eventualmente se le aplique y los efectos propios de ésta, con lo cual, tratándose de la medida disciplinaria de destitución, resultaría, además, inaplicable lo dispuesto en el artículo 38, letra f), de la ley Nº 10.336 —sobre Organización y Atribuciones de la Contraloría General—, que impide a esta Entidad de Control dar curso al nombramiento de una persona que ha sido separada o destituida, administrativamente de cualquier empleo o cargo público, a menos que intervenga decreto supremo de rehabilitación.
Asimismo, mediante dicho mecanismo perdería eficacia el principio de probidad administrativa, consagrado en el Título III de la ley Nº 18.575 —Orgánica Constitucional de Bases Generales de la Administración del Estado—, que obliga a

observar una conducta funcionaria intachable en el cumplimiento de las labores funcionarias, ya que su vulneración quedaría impune». (**ID Dictamen: 059951N11 Fecha:** 21.09.2011 **Destinatarios:** Giovanna Carmona Morel. **Texto:** Sobre cese de funciones por renuncia en relación con la potestad sancionadora de la autoridad administrativa y prescripción de la acción disciplinaria. **Acción:** Aplica dictámenes 79238/2010, 26608/98, 34450/2000, 7201/2000, 39213/2010)[280]

18. *«De acuerdo con lo anterior, entonces, la actuación reprochada al interesado en el cargo subsistente, configuró una vulneración al principio de probidad, la cual, tras ser apreciada por el respectivo alcalde, de manera fundada y en el ejercicio de sus facultades, tuvo mérito suficiente para determinar que se le aplicara la medida sancionatoria de destitución, asunto que esta Entidad de Control no puede entrar a calificar, toda vez que la ley ha radicado en la autoridad comunal tanto la valoración de las pruebas que se allegan a un sumario como el consecuente ejercicio de la potestad sancionatoria».* (**ID Dictamen: 056880N11 Fecha:** 07.09.2011 **Destinatarios:** Miguel Ramos Lobos. **Texto:** Procedió medida disciplinaria de destitución en contra de Director de Obras que invalidó permiso de edificación otorgado conforme a derecho, habiéndose acreditado en el procedimiento disciplinario el cargo formulado, vinculado a infracciones al principio de probidad administrativa. **Acción:** Aplica dictámenes 31011/2009, 3562/91, 39833/2001, 2641/2005, 49531/2008, 53290/2004, 53875/2009, 47295/2006)

19. *«No obstante lo anterior, aun cuando la infracción imputada se refiere al incumplimiento de deberes funcionarios, éstos no se contemplan entre las causales específicas que, conforme al artículo 123 de la ley Nº 18.883, facultan y obligan a la autoridad a aplicar la sanción de destitución, por lo que sólo ameritarían esa medida expulsiva si se hubieren calificado fundadamente como una grave infracción al principio de probidad, tal como ha precisado, entre otros, el dictamen Nº 77.321, de 2010, de este Órgano de Control, lo que no aconteció en la especie.*
En efecto, revisado el expediente sumarial, se ha constatado que ni la acusación, el dictamen del instructor, o el decreto alcaldicio que determinó la sanción expulsiva, señalan de manera precisa y motivada, cual es la causal de destitución que se les imputa y cuya acreditación amerita la sanción de que se trata, de modo que no se configuran los elementos que posibiliten entender que la potestad disciplinaria se ejerció con sujeción estricta a derecho y exenta de arbitrariedad, tal como alegan los recurrentes». (**ID Dictamen: 066591N12 Fecha:** 25.10.2012 **Destinatarios:** Alcalde de la Municipalidad de San Joaquín. **Texto:** Acoge reclamo de ilegalidad en contra del decreto 21/2012, de la Municipalidad de San Joaquín, que aplicó la medida de destitución a los funcionarios que indica. **Acción:** Aplica dictámenes 44837/2011, 5122/2012, 62923/2011, 77321/2010, 69752/2010, 14076/2011, 22078/2007, 39954/2008, 15801/2009)

20. *«(...) acerca de que sus atrasos estarían justificados, cabe recordar que, en concordancia con lo dispuesto en el citado artículo 69, inciso primero, de la ley Nº 18.883, la jurisprudencia administrativa de este Organismo Contralor, ha precisado que las causales que pueden excusar a un funcionario de cumplir la obligación de desempeñar sus funciones en forma regular y continua por todo el lapso que comprenda la jornada que se tenga asignada, tanto en el caso de las ausencias como respecto de los atrasos, son el uso de feriados, licencias, permisos administrativos, suspensión preventiva en un procedimiento disciplinario o bien cuando aquel estuviera impedido de realizar su jornada laboral, ya sea por caso fortuito o fuerza mayor, condiciones que no constan se hayan verificado respecto del interesado (aplica criterio contenido en el dictamen Nº 18.835, de 2012).*
Asimismo, es necesario indicar que el alcalde, como máxima autoridad del municipio y titular de la potestad disciplinaria, debe ponderar las situaciones que ameriten la instrucción de un procedimiento administrativo, a fin de determinar las responsabilidades funcionarias consiguientes como, también, considerar la justificación de los respectivos atrasos, en el caso que corresponda (aplica criterio contenido en dictámenes Nºs. 38.280, de 2010 y 76.892, de 2011).
Por su parte, en lo que atañe a las circunstancias atenuantes que, a juicio del recurrente, no habrían sido consideradas en su caso para la aplicación de la sanción dispuesta, vulnerándose con ello el principio de proporcionalidad, corresponde indicar que la reiterada jurisprudencia de este Órgano de Control, contenida, entre otros, en los dictámenes Nºs. 33.054, de 2000; 22.509, de 2005; y 49.342, de 2009, ha sostenido que cuando la ley asigna una medida disciplinaria específica para determinada infracción, como acontece respecto de los atrasos reiterados, la autoridad administrativa se encuentra en el imperativo legal de disponerla, sin perjuicio que, en virtud de la potestad disciplinaria que posee, determine, a través de un acto administrativo fundado, rebajarla imponiendo en sustitución de ella una sanción no expulsiva, atribución que, en la situación que se analiza, el alcalde resolvió no ejercer». (**ID Dictamen: 049744N12**

---

[280] Para efectos de su consulta en la Base de Jurisprudencia de Contraloría General de la República, el citado dictamen se encuentra en la sección/materia: «generales», sin perjuicio de que se trata de uno de carácter municipal.

Fecha: 14.08.2012 **Destinatarios:** Cristian Prieto Serey. **Texto:** Desestima reclamo de ilegalidad en contra de medida disciplinaria de destitución por atrasos reiterados. **Acción:** Aplica dictámenes 29937/2012, 18835/2012, 38280/2010, 76892/2011 33054/2000, 22509/2005, 49342/2009, 44837/2011, 50081/2011, 13330/2012, 80779/2011)

21. «*Se ha dirigido a esta Contraloría General, doña Cecilia López Estay, exfuncionaria de la Municipalidad de Estación Central, quien reclama en contra de la legalidad de la medida disciplinaria de destitución aplicada en su contra por la Municipalidad de Estación Central, mediante decreto Nº 529, de 2011, con arreglo a lo establecido en los artículos 69, inciso final, 120 y 123 de la ley Nº 18.883, Estatuto Administrativo para Funcionarios Municipales.*

Sostiene la recurrente, en síntesis, que el haberse ausentado injustificadamente de su lugar de trabajo —hecho por el cual se le formuló el cargo único—, se debió a que padece una depresión debidamente diagnosticada, a consecuencia de lo cual olvidó solicitar y presentar en el municipio la correspondiente licencia médica, habiendo solicitado en reiteradas ocasiones audiencias, a diversas jefaturas, a fin de solucionar su situación, por lo que requiere que se deje sin efecto la sanción aplicada.

*Sobre la materia, es necesario precisar que si bien compete a esta **Entidad de Control velar por el respeto de las normas constitucionales y legales que rigen a los servidores municipales, incluidas las que regulan los procedimientos disciplinarios —como los de la especie—, tal circunstancia no la convierte en una instancia en la que pueda solicitarse que se deje sin efecto un acto administrativo sancionatorio dictado por la autoridad edilicia competente, toda vez que la ley ha radicado en esta la potestad disciplinaria.***

*Ahora bien, en cuanto a la legalidad del procedimiento sumarial de que se trata, cumple informar que, del examen de sus antecedentes, se pudo establecer que **las ausencias sin causa justificada imputadas a la recurrente se encuentran debidamente acreditadas**, (...); y que en la tramitación del mismo se respetó el derecho a su defensa jurídica, toda vez que, (...) se le tomó declaración indagatoria, se le formularon cargos y, en general, se procuraron las instancias legales a fin de asegurar su debida defensa, dándose cumplimiento a la garantía de un justo y racional procedimiento».* (**ID Dictamen:** 025410N12 **Fecha:** 02.05.2012 **Destinatarios:** Cecilia López Estay. **Texto:** Desestima reclamo de ilegalidad en contra de medida disciplinaria de destitución aplicada por la Municipalidad de Estación Central).

22. «*Finalmente, en lo que concierne a la determinación de la fecha desde la cual se hace efectiva la medida disciplinaria de destitución aplicada, para efectos de establecer el período de inhabilidad para ingresar a cargos de la Administración del Estado, conviene recordar que, de acuerdo con la **reiterada jurisprudencia administrativa de este origen, contenida en los dictámenes Nºs. 46.174, de 2007, y 4.824, de 2009, los decretos alcaldicios relativos al personal rigen in actum, esto es, desde la fecha de su notificación al afectado, sin que su eficacia se subordine al trámite de registro al que se encuentran sujetos, en conformidad con el artículo 53 de la ley Nº 18.695, Orgánica Constitucional de Municipalidades, ya que ese trámite consiste en una mera anotación material del respectivo acto en los registros que lleva al efecto esta Entidad Fiscalizadora, sin importar un control preventivo de legalidad.***

*En este sentido, según lo ha establecido la misma **jurisprudencia, la interposición del reclamo contemplado en el artículo 156 de la ley Nº 18.883, no suspende la ejecución del acto impugnado, cuyos efectos rigen y deben ser acatados en plenitud, salvo que la autoridad llamada a conocerlo, a petición fundada del interesado, pueda suspender su ejecución, cuando el cumplimiento de lo que se resolviere pueda causar daño irreparable o hacer imposible la realización de lo que se resolviere en el evento de acogerse el recurso, conforme a lo establecido en el artículo 57 de la ley Nº 19.880, sobre Bases de los Procedimientos Administrativos que rigen los Actos de los Órganos de la Administración del Estado,** situación que no aconteció en este caso».* (**ID Dictamen:** 004660N12 **Fecha:** 24.01.2012 **Destinatarios:** Miguel Ángel Reyes Poblete. **Texto:** Confirma oficio por el cual se rechazó la reclamación que se interpusiera en contra del decreto alcaldicio 264/2010, de la Municipalidad de Pelluhue, mediante el cual se determinó que las conductas materia de la investigación fueron acreditadas mediante distintos medios de prueba, correspondiendo la aplicación de la medida disciplinaria de destitución. **Acción:** Aplica dictámenes 46174/2007, 4824/2009)

23. «*Quinto: Que, en consonancia con lo anterior, **nuestra legislación interna consagra la protección de la maternidad** en el Código del Trabajo, a partir del artículo 194, normativa que, por expreso mandato del legislador, se aplica por igual a todos los trabajadores, de momento que quedan sujetos a ella los servicios de la administración pública, los servicios semifiscales, de administración autónoma, de las municipalidades y todos los servicios y establecimientos, cooperativas o empresas industriales, extractivas, agrícolas o comerciales, sean de propiedad fiscal, semifiscal, de administración autónoma o independiente, municipal o particular o perteneciente a una corporación de derecho público o privado. Así las cosas, se trata de un beneficio de carácter universal, cuyas beneficiarias pueden pertenecer tanto al sector público —cuyo es el caso de autos— como al privado.*

Sexto: Que dicha normativa resguarda el embarazo, la recuperación física luego del parto, el apego y el cuidado del hijo recién nacido, contemplando como derechos de la madre trabajadora, entre otros, un descanso de maternidad, pre y post nacimiento, "ordinario" así como uno suplementario, en los casos de enfermedad comprobada, y el pago de un subsidio equivalente a la totalidad de las remuneraciones y asignaciones que perciba, con las deducciones que le ley precisa durante dichos periodos.

Séptimo: Que, en ese contexto, es posible afirmar que la acción realizada por la recurrida no ha respetado la normativa que regula la protección de la maternidad, tanto a nivel legal como supra legal, toda vez que su actuar ha significado poner término a los servicios de la recurrente justamente en el periodo en que la ley —en consonancia con el ordenamiento internacional— persigue garantizar a la madre su tranquilidad económica y emocional con miras a proteger la vida y mejor desarrollo del ser que está por nacer.

*Noveno: Que, en efecto, el **hecho de notificar a la recurrente, madre trabajadora, la medida disciplinaria de destitución, mientras se encontraba con licencia por enfermedad a consecuencia del embarazo, involucra afectar un derecho constitucional, desde que tal medida pretende hacerse efectiva en un lapso que nuestro ordenamiento jurídico busca cautelar, en procura de valores superiores.** Se compromete así el normal desarrollo del embarazo, la estabilidad emocional de la madre y la posibilidad cierta de contar con los medios económicos que permitan hacer frente a los gastos derivados de la maternidad y del cuidado del hijo, lo que se traduce en una limitación a la garantía constitucional que consagra el numeral uno del artículo número 19 de la Constitución Política de la República, en lo que se refiere a la integridad física y síquica, tanto de la madre como del hijo.*

*Séptimo: Que, ahora bien, no puede desconocerse que cuando la autoridad administrativa lleva a cabo su función disciplinaria cumple con un derecho/deber que la legalidad le impone. De hecho, escapa al ámbito de esta acción constitucional juzgar el mérito o justificación de la medida de destitución adoptada respecto de la recurrente. Empero, **los derechos tutelares de la maternidad corresponden a mínimos garantizados que —en coherencia con las obligaciones asumidas a nivel internacional y en ese carácter elemental— cabe reconocer a toda madre trabajadora del sector público**, incluyéndose en ello los casos en que los servicios terminen como consecuencia de una medida de destitución aplicada en un sumario administrativo afinado. Así las cosas, lo que esta Corte debe discernir es la necesidad de que la sanción aludida deba ejecutarse de inmediato, con prescindencia del estado de embarazo de la funcionaria recurrente. En concreto, si existe una posibilidad alternativa para que la destitución pueda llevarse a cabo, sin que ello importe dañar el núcleo esencial de los derechos fundamentales de la madre y del hijo neonato. En ese ejercicio de ponderación, ha de concluirse que **las funciones o fines de orden disciplinario deben replegarse en beneficio del derecho que ha de prevalecer en este caso, es decir, el que cautela la maternidad**, en cuanto inspirado en la conservación de los ingresos de la mujer, de manera de garantizarle durante dicho periodo la estabilidad económica y emocional que resulta imprescindible, del modo que más adelante se especifica.*

Octavo: Que, por ende, en cuanto la destitución de la recurrente comporta una ejecución inmediata, se tiene que ese acto deviene en ilegalidad, afectándose de esa manera los derechos y garantías que reconocen el numeral primero del artículo 19 de la Constitución Política. En tales condiciones, cabe hacer lugar al recurso interpuesto, disponiéndose que la medida disciplinaria de destitución de la madre trabajadora recurrente, sólo podrá llevarse a efecto una vez que haya expirado el descanso de maternidad que establece el artículo 195 del Código del Trabajo»[281] (**Corte de Santiago Rol Nº 9557-2012 Fecha:** 26.07.2012. **Sala:** Pronunciada por la Octava Sala de la Iltma. Corte de Apelaciones de Santiago, presidida por el Ministro señor Leopoldo Andrés Llanos Sagristá e integrada por la Ministro señora Adelita Ravanales Arriagada y por la Abogada Integrante señora Claudia Schmidt Hott.- «Se confirma la sentencia apelada de fecha veintiséis de julio de dos mil doce» en **CS Rol Nº 6104-2012 Fecha:** 13.09.2012 **Sala:** Pronunciado por la Tercera Sala de esta Corte Suprema integrada por la Ministro Sra. María Eugenia Sandoval G., los Ministros Suplentes Sr. Carlos Cerda F., y Sra. Dinorah Cameratti R., y los Abogados Integrantes Sr. Jorge Baraona G., y Sr. Alfredo Prieto B).

Artículo 124

Si el alcalde estimare que los hechos son susceptibles de ser sancionados con una medida disciplinaria o en el caso de disponerlo expresamente la ley, decretará la instrucción de una

---

[281]   Transcripción textual de la cita.

investigación sumaria, la cual tendrá por objeto verificar la existencia de los hechos, y la individualización de los responsables y su participación, si los hubiere, designando para tal efecto a un funcionario que actuará como investigador.

Las notificaciones que se realicen durante la investigación sumaria deberán hacerse personalmente. Si el funcionario no fuere habido por dos días consecutivos en su domicilio o en su lugar de trabajo, se lo notificará por carta certificada, de lo cual deberá dejarse constancia. En ambos casos se deberá dejar copia íntegra de la resolución respectiva. En esta última circunstancia, el funcionario se entenderá notificado cumplidos tres días desde que la carta haya sido despachada.

El procedimiento será fundamentalmente verbal y de lo actuado se levantará un acta general que firmarán los que hayan declarado, sin perjuicio de agregar los documentos probatorios que corresponda, no pudiendo exceder la investigación el plazo de cinco días. Al término del señalado plazo se formularán cargos, si procedieren, debiendo el afectado responder los mismos en un plazo de dos días, a contar de la fecha de notificación de éstos.

En el evento de solicitar el inculpado rendir prueba sobre los hechos materia del procedimiento, el investigador señalará un plazo para rendirla, el cual no podrá exceder de tres días.

Vencido el plazo señalado, el investigador procederá a emitir una vista o informe en el término de dos días, en el cual se contendrá la relación de los hechos, los fundamentos y conclusiones a que se hubiere llegado, formulando la proposición que estimare procedente.

Como resultado de una investigación sumaria no podrá aplicarse la sanción de destitución, sin perjuicio de los casos contemplados en este Estatuto.

Conocido el informe o vista, el alcalde dictará la resolución respectiva en el plazo de dos días, la cual será notificada al afectado, quien podrá interponer recurso de reposición en el término de dos días.

El plazo para resolver la reposición será de dos días.

1. «*Notificaciones por carta certificada de las resoluciones dictadas en procedimientos disciplinarios regidos por las leyes Nºs. 18.834 y 18.883, deben efectuarse conforme a lo establecido en las disposiciones que dichos cuerpos estatutarios contemplan al efecto*». (**ID Dictamen:** 026215N18. **Fecha:** 19-10-2018. **Destinatarios:** Gendarmería de Chile. **Texto:** Notificaciones por carta certificada de las resoluciones dictadas en procedimientos disciplinarios regidos por las leyes Nºs. 18.834 y 18.883, deben efectuarse conforme a lo establecido en las disposiciones que dichos cuerpos estatutarios contemplan al efecto. **Acción:** Aplica dictamen 84659/2014, Reconsidera parcialmente dictámenes 60165/2015, 50988/2016, 4088/2017, 41713/2017).

2. «*Por consiguiente, la municipalidad deberá verificar la efectividad de lo reclamado, y en dicho caso, proceder al entero de aquella parte de las remuneraciones que se encontrare pendiente, así como de todo otro tipo de emolumentos impagos, informando de ello a la Unidad de Seguimiento de la División de Municipalidades de esta Contraloría General, en el plazo de 20 días hábiles, contado desde la recepción del presente oficio*». (**ID Dictamen:** 042573N16. **Fecha:** 09-06-2016. **Destinatarios:** don Marcelo Mejías Caris y la señora Paola Cerda González, ambos exservidores de la Municipalidad de Cerrillos. **Texto:** Rechaza reclamos de ilegalidad en contra de medidas disciplinarias de destitución. **Acción:** Aplica dictámenes 76866/2015, 21093/2015, 35562/2016, 91174/2014, 12271/2015, 64668/2014).

3. «*Se ha dirigido a esta Contraloría General la Asociación Gremial de Funcionarios de Salud Municipal de la Comuna de Recoleta, efectuando una serie de consultas relativas al sumario incoado, mediante el decreto alcaldicio Nº 1.672, de 2014, de dicha entidad edilicia, principalmente en relación con el tiempo de desarrollo del referido proceso disciplinario*». (**ID Dictamen:** 032375N16. **Fecha:** 03-05-2016. **Destinatarios: Asociación Gremial de Funcionarios de Salud Municipal de la Comuna de Recoleta. Texto:** La demora en la instrucción de un proceso disciplinario no constituye un vicio que afecte su validez. **Acción:** Aplica dictámenes 37199/2009, 47219/2015).

4. «*En lo relativo a la posibilidad de que esa entidad edilicia instruya un proceso disciplinario en contra del funcionario por no atender el requerimiento de la Contraloría Regional, debe anotarse, por una parte, que el artículo 63 de la ley Nº*

18.695 prescribe, en su letra d), que es atribución del alcalde "aplicar medidas disciplinarias al personal de su dependencia, en conformidad con las normas estatutarias que lo rija" y, por otra, que los artículos 124 y 125 de la ley Nº 18.883, sobre Estatuto Administrativo para Funcionarios Municipales, previenen que compete a esa autoridad disponer tales procedimientos». (**ID Dictamen:** 026777N16. **Fecha:** 11-04-2016. **Destinatarios:** Ulises Escalona Gutiérrez, Director de Administración y Finanzas de la Municipalidad de San Ignacio. **Texto:** Suspensión sin goce de remuneraciones del artículo 9º de la ley Nº 10.336, aplicada al reclamante, fue dejada sin efecto, por lo que dicha situación está superada. Ello, sin perjuicio de la responsabilidad disciplinaria que pueda afectarle. **Acción:** Aplica dictámenes 35396/77, 48468/2009, 84964/2014, 76258/2012, 18329/2016, 2060/2016).

5. *«Al respecto, procede señalar que en virtud de lo previsto en los **artículos 124 y siguientes de la ley Nº 18.883**, Estatuto Administrativo para Funcionarios Municipales, corresponde al Alcalde, en cuanto máxima autoridad del municipio y titular de la potestad disciplinaria, ponderar las situaciones que ameriten la instrucción de un sumario administrativo, a fin de determinar las responsabilidades funcionarias consiguientes. (...)*
En relación con lo expuesto, es del caso manifestar que si bien el legislador ha entregado la potestad disciplinaria a la Administración Activa, esta Contraloría General, en el ejercicio de las atribuciones de control de la legalidad que le confieren la Constitución y las leyes, puede pronunciarse sobre las infracciones de ley que detecte tanto en el procedimiento de investigación previo a la sanción, como en la aplicación de ésta por el correspondiente decreto alcaldicio. Además —acorde con el criterio contenido en los dictámenes Nºs. 15.914 y 47.216, de 1999, entre otros—, esta Contraloría General, en el ejercicio de sus funciones no sólo debe vigilar que en las investigaciones sumarias y sumarios administrativos no se vulneren las normas legales pertinentes, sino también que se respete el derecho del funcionario afectado a un racional y justo procedimiento, garantía consagrada por los artículos 19, Nº 3, de la Constitución Política, y 15, inciso segundo, de Ley Nº 18.575, y que la sanción dispuesta por la autoridad administrativa —propuesta por el Contralor General— tenga una debida proporcionalidad con la infracción cometida, atendidos los antecedentes respectivos (aplica criterio contenido en dictamen Nº 7.744, de 2000)». (**ID Dictamen:** 076892N11 **Fecha:** 07.12.2011 **Destinatarios:** Segundo Vicepresidente de la Cámara de Diputados. **Texto:** Sobre solicitud de investigación de exoneraciones o sanciones aplicadas a funcionarios de la Municipalidad de Peñalolén. **Acción:** Aplica dictámenes 52975/2009, 15914/99, 47216/99, 7744/2000, 74890/2010, 20311/2011 33225/2011, 31614/2011

6. *«Por su parte, según lo previenen los **artículos 124 y 126 de la ley Nº 18.883**, si el alcalde estimare que los hechos son susceptibles de ser sancionados con una medida disciplinaria o en el caso de contemplarlo expresamente la ley, decretará la instrucción de una investigación sumaria, o si la naturaleza de los mismos o su gravedad así lo exigiere, dispondrá la instrucción de un sumario administrativo.*
Por consiguiente, habida consideración que la Municipalidad de Pirque ha adoptado las medidas conducentes a investigar el asunto de que se trata y determinar la eventual responsabilidad administrativa de los funcionarios municipales que participaron en los hechos que se denuncian, esta Contraloría General se abstiene de emitir un pronunciamiento sobre este aspecto». (**ID Dictamen:** 060726N11 **Fecha:** 26.09.2011 **Destinatarios:** José Claudio Urzúa Riquelme. **Texto:** Sobre la presentación de los antecedentes en la postulación a un concurso público. **Acción:** Aplica dictámenes 7348/2008, 36244/2009, 52627/2007, 51184/2008, 40427/2011)

7. *«Sobre el particular, es menester anotar que de acuerdo a lo prescrito en los **artículos 124, 126, 127 y 138 de la ley Nº 18.883**, sobre Estatuto Administrativo para Funcionarios Municipales, es la autoridad dotada de la potestad disciplinaria, en este caso el Alcalde, la que, de estimar que ciertos hechos son constitutivos de infracción administrativa y susceptibles de ser sancionados con una medida disciplinaria, dispondrá la sanción de un proceso sumarial.*
A lo anterior es útil agregar que si bien conforme a los artículos 131 y 133 de la ley Nº 10.336, de Organización y Atribuciones de esta Entidad Fiscalizadora, el Contralor General o cualquier otro funcionario especialmente facultado por aquél, puede ordenar, cuando lo estime necesario, la instrucción de sumarios administrativos en los servicios sujetos a su fiscalización, a este Ente le corresponde ejercer sus funciones de control conforme a planes y programas previamente elaborados, que abarcan las materias más relevantes en un estricto orden de prioridades, según su trascendencia jurídica, económica y social, cuya preparación y desarrollo requiere de significativos recursos humanos, financieros y materiales que, por su escasez, necesariamente deben ser aplicados con cuidadoso resguardo para asegurar un control eficiente y eficaz. (aplica dictámenes Nºs. 60.136, de 2008; 37.101, 46.814 y 56.825, todos de 2009).
Pues bien, atendido que la referida facultad, cuya ejecución solicita el recurrente, posee un carácter discrecional y que, en la situación que nos ocupa, no se han adjuntado antecedentes precisos y concretos que acrediten la especial trascendencia de los hechos o la imposibilidad de que personal de ese municipio efectúe un proceso disciplinario, se ha determinado no acceder, por ahora, a su petición». (**ID Dictamen:** 040271N11 **Fecha:** 28.06.2011 **Destinatarios:** Alcalde de

la Municipalidad de Punta Arenas. **Texto:** Sobre solicitud de alcalde de la Municipalidad de Punta Arenas de que la Contraloría Regional de Magallanes y la Antártica Chilena instruya sumario en su municipio por cuanto, en su opinión, no resultaría conveniente que ese procedimiento lo efectuara personal municipal. **Acción:** Aplica dictámenes 60136/2008, 37101/2009, 46814/2009, 56825/2009)[282]

8. «*Ahora bien, atendido que de acuerdo con lo previsto en el **artículo 124 de la ley Nº 18.883**, Estatuto Administrativo para Funcionarios Municipales, en el alcalde, como máxima autoridad del municipio está radicada la potestad disciplinaria, corresponde que éste pondere si los hechos denunciados ameritan disponer la instrucción de un procedimiento disciplinario, a fin de determinar la existencia de responsabilidades administrativas (aplica criterio contenido en el dictamen Nº 22.522, de 2010).*

Por otra parte, en lo que concierne a lo indicado por la interesada, en cuanto a que la entidad edilicia no se habría pronunciado sobre su requerimiento, es necesario señalar que según lo contemplado en los artículos 98 de la ley Nº 18.695 y 3º, 5º y 8º de la ley Nº 18.575, Orgánica Constitucional de Bases Generales de la Administración del Estado, es obligatorio para la autoridad municipal, dar las respuestas que procedan a las solicitudes que se le presentan en un plazo no superior a 30 días (aplica criterio contenido en los dictámenes Nºs. 70.921, de 2009; 18.044 y 39.490, ambos de 2010, de este Organismo Fiscalizador).

Por consiguiente, en mérito de lo expuesto, y considerando que de los antecedentes tenidos a la vista no se verifica que el municipio haya dado respuesta formal a la petición de la señora Ponce Cid, como tampoco consta la adopción de alguna medida vinculada con esa solicitud, corresponde que el alcalde analice la posibilidad de instruir un procedimiento disciplinario e informe de su decisión tanto a la afectada como a esta Entidad Fiscalizadora». (**ID Dictamen: 002201N11 Fecha:** 13.01.2011 **Destinatarios:** Alcalde de la Municipalidad de El Bosque. **Texto:** Sobre potestad disciplinaria de la máxima autoridad edilicia y tratamiento de los reclamos presentados en las municipalidades. **Acción:** Aplica dictámenes 51740/2010, 22522/2010, 70921/2009, 18044/2010, 39490/2010)

9. «*Efectuadas estas precisiones, y en torno a la petición en orden a que se tramite el sumario por esta Entidad de Control, realizando las diligencias probatorias que indica, todo ello, con la finalidad de que su representada sea juzgada imparcialmente y con las garantías de un racional y justo procedimiento, cumple con informar que, de conformidad con lo dispuesto en los **artículos 124, 125, y 126**, todos de la citada **ley Nº 18.883**, corresponde al alcalde, como máxima autoridad comunal y titular de la potestad disciplinaria, ponderar las situaciones que ameriten la instrucción de un proceso disciplinario, a fin de determinar los hechos susceptibles de ser sancionados con una medida disciplinaria y establecer las responsabilidades funcionarias consiguientes como, también, designar al funcionario que actuará como instructor o fiscal (aplica criterio contenido en los dictámenes Nºs. 76.892, de 2011, y 49.744, de 2012, de este origen).*

Asimismo, es dable advertir, que la jurisprudencia administrativa de este Órgano Contralor ha sostenido en los dictámenes Nºs. 61.869, de 2011, y 15.680, de 2012, ente otros, que los sumarios administrativos son procedimientos reglados, y a su respecto no caben otros trámites o instancias que aquellas previstas en la anotada ley Nº 18.883, normativa que, además, no otorga facultades a esta Entidad Fiscalizadora para emitir una opinión anticipada sobre procesos disciplinarios en curso. (…)

*En otro orden de consideraciones, respecto a la alegación relativa a una posible infracción al **principio del non bis in idem**, al formular cargos por hechos que, además, han servido de base para evacuar el informe de desempeño efectuado por el jefe directo de la señora Cecilia Salas Urrutia, en el período comprendido entre el 1º de septiembre de 2011 y el 31 de agosto de 2012, cabe señalar que un funcionario puede ser sancionado disciplinariamente y experimentar una rebaja en su calificación por los mismos hechos, siempre que estos sean ponderados sólo una vez en sus calificaciones, ya sea cuando acaecieron, o cuando se sancionan, aspecto que el municipio deberá tener en cuenta para resolver el proceso disciplinario y el de evaluación de la afectada, ambos en curso (aplica criterio contenido en los dictámenes Nºs. 22.227, de 2010, y 26.416, de 2012).*

En lo referente a la dilación del sumario reclamada por el peticionario, por haberse iniciado dicho procedimiento en junio de 2011 y sin que se haya concluido, cumple con hacer presente que corresponde a la autoridad edilicia ponderar si el señalado retraso, por su entidad o gravedad, puede configurar una falta a los deberes de los funcionarios respon-

---

[282]   Para efectos de su consulta en la Base de Jurisprudencia de Contraloría General de la República, el citado dictamen se encuentra en la sección/materia: «generales», sin perjuicio de que se trata de uno de carácter municipal.

560 Capítulo IV. De la responsabilidad de los Funcionarios Municipales

sables de la sustanciación del proceso en cuestión, como asimismo, disponer las medidas tendientes a afinarlo a la mayor brevedad y, en caso que así proceda, remitirlo a esta Contraloría General para su trámite de registro (aplica criterio contenido en los dictámenes Nºs. 31.011, de 2009 y 79.826, de 2011)». (ID Dictamen: 068494N12 Fecha: 31.10.2012 Destinatarios: Alcaldesa de la Municipalidad de San Bernardo. Texto: Desestima reclamo de ilegalidad de actuaciones de un sumario en tramitación. Acción: Aplica dictámenes 14529/2010, 39/2011, 76892/2011, 49744/2012, 61869/2011, 15680/2012, 22227/2010, 26416/2012, 31011/2009, 79826/2011, 15700/2012)

10. *«A su vez, en orden a la solicitud del peticionario de iniciar una investigación o sumario administrativo y ordenar las diligencias que indica, con el objeto de determinar la responsabilidad funcionaria de los servidores municipales que intervinieron en el término de su contrato, es menester señalar que, en virtud de lo previsto en **los artículos 63, letras c) y d), de la ley Nº 18.695, Orgánica Constitucional de Municipalidades, y 124 y siguientes de la anotada ley Nº 18.883**, corresponde al alcalde, en cuanto máxima autoridad del municipio y titular de la potestad disciplinaria, ponderar las situaciones que ameriten la instrucción de un procedimiento administrativo, a fin de determinar las responsabilidades funcionarias consiguientes, por lo que procede desestimar su petición».* (ID Dictamen: 048390N12 Fecha 08.08.2012 Destinatarios: Alcalde de la Municipalidad de Melipilla. Texto: Sobre término anticipado de contratación a honorarios y solicitud de diligencias que indica. Acción: Aplica dictámenes 24290/2010, 11312/2011, 31320/2011, 3884/2000, 24066/2008)[283]

11. *«Sobre el particular, cabe señalar que el **artículo 1º de la Constitución Política de la República** proscribe todos aquellos actos que atenten contra la dignidad de los individuos, de manera que la transgresión a dicha norma compromete la responsabilidad administrativa del infractor.*
De conformidad con ello, corresponde que dicha materia sea conocida en las instancias judiciales pertinentes, o bien, que el alcalde, de acuerdo con lo previsto en los artículos 56 y 63, letras c) y d), de la ley Nº 18.695, y a los artículos 124, 126 y 138 de la ley Nº 18.883, en concordancia con el artículo 72, letra b) de la ley Nº 19.070, evalúe la instrucción de un procedimiento sumarial, a fin de determinar la ocurrencia de los hechos denunciados, y conforme al mérito del mismo, decrete las sanciones que procedieren (aplica dictámenes Nºs. 29.937 y 34.597, ambos de 2012)». (ID Dictamen: 043670N12 Fecha: 19.07.2012 Destinatarios: Alcalde de la Municipalidad de El Monte. Texto: Sobre denuncia de acoso laboral por parte de director de establecimiento educacional. Acción: Aplica dictámenes 29937/2012, 34597/2012)

12. *«En cuanto a la supuesta arbitrariedad por la determinación en contra de quienes se dirigió la acción disciplinaria, lo que vulneraría el principio de igualdad ante la ley, procede señalar que en virtud de lo previsto en los **artículos 63, letras c) y d), de la ley Nº 18.695, y 124 y siguientes de la ley Nº 18.883**, corresponde al alcalde, en cuanto máxima autoridad del municipio y titular de la potestad disciplinaria, ponderar las situaciones que ameriten la instrucción de un procedimiento administrativo, a fin de determinar las responsabilidades funcionarias consiguientes, como también ponderar la justificación de los respectivos atrasos, en los casos que corresponda, por lo que no se advierte la irregularidad de que se reclama (aplica criterio contenido en los dictámenes Nºs. 38.280, de 2010 y 76.892, de 2011). (...)*
*Enseguida, en lo que se refiere a la vulneración del **principio de proporcionalidad** que debe regir los procesos disciplinarios, corresponde indicar que la reiterada jurisprudencia de este Órgano de Control, contenida, entre otros, en los dictámenes Nºs. 33.054, de 2000; 22.509, de 2005; y 49.342, de 2009, ha sostenido que cuando la ley asigna una medida disciplinaria específica para determinada infracción, como acontece respecto del incumplimiento funcionario en cuestión, la autoridad administrativa se encuentra en el imperativo legal de disponerla. No obstante, en virtud de la potestad disciplinaria que posee, está facultada para rebajarla imponiendo en sustitución de ella una sanción no expulsiva —decisión que, en todo caso, deberá fundamentar en el acto administrativo de término que afina el proceso—, atribución que, en la situación que se analiza, el alcalde resolvió no ejercer.*
*A su vez, en relación con la situación de la señora Maykel Peralta Molina, quien habría gozado de **fuero maternal** durante la sustanciación de la investigación sumarial, cabe indicar que la jurisprudencia administrativa de este origen ha precisado, en los dictámenes Nºs. 938 y 28.938, ambos de 2009, que tal circunstancia no incide en la procedencia de una eventual medida disciplinaria de destitución, por cuanto los ceses de funciones que dispone la ley operan con prescindencia de las normas de inamovilidad en el empleo, atendido que las normas sobre estabilidad en el mismo*

---

[283] Para efectos de su consulta en la Base de Jurisprudencia de Contraloría General de la República, el citado dictamen se encuentra en la sección/materia: «generales», sin perjuicio de que se trata de uno de carácter municipal.

se vinculan solo con la eventual facultad de la autoridad de poner término a las funciones, pero no rigen en los casos en que la ley ordena el alejamiento del funcionario, como ocurre tratándose de la aplicación de un castigo expulsivo como el de la especie.

En cuanto a lo consultado por doña Evangelina Alegría Olave en relación con la data desde la que se le aplica la medida de destitución, atendido que el acto sancionatorio correspondiente no lo expresa, cabe indicar que de conformidad con lo dispuesto en el artículo 51, inciso segundo, de la ley Nº 19.880, que establece Bases de los Procedimientos Administrativos que rigen los Actos de los Órganos de la Administración del Estado, la sanción aplicada rige a contar de la fecha de la notificación del correspondiente acto terminal —el que en relación con la señora Alegría Olave es el aludido decreto Nº 293—, época en la que comenzó a generar sus efectos y, por ende, hasta la cual corresponde la percepción de las respectivas remuneraciones (aplica criterio contenido en el dictamen Nº 24.070, de 2010).

En este mismo sentido, es necesario precisar, considerando lo consultado por la señora Alegría Olave acerca de lo indicado en el decreto alcaldicio Nº 290, de 2011 —que dispuso en primera instancia las medidas expulsivas a los afectados—, en orden a que las respectivas sanciones surtirían sus efectos una vez expirados el fuero maternal de la señora Peralta Molina y las licencias médicas de las señoras Antilef Aros y Morales Carrasco, que la data de vigencia de la medida disciplinaria de destitución, en los términos anotados precedentemente, no se altera por el goce de esos beneficios, los que —como se expresara respecto del fuero maternal— no otorgan inamovilidad ante la concurrencia de una causal legal de cesación en funciones, por lo que sus desvinculaciones se produjeron al notificárseles los decretos Nºs. 295 y 297, de 2011, respectivamente (aplica criterio contenido en el dictamen Nº 18.133, de 2010).

Por otra parte, en lo que dice relación con las renuncias de los exfuncionarios doña Elsa Clavijo Jara y don José Piña Faundez, respecto de las cuales los afectados reclaman que por haber sido aceptadas mientras se tramitaba el procedimiento sumarial de la especie, no se hizo efectiva su responsabilidad administrativa en los hechos materia de la investigación, cabe anotar que la jurisprudencia administrativa de esta Entidad de Fiscalización, ha señalado que en el caso de ex-servidores que al momento de ordenarse la instrucción de un proceso disciplinario poseían la calidad de funcionarios públicos, y que con anterioridad a que este sea afinado, se produce su desvinculación, el fiscal instructor se halla en el imperativo legal de proceder a su respecto en la misma forma en que debe hacerlo con aquellos que mantienen la calidad de funcionarios, si estima que han tenido una participación responsable en los hechos, sin perjuicio de que dicha responsabilidad solo puede hacerse efectiva en los términos reseñados en el inciso final del artículo 145 de la ley Nº 18.883 (aplica criterio contenido en el dictamen Nº 30.936, de 2011) (...)

Finalmente, es menester hacer presente, por una parte, que cuando en un proceso disciplinario se dispone, de manera conjunta, sancionar o absolver a varios inculpados, corresponde que la autoridad edilicia emita un solo documento de término que contenga todas las decisiones adoptadas, luego que el alcalde haya fallado el o los recursos de reposición interpuestos o haya vencido el plazo para deducirlos, lo que no ocurrió en la especie y, por otra, que los decretos Nºs. 198 y 290, ambos de 2011, de ese municipio, no se encuentran afectos a registro ante esta Entidad de Fiscalización, ya que son trámites internos del proceso (aplica criterio contenido en el dictamen Nº 42.476, de 2011)». (**ID Dictamen: 018835N12 Fecha:** 02.04.2012 **Destinatarios:** Alcalde de la Municipalidad de Buin. **Texto:** Atiende reclamos de ilegalidad en contra de los decretos Nº s. 293, 294, 295, 296, 297 y 298, y restituye decretos Nºs. 198 y 290, todos de 2011, de la Municipalidad de Buin. **Acción:** Aplica dictámenes 44837/2011, 11542/2010, 25867/2006, 50081/2011, 38280/2010, 76892/2011, 30977/97, 2680/99, 2094/2001, 4173/2012, 33054/2000, 22509/2005, 49342/2009, 938/2009, 28938/2009, 24070/2010, 18133/2010, 30936/2011, 43130/2000, 42476/2011)

Artículo 125

Si en el transcurso de la investigación se constata que los hechos revisten una mayor gravedad se pondrá término a este procedimiento y se dispondrá, por el alcalde, que la investigación prosiga mediante un sumario administrativo.

1. «*En lo relativo a la posibilidad de que esa entidad edilicia instruya un proceso disciplinario en contra del funcionario por no atender el requerimiento de la Contraloría Regional, debe anotarse, por una parte, que el artículo 63 de la ley Nº 18.695 prescribe, en su letra d), que es atribución del alcalde "aplicar medidas disciplinarias al personal de su dependencia, en conformidad con las normas estatutarias que lo rija" y, por otra, que los artículos 124 y 125 de la ley Nº 18.883, sobre Estatuto Administrativo para Funcionarios Municipales, prevén que compete a esa autoridad disponer tales*

procedimientos». (**ID Dictamen:** 026777N16. **Fecha:** 11-04-2016. **Destinatarios:** Ulises Escalona Gutiérrez, Director de Administración y Finanzas de la Municipalidad de San Ignacio. **Texto:** Suspensión sin goce de remuneraciones del artículo 9º de la ley Nº 10.336, aplicada al reclamante, fue dejada sin efecto, por lo que dicha situación está superada. Ello, sin perjuicio de la responsabilidad disciplinaria que pueda afectarle. **Acción:** Aplica dictámenes 35396/77, 48468/2009, 84964/2014, 76258/2012, 18329/2016, 2060/2016).

2. *«Efectuadas estas precisiones, y en torno a la petición en orden a que se tramite el sumario por esta Entidad de Control, realizando las diligencias probatorias que indica, todo ello, con la finalidad de que su representada sea juzgada imparcialmente y con las garantías de un racional y justo procedimiento, cumple con informar que, de conformidad con lo dispuesto en los **artículos 124, 125, y 126**, todos de la citada **ley Nº 18.883**, corresponde al alcalde, como máxima autoridad comunal y titular de la potestad disciplinaria, ponderar las situaciones que ameriten la instrucción de un proceso disciplinario, a fin de determinar los hechos susceptibles de ser sancionados con una medida disciplinaria y establecer las responsabilidades funcionarias consiguientes como, también, designar al funcionario que actuará como instructor o fiscal (aplica criterio contenido en los dictámenes Nºs. 76.892, de 2011, y 49.744, de 2012, de este origen).*
Asimismo, es dable advertir, que la jurisprudencia administrativa de este Órgano Contralor ha sostenido en los dictámenes Nºs. 61.869, de 2011, y 15.680, de 2012, entre otros, que los sumarios administrativos son procedimientos reglados, y a su respecto no caben otros trámites o instancias que aquellas previstas en la anotada ley Nº 18.883, normativa que, además, no otorga facultades a esta Entidad Fiscalizadora para emitir una opinión anticipada sobre procesos disciplinarios en curso». (**ID Dictamen:** 068494N12 **Fecha:** 31.10.2012 **Destinatarios:** Alcaldesa de la Municipalidad de San Bernardo. **Texto:** Desestima reclamo de ilegalidad de actuaciones de un sumario en tramitación. **Acción:** Aplica dictámenes 14529/2010, 39/2011, 76892/2011, 49744/2012, 61869/2011, 15680/2012, 22227/2010, 26416/2012, 31011/2009, 79826/2011, 15700/2012

Artículo 126

Si la naturaleza de los hechos denunciados o su gravedad así lo exigiere, el alcalde dispondrá la instrucción de un sumario administrativo.

1. *«La Contraloría Regional del Bío-Bío ha remitido la presentación del señor Manuel Cerda Sepúlveda quien, en representación del señor Mario Pérez Aravena, exfuncionario de la Municipalidad de Chillán, solicita la reconsideración del oficio Nº 3.041, de 2016, de esa Sede Regional, mediante el cual se desestimó su reclamo relativo a que se ordenara que esa entidad edilicia dejara sin efecto el decreto alcaldicio Nº 7.245, de 2015, del anotado municipio, que rechazó el recurso de invalidación que aquel interpusiera en contra de los decretos alcaldicios Nºs. 193 y 217, ambos de 2013, a través de los cuales se le aplicó y mantuvo, respectivamente, la medida disciplinaria de destitución, al término de un sumario administrativo».* (**ID Dictamen:** 014862N17. **Fecha:** 26-04-2017. **Destinatarios:** señor Manuel Cerda Sepúlveda quien, en representación del señor Mario Pérez Aravena, exfuncionario de la Municipalidad de Chillán. **Texto:** Desestima solicitud de reconsideración del oficio Nº 3.041, de 2016, de la Contraloría Regional del Bío-Bío, por las razones que indica. **Acción:** Aplica dictámenes 43774/2015, 48885/2012, 18353/2009, 80858/2014).

2. *«Sobre el particular, corresponde señalar que los sumarios constituyen procesos reglados en los que no caben otras instancias o trámites que los previstos en la normativa que establecen los artículos 126 y siguientes de la ley Nº 18.883, y cuya finalidad es esclarecer los hechos que fueron materia de la indagatoria, objetivo para el cual el fiscal, en su rol de investigador deberá ordenar todas aquellas diligencias que siendo necesarias, útiles, pertinentes y plausibles, permitan comprobar la veracidad y existencia de las conductas imputadas, las que deberá apreciar en conciencia para luego proponer la medida que estime pertinente, la que, en todo caso, no resulta vinculante para el alcalde, quien en virtud de su potestad disciplinaria, tiene la facultad de modificarla. Corresponderá además al instructor, la obligación de procurar a través del desarrollo del proceso disciplinario, las instancias a fin de asegurar la debida defensa de los inculpados, respetándose, en definitiva, la garantía de un justo y racional procedimiento».* (**ID Dictamen:** 070998N16. **Fecha:** 29-09-2016. **Destinatarios: Dirección del Trabajo. Texto:** Corresponde al fiscal, ponderar los elementos de convicción que le permitan esclarecer los hechos que fueron materia de la indagatoria, tales como las declaraciones acompañadas. **Acción:** Aplica dictamen 55419/2015).

3. «*Por su parte, según lo previenen los artículos 124 y 126 de la ley Nº 18.883, si el alcalde estimare que los hechos son susceptibles de ser sancionados con una medida disciplinaria o en el caso de contemplarlo expresamente la ley, decretará la instrucción de una investigación sumaria, o si la naturaleza de los mismos o su gravedad así lo exigiere, dispondrá la instrucción de un sumario administrativo.*

Por consiguiente, habida consideración que la Municipalidad de Pirque ha adoptado las medidas conducentes a investigar el asunto de que se trata y determinar la eventual responsabilidad administrativa de los funcionarios municipales que participaron en los hechos que se denuncian, esta Contraloría General se abstiene de emitir un pronunciamiento sobre este aspecto». (**ID Dictamen: 060726N11 Fecha:** 26.09.2011 **Destinatarios:** José Claudio Urzúa Riquelme. **Texto:** Sobre la presentación de los antecedentes en la postulación a un concurso público. **Acción:** Aplica dictámenes 7348/2008, 36244/2009, 52627/2007, 51184/2008, 40427/2011)

4. «*Sobre el particular, es menester anotar que de acuerdo a lo prescrito en los artículos 124, 126, 127 y 138 de la ley Nº 18.883, sobre Estatuto Administrativo para Funcionarios Municipales, es la autoridad dotada de la potestad disciplinaria, en este caso el Alcalde, la que, de estimar que ciertos hechos son constitutivos de infracción administrativa y susceptibles de ser sancionados con una medida disciplinaria, dispondrá la instrucción de un proceso sumarial.*

A lo anterior es útil agregar que si bien conforme a los artículos 131 y 133 de la ley Nº 10.336, de Organización y Atribuciones de esta Entidad Fiscalizadora, el Contralor General o cualquier otro funcionario especialmente facultado por aquél, puede ordenar, cuando lo estime necesario, la instrucción de sumarios administrativos en los servicios sujetos a su fiscalización, a este Ente le corresponde ejercer sus funciones de control conforme a planes y programas previamente elaborados, que abarcan las materias más relevantes en un estricto orden de prioridades, según su trascendencia jurídica, económica o social, cuya preparación y desarrollo requiere de significativos recursos humanos, financieros y materiales que, por su escasez, necesariamente deben ser aplicados con cuidadoso resguardo para asegurar un control eficiente y eficaz (aplica dictámenes Nºs. 60.136, de 2008; 37.101, 46.814 y 56.825, todos de 2009).

Pues bien, atendido que la referida facultad, cuya ejecución solicita el recurrente, posee un carácter discrecional y que, en la situación que nos ocupa, no se han adjuntado antecedentes precisos y concretos que acrediten la especial trascendencia de los hechos o la imposibilidad de que personal de ese municipio efectúe un proceso disciplinario, se ha determinado no acceder, por ahora, a su petición». (**ID Dictamen: 040271N11 Fecha:** 28.06.2011 **Destinatarios:** Alcalde de la Municipalidad de Punta Arenas. **Texto:** Sobre solicitud de alcalde de la Municipalidad de Punta Arenas de que la Contraloría Regional de Magallanes y la Antártica Chilena instruya sumario en su municipio por cuanto, en su opinión, no resultaría conveniente que ese procedimiento lo efectuara personal municipal. **Acción:** Aplica dictámenes 60136/2008, 37101/2009, 46814/2009, 56825/2009)[284]

5. «*Efectuadas estas precisiones, y en torno a la petición en orden a que se tramite el sumario por esta Entidad de Control, realizando las diligencias probatorias que indica, todo ello, con la finalidad de que su representada sea juzgada imparcialmente y con las garantías de un racional y justo procedimiento, cumple con informar que, de conformidad con lo dispuesto en los artículos 124, 125, y 126, todos de la citada ley Nº 18.883, corresponde al alcalde, como máxima autoridad comunal y titular de la potestad disciplinaria, ponderar las situaciones que ameriten la instrucción de un proceso disciplinario, a fin de determinar los hechos susceptibles de ser sancionados con una medida disciplinaria y establecer las responsabilidades funcionarias consiguientes como, también, designar al funcionario que actuará como instructor o fiscal (aplica criterio contenido en los dictámenes Nºs. 76.892, de 2011, y 49.744, de 2012, de este origen).*

Asimismo, es dable advertir, que la jurisprudencia administrativa de este Órgano Contralor ha sostenido en los dictámenes Nºs. 61.869, de 2011, y 15.680, de 2012, ente otros, que los sumarios administrativos son procedimientos reglados, y a su respecto no caben otros trámites o instancias que aquellas previstas en la anotada ley Nº 18.883, normativa que, además, no otorga facultades a esta Entidad Fiscalizadora para emitir una opinión anticipada sobre procesos disciplinarios en curso». (**ID Dictamen: 068494N12 Fecha:** 31.10.2012 **Destinatarios:** Alcaldesa de la Municipalidad de San Bernardo. **Texto:** Desestima reclamo de ilegalidad de actuaciones de un sumario en tramitación. **Acción:** Aplica dictámenes 14529/2010, 39/2011, 76892/2011, 49744/2012, 61869/2011, 15680/2012, 22227/2010, 26416/2012, 31011/2009, 79826/2011, 15700/2012)

---

[284] Para efectos de su consulta en la Base de Jurisprudencia de Contraloría General de la República, el citado dictamen se encuentra en la sección/materia: «generales», sin perjuicio de que se trata de uno de carácter municipal.

6. «*Sobre el particular, cabe señalar que el* **artículo 1º de la Constitución Política de la República proscribe todos aquellos actos que atenten contra la dignidad de los individuos, de manera que la transgresión a dicha norma compromete la responsabilidad administrativa del infractor.**
De conformidad con ello, **corresponde que dicha materia sea conocida en las instancias judiciales pertinentes, o bien, que el alcalde, de acuerdo con lo previsto en los artículos 56 y 63, letras c) y d), de la ley Nº 18.695, y a los artículos 124, 126 y 138 de la ley Nº 18.883, en concordancia con el artículo 72, letra b) de la ley Nº 19.070, evalúe la instrucción de un procedimiento sumarial, a fin de determinar la ocurrencia de los hechos denunciados, y conforme al mérito del mismo, decrete las sanciones que procedieren (aplica dictámenes Nºs. 29.937 y 34.597, ambos de 2012).**
En consecuencia, procede que el alcalde de la Municipalidad de El Monte pondere si es necesaria la instrucción de un **procedimiento sumarial,** *con el objeto de establecer la efectividad de los hechos señalados por la recurrente».* (**ID Dictamen: 043670N12 Fecha:** 19.07.2012 **Destinatarios:** Alcalde de la Municipalidad de El Monte. **Texto:** Sobre denuncia de acoso laboral por parte de director de establecimiento educacional. **Acción:** Aplica dictámenes 29937/2012, 34597/2012)

Artículo 127

El sumario administrativo se ordenará por el alcalde mediante decreto, en el cual designará al fiscal que estará a cargo del mismo.

El fiscal deberá tener igual o mayor grado o jerarquía que el funcionario que aparezca involucrado en los hechos. Si no fuera posible aplicar esta norma, bastará que no exista relación de dependencia directa.

Si designado el fiscal, apareciere involucrado en lo hechos investigados un funcionario de mayor grado o jerarquía o de dependencia directa en su caso, continuará aquél sustanciando el procedimiento hasta que disponga el cierre de la investigación.

1. «*Se ha dirigido a esta Contraloría General don Nelson Caballero Martínez, encargado de estadísticas y reclamos de luminarias de la Municipalidad de Renca, quien haciendo uso del derecho establecido en el artículo 156, inciso primero, de la ley Nº 18.883, reclama en contra del procedimiento disciplinario al término del cual se le impuso a través del decreto alcaldicio Nº 1.364, de 2015, la medida de multa del quince por ciento de la remuneración mensual, conforme a lo previsto en los artículos 120, letra b), y 122, letra b), del citado texto normativo».* (**ID Dictamen:** 035676N16. **Fecha:** 13-05-2016. **Destinatarios: Nelson Caballero Martínez, encargado de estadísticas y reclamos de luminarias de la Municipalidad de Renca. Texto:** Rechaza reclamo de funcionario municipal en contra de investigación sumaria, al término de la cual se le aplicó la medida disciplinario de multa. **Acción:** Aplica dictámenes 11434/2014, 1788/2015, 2373/2010, 7027/2014).

2. «*MUN, sumario administrativo, destinación transitoria docente».* (**ID Dictamen:** 015354N18. **Fecha:** 20-06-2018. **Destinatarios:** Municipalidad de Tirúa. **Texto:** Complementa oficio Nº 22.247, de 2016, de la Contraloría Regional del Bío-Bío, sobre cambio de funciones de docente que indica. **Acción.**

3. «*Se ha dirigido a esta Entidad Fiscalizadora la Municipalidad de Coyhaique solicitando la reconsideración de los oficios Nºs. 2.483 y 3.455, ambos de 2016, mediante los cuales la Contraloría Regional de Aysén del General Carlos Ibáñez del Campo —al resolver los reclamos interpuestos por don Cristián Reyes Opazo para que se dejara sin efecto el término del contrato de trabajo dispuesto en el sumario administrativo ordenado instruir por el decreto alcaldicio Nº 3.690, de 2013—, concluyó, en síntesis, que resultaba procedente que la autoridad edilicia ordenara la reapertura de ese proceso disciplinario con el objeto de regularizar diversas irregularidades observadas durante su tramitación, reincorporando al afectado a sus labores y pagándole las remuneraciones adeudadas por el tiempo intermedio en que aquel se encontró separado de su empleo».* (**ID Dictamen:** 013939N17. **Fecha:** 21-04-2017. **Destinatarios: Municipalidad de Coyhaique. Texto:** Reconsidera los oficios Nºs. 2.483 y 3.455, ambos de 2016, de la Contraloría Regional de Aysén del General Carlos Ibáñez del Campo, por cuanto término de la relación laboral de funcionario que indica se ajustó a derecho. **Acción:** Aplica dictámenes 46957/2016, 18884/2010, 81907/2014, 57129/2015, 68295/2016, 37679/2014, 96420/2014).

4. «*Acoge reclamo en contra de proceso disciplinario que afectó a docente, procediendo su reapertura, la reincorporación de aquel a sus funciones y el pago de las remuneraciones por el periodo en que estuvo irregularmente separado de sus labores*». (**ID Dictamen:** 092789N16. **Fecha:** 27-12-2016. **Destinatarios:** Julio Valenzuela Marchant, exdocente de la Municipalidad de La Pintana. **Texto:** Acoge reclamo en contra de proceso disciplinario que afectó a docente, procediendo su reapertura, la reincorporación de aquel a sus funciones y el pago de las remuneraciones por el periodo en que estuvo irregularmente separado de sus labores. **Acción:** Aplica dictámenes 12060/2014, 73567/2015, 17500/2016).

5. «*Se ha dirigido a esta Contraloría General el señor Abdón Jerez Martínez, exdirector del departamento de educación de la Municipalidad de Alhué, solicitando el cumplimiento del dictamen Nº 40.013, del 2016, de esta Entidad de Control que, en síntesis, acogió su reclamo en contra de los sumarios que señala, al término de los cuales el interesado fue destituido a través de los decretos alcaldicios Nºs. 1.068 y 1.069, de 2015, estableciéndose que ese municipio dispusiera sus reaperturas y enterara las remuneraciones devengadas durante el período en que el peticionario estuvo separado de su cargo. Además, el recurrente solicita conocer el resultado del proceso disciplinario dispuesto por el decreto alcaldicio Nº 363, de 2013, en la que fue suspendido preventivamente, sin que conste que tal medida haya sido dejada sin efecto*». (**ID Dictamen:** 091268N16. **Fecha:** 20-12-2016. **Destinatarios:** Abdón Jerez Martínez, exdirector del departamento de educación de la Municipalidad de Alhué. **Texto:** Municipalidad de Alhué deberá dar cumplimiento al dictamen Nº 40.013, de 2016, regularizar suspensión preventiva aprobada por el alcalde, y se abstiene de emitir pronunciamiento en situaciones que indica. **Acción:** Aplica dictámenes 40013/2016, 53696/2016, 77241/2015, 71032/2016, 65451/2016).

6. «*Desestima solicitud de reconsideración del oficio Nº 1.819, de 2016, de la Contraloría Regional del Libertador General Bernardo O'Higgins, por cuanto se ajusta a derecho el sumario de la especie*». (**ID Dictamen:** 090027N16. **Fecha:** 15-12-2016. **Destinatarios:** Víctor Olea Pavez, funcionario de la Municipalidad de Graneros. **Texto:** Desestima solicitud de reconsideración del oficio Nº 1.819, de 2016, de la Contraloría Regional del Libertador General Bernardo O'Higgins, por cuanto se ajusta a derecho el sumario de la especie. **Acción:** Aplica dictámenes 35676/2016, 21093/2015, 62356/2015).

7. «*Sobre el particular, es menester anotar que de acuerdo a lo prescrito en los **artículos 124, 126, 127** y **138 de la ley Nº 18.883**, sobre Estatuto Administrativo para Funcionarios Municipales, **es la autoridad dotada de la potestad disciplinaria, en este caso el Alcalde, la que, de estimar que ciertos hechos son constitutivos de infracción administrativa y susceptibles de ser sancionados con una medida disciplinaria, dispondrá la instrucción de un proceso sumarial.***
A lo anterior es útil agregar que si bien conforme a los artículos 131 y 133 de la ley Nº 10.336, de Organización y Atribuciones de esta Entidad Fiscalizadora, el Contralor General o cualquier otro funcionario especialmente facultado por aquél, puede ordenar, cuando lo estime necesario, la instrucción de sumarios administrativos en los servicios sujetos a su fiscalización, a este Ente le corresponde ejercer sus funciones de control conforme a planes y programas previamente elaborados, que abarcan las materias más relevantes en un estricto orden de prioridades, según su trascendencia jurídica, económica y social, cuya preparación y desarrollo requiere de significativos recursos humanos, financieros y materiales que, por su escasez, necesariamente deben ser aplicados con cuidadoso resguardo para asegurar un control eficiente y eficaz (aplica dictámenes Nºs. 60.136, de 2008; 37.101, 46.814 y 56.825, todos de 2009).
Pues bien, atendido que la referida facultad, cuya ejecución solicita el recurrente, posee un carácter discrecional y que, en la situación que nos ocupa, no se han adjuntado antecedentes precisos y concretos que acrediten la especial trascendencia de los hechos o la imposibilidad de que personal de ese municipio efectúe un proceso disciplinario, se ha determinado no acceder, por ahora, a su petición». (**ID Dictamen:** 040271N11 **Fecha:** 28.06.2011 **Destinatarios:** Alcalde de la Municipalidad de Punta Arenas. **Texto:** Sobre solicitud de alcalde de la Municipalidad de Punta Arenas de que la Contraloría Regional de Magallanes y la Antártica Chilena instruya sumario en su municipio por cuanto, en su opinión, no resultaría conveniente que ese procedimiento lo efectuara personal municipal. **Acción:** Aplica dictámenes 60136/2008, 37101/2009, 46814/2009, 56825/2009)

8. «*(...) se ha estimado necesario hacer algunas precisiones en relación al reclamo relativo a la **incompetencia del fiscal por encontrarse sujeto a un estatuto jurídico diverso del que rige a la ocurrente**, ya que del estudio de los antecedentes sumariales, se advierte que **no se configura la irregularidad alegada.***
*En efecto, la referida investigación tuvo por fin determinar la responsabilidad administrativa de funcionarios con desempeño en la Escuela F-55 "Buchupureo", por lo que según el **artículo 72, letra b), de la ley Nº 19.070, Estatuto de los Profesionales de la Educación**, en el caso de una investigación o sumario administrativo que afecte a un profesional de la educación, la designación del fiscal recaerá en un profesional de la respectiva **Municipalidad o Departamento de Educación Municipal o de la Corporación Municipal**, designado por el sostenedor, precisando la jurisprudencia administrativa contenida en el dictamen Nº 32.700, de 2012, entre otros, que para ello se debe atender a la dependencia*

a la que se encuentra adscrito el funcionario nombrado, y no al régimen que lo rige. De esa forma, es posible nombrar investigador a un profesional que se desempeñe en alguna de las unidades a que se refiere el párrafo 4º del Título I de la ley Nº 18.695, Orgánica Constitucional de Municipalidades, o que pertenezca al Departamento de Educación Municipal, como ocurrió en la especie, ajustándose a derecho el nombramiento del señor Christian Arévalo Campos, director de la unidad educativa F-50 "El Tollo".

*Además, resulta útil consignar que la **competencia del fiscal instructor, no queda limitada por los términos de la resolución que ordenó instruir el procedimiento disciplinario, sino que se encuentra investido de las más amplias facultades para realizar la investigación de los hechos, y determinar la participación y culpabilidad de los servidores implicados, aun cuando aparezca implicada una funcionaria municipal regida por un cuerpo normativo distinto al del investigador, por cuanto con ello se logra mantener la unidad investigativa del proceso sumarial, permitiendo de mejor forma, asegurar y garantizar el éxito del mismo** (aplica criterio contenido en los dictámenes Nºs. 19.970, de 2005, 26.738, de 2009, y 20.980, de 2012).*

*Por otra parte, el **inciso segundo del artículo 127, de la ley Nº 18.883** —aplicable supletoriamente al personal regido por la ley Nº 19.378, por mandato del inciso primero del artículo 4º de este último cuerpo legal—, establece que el instructor deberá tener igual o mayor grado o jerarquía que el funcionario que aparezca involucrado en los hechos, lo que significa que ambos deben regirse por un mismo ordenamiento. No obstante, el mismo precepto legal agrega, que de no poder aplicarse la regla de la jerarquía, **bastará que no exista relación de dependencia directa, lo que ocurrió en la especie** (aplica criterio contenido en los dictámenes Nºs. 30.977, de 1997, y 18.839, de 2004)».* **(ID Dictamen: 077203N12 Fecha:** 12.12.2012 **Destinatarios:** Alcalde de la Municipalidad de Cobquecura. **Texto:** Acoge reclamo de ilegalidad en sumario administrativo que indica, por no constituir infracción administrativa los hechos materia de cargo. **Acción:** Aplica dictámenes 32700/2012, 19970/2005, 26738/2009, 20980/2012, 30977/97, 18839/2004, 41736/2004)

9. *«Por otra parte, respecto a la petición de reconsideración del señor Valdebenito Contreras del oficio Nº 12.287, de 2011, de la Oficina Regional del Maule, por la que requiere se estudien las irregularidades que se habrían cometido en la substanciación del sumario administrativo que lo afectó, es del caso aclarar, que dichos **procedimientos son reglados, y a su respecto no caben otros trámites que aquellos previstos en los artículos 127 a 143 de la ley Nº 18.883**, normativa aplicable a los docentes por expresa disposición del artículo 72, letra b), de la ley Nº 19.070 (aplica dictámenes Nºs. 15.680 y 43.658, ambos de 2012, de este origen).*

De esta manera, el interesado debe utilizar los mecanismos de impugnación que prevé la referida normativa jurídica, por lo que no resulta pertinente acceder al requerimiento de la especie, por no ser esta la instancia procesal para ello». **(ID Dictamen: 067489N12 Fecha:** 29.10.2012 **Destinatarios:** Alcalde de la Municipalidad de Talca. **Texto:** Sobre reapertura de proceso disciplinario contra docentes e improcedencia de aplicarles el art. 88 A lt/a de la ley 18883. **Acción:** Aplica dictámenes 15680/2012, 43658/2012, 36909/2010, 4182/2011)

10. *«II.- APLICACIÓN DE LOS ARTÍCULOS 156 Y SIGUIENTES DE LA LEY Nº 10.336. 1) Medidas disciplinarias Según lo dispuesto en los artículos 156 y 157 de la ley Nº 10.336, de Organización y Atribuciones de la Contraloría General de la República, desde treinta días antes del acto eleccionario las medidas disciplinarias expulsivas a que están sujetos los funcionarios públicos, cualquiera sea el régimen estatutario aplicable a los mismos, **sólo podrán decretarse previo sumario instruido por la Contraloría General y en virtud de las causales que los respectivos estatutos contemplen».*** **(ID Dictamen: 015000N12 Fecha:** 15.03.2012 **Texto:** Imparte instrucciones con motivo de las elecciones municipales del año 2012, especialmente sobre: prescindencia política de los funcionarios de la Administración del Estado; aplicación de los artículos 156 y siguientes de la ley 10336; prohibición de uso de bienes, vehículos y recursos en actividades políticas; regulaciones atingentes a personal que deben tenerse especialmente en cuenta; situación de los alcaldes y concejales; responsabilidades y denuncias; cumplimiento y difusión de estas instrucciones y conclusiones. **Acción:** Aplica dictámenes 24886/95, 60132/2008, 34943/2009, 62786/2009, 35593/95 54354/2008, 19503/2009, 1979/2012, 11552/2005, 34684/99, 6278/2009, 54319/2004, 2363/2010)

Artículo 128

El decreto a que se refiere el artículo anterior será notificado al fiscal, quien designará un actuario, el que se entenderá en comisión de servicio para todos los efectos legales. El actuario será funcionario de la municipalidad, tendrá la calidad de ministro de fe y certificará todas las actuaciones del sumario.

El sumario se llevará foliado en letras y números y se formará con todas las declaraciones, actuaciones y diligencias, a medida que se vayan sucediendo y con todos los documentos que se acompañen. Toda actuación debe llevar la firma del fiscal y del actuario.

1. «*Se ha dirigido a esta Entidad Fiscalizadora la Municipalidad de Coyhaique solicitando la reconsideración de los oficios Nºs. 2.483 y 3.455, ambos de 2016, mediante los cuales la Contraloría Regional de Aysén del General Carlos Ibáñez del Campo —al resolver los reclamos interpuestos por don Cristián Reyes Opazo para que se dejara sin efecto el término del contrato de trabajo dispuesto en el sumario administrativo ordenado instruir por el decreto alcaldicio Nº 3.690, de 2013—, concluyó, en síntesis, que resultaba procedente que la autoridad edilicia ordenara la reapertura de ese proceso disciplinario con el objeto de regularizar diversas irregularidades observadas durante su tramitación, reincorporando al afectado a sus labores y pagándole las remuneraciones adeudadas por el tiempo intermedio en que aquel se encontró separado de su empleo*». (**ID Dictamen: 013939N17. Fecha: 21-04-2017. Destinatarios: Municipalidad de Coyhaique.** **Texto:** Reconsidera los oficios Nºs. 2.483 y 3.455, ambos de 2016, de la Contraloría Regional de Aysén del General Carlos Ibáñez del Campo, por cuanto término de la relación laboral de funcionario que indica se ajustó a derecho. **Acción:** aplica dictámenes 46957/2016, 18884/2010, 81907/2014, 57129/2015, 68295/2016, 37679/2014, 96420/2014).

2. «*Se ha dirigido a esta Contraloría General la Municipalidad de Calera de Tango solicitando la reconsideración del oficio Nº 81.366, de 2015, en atención a que el mencionado pronunciamiento aludiría a declaraciones que no corresponden al contenido de las piezas del sumario concluido por el decreto alcaldicio Nº 1.076, de 2015. Asimismo, expresa que se habría cumplido lo señalado en el inciso segundo del artículo 128 de la ley Nº 18.883, puesto que se folió en letras y números el proceso disciplinario que indica con todas sus actuaciones*». (**ID Dictamen:** 018306N16. **Fecha:** 08-03-2016. **Destinatarios:** Municipalidad de Calera de Tango. **Texto:** Reconsidera el oficio Nº 81.366, de 2015, de este origen, por las razones que indica. **Acción.**

3. «*Por otra parte, respecto a la petición de reconsideración del señor Valdebenito Contreras del oficio Nº 12.287, de 2011, de la Oficina Regional del Maule, por la que requiere se estudien las irregularidades que se habrían cometido en la substanciación del sumario administrativo que lo afectó, es del caso aclarar, que dichos procedimientos son reglados, y a su respecto no caben otros trámites que aquellos previstos en los artículos 127 a 143 de la ley Nº 18.883, normativa aplicable a los docentes por expresa disposición del artículo 72, letra b), de la ley Nº 19.070 (aplica dictámenes Nºs. 15.680 y 43.658, ambos de 2012, de este origen).*
De esta manera, el interesado debe utilizar los mecanismos de impugnación que prevé la referida normativa jurídica, por lo que no resulta pertinente acceder al requerimiento de la especie, por no ser esta la instancia procesal para ello». (**ID Dictamen:** 067489N12 **Fecha:** 29.10.2012 **Destinatarios:** Alcalde de la Municipalidad de Talca. **Texto:** Sobre reapertura de proceso disciplinario contra docentes e improcedencia de aplicarles el art. 88 A lt/a de la ley 18883. **Acción:** Aplica dictámenes 15680/2012, 43658/2012, 36909/2010, 4182/2011)

4. «*Como cuestión previa, es del caso recordar que, de acuerdo con lo dispuesto en la **letra b) del artículo 72 de la ley Nº 19.070 —Estatuto de los Profesionales de la Educación—**, los sumarios incoados en contra de docentes regidos por ese estatuto, para acreditar alguna de las causales enunciadas en dicho precepto —como ocurre en la situación que se analiza—, se regulan en su tramitación por las disposiciones de los artículos 127 al 143 de la ley Nº 18.883, Estatuto Administrativo para Funcionarios Municipales.*
*Enseguida, y acorde con el planteamiento contenido en los **dictámenes Nºs. 511, de 2011, y 15.680, de 2012, de este origen**, los sumarios administrativos son procedimientos reglados en los que no caben otros trámites o instancias que aquellas previstas en la reglamentación que los regula, en este caso, la contemplada en la ley Nº 18.883, cuerpo normativo que no otorga facultades a esta Contraloría General para pronunciarse ni intervenir respecto de procesos disciplinarios que no se encuentran afinados*». (**ID Dictamen:** 026004N12 **Fecha:** 07.05.2012 **Destinatarios:** Alcalde de la Municipalidad de La Cisterna. **Texto:** La demora en la instrucción de un proceso disciplinario no constituye un vicio que afecte su validez, por cuanto no incide en aspectos esenciales del mismo. **Acción:** aplica dictámenes 511/2011, 15680/2012, 27262/2006, 4906/2009, 3775/2010, 79826/2011, 37199/2009)[285]

---

[285] Para efectos de su consulta en la Base de Jurisprudencia de Contraloría General de la República, el citado dictamen se encuentra en la sección/materia: «generales», sin perjuicio de que se trata de uno de carácter municipal.

Artículo 129

Las notificaciones que se realicen en el proceso deberán hacerse personalmente. Si el funcionario no fuere habido por dos días consecutivos en su domicilio o en su lugar de trabajo, se le notificará por carta certificada, de lo cual deberá dejarse constancia. En ambos casos se deberá entregar copia íntegra de la resolución respectiva. Los funcionarios citados a declarar ante el fiscal deberán fijar en su primera comparecencia un domicilio dentro del radio urbano en que la fiscalía ejerza sus funciones. Si no dieren cumplimiento a esta obligación se harán las notificaciones por carta certificada al domicilio registrado en la municipalidad, y en caso de no contarse con tal información, en la oficina del afectado.

El funcionario se entenderá notificado cumplidos tres días desde que la carta haya sido despachada.

1. «*Notificaciones por carta certificada de las resoluciones dictadas en procedimientos disciplinarios regidos por las leyes Nºs. 18.834 y 18.883, deben efectuarse conforme a lo establecido en las disposiciones que dichos cuerpos estatutarios contemplan al efecto*». (**ID Dictamen:** 026215N18. **Fecha:** 19-10-2018. **Destinatarios:** Gendarmería de Chile. **Texto:** Notificaciones por carta certificada de las resoluciones dictadas en procedimientos disciplinarios regidos por las leyes Nºs. 18.834 y 18.883, deben efectuarse conforme a lo establecido en las disposiciones que dichos cuerpos estatutarios contemplan al efecto. **Acción:** Aplica dictamen 84659/2014, Reconsidera parcialmente dictámenes 60165/2015, 50988/2016, 4088/2017, 41713/2017).

2. «*Sobre el particular, a propósito de la responsabilidad administrativa, el inciso primero del artículo 129 de la ley Nº 18.883, prevé que "Las notificaciones que se realicen en el proceso deberán hacerse personalmente. Si el funcionario no fuere habido por dos días consecutivos en su domicilio o en su lugar de trabajo, se le notificará por carta certificada, de lo cual deberá dejarse constancia. En ambos casos se deberá entregar copia íntegra de la resolución respectiva"; añadiendo su inciso final, que "El funcionario se entenderá notificado cumplidos tres días desde que la carta certificada haya sido despachada"*». (**ID Dictamen:** 024239N18. **Fecha:** 28-09-2018. **Destinatarios:** Luis Olcay Montti, en representación de don Luis Sepúlveda Barra, exfuncionario de la Municipalidad de Pemuco. **Texto:** La municipalidad cumplió con remitir la carta conteniendo la notificación de la medida que se indica, en los términos que dispone el artículo 129 de la ley Nº 18.883, por lo que tal comunicación debe estimarse válida. **Acción.**

3. «*Se ha dirigido a esta Contraloría General el alcalde de la Municipalidad de Mostazal, solicitando la reconsideración del oficio Nº 1.012, de 2016, a través del cual la Contraloría Regional del Libertador General Bernardo O'Higgins ordenó a dicha entidad edilicia dejar sin efecto el decreto Nº 6, del mismo año, que, en lo que interesa, aplicó la medida disciplinaria de destitución a doña Carolina Orellana Soto, al término de una investigación sumaria instruida en su contra —luego elevada a sumario administrativo—, en atención a que su responsabilidad administrativa se encontraba extinguida por prescripción de la acción disciplinaria; emitir en su reemplazo el acto administrativo que corresponda; y, adoptar las medidas tendientes a regularizar la situación de la afectada, pagándole las remuneraciones pertinentes durante el tiempo en que estuvo alejada de sus funciones*». (**ID Dictamen:** 081292N16. **Fecha:** 08-11-2016. **Destinatarios:** Municipalidad de Mostazal. **Texto:** Rechaza solicitud de reconsideración del oficio Nº 1.012, de 2016, de la Contraloría Regional del Libertador General Bernardo O'Higgins. Demora en la tramitación de sumario administrativo no puede atribuirse a actuaciones de dicha sede regional. **Acción:** Aplica dictámenes 17500/2016, 2030/2011, 14283/2009, 36229/2013, 29603/2009, 41239/2014, 4548/2013).

4. «*Al respecto, cumple con manifestar que constituyen trámites esenciales de un procedimiento disciplinario los que tienen una influencia decisiva en los resultados del mismo, entre otros, aquellos cuya omisión priva al imputado del derecho a defenderse oportunamente, tales como las notificaciones, lo que ocurre en la especie, toda vez que la entidad edilicia no realizó las búsquedas a que alude el citado artículo 129 de la ley Nº 18.883 en forma previa a la remisión de la carta certificada al recurrente (aplica criterio contenido en los dictámenes Nºs. 1.288 y 79.184, ambos de 2014)*». (**ID Dictamen:** 076101N16. **Fecha:** 17-10-2016. **Destinatarios: Andrés Arenas Vendrell, exfuncionario de la Municipalidad de Renca. Texto:** Acoge reclamo de ilegalidad en contra de proceso disciplinario que indica, por adolecer de un vicio esencial. **Acción:** Aplica dictamen 1288/2014, 79184/2014).

5. «*Rechaza reconsiderar oficio Nº 10.627, de 2016, de la Contraloría Regional de Valparaíso, en aquella parte que declaró extemporáneas las alegaciones de los interesados. Reclamo de ilegalidad en contra de un proceso disciplinario debe formularse oportunamente*». (**ID Dictamen: 065002N16. Fecha: 02-09-2016. Destinatarios: doña Paola Plaza Rebolledo** y don Juan Carlos Guajardo Arriola, exfuncionarios del Departamento de Salud de la Municipalidad de Algarrobo. **Texto:** Rechaza reconsiderar oficio Nº 10.627, de 2016, de la Contraloría Regional de Valparaíso, en aquella parte que declaró extemporáneas las alegaciones de los interesados. Reclamo de ilegalidad en contra de un proceso disciplinario debe formularse oportunamente. **Acción.**

6. «*Se ha dirigido a esta Contraloría General doña Gladys Zamorano Torres, exservidora de la Municipalidad de Olmué, quien reclama en contra de la entidad edilicia por la falta de notificación del decreto alcaldicio Nº 3.555, de 2015, que resolvió el recurso de reposición que interpuso en contra del acto administrativo municipal Nº 3.087, de 2015, que le aplicó la medida disciplinaria de destitución*». (**ID Dictamen: 049198N16. Fecha:** 04-07-2016. **Destinatarios:** Gladys Zamorano Torres, exservidora de la Municipalidad de Olmué. **Texto:** Rechaza reclamo de ilegalidad en contra de proceso sumarial que indica. **Acción.**

7. «*Por otra parte, debe recordarse que, para efectos de la correcta aplicación de la medida disciplinaria impuesta al afectado, el **artículo 51 de la ley Nº 19.880** —que Establece Bases de los Procedimientos Administrativos que rigen los Actos de los Órganos de la Administración del Estado— prevé, en lo que interesa, que los actos administrativos sólo producirán los efectos que les son propios en virtud de la notificación hecha de conformidad a la ley. (...)*
*En este contexto, y para determinar **la data en que una medida disciplinaria comienza a producir válidamente sus efectos**, debe estarse a la fecha en que se notifica el acto terminal que afina el sumario que le da origen, es decir, el que contiene la sanción que en definitiva se impone al inculpado, luego que el alcalde haya fallado el recurso de reposición interpuesto o vencido el plazo para deducirlo, sin que ello hubiera ocurrido. (...)*
*Atendido lo anterior, y considerando que según lo expresado por el recurrente, sólo tomó conocimiento del rechazo de su reposición, de manera tácita, el 15 de junio del año 2009, data en que se hizo efectiva en sus remuneraciones la sanción de multa aplicada, cabe señalar, al tenor de lo manifestado en los párrafos precedentes, que la medida sancionatoria produjo sus efectos jurídicos desde la última de las fechas citadas, **por lo que es dable manifestar que, en el caso en comento, operó a su respecto la notificación tácita prevista en el artículo 47 de la citada ley Nº 19.880 (aplica criterio contenido en el dictamen Nº 44.837, de 2011)*»*. (**ID Dictamen: 077465N11 Fecha:** 12.12.2011 **Destinatarios:** Alcalde de la Municipalidad de La Florida. **Texto:** Acoge solicitud de reconsideración de oficio Nº 13099, de 2011, relativo a inhabilidad para ascender por aplicación de una medida disciplinaria, resolviendo que corresponde el ascenso del recurrente a partir de la fecha que indica, debiendo el municipio de La Florida adoptar las medidas que sean necesarias para regularizar su situación. **Acción:** Aplica dictámenes 51140/2011, 44837/2011, 56880/2011, 60677/2011 Reconsidera dictamen 13099/2011)

8. «*Al respecto, cumple con hacer presente que de acuerdo a lo dispuesto en el **artículo 129 de la ley Nº 18.883, que aprueba el Estatuto Administrativo para Funcionarios Municipales**, en lo que interesa, todas las notificaciones dentro de un proceso sumarial, deben realizarse a los afectados de manera personal, y en caso de no ser habidos por dos días consecutivos en su domicilio o en su lugar de trabajo, se procederá a notificar mediante carta certificada, de lo cual deberá dejarse constancia en el proceso sumarial, entendiéndose notificado el funcionario cumplidos tres días desde que la carta haya sido despachada.*
*Cabe agregar que, para estos efectos, el **concepto de domicilio corresponde a aquel que fija el funcionario citado a declarar en su primera comparecencia, dentro del radio urbano donde la fiscalía ejerza sus funciones**; en el evento que no diere cumplimiento a esa obligación deberán realizarse las notificaciones en el domicilio que registra en la municipalidad; y, en caso de no contarse con esa información, en la oficina del afectado, todo ello con arreglo a lo previsto en el inciso segundo del aludido artículo 129. (...)*
*En este sentido, cabe señalar, de acuerdo a lo manifestado por **la jurisprudencia administrativa de este Organismo de Control en el dictamen Nº 40.253, de 2003, que la ausencia del inculpado durante la sustanciación de un proceso no puede obstar a la prosecución de este, ni impide establecer la responsabilidad del ausente**.*
*A su vez, y específicamente en relación al caso en que se constató el cambio de domicilio del encausado, resulta procedente precisar que **es de responsabilidad del afectado comunicar al servicio oportunamente cualquier modificación de su residencia, pues de lo contrario se dejaría entregado a su arbitrio el éxito de toda diligencia que pretenda notificarlo del contenido de las resoluciones dictadas en un proceso sumarial (aplica dictamen Nº 39.856, de 1999)**.*
*Atendido lo expuesto, es dable indicar que **en la medida que en los procesos de que se trata se hayan despachado las cartas certificadas al domicilio correspondiente según lo previsto en el ya citado artículo 129, luego de haber efectua-*

do las correspondientes búsquedas en los términos antes expuestos, se debe entender debidamente notificados a los afectados respecto de las medidas disciplinarias dispuestas en su contra.

Lo anterior es sin perjuicio de que el fiscal instructor del sumario pueda realizar las gestiones pertinentes a fin de determinar el actual domicilio de los afectados, y envíe también a aquel la carta certificada notificándolos de la sanción dispuesta (aplica dictamen Nº 40.253, de 2003)». **(ID Dictamen: 076039N11 Fecha:** 05.12.2011 **Destinatarios:** Alcalde de la Municipalidad de La Pintana. **Texto:** Con el despacho de las cartas certificadas al domicilio del inculpado, luego de haber efectuado las correspondientes búsquedas, se debe entender debidamente notificado respecto de las medidas disciplinarias dispuestas en su contra. El cambio de domicilio no afecta la validez de la notificación, considerando que es de su responsabilidad el comunicarlo. **Acción:** Aplica dictámenes 40253/2003, 39856/99)

9. *«Precisado lo anterior, en lo que concierne al vicio procedimental en el que pudo haber incurrido el ente edilicio al omitir dictar el pronunciamiento que reclama la señora González Inostroza, se advierte un error en los presupuestos de hecho considerados para declarar fuera de plazo el recurso que interpusiera, toda vez que el referido decreto Nº 356, de 2010, no fue notificado válidamente a la afectada, de acuerdo a lo establecido en el artículo 129 de la ley Nº 18.883. Al efecto, es necesario hacer presente que de conformidad con la citada disposición legal, todas las notificaciones dentro de un procedimiento sumarial, se deben realizar a los afectados de manera personal, o bien, por carta certificada si el funcionario no fuere habido por dos días seguidos en su domicilio o en su lugar de trabajo, luego de las certificaciones del ministro de fe de haberse realizado las correspondientes búsquedas.*

Pues bien, en la especie, según se advierte de los antecedentes sumariales tenidos a la vista, la notificación del mencionado decreto Nº 356, de 2010, se realizó mediante el envío —con fecha 17 de junio de 2010— de una carta certificada al domicilio de la afectada, sin que exista constancia de haberse practicado previamente las respectivas búsquedas, por lo que, no apareciendo alguna otra gestión de parte de la sancionada, la notificación del decreto de que se trata, debe entenderse efectuada tácitamente al momento que reconoce haber tomado conocimiento de dicho acto sancionatorio, a saber, el 5 de julio de 2010, recurriendo en contra de esa resolución el 10 de ese mes y año, es decir, dentro del plazo de cinco días de que disponía en conformidad al inciso segundo del artículo 139 de la ley Nº 18.883 (aplica criterio contenido en los dictámenes Nºs. 24.352, de 2010 y 44.837, de 2011)». **(ID Dictamen: 073971N11 Fecha:** 28.11.2011 **Destinatarios:** Alcalde de la Municipalidad de Cerrillos. **Texto:** Observa y devuelve decretos que aplican medidas disciplinarias y atiende reclamo de ilegalidad en sumario administrativo incoado en Municipalidad de Cerrillos. **Acción:** aplica dictámenes 24352/2010, 44837/2011, 42476/2011)

10. *«Sin perjuicio de lo anterior, resulta necesario señalar, para efectos de la correcta aplicación de la medida disciplinaria impuesta al afectado, que el artículo 51 de la ley Nº 19.880 —que Establece Bases de los Procedimientos Administrativos que rigen los Actos de los Órganos de la Administración del Estado— prevé, en lo que interesa, que los actos administrativos sólo producirán los efectos que les son propios en virtud de la notificación hecha de conformidad a la ley. (...)*

Pues bien, de los antecedentes sumariales tenidos a la vista, se observa, a fojas 73 y 74, que si bien se envió carta certificada al domicilio señalado por el sumariado, no se realizaron las búsquedas previas al envío de la respectiva carta; sin perjuicio de lo cual, consta que el señor Sandoval Castillo tomó conocimiento del rechazo del recurso de reposición que interpuso en contra de la sanción aplicada, por cuanto reclamó de la legalidad del proceso disciplinario ante este Órgano Contralor, con fecha 9 de diciembre de 2010, por lo que es dable manifestar que, en el caso en comento operó, a su respecto, la notificación tácita prevista en el artículo 47 de la citada ley Nº 19.880». **(ID Dictamen: 044837N11 Fecha:** 15.07.2011 **Destinatarios:** Alcalde de la Municipalidad de San José de Maipo. **Texto:** Atiende reclamo de ilegalidad en contra del decreto 53/2010, de la Municipalidad de San José de Maipo por el que se aplicó la medida disciplinaria de suspensión del empleo por dos meses con goce del sesenta por ciento de su remuneración mensual. **Acción:** Aplica dictamen 47644/2009, 2094/2001, 3174/2009, 44092/2010)

11. *«Al respecto, cabe señalar que el aludido decreto alcaldicio Nº 268, de 2010, fue debidamente registrado por esta Entidad de Control y, con posterioridad, observado mediante el oficio Nº 49.450, del mismo año, por no constar en el referido procedimiento disciplinario que se le haya notificado a la recurrente el cargo formulado en su contra, en conformidad con lo señalado en el artículo 129 de la ley Nº 18.883, Estatuto Administrativo para Funcionarios Municipales».* **(ID Dictamen: 004182N11 Fecha:** 21.01.2011 **Destinatarios:** María Bahamondes González. **Texto:** Sobre solicitud de reincorporación de ex funcionaria del Departamento de Educación de la Municipalidad de Estación Central. **Acción:** Aplica dictámenes 60682/2010, 49450/2010)

12. «(...) *respecto de la funcionaria precedentemente individualizada, se efectuó solo una de las búsquedas a que se refiere el artículo 129 de la ley Nº 18.883, por lo que no puede entenderse que esta haya sido citada legalmente».* (ID Dictamen: 074921N12 Fecha: 03.12.2012 Destinatarios: Alcalde de la Municipalidad de Hualpén. Texto: Acoge reclamos de ilegalidad en contra de sumario administrativo instruido por Municipalidad y se pronuncia sobre aplicación de ley 18695 art. 29 inc/fin. Acción: Aplica dictámenes 49580/2008, 65284/2011, 49744/2012, 1603/2010, 72575/2011, 19892/2009, 2030/2011, 26652/82, 15116/86, 5850/96, 46231/2004, 34010/2005, 61457/2008, 20471/2009)

13. «*Por otra parte, respecto a la petición de reconsideración del señor Valdebenito Contreras del oficio Nº 12.287, de 2011, de la Oficina Regional del Maule, por la que requiere se estudien las irregularidades que se habrían cometido en la substanciación del sumario administrativo que lo afectó, es del caso aclarar, que dichos procedimientos son reglados, y a su respecto no caben otros trámites que aquellos previstos en los artículos 127 a 143 de la ley Nº 18.883, normativa aplicable a los docentes por expresa disposición del artículo 72, letra b), de la ley Nº 19.070 (aplica dictámenes Nºs. 15.680 y 43.658, ambos de 2012, de este origen)».* (ID Dictamen: 067489N12 Fecha: 29.10.2012 Destinatarios: Alcalde de la Municipalidad de Talca. Texto: Sobre reapertura de proceso disciplinario contra docentes e improcedencia de aplicarles el art. 88 A lt/a de la ley 18883. Acción: Aplica dictámenes 15680/2012, 43658/2012, 36909/2010, 4182/2011)

14. «*Como cuestión previa, es del caso recordar que, de acuerdo con lo dispuesto en la letra b) del artículo 72 de la ley Nº 19.070 —Estatuto de los Profesionales de la Educación—, los sumarios incoados en contra de docentes regidos por ese estatuto, para acreditar alguna de las causales enunciadas en dicho precepto —como ocurre en la situación que se analiza—, se regulan en su tramitación por las disposiciones de los artículos 127 al 143 de la ley Nº 18.883, Estatuto Administrativo para Funcionarios Municipales.*
Enseguida, y acorde con el planteamiento contenido en los dictámenes Nºs. 511, de 2011, y 15.680, de 2012, de este origen, los sumarios administrativos son procedimientos reglados en los que no caben otros trámites o instancias que aquellas previstas en la reglamentación que los regula, en este caso, la contemplada en la ley Nº 18.883, cuerpo normativo que no otorga facultades a esta Contraloría General para pronunciarse ni intervenir respecto de procesos disciplinarios que no se encuentran afinados». (ID Dictamen: 026004N12 Fecha: 07.05.2012 Destinatarios: Alcalde de la Municipalidad de La Cisterna. Texto: La demora en la instrucción de un proceso disciplinario no constituye un vicio que afecte su validez, por cuanto no incide en aspectos esenciales del mismo. Acción: aplica dictámenes 511/2011, 15680/2012, 27262/2006, 4906/2009, 3775/2010, 79826/2011, 37199/2009)[286]

Artículo 130

Los funcionarios citados a declarar por primera vez ante el fiscal, en calidad de inculpados, serán apercibidos para que dentro del segundo día formulen los causales de implicancia o recusación en contra del fiscal o del actuario.

1. «*Se ha dirigido a esta Contraloría General don Juan Cabrera Campos, dependiente de la Municipalidad de San Bernardo, quien haciendo uso del derecho establecido en el artículo 156 de la ley Nº 18.883, reclama en contra de la medida disciplinaria de censura que se le aplicara a través del decreto alcaldicio Nº 188, de 2016, de la referida entidad edilicia, al término del proceso disciplinario ordenado instruir mediante su similar Nº 3.860, de 2015, para efectos de establecer las eventuales responsabilidades administrativas de funcionarios municipales involucrados en las irregularidades producidas en un proceso de licitación pública, conforme las conclusiones contenidas en el informe de investigación especial Nº 251, de esa última anualidad, de este Órgano de Control».* (ID Dictamen: 078694N16. Fecha: 26-10-2016. Destinatarios: don Juan Cabrera Campos, dependiente de la Municipalidad de San Bernardo. Texto: Se desestima reclamo de ilegalidad en contra de sumario en que se aplicó la medida disciplinaria de censura al señor Juan Cabrera Campos. Acción: Aplica dictamen 2030/2011 aplica dictamen 31798 /2013 aplica dictamen 11434/2014).

---

[286] Para efectos de su consulta en la Base de Jurisprudencia de Contraloría General de la República, el citado dictamen se encuentra en la sección/materia: «generales», sin perjuicio de que se trata de uno de carácter municipal.

2. «*Desestima reclamo de ilegalidad en contra del sumario administrativo a cuyo término se aplicó la medida disciplinaria de multa del 5% a la remuneración de la funcionaria que se indica*». (**ID Dictamen:** 091263N16. **Fecha:** 20-12-2016. **Destinatarios:** doña Grace Reyes Barrera, funcionaria de la Municipalidad de San Miguel. **Texto:** Desestima reclamo de ilegalidad en contra del sumario administrativo a cuyo término se aplicó la medida disciplinaria de multa del 5% a la remuneración de la funcionaria que se indica. **Acción:** Aplica dictámenes 35676/2016, 21093/2015, 24221/2014).

3. ID Dictamen: 071484N11 Fecha: 15.11.2011 Destinatarios Municipalidad de Pelluhue Texto Desestima solicitud de reconsideración de oficio de Contraloría Regional del Maule que se pronunció sobre sumario administrativo instruido a funcionarios de la Municipalidad de Pelluhue que aplica medida expulsiva y del reclamo de ilegalidad sobre el mismo, por no haberse presentado dentro de plazo. Acción Aplica dictámenes 77577/2010, 30733/2000, 49580/2008, 74066/2010, 17865/95, 6926/2001, 25203/2009, 76494/2010, 10075/2011, 42741/2011, 39563/2011, 4824/2009, 4182/2011

4. «*En relación con la falta de imparcialidad que el recurrente atribuye al fiscal, cabe manifestar que la oportunidad para recusar al fiscal fue utilizada por el reclamante, y **resuelta con arreglo a la normas que rigen esta materia, contenidas en los artículos 130 y 132, de la ley Nº 18.883**, como rola a fojas 115 del expediente, no advirtiéndose irregularidad al respecto*». (**ID Dictamen:** 056880N11 **Fecha:** 07.09.2011 **Destinatarios:** Miguel Ramos Lobos. **Texto:** Procedió medida disciplinaria de destitución en contra de Director de Obras que invalidó permiso de edificación otorgado conforme a derecho, habiéndose acreditado en el procedimiento disciplinario el cargo formulado, vinculado a infracciones al principio de probidad administrativa. **Acción:** Aplica dictámenes 31011/2009, 3562/91, 39833/2001, 2641/2005, 49531/2008, 53290/2004, 53875/2009, 47295/2006)

5. «*En relación al cuestionamiento respecto de la falta de imparcialidad del fiscal a cargo de la instrucción del proceso, cabe señalar que, de conformidad a lo dispuesto en los **artículos 130 y siguientes de la ley Nº 18.883**, Estatuto Administrativo para Funcionarios Municipales, las causales de implicancia o recusación en contra de tal servidor deben ser formuladas en el contexto del respectivo sumario, **correspondiendo a la autoridad aludida en el artículo 132 del referido texto estatutario resolver tal requerimiento**, prerrogativa que —según se observa a fojas 129—, la recurrente no ejerció*». (**ID Dictamen:** 077336N12 **Fecha:** 12.12.2012 **Destinatarios:** Claudia Díaz Yáñez. **Texto:** Reconsidera oficios 10260 y 14583, ambos de 2011, de la Contraloría Regional del Biobío y desestima reclamo de ilegalidad en contra de decreto 538/2011 de la Municipalidad de Negrete que rechazó recurso de nulidad en sumario administrativo que indica. **Acción:** aplica dictámenes 29937/2012, 44837/2011, 50081/2011, 74868/2011, 31201/99, 232/2002)

6. «*Respecto de la petición para que el informe municipal que se expida con ocasión de la actual presentación, sea elaborado por persona distinta del fiscal y actuario involucrados, por carecer estos de la imparcialidad necesaria para atenderla, cabe precisar que **corresponde a la autoridad edilicia determinar libremente a los funcionarios encargados de evacuar los informes que se le requieran, sin que corresponda a esta Entidad de Control, intervenir en esta materia.**
(...)
Ahora bien, en cuanto al planteamiento formulado por el recurrente destinado a cuestionar la independencia del fiscal y actuario por este designado, por las causales que indica, cabe señalar que, de conformidad a lo dispuesto en los **artículos 130 y siguientes de la citada ley Nº 18.883, las causales de implicancia o recusación en contra del fiscal o del actuario deben ser formuladas en el contexto del respectivo sumario, correspondiendo a las autoridades aludidas en el artículo 132 del referido texto estatutario resolver tal requerimiento**». (**ID Dictamen:** 068494N12 **Fecha:** 31.10.2012 **Destinatarios:** Alcaldesa de la Municipalidad de San Bernardo. **Texto:** Desestima reclamo de ilegalidad de actuaciones de un sumario en tramitación. **Acción:** Aplica dictámenes 14529/2010, 39/2011, 76892/2011, 49744/2012, 61869/2011, 15680/2012, 22227/2010, 26416/2012, 31011/2009, 79826/2011, 15700/2012)

7. «*Por otra parte, respecto a la petición de reconsideración del señor Valdebenito Contreras del oficio Nº 12.287, de 2011, de la Oficina Regional del Maule, por la que requiere se estudien las irregularidades que se habrían cometido en la substanciación del sumario administrativo que lo afectó, es del caso aclarar, que dichos **procedimientos son reglados, y a su respecto no caben otros trámites que aquellos previstos en los artículos 127 a 143 de la ley Nº 18.883**, normativa aplicable a los docentes por expresa disposición del artículo 72, letra b), de la ley Nº 19.070 (aplica dictámenes Nºs. 15.680 y 43.658, ambos de 2012, de este origen)*». (**ID Dictamen:** 067489N12 **Fecha:** 29.10.2012 **Destinatarios:** Alcalde de la Municipalidad de Talca. **Texto:** Sobre reapertura de proceso disciplinario contra docentes e improcedencia de aplicarles el art. 88 A lt/a de la ley 18883. **Acción:** Aplica dictámenes 15680/2012, 43658/2012, 36909/2010, 4182/2011)

8. *«Como cuestión previa, es del caso recordar que, de acuerdo con lo dispuesto en la **letra b) del artículo 72 de la ley Nº 19.070 —Estatuto de los Profesionales de la Educación—**, los sumarios incoados en contra de docentes regidos por ese estatuto, para acreditar alguna de las causales enunciadas en dicho precepto —como ocurre en la situación que se analiza—, se regulan en su tramitación por las disposiciones de los artículos 127 al 143 de la ley Nº 18.883, Estatuto Administrativo para Funcionarios Municipales.*
*Enseguida, y acorde con el planteamiento contenido en los **dictámenes Nºs. 511, de 2011, y 15.680, de 2012**, de este origen, los sumarios administrativos son procedimientos reglados en los que no caben otros trámites o instancias que aquellas previstas en la reglamentación que los regula, en este caso, la contemplada en la ley Nº 18.883, cuerpo normativo que no otorga facultades a esta Contraloría General para pronunciarse ni intervenir respecto de procesos disciplinarios que no se encuentran afinados.*
En razón de lo anterior, no resulta posible acceder a lo solicitado por el recurrente respecto de los vicios de procedimiento a que alude, sin perjuicio de manifestar que si al término del sumario de la especie, aquel resulta afectado por la aplicación de una medida sancionatoria, como consecuencia de actuaciones investigadas en el proceso, y considera que este adolece de vicios de legalidad, puede interponer el correspondiente reclamo ante esta Entidad de Control». **(ID Dictamen: 026004N12 Fecha:** 07.05.2012 **Destinatarios:** Alcalde de la Municipalidad de La Cisterna. **Texto:** La demora en la instrucción de un proceso disciplinario no constituye un vicio que afecte su validez, por cuanto no incide en aspectos esenciales del mismo. **Acción:** aplica dictámenes 511/2011, 15680/2012, 27262/2006, 4906/2009, 3775/2010, 79826/2011, 37199/2009)[287]

Artículo 131

Se considerarán causales de recusación, para los efectos señalados en el artículo anterior, sólo las siguientes:
a) Tener el fiscal o el actuario interés directo o indirecto en los hechos que se investigan;
b) Tener amistad íntima o enemistad manifiesta con cualquiera de los inculpados, y
c) Tener parentesco de consanguinidad hasta el tercer grado y de afinidad hasta el segundo inclusive, o de adopción con alguno de los inculpados.

1. *«Notificaciones por carta certificada de las resoluciones dictadas en procedimientos disciplinarios regidos por las leyes Nºs. 18.834 y 18.883, deben efectuarse conforme a lo establecido en las disposiciones que dichos cuerpos estatutarios contemplan al efecto».* **(ID Dictamen: 026215N18. Fecha:** 19-10-2018. **Destinatarios:** Gendarmería de Chile. **Texto:** Notificaciones por carta certificada de las resoluciones dictadas en procedimientos disciplinarios regidos por las leyes Nºs. 18.834 y 18.883, deben efectuarse conforme a lo establecido en las disposiciones que dichos cuerpos estatutarios contemplan al efecto. **Acción:** Aplica dictamen 84659/2014, Reconsidera parcialmente dictámenes 60165/2015, 50988/2016, 4088/2017, 41713/2017).

2. *«A su turno, acerca de lo aseverado por la señora Catalán Ulloa, respecto de la falta de idoneidad e imparcialidad de la funcionaria encargada de llevar a cabo la investigación en estudio, debido a su reciente ingreso al municipio, forzoso resulta señalar que dicho planteamiento debe ser desestimado por esta Entidad de Control, puesto que según lo previsto en el **artículo 131, de la ley Nº 18.883**, tal circunstancia no constituye una causal de implicancia ni de recusación en contra del fiscal instructor».* **(ID Dictamen: 062858N11 Fecha:** 05.10.2011 **Destinatarios:** Alcalde de la Municipalidad de Pirque. **Texto:** Sobre reclamo de ilegalidad en contra del decreto 637/2011, de la Municipalidad de Pirque por el que se aplicaron las medidas disciplinarias de censura y multa de un 10% de la remuneración mensual a las funcionarias que indica. **Acción:** Aplica dictámenes 28791/2009, 44837/2011, 50081/2011, 67819/2010, 39763/2011)

---

[287] Para efectos de su consulta en la Base de Jurisprudencia de Contraloría General de la República, el citado dictamen se encuentra en la sección/materia: «generales», sin perjuicio de que se trata de uno de carácter municipal.

3. «*Por otra parte, respecto a la petición de reconsideración del señor Valdebenito Contreras del oficio N° 12.287, de 2011, de la Oficina Regional del Maule, por la que requiere se estudien las irregularidades que se habrían cometido en la substanciación del sumario administrativo que lo afectó, es del caso aclarar, que dichos procedimientos son reglados, y a su respecto no caben otros trámites que aquellos previstos en los artículos 127 a 143 de la ley N° 18.883, normativa aplicable a los docentes por expresa disposición del artículo 72, letra b), de la ley N° 19.070 (aplica dictámenes N°s. 15.680 y 43.658, ambos de 2012, de este origen)*». (**ID Dictamen: 067489N12 Fecha:** 29.10.2012 **Destinatarios:** Alcalde de la Municipalidad de Talca. **Texto:** Sobre reapertura de proceso disciplinario contra docentes e improcedencia de aplicarles el art. 88 A lt/a de la ley 18883. **Acción:** Aplica dictámenes 15680/2012, 43658/2012, 36909/2010, 4182/2011)

4. «*Como cuestión previa, es del caso recordar que, de acuerdo con lo dispuesto en la letra b) del artículo 72 de la ley N° 19.070 —Estatuto de los Profesionales de la Educación—, los sumarios incoados en contra de docentes regidos por ese estatuto, para acreditar alguna de las causales enunciadas en dicho precepto —como ocurre en la situación que se analiza—, se regulan en su tramitación por las disposiciones de los artículos 127 al 143 de la ley N° 18.883, Estatuto Administrativo para Funcionarios Municipales.*

Enseguida, y acorde con el planteamiento contenido en los dictámenes N°s. 511, de 2011, y 15.680, de 2012, de este origen, los sumarios administrativos son procedimientos reglados en los que no caben otros trámites o instancias que aquellas previstas en la reglamentación que los regula, en este caso, la contemplada en la ley N° 18.883, cuerpo normativo que no otorga facultades a esta Contraloría General para pronunciarse ni intervenir respecto de procesos disciplinarios que no se encuentran afinados.

En razón de lo anterior, no resulta posible acceder a lo solicitado por el recurrente respecto de los vicios de procedimiento a que alude, sin perjuicio de manifestar que si al término del sumario de la especie, aquel resulta afectado por la aplicación de una medida sancionatoria, como consecuencia de actuaciones investigadas en el proceso, y considera que este adolece de vicios de legalidad, puede interponer el correspondiente reclamo ante esta Entidad de Control». (**ID Dictamen: 026004N12 Fecha:** 07.05.2012 **Destinatarios:** Alcalde de la Municipalidad de La Cisterna. **Texto:** La demora en la instrucción de un proceso disciplinario no constituye un vicio que afecte su validez, por cuanto no incide en aspectos esenciales del mismo. **Acción:** aplica dictámenes 511/2011, 15680/2012, 27262/2006, 4906/2009, 3775/2010, 79826/2011, 37199/2009)[288]

Artículo 132

Formulada la recusación, el fiscal o el actuario, según corresponda, dejarán de intervenir, salvo en lo relativo a actividades que no puedan paralizarse sin comprometer el éxito de la investigación.

La solicitud de recusación será resuelta en el plazo de dos días por el fiscal respecto del actuario y por el alcalde respecto del fiscal. En caso de ser acogida se designará un nuevo fiscal o actuario.

El fiscal o el actuario podrán declararse implicados por algunos de las causales mencionadas en el artículo 131 o por algún otro hecho que a su juicio les reste imparcialidad. En este caso resolverá la autoridad que ordenó el sumario en el mismo plazo indicado anteriormente, en lo relativo al fiscal y éste respecto del actuario.

Cada vez que se nombre un nuevo fiscal o actuario se notificará al sumariado para los efectos señalados en el artículo 130.

1. «*Se ha dirigido a esta Contraloría General don Juan Cabrera Campos, dependiente de la Municipalidad de San Bernardo, quien haciendo uso del derecho establecido en el artículo 156 de la ley N° 18.883, reclama en contra de la medida*

---

[288] Para efectos de su consulta en la Base de Jurisprudencia de Contraloría General de la República, el citado dictamen se encuentra en la sección/materia: «generales», sin perjuicio de que se trata de uno de carácter municipal.

disciplinaria de censura que se le aplicara a través del decreto alcaldicio Nº 188, de 2016, de la referida entidad edilicia, al término del proceso disciplinario ordenado instruir mediante su similar Nº 3.860, de 2015, para efectos de establecer las eventuales responsabilidades administrativas de funcionarios municipales involucrados en las irregularidades producidas en un proceso de licitación pública, conforme las conclusiones contenidas en el informe de investigación especial Nº 251, de esa última anualidad, de este Órgano de Control». (**ID Dictamen:** 078694N16. **Fecha:** 26-10-2016. **Destinatarios:** don Juan Cabrera Campos, dependiente de la Municipalidad de San Bernardo. **Texto:** Se desestima reclamo de ilegalidad en contra de sumario en que se aplicó la medida disciplinaria de censura al señor Juan Cabrera Campos. **Acción:** Aplica dictamen 2030/2011 aplica dictamen 31798 /2013 aplica dictamen 11434/2014).

2. *«Desestima reclamo de ilegalidad en contra del sumario administrativo a cuyo término se aplicó la medida disciplinaria de multa del 5% a la remuneración de la funcionaria que se indica».* (**ID Dictamen:** 091263N16. **Fecha:** 20-12-2016. **Destinatarios:** doña Grace Reyes Barrera, funcionaria de la Municipalidad de San Miguel. **Texto:** Desestima reclamo de ilegalidad en contra del sumario administrativo a cuyo término se aplicó la medida disciplinaria de multa del 5% a la remuneración de la funcionaria que se indica. **Acción:** Aplica dictámenes 35676/2016, 21093/2015, 24221/2014).

3. *«En relación con la falta de imparcialidad que el recurrente atribuye al fiscal, cabe manifestar que la oportunidad para recusar al fiscal fue utilizada por el reclamante, y **resuelta con arreglo a la normas que rigen esta materia, contenidas en los artículos 130 y 132, de la ley Nº 18.883**, (...) no advirtiéndose irregularidad al respecto».* (**ID Dictamen:** 056880N11 **Fecha:** 07.09.2011 **Destinatarios:** Miguel Ramos Lobos. **Texto:** Procedió medida disciplinaria de destitución en contra de Director de Obras que invalidó permiso de edificación otorgado conforme a derecho, habiéndose acreditado en el procedimiento disciplinario el cargo formulado, vinculado a infracciones al principio de probidad administrativa. **Acción:** Aplica dictámenes 31011/2009, 3562/91, 39833/2001, 2641/2005, 49531/2008, 53290/2004, 53875/2009, 47295/2006)

4. *«En relación al cuestionamiento respecto de la falta de imparcialidad del fiscal a cargo de la instrucción del proceso, cabe señalar que, **de conformidad a lo dispuesto en los artículos 130 y siguientes de la ley Nº 18.883**, Estatuto Administrativo para Funcionarios Municipales, las causales de implicancia o recusación en contra de tal servidor deben ser formuladas en el contexto del respectivo sumario, correspondiendo a la autoridad aludida en el artículo 132 del referido texto estatutario resolver tal requerimiento, prerrogativa que (...), la recurrente no ejerció».* (**ID Dictamen:** 077336N12 **Fecha:** 12.12.2012 **Destinatarios:** Claudia Díaz Yáñez. **Texto:** Reconsidera oficios 10260 y 14583, ambos de 2011, de la Contraloría Regional del Biobío y desestima reclamo de ilegalidad en contra de decreto 538/2011 de la Municipalidad de Negrete que rechazó recurso de nulidad en sumario administrativo que indica. **Acción:** aplica dictámenes 29937/2012, 44837/2011, 50081/2011, 74868/2011, 31201/99, 232/2002)[289]

5. *«Respecto de la petición para que el informe municipal que se expida con ocasión de la actual presentación, sea elaborado por persona distinta del fiscal y actuario involucrados, por carecer estos de la imparcialidad necesaria para atenderla, cabe precisar que **corresponde a la autoridad edilicia determinar libremente a los funcionarios encargados de evacuar los informes que se le requieran, sin que corresponda a esta Entidad de Control, intervenir en esta materia.**
(...)
Efectuadas estas precisiones, y en torno a la petición en orden a que se tramite el sumario por esta Entidad de Control, realizando las diligencias probatorias que indica, todo ello, con la finalidad de que su representada sea juzgada imparcialmente y con las garantías de un racional y justo procedimiento, cumple con informar que, de conformidad con lo dispuesto en los artículos 124, 125, y 126, todos de la citada ley Nº 18.883, corresponde al alcalde, como máxima autoridad comunal y titular de la potestad disciplinaria, ponderar las situaciones que ameriten la instrucción de un proceso disciplinario, a fin de determinar los hechos susceptibles de ser sancionados con una medida disciplinaria y establecer las responsabilidades funcionarias consiguientes como, también, **designar al funcionario que actuará como instructor o fiscal (aplica criterio contenido en los dictámenes Nºs. 76.892, de 2011, y 49.744, de 2012, de este origen)**.
Asimismo, es dable advertir, que la **jurisprudencia administrativa de este Órgano Contralor ha sostenido en los dictámenes Nºs. 61.869, de 2011, y 15.680, de 2012, ente otros, que los sumarios administrativos son procedimientos reglados**, y a su respecto no caben otros trámites o instancias que aquellas previstas en la anotada ley Nº 18.883,*

---

289   Para efectos de su consulta en la Base de Jurisprudencia de Contraloría General de la República, el citado dictamen se encuentra en la sección/materia: «generales», sin perjuicio de que se trata de uno de carácter municipal.

normativa que, además, no otorga facultades a esta Entidad Fiscalizadora para emitir una opinión anticipada sobre procesos disciplinarios en curso. (...)
*Ahora bien, en cuanto al planteamiento formulado por el recurrente destinado a cuestionar la independencia del fiscal y actuario por este designado, por las causales que indica, cabe señalar que, de conformidad a lo dispuesto en los **artículos 130 y siguientes de la citada ley N° 18.883, las causales de implicancia o recusación en contra del fiscal o del actuario deben ser formuladas en el contexto del respectivo sumario, correspondiendo a las autoridades aludidas en al artículo 132 del referido texto estatutario resolver tal requerimiento».* (**ID Dictamen:** 068494N12 **Fecha:** 31.10.2012 **Destinatarios:** Alcaldesa de la Municipalidad de San Bernardo. **Texto:** Desestima reclamo de ilegalidad de actuaciones de un sumario en tramitación. **Acción:** Aplica dictámenes 14529/2010, 39/2011, 76892/2011, 49744/2012, 61869/2011, 15680/2012, 22227/2010, 26416/2012, 31011/2009, 79826/2011, 15700/2012)

6. *«Por otra parte, respecto a la petición de reconsideración del señor Valdebenito Contreras del oficio N° 12.287, de 2011, de la Oficina Regional del Maule, por la que requiere se estudien las irregularidades que se habrían cometido en la substanciación del sumario administrativo que lo afectó, es del caso aclarar, que dichos **procedimientos son reglados, y a su respecto no caben otros trámites que aquellos previstos en los artículos 127 a 143 de la ley N° 18.883**, normativa aplicable a los docentes por expresa disposición del artículo 72, letra b), de la ley N° 19.070 (aplica dictámenes N°s. 15.680 y 43.658, ambos de 2012, de este origen)».* (**ID Dictamen:** 067489N12 **Fecha:** 29.10.2012 **Destinatarios:** Alcalde de la Municipalidad de Talca. **Texto:** Sobre reapertura de proceso disciplinario contra docentes e improcedencia de aplicarles el art. 88 A lt/a de la ley 18883. **Acción:** Aplica dictámenes 15680/2012, 43658/2012, 36909/2010, 4182/2011)

7. *«Como cuestión previa, es del caso recordar que, de acuerdo con lo dispuesto en la **letra b) del artículo 72 de la ley N° 19.070** —Estatuto de los Profesionales de la Educación—, los sumarios incoados en contra de docentes regidos por ese estatuto, para acreditar alguna de las causales enunciadas en dicho precepto —como ocurre en la situación que se analiza—, se regulan en su tramitación por las disposiciones de los artículos 127 al 143 de la ley N° 18.883, Estatuto Administrativo para Funcionarios Municipales.*
*Enseguida, y acorde con el planteamiento contenido en los **dictámenes N°s. 511, de 2011, y 15.680, de 2012**, de este origen, los sumarios administrativos son procedimientos reglados en los que no caben otros trámites o instancias que aquellas previstas en la reglamentación que los regula, en este caso, la contemplada en la ley N° 18.883, cuerpo normativo que no otorga facultades a esta Contraloría General para pronunciarse ni intervenir respecto de procesos disciplinarios que no se encuentran afinados.*
En razón de lo anterior, no resulta posible acceder a lo solicitado por el recurrente respecto de los vicios de procedimiento a que alude, sin perjuicio de manifestar que si al término del sumario de la especie, aquel resulta afectado por la aplicación de una medida sancionatoria, como consecuencia de actuaciones investigadas en el proceso, y considera que este adolece de vicios de legalidad, puede interponer el correspondiente reclamo ante esta Entidad de Control». (**ID Dictamen:** 026004N12 **Fecha:** 07.05.2012 **Destinatarios:** Alcalde de la Municipalidad de La Cisterna. **Texto:** La demora en la instrucción de un proceso disciplinario no constituye un vicio que afecte su validez, por cuanto no incide en aspectos esenciales del mismo. **Acción:** aplica dictámenes 511/2011, 15680/2012, 27262/2006, 4906/2009, 3775/2010, 79826/2011, 37199/2009)[290]

Artículo 133

El fiscal tendrá amplias facultades para realizar la investigación y los funcionarios estarán obligados a prestar la colaboración que se les solicite.

La investigación de los hechos deberá realizarse en el plazo de veinte días al término de los cuales se declarará cerrada la investigación y se formularán cargos al o los afectados o se solicitará el sobreseimiento, para lo cual habrá un plazo de tres días.

---

[290] Para efectos de su consulta en la Base de Jurisprudencia de Contraloría General de la República, el citado dictamen se encuentra en la sección/materia: «generales», sin perjuicio de que se trata de uno de carácter municipal.

En casos calificados, al existir diligencias pendientes decretadas oportunamente y no cumplidas por fuerza mayor, se podrá prorrogar el plazo de instrucción del sumario hasta completar sesenta días, resolviendo sobre ello el alcalde.

1. «*Se ha dirigido a esta Contraloría General la Asociación Gremial de Funcionarios de Salud Municipal de la Comuna de Recoleta, efectuando una serie de consultas relativas al sumario incoado, mediante el decreto alcaldicio Nº 1.672, de 2014, de dicha entidad edilicia, principalmente en relación con el tiempo de desarrollo del referido proceso disciplinario*». (**ID Dictamen: 032375N16. Fecha: 03-05-2016. Destinatarios: Asociación Gremial de Funcionarios de Salud Municipal de la Comuna de Recoleta. Texto:** La demora en la instrucción de un proceso disciplinario no constituye un vicio que afecte su validez. **Acción:** Aplica dictámenes 37199/2009, 47219/2015).

2. «*La Contraloría Regional del Bío-Bío ha remitido la presentación de la Municipalidad de Tirúa, mediante la cual solicita la reconsideración del oficio Nº 22.247, de 2016, de ese origen, que resolvió, en lo que interesa, que no procedió que la directora del Departamento de Administración de Educación Municipal, dispusiera la destinación transitoria del docente que indica, como consecuencia del proceso disciplinario instruido en su contra*». (**ID Dictamen: 015354N18. Fecha:** 20-06-2018. **Destinatarios:** Municipalidad de Tirúa. **Texto:** Complementa oficio Nº 22.247, de 2016, de la Contraloría Regional del Bío-Bío, sobre cambio de funciones de docente que indica. **Acción.**

3. «*Ratifica informe de investigación especial Nº 1.186, de 2016, de la Contraloría Regional de Valparaíso, sobre eventuales irregularidades en Municipalidad de Villa Alemana, salvo en lo que respecta a observación que indica*». (**ID Dictamen: 091846N16. Fecha:** 21-12-2016. **Destinatarios:** Municipalidad de Villa Alemana. **Texto:** Ratifica informe de investigación especial Nº 1.186, de 2016, de la Contraloría Regional de Valparaíso, sobre eventuales irregularidades en Municipalidad de Villa Alemana, salvo en lo que respecta a observación que indica. **Acción:** Aplica dictámenes 84878/2013, 82316/2014, 32581/2010, 7027/2014, 97968/2014).

4. «*Enseguida, en relación con la atenuante de haber colaborado sustancialmente al esclarecimiento de los hechos, es preciso tener presente que de conformidad con el artículo 133 de la citada ley Nº 18.883, los funcionarios municipales tienen la obligación de prestar colaboración en los procesos disciplinarios en que se vean involucrados, precepto que tiene por finalidad, permitir que el instructor recabe todos los antecedentes que sean necesarios para el adecuado desarrollo y término de su cometido, por lo que no resulta pertinente aludir a esta hipótesis (aplica dictamen Nº 59.786, de 2011)*». (**ID Dictamen: 048463N16. Fecha:** 01-07-2016. **Destinatarios:** Municipalidad de Castro. **Texto:** Representa decreto Nº 143, de 2016, de la Municipalidad de Castro. **Acción:** Aplica dictámenes 40018/2010, 86461/2015, 49465/2006, 47412/2007, 2373/2010, 59786/2011).

5. «*Además, debe tenerse en consideración que, conforme lo establecido en el **artículo 133 de la ley Nº 18.883, Estatuto Administrativo para Funcionarios Municipales**, tales servidores se encuentran en el imperativo de prestar la colaboración que el fiscal les solicite en el marco de un procedimiento disciplinario, toda vez que la **finalidad de ese precepto, no es otra que la de permitir que el instructor recabe todos los antecedentes que sean necesarios para el adecuado desarrollo y término de su cometido**.*
Por consiguiente, esta Contraloría General, por una parte, desestima el reclamo formulado y, por otra, reitera a esa autoridad comunal, así como por su intermedio a los demás funcionarios de ese municipio, que les asiste la obligación legal de colaborar con las labores de instrucción que se lleven a efecto en la Municipalidad de Timaukel, haciéndose presente, además, que, según lo dispone el artículo 8º de la ley Nº 10.336, el Contralor, por sí o por intermedio de sus inspectores o delegados, puede requerir el auxilio de la fuerza pública para tales efectos». (**ID Dictamen: 059786N11 Fecha:** 21.09.2011 **Destinatarios** Alcalde de la Municipalidad de Timaukel **Texto** Alcalde y demás funcionarios de municipio, tienen la obligación legal de colaborar con las labores de instrucción de sumario que se lleven a efecto en la entidad edilicia. Conforme art. 8 de la ley 10336, el Contralor, por sí o por intermedio de sus inspectores o delegados, puede requerir el auxilio de la fuerza pública para tales efectos. **Acción** Aplica dictamen 39530/2011)

6. «*A su vez, el artículo 141 del mencionado texto legal, establece que vencidos los plazos de instrucción de un sumario y no estando este afinado, el alcalde que lo ordenó deberá revisarlo, adoptar las medidas tendientes a agilizarlo y determinar la responsabilidad del fiscal.*
*Al respecto, cabe indicar que según lo señalado por **la jurisprudencia administrativa de esta Entidad de Fiscalización, contenida, entre otros, en el dictamen Nº 37.199, de 2009, la demora en la instrucción de un sumario administrativo no constituye un vicio que afecte su validez, por cuanto no incide en aspectos esenciales del mismo** —según lo dispues-*

to en el artículo 142 del antes aludido cuerpo estatutario—, lo que no obsta a perseguir la responsabilidad disciplinaria de quien o quienes originaron tal dilación». (**ID Dictamen: 068499N12 Fecha:** 31.10.2012 **Destinatarios:** Alcalde de la Municipalidad de Alhué. **Texto:** Desestima reclamo sobre irregularidades en sumario administrativo en trámite y se pronuncia sobre demora en su substanciación. **Acción:** Aplica dictámenes 26004/2012, 37199/2009, 15700/2012)

7. *«Por otra parte, respecto a la petición de reconsideración del señor Valdebenito Contreras del oficio Nº 12.287, de 2011, de la Oficina Regional del Maule, por la que requiere se estudien las irregularidades que se habrían cometido en la substanciación del sumario administrativo que lo afectó, es del caso aclarar, que dichos* **procedimientos son reglados, y a su respecto no caben otros trámites que aquellos previstos en los artículos 127 a 143 de la ley Nº 18.883,** *normativa* **aplicable a los docentes por expresa disposición del artículo 72, letra b), de la ley Nº 19.070 (aplica dictámenes Nºs. 15.680 y 43.658, ambos de 2012, de este origen)».** (**ID Dictamen: 067489N12 Fecha:** 29.10.2012 **Destinatarios:** Alcalde de la Municipalidad de Talca. **Texto:** Sobre reapertura de proceso disciplinario contra docentes e improcedencia de aplicarles el art. 88 A lt/a de la ley 18883. **Acción:** Aplica dictámenes 15680/2012, 43658/2012, 36909/2010, 4182/2011)

8. *«En este sentido, y conforme lo estipula el* **artículo 133, inciso primero, de la ley Nº 18.883, la competencia del fiscal en un proceso administrativo es amplia, sin que esté limitada por los términos del acto que lo ordenó, por lo que aquel puede pronunciarse sobre todas las irregularidades de que tome conocimiento en el curso de la indagatoria,** *de manera que en el caso en comento deberá también realizar las diligencias tendientes a determinar la responsabilidad de quienes participaron en la aplicación de la reseñada ordenanza Nº 5, de 2005, la que deberá, en todo caso,* **ajustarse al ordenamiento jurídico vigente y a la jurisprudencia administrativa de esta Entidad de Control sobre la materia,** *(...) (aplica dictámenes Nºs. 22.078, de 2007; 39.954, de 2008; y 15.801, de 2009)».* (**ID Dictamen: 066591N12 Fecha:** 25.10.2012 **Destinatarios:** Alcalde de la Municipalidad de San Joaquín. **Texto:** Acoge reclamo de ilegalidad en contra del decreto 21/2012, de la Municipalidad de San Joaquín, que aplicó la medida de destitución a los funcionarios que indica. **Acción:** Aplica dictámenes 44837/2011, 5122/2012, 62923/2011, 77321/2010, 69752/2010, 14076/2011, 22078/2007, 39954/2008, 15801/2009)

9. *«En cuanto a la demora en la tramitación del mencionado sumario, cumple con indicar, que de conformidad con lo establecido en los* **artículos 133, 136 a 138, y 141 de la ley Nº 18.883, sobre Estatuto Administrativo para Funcionarios Municipales,** *las distintas etapas que componen el procedimiento disciplinario se encuentran sometidas al cumplimiento de plazos, de forma tal que vencidos tales términos y no encontrándose afinado, la citada preceptiva señala que el alcalde que ordenó la instrucción del respectivo sumario, debe revisarlo, adoptar las medidas tendientes a agilizarlo y determinar la responsabilidad del fiscal».* (**ID Dictamen: 034113N12 Fecha:** 11.06.2012 **Destinatarios:** Alcalde de la Municipalidad de Maipú. **Texto:** Sobre demora en tramitación de sumario administrativo y destinación de directivo al cargo de director de Servicio Municipal de Agua Potable y Alcantarillado de la Municipalidad de Maipú. **Acción:** Aplica dictámenes 51136/2008, 70997/2010)

10. *«Enseguida, en lo que atañe al sumario administrativo ordenado instruir por decreto Nº 1.120, de 2010, que esa municipalidad sustancia en contra de la funcionaria en comento, y si bien es efectivo que mientras se encuentre vigente la suspensión preventiva decretada respecto de aquella —resolución Nº 07, de 2010— con motivo del aludido procedimiento disciplinario, no es posible reincorporarla a sus funciones, corresponde que, atendido el tiempo transcurrido, se dé término, a la brevedad, a dicha investigación, puesto que su tramitación ha excedido latamente el plazo que para tal efecto establece el* **artículo 133 de la ley Nº 18.883, Estatuto Administrativo para Funcionarios Municipales,** *lo que incide en la responsabilidad administrativa del fiscal y de la unidad de asesoría jurídica del municipio, a la que corresponde velar por el estricto cumplimiento tanto de las normas que regulan la tramitación de los mencionados procedimientos como de las instrucciones que sobre la materia imparte esta Contraloría General.*
Por otra parte, en cuanto a la solicitud de la señora Gutiérrez Espinoza para que esta Entidad de Control inhabilite al fiscal sumariante del referido proceso disciplinario, cumple con hacer presente que los **sumarios administrativos instruidos por las municipalidades, son procedimientos reglados, cuya tramitación se encuentra contenida en la ley Nº 18.883, sin que resulten admisibles en dichos procedimientos otros trámites o instancias que los previstos en la normativa contenida en ese cuerpo legal,** *(...) por lo que aquella deberá plantear dicha causal de inhabilidad en la instancia que corresponda (aplica criterio dictamen Nº 44.837, de 2011)».* (**ID Dictamen: 033320N12 Fecha:** 06.06.2012 **Destinatarios:** Alcalde de la Municipalidad de Curacaví. **Texto:** Sobre solicitud de reconsideración de dictamen relativo a improcedencia de declaración de vacancia de cargo docente por inhabilidad sobreviniente y de cumplimiento del mismo. **Acción:** Confirma y complementa dictamen 71203/2011 Aplica dictámenes 36773/2006, 48034/2010, 44837/2011, 5104/2012)

11. *«Por otra parte, respecto a la petición de reconsideración del señor Valdebenito Contreras del oficio Nº 12.287, de 2011, de la Oficina Regional del Maule, por la que requiere se estudien las irregularidades que se habrían cometido en la substanciación del sumario administrativo que lo afectó, es del caso aclarar, que dichos procedimientos son reglados, y a su respecto no caben otros trámites que aquellos previstos en los artículos 127 a 143 de la ley Nº 18.883, normativa aplicable a los docentes por expresa disposición del artículo 72, letra b), de la ley Nº 19.070 (aplica dictámenes Nºs. 15.680 y 43.658, ambos de 2012, de este origen)».* (**ID Dictamen: 067489N12 Fecha:** 29.10.2012 **Destinatarios:** Alcalde de la Municipalidad de Talca. **Texto:** Sobre reapertura de proceso disciplinario contra docentes e improcedencia de aplicarles el art. 88 A lt/a de la ley 18883. **Acción:** Aplica dictámenes 15680/2012, 43658/2012, 36909/2010, 4182/2011)

12. *«Asimismo, es menester hacer presente la excesiva demora en la tramitación del sumario que se examina, toda vez que el decreto que ordenó instruir la investigación, es de fecha 8 de enero de 2007, en tanto que los decretos Nºs. 659 y 5.729, que afinaron el sumario respecto de los inculpados señora María Loreto Valenzuela Solís y Ángel Garrido Domínguez, datan del 24 de febrero y 12 de septiembre de 2011, respectivamente, excediendo latamente el plazo establecido en el artículo 133 de la citada ley Nº 18.883, para la tramitación del referido procedimiento, lo que incide en la responsabilidad administrativa del fiscal designado al efecto y de la unidad de asesoría jurídica del municipio, a quien corresponde velar por el estricto cumplimiento tanto de las normas que regulan la tramitación de los procesos disciplinarios como de las instrucciones que sobre la materia imparte esta Contraloría General.*
A su vez, corresponde manifestar que esa municipalidad, en lo sucesivo, deberá emitir un solo acto administrativo al término del correspondiente proceso disciplinario, mediante el cual se afine éste respecto de todos los afectados (aplica criterio contenido en el dictamen Nº 42.476, de 2011)». (**ID Dictamen: 004170N12 Fecha:** 23.01.2012 **Destinatarios:** Alcalde de la Municipalidad de Maipú. **Texto:** Sobre procedencia de medida disciplinaria de destitución de funcionaria municipal afecta a fuero gremial. **Acción:** aplica dictámenes 35972/2011, 29991/2010, 42476/2011)

Artículo 134

En el curso de un sumario administrativo el fiscal podrá suspender de sus funciones o destinar transitoriamente a otro cargo dentro de la misma municipalidad y ciudad, al o a los inculpados, como medida preventiva.

La medida adoptada terminará al dictarse el sobreseimiento, que será notificado personalmente y por escrito por el actuario, o al emitirse el dictamen del fiscal, según corresponda.

En caso de que el fiscal proponga en su dictamen la medida de destitución, podrá decretar que se mantenga la suspensión preventiva o la destinación transitoria, las que cesarán automáticamente si la resolución recaída en el sumario, o en el recurso de reposición que se interponga conforme al artículo 139, absuelve al inculpado o le aplica una medida disciplinaria distinta de la destitución. Cuando la medida prorrogada sea la suspensión preventiva, el inculpado quedará privado del cincuenta por ciento de sus remuneraciones, que tendrá derecho a percibir retroactivamente si en definitiva fuere absuelto o se le aplicara una sanción inferior a la destitución.

1. *«Los descuentos deben calcularse sobre la remuneración que el servidor ha conservado, luego de la aplicación del inciso tercero del artículo 134 de la ley Nº 18.883».* (**ID Dictamen: 002456N18. Fecha:** 22-01-2018. **Destinatarios:** señora Gloria Moraga Cartes, funcionaria dependiente de la Municipalidad de Ranquil. **Texto:** Los descuentos deben calcularse sobre la remuneración que el servidor ha conservado, luego de la aplicación del inciso tercero del artículo 134 de la ley Nº 18.883. **Acción:** aplica dictámenes 30012/2000, 38883/2003).

2. *«La Contraloría Regional del Bío-Bío ha remitido la presentación de la Municipalidad de Tirúa, mediante la cual solicita la reconsideración del oficio Nº 22.247, de 2016, de ese origen, que resolvió, en lo que interesa, que no procedió que la directora del Departamento de Administración de Educación Municipal, dispusiera la destinación transitoria del docente que indica, como consecuencia del proceso disciplinario instruido en su contra».* (**ID Dictamen: 015354N18. Fecha:**

20-06-2018. **Destinatarios:** Municipalidad de Tirúa. **Texto:** Complementa oficio Nº 22.247, de 2016, de la Contraloría Regional del Bío-Bío, sobre cambio de funciones de docente que indica. **Acción.**

3. *«Se ha dirigido a este Organismo Fiscalizador la Municipalidad de Los Ángeles, solicitando la reconsideración del oficio Nº 13.462, de 2016, de la Sede Regional del Biobío, que concluyó, en lo que importa, que debía dejarse sin efecto el traslado de que fuera objeto la educadora de párvulos de esa entidad edilicia, doña Carola Gallardo Díaz»*. **(ID Dictamen:** 026028N18. **Fecha:** 18-10-2018. **Destinatarios:** Municipalidad de Los Ángeles. **Texto:** No se advierte irregularidad en el traslado de la educadora de párvulos que se indica. **Acción:** Aplica dictámenes 71690/2015, 71314/2016).

4. *«En la situación analizada, el procedimiento disciplinario utilizado fue el sometido a las reglas de un sumario administrativo, el que se encuentra regulado en los artículos 127 a 143 de la ley Nº 18.883, normas de tramitación que consultan todos los resguardos para cautelar el debido proceso y asegurar la adecuada defensa de los inculpados (aplica criterio contenido en el dictamen Nº 18.884, de 2010)».* **(ID Dictamen:** 013939N17. **Fecha:** 21-04-2017; **Destinatarios: Municipalidad de Coyhaique**. **Texto:** Reconsidera los oficios Nºs. 2.483 y 3.455, ambos de 2016, de la Contraloría Regional de Aysén del General Carlos Ibáñez del Campo, por cuanto término de la relación laboral de funcionario que indica se ajustó a derecho. **Acción:** Aplica dictámenes 46957/2016, 18884/2010, 81907/2014, 57129/2015, 68295/2016, 37679/2014, 96420/2014).

5. *«Municipalidad de Alhué deberá dar cumplimiento al dictamen Nº 40.013, de 2016, regularizar suspensión preventiva aprobada por el alcalde, y se abstiene de emitir pronunciamiento en situaciones que indica».* **(ID Dictamen:** 091268N16. **Fecha:** 20-12-2016. **Destinatarios:** señor Abdón Jerez Martínez, exdirector del departamento de educación de la Municipalidad de Alhué. **Texto:** Municipalidad de Alhué deberá dar cumplimiento al dictamen Nº 40.013, de 2016, regularizar suspensión preventiva aprobada por el alcalde, y se abstiene de emitir pronunciamiento en situaciones que indica. **Acción:** Aplica dictámenes 40013/2016, 53696/2016, 77241/2015, 71032/2016, 65451/2016).

6. *«Se ha dirigido a esta Contraloría General el director de Administración y Finanzas de la Municipalidad de San Pedro, solicitando un pronunciamiento sobre la procedencia de pagar las remuneraciones del alcalde titular —don Florentino Flores Armijo—, quien, mientras se encontraba apartado de sus funciones por estar postulando a su reelección, fue notificado de la sentencia del Primer Tribunal Electoral de la Región Metropolitana que declaró la cesación del cargo por las razones que indica, quedando esa autoridad suspendida del mismo, hasta que se falle el recurso de apelación que, a la fecha de la presentación, se encontraba en tramitación, debiendo elegirse un reemplazante para ese periodo».* **(ID Dictamen:** 088637N16. **Fecha:** 07-12-2016. **Destinatarios:** Director de Administración y Finanzas de la Municipalidad de San Pedro. **Texto:** No procede que municipio pague remuneraciones a alcalde que se encuentra suspendido de sus funciones como consecuencia de la notificación de la sentencia de primera instancia que declaró el cese de su cargo por causal que indica. **Acción:** Aplica dictamen 48685/2005).

7. *«No procede que el alcalde disponga una suspensión preventiva de funciones en el transcurso de un sumario, ya que esta es una facultad del procedimiento disciplinario».* **(ID Dictamen:** 065451N16. **Fecha:** 02-09-2016. **Destinatarios:** don Rafael Curaqueo López, director de obras de la Municipalidad de Alhué. **Texto:** No procede que el alcalde disponga una suspensión preventiva de funciones en el transcurso de un sumario, ya que esta es una facultad del procedimiento disciplinario. **Acción:** Aplica dictámenes 55419/2015, 15599/2015, 38626/2016, 46314/2004, 13094/2010, 73638/2015, 6259/2011, 5260/2015).

8. *«Se ajustó derecho cometido funcionario que indica; sobre vacancia del cargo de director de administración y finanzas; no procede la reincorporación de director de control mientras se encuentra suspendido por sumario administrativo; y sobre estado de tramitación de las observaciones que señala».* **(ID Dictamen:** 012319N16. **Fecha:** 16-02-2016. **Destinatarios: Señor Guillermo Reeves Iriarte, concejal de la Municipalidad de Cerrillos. Texto:** Se ajustó derecho cometido funcionario que indica; sobre vacancia del cargo de director de administración y finanzas; no procede la reincorporación de director de control mientras se encuentra suspendido por sumario administrativo; y sobre estado de tramitación de las observaciones que señala. **Acción:** Aplica dictámenes 77601/2014, 25621/2007, 95650/2015, 46314/2004).

9. *«Sobre la suspensión preventiva dispuesta a su respecto por el fiscal, durante la tramitación del proceso, es del caso hacer presente que ello **constituye el ejercicio de una facultad que, en tal sentido, le confiere el artículo 134, de la ley Nº 18.883, durante la sustanciación del referido sumario**, por lo que tal proceder no puede considerarse al margen de la legalidad vigente sobre la materia».* **(ID Dictamen:** 056880N11 **Fecha:** 07.09.2011 **Destinatarios:** Miguel Ramos Lobos. **Texto:** Procedió medida disciplinaria de destitución en contra de Director de Obras que invalidó permiso de edificación

otorgado conforme a derecho, habiéndose acreditado en el procedimiento disciplinario el cargo formulado, vinculado a infracciones al principio de probidad administrativa. **Acción:** Aplica dictámenes 31011/2009, 3562/91, 39833/2001, 2641/2005, 49531/2008, 53290/2004, 53875/2009, 47295/2006)

10. *«En lo que concierne, específicamente al descuento de remuneraciones del funcionario durante el tiempo que estuvo suspendido del ejercicio de sus funciones, por aplicación de la medida de suspensión preventiva de que trata el **artículo 134 de la ley Nº 18.883**, cabe recordar que, conforme se establece en el inciso final del aludido precepto legal, el inculpado tendrá derecho a percibir retroactivamente —las sumas que le hubieren sido descontadas por ese concepto—, si en definitiva fuere absuelto o se le aplicara una sanción inferior a la destitución (aplica criterio contenido en los dictámenes Nºs. 17.860, de 2008 y 39.321, de 2011)».* (**ID Dictamen: 056220N11 Fecha:** 05.09.2011 **Destinatarios:** Iván Borie Mafud. **Texto:** Sobre pago de estipendios a funcionario municipal, correspondientes al periodo en que estuvo separado del cargo por sanción disciplinaria de destitución. **Acción:** Aplica dictámenes 17860/2008, 60682/2010, 6001/2011, 39321/2011)

11. *«Finalmente, sobre el reclamo formulado por la afectada en cuanto a que fue suspendida de sus funciones, privándosele del goce del cincuenta por ciento de sus remuneraciones, sin haber causa para ello, cabe manifestar que el **inciso primero del artículo 134 de la ley Nº 18.883**, dispone, en lo que interesa, que en el curso de un sumario administrativo el fiscal podrá suspender de sus funciones al o a los inculpados, como medida preventiva. Por su parte, el **inciso tercero** de este precepto legal, establece que en caso que el fiscal proponga en su dictamen la medida disciplinaria de destitución, podrá decretar que se mantenga la suspensión preventiva, en cuyo caso el inculpado quedará privado del cincuenta por ciento de sus remuneraciones.*

*Como puede advertirse de la normativa citada, **la aplicación de la medida de suspensión preventiva de que se trata, no autoriza para privar al funcionario de parte alguna de sus remuneraciones, a menos que hubiese operado la situación excepcional de prórroga a que alude la disposición referida, en cuyo caso quedará privado del cincuenta por ciento de sus remuneraciones, las que tendrá derecho a percibir retroactivamente si en definitiva fuere absuelto o se le aplicara una sanción inferior a la destitución (aplica criterio contenido en el dictamen Nº 17.860, de 2008).***

Ahora bien, consta de los antecedentes que obran en poder de este organismo de control, que la vista fiscal del sumario respectivo —que rola a fojas 416—, fue evacuada con fecha 5 de enero de 2011, proponiéndose en ésta, por una parte, la medida de destitución respecto de recurrente y, por otra, la mantención de la medida de suspensión, por lo que sólo a partir de esa data pudo retenérsele a la señora Carrión Henríquez el cincuenta por ciento de sus remuneraciones, de modo tal que si la privación en comento fue aplicada con anterioridad a esa fecha, la Municipalidad de Paine deberá restituirle el porcentaje de las remuneraciones del que se le privó ilegítimamente». (**ID Dictamen: 039321N11 Fecha:** 23.06.2011 **Destinatarios:** Alcalde de la Municipalidad de Paine. **Texto:** Sobre reclamo de ilegalidad en contra de decreto municipal que aplica medidas disciplinarias y consideraciones sobre alegaciones que indica. **Acción:** aplica dictámenes 34503/2004, 17860/2008)

12. *«En tales condiciones, corresponde reiterar, una vez más, que **la medida preventiva de suspensión de funciones contemplada en el artículo 134 de la ley Nº 18.883 —Estatuto Administrativo para Funcionarios Municipales—, no puede ser aplicada en el transcurso de un proceso disciplinario seguido en contra de un servidor regido por el Código Laboral, ya que es una herramienta especial que la ley ha otorgado al fiscal en el curso de un sumario que afecta a funcionarios sujetos al aludido estatuto administrativo.***

*Ahora bien, en cuanto a la alegación formulada por el recurrente, en orden a que por efectos del traspaso del personal sujeto al Código del Trabajo al régimen contenido en la ley Nº 19.378 —Estatuto de Atención Primaria de Salud Municipal—, ordenado por el artículo tercero transitorio de la ley Nº 20.250, al señor Cornejo Peña le serían aplicables las disposiciones de la citada ley Nº 18.883 en la materia, en virtud del artículo 4º de la ley Nº 19.378, cabe señalar que ello **no resulta procedente**, por cuanto durante toda la tramitación del sumario, el individualizado funcionario se encontraba afecto a las normas contempladas en el Código del Trabajo, habida consideración a que el mencionado proceso de traspaso lo llevó a cabo ese municipio a contar del 1 de diciembre de 2010, esto es, con posterioridad a la situación planteada».* (**ID Dictamen: 019448N11 Fecha:** 30.03.2011 **Destinatarios:** Alcalde Municipalidad El Monte. **Texto:** Sobre solicitud de reconsideración de dictamen relativo a suspensión de servidor afecto al Código del Trabajo durante la sustanciación de un procedimiento disciplinario. **Acción:** Confirma dictamen 18884/2010)

13. *«Al respecto, cabe señalar que según lo establece el **artículo 69 de la ley Nº 18.883, Estatuto Administrativo para Funcionarios Municipales,** por el tiempo durante el cual no se hubiere efectivamente trabajado no podrán percibirse remuneraciones, salvo que se trate de feriados, licencias, o permisos con goce de remuneraciones, de la suspensión*

preventiva contemplada en el artículo 134, de caso fortuito o de fuerza mayor». **(ID Dictamen: 072782N12 Fecha:** 21.11.2012 **Destinatarios:** Alcalde de la Municipalidad de Conchalí. **Texto:** Descuentos de remuneraciones por concepto de licencias médicas rechazadas. **Acción:** Aplica dictámenes 54576/2009, 58482/2011, 49737/2012, 49261/2003, 44810/2009, 60068/2009, 80179/2010. Mismo criterio aplicado en **ID Dictamen: 065922N12**[291] **Fecha:** 23.10.2012 **Destinatarios:** Elsa Hermosilla Quezada. **Texto:** Desestima reclamo sobre descuentos de remuneraciones por licencias médicas rechazadas por los organismos competentes en la materia. **Acción:** aplica dictámenes 43152/2008, 43709/2010, 43662/2011, 45487/2010 19381/2011, 80179/2010, 13836/2012; **ID Dictamen: 049737N12**[292] **Fecha:** 14.08.2012 **Destinatarios:** Ricardo Gallardo Gower. **Texto:** Desestima reclamo por descuento de remuneraciones por rechazo y reducción de licencia médica. **Acción:** Aplica dictámenes 54576/2009, 58482/2011, 33464/2002, 24790/2007; e **ID Dictamen: 020996N12 Fecha:** 12.04.2012 **Destinatarios:** Alcalde de la Municipalidad de Hualpén. **Texto:** Sobre consultas relativas a efectos de formalización y prisión preventiva de alcalde de la Municipalidad de Hualpén. **Acción:** Aplica dictámenes 1131/96, 52000/66, 18430/99, 48668/2005, 23798/2010, 12756/2000)

14. *«Por otra parte, respecto a la petición de reconsideración del señor Valdebenito Contreras del oficio Nº 12.287, de 2011, de la Oficina Regional del Maule, por la que requiere se estudien las irregularidades que se habrían cometido en la substanciación del sumario administrativo que lo afectó, es del caso aclarar, que dichos procedimientos son reglados, y a su respecto no caben otros trámites que aquellos previstos en los artículos 127 a 143 de la ley Nº 18.883, normativa aplicable a los docentes por expresa disposición del artículo 72, letra b), de la ley Nº 19.070 (aplica dictámenes Nºs. 15.680 y 43.658, ambos de 2012, de este origen)».* **(ID Dictamen: 067489N12 Fecha:** 29.10.2012 **Destinatarios:** Alcalde de la Municipalidad de Talca. **Texto:** Sobre reapertura de proceso disciplinario contra docentes e improcedencia de aplicarles el art. 88 A lt/a de la ley 18883. **Acción:** Aplica dictámenes 15680/2012, 43658/2012, 36909/2010, 4182/2011)

15. *«Efectuadas las precisiones anteriores y en relación al reclamo en examen, cabe señalar que, según lo previsto en el artículo 4º, inciso primero, de la anotada ley Nº 19.378, en todo lo no regulado expresamente por las disposiciones de dicho estatuto, se aplica supletoriamente la ley Nº 18.883, Estatuto Administrativo para Funcionarios Municipales —como sucede con la materia de la especie—, texto legal este último que, en el artículo 69, dispone, en lo pertinente, que por el tiempo durante el cual no se hubiere efectivamente trabajado, no podrán percibirse remuneraciones, salvo que se trate de feriados, licencias o permisos con goce de remuneraciones, de suspensión preventiva contemplada en el artículo 134, o de caso fortuito o fuerza mayor».* **(ID Dictamen: 064868N12 Fecha:** 18.10.2012 **Destinatarios:** Alcalde de la Municipalidad de Quilicura. **Texto:** Acoge reclamo sobre pago de remuneraciones a funcionario municipal durante tiempo que estuvo destinado ilegalmente al desempeño de otro cargo. **Acción:** aplica dictámenes 43301/2004, 33367/2011, 42587/2011, 56269/2011, 26414/2012 65092/2010, 11257/2011)

16. *«Al respecto, cabe recordar que, en virtud del dictamen Nº 74.351, de 2011, esta Entidad Fiscalizadora acogió el reclamo formulado por la actual peticionaria y otra servidora, destituidas por la señalada entidad edilicia, mediante el decreto alcaldicio Nº 191, de 2011, ordenando que se dispusiera la reapertura del sumario y la absolución de las funcionarias que allí se indicaba.*
Posteriormente, tal como señala la citada municipalidad, esta pidió la reconsideración del aludido dictamen, el que fue confirmado por el Nº 29.953, de 2012, de manera que debe estarse entonces a las conclusiones del primer pronunciamiento que, además de observar el decreto referido, señaló, en relación a la suspensión preventiva del ejercicio de funciones que afectó a la señora Arias Ortega, que considerando que procedía absolverla de responsabilidad administrativa y reincorporarla al cargo que servía, el municipio debía considerar lo dispuesto en el inciso final del artículo 134 de la ley Nº 18.883, Estatuto Administrativo para Funcionarios Municipales.
Ahora bien, en cumplimiento del referido dictamen Nº 74.351, de 2011, la municipalidad, a través de los decretos Nºs. 1 y 37, ambos de 2012, dispuso respectivamente, la reapertura del sumario aludido; la absolución de las funcionarias indicadas y la reincorporación de la recurrente, lo cual le fue notificado el 16 de enero del año 2012, solicitando esta, enseguida, el pago retroactivo de sus remuneraciones y el feriado anual a que se aludirá en la segunda parte de este oficio.

---

291 Para efectos de su consulta en la Base de Jurisprudencia de Contraloría General de la República, el citado dictamen se encuentra en la sección/materia: «generales», sin perjuicio de que se trata de uno de carácter municipal.

292 Para efectos de su consulta en la Base de Jurisprudencia de Contraloría General de la República, el citado dictamen se encuentra en la sección/materia: «generales», sin perjuicio de que se trata de uno de carácter municipal.

*En este contexto, cabe recordar que el **artículo 134 de la ley Nº 18.883**, señala —en lo que interesa— que en caso de que el fiscal proponga en su dictamen la medida de destitución, podrá decretar que se mantenga la suspensión preventiva, la que cesará automáticamente si la resolución recaída en el sumario, o en el recurso de reposición que se interponga conforme al artículo 139, absuelve al inculpado o le aplica una medida distinta de la destitución, agregando que cuando la medida prorrogada sea la suspensión preventiva, el inculpado quedará privado del cincuenta por ciento de sus remuneraciones, que tendrá derecho a percibir retroactivamente si en definitiva fuere absuelto.*

*Luego, consta que en el proceso disciplinario en cuestión, el fiscal dispuso la medida de **suspensión preventiva de la aludida funcionaria**, a contar del 7 de enero de 2011, medida que perduró todo el proceso hasta la dictación del decreto Nº 191, de ese mismo año —que la separó de su cargo— declarado ilegal.*

*Por consiguiente, **en relación al tiempo que la aludida funcionaria estuvo separada del ejercicio efectivo de su cargo, en virtud de la citada medida de suspensión preventiva, procede que ese municipio pague en forma retroactiva todos los emolumentos que hubiere dejado de percibir por su aplicación —incluyendo las cotizaciones previsionales—**, con el fin de completar la remuneración que se le pagó parcialmente durante ese lapso.*

*A su vez, **en relación al tiempo que estuvo privada de remuneraciones por estar separada de su cargo, a contar de la época que le fuera notificada la medida de destitución a que se ha hecho referencia, cumple hacer presente que el inciso primero del artículo 69 de la citada ley Nº 18.883 —en lo que interesa—, expresa que por el tiempo durante el cual no se hubiere efectivamente trabajado no podrán percibirse remuneraciones, salvo que se trate de** feriados, licencias o permisos con goce de remuneraciones, previstos en ese estatuto; de **suspensión preventiva contemplada en el artículo 134 del mismo texto legal**; o de caso fortuito o fuerza mayor.*

*Así entonces, el periodo que la peticionaria estuvo separada del ejercicio de su función, entre la fecha que le fuera notificada la medida disciplinaria dispuesta en virtud del decreto Nº 191, de 2011, y hasta la época en que se ordenó su reincorporación al municipio, a través del mencionado decreto Nº 37, de 2012, **procede que se pague el total de los emolumentos a que tenía derecho, junto a sus cotizaciones previsionales**, ya que en tal caso, ha quedado de manifiesto que no pudo desempeñar el cargo, por un acto de autoridad ajeno a su voluntad, concurriendo los supuestos de la fuerza mayor que hacen procedente el pago de las remuneraciones excepcionalmente, en casos en que no se ha desempeñado efectivamente el mismo (aplica criterio contenido en los dictámenes Nºs. 6.001 y 42.587, ambos de 2011)».* (**ID Dictamen: 060542N12 Fecha: 01.10.2012 Destinatarios:** Alcalde de la Municipalidad de Concón. **Texto:** Acoge reclamo sobre derecho al pago de remuneraciones de funcionario municipal por el tiempo que estuvo separada de su cargo por acto de autoridad y rechaza solicitud respecto de feriado anual que indica. **Acción:** Aplica dictámenes 74351/2011, 29953/2012, 6001/2011, 42587/2011, 23173/2012, 58499/2008, 5586/2012, 48547/2012)

17. «*Luego, en lo que se refiere a la **suspensión preventiva de funciones decretada (...) antes del inicio formal del proceso sumarial**, cabe señalar que, según consta en el expediente disciplinario en análisis, a fojas 3 se notificó al docente la instrucción de un sumario en su contra, siéndole entregada copia del decreto Nº 460, de fecha 13 de julio de 2009, en el que, además, se ordenó la suspensión en sus funciones, de manera tal que la medida adoptada se efectuó durante la tramitación del sumario administrativo, de conformidad con lo previsto en el artículo 134 de la ley Nº 18.883, Estatuto Administrativo para Funcionarios Municipales*». (**ID Dictamen: 049749N12 Fecha:** 14.08.2012 **Destinatarios:** Hernán Fuentes Cubillos. **Texto:** Desestima solicitud de reconsideración de oficio relativo a profesional de la educación a quien se le aplicó la medida disciplinaria de término de la relación laboral, por cuanto en el proceso sumarial se respetó el debido proceso)[293].

18. «*Por otra parte, en lo que concierne al pronunciamiento solicitado en relación con el pago de la totalidad de remuneraciones al señor Henríquez Valdés, no obstante que no habría ejecutado labores por más de dos años, por encontrarse suspendido de su cargo con motivo de la tramitación de un sumario administrativo, es del caso señalar que el **artículo 69 de la ley Nº 18.883, Estatuto Administrativo para Funcionarios Municipales, expresa que por el tiempo durante el cual no se hubiere efectivamente trabajado no podrán percibirse remuneraciones, salvo que se trate de** feriados, licencias o permisos con goce de remuneraciones, previstos en ese Estatuto; de **suspensión preventiva contemplada en el artículo 134 del mismo texto legal**; o de caso fortuito o fuerza mayor.*

---

[293]   Para efectos de su consulta en la Base de Jurisprudencia de Contraloría General de la República, el citado dictamen se encuentra en la sección/materia: «generales», sin perjuicio de que se trata de uno de carácter municipal.

*En este orden de ideas, se debe recordar que el aludido **artículo 134 de la ley Nº 18.883**, dispone, en lo que interesa, que en el curso de un sumario administrativo el fiscal podrá suspender de sus funciones al o a los inculpados, como medida preventiva. Agrega la norma, que en caso que el fiscal proponga en su dictamen la medida disciplinaria de destitución, podrá decretar que se mantenga la suspensión preventiva, circunstancia en la que el inculpado quedará privado del cincuenta por ciento de sus remuneraciones.*

*Como puede advertirse de la normativa citada, **la aplicación de la medida de suspensión preventiva no autoriza para privar al funcionario de parte alguna de sus remuneraciones, a menos que hubiese operado la situación excepcional de prórroga a que alude la disposición referida, sin que, además, haya establecido un plazo de duración de la misma (aplica criterio contenido en el dictamen Nº 39.321, de 2011)**». (**ID Dictamen: 046056N12 Fecha:** 30.07.2012 **Destinatarios:** Alcalde de la Municipalidad de Maipú. **Texto:** Sobre inhabilidad sobreviniente por parentesco en designación de funcionaria en cargo de jefatura y pago de remuneraciones a funcionario municipal suspendido de sus labores. **Acción:** Aplica dictámenes 78210/2011, 43920/2008, 15700/2012, 39321/2011, 34113/2012)[294]

19. «*Como cuestión previa, es del caso recordar que, de acuerdo con lo dispuesto en la **letra b) del artículo 72 de la ley Nº 19.070 —Estatuto de los Profesionales de la Educación—**, los sumarios incoados en contra de docentes regidos por ese estatuto, para acreditar alguna de las causales enunciadas en dicho precepto —como ocurre en la situación que se analiza—, se regulan en su tramitación por las disposiciones de los artículos 127 al 143 de la ley Nº 18.883, Estatuto Administrativo para Funcionarios Municipales.*

*Enseguida, y acorde con el planteamiento contenido en los **dictámenes Nºs. 511, de 2011, y 15.680, de 2012**, de este origen, los sumarios administrativos son procedimientos reglados en los que no caben otros trámites o instancias que aquellas previstas en la reglamentación que los regula, en este caso, la contemplada en la ley Nº 18.883, cuerpo normativo que no otorga facultades a esta Contraloría General para pronunciarse ni intervenir respecto de procesos disciplinarios que no se encuentran afinados.*

En razón de lo anterior, no resulta posible acceder a lo solicitado por el recurrente respecto de los vicios de procedimiento a que alude, sin perjuicio de manifestar que si al término del sumario de la especie, aquel resulta afectado por la aplicación de una medida sancionatoria, como consecuencia de actuaciones investigadas en el proceso, y considera que este adolece de vicios de legalidad, puede interponer el correspondiente reclamo ante esta Entidad de Control». (**ID Dictamen: 026004N12 Fecha:** 07.05.2012 **Destinatarios:** Alcalde de la Municipalidad de La Cisterna. **Texto:** La demora en la instrucción de un proceso disciplinario no constituye un vicio que afecte su validez, por cuanto no incide en aspectos esenciales del mismo. **Acción:** aplica dictámenes 511/2011, 15680/2012, 27262/2006, 4906/2009, 3775/2010, 79826/2011, 37199/2009)[295]

20. «*Por otra parte, en cuanto a la **suspensión preventiva de funciones** dispuesta en contra del señor Maturana Céspedes, es pertinente manifestar que según lo establece el **artículo 134 de la ley Nº 18.883 —aplicable a los docentes por disposición del artículo 72, letra b), de la ley Nº 19.070 Y el inciso segundo del artículo 145 del decreto Nº 453, de 1991, del Ministerio de Educación, que aprueba el reglamento de la ley Nº 19.070—** aquella está dispuesta como una medida preventiva que puede disponer el fiscal del sumario en contra de el o los inculpados.*

*Cabe hacer presente que de conformidad con dicha disposición estatutaria, **la referida medida terminará al dictarse el sobreseimiento —que será notificado personalmente y por escrito por el actuario—, o al emitirse el dictamen del fiscal, según corresponda.** En caso que el fiscal proponga en su dictamen la medida de destitución, podrá decretar que se mantenga la suspensión preventiva o la destinación transitoria, las que cesarán automáticamente si la resolución recaída en el sumario, o en el recurso de reposición que se interponga conforme al artículo 139 de la ley Nº 18.883, absuelve al inculpado o le aplica una medida disciplinaria distinta de la destitución*». (**ID Dictamen: 015680N12 Fecha:** 16.03.2012 **Destinatarios:** Alcalde de la Municipalidad de Río Hurtado. **Texto:** Sobre demora en tramitación de sumario administrativo y suspensión preventiva. **Acción:** Aplica dictámenes 61869/2011, 1713/2007, 37199/2009, 3775/2010)

---

[294] Para efectos de su consulta en la Base de Jurisprudencia de Contraloría General de la República, el citado dictamen se encuentra en la sección/materia: «generales», sin perjuicio de que se trata de uno de carácter municipal.

[295] Para efectos de su consulta en la Base de Jurisprudencia de Contraloría General de la República, el citado dictamen se encuentra en la sección/materia: «generales», sin perjuicio de que se trata de uno de carácter municipal.

21. *«Asimismo, alega respecto de la **medida de destinación transitoria de la cual fue objeto en el marco del procedimiento sumarial de la especie, según lo previsto en el artículo 134 de la ley Nº 18.883**, señalando que se le habrían asignado labores diversas a aquellas para las cuales se le contrató, y que la misma se ha prolongado hasta la fecha del presente reclamo. (...)*

No obstante lo anterior, cumple con referirse brevemente a lo alegado por la afectada, en cuanto a que se habría dispuesto su destinación transitoria a la oficina de impuesto territorial municipal que el Servicio de Impuestos Internos tiene en esa comuna, de manera irregular, por cuanto, según expone, estaría realizando labores diversas a aquellas para las cuales fue nombrada, así como que esa destinación se ha prolongado por un período posterior a la conclusión del procedimiento sumarial en que fue sancionada.

*Al respecto, es menester señalar que **un servidor puede ser destinado transitoriamente a cumplir funciones distintas de aquellas para las que fue nombrado, toda vez que se enmarca dentro de las facultades que el citado artículo 134 otorga al fiscal del sumario (aplica criterio contenido en los dictámenes Nºs. 5.033, de 2006 y 19.008, de 2008).***

*En lo que concierne a la **prolongación de la medida de destinación, se debe indicar que el inciso tercero del aludido artículo Nº 134 de la ley Nº 18.**883 dispone, en lo que interesa, que esta cesará automáticamente si la resolución recaída en el sumario o en el recurso de reposición respectivo, absuelve al inculpado o aplica una medida disciplinaria distinta de la destitución, de tal modo, que en la situación que afecta a la recurrente, **la medida preventiva de la especie debió cesar al momento de notificársele el acto administrativo que rechazó el recurso de reposición interpuesto por la sumariada, (...) (aplica criterio contenido en el dictamen Nº 11.206, de 2005)».*** **(ID Dictamen: 006376N12 Fecha:** 01.02.2012 **Destinatarios:** Alcalde de la Municipalidad de La Reina. **Texto:** Se pronuncia sobre ilegalidad de la prolongación de medida de destinación que se asignara a funcionaria de la Municipalidad de La Reina, como consecuencia de una investigación sumaria elevado a sumario cuya duración excede a la conclusión del procedimiento disciplinario. **Acción:** aplica dictámenes 5033/2006, 19008/2008, 11206/2005, 42476/2011)

Artículo 135

En el evento de proponer el fiscal el sobreseimiento se enviarán los antecedentes al alcalde, quien estará facultado para aprobar o rechazar tal proposición. En el caso de rechazarla, dispondrá que se complete la investigación dentro del plazo de cinco días.

El sumario será secreto hasta la fecha de formulación de cargos, oportunidad en la cual dejará de serlo para el inculpado y para el abogado que asumiere su defensa.

1. *«No se ajusta a derecho que la Municipalidad de Macul haya publicado en su sitio electrónico el decreto que ordena instruir un proceso disciplinario».* **(ID Dictamen: 001052N16. Fecha:** 06-01-2016. **Destinatarios:** Don Víctor Jesam Torres, exfuncionario de la Municipalidad de Macul. **Texto:** No se ajusta a derecho que la Municipalidad de Macul haya publicado en su sitio electrónico el decreto que ordena instruir un proceso disciplinario. **Acción:** Aplica dictámenes 60666/2010, 49244/2014).

2. *«En cuanto a las irregularidades denunciadas por un grupo de concejales de la citada entidad edilicia, en relación con el Fondo Solidario de Vivienda Social, este Organismo de Fiscalización dispuso una auditoría a dicho fondo, en relación con la modalidad construcción en nuevos terrenos, cuyo resultado —de conocimiento público—, fue expuesto en el informe final Nº 89, de 2009, ordenándose, a raíz de las infracciones detectadas, la instrucción de un sumario administrativo mediante resolución exenta Nº 41, de 2010, de este origen. **Dicho procedimiento sumarial se encuentra bajo secreto de sumario, de acuerdo con lo dispuesto en el inciso segundo del artículo 135 de la ley Nº 18.883 —Estatuto Administrativo para Funcionarios Municipales—, atendido que está en su etapa indagatoria».*** (ID Dictamen: 026449N11 Fecha: 29.04.2011 **Destinatarios** Presidente de la Cámara de Diputados de Chile. **Texto:** Sobre denuncias efectuadas por la Junta de Vecinos «Los Ríos de la Punta de Tralca», relativas al uso indebido del vehículo municipal asignado a la alcaldía, la existencia de un fraude al Fondo Solidario de Vivienda Social, el cuestionamiento al plan regulador comunal y a la actuación de los funcionarios municipales aludidos en el oficio 5213/2009, de la Contraloría Regional de Valparaíso y la asistencia irregular de funcionarios municipales a sus labores normales. **Acción:** Aplica dictamen 47497/2007)

3. *«Por otra parte, respecto a la petición de reconsideración del señor Valdebenito Contreras del oficio Nº 12.287, de 2011, de la Oficina Regional del Maule, por la que requiere se estudien las irregularidades que se habrían cometido en la substanciación del sumario administrativo que lo afectó, es del caso aclarar, que dichos procedimientos son reglados, y a su respecto no caben otros trámites que aquellos previstos en los artículos 127 a 143 de la ley Nº 18.883, normativa aplicable a los docentes por expresa disposición del artículo 72, letra b), de la ley Nº 19.070 (aplica dictámenes Nºs. 15.680 y 43.658, ambos de 2012, de este origen)».* (**ID Dictamen: 067489N12 Fecha:** 29.10.2012 **Destinatarios:** Alcalde de la Municipalidad de Talca. **Texto:** Sobre reapertura de proceso disciplinario contra docentes e improcedencia de aplicarles el art. 88 A lt/a de la ley 18883. **Acción:** Aplica dictámenes 15680/2012, 43658/2012, 36909/2010, 4182/2011. Mismo criterio aplicado en **ID Dictamen: 026004N12**[296] **Fecha:** 07.05.2012 **Destinatarios:** Alcalde de la Municipalidad de La Cisterna. **Texto:** La demora en la instrucción de un proceso disciplinario no constituye un vicio que afecte su validez, por cuanto no incide en aspectos esenciales del mismo. **Acción:** aplica dictámenes 511/2011, 15680/2012, 27262/2006, 4906/2009, 3775/2010, 79826/2011, 37199/2009)

4. *«Por otra parte, en cuanto al reclamo que se efectúa en orden a que no se ha entregado a la señora Cortés Gómez la información que solicitara respecto de la tramitación del sumario administrativo que se indica, cabe señalar que mediante el oficio Nº 2.966, de 2011, la Sede Regional de Coquimbo, registró con observaciones el decreto Nº 751, de 2011, de la Municipalidad de Combarbalá, que afinaba el aludido proceso disciplinario, disponiendo que se debía proceder a su reapertura, retrotrayéndolo a su etapa indagatoria, razón por la cual, a este respecto, procede ratificar lo señalado en los referidos oficios Nºs. 1.658 y 2.986, ambos de 2011, de dicha Sede Regional, en el sentido que el aludido proceso se encuentra aun en un estado que reviste el carácter de secreto, conforme a lo dispuesto en el artículo 135 de la ley Nº 18.883, Estatuto Administrativo para Funcionarios Municipales».* (**ID Dictamen: 003259N12 Fecha:** 18.01.2012 **Destinatarios:** Alcalde de la Municipalidad de Combarbalá. **Texto:** Sobre solicitud de reconsideración de oficios relativos a celebración de sesiones del concejo municipal, publicidad de sumario administrativo y hechos que indica. **Acción:** Aplica dictámenes 10254/2010, 36239/2001, 39322/2001, 10086/2000, 49580/2008, 42372/2010)

Artículo 136

El inculpado será notificado de los cargos y tendrá un plazo de cinco días contado desde la fecha de notificación de éstos para presentar descargos, defensas y solicitar o presentar pruebas. En casos debidamente calificados, podrá prorrogarse el mismo por otros cinco días, siempre que la prórroga haya sido solicitada antes del vencimiento del plazo.

Si el inculpado solicitare rendir prueba, el fiscal señalará plazo para tal efecto, el que no podrá exceder en total de veinte días.

1. *«La Contraloría Regional del Bío-Bío ha remitido la presentación de la Municipalidad de Tirúa, mediante la cual solicita la reconsideración del oficio Nº 22.247, de 2016, de ese origen, que resolvió, en lo que interesa, que no procedió que la directora del Departamento de Administración de Educación Municipal, dispusiera la destinación transitoria del docente que indica, como consecuencia del proceso disciplinario instruido en su contra».* (**ID Dictamen: 015354N18. Fecha:** 20-06-2018. **Destinatarios:** Municipalidad de Tirúa. **Texto:** Complementa oficio Nº 22.247, de 2016, de la Contraloría Regional del Bío-Bío, sobre cambio de funciones de docente que indica. **Acción.**

2. *«(...) el fiscal no dio lugar a la diligencia probatoria de careo solicitada por el encausado, vicio de legalidad que implica la vulneración del artículo 136, inciso segundo, de la ley Nº 18.883, Estatuto Administrativo para Funcionarios Municipales, y de la garantía de un justo y racional proceso,* motivo por el cual la municipalidad emitió el decreto Nº 131, de 2011, disponiendo la mencionada reapertura y dejando sin efecto el acto administrativo observado.

---

[296] Para efectos de su consulta en la Base de Jurisprudencia de Contraloría General de la República, el citado dictamen se encuentra en la sección/materia: «generales», sin perjuicio de que se trata de uno de carácter municipal.

Precisado lo anterior, se debe indicar que de los antecedentes sumariales tenidos a la vista, no consta que el decreto Nº 2.730, de 2011, a través del cual se afinó el proceso disciplinario de que se trata, haya sido notificado al señor Alcatruz Ponce, diligencia que resulta esencial para que el citado acto administrativo comience a producir sus efectos respecto del encausado.

*Lo anterior, por cuanto según lo ha manifestado **la reiterada jurisprudencia administrativa de este Ente de Control, entre otros, en el dictamen Nº 24.265, de 2010 —en armonía con artículo 51, inciso segundo, de la ley Nº 19.880, que Establece Bases de los Procedimientos Administrativos que Rigen los Actos de los Órganos de la Administración del Estado—, los decretos alcaldicios relativos a personal rigen desde la fecha de notificación al afectado.** (...)*

*Por consiguiente, esa municipalidad deberá, en el más breve plazo, **proceder a notificar al inculpado el acto administrativo de la especie, dejando constancia de ello en el respectivo expediente sumarial».** (**ID Dictamen:** 081323N11 **Fecha:** 29.12.2011 **Destinatarios:** Alcalde de la Municipalidad de Santiago. **Texto:** Observa decreto 2730 y da por subsanada observación relativa al decreto Nº 131, ambos de 2011, de la Municipalidad de Santiago. **Acción:** Aplica dictámenes 24265/2010, 59951/2011)*

3. *«Por otra parte, respecto a la petición de reconsideración del señor Valdebenito Contreras del oficio Nº 12.287, de 2011, de la Oficina Regional del Maule, por la que requiere se estudien las irregularidades que se habrían cometido en la substanciación del sumario administrativo que lo afectó, es del caso aclarar, que dichos **procedimientos son reglados, y a su respecto no caben otros trámites que aquellos previstos en los artículos 127 a 143 de la ley Nº 18.883**, normativa aplicable a los docentes por expresa disposición del artículo 72, letra b), de la ley Nº 19.070 (aplica dictámenes Nºs. 15.680 y 43.658, ambos de 2012, de este origen)».* (**ID Dictamen:** 067489N12 **Fecha:** 29.10.2012 **Destinatarios:** Alcalde de la Municipalidad de Talca. **Texto:** Sobre reapertura de proceso disciplinario contra docentes e improcedencia de aplicarles el art. 88 A lt/a de la ley 18883. **Acción:** Aplica dictámenes 15680/2012, 43658/2012, 36909/2010, 4182/2011. Mismo criterio aplicado en **ID Dictamen:** 026004N12[297] **Fecha:** 07.05.2012 **Destinatarios:** Alcalde de la Municipalidad de La Cisterna. **Texto:** La demora en la instrucción de un proceso disciplinario no constituye un vicio que afecte su validez, por cuanto no incide en aspectos esenciales del mismo. **Acción:** aplica dictámenes 511/2011, 15680/2012, 27262/2006, 4906/2009, 3775/2010, 79826/2011, 37199/2009)

4. *«En cuanto a la demora en la tramitación del mencionado sumario, cumple con indicar, que **de conformidad con lo establecido en los artículos 133, 136 a 138, y 141 de la ley Nº 18.883, sobre Estatuto Administrativo para Funcionarios Municipales, las distintas etapas que componen el procedimiento disciplinario se encuentran sometidas al cumplimiento de plazos, de forma tal que vencidos tales términos y no encontrándose afinado, la citada preceptiva señala que el alcalde que ordenó la instrucción del respectivo sumario, debe revisarlo, adoptar las medidas tendientes a agilizarlo y determinar la responsabilidad del fiscal».*** (**ID Dictamen:** 034113N12 **Fecha:** 11.06.2012 **Destinatarios:** Alcalde de la Municipalidad de Maipú. **Texto:** Sobre demora en tramitación de sumario administrativo y destinación de directivo al cargo de director de Servicio Municipal de Agua Potable y Alcantarillado de la Municipalidad de Maipú. **Acción:** Aplica dictámenes 51136/2008, 70997/2010)

5. *«Como cuestión previa, es del caso recordar que, de acuerdo con lo dispuesto en la **letra b) del artículo 72 de la ley Nº 19.070 —Estatuto de los Profesionales de la Educación—, los sumarios incoados en contra de docentes regidos por ese estatuto, para acreditar alguna de las causales enunciadas en dicho precepto —como ocurre en la situación que se analiza—, se regulan en su tramitación por las disposiciones de los artículos 127 al 143 de la ley Nº 18.883, Estatuto Administrativo para Funcionarios Municipales.***

*Enseguida, y acorde con el planteamiento contenido en los **dictámenes Nºs. 511, de 2011, y 15.680, de 2012, de este origen, los sumarios administrativos son procedimientos reglados en los que no caben otros trámites o instancias que aquellas previstas en la reglamentación que los regula, en este caso, la contemplada en la ley Nº 18.883**, cuerpo normativo que no otorga facultades a esta Contraloría General para pronunciarse ni intervenir respecto de procesos disciplinarios que no se encuentran afinados.*

En razón de lo anterior, no resulta posible acceder a lo solicitado por el recurrente respecto de los vicios de procedimiento a que alude, sin perjuicio de manifestar que si al término del sumario de la especie, aquel resulta afectado por la aplica-

---

[297]   Para efectos de su consulta en la Base de Jurisprudencia de Contraloría General de la República, el citado dictamen se encuentra en la sección/materia: «generales», sin perjuicio de que se trata de uno de carácter municipal.

ción de una medida sancionatoria, como consecuencia de actuaciones investigadas en el proceso, y considera que este adolece de vicios de legalidad, puede interponer el correspondiente reclamo ante esta Entidad de Control. (...)

*Ahora bien, en la situación que se analiza, y de los antecedentes tenidos a la vista, es posible apreciar que la tramitación del sumario de la especie ha excedido con creces el plazo legal fijado para ello, puesto que, habiendo sido iniciado el 26 de noviembre de 2010, ha transcurrido más de un año sin que se encuentre terminado, **circunstancia que puede afectar la responsabilidad administrativa de quienes estén involucrados en tal hecho, esto es, del fiscal que sustancia el proceso o de los funcionarios de la unidad jurídica del municipio, atendido que, de acuerdo con el artículo 28 de la ley Nº 18.695, le corresponde a esa unidad velar por el estricto cumplimiento de las normas y plazos que regulan la tramitación de los procesos disciplinarios** (aplica criterio contenido en los dictámenes Nºs. 27.262, de 2006; 4.906, de 2009, 3.775, de 2010 y 79.826, de 2011, entre otros).*

*Con todo, debe manifestarse que, tal como lo ha precisado la jurisprudencia administrativa de esta Entidad Fiscalizadora, contenida en el **dictamen Nº 37.199, de 2009, la demora en la instrucción de un proceso disciplinario no constituye un vicio que afecte su validez, por cuanto no incide en aspectos esenciales del mismo**, de conformidad con la norma contenida en el artículo 142 de la ley Nº 18.883.*

*En consecuencia, corresponde que la Municipalidad de La Cisterna adopte las medidas que permitan dar término, en el más breve plazo, al sumario administrativo seguido en contra del señor Vera Obando, determinando, además, la procedencia de instruir un **procedimiento disciplinario para establecer las eventuales responsabilidades administrativas que puedan afectar a los servidores que hayan participado en la demora aludida**, en los términos del citado artículo 141 de la ley Nº 18.883 y 28 de la ley Nº 18.695, de lo cual deberá informar a esta Contraloría General».* (**ID Dictamen: 026004N12 Fecha:** 07.05.2012 **Destinatarios:** Alcalde de la Municipalidad de La Cisterna. **Texto:** La demora en la instrucción de un proceso disciplinario no constituye un vicio que afecte su validez, por cuanto no incide en aspectos esenciales del mismo. **Acción:** aplica dictámenes 511/2011, 15680/2012, 27262/2006, 4906/2009, 3775/2010, 79826/2011, 37199/2009)[298]

6. «*En lo relativo a lo alegado por la afectada, en orden a que el fiscal habría denegado la realización de una diligencia probatoria solicitada en su escrito de descargos, incurriendo a su juicio en una flagrante ilegalidad, cabe señalar que el **artículo 136, inciso segundo, de la ley Nº 18.883**, prescribe que si el inculpado solicitare rendir prueba, el fiscal establecerá plazo para tal efecto, resultando útil añadir que, **según el criterio contenido en los dictámenes Nºs. 59.867, de 2009 y 4.725, de 2010, entre otros, de esta Contraloría General, sólo es imperativo para el fiscal recibir la prueba que el inculpado ofrece rendir, de modo que no se encuentra obligado a acceder si aquel se limita a pedir que se ordenen determinadas diligencias**, como ha acontecido en la especie, por lo que el actuar del fiscal, al no dar lugar a la diligencia requerida, se ajustó a derecho».* (**ID Dictamen: 005122N12 Fecha:** 26.01.2012 **Destinatarios:** Alcalde de la Municipalidad de Ñuñoa. **Texto:** Observa decreto Nº 1447, de 2011, de la Municipalidad de Ñuñoa, que aplica medidas disciplinarias a funcionarios que indica, y atiende reclamo de ilegalidad de los afectados. **Acción:** Aplica dictámenes 73449/2011, 59867/2009, 4725/2010)[299]

Artículo 137

Contestados los cargos o vencido el plazo del período de prueba el fiscal emitirá, dentro de cinco días, un dictamen en el cual propondrá la absolución o sanción que a su juicio corresponda aplicar.

Dicho dictamen deberá contener la individualización del o de los inculpados; la relación de los hechos investigados y la forma como se ha llegado a comprobarlos; la participación y grado de culpabilidad que les hubiere correspondido a los sumariados; la anotación de las cir-

---

[298] Para efectos de su consulta en la Base de Jurisprudencia de Contraloría General de la República, el citado dictamen se encuentra en la sección/materia: «generales», sin perjuicio de que se trata de uno de carácter municipal.

[299] Para efectos de su consulta en la Base de Jurisprudencia de Contraloría General de la República, el citado dictamen se encuentra en la sección/materia: «generales», sin perjuicio de que se trata de uno de carácter municipal.

cunstancias atenuantes o agravantes, y la proposición al alcalde de las sanciones que estimare procedente aplicar o de la absolución de uno o más de los inculpados.

Cuando los hechos investigados y acreditados en el sumario pudieren importar la perpetración de delitos previstos en las leyes vigentes, el dictamen deberá contener, además, la petición de que se remitan los antecedentes a la justicia ordinaria, sin perjuicio de la denuncia que de los delitos debió hacerse en la oportunidad debida.

1. «*Luego, respecto al principio de presunción de inocencia que, a juicio del recurrente, se vio vulnerado por expresarse en el decreto Nº 151, de 2016, de la Municipalidad de Curacaví —que rechazó el recurso de reposición—, que aquel no desvirtuó las acusaciones y testimonios del proceso, cabe señalar que la reposición opera luego de que se ha emitido la vista fiscal y el alcalde ha aceptado la sanción propuesta por el investigador, en virtud de un proceso en el cual, de acuerdo a lo dispuesto en el artículo 137 de la ley Nº 18.883, los hechos han llegado a ser acreditados, recurso que, según lo dispuesto en el artículo 139 de dicho texto legal, debe ser fundado por el acusado, por lo que no se vio vulnerado el aludido principio en la situación de la especie*». (**ID Dictamen: 053696N16. Fecha: 20-07-2016. Destinatarios: don Héctor Villalobos Méndez, exdocente de la Municipalidad de Curacaví. Texto:** Se desestima reclamo de ilegalidad en contra del sumario que puso término a la relación laboral del señor Héctor Villalobos Méndez, por ajustarse a derecho. **Acción:** Aplica dictámenes 13576/2013, 7027/2014, 1788/2015).

2. «*El recurrente, en síntesis, fundamenta su requerimiento en que los hechos de que se le acusan no estarían fehacientemente acreditados, en atención a que se basarían únicamente en la declaración de la menor afectada, a lo que agrega, que la vista fiscal no realiza la relación de los hechos investigados y la forma en que estos han llegado a ser comprobados, ni determina la participación y grado de culpabilidad que hubiere correspondido al sumariado y las atenuantes y agravantes que se le considerarían, como dispone el artículo 137, inciso segundo, de la ley Nº 18.883*». (**ID Dictamen: 022883N16. Fecha:** 24-03-2016. **Destinatarios:** don Alejandro Barra Inostroza, exdocente de la Municipalidad de Huechuraba. **Texto:** No procede reabrir el proceso sumarial de la especie por cuanto este se encuentra ajustado a derecho. **Acción:** Aplica dictámenes 11434/2014, 1788/2015).

3. «*Asimismo, cabe hacer presente que según lo ha precisado esta Contraloría General, entre otros, mediante los dictámenes Nºs. 26.652, de 1982; 15.116, de 1986, y 5.850, de 1996, no es posible emplear la expresión "sustracción" en la formulación de cargos, como se hiciera en aquellos en que se atribuye al señor Parra Ortiz esa acción respecto de archivos con documentación municipal, un libro de correspondencia, un acta de incautación de la Policía de Investigaciones de Chile y una carpeta de viáticos que se encontraban en la Dirección de Control, ya que el uso de tal vocablo conlleva la imputación de un delito, en circunstancias que los* **cargos deben estar referidos a hechos concretos y verificados, que impliquen una infracción de deberes funcionarios, no obstante que puedan constituir, eventualmente, conductas delictivas.***

*Lo anterior, sin embargo, **no obsta a la obligación que le impone el inciso final del artículo 137 de la precitada ley Nº 18.883 al fiscal, de proceder de inmediato a formalizar la respectiva denuncia a la Justicia Ordinaria, si estima que los hechos investigados en el proceso sumarial pudieran revestir caracteres de delito, obligación que no lo inhabilita para proseguir con su indagación, toda vez que la responsabilidad administrativa y la sanción que pueda traer aparejada, son independientes de la responsabilidad civil y penal que aquellos puedan acarrear, según lo previsto en el artículo 119 del cuerpo normativo antes aludido, criterio concordante, por lo demás, con lo resuelto en el dictamen Nº 46.231, de 2004, de esta Entidad de Control, entre otros.***

*Por su parte, en lo relativo a la acreditación de los hechos investigados y la prueba rendida al efecto, cabe precisar que para que sea declarado el cierre del sumario y posteriormente decretada una sanción determinada, **este Organismo Fiscalizador ha manifestado, entre otros, mediante el dictamen Nº 34.010, de 2005, que es necesario que la investigación se encuentre agotada, lo que ocurre cuando el fiscal ha aportado todos los elementos de prueba que apoyen la respectiva resolución, estableciendo de manera coherente e indubitada la relación existente entre los hechos investigados y la responsabilidad que en ellos les corresponde a quienes resultaron imputados, con el objeto de llegar a la convicción de la inocencia o culpabilidad de éstos***, situación que no se ha advertido en esta ocasión*». (**ID Dictamen: 074921N12 Fecha:** 03.12.2012 **Destinatarios:** Alcalde de la Municipalidad de Hualpén. **Texto:** Acoge reclamos de ilegalidad en contra de sumario administrativo instruido por Municipalidad y se pronuncia sobre aplicación de ley 18695 art. 29 inc/fin. **Acción:** Aplica dictámenes 49580/2008, 65284/2011, 49744/2012, 1603/2010, 72575/2011, 19892/2009, 2030/2011, 26652/82, 15116/86, 5850/96, 46231/2004, 34010/2005, 61457/2008, 20471/2009)

4. «*Por otra parte, respecto a la petición de reconsideración del señor Valdebenito Contreras del oficio Nº 12.287, de 2011, de la Oficina Regional del Maule, por la que requiere se estudien las irregularidades que se habrían cometido en la substanciación del sumario administrativo que lo afectó, es del caso aclarar, que dichos procedimientos son reglados, y a su respecto no caben otros trámites que aquellos previstos en los artículos 127 a 143 de la ley Nº 18.883, normativa aplicable a los docentes por expresa disposición del artículo 72, letra b), de la ley Nº 19.070 (aplica dictámenes Nºs. 15.680 y 43.658, ambos de 2012, de este origen)*». (**ID Dictamen: 067489N12 Fecha:** 29.10.2012 **Destinatarios:** Alcalde de la Municipalidad de Talca. **Texto:** Sobre reapertura de proceso disciplinario contra docentes e improcedencia de aplicarles el art. 88 A lt/a de la ley 18883. **Acción:** Aplica dictámenes 15680/2012, 43658/2012, 36909/2010, 4182/2011)

5. «*Pues bien, del examen de los antecedentes acompañados, ha sido posible verificar que el dictamen emitido por el fiscal sumariante reúne todas las exigencias previstas por la normativa legal que regula la materia, de modo que el decreto Nº 83, de 2012, cuya legalidad se reclama, al aprobar la respectiva vista fiscal señalando los hechos y el derecho aplicable en la especie, se encuentra debidamente fundado*». (**ID Dictamen: 063047N12 Fecha:** 10.10.2012 **Destinatarios:** Alonso Basualto Arias. **Texto:** Dictamen emitido por el fiscal sumariante reúne todas las exigencias previstas en la normativa legal que regula la materia, de modo que decreto alcaldicio que aprueba la vista fiscal, señalando los hechos y el derecho aplicable, se encuentra debidamente fundado. **Acción:** Aplica dictámenes 43373/2012, 58110/2009)[300]

6. «*Como cuestión previa, es del caso recordar que, de acuerdo con lo dispuesto en la letra b) del artículo 72 de la ley Nº 19.070 —Estatuto de los Profesionales de la Educación—, los sumarios incoados en contra de docentes regidos por ese estatuto, para acreditar alguna de las causales enunciadas en dicho precepto —como ocurre en la situación que se analiza—, se regulan en su tramitación por las disposiciones de los artículos 127 al 143 de la ley Nº 18.883, Estatuto Administrativo para Funcionarios Municipales.*

Enseguida, y acorde con el planteamiento contenido en los dictámenes Nºs. 511, de 2011, y 15.680, de 2012, de este origen, los sumarios administrativos son procedimientos reglados en los que no caben otros trámites o instancias que aquellas previstas en la reglamentación que los regula, en este caso, la contemplada en la ley Nº 18.883, cuerpo normativo que no otorga facultades a esta Contraloría General para pronunciarse ni intervenir respecto de procesos disciplinarios que no se encuentran afinados.

En razón de lo anterior, no resulta posible acceder a lo solicitado por el recurrente respecto de los vicios de procedimiento a que alude, sin perjuicio de manifestar que si al término del sumario de la especie, aquel resulta afectado por la aplicación de una medida sancionatoria, como consecuencia de actuaciones investigadas en el proceso, y considera que este adolece de vicios de legalidad, puede interponer el correspondiente reclamo ante esta Entidad de Control. (...)

Ahora bien, en la situación que se analiza, y de los antecedentes tenidos a la vista, es posible apreciar que la tramitación del sumario de la especie ha excedido con creces el plazo legal fijado para ello, puesto que, habiendo sido iniciado el 26 de noviembre de 2010, ha transcurrido más de un año sin que se encuentre terminado, circunstancia que puede afectar la responsabilidad administrativa de quienes estén involucrados en tal hecho, esto es, del fiscal que sustancia el proceso o de los funcionarios de la unidad jurídica del municipio, atendido que, de acuerdo con el artículo 28 de la ley Nº 18.695, le corresponde a esa unidad velar por el estricto cumplimiento de las normas y plazos que regulan la tramitación de los procesos disciplinarios (aplica criterio contenido en los dictámenes Nºs. 27.262, de 2006; 4.906, de 2009, 3.775, de 2010 y 79.826, de 2011, entre otros).

Con todo, debe manifestarse que, tal como lo ha precisado la jurisprudencia administrativa de esta Entidad Fiscalizadora, contenida en el dictamen Nº 37.199, de 2009, la demora en la instrucción de un proceso disciplinario no constituye un vicio que afecte su validez, por cuanto no incide en aspectos esenciales del mismo, de conformidad con la norma contenida en el artículo 142 de la ley Nº 18.883.

En consecuencia, corresponde que la Municipalidad de La Cisterna adopte las medidas que permitan dar término, en el más breve plazo, al sumario administrativo seguido en contra del señor Vera Obando, determinando, además, la procedencia de instruir un procedimiento disciplinario para establecer las eventuales responsabilidades administrativas que puedan afectar a los servidores que hayan participado en la demora aludida, en los términos del citado artículo 141 de la ley Nº 18.883 y 28 de la ley Nº 18.695, de lo cual deberá informar a esta Contraloría General». (**ID Dictamen: 026004N12 Fecha:** 07.05.2012 **Destinatarios:** Alcalde de la Municipalidad de La Cisterna. **Texto:** La demora

---

[300] Para efectos de su consulta en la Base de Jurisprudencia de Contraloría General de la República, el citado dictamen se encuentra en la sección/materia: «generales», sin perjuicio de que se trata de uno de carácter municipal.

en la instrucción de un proceso disciplinario no constituye un vicio que afecte su validez, por cuanto no incide en aspectos esenciales del mismo. **Acción:** aplica dictámenes 511/2011, 15680/2012, 27262/2006, 4906/2009, 3775/2010, 79826/2011, 37199/2009)[301]

7. «*En consecuencia, atendidas las consideraciones expresadas, corresponde que la Municipalidad de Buin deje sin efecto los decretos por cuyo intermedio se dispusieron las designaciones de don Claudio Riveros Galdames en esa entidad edilicia, e instruya un procedimiento sumarial para determinar la eventual responsabilidad administrativa que pudiere corresponder al personal que intervino en dichas designaciones —debiendo tenerse en consideración lo previsto en el inciso final del artículo 137 de la ley Nº 18.883—, informando a este Organismo Contralor, en el plazo de 10 días, respecto de las medidas adoptadas en tal sentido.*

*Finalmente, es menester hacer presente, por una parte, que cuando en un **proceso disciplinario se dispone, de manera conjunta, sancionar o absolver a varios inculpados, corresponde que la autoridad edilicia emita un solo documento de término que contenga todas las decisiones adoptadas**, luego que el alcalde haya fallado el o los recursos de reposición interpuestos o haya vencido el plazo para deducirlos, lo que no ocurrió en la especie y, por otra, que los decretos Nºs. 198 y 290, ambos de 2011, de ese municipio, no se encuentran afectos a registro ante esta Entidad de Fiscalización, ya que son trámites internos del proceso (aplica criterio contenido en el dictamen Nº 42.476, de 2011)*». (**ID Dictamen:** 018835N12 **Fecha:** 02.04.2012 **Destinatarios:** Alcalde de la Municipalidad de Buin. **Texto:** Atiende reclamos de ilegalidad en contra de los decretos Nº s. 293, 294, 295, 296, 297 y 298, y restituye decretos Nºs. 198 y 290, todos de 2011, de la Municipalidad de Buin. **Acción:** Aplica dictámenes 44837/2011, 11542/2010, 25867/2006, 50081/2011, 38280/2010, 76892/2011, 30977/97, 2680/99, 2094/2001, 4173/2012, 33054/2000, 22509/2005, 49342/2009, 938/2009, 28938/2009, 24070/2010, 18133/2010, 30936/2011, 43130/2000, 42476/2011)

8. «*Por otra parte, es del caso observar que el **dictamen del fiscal no cumple con todos los requisitos establecidos en el inciso segundo del artículo 137 del texto legal en comento**, puesto que no contiene la anotación de las circunstancias atenuantes o agravantes que pudieren haber concurrido en la especie*». (**ID Dictamen:** 004170N12 **Fecha:** 23.01.2012 **Destinatarios:** Alcalde de la Municipalidad de Maipú. **Texto:** Sobre procedencia de medida disciplinaria de destitución de funcionaria municipal afecta a fuero gremial. **Acción:** aplica dictámenes 35972/2011, 29991/2010, 42476/2011)

Artículo 138

Emitido el dictamen, el fiscal elevará los antecedentes del sumario al alcalde, quien resolverá en el plazo de cinco días, dictando al efecto un decreto en el cual absolverá al inculpado o aplicará la medida disciplinaria, en su caso.

No obstante, el alcalde podrá ordenar la realización de nuevas diligencias o la corrección de vicios de procedimiento, fijando un plazo para tales efectos. Si de las diligencias ordenadas resultaren nuevos cargos, se notificarán sin más trámite al afectado, quien tendrá un plazo de tres días para hacer observaciones.

Ningún funcionario podrá ser sancionado por hechos que no han sido materia de cargos.

La aplicación de toda medida disciplinaria deberá ser notificada al afectado.

1. «*Se han dirigido a esta Contraloría General don Marcelo Mejías Caris y la señora Paola Cerda González, ambos exservidores de la Municipalidad de Cerrillos, quienes haciendo uso del derecho establecido en el artículo 156 de la ley Nº 18.883, reclaman respecto de la medida disciplinaria de destitución que se les aplicó por medio del decreto alcaldicio Nº 201, de 2015, con arreglo a lo previsto en el artículo 120, letra d), del citado texto estatutario*». (**ID Dictamen:** 053696N16. **Fecha:** 20-07-2016. **Destinatarios:** don Héctor Villalobos Méndez, exdocente de la Municipalidad de Cu-

---

[301] Para efectos de su consulta en la Base de Jurisprudencia de Contraloría General de la República, el citado dictamen se encuentra en la sección/materia: «generales», sin perjuicio de que se trata de uno de carácter municipal.

592   Capítulo IV. De la responsabilidad de los Funcionarios Municipales

racaví. **Texto:** Se desestima reclamo de ilegalidad en contra del sumario que puso término a la relación laboral del señor Héctor Villalobos Méndez, por ajustarse a derecho. **Acción:** Aplica dictámenes 13576/2013, 7027/2014, 1788/2015).

2. «*Sobre la materia, es del caso señalar que si bien compete a esta Entidad Fiscalizadora velar por el respeto de las normas constitucionales y legales que rigen a los funcionarios municipales, incluidas las relativas a los procedimientos disciplinarios y a la aplicación o interpretación de las normas jurídicas que regulan la garantía constitucional de un debido proceso, ello no la convierte en una instancia procesal para que se solicite dejar sin efecto un acto administrativo dictado por la autoridad edilicia competente —sobre la base de la exposición de los mismos hechos ya investigados en el sumario correspondiente—, puesto que la ley ha radicado en aquella la potestad sancionadora.*

*En este contexto, en relación con lo manifestado por el recurrente en cuanto a la motivación que tuvo para suscribir el contrato de regularización de obra mencionado, como a la naturaleza de su participación en el cumplimiento de aquel instrumento, es menester precisar que no procede que este Organismo de Control emita un pronunciamiento a ese respecto, por tratarse de un asunto de mérito, cuya **ponderación constituye una facultad que recae en forma exclusiva en la autoridad edilicia, en la que se encuentra radicada la potestad disciplinaria, en conformidad con lo dispuesto en los artículos 63, letras c) y d), de la ley Nº 18.695 y 138 de la ley Nº 18.883***». (**ID Dictamen: 081326N11 Fecha:** 29.12.2011 **Destinatarios:** Alcaldesa de la Municipalidad de Recoleta. **Texto:** Atiende reclamo de ilegalidad en contra del decreto Nº 820, de 2011, de la Municipalidad de Recoleta. **Acción:** Aplica dictámenes 49465/2006, 47412/2007, 2373/2010)

3. «*Ahora bien, en lo que se refiere a las demás alegaciones planteadas por la recurrente, es dable señalar que el análisis y calificación de los hechos que constituyen las faltas que son objeto de un proceso disciplinario, y la determinación del grado de responsabilidad administrativa que en ellos le cabe a los imputados, **son materias que, según se desprende del artículo 138 de la ley Nº 18.883, se han entregado, de manera primaria, a los órganos de la Administración activa, correspondiéndole a esta Entidad de Fiscalización velar porque la potestad disciplinaria de aquellos sea ejercida conforme a la legislación que rige los procedimientos disciplinarios respectivos y, cuando corresponda, objetar la decisión de la superioridad si del examen de los antecedentes sumariales se aprecia alguna infracción al debido proceso, a la normativa legal o reglamentaria que regula la materia, o bien, si se observa alguna decisión de carácter arbitrario**, tal como se ha sostenido, entre otros, en los **dictámenes de este origen Nos 17.746, de 2009; 8.217 y 13.177, ambos de 2010**»*. (**ID Dictamen: 079687N11 Fecha:** 22.12.2011 **Destinatarios:** María Soledad Lira Salazar. **Texto:** Aclara en los términos que indica oficio Nº 6827, de 2011, de la Contraloría Regional de Valparaíso, mediante el cual se formularon observaciones al decreto alcaldicio Nº 1030, de 2010, de la Municipalidad de El Quisco, que afinó un sumario administrativo y aplicó a la recurrente la medida disciplinaria de destitución. **Acción:** Aplica dictámenes 17746/2009, 8217/2010, 13177/2010)[302]

4. «*Ahora bien, de los antecedentes tenidos a la vista se observa que la última actuación verificada en el procedimiento disciplinario de la especie, corresponde a la vista fiscal (...), advirtiéndose que **no se encuentra debidamente afinado, toda vez que la autoridad edilicia omitió dictar el acto administrativo a través del cual se sobresea al sumariado —por cuanto no se formularon cargos—, o bien, la orden de que prosiga la investigación, en caso de estimarse que ella no está agotada***, según sea el caso, por lo que el alcalde de la Municipalidad de La Florida deberá dictar el decreto que afine el proceso disciplinario de la especie, en los términos anteriormente anotados*». (**ID Dictamen: 079504N11 Fecha:** 21.12.2011 **Destinatarios:** Alcalde de la Municipalidad de La Florida. **Texto:** Proceso disciplinario no se encuentra afinado, por lo que Alcalde deberá dictar el decreto que sobresea al sumariado —por cuanto no se formularon cargos— o bien, la orden de que se prosiga la investigación, en caso de estimarse que ella no se encuentra agotada, debiendo registrarse, únicamente, el acto terminal que contiene la decisión de la autoridad en cuanto a la sanción, absolución o sobreseimiento. **Acción:** Aplica dictámenes 32148/97, 61883/2010)[303]

5. «*Sobre el particular, cabe hacer presente que de acuerdo con lo establecido en el **artículo 1º de la Constitución Política**, en nuestro sistema jurídico están proscritos los actos de hostigamiento que atenten contra la dignidad de las per-*

---

[302] Para efectos de su consulta en la Base de Jurisprudencia de Contraloría General de la República, el citado dictamen se encuentra en la sección/materia: «generales», sin perjuicio de que se trata de uno de carácter municipal

[303] Para efectos de su consulta en la Base de Jurisprudencia de Contraloría General de la República, el citado dictamen se encuentra en la sección/materia: «generales», sin perjuicio de que se trata de uno de carácter municipal.

sonas, prohibición cuya transgresión compromete la responsabilidad administrativa del infractor, de manera que esa autoridad edilicia —conforme con lo previsto en los artículos 56 y 63, letras c) y d), de la ley Nº 18.695, y en el artículo 138 de la ley Nº 18.883—, o bien el director del Departamento de Administración de Educación Municipal —de acuerdo con el artículo 145, inciso segundo, del decreto Nº 453, de 1991, del Ministerio de Educación, en concordancia con el artículo 72 de la ley Nº 19.070—, según corresponda, **deberán ordenar la instrucción de un procedimiento sumarial a fin de determinar la ocurrencia de los hechos denunciados y, según el mérito del mismo, aplicar las sanciones que procedan (aplica dictámenes Nºs. 17.427 y, 54.664, ambos de 2011)».** (**ID Dictamen: 078306N11 Fecha:** 15.12.2011 **Destinatarios:** Alcalde de la Municipalidad de Huechuraba. **Texto:** Sobre eventual acoso laboral a profesional de la educación, por parte de director de establecimiento educacional. **Acción:** Aplica dictámenes 17427/2011, 54664/2011. Mismo criterio aplicado en **ID Dictamen: 054664N11 Fecha:** 30.08.2011 **Destinatarios:** Alcalde de la Municipalidad de El Bosque. **Texto:** Sobre eventual acoso laboral y cumplimiento de funciones docentes en escuela especial. **Acción:** Aplica dictámenes 4735/2011, 17427/2011[304])

6. «*Por último, y sobre lo consultado por el afectado en relación con la facultad que tendría el alcalde de aumentar la sanción propuesta por el fiscal en un sumario, es del caso anotar que* **la ley ha radicado en la autoridad comunal la potestad disciplinaria, en conformidad con lo dispuesto en los artículos 63, letras c) y d), de la ley Nº 18.695, Orgánica Constitucional de Municipalidades, y 138 de la ley Nº 18.883, de tal forma que la proposición contenida en el dictamen que emite el fiscal de un procedimiento disciplinario, no resulta vinculante para el alcalde, quien tiene la facultad de modificar tal proposición (aplica criterio contenido en los dictámenes Nºs. 56.880 y 60.677, ambos de 2011)».** (**ID Dictamen: 077465N11 Fecha:** 12.12.2011 **Destinatarios:** Alcalde de la Municipalidad de La Florida. **Texto:** Acoge solicitud de reconsideración de oficio Nº 13099, de 2011, relativo a inhabilidad para ascender por aplicación de una medida disciplinaria, resolviendo que corresponde el ascenso del recurrente a partir de la fecha que indica, debiendo el municipio de La Florida adoptar las medidas que sean necesarias para regularizar su situación. **Acción:** Aplica dictámenes 51140/2011, 44837/2011, 56880/2011, 60677/2011 Reconsidera dictamen 13099/2011)

7. «*Al respecto, procede señalar que en virtud de lo previsto en los artículos 124 y siguientes de la ley Nº 18.883, Estatuto Administrativo para Funcionarios Municipales, corresponde al Alcalde, en cuanto máxima autoridad del municipio y titular de la potestad disciplinaria, ponderar las situaciones que ameriten la instrucción de un sumario administrativo, a fin de determinar las responsabilidades funcionarias consiguientes. Asimismo, el* **artículo 138 del citado cuerpo legal, otorga a esa autoridad la facultad de aplicar medidas disciplinarias, conforme al mérito que asigne a los hechos debidamente verificados en el pertinente sumario, con las limitaciones generales que le impone el debido proceso y la exigencia de que su decisión sea fundada, razonable y no revista caracteres de arbitrariedad o abuso (aplica dictamen Nº 52.975, de 2009)».** (**ID Dictamen: 076892N11 Fecha:** 07.12.2011 **Destinatarios:** Segundo Vicepresidente de la Cámara de Diputados. **Texto:** Sobre solicitud de investigación de exoneraciones o sanciones aplicadas a funcionarios de la Municipalidad de Peñalolén. **Acción:** Aplica dictámenes 52975/2009, 15914/99, 47216/99, 7744/2000, 74890/2010, 20311/2011 33225/2011, 31614/2011. Mismo criterio aplicado en **ID Dictamen: 017457N11 Fecha:** 22.03.2011 **Destinatarios:** Alcalde de la Municipalidad de Yungay. **Texto:** Sobre solicitud de reconsideración del oficio Nº 6025, de 2010, de la Contraloría Regional del Bío Bío, que observó decretos de la Municipalidad de Yungay, que aplicaron medidas disciplinarias que indica. **Acción:** Aplica dictamen 52975/2009)

8. «*Como puede advertirse, en la especie,* **el alcalde, de conformidad con lo establecido en los artículos 56 y 63, letras c) y d), de la ley Nº 18.695, Orgánica Constitucional de Municipalidades, y en el artículo 138 de la ley Nº 18.883, Estatuto Administrativo para Funcionarios Municipales, ejerció la potestad disciplinaria que le entrega el ordenamiento jurídico, sin que esta Contraloría General pueda pronunciarse acerca del mérito de las decisiones adoptadas en este contexto».** (**ID Dictamen: 071550N11 Fecha:** 15.11.2011 **Destinatarios:** Claudio Baeza de la Fuente. **Texto:** Sobre ejercicio de la potestad disciplinaria, actuación de comité de selección e incorporación de antecedentes a hoja de vida funcionaria. **Acción:** Aplica dictamen 13754/2011)[305]

---

304   Para efectos de su consulta en la Base de Jurisprudencia de Contraloría General de la República, el citado dictamen se encuentra en la sección/materia: «generales», sin perjuicio de que se trata de uno de carácter municipal

305   Para efectos de su consulta en la Base de Jurisprudencia de Contraloría General de la República, el citado dictamen se encuentra en la sección/materia: «generales», sin perjuicio de que se trata de uno de carácter municipal

9. «*Respecto a la forma en que la autoridad administrativa ponderó la prueba, estimando que "por la multiplicidad y gravedad de los cargos" debía aplicar la medida expulsiva que se reclama, es menester precisar que, de acuerdo a lo resuelto por la jurisprudencia de este Ente Fiscalizador, el mérito probatorio que puedan tener los elementos de convicción que consten en la investigación, debe ser apreciado por la autoridad edilicia pertinente, y no por esta Contraloría General, toda vez que la ley ha radicado en ella la potestad disciplinaria, en conformidad con lo dispuesto en los artículos 63, letras c) y d), de la ley Nº 18.695, Orgánica Constitucional de Municipalidades, y 138 de la ley Nº 18.883 (aplica criterio contenido en los dictámenes Nºs. 61.869, de 2004, y 62.969, de 2009)*». (**ID Dictamen:** 065284N11 **Fecha:** 17.10.2011 **Destinatarios:** Alcalde de la Municipalidad de San Miguel. **Texto:** Restituye actos administrativos emanados de la Municipalidad de San Miguel referidos a procedimiento disciplinario señalando que sólo están afectos a registro el acto terminal que absuelve, sobresee o aplica medida a funcionario determinado y no un acto interno del proceso, como es el caso. **Acción:** aplica dictámenes 28791/2009, 44837/2011, 50081/2011, 61869/2004, 62969/2009, 49580/2008, 52975/2009, 17457/2011, 56880/2011, 31011/2009, 42476/2011)

10. «*Sobre el particular, se debe hacer presente que de conformidad con el artículo 133 bis de la ley Nº 10.336, de Organización y Atribuciones de esta Contraloría General, en los sumarios instruidos en las municipalidades por esta Entidad Fiscalizadora, en el caso de que el alcalde imponga una sanción distinta de la propuesta, deberá hacerlo mediante una resolución fundada, sujeta al trámite de toma de razón.*
En relación con lo anterior, cabe recordar que si bien la autoridad edilicia no se encuentra en el imperativo de aplicar las medidas propuestas por, este órgano de Control, puesto que la potestad disciplinaria se encuentra radicada en la Administración Activa, en el ejercicio de esa prerrogativa el alcalde no puede desconocer la responsabilidad administrativa que ha sido acreditada a través del correspondiente sumario, pues la discrecionalidad de que goza sólo lo faculta para escoger cuál medida específica puede imponer, pero siempre tomando en cuenta el mérito de los autos, debiendo agregarse, además, que en la especie, las argumentaciones respecto de la buena fe de los afectados y de la proporcionalidad de las sanciones, ya fueron analizadas por este Organismo Fiscalizador, tanto en la vista fiscal, como en la citada resolución Nº 1.266, de 2010». (**ID Dictamen:** 063294N11 **Fecha:** 06.10.2011 **Destinatarios:** Alcalde de la Municipalidad de Las Condes. **Texto:** Representa decretos 2490, 2713, 2735, 2736 y 2842, todos de 2010, de la Municipalidad de Las Condes, mediante los cuales se absolvió de responsabilidad administrativa a los funcionarios que indica, teniendo presente que la facultad del alcalde para escoger la medida disciplinaria debe estar acorde al mérito de autos. **Acción:** Aplica dictamen 36336/2009)[306]

11. «*Sobre la materia, es del caso señalar que si bien compete a esta Entidad Fiscalizadora velar por el respeto de las normas constitucionales y legales que rigen a los funcionarios municipales, incluidas las relativas a los procedimientos disciplinarios y a la aplicación o interpretación de las normas jurídicas que regulan la garantía constitucional de un debido proceso, ello no la convierte en una instancia procesal para que se solicite dejar sin efecto un acto administrativo dictado por la autoridad edilicia competente —sobre la base de la exposición de los mismos hechos ya investigados en el sumario correspondiente—, puesto que la ley ha radicado en aquélla la potestad sancionadora.*
En este contexto, en relación con lo manifestado por el recurrente en cuanto a la apreciación de las pruebas allegadas al proceso administrativo, así como a las circunstancias atenuantes que operarían a su favor, es menester precisar que no procede que este Organismo de Control emita un pronunciamiento a ese respecto, por tratarse de un asunto de mérito, cuya ponderación constituye una facultad que recae en forma exclusiva en la autoridad edilicia, en la que se encuentra radicada la potestad disciplinaria, en conformidad con lo dispuesto en los artículos 63, letras c) y d), de la ley Nº 18.695, y 138 de la ley Nº 18.883.
Ahora bien, acerca de la legalidad del proceso sumarial de la especie, cumple informar que se ha podido advertir que en el mismo se respetó el derecho a defensa del recurrente, toda vez que consta (…), que prestó declaración indagatoria, fue objeto de cargos con descripción de la conducta y la norma infringida, presentó descargos, y dedujo el pertinente recurso de reposición, dándose cumplimiento a la garantía de un racional y justo procedimiento». (**ID Dictamen:** 062872N11 **Fecha:** 05.10.2011 **Destinatarios:** Alcalde Municipalidad de San Miguel. **Texto:** Contraloría no es instancia procesal para solicitar dejar sin efecto un acto administrativo dictado por la autoridad edilicia competente, sobre la base de la exposición de los mismos hechos ya investigados en sumario. Apreciación de pruebas y atenuantes es un asunto

---

[306] Para efectos de su consulta en la Base de Jurisprudencia de Contraloría General de la República, el citado dictamen se encuentra en la sección/materia: «generales», sin perjuicio de que se trata de uno de carácter municipal

de mérito. Mismo criterio aplicado en **ID Dictamen: 056880N11 Fecha:** 07.09.2011 **Destinatarios:** Miguel Ramos Lobos. **Texto:** Procedió medida disciplinaria de destitución en contra de Director de Obras que invalidó permiso de edificación otorgado conforme a derecho, habiéndose acreditado en el procedimiento disciplinario el cargo formulado, vinculado a infracciones al principio de probidad administrativa. **Acción:** Aplica dictámenes 31011/2009, 3562/91, 39833/2001, 2641/2005, 49531/2008, 53290/2004, 53875/2009, 47295/2006)

12. *«De acuerdo a lo expuesto, y en cuanto a la apreciación de las pruebas allegadas al proceso administrativo —lo que incidiría, según indican los interesados, en la falta de proporcionalidad que reclaman—, debe manifestarse que no cabe emitir un pronunciamiento a ese respecto,* **toda vez que la ponderación de la misma constituye una facultad que recae en forma exclusiva en la autoridad edilicia, en la que se encuentra radicada la potestad disciplinaria, en conformidad con lo dispuesto en los artículos 63, letra c), de la ley Nº 18.695, y 138, de la ley Nº 18.883.**

Ahora bien, en lo que concierne específicamente a las reclamaciones de los señores Farías Nelly y Zúñiga Cabello, en cuanto a la tramitación del procedimiento disciplinario, es del caso señalar que se ha podido constatar, por una parte, que se **realizaron todas las diligencias tendientes a establecer la veracidad y existencia de los hechos ordenados investigar,** *acreditándose, especialmente, (...),* **la responsabilidad administrativa de dichos exservidores en tales hechos, de acuerdo a los cargos que se les formularon** *(...), los cuales no pudieron desacreditar* **y, por otra, que en dicho proceso, se les procuraron las instancias legales a fin de asegurar su derecho a defensa, dándose cumplimiento a la garantía de un justo y racional procedimiento.**

En cuanto a lo alegado respecto de que los cargos no habrían sido precisos ni determinados, cumple con manifestar que estos cumplieron con las exigencias que ha señalado la **jurisprudencia administrativa de este Organismo de Control para su eficacia, toda vez que dieron satisfacción al principal objetivo que se persigue con ellos, esto es, dar a conocer en forma clara a los inculpados los hechos anómalos que se les atribuyen para así tener la posibilidad de defenderse,** *lo cual tuvo lugar en el caso que nos ocupa, puesto que consta que aquéllos ejercieron su derecho a defensa en cada una de las instancias legales establecidas para ese efecto, según se advierte de la presentación de sus descargos —fojas 503 y 509—, así como en la interposición de los respectivos recursos de reposición —fojas 630 y 634— (aplica criterio contenido en los dictámenes Nºs. 38.203, de 2002 y 50.081, de 2011). (...)*

Finalmente, en lo que se refiere a los servidores Nancy Cepeda Sepúlveda y Juan Paillalef Zúñiga, es imperativo indicar que tras la reapertura del sumario de la especie, ordenada por decreto Nº 1.392, de 2010, que retrotrajo el procedimiento disciplinario a la etapa de investigación, **no se les formularon cargos, por lo que no procede que se haya sancionado a la primera —atendido lo establecido en el artículo 138, inciso tercero, de la ley Nº 18.883—, ni que se hubiere absuelto** *al segundo (aplica criterio contenido en el dictamen Nº 35.623, de 2006)».* (ID Dictamen: 056865N11 Fecha: 07.09.2011 **Destinatarios:** Alcalde de la Municipalidad de Ñuñoa. **Texto:** Observa decreto 818/2011, de la Municipalidad de Ñuñoa, que aplica medidas disciplinarias y absuelve a funcionarios que indica, y atiende reclamos de ilegalidad. **Acción:** Aplica dictámenes 38203/2002, 35623/2006, 50081/2011)[307]

13. *«Sobre el particular, es menester anotar que de acuerdo a lo prescrito en los artículos 124, 126, 127 y 138 de la ley Nº 18.883, sobre Estatuto Administrativo para Funcionarios Municipales, es la autoridad dotada de la potestad disciplinaria, en este caso el Alcalde, la que, de estimar que ciertos hechos son constitutivos de infracción administrativa y susceptibles de ser sancionados con una medida disciplinaria, dispondrá la instrucción de un proceso sumarial».* (**ID Dictamen: 040271N11 Fecha:** 28.06.2011 **Destinatarios:** Alcalde de la Municipalidad de Punta Arenas. **Texto:** Sobre solicitud de alcalde de la Municipalidad de Punta Arenas de que la Contraloría Regional de Magallanes y la Antártica Chilena instruya sumario en su municipio por cuanto, en su opinión, no resultaría conveniente que ese procedimiento lo efectuara personal municipal. **Acción:** Aplica dictámenes 60136/2008, 37101/2009, 46814/2009, 56825/2009)[308]

---

[307] Para efectos de su consulta en la Base de Jurisprudencia de Contraloría General de la República, el citado dictamen se encuentra en la sección/materia: «generales», sin perjuicio de que se trata de uno de carácter municipal.

[308] Para efectos de su consulta en la Base de Jurisprudencia de Contraloría General de la República, el citado dictamen se encuentra en la sección/materia: «generales», sin perjuicio de que se trata de uno de carácter municipal.

Capítulo IV. De la responsabilidad de los Funcionarios Municipales

14. «I. Antecedentes del recurso.

Al término de dicho proceso sumarial, esa entidad edilicia aplicó en contra de la señora Ramírez Fuentes *la medida disciplinaria* de destitución, mediante el aludido decreto Nº 516, de 30 de septiembre de 2010, *acto que le fue notificado mediante carta certificada* despachada el día 5 de octubre del mismo año *—según lo dispuesto en el artículo 138, inciso final, de la citada ley Nº 18.883—* y en contra del cual la peticionaria no interpuso el recurso de reposición que procedía en la especie. (...)

IV. Garantías constitucionales supuestamente vulneradas por la dictación del decreto Nº 516, de 2010, de la Municipalidad de Huechuraba y su posterior registro por esta Entidad de Fiscalización. (...)

Del mismo modo, la jurisprudencia judicial ha puntualizado que, en lo relativo a la garantía consagrada en el Nº 24º, del artículo 19, de la Carta Fundamental, no es posible concebir su privación, perturbación o amenaza, tratándose de derechos y deberes que vinculan a los servidores públicos con los organismos de la Administración. La función pública proviene de una relación jurídica de naturaleza estatutaria y, en consecuencia, el cargo a través del cual se desempeña participa de tal carácter y constituye una clase de representación del Estado que no es posible incluir en el campo del derecho privado en el que la propiedad se inserta, y respecto del cual se establece la respectiva garantía constitucional. (Corte de Apelaciones de Rancagua, sentencia de 17 de febrero de 2003, Rol Nº 2.293. Confirmada por la Excma, Corte Suprema el 12 de marzo de 2003, Rol Nº 84703).

Sin perjuicio de lo anotado, cabe hacer presente que, en todo caso, no fueron las actuaciones de este Ente Contralor las que habrían privado a la actora del ejercicio de su cargo y de las remuneraciones correspondientes al mismo, por cuanto, en general, carece de potestad disciplinaria respecto de los servidores de las entidades sujetas a su control, de modo que mal podría disponer su cese de funciones, facultad que se encuentra radicada exclusivamente en el alcalde, como máxima autoridad del municipio, de conformidad con el artículo 63, letra d), de la ley Nº 18.695, la que en su ejercicio, dictó el decreto Nº 516, de 2010, que aplicó la medida disciplinaria de destitución, que produjo sus efectos desde la respectiva notificación, sin perjuicio del posterior trámite de registro al que fue sometido dicho acto en esta Contraloría General, por lo que, en caso alguno puede considerarse que de existir una privación al respecto, ésta emana del mencionado trámite.

Como puede advertir V.S. Iltma., la situación que afecta a la recurrente no es consecuencia de una actuación arbitraria ni ilegal de esta Contraloría General y, por ende, no es dable estimar que el trámite de registro al que fue sometido el decreto Nº 516, de 2010, de la Municipalidad de Huechuraba, pueda haber vulnerado alguna garantía constitucional, teniendo en consideración, como se ha demostrado, que su ejercicio es sólo la expresión de mandatos legales y constitucionales». (ID Dictamen: 000039N11 Fecha: 03.01.2011 Destinatarios: Presidente de la Ilustrísima Corte de Apelaciones de Santiago. Texto: Informa recurso de protección rol de ingreso Corte Nº 7955, de 2010, interpuesto por doña Patricia Ramírez Fuentes, referido a la aplicación de medida disciplinaria. Acción: Aplica dictámenes 390/2009, 41754/2008, 14529/2010, 46174/2007, 17049/2010, 65231/2010)

15. «*Luego, en lo que atañe a la medida expulsiva que se le aplicó a la afectada, la cual, según indica, sería desproporcionada, cabe señalar que, a esta Entidad de Control no le compete calificar el mérito de la sanción impuesta, toda vez que la ley ha radicado en la autoridad comunal tanto la valoración de los medios probatorios, como el consecuente ejercicio de la potestad sancionatoria, en conformidad con lo dispuesto en los artículos 63, letras c) y d), de la ley Nº 18.695, Orgánica Constitucional de Municipalidades, y artículo 138 de la ley Nº 18.883, sobre Estatuto Administrativo para Funcionarios Municipales (aplica criterio contenido en los dictámenes Nºs. 56.880 y 69.819, ambos de 2011)*». (ID Dictamen: 075318N12 Fecha: 04.12.2012 Destinatarios: Alex Bravo Roldán. Texto: Relativo a reclamo de ilegalidad contra sumario administrativo que dispuso el término de la relación laboral de una educadora de párvulos. Acción: aplica dictámenes 56880/2011, 69819/2011)

16. «*Por otra parte, respecto a la petición de reconsideración del señor Valdebenito Contreras del oficio Nº 12.287, de 2011, de la Oficina Regional del Maule, por la que requiere se estudien las irregularidades que se habrían cometido en la substanciación del sumario administrativo que lo afectó, es del caso aclarar, que dichos procedimientos son reglados, y a su respecto no caben otros trámites que aquellos previstos en los artículos 127 a 143 de la ley Nº 18.883, normativa aplicable a los docentes por expresa disposición del artículo 72, letra b), de la ley Nº 19.070 (aplica dictámenes Nºs. 15.680 y 43.658, ambos de 2012, de este origen)*». (ID Dictamen: 067489N12 Fecha: 29.10.2012 Destinatarios: Alcalde de la Municipalidad de Talca. Texto: Sobre reapertura de proceso disciplinario contra docentes e improcedencia de aplicarles el art. 88 A lt/a de la ley 18883. Acción: Aplica dictámenes 15680/2012, 43658/2012, 36909/2010, 4182/2011)

17. *«Sobre el particular, cabe señalar que el **artículo 1º de la Constitución Política de la República** proscribe todos aquellos actos que atenten contra la dignidad de los individuos, de manera que la transgresión a dicha norma compromete la responsabilidad administrativa del infractor.*

*De conformidad con ello, **corresponde que dicha materia sea conocida en las instancias judiciales pertinentes, o bien, que el alcalde**, de acuerdo con lo previsto en los **artículos 56 y 63, letras c) y d), de la ley Nº 18.**695, y a los **artículos 124, 126 y 138 de la ley Nº 18.883, en concordancia con el artículo 72, letra b) de la ley Nº 19.**070, evalúe la instrucción de un procedimiento sumarial, a fin de determinar la ocurrencia de los hechos denunciados, y conforme al mérito del mismo, decrete las sanciones que procedieren (aplica dictámenes Nºs. 29.937 y 34.597, ambos de 2012)».* **(ID Dictamen: 043670N12 Fecha:** 19.07.2012 **Destinatarios:** Alcalde de la Municipalidad de El Monte. **Texto:** Sobre denuncia de acoso laboral por parte de director de establecimiento educacional. **Acción:** Aplica dictámenes 29937/2012, 34597/2012)

18. *«En cuanto a la demora en la tramitación del mencionado sumario, cumple con indicar, que de conformidad con lo establecido en los **artículos 133, 136 a 138, y 141 de la ley Nº 18.**883, sobre Estatuto Administrativo para Funcionarios Municipales, las distintas etapas que componen el procedimiento disciplinario se encuentran sometidas al cumplimiento de plazos, de forma tal que vencidos tales términos y no encontrándose afinado, la citada preceptiva señala que el alcalde que ordenó la instrucción del respectivo sumario, debe revisarlo, adoptar las medidas tendientes a agilizarlo y determinar la responsabilidad del fiscal».* **(ID Dictamen: 034113N12 Fecha:** 11.06.2012 **Destinatarios:** Alcalde de la Municipalidad de Maipú. **Texto:** Sobre demora en tramitación de sumario administrativo y destinación de directivo al cargo de director de Servicio Municipal de Agua Potable y Alcantarillado de la Municipalidad de Maipú. **Acción:** Aplica dictámenes 51136/2008, 70997/2010)

19. *«Como cuestión previa, es del caso recordar que, de acuerdo con lo dispuesto en la **letra b) del artículo 72 de la ley Nº 19.**070 —Estatuto de los Profesionales de la Educación—, los sumarios incoados en contra de docentes regidos por ese estatuto, para acreditar alguna de las causales enunciadas en dicho precepto —como ocurre en la situación que se analiza—, se regulan en su tramitación por las disposiciones de los **artículos 127 al 143 de la ley Nº 18.**883, Estatuto Administrativo para Funcionarios Municipales.*

*Enseguida, y acorde con el planteamiento contenido en los **dictámenes Nºs. 511, de 2011, y 15.680, de 2012,** de este origen, los sumarios administrativos son procedimientos reglados en los que no caben otros trámites o instancias que aquellas previstas en la reglamentación que los regula, en este caso, la contemplada en la ley Nº 18.883, cuerpo normativo que no otorga facultades a esta Contraloría General para pronunciarse ni intervenir respecto de procesos disciplinarios que no se encuentran afinados.*

En razón de lo anterior, no resulta posible acceder a lo solicitado por el recurrente respecto de los vicios de procedimiento a que alude, sin perjuicio de manifestar que si al término del sumario de la especie, aquel resulta afectado por la aplicación de una medida sancionatoria, como consecuencia de actuaciones investigadas en el proceso, y considera que este adolece de vicios de legalidad, puede interponer el correspondiente reclamo ante esta Entidad de Control. (...)

*Ahora bien, en la situación que se analiza, y de los antecedentes tenidos a la vista, es posible apreciar que la tramitación del sumario de la especie ha excedido con creces el plazo legal fijado para ello, puesto que, habiendo sido iniciado el 26 de noviembre de 2010, ha transcurrido más de un año sin que se encuentre terminado, **circunstancia que puede afectar la responsabilidad administrativa** de quienes estén involucrados en tal hecho, esto es, del fiscal que sustancia el proceso o de los funcionarios de la unidad jurídica del municipio, atendido que, de acuerdo con el **artículo 28 de la ley Nº 18.**695, le corresponde a esa unidad velar por el estricto cumplimiento de las normas y plazos que regulan la tramitación de los procesos disciplinarios (aplica criterio contenido en los **dictámenes Nºs. 27.262, de 2006; 4.906, de 2009, 3.775, de 2010 y 79.826, de 2011, entre otros).***

*Con todo, debe manifestarse que, tal como lo ha precisado la **jurisprudencia administrativa de esta Entidad Fiscalizadora, contenida en el dictamen Nº 37.199, de 2009, la demora en la instrucción de un proceso disciplinario no constituye un vicio que afecte su validez,** por cuanto no incide en aspectos esenciales del mismo, de conformidad con la norma contenida en el **artículo 142 de la ley Nº 18.**883.*

*En consecuencia, corresponde que la Municipalidad de La Cisterna adopte las medidas que permitan dar término, en el más breve plazo, al sumario administrativo seguido en contra del señor Vera Obando, determinando, además, la procedencia de instruir un **procedimiento disciplinario para establecer las eventuales responsabilidades administrativas que puedan afectar a los servidores que hayan participado en la demora aludida,** en los términos del citado **artículo 141 de la ley Nº 18.883 y 28 de la ley Nº 18.**695, de lo cual deberá informar a esta Contraloría General».* **(ID Dictamen: 026004N12 Fecha:** 07.05.2012 **Destinatarios:** Alcalde de la Municipalidad de La Cisterna. **Texto:** La demora en la instrucción de un proceso disciplinario no constituye un vicio que afecte su validez, por cuanto no incide en aspectos esenciales del mismo. **Acción:** aplica dictámenes 511/2011, 15680/2012, 27262/2006, 4906/2009, 3775/2010, 79826/2011, 37199/2009)[309]

Artículo 139

En contra del decreto que ordene la aplicación de una medida disciplinaria, procederá el recurso de reposición.

El recurso deberá ser fundado e interponerse en el plazo de cinco días, contado desde la notificación, y deberá ser fallado dentro de los cinco días siguientes.

1. «*Se ha dirigido a esta Contraloría General el alcalde de la Municipalidad de Mostazal, solicitando la reconsideración del oficio Nº 1.012, de 2016, a través del cual la Contraloría Regional del Libertador General Bernardo O'Higgins ordenó a dicha entidad edilicia dejar sin efecto el decreto Nº 6, del mismo año, que, en lo que interesa, aplicó la medida disciplinaria de destitución a doña Carolina Orellana Soto, al término de una investigación sumaria instruida en su contra —luego elevada a sumario administrativo—, en atención a que su responsabilidad administrativa se encontraba extinguida por prescripción de la acción disciplinaria; emitir en su reemplazo el acto administrativo que corresponda; y, adoptar las medidas tendientes a regularizar la situación de la afectada, pagándole las remuneraciones pertinentes durante el tiempo en que estuvo alejada de sus funciones*». (**ID Dictamen:** 081292N16. **Fecha:** 08-11-2016. **Destinatarios:** Municipalidad de Mostazal. **Texto:** Rechaza solicitud de reconsideración del oficio Nº 1.012, de 2016, de la Contraloría Regional del Libertador General Bernardo O'Higgins. Demora en la tramitación de sumario administrativo no puede atribuirse a actuaciones de dicha sede regional. **Acción:** Aplica dictámenes 17500/2016, 2030/2011, 14283/2009, 36229/2013, 29603/2009, 41239/2014, 4548/2013).

2. «*La Contraloría Regional del Bío-Bío ha remitido la presentación de la Municipalidad de Tirúa, mediante la cual solicita la reconsideración del oficio Nº 22.247, de 2016, de ese origen, que resolvió, en lo que interesa, que no procedió que la directora del Departamento de Administración de Educación Municipal, dispusiera la destinación transitoria del docente que indica, como consecuencia del proceso disciplinario instruido en su contra*». (**ID Dictamen:** 015354N18. **Fecha:** 20-06-2018. **Destinatarios:** Municipalidad de Tirúa. **Texto:** Complementa oficio Nº 22.247, de 2016, de la Contraloría Regional del Bío-Bío, sobre cambio de funciones de docente que indica. **Acción.**

3. «*Asimismo, los **artículos 139** y 140 del mismo ordenamiento prescriben que **corresponde al Alcalde resolver los recursos de reposición** que los afectados interpongan contra su determinación inicial.*
Luego, el decreto alcaldicio que afine el respectivo proceso disciplinario, junto con el expediente respectivo, debe ser remitido a esta Contraloría General para su trámite de registro, según lo previsto en el artículo 53 de la ley Nº 18.695, Orgánica Constitucional de Municipalidades.
*En relación con lo expuesto, es del caso manifestar que **si bien el legislador ha entregado la potestad disciplinaria a la Administración Activa, esta Contraloría General, en el ejercicio de las atribuciones de control de la legalidad que le confieren la Constitución y las leyes, puede pronunciarse sobre las infracciones de ley que detecte tanto en el procedimiento de investigación previo a la sanción, como en la aplicación de ésta por el correspondiente decreto alcaldicio.** Además —acorde con el **criterio contenido en los dictámenes Nºs. 15.914 y 47.216, de 1999, entre otros**—, esta Contraloría General, en el ejercicio de sus funciones no sólo debe vigilar que en las investigaciones sumarias y sumarios administrativos no se vulneren las normas legales pertinentes, sino también que se respete el derecho del funcionario afectado a un racional y justo procedimiento, garantía consagrada por los artículos 19, Nº 3, de la Constitución Política, y 15, inciso segundo, de Ley Nº 18.575, y que la sanción dispuesta por la autoridad administrativa —propuesta por el Contralor General— tenga una debida proporcionalidad con la infracción cometida, atendidos los antecedentes*

---

[309] Para efectos de su consulta en la Base de Jurisprudencia de Contraloría General de la República, el citado dictamen se encuentra en la sección/materia: «generales», sin perjuicio de que se trata de uno de carácter municipal.

respectivos (aplica criterio contenido en dictamen Nº 7.744, de 2000)». **(ID Dictamen: 076892N11 Fecha:** 07.12.2011 **Destinatarios:** Segundo Vicepresidente de la Cámara de Diputados. **Texto:** Sobre solicitud de investigación de exoneraciones o sanciones aplicadas a funcionarios de la Municipalidad de Peñalolén. **Acción:** Aplica dictámenes 52975/2009, 15914/99, 47216/99, 7744/2000, 74890/2010, 20311/2011 33225/2011, 31614/2011)

4. «*Pues bien, en la especie, según se advierte de los antecedentes sumariales tenidos a la vista, la notificación del mencionado decreto Nº 356, de 2010, se realizó mediante el envío —con fecha 17 de junio de 2010— de una carta certificada al domicilio de la afectada, sin que exista constancia de haberse practicado previamente las respectivas búsquedas, por lo que, no apareciendo alguna otra gestión de parte de la sancionada, la notificación del decreto de que se trata, debe entenderse efectuada tácitamente al momento que reconoce haber tomado conocimiento de dicho acto sancionatorio, a saber, el 5 de julio de 2010, recurriendo en contra de esa resolución el 10 de ese mes y año, es decir, dentro del plazo de cinco días de que disponía en conformidad al **inciso segundo del artículo 139 de la ley Nº 18.883 (aplica criterio contenido en los dictámenes Nºs. 24.352, de 2010 y 44.837, de 2011)*»*. **(ID Dictamen: 073971N11 Fecha:** 28.11.2011 **Destinatarios:** Alcalde de la Municipalidad de Cerrillos. **Texto:** Observa y devuelve decretos que aplican medidas disciplinarias y atiende reclamo de ilegalidad en sumario administrativo incoado en Municipalidad de Cerrillos. **Acción:** aplica dictámenes 24352/2010, 44837/2011, 42476/2011)

5. «*Finalmente, es necesario advertir que, en el evento que la autoridad respectiva aplique las sanciones propuestas por la Contraloría Regional de Arica y Parinacota, **los afectados pueden interponer ante ella los recursos establecidos en el artículo 139 de la ley Nº 18.883, sobre Estatuto Administrativo para Funcionarios Municipales, los que tienen aplicación en aquellos sumarios incoados por esta Contraloría General, aunque no estén contemplados en las normas del Título VIII de la mencionada ley Nº 10.336,** y en la referida resolución Nº 236, de 1998, de acuerdo lo ha informado este Organismo de Control, en sus **dictámenes Nºs. 41.958 bis y 69.553, ambos de 2010*»*. **(ID Dictamen: 071436N11 Fecha:** 15.11.2011 **Destinatarios:** Alcalde de la Municipalidad de Arica. **Texto:** Sobre solicitud de pronunciamiento en sumario administrativo instruido por la Contraloría Regional de Arica y Parinacota, en que se desestima reclamo interpuesto por no advertirse los vicios de procedimiento alegados. **Acción:** Aplica dictámenes 8947/2008, 33421/2009, 689/2010, 7680/2010, 24635/2010, 1137/2005, 49428/2009, 56574/2010, 9560/2011, 41958/2010 bis, 69553/2010. Mismo criterio aplicado en **ID Dictamen: 070992N11 Fecha:** 11.11.2011 **Destinatarios:** Fernando Vargas Villarroel. **Texto:** No procede solicitud de invalidación de sumario administrativo instruido por la Contraloría Regional de Arica y Parinacota, puesto que el procedimiento sumario tramitado por este Organismo de Control, tiene una tramitación especial, dentro de las cuales no cabe sino la formulación de observaciones, ante el contralor regional, tratándose de medidas no expulsivas, quien decide de modo definitivo el asunto. **Acción:** Aplica dictámenes 8947/2008, 33421/2009, 689/2010, 7680/2010, 24635/2010, 1137/2005, 49428/2009, 56574/2010, 9560/2011, 41958/2010 bis, 69553/2010)

6. «*Sobre el particular, cabe indicar, que en lo que atañe a la invalidación de los actos administrativos en comento y a la obligación que —a consecuencia de ello, según indica la municipalidad— tendría de reincorporar a los funcionarios sancionados, es preciso señalar que respecto del señor Valdebenito Contreras esta Entidad Fiscalizadora debe abstenerse de emitir el pronunciamiento solicitado, por cuanto en virtud de lo dispuesto en el **artículo 6º, inciso tercero, de la ley Nº 10.336, de Organización y Atribuciones de la Contraloría General,** en relación con el inciso tercero del artículo 54 de la ley Nº 19.880 —sobre Bases de los Procedimientos Administrativos que rigen los Actos de los Órganos de la Administración del Estado—, no le corresponde informar ni intervenir en asuntos sometidos al conocimiento de los tribunales de justicia, lo que ocurre en la situación planteada, puesto que sobre la materia se interpuso acción de protección ante la Ilustrísima Corte de Apelaciones de Talca, en causa rol Nº 805-2012, la que se encuentra actualmente en tramitación. (...) Por otra parte, respecto a la petición de reconsideración del señor Valdebenito Contreras del oficio Nº 12.287, de 2011, de la Oficina Regional del Maule, por la que requiere se estudien las irregularidades que se habrían cometido en la substanciación del sumario administrativo que lo afectó, es del caso aclarar, que dichos procedimientos son reglados, y a su respecto no caben otros trámites que aquellos previstos en los **artículos 127 a 143 de la ley Nº 18.883,** normativa aplicable a los docentes por expresa disposición del artículo 72, letra b), de la ley Nº 19.070 (aplica dictámenes Nºs. 15.680 y 43.658, ambos de 2012, de este origen)*»*. **(ID Dictamen: 067489N12 Fecha:** 29.10.2012 **Destinatarios:** Alcalde de la Municipalidad de Talca. **Texto:** Sobre reapertura de proceso disciplinario contra docentes e improcedencia de aplicarles el art. 88 A lt/a de la ley 18883. **Acción:** Aplica dictámenes 15680/2012, 43658/2012, 36909/2010, 4182/2011)

7. «*Como cuestión previa, es del caso recordar que, de acuerdo con lo dispuesto en la **letra b) del artículo 72 de la ley Nº 19.070 —Estatuto de los Profesionales de la Educación—, los sumarios incoados en contra de docentes regidos por ese estatuto, para acreditar alguna de las causales enunciadas en dicho precepto —como ocurre en la situación que*

se analiza—, se regulan en su tramitación por las disposiciones de los artículos 127 al 143 de la ley Nº 18.883, Estatuto Administrativo para Funcionarios Municipales.
Enseguida, y acorde con el planteamiento contenido en los **dictámenes Nºs. 511, de 2011, y 15.680, de 2012**, de este origen, los sumarios administrativos son procedimientos reglados en los que no caben otros trámites o instancias que aquellas previstas en la reglamentación que los regula, en este caso, la contemplada en la ley Nº 18.883, cuerpo normativo que no otorga facultades a esta Contraloría General para pronunciarse ni intervenir respecto de procesos disciplinarios que no se encuentran afinados.
En razón de lo anterior, no resulta posible acceder a lo solicitado por el recurrente respecto de los vicios de procedimiento a que alude, sin perjuicio de manifestar que si al término del sumario de la especie, aquel resulta afectado por la aplicación de una medida sancionatoria, como consecuencia de actuaciones investigadas en el proceso, y considera que este adolece de vicios de legalidad, puede interponer el correspondiente reclamo ante esta Entidad de Control». (**ID Dictamen: 026004N12 Fecha:** 07.05.2012 **Destinatarios:** Alcalde de la Municipalidad de La Cisterna. **Texto:** La demora en la instrucción de un proceso disciplinario no constituye un vicio que afecte su validez, por cuanto no incide en aspectos esenciales del mismo. **Acción:** aplica dictámenes 511/2011, 15680/2012, 27262/2006, 4906/2009, 3775/2010, 79826/2011, 37199/2009)[310]

8. «*Por otra parte, en cuanto a la suspensión preventiva de funciones dispuesta en contra del señor Maturana Céspedes, es pertinente manifestar que según lo establece el artículo 134 de la ley Nº 18.883 —aplicable a los docentes por disposición del artículo 72, letra b), de la ley Nº 19.070 Y el inciso segundo del artículo 145 del decreto Nº 453, de 1991, del Ministerio de Educación, que aprueba el reglamento de la ley Nº 19.070— aquella está dispuesta como una medida preventiva que puede disponer el fiscal del sumario en contra de el o los inculpados.*
Cabe hacer presente que de conformidad con dicha disposición estatutaria, la referida **medida terminará al dictarse el sobreseimiento** —que será notificado personalmente y por escrito por el actuario—, o al emitirse el dictamen del fiscal, según corresponda. En caso que el fiscal proponga en su dictamen la medida de destitución, podrá decretar que se mantenga la **suspensión preventiva o la destinación transitoria**, las que cesarán automáticamente si la resolución recaída en el sumario, o en el recurso de reposición que se interponga conforme al artículo 139 de la ley Nº 18.883, absuelve al inculpado o le aplica una medida disciplinaria distinta de la destitución». (**ID Dictamen: 015680N12 Fecha:** 16.03.2012 **Destinatarios:** Alcalde de la Municipalidad de Río Hurtado. **Texto:** Sobre demora en tramitación de sumario administrativo y suspensión preventiva. **Acción:** Aplica dictámenes 61869/2011, 1713/2007, 37199/2009, 3775/2010)

Artículo 140

Acogida la reposición el alcalde dictará el decreto correspondiente en el plazo de cinco días.

1. «*La Contraloría Regional del Bío-Bío ha remitido la presentación de la Municipalidad de Tirúa, mediante la cual solicita la reconsideración del oficio Nº 22.247, de 2016, de ese origen, que resolvió, en lo que interesa, que no procedió que la directora del Departamento de Administración de Educación Municipal, dispusiera la destinación transitoria del docente que indica, como consecuencia del proceso disciplinario instruido en su contra*». (**ID Dictamen:** 053696N16. **Fecha:** 20-06-2018. **Destinatarios:** don Héctor Villalobos Méndez, exdocente de la Municipalidad de Curacaví. **Texto:** Se desestima reclamo de ilegalidad en contra del sumario que puso término a la relación laboral del señor Héctor Villalobos Méndez, por ajustarse a derecho. **Acción:** Aplica dictámenes 13576/2013, 7027/2014, 1788/2015).

2. «*Asimismo, los artículos 139 y 140 del mismo ordenamiento prescriben que corresponde al Alcalde resolver los recursos de reposición que los afectados interpongan contra su determinación inicial.*

---

[310] Para efectos de su consulta en la Base de Jurisprudencia de Contraloría General de la República, el citado dictamen se encuentra en la sección/materia: «generales», sin perjuicio de que se trata de uno de carácter municipal.

Luego, el decreto alcaldicio que afine el respectivo proceso disciplinario, junto con el expediente respectivo, debe ser remitido a esta Contraloría General para su trámite de registro, según lo previsto en el artículo 53 de la ley Nº 18.695, Orgánica Constitucional de Municipalidades.

En relación con lo expuesto, es del caso manifestar que si bien el legislador ha entregado la potestad disciplinaria a la Administración Activa, esta Contraloría General, en el ejercicio de las atribuciones de control de la legalidad que le confieren la Constitución y las leyes, puede pronunciarse sobre las infracciones de ley que detecte tanto en el procedimiento de investigación previo a la sanción, como en la aplicación de ésta por el correspondiente decreto alcaldicio». **(ID Dictamen: 076892N11 Fecha:** 07.12.2011 **Destinatarios:** Segundo Vicepresidente de la Cámara de Diputados. **Texto:** Sobre solicitud de investigación de exoneraciones o sanciones aplicadas a funcionarios de la Municipalidad de Peñalolén. **Acción:** Aplica dictámenes 52975/2009, 15914/99, 47216/99, 7744/2000, 74890/2010, 20311/2011 33225/2011, 31614/2011)

3. *«Por otra parte, respecto a la petición de reconsideración del señor Valdebenito Contreras del oficio Nº 12.287, de 2011, de la Oficina Regional del Maule, por la que requiere se estudien las irregularidades que se habrían cometido en la substanciación del sumario administrativo que lo afectó, es del caso aclarar, que dichos procedimientos son reglados, y a su respecto no caben otros trámites que aquellos previstos en los artículos 127 a 143 de la ley Nº 18.883, normativa aplicable a los docentes por expresa disposición del artículo 72, letra b), de la ley Nº 19.070 (aplica dictámenes Nºs. 15.680 y 43.658, ambos de 2012, de este origen)».* **(ID Dictamen: 067489N12 Fecha:** 29.10.2012 **Destinatarios:** Alcalde de la Municipalidad de Talca. **Texto:** Sobre reapertura de proceso disciplinario contra docentes e improcedencia de aplicarles el art. 88 A lt/a de la ley 18883. **Acción:** Aplica dictámenes 15680/2012, 43658/2012, 36909/2010, 4182/2011)

4. *«Como cuestión previa, es del caso recordar que, de acuerdo con lo dispuesto en la letra b) del artículo 72 de la ley Nº 19.070 —Estatuto de los Profesionales de la Educación—, los sumarios incoados en contra de docentes regidos por ese estatuto, para acreditar alguna de las causales enunciadas en dicho precepto —como ocurre en la situación que se analiza—, se regulan en su tramitación por las disposiciones de los artículos 127 al 143 de la ley Nº 18.883, Estatuto Administrativo para Funcionarios Municipales.*

Enseguida, y acorde con el planteamiento contenido en los dictámenes Nºs. 511, de 2011, y 15.680, de 2012, de este origen, los sumarios administrativos son procedimientos reglados en los que no caben otros trámites o instancias que aquellas previstas en la reglamentación que los regula, en este caso, la contemplada en la ley Nº 18.883, cuerpo normativo que no otorga facultades a esta Contraloría General para pronunciarse ni intervenir respecto de procesos disciplinarios que no se encuentran afinados.

En razón de lo anterior, no resulta posible acceder a lo solicitado por el recurrente respecto de los vicios de procedimiento a que alude, sin perjuicio de manifestar que si al término del sumario de la especie, aquel resulta afectado por la aplicación de una medida sancionatoria, como consecuencia de actuaciones investigadas en el proceso, y considera que este adolece de vicios de legalidad, puede interponer el correspondiente reclamo ante esta Entidad de Control». **(ID Dictamen:** 026004N12 **Fecha:** 07.05.2012 **Destinatarios:** Alcalde de la Municipalidad de La Cisterna. **Texto:** La demora en la instrucción de un proceso disciplinario no constituye un vicio que afecte su validez, por cuanto no incide en aspectos esenciales del mismo. **Acción:** aplica dictámenes 511/2011, 15680/2012, 27262/2006, 4906/2009, 3775/2010, 79826/2011, 37199/2009)[311]

Artículo 141

Vencidos los plazos de instrucción de un sumario y no estando éste afinado, el alcalde que lo ordenó deberá revisarlo, adoptar las medidas tendientes a agilizarlo y determinar la responsabilidad del fiscal.

---

[311] Para efectos de su consulta en la Base de Jurisprudencia de Contraloría General de la República, el citado dictamen se encuentra en la sección/materia: «generales», sin perjuicio de que se trata de uno de carácter municipal.

1. «*Ratifica informe de investigación especial Nº 1.186, de 2016, de la Contraloría Regional de Valparaíso, sobre eventuales irregularidades en Municipalidad de Villa Alemana, salvo en lo que respecta a observación que indica*». (**ID Dictamen:** 091846N16. **Fecha:** 21-12-2016. **Destinatarios:** Municipalidad de Villa Alemana. **Texto:** Ratifica informe de investigación especial Nº 1.186, de 2016, de la Contraloría Regional de Valparaíso, sobre eventuales irregularidades en Municipalidad de Villa Alemana, salvo en lo que respecta a observación que indica. **Acción:** Aplica dictámenes 84878/2013, 82316/2014, 32581/2010, 7027/2014, 97968/2014).

2. «*Se ha dirigido una vez más a esta Contraloría General el señor Luis Espinosa Plaza, exdirector del Liceo Eduardo Frei Montalva A-26, de la Municipalidad de Santiago, reclamando por la demora en la tramitación del proceso sumarial que se incoara en su contra; que se le instruya a esa entidad edilicia adoptar las medidas a fin de reparar su honra, pagándosele además, una indemnización a consecuencia de los perjuicios sufridos por no haber sido nombrado en los empleos a que postulara; que se le ordene a ese municipio suspender la tramitación del aludido sumario en tanto no se resuelva su presentación, y, finalmente, que se le reconozca el carácter indefinido de su designación como director del referido establecimiento educacional, junto con su respectiva remuneración*». (**ID Dictamen:** 081288N16. **Fecha:** 08-11-2016. **Destinatarios: señor Luis Espinosa Plaza, exdirector del Liceo Eduardo Frei Montalva A-26, de la Municipalidad de Santiago**. **Texto:** Municipio deberá concluir sumario que señala y regularizar designación de docente que indica. **Acción:** Aplica dictamen 24772/2014 Aplica dictamen 53773/2014 Aplica dictamen 43292/2015 Aplica dictamen 94190/2014 Aplica dictamen 70398/2015).

3. «*En este sentido, y tal como lo expresa el artículo 141 de la ley Nº 18.883 —aplicable a los sumarios administrativos sustanciados en contra de los docentes, en virtud del artículo 72, letra b), de la ley Nº 19.070—, "Vencidos los plazos de instrucción de un sumario y no estando éste afinado, el alcalde que lo ordenó deberá revisarlo, adoptar las medidas tendientes a agilizarlo y determinar la responsabilidad del fiscal"*». (**ID Dictamen:** 032396N16. **Fecha:** 03-05-2016. **Destinatarios:**. **Texto:** Sobre eventual uso indebido de la calidad de titular por parte del reemplazante de directora de establecimiento educacional que indica; y la ley 19.070 no reconoce las figuras jurídicas de la subrogancia y la suplencia. **Acción:** Aplica dictámenes 33051/2014, 30681/2014, 57461/2014).

4. «*Ahora bien, en cuanto a la demora en la tramitación del procedimiento disciplinario por el que se reclama, es dable hacer presente que el artículo 133, inciso segundo, de la referida ley Nº 18.883, dispone que tratándose de sumarios administrativos, la investigación de los hechos deberá realizarse en el plazo de veinte días, al término de los cuales se declarará cerrada la investigación y se formularán cargos al o los afectados o se solicitará el sobreseimiento, para lo cual habrá un plazo de tres días.*
*A su vez, el **artículo 141 del mencionado texto legal**, establece que vencidos los plazos de instrucción de un sumario y no estando éste afinado, el alcalde que lo ordenó deberá revisarlo, adoptar las medidas tendientes a agilizarlo y determinar la responsabilidad del fiscal.*
*Al respecto, cabe indicar que según lo señalado por **la jurisprudencia administrativa de esta Entidad de Fiscalización, contenida, entre otros, en el dictamen Nº 37.199, de 2009, la demora en la instrucción de un sumario administrativo no constituye un vicio que afecte su validez, por cuanto no incide en aspectos esenciales del mismo** —según lo dispuesto en el artículo 142 del antes aludido cuerpo estatutario—, lo que no obsta a perseguir la responsabilidad disciplinaria de quien o quienes originaron tal dilación*». (**ID Dictamen: 068499N12 Fecha:** 31.10.2012 **Destinatarios:** Alcalde de la Municipalidad de Alhué. **Texto:** Desestima reclamo sobre irregularidades en sumario administrativo en trámite y se pronuncia sobre demora en su substanciación. **Acción:** Aplica dictámenes 26004/2012, 37199/2009, 15700/2012)

5. «*Por consiguiente, la Municipalidad de Macul, acorde con lo preceptuado en el artículo 141 de la ley Nº 18.883, Estatuto Administrativo para los Funcionarios Municipales, deberá adoptar, respecto del referido procedimiento disciplinario, las medidas que correspondan, con el fin de emitir, a la brevedad, el respectivo acto terminal, informando de ello a este Organismo de Control, (...)*». (**ID Dictamen: 076284N12 Fecha:** 07.12.2012 **Destinatarios:** Alcalde de la Municipalidad de Macul. **Texto:** Sobre imputabilidad de responsabilidad administrativa de inculpado, e informe de la Comisión de Medicina Preventiva e Invalidez. **Acción:** Aplica dictámenes 38405/2011, 73160/2010)

6. «*Por otra parte, respecto de la petición de reconsideración del señor Valdebenito Contreras del oficio Nº 12.287, de 2011, de la Oficina Regional del Maule, por la que requiere se estudien las irregularidades que se habrían cometido en la substanciación del sumario administrativo que lo afectó, es del caso aclarar, que dichos procedimientos son reglados, y a su respecto no caben otros trámites que aquellos previstos en los **artículos 127 a 143 de la ley Nº 18.883**, normativa aplicable a los docentes por expresa disposición del artículo 72, letra b), de la ley Nº 19.070 (aplica dictámenes Nºs. 15.680 y 43.658, ambos de 2012, de este origen)*». (**ID Dictamen:** 067489N12 **Fecha:** 29.10.2012 **Destinatarios:** Alcalde

de la Municipalidad de Talca. **Texto:** Sobre reapertura de proceso disciplinario contra docentes e improcedencia de aplicarles el art. 88 A lt/a de la ley 18883. **Acción:** Aplica dictámenes 15680/2012, 43658/2012, 36909/2010, 4182/2011)

7. «*En consecuencia, corresponde que el referido municipio determine la procedencia de indagar las eventuales responsabilidades administrativas que puedan afectar a los servidores que hayan participado en el retraso aludido, en conformidad con lo establecido en los artículos 141 de la anotada ley Nº 18.883 y 28 de la ley Nº 18.695, Orgánica Constitucional de Municipalidades (aplica criterio contenido en dictamen Nº 26.004, de 2012)*». **(ID Dictamen: 059311N12 Fecha:** 26.09.2012 **Destinatarios:** Richard Flores Torres y Salvador Bernal Durán **Texto:** Sobre demora en la tramitación de procedimiento disciplinario que indica. **Acción:** Aplica dictámenes 13330/2012, 49744/2012, 26004/2012)

8. «*En cuanto a la demora en la tramitación del mencionado sumario, cumple con indicar, que de conformidad con lo establecido en los artículos 133, 136 a 138, y 141 de la ley Nº 18.883, sobre Estatuto Administrativo para Funcionarios Municipales, las distintas etapas que componen el procedimiento disciplinario se encuentran sometidas al cumplimiento de plazos, de forma tal que vencidos tales términos y no encontrándose afinado, la citada preceptiva señala que el alcalde que ordenó la instrucción del respectivo sumario, debe revisarlo, adoptar las medidas tendientes a agilizarlo y determinar la responsabilidad del fiscal*». **(ID Dictamen: 034113N12 Fecha:** 11.06.2012 **Destinatarios:** Alcalde de la Municipalidad de Maipú. **Texto:** Sobre demora en tramitación de sumario administrativo y destinación de directivo al cargo de director de Servicio Municipal de Agua Potable y Alcantarillado de la Municipalidad de Maipú. **Acción:** Aplica dictámenes 51136/2008, 70997/2010)

9. «*Como cuestión previa, es del caso recordar que, de acuerdo con lo dispuesto en la letra b) del artículo 72 de la ley Nº 19.070 —Estatuto de los Profesionales de la Educación—, los sumarios incoados en contra de docentes regidos por ese estatuto, para acreditar alguna de las causales enunciadas en dicho precepto —como ocurre en la situación que se analiza—, se regulan en su tramitación por las disposiciones de los artículos 127 al 143 de la ley Nº 18.883, Estatuto Administrativo para Funcionarios Municipales.*
Enseguida, y acorde con el planteamiento contenido en los dictámenes Nºs. 511, de 2011, y 15.680, de 2012, de este origen, los sumarios administrativos son procedimientos reglados en los que no caben otros trámites o instancias que aquellas previstas en la reglamentación que los regula, en este caso, la contemplada en la ley Nº 18.883, cuerpo normativo que no otorga facultades a esta Contraloría General para pronunciarse ni intervenir respecto de procesos disciplinarios que no se encuentran afinados. (...)
Por otra parte, es dable hacer presente que el artículo 133, inciso segundo, de la ley Nº 18.883, dispone que tratándose de sumarios administrativos, la investigación de los hechos deberá realizarse en el plazo de veinte días, al término de los cuales se declarará cerrada la investigación y se formularán cargos al o los afectados o se solicitará el sobreseimiento, para lo cual habrá un plazo de tres días.
A su vez, el artículo 141 del mencionado texto legal, establece que vencidos los plazos de instrucción de un sumario y no estando este afinado, la autoridad que lo ordenó deberá revisarlo, adoptar las medidas tendientes a agilizarlo y determinar la responsabilidad del fiscal.
Ahora bien, en la situación que se analiza, y de los antecedentes tenidos a la vista, es posible apreciar que la tramitación del sumario de la especie ha excedido con creces el plazo legal fijado para ello, puesto que, habiendo sido iniciado el 26 de noviembre de 2010, ha transcurrido más de un año sin que se encuentre terminado, circunstancia que puede afectar la responsabilidad administrativa de quienes estén involucrados en tal hecho, esto es, del fiscal que sustancia el proceso o de los funcionarios de la unidad jurídica del municipio, atendido que, de acuerdo con el artículo 28 de la ley Nº 18.695, le corresponde a esa unidad velar por el estricto cumplimiento de las normas y plazos que regulan la tramitación de los procesos disciplinarios (aplica criterio contenido en los dictámenes Nºs. 27.262, de 2006; 4.906, de 2009, 3.775, de 2010 y 79.826, de 2011, entre otros).
Con todo, debe manifestarse que, tal como lo ha precisado la jurisprudencia administrativa de esta Entidad Fiscalizadora, contenida en el dictamen Nº 37.199, de 2009, la demora en la instrucción de un proceso disciplinario no constituye un vicio que afecte su validez, por cuanto no incide en aspectos esenciales del mismo, de conformidad con la norma contenida en el artículo 142 de la ley Nº 18.883.
En consecuencia, corresponde que la Municipalidad de La Cisterna adopte las medidas que permitan dar término, en el más breve plazo, al sumario administrativo seguido en contra del señor Vera Obando, determinando, además, la procedencia de instruir un procedimiento disciplinario para establecer las eventuales responsabilidades administrativas que puedan afectar a los servidores que hayan participado en la demora aludida, en los términos del citado artículo 141 de la ley Nº 18.883 y 28 de la ley Nº 18.695, de lo cual deberá informar a esta Contraloría General». **(ID**

Dictamen: 026004N12 Fecha: 07.05.2012 **Destinatarios:** Alcalde de la Municipalidad de La Cisterna. **Texto:** La demora en la instrucción de un proceso disciplinario no constituye un vicio que afecte su validez, por cuanto no incide en aspectos esenciales del mismo. **Acción:** aplica dictámenes 511/2011, 15680/2012, 27262/2006, 4906/2009, 3775/2010, 79826/2011, 37199/2009)[312]

Artículo 142

Los vicios de procedimiento no afectarán la legalidad del decreto que aplique la medida disciplinaria, cuando incidan en trámites que no tengan una influencia decisiva en los resultados del sumario.

1. *«Se ha dirigido a esta Contraloría General don Nelson Caballero Martínez, encargado de estadísticas y reclamos de luminarias de la Municipalidad de Renca, quien haciendo uso del derecho establecido en el artículo 156, inciso primero, de la ley Nº 18.883, reclama en contra del procedimiento disciplinario al término del cual se le impuso a través del decreto alcaldicio Nº 1.364, de 2015, la medida de multa del quince por ciento de la remuneración mensual, conforme a lo previsto en los artículos 120, letra b), y 122, letra b), del citado texto normativo».* (**ID Dictamen:** 035676N16. **Fecha:** 13-05-2016. **Destinatarios: don Nelson Caballero Martínez, encargado de estadísticas y reclamos de luminarias de la Municipalidad de Renca. Texto:** Rechaza reclamo de funcionario municipal en contra de investigación sumaria, al término de la cual se le aplicó la medida disciplinario de multa. **Acción:** Aplica dictámenes 11434/2014, 1788/2015, 2373/2010, 7027/2014).

2. *«Se ha dirigido a esta Contraloría General la Asociación Gremial de Funcionarios de Salud Municipal de la Comuna de Recoleta, efectuando una serie de consultas relativas al sumario incoado, mediante el decreto alcaldicio Nº 1.672, de 2014, de dicha entidad edilicia, principalmente en relación con el tiempo de desarrollo del referido proceso disciplinario».* (**ID Dictamen:** 032375N16. **Fecha:** 03-05-2016. **Destinatarios: Asociación Gremial de Funcionarios de Salud Municipal de la Comuna de Recoleta. Texto:** La demora en la instrucción de un proceso disciplinario no constituye un vicio que afecte su validez. **Acción:** Aplica dictámenes 37199/2009, 47219/2015).

3. *«Desestima solicitud de reconsideración del oficio Nº 1.819, de 2016, de la Contraloría Regional del Libertador General Bernardo O'Higgins, por cuanto se ajusta a derecho el sumario de la especie».* (**ID Dictamen:** 090027N16. **Fecha:** 15-12-2016. **Destinatarios:** don Víctor Olea Pavez, funcionario de la Municipalidad de Graneros. **Texto:** Desestima solicitud de reconsideración del oficio Nº 1.819, de 2016, de la Contraloría Regional del Libertador General Bernardo O'Higgins, por cuanto se ajusta a derecho el sumario de la especie. **Acción:** Aplica dictámenes 35676/2016, 21093/2015, 62356/2015).

4. *«Ratifica informe de investigación especial Nº 1.186, de 2016, de la Contraloría Regional de Valparaíso, sobre eventuales irregularidades en Municipalidad de Villa Alemana, salvo en lo que respecta a observación que indica».* (**ID Dictamen:** 091846N16. **Fecha:** 21-12-2016. **Destinatarios:** Municipalidad de Villa Alemana. **Texto:** Municipalidad de Villa Alemana, salvo en lo que respecta a observación que indica. **Acción:** Aplica dictámenes 84878/2013, 82316/2014, 32581/2010, 7027/2014, 97968/2014).

5. *«No se advierten irregularidades en sumario administrativo que indica. Alcalde es quien debe ponderar la procedencia de iniciar un procedimiento disciplinario para investigar denuncias de acoso laboral. Se ajustó a derecho destinación de funcionario».* (**ID Dictamen:** 065514N16. **Fecha:** 02-09-2016. **Destinatarios:** señor Lorenzo Molina Ramírez, funcionario de la Municipalidad de Conchalí. **Texto:** No se advierten irregularidades en sumario administrativo que indica. Alcalde es quien debe ponderar la procedencia de iniciar un procedimiento disciplinario para investigar denuncias de acoso laboral. Se ajustó a derecho destinación de funcionario. **Acción:** Confirma dictamen 80112/2015 Aplica dictamen 90889/2015, 7027/2014, 10160/2014, 17191/2015, 74026/2013).

---

[312] Para efectos de su consulta en la Base de Jurisprudencia de Contraloría General de la República, el citado dictamen se encuentra en la sección/materia: «generales», sin perjuicio de que se trata de uno de carácter municipal.

6. «*Facultad de instruir sumario en municipio corresponde al alcalde respectivo. No corresponde que Contraloría Regional ordene una nueva investigación, toda vez que la acción disciplinaria se encuentra prescrita*». (**ID Dictamen: 039862N16. Fecha:** 30-05-2016. **Destinatarios:** señora Mónica Cortés Torrejón. **Texto:** Facultad de instruir sumario en municipio corresponde al alcalde respectivo. No corresponde que Contraloría Regional ordene una nueva investigación, toda vez que la acción disciplinaria se encuentra prescrita. **Acción:** Aplica dictámenes 97163/2015, 4190/2016, 7027/2014).

7. «*Por otra parte, en lo que atañe a la tramitación del sumario administrativo ordenado instruir por decreto alcaldicio N° 3.251, de 25 de mayo de 2015, rectificado por el N° 3.793, de 13 de junio de igual año, es menester indicar que si bien acorde con lo informado por el municipio dicho procedimiento se encuentra en trámite en esa entidad comunal, debe hacerse presente, que, si bien su dilación no constituye un vicio que afecte la validez del respectivo proceso, ya que no incide en aspectos esenciales del mismo, de conformidad con lo previsto en el artículo 142 de la anotada ley N° 18.883, ello no obsta a que se haga efectiva la responsabilidad que le compete al instructor y a la unidad jurídica de velar por la correcta y oportuna gestión de estos hasta la vista fiscal, obligación dentro de la cual se entiende incorporada la de dar cumplimiento a los plazos que contempla la normativa legal, tal como lo ha precisado esta Contraloría General, entre otros, en los dictámenes N°s. 7.027 y 97.968, ambos de 2014*». (**ID Dictamen:** 037505N16. **Fecha:** 20-05-2016. **Destinatarios:** señora Jazmín Barros Hernández, funcionaria del Centro de Salud Familiar Michelle Bachelet Jeria de la Municipalidad de Maipú. **Texto:** Resultados de procesos calificatorios previos no obligan a la autoridad a asignar a la funcionaria el mismo puntaje; y se pronuncia sobre demora en substanciación de sumario administrativo. **Acción:** Aplica dictámenes 7658/2014, 84050/2014, 60973/2014, 7027/2014, 97968/2014).

8. «*Enseguida, y en cuanto a la generación de prueba de manera anticipada por parte del fiscal instructor, debe hacerse presente que en el decreto N° 1.064, de 2015, rolante a fojas 265, que rechazó el recurso de reposición interpuesto por el peticionario, se le aclaró que los testimonios por cuya preconstitución reclama —de fojas 62, 69, 79 y 71— son posteriores a la respectiva denuncia, existiendo solo un error en la fecha asignada a los mismos, lo que queda de manifiesto de su propio tenor, al hacerse referencia a hechos acaecidos luego del inicio del sumario; y que, en todo caso, dicha equivocación no constituye un vicio que afecte la validez del proceso en comento, ya que no incide en aspectos esenciales de este, de conformidad con lo previsto en el artículo 142 de la anotada ley N° 18.883*». (**ID Dictamen:** 035562N16. **Fecha:** 13-05-2016. **Destinatarios:** señor José Miguel Canales Canales, exfuncionario de la Municipalidad de San Miguel. **Texto:** Rechaza reclamo de ilegalidad en contra de sumario administrativo, al término del cual se aplicó la medida disciplinaria de destitución a exfuncionario municipal que indica. **Acción:** Aplica dictamen 97968/2014, 101602/2014, 42292/2014, 21093/2015, 76866/2015).

9. «*No obstante lo anterior, es del caso indicar que según el artículo 142 de la anotada ley N° 18.883, los vicios de procedimiento no afectarán la legalidad del decreto que aplique la medida disciplinaria, cuando incidan en trámites que no tengan influencia decisiva en los resultados del sumario, como ocurriría en la situación en comento, en el evento de ser efectivo lo aseverado por el interesado*». (**ID Dictamen:** 016882N16. **Fecha:** 03-03-2016. **Destinatarios:** señor Jorge Rodríguez Salazar, exservidor de la Municipalidad de La Cisterna. **Texto:** Rechaza reclamo de exfuncionario municipal en contra de sumario administrativo, al término del cual se le aplicó la medida de destitución. **Acción:** Aplica dictámenes 7027/2014, 71484/2011).

10. «*En lo que concierne a la demora en el cumplimiento de los plazos de sustanciación de los aludidos sumarios, y a un eventual desorden en su tramitación, cabe señalar que el **artículo 142 de la ley N° 18.883**, dispone que los vicios de procedimiento no afectarán la legalidad del decreto que aplique la medida disciplinaria, cuando incidan en trámites que no tengan una influencia decisiva en los resultados del sumario, situación que se verifica en la especie, por lo que **las actuaciones realizadas por la administración, con posterioridad al vencimiento de los plazos, son válidas y eficaces; debiendo agregarse que la tramitación de los mismos se ajustó a la normativa que los regula (aplica dictamen N° 9.604, de 2000)**»*. (**ID Dictamen:** 080779N11 **Fecha:** 27.12.2011 **Destinatarios:** Alcalde de la Municipalidad de La Cisterna. **Texto:** Sobre reclamos de ilegalidad en contra de decretos que aplican las medidas disciplinarias que indican. **Acción:** Aplica dictámenes 57368/2010, 9604/2000, 4182/2011, 42127/2009)

11. «*De esta manera, es del caso anotar que el **alcalde ejerció la facultad de aplicar una medida disciplinaria conforme al mérito que asignó a los hechos debidamente verificados en el presente sumario, cumpliendo con las limitaciones generales que le imponen el debido proceso y la exigencia de que su decisión sea fundada, razonable y no revista caracteres de arbitrariedad o abuso (aplica criterio contenido en los dictámenes N°s. 52.975, de 2009; 17.457 y 56.880, ambos de 2011)*.**

*En lo que concierne a la demora en el cumplimiento de los plazos de sustanciación del sumario, así como en la emisión de la resolución del recurso de reposición que interpuso en contra del citado decreto Nº 56, de 2011, corresponde recordar que de acuerdo al **artículo 142 de la ley Nº 18.883**, los vicios de procedimiento no afectan la legalidad del decreto que aplica la medida disciplinaria, cuando incidan en trámites que no tengan una influencia decisiva en los resultados del sumario, cuestión que, precisamente, aconteció en la especie, debido a que tratándose de sumarios instruidos por los municipios, **los plazos contemplados en la normativa pertinente no poseen el carácter de esenciales, por lo tanto, las actuaciones de la administración que exceden el tiempo establecido por la ley para tales efectos, no se entienden privadas de validez, sin perjuicio de las responsabilidades funcionarias que pudiera originar tal situación (aplica criterio contenido en los dictámenes Nºs. 31.011, de 2009; 44.837 y 56.880, ambos de 2011)»*. (ID Dictamen: 065284N11 **Fecha:** 17.10.2011 **Destinatarios:** Alcalde de la Municipalidad de San Miguel. **Texto:** Restituye actos administrativos emanados de la Municipalidad de San Miguel referidos a procedimiento disciplinario señalando que sólo están afectos a registro el acto terminal que absuelve, sobresee o aplica medida a funcionario determinado y no un acto interno del proceso, como es el caso. **Acción:** aplica dictámenes 28791/2009, 44837/2011, 50081/2011, 61869/2004, 62969/2009, 49580/2008, 52975/2009, 17457/2011, 56880/2011, 31011/2009, 42476/2011)

12. *«En lo que atañe a la **falta de foliación correlativa del expediente sumarial**, se debe recordar que de acuerdo a lo establecido en el **artículo 142 de la ley Nº 18.883**, los vicios de procedimiento no afectan la legalidad del decreto que aplica la medida disciplinaria, cuando incidan en trámites que no tengan una influencia decisiva en los resultados del sumario, cuestión que, precisamente, aconteció en la especie a este respecto (**aplica criterio contenido en el dictamen Nº 47.644, de 2009**)»*. (**ID Dictamen: 044837N11 Fecha:** 15.07.2011 **Destinatarios:** Alcalde de la Municipalidad de San José de Maipo. **Texto:** Atiende reclamo de ilegalidad en contra del decreto 53/2010, de la Municipalidad de San José de Maipo por el que se aplicó la medida disciplinaria de suspensión del empleo por dos meses con goce del sesenta por ciento de su remuneración mensual. **Acción:** Aplica dictamen 47644/2009, 2094/2001, 3174/2009, 44092/2010)

13. *«En cuanto a la excesiva demora en la tramitación del procedimiento disciplinario en comento, cabe recordar que tal **dilación no constituye un vicio que afecte su validez, por cuanto no incide en aspectos esenciales del mismo, de conformidad con lo previsto en el artículo 142 de la mencionada ley Nº 18.883, sin perjuicio de la responsabilidad que le corresponde al fiscal instructor y a la Unidad Jurídica de velar por la correcta y oportuna tramitación de los procesos sumariales, obligación dentro de la cual se entiende incorporada la de dar cumplimiento a los plazos que contempla la normativa legal, tal como lo ha precisado este Organismo Contralor, entre otros, en los dictámenes Nºs. 49.744 y 59.311, ambos de 2012»*. (**ID Dictamen: 079424N12 Fecha:** 21.12.2012 **Destinatarios:** Alcaldesa de la Municipalidad de Santiago. **Texto:** Rechaza reclamo de ilegalidad en contra del decreto Nº 1.814, de 2012, de la Municipalidad de Santiago, que aplicó la medida disciplinaria de suspensión del empleo con goce del cincuenta por ciento de las remuneraciones a funcionario que indica. **Acción:** aplica dictámenes 13330/2012, 49744/2012, 59311/2012, 15364/2011)

14. *«En cuanto a los vicios de procedimiento a que aluden los reclamantes, relacionados a la **falta de oportunidad para recusar al nuevo fiscal**, corresponde mencionar que, si bien tal omisión se configuró en la especie, ello **no revistió el carácter de trámite esencial que hubiere impedido a los afectados ejercer su derecho a defensa, ni constituyó una anomalía que pudiera influir en la validez de lo actuado, como prevé el artículo 142 de la ley Nº 18.883, para tal fin, lo que guarda armonía con lo manifestado en los dictámenes Nºs. 47.766 y 53.505, ambos de 2010, de este Órgano Fiscalizador.***
*Por otra parte, en relación con **la excesiva demora en la tramitación del proceso en comento**, es dable señalar que dicho retraso no vicia el sumario administrativo, por cuanto no incide en aspectos esenciales del mismo, sin perjuicio de la responsabilidad administrativa que corresponda a quien o quienes la originaron (aplica criterio contenido en el dictamen Nº 31.025, de 2005, de este origen)»*. (**ID Dictamen: 076051N12 Fecha:** 06.12.2012 **Destinatarios:** Rogelio Castillo Morales. **Texto:** Rechaza reclamos de ilegalidad en contra del sumario administrativo afinado por decreto 93/2012, de la Municipalidad de Peñalolén. **Acción:** Aplica dictámenes 73364/2011, 77909/2011, 73449/2011, 47766/2010, 53505/2010, 31025/2005, 24927/2012)

15. *«Al respecto, menester resulta indicar que según aparece de los antecedentes tenidos a la vista, luego de la resolución por la que se reclama, la Municipalidad de Hualpén emitió el decreto Nº 1.436, de 2012 —registrado por la Contraloría Regional del Biobío con fecha 11 de julio de igual año—, en el que se aplican, en definitiva, las medidas disciplinarias respectivas, constituyendo tal actuación, a diferencia de lo que afirman los peticionarios, el acto de término del sumario administrativo que se analiza, y la anterior, que se cuestiona, un mero acto interno de ese municipio, cuya denominación, conforme con lo dispuesto en el **artículo 142 de la mencionada ley Nº 18.883 y el criterio contenido en***

los dictámenes Nºs. 65.284, de 2011, y 49.744, de 2012, ambos de este origen, no vicia el procedimiento en estudio, pues no aparece que cause algún perjuicio a los sancionados.

Luego, en lo que respecta a la imposibilidad de prestar declaración por parte de algunos de los recurrentes de la especie, debe señalarse que conforme a lo manifestado por esta Contraloría General, entre otros, a través del dictamen Nº 1.603, de 2010, la falta de declaración de un inculpado no es un vicio de carácter esencial cuando previamente se le haya citado de conformidad a las normas que regulan la materia». (ID Dictamen: 074921N12 Fecha: 03.12.2012 Destinatarios: Alcalde de la Municipalidad de Hualpén. **Texto:** Acoge reclamos de ilegalidad en contra de sumario administrativo instruido por Municipalidad y se pronuncia sobre aplicación de ley 18695 art. 29 inc/fin. **Acción:** Aplica dictámenes 49580/2008, 65284/2011, 49744/2012, 1603/2010, 72575/2011, 19892/2009, 2030/2011, 26652/82, 15116/86, 5850/96, 46231/2004, 34010/2005, 61457/2008, 20471/2009)

16. *«Sobre el particular, y en lo relativo a los vicios a que se refiere el recurrente en su presentación, cabe hacer presente que, según ya se precisara, entre otros, en el dictamen Nº 26.004, de 2012, de este origen, los sumarios administrativos son procedimientos reglados en los que no caben otros trámites o instancias que aquellas previstas en la regulación que al efecto establece la ley Nº 18.883, Estatuto Administrativo para Funcionarios Municipales, cuerpo normativo que, en términos generales, no otorga facultades a esta Contraloría General para emitir una opinión anticipada respecto de procesos disciplinarios en curso.*

En razón de lo anterior, no cabe sino desestimar, por ahora, el reclamo del señor Chacón Olguín, por no ser esta la oportunidad para deducirlo, sin perjuicio de manifestar que si al término del sumario de la especie, aquel resulta afectado por la aplicación de una medida sancionatoria, como consecuencia de actuaciones investigadas en el proceso, y considera que este adolece de vicios de legalidad, puede interponer ante esta Entidad de Control el recurso especial de reclamación contemplado en el artículo 156 de la citada ley Nº 18.883, dentro del plazo de diez días hábiles, contado desde que se le notifique el decreto de término. (...)

Al respecto, cabe indicar que según lo señalado por la jurisprudencia administrativa de esta Entidad de Fiscalización, contenida, entre otros, en el dictamen Nº 37.199, de 2009, la demora en la instrucción de un sumario administrativo no constituye un vicio que afecte su validez, por cuanto no incide en aspectos esenciales del mismo —según lo dispuesto en el artículo 142 del antes aludido cuerpo estatutario—, lo que no obsta a perseguir la responsabilidad disciplinaria de quien o quienes originaron tal dilación». (ID Dictamen: 068499N12 Fecha: 31.10.2012 Destinatarios: Alcalde de la Municipalidad de Alhué. **Texto:** Desestima reclamo sobre irregularidades en sumario administrativo en trámite y se pronuncia sobre demora en su substanciación. **Acción:** Aplica dictámenes 26004/2012, 37199/2009, 15700/2012)

17. *«Por otra parte, respecto a la petición de reconsideración del señor Valdebenito Contreras del oficio Nº 12.287, de 2011, de la Oficina Regional del Maule, por la que requiere se estudien las irregularidades que se habrían cometido en la substanciación del sumario administrativo que lo afectó, es del caso aclarar, que dichos procedimientos son reglados, y a su respecto no caben otros trámites que aquellos previstos en los artículos 127 a 143 de la ley Nº 18.883, normativa aplicable a los docentes por expresa disposición del artículo 72, letra b), de la ley Nº 19.070 (aplica dictámenes Nºs. 15.680 y 43.658, ambos de 2012, de este origen)».* (ID Dictamen: 067489N12 Fecha: 29.10.2012 Destinatarios: Alcalde de la Municipalidad de Talca. **Texto:** Sobre reapertura de proceso disciplinario contra docentes e improcedencia de aplicarles el art. 88 A lt/a de la ley 18883. **Acción:** Aplica dictámenes 15680/2012, 43658/2012, 36909/2010, 4182/2011)

18. *«Ahora bien, en lo que concierne a la excesiva demora del procedimiento en análisis, es menester informar que tal dilación no constituye un vicio que afecte la validez del respectivo sumario, por cuanto no incide en aspectos esenciales del mismo, de conformidad con lo previsto en el artículo 142 de la ley Nº 18.883, Estatuto Administrativo para Funcionarios Municipales, sin perjuicio de la responsabilidad que le corresponde al fiscal instructor y a la Unidad Jurídica de velar por la correcta y oportuna tramitación de los procesos sumariales hasta la vista fiscal, obligación dentro de la cual se entiende incorporada la de dar cumplimiento a los plazos que contempla la normativa legal, tal como lo ha precisado este Organismo Contralor, entre otros, en los dictámenes Nºs. 13.330 y 49.744, ambos de 2012».* (ID Dictamen: 059311N12 Fecha: 26.09.2012 Destinatarios: Richard Flores Torres y Salvador Bernal Durán **Texto:** Sobre demora en la tramitación de procedimiento disciplinario que indica. **Acción:** Aplica dictámenes 13330/2012, 49744/2012, 26004/2012)

19. *«Finalmente, en relación al vicio que alega el señor Prieto Serey, respecto de la notificación del rechazo del recurso de reposición, es necesario hacer presente que si bien del análisis de la documentación consta que, efectivamente, no se entregó al reclamante copia íntegra del acto administrativo dictado por el alcalde en tal sentido, acorde con el artículo 142 de la citada ley Nº 18.883, los vicios de procedimiento no afectarán la legalidad del decreto que aplica la medida dis-*

608 Capítulo IV. De la responsabilidad de los Funcionarios Municipales

ciplinaria, cuando incidan en trámites que no tengan una influencia decisiva en los resultados del sumario, situación que se verifica en la especie (aplica dictamen Nº 80.779, de 2011)». (**ID Dictamen: 049744N12 Fecha:** 14.08.2012 **Destinatarios:** Cristian Prieto Serey. **Texto:** Desestima reclamo de ilegalidad en contra de medida disciplinaria de destitución por atrasos reiterados. **Acción:** Aplica dictámenes 29937/2012, 18835/2012, 38280/2010, 76892/2011 33054/2000, 22509/2005, 49342/2009, 44837/2011, 50081/2011, 13330/2012, 80779/2011)

20. *«Finalmente, en cuanto a la alegación del interesado en relación con la excesiva demora en la tramitación del procedimiento en estudio, debe manifestarse que, tal como lo ha precisado la jurisprudencia administrativa de esta Entidad Fiscalizadora, contenida en los dictámenes Nºs. 13.330 y 26.004, ambos de 2012, el retardo en la instrucción de un proceso disciplinario no constituye un vicio que afecte su validez, por cuanto no incide en aspectos esenciales del mismo, de conformidad con la norma contenida en el artículo 142 de la ley Nº 18.883, sobre Estatuto Administrativo para Funcionarios Municipales —aplicable en la especie conforme a la remisión contenida en el artículo 72, letra b), del Estatuto Docente—, sin perjuicio de la responsabilidad administrativa que pudiera afectar, por tal situación, a los funcionarios a cargo de la aludida investigación».* (**ID Dictamen: 044793N12 Fecha:** 25.07.2012 **Destinatarios:** Héctor Salinas Cerda. **Texto:** Rechaza reclamo de ilegalidad en contra de resolución 9/2009, de la Municipalidad de Pedro Aguirre Cerda, que aplica medida disciplinaria de amonestación verbal a docente. **Acción:** Aplica dictámenes 29937/2012, 13330/2012, 26004/2012)

21. *«Como cuestión previa, es del caso recordar que, de acuerdo con lo dispuesto en la **letra b) del artículo 72 de la ley Nº 19.070** —Estatuto de los Profesionales de la Educación—, los sumarios incoados en contra de docentes regidos por ese estatuto, para acreditar alguna de las causales enunciadas en dicho precepto —como ocurre en la situación que se analiza—, se regulan en su tramitación por las disposiciones de los artículos 127 al 143 de la ley Nº 18.883, Estatuto Administrativo para Funcionarios Municipales.*
*Enseguida, y acorde con el **planteamiento contenido en los dictámenes Nºs. 511, de 2011, y 15.680, de 2012,** de este origen, los sumarios administrativos son procedimientos reglados en los que no caben otros trámites o instancias que aquellas previstas en la reglamentación que los regula, en este caso, la contemplada en la ley Nº 18.883, cuerpo normativo que no otorga facultades a esta Contraloría General para pronunciarse ni intervenir respecto de procesos disciplinarios que no se encuentran afinados.*
En razón de lo anterior, no resulta posible acceder a lo solicitado por el recurrente respecto de los vicios de procedimiento a que alude, sin perjuicio de manifestar que si al término del sumario de la especie, aquel resulta afectado por la aplicación de una medida sancionatoria, como consecuencia de actuaciones investigadas en el proceso, y considera que este adolece de vicios de legalidad, puede interponer el correspondiente reclamo ante esta Entidad de Control.
Por otra parte, es dable hacer presente que el artículo 133, inciso segundo, de la ley Nº 18.883, dispone que tratándose de sumarios administrativos, la investigación de los hechos deberá realizarse en el plazo de veinte días, al término de los cuales se declarará cerrada la investigación y se formularán cargos al o los afectados o se solicitará el sobreseimiento, para lo cual habrá un plazo de tres días.
A su vez, el artículo 141 del mencionado texto legal, establece que vencidos los plazos de instrucción de un sumario y no estando este afinado, la autoridad que lo ordenó deberá revisarlo, adoptar las medidas tendientes a agilizarlo y determinar la responsabilidad del fiscal.
*Ahora bien, en la situación que se analiza, y de los antecedentes tenidos a la vista, es posible apreciar que la tramitación del sumario de la especie ha excedido con creces el plazo legal fijado para ello, puesto que, habiendo sido iniciado el 26 de noviembre de 2010, ha transcurrido más de un año sin que se encuentre terminado, **circunstancia que puede afectar la responsabilidad administrativa de quienes estén involucrados en tal hecho, esto es, del fiscal que sustancia el proceso o de los funcionarios de la unidad jurídica del municipio,** atendido que, de acuerdo con el artículo 28 de la ley Nº 18.695, le corresponde a esa unidad velar por el estricto cumplimiento de las normas y plazos que regulan la tramitación de los procesos disciplinarios (aplica criterio contenido en los dictámenes Nºs. 27.262, de 2006; 4.906, de 2009, 3.775, de 2010 y 79.826, de 2011, entre otros).*
Con todo, debe manifestarse que, tal como lo ha precisado la jurisprudencia administrativa de esta Entidad Fiscalizadora, contenida en el dictamen Nº 37.199, de 2009, la demora en la instrucción de un proceso disciplinario no constituye un vicio que afecte su validez, por cuanto no incide en aspectos esenciales del mismo, de conformidad con la norma contenida en el artículo 142 de la ley Nº 18.883.
*En consecuencia, corresponde que la Municipalidad de La Cisterna adopte las medidas que permitan dar término, en el más breve plazo, al sumario administrativo seguido en contra del señor Vera Obando, determinando, además, la procedencia de instruir un **procedimiento disciplinario para establecer las eventuales responsabilidades administra-***

tivas que puedan afectar a los servidores que hayan participado en la demora aludida, en los términos del citado artículo 141 de la ley Nº 18.883 y 28 de la ley Nº 18.695, de lo cual deberá informar a esta Contraloría General». (**ID Dictamen: 026004N12 Fecha:** 07.05.2012 **Destinatarios:** Alcalde de la Municipalidad de La Cisterna. **Texto:** La demora en la instrucción de un proceso disciplinario no constituye un vicio que afecte su validez, por cuanto no incide en aspectos esenciales del mismo. **Acción:** aplica dictámenes 511/2011, 15680/2012, 27262/2006, 4906/2009, 3775/2010, 79826/2011, 37199/2009)[313]

Artículo 143

Los plazos señalados en este título serán de días hábiles.

1. *«Acoge reclamo en contra de proceso disciplinario que afectó a docente, procediendo su reapertura, la reincorporación de aquel a sus funciones y el pago de las remuneraciones por el periodo en que estuvo irregularmente separado de sus labores».* (**ID Dictamen:** 092789N16. **Fecha:** 27-12-2016. **Destinatarios:** don Julio Valenzuela Marchant, exdocente de la Municipalidad de La Pintana. **Texto:** Acoge reclamo en contra de proceso disciplinario que afectó a docente, procediendo su reapertura, la reincorporación de aquel a sus funciones y el pago de las remuneraciones por el periodo en que estuvo irregularmente separado de sus labores. **Acción:** Aplica dictámenes 12060/2014, 73567/2015, 17500/2016).

2. *«Sobre el particular, cumple con recordar que los sumarios administrativos instruidos por las municipalidades, son procedimientos reglados, cuya tramitación se encuentra contenida en los artículos 118 al 143 de la ley Nº 18.883, Estatuto Administrativo para Funcionarios Municipales».* (**ID Dictamen:** 079504N11 **Fecha:** 21.12.2011 **Destinatarios:** Alcalde de la Municipalidad de La Florida. **Texto:** Proceso disciplinario no se encuentra afinado, por lo que Alcalde deberá dictar el decreto que sobresea al sumariado —por cuanto no se formularon cargos— o bien, la orden de que se prosiga la investigación, en caso de estimarse que ella no se encuentra agotada, debiendo registrarse, únicamente, el acto terminal que contiene la decisión de la autoridad en cuanto a la sanción, absolución o sobreseimiento. **Acción:** Aplica dictámenes 32148/97, 61883/2010)[314]

3. *«Por otra parte, respecto a la petición de reconsideración del señor Valdebenito Contreras del oficio Nº 12.287, de 2011, de la Oficina Regional del Maule, por la que requiere se estudien las irregularidades que se habrían cometido en la substanciación del sumario administrativo que lo afectó, es del caso aclarar, que dichos procedimientos son reglados, y a su respecto no caben otros trámites que aquellos previstos en los artículos 127 a 143 de la ley Nº 18.883, normativa aplicable a los docentes por expresa disposición del artículo 72, letra b), de la ley Nº 19.070 (aplica dictámenes Nºs. 15.680 y 43.658, ambos de 2012, de este origen)».* (**ID Dictamen:** 067489N12 **Fecha:** 29.10.2012 **Destinatarios:** Alcalde de la Municipalidad de Talca. **Texto:** Sobre reapertura de proceso disciplinario contra docentes e improcedencia de aplicarles el art. 88 A lt/a de la ley 18883. **Acción:** Aplica dictámenes 15680/2012, 43658/2012, 36909/2010, 4182/2011. Mismo criterio aplicado en **ID Dictamen:** 026004N12[315] **Fecha:** 07.05.2012 **Destinatarios:** Alcalde de la Municipalidad de La Cisterna. **Texto:** La demora en la instrucción de un proceso disciplinario no constituye un vicio que afecte su validez, por cuanto no incide en aspectos esenciales del mismo. **Acción:** aplica dictámenes 511/2011, 15680/2012, 27262/2006, 4906/2009, 3775/2010, 79826/2011, 37199/2009)

---

[313] Para efectos de su consulta en la Base de Jurisprudencia de Contraloría General de la República, el citado dictamen se encuentra en la sección/materia: «generales», sin perjuicio de que se trata de uno de carácter municipal.

[314] Para efectos de su consulta en la Base de Jurisprudencia de Contraloría General de la República, el citado dictamen se encuentra en la sección/materia: «generales», sin perjuicio de que se trata de uno de carácter municipal.

[315] Para efectos de su consulta en la Base de Jurisprudencia de Contraloría General de la República, el citado dictamen se encuentra en la sección/materia: «generales», sin perjuicio de que se trata de uno de carácter municipal.

TÍTULO VI
De la Cesación de Funciones

Artículo 144

El funcionario cesará en el cargo por las siguientes causales:
a) Aceptación de renuncia;
b) Obtención de jubilación, pensión o renta vitalicia en un régimen previsional, en relación al respectivo cargo municipal;
c) Declaración de vacancia;
d) Destitución;
e) Supresión del empleo, y
f) Fallecimiento.

---

1. «*La causal de cese de funciones de declaración de vacancia por "calificación del funcionario en lista de eliminación", es aplicable a quien desempeña el cargo de Director de la Unidad de Control Municipal, sin que se requiera, para hacerla efectiva, de la tramitación previa de un sumario administrativo*». (**ID Dictamen:** 025294N18. **Fecha:** 08-10-2018. **Destinatarios:** don Iván Gajardo Calderón, exconcejal de la Municipalidad de Macul. **Texto:** La causal de cese de funciones de declaración de vacancia por «calificación del funcionario en lista de eliminación», es aplicable a quien desempeña el cargo de Director de la Unidad de Control Municipal, sin que se requiera, para hacerla efectiva, de la tramitación previa de un sumario administrativo. **Acción:** Aplica dictámenes 85838/2016, 85233/2015, 27777/2016, 1772/2015).

2. «*No se ajustó a derecho declaración de vacancia por salud incompatible, ya que a contar de la entrada en vigencia de los nuevos incisos terceros de los artículos 151 de la ley N° 18.834 y 148 de la ley N° 18.883, para ello es necesaria una evaluación previa de la Comisión de Medicina Preventiva e Invalidez, trámite que se omitió en el caso que se reclama*». (**ID Dictamen:** 020322N18. **Fecha:** 10-08-2018. **Destinatarios:** doña Myriam Sepúlveda Zavala, funcionaria de la Junta Nacional de Jardines Infantiles de la Región de Tarapacá. **Texto:** No se ajustó a derecho declaración de vacancia por salud incompatible, ya que a contar de la entrada en vigencia de los nuevos incisos terceros de los artículos 151 de la ley N° 18.834 y 148 de la ley N° 18.883, para ello es necesaria una evaluación previa de la Comisión de Medicina Preventiva e Invalidez, trámite que se omitió en el caso que se reclama. **Acción:** Aplica dictámenes 28713/2011, 2415/2013, 13570/2015, 5014/2016).

3. «*Nuevos incisos tercero de los artículos 151 de la ley N° 18.834 y 148 de la ley N° 18.883, exigen para declarar la salud incompatible una evaluación previa de la comisión de medicina preventiva e invalidez, la que no obsta a la atribución de las comisiones médicas de la Superintendencia de Pensiones para declarar la irrecuperabilidad de los servidores que se indican*». (**ID Dictamen:** 017351N18. **Fecha:** 11-07-2018. **Destinatarios:** Departamento de Previsión Social y Personal. **Texto:** evaluación previa de la comisión de medicina preventiva e invalidez, la que no obsta a la atribución de las comisiones médicas de la Superintendencia de Pensiones para declarar la irrecuperabilidad de los servidores que se indican. **Acción:** Aplica dictamen 23985/2009 Complementa dictámenes 28713/2011, 2415/2013, 13570/2015, 5014/2016).

4. «*Sobre el particular, es conveniente precisar que el artículo 144, letra c), de la citada ley N° 18.883, prevé que los funcionarios cesarán en el cargo por declaración de vacancia, la cual, en conformidad con el artículo 147, letra a), del anotado texto estatutario, procederá, entre otras, por la causal de salud irrecuperable o incompatible con el desempeño del cargo*». (**ID Dictamen:** 005791N17. **Fecha:** 16-02-2017. **Destinatarios:** Municipalidad de Palena. **Texto:** No constituye una causal de cese en el cargo de alcalde la declaración de salud irrecuperable, toda vez que esta no se contempla como tal en el artículo 60 de la ley N° 18.695. **Acción:** aplica dictámenes 19324/92, 46673/2003, 44861/2004, 23310/92, 29192/2000, 8776/2003).

5. «*En consecuencia, atendido lo expresado, ese municipio deberá, por una parte, proceder al entero inmediato de las bonificaciones que se le adeudan a la afectada, y por otra, adoptar las medidas pertinentes para el cobro de la suma precedentemente señalada, informando a este Organismo de Control de ambas actuaciones, en el plazo de 15 días hábiles contados desde la recepción del presente oficio*». (**ID Dictamen:** 024591N16. **Fecha:** 01-04-2016. **Destinatarios:** Municipalidad de Viña del Mar y doña María América Barrera Navarro, exfuncionaria de esa entidad edilicia. **Texto:**

Cálculo de la bonificación por retiro voluntario de la ley Nº 20.649, debe considerar el promedio de las remuneraciones mensuales de los 12 meses inmediatamente anteriores al cese. No procede descontar del monto de ese beneficio sumas adeudadas por concepto de remuneraciones indebidamente percibidas. **Acción:** Aplica dictamen 17847/2015).

6. «*No procede otorgar la bonificación por retiro voluntario a que se refieren las leyes Nºs. 20.649 y 20.846, a exservidor que cesó en sus funciones por obtención de su jubilación*». (**ID Dictamen:** 022758N16. **Fecha:** 24-03-2016. **Destinatarios: señor Juan Aguad Kunkar, exfuncionario de la Municipalidad de Lo Espejo. Texto:** No procede otorgar la bonificación por retiro voluntario a que se refieren las leyes Nºs. 20.649 y 20.846, a exservidor que cesó en sus funciones por obtención de su jubilación. **Acción:** Aplica dictamen 97837/2015).

7. «*Sobre pago de las bonificaciones contempladas en los artículos 5º y 7º de la ley Nº 20.649 a las funcionarias municipales que se indican*». (**ID Dictamen:** 013383N16. **Fecha:** 18-02-2016. **Destinatarios: señoras Graciela Ferrada Mora y Bernardita Navarro Ulloa, exservidoras de la Municipalidad de Renca. Texto:** Sobre pago de las bonificaciones contempladas en los artículos 5º y 7º de la ley Nº 20.649 a las funcionarias municipales que se indican. **Acción:** Aplica dictamen 89248/2014).

8. «*Precisado lo anterior, cabe manifestar que el recurrente expresa que no procede acceder a la reapertura mencionada, habida cuenta de que la persona de que se trata* **no tiene la calidad de funcionario municipal, puesto que renunció a su cargo** *con fecha 1 de agosto de 2005, dimisión que fue aceptada por el municipio mediante decreto Nº 44, de igual año. (...)*
Luego, y considerando que, en la situación que se analiza, al señor Zúñiga Madariaga le fue aceptada su renuncia a partir del 1 de agosto de 2005, debe concluirse que la causal de término de funciones por la que se desvinculó de la Municipalidad de Isla de Maipo **es la de aceptación de su renuncia, en conformidad a lo prescrito en el artículo 144, letra a), de la ley Nº 18.883**.
No obstante, y puesto que a la época de aceptársele la citada renuncia, se encontraba en tramitación un sumario en contra de la persona aludida, a cuyo término se le sancionó con la medida de destitución, le afecta lo establecido en los artículos 10, letra e), de la ley Nº 18.883, y 12, letra e), de la ley Nº 18.834, según los cuales, no pueden ingresar a las municipalidades, y en general a la Administración del Estado, quienes hayan cesado en un cargo público, en lo que interesa, por medida disciplinaria, salvo que hayan transcurrido más de cinco años desde la fecha de expiración de funciones, preceptos que se vinculan con el artículo 38, letra f), de la ley Nº 10.336, de Organización y Atribuciones de esta Contraloría General, el cual impide a esta Entidad de Control dar curso a un nombramiento recaído en alguna persona que haya sido separada o destituida administrativamente de un empleo o cargo público, a menos que intervenga decreto supremo de rehabilitación y transcurra el plazo indicado.
Ahora bien, atendido que la referida medida de destitución se fundó en que los hechos materia del mismo revestían características de delito, decretándose, posteriormente, en sede judicial, el sobreseimiento de la causa respectiva, por no existir presunciones de que se haya verificado el hecho que le dio origen, relacionado con la causal establecida en el artículo 408, Nº 1, del Código de Procedimiento Penal, surgió para la autoridad edilicia la obligación de reabrir el procedimiento sumarial, en el evento de que lo solicitara el interesado, como efectivamente ocurrió, según se advierte de las presentaciones que el afectado formuló ante esta Entidad de Control —referencias Nº s. 42.699, 79.469 y 83.277, todas de 2007, y 239.079, de 2010—, con el objeto de que se determine si esa circunstancia modifica la sanción impuesta, según lo previsto en el artículo 119 de la ley Nº 18.883, puesto que de ser así, esto es, que se le aplique una medida distinta a la de destitución, desaparecería para el señor Zúñiga Madariaga la causal de inhabilidad para ingresar a los municipios y a otros organismos de la Administración del Estado.
Con todo, es necesario precisar que la obligación de reabrir el citado procedimiento sumarial que pesa sobre la Municipalidad de Isla de Maipo, no implica que esta deba reincorporar a sus funciones al señor Zúñiga Madariaga, durante el tiempo que mantenga reabierto el sumario para los efectos anotados, ya que **la aceptación de su renuncia como causal de cese, produjo todos sus efectos**». (**ID Dictamen:** 074860N11 **Fecha:** 29.11.2011 **Destinatarios:** Alcalde de la Municipalidad de Isla de Maipo. **Texto:** Rechaza solicitud de reconsideración de dictamen y reitera a municipio orden de reabrir sumario administrativo en contra de exservidor para efectos que indica. **Acción:** Aplica dictámenes 32221/2008, 2060/2011, 33344/2011)

9. «*Sobre el particular, cabe señalar que el artículo 1º, inciso primero, de la ley Nº 20.387 —publicada el 14 de noviembre de 2009—, facultó a los municipios para renovar, hasta por un total de 3.400 cupos, la bonificación por retiro voluntario establecida en la* **ley Nº 20.135, para aquellos funcionarios municipales regidos por el Título II del decreto ley Nº 3.551, de 1980, y por la ley Nº 18.883, que fija el Estatuto Administrativo para Funcionarios Municipales**, *que entre el 1 de*

*enero de 2009 y el 31 de diciembre de 2010, ambas fechas inclusive, tengan o cumplan 65 o más años de edad, si son hombres, y 60 o más años de edad si son mujeres, **y que cesen en sus cargos por aceptación de su renuncia voluntaria,** en los plazos que se indican en el artículo 3º de la primera ley citada.*

Por su parte, la ley Nº 20.475 —publicada en el Diario Oficial el 24 de noviembre de 2010—, que complementa y modifica el aludido texto legal, dispone en su artículo 5º, que las bonificaciones que les hubieren correspondido a los funcionarios contemplados en el artículo 1º y en el inciso primero del artículo 5º de la ley Nº 20.387 —referido a la bonificación adicional— que hubieren fallecido con posterioridad a la presentación de su solicitud, y que se incluyan dentro de las resoluciones a que hace referencia el artículo 10 del decreto supremo Nº 885, de 2010, del Ministerio del Interior, se considerarán dentro del acervo o masa de bienes que dejaron una vez fallecidos.

A su vez, el mencionado artículo 10, inciso primero, del decreto Nº 885 —reglamento de la ley Nº 20.387—, ordena, en lo que interesa, que seleccionados los beneficiarios de la bonificación en estudio, la Subsecretaría de Desarrollo Regional y Administrativo dictará una resolución en la que se consignará la individualización de cada uno de ellos, el monto del beneficio que les corresponde percibir y los montos globales que cada municipio debe cancelar de acuerdo al costo real de las personas que se acojan a la bonificación.

De las normas citadas, se desprende que a través de la complementación hecha a la ley Nº 20.387, por el reseñado artículo 5º de la ley Nº 20.475, el legislador reguló expresamente la situación de quienes siendo beneficiarios de la bonificación por retiro voluntario y de la bonificación adicional previstas en los artículos 1º y 5º del primer texto legal, respectivamente —toda vez que, cumpliendo las exigencias establecidas en la normativa, fueron incorporados en las aludidas resoluciones—, fallecen antes de su pago, incorporándose el derecho respectivo al patrimonio del causante.

*En efecto, si bien el padre del recurrente postuló al beneficio en el año 2010, no fue considerado en los cupos asignados para ese período, conforme se constata en la resolución exenta Nº 2.217, de 13 de mayo de ese año, de la Subsecretaría de Desarrollo Regional y Administrativo; y, posteriormente, pese a ser incluido en los cupos otorgados para el año 2011, según se advierte en la resolución exenta Nº 4.265, del 9 de diciembre de 2010, de la misma Subsecretaría, expiró en funciones el 19 de noviembre de 2010, esto es, antes de la data de dictación de dicha resolución, **por fallecimiento, según lo previsto en el artículo 144, letra f), de la ley Nº 18.883** —decreto Nº 127, de 2010, de la Municipalidad de Cerro Navia—, por lo que a su respecto no concurrieron las condiciones que exige el artículo 5º de la ley Nº 20.475, para que la bonificación al retiro pudiera haber ingresado al acervo hereditario».* **(ID Dictamen: 072415N11 Fecha:** 21.11.2011 **Destinatarios** Raúl del Canto Arévalo. **Texto:** Sobre transmisibilidad del derecho a percibir la bonificación al retiro voluntario prevista en la ley 20387)[316]

10. *«De este modo, la **bonificación por retiro voluntario establecida en las leyes Nºs. 20.387 y 20.475, como lo indica su denominación, requiere como requisito esencial para su percepción, que el servidor se desvincule de la municipalidad en virtud de la dimisión que presente, toda vez que su finalidad es, precisamente, estimular al personal que haga dejación de la municipalidad, por su propia voluntad,** recibiendo a cambio una suma de dinero que, de otro modo, no percibiría, toda vez que la normativa estatutaria de carácter permanente no otorga un beneficio como el señalado, de concurrir la aceptación de la renuncia que contempla el artículo 144, letra a), de la ley Nº 18.883 (aplica criterio contenido en el dictamen Nº 6.306, de 2011).*

*Finalmente, atendido lo expresado por el recurrente, es necesario aclarar que **la obtención de jubilación por edad, constituye una causal de cesación de funciones, prevista en el aludido artículo 144, letra b), de la ley Nº 18.883, distinta de la analizada en el cuerpo del presente pronunciamiento, la que de concurrir, tampoco confiere la comentada bonificación».* (ID Dictamen:** 056290N11 **Fecha:** 05.09.2011 **Destinatarios:** Héctor Vilches León. **Texto:** La ley 20387 establece como exigencia para la percepción de la bonificación por retiro, dimitir al cargo municipal voluntariamente, por lo que dicha condición no se cumple en el caso de un funcionario que jubila por vejez. **Acción:** Aplica dictámenes 14082/2011, 6306/2011)

11. *«Precisado lo anterior, debe señalarse que los **artículos 144, letra b), y 146 de la citada ley Nº 18.883, disponen que el funcionario cesará en el cargo por la causal de obtención de jubilación, pensión o renta vitalicia en un régimen previsional, en relación al cargo municipal, a contar del día en que, según las normas pertinentes, deba empezar a recibir la pensión respectiva,** las que, en la situación en análisis, corresponden a las contempladas en la ley Nº 11.219,*

---

[316] Para efectos de su consulta en la Base de Jurisprudencia de Contraloría General de la República, el citado dictamen se encuentra en la sección/materia: «generales», sin perjuicio de que se trata de uno de carácter municipal.

*orgánica de la antigua Caja de Previsión de los Empleados Municipales de la República, cuyo artículo 23 establece que el goce de la pensión comenzará desde la fecha en que el asegurado con derecho a ella se hubiere retirado del empleo. Por su parte, **la jurisprudencia administrativa de este Organismo de Control contenida, entre otros, en los dictámenes Nºs. 25.343 y 26.081, ambos de 1999, y 55.670, de 2008, ha manifestado, acerca de la última de las normas reseñadas en el párrafo anterior, que ella no resulta aplicable en el caso de que el servidor municipal se haya acogido a jubilación estando en actividad**, evento en el cual rige la regla según la cual los actos administrativos surten efecto a contar de su total tramitación, de manera que aquel percibe la pensión desde el día en que se le notifica que el respectivo decreto jubilatorio se encuentra afinado completamente.*

Ahora bien, en atención a que no existen normas jurídicas que señalen la forma en que debe notificarse la resolución que concede pensión de jubilación a un funcionario municipal, tiene aplicación para tal efecto, en carácter supletorio, la ley Nº 19.880, sobre Bases de los Procedimientos Administrativos que rigen los Actos de los Órganos de la Administración del Estado, la que en sus artículos 45 y 46 —comprendidos dentro del capítulo III, sobre publicidad y ejecutividad de los actos administrativos—, ordena que los actos de efectos individuales, como acontece en el presente caso, deberán ser notificados a los interesados personalmente o mediante carta certificada, en cuyo caso la comunicación se entiende practicada a contar del tercer día hábil siguiente a su recepción en la oficina de Correos que corresponda (aplica el dictamen Nº 55.670, de 2008).

Así, teniendo en cuenta que de conformidad con el artículo 51, inciso segundo, de la citada ley Nº 19.880, los decretos y las resoluciones producirán efectos jurídicos desde su notificación o publicación, según sean de contenido individual o general, y que, en la especie, de acuerdo con los antecedentes tenidos a la vista, no se advierte que la autoridad edilicia haya notificado al señor Mora Cortés la resolución Nº AP-2203, de 21 de septiembre de 2009, que le concedía la pensión por vejez, no resulta posible constatar que dicho acto administrativo haya quedado totalmente tramitado.

*Por consiguiente, en mérito de lo expuesto y en el entendido que **la jubilación otorgada** a don Germán Mora Cortés **no alcanzó a perfeccionarse con anterioridad a la fecha de aceptación de su renuncia voluntaria** por parte de la Municipalidad de Santiago, resultó procedente que esa entidad edilicia por el decreto Nº 2.313, de 2010, aceptara dicha dimisión a contar del 26 de mayo de ese año, por lo que aquel se encuentra habilitado para acceder a la bonificación prevista en la ley Nº 20.387, al cumplir los supuestos que, al tenor del artículo 1º de ese texto legal, permiten su percepción. En todo caso, el recurrente podrá solicitar ante el Instituto de Previsión Social, la concesión de una pensión de vejez en el régimen de la antigua Caja de Previsión Social de los Empleados Municipales de Santiago, a contar de la fecha de su nuevo cese».* (**ID Dictamen: 042795N11 Fecha:** 07.07.2011 **Destinatarios:** Alcalde de la Municipalidad de Santiago. **Texto:** Sobre desistimiento de jubilación de vejez para acogerse a la bonificación por retiro voluntario. **Acción:** aplica dictámenes 25343/99, 26081/99, 55670/2008)

12. *«En lo que concierne a que mientras se encuentra pendiente el conocimiento del reclamo interpuesto, no sería posible que la medida dispuesta surta sus efectos, como tampoco que la Municipalidad de Pelluhue hubiere dictado el decreto Nº 382, de 2011 —instrumento que, en lo pertinente, declaró la vacancia de su cargo—, es necesario recordar que, de acuerdo con el artículo 57 de la ley Nº 19.880, de Bases de los Procedimientos Administrativos que Rigen los Actos de los Órganos de la Administración del Estado, **la interposición de un reclamo en contra de la aplicación de una medida disciplinaria no suspende la ejecución del acto impugnado, cuyos efectos rigen y deben ser acatados en plenitud desde la fecha de su notificación a la afectada, sin que su eficacia se subordine, en este caso, al resultado del recurso deducido por aquella** (aplica criterio contenido en el dictamen Nº 4.824 de 2009).*

*En razón de lo anterior, **la recurrente cesó en el cargo que desempeñaba por la causal de destitución, en virtud de lo dispuesto en el artículo 144, letra d), de la ley Nº 18.883**, resultando innecesaria la dictación del aludido decreto Nº 382, de 2011».* (**ID Dictamen: 071484N11 Fecha:** 15.11.2011 **Destinatarios:** Municipalidad de Pelluhue. **Texto:** Desestima solicitud de reconsideración de oficio de Contraloría Regional del Maule que se pronunció sobre sumario administrativo instruido a funcionarios de la Municipalidad de Pelluhue que aplica medida expulsiva y del reclamo de ilegalidad sobre el mismo, por no haberse presentado dentro de plazo. **Acción:** Aplica dictámenes 77577/2010, 30733/2000, 49580/2008, 74066/2010, 17865/95, 6926/2001, 25203/2009, 76494/2010, 10075/2011, 42741/2011, 39563/2011, 4824/2009, 4182/2011)

13. *«Sobre el particular, es menester indicar, en primer término, que el **artículo 144, letra c), de la ley Nº 18.883**, preceptúa que el funcionario cesará en el cargo, **por declaración de vacancia**, para luego el artículo 147, letra a), del mismo texto legal, agregar que la declaración de vacancia procederá, en lo que interesa, por la declaración de salud incompatible con el desempeño del cargo.*

A su turno, el citado artículo 148, confiere al alcalde la facultad de considerar como salud incompatible con el desempeño del cargo, el haber hecho uso de licencia médica en un lapso continuo o discontinuo superior a seis meses en los dos últimos años, sin mediar declaración de salud irrecuperable, sin que se puedan considerar para tal cómputo, las licencias por accidentes del trabajo y de origen laboral, a las que alude el artículo 114 de la misma ley, y aquellas a que se refiere el Título II, del Libro II, del Código del Trabajo, sobre Protección a la Maternidad.

Por consiguiente, se advierte que la medida que se impugna, aprobada por el decreto del rubro, fue adoptada por la **autoridad edilicia en el ejercicio de las atribuciones que la preceptiva legal le confiere, al considerar incompatible la salud de la peticionaria con el desempeño de su cargo,** *por el hecho de hacer uso de licencias médicas por 187 días en los dos últimos años contados hacia atrás, desde la fecha de dictación del decreto de la especie, sin que exista constancia que aquella con anterioridad a la data de su cese de funciones, haya presentado una solicitud de declaración de invalidez ante el organismo competente (aplica dictámenes Nºs. 47.446, de 2009, y 13.252, de 2010)».* (**ID Dictamen: 070101N11 Fecha:** 08.11.2011 **Destinatarios:** Alcalde Municipalidad de Lo Prado. **Texto:** Reclamo por decreto de la Municipalidad de Lo Prado que declara vacante cargo por salud incompatible con su desempeño. **Acción:** Aplica dictámenes 47446/2009, 13252/2010)[317]

14. «*III. En cuanto al fondo del asunto planteado. (...)*
1.- El acto recurrido ha sido emitido en el ejercicio legítimo de las atribuciones de la Contraloría General de la República. (...)
Al respecto, resulta necesario precisar a S.S. Iltma., que la **declaración de vacancia** *por salud incompatible, de conformidad con lo establecido en los* **artículos 144, letra c)**, *y 147, letra a)* **de la ley Nº 18.883,** *es una causal de cesación de funciones que procede cuando la autoridad municipal considera como salud incompatible con el cargo que ejerce un funcionario municipal, la circunstancia de haber hecho uso de licencia médica en un lapso continuo o discontinuo superior a seis meses en los últimos dos años, sin mediar declaración de salud irrecuperable, sin que se consideren para dicho cómputo las licencias otorgadas en los casos a que se refiere el artículo 114 del citado texto legal, y el Título II del Libro II, del Código del Trabajo.*

Con posterioridad, y ante el requerimiento de la autoridad municipal, esta Contraloría General procedió a emitir el oficio Nº 60.370, de 2010, que reconsideró lo anteriormente expuesto pues, en lo que interesa al recurso de la especie, se verificó que en relación con la situación que afectaba a la señora Guerrero Carrillo, existía un pronunciamiento de la Superintendencia de Seguridad Social —a requerimiento tanto de la propia recurrente, como de la aludida entidad edilicia—, contenido en el oficio ordinario Nº 2.858, de 1 de diciembre de 2009, en el cual, luego del análisis por parte del Departamento Médico de ese Organismo, declara "...como de origen común la afección que presenta usted [refiriéndose a la recurrente], por tanto no resulta procedente en este caso otorgar la cobertura de la ley Nº 16.744".

De acuerdo a lo anterior, este órgano de Control no pudo sino concluir que, en la especie, se cumplía el aludido requisito que la ley exige para **declarar la vacancia del cargo** *que ejercía la recurrente en el municipio por salud incompatible con el desempeño del mismo. (...)*

2.- Garantías constitucionales supuestamente vulneradas por la emisión del dictamen Nº 60.370, de 2010, de la Contraloría General de la República. (...)

En este orden de ideas, y no obstante todas las consideraciones anotadas en el presente informe en cuanto a la legalidad del decreto Nº 3.325, de 2009, de la Municipalidad de Padre Hurtado, que contiene la declaración de vacancia que se impugna, cumple reiterar que, en todo caso, **no fue la actuación de este Ente Contralor la que habría privado a la peticionaria del ejercicio de su cargo, por cuanto ello se produjo con la notificación del recién citado decreto, que disponía que no podía seguir desempeñándose en dicha entidad edilicia por haber sido declarada la vacancia del cargo** *que ocupaba. (...)*

Sin perjuicio de lo expresado, cabe hacer presente que la **jurisprudencia de los Tribunales Superiores de Justicia ha declarado que el nombramiento de un servidor público como titular de un empleo no confiere el derecho de propiedad sobre él, ni puede enmarcarse dentro de la concepción patrimonial que involucra el dominio. Así, dicha titularidad otorga el derecho a ejercer la función en tanto no exista una causal legal de expiración de ella** *(Corte de Apelaciones de Chillán, sentencia de 6 de febrero de 2003, Rol Nº 2.760, confirmada por la Excma. Corte Suprema en fallo de fecha 11 de marzo de 2003, Rol Nº 708, de 2003)».* (**ID Dictamen: 000025N11 Fecha:** 03.01.2011 **Destinatarios:** Presidente

---

[317]   Para efectos de su consulta en la Base de Jurisprudencia de Contraloría General de la República, el citado dictamen se encuentra en la sección/materia: «generales», sin perjuicio de que se trata de uno de carácter municipal.

de la Corte de Apelaciones de Santiago. **Texto:** Informa Recurso de Protección Rol de Ingreso Corte Nº 7.705, de 2010, interpuesto por doña Jeanette Guerrero Carrillo. **Acción:** aplica dictámenes 42851/2007, 46174/2007, 41754/2008, 57451/2009, 15915/2010, 60370/2010)

15. *«En este contexto, se debe considerar que de los antecedentes tenidos a la vista se desprende que, don Jaime Ramírez Cortés, recurrió oportunamente a las instancias antes indicadas con el objeto de impugnar el procedimiento de calificación que le fue aplicado, siendo rechazadas sus solicitudes por las consideraciones que en su oportunidad se expusieron, dado lo cual no existe fundamento legal que permita a esta Entidad de Fiscalización emitir un nuevo pronunciamiento acerca de la evaluación en cuestión, por lo que forzoso resulta concluir que dichas **calificaciones comenzaron a producir sus efectos jurídicos desde la fecha en que el interesado fue notificado del recurrido dictamen** Nº 33.952, de 2012, cuestión que implica que a su respecto se configuró **la causal de declaración de vacancia establecida en la letra c) del artículo 144 de la ley Nº 18.883,** en concordancia con la letra c), del artículo 147, del anotado cuerpo estatutario».* (**ID Dictamen:** 078577N12 **Fecha:** 18.12.2012 **Destinatarios:** Jaime Ramírez Cortés. **Texto:** Rechaza solicitud de reconsideración de dictamen 33952 de 2012 de esta Contraloría General. **Acción:** Aplica dictámenes 46016/2002, 28457/2008 Confirma dictamen 33952/2012)

16. *«Como cuestión previa, cabe precisar que las normas citadas confieren al alcalde la facultad de considerar como salud incompatible con el desempeño del cargo, el haber hecho uso de licencia médica en un lapso continuo o discontinuo superior a seis meses en los dos últimos años, sin mediar una declaración de salud irrecuperable, siendo improcedente considerar para tal cómputo, las licencias por accidentes del trabajo y de origen laboral, a que se refiere el artículo 114 de la citada ley Nº 18.883 y aquellas que se refiere el Título II, del Libro II, del Código del Trabajo, sobre Protección a la Maternidad.*
*Revisados nuevamente los antecedentes, entre ellos el reporte de la licencia médica Nº 30678363 y el citado decreto alcaldicio, remitido en esta oportunidad a esta Entidad de Fiscalización para el trámite de registro, es dable hacer presente que el referido permiso médico fue autorizado por la unidad respectiva del Servicio de Salud Metropolitano Central con fecha 6 de septiembre de 2010, esto es, con anterioridad al 1 de agosto de 2011 —data del anotado decreto Nº 4.780—, sumando la solicitante un total de 182 días de licencias médicas en los últimos dos años, por lo que se ajustó a derecho el citado decreto, mediante el cual la Municipalidad de Maipú **declaró vacante las 44 horas semanales asignadas al cargo** ocupado por la señora Marcela Ruíz Astete, **por salud incompatible con el desempeño del cargo,** tal como lo permite la normativa citada precedentemente».* (**ID Dictamen:** 034107N12 **Fecha:** 11.06.2012 **Destinatarios:** Alcalde de la Municipalidad de Maipú Texto Reconsidera dictamen 1549/2012, en el sentido que procede declaración de vacancia del cargo por salud incompatible con el desempeño del mismo, en el caso que indica. **Acción:** Reconsidera dictamen 1549/2012)[318]

17. *«Luego, considerando lo manifestado por el interesado, acerca de su interés en continuar trabajando en otras labores municipales, es útil precisar que el **cese de funciones por salud incompatible no impide o inhabilita para ingresar nuevamente al mismo u otro órgano administrativo, conforme con las normas generales, en la medida que se reúnan las demás exigencias legales exigidas para el empleo de que se trate, sin perjuicio que tal decisión se encuentra comprendida dentro del ámbito de competencia de las máximas autoridades de tales entidades».*** (**ID Dictamen:** 052262N11 **Fecha:** 18.08.2011 **Destinatarios:** Osvaldo Orellana Peña. **Texto:** Sobre procedencia de término de la relación laboral de docente por salud incompatible con desempeño de la función).

18. *«Tercero: Que, conforme lo preceptúa el artículo 4º de la misma ley Nº 19.378, en todo lo no regulado expresamente por las disposiciones de este Estatuto, **se aplicarán en forma supletoria, las normas de la Ley 18.883, Estatuto de los Funcionarios Municipales. De tal suerte, es este último Estatuto y no el Código del Trabajo la normativa que rige al personal de los establecimientos de Atención Primaria de Salud Municipal,** en defecto de las disposiciones de la ley Nº 19.378.*
Cuarto: Que el autodespido que consulta el artículo 171 del Código del Trabajo es una modalidad de término del contrato de trabajo y se puede hacer efectiva por el trabajador, según lo indica esta disposición si quien incurriere en las causales

---

[318]   Para efectos de su consulta en la Base de Jurisprudencia de Contraloría General de la República, el citado dictamen se encuentra en la sección/materia: «generales», sin perjuicio de que se trata de uno de carácter municipal.

de los números 1, 5 o 7 del artículo 160 fuere el empleador. La prevista en el Nº 7 consiste en el incumplimiento grave de las obligaciones que impone el contrato.

Quinto: Que, por su parte, la Ley Nº 19.378 en el artículo 48 del Párrafo 3º de su Título II regula el término de la relación laboral, expresando que los funcionarios de una dotación municipal de salud dejarán de pertenecer a ella solamente por las causales que indica, las que, en suma, son: a) renuncia voluntaria, b) falta de probidad, conducta inmoral o incumplimiento grave de las obligaciones funcionarias, establecidas fehacientemente por medio de un sumario, c) vencimiento del plazo del contrato, d) obtención de jubilación, pensión o renta vitalicia, e) fallecimiento, f) calificación en lista de eliminación, g) salud irrecuperable o incompatible, h) inhabilidad para el ejercicio de cargos públicos o condena por crimen o simple delito e i) disminución o modificación de la dotación, según el artículo 11 de la misma ley.

*Sexto: Que, como puede observarse, el incumplimiento grave de las obligaciones funcionarias mencionada en la letra b) del citado artículo 48, alude sólo a la infracción de los deberes del empleado; a su turno, la disminución o modificación de la dotación que aparece en su letra i) y que hace cesar al funcionario en su cargo, con una indemnización equivalente a las remuneraciones devengadas en el último mes, por cada año de servicios con un máximo de once años, no conforma propiamente un incumplimiento de las obligaciones del empleador, aunque si a un cambio en las condiciones del empleo determinado por éste. A su vez, **el Estatuto Administrativo de los Funcionarios Municipales, que se contiene en la ley Nº 18.883, de 29 de diciembre de 1989, enumera en su artículo 144 las causales de cesación en el cargo de este personal, sin considerar el autodespido del empleado,** si bien en su artículo 150 establece que en los casos de supresión del empleo por procesos de reestructuración o fusión, los funcionarios de planta que cesen por no ser encasillados en las nuevas plantas y que no pudieran acogerse a jubilación, gozan de una indemnización equivalente al total de las remuneraciones devengadas en el último mes por cada año de servicio, con un máximo de seis.*

Séptimo: Que de las disposiciones relacionadas resulta que ni el Estatuto de Atención Primaria de Salud Municipal a que estaba sometida la actora en su desempeño para la demandada, ni el Estatuto Administrativo de los Funcionarios Municipales, que le era aplicable en forma supletoria, contemplaron alguna modalidad de autodespido de los integrantes de las dotaciones municipales de salud. Esta circunstancia, empero, no significa que ella pudiera invocar el artículo 171 del Código del Trabajo para alejarse de su empleo con derecho a las indemnizaciones que indica esta norma, porque lo cierto es ella no regía ni podía regir a su respecto.

Octavo: Que, efectivamente, la aplicación supletoria del Código Laboral a funcionarios de la administración municipal tiene lugar únicamente en los aspectos o materias no reguladas por los estatutos a que ellos están afectos, pero ello es siempre que las normas del Código no sean contrarias a tales estatutos, con arreglo a lo que dispone la parte final del inciso tercero del artículo 1º de este texto.

Noveno: Que la norma del artículo 171 del Código del Trabajo es incompatible con las disposiciones estatutarias que regían a la actora, justamente porque éstas, según se ha visto, no consultan causales de expiración de funciones análogas a las cuales se remite ese precepto y que corresponden a los Nº 1, 5 y 7 del artículo 160 del mismo Código. Tampoco la Ley Nº 19.378 y menos la Ley Nº 18.883, conceden indemnizaciones similares a las que prevén sus artículos 162 y 163 para el trabajador que expira injustificadamente en su empleo, de modo, pues, que la ausencia de reglas sobre el autodespido en dichos estatutos no permite, sino precisamente impide la aplicación supletoria de esa modalidad de terminación del contrato de trabajo.

Décimo: Que, en ese sentido, es útil considerar la distinta naturaleza que poseen el régimen establecido por el Código del Trabajo y el sistema estatutario como normativas reguladoras de las relaciones entre empleadores particulares y sus dependientes y el Estado y sus funcionarios, respectivamente.

Undécimo: Que el Código Laboral establece un régimen jurídico de naturaleza convencional, que se concreta en contratos dirigidos por normas de orden público que reconocen derecho y beneficios mínimos para los trabajadores y cuya aplicación fiscalizan organismos estatales creados con esa finalidad. El núcleo central de este sistema es el contrato de trabajo que define el artículo 7º del Código Laboral, que nace de la voluntad de las partes, debe contener las estipulaciones que fija el artículo 10 del mismo texto y establece los derechos y obligaciones que les corresponden, cuyo incumplimiento grave tanto por el trabajador como por el empleador puede acarrear la terminación del vínculo laboral, con derecho del dependiente a percibir, en su caso, las indemnizaciones que conceden los artículos 162, 163 y 171 del mismo Código.

*Duodécimo: Que, en cambio, **el régimen estatutario es de carácter legal, ya que es la ley la que exclusivamente regula la situación de los funcionarios y señala la forma como nace y se extingue su relación con el Estado. Este sistema no tiene origen ni naturaleza convencional, ya que es el legislador el que determina por completo los derechos y obligaciones que son efectos de esa relación. Esta nace del acto unilateral de la autoridad que incorpora a un individuo a la dotación de un servicio público, en que la voluntad de éste último sólo interviene para aceptar su designación, pero no concurre a establecer las condiciones de la vinculación, ni los derechos y obligaciones de las partes, ya que todos estos elementos son fijados única y definitivamente por la ley en el estatuto que rige a ese personal.***

Décimo tercero: Que, según se ha apuntado, en un sistema estatutario como el que contempla la ley N° 19.378, no existe el autodespido del funcionario como causal de término de sus servicios, con derecho a recibir indemnizaciones por tal concepto.

Décimo cuarto: Que en torno a esta materia, cabe señalar que el artículo 156 del Estatuto Administrativo de los Funcionarios Municipales que se contiene en la ley N° 18.883 y que se aplica supletoriamente al personal de la Atención Primaria de Salud Municipal, previene que los funcionarios tendrán derecho a reclamar ante la Contraloría General de la República, cuando se hubieren producido vicios de legalidad que afectaren los derechos que les confiere este Estatuto, de manera que esta es la vía idónea que franquea la ley para que esos servidores puedan obtener el reconocimiento de sus derechos. Porque, entre otras funciones, los artículos 1° y 6° de la Ley N° 10.336 asignan a ese Organismo, las de vigilar el cumplimiento de las disposiciones del Estatuto Administrativo y pronunciarse sobre los asuntos que se relacionen con este cuerpo legal, respectivamente.

Décimo quinto: Que, como corolario de las consideraciones anteriores, cabe concluir que el fallo impugnado no incurrió en contravención alguna al inciso tercero del artículo 1° del Código del Trabajo, como se sostiene en el recurso, al confirmar la decisión que no acogió la posibilidad que la actora impetrara la aplicación del artículo 171 de ese cuerpo legal para retirarse de la Corporación Municipal demandada.

Décimo sexto: Que el segundo de los errores de derecho que el recurrente reprocha a la sentencia que confirmó el rechazo de la acción de la demandante y que consiste en la infracción del artículo 3° de la Ley N° 18.883, tampoco tiene asidero. Es efectivo que esta disposición preceptúa que el personal que se desempeñe en servicios traspasados desde organismos o entidades del sector público y que administre directamente la municipalidad se regirá también por las normas del Código del Trabajo.

*Décimo séptimo: Que, sin embargo, **esa declaración del Estatuto Administrativo de los Funcionarios Municipales, de 29 de diciembre de 1989, fue anterior a la dictación de la Ley N° 19.378, de 13 de abril de 1995, y por lo tanto, ella dejó de regir a contar de esta última fecha a los personales de los establecimientos de Atención Primaria de Salud Municipal, entre ellos, la actora que pasaron a quedar sujetos específicamente, como se ha anotado, a las normas del Estatuto sancionado por esa ley N° 19.378, la que no se remite subsidiariamente al Código del Trabajo; (...)»*.* (**CS Rol N° 1519-2010 Fecha:** 09.06.2010 **Sala:** Pronunciada por la Cuarta Sala de la Corte Suprema integrada por los Ministros señores Urbano Marín V., Patricio Valdés A., señoras Gabriela Pérez P., Rosa María Maggi D., y Rosa Egnem S).

Artículo 145

La renuncia es el acto en virtud del cual el funcionario manifiesta al alcalde la voluntad de hacer dejación de su cargo.

La renuncia deberá presentarse por escrito y no producirá efecto sino desde la fecha que se indique en el decreto que la acepte.

La renuncia sólo podrá ser retenida por el alcalde cuando el funcionario se encontrare sometido a sumario administrativo del cual emanen antecedentes serios de que pueda ser alejado de la municipalidad por aplicación de la medida disciplinaria de destitución. En este caso, la aceptación de la renuncia no podrá retenerse por un lapso superior a treinta días contados, desde su presentación, aun cuando no se hubiere resuelto sobre la aplicación de la medida disciplinaria.

Si se encontrare en tramitación un sumario administrativo en el que estuviere involucrado un funcionario, y éste cesare en sus funciones, el procedimiento deberá continuarse hasta su normal término, anotándose en su hoja de vida la sanción que el mérito del sumario determine.

1. «*Se ha dirigido a esta Contraloría General don Jorge Neira Herrera, exfuncionario de la Municipalidad de Santiago —quien se desempeñaba en la Oficina de Gestión Financiera de la Subdirección de Servicios Sociales—, reclamando en contra del sumario instruido por esa entidad edilicia, a cuyo término, mediante el decreto alcaldicio N° 2.202, de 2016, se le aplicó la medida disciplinaria de destitución, contemplada en los artículos 120, letra d), y 123, del citado cuerpo estatutario, toda vez que, a su juicio, se cometieron irregularidades en la sustanciación de dicho procedimiento*». (**ID Dictamen:** 076296N16. **Fecha:** 17-10-2016. **Destinatarios: don Jorge Neira Herrera, exfuncionario de la Municipa-**

lidad de Santiago. Texto: Rechaza reclamo de ilegalidad en contra de sumario administrativo, al término del cual se aplicó la medida disciplinaria de destitución a funcionario municipal que indica. **Acción:** Aplica dictamen 97968/2014, 14965/2015, 35562/2016, 95660/2015).

2. «*Precisado lo anterior, cabe manifestar que el recurrente expresa que no procede acceder a la reapertura menciona-da, habida cuenta de que la persona de que se trata* **no tiene la calidad de funcionario municipal, puesto que renunció a su cargo** *con fecha 1 de agosto de 2005, dimisión que fue aceptada por el municipio mediante decreto Nº 44, de igual año. (...)*

Luego, y considerando que, en la situación que se analiza, al señor Zúñiga Madariaga le fue aceptada su renuncia a partir del 1 de agosto de 2005, debe concluirse que la causal de término de funciones por la que se desvinculó de la Municipalidad de Isla de Maipo **es la de aceptación de su renuncia, en conformidad a lo prescrito en el artículo 144, letra a), de la ley Nº 18.883.**

No obstante, y puesto que a la época de aceptársele la citada renuncia, se encontraba en tramitación un sumario en contra de la persona aludida, a cuyo término se le sancionó con la medida de destitución, le afecta lo establecido en los artículos 10, letra e), de la ley Nº 18.883, y 12, letra e), de la ley Nº 18.834, según los cuales, no pueden ingresar a las municipalidades, y en general a la Administración del Estado, quienes hayan cesado en un cargo público, en lo que interesa, por medida disciplinaria, salvo que hayan transcurrido más de cinco años desde la fecha de expiración de fun-ciones, preceptos que se vinculan con el artículo 38, letra f), de la ley Nº 10.336, de Organización y Atribuciones de esta Contraloría General, el cual impide a esta Entidad de Control dar curso a un nombramiento recaído en alguna persona que haya sido separada o destituida administrativamente de un empleo o cargo público, a menos que intervenga decre-to supremo de rehabilitación y transcurra el plazo indicado.

Ahora bien, atendido que la referida medida de destitución se fundó en que los hechos materia del mismo revestían características de delito, decretándose, posteriormente, en sede judicial, el sobreseimiento de la causa respectiva, por no existir presunciones de que se haya verificado el hecho que le dio origen, relacionado con la causal establecida en el artículo 408, Nº 1, del Código de Procedimiento Penal, surgió para la autoridad edilicia la obligación de reabrir el procedimiento sumarial, en el evento de que lo solicitare el interesado, como efectivamente ocurrió, según se advierte de las presentaciones que el afectado formuló ante esta Entidad de Control —referencias Nº s. 42.699, 79.469 y 83.277, todas de 2007, y 239.079, de 2010—, con el objeto de que se determine si esa circunstancia modifica la sanción impues-ta, según lo previsto en el artículo 119 de la ley Nº 18.883, puesto que de ser así, esto es, que se le aplique una medida distinta a la de destitución, desaparecería para el señor Zúñiga Madariaga la causal de inhabilidad para ingresar a los municipios y a otros organismos de la Administración del Estado.

Con todo, es necesario precisar que la obligación de reabrir el citado procedimiento sumarial que pesa sobre la Muni-cipalidad de Isla de Maipo, no implica que esta deba reincorporar a sus funciones al señor Zúñiga Madariaga, durante el tiempo que mantenga reabierto el sumario para los efectos anotados, ya que **la aceptación de su renuncia como causal de cese, produjo todos sus efectos**». **(ID Dictamen: 074860N11 Fecha:** 29.11.2011 **Destinatarios:** Alcalde de la Municipalidad de Isla de Maipo. **Texto:** Rechaza solicitud de reconsideración de dictamen y reitera a municipio orden de reabrir sumario administrativo en contra de exservidor para efectos que indica. **Acción:** Aplica dictámenes 32221/2008, 2060/2011, 33344/2011)

3. «*Sin perjuicio de lo anterior, es preciso añadir que, en todo caso,* **la eventual responsabilidad administrativa de la indicada persona, se encontraría extinguida,** *por cuanto de conformidad con el artículo 153, letra b), de la citada ley Nº 18.883, en relación con el* **inciso final del artículo 145 del mismo texto legal,** *ello acontece con el cese de funciones del funcionario, salvo que se encontrare en tramitación un procedimiento disciplinario en el que estuviere involucrado y, en este caso, aquel se desvinculó laboralmente el 1 de enero de 2011, al* **aceptar el municipio su renuncia voluntaria** *mediante el decreto Nº 2, de igual año,* **fecha a la cual no existía un procedimiento sumarial pendiente en su contra**». **(ID Dictamen: 071550N11**[319] **Fecha:** 15.11.2011 **Destinatarios:** Claudio Baeza de la Fuente. **Texto:** Sobre ejercicio de la potestad disciplinaria, actuación de comité de selección e incorporación de antecedentes a hoja de vida funcionaria. **Acción:** Aplica dictamen 13754/2011. Mismo criterio aplicado en **ID Dictamen: 005371N11 Fecha:** 27.01.2011 **Destina-**

---

[319]   Para efectos de su consulta en la Base de Jurisprudencia de Contraloría General de la República, el citado dictamen se encuentra en la sección/materia: «generales», sin perjuicio de que se trata de uno de carácter municipal.

tarios: Alcalde Municipalidad de San José de Maipo. **Texto:** Sobre procedencia de instruir sumario administrativo en un municipio. **Acción:** aplica dictámenes 41624/2008, 23723/2000, 40817/2005)

4. «*Sobre el particular, es del caso recordar que la citada municipalidad, al término del proceso sumarial antes indicado, dispuso, mediante decreto Nº 4.092, de 2006, que se aplicara a la recurrente la medida disciplinaria de destitución, en virtud de lo dispuesto en los artículos 120, letra d), y 123 de la ley Nº 18.883 —Estatuto Administrativo para Funcionarios Municipales—, sanción de la que se dejó constancia en su hoja de vida, en conformidad a lo previsto en el artículo 145 de esa ley, toda vez que durante la sustanciación del respectivo sumario, el municipio, como se indicara, había aceptado su renuncia voluntaria presentada al cargo que desempeñaba, hecho que, en definitiva, produjo su desvinculación del servicio.*

Sin perjuicio de lo anterior, es menester precisar que, a diferencia de lo sostenido por la interesada, el sumario incoado en su contra se afinó en virtud del aludido decreto Nº 4.092, de 2006, cuyos efectos comenzaron a producirse desde la data en que le fue notificado, hecho ocurrido, según los antecedentes tenidos a la vista, el 29 de abril de 2011, conforme a lo establecido en el dictamen Nº 79.238, de 2010, de este origen.

*En este contexto, debe indicarse que, tal como lo ha manifestado **reiteradamente la jurisprudencia de este Organismo de Control, la circunstancia que un servidor se desvincule de un municipio por aceptación de su renuncia, estando pendiente a su respecto la sustanciación de un sumario, no constituye un impedimento para que al término de ese proceso pueda serle aplicada una medida expulsiva, por cuanto, el cese de funciones por renuncia no puede ser invocado para impedir que la administración ejerza su potestad sancionadora, ni menos implicar la extinción de la responsabilidad administrativa que pueda afectar a un funcionario, conforme a los principios generales que regulan la función pública (aplica criterio contenido en los dictámenes Nºs. 26.608, de 1998, y 34.450, de 2000).***

En efecto, acorde con el citado criterio, de aceptarse que por la vía de la presentación de la renuncia voluntaria no pudiesen aplicarse las sanciones correspondientes, el funcionario podría evitar la efectividad de la pena que eventualmente se le aplique y los efectos propios de ésta, con lo cual, tratándose de la medida disciplinaria de destitución, resultaría, además, inaplicable lo dispuesto en el artículo 38, letra f), de la ley Nº 10.336 —sobre Organización y Atribuciones de la Contraloría General—, que impide a esta Entidad de Control dar curso al nombramiento de una persona que ha sido separada o destituida, administrativamente de cualquier empleo o cargo público, a menos que intervenga decreto supremo de rehabilitación.

Asimismo, mediante dicho mecanismo perdería eficacia el principio de probidad administrativa, consagrado en el Título III de la ley Nº 18.575 —Orgánica Constitucional de Bases Generales de la Administración del Estado—, que obliga a observar una conducta funcionaria intachable en el cumplimiento de las labores funcionarias, ya que su vulneración quedaría impune.

Siendo ello así, cabe concluir que el hecho que la Municipalidad de Las Condes hubiera aceptado la renuncia de la señora Carmona Morel, a contar del día 18 de julio de 2006, produciéndose, en consecuencia, su alejamiento de ese municipio por dicha causal, no implica, acorde con el planteamiento señalado en los párrafos precedentes, que la medida disciplinaria de destitución que se aplicó, a través del decreto Nº 4.092, de 2006, de esa entidad edilicia, no se encuentre produciendo los efectos que le son propios, desde el 29 de abril de 2011, data en que le fue notificado ese acto». (**ID Dictamen: 059951N11 Fecha:** 21.09.2011 **Destinatarios:** Giovanna Carmona Morel. **Texto:** Sobre cese de funciones por renuncia en relación con la potestad sancionadora de la autoridad administrativa y prescripción de la acción disciplinaria. **Acción:** Aplica dictámenes 79238/2010, 26608/98, 34450/2000, 7201/2000, 39213/2010)[320]

5. «*Por último, en lo que atañe al procedimiento disciplinario que se incoara en su contra, es menester puntualizar que dado que se inició cuando el peticionario tenía la calidad de empleado, aquel necesariamente debe ser afinado, poniéndose término a la relación procesal generada a partir del mismo, sobreseyendo, absolviendo o imponiendo una sanción según el mérito del sumario, caso este último en que deberá **dejarse constancia de la misma en su hoja de vida funcionaria, de conformidad con lo dispuesto en el artículo 145 de la ley Nº 18.883***». (**ID Dictamen: 036936N11 Fecha:** 10.06.2011 **Destinatarios:** Ricardo Vargas Medina. **Texto:** Sobre pronunciamiento relativo a la declaración de vacancia

---

[320] Para efectos de su consulta en la Base de Jurisprudencia de Contraloría General de la República, el citado dictamen se encuentra en la sección/materia: «generales», sin perjuicio de que se trata de uno de carácter municipal.

por salud incompatible, calificaciones y término de procedimiento disciplinario incoado contra funcionario municipal. **Acción:** aplica dictámenes 72803/2009, 69879/2010, 60472/2010)[321]

6. «*Pues bien, de los antecedentes tenidos a la vista, se advierte que, al 14 de mayo de 2010, fecha en que la munici-palidad ordenó la instrucción de investigaciones sumarias en contra de los individualizados ex servidores, aquéllos ya habían exteriorizado su voluntad de hacer dejación de sus cargos a contar del día 13 del mismo mes y año, las que fueron aceptadas por el alcalde en esos precisos términos, (...).*

Pues bien, considerando que tales ex funcionarios presentaron sus renuncias a contar de una fecha determinada y que ellas fueron aceptadas en esos términos, los actos administrativos reglados en cuya virtud se materializó la aceptación de sus renuncias voluntarias produjeron sus efectos a contar de la fecha fijada por los interesados, esto es, el 13 de mayo de 2010 y, por ende, desde ese momento dejaron de ser funcionarios (aplica criterio contenido en el dictamen Nº 41.624, de 2008).

De esta manera, atendido que no existe norma legal alguna que faculte a la autoridad para retener la renuncia de un funcionario de su dependencia no sometido a proceso disciplinario y, además, que los ex empleados presentaron sus renuncias voluntarias indicando una fecha determinada, que fue aceptada por la autoridad edilicia y resulta anterior al inicio de las investigaciones sumarias incoadas en su contra, no resulta posible perseguir su eventual responsabili-dad administrativa, debido a que la misma se extinguió al cesar en sus funciones por tales dimisiones a los cargos que ejercían, por lo que resultó procedente el sobreseimiento dictado a su respecto (...), (aplica dictámenes Nºs. 23.723, de 2000 y 40.817, de 2005)». **(ID Dictamen: 031634N11 Fecha:** 18.05.2011 **Destinatarios:** Florentino Valenzuela Durán y otro. **Texto:** Sobre aceptación de renuncias voluntarias de servidores municipales y su incidencia en el funcionamiento de ciertas unidades. **Acción:** aplica dictámenes 41624/2008, 23723/2000, 40817/2005)[322]

7. «*En efecto, el artículo 153, letra b), de la anotada ley Nº 18.883, previene que la responsabilidad administrativa se extingue por el cese de funciones, sin perjuicio de lo dispuesto en el inciso final del artículo 145 del mismo texto legal, el que señala, a su vez, que de encontrarse en tramitación un sumario administrativo —expresión que se refiere al instante en que se emite el acto que ordena instruir el mismo, según lo ha precisado el dictamen Nº 74.868, de 2011, de este origen, entre otros—, en el que estuviere involucrado un servidor, y que si este cesare en sus funciones, el procedimiento deberá continuarse hasta su normal término, anotándose en su hoja de vida la sanción que el mérito del proceso determine.*

Pues bien, la citada disposición alude al cese de funciones sin restringir su alcance a aquellas causales contempladas en el referido texto estatutario, como pretende la reclamante, debiendo tener presente que la jurisprudencia admi-nistrativa de este Ente de Control contenida, entre otros, en los dictámenes Nºs. 31.201, de 1999, y 232, de 2002, ha manifestado que la remoción contemplada en el artículo 30 de la ley Nº 18.695, constituye una causal especial de término de servicios para el administrador municipal, aun cuando es distinta de aquellas previstas en el anotado Es-tatuto Administrativo». **(ID Dictamen: 077336N12 Fecha:** 12.12.2012 **Destinatarios:** Claudia Díaz Yáñez. **Texto:** Recon-sidera oficios 10260 y 14583, ambos de 2011, de la Contraloría Regional del Biobío y desestima reclamo de ilegalidad en contra de decreto 538/2011 de la Municipalidad de Negrete que rechazó recurso de nulidad en sumario administrativo que indica. **Acción:** aplica dictámenes 29937/2012, 44837/2011, 50081/2011, 74868/2011, 31201/99, 232/2002)[323]

8. «*Por su parte, en lo concerniente a la afirmación del peticionario en el sentido que a la fecha del cese de sus funciones se habría encontrado en tramitación un sumario administrativo, lo que impediría el término de su relación laboral, es dable precisar que la existencia de una causal de término de servicios —como ocurrió en el caso en análisis—, no se suspende por esa circunstancia, lo que en todo caso, y con arreglo a lo dispuesto en el artículo 145, inciso final, de la citada ley Nº 18.883, no es obstáculo para que el respectivo sumario continúe hasta su normal término, a fin de ano-*

---

[321]   Para efectos de su consulta en la Base de Jurisprudencia de Contraloría General de la República, el citado dictamen se encuentra en la sección/materia: «generales», sin perjuicio de que se trata de uno de carácter municipal.

[322]   Para efectos de su consulta en la Base de Jurisprudencia de Contraloría General de la República, el citado dictamen se encuentra en la sección/materia: «generales», sin perjuicio de que se trata de uno de carácter municipal.

[323]   Para efectos de su consulta en la Base de Jurisprudencia de Contraloría General de la República, el citado dictamen se encuentra en la sección/materia: «generales», sin perjuicio de que se trata de uno de carácter municipal.

tar en la hoja de vida del respectivo funcionario la sanción que pudiere corresponderle, aunque esta no haya sido la causal de su desvinculación del servicio (aplica criterio contenido, entre otros, en los dictámenes Nos 28.339, de 2001, y 77.036, de 2010)». **(ID Dictamen: 043665N12 Fecha:** 19.07.2011 **Destinatarios:** Luis Núñez Ibarra. **Texto:** Sobre reconsideración de oficio N° 597, de 2011, de la Contraloría Regional del Maule, relativo a cese de exfuncionario a contrata. **Acción:** Aplica dictámenes 78387/2010, 24339/2011, 28339/2001, 77036/2010, 40149/2009)

9. *«Por otra parte, en lo que dice relación con las renuncias de los exfuncionarios doña Elsa Clavijo Jara y don José Piña Faundez, respecto de las cuales los afectados reclaman que por haber sido aceptadas mientras se tramitaba el procedimiento sumarial de la especie, no se hizo efectiva su responsabilidad administrativa en los hechos materia de la investigación, cabe anotar que la jurisprudencia administrativa de esta Entidad de Fiscalización, ha señalado que en el caso de exservidores que al momento de ordenarse la instrucción de un proceso disciplinario poseían la calidad de funcionarios públicos, y que con anterioridad a que este sea afinado, se produce su desvinculación, el fiscal instructor se halla en el imperativo legal de proceder a su respecto en la misma forma en que debe hacerlo con aquellos que mantienen la calidad de funcionarios, si estima que han tenido una participación responsable en los hechos, sin perjuicio de que dicha responsabilidad solo puede hacerse efectiva en los términos reseñados en el inciso final del artículo 145 de la ley N° 18.883 (aplica criterio contenido en el dictamen N° 30.936, de 2011)».* **(ID Dictamen: 018835N12 Fecha:** 02.04.2012 **Destinatarios:** Alcalde de la Municipalidad de Buin. **Texto:** Atiende reclamos de ilegalidad en contra de los decretos N° s. 293, 294, 295, 296, 297 y 298, y restituye decretos N°s. 198 y 290, todos de 2011, de la Municipalidad de Buin. **Acción:** Aplica dictámenes 44837/2011, 11542/2010, 25867/2006, 50081/2011, 38280/2010, 76892/2011, 30977/97, 2680/99, 2094/2001, 4173/2012, 33054/2000, 22509/2005, 49342/2009, 938/2009, 28938/2009, 24070/2010, 18133/2010, 30936/2011, 43130/2000, 42476/2011)

Artículo 146

El funcionario que jubile, se pensione u obtenga una renta vitalicia en un régimen previsional, en relación al respectivo cargo municipal, cesará en el desempeño de sus funciones a contar del día en que, según las normas pertinentes, deba empezar a recibir la pensión respectiva.

1. *«No procede otorgar la bonificación por retiro voluntario a que se refieren las leyes N°s. 20.649 y 20.846, a exservidor que cesó en sus funciones por obtención de su jubilación».* **(ID Dictamen:** 022758N16. **Fecha:** 24-03-2016. **Destinatarios:** señor Juan Aguad Kunkar, exfuncionario de la Municipalidad de Lo Espejo. **Texto:** No procede otorgar la bonificación por retiro voluntario a que se refieren las leyes N°s. 20.649 y 20.846, a exservidor que cesó en sus funciones por obtención de su jubilación. **Acción:** Aplica dictamen 97837/2015).

2. *«Sobre el particular, cabe anotar que el artículo 1º de la ley N° 20.387 —publicada en el Diario Oficial el 14 de noviembre de 2009—, facultó a los municipios para renovar hasta por un total de 3.400 cupos, la bonificación establecida en la ley N° 20.135, para los funcionarios municipales regidos por el Título II del decreto ley N° 3.551, de 1980, y por la ley N° 18.883, Estatuto Administrativo para Funcionarios Municipales, que entre el 1 de enero de 2009 y el 31 de diciembre de 2010, ambas fechas inclusive, tengan o cumplan 65 o más años de edad, si son hombres, y 60 o más años de edad si son mujeres, y que cesen en sus cargos por aceptación de su renuncia voluntaria, en los plazos que dispone el artículo 3º de la primera ley citada.*
El inciso segundo del citado artículo 1º añade que las edades exigidas para impetrar la bonificación a que alude el inciso anterior podrán rebajarse en los casos y situaciones a que se refiere el artículo 68 bis del decreto ley N° 3.500, de 1980, por iguales causales, procedimiento y tiempo computable.
Igualmente, agrega el inciso cuarto del mismo precepto, podrán acceder a la mencionada bonificación, los funcionarios municipales que obtengan o hayan obtenido, entre el 1 de enero de 2009 y el 31 de diciembre de 2010, ambas fechas inclusive, la pensión de invalidez que establece el decreto ley N° 3.500, de 1980, o que hayan cesado o cesen en sus funciones por declaración de vacancia por salud irrecuperable o incompatible con el desempeño del cargo siempre que, en dicho período, hayan cumplido o cumplan las edades exigidas en el inciso primero de este precepto.
*Precisado lo anterior, debe señalarse que **los artículos 144, letra b), y 146 de la citada ley N° 18.883, disponen que el funcionario cesará en el cargo por la causal de obtención de jubilación, pensión o renta vitalicia en un régimen previsional, en relación al cargo municipal, a contar del día en que, según las normas pertinentes, deba empezar a***

recibir la pensión respectiva, las que, en la situación en análisis, corresponden a las contempladas en la ley Nº 11.219, orgánica de la antigua Caja de Previsión de los Empleados Municipales de la República, cuyo artículo 23 establece que el goce de la pensión comenzará desde la fecha en que el asegurado con derecho a ella se hubiere retirado del empleo. Por su parte, la jurisprudencia administrativa de este Organismo de Control contenida, entre otros, en los dictámenes Nºs. 25.343 y 26.081, ambos de 1999, y 55.670, de 2008, ha manifestado, acerca de la última de las normas reseñadas en el párrafo anterior, que ella no resulta aplicable en el caso de que el servidor municipal se haya acogido a jubilación estando en actividad, evento en el cual rige la regla según la cual los actos administrativos surten efecto a contar de su total tramitación, de manera que aquel percibe la pensión desde el día en que se le notifica que el respectivo decreto jubilatorio se encuentra afinado completamente.

Ahora bien, en atención a que no existen normas jurídicas que señalen la forma en que debe notificarse la resolución que concede pensión de jubilación a un funcionario municipal, tiene aplicación para tal efecto, en carácter supletorio, la ley Nº 19.880, sobre Bases de los Procedimientos Administrativos que rigen los Actos de los Órganos de la Administración del Estado, la que en sus artículos 45 y 46 —comprendidos dentro del capítulo III, sobre publicidad y ejecutividad de los actos administrativos—, ordena que los actos de efectos individuales, como acontece en el presente caso, deberán ser notificados a los interesados personalmente o mediante carta certificada, en cuyo caso la comunicación se entiende practicada a contar del tercer día hábil siguiente a su recepción en la oficina de Correos que corresponda (aplica el dictamen Nº 55.670, de 2008).

Así, teniendo en cuenta que de conformidad con el artículo 51, inciso segundo, de la citada ley Nº 19.880, los decretos y las resoluciones producirán efectos jurídicos desde su notificación o publicación, según sean de contenido individual o general, y que, en la especie, de acuerdo con los antecedentes tenidos a la vista, no se advierte que la autoridad edilicia haya notificado al señor Mora Cortés la resolución Nº AP-2203, de 21 de septiembre de 2009, que le concedía la pensión por vejez, no resulta posible constatar que dicho acto administrativo haya quedado totalmente tramitado.

Por consiguiente, en mérito de lo expuesto y en el entendido que la jubilación otorgada a don Germán Mora Cortés no alcanzó a perfeccionarse con anterioridad a la fecha de aceptación de su renuncia voluntaria por parte de la Municipalidad de Santiago, resultó procedente que esa entidad edilicia por el decreto Nº 2.313, de 2010, aceptara dicha dimisión a contar del 26 de mayo de ese año, por lo que aquel se encuentra habilitado para acceder a la bonificación prevista en la ley Nº 20.387, al cumplir los supuestos que, al tenor del artículo 1º de ese texto legal, permiten su percepción.

En todo caso, el recurrente podrá solicitar ante el Instituto de Previsión Social, la concesión de una pensión de vejez en el régimen de la antigua Caja de Previsión Social de los Empleados Municipales de Santiago, a contar de la fecha de su nuevo cese». (**ID Dictamen: 042795N11 Fecha:** 07.07.2011 **Destinatarios:** Alcalde de la Municipalidad de Santiago. **Texto:** Sobre desistimiento de jubilación de vejez para acogerse a la bonificación por retiro voluntario. **Acción:** aplica dictámenes 25343/99, 26081/99, 55670/2008)

Artículo 147

La declaración de vacancia procederá por las siguientes causales:
a) Salud irrecuperable o incompatible con el desempeño del cargo;
b) Pérdida sobreviniente de alguno de los requisitos de ingreso a la municipalidad, y
c) Calificación del funcionario en lista de Eliminación o Condicional, de acuerdo con lo dispuesto en el artículo 48.

1. *«Por consiguiente, y en el caso que un alcalde obtenga una declaración de invalidez, como precisamente aconteció en la especie, no se generará a su respecto la consecuencia a que aluden los reseñados artículos 144, letra c), y 147, letra a), ambos de la ley Nº 18.883, esto es, no se producirá por ese hecho el cese de sus funciones (aplica criterio contenido en los dictámenes Nºs. 46.673, de 2003, y 44.861, de 2004)».* (**ID Dictamen:** 005791N17. **Fecha:** 16-02-2017. **Destinatarios:** Municipalidad de Palena. **Texto:** No constituye una causal de cese en el cargo de alcalde la declaración de salud irrecuperable, toda vez que esta no se contempla como tal en el artículo 60 de la ley Nº 18.695. **Acción:** Aplica dictámenes 19324/92, 46673/2003, 44861/2004, 23310/92, 29192/2000, 8776/2003).

2. *«No se ajustó a derecho declaración de vacancia por salud incompatible, ya que a contar de la entrada en vigencia de los nuevos incisos terceros de los artículos 151 de la ley Nº 18.834 y 148 de la ley Nº 18.883, para ello es necesaria una*

evaluación previa de la Comisión de Medicina Preventiva e Invalidez, trámite que se omitió en el caso que se reclama». (**ID Dictamen: 020322N18. Fecha: 10-08-2018. Destinatarios:** doña Myriam Sepúlveda Zavala, funcionaria de la Junta Nacional de Jardines Infantiles de la Región de Tarapacá. **Texto:** No se ajustó a derecho declaración de vacancia por salud incompatible, ya que a contar de la entrada en vigencia de los nuevos incisos terceros de los artículos 151 de la ley N° 18.834 y 148 de la ley N° 18.883, para ello es necesaria una evaluación previa de la Comisión de Medicina Preventiva e Invalidez, trámite que se omitió en el caso que se reclama. **Acción:** Aplica dictámenes 28713/2011, 2415/2013, 13570/2015, 5014/2016).

3. *«Sobre denuncias de intervencionismo electoral en período de campaña en las elecciones municipales de octubre de 2016».* (**ID Dictamen: 029341N17. Fecha:** 09-08-2017. **Destinatarios:** Diputada señora Paulina Núñez Urrutia conjuntamente con los diputados señores Juan Antonio Coloma Álamos y Felipe Ward Edwards, además de los señores Sebastián Lafurié Rivera, José Tomás Méndez Purcell y Mijail Bonito Lovio. **Texto:** Sobre denuncias de intervencionismo electoral en período de campaña en las elecciones municipales de octubre de 2016. **Acción:** Aplica dictámenes 32527/2008, 90308/2016, 44041/2015, 76192/2016, 69200/2010, 31662/2011, 60307/2014, 66882/2016, 31523/2014, 45207/2016, 53749/2016, 2023/2003, 57956/2010, 8600/2016, 25303/2011, 44218/2011).

4. *«En forma previa, resulta útil hacer presente que la declaración de invalidez difiere tanto en sus efectos como en su regulación respecto de la declaración de irrecuperabilidad, puesto que la primera, regulada por el decreto ley N° 3.500 de 1980, es resuelta por una comisión médica de la Superintendencia de Pensiones, y tiene como resultado la obtención de la pensión de invalidez que contempla dicha preceptiva legal. En cambio, la declaración de irrecuperabilidad, conforme lo dispuesto por el artículo 221, letras b) y c), del decreto N° 42, de 1986, del Ministerio de Salud, reglamento orgánico de los Servicios de Salud, vigente en virtud de lo dispuesto en los artículos 34 y 45 del decreto N° 136, de 2004, de dicha Secretaría de Estado —en concordancia con lo previsto en el artículo 12, N° 9, del decreto con fuerza de ley N° 1, de 2005, de dicho Ministerio—, es declarada por la Comisión de Medicina Preventiva e Invalidez, y provoca consecuencias estatutarias, como el beneficio establecido en el citado artículo 149 de la ley N° 18.883, Estatuto Administrativo para Funcionarios Municipales, acorde con el criterio contenido en los dictámenes N°s. 7.296 y 12.803, ambos de 1992; 41.389, de 1996; y, 32.283, de 2000.*
Por lo demás, ambas declaraciones se relacionan con causales diversas de desvinculación de la dotación del sector, pues la declaración de invalidez la produce conforme a lo dispuesto en el artículo 72 letra e) de la ley N° 19.070, Estatuto de los Profesionales de la Educación, esto es, por obtención de jubilación, pensión o renta vitalicia de un régimen previsional, en relación a las respectivas funciones docentes, en tanto que la declaración de irrecuperabilidad provoca el cese de funciones conforme a lo dispuesto en la letra h) de la misma norma, es decir, por salud irrecuperable en relación con el desempeño de la función, en conformidad a lo dispuesto en la mencionada ley N° 18.883». (**ID Dictamen: 063029N12 Fecha:** 10.10.2012 **Destinatarios:** María Negrón Monsalve. **Texto:** Sobre la reincorporación a sus funciones de docente que se acogió a retiro voluntario del art. noveno transitorio de la ley 20501, no obstante la declaración de su invalidez. **Acción:** Aplica dictámenes 7296/92, 12803/92, 41389/96, 32283/2000, 44280/2007, 10370/2011)

5. *«Sobre el particular, es menester indicar, en primer término, que el artículo 144, letra c), de la ley N° 18.883, preceptúa que el funcionario cesará en el cargo, por declaración de vacancia, para luego el artículo 147, letra a), del mismo texto legal, agregar que la declaración de vacancia procederá, en lo que interesa, por la declaración de salud incompatible con el desempeño del cargo.*
A su turno, el citado artículo 148, confiere al alcalde la facultad de considerar como salud incompatible con el desempeño del cargo, el haber hecho uso de licencia médica en un lapso continuo o discontinuo superior a seis meses en los dos últimos años, sin mediar declaración de salud irrecuperable, sin que se puedan considerar para tal cómputo, las licencias por accidentes del trabajo y de origen laboral, a las que alude el artículo 114 de la misma ley, y aquellas a que se refiere el Título II, del Libro II, del Código del Trabajo, sobre Protección a la Maternidad.
Por consiguiente, se advierte que la medida que se impugna, aprobada por el decreto del rubro, fue adoptada por la autoridad edilicia en el ejercicio de las atribuciones que la preceptiva legal le confiere, al considerar incompatible la salud de la peticionaria con el desempeño de su cargo, por el hecho de hacer uso de licencias médicas por 187 días en los dos últimos años contados hacia atrás, desde la fecha de dictación del decreto de la especie, sin que exista constancia que aquella con anterioridad a la data de su cese de funciones, haya presentado una solicitud de declaración de invalidez ante el organismo competente (aplica dictámenes N°s. 47.446, de 2009, y 13.252, de 2010)». (**ID Dictamen: 070101N11 Fecha:** 08.11.2011 **Destinatarios:** Alcalde Municipalidad de Lo Prado. **Texto:** Reclamo por decreto de la Mu-

nicipalidad de Lo Prado que declara vacante cargo por salud incompatible con su desempeño. **Acción:** Aplica dictámenes 47446/2009, 13252/2010)[324]

6. «*Sobre el particular, cabe hacer presente que la ley Nº 20.387 —publicada en el Diario Oficial el 14 de noviembre de 2009—, en el artículo 1º, inciso primero, facultó a los municipios para renovar, hasta por un total de 3.400 cupos, la bonificación por retiro voluntario establecida en la ley Nº 20.135, para los funcionarios municipales que indica, que entre el 1 de enero de 2009 y el 31 de diciembre de 2010, ambas fechas inclusive, tengan o cumplan 65 o más años de edad, si son hombres, y 60 o más años de edad si son mujeres, y que cesen en sus cargos por aceptación de su renuncia voluntaria, en los plazos a que se refiere el artículo 3º de la primera ley citada.*

Igualmente, agrega el inciso cuarto del referido artículo 1º, podrán acceder a la bonificación a que se refiere el inciso primero de este precepto, los funcionarios municipales que obtengan o hayan obtenido, entre el 1 de enero de 2009 y el 31 de diciembre de 2010, ambas fechas inclusive la pensión de invalidez que establece el decreto ley Nº 3.500, de 1980, o que hayan cesado o cesen en sus funciones por declaración de vacancia por salud irrecuperable o incompatible con el desempeño del cargo siempre que, en dicho período, hayan cumplido o cumplan las edades exigidas por el inciso primero de este artículo para impetrar el beneficio». (**ID Dictamen: 047536N11 Fecha:** 27.07.2011 **Destinatarios:** Subsecretario de Desarrollo Regional y Administrativo. **Texto:** Sobre derecho a percibir bonificación por retiro voluntario prevista en art. 1 de la ley 20387, de ex funcionario municipal a quien se declarara vacante cargo por salud irrecuperable. **Acción:** Aplica dictámenes 28843/2010, 39498/2010, 41436/2010)

7. «*III. En cuanto al fondo del asunto planteado. (...)*
1.- El acto recurrido ha sido emitido en el ejercicio legítimo de las atribuciones de la Contraloría General de la República. (...)
Al respecto, resulta necesario precisar a S.S. Iltma., que la declaración de vacancia por salud incompatible, de conformidad con lo establecido en los artículos 144, letra c), y 147, letra a) de la ley Nº 18.883, es una causal de cesación de funciones que procede cuando la autoridad municipal considera como salud incompatible con el cargo que ejerce un funcionario municipal, la circunstancia de haber hecho uso de licencia médica en un lapso continuo o discontinuo superior a seis meses en los últimos dos años, sin mediar declaración de salud irrecuperable, sin que se consideren para dicho cómputo las licencias otorgadas en los casos a que se refiere el artículo 114 del citado texto legal, y el Título II del Libro II, del Código del Trabajo.
Con posterioridad, y ante el requerimiento de la autoridad municipal, esta Contraloría General procedió a emitir el oficio Nº 60.370, de 2010, que reconsideró lo anteriormente expuesto pues, en lo que interesa al recurso de la especie, se verificó que en relación con la situación que afectaba a la señora Guerrero Carrillo, existía un pronunciamiento de la Superintendencia de Seguridad Social —a requerimiento tanto de la propia recurrente, como de la aludida entidad edilicia—, contenido en el oficio ordinario Nº 2.858, de 1 de diciembre de 2009, en el cual, luego del análisis por parte del Departamento Médico de ese Organismo, declara "...como de origen común la afección que presenta usted [refiriéndose a la recurrente], por tanto no resulta procedente en este caso otorgar la cobertura de la ley Nº 16.744"[325].
De acuerdo a lo anterior, este órgano de Control no pudo sino concluir que, en la especie, se cumplía el aludido requisito que la ley exige para declarar la vacancia del cargo que ejercía la recurrente en el municipio por salud incompatible con el desempeño del mismo.
Sobre el particular, y atendida la alegación planteada por la recurrente —en que se funda la presente acción de protección—, en orden a que al emitir esta Entidad Fiscalizadora el dictamen que se impugna no consideró el pronunciamiento emitido por la Comisión de Medicina Preventiva e Invalidez, a través del cual se señaló que la enfermedad que le afectaba era de origen profesional, cumple señalar que, en dicha oportunidad no se acompañó resolución oficial alguna de esa comisión, sin que esta Entidad Fiscalizadora tenga conocimiento, hasta la fecha, de algún pronunciamiento específico de tal organismo sobre la materia.
Por lo demás, habiendo emitido una resolución la Superintendencia de Seguridad Social, aun en el evento de existir un pronunciamiento de la señalada comisión en relación con la materia, no resulta factible para esta Contraloría General prescindir de aquélla, pues la aludida superintendencia es la autoridad técnica de control de las instituciones de previ-

---

[324] Para efectos de su consulta en la Base de Jurisprudencia de Contraloría General de la República, el citado dictamen se encuentra en la sección/materia: «generales», sin perjuicio de que se trata de uno de carácter municipal.
[325] Transcripción textual de la cita.

sión, de tal forma que, hallándose inserta la evaluación del carácter de una enfermedad en el campo de la seguridad social, las entidades de salud, como es el caso de las Comisiones de Medicina Preventiva e Invalidez y las Mutualidades de Empleadores, quedan sujetas a las instrucciones y decisiones que ésta, en ejercicio de sus atribuciones, adopte en definitiva sobre el particular (aplica dictamen Nº 57.451, de 2009).
2.- Garantías constitucionales supuestamente vulneradas por la emisión del dictamen Nº 60.370, de 2010, de la Contraloría General de la República. (...)
En este orden de ideas, y no obstante todas las consideraciones anotadas en el presente informe en cuanto a la legalidad del decreto Nº 3.325, de 2009, de la Municipalidad de Padre Hurtado, que contiene la declaración de vacancia que se impugna, cumple reiterar que, en todo caso, no fue la actuación de este Ente Contralor la que habría privado a la peticionaria del ejercicio de su cargo, por cuanto ello se produjo con la notificación del recién citado decreto, que disponía que no podía seguir desempeñándose en dicha entidad edilicia por haber sido declarada la vacancia del cargo que ocupaba.
Sin perjuicio de lo expresado, cabe hacer presente que la jurisprudencia de los Tribunales Superiores de Justicia ha declarado que el nombramiento de un servidor público como titular de un empleo no confiere el derecho de propiedad sobre él, ni puede enmarcarse dentro de la concepción patrimonial que involucra el dominio. Así, dicha titularidad otorga el derecho a ejercer la función en tanto no exista una causal legal de expiración de ella (Corte de Apelaciones de Chillán, sentencia de 6 de febrero de 2003, Rol Nº 2.760, confirmada por la Excma. Corte Suprema en fallo de fecha 11 de marzo de 2003, Rol Nº 708, de 2003)». **(ID Dictamen: 000025N11 Fecha:** 03.01.2011 **Destinatarios:** Presidente de la Corte de Apelaciones de Santiago. **Texto:** Informa Recurso de Protección Rol de Ingreso Corte Nº 7.705, de 2010, interpuesto por doña Jeanette Guerrero Carrillo. **Acción:** aplica dictámenes 42851/2007, 46174/2007, 41754/2008, 57451/2009, 15915/2010, 60370/2010)

8. «*En este contexto, se debe considerar que de los antecedentes tenidos a la vista se desprende que, don Jaime Ramírez Cortés, recurrió oportunamente a las instancias antes indicadas con el objeto de impugnar el procedimiento de calificación que le fue aplicado, siendo rechazadas sus solicitudes por las consideraciones que en su oportunidad se expusieron, dado lo cual no existe fundamento legal que permita a esta Entidad de Fiscalización emitir un nuevo pronunciamiento acerca de la evaluación en cuestión, por lo que forzoso resulta concluir que dichas calificaciones comenzaron a producir sus efectos jurídicos desde la fecha en que el interesado fue notificado del recurrido dictamen Nº 33.952, de 2012, cuestión que implica que a su respecto se configuró la causal de declaración de vacancia establecida en la letra c) del artículo 144 de la ley Nº 18.883, en concordancia con la letra c), del artículo 147, del anotado cuerpo estatutario*».
(ID Dictamen: 078577N12 Fecha: 18.12.2012 **Destinatarios:** Jaime Ramírez Cortés. **Texto:** Rechaza solicitud de reconsideración de dictamen 33952 de 2012 de esta Contraloría General. **Acción:** Aplica dictámenes 46016/2002, 28457/2008 Confirma dictamen 33952/2012)

9. «*Se ha dirigido a esta Contraloría General el señor Jorge Eduardo Miranda León, asistente de la educación de la Municipalidad de Independencia, reclamando de la ilegalidad del decreto Nº 460, de 2011, de ese municipio, por medio del cual se dispuso el* **término de su relación laboral, por salud incompatible con el desempeño del cargo, por aplicación de los artículos 147, letra a) y 148 de la ley Nº 18.883, sobre Estatuto Administrativo para Funcionarios Municipales,** *según se expresa en dicho acto administrativo, el que ha sido registrado por esta Entidad Fiscalizadora, en cumplimiento del artículo 53 de la ley Nº 18.695, Orgánica Constitucional de Municipalidades. (...)*
Sobre el particular, cabe manifestar que el **artículo 4º de la ley Nº 19.464** *—que establece normas y concede aumento de remuneraciones para personal no docente de establecimientos educacionales que indica—, dispone, en lo que interesa, que estos servidores se rigen por las normas del Código del Trabajo, con excepción de las materias relativas a permisos y licencias médicas, las que están afectas a las disposiciones de la ley Nº 18.883.*
A su vez, debe agregarse que el artículo 15 de la ley Nº 18.020, señala que los trabajadores de la Administración Civil del Estado que se rigen por las normas del decreto ley Nº 2.200, de 1978 —referencia que debe entenderse actualmente hecha al Código del Trabajo y sus disposiciones complementarias—, que se encuentren en la situación prevista en la letra c) del artículo 233 del decreto con fuerza de ley Nº 338, de 1960 —Estatuto Administrativo vigente con anterioridad a la ley Nº 18.834—, incurrirán en causal de caducidad del contrato sin derecho a indemnización.
En este contexto, este Organismo Contralor mediante los dictámenes Nºs. 60.614, de 2008, y 13.255, de 2011, ha precisado que la alusión a la norma contenida en el referido artículo 233, letra c), debe efectuarse al actual artículo 151 de la ley Nº 18.834, sobre Estatuto Administrativo, que establece, en el inciso primero, que el jefe superior del Servicio podrá considerar como salud incompatible con el desempeño del cargo, haber hecho uso de licencia médica en un lapso continuo o discontinuo superior a seis meses en los últimos dos años, sin mediar declaración de salud irrecuperable; añadiendo en su inciso segundo, que no se considerarán para el cómputo de los seis meses, las licencias otorgadas en

los casos a que se refiere el artículo 115 de este Estatuto y el Título II, del Libro II, del Código del Trabajo, sobre licencias laborales y maternales, respectivamente.

Así, agrega la anotada jurisprudencia, el artículo 15 de la ley N° 18.020, es una disposición de cesación de funciones complementaria a la normativa contenida en el Código del Trabajo, y compatible con este, que no ha sido objeto de derogación, por lo que los asistentes de la educación que se encuentren en la situación del citado artículo 151 de la ley N° 18.834, podrán ser separados de sus labores por el alcalde, en el evento que esta autoridad considere que ella importa tener salud incompatible con el cargo que desempeñan, de modo que, resulta improcedente que el municipio se refiera, en el decreto en comento, a similar normativa prevista en la ley N° 18.883.

Además, es necesario considerar que de conformidad con el artículo 110 de la ley N° 18.883 —disposición aplicable en la especie, según lo establecido en el aludido artículo 4° de la ley N° 19.464—, sólo se consideran para el cómputo del respectivo plazo de seis meses, las licencias médicas válidas, es decir, aquellas que producen todos los efectos que el ordenamiento jurídico les atribuye, por lo que —como esta Entidad Fiscalizadora lo ha precisado en los dictámenes N°s. 19.473, de 1992, y 58.934, de 2005—, los permisos médicos que por distintos motivos no fueren autorizados por la institución de salud previsional que corresponda, no son útiles para estimar que un funcionario tiene salud incompatible con el cargo». **(ID Dictamen: 000059N12 Fecha:** 02.01.2012 **Destinatarios:** Alcalde de la Municipalidad de Independencia. **Texto:** Observa decreto 460/2011, de la Municipalidad de Independencia, que declara vacante el cargo de asistente de la educación, y atiende reclamo de ilegalidad en su contra. **Acción:** Aplica dictámenes 60614/2008, 13255/2011, 19473/92, 58934/2005, 39809/2007, 43781/2009, 38312/2007, 14852/2010)

Artículo 148

El alcalde podrá considerar como salud incompatible con el desempeño del cargo, haber hecho uso de licencia médica en un lapso continuo o discontinuo superior a seis meses en los últimos dos años, sin mediar declaración de salud irrecuperable.

No se considerarán para el cómputo de los seis meses señalado en el inciso anterior, las licencias otorgadas en los casos a que se refiere el artículo 114 de este Estatuto y el Título II, del Libro II, del Código del Trabajo.

El alcalde, para ejercer la facultad señalada en el inciso primero, deberá requerir previamente a la Comisión de Medicina Preventiva e Invalidez la evaluación del funcionario respecto a la condición de irrecuperabilidad de su salud y que no le permite desempeñar el cargo.

1. «*La Municipalidad de Río Negro solicita la reconsideración del oficio N° 5.732, de 2015, de la Contraloría Regional de Los Lagos, que concluyó —en síntesis—, que no procedió declarar la vacancia del cargo por salud incompatible respecto de don Tomás Reyes Velozo, mientras se encontraba en trámite la declaración de invalidez requerida por éste, ante la comisión médica respectiva, señalando, además, que el anotado municipio debía dejar sin efecto el decreto de cese de funciones del referido funcionario*». **(ID Dictamen: 014871N17. Fecha:** 26-04-2017. **Destinatarios: Municipalidad de Río Negro. Texto:** Facultad de declarar la salud de un funcionario como incompatible con el cargo que ejerce, sólo se encuentra limitada por la declaración de salud irrecuperable. **Acción:** Aplica dictámenes 18085/2014, 72774/2015, 8178/2017).

2. «*Nuevos incisos tercero de los artículos 151 de la ley N° 18.834 y 148 de la ley N° 18.883, exigen para declarar la salud incompatible una evaluación previa de la comisión de medicina preventiva e invalidez, la que no obsta a la atribución de las comisiones médicas de la Superintendencia de Pensiones para declarar la irrecuperabilidad de los servidores que se indican*». **(ID Dictamen:** 017351N18. **Fecha:** 11-07-2018. **Destinatarios:** Departamento de Previsión Social y Personal de la Contraloría General. **Texto:** Nuevos incisos tercero de los artículos 151 de la ley N° 18.834 y 148 de la ley N° 18.883, exigen para declarar la salud incompatible una evaluación previa de la comisión de medicina preventiva e invalidez, la que no obsta a la atribución de las comisiones médicas de la Superintendencia de Pensiones para declarar la irrecuperabilidad de los servidores que se indican. **Acción:** Aplica dictamen 23985/2009 Complementa dictámenes 28713/2011, 2415/2013, 13570/2015, 5014/2016).

3. «*Desvinculación de docente que indica, se produjo por causal de salud incompatible con el desempeño de su función*». (**ID Dictamen: 075768N16. Fecha: 14-10-2016. Destinatarios: señora Teolinda Yáñez Moya, exdocente de la Municipalidad de La Pintana**. **Texto**: Desvinculación de docente que indica, se produjo por causal de salud incompatible con el desempeño de su función. **Acción**: Aplica dictamen 49601/2011, 69771/2015, 33033/2014, 46884/2016).

4. «*No se ajustó a derecho declaración de vacancia por salud incompatible, ya que a contar de la entrada en vigencia de los nuevos incisos terceros de los artículos 151 de la ley Nº 18.834 y 148 de la ley Nº 18.883, para ello es necesaria una evaluación previa de la Comisión de Medicina Preventiva e Invalidez, trámite que se omitió en el caso que se reclama*». (**ID Dictamen: 020322N18. Fecha: 10-08-2018. Destinatarios:** doña Myriam Sepúlveda Zavala, funcionaria de la Junta Nacional de Jardines Infantiles de la Región de Tarapacá. **Texto:** No se ajustó a derecho declaración de vacancia por salud incompatible, ya que a contar de la entrada en vigencia de los nuevos incisos terceros de los artículos 151 de la ley Nº 18.834 y 148 de la ley Nº 18.883, para ello es necesaria una evaluación previa de la Comisión de Medicina Preventiva e Invalidez, trámite que se omitió en el caso que se reclama. **Acción:** Aplica dictámenes 28713/2011, 2415/2013, 13570/2015, 5014/2016).

5. «*Municipalidad de Chiguayante no se ajustó al ordenamiento jurídico al declarar la salud incompatible con el desempeño de la función respecto de exdocente que indica*». (**ID Dictamen:** 012285N18. **Fecha:** 15-05-2018. **Destinatarios:** señor Luis Mariangel Ávila, exdocente de la Municipalidad de Chiguayante. **Texto:** Municipalidad de Chiguayante no se ajustó al ordenamiento jurídico al declarar la salud incompatible con el desempeño de la función respecto de exdocente que indica. **Acción:** aplica dictámenes 22346/2015, 71319/2016, 1342/2015, 23518/2016).

6. «*Procede dejar sin efecto declaración de vacancia del cargo por salud incompatible de docente, atendido que obtuvo invalidez parcial transitoria a contar de una fecha anterior a su cese*». (**ID Dictamen:** 010982N17. **Fecha:** 31-03-2017. **Destinatarios:** Alcalde de la Municipalidad de Malloa. **Texto:** Procede dejar sin efecto declaración de vacancia del cargo por salud incompatible de docente, atendido que obtuvo invalidez parcial transitoria a contar de una fecha anterior a su cese. **Acción:** aplica dictámenes 20743/2011, 59979/2012, 41209/2014).

7. «*Facultad de declarar la salud incompatible de un funcionario se encuentra solo limitada por la declaración de salud previa de salud irrecuperable, sin perjuicio de lo señalado en el asunto en examen. Reconsidera toda jurisprudencia en Municipalidad de Casablanca*». (**ID Dictamen:** 008178N17. **Fecha:** 10-03-2017. **Destinatarios:** Municipalidad de Casablanca. **Texto:** Facultad de declarar la salud incompatible de un funcionario se encuentra solo limitada por la declaración de salud previa de salud irrecuperable, sin perjuicio de lo señalado en el asunto en examen. **Acción:** Aplica dictámenes 25444/2013, 72774/2015, 44771/2015, 72803/2009, 18085/2014, 66618/2009, 34211/2013, 93926/2014 Reconsidera parcialmente 28114/2009, 35662/2014, 7225/2016, 32079/96, 52506/2006, 48742/2009, 69879/2010, 13255/2011, 25016/2013, 70957/2015).

8. «*Ahora bien, y en lo que atañe a la alegación en orden a que las licencias médicas en cuya virtud se le aplicó a la ocurrente la declaración de vacancia por salud incompatible con el desempeño del cargo, de conformidad con el certificado emitido por la COMPIN el 21 de diciembre de 2005, habrían sido consecuencia de una patología profesional, cabe señalar que de acuerdo con lo previsto en el citado artículo 148, inciso primero, de la ley Nº 18.883, el período que se contabiliza a efectos de completar el tiempo continuo o discontinuo superior a seis meses, debe computarse dentro del lapso de los dos últimos años, contados hacia atrás desde la fecha de dictación del decreto que así lo disponga (aplica criterio contenido en el dictamen Nº 22.346, de 2015)*». (**ID Dictamen:** 071319N16. **Fecha:** 30-09-2016. **Destinatarios:** señora María Eliana Cavieres Sepúlveda, exfuncionaria de la Municipalidad de Recoleta. **Texto:** Declaración de vacancia por salud incompatible se ajustó a derecho, ya que las licencias médicas que la motivaron tuvieron su origen en una enfermedad común. **Acción:** Aplica dictámenes 5014/2016, 22346/2015, 58934/2005).

9.

10. «*El alcalde tiene la competencia exclusiva para calificar la procedencia de declarar la vacancia de un cargo por salud incompatible con su desempeño, una vez producidas las circunstancias de hecho exigidas por el artículo 148 de la ley Nº 18.883*». (**ID Dictamen:** 071328N16. **Fecha:** 30-09-2016. **Destinatarios:** señor Fernando Zúñiga Vergara, exfuncionario de la Municipalidad de Melipilla. **Texto:** El alcalde tiene la competencia exclusiva para calificar la procedencia de declarar la vacancia de un cargo por salud incompatible con su desempeño, una vez producidas las circunstancias de hecho exigidas por el artículo 148 de la ley Nº 18.883. **Acción:** Aplica dictámenes 60342/2014, 47349/2016).

11. «*En consecuencia, atendido que en la situación de la especie, se verificaron los supuestos previstos en el anotado inciso primero del artículo 148 de la ley Nº 18.883, que faculta a la autoridad edilicia para poner término a la relación laboral por salud incompatible de la interesada, corresponde desestimar el reclamo en análisis*». (**ID Dictamen:** 070289N16. **Fecha:** 27-09-2016. **Destinatarios: señora Mónica Garrido Díaz, exfuncionaria de la Municipalidad de Recoleta. Texto:** Declaración de vacancia por salud incompatible se ajustó derecho, ya que las licencias médicas que la motivaron tuvieron su origen en una enfermedad común. **Acción:** Aplica dictámenes 5014/2016, 61649/2016).

12. «*Declaración de vacancia por salud incompatible se ajustó a derecho, ya que las licencias médicas que la motivaron tuvieron su origen en una enfermedad común*». (**ID Dictamen:** 061649N16. **Fecha:** 22-08-2016. **Destinatarios:** señora Mireya Palma Riveros, exfuncionaria de la Municipalidad de Recoleta. **Texto:** Declaración de vacancia por salud incompatible se ajustó a derecho, ya que las licencias médicas que la motivaron tuvieron su origen en una enfermedad común. **Acción:** Aplica dictámenes 5014/2016, 23668/2016, 49196/2016).

13. «*Sobre el particular, cabe señalar que el artículo 148 de la ley Nº 18.883, establece que el alcalde podrá considerar como salud incompatible con el desempeño del cargo, haber hecho uso de licencia médica en un lapso continuo o discontinuo superior a seis meses en los últimos dos años, sin mediar declaración de salud irrecuperable, agregando en su inciso segundo, que no se tendrán en cuenta para dicho cómputo los permisos médicos otorgados en los casos a que se refiere el artículo 114 de este Estatuto y el Título II, del Libro II, del Código del Trabajo, esto es, los relativos a los accidentes en actos de servicio; enfermedades adquiridas a consecuencia o con ocasión del desempeño de sus funciones, y a aquellas referidas a la protección de la maternidad, respectivamente*». (**ID Dictamen:** 027862N16. **Fecha:** 14-04-2016. **Destinatarios: señor Patricio Raffo Guzmán, exfuncionario de la Municipalidad de Quilicura. Texto:** Acoge reclamo de exfuncionario municipal, únicamente, en lo referido a la asignación de mejoramiento de la gestión municipal dispuesta en la ley Nº 19.803; y se ajustó a derecho la declaración de vacancia de su cargo por salud irrecuperable. **Acción:** Aplica dictámenes 69759/2015, 21236/2015, 42796/2014, 51906/2015, 42862/2009, 29076/2013, 3458/2001, 60472/2010).

14. «*Declaración de vacancia por salud incompatible se ajustó a derecho, ya que las licencias médicas que la motivaron tuvieron su origen en una enfermedad común; desestima reclamo por hostigamiento laboral*». (**ID Dictamen:** 005014N16. **Fecha:** 20-01-2016. **Destinatarios: doña Carola Bravo Vargas, exfuncionaria del Centro de Salud Familiar Doctor Fernando Monckeberg, de la Municipalidad de Peñaflor. Texto:** Declaración de vacancia por salud incompatible se ajustó a derecho, ya que las licencias médicas que la motivaron tuvieron su origen en una enfermedad común; desestima reclamo por hostigamiento laboral. **Acción:** Aplica dictamen 69759/2015, 2292/2014).

15. «*Por consiguiente, se advierte que la medida que se impugna, aprobada por el decreto del rubro, **fue adoptada por la autoridad edilicia en el ejercicio de las atribuciones que la preceptiva legal le confiere, al considerar incompatible la salud de la peticionaria con el desempeño de su cargo**, por el hecho de hacer uso de licencias médicas por 187 días **en los dos últimos años contados hacia atrás, desde la fecha de dictación del decreto de la especie, sin que exista constancia que aquella con anterioridad a la data de su cese de funciones, haya presentado una solicitud de declaración de invalidez ante el organismo competente (aplica dictámenes Nºs. 47.446, de 2009, y 13.252, de 2010)*». (**ID Dictamen:** 070101N11 **Fecha:** 08.11.2011 **Destinatarios:** Alcalde Municipalidad de Lo Prado. **Texto:** Reclamo por decreto de la Municipalidad de Lo Prado que declara vacante cargo por salud incompatible con su desempeño. **Acción:** Aplica dictámenes 47446/2009, 13252/2010)[326]

16. «*Sobre el particular, es menester hacer presente que el citado artículo 2º transitorio de la ley Nº 20.158, estableció una bonificación por retiro voluntario para los profesionales de la educación que prestaren servicios a la fecha de publicación de esa ley —29 de diciembre de 2006—, entre otros, en establecimientos educacionales del sector municipal administrados directamente por las municipalidades, y que al 31 de diciembre de 2006 tuvieran sesenta o más años de edad si son mujeres, o sesenta y cinco o más años de edad si son hombres, y que renunciaran a la dotación docente del sector municipal a que pertenecen, respecto del total de horas que sirven, dimisión que debía formalizarse ante el sostenedor respectivo, acompañada del certificado de nacimiento correspondiente, hasta el 31 de octubre de 2007.*

---

[326]   Para efectos de su consulta en la Base de Jurisprudencia de Contraloría General de la República, el citado dictamen se encuentra en la sección/materia: «generales», sin perjuicio de que se trata de uno de carácter municipal.

Precisado lo anterior, cabe referirse a la declaración de salud incompatible de la peticionaria, respecto de la cual el **artículo 148 de la aludida ley Nº 18.883**, *dispone que el alcalde podrá considerar como salud incompatible con el desempeño del cargo, el haber hecho uso de licencia médica en un lapso continuo o discontinuo superior a seis meses en los últimos dos años, sin mediar declaración de salud irrecuperable, exceptuándose para el cómputo anterior, las licencias por accidentes del trabajo y de origen laboral, a que alude el artículo 114 de la misma ley, y aquellas del Título II, del Libro II, del Código del Trabajo, sobre Protección a la Maternidad* **(aplica dictámenes Nºs. 25.960, de 2009, y 51.688 y 78.010, ambos de 2010)**.

Pues bien, de acuerdo a los antecedentes tenidos a vista, consta que a través del decreto Nº 4.786, de 2008 —registrado por la Contraloría Regional de Los Lagos, el 6 de diciembre de 2010—, la Municipalidad de Puerto Montt ordenó, a partir del 31 de diciembre de 2008, la **vacancia del empleo de la peticionaria por salud incompatible con el desempeño del cargo, una vez acreditada la concurrencia de los requisitos que configuran esa causal de desvinculación y sin que a la data de su emisión, hubiera mediado una declaración de salud irrecuperable o verificado que las licencias médicas extendidas a su favor, fueran de aquellas exceptuadas del cómputo que el municipio debe realizar para dichos efectos,** *de manera que se ajustó al ordenamiento jurídico la decisión adoptada por la autoridad edilicia de desvincularla de sus funciones, en los términos contemplados en la letra h), del artículo 72, de la precitada ley Nº 19.070.*

Así, y concordando con el criterio de la Contraloría Regional de Los Lagos contenido en su oficio Nº 7.700, de 2010, cumple con señalar que la recurrente **no cumplía con los requisitos para impetrar la bonificación que concede el artículo 2º transitorio de la ley Nº 20.158, atendido que el término de su relación laboral no se produjo por renuncia voluntaria, sino que como consecuencia de una causal de cese de funciones diversa;** *y, además, tampoco aquella reunía la exigencia de edad que requiere esa disposición legal, cual es, que al 31 de diciembre de 2006 tuviera sesenta o más años de edad, puesto que su fecha de nacimiento es el 6 de enero de 1949».* **(ID Dictamen: 059960N11 Fecha:** 21.09.2011 **Destinatarios:** Rosa Rivera Martínez. **Texto:** Bonificación por retiro voluntario para profesionales de la educación de la ley 20158, no le corresponde a docente que se desvinculó por salud incompatible con el desempeño de la función ya que dicho beneficio favorece a quienes, entre otros requisitos, cesaran en sus funciones por renuncia voluntaria. **Acción:** Aplica dictámenes 25960/2009, 51688/2010, 78010/2010, 48737/2009)[327]

17. «*En la situación planteada, se advierte que el alcalde estimó pertinente hacer uso de la facultad discrecional, para considerar incompatible la salud del recurrente, que le confiere el* **artículo 148 de la citada ley Nº 18.883, sobre Estatuto Administrativo para Funcionarios Municipales, para lo cual basta que el servidor haya hecho uso de licencias médicas por enfermedad común en los últimos dos años por un período continuo o discontinuo, superior a seis meses, sin mediar declaración de salud irrecuperable,** *lo que la Municipalidad de Curacaví acreditó al remitir a trámite de registro el decreto Nº 307, de 2010, a través del cual ordenó el correspondiente* **cese de funciones,** *de modo que dicho acto administrativo se encuentra conforme a la preceptiva jurídica, sin que competa a esta Entidad Fiscalizadora evaluar la resolución alcaldicia adoptada, puesto que ello incide en un asunto de mérito, propio de la Administración activa.* (...)

Luego, considerando lo manifestado por el interesado, acerca de su interés en continuar trabajando en otras labores municipales, es útil precisar que el cese de funciones por salud incompatible no impide o inhabilita para ingresar nuevamente al mismo u otro órgano administrativo, conforme con las normas generales, en la medida que se reúnan las demás exigencias legales exigidas para el empleo de que se trate, sin perjuicio que tal decisión se encuentra comprendida dentro del ámbito de competencia de las máximas autoridades de tales entidades». **(ID Dictamen: 052262N11 Fecha:** 18.08.2011 **Destinatarios:** Osvaldo Orellana Peña. **Texto:** Sobre procedencia de término de la relación laboral de docente por salud incompatible con desempeño de la función).

18. «*Ello, por cuanto como lo ha precisado este* **Organismo Contralor en los dictámenes Nºs. 5.645 y 20.072, ambos de 2007, los días de licencias médicas útiles para contabilizar el lapso de seis meses, en los dos últimos años previos al cese de funciones, que exige la mencionada disposición legal, son aquéllos que se encuentran debidamente autorizados por la entidad de salud respectiva, exigencia que, por lo demás, debe cumplirse a la época de emisión del acto administrativo que dispone dicho cese.**

En este sentido, corresponde añadir que, en la eventualidad que la licencia médica en comento, haya sido aprobada con posterioridad a la dictación del decreto Nº 244, de 2009, deberá dictarse un nuevo acto administrativo que disponga el

---

[327] Para efectos de su consulta en la Base de Jurisprudencia de Contraloría General de la República, el citado dictamen se encuentra en la sección/materia: «generales», sin perjuicio de que se trata de uno de carácter municipal.

alejamiento del servicio de la ex servidora, una vez cumplidos los requisitos pertinentes, ante la imposibilidad de con-validar aquél, toda vez que se trata de una actuación que produce efectos adversos sobre la persona en quien incide (aplica criterio contenido en los dictámenes Nºs. 2.936, de 2001; 32.357, de 2006, y 43.509, de 2006)». (**ID Dictamen: 046236N11 Fecha:** 21.07.2011 **Destinatarios:** Alcalde de la Municipalidad de Taltal. **Texto:** Sobre declaración de vacancia del cargo de funcionaria municipal por salud incompatible con el desempeño. **Acción:** Aplica dictámenes 5645/2007, 20072/2007, 2936/2001, 32357/2006, 43509/2006)

19. «*Como cuestión previa, cabe manifestar que este Organismo Contralor por el dictamen Nº 8.470, de 2009, atendiendo una presentación deducida por el recurrente, concluyó que se ajustó a lo dispuesto en los artículos 147, letra a), y 148, ambos de la citada ley Nº 18.883, su desvinculación laboral en virtud de la causal indicada, en atención a que, de los antecedentes tenidos a la vista en su oportunidad, se verificó que aquel hizo uso de licencias médicas por más de seis meses en los dos últimos años anteriores a la data en que se dispuso su alejamiento del municipio*». (**ID Dictamen: 041579N11 Fecha:** 04.07.2011 **Destinatarios:** Hugo Rojas. **Texto:** Sobre improcedencia del pago de beneficios pecuniarios que indica, con ocasión del cese de funciones por declaración de vacancia por salud incompatible con el cargo, en la Municipalidad de Las Condes. **Acción:** Aplica dictamen 8470/2009)

20. «*Al respecto, esta Entidad Fiscalizadora en el dictamen Nº 72.803, de 2009, ha concluido que el ejercicio de la atribución en comento se encuentra supeditado, precisamente, a la circunstancia de que no haya mediado la declaración de salud irrecuperable de la persona a quien afecta la decisión, o bien, como se agrega por el dictamen Nº 69.879, de 2010, que no haya iniciado los trámites para que se declare su estado de invalidez*». (**ID Dictamen: 036936N11 Fecha:** 10.06.2011 **Destinatarios:** Ricardo Vargas Medina. **Texto:** Sobre pronunciamiento relativo a la declaración de vacancia por salud incompatible, calificaciones y término de procedimiento disciplinario incoado contra funcionario municipal. **Acción:** aplica dictámenes 72803/2009, 69879/2010, 60472/2010)[328]

21. «*Al respecto, es necesario precisar que el ejercicio de la atribución en comento se encuentra supeditado, a la circunstancia de que no haya mediado esa declaración respecto de la persona a quien afecta la decisión, de manera que si el servidor ha iniciado los trámites para la calificación de su enfermedad, con anterioridad a su desvinculación laboral, ello obsta a su cese de funciones por salud incompatible; no obstante, si luego no se declara la irrecuperabilidad de su salud, no existe impedimento para la aplicación de esta causal de expiración de labores, toda vez que en esta eventualidad no tuvo derecho a los beneficios que el ordenamiento jurídico contempla para quienes padecen de invalidez, toda vez que el término de las funciones, sin esperar el dictamen de la respectiva comisión médica, no le causó perjuicio alguno (aplica dictámenes Nºs. 51.688 y 78.010, ambos de 2010)*». (**ID Dictamen: 032902N11 Fecha:** 24.05.2011 **Destinatarios:** Alcalde Municipalidad de Pudahuel. **Texto:** Se ajustó a derecho decreto de la Municipalidad de Pudahuel que dispone la vacancia de cargo por salud incompatible. **Acción:** Aplica dictámenes 69879/2010, 51688/2010, 78010/2010)

22. «*Al respecto, resulta necesario recordar que la declaración de salud incompatible con el desempeño del cargo, constituye una facultad de carácter discrecional que el legislador ha conferido a la máxima autoridad edilicia, puesto que el artículo 148 de la ley Nº 18.883, sólo establece requisitos de carácter objetivo para su ejercicio, entregando al alcalde la atribución de considerar si el uso de los permisos médicos, por el período indicado, constituye salud incompatible y, por ende, adoptar la decisión de disponer el correspondiente cese de funciones, sin que competa a este Organismo Contralor evaluar la resolución adoptada, puesto que ello incide en un asunto de mérito, propio de la Administración Activa (aplica criterio contenido en el dictamen Nº 68.616, de 2009)*». (**ID Dictamen: 014094N11 Fecha:** 08.03.2011 **Destinatarios:** María Loreto Valenzuela Solís. **Texto:** Sobre desempeño de labores docentes en entidades privadas dentro de la jornada laboral y presuntos actos de discriminación y acoso laboral. **Acción:** Aplica dictámenes 16301/2003, 26255/2006, 68616/2009 8444/2009, 47446/2009, 22955/2010)[329]

---

[328]   Para efectos de su consulta en la Base de Jurisprudencia de Contraloría General de la República, el citado dictamen se encuentra en la sección/materia: «generales», sin perjuicio de que se trata de uno de carácter municipal.

[329]   Para efectos de su consulta en la Base de Jurisprudencia de Contraloría General de la República, el citado dictamen se encuentra en la sección/materia: «generales», sin perjuicio de que se trata de uno de carácter municipal.

23. «*Enseguida, es pertinente agregar, por una parte, que como lo ha precisado esta* **Entidad Fiscalizadora en los dictámenes Nºs. 70.901, de 2009, y 67.874, de 2010, el otorgamiento de una licencia por enfermedad no impide la concurrencia de alguna causal de término de la relación laboral de tales profesionales, considerando que el goce de un permiso médico no confiere inamovilidad en el empleo; y, por otra, que las municipalidades sólo se encuentran obligadas a tramitar una licencia médica, mientras la persona en la que incide ésta, mantenga la calidad de funcionario a la fecha de su presentación (aplica criterio contenido en dictámenes Nºs. 43.043*, y 60.131, ambos de 2010)** *Nota: Dictamen Nº 43.043 es de 2009». (**ID Dictamen: 006947N11 Fecha:** 03.02.2011 **Destinatarios:** Alcalde de la Municipalidad de Cerrillos. **Texto:** Sobre tramitación de licencias médicas y cese de funciones de profesional de la educación. **Acción:** Aplica dictámenes 70901/2009, 67874/2010, 43043/2009, 60131/2010)[330]

24. «*III. En cuanto al fondo del asunto planteado. (...)*
1.- El acto recurrido ha sido emitido en el ejercicio legítimo de las atribuciones de la Contraloría General de la República.
(...)
Al respecto, resulta necesario precisar a S.S. Iltma., que **la declaración de vacancia por salud incompatible, de conformidad con lo establecido en los artículos 144, letra c), y 147, letra a) de la ley Nº 18.883, es una causal de cesación de funciones que procede cuando la autoridad municipal considera como salud incompatible con el cargo que ejerce un funcionario municipal, la circunstancia de haber hecho uso de licencia médica en un lapso continuo o discontinuo superior a seis meses en los últimos dos años, sin mediar declaración de salud irrecuperable, sin que se consideren para dicho cómputo las licencias otorgadas en los casos* *a que se refiere el artículo 114 del citado texto legal, y el Título II del Libro II, del Código del Trabajo.**
Con posterioridad, y ante el requerimiento de la autoridad municipal, esta Contraloría General procedió a emitir el oficio Nº 60.370, de 2010, que reconsideró lo anteriormente expuesto pues, en lo que interesa al recurso de la especie, se verificó que en relación con la situación que afectaba a la señora Guerrero Carrillo, existía un pronunciamiento de la Superintendencia de Seguridad Social —a requerimiento tanto de la propia recurrente, como de la aludida entidad edilicia—, contenido en el oficio ordinario Nº 2.858, de 1 de diciembre de 2009, en el cual, luego del análisis por parte del Departamento Médico de ese Organismo, declara "...como de origen común la afección que presenta usted [refiriéndose a la recurrente], por tanto no resulta procedente en este caso otorgar la cobertura de la ley Nº 16.744"[331].
De acuerdo a lo anterior, este órgano de Control no pudo sino concluir que, en la especie, **se cumplía el aludido requisito que la ley exige para declarar la vacancia del cargo que ejercía la recurrente en el municipio por salud incompatible con el desempeño del mismo.**
Sobre el particular, y atendida la alegación planteada por la recurrente —en que se funda la presente acción de protección—, en orden a que al emitir esta Entidad Fiscalizadora el dictamen que se impugna no consideró el pronunciamiento emitido por la Comisión de Medicina Preventiva e Invalidez, a través del cual se señaló que la enfermedad que la afectaba era de origen profesional, cumple señalar que, en dicha oportunidad no se acompañó resolución oficial alguna de esa comisión, sin que esta Entidad Fiscalizadora tenga conocimiento, hasta la fecha, de algún pronunciamiento específico de tal organismo sobre la materia.
Por lo demás, habiendo emitido una resolución la Superintendencia de Seguridad Social, aun en el evento de existir un pronunciamiento de la señalada comisión en relación con la materia, no resulta factible para esta Contraloría General prescindir de aquélla, pues la aludida **superintendencia es la autoridad técnica de control de las instituciones de previsión, de tal forma que, hallándose inserta la evaluación del carácter de una enfermedad en el campo de la seguridad social, las entidades de salud, como es el caso de las Comisiones de Medicina Preventiva e Invalidez y las Mutualidades de Empleadores, quedan sujetas a las instrucciones y decisiones que ésta, en ejercicio de sus atribuciones, adopte en definitiva sobre el particular (aplica dictamen Nº 57.451, de 2009).**
2.- Garantías constitucionales supuestamente vulneradas por la emisión del dictamen Nº 60.370, de 2010, de la Contraloría General de la República. (...)
En este orden de ideas, y no obstante todas las consideraciones anotadas en el presente informe en cuanto a la legalidad del decreto Nº 3.325, de 2009, de la Municipalidad de Padre Hurtado, que contiene la declaración de vacancia que se impugna, cumple reiterar que, en todo caso, no fue la actuación de este Ente Contralor la que habría privado a la peticio-

---

[330]   «**Nota: Dictamen Nº 43.043 es de 2009*». Transcrito textual de la cita. Para efectos de su consulta en la Base de Jurisprudencia de Contraloría General de la República, el citado dictamen se encuentra en la sección/ materia: «generales», sin perjuicio de que se trata de uno de carácter municipal.
[331]   Transcripción textual de la cita.

*naria del ejercicio de su cargo, por cuanto ello se produjo con la notificación del recién citado decreto, que disponía que no podía seguir desempeñándose en dicha entidad edilicia por haber sido declarada la vacancia del cargo que ocupaba. Sin perjuicio de lo expresado, cabe hacer presente que **la jurisprudencia de los Tribunales Superiores de Justicia ha declarado que el nombramiento de un servidor público como titular de un empleo no confiere el derecho de propiedad sobre él, ni puede enmarcarse dentro de la concepción patrimonial que involucra el dominio. Así, dicha titularidad otorga el derecho a ejercer la función en tanto no exista una causal legal de expiración de ella (Corte de Apelaciones de Chillán, sentencia de 6 de febrero de 2003, Rol Nº 2.760, confirmada por la Excma. Corte Suprema en fallo de fecha 11 de marzo de 2003, Rol Nº 708, de 2003)*». (**ID Dictamen: 000025N11 Fecha:** 03.01.2011 **Destinatarios:** Presidente de la Corte de Apelaciones de Santiago. **Texto:** Informa Recurso de Protección Rol de Ingreso Corte Nº 7.705, de 2010, interpuesto por doña Jeanette Guerrero Carrillo. **Acción:** aplica dictámenes 42851/2007, 46174/2007, 41754/2008, 57451/2009, 15915/2010, 60370/2010)

25. «*No obstante lo anterior, es necesario reiterar lo manifestado en los oficios cuya reconsideración se requiere, en el sentido que si bien el **artículo 148 de la ley Nº 18.883** establece que el alcalde podrá considerar como salud incompatible con el desempeño del cargo haber hecho uso de licencia médica en un lapso continuo o discontinuo **superior a seis meses en los "últimos dos años", esa preceptiva no especifica que dicho período deba necesariamente cumplirse en ese espacio de tiempo (aplica el dictamen Nº 14.462, de 2003).** Por consiguiente, concluye el citado **dictamen Nº 14.462, de 2003**, aun cuando el período de seis meses de permiso médico no se haya cumplido en los dos últimos años —como preceptúa la norma—, sino en un lapso inferior —como ocurrió en el presente caso en que se completó a los nueve meses y siete días de vigencia del vínculo laboral del peticionario en esa municipalidad—, la desvinculación del interesado se encuentra ajustada a derecho, produciendo sus efectos a contar de la fecha de notificación al requirente del decreto de cese de funciones, data a partir de la cual, no tiene derecho al entero de remuneraciones*». (**ID Dictamen: 068453N12 Fecha:** 31.10.2012 **Destinatarios:** Javier Ortega Cortés. **Texto:** Desestima solicitud de reconsideración de oficios que indica, sobre declaración de vacancia del cargo por salud incompatible con su desempeño. **Acción:** Aplica dictámenes 14462/2003, 74366/2010)[332]

26. «*En este contexto normativo, se advierte que la medida aprobada a través del decreto del rubro, fue adoptada por la autoridad edilicia en el ejercicio de las atribuciones que la preceptiva legal le confiere, al considerar incompatible la salud del peticionario con el desempeño de su cargo, por el hecho de hacer uso de licencias médicas por 185 días en **los dos últimos años contados hacia atrás, desde la fecha de dictación del decreto de la especie**, sin que exista constancia que aquel con anterioridad a la data de su cese de funciones, haya presentado una solicitud de declaración de invalidez ante el organismo competente (aplica dictámenes Nºs. 37.971, de 2009 y 13.252, de 2010)*». (**ID Dictamen: 001740N12 Fecha:** 10.01.2012 **Destinatarios:** Alcalde la Municipalidad de La Pintana. **Texto:** Debe rechazarse la reclamación de ilegalidad formulada en contra de la dictación del dto 2060/2011, de Municipalidad, por haberse acreditado la concurrencia de los requisitos que configuran la causal de desvinculación laboral por salud incompatible con el desempeño del cargo. **Acción:** Aplica dictámenes 37971/2009, 13252/2010)[333]

27. «*Sobre el particular, cabe señalar que el **artículo 72, letra h), de la ley Nº 19.070**, sobre Estatuto de los Profesionales de la Educación, establece como causal para que un profesional de la educación municipal deje de pertenecer a la dotación del sector, la declaración de salud irrecuperable o incompatible con el desempeño de su función, en conformidad con lo dispuesto por la ley Nº 18.883, Estatuto Administrativo para Funcionarios Municipales. Por su parte, el **artículo 148 de la mencionada ley Nº 18.883**, faculta al alcalde a considerar como salud incompatible con el desempeño del cargo, el haber hecho uso de licencia médica en un lapso continuo o discontinuo superior a seis meses en los últimos dos años, con la restricción de no haber mediado declaración de salud irrecuperable. Añade el inciso segundo de dicho precepto, que no se considerarán dentro de este cómputo, las licencias otorgadas en los casos indicados en el **artículo 114 de dicho estatuto municipal**, y en el Título II, del Libro II, del Código del Trabajo. En este sentido, este **Órgano Contralor** ha sostenido en los dictámenes Nºs. 22.910 y 44.470, ambos de 2010, entre otros, que para que el alcalde pueda ejercer la referida facultad de declarar vacante un cargo por salud incompatible,*

---

[332] Para efectos de su consulta en la Base de Jurisprudencia de Contraloría General de la República, el citado dictamen se encuentra en la sección/materia: «generales».

[333] Para efectos de su consulta en la Base de Jurisprudencia de Contraloría General de la República, el citado dictamen se encuentra en la sección/materia: «generales», sin perjuicio de que se trata de uno de carácter municipal.

basta tan sólo la concurrencia de los requisitos legales ya expuestos». **(ID Dictamen: 030967N12 Fecha:** 28.05.2012 **Destinatarios:** Mónica Cornejo Hernández. **Texto:** Sobre término de relación laboral de docente de la Municipalidad de Santiago por salud incompatible. **Acción:** Aplica dictámenes 22910/2010, 44470/2010, 9601/2005, 48994/2008, 78010/2010)[334]

28. *«Atendido lo anterior, a los docentes que laboran en el sector municipal les resulta plenamente aplicable el artículo 148 de la citada ley N° 18.883, que dispone que el alcalde podrá considerar como salud incompatible con el desempeño del cargo, haber hecho uso de licencia médica en un lapso continuo o discontinuo superior a seis meses en los últimos dos años, sin mediar declaración de salud irrecuperable, siempre y cuando dicha licencia no derive de una enfermedad profesional, un accidente del trabajo o por aplicación de las normas sobre protección a la maternidad.*

Al respecto, la jurisprudencia de este Organismo de Control contenida, entre otros, en el dictamen N° 54.918, de 2005, ha manifestado que de acuerdo con lo anterior, la facultad descrita es eminentemente discrecional del alcalde, quien puede hacer uso de ella, en la medida que se produzcan las circunstancias de hecho que la hacen procedente, sin necesidad de requerir un pronunciamiento a la Comisión de Medicina Preventiva e Invalidez pertinente.

En este contexto, y de conformidad con lo concluido por la Superintendencia de Seguridad Social, en el punto N° 3 de su oficio N° 20.517, de 2012, cabe manifestar que las licencias médicas de las cuales hizo uso la recurrente a contar del 2 de mayo hasta el 3 de noviembre de 2011, no tuvieron su origen en una enfermedad profesional, por lo que no es posible excluirlas, del cómputo del plazo establecido en el aludido artículo 72, letra h), de la ley N° 19.070, en concordancia con el citado artículo 148 de la ley N° 18.883 —completando un total de seis meses—». **(ID Dictamen: 063365N12 Fecha:** 11.10.2012 **Destinatarios:** Cecilia Zúñiga Sanhueza. **Texto:** Sobre término de la relación laboral de docente por salud incompatible con el cargo que desempeña. **Acción:** Aplica dictamen 54918/2005)

29. *«Pues bien, en lo que atañe a la posibilidad de declarar vacante el cargo mientras se está haciendo uso de licencia médica, cabe indicar que la jurisprudencia administrativa de este Órgano Contralor ha sostenido en los dictámenes N°s. 54.918, de 2005 y 42.389, de 2007, que el goce de este beneficio no confiere a los profesionales de la educación una inamovilidad especial y, por ende, no obsta a que opere esta causal de término de su relación laboral.*

No obstante ello, en la especie debe tenerse en consideración, en lo referente a la legalidad de declarar vacante el cargo por salud incompatible, que mientras se tramita una declaración de salud irrecuperable resulta improcedente disponer dicha medida cuando el funcionario sobre el cual recae, con antelación a la dictación del acto, ha presentado ante la Administradora de Fondos de Pensiones una solicitud de declaración de invalidez, pues omitir tal situación implica vulnerar el derecho fundamental a la seguridad social, el que prevalece por sobre cualquier causal de cese de servicios que eventualmente pueda concurrir respecto a un funcionario determinado (aplica dictámenes N°s. 29.638, de 2006 y 54.774, de 2009).

Ahora bien, en la situación que nos ocupa, de los antecedentes tenidos a la vista, consta que a la fecha de la dictación del decreto alcaldicio N° 214, de 2012, de la Municipalidad de Santiago, mediante el cual se pone término a la relación laboral de la recurrente, ésta había iniciado los trámites tendientes a obtener pensión por invalidez ante la respectiva Administradora de Fondos de Pensiones, razón por la cual dicha medida alcaldicia resultó improcedente, debiendo disponerse el reintegro de la señora Cruz Arellano a sus funciones». **(ID Dictamen: 032956N12 Fecha:** 05.06.2012 **Destinatarios:** Alcalde de la Municipalidad de Santiago. **Texto:** Acoge reclamación en contra de declaración de vacancia por salud incompatible con el cargo de docente de la Municipalidad de Santiago. **Acción:** Aplica dictámenes 54918/2005, 42389/2007, 29638/2006, 54774/2009, 4176/2009, 36112/2010, 11626/2007, 61785/2010)

30. *«Sobre el particular, cabe precisar que el referido artículo 148 de la ley N° 18.883 —aplicable a la peticionaria por disposición expresa del artículo 48, letra g), de la ley N° 19.378, sobre Estatuto de Atención Primaria de Salud Municipal—, confiere al alcalde la facultad de considerar como salud incompatible con el desempeño del cargo, el haber hecho uso de licencia médica en un lapso continuo o discontinuo superior a seis meses en los dos últimos años, sin mediar una declaración de salud irrecuperable, siendo improcedente considerar para tal cómputo, las licencias por accidentes del trabajo y de origen laboral, a que se refiere el artículo 114 de la primera ley citada y aquellas a que se refiere el Título II, del Libro II, del Código del Trabajo, sobre Protección a la Maternidad.*

---

[334] Para efectos de su consulta en la Base de Jurisprudencia de Contraloría General de la República, el citado dictamen se encuentra en la sección/materia: «generales», sin perjuicio de que se trata de uno de carácter municipal.

En relación con la materia, este Organismo de Control en los dictámenes Nºs. 20.072, de 2007, y 46.236, de 2011, entre otros, ha precisado que los días de licencias médicas útiles para contabilizar el lapso de seis meses, en los dos últimos años previos al cese de funciones, que exige la mencionada disposición legal, son aquellos que se encuentran debidamente autorizados por la entidad de salud respectiva, exigencia que, por lo demás, debe cumplirse a la época de emisión del acto administrativo que dispone dicho cese». (**ID Dictamen: 001549N12 Fecha:** 10.01.2012 **Destinatarios:** Alcalde de la Municipalidad de Maipú. **Texto:** Sobre declaración de vacancia de cargo de funcionaria regida por la ley 19378, por salud incompatible con el desempeño del mismo. Reconsiderado por dictamen 34107/2012. **Acción:** Aplica dictámenes 20072/2007, 46236/2011, 32148/97)

31. *«En este contexto, este Organismo Contralor mediante los dictámenes Nºs. 60.614, de 2008, y 13.255, de 2011, ha precisado que la alusión a la norma contenida en el referido artículo 233, letra c), debe efectuarse al actual artículo 151 de la ley Nº 18.834, sobre Estatuto Administrativo, que establece, en el inciso primero, que el jefe superior del Servicio podrá considerar como salud incompatible con el desempeño del cargo, haber hecho uso de licencia médica en un lapso continuo o discontinuo superior a seis meses en los últimos dos años, sin mediar declaración de salud irrecuperable; añadiendo en su inciso segundo, que no se considerarán para el cómputo de los seis meses, las licencias otorgadas en los casos a que se refiere el artículo 115 de este Estatuto y el Título II, del Libro II, del Código del Trabajo, sobre licencias laborales y maternales, respectivamente.*

Así, agrega la anotada jurisprudencia, el artículo 15 de la ley Nº 18.020, es una disposición de cesación de funciones complementaria a la normativa contenida en el Código del Trabajo, y compatible con este, que no ha sido objeto de derogación, por lo que los asistentes de la educación que se encuentren en la situación del citado artículo 151 de la ley Nº 18.834, podrán ser separados de sus labores por el alcalde, en el evento que esta autoridad considere que ella importa tener salud incompatible con el cargo que desempeñan, de modo que, resulta improcedente que el municipio se refiera, en el decreto en comento, a similar normativa prevista en la ley Nº 18.883.

Además, es necesario considerar que de conformidad con el artículo 110 de la ley Nº 18.883 —disposición aplicable en la especie, según lo establecido en el aludido artículo 4º de la ley Nº 19.464—, sólo se consideran para el cómputo del respectivo plazo de seis meses, las licencias médicas válidas, es decir, aquellas que producen todos los efectos que el ordenamiento jurídico les atribuye, por lo que —como esta Entidad Fiscalizadora lo ha precisado en los dictámenes Nºs. 19.473, de 1992, y 58.934, de 2005—, los permisos médicos que por distintos motivos no fueren autorizados por la institución de salud previsional que corresponda, no son útiles para estimar que un funcionario tiene salud incompatible con el cargo.

Pues bien, en la situación en análisis, de los antecedentes acompañados al presente decreto que ordena el término de la relación laboral del recurrente, se advierte que de los 184 días que presentó licencias médicas, entre mayo de 2010 y julio de 2011, 157 de ellos habrían sido rechazados por la institución de salud previsional, por lo que no concurrirían los presupuestos para declarar la vacancia del cargo por la comentada causal». (**ID Dictamen: 000059N12 Fecha:** 02.01.2012 **Destinatarios:** Alcalde de la Municipalidad de Independencia. **Texto:** Observa decreto 460/2011, de la Municipalidad de Independencia, que declara vacante el cargo de asistente de la educación, y atiende reclamo de ilegalidad en su contra. **Acción:** Aplica dictámenes 60614/2008, 13255/2011, 19473/92, 58934/2005, 39809/2007, 43781/2009, 38312/2007, 14852/2010)

Artículo 149

Si se hubiere declarado irrecuperable la salud de un funcionario éste deberá retirarse de la municipalidad dentro del plazo de seis meses, contado desde la fecha en que se le notifique la resolución por la cual se declare su irrecuperabilidad. Si transcurrido este plazo el empleado no se retirare, procederá la declaración de vacancia del cargo.

A contar de la fecha de la notificación y durante el referido plazo de seis meses el funcionario no estará obligado a trabajar y gozará de todas las remuneraciones correspondientes a su empleo, las que serán de cargo de la municipalidad.

1. *«La Municipalidad de Río Negro solicita la reconsideración del oficio Nº 5.732, de 2015, de la Contraloría Regional de Los Lagos, que concluyó —en síntesis—, que no procedió declarar la vacancia del cargo por salud incompatible respecto*

de don Tomás Reyes Velozo, mientras se encontraba en trámite la declaración de invalidez requerida por éste, ante la comisión médica respectiva, señalando, además, que el anotado municipio debía dejar sin efecto el decreto de cese de funciones del referido funcionario». (**ID Dictamen:** 014871N17. **Fecha:** 26-04-2017. **Destinatarios: Municipalidad de Río Negro.** **Texto:** Facultad de declarar la salud de un funcionario como incompatible con el cargo que ejerce, sólo se encuentra limitada por la declaración de salud irrecuperable. **Acción:** Aplica dictámenes 18085/2014, 72774/2015, 8178/2017).

2. *«Se ha dirigido a esta Contraloría General la Municipalidad de Palena solicitando un pronunciamiento acerca de si procede que el alcalde de esa entidad edilicia haga uso del beneficio previsto en el artículo 149 de la ley Nº 18.883, luego que fuera declarada su invalidez definitiva total por dictamen ejecutoriado de la respectiva comisión médica de la Superintendencia de Pensiones; asimismo, formula otras consultas concernientes al cese de funciones en el referido cargo».* (**ID Dictamen:** 005791N17. **Fecha:** 16-02-2017. **Destinatarios:** Municipalidad de Palena. **Texto:** No constituye una causal de cese en el cargo de alcalde la declaración de salud irrecuperable, toda vez que esta no se contempla como tal en el artículo 60 de la ley Nº 18.695. **Acción:** Aplica dictámenes 19324/92, 46673/2003, 44861/2004, 23310/92, 29192/2000, 8776/2003).

3. *«La resolución mediante la cual se acepta la invalidez definitiva total de un funcionario municipal, es útil para los efectos que este goce del beneficio previsto en el artículo 149 de la ley Nº 18.883».* (**ID Dictamen:** 007225N16. **Fecha:** 28-01-2016. **Destinatarios:** señora María Maritza González Canales, funcionaria del Departamento de Salud Municipal de Talagante. **Texto:** La resolución mediante la cual se acepta la invalidez definitiva total de un funcionario municipal, es útil para los efectos que este goce del beneficio previsto en el artículo 149 de la ley Nº 18.883. **Acción:** Aplica dictamen 35662/2014, 34211/2013).

4. *«Procede dejar sin efecto declaración de vacancia del cargo por salud incompatible de docente, atendido que obtuvo invalidez parcial transitoria a contar de una fecha anterior a su cese».* (**ID Dictamen:** 010982N17. **Fecha:** 31-03-2017. **Destinatarios: Municipalidad de Malloa.** **Texto:** Procede dejar sin efecto declaración de vacancia del cargo por salud incompatible de docente, atendido que obtuvo invalidez parcial transitoria a contar de una fecha anterior a su cese. **Acción:** Aplica dictámenes 20743/2011, 59979/2012, 41209/2014).

5. *«Facultad de declarar la salud incompatible de un funcionario se encuentra solo limitada por la declaración de salud previa de salud irrecuperable, sin perjuicio de lo señalado en el asunto en examen. Reconsidera toda jurisprudencia en contrario».* (**ID Dictamen:** 008178N17. **Fecha:** 10-03-2017. **Destinatarios:** Municipalidad de Casablanca. **Texto:** Facultad de declarar la salud incompatible de un funcionario se encuentra solo limitada por la declaración de salud previa de salud irrecuperable, sin perjuicio de lo señalado en el asunto en examen. **Acción:** Aplica dictámenes 25444/2013, 72774/2015, 44771/2015, 72803/2009, 18085/2014, 66618/2009, 34211/2013, 93926/2014 Reconsidera parcialmente 28114/2009, 35662/2014, 7225/2016, 32079/96, 52506/2006, 48742/2009, 69879/2010, 13255/2011, 25016/2013, 70957/2015).

6. *«Comisiones médicas previstas en el decreto ley Nº 3.500, de 1980, pueden pronunciarse sobre la irrecuperabilidad de un funcionario que ya ha cumplido la edad para jubilar, con la única finalidad de obtener el beneficio establecido en el artículo 149 de la ley Nº 18.883, prescindiendo de efectuar una declaración de invalidez».* (**ID Dictamen:** 027161N18. **Fecha:** 31-10-2018. **Destinatarios:** Superintendencia de Pensiones. **Texto:** Comisiones médicas previstas en el decreto ley Nº 3.500, de 1980, pueden pronunciarse sobre la irrecuperabilidad de un funcionario que ya ha cumplido la edad para jubilar, con la única finalidad de obtener el beneficio establecido en el artículo 149 de la ley Nº 18.883, prescindiendo de efectuar una declaración de invalidez. **Acción:** Aplica dictamen 23985/2009).

7. *«Se ha remitido a esta Contraloría General la presentación de don Benjamín Contreras Concha, ex asistente de la educación de la Municipalidad de Coquimbo, a través de la cual solicita la revisión del oficio Nº 5.533, de 2016, de la Contraloría Regional de Coquimbo, que concluyó que se ajustó a derecho el decreto alcaldicio Nº 2.500, de 2016, que ordenó el cese de sus funciones por salud incompatible con el desempeño del cargo no obstante haber sido declarada su invalidez, toda vez que a su respecto no rige el artículo 152 de la ley Nº 18.834, que se refiere a la declaración de salud irrecuperable y sus efectos».* (**ID Dictamen:** 017781N18. **Fecha:** 13-07-2018. **Destinatarios:** don Benjamín Contreras Concha, ex asistente de la educación de la Municipalidad de Coquimbo. **Texto:** No resultan aplicables para los asistentes de la educación los artículos 152 de la ley Nº 18.834 y 149 de la ley Nº 18.883, por lo que se ajustó a derecho declaración de vacancia por salud incompatible. **Acción:** Aplica dictamen 25341/2011).

8. «*Por su parte, la Tesorería Provincial Ñuble y la Tesorería General de la República indican que no accedieron al pago del estipendio en comento, por cuanto no contaron con los antecedentes suficientes para explicar por qué no se declaró la vacancia de sus cargos después de haber transcurrido más de seis meses desde la fecha en que se les notificó de las resoluciones que declararon la irrecuperabilidad de su salud, acorde con lo dispuesto en el artículo 149 de la ley Nº 18.883*». (**ID Dictamen:** 043208N17. **Fecha:** 11-12-2017. **Destinatarios:** don Gabriel Olave Escobar, dirigente provincial y encargado del Departamento Jurídico del Colegio de Profesores de Chile AG, Provincia de Ñuble. **Texto:** Error de la Municipalidad de San Ignacio en el proceso de término de servicios y en la concesión del bono postlaboral que contempla el artículo 1º de la ley Nº 20.305 no puede perjudicar a exdocentes que indica. **Acción:** aplica dictámenes 16693/2016, 26441/2017).

9. «*Luego, el artículo 149, inciso primero, de la aludida ley Nº 18.883, prescribe que si se hubiere declarado irrecuperable la salud de un funcionario, éste deberá retirarse de la municipalidad dentro del plazo de seis meses, contado desde la fecha en que se le notifique la resolución por la cual se declare su irrecuperabilidad. Si transcurrido este plazo el empleado no se retirare procederá la declaración de vacancia del cargo*». (**ID Dictamen:** 036603N17. **Fecha:** 13-10-2017. **Destinatarios:** don Rubén Ocampo Álvarez, ex docente de la Municipalidad de Lonquimay. **Texto:** Desestima solicitud de reconsideración y complementa los dictámenes Nºs. 52.838 y 92.292, ambos de 2016, sobre causal de término de funciones de docente que indica. **Acción:** complementa dictámenes 52838/2016, 92292/2016 confirma dictámenes 52838/2016, 92292/2016 aplica dictámenes 13806/2017, 69551/2016, 12437/2017, 16237/2016).

10. «*Se ha dirigido a esta Contraloría General la señora María Osorio Garrido, exdocente dependiente de la Municipalidad de Navidad, solicitando la reconsideración del oficio Nº 3.873, de 26 de julio de 2016, de la Sede Regional del Libertador General Bernardo O'Higgins, que concluyó que la interesada cesó por la declaración de salud irrecuperable prevista en el artículo 149 de la ley Nº 18.883, motivo por el cual no le correspondía percibir la bonificación de incentivo al retiro, contemplada la ley Nº 20.822*». (**ID Dictamen:** 017888N17. **Fecha:** 17-05-2017. **Destinatarios:** señora María Osorio Garrido, exdocente dependiente de la Municipalidad de Navidad. **Texto:** Se reconsidera el oficio Nº 3.873, de 2016, de la Contraloría Regional del Libertador General Bernardo O'Higgins, por lo que procede el pago de la bonificación contemplada en la ley Nº 20.822. **Acción:** aplica dictámenes 41976/2013, 70404/2015, 53635/2008, 10370/2011, 16693/2016).

11. «*En este orden de ideas, el inciso primero del artículo 149 del último texto legal citado, establece que si se hubiere declarado irrecuperable la salud de un funcionario —como ocurrió respecto de la interesada—, este deberá retirarse de la municipalidad dentro del plazo de seis meses, contado desde la fecha en que se le notifique la resolución por la cual se declare su irrecuperabilidad. Si transcurrido este plazo el empleado no se retirare, procederá la declaración de vacancia del cargo*». (**ID Dictamen:** 013806N17. **Fecha:** 20-04-2017. **Destinatarios:** doña Nayade del Carmen Herrera Constanzo, docente, exfuncionaria de la Municipalidad de Hualpén. **Texto:** Desestima reconsideración de oficio Nº 18.291, de 2016, de la Contraloría Regional del Bío-Bío, pues renuncia voluntaria para acceder al incentivo al retiro que regula la ley Nº 20.822, no suspende los efectos de otras causales de cese previstas para los profesionales de la educación, como es la declaración de salud irrecuperable. **Acción:** Aplica dictámenes 1892/2013, 41976/2013, 75768/2016, 16237/2016).

12. «*Al respecto, cumple con señalar que el artículo 72 de la ley Nº 19.070, prescribe que los educadores que forman parte de una dotación docente del sector municipal, dejarán de pertenecer a ella solamente por las causales que allí se mencionan, entre las que se encuentra, en la letra h), la salud irrecuperable o incompatible con el desempeño de su función, en conformidad con lo preceptuado en la ley Nº 18.883, cuyo artículo 149 dispone que "si se hubiere declarado irrecuperable la salud de un funcionario, éste deberá retirarse de la municipalidad dentro del plazo de seis meses contado desde la fecha en que se le notifique la resolución por la cual se declare su irrecuperabilidad"*». (**ID Dictamen:** 092292N16. **Fecha:** 23-12-2016. **Destinatarios:** señor Rubén Ocampo Álvarez, exdocente de la Municipalidad de Lonquimay. **Texto:** Término de funciones de docente se produce por la causal de renuncia voluntaria, al verificarse los requisitos que para ello exige la ley Nº 20.822. **Acción:** Confirma dictamen 52838/2016 Aplica dictámenes 69808/2011, 31962/2015, 70404/2015, 53635/2008, 10370/2011).

13. «*Se ha dirigido a esta Contraloría General el señor Juan Pizarro Cortés, Presidente de la Fundación Valídame, en representación de doña María Leiva Fernández, para solicitar un pronunciamiento sobre la regularidad del procedimiento seguido por la Superintendencia de Pensiones en el otorgamiento de su pensión de invalidez, pues estima que se habrían vulnerado los principios de la seguridad social, al determinar el devengamiento de dicha prestación en una data diferente al día siguiente de aquel en que correspondía dar término al beneficio contemplado en el artículo 149 de la ley Nº 18.883*». (**ID Dictamen:** 080297N16. **Fecha:** 04-11-2016. **Destinatarios:** señor Juan Pizarro Cortés, Presidente de la Fundación Valídame, en representación de doña María Leiva Fernández. **Texto:** Superintendencia de Pensiones

actuó conforme al ordenamiento jurídico, no observándose irregularidades en su proceder. **Acción:** Aplica dictamen 98580/2014 Aplica dictamen 41205/2015).

14. «*Se entenderá por salud incompatible, haber hecho uso de licencia médica en un lapso continuo o discontinuo superior a seis meses en los últimos dos años, exceptuando las licencias por accidentes del trabajo, enfermedades profesionales o por maternidad. (...)*

Pues bien, consta que la Municipalidad de El Monte, mediante el decreto Nº 649, de 2010, declaró vacante el cargo servido por la recurrente, a contar del 29 de junio de 2011, puesto que a esa data se cumplió el plazo de seis meses, establecido en el señalado artículo 149 de la ley Nº 18.883, contado desde que el municipio empleador tomó conocimiento del dictamen de la Superintendencia de Pensiones que declaró la invalidez de la peticionaria, por lo que se encuentra ajustada a derecho la data de su expiración laboral». (**ID Dictamen: 073983N11 Fecha:** 28.11.2011 **Destinatarios:** María Haydeé Guzmán Vallejos. **Texto:** Sobre derechos de profesional de la educación con ocasión del cese de funciones por declaración de salud irrecuperable. **Acción:** Aplica dictamen 52314/2005)

15. «*Ahora bien, en cuanto a la posibilidad del pago de remuneraciones por seis meses sin cumplir funciones en la entidad edilicia, debe informarse que ello solo se encuentra establecido en el artículo 149 de la ley Nº 18.883, a favor de los servidores cuya separación de sus funciones se haya producido por declaración de salud irrecuperable, y no por salud incompatible, como ocurre en la especie.*

Finalmente, y en cuanto a una eventual indemnización por años de servicio, cumple con informar que un beneficio de esa especie no está previsto en el texto estatutario que regulaba la relación laboral del solicitante». (**ID Dictamen: 041579N11 Fecha:** 04.07.2011 **Destinatarios:** Hugo Rojas. **Texto:** Sobre improcedencia del pago de beneficios pecuniarios que indica, con ocasión del cese de funciones por declaración de vacancia por salud incompatible con el cargo, en la Municipalidad de Las Condes. **Acción:** Aplica dictamen 8470/2009)

16. «*Sobre el particular, cumple con señalar que el artículo 72, letra h), de la ley Nº 19.070, sobre Estatuto de los Profesionales de la Educación, dispone que los educadores que forman parte de una dotación docente del sector municipal, dejarán de pertenecer a ella, por salud irrecuperable o incompatible con el desempeño de su función en conformidad a lo dispuesto en la ley Nº 18.883, sobre Estatuto Administrativo para Funcionarios Municipales. (...)*

Pues bien, en el caso de la especie, la entidad médica competente declaró irrecuperable la salud del señor Navia García, atendida su invalidez definitiva total, a contar del 1 de febrero de 2011, a consecuencia de lo cual, el municipio, mediante el decreto Nº 82, de igual año, dispuso el término de su relación laboral por la indicada causal, otorgándole el derecho que contempla el anotado artículo 149, cual es, el pago íntegro de sus remuneraciones por un período de seis meses, sin tener que trabajar». (**ID Dictamen: 079783N11 Fecha:** 22.12.2011 **Destinatarios:** Glenda Ruth Seguel Rubilar. **Texto:** Profesional cesado en funciones por declaración de salud irrecuperable tiene derecho a percibir el pago íntegro de sus remuneraciones por un período de seis meses sin tener que trabajar, conforme lo prescribe el art. 149 de ley 18883, pero no puede percibir indemnización del art. 2 tran ley 19070, por cuanto ese exservidor ingresó a la dotación docente de Municipalidad, en el año 2007, no concurriendo a su respecto la hipótesis prevista en esa disposición. Finalmente su cónyuge tampoco cumple con los requisitos previstos para las bonificaciones por retiro voluntario de los art. 2 tran ley 20158 y art. 9 tran ley 20501. **Acción:** Aplica dictamen 52253/2011)[335]

17. «*Ahora bien, en lo que se refiere a la declaración de invalidez que se efectuó respecto del interesado, es menester recordar que este Organismo de Control, a través del dictamen Nº 21.469, de 2003 —pronunciándose sobre los alcances del artículo 149 de la ley Nº 18.883, norma idéntica a la contenida en el aludido artículo 152 de la ley Nº 18.834—, declaró que el beneficio en comento corresponde indistintamente tanto al personal de planta como al que se desempeña a contrata, toda vez que la ley no distingue, de modo que en esta última eventualidad, si antes del vencimiento del plazo en que expire un contrato se declara que la salud del funcionario es irrecuperable, la institución debe proceder a renovar tal designación por el lapso que reste para enterar esos seis meses.*

El mismo dictamen agrega, que lo señalado es también aplicable en aquellos casos, como el que se analiza, en que no obstante que la declaración de irrecuperabilidad de la salud del respectivo servidor se efectúa con posterioridad a la fecha de término del contrato, los efectos de dicha declaración se retrotraen a una fecha anterior, en atención a que el

---

[335] Para efectos de su consulta en la Base de Jurisprudencia de Contraloría General de la República, el citado dictamen se encuentra en la sección/materia: «generales», sin perjuicio de que se trata de uno de carácter municipal.

artículo 5º de la Constitución Política impone a los órganos estatales el deber de respetar los derechos humanos que la Carta Fundamental garantiza, entre ellos, el derecho a la seguridad social, por lo que la autoridad administrativa se encuentra en el imperativo de adoptar las medidas tendientes a permitir el cabal ejercicio de los derechos estatutarios invocados por los trabajadores, especialmente, tratándose de beneficios de seguridad social, como el de la situación planteada». (**ID Dictamen: 077459N11**[336] **Fecha:** 12.12.2011 **Destinatarios:** Director de la Oficina de Estudios y Políticas Agrarias. **Texto:** Término anticipado de contrata no obsta al ejercicio del derecho que otorga el artículo 152 de la ley Nº 18834, si los efectos de la invalidez se retrotraen a una data en que el afectado se encontraba en funciones. Reconsiderado parcialmente por dictamen 42787/2012. **Acción:** Aplica dictamen 21469/2003. Mismo criterio aplicado en **ID Dictamen: 020743N11**[337] **Fecha:** 05.04.2011 **Destinatarios:** Alcalde Municipalidad de Lo Barnechea. **Texto:** Sobre declaración de salud irrecuperable antes del vencimiento del plazo de expiración del contrato de funcionario afecto a la ley 19378. **Acción:** Aplica dictamen 21469/2003)

18. *«A su vez, el inciso segundo del artículo 30 del decreto Nº 57, de 1990, del Ministerio del Trabajo y Previsión Social —que contiene el reglamento del decreto ley Nº 3.500, de 1980—, expresa que* **cuando se trate de un dictamen ejecutoriado que apruebe una invalidez total de un funcionario regido por la ley Nº 18.883, la Comisión deberá notificarlo al empleador, en el plazo de tres días hábiles de ejecutoriado,** *agregando que este último deberá comunicar a la Administradora de Fondos de Pensiones a la que se encuentre afiliado el servidor público, la fecha en que vencerá el beneficio a que se refiere la letra a) del artículo 31, a contar de la cual deberá pagarse la respectiva pensión de invalidez. Al respecto, es dable manifestar, que el único derecho que otorga la preceptiva estatutaria en la situación de la especie, es la liberación del desempeño del empleo por el lapso de seis meses, contado desde la notificación de la resolución por la cual se declare la irrecuperabilidad, conservando las remuneraciones, a cuyo término se produce, por mandato legal, el correspondiente cese de funciones. Concordante con lo anterior, la jurisprudencia de este Órgano Contralor, contenida, entre otros, en el dictamen Nº 18.429, de 2008, ha expresado que para que se afine la causal de declaración de vacancia por salud irrecuperable se requiere una declaración de irrecuperabilidad de la salud del empleado y que transcurra el plazo de seis meses que señala la normativa legal. (...) Por consiguiente, habida consideración que el beneficio contemplado en el* **artículo 149 de la ley Nº 18.883,** *constituye* **una norma protectora para el trabajador,** *por lo que sería contradictorio que derivara en un perjuicio para este, ya que, en la especie, la bonificación por retiro voluntario le era más favorable al mencionado exservidor en términos pecuniarios; que este había dado cumplimiento a todos los requisitos previstos en la ley para postular al bono referido; que frente a la existencia de dos causales de término de servicios prevalece la que se notifica primero y, por último, que atendido su deceso, ya no es posible otorgarle el goce de seis meses de remuneraciones sin obligación de trabajar, debe colegirse que la causal de su desvinculación laboral es la renuncia presentada en los términos contemplados en la ley Nº 20.475, que lo habilitó para requerir el beneficio contenido en dicho texto legal».* (**ID Dictamen: 069808N11 Fecha:** 07.11.2011 **Destinatarios:** Alcalde de la Municipalidad de Pudahuel. **Texto:** Sobre determinación de causal de cese aplicable a ex funcionario municipal cuya declaración de invalidez fue notificada con posterioridad a su renuncia voluntaria, la que se presentó con el objeto de acceder al beneficio pecuniario de la ley 20387. **Acción:** Aplica dictámenes 18429/2008, 48554/2010)

19. *«Sobre el particular, cabe señalar que el* **artículo 48, letra g), de la ley Nº 19.378,** *sobre Estatuto de Atención Primaria de Salud Municipal, establece, en lo pertinente, que los funcionarios de una dotación municipal de salud dejarán de pertenecer a ella por salud irrecuperable, en conformidad a lo dispuesto en la ley Nº 18.883, sobre Estatuto Administrativo para Funcionarios Municipales. (...) Así, el único derecho que otorga la preceptiva estatutaria en la situación de la especie, es la liberación del desempeño del empleo por el lapso de seis meses, contado desde la notificación de la resolución por la cual se declare la irrecuperabilidad, conservando las remuneraciones, a cuyo término se produce, por mandato legal, el correspondiente cese de funciones, situación que aconteció respecto de la recurrente, toda vez que luego que la Superintendencia de Pensiones declarara irrecuperable su salud, el municipio por el decreto exento Nº 331, de 2010, le otorgó el derecho a gozar*

---

[336]   Para efectos de su consulta en la Base de Jurisprudencia de Contraloría General de la República, el citado dictamen se encuentra en la sección/materia: «generales».

[337]   Para efectos de su consulta en la Base de Jurisprudencia de Contraloría General de la República, el citado dictamen se encuentra en la sección/materia: «generales», sin perjuicio de que se trata de uno de carácter municipal.

de todos sus emolumentos por el período de seis meses a contar del 16 de febrero del mismo año, para posteriormente, mediante el decreto Nº 3.935, de 2010, declarar vacante su cargo a contar del 16 de agosto del año citado». (**ID Dictamen: 026031N11 Fecha:** 28.04.2011 **Destinatarios:** María Teresa Gómez Álvarez. **Texto:** Sobre pago de indemnización por años de servicios a funcionaria cuya salud fue declarada irrecuperable)[338]

20. *«Sobre el particular, cabe manifestar que el **artículo 4º de la ley Nº 19.**464 —que establece normas y concede aumento de remuneraciones para el personal asistente de la educación de establecimientos educacionales que indica— prevé, en lo que interesa, que estos servidores —calidad funcionaria que posee la recurrente— se rigen por las normas del Código del Trabajo, con excepción de las materias relativas a permisos y licencias médicas, las que están afectas a las disposiciones de la ley Nº 18.883.*

Como se advierte, el precepto antes reseñado hace aplicable, de manera excepcional, a los trabajadores en comento, los que naturalmente se rigen por la legislación laboral común, determinadas disposiciones de la ley Nº 18.883, remisión legal que debe ser entendida en términos restringidos —permisos y licencias médicas—, no pudiendo hacerse extensiva a otras disposiciones de dicho texto estatutario, como sucede con el aludido artículo 149 (aplica dictámenes Nºs. 39.847, de 1997, y 3.431, de 2003).

*Sobre este punto, cabe señalar que el **artículo 149 de la ley Nº 18.883**, que otorga el beneficio a que se refiere el oficio Nº 67.147, de 2010, constituye una **norma sobre causal de cese de las labores**, ubicada en el Título VI De la Cesación de Funciones, **y no una disposición sobre licencias médicas**, las que, conjuntamente con los permisos, se regulan en el Título IV De los derechos funcionarios.*

*En este orden de consideraciones, es necesario añadir que las **causales de desvinculación laboral de los asistentes de la educación, son las previstas en los artículos 159, 160 y 161 del Código del Trabajo**, entre las cuales no se contempla la declaración de salud irrecuperable, materia respecto de la cual el artículo 161 bis, previene que la invalidez, total o parcial, no es justa causa para el término del contrato de trabajo, y en el evento que el trabajador fuere separado de sus funciones por tal motivo, tendrá derecho a la indemnización establecida en los incisos primero o segundo del artículo 163, según correspondiere, con el incremento señalado en la letra b) del artículo 168. (...)*

*Por consiguiente, (...), **artículo 149 de la ley Nº 18.883, no resulta aplicable** (...) en su calidad de asistente de la educación, (...)».* (**ID Dictamen: 020662N11 Fecha:** 05.04.2011 **Destinatarios:** Director Nacional del Instituto de Previsión Social. **Texto:** Sobre reconsideración de oficio 67.147, de 2010, a través del cual este Órgano de Control se abstuvo de dar curso a la resolución del Instituto de Previsión Social, que concedió pensión de jubilación por causa de invalidez. **Acción:** aplica dictámenes 39847/97, 3431/2003, 3849/88, 44518/88, 50635/2010 reconsidera dictamen 67147/2010)

21. *«Finalmente, en lo que concierne al derecho a obtener esta bonificación, que asiste a una profesional de la educación cuya salud fue declarada irrecuperable antes de que presentara la renuncia voluntaria a su cargo, cumple consignar que acorde con lo previsto en el **artículo 149 de la ley Nº 18.883** —Estatuto Administrativo para Funcionarios Municipales—, aplicable a los profesionales de la educación en virtud de lo dispuesto en el artículo 72 letra h) de la ley Nº 19.070, sobre Estatuto Docente, cuyo texto refundido, coordinado y sistematizado fue fijado por el decreto con fuerza de ley Nº 1, de 1996, del Ministerio de Educación, si se hubiere declarado irrecuperable la salud de un funcionario, éste deberá retirarse del Servicio dentro del plazo de seis meses contado desde la fecha en que se le notifique la resolución que lo declare su irrecuperabilidad. Si transcurrido este plazo el empleado no se retirare, procederá la declaración de vacancia del cargo.*

De este modo, mientras dicha causal no se perfeccione, por no haberse cumplido el citado término de seis meses, existe la posibilidad de que el funcionario se desvincule por una causal distinta, como sería la renuncia presentada en los términos previstos por el artículo 2º transitorio de la ley Nº 20.158, que lo habilitaría para requerir el beneficio contemplado en dicho precepto.

En consecuencia, la docente por la que consulta la Municipalidad de Arauco tendrá derecho a obtener esta bonificación, en la medida que, cumpliendo con los demás requisitos legales, renuncie dentro del plazo contemplado en el artículo 149 de la ley Nº 18.883». (**ID Dictamen: 010370N11 Fecha:** 18.02.2011 **Destinatarios:** Contralor Regional de Bío Bío. **Texto:** Sobre la procedencia de percibir la bonificación del art. 2 transitorio de la ley 20158 en los casos que indica **Acción:** Aplica dictamen 54972/2009)

---

[338] Para efectos de su consulta en la Base de Jurisprudencia de Contraloría General de la República, el citado dictamen se encuentra en la sección/materia: «generales», sin perjuicio de que se trata de uno de carácter municipal.

22. *«En este sentido, es del caso advertir que el **peticionario no tiene derecho a la aludida suma de dinero, por cuanto claramente esta es una prestación que favorece a los funcionarios regulados por el estatuto municipal y no para aquellos trabajadores regidos por el Código del Trabajo**, como en este caso».* (**ID Dictamen: 074874N12 Fecha:** 30.11.2012 **Destinatarios:** Director Nacional del Instituto de Previsión Social. **Texto:** Procede que el Instituto de Previsión Social conceda la pensión y el desahucio a que se refiere la ley 11219. **Acción:** Aplica dictámenes 19540/2007, 30578/2009, 52197/2011)

23. *«Sobre el particular, cabe señalar que el **artículo 72, letra h), de la ley Nº 19.070**, sobre Estatuto de los Profesionales de la Educación —de acuerdo con el texto vigente a la data de expiración laboral de la especie—, establece, en lo pertinente, que los docentes que forman parte de una dotación docente del sector municipal, dejarán de pertenecer a ella, por salud irrecuperable con el desempeño de su función en conformidad con la ley Nº 18.883, Estatuto Administrativo para Funcionarios Municipales; texto legal este último que, en su artículo 149, inciso primero, preceptúa, que si se hubiere declarado irrecuperable la salud de un funcionario, este deberá retirarse de la municipalidad dentro del plazo de seis meses, contado desde la fecha en que se le notifique la resolución por la cual se declare su irrecuperabilidad. Si transcurrido este plazo el empleado no se retirare, procederá la declaración de vacancia del cargo.*
Por su parte, el artículo 112 de la citada ley Nº 18.883, dispone que la declaración de irrecuperabilidad afectará a todos los empleos compatibles que desempeñe el funcionario y le impedirá reincorporarse a la Administración del Estado.
*Como puede advertirse, el mencionado **artículo 149**, es categórico en ordenar que, en la circunstancia analizada, el funcionario debe retirarse no sólo del cargo que sirve, sino que también de la municipalidad, agregando el artículo 112 que la declaración de irrecuperabilidad afectará a todos los empleos compatibles que desempeñe el servidor y le impedirá reincorporarse a la Administración del Estado, impedimento que, de acuerdo con lo precisado por este **Órgano Contralor en los dictámenes Nºs. 26.746 y 66.618**, ambos de 2009, se aplica aunque el empleo al cual el funcionario se pretenda incorporar, se rija por una normativa estatutaria diferente, ya que la ley no distingue y prohíbe, en sentido amplio, la reincorporación a la Administración del Estado.*
*Ahora bien, tal como lo ha concluido la anotada **jurisprudencia administrativa, habiendo mediado la declaración de salud irrecuperable de un exfuncionario, por parte del organismo médico competente, dicho pronunciamiento mantiene su vigencia mientras no sea rectificado o revocado por la misma autoridad que lo emitió**, de manera que el señor Espinoza Inostroza podrá ingresar nuevamente a una entidad de la Administración del Estado, en la medida que obtenga una modificación de tal declaración».* (**ID Dictamen: 001717N12 Fecha:** 10.01.2012 **Destinatarios:** Hugo Espinoza Inostroza. **Texto:** Si el organismo médico competente que emitió declaración de salud irrecuperable de funcionario la rectifica o revoca, el servidor puede reingresar a la administración. **Acción:** Aplica dictámenes 26746/2009, 66618/2009)

24. *«En forma previa, resulta útil hacer presente que la **declaración de invalidez difiere tanto en sus efectos como en su regulación respecto de la declaración de irrecuperabilidad**, puesto que la primera, regulada por el decreto ley Nº 3.500 de 1980, es resuelta por una comisión médica de la Superintendencia de Pensiones, y tiene como resultado la obtención de la pensión de invalidez que contempla dicha preceptiva legal. En cambio, **la declaración de irrecuperabilidad**, conforme lo dispuesto por el artículo 221, letras b) y c), del decreto Nº 42, de 1986, del Ministerio de Salud, reglamento orgánico de los Servicios de Salud, vigente en virtud de lo dispuesto en los artículos 34 y 45 del decreto Nº 136, de 2004, de dicha Secretaría de Estado —en concordancia con lo previsto en el artículo 12, Nº 9, del decreto con fuerza de ley Nº 1, de 2005, de dicho Ministerio—, es declarada por la **Comisión de Medicina Preventiva e Invalidez, y provoca consecuencias estatutarias, como el beneficio establecido en el citado artículo 149 de la ley Nº 18.883, Estatuto Administrativo para Funcionarios Municipales, acorde con el criterio contenido en los dictámenes Nºs. 7.296 y 12.803, ambos de 1992; 41.389, de 1996; y, 32.283, de 2000**.*
*Por lo demás, **ambas declaraciones se relacionan con causales diversas de desvinculación de la dotación del sector**, pues la declaración de invalidez la produce conforme a lo dispuesto en el artículo 72 letra e) de la ley Nº 19.070, Estatuto de los Profesionales de la Educación, esto es, por obtención de jubilación, pensión o renta vitalicia de un régimen previsional, en relación a las respectivas funciones docentes, en tanto que la **declaración de irrecuperabilidad provoca el cese de funciones conforme a lo dispuesto en la letra h) de la misma norma, es decir, por salud irrecuperable en relación con el desempeño de la función**, en conformidad a lo dispuesto en la mencionada ley Nº 18.883».* (**ID Dictamen: 063029N12 Fecha:** 10.10.2012 **Destinatarios:** María Negrón Monsalve. **Texto:** Sobre la reincorporación a sus funciones de docente que se acogió a retiro voluntario del art. noveno transitorio de la ley 20501, no obstante la declaración de su invalidez. **Acción:** Aplica dictámenes 7296/92, 12803/92, 41389/96, 32283/2000, 44280/2007, 10370/2011)

Artículo 150

En los casos de supresión del empleo por procesos de reestructuración o fusión, los funcionarios de planta que cesaren en sus cargos a consecuencia de no ser encasillados en las nuevas plantas y que no cumplieren con los requisitos para acogerse a jubilación, tendrán derecho a gozar de una indemnización equivalente al total de las remuneraciones devengadas en el último mes, por cada año de servicio en la municipalidad, con un máximo de seis. Dicha indemnización no será imponible ni constituirá renta para ningún efecto legal.

Artículo 151

El empleado que prolongare indebidamente sus funciones no podrá reincorporarse a una municipalidad, sin perjuicio de la responsabilidad penal en que pudiere incurrir. En este caso, el alcalde comunicará el hecho a la Contraloría General de la República.

Artículo 152

Sin perjuicio de lo dispuesto en el artículo anterior, el empleado podrá continuar actuando, aun cuando sus funciones hubieren terminado legalmente, si se tratare de actividades que no puedan paralizarse sin grave daño o perjuicio y no se presentare oportunamente la persona que debe reemplazarlo. En tal evento, el alcalde comunicará inmediatamente lo ocurrido a la Contraloría General de la República y adoptará las medidas pertinentes para dar solución a la situación producida, en un plazo no mayor de treinta días.

El empleado que en virtud de lo establecido en el inciso precedente prolongare su desempeño, tendrá todas las obligaciones, responsabilidades, derechos y deberes inherentes al cargo.

TÍTULO VII
Extinción de la Responsabilidad Administrativa

Artículo 153

La responsabilidad administrativa del funcionario se extingue:

a) Por muerte. La multa cuyo pago o aplicación se encontrare pendiente a la fecha de fallecimiento del funcionario, quedará sin efecto;

b) Por haber cesado en sus funciones, sin perjuicio de lo dispuesto en el inciso final del artículo 145;

c) Por el cumplimiento de la sanción, y

d) Por la prescripción de la acción disciplinaria.

1. «*Se ha dirigido a esta Contraloría General don Jorge Neira Herrera, exfuncionario de la Municipalidad de Santiago —quien se desempeñaba en la Oficina de Gestión Financiera de la Subdirección de Servicios Sociales—, reclamando en contra del sumario instruido por esa entidad edilicia, a cuyo término, mediante el decreto alcaldicio Nº 2.202, de 2016, se le aplicó la medida disciplinaria de destitución, contemplada en los artículos 120, letra d), y 123, del citado cuerpo estatutario, toda vez que, a su juicio, se cometieron irregularidades en la sustanciación de dicho procedimiento*». (**ID Dictamen:** 076296N16. **Fecha:** 17-10-2016. **Destinatarios: don Jorge Neira Herrera, exfuncionario de la Municipalidad de Santiago. Texto:** Rechaza reclamo de ilegalidad en contra de sumario administrativo, al término del cual se aplicó la medida disciplinaria de destitución a funcionario municipal que indica. **Acción:** Aplica dictamen 97968/2014, 14965/2015, 35562/2016, 95660/2015).

2. «*Sin perjuicio de lo anterior, es preciso añadir que, en todo caso, **la eventual responsabilidad administrativa de la indicada persona, se encontraría extinguida, por cuanto de conformidad con el artículo 153, letra b), de la citada ley Nº 18.883, en relación con el inciso final del artículo 145 del mismo texto legal, ello acontece con el cese de funciones del funcionario, salvo que se encontrare en tramitación un procedimiento disciplinario en el que estuviere involucrado** (...)*». (**ID Dictamen: 071550N11 Fecha:** 15.11.2011 **Destinatarios:** Claudio Baeza de la Fuente. **Texto:** Sobre ejercicio de la potestad disciplinaria, actuación de comité de selección e incorporación de antecedentes a hoja de vida funcionaria. **Acción:** Aplica dictamen 13754/2011)[339]

3. «*Respecto de los cargos Nºs. 2 y 3, y según se advierte de los antecedentes tenidos a la vista, la acción disciplinaria del municipio para perseguir la responsabilidad administrativa del señor Ramos Lobos en los hechos que le dieron origen, se encontraba prescrita a la época en que se instruyó el respectivo sumario, toda vez que, de acuerdo con lo que al efecto prevén los **artículos 153, letra d),** y 154 de la ley Nº 18.883 habían transcurrido más de cuatro años contados desde el día en que incurrió en las acciones y omisiones que se le imputan a través de tales cargos.*
En efecto, tratándose del cargo Nº 2, por el que se le reprocha haber otorgado y firmado los certificados de informaciones previas Nºs. 4.448 y 4.563, debe señalarse que dichos actos son de fecha 13 de mayo y 1 de julio, ambas de 2002, respectivamente, en circunstancias que el sumario instruido en contra del recurrente, se inició el 30 de noviembre de 2006, es decir, en una data superior a los citados cuatro años.
Lo mismo acontece respecto del cargo Nº 3, dado que el acto que fundamenta el reproche, es el oficio Nº 32, de fecha 28 de enero de 2000, emitido seis años antes de la iniciación del sumario de que se trata.
*En razón de lo anterior, **no resultó procedente** que la Municipalidad de La Reina **le hubiera formulado cargos al interesado por los hechos antes descritos**». (**ID Dictamen:** 056880N11 **Fecha:** 07.09.2011 **Destinatarios:** Miguel Ramos Lobos. **Texto:** Procedió medida disciplinaria de destitución en contra de Director de Obras que invalidó permiso de edificación otorgado conforme a derecho, habiéndose acreditado en el procedimiento disciplinario el cargo formula-

---

[339] Para efectos de su consulta en la Base de Jurisprudencia de Contraloría General de la República, el citado dictamen se encuentra en la sección/materia: «generales», sin perjuicio de que se trata de uno de carácter municipal.

do, vinculado a infracciones al principio de probidad administrativa. **Acción:** Aplica dictámenes 31011/2009, 3562/91, 39833/2001, 2641/2005, 49531/2008, 53290/2004, 53875/2009, 47295/2006)

4. «*Por su parte, el **artículo 153, letra b), del** referido texto legal, preceptúa que la responsabilidad administrativa se extingue por haber cesado en sus funciones, sin perjuicio de lo dispuesto en el inciso final del artículo 145. (...)*

*Pues bien, considerando que tales ex funcionarios presentaron sus renuncias a contar de una fecha determinada y que ellas fueron aceptadas en esos términos, los **actos administrativos reglados en cuya virtud se materializó la aceptación de sus renuncias voluntarias produjeron sus efectos a contar de la fecha fijada por los interesados**, esto es, el 13 de mayo de 2010 y, por ende, desde ese **momento dejaron de ser funcionarios (aplica criterio contenido en el dictamen Nº 41.624, de 2008).***

*De esta manera, atendido que **no existe norma legal alguna que faculte a la autoridad para retener la renuncia de un funcionario de su dependencia no sometido a proceso disciplinario y, además, que los ex empleados presentaron sus renuncias voluntarias indicando una fecha determinada, que fue aceptada por la autoridad edilicia y resulta anterior al inicio de las investigaciones sumarias incoadas en su contra, no resulta posible perseguir su eventual responsabilidad administrativa, debido a que la misma se extinguió al cesar en sus funciones por tales dimisiones a los cargos que ejercían**, por lo que resultó procedente el sobreseimiento dictado a su respecto (...) (aplica dictámenes Nºs. 23.723, de 2000 y 40.817, de 2005)».* (**ID Dictamen:** 031634N11[340] **Fecha:** 18.05.2011 **Destinatarios:** Florentino Valenzuela Durán y otro. **Texto:** Sobre aceptación de renuncias voluntarias de servidores municipales y su incidencia en el funcionamiento de ciertas unidades. **Acción:** aplica dictámenes 41624/2008, 23723/2000, 40817/2005). Mismo criterio aplicado en **ID Dictamen:** 005371N11 **Fecha:** 27.01.2011 **Destinatarios:** Alcalde Municipalidad de San José de Maipo. **Texto:** Sobre procedencia de instruir sumario administrativo en un municipio).

5. «*Finalmente, en lo que respecta a la eventual responsabilidad a la que se encontraría sujeto el alcalde por la suscripción de los convenios cuestionados, cumple con señalar que conforme a lo sostenido por esta **Entidad Fiscalizadora en el dictamen Nº 48.324, de 2009**, si bien estos tienen la calidad de funcionarios municipales y como tales, están afectos a responsabilidad administrativa, en la legislación vigente ninguna autoridad tiene la potestad de aplicarles alguna de las medidas disciplinarias contempladas en el artículo 120 de la ley Nº 18.883, sobre Estatuto Administrativo para los Funcionarios Municipales, por lo que, consecuentemente este Organismo de Control no tiene, en general, atribuciones para determinar y hacer efectiva esa responsabilidad.*

*Lo señalado, también tiene lugar tratándose de un **exalcalde**, en cuyo caso opera la causal de extinción de la responsabilidad administrativa de cesación en el cargo, contenida en el artículo 153, letra b), de la aludida ley Nº 18.883, salvo que aquel, al finalizar su correspondiente mandato asuma, sin solución de continuidad, un cargo en otro órgano de la Administración del Estado, por cuanto esa situación solo implicaría una variación del cargo que ejerce, pero no de la condición de funcionario público, que es la que sirve de base a esa responsabilidad, tal como lo precisa el dictamen Nº 62.213, de 2008».* (**ID Dictamen:** 080243N12 **Fecha:** 26.12.2012 **Destinatarios:** Alcalde de la Municipalidad de Concepción. **Texto:** Sobre improcedencia de que municipalidad celebre contratos mediante trato directo con las escuelas de lenguaje que indica sin que se acrediten las causales que justifiquen ese mecanismo de contratación; y responsabilidad administrativa del alcalde. **Acción:** Aplica dictámenes 30447/2010, 651/2011, 48093/2010, 46564/2011, 48324/2009, 62213/2008)[341]

6. «*En efecto, el **artículo 153, letra b), de** la anotada ley Nº 18.883, previene que la responsabilidad administrativa se extingue por el cese de funciones, sin perjuicio de lo dispuesto en el inciso final del artículo 145 del mismo texto legal, el que señala, a su vez, que de encontrarse en tramitación un sumario administrativo —expresión que se refiere al instante en que se emite el acto que ordena instruir el mismo, según lo ha precisado el dictamen Nº 74.868, de 2011, de este origen, entre otros—, en el que estuviere involucrado un servidor, y que si este cesare en sus funciones, el procedimiento deberá continuarse hasta su normal término, anotándose en su hoja de vida la sanción que el mérito del proceso determine.*

---

340 Para efectos de su consulta en la Base de Jurisprudencia de Contraloría General de la República, el citado dictamen se encuentra en la sección/materia: «generales», sin perjuicio de que se trata de uno de carácter municipal.

341 Para efectos de su consulta en la Base de Jurisprudencia de Contraloría General de la República, el citado dictamen se encuentra en la sección/materia: «generales», sin perjuicio de que se trata de uno de carácter municipal.

Pues bien, la citada disposición alude al cese de funciones sin restringir su alcance a aquellas causales contempladas en el referido texto estatutario, (...) debiendo tener presente **que la jurisprudencia administrativa de este Ente de Control contenida, entre otros, en los dictámenes N°s. 31.201, de 1999, y 232, de 2002, ha manifestado que la remoción contemplada en el artículo 30 de la ley N° 18.695, constituye una causal especial de término de servicios para el administrador municipal, aun cuando es distinta de aquellas previstas en el anotado Estatuto Administrativo».** (ID Dictamen: 077336N12 Fecha: 12.12.2012 Destinatarios: Claudia Díaz Yáñez. Texto: Reconsidera oficios 10260 y 14583, ambos de 2011, de la Contraloría Regional del Biobío y desestima reclamo de ilegalidad en contra de decreto 538/2011 de la Municipalidad de Negrete que rechazó recurso de nulidad en sumario administrativo que indica. Acción: aplica dictámenes 29937/2012, 44837/2011, 50081/2011, 74868/2011, 31201/99, 232/2002)

7. «*(...) en virtud de lo dispuesto en el artículo 153, letra b), de la ley N° 18.883, Estatuto Administrativo para Funcionarios Municipales —aplicable supletoriamente en la especie, por expresa disposición de artículo 4° de la ley N° 19.378—, su eventual responsabilidad administrativa se encontraría extinguida, al haber cesado en funciones y no haberse iniciado con anterioridad a su dimisión el respectivo procedimiento disciplinario*». (ID Dictamen: 061523N12 Fecha: 03.10.2012 Destinatarios: Alcalde de la Municipalidad de Lo Espejo. Texto: Sobre proceso calificatorio y presuntas irregularidades cometidas por funcionarios municipales que indica. Acción: Aplica dictámenes 20789/2000, 45733/2009, 45254/2012, 49440/2012, 54239/2012)

8. «*Sobre el particular, cumple esta Entidad de Fiscalización con señalar que el artículo 153 de la ley N° 18.883, Estatuto Administrativo para funcionarios municipales, dispone, en lo que interesa, que la responsabilidad administrativa del funcionario se extingue por la prescripción de la acción disciplinaria y que, acorde al artículo 154 del referido cuerpo normativo, la misma prescribe en el plazo de cuatro años contados desde el día en que éste hubiere realizado la acción u omisión que le da origen, prescripción que se interrumpe o suspende en los casos que se consignan en su artículo 155 (aplica dictamen N° 64.814, de 2011).*
En ese contexto y teniendo presente, por una parte, que han transcurrido más de cuatro años desde la fecha en que se habrían efectuado las aludidas regularizaciones —entre el 28 de abril de 1999 y el 29 de agosto de 2006— y, por otra, que **no se advierte de los antecedentes acompañados, en esta oportunidad, que hubiere operado alguna de las causales de interrupción o suspensión de la referida prescripción** *se ha estimado del caso no iniciar, en la situación que se analiza, el procedimiento disciplinario requerido*». (ID Dictamen: 048373N12[342] Fecha: 08.08.2012 Destinatarios: Secretaria Regional Ministerial Metropolitana de Vivienda y Urbanismo. Texto: No cabe iniciar procedimiento disciplinario en contra de Director de Obras Municipales, por cuanto han transcurrido más de cuatro años desde la fecha en que se habrían efectuado las regularizaciones a que se alude, sin que se advierta que hubiere operado alguna causal de interrupción o suspensión de la prescripción. Acción: Aplica dictamen 64814/2011[343])

Artículo 154

La acción disciplinaria de la municipalidad contra el funcionario, prescribirá en cuatro años contados desde el día en que éste hubiere incurrido en la acción u omisión que le da origen.

No obstante, si hubieren hechos constitutivos de delito la acción disciplinaria prescribirá conjuntamente con la acción penal.

1. «*Se ha dirigido a esta Contraloría General la Municipalidad de Puyehue solicitando la reconsideración del oficio N° 5.211, de 2016, de la Contraloría Regional de Los Lagos, que concluyó, en lo que interesa, que se encontraría prescrita la responsabilidad administrativa determinada en el sumario a cuyo término, mediante el decreto alcaldicio N° 2.659, de*

---

[342] Para efectos de su consulta en la Base de Jurisprudencia de Contraloría General de la República, el citado dictamen se encuentra en la sección/materia: «generales».
[343] Para efectos de su consulta en la Base de Jurisprudencia de Contraloría General de la República, el citado dictamen se encuentra en la sección/materia: «generales».

2016, se le aplicó a don Nelson Valderas Márquez la medida disciplinaria de destitución, toda vez que habrían transcurrido más de 5 años desde que se cometió la infracción reprochada, debiendo dicho municipio dictar el pertinente acto administrativo que declare su sobreseimiento definitivo, agregando que el cargo formulado al mencionado servidor le fue formulado en forma imprecisa». (**ID Dictamen:** 014513N17. **Fecha:** 24-04-2017. **Destinatarios: Municipalidad de Puyehue.** **Texto:** Reconsidera oficio N° 1.644, de 2016 (*), de la Contraloría Regional de Los Lagos, ya que la acción disciplinaria de funcionario que indica, no se encuentra prescrita. **Acción:** aplica dictámenes 26763/99, 55828/2011, 5651/2014).

2. *«La Contraloría Regional de Los Lagos ha remitido la presentación de la señora Ulda Vargas Pinol, exfuncionaria de la Municipalidad de San Juan de la Costa, mediante la cual solicita la reconsideración del oficio N° 4.767, de 2015, de ese origen, que ratificó —en conformidad con lo dispuesto en el artículo 25 de la ley N° 19.296— la medida disciplinaria de destitución —contemplada en los artículos 120, letra d), y 123, de la ley N° 18.883—, que le fuera aplicada a través del decreto N° 4.139, de 2014, de tal ente edilicio, por cuanto estimó que la reclamación interpuesta en contra de dicho acto administrativo había sido extemporánea, sin perjuicio de lo cual precisó, que el pertinente proceso sumarial se encontraba ajustado a derecho».* (**ID Dictamen:** 018919N16. **Fecha:** 09-03-2016. **Destinatarios:** señora Ulda Vargas Pinol, exfuncionaria de la Municipalidad de San Juan de la Costa. **Texto:** Reconsidera oficio N° 4.767, de 2015, de la Contraloría Regional de Los Lagos, por cuanto el hecho constitutivo de uno de los cargos formulados se encuentra prescrito; y, efectúa precisión que indica. **Acción:** Aplica dictámenes 73001/2015, 31011/2009, 41239/2014).

3. *«Desestima reclamos de ilegalidad en contra de decreto alcaldicio que indica, por cuanto la acción disciplinaria no se encuentra prescrita, al no completarse los cuatro años establecidos en el inciso primero del artículo 154 de la ley N° 18.883».* (**ID Dictamen:** 011370N16. **Fecha:** 12-02-2016. **Destinatarios: señor Ricardo Henríquez Valdés, funcionario de la Municipalidad de Maipú.** **Texto:** Desestima reclamos de ilegalidad en contra de decreto alcaldicio que indica, por cuanto la acción disciplinaria no se encuentra prescrita, al no completarse los cuatro años establecidos en el inciso primero del artículo 154 de la ley N° 18.883. **Acción:** Aplica dictámenes 17865/95, 10075/2011, 52491/2012, 55419/2015, 42741/2011, 39563/2011, 57220/2013, 51321/2014).

4. *«Por lo tanto, corresponde que a los funcionarios municipales se les aplique lo dispuesto por la ley N° 18.883, cuyo artículo 154 —contenido en el Título VII de dicha preceptiva, sobre extinción de la responsabilidad administrativa—, establece que la acción disciplinaria de la municipalidad contra el funcionario prescribirá en cuatro años contados desde el día en que éste hubiere incurrido en la acción u omisión que le da origen».* (**ID Dictamen:** 024235N18. **Fecha:** 28-09-2018. **Destinatarios:** Alcalde de la Municipalidad de San Joaquín. **Texto:** Acción disciplinaria por infracción a la antigua normativa sobre presentación de declaraciones de intereses y de patrimonio, contenida en la ley N° 18.575, prescribe de acuerdo a las disposiciones estatutarias del servicio respectivo. **Acción:** Aplica dictamen 18606/2017).

5. *«Finalmente, en cuanto a las denuncias que la señora González Peña habría efectuado ante el concejo municipal en el año 2006, relativas al mal uso de vehículos institucionales en esa dependencia, corresponde señalar que de acuerdo con el artículo 154 de la ley N° 18.883 —Estatuto Administrativo para Funcionarios Municipales—, la acción disciplinaria de la municipalidad contra el funcionario, prescribirá en cuatro años contados desde el día en que este hubiere incurrido en la acción u omisión que le da origen, por lo que tratándose de hechos ocurridos en esa época, la responsabilidad administrativa que eventualmente hubiere podido establecerse, se encuentra extinguida».* (**ID Dictamen: 079008N11 Fecha:** 19.12.2011 **Destinatarios:** Diputado Rodrigo González Torres. **Texto:** Respecto a denuncias por irregularidades en el Departamento de Seguridad Ciudadana de la Municipalidad de Viña del Mar, la Contraloría Regional de Valparaíso ha adoptado las medidas pertinentes).

6. *«Por otra parte, sobre la prescripción de la acción disciplinaria, que en opinión del afectado, habría operado en su favor conforme al artículo 155 de la ley N° 18.883, es menester precisar que, tratándose de los profesionales de la educación afectos a la ley N° 19.070, como acontece en el caso de la especie, no les resultan aplicables las normas sobre prescripción de la acción disciplinaria a que se refieren los artículos 154 y 155 de la citada ley N° 18.883, sino que la prescripción de cinco años establecida en el artículo 2.515 del Código Civil.*
En efecto, de acuerdo con el criterio sustentado por esta Contraloría General, entre otros, en los dictámenes N°s. 29.052, de 2002, y 49.575, de 2008, al no haberse establecido en la ley N° 19.070, reglas relativas a la prescripción de la acción disciplinaria de los docentes, corresponde aplicar las normas generales que contiene nuestro ordenamiento jurídico sobre la materia, esto es, la de cinco años para las acciones ordinarias, contenida en el citado artículo».
(**ID Dictamen: 069819N11 Fecha:** 07.11.2011 **Destinatarios:** Alcalde de la Municipalidad de Quilicura. **Texto:** Rechaza

reclamo de ilegalidad planteada por ex funcionario municipal, a quien se aplicara medida expulsiva en sumario adminis-trativo. **Acción:** Aplica dictámenes 12622/2004, 29052/2002, 49575/2008, 56880/2011)

7. «*Respecto de los cargos N°s. 2 y 3, y según se advierte de los antecedentes tenidos a la vista, la acción disciplinaria del municipio para perseguir la responsabilidad administrativa del señor Ramos Lobos en los hechos que le dieron origen, se encontraba prescrita a la época en que se instruyó el respectivo sumario, toda vez que, de acuerdo con lo que al efecto prevén los artículos 153, letra d), y 154 de la ley N° 18.883 habían transcurrido más de cuatro años contados desde el día en que incurrió en las acciones y omisiones que se le imputan a través de tales cargos.*
En efecto, tratándose del cargo N° 2, por el que se le reprocha haber otorgado y firmado los certificados de informacio-nes previas N°s. 4.448 y 4.563, debe señalarse que dichos actos son de fecha 13 de mayo y 1 de julio, ambas de 2002, respectivamente, en circunstancias que el sumario instruido en contra del recurrente, se inició el 30 de noviembre de 2006, es decir, en una data superior a los citados cuatro años.
Lo mismo acontece respecto del cargo N° 3, dado que el acto que fundamenta el reproche, es el oficio N° 32, de fecha 28 de enero de 2000, emitido seis años antes de la iniciación del sumario de que se trata.
En razón de lo anterior, no resultó procedente que la Municipalidad de La Reina le hubiera formulado cargos al inte-resado por los hechos antes descritos». (**ID Dictamen: 056880N11 Fecha:** 07.09.2011 **Destinatarios:** Miguel Ramos Lobos. **Texto:** Procedió medida disciplinaria de destitución en contra de Director de Obras que invalidó permiso de edificación otorgado conforme a derecho, habiéndose acreditado en el procedimiento disciplinario el cargo formula-do, vinculado a infracciones al principio de probidad administrativa. **Acción:** Aplica dictámenes 31011/2009, 3562/91, 39833/2001, 2641/2005, 49531/2008, 53290/2004, 53875/2009, 47295/2006)

8. «*Enseguida, en cuanto al argumento relativo a que el municipio pudo ejercer la acción disciplinaria en su contra, dado que por aplicación del artículo 154 de la citada ley N° 18.883, se consideró que aquella prescribía conjuntamente con la acción penal, en circunstancias que, en definitiva, no fueron sancionados penalmente, cabe aclarar que la acción es el derecho a deducir una pretensión ante un tribunal de justicia y obligar a que este se pronuncie sobre ella según co-rresponda en derecho, no siendo un requisito para la extensión del plazo de prescripción, que el tribunal califique en forma previa los hechos como constitutivos de delito, toda vez que aquella no se encuentra supeditada a las resultas del proceso criminal, como pretenden los recurrentes (aplica el dictamen N° 28.181, de 2001).*
Además, en lo que se refiere a la alegación de los recurrentes, en el sentido que, una vez obtenido el sobreseimiento definitivo, procedería que se retrotraigan las cosas, al estado de aplicar las normas sobre prescripción contenidas en el citado artículo 154 —lo que permitiría estimar, que la acción administrativa no prescribió conjuntamente con la acción penal, como lo sostienen aquéllos—, debe precisarse que un efecto de esa naturaleza únicamente se encuentra previsto por el legislador, en las hipótesis que regula el comentado artículo 119, de modo que resulta improcedente pretender su aplicación extensiva a figuras jurídicas diversas reguladas en disposiciones diferentes.
En este orden de ideas, es necesario expresar, que como lo ha concluido este Organismo Contralor en los dictámenes N°s. 696, de 1996 y 48.668, de 2005, la Administración tiene el deber de destituir, sin esperar el fallo de la Justicia Ordinaria, a aquellos servidores cuyas labores no se encuadren dentro de las normas que se exigen para el desem-peño de los cargos públicos, lo que se vincula con el principio de independencia de la sanción administrativa con las responsabilidades civil y penal, regulado en la preceptiva anotada». (**ID Dictamen: 043575N11 Fecha:** 11.07.2011 **Destinatarios:** Ricardo Leiva Uribe-Echeverría y otros. **Texto:** El derecho a solicitar la reincorporación del art. 119 de la ley 18883, se hace exigible desde que queda ejecutoriada la sentencia que declara el sobreseimiento definitivo en pro-ceso criminal pertinente y prescribe en un plazo de dos años, que se interrumpe con la petición ante la municipalidad, iniciándose un nuevo plazo desde la fecha del oficio municipal denegatorio. **Acción:** Aplica dictámenes 28181/2001, 696/96, 48668/2005 Confirma dictamen 29915/2009)[344]

9. «*Por último, esa municipalidad deberá ordenar la instrucción de un sumario con el objeto de determinar las eventua-les responsabilidades administrativas de los funcionarios que hicieron incurrir a la municipalidad en el no pago de las cotizaciones previsionales de que se trata —pese a tratarse de una obligación emanada de la ley—, o que lo hicieron erróneamente, por cuanto ello implicará el entero de intereses y multas para el municipio, generando un detrimento al*

---

[344]   Para efectos de su consulta en la Base de Jurisprudencia de Contraloría General de la República, el citado dictamen se encuentra en la sección/materia: «generales», sin perjuicio de que se trata de uno de carácter municipal.

*patrimonio del mismo, **debiendo tenerse en cuenta, por cierto, el plazo de prescripción previsto en el artículo 154 de la ley Nº 18.883.***

Lo anterior, sin perjuicio de las facultades conferidas a esta Contraloría General en el artículo 97 de la ley Nº 20.255, *en relación con el incumplimiento de la obligación de efectuar los aportes previsionales y las responsabilidades administrativas derivadas de dicha infracción, y de aquellas que emanan de la ley Nº 10.336, en particular, la que faculta a este Organismo de Control para formular el correspondiente reparo en contra de los servidores que, por no cumplir oportuna y debidamente, con sus deberes y obligaciones, dieron origen al pago de intereses y multas».* **(ID Dictamen: 070479N12 Fecha:** 14.11.2012 **Destinatarios:** Alcalde de la Municipalidad de Putre. **Texto:** Sobre procedencia de pago de multas e intereses por no entero de cotizaciones previsionales en situación que indica. **Acción:** aplica dictámenes 5045/2000, 38356/2009, 26192/2012, 29923/97, 52082/2002, 21464/2010)[345]

10. *«Sobre el particular, cumple esta Entidad de Fiscalización con señalar que el artículo 153 de la ley Nº 18.883, Estatuto Administrativo para funcionarios municipales, dispone, en lo que interesa, que la responsabilidad administrativa del funcionario se extingue por la prescripción de la acción disciplinaria y que, acorde al **artículo 154** del referido cuerpo normativo, la misma prescribe en el plazo de cuatro años contados desde el día en que éste hubiere realizado la acción u omisión que le da origen, prescripción que se interrumpe o suspende en los casos que se consignan en su artículo 155 (**aplica dictamen Nº 64.814, de 2011**).*
En ese contexto y teniendo presente, por una parte, que han transcurrido más de cuatro años desde la fecha en que se habrían efectuado las aludidas regularizaciones —entre el 28 de abril de 1999 y el 29 de agosto de 2006— y, por otra, que no se advierte de los antecedentes acompañados, en esta oportunidad, que hubiere operado alguna de las causales de interrupción o suspensión de la referida prescripción, se ha estimado del caso no iniciar, en la situación que se analiza, el procedimiento disciplinario requerido». **(ID Dictamen: 048373N12**[346] **Fecha:** 08.08.2012 **Destinatarios:** Secretaria Regional Ministerial Metropolitana de Vivienda y Urbanismo. **Texto:** No cabe iniciar procedimiento disciplinario en contra de Director de Obras Municipales, por cuanto han transcurrido más de cuatro años desde la fecha en que se habrían efectuado las regularizaciones a que se alude, sin que se advierta que hubiere operado alguna causal de interrupción o suspensión de la prescripción. **Acción:** Aplica dictamen 64814/2011[347])

Artículo 155

La prescripción de la acción disciplinaria se interrumpe, perdiéndose el tiempo transcurrido, si el funcionario incurriere nuevamente en falta administrativa, y se suspende desde que se formulen cargos en el sumario o investigación sumaria respectiva.

Si el proceso administrativo se paraliza por más de dos años, o transcurren dos calificaciones funcionarias sin que haya sido sancionado, continuará corriendo el plazo de la prescripción como si no se hubiese interrumpido.

1. *«Se ha dirigido a esta Contraloría General la Municipalidad de Puyehue solicitando la reconsideración del oficio Nº 5.211, de 2016, de la Contraloría Regional de Los Lagos, que concluyó, en lo que interesa, que se encontraría prescrita la responsabilidad administrativa determinada en el sumario a cuyo término, mediante el decreto alcaldicio Nº 2.659, de 2016, se le aplicó a don Nelson Valderas Márquez la medida disciplinaria de destitución, toda vez que habrían transcurrido más de 5 años desde que se cometió la infracción reprochada, debiendo dicho municipio dictar el pertinente acto administrativo que declare su sobreseimiento definitivo, agregando que el cargo formulado al mencionado servidor le*

---

[345] Para efectos de su consulta en la Base de Jurisprudencia de Contraloría General de la República, el citado dictamen se encuentra en la sección/materia: «generales», sin perjuicio de que se trata de uno de carácter municipal.

[346] Para efectos de su consulta en la Base de Jurisprudencia de Contraloría General de la República, el citado dictamen se encuentra en la sección/materia: «generales».

[347] Para efectos de su consulta en la Base de Jurisprudencia de Contraloría General de la República, el citado dictamen se encuentra en la sección/materia: «generales».

fue formulado en forma imprecisa». **(ID Dictamen:** 014513N17. **Fecha:** 24-04-2017. **Destinatarios: Municipalidad de Puyehue. Texto:** Reconsidera oficio Nº 1.644, de 2016 (*), de la Contraloría Regional de Los Lagos, ya que la acción disciplinaria de funcionario que indica, no se encuentra prescrita. **Acción:** aplica dictámenes 26763/99, 55828/2011, 5651/2014).

2. *«La Contraloría Regional de Los Lagos ha remitido la presentación de la señora Ulda Vargas Pinol, exfuncionaria de la Municipalidad de San Juan de la Costa, mediante la cual solicita la reconsideración del oficio Nº 4.767, de 2015, de ese origen, que ratificó —en conformidad con lo dispuesto en el artículo 25 de la ley Nº 19.296— la medida disciplinaria de destitución —contemplada en los artículos 120, letra d), y 123, de la ley Nº 18.883—, que le fuera aplicada a través del decreto Nº 4.139, de 2014, de tal ente edilicio, por cuanto estimó que la reclamación interpuesta en contra de dicho acto administrativo había sido extemporánea, sin perjuicio de lo cual precisó, que el pertinente proceso sumarial se encontraba ajustado a derecho».* **(ID Dictamen:** 018919N16. **Fecha:** 09-03-2016. **Destinatarios:** señora Ulda Vargas Pinol, exfuncionaria de la Municipalidad de San Juan de la Costa. **Texto:** Reconsidera oficio Nº 4.767, de 2015, de la Contraloría Regional de Los Lagos, por cuanto el hecho constitutivo de uno de los cargos formulados se encuentra prescrito; y, efectúa precisión que indica. **Acción:** Aplica dictámenes 73001/2015, 31011/2009, 41239/2014).

3. *«Desestima reclamos de ilegalidad en contra de decreto alcaldicio que indica, por cuanto la acción disciplinaria no se encuentra prescrita, al no completarse los cuatro años establecidos en el inciso primero del artículo 154 de la ley Nº 18.883».* **(ID Dictamen:** 011370N16. **Fecha:** 12-02-2016. **Destinatarios: señor Ricardo Henríquez Valdés, funcionario de la Municipalidad de Maipú. Texto:** Desestima reclamos de ilegalidad en contra de decreto alcaldicio que indica, por cuanto la acción disciplinaria no se encuentra prescrita, al no completarse los cuatro años establecidos en el inciso primero del artículo 154 de la ley Nº 18.883. **Acción:** Aplica dictámenes 17865/95, 10075/2011, 52491/2012, 55419/2015, 42741/2011, 39563/2011, 57220/2013, 51321/2014).

4. *«Por otra parte, sobre la prescripción de la acción disciplinaria, que en opinión del afectado, habría operado en su favor conforme al **artículo 155 de la ley Nº 18.883**, es menester precisar que, **tratándose de los profesionales de la educación afectos a la ley Nº 19.070, como acontece en el caso de la especie, no les resultan aplicables las normas sobre prescripción de la acción disciplinaria a que se refieren los artículos 154 y 155 de la citada ley Nº 18.883, sino que la prescripción de cinco años establecida en el artículo 2.515 del Código Civil.***
*En efecto, de acuerdo con el **criterio sustentado por esta Contraloría General, entre otros, en los dictámenes Nºs. 29.052, de 2002, y 49.575, de 2008, al no haberse establecido en la ley Nº 19.070, reglas relativas a la prescripción de la acción disciplinaria de los docentes, corresponde aplicar las normas generales que contiene nuestro ordenamiento jurídico sobre la materia, esto es, la de cinco años para las acciones ordinarias, contenida en el citado artículo».***
(ID Dictamen: 069819N11 **Fecha:** 07.11.2011 **Destinatarios:** Alcalde de la Municipalidad de Quilicura. **Texto:** Rechaza reclamo de ilegalidad planteada por ex funcionario municipal, a quien se aplicara medida expulsiva en sumario administrativo. **Acción:** Aplica dictámenes 12622/2004, 29052/2002, 49575/2008, 56880/2011)

5. *«Sobre el particular, cumple esta Entidad de Fiscalización con señalar que el artículo 153 de la ley Nº 18.883, Estatuto Administrativo para funcionarios municipales, dispone, en lo que interesa, que la responsabilidad administrativa del funcionario se extingue por la prescripción de la acción disciplinaria y que, acorde al 154 del citado cuerpo legal, dicha acción disciplinaria prescribirá en cuatro años contados desde el día en que éste hubiere incurrido en la acción u omisión que le da origen, **prescripción que se interrumpe o suspende en los casos que se consignan en su artículo 155**.*
*En ese contexto y teniendo presente, por una parte, que el mencionado decreto Nº 1 data de 02 de enero de 2007, y que fue publicado con fecha 28 de abril del mismo año, de modo que han transcurrido más de cuatro años desde la ocurrencia de los hechos que se denuncian y, por otra, que **no se advierten antecedentes de que hubiere operado alguna de las causales de interrupción o suspensión de la referida prescripción, se ha estimado del caso no iniciar, en la situación que se analiza**, el sumario administrativo requerido por el documento de la suma».* **(ID Dictamen:** 048373N12[348] **Fecha:** 08.08.2012 **Destinatarios:** Secretaria Regional Ministerial Metropolitana de Vivienda y Urbanismo. **Texto:** No cabe iniciar procedimiento disciplinario en contra de Director de Obras Municipales, por cuanto han transcurrido más

---

[348] Para efectos de su consulta en la Base de Jurisprudencia de Contraloría General de la República, el citado dictamen se encuentra en la sección/materia: «generales».

de cuatro años desde la fecha en que se habrían efectuado las regularizaciones a que se alude, sin que se advierta que hubiere operado alguna causal de interrupción o suspensión de la prescripción. **Acción:** Aplica dictamen 64814/2011[349])

6. *«Por último, en cuanto a la alegación de la servidora destituida, en el sentido de que se encontraría prescrita la responsabilidad administrativa que le cabe en los hechos investigados en el proceso disciplinario de que se trata, es dable señalar que, de acuerdo a lo dispuesto en el **inciso primero del artículo 155 de la citada ley Nº 18.883**, la **prescripción de la acción disciplinaria se suspende desde que se formulen cargos en el sumario respectivo**, lo que aconteció en la especie con fecha 3 de noviembre de 2009, siendo **notificados** a la afectada el 4 de ese mismo mes y año, por lo que debe desestimarse su reclamación en ese sentido».* (**ID Dictamen: 062806N12 Fecha:** 09.10.2012 **Destinatarios:** Alcaldesa de la Municipalidad de El Quisco. **Texto:** Complementa y aclara oficio 6827/2011, de la Contraloría Regional de Valparaíso, y dictamen 79687/2011, de este origen, en relación con sumario administrativo instruido en la Municipalidad de El Quisco. **Acción:** Aplica dictámenes 24552/2003, 46938/2010, 50081/2011 Complementa dictamen 79687/2011 aclara dictamen 79687/2011)[350]

7. *«Precisado lo anterior, es dable señalar que el inciso primero del artículo 154, de la anotada ley Nº 18.883, dispone que la acción disciplinaria de la municipalidad contra el funcionario prescribirá en cuatro años contados desde el día en que éste hubiere incurrido en la acción u omisión que le da origen; mientras que el **artículo 155 del mismo cuerpo legal** establece, en lo que interesa, que la prescripción de la acción disciplinaria se interrumpe, perdiéndose el tiempo transcurrido, si el funcionario incurriere nuevamente en falta administrativa. A su turno, el inciso segundo del artículo 118 de la citada ley, establece que la infracción a los deberes y obligaciones funcionarios "deberá ser acreditada mediante investigación sumaria o sumario administrativo".*
*Del tenor de las disposiciones transcritas, se desprende que **para que se interrumpa la prescripción aludida, es menester que el funcionario incurra en una nueva falta administrativa**, circunstancia que debe determinarse mediante la investigación correspondiente, siendo insuficiente para estos efectos la sola ocurrencia de un hecho que pueda revestir caracteres de una infracción a sus deberes estatutarios.*
Sobre este punto, la jurisprudencia de esta Entidad de Fiscalización ha precisado que una vez afinado el proceso disciplinario instruido con motivo de una nueva falta cometida por el mismo servidor y en el que se le aplique una sanción, el plazo de prescripción de que se trata se entenderá interrumpido a contar del día en que ocurrieron los hechos materia de esta nueva infracción y, si es menester, se ordenará la reapertura del procedimiento en que el afectado fue absuelto o sobreseído por la mencionada forma de extinguir la responsabilidad administrativa que, en estricto rigor, se interrumpió por una infracción posterior (aplica criterio contenido en los dictámenes Nºs. 6.926, de 2001; y 29.991, de 2010).
De esa manera, las conductas materia de reproche que el peticionario alega como reiteraciones, no tienen el mérito de interrumpir la prescripción, habida cuenta que ellas no fueron debidamente constatadas mediante la instrucción de un expediente sumarial distinto del que se instruyó». (**ID Dictamen: 046072N12 Fecha:** 30.07.2012 **Destinatarios:** Alcalde de la Municipalidad de Maipú. **Texto:** Rechaza solicitud de reconsideración de dictamen 4170/2012, de este origen, relativo a medida disciplinaria de destitución aplicada a funcionaria municipal afecta a fuero gremial, solicitud de reincorporación, y petición que indica. **Acción:** Aplica dictámenes 6926/2001, 29991/2010, 15657/2012, 24927/2012, 51667/2008, 32692/2011, 15860/2012 Confirma dictamen 4170/2012)

8. *«En relación con lo anterior, es necesario indicar que el artículo 154, inciso primero, de la ley Nº 18.883, Estatuto Administrativo para Funcionarios Municipales, dispone que la acción disciplinaria de la municipalidad contra el funcionario prescribirá en cuatro años contados desde el día en que éste hubiere incurrido en la acción u omisión que le da origen.*
*Por su parte, el **artículo 155 del mismo cuerpo legal**, establece que la prescripción de la acción disciplinaria se interrumpe, perdiéndose el tiempo transcurrido, si el funcionario incurriere nuevamente en falta administrativa. Añade su inciso segundo, que si el proceso administrativo se paraliza por más de dos años, o transcurren dos calificaciones funcionarias sin que haya sido sancionado, continuará corriendo el plazo de la prescripción como si no se hubiere interrumpido.*

---

[349] Para efectos de su consulta en la Base de Jurisprudencia de Contraloría General de la República, el citado dictamen se encuentra en la sección/materia: «generales».

[350] Para efectos de su consulta en la Base de Jurisprudencia de Contraloría General de la República, el citado dictamen se encuentra en la sección/materia: «generales», sin perjuicio de que se trata de uno de carácter municipal.

*Al respecto, la **jurisprudencia administrativa de este Ente de Control ha precisado que, una vez afinado el proceso disciplinario instruido con motivo de una nueva falta cometida por el mismo servidor y en el que se le aplique una medida disciplinaria, el plazo de prescripción de que se trata se entenderá interrumpido a contar del día en que ocurrieron los hechos materia de esta nueva infracción y, si es menester, se ordenará la reapertura del proceso en que el afectado fue absuelto o sobreseído por una prescripción que, en estricto rigor, se interrumpió por una infracción posterior (aplica dictamen Nº 29.991, de 2010).***

*Siendo así, cabe indicar que **para que se interrumpa la prescripción de la acción disciplinaria, es necesario que el funcionario afectado incurra en nuevas faltas, y que éstas hayan sido sancionadas en otro procedimiento diverso**, cuestión que no aconteció en la especie.*

En efecto, las conductas posteriores cometidas por la señora Valenzuela Solís en virtud de las cuales se pretende interrumpir la prescripción a que se ha hecho referencia, fueron incorporadas al mismo procedimiento sumarial en estudio, por lo que al no existir una sanción diversa respecto de aquellas, no procede disponer una medida disciplinaria que sancione la participación de la inculpada en el nombramiento de su hermano, toda vez que en relación con esa falta, acorde con el artículo 154 de la ley Nº 18.883, la acción disciplinaria se encuentra prescrita». **(ID Dictamen: 004170N12 Fecha:** 23.01.2012 **Destinatarios:** Alcalde de la Municipalidad de Maipú. **Texto:** Sobre procedencia de medida disciplinaria de destitución de funcionaria municipal afecta a fuero gremial. **Acción:** aplica dictámenes 35972/2011, 29991/2010, 42476/2011)

9. «*Por su parte, de acuerdo con el **artículo 155, del mismo texto estatutario,** la prescripción de que se trata se suspende desde que se formulan cargos; pero si el proceso administrativo se paraliza por más de dos años, o transcurren dos calificaciones funcionarias sin que haya sido sancionado el servidor afectado, continuará corriendo el plazo de prescripción como si no se hubiese suspendido, según lo precisado en el **dictamen Nº 17.865, de 1995.***

*En la especie, analizados los antecedentes que obran en poder de esta Entidad de Control, se verifica que la reclamante mantuvo la conducta que configuró la infracción investigada desde el 1 de enero de 2004 hasta el 31 de marzo de 2006, y que fue notificada de los primeros cargos que se formularon en su contra, con fecha 2 de octubre de 2006 —según consta a fojas 37—, **actuación, esta última, que suspendió la prescripción** de seis meses y dos días **que se encontraba corriendo a su favor (aplica dictámenes Nºs. 6.926, de 2001 y 25.203, de 2009).***

*Del mismo modo, es preciso tener en consideración que si bien entre la aludida formulación de cargos y la data en que tomó conocimiento del rechazo del recurso de reposición presentado en contra de la medida que se le aplicó, transcurrieron dos calificaciones funcionarias —la finalizada el 31 de diciembre de 2006 y la que concluyó en igual día y mes del año 2007— **el plazo de prescripción continuó corriendo desde esta última data (aplica dictámenes Nºs. 76.494,** 2010 y 10.075, de 2011).*

*Ahora bien, sumado el período de seis meses y dos días —comprendido entre la comisión de la falta y la notificación de los primeros cargos—, y el que siguió corriendo desde la finalización de la segunda de las referidas calificaciones, hasta el 16 de noviembre de 2010, data en que tomó conocimiento del decreto alcaldicio Nº 281, de igual año —a través del cual se rechazó la reposición que interpusiera en contra de la medida expulsiva aplicada por el decreto Nº 264, de 2010—, se advierte que ambos enteran cuarenta meses y diecisiete días, sin que se alcance, en consecuencia, el plazo de cuatro años que estipula el mencionado **artículo 154 de la ley Nº 18.883, para que prescriba la acción disciplinaria (aplica dictámenes Nºs. 42.741, y 39.563, ambos de 2011).***

*En lo que concierne a que mientras se encuentra pendiente el conocimiento del reclamo interpuesto, no sería posible que la medida dispuesta surta sus efectos, como tampoco que la Municipalidad de Pelluhue hubiere dictado el decreto Nº 382, de 2011 —instrumento que, en lo pertinente, declaró la vacancia de su cargo—, es necesario recordar que, de acuerdo con el artículo 57 de la ley Nº 19.880, de Bases de los Procedimientos Administrativos que Rigen los Actos de los Órganos de la Administración del Estado, **la interposición de un reclamo en contra de la aplicación de una medida disciplinaria no suspende la ejecución del acto impugnado, cuyos efectos rigen y deben ser acatados en plenitud desde la fecha de su notificación a la afectada, sin que su eficacia se subordine, en este caso, al resultado del recurso deducido por aquella (aplica criterio contenido en el dictamen Nº 4.824 de 2009)».* **(ID Dictamen: 071484N11 Fecha:** 15.11.2011 Destinatarios Municipalidad de Pelluhue. **Texto:** Desestima solicitud de reconsideración de oficio de Contraloría Regional del Maule que se pronunció sobre sumario administrativo instruido a funcionarios de la Municipalidad de Pelluhue que aplica medida expulsiva y del reclamo de ilegalidad sobre el mismo, por no haberse presentado dentro de plazo. **Acción:** Aplica dictámenes 77577/2010, 30733/2000, 49580/2008, 74066/2010, 17865/95, 6926/2001, 25203/2009, 76494/2010, 10075/2011, 42741/2011, 39563/2011, 4824/2009, 4182/2011)

TÍTULO FINAL
Disposiciones Varias

Artículo 156

Los funcionarios tendrán derecho a reclamar ante la Contraloría General de la República, cuando se hubieren producido vicios de legalidad que afectaren los derechos que les confiere este Estatuto. Para dicho efecto, los funcionarios tendrán un plazo de diez días hábiles, contado desde que tuvieren conocimiento de la situación, resolución o actuación que dio lugar al vicio de que se reclama. Tratándose de beneficios o derechos relacionados con remuneraciones, asignaciones o viáticos, el plazo para reclamar será de sesenta días.

Igual derecho tendrán las personas que postulen a un concurso público para ingresar a un cargo en una municipalidad, debiendo ejercerlo dentro del plazo de diez días, contado en la forma indicada en el inciso anterior.

La Contraloría General de la República deberá resolver el reclamo, previo informe del alcalde respectivo. El informe deberá ser emitido dentro de los diez días hábiles siguientes a la solicitud que le formule la Contraloría. Vencido este plazo, con o sin el informe, la Contraloría procederá a resolver el reclamo, para lo cual dispondrá de veinte días hábiles.

1. «Se han dirigido a esta Contraloría General don Marcelo Mejías Caris y la señora Paola Cerda González, ambos exservidores de la Municipalidad de Cerrillos, quienes haciendo uso del derecho establecido en el artículo 156 de la ley Nº 18.883, reclaman respecto de la medida disciplinaria de destitución que se les aplicó por medio del decreto alcaldicio Nº 201, de 2015, con arreglo a lo previsto en el artículo 120, letra d), del citado texto estatutario». (ID Dictamen: 042573N16. Fecha: 09-06-2016. Destinatarios: don Marcelo Mejías Caris y la señora Paola Cerda González, ambos exservidores de la Municipalidad de Cerrillos. Texto: Rechaza reclamos de ilegalidad en contra de medidas disciplinarias de destitución. Acción: Aplica dictámenes 76866/2015, 21093/2015, 35562/2016, 91174/2014, 12271/2015, 64668/2014).

2. «En este punto, es necesario aclarar al Servicio Local de Puerto Cordillera que el dictamen Nº 6.400, de 2018, no estableció que a los docentes se les apliquen los artículos 160 de la ley Nº 18.834 o 156 de la ley Nº 18.883, en atención a que la normativa estatutaria que los rige no les ha hecho extensivas tales instancias de reclamación». (ID Dictamen: 029618N18. Fecha: 28-11-2018. Destinatarios: señoras Claudia Aguirre López y Maritza Vicentelo Ogalde, ambas exdocentes de la Municipalidad de Coquimbo. Texto: Resultó improcedente que municipio pusiera término a las relaciones laborales de las docentes que indica, al estar amparadas por la confianza legítima; y que luego el respectivo servicio local disminuyera las horas contratadas de una de ellas, contraviniendo la ley Nº 21.040. Acción: Aplica dictámenes 22766/2016, 85700/2016, 14243/2018, 6400/2018).

3. «Puntualizado lo anterior, y en la situación de la especie, cabe recordar que el señor Molina Zamora fue calificado por el período 2014-2015 en conformidad con la reseñada normativa, obteniendo 17 puntos, frente a lo cual ejerció los derechos establecidos en el referido estatuto impugnando tal evaluación, primero ante el alcalde, y luego ante esta Contraloría General, acorde con los artículos 47 y 156, ambos de la ley Nº 18.883, siendo rechazada su reclamación mediante el dictamen Nº 27.777, de 2016, por lo que una vez ejecutoriada su calificación al notificársele la resolución de esta Entidad Contralora, resultó ubicado en Lista Nº 4, de Eliminación». (ID Dictamen: 025294N18. Fecha: 08-10-2018. Destinatarios: don Iván Gajardo Calderón, exconcejal de la Municipalidad de Macul. Texto: La causal de cese de funciones de declaración de vacancia por «calificación del funcionario en lista de eliminación», es aplicable a quien desempeña el cargo de Director de la Unidad de Control Municipal, sin que se requiera, para hacerla efectiva, de la tramitación previa de un sumario administrativo. Acción: Aplica dictámenes 85838/2016, 85233/2015, 27777/2016, 1772/2015).

4. «Con todo, cumple con anotar que atendido que la última renovación de la recurrente, por solo seis meses, se dispuso mediante el decreto alcaldicio Nº 25, de 15 de enero de 2016, a la época de la presente alegación —8 de julio de dicho año—, se encontraba latamente vencido el plazo que el artículo 156 de la ley Nº 18.883 establece para reclamar ante esta Entidad Fiscalizadora». (ID Dictamen: 045006N17. Fecha: 28-12-2017. Destinatarios: señora Katterine Marín

Sorich. Texto: Desestima reclamo de exfuncionaria de la Municipalidad de Iquique, por las razones que indica. **Acción:** Aplica dictámenes 22766/2016, 85700/2016, 70966/2016, 53844/2016, 97992/2014, 10409/2015).

5. «*Enseguida, debe indicarse que en aquellos casos en que las reiteradas renovaciones de las contrataciones de un funcionario hayan generado en este la confianza legítima de que su designación será prorrogada o renovada, aquel tiene, en virtud de lo establecido en el artículo 156 de la ley Nº 18.883, un plazo de diez días hábiles para reclamar ante este Ente de Fiscalización en contra de la decisión de la autoridad de no renovarla, contado desde que tuviere conocimiento de la situación, resolución o actuación que dio lugar al vicio de que se reclama*». (**ID Dictamen:** 026217N17. **Fecha:** 17-07-2017. **Destinatarios:** doña María Romero Pérez, exfuncionaria del Departamento de Salud de la Municipalidad de Talca. **Texto:** Término del vínculo laboral de funcionaria regida por la Ley Nº 19.378, se produjo por el vencimiento del plazo, sin que proceda aplicar el criterio contenido en el dictamen Nº 22.766, de 2016, por cuanto su reclamación fue extemporánea. **Acción.**

6. «*La Contraloría Regional del Bío-Bío ha remitido la presentación del señor Manuel Cerda Sepúlveda quien, en representación del señor Mario Pérez Aravena, exfuncionario de la Municipalidad de Chillán, solicita la reconsideración del oficio Nº 3.041, de 2016, de esa Sede Regional, mediante el cual se desestimó su reclamo relativo a que se ordenara que esa entidad edilicia dejara sin efecto el decreto alcaldicio Nº 7.245, de 2015, del anotado municipio, que rechazó el recurso de invalidación que aquel interpusiera en contra de los decretos alcaldicios Nºs. 193 y 217, ambos de 2013, a través de los cuales se le aplicó y mantuvo, respectivamente, la medida disciplinaria de destitución, al término de un sumario administrativo*». (**ID Dictamen:** 014862N17. **Fecha:** 26-04-2017. **Destinatarios:** señor Manuel Cerda Sepúlveda quien, en representación del señor Mario Pérez Aravena, exfuncionario de la Municipalidad de Chillán. **Texto:** Desestima solicitud de reconsideración del oficio Nº 3.041, de 2016, de la Contraloría Regional del Bío-Bío, por las razones que indica. **Acción:** Aplica dictámenes 43774/2015, 48885/2012, 18353/2009, 80858/2014).

7. «*Requerida al efecto, la citada entidad edilicia informó, en lo que importa, que los reclamos de la señora Véliz Syfrig en contra de los escalafones vigentes para los años 2015 y 2016, respectivamente, serían extemporáneos, pues ambos instrumentos fueron publicados el 20 de junio de 2016, interponiendo ante la Sede Regional del Maule la presentación tendiente a impugnar los aludidos escalafones una vez vencido el término previsto para ello en el artículo 156 de la ley Nº 18.883*». (**ID Dictamen:** 006310N17. **Fecha:** 21-02-2017. **Destinatarios:** señora Alda Véliz Syfrig, funcionaria de la Municipalidad de Constitución. **Texto:** Rechaza por extemporáneos, reclamo sobre ubicación en los escalafones vigentes para los años 2015 y 2016, de la Municipalidad de Constitución. **Acción:** Aplica dictamen 92197/2016).

8. «*La Contraloría Regional del Bío-Bío ha remitido la presentación efectuada por doña Marcela Garrido Blu, funcionaria de la Municipalidad de Concepción, quien en el ejercicio del derecho establecido en el artículo 156 de la ley Nº 18.883, reclama respecto de la medida disciplinaria de censura, contemplada en los artículos 120, letra a), y 121, del citado texto legal, que le fuera aplicada a través del decreto alcaldicio Nº 500, de 2016*». (**ID Dictamen:** 005768N17. **Fecha:** 15-02-2017. **Destinatarios: doña Marcela Garrido Blu, funcionaria de la Municipalidad de Concepción. Texto:** Municipio debió proceder a la encomendación de funciones que indica en un servidor que integre la planta de directivos o jefaturas. Rechaza reclamo en contra de sumario que señala. **Acción:** aplica dictámenes 42292/2014, 44445/2010, 3705/2012).

9. «*Sobre el particular, el inciso tercero del artículo 50 de la ley Nº 18.883, prevé que los funcionarios tendrán derecho a reclamar de su ubicación en el escalafón con arreglo al artículo 156 del referido texto legal, vale decir, dentro del plazo de diez días hábiles, contado desde la fecha en que tal instrumento esté a disposición de los empleados para ser consultado, de modo que, una vez transcurrido dicho término sin que se haya hecho uso de esa prerrogativa, aquel adquiere el carácter de inamovible*». (**ID Dictamen:** 003958N17. **Fecha:** 03-02-2017. **Destinatarios: señor Jorge Mellado Hidalgo, secretario municipal de la Municipalidad de Los Ángeles. Texto:** Para efectos del escalafón vigente para el año 2016 de la Municipalidad de Los Ángeles, el factor antigüedad en el cargo, tratándose de un aumento de grado producido por aplicación del inciso tercero del artículo 16 de la ley Nº 18.695, no coincide con la antigüedad en el grado. **Acción:** Aplica dictámenes 25455/2012, 26936/2016, 10749/2015).

10. «*Finalmente, en lo que atañe al requerimiento relacionado con la integración de la comisión evaluadora del certamen indicado, es preciso señalar que acorde con la jurisprudencia administrativa de esta Entidad de Control contenida, entre otros, en los dictámenes Nºs. 58.002, de 2010, y 74.986, de 2012, solo en la medida que el concurso finalice con el correspondiente acto resolutivo de la autoridad y que quienes postularon al mismo consideren que en aquel se produjeron vicios de legalidad que los afectan, podrán reclamar, de conformidad con el artículo 156 de la ley Nº 18.883 –aplicable supletoriamente al personal regido por el Estatuto de Atención Primaria de Salud Municipal, en virtud de lo dispuesto*

en el artículo 4º, inciso primero, de ese último cuerpo normativo—, dentro del plazo de diez días hábiles, contado desde que tuvieron conocimiento de la situación, resolución o actuación que dio lugar al vicio de que se trate». (**ID Dictamen:** 000397N17. **Fecha:** 05-01-2017. **Destinatarios: señor Alejandro Luarte Vergara, cirujano dentista del Consultorio General Rural de la Municipalidad de Cholchol. Texto:** Complementa parcialmente el dictamen Nº 18.331, de 2016, por las razones que indica. **Acción:** Complementa dictamen 18331/2016 Aplica dictámenes 19014/2007, 24292/2008, 38758/2009, 58002/2010, 74986/2012).

11. *«Rechaza por extemporáneo reclamo sobre proceso calificatorio de funcionaria regida por la ley Nº 18.883».* (**ID Dictamen:** 092219N16. **Fecha:** 23-12-2016. **Destinatarios:** señora Viviana Vásquez González, funcionaria de la Municipalidad de Buin. **Texto:** Rechaza por extemporáneo reclamo sobre proceso calificatorio de funcionaria regida por la ley Nº 18.883. **Acción:** Aplica dictamen 16884/2016).

12. *«Sobre el particular, cumple con señalar que de acuerdo al inciso tercero del artículo 50 de la ley Nº 18.883, los servidores tendrán derecho a reclamar de su ubicación en el escalafón con arreglo al inciso primero del artículo 156 del referido texto legal, vale decir, dentro del plazo de diez días hábiles, contado desde la fecha en que tal instrumento esté a disposición de los empleados a fin de ser consultado, de modo que, una vez transcurrido dicho término sin que se haya hecho uso de esa prerrogativa, aquel adquiere el carácter de inamovible, tal como lo ha manifestado la jurisprudencia de esta Contraloría General contenida, entre otros, en el dictamen Nº 97.800, de 2015».* (**ID Dictamen:** 092197N16. **Fecha:** 23-12-2016. **Destinatarios:** señora Carolina Meza Cisternas, funcionaria de la Municipalidad de San Joaquín. **Texto:** Rechaza por extemporáneo, reclamo sobre ubicación en escalafón vigente para el año 2014, de la Municipalidad de San Joaquín. **Acción:** Aplica dictamen 97800/2015).

13. *«Se ha dirigido a esta Contraloría General el señor Víctor Sotomayor Castillos, funcionario de la Municipalidad de Algarrobo, solicitando la reconsideración del oficio Nº 10.584, de 2016, de la Contraloría Regional de Valparaíso, en el cual, en lo que interesa, se señaló que a este Órgano de Control solo le corresponde intervenir en los procesos calificatorios respecto de los funcionarios que hagan uso del recurso especial de reclamación previsto en los artículos 47 y 156 de la ley Nº 18.883, no resultando procedente revisar, en forma genérica, la totalidad de los procedimientos evaluatorios llevados a cabo en una municipalidad».* (**ID Dictamen:** 091254N16. **Fecha:** 20-12-2016. **Destinatarios:** señor Víctor Sotomayor Castillos, funcionario de la Municipalidad de Algarrobo. **Texto:** Desestima solicitud de reconsideración del oficio Nº 10.584, de 2016, de la Contraloría Regional de Valparaíso. **Acción:** Aplica dictámenes 24143/2015, 24034/2010, 5846/2015).

14. *«Se ha dirigido a esta Contraloría General doña Grace Reyes Barrera, funcionaria de la Municipalidad de San Miguel —patrocinada por don Bernardo Ojeda Ojeda—, quien haciendo uso del derecho establecido en el artículo 156 de la ley Nº 18.883, reclama en contra de la medida disciplinaria de multa del 5% de su remuneración que se le aplicara mediante el decreto alcaldicio Nº 1.081, de 2016, de la referida entidad edilicia, al término del proceso disciplinario ordenado instruir mediante su similar Nº 126, de 2016, para efectos de establecer las eventuales responsabilidades administrativas en los hechos informados por la dirección de control relativos a la entrega de ayuda social».* (**ID Dictamen:** 091263N16. **Fecha:** 20-12-2016. **Destinatarios:** doña Grace Reyes Barrera, funcionaria de la Municipalidad de San Miguel. **Texto:** Desestima reclamo de ilegalidad en contra del sumario administrativo a cuyo término se aplicó la medida disciplinaria de multa del 5% a la remuneración de la funcionaria que se indica. **Acción:** Aplica dictámenes 35676/2016, 21093/2015, 24221/2014).

15. *«Sobre el particular, cabe recordar que, de acuerdo a lo indicado en el inciso primero del artículo 156 de la ley Nº 18.883, los servidores pueden reclamar ante esta Entidad Fiscalizadora, cuando se hubieren producido vicios de legalidad que afectaren los derechos que les confiere ese cuerpo normativo, para cuyo efecto tendrán un plazo de diez días hábiles, contado desde que tuvieren conocimiento de la situación, resolución o actuación que dio lugar a la infracción que se alega».* (**ID Dictamen:** 091016N16. **Fecha:** 20-12-2016. **Destinatarios:** señor Pablo Olea Vega, exfuncionario de la Municipalidad de Paine. **Texto:** Desestima por extemporáneo reclamo en contra de la medida disciplinaria de destitución. **Acción:** Aplica dictamen 4558/2015).

16. *«Se ha dirigido a esta Contraloría General el señor Sergio Achá Cartes, director de Control de la Municipalidad de Cerrillos, interponiendo el recurso de reclamación previsto en los artículos 47 y 156, ambos de la ley Nº 18.883, en contra de su proceso evaluatorio correspondiente al período 2012-2013, al término del cual quedó ubicado en lista 2, con 50 puntos, siendo notificado de dicho proceso recién en el presente año».* (**ID Dictamen:** 085898N16. **Fecha:** 28-11-2016. **Destinatarios:** Municipalidad de Mostazal. **Texto:** Sobre improcedencia de imputar gastos en personal a ingresos prove-

nientes del impuesto establecido en la ley Nº 19.995. **Acción:** Aplica dictamen 45481/2016, 29562/2016, 52154/2014, 56366/2014, 12533/2015, 27777/2016, 43222/2015).

I. VICIOS DE LEGALIDAD QUE AFECTAREN DERECHOS QUE LES CONFIERE ESTE ESTATUTO[351]:

1. «*Precisado lo anterior, y en lo que atañe a las alegaciones de mérito que plantea el recurrente, cabe manifestar que si bien de acuerdo con el referido artículo 156, compete a este Órgano de Fiscalización velar por el respeto de las normas jurídicas que rigen a los funcionarios municipales en esta materia, ello no lo convierte en una instancia procesal para que aquellos soliciten dejar sin efecto un acto administrativo dictado por la autoridad competente, sobre la base de la exposición de los mismos hechos ya investigados en el sumario correspondiente, por lo que acerca de tales consideraciones no se emitirá un pronunciamiento (aplica criterio contenido, entre otros, en el dictamen Nº 13.330, de 2012, de este origen)*». **ID Dictamen:** 079424N12 **Fecha:** 21.12.2012 **Destinatarios:** Alcaldesa de la Municipalidad de Santiago. **Texto:** Rechaza reclamo de ilegalidad en contra del decreto Nº 1.814, de 2012, de la Municipalidad de Santiago, que aplicó la medida disciplinaria de suspensión del empleo con goce del cincuenta por ciento de las remuneraciones a funcionario que indica. **Acción:** aplica dictámenes 13330/2012, 49744/2012, 59311/2012, 15364/2011. Mismo criterio aplicado reiteradamente en: **ID Dictamen:** 076051N12 **Fecha:** 06.12.2012 **Destinatarios** Rogelio Castillo Morales. **Texto:** Rechaza reclamos de ilegalidad en contra del sumario administrativo afinado por decreto 93/2012, de la Municipalidad de Peñalolén. **Acción:** Aplica dictámenes 73364/2011, 77909/2011, 73449/2011, 47766/2010, 53505/2010, 31025/2005, 24927/2012); **ID Dictamen:** 074921N12 **Fecha:** 03.12.2012 **Destinatarios:** Alcalde de la Municipalidad de Hualpén. **Texto:** Acoge reclamos de ilegalidad en contra de sumario administrativo instruido por Municipalidad y se pronuncia sobre aplicación de ley 18695 art. 29 inc/fin. **Acción:** Aplica dictámenes 49580/2008, 65284/2011, 49744/2012, 1603/2010, 72575/2011, 19892/2009, 2030/2011, 26652/82, 15116/86, 5850/96, 46231/2004, 34010/2005, 61457/2008, 20471/2009; **ID Dictamen:** 049744N12 **Fecha:** 14.08.2012 **Destinatarios:** Cristian Prieto Serey. **Texto:** Desestima reclamo de ilegalidad en contra de medida disciplinaria de destitución por atrasos reiterados **Acción:** Aplica dictámenes 29937/2012, 18835/2012, 38280/2010, 76892/2011 33054/2000, 22509/2005, 49342/2009, 44837/2011, 50081/2011, 13330/2012, 80779/2011; **ID Dictamen:** 044997N12 **Fecha:** 26.07.2012 **Destinatarios:** Alcalde de la Municipalidad de Quinta Normal. **Texto:** Rechaza reclamos de ilegalidad en contra de las medidas disciplinarias de censura aplicadas por la Municipalidad de Quinta Normal. **Acción:** Aplica dictámenes 5122/2012, 18835/2012, 67868/2010; **ID Dictamen:** 013330N12 **Fecha:** 07.03.2012 **Destinatarios:** Alcalde de la Municipalidad de Maipú. **Texto:** Desestima reclamo de ilegalidad en contra del decreto 6464/2011, de la Municipalidad de Maipú, mediante el cual se aplicó la medida disciplinaria de multa del cinco por ciento de su remuneración mensual, con arreglo a los artículos 120 lt/b, y 122 lt/a de la ley 18883, a funcionario de esa entidad edilicia. **Acción:** Aplica dictámenes 28791/2009, 44837/2011, 62969/2009, 27262/2006; **ID Dictamen:** 081326N11 **Fecha:** 29.12.2011 **Destinatarios:** Alcaldesa de la Municipalidad de Recoleta **Texto** Atiende reclamo de ilegalidad en contra del decreto Nº 820, de 2011, de la Municipalidad de Recoleta. **Acción:** Aplica dictámenes 49465/2006, 47412/2007, 2373/2010; **ID Dictamen:** 080779N11 **Fecha:** 27.12.2011 **Destinatarios:** Alcalde de la Municipalidad de La Cisterna. **Texto:** Sobre reclamos de ilegalidad en contra de decretos que aplican las medidas disciplinarias que indican. **Acción:** Aplica dictámenes 57368/2010, 9604/2000, 4182/2011, 42127/2009; **ID Dictamen:** 065284N11 **Fecha:** 17.10.2011 **Destinatarios:** Alcalde de la Municipalidad de San Miguel. **Texto:** Restituye actos administrativos emanados de la Municipalidad de San Miguel referidos a procedimiento disciplinario señalando que sólo están afectos a registro el acto terminal que absuelve, sobresee o aplica medida a funcionario determinado y no un acto interno del proceso, como es el caso. **Acción:** aplica dictámenes 28791/2009, 44837/2011, 50081/2011, 61869/2004, 62969/2009, 49580/2008, 52975/2009, 17457/2011, 56880/2011, 31011/2009, 42476/2011; **ID Dictamen:** 056880N11 **Fecha:** 07.09.2011 **Destinatarios:** Miguel Ramos Lobos. **Texto:** Procedió medida disciplinaria de destitución en contra de Director de Obras que invalidó permiso de edificación otorgado conforme a derecho, habiéndose acreditado en el procedimiento disciplinario el cargo formulado, vinculado a infracciones al principio de probidad administrativa. **Acción:** Aplica dictámenes 31011/2009, 3562/91, 39833/2001, 2641/2005, 49531/2008, 53290/2004, 53875/2009, 47295/2006; **ID Dictamen:** 056865N11[352] **Fecha:** 07.09.2011 **Destinatarios:** Alcalde de la Municipalidad de Ñuñoa. **Texto:** Observa decreto 818/2011, de la Municipalidad de Ñuñoa, que aplica medidas disciplinarias y absuelve a funcio-

---

[351]   Materia destacada al tenor del precepto legal. Sólo para fines de selección.

[352]   Para efectos de su consulta en la Base de Jurisprudencia de Contraloría General de la República, el citado dictamen se encuentra en la sección/materia: «generales», sin perjuicio de que se trata de uno de carácter municipal.

narios que indica, y atiende reclamos de ilegalidad. **Acción:** Aplica dictámenes 38203/2002, 35623/2006, 50081/2011; **ID Dictamen: 043890N11 Fecha:** 12.07.2011 **Destinatarios** Patricio Ossa. **Texto:** Acerca de solicitud de reconsideración del dictamen 8331/2011 que rechazó una reclamación por extemporánea. Se pronuncia sobre la legalidad de medida disciplinaria aplicada a funcionario municipal. **Acción:** Reconsidera dictamen 8331/2011; e **ID Dictamen: 039321N11 Fecha:** 23.06.2011 **Destinatarios:** Alcalde de la Municipalidad de Paine. **Texto:** Sobre reclamo de ilegalidad en contra de decreto municipal que aplica medidas disciplinarias y consideraciones sobre alegaciones que indica. **Acción:** aplica dictámenes 34503/2004, 17860/2008).

16. «*En relación con el mérito de la sanción aplicada, corresponde señalar que si bien compete a este organismo de control velar por el respeto de las normas legales y constitucionales que rigen a los funcionarios municipales, entre las que se encuentran las relativas a los procedimientos disciplinarios y a la aplicación o interpretación de las normas jurídicas que regulan la garantía constitucional de un debido proceso, ello no lo convierte en una instancia procesal para que se solicite dejar sin efecto un acto administrativo dictado por la autoridad edilicia competente, sobre la base de la exposición de los mismos hechos ya investigados en el sumario, correspondiéndole a aquélla la atribución exclusiva de ponderar la gravedad de la falta cometida de conformidad con los elementos de convicción tenidos a la vista y determinar la sanción que en derecho corresponda aplicar*». (**ID Dictamen: 039321N11 Fecha:** 23.06.2011 **Destinatarios:** Alcalde de la Municipalidad de Paine. **Texto:** Sobre reclamo de ilegalidad en contra de decreto municipal que aplica medidas disciplinarias y consideraciones sobre alegaciones que indica. **Acción:** aplica dictámenes 34503/2004, 17860/2008)

2. «*Finalmente, en lo que atañe a la alegación que se formula, acerca de las irregularidades que se habrían cometido en un sumario administrativo instruido por la entidad edilicia, cumple informar que en el evento que el peticionario resulte afectado por la aplicación de una medida disciplinaria y considere que el respectivo proceso adolece de vicios de legalidad, puede interponer ante la Sede Regional de Los Lagos el recurso especial de reclamación previsto en el artículo 156 de la ley N° 18.883, sobre Estatuto Administrativo para Funcionarios Municipales —aplicable en forma supletoria al personal regido por la ley N° 19.378, según se dispone en el artículo 4° de este último texto legal—, dentro del plazo de diez días hábiles, contado desde que se le notifique el decreto de término, lo que no se acredita en el presente caso, toda vez que aquel se encontraría en tramitación*». (**ID Dictamen: 081736N11**[353] **Fecha:** 29.12.2011 **Destinatarios:** Antonio Gallardo Bocic. **Texto:** A contar de la publicación de la ley 20250, 9/2/2008, para el cumplimiento de las funciones propias de las dependencias del Departamento de Salud Municipal, las municipalidades deben contratar al personal sujeto a ley 19378 y, traspasar al mismo estatuto al personal que se encuentra en la situación que indica el art. tercero transitorio de ley 20250. **Acción:** Aplica dictámenes 40429/2011, 70920/2011. Mismo criterio aplicado reiteradamente en

3. «*Finalmente, es dable manifestar que, en el evento que la interesada resulte afectada por la aplicación de una medida disciplinaria, como consecuencia de las actuaciones investigadas en el proceso de que es objeto, y considere que este adolece de vicios de legalidad, puede interponer, ante esta Entidad Fiscalizadora, el recurso especial de reclamación contemplado en el artículo 156 de la ley N° 18.883, dentro del plazo de diez días hábiles, contado desde que se le notifique el decreto de término, el que será resuelto una vez que el municipio remita los antecedentes del caso*». (**ID Dictamen: 079687N11**[354] **Fecha:** 22.12.2011 **Destinatarios:** María Soledad Lira Salazar. **Texto:** Aclara en los términos que indica oficio N° 6827, de 2011, de la Contraloría Regional de Valparaíso, mediante el cual se formularon observaciones al decreto alcaldicio N° 1030, de 2010, de la Municipalidad de El Quisco, que afinó un sumario administrativo y aplicó a la recurrente la medida disciplinaria de destitución. **Acción:** Aplica dictámenes 17746/2009, 8217/2010, 13177/2010. Mismo criterio aplicado en: **ID Dictamen: 068499N12 Fecha:** 31.10.2012 **Destinatarios:** Alcalde de la Municipalidad de Alhué. **Texto:** Desestima reclamo sobre irregularidades en sumario administrativo en trámite y se pronuncia sobre demora en su substanciación. **Acción:** Aplica dictámenes 26004/2012, 37199/2009, 15700/2012; e **ID Dictamen: 064327N11 Fecha:** 12.10.2011 **Destinatarios:** Raúl Orellana González. **Texto:** Sobre reclamo en contra de medida disciplinaria de censura en proceso disciplinario pendiente)

---

[353] Para efectos de su consulta en la Base de Jurisprudencia de Contraloría General de la República, el citado dictamen se encuentra en la sección/materia: «generales», sin perjuicio de que se trata de uno de carácter municipal.

[354] Para efectos de su consulta en la Base de Jurisprudencia de Contraloría General de la República, el citado dictamen se encuentra en la sección/materia: «generales», sin perjuicio de que se trata de uno de carácter municipal.

4. «*Se ha dirigido a esta Contraloría General don Ernesto Lobos Rojas, secretario del Primer Juzgado de Policía Local de la Municipalidad de La Florida, interponiendo el **recurso de reclamación previsto en los artículos 47 y 156 de la ley Nº 18.883**, sobre Estatuto Administrativo para Funcionarios Municipales, en contra del proceso calificatorio* correspondiente al período 2008-2009, que lo ubicó en lista 1 de Distinción, con 60 puntos. (...)
*Finalmente, respecto a lo expresado por el peticionario, en cuanto a que la junta calificadora consideró como antecedente para rebajar su evaluación, los hechos que dieron origen a un sumario administrativo instruido en su contra, en el cual se le aplicó una medida disciplinaria de multa del veinte por ciento de su remuneración mensual, cumple con precisar que ello no constituye una doble sanción, toda vez que, como se ha concluido en los **dictámenes Nºs. 7.861, de 2006, y 11.819, de 2008, el proceso calificatorio y el sumario administrativo persiguen distintas finalidades: el primero evaluar el desempeño del funcionario en un período determinado y, el segundo, establecer responsabilidades por faltas cometidas, imponiendo la sanción correspondiente, de modo que, en razón de los mismos hechos, a un empleado puede aplicársele una medida disciplinaria y experimentar, a la vez, una rebaja en su calificación*».** (**ID Dictamen: 078324N11 Fecha:** 15.12.2011 **Destinatarios:** Ernesto Lobos Rojas. **Texto:** Sobre reclamo de proceso calificatorio de funcionario afecto a Estatuto Municipal. **Acción:** aplica dictámenes 49040/2010, 72737/2010, 80503/2010, 17427/2011, 7861/2006, 11819/2008)

5. «*Se ha dirigido a esta Contraloría General doña Lucía Osses Ugalde, funcionaria de la Municipalidad de El Bosque, interponiendo el **recurso especial de reclamación previsto en los artículos 47 y 156 de la ley Nº 18.883**, sobre Estatuto Administrativo para Funcionarios Municipales, en contra de sus calificaciones* correspondientes al período 2009-2010, que la ubicaron en lista 1, de Distinción, con 68 puntos. (...)
*Luego, respecto al cuestionamiento que realiza la peticionaria, referido a la rebaja del subfactor cumplimiento de normas a nota 4, debe expresarse que esta **Entidad Fiscalizadora no se encuentra facultada para pronunciarse sobre el fondo de las apreciaciones vertidas acerca del desempeño de un servidor en las diversas instancias que integran el proceso calificatorio** —como sucede con las notas asignadas—, **por cuanto ello constituye un asunto que incide en el mérito funcionario, materia de competencia exclusiva de las autoridades y órganos calificadores de la respectiva municipalidad**, no obstante que estos deban fundamentar sus resoluciones (aplica dictamen Nº 64.170, de 2011)*». (**ID Dictamen: 075772N11 Fecha:** 02.12.2011 **Destinatarios:** Alcalde de la Municipalidad de El Bosque. **Texto:** Acoge parcialmente recurso especial de reclamación en proceso calificatorio. Acción Aplica dictámenes 45413/2009, 28998/2011, 64170/2011, 29632/2006, 29061/2009. Mismo criterio aplicado en: **ID Dictamen: 064170N11 Fecha:** 12.10.2011 **Destinatarios:** Alcalde de la Municipalidad de La Florida. **Texto:** Sobre calificaciones de funcionario de la Municipalidad de La Florida. **Acción:** Aplica dictamen 67595/2010, 17726/2009, 669/2011. Mismo criterio aplicado en **ID Dictamen: 062096N11 Fecha:** 30.09.2011 **Destinatarios:** Alcalde de la Municipalidad de El Bosque. **Texto:** Procede acoger reclamo en proceso calificatorio de funcionaria afecta a la ley 18883, por falta de fundamentación de la resolución que rechaza recurso de apelación. **Acción:** Aplica dictámenes 33068/2009, 30019/2010, 72737/2010, 34260/2011, 17427/2011, 50020/2011 62409/2010; **ID Dictamen: 050020N11 Fecha:** 09.08.2011 **Destinatarios:** Luis Rebolledo Cáceres. **Texto:** Sobre reclamo de calificaciones, de funcionario de la Municipalidad de Santiago, regido por la ley 18883. **Acción:** Aplica dictámenes 669/2011, 17427/2011, 40877/2011; e **ID Dictamen: 040877N11 Fecha:** 30.06.2011 **Destinatarios:** Maximiliano Fernández Ortega. **Texto:** Sobre reclamo de calificaciones de funcionario municipal. **Acción:** aplica dictámenes 669/2011, 15464/2011, 17427/2011).

6. «RECLAMO DEL ARTÍCULO 156 DE LA LEY Nº 18.883, ESTATUTO ADMINISTRATIVO PARA FUNCIONARIOS MUNICIPALES, EN CONTRA DE LA LEGALIDAD DE PROCEDIMIENTO DISCIPLINARIO.
*Se han dirigido a esta Contraloría General las señoras Evelyn Arias Ortega y Verónica Melo Abdo, representadas por su abogado, don Iván Borie Mafud, deduciendo, por una parte, reconsideración en contra del oficio Nº 3.144, de 2010, de la Contraloría Regional de Valparaíso y, por otra, el reclamo de que trata el **artículo 156 de la ley Nº 18.883** —Estatuto Administrativo para Funcionarios Municipales—, **en contra del mérito y la legalidad de la medida disciplinaria de destitución aplicada** en su contra a través del decreto Nº 191, de 2011, de la Municipalidad de Concón —al término del sumario administrativo instruido en virtud del decreto alcaldicio Nº 647, de 2009—, el cual ha sido registrado, en cumplimiento del artículo 53 de la ley Nº 18.695 —Orgánica Constitucional de Municipalidades—, sin que lo anterior signifique que se ajusta a derecho. (...)
En este orden de ideas, es dable recordar que esta **Entidad Fiscalizadora, debe velar porque las decisiones de la Administración activa se ciñan al principio de juridicidad previsto en los artículos 6º y 7º de la Constitución Política de la República y 2º de la ley Nº 18.575, Orgánica Constitucional de Bases Generales de la Administración del Estado, fiscalizando que la potestad disciplinaria se ejerza según la legislación y sin arbitrariedad**, de modo que la decisión*

sea proporcional a la falta y al mérito procesal (aplica criterio contenido en el dictamen Nº 43.361, de 2005)». **(ID Dictamen: 074351N11 Fecha:** 28.11.2011 **Destinatarios:** Alcalde de la Municipalidad de Concón. **Texto:** Observa decreto 191/2011, de la Municipalidad de Concón, que aplica medida disciplinaria de destitución a funcionarias que indica, y acoge reclamo del art. 156 de la ley 18883, interpuesto por las afectadas, contra la legalidad del procedimiento disciplinario, ordenando su absolución. **Acción:** Aplica dictámenes 33791/2009, 52784/2009, 44477/2011, 23688/2001, 38224/2009, 43361/2005)[355]

7. *«A su turno, la señora Paola González Inostroza, jefe del departamento de permisos de circulación del citado municipio, en conformidad con el **artículo 156 de la ley Nº 18.883**, ha interpuesto un **reclamo en contra de la legalidad del proceso sumarial** que dio origen a la sanción administrativa aplicada, atendida la falta de respuesta a la reposición que efectuara en contra del decreto alcaldicio Nº 356, de 2010, que le aplicó en primer término la citada sanción disciplinaria y cuestionando, además, la procedencia de la sanción impuesta, en consideración a las circunstancias atenuantes que señala. (...)*

Como cuestión previa, cabe señalar que el recurso de reposición que interpuso la afectada en contra del decreto Nº 356, de 2010, fue rechazado, por extemporáneo, por la máxima autoridad edilicia, a través del decreto Nº 477, de 2011, sin haber emitido pronunciamiento acerca de lo alegado por la recurrente.

*Precisado lo anterior, en lo que concierne al **vicio procedimental en el que pudo haber incurrido el ente edilicio al omitir dictar el pronunciamiento** que reclama la señora González Inostroza, **se advierte un error en los presupuestos de hecho considerados para declarar fuera de plazo el recurso que interpusiera**, toda vez que el referido decreto Nº 356, de 2010, no fue notificado válidamente a la afectada, de acuerdo a lo establecido en el artículo 129 de la ley Nº 18.883.*

*Al efecto, es necesario hacer presente que de conformidad con la citada disposición legal, **todas las notificaciones dentro de un procedimiento sumarial, se deben realizar a los afectados de manera personal, o bien, por carta certificada si el funcionario no fuere habido por dos días seguidos en su domicilio o en su lugar de trabajo, luego de las certificaciones del ministro de fe de haberse realizado las correspondientes búsquedas**.*

Pues bien, en la especie, según se advierte de los antecedentes sumariales tenidos a la vista, la notificación del mencionado decreto Nº 356, de 2010, se realizó mediante el envío —con fecha 17 de junio de 2010— de una carta certificada al domicilio de la afectada, sin que exista constancia de haberse practicado previamente las respectivas búsquedas, por lo que, no apareciendo alguna otra gestión de parte de la sancionada, la notificación del decreto de que se trata, debe entenderse efectuada tácitamente al momento que reconoce haber tomado conocimiento de dicho acto sancionatorio, a saber, el 5 de julio de 2010, recurriendo en contra de esa resolución el 10 de ese mes y año, es decir, dentro del plazo de cinco días de que disponía en conformidad al inciso segundo del artículo 139 de la ley Nº 18.883 (aplica criterio contenido en los dictámenes Nºs. 24.352, de 2010 y 44.837, de 2011).

*En consecuencia, se acoge el reclamo de ilegalidad interpuesto por doña Paola González Inostroza, **debiendo esa entidad edilicia pronunciarse sobre el recurso de reposición incoado por la recurrente, afinando debidamente el proceso disciplinario de que se trata**, (...)».* **(ID Dictamen: 073971N11 Fecha:** 28.11.2011 **Destinatarios:** Alcalde de la Municipalidad de Cerrillos. **Texto:** Observa y devuelve decretos que aplican medidas disciplinarias y atiende reclamo de ilegalidad en sumario administrativo incoado en Municipalidad de Cerrillos. **Acción:** aplica dictámenes 24352/2010, 44837/2011, 42476/2011)

8. *«Se ha dirigido a esta Contraloría General doña María Alicia Rañiman Ragniman, funcionaria de la Municipalidad de El Bosque, interponiendo el **recurso de reclamación previsto en los artículos 47 y 156 de la ley Nº 18.883**, sobre Estatuto Administrativo para Funcionarios Municipales, en contra del proceso calificatorio correspondiente al período 2009-2010, que la ubicó en lista 2, Buena, con 55 puntos. (...)*

Luego, es oportuno destacar que la resolución del alcalde que se pronuncie sobre el resultado de la apelación, necesariamente debe fundamentarse, lo que no aconteció en el presente caso, ya que no señala los antecedentes considerados para adoptar dicha decisión (aplica dictamen Nº 62.409, de 2010).

*Finalmente, respecto a lo alegado por la peticionaria acerca de que el municipio no llevó a cabo el proceso evaluatorio, dentro de los términos legales que establece el artículo 35 de la ley Nº 18.883, cabe manifestar que esta **Entidad Fiscalizadora en los dictámenes Nºs. 33.068, de 2009, y 30.019, de 2010, entre otros, ha sostenido que tales plazos***

---

[355] Para efectos de su consulta en la Base de Jurisprudencia de Contraloría General de la República, el citado dictamen se encuentra en la sección/materia: «generales», sin perjuicio de que se trata de uno de carácter municipal.

658   Capítulo IV. De la responsabilidad de los Funcionarios Municipales

no poseen el carácter de esenciales para la realización de las diversas diligencias y, por ende, las actuaciones no serán privadas de validez cuando la entidad edilicia se exceda en el tiempo previsto por la ley para esos efectos». (**ID Dictamen: 068184N11**[356] **Fecha:** 28.10.2011 **Destinatarios:** Alcalde de la Municipalidad de El Bosque. **Texto:** Acoge reclamo en proceso evaluatorio de funcionaria afecta a la ley 18883, por falta de la debida fundamentación del acuerdo de la junta calificadora. **Acción:** Aplica dictámenes 72737/2010, 34260/2011, 44518/2010, 54026/2010, 62409/2010, 33068/2009, 30019/2010. Mismo criterio aplicado posteriormente en: **ID Dictamen: 031392N12 Fecha:** 29.05.2012 **Destinatarios:** Sylvia Campos Azócar. **Texto:** Sobre reclamo de proceso calificatorio de funcionario afecto a estatuto municipal. **Acción:** Aplica dictámenes 32490/2001, 35152/2011, 29086/2011, 72737/2010)

9. *«A su turno, la señora Baló Begany, ex directora de tránsito de la citada municipalidad, en conformidad con el artículo 156 de la ley Nº 18.883, ha interpuesto un reclamo en contra de la legalidad del proceso sumarial que dio origen a la medida disciplinaria aplicada, así como respecto de la procedencia de la misma, atendidas las consideraciones que para ese efecto indica.*

Como cuestión previa, y en lo que concierne a las alegaciones de mérito formuladas por la recurrente, cabe manifestar que si bien a esta Contraloría General le compete velar por el respeto de las normas legales y constitucionales que rigen a los servidores municipales, incluidas las que regulan los procedimientos disciplinarios, ello no la convierte en una instancia procesal para dejar sin efecto un acto administrativo dictado por la autoridad competente, sobre la base de la exposición de los mismos hechos ya investigados en el sumario, tal como acontece en la especie (aplica criterio contenido en los dictámenes Nºs. 28.791, de 2009, y 44.837, de 2011). (...)

En este contexto, cabe manifestar que se dio cumplimiento a la garantía de un justo y racional procedimiento puesto que, por una parte, los cargos formulados (...) cumplieron con las exigencias que ha señalado la jurisprudencia administrativa de este organismo de control para su eficacia, toda vez que dieron satisfacción al principal objetivo que se persigue con ellos, esto es, dar a conocer en forma clara a la inculpada los hechos anómalos que se le reprochen; y por otra, ella tuvo la posibilidad de defenderse en cada una de las instancias legales establecidas para ese efecto, según figura en la presentación de sus descargos, (...) así como en la interposición del respectivo recurso de reposición (aplica criterio contenido en los dictámenes Nºs. 44.837 y 50.081, ambos de 2011). (...)

De esta manera, es del caso anotar que el alcalde ejerció la facultad de aplicar una medida disciplinaria conforme al mérito que asignó a los hechos debidamente verificados en el presente sumario, cumpliendo con las limitaciones generales que le imponen el debido proceso y la exigencia de que su decisión sea fundada, razonable y no revista caracteres de arbitrariedad o abuso (aplica criterio contenido en los dictámenes Nºs. 52.975, de 2009; 17.457 y 56.880, ambos de 2011)». (**ID Dictamen: 065284N11 Fecha:** 17.10.2011 **Destinatarios:** Alcalde de la Municipalidad de San Miguel. **Texto:** Restituye actos administrativos emanados de la Municipalidad de San Miguel referidos a procedimiento disciplinario señalando que sólo están afectos a registro el acto terminal que absuelve, sobresee o aplica medida a funcionario determinado y no un acto interno del proceso, como es el caso. **Acción:** aplica dictámenes 28791/2009, 44837/2011, 50081/2011, 61869/2004, 62969/2009, 49580/2008, 52975/2009, 17457/2011, 56880/2011, 31011/2009, 42476/2011)

10. *«Se ha dirigido a esta Contraloría General don Carlos Cifuentes Fuentes, funcionario de la Municipalidad de La Florida, interponiendo nuevamente el recurso especial de reclamación previsto en los artículos 47 y 156 de la ley Nº 18.883, sobre Estatuto Administrativo para Funcionarios Municipales, en contra de sus calificaciones correspondientes al período 2007-2008, las que le han significado quedar ubicado en lista 3, Condicional, con 38 puntos. (...)*

Luego, el peticionario alega en contra de la valoración insuficiente de su desempeño laboral, aspecto sobre el cual debe aclararse que esta Entidad Fiscalizadora sólo está facultada para pronunciarse tratándose de un proceso calificatorio, cuando en él se hubiere incurrido en algún vicio de procedimiento que implique una infracción legal o reglamentaria, pero no acerca del fondo de las consideraciones y apreciaciones vertidas sobre el empleado, como sucede con las notas asignadas, puesto que ello constituye un asunto que incide en el mérito funcionario, lo que es de competencia exclusiva de las autoridades y órganos calificadores de la municipalidad, en las instancias que dispone la normativa (aplica dictámenes Nºs. 17.726, de 2009, y 669, de 2011)». (**ID Dictamen: 064170N11 Fecha:** 12.10.2011 **Destinatarios:** Alcalde de la Municipalidad de La Florida. **Texto:** Sobre calificaciones de funcionario de la Municipalidad de La Florida.

---

[356] Para efectos de su consulta en la Base de Jurisprudencia de Contraloría General de la República, el citado dictamen se encuentra en la sección/materia: «generales», sin perjuicio de que se trata de uno de carácter municipal.

Acción: Aplica dictamen 67595/2010, 17726/2009, 669/2011. Mismo criterio aplicado en **ID Dictamen: 062096N11 Fecha:** 30.09.2011 **Destinatarios:** Alcalde de la Municipalidad de El Bosque. **Texto:** Procede acoger reclamo en proceso calificatorio de funcionaria afecta a la ley 18883, por falta de fundamentación de la resolución que rechaza recurso de apelación. **Acción:** Aplica dictámenes 33068/2009, 30019/2010, 72737/2010, 34260/2011, 17427/2011, 50020/2011 62409/2010; **ID Dictamen: 050020N11 Fecha:** 09.08.2011 **Destinatarios:** Luis Rebolledo Cáceres. **Texto:** Sobre reclamo de calificaciones, de funcionario de la Municipalidad de Santiago, regido por la ley 18883. **Acción:** Aplica dictámenes 669/2011, 17427/2011, 40877/2011; e **ID Dictamen: 040877N11 Fecha:** 30.06.2011 **Destinatarios:** Maximiliano Fernández Ortega. **Texto:** Sobre reclamo de calificaciones de funcionario municipal. **Acción:** aplica dictámenes 669/2011, 15464/2011, 17427/2011)

11. «*Enseguida, y en lo que se refiere a las alegaciones de mérito efectuadas por el interesado, cumple manifestar que si bien a este **Organismo de Control le compete velar porque se respeten las normas legales y constitucionales que rigen a los funcionarios municipales en esta materia, entre ellas las relativas a la responsabilidad administrativa, tal circunstancia no lo convierte en una instancia procesal por cuyo intermedio se pueda dejar sin efecto un acto administrativo dictado por la autoridad competente para ese efecto, sobre la base de la exposición de los mismos hechos ya investigados en el sumario,** por lo que no se pronunciará sobre tales alegaciones.*

*De acuerdo a lo expuesto, y en cuanto a que no se habrían apreciado debidamente las probanzas allegadas al proceso administrativo, relativas a las circunstancias atenuantes que operarían en su favor, debe manifestarse que **no cabe emitir un pronunciamiento a ese respecto, por tratarse de un asunto de mérito, cuya ponderación constituye una facultad que recae en forma exclusiva en la autoridad edilicia, en la que se encuentra radicada la potestad disciplinaria, en conformidad con lo dispuesto en los artículos 63, letras c) y d), de la ley Nº 18.695, Orgánica Constitucional de Municipalidades, y 138 de la ley Nº 18.883.***

*En lo que concierne a la ilegalidad de que, según lo indicado por el recurrente, adolecería el procedimiento disciplinario de la especie, cabe señalar, en primer término, acerca de **la demora en la sustanciación de dicho procedimiento, que tratándose de sumarios instruidos por los municipios, los plazos contemplados en la normativa pertinente no poseen el carácter de esenciales, y, por ende, las actuaciones de la administración que exceden el tiempo establecido por la ley para tales efectos, no se entienden privadas de validez, sin perjuicio de las responsabilidades funcionarias que pudiera originar tal situación (aplica dictamen Nº 31.011, de 2009)***». (**ID Dictamen: 056880N11 Fecha:** 07.09.2011 **Destinatarios:** Miguel Ramos Lobos. **Texto:** Procedió medida disciplinaria de destitución en contra de Director de Obras que invalidó permiso de edificación otorgado conforme a derecho, habiéndose acreditado en el procedimiento disciplinario el cargo formulado, vinculado a infracciones al principio de probidad administrativa. **Acción:** Aplica dictámenes 31011/2009, 3562/91, 39833/2001, 2641/2005, 49531/2008, 53290/2004, 53875/2009, 47295/2006)

12. «*Se ha dirigido a esta Contraloría General don Carlos García Aravena, funcionario de la Municipalidad de Santiago, interponiendo el **recurso especial de reclamación previsto en los artículos 47 y 156 de la ley Nº 18.883, sobre Estatuto Administrativo para Funcionarios Municipales, en contra de sus calificaciones** correspondientes al período 2009-2010, que lo ubicaron, en lista 1, de Distinción, con 61 puntos.*

El recurrente manifiesta el vicio alegado en el recurso de apelación deducido ante el alcalde —que el funcionario que emitió el informe cuatrimestral correspondiente al período enero a abril de 2010, no era su jefe directo, lo que afectaría el procedimiento calificatorio en cuestión—, no fue atendido por esa autoridad edilicia al resolver dicho recurso, quien se limitó a rechazarlo, expresando que el recurrente no aportaba nuevos antecedentes. (...)

*Enseguida, cabe anotar que **principios de igualdad y ecuanimidad de la actuación de los funcionarios y órganos que intervienen en la evaluación del personal municipal, exigen que la superioridad alcaldicia deba fundamentar la decisión que adopte al conocer y resolver el recurso de apelación que se deduzca en contra del acuerdo adoptado por la junta calificadora,** lo que no aconteció en la situación planteada, puesto que en el documento que no se dio lugar a dicho recurso, derechamente se concluyó que no se acogía (**aplica criterio contenido en los dictámenes Nºs. 29.632, de 2006, y 29.061, de 2009**).*

En consecuencia, procede que el alcalde se pronuncie nuevamente, esta vez de manera fundada, respecto de la apelación interpuesta por el señor García Aravena, debiendo ordenar retrotraer el procedimiento calificatorio al estado que emita el aludido informe cuatrimestral, el funcionario que poseía la calidad de jefe directo de aquel, de concurrir esa irregularidad». (**ID Dictamen: 055628N11 Fecha:** 02.09.2011 **Destinatarios:** Alcalde de la Municipalidad de Santiago. **Texto:** Procede que el alcalde de la Municipalidad de Santiago se pronuncie nuevamente, sobre recurso de apelación en proceso calificatorio de funcionario municipal, esta vez de manera fundada. **Acción:** Aplica dictámenes 44424/2009, 29632/2006, 29061/2009)

13. «*Se ha dirigido a esta Contraloría General don Ramón Martínez Gutiérrez, ex funcionario de la Municipalidad de San Miguel, quien, haciendo uso del derecho establecido en el **artículo 156 de la ley Nº 18.883, sobre Estatuto Administrativo para Funcionarios Municipales, reclama respecto de la medida disciplinaria de destitución que le fue aplicada**, a través del decreto Nº 7, de 2011 —con arreglo al artículo 120, letra d), de la citada ley—, **atendido, principalmente, que no se encontrarían acreditados los cargos que le fueron formulados**. (...)*
*Pues bien, habiéndose examinado la regularidad del referido procedimiento, se ha podido determinar que **los citados cargos no se encuentran suficientemente acreditados o bien, no constituyen infracciones de deberes funcionarios**, según se detalla a continuación. (...)*
*Sin perjuicio de lo anterior, cumple manifestar que **la respectiva investigación no se encuentra agotada, requisito indispensable para que sea declarado el cierre del sumario y, posteriormente, formular cargos (aplica dictámenes Nºs. 62.381, de 2004, y 39.536, de 2010).***
*En consecuencia, atendido que los hechos que dieron origen a los cargos formulados en contra del señor Martínez Gutiérrez no se encuentran suficientemente acreditados, y que, además, no se han indagado ni formulado cargos respecto de aquellos informados a fojas 306 y siguientes, la Municipalidad de San Miguel **deberá ordenar la reapertura del sumario en cuestión, a objeto de realizar todas las diligencias tendientes a agotar la investigación, formular cargos y, posteriormente, aplicar la sanción que en derecho corresponda***». (**ID Dictamen:** 042147N11 **Fecha:** 05.07.2011 **Destinatarios:** Alcalde de la Municipalidad de San Miguel. **Texto:** Observa decreto 7/2011 de la Municipalidad de San Miguel que aplica la medida disciplinaria de destitución y atiende reclamo de ilegalidad que indica. **Acción:** aplica dictámenes 62381/2004, 39536/2010)

14. «*Sobre el particular, cabe señalar que de acuerdo con el artículo 45 de la ley Nº 18.883, el funcionario tendrá derecho a apelar de la resolución de la Junta Calificadora, y de este recurso conocerá el Alcalde; mientras que según previene el artículo 47 del citado texto legal, una vez notificado el fallo de la apelación, el servidor sólo podrá reclamar directamente a la Contraloría General, de acuerdo con lo dispuesto en el artículo 156 del aludido estatuto.*
*Como es dable apreciar, y **en concordancia con el criterio contenido en los dictámenes Nºs. 29.186, de 2010; y 13.725 y 18.259, ambos de 2011**, de esta Entidad Fiscalizadora, la preceptiva indicada delimita expresamente la oportunidad en la cual, en materia de calificación, puede deducirse el reclamo de que trata el citado artículo 156, refiriéndola específicamente al **momento posterior a la notificación de la resolución que falla el pertinente recurso de apelación**, situación que no ha ocurrido en la especie.*
*En efecto, de los antecedentes tenidos a la vista, es posible constatar que el peticionario fue notificado de la resolución de la Junta Calificadora el 12 de octubre de 2010, oportunidad en la que optó por no hacer uso del derecho de apelar ante el Alcalde, **hecho que configuró la imposibilidad de parte de este Órgano de Control de conocer y pronunciarse respecto del recurso de reclamación de que se trata***». (**ID Dictamen:** 035475N11[357] **Fecha:** 03.06.2011 **Destinatarios:** Tomás Reyes Velozo. **Texto:** No procede reconsiderar oficio sobre reclamo de calificaciones ante este organismo contralor, ya que éste sólo procede luego de haber interpuesto, previamente, el recurso de apelación ante el alcalde o su subrogante legal. **Acción:** Aplica dictámenes 29186/2010, 13725/2011, 18259/2011, 80509/2010)

15. «*En esta oportunidad, la recurrente reclama en contra del nuevo acuerdo adoptado por la referida junta, por cuanto, a su juicio, no daría cumplimiento a lo ordenado en el mencionado pronunciamiento, toda vez que **no se subsanaron los vicios** que allí se advertían, con lo que el municipio transgrediría reiteradamente sus derechos funcionarios. (...)*
*Enseguida, en cuanto al reclamo en orden a que el órgano colegiado no consideró sus informes cuatrimestrales ni su precalificación, al momento de fundamentar el acuerdo, cabe señalar que de conformidad con los artículos 37 de la ley Nº 18.883 y 26 del decreto Nº 1.228, de 1992, del Ministerio del Interior —Reglamento de Calificaciones del Personal Municipal—, en las juntas calificadoras se encuentra radicada la facultad evaluadora, por lo que si bien sus resoluciones serán adoptadas teniendo en consideración la precalificación efectuada por el jefe directo y la hoja de vida funcionaria, ello **no implica que tales elementos sean vinculantes u obligatorios para dicho cuerpo colegiado, ya que éste está autorizado para ponderar cualquier otro antecedente de que disponga sobre el servidor que se califica (aplica dictámenes Nºs. 35.163 y 49.040, ambos de 2010).***

---

[357] Para efectos de su consulta en la Base de Jurisprudencia de Contraloría General de la República, el citado dictamen se encuentra en la sección/materia: «generales», sin perjuicio de que se trata de uno de carácter municipal.

Luego, en lo que atañe a la existencia de una tabla para evaluar el subfactor asistencia y puntualidad, la que la peticionaria estima irregular, es del caso indicar que, según lo concluido por esta Contraloría General en el dictamen Nº 44.518, de 2010, el uso de pautas preestablecidas fijadas por las juntas evaluadoras a objeto de promover criterios homogéneos para efectuar las calificaciones, no afecta la eficacia del proceso ni se opone a la normativa jurídica que regula la materia, especialmente, si se considera que dichos órganos colegiados están facultados para disponer todas las diligencias y actuaciones que estimen necesarias para cumplir su cometido. (...)

En relación a este procedimiento de calificación, es menester hacer presente que del estudio de la documentación tenida a la vista sobre el particular, se advierte que el mismo cumple con las exigencias establecidas en el ordenamiento jurídico, verificándose que el acuerdo del respectivo órgano colegiado —teniendo en cuenta las consideraciones de derecho expuestas—, se encuentra debidamente fundado, dejándose constancia de las razones concretas para asignar las notas que se reclaman, tal como acontece tratándose de la otorgada en el subfactor asistencia y puntualidad, atendido que las horas de atrasos registradas en el período en cuestión, habrían superado las 9 horas, lo que según el índice establecido para determinar su cálculo, amerita la nota 4 impuesta en dicho componente». **(ID Dictamen: 029086N11 Fecha:** 09.05.2011 **Destinatarios:** Denisse Bernier Maldonado. **Texto:** Sobre reclamos referidos a procesos calificatorios de funcionaria de la Municipalidad de Padre Hurtado, afecta a la ley 18883. **Acción:** Aplica dictámenes 44518/2010, 17726/2009, 35163/2010 49040/2010, 45121/2006, 7655/2010)

16. *«Sobre el particular, cumple con aclarar que el citado dictamen Nº 24.269, de 2010, se fundamenta en la jurisprudencia administrativa contenida, entre otros, en los dictámenes Nºs. 12.725, de 1996, y 12.209, de 1999, en orden a que las asociaciones de funcionarios municipales están facultadas, acorde con el artículo 7º, inciso segundo, letra f), de la ley Nº 19.296, para representar a los funcionarios en los organismos y entidades en que la ley les concediere participación; y, además, a solicitud del interesado, podrán asumir la representación de los asociados para deducir, ante esta Contraloría General, el recurso de reclamación establecido en el respectivo Estatuto Administrativo.*

Como puede advertirse, del tenor literal del referido precepto de la ley Nº 19.296, se colige que tratándose del recurso de reclamación que el personal edilicio puede deducir ante esta Contraloría General, reglado en el artículo 156 de la aludida ley Nº 18.883, situación en la que se encuentran precisamente las reclamaciones que se deduzcan en contra de las calificaciones, tales entidades gremiales solamente cuentan con atribuciones para representar a sus afiliados ante esta Entidad Fiscalizadora, cuando los interesados requieren expresamente su intervención, petición que debe constar en la presentación que las citadas agrupaciones de empleados formulen.

En efecto, cabe manifestar que los procesos calificatorios constituyen procedimientos reglados pormenorizadamente por la preceptiva legal y reglamentaria —contemplada en la mencionada ley Nº 18.883 y en el decreto Nº 1.228, de 1992, del Ministerio del Interior, que Aprueba el Reglamento de Calificaciones del Personal Municipal—, la que determina cada una de las etapas que los conforman, como asimismo las instancias en las que los interesados deben hacer valer sus planteamientos.

Así, la última de las instancias que el ordenamiento jurídico le confiere al personal para reclamar de sus calificaciones es el recurso que concede el artículo 47 de la referida ley Nº 18.883, que establece que una vez notificado al funcionario el fallo de la apelación que haya deducido ante el alcalde en contra de la resolución de la junta calificadora, sólo podrá reclamar directamente a la Contraloría General de acuerdo con el artículo 156 del citado texto legal, esto es, en el plazo de diez días desde que tiene conocimiento del fallo.

En este contexto, no resulta posible sostener que la asociación peticionaria represente a terceros funcionarios que eventualmente habrían sido afectados en sus calificaciones, en razón de vicios que afectarían a un proceso calificatorio, dado que no se acredita que esos servidores hayan solicitado su intervención, lo que sucede también en esta oportunidad, toda vez que sólo se acompaña un requerimiento del señor Hernández Benítez dirigido a la entidad gremial, que no dice relación con su situación funcionaria, sino que con la de otros funcionarios municipales que, como se ha expresado, no han solicitado ser representados para que ejerzan a su nombre el recurso de reclamación». **(ID Dictamen: 020509N11 Fecha:** 05.04.2011 **Destinatarios:** Presidente de la Asociación de Funcionarios de la Municipalidad de La Florida. **Texto:** Sobre legitimación activa de Asociaciones de Funcionarios en reclamos de calificaciones de personal regido por la ley 18883, y oportunidad para su interposición. **Acción:** Aplica dictámenes 24269/2010, 12725/96, 12209/99. Mismo criterio aplicado en **ID Dictamen: 019822N11**[358] **Fecha:** 31.03.2011 **Destinatarios:** María Loreto Valenzuela Solís. **Tex-**

---

[358] Para efectos de su consulta en la Base de Jurisprudencia de Contraloría General de la República, el citado dictamen se encuentra en la sección/materia: «generales», sin perjuicio de que se trata de uno de carácter municipal.

to: Sobre legitimación activa de Asociación de Funcionarios Municipales para representar a peticionario en reclamo de ilegalidad contra concurso público. **Acción:** aplica dictámenes 18079/2007, 67843/2009, 68226/2010, 12209/99, 31731/2010, 24841/74)

17. «*Por último, es dable señalar que las reclamaciones deducidas en contra de procesos disciplinarios, conforme lo prescribe el **artículo 156, de la ley Nº 18.883**, deben formularse en el plazo de 10 días hábiles desde que se notifica el decreto sancionatorio, **de manera de hacer presentes en dicho reclamo todos y cada uno de los vicios que se estima invalidarían el proceso disciplinario, sin que sea procedente la interposición de reclamaciones sucesivas (aplica criterio contenido en el dictamen Nº 37.870, de 2007, de este Organismo de Control)*».* (ID Dictamen: 015772N11 Fecha: 15.03.2011 **Destinatarios:** Nelson Caucoto Pereira Oficina Derechos Humanos Corporación de Asistencia Judicial Región Metropolitana. **Texto:** Sobre solicitud de reincorporación, fuero gremial y protección del artículo 88 A de la ley 18883. **Acción:** Aplica dictámenes 15405/2010, 37870/2007 confirma dictamen 61530/2010).

18. «*Al respecto, cumple señalar que en virtud de los artículos 47 y 156 de la anotada ley Nº 18.883, a este Organismo de Control sólo le corresponde revisar los procesos evaluatorios de los servidores municipales, ante la posible existencia de vicios de legalidad que pudieren presentarse en sus diferentes etapas.*
*Pues bien, atendido que las alegaciones efectuadas por la recurrente **dicen relación con su desempeño funcionario, esta Entidad Fiscalizadora debe abstenerse de emitir un pronunciamiento sobre el particular, puesto que ello constituye una materia de competencia exclusiva de los organismos y autoridades calificadoras.***
Sin perjuicio de lo anterior, es del caso recordar que de conformidad con la jurisprudencia administrativa de esta Contraloría General, contenida en el dictamen Nº 42.832, de 2008, entre otros, los artículos 37 de la ley Nº 18.883 y 26 del decreto Nº 1.228, de 1992, del Ministerio del Interior —Reglamento de Calificaciones del Personal Municipal—, previenen que en las Juntas Calificadoras se encuentra radicada la facultad evaluadora, por lo que si bien sus resoluciones serán adoptadas teniendo en consideración la precalificación efectuada por el jefe directo, la hoja de vida funcionaria que registra las anotaciones de mérito y/o de demérito que se pudieron haber dispuesto, entre otras, ello no implica que tales elementos sean vinculantes u obligatorios para dicho cuerpo colegiado, ya que está autorizado para ponderar cualquier otro antecedente de que disponga referido al funcionario que se evalúa (aplica dictamen Nº 7.655, de 2010)».* (ID **Dictamen: 015464N11 Fecha:** 14.03.2011 **Destinatarios:** Catalina Mancilla Flores. **Texto:** Sobre reclamo de ilegalidad en contra de las calificaciones de funcionaria municipal. **Acción:** aplica dictámenes 42832/2008, 7655/2010)

19. «*En primer término, corresponde referirse a la alegación de ambas recurrentes en orden a que el acuerdo de la junta calificadora no se encuentra fundado.*
Sobre el particular, cabe señalar que el artículo 42 de la citada ley Nº 18.883, ordena que los acuerdos de la junta calificadora deben ser siempre fundados y se anotarán en las actas de calificaciones que, en calidad de ministro de fe, llevará el secretario de la misma, que lo será el jefe de personal o quien haga sus veces.
*Al respecto, este **Órgano Contralor en los dictámenes Nºs. 44.518, y 54.026, ambos de 2010**, entre otros, ha precisado que tal exigencia significa que dicho cuerpo colegiado se encuentra en el imperativo de dejar constancia de la decisión que adopta, enunciando los motivos, razones, causas específicas y circunstancias precisas que se han considerado para asignar a un funcionario una determinada calificación, antecedentes que por sí mismos deben conducir al resultado de la evaluación verificada, debiendo existir concordancia entre el fundamento emitido y las notas asignadas, de modo tal que permita al empleado, por una parte, interponer el correspondiente recurso de apelación ante el alcalde, impugnando concretamente las apreciaciones que la junta ha vertido sobre su desempeño funcionario y, por otra, mejorar su comportamiento laboral en el siguiente período.*
*En este contexto, para **estimar fundamentado el acuerdo de la junta calificadora, ésta debe expresar sus propias opiniones acerca de la labor de los funcionarios que evalúa, sustentando cada uno de los factores sujetos a calificación (aplica dictamen Nº 54.026, de 2010)**»*. (ID Dictamen: 014068N11 Fecha: 08.03.2011 **Destinatarios:** Alcalde de la Municipalidad de Lo Espejo. **Texto:** Sobre reclamo de calificaciones de funcionarias de la Municipalidad de Lo Espejo, regidas por la ley 18883. **Acción:** Aplica dictámenes 44518/2010, 54026/2010, 16985/95 41286/2001, 27785/2002, 54948/2009, 49077/2010)

20. «*En este orden de ideas, la última de las instancias que el ordenamiento jurídico le confiere al personal municipal para reclamar de sus calificaciones es el recurso que concede el artículo 47 de la ley Nº 18.883, precepto que establece, en lo que interesa, que una vez notificado al funcionario el fallo de la apelación que haya deducido ante el alcalde en contra de la resolución de la Junta Calificadora, **sólo podrá reclamar directamente a la Contraloría General de la***

República, de acuerdo con el artículo 156 de dicha ley, esto es, en el plazo de diez días hábiles contado desde que tuvo conocimiento del fallo.

De este modo, y dado que la recurrente no reclamó en contra de la resolución que afinó su proceso calificatorio dentro del referido lapso, no existe fundamento legal que permita emitir un nuevo pronunciamiento respecto del proceso en comento, por lo que forzoso resulta concluir que dichas calificaciones comenzaron a producir sus efectos jurídicos desde que venció el plazo de 10 días para reclamar —época en la que quedaron ejecutoriadas con arreglo a lo dispuesto en el artículo 48 de la ley Nº 18.883—, ante este Órgano Contralor, de la notificación de la resolución fundada del alcalde de la Municipalidad de Parral, en cumplimiento del oficio Nº 264, de 2010, lo que, en la especie, aconteció el 1 de marzo de ese año». (**ID Dictamen: 013221N11 Fecha:** 03.03.2011 **Destinatarios:** Adriana Gaete. **Texto:** Desestima reclamo de proceso calificatorio de funcionaria regida por la ley 18883. **Acción:** Aplica dictámenes 28457/2008, 17726/2009, 35163/2010)

21. *«Se ha dirigido a esta Contraloría General, el señor Roland Joachim Schulz Eglin, deduciendo el reclamo de ilegalidad previsto en el artículo 156 de la ley Nº 18.883, Estatuto Administrativo para Funcionarios Municipales, en contra del decreto Nº 4.090, de 2010, de la Municipalidad de Santiago, por el cual se le aplicó la medida disciplinaria de destitución, al término del sumario instruido por esta Contraloría General, instrumento que fue registrado por esta Entidad Fiscalizadora en cumplimiento del artículo 53 de la ley Nº 18.695, Orgánica Constitucional de Municipalidades. (...)*
Por lo expuesto, es dable concluir que tampoco se ha afectado el principio de legalidad, ya que se ha ejercido por la autoridad edilicia la potestad disciplinaria de acuerdo al mérito del proceso y conforme al ordenamiento jurídico.
Finalmente, cabe recordar al recurrente, que el nombramiento de un servidor público como titular de un empleo no confiere el derecho de propiedad sobre él, ni puede enmarcarse dentro de la concepción patrimonial que involucra el dominio. Así, dicha titularidad otorga el derecho a ejercer la función en tanto no exista una causal legal de expiración de ella, como ha ocurrido en la especie». (**ID Dictamen: 012901N11 Fecha:** 02.03.2011 **Destinatarios:** Alcalde de la Municipalidad de Santiago. **Texto:** Sobre reclamo en contra del decreto Nº 4090 de la Municipalidad de Santiago, que aplica medida disciplinaria de destitución. **Acción:** Aplica dictámenes 53569/2009, 24667/2010)

22. *«En lo que atañe a la alegación de la peticionaria sobre la falta de fundamentos de la resolución del alcalde que rechaza su apelación, es menester precisar que —si bien la autoridad edilicia en el informe emitido para los fines de atender la presente reclamación, expresa los motivos que sirvieron de base para adoptar esa decisión—, efectivamente consta que al resolver tal recurso, omitió señalar las causas objetivas por las cuales mantuvo la calificación asignada (aplica dictámenes Nºs. 45.377, de 2009 y 67.595, de 2010, entre otros).*
Por consiguiente, en mérito de lo expuesto, procede que ese municipio retrotraiga el proceso calificatorio (...) al estado en que la máxima autoridad comunal resuelva fundadamente, la apelación deducida en contra de la calificación que le asignara la junta calificadora». (**ID Dictamen: 012555N11 Fecha:** 01.03.2011 **Destinatarios** Alcalde Municipal de Quinta Normal **Texto** Sobre reclamo de calificaciones de funcionaria regida por la ley 18883. **Acción** Aplica dictámenes 45377/2009, 67595/2010)

23. *«Por su parte, las personas precedentemente individualizadas, en el ejercicio del derecho que les confiere el artículo 156 de la aludida ley Nº 18.883, se han dirigido a este Órgano de Control reclamando en contra del sumario de que se trata, por cuanto a su juicio, existen vicios de legalidad que afectarían su validez, tales como la formulación de cargos carentes de precisión y concreción, sin que se hayan acreditado, por lo demás, fehacientemente los hechos imputados y su participación en los mismos; la falta de imparcialidad en el actuar de la fiscal del sumario, específicamente en lo relativo a la ponderación de la prueba y su negativa ante la solicitud de careo que plantearan oportunamente; la ausencia de proporcionalidad entre la sanción aplicada y el mérito de los antecedentes sumariales, no considerándose las circunstancias atenuantes de responsabilidad existentes, entre otros. (...)*
En consecuencia, corresponde que el Alcalde de la Municipalidad de Santiago ordene la reapertura del sumario en examen, retrotrayéndolo a la etapa indagatoria, a fin de que se realicen todas las diligencias necesarias para esclarecer las situaciones de que se trata y, de resultar procedente, formular los cargos pertinentes, indicando en términos precisos y concretos cuál o cuáles son las conductas anómalas o las transgresiones en que habría incurrido cada inculpado y en qué época se produjeron, para luego continuar con su tramitación conforme a derecho, de lo cual se informará a esta Entidad Fiscalizadora en el más breve plazo, remitiendo los antecedentes del caso». (**ID Dictamen: 002030N11 Fecha:** 12.01.2011 **Destinatarios:** Alcalde de la Municipalidad de Santiago. **Texto:** Observa decreto de la Municipalidad de Santiago que aplica medidas disciplinarias que indica, ordenando retrotraer proceso sumarial para dar cumplimiento a principio del debido proceso. **Acción:** aplica dictámenes 34503/2004, 34010/2005)

24. «2.- Facultades de la Contraloría General para ejercer el control de legalidad de los actos municipales.

*No obstante lo expresado en el punto anterior, es dable manifestar a S.S. Iltma. que de conformidad con lo dispuesto en los artículos 98 de la Constitución Política, 1º, 6º y 9º de la citada ley Nº 10.336, **156 de la ley Nº 18.883** y 51 y 52 de la aludida ley Nº 18.695, **las municipalidades se encuentran sujetas a la fiscalización de la Contraloría General y, en el ejercicio de tales facultades, a ésta le compete ejercer el control de la legalidad de los actos municipales, pudiendo emitir dictámenes jurídicos sobre todas las materias sujetas a su fiscalización, y, en específico, observar, si fuere procedente, los vicios que se adviertan en el respectivo acto administrativo municipal, sin que resulte procedente, en todo caso, que se revise el pronunciamiento de la autoridad sobre la procedencia de aplicar determinada sanción al inculpado, si la resolución y el proceso no contravienen ningún precepto legal**.*

*De esta manera, entonces, si del estudio de rigor de los respectivos antecedentes sumariales —el que, en todo caso, se realiza con posterioridad al registro del decreto por el cual el municipio aplica la medida disciplinaria que estime pertinente—, se constata una ilegalidad en los decretos alcaldicios que han sido previamente registrados, esta **Entidad Fiscalizadora debe representarla formalmente, constituyendo ambas instancias trámites distintos e independientes**».* **(ID Dictamen: 000039N11 Fecha:** 03.01.2011 **Destinatarios:** Presidente de la Ilustrísima Corte de Apelaciones de Santiago. **Texto:** Informa recurso de protección rol de ingreso Corte Nº 7955, de 2010, interpuesto por doña Patricia Ramírez Fuentes, referido a la aplicación de medida disciplinaria. **Acción:** Aplica dictámenes 390/2009, 41754/2008, 14529/2010, 46174/2007, 17049/2010, 65231/2010)

25. «*Sobre el particular, debe señalarse que los procesos calificatorios se rigen por procedimientos reglados y formales, es decir, que determinan pormenorizadamente las etapas que los conforman y las instancias en las que los interesados deben hacer valer sus planteamientos, los que corresponde sean alegados en su totalidad y en un solo acto, no resultando admisible la interposición de reclamaciones sucesivas (aplica criterio contenido en los dictámenes Nºs. 46.016, de 2002, y 28.457, de 2008, de este origen).*

*En este orden de ideas, la última de las instancias que el ordenamiento jurídico le confiere al personal afecto al Estatuto Administrativo para Funcionarios Municipales para reclamar de sus calificaciones, es el recurso que contempla su artículo 47, precepto que establece, en lo que interesa, que una vez notificado al funcionario el fallo de la apelación que haya deducido ante el Alcalde en contra de la resolución de la Junta Calificadora, **solo podrá reclamar directamente a la Contraloría General de la República, de acuerdo con el artículo 156** de la misma ley, esto es, en el plazo de diez días desde que tiene conocimiento del fallo.*

En este mismo sentido, el artículo 48 de la comentada ley Nº 18.883 prevé que, una vez vencido el plazo para reclamar de las calificaciones ante esta Entidad de Control, o desde que el afectado es notificado de la resolución que resuelve ese reclamo, se entiende afinado el correspondiente proceso calificatorio, lo que significa que comienza a producir todos sus efectos jurídicos.

*En este contexto, se debe considerar que de los antecedentes tenidos a la vista se desprende que, don Jaime Ramírez Cortés, **recurrió oportunamente a las instancias antes indicadas con el objeto de impugnar el procedimiento de calificación que le fue aplicado, siendo rechazadas sus solicitudes por las consideraciones que en su oportunidad se expusieron, dado lo cual no existe fundamento legal que permita a esta Entidad de Fiscalización emitir un nuevo pronunciamiento acerca de la evaluación en cuestión, por lo que forzoso resulta concluir que dichas calificaciones comenzaron a producir sus efectos jurídicos desde la fecha en que el interesado fue notificado** del recurrido dictamen Nº 33.952, de 2012, cuestión que implica que a su respecto se configuró la causal de declaración de vacancia establecida en la letra c) del artículo 144 de la ley Nº 18.883, en concordancia con la letra c), del artículo 147, del anotado cuerpo estatutario*». **(ID Dictamen: 078577N12 Fecha:** 18.12.2012 **Destinatarios:** Jaime Ramírez Cortés. **Texto:** Rechaza solicitud de reconsideración de dictamen 33952 de 2012 de esta Contraloría General. **Acción:** Aplica dictámenes 46016/2002, 28457/2008 Confirma dictamen 33952/2012)

26. «*Precisado lo anterior, y en lo que se refiere a la alegación acerca de la ambigüedad de los cargos formulados en contra de la recurrente, es dable manifestar que la **jurisprudencia administrativa de esta Entidad Fiscalizadora, contenida entre otros, en el dictamen Nº 50.081, de 2011, ha señalado que el principal objetivo que se persigue con dicho trámite es dar a conocer en forma clara al inculpado el hecho anómalo que se le imputa, de tal manera que tenga la posibilidad de defenderse en cada una de las instancias legales establecidas para ese efecto,** lo que —a la luz de los antecedentes sumariales analizados— se cumplió en el caso en comento. (...)*

*Por otra parte, en lo que atañe al reclamo por la **falta de proporcionalidad de la sanción aplicada y no haberse considerado las circunstancias atenuantes que, a juicio de la recurrente, concurrirían a su favor, corresponde indicar que la reiterada jurisprudencia de este Órgano de Control, contenida, entre otros, en los dictámenes Nºs. 33.054, de 2000, 22.509, de 2005 y 49.342, de 2009, ha sostenido que cuando la ley asigna una medida disciplinaria específica para una*** *determinada infracción, como acontece respecto de la falta a la probidad, la autoridad administrativa se encuentra en el imperativo legal de disponerla, sin perjuicio que, en virtud de la potestad disciplinaria que posee, determine, a través de un acto administrativo fundado, rebajarla imponiendo en sustitución de ella una sanción no expulsiva, atribución que, en la situación que se analiza, el alcalde resolvió no ejercer».* (**ID Dictamen: 077240N12 Fecha:** 12.12.2012 **Destinatarios:** Lena Montero Ordóñez. **Texto:** Rechaza reclamo de ilegalidad en contra de sumario instruido por la Municipalidad de Pedro Aguirre Cerda, al término del cual se aplicó la medida disciplinaria de destitución a funcionaria que indica. **Acción:** aplica dictámenes 50081/2011, 68426/2012, 33054/2000, 22509/2005, 49342/2009)[359]

27. *«Ahora bien, en cuanto a las alegaciones de mérito que plantean los afectados relativos, principalmente, a la forma sesgada y parcial en que la fiscal habría dirigido la investigación en comento, es dable manifestar que según lo ha precisado, entre otros, el dictamen Nº 49.580, de 2008, de este origen, si bien de acuerdo con el referido artículo 156, compete a esta Contraloría General velar porque se respeten las normas legales y constitucionales que rigen a los funcionarios públicos —en el caso planteado, las relativas a los procedimientos disciplinarios—, ello no la convierte en una instancia procesal para que aquellos soliciten dejar sin efecto un acto administrativo dictado por la autoridad competente, sobre la base de la exposición de los mismos hechos ya investigados en el sumario, y no sobre la aplicación o interpretación de las normas jurídicas que regulan la garantía constitucional de un debido proceso; por lo que en relación con tales alegaciones, no se emitirá un pronunciamiento».* (**ID Dictamen: 074921N12 Fecha:** 03.12.2012 **Destinatarios:** Alcalde de la Municipalidad de Hualpén. **Texto:** Acoge reclamos de ilegalidad en contra de sumario administrativo instruido por Municipalidad y se pronuncia sobre aplicación de ley 18695 art. 29 inc/fin. **Acción:** Aplica dictámenes 49580/2008, 65284/2011, 49744/2012, 1603/2010, 72575/2011, 19892/2009, 2030/2011, 26652/82, 15116/86, 5850/96, 46231/2004, 34010/2005, 61457/2008, 20471/2009)

28. *«Sobre el particular, cumple con señalar que, encontrándose aun pendiente el proceso disciplinario instruido en contra de la señora Salas Urrutia, no es posible pronunciarse acerca de su legalidad. Con todo, una vez afinado, en el evento que la interesada resulte afectada por la aplicación de una medida disciplinaria, como consecuencia de las actuaciones investigadas en el aludido proceso y considere que éste adolece de vicios, podría interponer, ante esta Entidad Fiscalizadora, el respectivo recurso de reclamación.*
Por consiguiente, en mérito de lo precedentemente expuesto, no cabe sino abstenerse de emitir un pronunciamiento sobre las presuntas irregularidades cometidas en el procedimiento en comento y que motivan el referido reclamo, por no ser ésta la oportunidad para deducirlo». (**ID Dictamen: 068494N12 Fecha:** 31.10.2012 **Destinatarios:** Alcaldesa de la Municipalidad de San Bernardo. **Texto:** Desestima reclamo de ilegalidad de actuaciones de un sumario en tramitación. **Acción:** Aplica dictámenes 14529/2010, 39/2011, 76892/2011, 49744/2012, 61869/2011, 15680/2012, 22227/2010, 26416/2012, 31011/2009, 79826/2011, 15700/2012)

29. *«Sobre el particular, cabe indicar, que en lo que atañe a la invalidación de los actos administrativos en comento y a la obligación que —a consecuencia de ello, según indica la municipalidad— tendría de reincorporar a los funcionarios sancionados, es preciso señalar que respecto del señor Valdebenito Contreras esta Entidad Fiscalizadora debe abstenerse de emitir el pronunciamiento solicitado, por cuanto en virtud de lo dispuesto en el artículo 6º, inciso tercero, de la ley Nº 10.336, de Organización y Atribuciones de la Contraloría General, en relación con el inciso tercero del artículo 54 de la ley Nº 19.880 —sobre Bases de los Procedimientos Administrativos que rigen los Actos de los Órganos de la Administración del Estado—, no le corresponde informar ni intervenir en asuntos sometidos al conocimiento de los tribunales de justicia, lo que ocurre en la situación planteada, puesto que sobre la materia se interpuso acción de protección ante la Ilustrísima Corte de Apelaciones de Talca, en causa Rol Nº 805-2012, la que se encuentra actualmente en tramitación».* (**ID Dictamen: 067489N12 Fecha:** 29.10.2012 **Destinatarios:** Alcalde de la Municipalidad de Talca. **Texto:** Sobre reapertura de proceso disciplinario contra docentes e improcedencia de aplicarles el art. 88 A lt/a de la ley 18883. **Acción:** Aplica dictámenes 15680/2012, 43658/2012, 36909/2010, 4182/2011. Mismo criterio aplicado en: **ID Dictamen: 035972N11**[360] **Fecha:** 07.06.2011 **Destinatarios:** Alcalde de la Municipalidad de Maipú. **Texto:** Se abstiene

---

359 Para efectos de su consulta en la Base de Jurisprudencia de Contraloría General de la República, el citado dictamen se encuentra en la sección/materia: «generales», sin perjuicio de que se trata de uno de carácter municipal.

360 Para efectos de su consulta en la Base de Jurisprudencia de Contraloría General de la República, el citado dictamen se encuentra en la sección/materia: «generales», sin perjuicio de que se trata de uno de carácter municipal.

de emitir pronunciamiento respecto del decreto 659/2011, de la Municipalidad de Maipú, por encontrarse el asunto en conocimiento de los tribunales de justicia).

30. «*Se han dirigido a esta Contraloría General los señores Luis Utreras Astiúbar, Dagoberto Maldonado Vega y Juan Muñoz Grollmus, quienes en el ejercicio del derecho establecido en el artículo 156 de la ley Nº 18.883, Estatuto Administrativo para Funcionarios Municipales, reclaman en contra del mérito y de la legalidad del sumario administrativo ordenado instruir por la Municipalidad de San Joaquín, al término del cual, mediante decreto Nº 21, de 2012, se les aplicó la medida disciplinaria de destitución. (...)*
En efecto, revisado el expediente sumarial, se ha constatado que ni la acusación, el dictamen del instructor, o el decreto alcaldicio que determinó la sanción expulsiva, señalan de manera precisa y motivada, cual es la causal de destitución que se les imputa y cuya acreditación amerita la sanción de que se trata, de modo que no se configuran los elementos que posibiliten entender que la potestad disciplinaria se ejerció con sujeción estricta a derecho y exenta de arbitrariedad, tal como alegan los recurrentes.
En consecuencia, se acoge el reclamo deducido por los recurrentes, debiendo el Alcalde de la Municipalidad de San Joaquín, dentro del plazo de 20 días, contados desde la recepción del presente oficio, disponer la reapertura del procedimiento disciplinario de que se trata, a fin de que se realicen las diligencias necesarias a objeto de afinarlo conforme a derecho». (**ID Dictamen: 066591N12 Fecha:** 25.10.2012 **Destinatarios:** Alcalde de la Municipalidad de San Joaquín. **Texto:** Acoge reclamo de ilegalidad en contra del decreto 21/2012, de la Municipalidad de San Joaquín, que aplicó la medida de destitución a los funcionarios que indica. **Acción:** Aplica dictámenes 44837/2011, 5122/2012, 62923/2011, 77321/2010, 69752/2010, 14076/2011, 22078/2007, 39954/2008, 15801/2009)

31. «*Como cuestión previa, es necesario hacer presente que mediante el citado oficio Nº 155, de 2012, la Contraloría Regional del Biobío, una vez verificados los nuevos antecedentes acompañados por el señor Méndez Vejar —entre los que se encontraba una presentación efectuada por correo electrónico a esa Oficina Regional dentro del plazo establecido por el artículo 156, de la ley Nº 18.883, Estatuto Administrativo para Funcionarios Municipales—, determinó acoger el reclamo respecto del proceso evaluatorio de ese servidor, que había sido declarado extemporáneo por el mencionado oficio Nº 10.882, de 2011, y, por ende, procedió a analizar el fondo del mismo, ordenando, en definitiva, retrotraer el procedimiento al estado de emitir el órgano colegiado un nuevo acuerdo debidamente fundado. (...)*
Sobre el particular, cabe referirse, en primer término, a la validez de la presentación ingresada vía correo electrónico por el señor Méndez Vejar, impugnando el proceso calificatorio al que se ha hecho referencia.
En este orden, los artículos 45 a 47 de la ley Nº 18.883, establecen, en lo que interesa, el derecho del funcionario a apelar de la resolución de la junta calificadora ante el alcalde, y una vez notificado el fallo del recurso formulado, el servidor podrá recurrir directamente ante la Contraloría General, de conformidad al artículo 156 del indicado cuerpo estatutario.
Ahora bien, atendido que las aludidas disposiciones legales no precisan la forma como debe manifestarse ese derecho, tendrá que estarse a la regulación de carácter supletoria contenida en la ley Nº 19.880 —sobre Procedimientos Administrativos que rigen los actos de los Órganos de la Administración del Estado—, cuyos artículos 5º y 19 previenen, en lo que interesa, que por regla general el procedimiento administrativo y los actos a que da origen, pueden realizarse por escrito o a través de técnicas y medios electrónicos.
Como puede advertirse al tenor de lo expuesto, el requisito necesario para que un reclamo como el de la especie produzca los efectos que le son propios, es que aquel se manifieste por escrito, exigencia que puede entenderse cumplida mediante la vía que en este acto se objeta, razón por la que, en la especie, debe reconocerse la validez de la reclamación de calificaciones del señor Méndez Vejar efectuada bajo esta modalidad y dentro de plazo, tal como en definitiva concluyó la Sede Regional del Biobío, lo que además es concordante con los principios de celeridad, economía procesal, no formalización, eficiencia, y eficacia, previstos en el recién mencionado cuerpo legal (aplica criterio contenido en los dictámenes Nºs. 12.723, de 2005, 68.864 y 79.645, ambos de 2011)». (**ID Dictamen: 065940N12 Fecha:** 23.10.2012 **Destinatarios:** Alcalde de la Municipalidad de Los Ángeles. **Texto:** Reconsidera oficio 155/2012, de la Contraloría Regional del Biobío, sobre proceso calificatorio de funcionario municipal. **Acción:** Aplica dictámenes 12723/2005, 68864/2011, 79645/2011, 54026/2010, 68184/2011, 41270/2007)[361]

---

[361]   Para efectos de su consulta en la Base de Jurisprudencia de Contraloría General de la República, el citado dictamen se encuentra en la sección/materia: «generales», sin perjuicio de que se trata de uno de carácter municipal.

32. «*A su vez, en lo que respecta a la situación de la señora Lira Salazar, quien interpuso el reclamo contemplado en el* **artículo 156 de la ley Nº 18.883, Estatuto Administrativo para Funcionarios Municipales, en contra de la medida de destitución que le fue aplicada,** *el referido oficio Nº 6.827, procedió a desestimar sus peticiones, ya que el proceso disciplinario en lo que a ella concierne no adolecía de vicios de legalidad, por las razones que allí se detallaron, restituyéndose el aludido decreto Nº 1.030, por el hecho de no constituir un acto terminal.*
En este orden de consideraciones, cabe reiterar que **los cargos formulados (...) cumplieron con las exigencias que ha señalado la jurisprudencia administrativa de este organismo de control para su eficacia, toda vez que dieron a conocer en forma clara a la inculpada los hechos anómalos que se les atribuyen para así tener la posibilidad de defenderse, lo cual tuvo lugar en el caso que nos ocupa, puesto que consta que aquella ejerció su derecho a defensa en cada una de las instancias legales establecidas para ese efecto, incluida su reclamación ante esta Entidad de Control (aplica criterio contenido, entre otros, en el dictamen Nº 50.081, de 2011, de esta Contraloría General)**
Por último, en cuanto a la alegación de la servidora destituida, en el sentido de que se encontraría prescrita la responsabilidad administrativa que le cabe en los hechos investigados en el proceso disciplinario de que se trata, es dable señalar que, de acuerdo a lo dispuesto en el inciso primero del artículo 155 de la citada ley Nº 18.883, la prescripción de la acción disciplinaria se suspende desde que se formulen cargos en el sumario respectivo, lo que aconteció en la especie con fecha 3 de noviembre de 2009, siendo notificados a la afectada el 4 de ese mismo mes y año, por lo que debe desestimarse su reclamación en ese sentido». (**ID Dictamen: 062806N12 Fecha: 09.10.2012 Destinatarios:** Alcaldesa de la Municipalidad de El Quisco. **Texto:** Complementa y aclara oficio 6827/2011, de la Contraloría Regional de Valparaíso, y dictamen 79687/2011, de este origen, en relación con sumario administrativo instruido en la Municipalidad de El Quisco. **Acción:** Aplica dictámenes 24552/2003, 46938/2010, 50081/2011 Complementa dictamen 79687/2011 aclara dictamen 79687/2011)[362]

33. «*Sobre el particular, es preciso anotar que, según previene el artículo 50 de la ley Nº 18.883, el escalafón comenzará a regir a contar del 1 de enero de cada año y durará doce meses, agregando el inciso tercero del mismo precepto, que* **los funcionarios tendrán derecho a reclamar de su ubicación en el mismo con arreglo al artículo 156 del mismo cuerpo legal,** *dentro del plazo de diez días hábiles, el que deberá contarse* **desde la fecha en que el mismo esté a disposición de los servidores para ser consultado**». (**ID Dictamen: 058610N12 Fecha:** 25.09.2012 **Destinatarios:** Inés Castro Sánchez. **Texto:** Rechaza por extemporáneo reclamo sobre omisión de funcionaria municipal en el escalafón de mérito y antigüedad del año 2011, de la Municipalidad de Lo Espejo. **Acción:** Aplica dictámenes 10684/2010, 37313/2010)

34. «*Como cuestión previa, es del caso señalar que* **la jurisprudencia administrativa de este origen, contenida, entre otros, en el dictamen Nº 64.170, de 2011, ha precisado que este Ente Fiscalizador sólo está facultado para pronunciarse tratándose de un proceso calificatorio, cuando en él se hubiere incurrido en algún vicio de procedimiento que implique una infracción legal o reglamentaria, pero no acerca del fondo de las consideraciones y apreciaciones vertidas sobre el empleado, como sucede con las notas asignadas, puesto que ello constituye un asunto que incide en el mérito funcionario, lo que es de competencia exclusiva de las autoridades y órganos calificadores de la municipalidad, en las instancias que dispone la normativa.**
Precisado lo anterior, y en relación a lo manifestado por la recurrente en orden a que dicho municipio no habría capacitado a los precalificadores, cabe consignar que el **inciso segundo del artículo 4º del decreto Nº 1.228, de 1992, del entonces Ministerio del Interior, Subsecretaría de Desarrollo Regional y Administrativo, Reglamento de Calificaciones del Personal Municipal, prevé que el alcalde deberá instruir a los funcionarios calificadores sobre la finalidad, contenido, procedimiento y efectos del sistema de calificaciones,** *no constando en la especie que se haya dado cumplimiento a dicha obligación.*
Sin perjuicio de lo señalado, y no siendo dicha actividad un trámite esencial del proceso calificatorio, su inobservancia no permite anular el proceso en cuestión, no obstante lo cual cabe advertir que, en lo sucesivo, dicha entidad edilicia deberá dar estricto cumplimiento a esa obligación (aplica criterio contenido, entre otros, en los dictámenes Nºs. 12.141, de 2004, y 29.632, de 2006). (...)
De esta forma, el referido **órgano colegiado se encuentra en el imperativo de dejar constancia de la decisión que adopta, enunciando los motivos, razones, causas específicas y circunstancias precisas que se han considerado para**

---

362 Para efectos de su consulta en la Base de Jurisprudencia de Contraloría General de la República, el citado dictamen se encuentra en la sección/materia: «generales», sin perjuicio de que se trata de uno de carácter municipal.

asignar a un funcionario una determinada calificación, antecedentes que por sí mismos deben conducir al resultado de la evaluación verificada, de modo tal que permita al empleado, por una parte, interponer el correspondiente recurso de apelación ante el alcalde, impugnando concretamente las apreciaciones que la junta ha vertido sobre su desempeño funcionario y, por otra, mejorar su comportamiento laboral en el siguiente período (aplica criterio este contenido, entre otros, en los dictámenes Nºs. 78.324, de 2011, y 25.406, de 2012)». (ID Dictamen: 058551N12 Fecha: 24.09.2012 Destinatarios: Alcalde de la Municipalidad de Saavedra. Texto: Acoge reclamo en proceso calificatorio en la Municipalidad de Saavedra. Acción: Aplica dictámenes 64170/2011, 12141/2004, 29632/2006, 51161/2006, 64418/2009, 963/2010, 78324/2011, 25406/2012, 62096/2011, 10740/98, 32807/2012. Mismo criterio aplicado en: ID Dictamen: 045254N12 Fecha: 26.07.2012 Destinatarios: Alcalde de la Municipalidad de La Cisterna. Texto: Acoge reclamo referido a proceso calificatorio de funcionarios de atención de salud municipal, por falta del acuerdo de la Comisión. Acción: aplica dictámenes 32807/2012, 51669/2009, 35175/2010, 78324/2011, 25406/2012; ID Dictamen: 031451N12 Fecha: 29.05.2012 Destinatarios: Alcalde de la Municipalidad de Paine. Texto: Atiende reclamo respecto de proceso calificatorio de funcionario afecto a la ley Nº 18883. Acción: Aplica dictámenes 78324/2011, 80503/2010, 17427/2011, 75772/2011, 45413/2009, 28998/2011; ID Dictamen: 012158N12 Fecha: 01.03.2012 Destinatarios: Alcalde de la Municipalidad de Santiago. Texto: Desestima reclamo de ilegalidad interpuesto por funcionario municipal en contra de proceso calificatorio, por cuanto no se advierten vicios de ilegalidad en su tramitación. Acción: Aplica dictámenes 59780/2011, 61814/2011, 25827/2009, 33575/2009, 7474/2011, 669/2011, 17427/2011; ID Dictamen: 064170N11 Fecha: 12.10.2011 Destinatarios: Alcalde de la Municipalidad de La Florida. Texto: Sobre calificaciones de funcionario de la Municipalidad de La Florida. Acción: Aplica dictamen 67595/2010, 17726/2009, 669/2011. Mismo criterio aplicado en ID Dictamen: 062096N11 Fecha: 30.09.2011 Destinatarios: Alcalde de la Municipalidad de El Bosque. Texto: Procede acoger reclamo en proceso calificatorio de funcionaria afecta a la ley 18883, por falta de fundamentación de la resolución que rechaza recurso de apelación. Acción: Aplica dictámenes 33068/2009, 30019/2010, 72737/2010, 34260/2011, 17427/2011, 50020/2011 62409/2010; ID Dictamen: 050020N11 Fecha: 09.08.2011 Destinatarios: Luis Rebolledo Cáceres. Texto: Sobre reclamo de calificaciones, de funcionario de la Municipalidad de Santiago, regido por la ley 18883. Acción: Aplica dictámenes 669/2011, 17427/2011, 40877/2011; e ID Dictamen: 040877N11 Fecha: 30.06.2011 Destinatarios: Maximiliano Fernández Ortega. Texto: Sobre reclamo de calificaciones de funcionario municipal. Acción: aplica dictámenes 669/2011, 15464/2011, 17427/2011; ID Dictamen: 035152N11 Fecha: 02.06.2011 Destinatarios: Alcalde de la Municipalidad de Peñaflor. Texto: Sobre reclamo de calificaciones, de funcionario de la Municipalidad de Peñaflor, regido por la ley 18883. Acción: Aplica dictámenes 15934/2010, 35163/2010, 17427/2011, 49040/2010 72737/2010, 54947/2007, 51667/2008, 44909/2002, 29061/2009, 62409/2010; e ID Dictamen: 000669N11 Fecha: 06.01.2011 Destinatarios: Erna Alarcón. Texto: Sobre reclamo de calificaciones de funcionaria municipal. Acción: Aplica dictámenes 15934/2010, 35163/2010)

35. *«Por otra parte, en relación al reclamo relativo a la valoración insuficiente que —a juicio de la recurrente— se le otorgó a su desempeño funcionario en el subfactor que indica, corresponde señalar que la facultad de esta Entidad de Control para revisar los procesos evaluatorios de los servidores municipales dice relación con la posible existencia de arbitrariedades o vicios de legalidad que pudieran presentarse en sus diferentes etapas, en contravención a las leyes y reglamentos que rigen la materia, y no sobre el mérito y desempeño de los empleados, pues este es un ámbito que compete a las autoridades evaluadoras, tal como se ha indicado, entre otros, en el dictamen Nº 17.726, de 2009, de este origen».* (ID Dictamen: 054639N12 Fecha: 04.09.2012 Destinatarios: Alcaldesa de la Comuna de Pedro Aguirre Cerda. Texto: Desestima reclamo fundado en vicios en proceso de calificación de funcionaria municipal que indica. Acción: aplica dictámenes 25827/2009, 44424/2009, 8351/95, 55095/2008, 34260/2011, 25406/2012, 17726/2009. Mismo criterio aplicado en: ID Dictamen: 015464N11 Fecha: 14.03.2011 Destinatarios: Catalina Mancilla Flores. Texto: Sobre reclamo de ilegalidad en contra de calificaciones de funcionaria municipal. Acción: aplica dictámenes 42832/2008, 7655/2010)

36. *«En primer término, y en lo que atañe a las alegaciones de mérito que plantea el recurrente, cabe manifestar que si bien de acuerdo con el referido artículo 156, compete a este Órgano de Fiscalización velar por el respeto de las normas jurídicas que rigen a los funcionarios municipales en esta materia, ello no lo convierte en una instancia procesal para que aquellos soliciten dejar sin efecto un acto administrativo dictado por la autoridad competente, sobre la base de la exposición de los mismos hechos ya investigados en el sumario correspondiente, por lo que acerca de tales consideraciones no se emitirá un pronunciamiento (aplica dictamen Nº 29.937, de 2012). (...)*
Finalmente, en relación al vicio que alega el señor Prieto Serey, respecto de la notificación del rechazo del recurso de reposición, es necesario hacer presente que si bien del análisis de la documentación consta que, efectivamente,

*no se entregó al reclamante copia íntegra del acto administrativo dictado por el alcalde en tal sentido, acorde con el artículo 142 de la citada ley Nº 18.883, **los vicios de procedimiento no afectarán la legalidad del decreto que aplica la medida disciplinaria, cuando incidan en trámites que no tengan una influencia decisiva en los resultados del sumario,** situación que se verifica en la especie (aplica dictamen Nº 80.779, de 2011)».* (**ID Dictamen: 049744N12 Fecha:** 14.08.2012 **Destinatarios:** Cristian Prieto Serey. **Texto:** Desestima reclamo de ilegalidad en contra de medida disciplinaria de destitución por atrasos reiterados **Acción:** Aplica dictámenes 29937/2012, 18835/2012, 38280/2010, 76892/2011 33054/2000, 22509/2005, 49342/2009, 44837/2011, 50081/2011, 13330/2012, 80779/2011)

37. *«Sobre el particular, cabe hacer presente que, como se ha precisado en los **dictámenes Nºs. 66.125, de 2009, 43.577 y 75.775,** ambos de 2011, de este origen, los funcionarios sólo pueden impugnar ante este Ente Fiscalizador las anotaciones de demérito dispuestas en su contra, una vez notificados del fallo del recurso de apelación deducido respecto de su calificación, dentro del plazo establecido en el artículo 156 de la ley Nº 18.883, Estatuto Administrativo para Funcionarios Municipales, toda vez que aquellas y las solicitudes de que sean objeto, según lo dispuesto en los artículos 37, 40 y 41 del citado texto estatutario, forman parte de los antecedentes a considerar por la junta calificadora durante el procedimiento de evaluación anual.*

En consecuencia, en mérito de lo expuesto, cabe concluir que la peticionaria podrá reclamar ante esta Entidad Fiscalizadora, de la referida anotación de demérito, en la oportunidad indicada». (**ID Dictamen: 047404N12 Fecha:** 06.08.2012 **Destinatarios:** Magaly Yolanda Muñoz Rocha. **Texto:** Los funcionarios municipales sólo pueden impugnar ante este Ente Fiscalizador las anotaciones de demérito dispuestas en su contra, una vez notificados del fallo del recurso de apelación deducido respecto de su calificación, dentro del plazo establecido en el art. 156 de la ley 18883. **Acción:** Aplica dictámenes 66125/2009, 43577/2011, 75775/2011. Mismo criterio aplicado en: **ID Dictamen: 038832N12**[363] **Fecha:** 29.06.2012 **Destinatarios:** José Antonio Bravo Castro. **Texto:** Desestima reclamo de funcionario municipal en contra de anotaciones de demérito de su hoja de vida funcionaria, por extemporáneo. **Acción:** Aplica dictámenes 28704/81, 41136/2002, 26030/2011, 75775/2011, 41296/2001, 22778/2003, 29782/2002; **ID Dictamen: 075775N11 Fecha:** 02.12.2011 **Destinatarios:** Juan Ponce Moreira. **Texto:** Sobre oportunidad para reclamar en contra de una anotación de demérito. **Acción:** Aplica dictámenes 50384/2002, 66125/2009, 43577/2011. Mismo criterio aplicado en **ID Dictamen: 043577N11 Fecha:** 11.07.2011 **Destinatarios:** Rodrigo Páez Rivera. **Texto:** Sobre oportunidad para reclamar en contra de una anotación de demérito. **Acción:** Aplica dictámenes 50384/2002, 66125/2009).

38. *«En otro orden de ideas, en lo que concierne a la **falta de entrega de copias del expediente, solicitadas luego de notificado del decreto que afinó el proceso sumarial,** y que en este acto alega el recurrente, debe manifestarse que de las alegaciones formuladas en el presente reclamo de ilegalidad, se colige un acabado estudio del proceso sumarial, por lo que la situación anotada, **no ha afectado el ejercicio del derecho contemplado en el artículo 156, de la citada ley Nº 18.883,** ante esta Entidad de Control.*

*Finalmente, en lo que atañe a los hechos que el interesado describe y califica como hostigamiento laboral, constituidos por la suspensión de su registro de asistencia y la retención del 50% de su remuneración mensual, cabe señalar que los referidos actos únicamente son consecuencia de la aplicación de la medida disciplinaria determinada por la administración activa a su respecto, cuyos efectos rigen y deben ser acatados en plenitud desde la fecha de su notificación al afectado, **sin que la eficacia de la respectiva sanción se subordine al resultado del recurso formulado** en la especie, por lo que, en su caso, no se advierte que la situación que indica, configure el acoso que reclama».* (**ID Dictamen: 043371N12 Fecha:** 19.07.2012 **Destinatarios:** Marco Areyte Soto **Texto:** No existe impedimento legal para que un funcionario que se encuentre haciendo uso de licencia médica sea sometido a un proceso disciplinario, pudiendo notificarse alguna actuación en su domicilio. **Acción:** Aplica dictámenes 63334/2011, 22977/2012)[364]

---

[363] Para efectos de su consulta en la Base de Jurisprudencia de Contraloría General de la República, el citado dictamen se encuentra en la sección/materia: «generales», sin perjuicio de que se trata de uno de carácter municipal.

[364] Para efectos de su consulta en la Base de Jurisprudencia de Contraloría General de la República, el citado dictamen se encuentra en la sección/materia: «generales», sin perjuicio de que se trata de uno de carácter municipal.

39. «*Atendidas las consideraciones expuestas, es dable concluir que la Municipalidad de Tucapel ha vulnerado el princi-pio de igualdad ante la ley, entendida como una igualdad jurídica que impide que se establezcan en los textos legales o reglamentarios, o en las aplicaciones que hagan de estos las autoridades, excepciones o privilegios que excluyan a unos de lo que se concede a otros en similares circunstancias, en la especie, respecto de los dos inculpados por hechos similares, no advirtiéndose razón alguna por la que no deba aplicárseles una sanción equivalente (aplica criterio con-tenido en el dictamen Nº 38.280, de 2010)*». (**ID Dictamen: 030590N12 Fecha:** 24.05.2012 **Destinatarios:** Alcalde de la Municipalidad de Tucapel. **Texto:** No ratifica medida disciplinaria de destitución contenida en el decreto 768/2011, de la Municipalidad de Tucapel y atiende diversas solicitudes acerca de la situación del afectado. **Acción:** Aplica dictámenes 38280/2010, 29188/2006, 27108/83, 40282/97, 329/2006, 2019/2010, 44764/2009, 50142/2009, 54642/2005)

40. «*De este modo, y si bien la anotada facultad sancionadora está radicada en la autoridad edilicia, esta **Contraloría General se encuentra en el imperativo de fiscalizar que la determinación que en definitiva se adopte, de acuerdo al examen de legalidad llevado a cabo en virtud de la referida reclamación, esté conforme a la normativa y al mérito del proceso**, (...)*». (**ID Dictamen:** 029953N12 **Fecha:** 23.05.2012 **Destinatarios:** Alcalde de la Municipalidad de Concón. **Texto:** Desestima solicitud de reconsideración de dictamen 74351/2011, que atendió reclamo de ilegalidad respecto de sumario administrativo instruido por la Municipalidad de Concón. **Acción:** Confirma dictamen 74351/201)

41. «*En la especie, es preciso anotar que, según previene el artículo 50 de la ley Nº 18.883, sobre Estatuto Administrativo para Funcionarios Municipales, el escalafón comenzará a regir a contar del 1 de enero de cada año y durará doce meses, agregando el inciso tercero del mismo precepto, que los funcionarios **tendrán derecho a reclamar de su ubicación en el escalafón con arreglo al artículo 156 de la misma normativa**, dentro del plazo de diez días hábiles, término que deberá contarse **desde la fecha en que el escalafón esté a disposición de los funcionarios para ser consultado.**
Luego, aunque de los antecedentes tenidos a la vista no ha sido posible establecer la fecha en que el escalafón fue puesto a disposición de todos los funcionarios del municipio, consta que el ocurrente presentó la carta Nº 6.682, dirigida a la alcaldesa de la Municipalidad de San Bernardo, para reclamar acerca de su errónea ubicación en él, el día 2 de agosto de 2011, de lo que **se desprende que al menos a esa época el recurrente tuvo acceso al referido documento, verificándose a su respecto una notificación tácita**, de conformidad con lo dispuesto en el artículo 47 de la ley Nº 18.880, sobre Bases de los Procedimientos Administrativos que Rigen los Actos de los Órganos de la Administración del Estado.
En consecuencia, a la fecha en que el señor Rodríguez Espinoza dedujo su reclamo ante esta Contraloría General —14 de septiembre de 2011—, ya se encontraba vencido el término legal señalado en el referido artículo 50 de la ley Nº 18.883, para impugnar su ubicación en el mencionado escalafón (aplica dictámenes Nºs. 22.913, de 2010 y 5.373, de 2011)*».
(**ID Dictamen:** 029162N12 **Fecha:** 17.05.2012 **Destinatarios:** Hernán Rodríguez Espinoza. **Texto:** Desestima reclamo de funcionario municipal formulado en contra de su ubicación en escalafón, por extemporáneo. **Acción:** Aplica dictámenes 22913/2010, 5373/2011)

42. «*Al respecto, es del caso anotar que **la precalificación, de la cual forman parte los dos informes cuatrimestrales a que se refiere el artículo 18, inciso segundo, del citado decreto Nº 1.228, de 1992, debe ser realizada por el jefe direc-to, según lo ordena el artículo 37 de la mencionada ley Nº 18.883, el cual, conforme lo dispone el artículo 20 de dicho texto reglamentario, es el funcionario de quien depende en forma inmediata la persona a calificar.**
En este sentido, analizados los antecedentes aportados por esa entidad edilicia y aquellos contenidos en la base de datos del personal de la Administración del Estado que lleva este Organismo de Control, es posible constatar que a la data de emisión tanto del primero como del segundo informe cuatrimestral y así también, de la precalificación, la jefa directa del recurrente es la señora María Soledad Román Soto, en su calidad de directora de administración y finanzas, unidad de la que depende el señor Barrios Gómez y no del señor Misael Saavedra Díaz, director del departamento de salud, quien erróneamente emitió el primer informe cuatrimestral.
En este contexto, **si bien la irregularidad indicada constituye un vicio del proceso calificatorio, ello no afecta su va-lidez, de acuerdo con lo dispuesto en el artículo 13, inciso segundo, de la ley Nº 19.880, que establece Bases de los Procedimientos Administrativos que Rigen los Actos de los Órganos de la Administración del Estado**, normativa que, en lo que interesa, prescribe que el vicio de procedimiento sólo afecta la validez del acto administrativo cuando recae en algún requisito esencial del mismo, sea por su naturaleza o por mandato del ordenamiento jurídico y genera perjuicio al interesado, elemento este último que no se advierte en la emisión del primer informe cuatrimestral impugnado, toda vez que, por una parte, es similar en su contenido al segundo informe y, por otra, **ambos instrumentos, junto con la precalificación, constituyen sólo un antecedente, no vinculante, para la junta calificadora, en quien radica la plenitud de la potestad evaluadora** (aplica criterio contenido en los dictámenes Nºs. 78.324, de 2011 y 14.489, de 2012)*».

(ID Dictamen: 025406N12 Fecha: 02.05.2012 Destinatarios: Carlos Barrios Gómez. Texto: Desestima reclamo sobre proceso calificatorio de funcionario municipal. Acción: Aplica dictámenes 17427/2011, 78324/2011, 14489/2012)[365]

43. «*Sobre el particular, cabe señalar que de conformidad con el artículo 45 de la ley Nº 18.883, el funcionario tendrá derecho a apelar de la resolución de la junta calificadora, y de este recurso conocerá el alcalde; mientras que según previene el artículo 47 del citado texto legal, una vez notificado el fallo de la apelación, el servidor solo podrá reclamar directamente a la Contraloría General, según lo dispuesto en el artículo 156 del aludido estatuto.*
Como se advierte, y en concordancia con el criterio contenido en los dictámenes Nºs. 18.259 y 35.475, ambos de 2011, de esta Entidad Fiscalizadora, la preceptiva indicada delimita expresamente la oportunidad en la cual, en materia de calificación, puede deducirse el reclamo de que trata el citado artículo 156, refiriéndola específicamente al momento posterior a la notificación de la resolución que falla el pertinente recurso de apelación, situación que no ha ocurrido en la especie.*
En efecto, según lo informado por la municipalidad, la peticionaria notificada de la resolución de la junta calificadora, no hizo uso del derecho de apelar ante el alcalde, hecho que configura la imposibilidad de parte de este Órgano de Control de conocer y pronunciarse respecto del recurso de reclamación de que se trata». (ID Dictamen: 016083N12 Fecha: 19.03.2012 Destinatarios: Inés Romero Moreno. Texto: Sobre reclamo de proceso calificatorio de funcionaria afecta a estatuto municipal. Acción: Aplica dictámenes 18259/2011, 35475/2011)

44. «*Precisado lo anterior, y en relación a las alegaciones de mérito del peticionario, relativas a la ponderación que se hizo del aludido informe pericial, cumple manifestar que si bien a esta **Contraloría General le compete velar por el respeto de las normas legales y constitucionales que rigen a los servidores municipales, incluidas las que regulan los procedimientos disciplinarios, ello no la convierte en una instancia procesal para dejar sin efecto un acto administrativo dictado por la autoridad competente**, sobre la base de la exposición de los mismos hechos ya investigados en el expediente sumarial, tal como acontece en la especie (aplica criterio contenido en los dictámenes Nº s. 28.791, de 2009, y 44.837, de 2011). (...)*
Finalmente, en lo relativo a la excesiva demora en la tramitación del sumario, menester es informar que los plazos de sustanciación de los procedimientos disciplinarios instruidos por los municipios, que contempla el Título V de la ley Nº 18.883, para la realización de las diversas diligencias, no poseen el carácter de esenciales y, por ende, las actuaciones no serán privadas de validez cuando la administración se exceda en el tiempo establecido por la ley para tales efectos.
No obstante lo anterior, de acuerdo con lo dispuesto en los artículos 58 y 61, letra a), de la citada ley Nº 18.883, es responsabilidad del fiscal instructor y de la Unidad Jurídica del municipio —como lo ha precisado este Organismo Contralor, entre otros, en el dictamen Nº 27.262, de 2006—, velar por la correcta y oportuna tramitación de los procesos sumariales hasta la vista fiscal, obligación dentro de la cual se entiende incorporada la de dar cumplimiento a los plazos que contempla la normativa legal aludida». (ID Dictamen: 013330N12 Fecha: 07.03.2012 Destinatarios: Alcalde de la Municipalidad de Maipú. Texto: Desestima reclamo de ilegalidad en contra del decreto 6464/2011, de la Municipalidad de Maipú, mediante el cual se aplicó la medida disciplinaria de multa del cinco por ciento de su remuneración mensual, con arreglo a los artículos 120 lt/b, y 122 lt/a de la ley 18883, a funcionario de esa entidad edilicia. Acción: Aplica dictámenes 28791/2009, 44837/2011, 62969/2009, 27262/2006. Mismo criterio aplicado posteriormente en: ID Dictamen: 076051N12 Fecha: 06.12.2012 Destinatarios Rogelio Castillo Morales. Texto: Rechaza reclamos de ilegalidad en contra del sumario administrativo afinado por decreto 93/2012, de la Municipalidad de Peñalolén. Acción: Aplica dictámenes 73364/2011, 77909/2011, 73449/2011, 47766/2010, 53505/2010, 31025/2005, 24927/2012)

45. «*En primer lugar, atendido lo señalado por la municipalidad, es necesario aclarar que la reclamación de la especie ha sido deducida dentro del plazo de diez hábiles fijado para tal efecto en los citados artículos 47 y 156 de la ley Nº 18.883, contado desde que se tuviere conocimiento de la situación, resolución o actuación que dio lugar al vicio de que se reclama, toda vez que, tratándose de las calificaciones, dicho término legal debe computarse a contar de la notificación de la resolución por la cual el alcalde se pronuncia sobre la apelación que el interesado haya interpuesto en contra de su calificación, vale decir, una vez que se han cumplido todas las diligencias del respectivo proceso, en que deben intervenir las autoridades u órganos municipales, y no durante su desarrollo, como parece entenderlo esa entidad edilicia (aplica dictámenes Nºs. 59.780 y 61.814, ambos de 2011). (...)*

---

[365] Para efectos de su consulta en la Base de Jurisprudencia de Contraloría General de la República, el citado dictamen se encuentra en la sección/materia: «generales», sin perjuicio de que se trata de uno de carácter municipal.

*Finalmente, en cuanto a la alegación que formula el peticionario acerca de la valoración insuficiente que se otorgó a su trabajo, es del caso anotar que esta **Entidad Fiscalizadora sólo se encuentra facultada para pronunciarse respecto de un proceso calificatorio, cuando en él se hubiere incurrido en algún vicio de procedimiento que implique una infracción legal o reglamentaria, pero no respecto del fondo de las consideraciones y apreciaciones vertidas sobre un servidor en dicha evaluación, como sucede con las notas asignadas, por cuanto ello constituye un asunto que incide en el mérito funcionario, materia de competencia exclusiva de las autoridades y órganos calificadores de la respectiva municipalidad, en las instancias que contempla la normativa jurídica pertinente (aplica dictámenes Nºs. 669 y 17.427, ambos de 2011).***

En consecuencia, con el mérito de lo expuesto, procede desestimar la solicitud (...)». (**ID Dictamen: 012158N12 Fecha:** 01.03.2012 **Destinatarios:** Alcalde de la Municipalidad de Santiago. **Texto:** Desestima reclamo de ilegalidad interpuesto por funcionario municipal en contra de proceso calificatorio, por cuanto no se advierten vicios de ilegalidad en su tramitación. **Acción:** Aplica dictámenes 59780/2011, 61814/2011, 25827/2009, 33575/2009, 7474/2011, 669/2011, 17427/2011. Mismo criterio aplicado en: **ID Dictamen: 064170N11 Fecha:** 12.10.2011 **Destinatarios:** Alcalde de la Municipalidad de La Florida. **Texto:** Sobre calificaciones de funcionario de la Municipalidad de La Florida. **Acción:** Aplica dictamen 67595/2010, 17726/2009, 669/2011. Mismo criterio aplicado en **ID Dictamen: 062096N11 Fecha:** 30.09.2011 **Destinatarios:** Alcalde de la Municipalidad de El Bosque. **Texto:** Procede acoger reclamo en proceso calificatorio de funcionaria afecta a la ley 18883, por falta de fundamentación de la resolución que rechaza recurso de apelación. **Acción:** Aplica dictámenes 33068/2009, 30019/2010, 72737/2010, 34260/2011, 17427/2011, 50020/2011 62409/2010; **ID Dictamen: 050020N11 Fecha:** 09.08.2011 **Destinatarios:** Luis Rebolledo Cáceres. **Texto:** Sobre reclamo de calificaciones, de funcionario de la Municipalidad de Santiago, regido por la ley 18883. **Acción:** Aplica dictámenes 669/2011, 17427/2011, 40877/2011; e **ID Dictamen: 040877N11 Fecha:** 30.06.2011 **Destinatarios:** Maximiliano Fernández Ortega. **Texto:** Sobre reclamo de calificaciones de funcionario municipal. **Acción:** aplica dictámenes 669/2011, 15464/2011, 17427/2011; **ID Dictamen: 035152N11 Fecha:** 02.06.2011 **Destinatarios:** Alcalde de la Municipalidad de Peñaflor. **Texto:** Sobre reclamo de calificaciones, de funcionario de la Municipalidad de Peñaflor, regido por la ley 18883. **Acción:** Aplica dictámenes 15934/2010, 35163/2010, 17427/2011, 49040/2010 72737/2010, 54947/2007, 51667/2008, 44909/2002, 29061/2009, 62409/2010; e **ID Dictamen: 000669N11 Fecha:** 06.01.2011 **Destinatarios:** Erna Alarcón. **Texto:** Sobre reclamo de calificaciones de funcionaria municipal. **Acción:** Aplica dictámenes 15934/2010, 35163/2010)

46. *«A su turno, se ha dirigido a esta Entidad Fiscalizadora la persona afectada por la referida medida, quien, en **el ejercicio del derecho establecido en el artículo 156 de la ley Nº 18.883 —sobre Estatuto Administrativo para Funcionarios Municipales—, reclama en contra de la legalidad del aludido decreto municipal, por estimar, en síntesis, que la autoridad edilicia no pudo modificar la medida dispuesta***, en primera instancia mediante el decreto Nº 17, de 2010, en cuya virtud le aplicó una multa del cinco por ciento de su remuneración mensual. (...)*

*De acuerdo con la señalada normativa, y en concordancia con lo dispuesto en el artículo 63, letra d), de la citada ley Nº 18.695, es dable sostener que la **aplicación de una determinada medida disciplinaria en los sumarios como el de la especie, es una facultad exclusiva de la autoridad edilicia, la que, por lo tanto, puede mantener aquella propuesta por el Contralor General o bien, cumpliendo los requisitos aludidos, disponer una distinta.***

En este contexto, corresponde hacer presente que, en la situación en comento, se advierte que la autoridad edilicia se ha ajustado a derecho al haber dejado sin efecto el mencionado decreto Nº 17, de 2010, manteniendo en definitiva la sanción propuesta por esta Entidad de Control, toda vez que al haber sido observado aquel por no cumplir los correspondientes requisitos legales, debía proceder de ese modo, dictando un nuevo acto sancionatorio, en el cual válidamente se ha podido establecer la medida que en definitiva se impuso». (**ID Dictamen: 010734N12 Fecha:** 22.02.2012 **Destinatarios:** Alcalde de la Municipalidad de Huechuraba. **Texto:** Al dictarse decreto que aplica medidas disciplinarias en un municipio, el alcalde podía ponderar las atenuantes invocadas por la recurrente en la reposición, por lo que al desecharlas, no infringe normativa alguna. **Acción:** Aplica dictamen 40018/2010)

47. *«**Finalmente, en lo que concierne a la determinación de la fecha desde la cual se hace efectiva la medida disciplinaria de destitución aplicada, para efectos de establecer el período de inhabilidad para ingresar a cargos de la Administración del Estado**, conviene recordar que, de acuerdo con la reiterada jurisprudencia administrativa de este origen, contenida en los dictámenes Nºs. 46.174, de 2007, y 4.824, de 2009, **los decretos alcaldicios relativos al personal rigen in actum, esto es, desde la fecha de su notificación al afectado**, sin que su eficacia se subordine al trámite de registro al que se encuentran sujetos, en conformidad con el artículo 53 de la ley Nº 18.695, Orgánica Constitucional de Municipalidades, ya que ese trámite consiste en una mera anotación material del respectivo acto en los registros que lleva al efecto esta Entidad Fiscalizadora, sin importar un control preventivo de legalidad.*

*En este sentido, según lo ha establecido **la misma jurisprudencia, la interposición del reclamo contemplado en el artículo 156 de la ley Nº 18.883,** no suspende la ejecución del acto impugnado, cuyos efectos rigen y deben ser acatados en plenitud, salvo que la autoridad llamada a conocerlo, a petición fundada del interesado, pueda suspender su ejecución, cuando el cumplimiento de lo que se resolviere pueda causar daño irreparable o hacer imposible la realización de lo que se resolviere en el evento de acogerse el recurso, conforme a lo establecido en el artículo 57 de la ley Nº 19.880, sobre Bases de los Procedimientos Administrativos que rigen los Actos de los Órganos de la Administración del Estado,* situación que no aconteció en este caso». **(ID Dictamen: 004660N12 Fecha:** 24.01.2012 **Destinatarios:** Miguel Ángel Reyes Poblete. **Texto:** Confirma oficio por el cual se rechazó la reclamación que se interpusiera en contra del decreto alcaldicio 264/2010, de la Municipalidad de Pelluhue, mediante el cual se determinó que las conductas materia de la investigación fueron acreditadas mediante distintos medios de prueba, correspondiendo la aplicación de la medida disciplinaria de destitución. **Acción:** Aplica dictámenes 46174/2007, 4824/2009)

48. *«Por su parte, el afectado, en el ejercicio del derecho que le confiere el **artículo 156 de la aludida ley Nº 18.883,** se ha dirigido a este Órgano de Control reclamando del mérito y legalidad del proceso sumarial de que se trata, por cuanto, a su juicio, existen vicios que afectarían su validez, tales como la insuficiente acreditación de los hechos imputados y su participación en los mismos; la ausencia de imparcialidad en el actuar del fiscal del sumario, específicamente en lo relativo a la carencia de ponderación y la omisión de ciertos elementos de prueba; la ausencia de proporcionalidad entre la sanción aplicada y el mérito de los antecedentes del expediente, al no considerar las circunstancias atenuantes que invoca; la ilegalidad de la medida aplicada, debido a que ella no está contemplada en la legislación; y, la falta de consideración de su calidad de dirigente gremial. (...)*
*En efecto, de acuerdo a lo señalado por la **jurisprudencia administrativa de esta Entidad de Fiscalización, contenida, entre otros, en los dictámenes Nºs. 2.030 y 39.321, ambos de 2011, las imputaciones que se formulen en el sumario deben ser concretas y precisas y, necesariamente, contener el detalle de los hechos constitutivos de la o las infracciones que se imputan al o los inculpados y la forma como ellos han afectado los deberes que establecen las normas legales que se han vulnerado, de modo que se les permita asumir adecuadamente su defensa y, a su vez, el servicio pueda fundadamente determinar, si fuere procedente, la aplicación de la medida disciplinaria que en derecho amerite la falta administrativa*». **(ID Dictamen: 002041N12 Fecha:** 11.01.2012 **Destinatarios:** Alcalde de la Municipalidad de Maipú. **Texto:** Observa dto 4110/2011, de la Municipalidad de Maipú, por el cual se puso término a un procedimiento disciplinario y aplicó medida de multa de 10% de remuneración a funcionario que indica y atiende reclamo de ilegalidad, haciendo presente que alcalde debe ordenar la reapertura del sumario en examen, retrotrayéndolo a la etapa indagatoria, a fin de que se realicen todas las diligencias necesarias para esclarecer las irregularidades cometidas y, de resultar procedente, formular los cargos pertinentes, señalando concretamente las conductas anómalas o transgresiones en que habría incurrido el o los inculpados. **Acción:** Aplica dictámenes 28791/2009, 44837/2011, 2030/2011, 39321/2011, 34010/2005, 12528/96, 30128/97, 9082/2006, 13659/2000, 1172/2002, 4939/2004, 75954/2011)[366]

49. *«Duodécimo: Que, en cambio, el **régimen estatutario es de carácter legal, ya que es la ley la que exclusivamente regula la situación de los funcionarios y señala la forma como nace y se extingue su relación con el Estado. Este sistema no tiene origen ni naturaleza convencional, ya que es el legislador el que determina por completo los derechos y obligaciones que son efectos de esa relación. Esta nace del acto unilateral de la autoridad que incorpora a un individuo a la dotación de un servicio público, en que la voluntad de éste último sólo interviene para aceptar su designación, pero no concurre a establecer las condiciones de la vinculación, ni los derechos y obligaciones de las partes, ya que todos estos elementos son fijados única y definitivamente por la ley en el estatuto que rige a ese personal.** (...)*
*Décimo cuarto: Que en torno a esta materia, cabe señalar que el **artículo 156 del Estatuto Administrativo de los Funcionarios Municipales que se contiene en la ley Nº 18.883 y que se aplica supletoriamente al personal de la Atención Primaria de Salud Municipal,** previene que los "funcionarios tendrán derecho a reclamar ante la Contraloría General de la República, cuando se hubieren producido vicios de legalidad que afectaren los derechos que les confiere este Estatuto", de manera que esta es la vía idónea que franquea la ley para que esos servidores puedan obtener el reconocimiento de sus derechos. Porque, entre otras funciones, los artículos 1º y 6º de la Ley Nº 10.336 asignan a ese Organismo, las de*

---

[366] Para efectos de su consulta en la Base de Jurisprudencia de Contraloría General de la República, el citado dictamen se encuentra en la sección/materia: «generales», sin perjuicio de que se trata de uno de carácter municipal.

vigilar el cumplimiento de las disposiciones del Estatuto Administrativo y pronunciarse sobre los asuntos que se relacionen con este cuerpo legal, respectivamente.

Décimo quinto: Que, como corolario de las consideraciones anteriores, cabe concluir que el fallo impugnado no incurrió en contravención alguna al inciso tercero del artículo 1º del Código del Trabajo, como se sostiene en el recurso, al confirmar la decisión que no acogió la posibilidad que la actora impetrara la aplicación del artículo 171 de ese cuerpo legal para retirarse de la Corporación Municipal demandada.

Décimo sexto: Que el segundo de los errores de derecho que el recurrente reprocha a la sentencia que confirmó el rechazo de la acción de la demandante y que consiste en la infracción del artículo 3º de la Ley Nº 18.883, tampoco tiene asidero. Es efectivo que esta disposición preceptúa que el personal que se desempeñe en servicios traspasados desde organismos o entidades del sector público y que administre directamente la municipalidad se regirá también por las normas del Código del Trabajo.

Décimo séptimo: Que, sin embargo, esa declaración del Estatuto Administrativo de los Funcionarios Municipales, de 29 de diciembre de 1989, fue anterior a la dictación de la Ley Nº 19.378, de 13 de abril de 1995, y por lo tanto, ella dejó de regir a contar de esta última fecha a los personales de los establecimientos de Atención Primaria de Salud Municipal, entre ellos, la actora que pasaron a quedar sujetos específicamente, como se ha anotado, a las normas del Estatuto sancionado por esa ley Nº 19.378, la que no se remite subsidiariamente al Código del Trabajo;

Décimo octavo: Que, finalmente, aparte que con arreglo a lo prescrito en el artículo 767 del Código de Procedimiento Civil, el recurso de casación en el fondo debe fundarse en una infracción de ley y no de principios jurídicos, debe admitirse que si la actora no estaba sometida al Código de Trabajo como dependiente de la Corporación demandada, mal puede el fallo recurrido haber atropellado alguna de las nociones que informan los preceptos de este cuerpo legal». **(CS Rol Nº 1519-2010 Fecha:** 09.06.2010 **Sala:** Pronunciada por la Cuarta Sala de la Corte Suprema integrada por los Ministros señores Urbano Marín V., Patricio Valdés A., señoras Gabriela Pérez P., Rosa María Maggi D., y Rosa Egnem S).

II. VICIOS DE LEGALIDAD QUE AFECTAREN DERECHOS DE LAS PERSONAS QUE POSTULEN A UN CONCURSO PÚBLICO PARA INGRESAR A UN CARGO EN UNA MUNICIPALIDAD[367].

50. *«Sobre el particular, cabe señalar que de acuerdo con las disposiciones de la ley Nº 10.336, y las instrucciones impartidas mediante el oficio circular Nº 24.841, de 1974, a esta* **Entidad Fiscalizadora sólo le corresponde conocer y pronunciarse respecto de presentaciones deducidas por particulares o funcionarios públicos en caso de que ellas se refieran a asuntos en que se haya producido una resolución denegatoria en relación con un derecho, o se haya omitido o dilatado una decisión por parte de la autoridad administrativa, habiéndola requerido el interesado (aplica criterio contenido en los dictámenes Nºs. 18.079, de 2007; 67.843, de 2009 y 68.226, de 2010),** *lo que no consta que suceda en la especie, respecto de ninguna de las peticiones de la reclamante.*

Además, es dable añadir, respecto de la segunda de ellas que, **en la medida que quienes postularon al correspondiente concurso, consideren que en aquél se produjeron vicios de legalidad que los afectan, éstos, de conformidad con el artículo 156 de la ley Nº 18.883,** *Estatuto Administrativo para Funcionarios Municipales —aplicable supletoriamente al personal afecto a la ley Nº 19.378, por disposición del artículo 4º de este último texto legal—* **tendrán derecho a reclamar del certamen, dentro del plazo de diez días hábiles, contados desde que tuvieron conocimiento de la situación, resolución o actuación que dio lugar al vicio que se alegue».** (ID Dictamen: 061598N11 Fecha: 20.09.2011 **Destinatarios:** Sinaida Defaz Cajas. **Texto:** Se abstiene de emitir un pronunciamiento sobre solicitud de revisión de cumplimiento de bases de un concurso, sin alegar vicios concretos o la existencia de una resolución denegatoria de algún derecho. **Acción:** Aplica dictámenes 18079/2007, 67843/2009, 68226/2010)[368]

51. *«De este modo, en la medida que quienes postularon al correspondiente concurso,* **consideren que en aquél se produjeron vicios de legalidad** *que los afectan, éstos, de conformidad con el* **artículo 156 de la ley Nº 18.883** *—Estatuto Administrativo para Funcionarios Municipales—,* **tendrán derecho a reclamar del certamen,** *dentro del plazo de diez días hábiles, contados desde que tuvieron conocimiento de la situación, resolución o actuación que dio lugar al vicio que se alegue.*

---

[367] Materia destacada al tenor del precepto legal. Sólo para fines de selección.

[368] Para efectos de su consulta en la Base de Jurisprudencia de Contraloría General de la República, el citado dictamen se encuentra en la sección/materia: «generales», sin perjuicio de que se trata de uno de carácter municipal.

*En este contexto, cumple con reiterar que **la invariable jurisprudencia de este Organismo de Control, contenida, entre otros, en los dictámenes Nºs. 12.209, de 1999, y 31.731, de 2010, ha precisado que las asociaciones de funcionarios municipales están facultadas, acorde con el artículo 7º, inciso segundo, letra f), de la ley Nº 19.296, para representar a los funcionarios en los organismos y entidades en que la ley les concediere participación; y, además, a solicitud del interesado, podrán asumir la representación de los asociados para deducir, ante esta Contraloría General, el recurso de reclamación establecido en el respectivo Estatuto Administrativo.***

Como puede advertirse, del tenor literal del referido precepto de la ley Nº 19.296, se colige que tratándose del recurso de reclamación que el personal edilicio puede deducir ante esta Entidad Fiscalizadora, reglado en el artículo 156 de la aludida ley Nº 18.883, situación en la que se encuentran precisamente los reclamos que se deduzcan en contra de un concurso, tales entidades gremiales solamente cuentan con atribuciones para representar a sus afiliados ante este Órgano de Control, cuando los interesados requieren expresamente su intervención, petición que debe constar en la presentación que las citadas agrupaciones de empleados formulen.

*De acuerdo con lo expuesto, **no resulta posible sostener que la asociación peticionaria represente a terceros funcionarios que eventualmente habrían sido afectados en razón de vicios en el concurso público de que se trata, toda vez que en este caso no se acredita que esos servidores hayan solicitado su intervención.***

En consecuencia, dado que en la especie no concurren los supuestos precedentemente indicados, esta Contraloría General debe abstenerse de emitir un pronunciamiento sobre el particular». (**ID Dictamen: 019822N11 Fecha:** 31.03.2011 **Destinatarios:** María Loreto Valenzuela Solís. **Texto:** Sobre legitimación activa de Asociación de Funcionarios Municipales para representar a peticionario en reclamo de ilegalidad contra concurso público. **Acción:** aplica dictámenes 18079/2007, 67843/2009, 68226/2010, 12209/99, 31731/2010, 24841/74)[369]

52. *«Sobre el particular, es menester manifestar que de conformidad con lo establecido en el inciso segundo del **artículo 156 de la ley Nº 18.883, Estatuto Administrativo para Funcionarios Municipales, las personas que postulan a un concurso público para ingresar a cargos en una municipalidad, tienen derecho a reclamar ante este Órgano de Control cuando se hubieren producido vicios de legalidad**, dentro del plazo de diez días hábiles, contado desde que se tuvo conocimiento de la situación, resolución o actuación que dio lugar al vicio que se reclama (aplica dictamen Nº 15.671, de 2012).*

*Pues bien, según los antecedentes acompañados, especialmente de la certificación del secretario municipal de dicho municipio, consta que con fecha 30 de mayo de 2012 **se informó, a través de la página web institucional y por publicación en dependencias del edificio consistorial,** de los seleccionados del referido concurso, decisión que fue formalizada mediante decretos alcaldicios Nºs. 973, 974 y 975, todos de 1 de junio del mismo año.*

Por tanto, habiendo reclamado la recurrente ante esta Contraloría General con fecha 6 de julio de la citada anualidad, cabe concluir que las presentaciones de la especie fueron interpuestas fuera del indicado término, debiendo en consecuencia, desestimarse su requerimiento por extemporáneo (aplica criterio contenido en los dictámenes Nºs. 37.313, de 2010 y 58.610, de 2012, ambos de este origen)». (**ID Dictamen: 068488N12 Fecha:** 31.10.2012 **Destinatarios:** Marta Roa Novoa. **Texto:** Rechaza reclamo sobre concurso público que indica por extemporáneo. **Acción:** Aplica dictámenes 15671/2012, 37313/2010, 58610/2012)

III. DECLARADOS IMPROCEDENTES/EXTEMPORÁNEOS[370].

53. *«Sobre el particular, cabe hacer presente que de conformidad con lo dispuesto en los artículos 47 y **156 de la ley Nº 18.883, sobre Estatuto Administrativo para Funcionarios Municipales, el recurso especial de reclamación que los servidores afectos a dicho cuerpo estatutario pueden deducir ante esta Entidad Fiscalizadora, en contra del proceso calificatorio, debe interponerse dentro del plazo de diez días hábiles contado desde la notificación de la resolución por el alcalde, mediante la cual se pronuncia acerca de la apelación que el interesado haya planteado en contra de su calificación.***

*Por consiguiente, dado que en la especie la interesada ha recurrido ante este **Organismo Contralor durante la tramitación del proceso de calificación, toda vez que no se acredita que su reclamación se haya presentado en la oportunidad que ordena la preceptiva, resulta improcedente, por ahora, emitir el pronunciamiento que se requiere».** (**ID Dictamen: 059780N11 Fecha:** 21.09.2011 **Destinatarios:** Nandy Wylie San Martín. **Texto:** Pronunciamiento referido a oportunidad

---

[369] Para efectos de su consulta en la Base de Jurisprudencia de Contraloría General de la República, el citado dictamen se encuentra en la sección/materia: «generales», sin perjuicio de que se trata de uno de carácter municipal.

[370] Materia destacada al tenor del precepto legal. Sólo para fines de selección.

para reclamar en contra de proceso calificatorio de personal afecto a estatuto municipal. Mismo criterio aplicado en: **ID Dictamen: 044387N12 Fecha:** 24.02.2012 **Destinatarios** Viviana Galleguillos Cereceda. **Texto:** Se abstiene de pronunciarse sobre reclamo de calificaciones de funcionaria regida por la ley 18883, cuya apelación no ha sido resuelta. **Acción:** Aplica dictamen 26179/2003).

54. «*Enseguida, debe tenerse presente que el artículo 50 del citado cuerpo estatutario, establece, en su inciso primero, que el escalafón comenzará a regir a contar del 1 de enero de cada año y durará doce meses y, en el inciso tercero, que los funcionarios tendrán derecho a reclamar de su ubicación en el aludido ordenamiento del personal, con arreglo al artículo 156 del citado texto legal, esto es, dentro de diez días hábiles, plazo que debe contarse desde la fecha en que el escalafón esté a disposición de los funcionarios para ser consultado.*
Por su parte, este Organismo Contralor en el dictamen Nº 20.360, de 1999, ha precisado que, publicado el escalafón por el municipio, este no puede efectuar correcciones a dicho ordenamiento, sea de oficio o a petición de los funcionarios, sino que ello sólo podrá acontecer en virtud de los pronunciamientos de esta Entidad Fiscalizadora a que hayan lugar, como consecuencia de reclamaciones que los servidores deduzcan oportunamente de acuerdo con el referido inciso tercero del artículo 50, toda vez que, vencido dicho plazo, el escalafón adquiere el carácter de inamovible.
De este modo, en atención a que la interesada indica en su presentación que no fue ascendida debido a su ubicación en los escalafones de los años 2009 y 2010, es preciso manifestar que de los antecedentes proporcionados por la mencionada entidad edilicia, se advierte que el municipio habría dado a conocer a su personal el último de tales escalafones, el día 7 de febrero de 2011, publicándolo en la intranet institucional, sin que la ocurrente reclamara dentro del plazo de 10 días hábiles, de acuerdo con la normativa precedentemente citada, razón por la cual la presente solicitud resulta extemporánea». (**ID Dictamen: 025180N12 Fecha:** 02.05.2012 **Destinatarios:** Nicole David Piñones. **Texto:** Sobre oportunidad para reclamar de ubicación en el escalafón del personal municipal. **Acción:** Aplica dictamen 20360/99. Mismo criterio aplicado en **ID Dictamen: 012761N12**[371] **Fecha:** 02.03.2012 **Destinatarios:** Elizabeth Galaz Schonffeldt. **Texto:** Reclamación de corrección de antigüedad en el cargo del escalafón en los años 2004 a 2010, es extemporánea, por cuanto excede de los 10 días hábiles contados desde la fecha de publicación en internet del último escalafón por parte de Municipalidad. **Acción:** Aplica dictámenes 31456/93, 20360/99, 19742/2005; **ID Dictamen: 020509N11 Fecha:** 05.04.2011 **Destinatarios:** Presidente de la Asociación de Funcionarios de la Municipalidad de La Florida. **Texto:** Sobre legitimación activa de Asociaciones de Funcionarios en reclamos de calificaciones de personal regido por la ley 18883, y oportunidad para su interposición. **Acción:** Aplica dictámenes 24269/2010, 12725/96, 12209/99)

55. «*Se ha dirigido a esta Contraloría General el señor René Chacón Olguín, funcionario de la Municipalidad de Alhué, denunciando la demora en la tramitación de un sumario administrativo instruido por esa entidad edilicia en su contra y ciertas irregularidades que se habrían cometido en el mismo, todo lo cual, afectaría sus derechos funcionarios y le impediría ejercer su defensa de forma efectiva.*
En síntesis, el recurrente afirma que pese a que han transcurrido más de seis meses desde el inicio del procedimiento disciplinario de que se trata, aun no se habría cerrado la etapa indagatoria ni formulado cargos; señalando, además, que se habría ordenado su reapertura en circunstancias que ello no resultaría procedente y que la fiscal designada tendría un grado inferior a uno de los funcionarios que aparecen involucrados en los hechos que se investigan. (...)
Sobre el particular, y en lo relativo a los vicios a que se refiere el recurrente en su presentación, cabe hacer presente que, según ya se precisara, entre otros, en el dictamen Nº 26.004, de 2012, de este origen, los sumarios administrativos son procedimientos reglados en los que no caben otros trámites o instancias que aquellas previstas en la regulación que al efecto establece la ley Nº 18.883, Estatuto Administrativo para Funcionarios Municipales, cuerpo normativo que, en términos generales, no otorga facultades a esta Contraloría General para emitir una opinión anticipada respecto de procesos disciplinarios en curso.
En razón de lo anterior, no cabe sino desestimar, por ahora, el reclamo del señor Chacón Olguín, por no ser esta la oportunidad para deducirlo, sin perjuicio de manifestar que si al término del sumario de la especie, aquel resulta afectado por la aplicación de una medida sancionatoria, como consecuencia de actuaciones investigadas en el proceso, y considera que este adolece de vicios de legalidad, puede interponer ante esta Entidad de Control el recurso especial de reclamación contemplado en el artículo 156 de la citada ley Nº 18.883, dentro del plazo de diez días hábiles, contado

---

[371]   Para efectos de su consulta en la Base de Jurisprudencia de Contraloría General de la República, el citado dictamen se encuentra en la sección/materia: «generales», sin perjuicio de que se trata de uno de carácter municipal.

desde que se le notifique el decreto de término». (**ID Dictamen: 068499N12 Fecha:** 31.10.2012 **Destinatarios:** Alcalde de la Municipalidad de Alhué. **Texto:** Desestima reclamo sobre irregularidades en sumario administrativo en trámite y se pronuncia sobre demora en su substanciación. **Acción:** Aplica dictámenes 26004/2012, 37199/2009, 15700/2012. Mismo criterio aplicado en: **ID Dictamen: 042476N11 Fecha:** 06.07.2011 **Destinatarios:** Alcalde de la Municipalidad de Melipilla. **Texto:** Sobre petición de reconsideración de oficio que indica; Observa decreto 154, de 2010 de la Municipalidad de Melipilla; y se refiere a los decretos 127/2010 y 153/2010, mediante los cuales, por el primero, se rechaza reposición presentada, manteniéndose la sanción de destitución, en tanto que por el segundo se acoge una reposición presentada rebajando una medida de destitución. **Acción:** Aplica dictamen 46518/2008 Confirma dictamen 8725/2011; e **ID Dictamen: 008725N11**[372] **Fecha:** 10.02.2011 **Destinatarios:** Verónica Carrasco Henríquez. **Texto:** Sobre reclamo en contra de proceso disciplinario en tramitación).

56. *«Por otra parte, respecto de la reclamación que plantea la señora Carmona Morel, en uso del derecho establecido en* ***el artículo 156 de la ley Nº 18.883,*** *en orden a que, en la especie, procedería que el municipio declare la prescripción* ***de la acción disciplinaria,*** *atendido que el proceso a través del cual resultó sancionada, quedó paralizado por más de dos años, y, además, transcurrieron más de dos calificaciones funcionarias sin que se la hubiera sancionado, cabe señalar que la citada norma legal confiere el plazo de diez días hábiles, para que el funcionario ejerza la referida prerrogativa, contado desde la fecha en que tomó conocimiento de la situación, resolución o actuación que dio lugar al vicio que se reclama.*

Al respecto, cabe señalar que de la documentación tenida a la vista, consta que la recurrente fue notificada del aludido decreto Nº 4.092, de 2006, el 29 de abril de 2011 —acto administrativo que afinó el procedimiento por el que reclama—, y que con fecha 12 de julio del mismo año, efectuó una presentación ante esta Contraloría General alegando la prescripción de que se trata, de lo cual se desprende que a la última data mencionada, el plazo dispuesto para tal efecto se encontraba vencido.

Sin perjuicio de ello, cumple manifestar que si bien, de acuerdo con el ***criterio contenido, entre otros, en el dictamen*** ***Nº 7.201 de 2000,*** *de este Organismo de Control, el ordenamiento jurídico no contempla un plazo para hacer valer la causal de extinción de la responsabilidad administrativa, siendo posible alegarla en cualquier instancia del proceso sumarial, mientras éste no se encuentre afinado, tal circunstancia no había tenido lugar en la especie, puesto que consta que la interesada alegó la mencionada prescripción ante el municipio, el 3 de mayo de 2011, vale decir,* ***con posterioridad a la fecha en que se le notificó el aludido decreto*** *Nº 4.092, de 2006,* ***por lo que dicha reclamación se efectuó*** ***cuando el procedimiento disciplinario ya estaba afinado».*** (**ID Dictamen: 059951N11 Fecha:** 21.09.2011 **Destinatarios:** Giovanna Carmona Morel. **Texto:** Sobre cese de funciones por renuncia en relación con la potestad sancionadora de la autoridad administrativa y prescripción de la acción disciplinaria. **Acción:** Aplica dictámenes 79238/2010, 26608/98, 34450/2000, 7201/2000, 39213/2010)

57. *Por su parte, las personas individualizadas, se han dirigido a este organismo de control, solicitando la reconsideración del oficio Nº 8.725, de 2011, por cuyo intermedio se rechazó el reclamo interpuesto por aquellas en contra de la sustanciación del procedimiento disciplinario que dio origen a las sanciones indicadas, por cuanto, a la época en que dedujeron tal impugnación,* ***el sumario aun se encontraba en tramitación, no siendo esa la oportunidad para interponer*** ***el respectivo reclamo de ilegalidad, conforme a lo previsto en el artículo 156 de la ley Nº 18.883,*** *esto es, dentro del plazo de diez días hábiles, contado desde la notificación del decreto que pone término al sumario.*

Sin perjuicio de lo expresado, cabe hacer presente que de los antecedentes tenidos a la vista, aparece que la señora Carrasco Henríquez, interpuso, ante el Primer Juzgado de Letras de Melipilla, una demanda de nulidad de derecho público en contra del sumario que dio origen a la aludida medida disciplinaria de destitución —rol Nº C-568-2011—, ***cuestión que impide a este organismo de control pronunciarse en relación con la legalidad de la sanción aplicada a su*** ***respecto en virtud del citado decreto Nº 153, de 2010, atendido lo dispuesto en el artículo 6º, inciso tercero, de la ley*** ***Nº 10.336, de Organización y Atribuciones de esta Contraloría General».*** (**ID Dictamen: 042476N11 Fecha:** 06.07.2011 **Destinatarios:** Alcalde de la Municipalidad de Melipilla. **Texto:** Sobre petición de reconsideración de oficio que indica; Observa decreto 154, de 2010 de la Municipalidad de Melipilla; y se refiere a los decretos 127/2010 y 153/2010, mediante los cuales, por el primero, se rechaza reposición presentada, manteniéndose la sanción de destitución, en tanto

---

[372]   Para efectos de su consulta en la Base de Jurisprudencia de Contraloría General de la República, el citado dictamen se encuentra en la sección/materia: «generales», sin perjuicio de que se trata de uno de carácter municipal.

que por el segundo se acoge una reposición presentada rebajando una medida de destitución. **Acción:** Aplica dictamen 46518/2008 Confirma dictamen 8725/2011)

Artículo 157

Los derechos de los funcionarios consagrados por este Estatuto prescribirán en el plazo de dos años contado desde la fecha en que se hubieren hecho exigibles.

1. «*Sobre el particular, cabe hacer presente que **la jurisprudencia administrativa de este Organismo Contralor ha precisado, entre otros en los dictámenes Nºs. 44.122, de 2010, y 39.534, de 2011** —cuyas fotocopias se remiten, para su conocimiento y aplicación—, que el acceso a un determinado nivel da derecho a percibir las remuneraciones asignadas al mismo, a contar de la fecha en que se complete el puntaje requerido para tal efecto, **sin perjuicio de considerar que el derecho al cobro del sueldo base respectivo prescribe en el plazo de dos años, contemplado en el artículo 157 de la ley Nº 18.883, sobre Estatuto Administrativo para Funcionarios Municipales**, y las asignaciones en el plazo de seis meses, previsto en el artículo 98 del mismo texto legal, ambos contados desde la fecha en que se hicieron exigibles.*
*De este modo, en la eventualidad que exista retardo de parte del interesado en solicitar el pago pertinente, procederá aplicar los referidos plazos de prescripción, los cuales **se interrumpen administrativamente a través de la solicitud formal del interesado, o de quien lo represente, ante el municipio o ante esta Entidad Fiscalizadora (...)**».* (**ID Dictamen: 076090N11 Fecha:** 05.12.2011 **Destinatarios:** Alcalde de la Municipalidad de Lo Espejo. **Texto:** Sobre procedencia de pago de diferencias de remuneraciones a personal de la salud municipal, por cambio de nivel y determinación de data de sus requerimientos para efectos de la prescripción. **Acción:** Aplica dictámenes 44122/2010, 39534/2011)

2. «*A su turno, **la jurisprudencia administrativa de esta Entidad de Control, contenida, entre otros, en los dictámenes Nºs. 19.946, de 2004; 5.116, de 2008, 67.568, de 2009, y 26.660, de 2011, ha manifestado que el período de prescripción antedicho, se interrumpe según las normas de los artículos 2.523 y 2.524 del Código Civil**, por el reclamo formal del interesado o de quien lo represente, ante la entidad edilicia pertinente o ante esta Contraloría General*».* (**ID Dictamen: 049912N11 Fecha:** 09.08.2011 **Destinatarios:** Antonio Rojas Arancibia. **Texto:** Sobre solicitud de reincorporación de ex funcionario a cargo municipal en el que cesó al asumir un empleo incompatible. **Acción:** Aplica dictámenes 10707/2005, 19946/2004, 5116/2008, 67568/2009, 26660/2011)

3. «*En este orden de consideraciones, cabe señalar que de conformidad con lo previsto en los **artículos 98 y 157 de la ley Nº 18.883, sobre Estatuto Administrativo para Funcionarios Municipales,** —aplicable en forma supletoria al personal regido por la ley Nº 19.378, en virtud de lo dispuesto en el artículo 4º—, el derecho al cobro de las asignaciones prescribe en seis meses y del nuevo sueldo base —y de sus posteriores reajustes por ley, si ello hubiere sido omitido—, en el plazo de dos años contados desde la fecha en que se hicieron exigibles (**aplica dictámenes Nºs. 44.122, de 2010, y 45.642, de 2011).***
*En este contexto, cumple recordar que la **prescripción se interrumpe administrativamente a través de la solicitud formal del peticionario o de quien lo represente, ante la entidad edilicia o ante este Órgano de Control**, de manera que sólo procede el pago de dichos estipendios en relación con el período de seis meses o de dos años, según corresponda, **contado hacia atrás desde la fecha en que se presentare la petición respectiva, interrumpiendo con ello los anotados plazos de prescripción (aplica dictamen Nº 44.084, de 2010)**.*
Finalmente, es preciso aclarar que, para los fines del pago de lo adeudado por el concepto indicado, no resulta procedente aplicar el artículo 45 de la ley Nº 19.378 —como lo plantea la asociación de funcionarios recurrente—, por cuanto, dicho precepto legal regula asignaciones especiales de carácter transitorio que tienen como máximo plazo de duración el 31 de diciembre de cada año, en circunstancias que el sueldo base al que se alude en el presente pronunciamiento es una retribución pecuniaria de carácter fijo y por períodos iguales».* (**ID Dictamen: 030091N12 Fecha:** 23.05.2012 **Destinatarios:** Alcalde de la Municipalidad de Tomé. **Texto:** Sobre determinación de sueldo base de personal regido por la ley 19378, Estatuto de Atención Primaria de Salud Municipal. **Acción:** Aplica dictámenes 48951/2004, 39534/2011, 44122/2010, 45642/2011, 44084/2010. Mismo criterio aplicado en **ID Dictamen: 045817N11 Fecha:** 20.07.2011 **Destinatarios:** María Elena Aguilera Esquivel. **Texto:** Sobre pago de diferencias de remuneraciones por cambio de nivel, a funcionaria municipal regida por ley 19378. **Acción:** Aplica dictámenes 44122/2010, 44084/2010; **ID Dictamen: 045642N11 Fecha:** 19.07.2011 **Destinatarios:** Alcalde de la Municipalidad de

San Ramón. **Texto:** Sobre pago de diferencias de remuneraciones por cambio de nivel, a funcionaria municipal regida por la ley 19378. **Acción:** Aplica dictámenes 44122/2010, 44084/2010; **ID Dictamen: 045281N11 Fecha:** 19.07.2011 Destinatarios Alcalde Municipalidad de Quilicura. **Texto:** Sobre remuneraciones de ex funcionaria afecta a la ley 19378, en virtud de su traspaso a ese régimen ordenado por el artículo tercero transitorio de la ley 20250. **Acción:** Aplica dictamen 11925/2011 e **ID Dictamen: 039534N11**[373] **Fecha:** 24.06.2011 **Destinatarios:** Alcalde Municipalidad Coquimbo. **Texto:** Sobre determinación y pago de remuneraciones al personal regido por la ley 19378. **Acción:** Aplica dictámenes 44122/2010, 53173/2007, 15930/2008, 48951/2004).

4. «*En ese contexto, y de acuerdo con lo señalado por la recurrente, el municipio no le habría pagado la remuneración correspondiente a la reseñada calidad, sino que la del cargo de que era titular, situación respecto de la cual sólo se ha reclamado mediante la actual presentación, de fecha 22 de marzo de 2012, vale decir, una vez vencido con creces el plazo de dos años —contado desde la data en que dejó de ejercer el aludido cargo—, que le confiere el citado artículo 157 a los empleados municipales para reclamar sus derechos, sin que conste que con anterioridad aquella haya efectuado algún requerimiento tendiente a interrumpir tal término de prescripción, motivo por el cual cabe desestimar su solicitud (aplica criterio contenido, entre otros, en los dictámenes Nºs. 31.219, de 2001, y 52.286, de 2007)».* (**ID Dictamen: 059357N12. Fecha:** 26.09.2012 **Destinatarios:** Ana Muñoz Valenzuela. **Texto:** Rechaza reclamo sobre cobro de eventuales diferencias de remuneraciones por haber ejercido cargo que indica en calidad de suplente. **Acción:** Aplica dictámenes 31219/2001, 52286/2007, 26671/2006, 54848/2011)

5. «*Se ha dirigido a esta Contraloría General don Antonio Rojas Arancibia, solicitando la reconsideración del dictamen Nº 49.912, de 2011, de este origen, mediante el cual se concluyó que su petición de ser reincorporado a la Municipalidad de Renca, por no haberse configurado la causal de incompatibilidad de empleos establecida en el artículo 84 de la ley Nº 18.883, sobre Estatuto Administrativo para Funcionarios Municipales, se interpuso fuera del plazo de dos años contemplado para tales efectos en el artículo 157 de dicho texto legal. (...)*
Por último, en lo concerniente a la interrupción de la prescripción a que hace referencia el peticionario, de los antecedentes de que dispone esta Entidad de Control, en especial de las propias presentaciones del señor Rojas Arancibia, aparece de manifiesto que este no requirió oportunamente su reincorporación a la municipalidad de que se trata, sino que solo efectuó reclamaciones —en las diversas instancias administrativas y judiciales—, respecto de su designación en la mencionada Secretaría Regional Ministerial de Educación, por lo que no operó, en la especie, dicha interrupción». (**ID Dictamen: 050127N12 Fecha:** 16.08.2012 **Destinatarios:** Antonio Rojas Arancibia. **Texto:** Rechaza solicitud de reconsideración de dictamen que se pronunciara sobre cese de funciones por asumir un empleo compatible. **Acción:** aplica dictámenes 10707/2005, 37315/2005, 12051/2007 confirma dictamen 49912/2011 Fuentes Legales)[374]

6. «*Por su parte, este Organismo Contralor en el dictamen Nº 34.714, de 2009, ha concluido que si a un exfuncionario no se le otorgó el descanso complementario antes de expirar en sus labores, derecho que prescribe en el plazo de dos años, según la norma contenida en el artículo 157 de la referida ley Nº 18.883, el trabajo cumplido en exceso de la jornada laboral ordinaria debe serle compensado pecuniariamente, beneficio que nace al expirar la relación funcionaria del empleado y cuyo cobro prescribe en el plazo de seis meses a contar de dicha data, de conformidad con lo dispuesto en el artículo 98 del mismo cuerpo estatutario».* (**ID Dictamen: 004338N12 Fecha:** 23.01.2012 **Destinatarios:** Alcalde de la Municipalidad de La Reina. **Texto:** Sobre procedencia del pago de horas extraordinarias a exfuncionaria municipal, cuyo desempeño no consta en el registro de asistencia. **Acción:** Aplica dictámenes 48484/2008, 3583/2010, 34714/2009)

---

[373]   Para efectos de su consulta en la Base de Jurisprudencia de Contraloría General de la República, el citado dictamen se encuentra en la sección/materia: «generales», sin perjuicio de que se trata de uno de carácter municipal.

[374]   Para efectos de su consulta en la Base de Jurisprudencia de Contraloría General de la República, el citado dictamen se encuentra en la sección/materia: «generales», sin perjuicio de que se trata de uno de carácter municipal.

Artículo 158

En los contratos que se celebren de conformidad al Código del Trabajo, no podrá pactarse una remuneración total mensual que excede a la que corresponda al alcalde de la respectiva municipalidad.

1. *«Lo expuesto, no se ve alterado por el numeral 8º del reseñado oficio circular Nº 24.143, que prevé que las consultas presentadas por funcionarios públicos que correspondan a reclamos regulados en la ley deben ajustarse a las disposiciones respectivas, pues ello alude al cumplimiento de los requisitos establecidos por el legislador, tal como acontece con el plazo para reclamar de los vicios de legalidad que pudieren afectar los derechos estatutarios —contemplado en los artículos 160 de la ley Nº 18.834 y 158 de la ley Nº 18.883—, cuya inobservancia puede significar el rechazo de la solicitud (aplica dictámenes Nºs. 90.497 y 92.219, ambos de 2016 y 4.876, de 2017, entre otros)».* **(ID Dictamen:** 016921N17. **Fecha:** 10-05-2017. **Destinatarios:** General Director de Carabineros de Chile. **Texto:** Ejercicio del derecho constitucional de petición no puede verse limitado por el conducto regular de Carabineros de Chile. **Acción:** aplica dictámenes 36584/2012, 84724/2016, 30872/89, 18096/2011, 24143/2015, 90497/2016, 92219/2016, 4876/2017).

Artículo 159

Toda referencia que las leyes vigentes efectúen al decreto con fuerza de ley Nº 338, de 1960, en relación con los funcionarios municipales, se entenderá hecha a las disposiciones correspondientes de este Estatuto.

Artículo 160

Introdúcense las siguientes modificaciones a la ley Nº 18.695, orgánica constitucional de municipalidades:

a) Derógase el artículo 38.

b) Suprímese en el artículo 35, inciso primero, la frase final «Lo anterior es sin perjuicio de lo dispuesto en el artículo 38».

c) Suprímese en el artículo 52, inciso segundo, la oración «Durante este período el nuevo alcalde no podrá remover, sin el acuerdo previo del consejo de desarrollo comunal, a los funcionarios que esta ley califica como de exclusiva confianza del alcalde».

d) Reemplázase en el artículo 53 su letra c) por la siguiente:

c) Nombrar y remover a los funcionarios de su dependencia de acuerdo con las normas estatutarias que los rijan.

ARTÍCULOS TRANSITORIOS

Artículo 1º

Delégase en el Presidente de la República, por el plazo de sesenta días contado desde la publicación de esta ley, la facultad de adecuar y modificar las plantas y los escalafones establecidos por ley a lo dispuesto en el artículo 7º permanente de este Estatuto mediante uno o más decretos con fuerza de ley. El o los decretos correspondientes deberán ser dictados a través del Ministerio del Interior y suscritos además por el Ministro de Hacienda.

La facultad que otorga el inciso anterior comprende la de fijar requisitos generales que deberán cumplirse para el ingreso y promoción de determinados cargos de las plantas municipales. Los requisitos referidos no regirán para el encasillamiento que dispone el inciso final de este artículo.

Los actuales escalafones se mantendrán vigentes, mientras el Presidente de la República no haga uso de la facultad a que se refiere el inciso primero. El encasillamiento del actual personal de planta procederá de pleno derecho. Para el solo efecto de la aplicación práctica de este encasillamiento los alcaldes mediante decreto, dejarán constancia de la ubicación concreta que ha correspondido en las plantas a cada funcionario.

Artículo 2º

Facúltase igualmente al Presidente de la República, para que en el plazo señalado en el inciso primero del artículo anterior mediante uno o más decretos con fuerza de ley, incluya en dichas plantas aquellos cargos desempeñados por el personal a contrata y personas contratadas a honorarios asimiladas a un grado, en las municipalidades a la fecha de publicación de esta ley, y siempre que ellos correspondan a cualesquiera de las funciones a que se refiere el artículo 2º permanente de este Estatuto, no rigiendo para este efecto las limitaciones establecidas en el artículo 65 de la ley Nº 18.294, en el artículo 67 de la ley Nº 18.382 y en el inciso segundo del artículo 9º de la ley Nº 18.834.

Dentro del plazo de 30 días, contado desde la publicación de los respectivos decretos con fuerza de ley a que se refiere el inciso anterior, los alcaldes encasillarán sin concurso previo, en los cargos de las nuevas plantas que quedaren vacantes una vez aplicadas las normas del artículo anterior, a los funcionarios a contrata y personas contratadas a honorarios asimiladas a un grado, que estuvieren en servicio a la fecha de publicación de esta ley. Para poder ser encasilladas, estas personas deberán cumplir los requisitos exigidos por la legislación en vigencia para ocupar el cargo correspondiente y no podrán serlo en un cargo de grado superior al que tenían a la fecha de publicación de esta ley. Estos encasillamientos regirán a contar del día primero del mes siguiente al de la fecha del decreto alcaldicio respectivo. El personal que con motivo de este encasillamiento quede con una remuneración inferior a la que tenía como contratado, tendrá derecho a que la diferencia le sea pagada por planilla suplementaria, la que será imponible y reajustable en la misma proporción que lo fueron las remuneraciones que sirvan para calcularla.

Artículo 3°

El personal de planta que no desempeñe las funciones a que se refiere el artículo 2° permanente, continuará en el desempeño de sus cargos.

Las nuevas plantas que se creen en conformidad al artículo 1° transitorio incluirán los cargos que no correspondan a las funciones referidas en el inciso precedente, los que llevarán la denominación de «cargo suplementario», cuando quienes los desempeñen no hayan podido ser encasillados en cargos que correspondan a dichas funciones. Quienes desempeñen tales cargos tendrán derecho a ascender, con arreglo a las normas vigentes, en la respectiva planta. La supresión del cargo suplementario operará de pleno derecho desde la fecha en que quede vacante.

Artículo 4°

La aplicación de las normas contenidas en esta ley no podrá significar disminución de remuneraciones ni pérdida de cualquier otro derecho para el personal de planta en actual servicio.

Artículo 5°

El personal a contrata y personas contratadas a honorarios asimiladas a un grado, que se encuentre en servicio a la fecha de publicación de esta ley, mantendrá tal calidad hasta la fecha en que entre a regir el encasillamiento a que se refiere el inciso segundo del artículo 2° transitorio. No obstante los contratos de este personal, cuya fecha de vencimiento fuere posterior a la del encasillamiento, y que no fuere incluido en él, mantendrán su vigencia hasta la fecha estipulada en los mismos.

Artículo 6°

El personal que actualmente cumple funciones en calidad de interino, la conservará durante el plazo de sesenta días contado desde la publicación de esta ley o hasta el término del período de nombramiento, si éste fuere menor.

Artículo 7°

El requisito de haber aprobado la educación básica o de poseer el nivel educacional o título profesional o técnico, establecido en el artículo 10 permanente, letra d), no será exigible al personal de planta en actual servicio.

En tanto no se adecuen las plantas de personal a lo dispuesto en el artículo 7° permanente, la validación de cursos se ceñirá a las disposiciones de los artículos 3° y 4° del decreto con fuerza de ley N° 90, de 1977, del Ministerio de Hacienda.

Artículo 8°

DEROGADO.

Artículo 9°

Las viviendas ocupadas actualmente por funcionarios que, de acuerdo a este Estatuto, no tengan derecho a utilizarlas, deberán ser restituidas en el plazo de un año a contar de la fecha de vigencia de esta ley.

Durante dicho período, el funcionario deberá cumplir las obligaciones que le imponía la legislación bajo cuyo amparo sustenta la tenencia de la vivienda.

Artículo 10°

Las investigaciones y sumarios administrativos en tramitación a la fecha de entrada en vigencia de este Estatuto, se ceñirán a las normas de procedimiento contenidas en la legislación vigente al momento de su inicio, pero en lo relativo a las sanciones aplicables se ajustarán a lo dispuesto en este Estatuto.

Las sanciones administrativas de suspensión del empleo y traslado, aplicadas con anterioridad a la vigencia de este Estatuto, producirán respecto del ascenso igual efecto que la medida disciplinaria de multa prevista en el artículo 120 letra b).

Artículo 11°

Los concursos pendientes a la fecha de vigencia de este Estatuto, se regirán por las normas legales aplicables a la fecha de publicación del respectivo llamado.

Artículo 12°

No obstante lo dispuesto en el artículo 84, los funcionarios que actualmente desempeñan empleos compatibles que no se encuentren considerados en el artículo 85, mantendrán el derecho de continuar ejerciéndolos en las mismas condiciones.

Artículo 13°

Las normas legales y reglamentarias que regían los derechos de desahucio, de jubilación y otros beneficios de similar naturaleza, seguirán vigentes respecto del personal de las municipalidades al cual se aplicaban dichas disposiciones al 1° de septiembre de 1989.

1. *«En este contexto, es menester puntualizar que el referido régimen de desahucio ha mantenido su vigencia, en virtud de lo dispuesto en el artículo 13 transitorio de la ley N° 18.883, tal como se expresara en el dictamen N° 8.302, de 2012, de este origen, entre otros».* (**ID Dictamen:** 024827N18. **Fecha:** 03-10-2018. **Destinatarios:** señora Rebeca Godoy Callejas. **Texto:** Plazo que tienen los herederos para solicitar el desahucio de la ley No 7.390, prescribe en cinco años contado desde el cese del causante. **Acción:** Aplica dictámenes 8302/2012, 11741/2016, 30644/2017).

2. *«Al respecto, es dable anotar que el régimen de desahucio de los obreros municipales previsto en la citada ley N° 7.390, ha mantenido su vigencia en virtud de lo dispuesto en el artículo 13 transitorio de la ley N° 18.883, Estatuto Administrativo para funcionarios municipales, tal como lo ha expresado esta Entidad Fiscalizadora, a través del dictamen N° 35.825, de 2016, entre otros».* (**ID Dictamen:** 004017N17. **Fecha:** 06-02-2017. **Destinatarios:** señor Amado Zuloaga Astudillo, exobrero de la Municipalidad de La Serena. **Texto:** Procede conceder desahucio establecido en la ley N° 7.390, por desempeño en su calidad de obrero municipal. **Acción:** Aplica dictamen 31323/2011, 6775/2016, 11741/2016).

3. *«Sobre el particular, cabe señalar que el artículo 1º de la ley N° 7.390, sustituido por el artículo 1º de la ley N° 11.531 —vigente en virtud de lo dispuesto en el artículo 13 transitorio de la ley N° 18.883—, establece que los obreros que presten sus servicios en las Municipalidades de la República, que cesen en sus funciones por cualquier causa que no sea la comisión de delitos comunes, ni faltas en el desempeño de sus funciones, comprobadas previa substanciación de un sumario administrativo, tendrán derecho a un desahucio correspondiente a 30 días de jornal por año servido o fracción de tiempo no inferior a 6 meses, computándose a los beneficiados el tiempo servido con anterioridad. Añade, su artículo 2º, que dicha indemnización será de cargo de las referidas entidades edilicias, las que deberán consultar en sus respectivos presupuestos las sumas necesarias para tal fin».* (**ID Dictamen:** 072824N16. **Fecha:** 04-10-2016. **Destinatarios:** señor Vicente Utreras Romero, exfuncionario de la municipalidad de Bulnes. **Texto:** El plazo para ejercer la opción de continuar afecto al desahucio municipal contemplado en la ley N° 7.390, se encuentra vencido. **Acción:** Aplica dictamen 11741/2016, 35825/2016).

4. *«Al respecto, es dable anotar que el régimen de desahucio de los obreros municipales previsto en la citada ley N° 7.390, ha mantenido su vigencia en virtud de lo dispuesto en el artículo 13 transitorio de la ley N° 18.883, tal como lo ha expresado esta Entidad Fiscalizadora, a través del dictamen N° 35.825, de 2016, entre otros».* (**ID Dictamen:** 072501N16. **Fecha:** 04-10-2016. **Destinatarios:** Alcalde de la Municipalidad de Freirina. **Texto:** Procede conceder al interesado el desahucio establecido en la ley No 7.390, por sus desempeños en calidad de obrero municipal. **Acción:** Aplica dictámenes 35825/2016, 6775/2016, 11741/2016).

5. *«Al respecto, es dable anotar que el régimen de desahucio de los obreros municipales previsto en la citada ley N° 7.390, ha mantenido su vigencia en virtud de lo dispuesto en el artículo 13 transitorio de la ley N° 18.883, tal como lo ha expresado esta Entidad Fiscalizadora, a través del dictamen N° 31.323, de 2011».* (**ID Dictamen:** 035825N16. **Fecha:** 16-05-2016. **Destinatarios:** señor Amado Zuloaga Astudillo, exobrero de la Municipalidad de La Serena. **Texto:** Procede conceder desahucio establecido en la ley N° 7.390, por desempeño en su calidad de obrero municipal. **Acción:** Aplica dictamen 31323/2011, 6775/2016, 11741/2016).

Artículo 14°

Los funcionarios municipales regidos por esta ley, que a la fecha de ella hubieren cumplido veinte años de servicios computables para jubilación y se hubieren desempeñado en el grado máximo de su respectivo escalafón de especialidad durante un período de a lo menos un año, mantendrán estas condiciones habilitantes para los efectos de lo dispuesto en el artículo 132 del decreto con fuerza de ley N° 338, de 1960, no obstante las modificaciones que pudieren producirse en su ubicación en el respectivo escalafón como resultado de la aplicación de los artículos 7° permanente y 1° transitorio.

Artículo 15°

Los funcionarios afectos al régimen previsional antiguo que hagan uso de permiso sin goce de remuneraciones podrán efectuar de su peculio, para los efectos del desahucio y de la previsión, las imposiciones que correspondan.

Artículo 16°

Corresponderá a la respectiva Comisión de Medicina Preventiva e Invalidez pronunciarse acerca de si el estado de salud de los funcionarios afectos a los regímenes de previsión a que se refiere el decreto ley N° 3.501, de 1980, es o no recuperable. Si no lo fuere, el funcionario deberá retirarse de la municipalidad dentro del plazo de seis meses contados desde que el alcalde le notifique mediante la transcripción de la resolución de irrecuperabilidad que le afecta, emitida por dicha Comisión, la que deberá ser comunicada a la respectiva entidad.

A contar de la fecha de la notificación y durante el referido plazo de seis meses el funcionario no estará obligado a trabajar y gozará de todas las remuneraciones correspondientes a su empleo, las que serán de cargo del empleador.

Artículo 17°

En el caso de fallecimiento de un funcionario con derecho a desahucio, el cónyuge o conviviente civil sobreviviente, los hijos o los padres, en el orden señalado, tendrán derecho a percibir el desahucio que habría correspondido al funcionario si se hubiere retirado a la fecha del fallecimiento. Si no existieren las personas indicadas, el derecho al desahucio integrará el haber de la herencia.

1. «*En mérito de lo expuesto y de acuerdo con lo previsto en el artículo 17 transitorio de la ley N° 18.883, se concluye que la señora Galleguillos Álvarez tiene derecho a recibir el desahucio en análisis, lo que resulta armónico con lo concluido en el dictamen N° 89.130, de 2016, de esta procedencia*». (**ID Dictamen:** 030644N17. **Fecha:** 22-08-2017. **Destinatarios:** Municipalidad de Vicuña, señora Olga Galleguillos Álvarez. **Texto:** Desahucio de la Ley N° 7.390, debe ser pagado a la viuda del causante. **Acción:** Aplica dictámenes 8302/2012, 11741/2016, 89130/2016).

2. «*Ahora bien, efectivamente como plantea la autoridad recurrente, en el supuesto que se analiza debe aplicarse con preferencia la norma especial y posterior contenida en el artículo 17 transitorio de la ley N° 18.883, en virtud de la cual el cónyuge sobreviviente excluye a los hijos y a los padres, tal como lo ha reconocido el dictamen N° 22.938, de 2006, de esta Entidad de Control*». (**ID Dictamen:** 089130N16. **Fecha:** 12-12-2016. **Destinatarios:** Alcalde de la Municipalidad de Combarbalá. **Texto:** Desahucio de la ley N° 7.390, debe ser pagado a la viuda del causante. Compleméntese el dictamen N° 11.741, de 2016, de este origen, en tal sentido. **Acción:** complementa dictamen 11741/2016 aplica dictámenes 22938/2006, 44087/80).